W9-BUY-833

les usuels
du **Robert**

Collection dirigée par
Henri MITTERAND et Alain REY

Collection « les usuels du Robert » (volumes reliés) :

— *Dictionnaire des difficultés du français,*
par Jean-Paul COLIN,
prix Vaugelas.

— *Dictionnaire étymologique du français,*
par Jacqueline PICOCHE.

— *Dictionnaire des synonymes,*
par Henri BERTAUD DU CHAZAUD,
ouvrage couronné par l'Académie française.

— *Dictionnaire des idées par les mots...*
(dictionnaire analogique),
par Daniel DELAS et Danièle DELAS-DEMON.

— *Dictionnaire des mots contemporains,*
par Pierre GILBERT.

— *Dictionnaire des anglicismes*
(les mots anglais et américains en français),
par Josette REY-DEBOVE et Gilberte GAGNON.

— *Dictionnaire des structures du vocabulaire savant*
(éléments et modèles de formation),
par Henri COTTEZ.

— *Dictionnaire des expressions et locutions,*
par Alain REY et Sophie CHANTREAU.

— *Dictionnaire de proverbes et dictons,*
par Florence MONTREYNAUD, Agnès PIERRON et François SUZZONI.

— *Dictionnaire de citations françaises,*
par Pierre OSTER.

— *Dictionnaire de citations du monde entier,*
par Florence MONTREYNAUD et Jeanne MATIGNON.

Ouvrages édités par les DICTIONNAIRES LE ROBERT
107, avenue Parmentier - 75011 PARIS (France)

DICTIONNAIRE DES IDÉES PAR LES MOTS
(analogique)

par
DANIEL DELAS
Agrégé de l'Université
Maître-Assistant à l'Université de Paris-Nanterre
et
DANIÈLE DELAS-DEMON
Agrégée de l'Université

Nouvelle édition (1989).

ISBN 2-85036-018-X ISSN 0224-8697

AVANT-PROPOS

L'appellation scientifique d'un *dictionnaire des idées et des mots* est *Dictionnaire analogique*. Le premier ouvrage de ce genre, celui de P. Boissière, paru en 1862, avait pour ambition d'être un « répertoire complet des mots par les idées et des idées par les mots ». Certains ont aussi choisi comme intitulé *Dictionnaire des associations de mots*. Quel que soit le titre choisi, l'objectif est toujours de faciliter le passage d'une idée à un mot ou d'un mot à une idée, ce qui dans la pratique revient à passer d'un mot à un autre ou de l'expression d'une idée à une autre jugée plus adéquate. Concrètement parlant, pareil dictionnaire se veut modestement un aide-mémoire, au sens propre de ce terme : un usager que sa mémoire lexicale trahit — et cela se produit à chaque instant dès que l'on se met à rédiger —, et qui hésite donc entre plusieurs termes plus ou moins éloignés en s'irritant de ne pas trouver le « mot juste », aura la possibilité de pallier cette défaillance en recourant au dictionnaire analogique qui lui présentera, au-delà des seuls synonymes, l'ensemble des termes en rapport avec son point de départ.

Un tel ouvrage est et n'est pas un dictionnaire des associations usuelles ou stéréotypées, est et n'est pas un dictionnaire des champs sémantiques. Dans le premier cas, il lui faudrait pour être exhaustif recenser tous les automatismes lexicaux de la pensée, voire de l'inconscient d'une époque, reconstituer les chaînes associatives complexes qui sous-tendent notre représentation du monde ; travail que Gustave Flaubert avait ébauché très partiellement et très intuitivement, mais avec beaucoup de perspicacité, dans son *Dictionnaire des idées reçues ;* travail, toutefois, qui supposerait pour être mené scientifiquement une connaissance des rapports du langage, de la pensée et du monde bien plus avancée que celle que nous possédons. Dans le second cas, il lui faudrait pouvoir s'appuyer sur un modèle logique ou structural de l'organisation de la signification dans le plus grand nombre possible de secteurs de l'expérience humaine. On connaît les recherches de F.G. Lounsbury ou E. Benveniste dans le domaine de la parenté, celles de G. Matoré dans celui de l'espace, celles de J. Dubois dans celui du politique, celles de R. Barthes dans celui de la mode, celles de M. Foucault dans celui de la folie ou de la sexualité, celles d'A.J. Greimas, etc. : l'établissement d'un modèle général n'en est pas plus avancé. Il apparaît en effet de plus en plus clairement maintenant que la reconnaissance des types et des réseaux de discours dans leur dimension historique est une exigence préalable à l'élaboration d'un pareil modèle.

S'il est vrai que l'une et l'autre ambition semblent impossibles à réaliser scientifiquement dans l'état actuel de nos connaissances, elles témoignent d'une semblable prise de conscience, aussi vieille sans doute que la réflexion sur le langage elle-même : il existe, à une époque donnée, des ensembles de mots relativement stables qui sont associés dans la pratique de la langue et dans la conscience du sujet parlant; ces ensembles modèlent notre vision des choses et conditionnent notre possibilité de nous exprimer. Faut-il renoncer, faute d'une théorie scientifique d'ensemble, à matérialiser de façon claire et surtout efficace ce que sa « compétence », son intuition linguistique fait sentir à chacun d'entre nous ?

Assurément pas. Par bien des aspects, la lexicographie est une discipline pédagogique qui vise à répondre de son mieux à une demande qu'on ne saurait éluder au nom d'exigences théoriques irréalistes. Il faut aider celui qui cherche à retrouver un cheminement qu'il sent confusément connaître et pense avoir « oublié ». Comment présenter avec suffisamment de rigueur et un maximum d'efficacité pareils regroupements lexicaux ?

Rappelons en premier lieu que de nombreux mots répondent à un double principe organisateur : à partir d'un terme, il est en effet possible de procéder à deux types de décomposition : par exemple, dans le cas de *maison*, deux séries sont possibles :

maison → château, demeure, masure, etc.

maison → fenêtre, porte, salle à manger, toit, etc.

Il s'agit soit d'énumérer *les diverses sortes de maisons*, soit de réunir *les éléments qui composent la maison* et permettent de la définir. Ce premier principe de regroupement donnera naissance à une série de termes qui fournissent des associations concrètes à partir d'une base également concrète. Les mots-centres comme *maison* comporteront tous au moins une rubrique « description » et une rubrique « diverses dénominations », rubriques auxquelles s'adjoindront naturellement des indications concernant, d'une part, la fabrication, la production, l'emploi, etc., de ce qui correspond au thème choisi comme point de départ, d'autre part, la valeur (affective, par exemple) de certains termes ou ensembles de termes.

Un second principe de regroupement permet de rassembler les concepts à l'aide desquels nous analysons la réalité concrète : espace, ligne, mesure, temps, etc., et qui fondent un certain nombre de sciences. Chacun comprendra toutes les modalités d'appréhension d'une catégorie donnée : sensibilité morale, physique, psychologique, par exemple. Par opposition au premier ensemble, qu'on pourrait qualifier d'« encyclopédique », il s'agit ici du vocabulaire « conceptuel ». Cette division a une portée théorique réelle, mais par le biais des emplois figurés et des distorsions d'origines diverses, les zones d'interférence sont très vastes ; ce qui revient à dire que certains termes seront à la fois « encyclopédiques » et « conceptuels ».

On peut encore songer à un troisième groupe, celui des mots qui, tout en renvoyant à une action dont le principe est simple, aisé à concevoir et à définir, doivent énumérer un grand nombre de modalités de cette action : *courir, essayer, presser*, par exemple : il est mille et une façons d'effectuer ces actions, en mille et une occasions. En raison de l'importance de la constellation lexicale formée autour de ces mots, une rubrique leur sera consacrée dans notre dictionnaire, même si sa raison d'être ne s'impose pas toujours sur le plan rationnel.

Enfin, les mots qui renvoient à des archétypes (*air/eau/feu/terre, vie/mort, être/paraître,* etc.) entrent, de ce simple fait, dans d'innombrables séries associatives.

Quatre types d'articles ont donc été retenus : *encyclopédiques, conceptuels, modaux, archétypiques,* étant entendu que des mots de double ou de triple nature existent. Comment, dans ces conditions organiser le **dictionnaire**?

Deux conceptions ont été expérimentées, la première par Ch. Maquet (révisant en 1936 le dictionnaire de P. Boissière), la seconde par P. Robert (1966). Le premier regroupe les analogies autour d'environ deux mille mots-centres ; le second — dans le cadre d'un travail d'une tout autre ampleur — les présente au fil de dizaines de milliers d'articles ainsi constitués en autant de mots-centres. La première présentation, plus efficace dans son principe, exige un choix très délicat des mots-centres, si l'on veut éviter les regroupements arbitraires ; la seconde permet assurément un recensement exhaustif et nuancé des analogies, mais ne permet pas une appréhension globale et rapide d'un champ donné.

Compte tenu de l'objectif pratique qui était le nôtre, seul le système des mots-centres nous a semblé économique et satisfaisant. Pour l'améliorer et l'adapter aux progrès de la lexicographie moderne, nous ne nous sommes pas contentés de l'enrichir en le nourrissant des matériaux que nous apportait le Robert, nous avons fait porter notre effort sur trois points essentiels :

1. Substituant à la notion traditionnelle de mot-centre celle de mot-thème, nous avons cherché à réduire le nombre des articles. Il nous est apparu, en réfléchissant sur les travaux de Hellig et Wartburg, qu'à partir d'une conception thématique de l'expérience humaine il était possible de se contenter de moins d'un millier de mots-thèmes. Les grandes lignes de cette conception thématique apparaissent clairement dans les tableaux qui précèdent le dictionnaire proprement dit.

2. A l'intérieur des mots-thèmes eux-mêmes, nous avons bien évidemment distribué la matière en rubriques sur la base des principes énumérés ci-dessus. Mais nous nous sommes refusés à continuer sur cette lancée et à procéder, à l'instar de la tradition lexicographique dans ce domaine, par « petits paquets » de cinq ou six mots. Il en résultait en effet un émiettement de l'attention du lecteur, une véritable atomisation du champ lexical considéré, une réelle impossibilité de savoir « où on allait ». Chacune de nos rubriques est le plus souvent possible (voir les exceptions ci-après) organisée autour d'*une seule unité de signification.* Il est en effet essentiel à nos yeux qu'une rubrique puisse *se lire d'une façon continue* de sorte que le noyau sémantique commun (classème ou sémème dans le jargon des sémanticiens) soit aisément perçu et puisse jouer une fonction unificatrice (isotopique disent les spécialistes).

3. Pour réussir cette gageure, il ne suffit pas de renoncer au fractionnement, il faut mettre en place un principe formel qui serve de fil à la lecture. C'est l'*ordre alphabétique* que nous avons exploité à cette fin.

Toutefois, il aurait été contraire au bon sens et nuisible à l'efficacité de ne pas faire des exceptions, dans certains cas : par exemple, lorsque nous énumérons les étapes d'un procédé de fabrication *(sucre, verre),* ou bien lorsque le développement logique d'une action passe par des phases dont l'ordre est déterminé *(élire-/nommer/consacrer un évêque)*, un ordre rationnel s'impose. Dans tous les autres cas, c'est l'ordre alphabétique qui organise un paragraphe, ordre alphabétique qui va de ponctuation forte en ponctuation forte (c'est-à-dire de point-virgule en point-virgule — lorsqu'une ponctuation faible est utilisée — barre ou virgule —, de virgule en virgule partout ailleurs). Enfin, on a introduit un signe typographique simple (▪) lorsqu'il fallait indiquer un sous-ensemble, et une barre oblique (/) pour figurer la relation d'une série avec le terme qui la précède ou qui la suit.

Il nous faut encore signaler brièvement des préoccupations qui, pour être de bon sens, n'en ont pas moins une grande importance. Le vocabulaire technique a retenu toute notre attention et nous avons fait appel à des spécialistes pour les rubriques dont la qualité et la modernité étaient particulièrement souhaitables, étant donné leur importance à notre époque et leur évolution très rapide : *architecture, électricité, géologie, nucléaire,* par exemple. Inversement, nous avons éliminé ou fortement réduit les rubriques consacrées à des techniques disparues ou en voie de disparition : fabrication des bougies, des lampes à huile ou à pétrole, travail du maréchal-ferrant, etc. D'une façon générale, nous avons éliminé les tournures vieillies et fait entrer fréquemment des locutions du français parlé (parfois condamnées par les puristes) ; quand c'était nécessaire, nous avons indiqué les niveaux de langage par *fam.* et *pop.*

Ces quelques réflexions théoriques et pratiques ne visaient qu'à montrer combien le point de vue du lecteur nous est apparu essentiel. Ce dictionnaire est un instrument de travail ; en tant que tel, il devait être le plus fonctionnel possible. C'est ce que nous avons cherché à réaliser. Nous espérons que tous ceux qui sont appelés, occasionnellement ou professionnellement, à rédiger, c'est-à-dire à donner une forme écrite, précise et définitive, à une pensée qui restait informulée, diffuse ou floue, y trouveront profit.

Il nous est agréable de terminer en remerciant celles dont l'aide nous a permis de mener ce travail à son terme : Jacqueline Arnaud, agrégée de l'Université, qui a assuré la préparation de plus de cent mots-centres, et Edmonde Demon, qui a pris en charge la plus grande part des tâches matérielles.

DANIÈLE ET DANIEL DELAS

BIBLIOGRAPHIE SOMMAIRE

P. BOISSIÈRE : *Dictionnaire analogique de la langue française.* Répertoire complet des mots par les idées et des idées par les mots. Larousse et Boyer, 1862.

P. ROUAIX : *Dictionnaire des idées suggérées par les mots.* Armand Colin, 19e éd., 1941.

CH. MAQUET : *Dictionnaire analogique.* Répertoire moderne des mots par les idées, des idées par les mots. Larousse, 1936.

P. ROBERT : *Dictionnaire alphabétique et analogique de la langue française,* 6 vol. + 1 suppl. Société du nouveau Littré, 1966-1970.

P. ROBERT : *Petit Robert,* 1968.

Grand Larousse encyclopédique, 10 vol. + 1 suppl., Larousse, 1960-1969.

HALLIG et von WARTBURG : *Begriffssystem als Grundlage für die Lexicographie.* Leipzig, 1952.

C. et J. DUBOIS : *La lexicographie.* Larousse, 1971.

LEXIS. Dictionnaire de la langue française. Larousse, 1975.

Langages. « La lexicographie », ed. Rey-Debove. Didier-Larousse, nº 19, sept. 1970.

Langue française. « Le lexique », ed. L. Guilbert. Larousse, nº 2, mai 1969.

Cahiers de lexicologie. Didier-Larousse, 1959 *sqq.*

CONSEILS POUR L'UTILISATION DU DICTIONNAIRE

Différents types d'emploi sont possibles, selon le point de départ.

1° *Point de départ indéterminé :*

Si le thème qu'on a l'intention de développer reste flou, vague, par exemple s'il s'agit de décrire une personne imaginaire, de parler de la société en général, d'évoquer le travail sous un jour qui n'est pas encore précisé, etc., il conviendra d'utiliser le *tableau I* qui est un regroupement logique et thématique de vastes ensembles. Une fois choisi le secteur adéquat, on se reportera grâce à un système de références simple, au *tableau II* qui énumère, pour chacun de ces ensembles, les mots-centres essentiels. Ainsi, pour brosser le portrait d'une personne quelconque, consultons le *tableau* général *I :* les rubriques A, B, C y sont consacrées respectivement à « l'homme : corps, esprit, société ». Supposons que l'on choisisse de peindre d'abord l'aspect physique : A seul nous retient ; il nous offre six directions, parmi lesquelles par exemple A3 « Parties du corps » ou A4 « Sensations » ; en nous reportant au *tableau II,* nous trouvons la liste détaillée des mots-centres composant A3 ou A4.

2° *Point de départ thématique :*

Si l'utilisateur a en tête une notion plus précise *(couleur, courage, force),* il a la possibilité de vérifier immédiatement si le mot figure dans le *tableau III,* qui donne la liste de tous les mots-centres. Une fois cette notion repérée (*couleur :* F2 et F4, par exemple), on se reportera à F2 et F4 dans le *tableau II,* pour y consulter la liste des autres mots-centres de cette rubrique, qui pourra aiguiller rapidement vers un secteur plus précis (*blanc, bleu, jaune, obscur,* etc.) et en tout cas permettra d'embrasser d'un coup d'œil tout ce qui concerne couleur et lumière. Si le thème recherché ne figure pas dans le *tableau III* il faut soit reprendre la filière 1, soit se reporter au corps du dictionnaire.

3° *Point de départ lexical:*

Si l'on songe à un terme précis qu'on désire enrichir, élargir, situer dans un réseau d'associations plus vaste, ou si, le terme auquel on pense ne satisfaisant pas, on songe à lui trouver un substitut plus approprié, il suffira de consulter le dictionnaire à l'article correspondant, qui renverra lui-même le lecteur à plusieurs mots-centres complémentaires.

Comme on le voit, ces méthodes ne s'excluent pas. Le recours aux tableaux sert essentiellement à travailler plus vite et à guider une pensée qui cherche son expression. De ce point de vue, il sera facile aux maîtres et aux parents de familiariser les enfants avec le maniement de cet ouvrage, qui est destiné à les aider à rédiger et à composer en utilisant au mieux les ressources du vocabulaire français. Ce qui vaut pour les enfants vaut presque toujours — à y bien réfléchir — pour les adultes.

TABLEAUX THÉMATIQUES

TABLEAU I

(distribution des thèmes)

A. L'homme : le corps
1 Aspect physique
2 Maladies et soins
3 Parties du corps
4 Sensations
5 Alimentation : boire et manger
6 Vie et activités vitales

B. L'homme : l'esprit
1 Activité intellectuelle
2 Langage et littérature
3 Morale et psychologie
4 Religion

C. L'homme : la société
1 Argent et économie
2 Droit
3 Guerre
4 Organisation sociale
5 Relations humaines

D. Diverses activités humaines
1 Actes et gestes
2 Jeux et sports

E. Arts et Beaux-Arts
1 Art
2 Architecture
3 Maison

F. Sciences et techniques
1 Sciences
2 Techniques
3 Air, eau, feu
4 Couleur et lumière
5 Métaux
6 Transports

G. La terre, les plantes et les animaux
1 Agriculture et produits de la terre
2 Animaux
3 Géographie

H. Espace, temps et relations logiques
1 Changement
2 Espace
3 Formes
4 Mouvement
5 Quantité et importance
6 Relation et logique
7 Temps

I. Objets divers
1 Objets divers
2 Textiles et vêtements

TABLEAU II

(regroupement thématique des mots-centres)

A. L'HOMME : LE CORPS

A1 ASPECT PHYSIQUE

Beau
Défaut
Enfant
Femme
Force
Gauche
Grand
Gras
Homme
Jeune
Laid
Maigre
Petit
Race
Sexe
Vieillesse
Vierge
Visage

A2 MALADIES ET SOINS

Blesser
Chirurgie
Fatigue
Fièvre
Infecter
Maladie
Médecine
Médicament
Microbe
Poison
Soigner
Toilette
Tumeur

A3 PARTIES DU CORPS

Anatomie
Anus
Articulation
Bouche
Bras
Cerveau
Chair
Cheveu
Cœur
Cou
Dent
Doigt
Dos
Entendre
Estomac
Foie
Glande
Gorge
Intestin
Jambe
Main
Muscle
Nerf
Nez
Œil
Os
Peau
Pied
Poitrine
Rein
Respiration
Sang
Sexe
Tête
Veine
Ventre
Visage

A4 SENSATIONS

Acide
Aigre
Amer
Bruit
Caresse
Chaleur
Cri
Désir
Douleur
Doux
Dur
Entendre
Épais
Faible
Froid
Goût
Gras
Infecter
Insensibilité
Mou
Parfum
Regarder
Sensibilité
Son
Toucher

A5 ALIMENTATION : BOIRE ET MANGER

Alcool
Aliment
Bière
Boire
Boisson
Café
Confiserie
Cuisine
Faim
Farine
Hôtel
Huile
Manger
Pain
Pâtisserie
Sel
Sucre
Vaisselle
Viande
Vin

A6 VIE ET ACTIVITÉS VITALES

Accouchement
Dormir
Germe
Mourir
Œuf
Psychanalyse
Reproduction
Respiration
Sexe
Vie

B. L'HOMME : L'ESPRIT

B1 ACTIVITÉ INTELLECTUELLE

Apprendre
Attention
Balancer
Chercher
Choisir
Connaissance
Croire
Décider
Difficile
Doute
Enseignement
Esprit
Essayer
Estimer
Expliquer
Facile
Folie
Ignorer
Incroyance
Obscur
Opinion
Pensée
Pouvoir
Raisonnement
Réalité
Refus
Simple
Sot
Subtil
Sûr
Tromper
Trouver
Université
Vérité

B2 LANGAGE ET LITTÉRATURE

Affirmer
Appeler
Blason
Bouche
Cachet
Convaincre
Cri
Demander
Discussion
Écrire
Grammaire
Informer
Inscription
Langage
Lire
Littérature
Livre
Mot
Nommer
Parler
Poésie
Récit
Répondre
Signe
Son
Style
Symbole
Théâtre
Verbe

B3 MORALE ET PSYCHOLOGIE

Abattre
Affectation
Aimer
Amitié
Amour
Attitude
Avilir
Beau
Bien
Blesser
Bon
Bonheur
Cacher
Calme
Colère
Confiance
Courage
Danger

Débauche
Défaut
Déplaire
Détester
Devoir
Douleur
Doux
Dur
Engager
Exciter
Excuse
Faute
Fidèle
Force
Franc
Gêner
Grossier
Habitude
Honneur
Imaginer
Inconscience
Insensibilité
Joie
Mal
Malheur
Mécontentement
Mémoire
Mépris
Mérite
Morale
Mou
Nature
Négliger
Offense
Orgueil
Pardon
Paresse
Passion
Perdre
Personne
Peur
Plaire
Psychanalyse
Psychologie
Raffiner
Reconnaître
Refus
Regarder
Réparer
Résister
Respect
Rire
Sage
Satisfaction
Secret
Sensibilité
Sot
Souci
Supporter
Sûr
Tendance
Triste
Tromper
Trouble
Vif
Violence
Volonté

B4 RELIGION

Ange
Bible
Christ
Ciel
Croire
Croix
Dieu
Ecclésiastique
Église
Enfer
Hérésie
Incroyance
Juif
Liturgie
Magie
Monastère
Musulman
Mythologie
Pape
Protestant
Religion
Sacrement
Saint
Théologie
Vierge

C. L'HOMME : LA SOCIÉTÉ

C1 ARGENT ET ÉCONOMIE

Acheter
Amasser
Argent
Assurances
Avare
Banque
Commerce
Comptabilité
Dépenser
Économie
Entreprise
Gagner
Impôt
Location
Marchandises
Monnaie
Pauvre
Payer
Perdre
Posséder
Prêter
Produire
Ressource
Revenu
Riche
Succession

C2 DROIT

Accusation
Contrat
Crime
Droit
Injustice
Justice
Loi
Magistrat
Peine
Travail
Tribunal

C3 GUERRE

Arme
Armée
Armure
Artillerie
Bouclier
Cavalerie
Exploser
Fortification
Fusil
Guerre
Infanterie
Projectile
Révolte
Soumettre

C4 ORGANISATION SOCIALE

Agent
Association
Bourgeois
Bureau
Cérémonie
Chef
Chevalerie
Colonie
Commun
Conduire
Douane
Élire
Enterrement
Entreprise
État
Famille
Féodalité
Fonction
Franc-maçon
Gauche
Gouverner
Grade
Groupe
Industrie
Mariage
Métier
Noblesse
Parti
Personne
Plan
Police
Politique
Population
Poste
Pouvoir
Prison
Servir
Souverain
Spectacle
Vagabond
Ville

C5 RELATIONS HUMAINES

Accord
Accusation
Adversaire
Affectation
Aider
Aimer
Amitié
Amour
Applaudir
Attaque
Avertir
Bienfaisance
Cacher
Certifier
Convaincre
Critique
Danger
Défendre
Désaccord
Désir
Détester
Diplomate
Discussion
Donner
Éloge
Engager
Étonner
Exciter
Fête
Grossier
Inférieur
Influence
Informer
Journal
Manière
Montrer
Moquer
Offense
Offrir
Paix
Passion
Permettre
Pousser
Présence

Prêter
Recevoir
Rencontre
Réputation
Réussir
Secret
Simple
Travail
Violence
Voler

D. DIVERSES ACTIVITÉS HUMAINES

D1 ACTES ET GESTES

Adroit
Agir
Amasser
Arracher
Attirer
But
Camper
Casser
Charger
Commencer
Composer
Conduire
Couvrir
Détruire
Échouer
Éloigner
Exécuter
Fermer
Finir
Fonder
Frapper
Garder
Incapable
Jeter
Main
Marcher
Matière
Mêler
Munir
Nettoyer
Ouvrir
Pendre
Placer
Pousser
Prendre
Presser
Pur
Repos
Réussir
Ronger
Sauter
Servir
Soigner
Tirer
Toucher
Trou
Venir

D2 JEUX ET SPORTS

Athlétisme
Boxe
Carte
Chasse
Course
Échecs
Escrime
Gymnastique
Jouer
Nager
Pêcher
Sauter
Spectacle
Sport

E. ARTS ET BEAUX-ARTS

E1 ART

Art
Beau
Chanter
Cinéma
Critique
Danse
Décoration
Dessin
Disque
Graver
Image
Instrument
Jazz
Musique
Peinture
Sculpture

E2 ARCHITECTURE

Arc
Architecture
Ardoise
Colonne
Construction
Édifice
Église
Fonder
Maçonnerie
Marbre
Mur
Pierre
Pont

E3 MAISON

Chambre
Charpente
Couvrir
Fenêtre
Habiter
Hôtel
Maison
Plancher
Porte
Serrure

Bureau
Glace
Lit
Meuble
Toilette

F. SCIENCES ET TECHNIQUES

F1 SCIENCES

Alchimie
Algèbre
Astrologie
Astronomie
Calcul
Chimie
Géographie
Géologie
Géométrie
Histoire
Mathématiques
Matière
Mécanique
Médecine
Nucléaire
Philosophie
Physique
Psychologie
Science
Son

F2 TECHNIQUES

Acide
Aimant
Alcali
Alcool
Amidon
Argile
Arsenic
Astronautique
Bois
Calcium
Caoutchouc
Céramique
Chaleur
Charbon
Cire
Colle
Couleur
Cuir
Disque
Électricité
Four
Froid
Glace
Gomme
Horlogerie
Huile
Hydraulique
Informatique
Joaillerie
Lampe
Livre
Machine
Menuiserie
Mine
Moteur
Optique
Papier
Peinture
Pétrole
Photographie
Pierre
Plastique
Polir
Poudre
Radio
Raffiner
Rayon
Réparer
Roue
Sel
Serrure
Tabac
Télécommunications
Typographie
Vannerie
Vapeur
Verre

F3 AIR, EAU, FEU

a) *Air*
Air
Azote
Ciel
Gaz
Oxygène
Vent

b) *Eau*
Algue
Bain
Boue
Bouillir
Canal
Eau
Hydraulique
Lac
Liquide
Marine
Mer
Mouiller
Nager
Rivière
Sec
Tuyau

c) *Feu*
Bois
Bougie
Brûler
Chaleur
Feu
Fumée

F4 COULEUR ET LUMIÈRE

Blanc
Bleu
Couleur
Jaune
Noir
Obscur
Rouge
Sale
Terne
Vert
Bougie
Briller
Journée
Lampe
Lumière
Rayon

F5 MÉTAUX

Acier
Aluminium
Argent
Cuivre
Fer
Métal
Or
Plomb
Zinc

F6 TRANSPORTS

Automobile
Aviation
Bateau
Bicyclette
Canal
Charger
Cheval
Marine
Navire
Port

Route
Train
Transport
Vuilure
Voiture
Voyage

Ancre
Gonfler
Roue

G. LA TERRE, LES PLANTES ET LES ANIMAUX

G1 AGRICULTURE ET PRODUITS DE LA TERRE

Agriculture
Agrumes
Arbre
Blé
Café
Céréale
Champignon
Culture
Élevage
Engrais
Ferme
Fruit
Herbe
Jardin

Légume
Pin
Plante
Pomme
Terre
Végétation
Vigne

Amande
Feuille
Fleur
Grain
Noyau

G2 ANIMAUX

Alouette
Ane
Anguille
Animal
Araignée
Baleine
Batraciens
Bétail
Bœuf
Canard
Cerf
Chat
Cheval
Chèvre
Chien
Crustacés
Insecte
Lapin
Loup
Mammifères
Mollusques
Mouche
Mouton
Oiseau
Papillon

Parasite
Poisson
Polype
Porc
Rat
Reptiles
Ronger
Singe
Ver

Aile
Bec
Berger
Beurre
Chasse
Corne
Cri
Cuir
Harnais
Lait
Plume
Poil
Queue
Viande

G3 GÉOGRAPHIE

Afrique
Amérique
Asie
Campagne
Europe
France
Géographie
Montagne
Nature
Océanie
Pays
Pierre
Province
Relief
Rivière

Sable
Terre
Végétation
Volcan

Lune
Soleil

Baromètre
Chaleur
Froid
Météorologie
Orage
Pluie
Saison

H. ESPACE, TEMPS ET RELATIONS LOGIQUES

H1 CHANGEMENT

Abandon
Annuler
Arranger
Augmenter
Casser
Changer
Couper
Détruire
Diminuer
Dommage
Emplir
Enlever
Événement
Gonfler
Pencher
Poudre
Presser
Progrès
Réparer
Révolte

H2 ESPACE

Angle
Après
Arrière
Avant
Bas
Bord
Courbe
Droite
Éloigner
Entourer
Espace
Étendre
Extérieur
Extrême
Finir
Haut

Intérieur
Intervalle
Irrégulier
Ligne
Milieu
Niveau
Opposé
Orientation
Placer
Proche
Queue
Rayon
Suivre
Surface
Trou
Vide

H3 FORMES

Aigu - Aiguiser
Anneau
Bord
Bosse
Cercle
Courbe
Forme
Gonfler
Irrégulier
Manière
Pli
Tourner

H4 MOUVEMENT

Abandon
Abattre
Apparaître
Arrêter
Balancer
Brusque
But
Calme
Commencer
Course
Crispation
Entrer
Envoyer
Fixer
Fuir
Gêner
Jeter
Lent

Marcher
Monter
Mouvement
Obstacle
Partir
Passer
Pencher
Pousser
Remuer
Résister
Sauter
Tirer
Tomber
Tourner
Venir
Vif
Vitesse

H5 QUANTITÉ, QUALITÉ, IMPORTANCE

Abondance
Abréger
Augmenter
Avantage
Balance
Beaucoup
Calcul
Comptabilité
Contenir
Couper
Deux
Diminuer
Égal
Entier
Épais
Excès
Faible
Force
Futile
Grand
Importance
Inférieur
Manque
Mesure
Morceau
Nombre
Part
Peser
Petit
Presser
Qualité
Résidu
Satisfaction
Supérieur

H6 RELATION ET LOGIQUE

Abstraction
Accord
Après
Arrière
Attache
Attribuer
Avant
Cause
Classe
Commun
Conséquence
Convenir
Désaccord
Différence
Exact
Faux
Fonction
Indirect
Influence
Irrégulier
Libre
Lier
Mêler
Opposé
Particulier
Philosophie
Plan
Produire
Raisonnement
Règle
Relation
Reproduction
Semblable
Suivre
Symbole
Utile

H7 TEMPS

Age
Année
Après
Arrière
Astrologie
Attendre
Avant
Avertir
Calendrier
Destin
Durer
Heure
Horlogerie
Journée
Nouveau
Prévoir
Proche
Retard
Saison
Suivre
Temps
Vie

I. OBJETS DIVERS

I1 OBJETS DIVERS

Aiguille
Anneau
Balle
Bande
Barre
Bâton
Boule
Bouteille

Bouton
Brosse
Cloche
Clou
Coffre
Corde
Croix
Paquet
Récipient
Sac
Supporter
Tonneau
Tuyau
Vaisselle

12 TEXTILES ET VÊTEMENTS

Broder
Couture
Dentelle
Fil
Laine
Plastique
Soie
Tapis
Textile
Tissu

Bijou
Ceinture
Chapeau
Chaussure
Pli
Toilette
Vêtement

TABLEAU III

(liste alphabétique des mots-centres avec référence aux catégories du tableau II)

A

H_1 H_4	ABANDON
B_3 H_4	ABATTRE
H_5	ABONDANCE
H_5	ABRÉGER
H_6	ABSTRACTION
C_5 H_6	ACCORD
A_6	ACCOUCHEMENT
C_2 C_5	ACCUSATION
C_1	ACHETER
A_4 F_2	ACIDE
F_5	ACIER
D_1	ADROIT
C_5	ADVERSAIRE
B_3 C_5	AFFECTATION
B_2	AFFIRMER
G_3	AFRIQUE
H_7	AGE
C_4	AGENT
D_1	AGIR
G_1	AGRICULTURE
G_1	AGRUMES
C_5	AIDER
A_4	AIGRE
H_3	AIGU - AIGUISER
I_1	AIGUILLE
G_2	AILE
F_3	AIMANT
B_3 C_5	AIMER
F_3	AIR
F_2	ALCALI
F_1	ALCHIMIE
A_5 F_2	ALCOOL
F_1	ALGÈBRE
F_3	ALGUE
A_5	ALIMENT
G_2	ALOUETTE
F_5	ALUMINIUM
G_1	AMANDE
C_1 D_1	AMASSER
A_4	AMER
G_3	AMÉRIQUE
F_2	AMIDON
B_3 C_5	AMITIÉ
B_3 C_5	AMOUR
A_3	ANATOMIE
F_6	ANCRE
G_2	ANE
B_4	ANGE
H_2	ANGLE
G_2	ANGUILLE
G_2	ANIMAL
H_3 I_1	ANNEAU
H_7	ANNÉE
H_1	ANNULER
A_3	ANUS
H_4	APPARAITRE
B_2	APPELER
C_5	APPLAUDIR
B_1	APPRENDRE
H_2 H_6 H_7	APRÈS
G_2	ARAIGNÉE
G_1	ARBRE
E_2	ARC
E_2	ARCHITECTURE
E_2	ARDOISE
C_1 F_5	ARGENT
F_2	ARGILE
C_3	ARME
C_3	ARMÉE
C_3	ARMURE
D_1	ARRACHER
H_1	ARRANGER
H_4	ARRÊTER
H_2 H_6 H_7	ARRIÈRE
F_2	ARSENIC
E_1	ART
A_3	ARTICULATION
C_3	ARTILLERIE
G_3	ASIE
C_4	ASSOCIATION

C_1	ASSURANCES
F_1 H_7	ASTROLOGIE
F_2	ASTRONAUTIQUE
F_1	ASTRONOMIE
D_2	ATHLÉTISME
H_6	ATTACHE
C_5	ATTAQUE
H_7	ATTENDRE
B_1	ATTENTION
D_1	ATTIRER
B_3	ATTITUDE
H_6	ATTRIBUER
H_1 H_5	AUGMENTER
F_6	AUTOMOBILE
H_2 H_6 H_7	AVANT
H_5	AVANTAGE
C_1	AVARE
C_5 H_7	AVERTIR
F_6	AVIATION
B_3	AVILIR
F_2	AZOTE

B

F_3	BAIN
H_5	BALANCE
B_1 H_4	BALANCER
G_2	BALEINE
I_1	BALLE
I_1	BANDE
C_1	BANQUE
G_3	BAROMÈTRE
I_1	BARRE
H_2	BAS
F_6	BATEAU
I_1	BATON
G_2	BATRACIENS
A_1 B_3 E_1	BEAU
H_5	BEAUCOUP
G_2	BEC
G_2	BERGER
G_2	BÉTAIL
G_1	BEURRE
B_4	BIBLE
F_6	BICYCLETTE
B_3	BIEN
C_5	BIENFAISANCE
A_5	BIÈRE
I_2	BIJOU
F_4	BLANC
B_2	BLASON
G_1	BLÉ
A_2	BLESSER
F_4	BLEU
G_2	BŒUF
A_5	BOIRE
F_2 F_3	BOIS
A_5	BOISSON
B_3	BON
B_3	BONHEUR
H_2 H_3	BORD
H_3	BOSSE
A_3 B_2	BOUCHE
C_3	BOUCLIER
F_3	BOUE
F_3 F_4	BOUGIE
F_3	BOUILLIR
I_1	BOULE
C_4	BOURGEOIS
I_1	BOUTEILLE
I_1	BOUTON
D_2	BOXE
A_3	BRAS
F_4	BRILLER
I_2	BRODER
I_1	BROSSE
A_4	BRUIT
F_3	BRULER
H_4	BRUSQUE
C_4 E_3	BUREAU
D_1	BUT

C

B_3 C_5	CACHER
B_2	CACHET
A_5 G_1	CAFÉ
F_2	CALCIUM
F_1 H_5	CALCUL
H_7	CALENDRIER
B_3 H_4	CALME
G_3	CAMPAGNE
D_1	CAMPER
F_3 F_6	CANAL
G_2	CANARD
F_2	CAOUTCHOUC
A_4	CARESSE
D_2	CARTE
D_1 H_1	CASSER
H_6	CAUSE
C_3	CAVALERIE
I_2	CEINTURE
F_2	CÉRAMIQUE
H_3	CERCLE
G_1	CÉRÉALE
C_4	CÉRÉMONIE
G_2	CERF
C_5	CERTIFIER
A_3	CERVEAU
A_3	CHAIR
A_4 F_2 F_3 G_3	CHALEUR
E_3	CHAMBRE
G_1	CHAMPIGNON
H_1	CHANGER
E_1	CHANTER
I_2	CHAPEAU
F_2	CHARBON
D_1 F_6	CHARGER
E_3	CHARPENTE
D_2 G_2	CHASSE
G_2	CHAT
I_2	CHAUSSURE
C_4	CHEF
B_1	CHERCHER
F_6 G_2	CHEVAL
C_4	CHEVALERIE
A_3	CHEVEU
G_2	CHÈVRE
G_2	CHIEN
F_1	CHIMIE
A_2	CHIRURGIE
B_1	CHOISIR
B_4	CHRIST
B_4 F_3	CIEL

E_1	CINÉMA
F_2	CIRE
H_6	CLASSE
I_1	CLOCHE
I_1	CLOU
A_3	CŒUR
I_1	COFFRE
B_3	COLÈRE
F_2	COLLE
C_4	COLONIE
E_2	COLONNE
D_1 H_4	COMMENCER
C_1	COMMERCE
C_4 H_6	COMMUN
D_1	COMPOSER
C_1 H_5	COMPTABILITÉ
C_4 D_1	CONDUIRE
B_3	CONFIANCE
A_5	CONFISERIE
B_1	CONNAISSANCE
H_6	CONSÉQUENCE
E_2	CONSTRUCTION
H_5	CONTENIR
C_2	CONTRAT
B_2 C_5	CONVAINCRE
H_6	CONVENIR
I_1	CORDE
G_2	CORNE
A_3	COU
F_2 F_4	COULEUR
H_1 H_5	COUPER
B_3	COURAGE
H_2 H_3	COURBE
D_2 H_4	COURSE
I_2	COUTURE
D_1 E_3	COUVRIR
A_4 B_2 G_2	CRI
C_2	CRIME
H_4	CRISPATION
C_5 E_1	CRITIQUE
B_1 B_4	CROIRE
B_4 I_1	CROIX
G_2	CRUSTACÉS
F_2 G_2	CUIR
A_5	CUISINE
F_5	CUIVRE
G_1	CULTURE

D

B_3 C_5	DANGER
E_1	DANSE
B_3	DÉBAUCHE
B_1	DÉCIDER
E_1	DÉCORATION
A_1 B_3	DÉFAUT
C_5	DÉFENDRE
B_2	DEMANDER
A_3	DENT
I_2	DENTELLE
C_1	DÉPENSE
B_3	DÉPLAIRE
C_5 H_6	DÉSACCORD
A_4 C_5	DÉSIR
E_1	DESSIN
H_7	DESTIN
B_3 C_5	DÉTESTER
D_1 H_1	DÉTRUIRE
H_5	DEUX
B_3	DEVOIR
B_4	DIEU
H_6	DIFFÉRENCE
B_1	DIFFICILE
H_1 H_5	DIMINUER
C_5	DIPLOMATIE
B_2 C_5	DISCUSSION
E_1 F_2	DISQUE
A_3	DOIGT
H_1	DOMMAGE
C_5	DONNER
A_6	DORMIR
A_3	DOS
C_4	DOUANE
A_4 B_3	DOULEUR
B_1	DOUTE
A_4 B_3	DOUX
C_2	DROIT
H_2	DROITE
A_4 B_3	DUR
H_7	DURER

E

F_3	EAU
B_4	ECCLÉSIASTIQUE
D_2	ÉCHECS
D_1	ÉCHOUER
C_1	ÉCONOMIE
B_2	ÉCRIRE
E_2	ÉDIFICE
H_5	ÉGAL
B_4 E_2	ÉGLISE
F_2	ÉLECTRICITÉ
G_1	ÉLEVAGE
C_4	ÉLIRE
C_5	ÉLOGE
D_1 H_2	ÉLOIGNER
H_1	EMPLIR
A_1	ENFANT
B_4	ENFER
B_3 C_5	ENGAGER
G_1	ENGRAIS
H_1	ENLEVER
B_1	ENSEIGNEMENT
A_3 A_4	ENTENDRE
C_4	ENTERREMENT
H_5	ENTIER
H_2	ENTOURER
C_1 C_4	ENTREPRISE
H_4	ENTRER
H_4	ENVOYER
A_4 H_5	ÉPAIS
D_2	ESCRIME
H_2	ESPACE
B_1	ESPRIT
B_1	ESSAYER
B_1	ESTIMER
A_3	ESTOMAC
C_4	ÉTAT
H_2	ÉTENDRE
C_5	ÉTONNER
G_3	EUROPE
H_1	ÉVÉNEMENT
H_6	EXACT

H_5	EXCÈS
B_3 C_5	EXCITER
B_3	EXCUSE
D_1	EXÉCUTER
B_1	EXPLIQUER
C_3	EXPLOSER
H_2	EXTÉRIEUR
H_2	EXTRÊME

F

B_1	FACILE
A_4 H_5	FAIBLE
A_5	FAIM
C_4	FAMILLE
A_5	FARINE
A_2	FATIGUE
B_3	FAUTE
H_6	FAUX
A_1	FEMME
E_3	FENÊTRE
C_4	FÉODALITÉ
F_5	FER
G_1	FERME
D_1	FERMER
C_5	FÊTE
F_3	FEU
G_1	FEUILLE
B_3	FIDÈLE
A_2	FIÈVRE
I_2	FIL
D_1 H_2	FINIR
H_4	FIXER
G_1	FLEUR
A_3	FOIE
B_1	FOLIE
C_4 H_6	FONCTION
D_1 E_2	FONDER
A_1 B_3 H_5	FORCE
H_3	FORME
C_3	FORTIFICATION
F_2	FOUR
B_3	FRANC
G_3	FRANCE
C_4	FRANC-MAÇON
D_1	FRAPPER
A_4 F_2 G_3	FROID
G_1	FRUIT
H_4	FUIR
F_3	FUMÉE
C_3	FUSIL
H_5	FUTILE

G

C_1	GAGNER
D_1	GARDER
A_1 C_4	GAUCHE
F_3	GAZ
B_3 H_4	GÊNER
F_1 G_3	GÉOGRAPHIE
F_1	GÉOLOGIE
F_1	GÉOMÉTRIE
A_6	GERME
E_3 F_2	GLACE
A_3	GLANDE
F_2	GOMME
F_6 H_1 H_3	GONFLER
A_3	GORGE
A_4	GOUT
C_4	GOUVERNER
C_4	GRADE
G_1	GRAIN
B_2	GRAMMAIRE
A_1 H_5	GRAND
A_1 A_4	GRAS
E_1	GRAVER
B_3 C_5	GROSSIER
C_4	GROUPE
C_3	GUERRE
D_2	GYMNASTIQUE

H

E_3	HABITER
B_3	HABITUDE
G_2	HARNAIS
H_2	HAUT
G_1	HERBE
B_4	HÉRÉSIE
H_7	HEURE
F_1	HISTOIRE
A_1	HOMME
B_3	HONNEUR
F_2 H_7	HORLOGERIE
A_5 E_3	HOTEL
A_5 F_2	HUILE
F_2 F_3	HYDRAULIQUE

I

B_1	IGNORER
E_1	IMAGE
B_3	IMAGINER
H_5	IMPORTANCE
C_1	IMPOT
D_1	INCAPABLE
B_3	INCONSCIENCE
B_1 B_4	INCROYANCE
H_6	INDIRECT
C_4	INDUSTRIE
C_3	INFANTERIE
A_2 A_4	INFECTER
C_5 H_5	INFÉRIEUR
C_5 H_6	INFLUENCE
F_2	INFORMATIQUE
B_2 C_5	INFORMER
C_2	INJUSTICE
B_2	INSCRIPTION
G_2	INSECTE
A_4 B_3	INSENSIBILITÉ
E_1	INSTRUMENT
H_2	INTÉRIEUR
H_2	INTERVALLE
A_3	INTESTIN
H_3 H_6	IRRÉGULIER

J

A_3	JAMBE
G_1	JARDIN
F_4	JAUNE
E_1	JAZZ

D_1 H_4	JETER
A_1	JEUNE
F_2	JOAILLERIE
B_3	JOIE
D_2	JOUER
C_5	JOURNAL
F_4 H_7	JOURNÉE
B_4	JUIF
C_2	JUSTICE

L

F_3	LAC
A_1	LAID
I_2	LAINE
G_2	LAIT
F_2 F_4	LAMPE
B_2	LANGAGE
G_2	LAPIN
G_1	LÉGUME
H_4	LENT
H_6	LIBRE
H_6	LIER
H_2	LIGNE
F_3	LIQUIDE
B_2	LIRE
E_3	LIT
B_2	LITTÉRATURE
B_4	LITURGIE
B_2 F_2	LIVRE
C_1	LOCATION
C_2	LOI
G_2	LOUP
F_4	LUMIÈRE
G_3	LUNE

M

F_2	MACHINE
E_2	MAÇONNERIE
B_4	MAGIE
C_2	MAGISTRAT
A_1	MAIGRE
A_3 D_1	MAIN
E_3	MAISON
B_3	MAL
A_2	MALADIE
B_3	MALHEUR
G_2	MAMMIFÈRES
A_5	MANGER
C_5 H_3	MANIÈRE
H_5	MANQUE
E_2	MARBRE
C_1	MARCHANDISES
D_1 H_4	MARCHER
C_4	MARIAGE
F_3 F_6	MARINE
F_1	MATHÉMATIQUES
D_1 F_1	MATIÈRE
F_1	MÉCANIQUE
B_3	MÉCONTENTEMENT
A_2 F_1	MÉDECINE
A_2	MÉDICAMENT
D_1 H_6	MÊLER
B_3	MÉMOIRE
F_2	MENUISERIE
B_3	MÉPRIS
F_3	MER
B_3	MÉRITE
H_5	MESURE
F_5	MÉTAL
G_3	MÉTÉOROLOGIE
C_4	MÉTIER
E_3	MEUBLE
A_2	MICROBE
H_3	MILIEU
F_2	MINE
G_2	MOLLUSQUES
B_4	MONASTÈRE
C_1	MONNAIE
G_3	MONTAGNE
H_4	MONTER
C_5	MONTRER
C_5	MOQUER (SE)
B_3	MORALE
H_5	MORCEAU
B_2	MOT
F_2	MOTEUR
A_4 B_3	MOU
G_2	MOUCHE
F_3	MOUILLER
A_6	MOURIR
G_2	MOUTON
H_4	MOUVEMENT
D_1	MUNIR
E_2	MUR
A_3	MUSCLE
E_1	MUSIQUE
B_4	MUSULMAN
B_4	MYTHOLOGIE

N

D_2 F_3	NAGER
B_3 G_3	NATURE
F_6	NAVIRE
B_3	NÉGLIGER
A_3	NERF
D_1	NETTOYER
A_3	NEZ
H_2	NIVEAU
C_4	NOBLESSE
F_4	NOIR
H_5	NOMBRE
B_2	NOMMER
H_7	NOUVEAU
G_1	NOYAU
F_1	NUCLÉAIRE

O

B_1 F_4	OBSCUR
H_4	OBSTACLE
G_3	OCÉANIE
A_3	ŒIL
A_6	ŒUF
B_3 C_5	OFFENSE
C_5	OFFRIR
G_2	OISEAU
B_1	OPINION
H_2 H_6	OPPOSÉ
F_2	OPTIQUE

F_5	OR
G_3	ORAGE
B_3	ORGUEIL
H_2	ORIENTATION
A_3	OS
D_1	OUVRIR
F_3	OXYGÈNE

P

A_5	PAIN
C_5	PAIX
B_4	PAPE
F_2	PAPIER
G_2	PAPILLON
I_1	PAQUET
G_2	PARASITE
B_3	PARDON
B_3	PARESSE
A_4	PARFUM
B_2	PARLER
H_5	PART
C_4	PARTI
H_6	PARTICULIER
H_4	PARTIR
H_4	PASSER
B_3 C_5	PASSION
A_5	PATISSERIE
C_1	PAUVRE
C_1	PAYER
G_3	PAYS
A_3	PEAU
D_2	PÊCHER
C_2	PEINE
E_1 F_2	PEINTURE
H_1 H_4	PENCHER
D_1	PENDRE
B_1	PENSÉE
B_3 C_1	PERDRE
C_5	PERMETTRE
B_3 C_4	PERSONNE
H_5	PESER
A_1 H_5	PETIT
F_2	PÉTROLE
B_3	PEUR
F_1 H_6	PHILOSOPHIE
F_2	PHOTOGRAPHIE
F_1	PHYSIQUE
A_3	PIED
E_2 F_2 G_3	PIERRE
G_1	PIN
D_1 H_2	PLACER
B_3	PLAIRE
C_4 H_6	PLAN
E_3	PLANCHER
G_1	PLANTE
F_2 I_2	PLASTIQUE
H_3 I_2	PLI
F_5	PLOMB
G_3	PLUIE
G_2	PLUME
B_2	POÉSIE
G_2	POIL
A_2	POISON
G_2	POISSON
A_3	POITRINE
C_4	POLICE
F_2	POLIR
C_4	POLITIQUE
G_2	POLYPE
G_1	POMME
E_2	PONT
C_4	POPULATION
G_2	PORC
F_6	PORT
E_3	PORTE
C_1	POSSÉDER
C_4	POSTE
F_2 H_1	POUDRE
C_5 D_1 H_4	POUSSER
B_1 C_4	POUVOIR
D_1	PRENDRE
C_5	PRÉSENCE
D_1 H_1 H_5	PRESSER
C_1 C_5	PRÊTER
H_7	PRÉVOIR
C_4	PRISON
H_2 H_7	PROCHE
C_1 H_6	PRODUIRE
H_1	PROGRÈS
C_3	PROJECTILE
B_4	PROTESTANT
G_3	PROVINCE
A_6 B_3	PSYCHANALYSE
B_3 F_1	PSYCHOLOGIE
D_1	PUR

Q

H_5	QUALITÉ
G_2 H_2	QUEUE

R

A_1	RACE
F_2	RADIO
B_3 F_2	RAFFINER
B_1 H_6	RAISONNEMENT
G_2	RAT
F_2 F_4 H_2	RAYON
B_1	RÉALITÉ
C_5	RECEVOIR
I_1	RÉCIPIENT
B_2	RÉCIT
B_3	RECONNAITRE
B_1 B_3	REFUS
A_4 B_3	REGARDER
H_6	RÈGLE
A_3	REIN
H_6	RELATION
G_3	RELIEF
B_4	RELIGION
H_4	REMUER
C_5	RENCONTRE
B_3 F_2 H_1	RÉPARER
B_2	RÉPONDRE
D_1	REPOS
A_6 H_6	REPRODUCTION
G_2	REPTILES
C_5	RÉPUTATION
H_5	RÉSIDU
B_3 H_4	RÉSISTER
B_3	RESPECT
A_3 A_6	RESPIRATION

C_1	RESSOURCE
H_7	RETARD
C_5 D_1	RÉUSSIR
C_1	REVENU
C_3 H_1	RÉVOLTE
C_1	RICHE
B_3	RIRE
F_3 G_3	RIVIÈRE
D_1 G_2	RONGER
F_2 F_6	ROUE
F_4	ROUGE
F_6	ROUTE

S

G_3	SABLE
I_1	SAC
B_4	SACREMENT
B_3	SAGE
B_4	SAINT
G_3 H_7	SAISON
F_4	SALE
A_3	SANG
B_3 H_5	SATISFACTION
D_1 D_2 H_4	SAUTER
F_1	SCIENCE
E_1	SCULPTURE
F_3	SEC
B_3 C_5	SECRET
A_5 F_2	SEL
H_6	SEMBLABLE
A_4 B_3	SENSIBILITÉ
E_3 F_2	SERRURE
C_4 D_1	SERVIR
A_1 A_3 A_6	SEXE
B_2	SIGNE
B_1 C_5	SIMPLE
G_2	SINGE
I_2	SOIE
A_2 D_1	SOIGNER
G_3	SOLEIL
A_4 B_2 F_1	SON
B_1 B_3	SOT
B_3	SOUCI
C_3	SOUMETTRE
C_4	SOUVERAIN
C_4 D_2	SPECTACLE
D_2	SPORT
B_2	STYLE
B_1	SUBTIL
C_1	SUCCESSION
A_5	SUCRE
H_2 H_6 H_7	SUIVRE
H_5	SUPÉRIEUR
B_3 I_1	SUPPORTER
B_1 B_3	SÛR
H_2	SURFACE
B_2 H_6	SYMBOLE

T

F_2	TABAC
I_2	TAPIS
F_2	TÉLÉCOMMUNICATIONS
H_7	TEMPS
B_3	TENDANCE
F_4	TERNE
G_1 G_3	TERRE
A_2	TÊTE
I_2	TEXTILE
B_2	THÉATRE
B_4	THÉOLOGIE
D_1 H_4	TIRER
I_2	TISSU
A_2 E_3 I_2	TOILETTE
H_4	TOMBER
I_1	TONNEAU
A_4 D_1	TOUCHER
H_3 H_4	TOURNER
F_6	TRAIN
F_6	TRANSPORT
C_2 C_5	TRAVAIL
C_2	TRIBUNAL
B_3	TRISTE
B_1 B_3	TROMPER
D_1 H_2	TROU
B_3	TROUBLE
B_1	TROUVER
A_2	TUMEUR
F_3 I_1	TUYAU
F_2	TYPOGRAPHIE

U

B_1	UNIVERSITÉ
H_6	UTILE

V

C_4	VAGABOND
A_5 I_1	VAISSELLE
F_2	VANNERIE
F_2	VAPEUR
G_1 G_3	VÉGÉTATION
A_3	VEINE
D_1 H_4	VENIR
F_3	VENT
A_3	VENTRE
G_2	VER
B_2	VERBE
B_1	VÉRITÉ
F_2	VERRE
F_4	VERT
I_2	VÊTEMENT
A_5 G_2	VIANDE
H_2	VIDE
A_6 H_7	VIE
A_1	VIEILLESSE
A_1 B_4	VIERGE
B_3 H_4	VIF
G_1	VIGNE
C_4	VILLE
A_5	VIN
B_3 C_5	VIOLENCE
A_1 A_3	VISAGE
H_4	VITESSE
F_6	VOILURE
F_6	VOITURE
G_3	VOLCAN
C_5	VOLER
B_3	VOLONTÉ
F_6	VOYAGE

Z

F_5	ZINC

Dictionnaire
des idées
par les mots
(analogique)

ABAISSEMENT, ABAISSER → *avilir, bas.*

ABAJOUE → *singe.*

ABANDON, ABANDONNER → *éloigner, mariage, mou, posséder, sensibilité.* — **Un lieu.** S'en aller ; déguerpir ; déloger ; déménager, déménagement ; déserter un lieu ; disparaître ; s'écarter ; s'échapper ; s'éclipser ; s'éloigner ; s'enfuir ; évacuer, évacuation ; s'évanouir ; fuir ; partir ; plier bagage ; quitter ; se retirer ; sortir ; vider les lieux/le plancher/la place. — **Une situation sociale.** Abdiquer, abdication ; céder la place, cession de pouvoir ; se démettre, démissionner, remettre sa démission ; être débauché, débauchage ; faire défection ; déposer la couronne, être déposé ; passer la main, passation de pouvoir ; renoncer à ; résigner ses fonctions ; se retirer. —
à ; résigner ses fonctions ; se retirer. —
Le combat/la partie. S'abstenir, armes ; baisser pavillon ; battre en retraite ; caler (pop.) ; caner (pop.) ; capituler, capitulation ; céder ; cessation des combats ; concéder, faire des concessions ; être défait, défaite ; faire défection ; déserter, déserteur, désertion ; évacuer une position ; flancher ; fuir, fuite, fuyard ; lâcher pied/prise ; livrer ; passer à l'ennemi, transfuge ; plier, se courber ; poser les armes ; en rabattre ; reculer ; renâcler ; se rendre, reddition ; renoncer à ; se retirer, retraite ; se soumettre, être vaincu ; suspendre, suspension des hostilités ; trahir, trahison, traître ; trêve. — **Ses biens/sa propriété.** Abdiquer ; céder, cession ; confier ; se débarrasser, se défaire d'un héritage ; déguerpir ; délaisser, délaissement d'un bien ; se démunir, se déposséder, se dépouiller, se dépourvoir de ; se désapproprier ; se désister, désistement ; se dessaisir, dessaisissement ; donner ; renoncer, renonciation, renoncement ; se retirer, retraite ; se séparer de ; laisser vacant.— **Sa foi/ses engagements.** Abjurer, abjuration ; apostasie, apostat, apostasier ; changer d'opinion ; se dédire ; désavouer ; se détacher ; se détourner ; hérésie, hérétique, hérésiarque ; jeter le froc aux orties, rejeter ; lâcher ; laisser tomber ; négliger ; oublier ; se récuser ; renier, reniement, renégat ; répudier, répudiation ; se rétracter, rétractation ; tourner le dos à, tourner casaque, retourner sa veste ; trahir ; faire volte-face. — **Des pensées, des intérêts.** Balancer (pop.) ; bannir ; bazarder (pop.) ; chasser ; couper court à ; se défaire ; se désintéresser ; se détacher ; se détourner de ; éliminer, élimination ; enterrer un projet ; en finir avec ; immoler ses intérêts ; laisser en friche/en plan ; larguer (pop.) ; liquider (pop.) ; négliger ; plaquer (pop.) ; rejeter ; reléguer ; renoncer à, renonciation ; repousser ; rompre ; suspendre un projet. — **Laissé à l'abandon.** Condamné ; délaissé, délaissement, épave, solitude ; dépeuplé, déserté, égaré, esseulé, inhabité, solitaire, vide ; laisser en désordre/en friche/en plan ; négligé, négligence, négligeable ; mettre de côté/à l'écart/à la fourrière/au rancart/au rebut ; relégué ; tomber en désuétude. — **Abandon de soi-même.** Abnégation ; désintéressement ; dévouement ; générosité ; renoncement ;

résignation ; sacrifice. — **Abandon d'un enfant.** Déposer, dépôt ; enfants assistés, enfant perdu/trouvé (champi) ; exposer, exposition. — **Abandon d'un être aimé.** Désunion ; divorcer, divorce ; fausser compagnie ; inconstance, inconstant ; infidélité, infidèle ; lâcher, lâchage, laisser tomber ; plaquer (pop.) ; prendre congé ; quitter ; répudier, répudiation ; rompre, rupture ; se séparer, séparation de corps/de biens ; trahir, trahison ; tromper, tromperie. — **Se laisser aller.** S'abandonner ; être mis en confiance ; confidence ; se déboutonner (fam. et péj.) ; effusion, épanchement ; familiarité ; faire foi ; franchise ; intimité ; liberté ; être ouvert ; spontané, spontanéité. ■ Être désinvolte, désinvolture ; détachement ; se détendre, être détendu/relax (pop.), détente, relâchement, repos ; naturel ; nonchalance ; simplicité. ■ Débauche ; être débraillé ; dérèglement dans la conduite ; désordre, égarement ; facilité, femme facile ; faiblesse, défaillance ; familiarité ; grossièreté ; inconduite ; licence, luxure ; mollesse ; négligence, oubli de ses devoirs ; vulgarité.

ABANDONNER (S') → *confiance.*

ABAQUE → *calcul.*

ABASOURDIR → *étonner.*

ABÂTARDIR → *avilir, changer, diminuer.*

ABAT-JOUR → *fenêtre, lumière.*

ABATS → *viande.*

ABAT-SON → *cloche, son.*

ABATTAGE → *abattre, bétail, bois, mine, vif.*

ABATTANT → *bureau, meuble.*

ABATTEMENT → *abattre.*

ABATTOIR → *animal, bétail, viande.*

ABATTRE, ABATTRE (S') → *commerce, douleur, fatigue, malheur, mou, soumettre, tomber, tristesse.* — **Une chose.** Abattre/couper un arbre ; décapiter ; démanteler ; démolir ; déraciner ; détacher ; détruire ; faucher ; raser ; saper ; trancher. — **Un animal.** Abattage, par énervation/à la masse/au merlin ; abattoir ; abattis de gibier/de volaille, les abats ; assommer, décapiter, égorger, mettre à mort, terrasser, tuer. — **Une personne.** Assassiner, assommer, décapiter, renverser, terrasser, tuer. ■ Abrutir, affaiblir, anéantir, annihiler, briser, broyer, casser bras et jambes, détruire, dompter, ébranler, écraser, frapper, mater, miner, ruiner, saper, vaincre. — **État d'abattement.** Être abruti/accablé ; affligé, affliction ; alangui, alanguissement ; anéanti ; chagrin, chagriné ; consterné, consternation ; déconcerté, déconfit ; découragé, désespéré ; ébranlé ; engourdi ; épuisé ; faible ; fatigué ; harassé ; hébété, hébétude ; inerte, inertie ; languissant, langueur, languir ; se laisser aller ; las, lassé, lassitude ; malade ; en avoir marre (pop.) ; morne ; morose ; navré ; prostré ; stupéfié, stupéfaction, stupeur ; spleen ; torpeur ; tristesse. — **S'abattre sur.** S'affaisser, s'affaler ; crouler, s'écrouler, s'effondrer ; fondre sur, pleuvoir, se précipiter sur ; tomber. — **Expressions.** Abattre de la besogne ; avoir de l'abattage/du dynamisme ; recevoir un abattage/une semonce ; abattre son jeu, dévoiler ses batteries ; faire un abattement/une réduction. — **États maladifs.** Asthénie, atonie, cachexie, collapsus, coma, état comateux, convalescence, dépression, léthargie, lipothymie, lourdeur, prostration, somnolence.

ABBATIAL, ABBAYE → *église, monastère.*

ABBÉ, ABBESSE → *ecclésiastique, monastère.*

ABC → *commencer.*

ABCÈS → *gonfler, maladie, tumeur.*

ABDICATION → *abandonner, souverain.*

ABDIQUER → *abandonner, soumettre.*

ABDOMEN, ABDOMINAL → *estomac, ventre.*

ABDUCTEUR, ABDUCTION → *gaz, muscle.*

ABÉCÉDAIRE → *lire, livre*

ABEILLE → *cire, insecte.*

ABERRANT, ABERRATION → *faux, règle, sot.*

ABÊTIR, ABÊTISSEMENT → *diminuer, sot.*

ABHORRER → *déplaire.*

ABÎME → *trou.*

ABÎMER → *détruire, dommage.*

ABÎMER (S') → *marine.*

ABJECT, ABJECTION → *avilir, débauche, mépris.*

ABJURATION, ABJURER → *abandonner, hérésie.*

ABLATIF → *grammaire.*

ABLE, ABLETTE → *poisson.*

ABLUTION → *bain, nettoyer, pur, toilette.*

ABNÉGATION → *abandonner, offrir, saint.*

ABOIEMENT → *chien, cri.*

ABOIS → *cerf, finir, malheur.*

ABOLIR, ABOLITION → *annuler, détruire.*

ABOMINABLE, ABOMINATION, ABOMINER → *laid, mal, peur.*

ABONDANCE, ABONDANT → *beaucoup, nombre, riche, vin.* — **Être en grande quantité.** Abonder, abondant ; affluer, affluence, afflux ; avalanche; être commun/courant; être copieux; couler à flots; déborder, débordement, déluge; être en excès, excessif; exubérant, exubérance; flopée (pop.); flux; foisonner, foisonnement, à foison; être fréquent; fourmiller, grouiller; être inépuisable/intarissable; luxe de, luxuriant; être en masse/nombreux/en pagaille (fam.)/en tas; mer, multiplicité; pluie, pleuvoir; plénitude, profusion, pléthore; pulluler, pullulement; se répandre; répétition; superflu; surabonder, surabondant; surproduction. — **État de prospérité.** Aisance; avoir à discrétion/à gogo (pop.)/à la pelle (pop.)/à revendre (pop.)/à souhait; être ample, charnu, considérable, copieux, épais, étoffé; être en exubérance; fécond, fécondité; fertile, fertilité; fortuné; fructueux; gros, gras, vivre grassement; luxuriant, luxe; opulent, nager dans l'opulence; plantureux; prodiguer ses richesses; regorger de, être rempli, riche; être rassasié, satiété; saturation, marché saturé; superflu; thésauriser, thésaurisation; vivre à l'âge d'or/au pays de cocagne/au paradis. ▪ Corne d'abondance; Eldorado; Terre promise. — **Richesse d'expression.** Parler avec abondance/facilité; parler d'abondance, improviser; parler en abondance/amplement/copieusement; être diffus/prolixe/redondant/touffu/verbeux.

ABONDER → *accord, opinion.*

ABONNER, ABONNEMENT → *contrat, convention, spectacle.*

ABONNIR (S') → *bon, progrès, vin.*

ABORD → *commencer, entrer, rencontre.*

ABORD (D') → *commencer, premier.*

ABORDABLE → *facile.*

ABORDAGE → *bord, marine, terre.*

ABORDER → *attaque, marine, rencontre.*

ABORIGÈNE → *pays, personne, population.*

ABORTIF → *accouchement, échouer.*

ABOUCHER (S') → *association, relation.*

ABOULIE, ABOULIQUE → *volonté.*

ABOUT → *menuiserie.*

ABOUTER → *lier, vigne.*

ABOUTIR, ABOUTISSANT, ABOUTISSEMENT → *finir, conséquence, extrême, réussir.*

ABOYER → *chien, cri.*

ABRACADABRANT → *étonner.*

ABRASER, ABRASIF → *polir.*

ABRÉGÉ, ABRÉGER → *couper, diminuer, livre.* — **Action d'abréger.** Abrègement, abréviation, abréviatif; analyser, analytique; couper; diminuer, diminution; écourter; exposer brièvement; extraire; limiter; raccourcir, en raccourci; récapituler, récapitulation; réduire, réduction, réducteur; resserrer, résumer; restreindre; retrancher, soustraire; donner la substance/l'essentiel; trancher court; tronquer. — **Formes réduites.** Abréviation, diminutif, raccourci, réduction, simplification. ▪ Aperçu, argument, bordereau récapitulatif, compte rendu, éléments, esquisse, extrait, légende, maquette, notice, plan, projet, récapitulation, résumé, rudiment, schéma, sommaire, somme, synthèse, table des matières, topo (fam.). — **Ouvrages abrégés.** Abrégé, aide-mémoire, analyse, anthologie, appendice, bréviaire, compendium, digest, éléments, enchiridion, épitomé, esquisse, extraits, formulaire, manuel, mémento, méthode, morceaux choisis, précis, résumé, rudiments, schéma, somme, synoptique. ▪ Ouvrage bref/concis/court/élémentaire/succinct. — **Écritures abrégées.** Brachygraphie, brachygraphe; logographie, logographe; sténographie, sténographe; sténotypie, sténotypiste; séméiographie, séméiographe; style télégraphique. ▪ Alphabet morse, chiffre, chrisme, code, initiales, monogramme, sigle.

ABREUVAGE, ABREUVER → *bétail boire, mouiller, offense.*

ABREUVOIR → *bétail, boire.*

ABRÉVIATION → *abrégé, signe.*

ABRI → *cacher, danger, défendre.*

ABRICOT → *fruit.*

ABRITER → *cacher, couvrir.*

ABROGATION, ABROGER → *annuler, droit, loi.*

ABRUPT, ABRUPTEMENT → *brusque, dur, pencher.*

ABRUTI → *sot.*

ABRUTIR, ABRUTISSEMENT → *abattre, diminuer, fatigue.*

ABSCISSE → *géométrie.*

ABSCONS → *abstraction, difficile, obscur.*

ABSENCE, ABSENT → *accusation, manque, mémoire.*

ABSENTÉISME → *manque.*

ABSENTER (S') → *partir.*

ABSIDE, ABSIDIOLE → *architecture, église.*

ABSINTHE → *alcool, amer, plante.*

ABSOLU → *entier, gouverner, philosophie, pur.*

ABSOLUTION → *faute, pardon.*

ABSOLUTISME → *politique.*

ABSORBER → *boire, manger.*

ABSORBER (S') → *attention, pensée.*

ABSORPTION → *boire, froid, manger.*

ABSOUDRE → *faute, pardon.*
ABSOUTE → *enterrement, liturgie.*
ABSTENIR (S') → *abandonner.*
ABSTENTION, ABSTENTIONNISME → *élire, refus.*
ABSTINENCE → *religion, sage.*
ABSTRACTION → *pensée, philosophie, raisonnement.* — **Sources de l'abstraction.** Facultés de l'âme; généraliser, généralisation; intelligence; intellect; imagination; jugement; raison. — **Action d'abstraire.** Abstraction, faire abstraction de, abstrait, abstracteur de quintessence; écarter, éliminer; isoler un élément, laisser à part/de côté, négliger, omettre, séparer, ne pas tenir compte de. ■ Association d'idées; coordination / enchaînement / fil des idées; construire/élaborer une théorie; génération des idées; idéaliser, idéal, idéalisation. — **Idées abstraites.** Concept, conception, conceptuel; doctrine; idée, idéal, idéologie, idéologue; notion, notionnel. ■ Algèbre; allégorie, allégorique; apologue; emblème; entité; fable, fabuleux, affabulation; fiction, fictif; hypothèse; image; métaphore, métaphorique; mythe, mythique; parabole; sigle; supposition; symbole, symbolisme; système; théorie. ■ Apparence, chimère, fantaisie, fantôme, invention, mythe, ombre; rêverie, rêve, rêveur; utopie, utopique, utopisme; vision, visionnaire. ■ Idée fixe, dada, hantise, manie, marotte, monomanie, obsession. — **Domaine de l'abstraction.** Idées, nombres, qualités, termes abstraits; sciences abstraites : mathématiques métaphysique; art abstrait : cubisme tachisme, non figuratif. — **Nature de l'abstraction.** Abscons, abstrus, complexe, difficile, immatériel, irréel, profond, vague; notion claire/distincte/nette/précise/simple/théorique.
ABSTRAIRE, ABSTRAIT → *abstraction.*
ABSTRUS → *abstraction, obscur.*
ABSURDE → *faux, raisonnement, sot.*
ABSURDITÉ → *raisonnement.*
ABUS → *droit, excès, injuste, mal.*
ABUSER, ABUSIF → *excès, tromper.*
ABYSSAL, ABYSSE → *mer, trou.*
ACABIT → *semblable.*
ACACIA → *arbre.*
ACADÉMIE → *art, littérature.*
ACADÉMIQUE → *art, dessin, règle.*
ACAJOU → *bois, meuble.*
ACANTHE → *architecture, colonne, plante.*
ACARIÂTRE → *mécontentement.*
ACAULE → *plante.*
ACCABLANT, ACCABLER → *charger, fatigue, peser.*
ACCALMIE → *calme, paix, repos, temps.*
ACCAPAREMENT → *marchandises, monnaie.*
ACCAPARER → *acheter, prendre.*
ACCAPAREUR → *faim.*
ACCÉDER → *accord, passer, permettre.*
ACCÉLÉRATEUR, ACCÉLÉRATION → *automobile, moteur, mouvement, vitesse.*
ACCÉLÉRER → *mouvement.*
ACCENT, ACCENTUATION, ACCENTUER → *écrire, parler, son.*
ACCENTUATION, ACCENTUER → *augmenter.*
ACCEPTATION, ACCEPTER → *accord, recevoir, soumettre, supporter.*
ACCEPTION → *mot.*
ACCÈS → *brusque, entrer, maladie.*
ACCESSIBLE → *aimer, facile, plaire.*
ACCESSION → *posséder.*
ACCESSIT → *mérite.*
ACCESSOIRE → *automobile, deux, inférieur, théâtre.*
ACCESSOIRISTE → *théâtre.*
ACCIDENT, ACCIDENTER → *événement, malheur, relief, voiture.*
ACCIDENTÉ → *irrégulier.*
ACCIDENTEL → *événement, habitude, malheur.*
ACCLAMATION, ACCLAMER → *applaudir, cri, joie.*
ACCLIMATATION, ACCLIMATER → *animal, jardin, plante.*
ACCOINTANCE, ACCOINTER (S') → *accord, amitié, relation.*
ACCOLADE → *caresse, chevalier, écrire.*
ACCOLER → *lier, proche.*
ACCOMMODANT → *facile, permettre.*
ACCOMMODATION → *changer, œil.*
ACCOMMODEMENT, ACCOMMODER → *accord, arranger, convenir, cuisine.*
ACCOMPAGNATEUR → *musique, transport.*
ACCOMPAGNEMENT, ACCOMPAGNER → *musique, suivre, venir.*
ACCOMPLI → *pur.*
ACCOMPLIR, ACCOMPLISSEMENT → *exécuter, finir, réussir.*
ACCORD → *association, contrat, paix.* — **Consentir à.** Abonder dans le sens de; admettre; approuver, approbation; être d'accord, acquiescer, donner son accord/son adhésion à, accorder à quelqu'un que; avouer; concéder; concorder avec, concorde; condescendre à; confesser; consen-

tir, consentement ; consensus, *consensus omnium ;* convenir ; reconnaître. ▪ Adjuger, allouer, donner une grâce, gracier ; exaucer, gratifier ; impartir ; octroyer une faveur, octroi ; permettre. — **Être en conformité de sentiments.** Avoir des accointances/des affinités/des points communs ; aimer, amour, amitié, camaraderie, concorde, entente ; être du même bord/en communauté/en communion d'idées/de sentiments ; faire cause commune ; d'un commun accord, à l'unanimité, à l'unisson, comme un seul homme ; entrer en composition, se concerter, de concert ; cousiner, cousinage ; compatir, compatissant ; s'entendre, bonne entente ; fraterniser, fraternité ; fréquenter, fréquentation ; harmonie, bonne intelligence, intimité, bons rapports, rapports de voisinage, relations ; sympathie, sympathiser. ▪ Accordailles, fiançailles, liaison, mariage, ménage, paire, union. — **Accord d'intérêt.** Accommoder, s'accommoder, accommodement ; accord amiable ; arrangement ; communauté d'intérêts, collusion ; compérage, être compère ; complicité ; compromis ; de connivence ; concession ; concilier, conciliation ; concordat ; concours, participation ; convenir de, convention, contrat, marché, médiation, *modus vivendi,* paix, règlement, transaction, traiter de gré à gré/directement/par intermédiaire, traité ; être d'intelligence avec, s'entendre comme larrons en foire ; tomber d'accord, faire l'affaire. ▪ Alliance, association, cartel, comité, consortium, front, syndicat. ▪ Camarilla ; clique ; complot, conjuration, conspiration ; coterie ; groupe ou groupement d'intérêts/de pression, lobby, maffia. — **Convenance entre les choses.** Adaptation, s'adapter ; adéquat, *ad hoc,* idoine ; agencement, agencer ; ajustement, ajuster ; aller bien, cadrer ; appareiller, apparier, assortir, assortiment ; coïncider, coïncidence ; compatibilité, concordance, concorder ; se conformer, conformité, conforme ; convenable, pertinent, convenance, convenir ; coordination, coordonné, coordonner ; correspondance, correspondre ; équilibrer ; équivalent, équivalence ; harmonie, harmoniser ; identité, identique ; parallèle, parallélisme ; proportion, proportionné, proportionnel ; raccorder ; ressembler, semblable, similitude, similaire ; symétrie, symétrique. — **Rapports entre mots, entre sons.** Accord en nombre/en genre, règle d'accord ; approprier, propriété d'un mot ; analogie, association. ▪ Allitération, assonance, concordance, consonance, euphonie ; accorder des instruments, accordeur ; accord parfait/assonant ; cadence, eurythmie, mesure, rythme ; chœur, ensemble, unisson ; écho, harmonie, homophonie, rime.

ACCORDAILLES → *accord, mariage.*

ACCORDÉON → *instrument.*

ACCORDER, ACCORDER (S') → *accord, convenir, donner, musique, permettre.*

ACCORT → *beau.*

ACCOSTER → *bord, navire, rencontre.*

ACCOTEMENT → *bord, route.*

ACCOTER → *peser.*

ACCOUCHEMENT, ACCOUCHER → *enfant, parler, reproduction.* — **Avant la naissance.** Période prénatale : conception, concevoir ; état intéressant ; être enceinte/grosse ; gestation, grossesse ; malaises, envies, nausées ; maternité ; porter un enfant, portée. ▪ Avortement, manœuvres abortives ; facteur létal ; fausses couches. ▪ Fœtus, insémination artificielle, matrice, parthénogenèse. — **La mise au monde.** Accoucher à terme/avant terme, faire ses couches ; donner le jour/naissance/la ; être en mal d'enfant/dans les douleurs ; enfanter, enfantement ; engendrer ; être en gésine/en travail ; parturition ; procréer, procréation, procréatrice ; relever de couches, relevailles, la Chandeleur ; période postnatale : femme primipare/multipare ; bébé, nourrisson, nouveau-né, mort-né, prématuré (couveuse artificielle) ; jumeaux, triplés, quadruplés, quintuplés, etc. — **Art d'accoucher.** Clinique, maternité ; médecin-accoucheur, sage-femme ; obstétrical, obstétrique. ▪ Accouchement sans douleur, césarienne, fers, forceps, ventouse ; délivrer une femme ; délivrance : caduque, fœtus, liquide amniotique, placenta.

ACCOUDER, ACCOUDOIR → *bras, meuble.*

ACCOUPLEMENT, ACCOUPLER → *deux, sexe.*

ACCOURIR → *venir, vitesse.*

ACCOUTREMENT, ACCOUTRER (S') → *vêtement.*

ACCOUTUMANCE, ACCOUTUMER → *habitude.*

ACCOUVAGE → *élevage, œuf, oiseau.*

ACCRÉDITER → *banque, confiance, diplomate, étendre, reconnaître.*

ACCROC → *difficile, dommage, morceau.*

ACCROCHAGE → *attaque, discussion, voiture.*

ACCROCHE-CŒUR → *cheveu.*

ACCROCHER → *attacher, pendre, prendre.*

ACCROCHEUR → *prendre, volonté.*

ACCROIRE → *croire, tromper.*
ACCROISSEMENT, ACCROÎTRE → *augmenter, étendre, plante.*
ACCROUPI, ACCROUPIR (S') → *bas, jambe.*
ACCUEIL, ACCUEILLIR → *entreprise, recevoir.*
ACCULER → *pousser.*
ACCUMULATEUR → *automobile, électricité.*
ACCUMULATION, ACCUMULER → *amas, augmenter.*
ACCUSATIF → *grammaire.*

ACCUSATION, ACCUSER → *crime, critique, montrer, tribunal.* — **Accuser en justice.** Action publique, vindicte publique ; appeler en justice ; attaquer/citer/déférer en justice ; se désister, abandonner l'accusation ; livrer à la justice ; poursuivre/traduire en justice ; trahir, vendre. ■ Chef d'accusation, enquête, imputation, implication, incrimination, information, instruction, inculpation, plainte, poursuite. ■ Accusé, coaccusé, inculpé, prévenu, prévention, repris de justice, suspect ; délateur, délation, dénonciateur, dénoncer, dénonciation, espion, faux frère, mouchard, mouton, sycophante. ■ Avocat, défense, juge d'instruction, parquet, procureur, substitut. ■ Assignation ; mandat d'amener ; citation ; comparaître, comparution ; confronter, confrontation ; contumace, contumax, non-comparant, faire défaut, être défaillant ; interrogatoire ; plaider coupable/non-coupable ; réquisitoire ; témoin à charge/à décharge/de moralité ; verdict : acquittement, condamnation, extradition, sentence, sursis. — **Imputer une faute à quelqu'un ou quelque chose.** Attaquer, attaque ; blâmer, blâme ; calomnier, calomnie, calomniateur ; crier haro sur ; faire crime de ; dénigrer, dénigrement ; diatribe ; diffamer, diffamation ; faire grief de ; imputer, imputation ; incriminer ; insinuer, insinuation ; médire de, médisance ; mettre au compte de/sur le dos de, mettre en cause ; noircir ; reprocher, reproche ; taxer de ; ternir ; vilipender. — **Mettre en relief, révéler.** Accuser, accentuer, dessiner, marquer, mettre en relief, faire ressortir/saillir/sentir, souligner. ■ Accuser un coup/le coup/réception ; déceler, indiquer, manifester, prouver, révéler.

ACERBE → *amer, dur, mal.*
ACÉRÉ → *aigu, dur.*
ACESCENCE, ACESCENT → *acide.*
ACÉTATE → *chimie.*
ACÉTONE → *sel.*
ACÉTYLÈNE → *gaz.*
ACHALANDÉ, ACHALANDER → *commerce, marchandises.*
ACHARNEMENT, S'ACHARNER → *résister, violence, volonté.*

ACHAT → *acheter, commerce.*
ACHEMINEMENT, ACHEMINER → *conduire, envoyer, transport.*
ACHEMINER (S') → *but, venir.*
ACHÉRON → *enfer, mythologie.*

ACHETER, ACHETEUR → *commerce, payer, posséder.* — **Obtenir contre paiement.** Accaparer, accapareur ; acheter, acheteur ; acquérir, acquéreur ; adjudicataire ; faire des affaires ; barguigner, barguigneur ; brocanter, brocanteur ; cessionnaire, concessionnaire ; chiner ; clientèle, chaland ; commander, commande ; commercer, commerçant ; commissionnaire ; débiteur ; enchérir, enchérisseur, surenchérir ; mandataire ; enlever un marché, marchander, marchand, preneur ; monopoliser, monopole ; négocier, négociant ; payer, payeur ; pratique ; preneur ; se procurer ; racheter, rédimer ; rafler (fam.) ; spéculateur, spéculer ; truster ; vénalité des charges. — **Achats, modes d'achat.** Acheter par abonnement/par adjudication/aux enchères/par souscription ; acquisition, acquêt, conquêt, emplette ; brocante ; cession, commande, commission, échange, marché, marchandage, mutation, ordre d'achat. ■ Contrat pignoratif ; donner des arrhes ; droit de préachat/de préemption ; pacte, rançon ; clause de réméré, rédhibition ; simonie ; spéculation, surachat, surenchère ; troc, troquer. ■ Acheter au comptant/à crédit/à tempérament/à terme / ferme ; acheter en gros / au détail ; acheter bon marché/cher/à grands frais/à prix fixé/à vil prix/pour rien/pour une bouchée de pain/à prix d'or/hors de prix ; acheter de première main/de seconde main/d'occasion ; consortium / coopérative / groupement d'achat, pouvoir d'achat. — **Obtenir avec peine.** Acheter au prix de son sang, racheter, rachat, rédempteur, rédemption, rédimer. — **Acheter quelqu'un.** Acheter une conscience ; corrompre, corrupteur, corruption, corruptible ; graisser la patte (fam.) ; payer, séduire, séducteur, soudoyer. —
payer, séduire, séducteur, soudoyer. —
Racheter une faute/un défaut. effacer ; expier, expiation, expiatoire ; faire oublier/pardonner ; payer, paiement ; se racheter, se relever, se réhabiliter, réhabilitation ; réparer, réparation, réparateur.

ACHÈVEMENT, ACHEVER → *entier, finir, mourir, réussir.*
ACHOPPEMENT, ACHOPPER → *échouer, obstacle.*
ACHROMATIQUE → *lumière.*
ACIDE → *aigre, chimie, parler.* — **Saveur acide.** Acescent, acescence, acéteux ; acide, acidité, acidulé, acidi-

fier ; âcre, âcreté ; aigre, aigrelet, aigre-doux, aigri, s'aigrir, aigreur ; cru ; éventé, s'éventer ; mordant, mordacité ; piquant, piqué, piquer ; raide ; rèche ; sur, suret, suri, surir ; tourné, tourner ; vert, verdeur, verdelet. — **Propos acides.** Acerbe, acide, acidité ; âcre, acrimonieux, acrimonie ; aigre, aigreur ; amer, amertume ; caustique, causticité ; corrosif ; mordant ; piquant. — **Substances acides.** Citron, citronnelle, groseille, oseille, etc. ; piquette, reginglard, verjus, vinaigre. ■ Acide solidifié ou concret ; ferment, fermentations, moisissures. — **Acides chimiques.** Acide basique/monobasique/bibasique/tribasique ; liquide, gazeux, solide ; acidimètre, acidimétrie ; épreuve du tournesol ; hydracide, oxacide ; formation des sels, acétates ; acidose ; acide acétique/carbonique/chlorhydrique ou esprit de sel/citrique/formique/nitrique ou eau-forte/oxalique/phénique ou phénol/stéarique/sulfurique ou vitriol/picrique / prussique / tartrique / tungstique ou wolfram/urique ; eau régale.

ACIDIFIER → *acide.*

ACIDITÉ, ACIDULÉ → *acide, goût.*

ACIER → *fer, métal.* — **Composition, propriétés.** Carbone, fer, carbure de fer ou fer carburé, fer acérain ; austénite, cémentite, ferrite ; chrome, cobalt, manganèse, molybdène, nickel, tungstène, vanadium. ■ Cassant, ductile, dur, élastique, malléable. — **Fabrication.** Aciérie, aciériste ; convertisseur acide Bessemer, convertisseur basique Thomas, cornue, creuset, fonderie, forge, four à sole Martin, four électrique, haut fourneau, mélangeur, revenoir, soufflerie. ■ Aciérer, aciération ; affinage ; convertissage ; carburation, décarburation par dilution ou oxydation ; cémentation ; cinglage ; couler, coulage, une coulée ; décrassage ; déphosphoration ; fondre, fusion ; laminage, laminoir à froid/à chaud ; moulage ; polissage ; puddlage ; recuire, recuite ; revenu ; sabler, sablage ; scorification, scories ; soufflage ; trempage, tremper, détremper, trempe. ■ Cendrure, chauffure, moine, morfil, paille, soufflure, voile, voiler, s'envoiler. — **Différentes catégories.** Acier cémenté/électrique / étiré / fondu / forgé / laminé / moulé / puddlé / soudé / trempé ; acier chromé / doux / dur / fin / inoxydable / rapide/sauvage ; barre, bloom, billette, feuillard, filière, larget, lingot, tête. — **Utilisation.** Armes, construction, construction mécanique/navale/de chemins de fer/de ponts ; industries diverses : chaudronnerie, coutellerie, horlogerie, instruments de chirurgie, outillage, quincaillerie, etc.

ACIÉRATION, ACIÉRIE → *acier, métal.*

ACMÉ → *extrême, haut.*

ACNÉ → *peau.*

ACOLYTE → *aider, deux, inférieur.*

ACOMPTE → *payer.*

ACONIT → *poison.*

ACOQUINER (S') → *habitude, relation.*

ACOUMÈTRE → *entendre.*

À-COUP → *arrêter, irrégulier.*

ACOUSMIE, ACOUSTIQUE → *entendre, son.*

ACQUÉREUR, ACQUÉRIR → *acheter, posséder.*

ACQUÊT → *acheter, mariage.*

ACQUIESCER, ACQUIESCEMENT → *accord, permettre.*

ACQUIS → *connaître, science.*

ACQUISITION → *acheter, posséder, science.*

ACQUIT → *douane, payer.*

ACQUITTER, ACQUITTEMENT → *accuser, pardon, payer.*

ÂCRE, ÂCRETÉ → *acide, aigre, dur.*

ACROBATE, ACROBATIE → *adroit, étonner, spectacle.*

ACROPOLE → *fortification, ville.*

ACROSTICHE → *poésie.*

ACROTÈRE → *architecture.*

ACTE → *agir, conduire, convenir, psychanalyse, théâtre.*

ACTEUR, ACTRICE → *cinéma, théâtre.*

ACTIF → *agir, comptabilité, force, posséder, vif.*

ACTION → *agir, mouvement, tribunal.*

ACTIONNAIRE, ACTIONNARIAT → *association, entreprise.*

ACTIONNER → *agir, exciter, mouvement, remuer.*

ACTIVATION, ACTIVER → *agir, exciter, pousser.*

ACTIVISME → *agir, politique.*

ACTIVITÉ → *agir, armée, fonction.*

ACTUAIRE → *assurance.*

ACTUALISATION, ACTUALISER → *présence, temps.*

ACTUALITÉ, ACTUALITÉS → *cinéma, événement, informer, présence.*

ACTUEL → *présence, temps.*

ACUITÉ → *aigu, sens, subtil.*

ACULÉATES → *aiguille, cire, insecte.*

ACUPUNCTEUR, ACUPUNCTURE → *aiguille.*

ACUTANGLE → *aigu, géométrie.*

ADAGE → *danse, pensée.*

ADAGIO → *musique.*

ADAMANTIN → *diamant.*

ADAPTABLE, ADAPTATION → *accord, changer.*

ADAPTATEUR → *cinéma, électricité.*

ADAPTER → *accord, littérature.*

ADDENDA, ADDITIF → *augmenter, livre.*

ADDITION, ADDITIONNER → *calcul, dépense.*

ADDUCTEUR, ADDUCTION → *eau, muscle.*

ADÉNITE, ADÉNOÏDE, ADÉNOME → *tumeur.*

ADEPTE → *science, suivre.*

ADÉQUAT, ADÉQUATION → *accord, semblable.*

ADHÉRENCE → *colle, fixer, toucher.*

ADHÉRENT, ADHÉRER → *colle, parti, proche.*

ADHÉSIF → *colle, lier.*

ADHÉSION → *accord, parti.*

ADIABATIQUE → *chaleur.*

ADIEU → *partir.*

ADIPEUX → *gras.*

ADIPOSE, ADIPOSITÉ → *gras.*

ADJACENT → *proche, toucher.*

ADJECTIF → *grammaire.*

ADJOINDRE → *aider, association, augmenter.*

ADJOINT → *deux, inférieur.*

ADJUDANT → *grade.*

ADJUDICATAIRE, ADJUDICATION → *acheter, estimer.*

ADJUGER → *donner.*

ADJURATION, ADJURER → *convaincre, demander.*

ADJUVANT → *aider, médicament.*

ADMETTRE → *accord, entrer, permettre, recevoir.*

ADMINISTRATEUR → *agent, entreprise, fonction.*

ADMINISTRATIF → *loi.*

ADMINISTRATION → *magistrat.*

ADMINISTRÉ, ADMINISTRER → *conduire, donner, ville.*

ADMIRABLE → *beau, étonner.*

ADMIRATIF, ADMIRATION → *regarder, respect.*

ADMIRER → *plaire, regarder.*

ADMISSIBLE → *enseignement, excuse.*

ADMISSION → *automobile, douane, moteur, recevoir.*

ADMONESTATION, ADMONESTER, ADMONITION → *avertir, critique, mécontentement.*

ADOLESCENCE, ADOLESCENT → *âge, jeune.*

ADONNER (S') → *aimer, goût, passion, tendance.*

ADOPTER, ADOPTIF, ADOPTION → *choisir, élire, enfant.*

ADORATEUR, ADORATION, ADORER → *aimer, dieu, religion.*

ADOSSER → *dos, placer, toucher*

ADOUBER → *chevalier.*

ADOUCIR, ADOUCISSEMENT → *calmer, doux, polir.*

ADRESSE → *adroit, calcul, subtil.*

ADRESSER, ADRESSER (S') → *appeler, donner, envoyer, poste.*

ADRET → *montagne.*

ADROIT → *qualité, supérieur, subtil, vif.* — **Physiquement.** Adroit, adresse ; agile, agilité ; aisé, aisance ; dextérité ; élasticité ; gracieux, grâce ; habile, habileté ; léger ; leste ; mobilité, mobile ; preste ; promptitude, prompt ; rapidité, rapide ; souple, souplesse ; vélocité ; vivacité. ▪ Acrobate ; être adroit comme un singe ; avoir des doigts de fée ; faire des tours, escamoter, jongler, jongleur ; passe-passe, prestidigitation, prestidigitateur, truc. — **Intellectuellement.** Apte, aptitude ; astucieux ; avisé ; clairvoyant ; débrouillard, savoir se tirer d'affaire, tirer parti de ; dégourdi ; déluré ; diplomate ; avoir du doigté/des dispositions pour ; élégance ; entregent ; avoir des facultés ; fin, fine mouche, finaud, finasser, finasserie ; avoir du flair/le nez creux ; fûté ; ingénieux, ingéniosité ; intelligent ; insinuant ; intrigant ; judicieux ; madré ; malin, malin comme un singe ; manœuvrer ; matois ; pénétrant, pénétration ; perspicace, perspicacité ; fin politique ; retors ; roublard, roublardise ; roué, rouerie ; rusé, ruse ; sagace, sagacité ; sensé, homme de sens ; souple, souplesse ; spirituel ; subtil, subtilité. ▪ Bien mener sa barque, avoir le coup d'œil, jongler avec, jouer d'adresse, saisir la balle au bond/au vol, savoir retomber sur ses pieds. — **Particulièrement adroit.** Agir avec bonheur ; avoir du brio, avoir des capacités ; être calé (fam.)/capable/compétent ; avoir de la compétence/plusieurs cordes à son arc ; connaisseur, s'y connaître ; distingué, doué, don ; émérite, éminent ; entendu, s'entendre à ; exceller à, excellent ; exercé, expérimenté, expert ; avoir de la facilité ; bon faiseur ; être au fait de/à la hauteur, ferré dans, fort en, fortiche (fam.) ; inspiré, inspiration ; inventif, invention ; avoir la main sûre, main de maître, coup de maître, maîtrise ; être orfèvre en la matière ; patte, coup de patte ; praticien habile/rompu aux affaires ; savant ; savoir-faire, savoir s'y prendre, savoir y faire ; spécialiste ; avoir du talent, talentueux ; avoir de la pratique/du métier/de la technique ; versé en ; virtuose, virtuosité. ▪ Aigle, artiste, as, caïd (fam.), champion, parangon, phénix, prodige, roi, vieux routier.

ADULATEUR, ADULATION, ADULER → *éloge, faux, plaire.*

ADULTE → *âge, homme.*

ADULTÉRATION, ADULTÉRER → *autre, changer, dommage, tromper.*

ADULTÈRE, ADULTÉRIN → *enfant, mariage, tromper.*

ADVENIR → *événement, venir.*

ADVENTICE → *deux, inférieur.*

ADVERBE → *grammaire.*

ADVERSAIRE → *guerre, opposé.* — **Dans un combat guerrier.** Forces adverses : agresseur, agresser ; attaquant, attaquer ; assaillant, assaillir, assaut, donner l'assaut ; combattant, combattre, en venir aux mains, être aux prises avec ; en découdre ; ennemi. ■ Adversaire acharné/belliqueux/rusé-rude/tenace ; ennemi mortel. — **Dans un procès.** Partie adverse/contraire ; chicane, chicaner, chicaneur, chicaneau ; controverse, controversé ; dénégation, déni ; litige, litigieux. — **Dans un jeu.** Challenge, challenger ; concourir, concours, concurrent ; compétition, compétitif ; défier, lancer un défi ; dispute, disputer le prix, le disputer à ; duel, duelliste ; entrer dans l'arène/dans la carrière/dans la lice/en loge ; jeter le gant ; joute, jouter ; lutte, lutter, lutteur ; mettre l'adversaire hors de combat/K.O./au tapis ; se mesurer avec ; se piquer d'honneur ; relever le gant ; tournoi. — **Sur le plan économique, idéologique, politique.** Antagoniste, antagonisme ; candidat, poser sa candidature ; combat, combattant ; compétition, compétiteur, compétitif ; concurrent, concurrencer, concurrence loyale/déloyale ; concours, concourir ; contestation, contestataire ; contradicteur, contradiction, contradictoire ; débattre, débat, debater ; démentir, infliger un démenti ; désaccord, discorde ; dissension, dissentiment, divorce ; émule, émulation ; objecteur de conscience, opposant, opposition, oppositionnel ; polémique, polémiquer, polémiste ; prétendant, prétendre à ; rebelle, rébellion ; résister, résistance ; riposte, riposter ; rival, rivaliser, rivalité, rivalité de clocher ; avoir affaire à forte partie, aller à l'encontre de/sur les brisées de ; faire assaut de ; confondre/écraser/ménager/supplanter l'adversaire ; évincer un rival ; se mettre sur les rangs ; se présenter contre ; se piquer de.

ADVERSE → *adversaire, opposé, tribunal.*

ADVERSITÉ → *événement, malheur.*

AÈDE → *mythologie, poésie.*

AÉRAGE → *mine.*

AÉRATEUR, AÉRATION, AÉRER → *air.*

AÉRIEN → *air, aviation, peser.*

AÉRIUM → *soigner.*

AÉRO- → *air.*

AÉROBIE → *air.*

AÉROBUS → *transport.*

AÉRO-CLUB → *aviation.*

AÉRODROME → *aviation.*

AÉRODYNAMIQUE → *air, mouvement.*

AÉROGARE → *aviation.*

AÉROGRAPHIE → *air, peinture.*

AÉROLITHE → *astronomie, pierre.*

AÉROLOGIE, AÉROMÈTRE → *air.*

AÉRONAUTE, AÉRONAUTIQUE → *air, astronautique, aviation.*

AÉROPHAGIE → *estomac.*

AÉROPLANE → *aviation.*

AÉROPORT → *aviation, transport.*

AÉROSTAT, AÉROSTATIQUE → *air, gonfler.*

AÉROTECHNIQUE → *aviation.*

AFFABILITÉ, AFFABLE → *doux, manière.*

AFFABULATION → *abstraction, imaginer, récit.*

AFFADIR, AFFADISSEMENT → *diminuer, doux, faible, goût.*

AFFAIBLIR, AFFAIBLISSEMENT → *abattre, diminuer, faible, fatigue.*

AFFAIRE → *accord, agir, entreprise.*

AFFAIRES → *commerce, économie.*

AFFAISSEMENT, AFFAISSER → *abattre, presser.*

AFFAISSER (S') → *bas, pli, tomber.*

AFFALER, AFFALER (S') → *bas, tomber, voilure.*

AFFAMÉ, AFFAMER → *désir, faim.*

AFFECT → *psychanalyse.*

AFFECTATION, AFFECTER → *attribuer, donner, fonction.*

AFFECTATION, AFFECTER → *douleur, faux, forme, manière, montrer.* — **De sentiments ou qualités.** Afficher ; comédien, jouer la comédie ; se composer un visage ; coquetterie ; donner le change, se donner des airs de ; jouer à, jouer la comédie ; farder ; feindre ; simuler, simulation. ■ Faire la chattemite / des grimaces / semblant / des simagrées/des singeries ; être cauteleux / doucereux / emmiellé / enjôleur / fourbe / mignard / mielleux / mièvre ; minauder, minauderie ; obséquieux, obséquiosité ; être patelin ; sensiblerie ; sentimentalisme. ■ Bravache ; fanfaron, fanfaronnade ; forfanterie ; glorieux ; matamore ; vantard, vantardise. — **De vertu.** Bégueule, faux, faux jeton (pop.), hypocrite, mijaurée, oie blanche, pimbêche, sainte nitouche ; ■ Bigot, bigoterie ; cagot, cagoterie ; confit en dévotion ; faux dévot ; papelard, papelardise ; pharisien, pharisaïsme ; prude, pruderie ; pudibond, pudibonderie ; puritain, puritanisme ; tartufe, tartuferie. — **Dans l'allure.** Être affété/apprêté/ cabotin / cérémonieux / collet monté / comédien / compassé / composé / contraint / embarrassé / empesé / emprunté/étudié/façonnier ; faire des façons ; fat, fatuité ; être gauche/ gêné / gommeux / gourmé / grimacier/ guindé ; rire jaune ; maniéré, faire des manières ; outré ; pincé ; pompeux ; poseur ; précieux ; prétentieux ; raide. ■ S'afficher ; calculer ses effets ; faire des chichis/du chiqué/des embarras/ étalage / montre / ostentation / parade/ vanité de ; faire l'important, le joli cœur ; jouer les... ; parader ; se pavaner ; être snob, snobisme ; être à la page/dans le vent. — **Dans le langage.** Style affété/d'apparat ; bel esprit, compassé, contourné, cuistre, doctoral, emphatique, entortillé, grandiloquent, maniéré, mièvre, outrecuidant ; pédant, pédanterie, pédantisme ; pompeux, pontifiant ; précieux, préciosité ; puriste, purisme ; quintessencié, raffiné, recherché ; sententieux ; snob ; solennel ; sucré ; théâtral ; tiré par les cheveux, tortillonné, travaillé. ■ Marivaudage, marivauder.

AFFECTIF, AFFECTION → *aimer, psychologie, sensibilité.*

AFFECTUEUX → *aimer, sensibilité.*

AFFÉRENT, AFFÉRENCE → *relation.*

AFFERMAGE, AFFERMER → *convenir, location.*

AFFERMIR, AFFERMISSEMENT → *dur, force.*

AFFÉTERIE → *affectation.*

AFFICHE, AFFICHER → *affectation, informer, inscription, montrer.*

AFFICHISTE → *dessin.*

AFFIDÉ → *confiance.*

AFFILAGE, AFFILER, AFFILEUR → *aiguiser.*

AFFILIATION, AFFILIER → *association, groupe, parti.*

AFFILOIR → *aiguiser.*

AFFINAGE, AFFINER → *lait, métal, pur.*

AFFINITÉ → *accord, amitié, attirer, tendance.*

AFFIRMATIF, AFFIRMATION → *affirmer, décider, vérité.*

AFFIRMER → *montrer, parler.* — **Donner une chose pour vraie.** Affirmer, affirmation, affirmatif, affirmative ; alléguer, allégation ; approuver, approbation, approbatif ; arguer de ; assurer, assuré, assurance, assertion, assertif ; attester, attestation ; avancer ; certifier, certificat, certitude, certain ; confirmer, confirmation ; déclarer, déclaration ; dire, dit ; garantir, garantie ; insister, insistance ; juger ; jurer ; maintenir ; parier, faire le pari que ; préciser ; prétendre ; proclamer ; promettre ; protester / répondre de, soutenir ; donner sa tête à couper, mettre sa main au feu, prendre sous son bonnet que. — **Manifester.** S'affermir, s'affirmer, affirmation ; s'avérer ; confirmer, confirmation ; démontrer, démonstration ; exprimer, expression ; extérioriser, extériorisation ; manifester, manifeste, manifestation ; montrer ; prouver, preuve, probant ; être reconnu, reconnaissance ; se renforcer, renforcement ; se révéler, révélateur, révélation ; témoigner, témoignage ; se trouver ; se vérifier. ■ Répondre/se faire fort/ se porter garant de. — **Expression affirmative.** Il est acquis/avéré/ certain / clair / connu / établi / évident/ manifeste/patent/reconnu/sûr. ■ D'accord, assurément, sûrement, bien sûr ; certes, certainement ; en effet, effectivement, bien entendu, oui, oui-da ; parfaitement ; parole, parole d'honneur, sur l'honneur, positivement ; sans aucun doute, sans mentir ; si, si fait, dame si, que si ; sur ma tête, sur ma vie ; en vérité ; volontiers ; vraiment. ■ Termes exprès/ formels/nets/précis.

AFFIXE → *mot.*

AFFLEURER → *eau, niveau, toucher.*

AFFLICTIF → *peine.*

AFFLICTION, AFFLIGÉ → *douleur, triste.*

AFFLIGER → *abattre, malheur.*

AFFLUENCE → *abondance, beaucoup, groupe, nombre.*

AFFLUENT → *rivière.*

AFFLUER → *abondance.*

AFFLUX → *abondance, venir.*

AFFOLANT → *exciter, trouble.*

AFFOLÉ, AFFOLEMENT → *aimant, peur.*

AFFOUAGE, AFFOUAGER → *droit.*

AFFOUILLEMENT, AFFOUILLER → *ronger, trou.*

AFFOURCHER → *ancre, navire.*

AFFRANCHI, AFFRANCHIR, AFFRANCHISSEMENT → *libre, poste.*

AFFRES → *douleur, mourir.*

AFFRÈTEMENT, AFFRÉTER → *location, navire.*

AFFREUX → *déplaire, laid.*

AFFRIANDER → *attirer.*

AFFRIOLANT → *plaire.*

AFFRONT → *mépris, offense.*

AFFRONTEMENT, AFFRONTER → *adversaire, attaque, opposé.*

AFFUBLEMENT → *habiller.*

AFFUSION → *eau.*

AFFÛT → *artillerie, chasse.*

AFFÛTAGE, AFFÛTER → *aiguiser.*

AFFÛTIAU → *toilette.*

AFICIONADO → *course.*

AFRIQUE → *terre.* — **Continent.** Afrique blanche/équatoriale/noire/du Nord ou Maghreb/du Sud/tropicale. — **Afrique blanche.** Le colonisateur français : francaoui (fam.), métropolitain, pied-noir, nazrani ; le colonisé : arabe, berbère, bédouin, juif, kabyle, maure, mauresque, mzabite, sarrasin, targui (au pluriel : touareg) ; bicot (pop.), bougnoule (pop.), raton (pop.) ; cheikh, fellah, nomade, tribu. ▪ Burnous, chéchia, djellaba, fez, gandoura, haïk des fatmas, turban ; couscous, pilaf, rahat-lokoum. — **Afrique noire.** Métis, métissé, métissage, mulâtre, mulâtresse ; noir, noire, nègre, négresse, négrillon, négroïde. ▪ Abyssin, bantou, cafre, congolais, guinéen, hamite, nilotique, peul, pygmée, soudanais, zambézien. ▪ Boubou ; case, paillotte ; chef, chefferie, griot, sorcier ; fétiche, gri-gri ou gris-gris ; masque ; palabre ; pagne ; tam-tam ; tatouage. — **Afrique du Sud.** Afrikander, afrikaner, boer ; afrikaan, malgache ; apartheid ; bochiman ; hottentot ; hova ; ségrégation, ségrégationniste, antiségrégationniste. — **Traite des Noirs.** Esclavage, esclavagiste, antiesclavagiste ; négrier.

AGAÇANT, AGACER → *colère, déplaire, exciter, nerf.*

AGAPES → *manger.*

AGARIC → *champignon.*

ÂGE → *histoire, temps, vie.* — **Durée ordinaire de la vie.** Un âge d'homme, génération ; âge mûr, jeune/grand âge ; avancer en âge, être âgé, les progrès de l'âge, longévité ; aube/matin/soir de la vie ; le cours/le courant des âges ; pyramide des âges. ▪ Les saisons de la vie : automne, été, hiver, printemps ; crépuscule de l'âge, déclin ; fleur/force de l'âge ; maturité, sénilité. ▪ Caducité, caduc ; décrépitude, décrépit ; être hors d'âge. — **Temps écoulé depuis la naissance.** Être âgé de, avoir *x* ans, accomplis/révolus/bien comptés/bien sonnés (fam.) ; être chargé d'ans/d'années ; aller sur la cinquantaine/sur ses cinquante ans, friser la cinquantaine ; être entre deux âges/sans âge, n'avoir pas d'âge, paraître/porter son âge ; être avancé/en retard pour son âge ; être mûr, maturité ; précoce, précocité. ▪ Ancien, doyen/président d'âge, vétéran ; aîné, benjamin, cadet, dernier/premier-né, puîné ; centenaire, nonagénaire, octogénaire, quadragénaire, quinquagénaire, septuagénaire, sexagénaire. — **Différents degrés de la vie de l'homme.** Adolescence, adolescent, jeunesse, jeune homme, jeune fille ; âge adulte, âge mûr, maturité, homme fait, femme faite ; bas/premier âge, bébé ; enfance, enfant, garçon, fille ; vieillesse, vieillard, vieux, vieille ; âge canonique / critique/ingrat/de raison/viril ; être âgé, d'un certain âge, dans la force de l'âge ; puberté, âge nubile/pubère, fille nubile, garçon pubère. — **Les âges de l'histoire.** Age du bronze/du fer / néolithique / paléolithique / de la pierre taillée ; âge de fer/d'or ; Antiquité, temps anciens/antédiluviens/bibliques/fabuleux/héroïques/homériques / mythiques / mythologiques / préhistoriques / primitifs ; Moyen Age, époque médiévale ; Renaissance ; Temps modernes, époque contemporaine. — **Âge légal.** Émancipation, émancipé ; majorité, majeur, minorité, mineur ; majorité civile/électorale/pénale ; sous tutelle, tuteur. ▪ Dispense d'âge, limite d'âge ; droit d'aînesse/de priorité d'âge/de primogéniture ; être élu au bénéfice de l'âge.

ÂGÉ → *âge, vieillesse.*

AGENCE → *agent, banque, bureau, commerce.*

AGENCER → *accord, composer, plan*

AGENDA → *écrire, papier, inscription.*

AGENOUILLEMENT, AGENOUILLER (S') → *jambe, respect.*

AGENT → *agir, assurances, fonction, police.* — **Agent d'administration.** Administrateur, administration ; bureau, employé ; fonctionnaire public/de l'État, haut fonctionnaire. ▪ Chef/sous-chef de bureau, comptable public, contrôleur, directeur, économe, facteur, greffier, inspecteur, intendant, magistrat, manutentionnaire, officier d'état civil/payeur, percepteur, préposé, receveur, rédacteur, secrétaire, trésorier, vérificateur. ▪ Censeur des études, instituteur, professeur, proviseur. ▪ Auditeur, grand commis, conseiller (référendaire) au Conseil d'État/à la Cour des comptes, maître des requêtes, ministre, président de la République, secrétaire d'État, sous-secrétaire d'État. ▪ Igame, préfet, sous-préfet, superpréfet. ▪ Fonctionnaire communal/municipal, garde champêtre, maire. — **Agent de l'ordre public.** Agent de police/de la sûreté/du service des mœurs ; alguazil ; commissaire de police ; C.R.S. ; garde champêtre, garde forestier ; garde mobile ; garde municipal/républicain ; gardien de la paix ; gendarme ; inspecteur de police, officier de paix/de police, policier ;

sergent de ville. — **Agent commercial.** Agent en douane/maritime, commis, commissionnaire, commis voyageur, consignataire, courtier de marchandises/en vins/de publicité, courtiers inscrits/assermentés/privilégiés; expéditionnaire, intermédiaire, mandataire aux Halles, placier, représentant, voyageur de commerce. — **Agent d'affaires.** Agent, agence, bureau, cabinet d'affaires. ▪ Homme d'affaires, businessman, courtier, fondé de pouvoir, gérant, imprésario, intermédiaire, mandataire, régisseur, syndic, trésorier. — **Agent d'assurances.** Actuaire, assureur, courtier, dispatcheur, expert, expert agréé. ▪ Chambre, compagnie, lloyd, portefeuille. — **Agent de change.** Banque, bourse, bureau de change, office, parquet; une charge. ▪ Banquier, cambiste, changeur, coulissier, commis, courtier, remisier, syndic. — **Agent diplomatique.** Agent consulaire, ambassadeur, chargé d'affaire; consul, diplomate, légat, ministre plénipotentiaire, négociateur, nonce. — **Agent d'exécution.** Affidé, agent du diable, âme damnée, auxiliaire, bras droit, cheville ouvrière, comparse, éminence grise, exécutant, exécuteur des basses œuvres, factotum, ferment, mauvais génie, homme de confiance, homme de main/de paille, instrument, mandataire, moteur, moyen, organe, prête-nom, principe, second, séide, suppôt (de Satan). — **Agent intermédiaire.** Agent de liaison, agent secret, agent spécial, barbouze (pop.), espion. ▪ Entremetteur, entremetteuse, indicateur, maquereau, maquerelle, proxénète, souteneur.

AGGLOMÉRAT → *amas, presser, lier.*

AGGLOMÉRATION, AGGLOMÉRER → *amas, lier, habiter, ville.*

AGGLOMÉRÉ → *charbon, construction, maçonnerie, menuiserie.*

AGGLUTINATION, AGGLUTINER → *amas, colle, mêler, presser.*

AGGRAVATION, AGGRAVER → *augmenter, exciter, mal, maladie.*

AGILE, AGILITÉ → *adroit, vif.*

AGIO, AGIOTAGE → *banque, commerce.*

AGIR → *agent, exécuter.* — **Faculté d'agir.** Acte, action, activité, réaction, agir, réagir; s'agiter, agitation; se dépenser; décider, décision; démarche; faire effort, s'efforcer, s'employer à; entreprendre, entreprise, affaire; exécuter, mettre à exécution, exécutif; faire, faits et gestes; s'occuper, occupation, pratique, métier, profession; se remuer, remuement; travailler, travail, besogne, boulot, œuvre, ouvrage, tâche. ▪ Engager une action, se mettre en train/en campagne/en frais; passer à l'action/à l'offensive; prendre l'initiative. — **Les agents.** Acteur, agent, auteur, commis, employé, exécutant, factotum, fonctionnaire, préposé, promoteur. ▪ Auxiliaire, collaborateur, collègue, complice, confrère, entremetteur, intermédiaire, interprète, négociateur. ▪ Bras, cause, instrument, ferment, moteur, moyen, organe, principe. — **Agir sur quelqu'un ou sur quelque chose.** Actionner; activer, activation; agiter; animer, animation; collaborer à, coopérer, coopération, participer, participation; faire une démarche auprès de, intervenir, intervention; faire effet sur, efficacité, force; faire fonctionner, entraîner, entraînement, entraîneur; impressionner, faire impression; influencer, influer, influence, jeu d'influences, ascendant; jouer sur, jeu; manœuvrer, manœuvre; mener; mettre en mouvement/en branle; militer, militant; mouvoir; opérer une action/une diversion/une opération; persuader, persuasion, faire pression sur, peser sur; pousser/inciter à; promouvoir; provoquer, provocation; réagir sur, réaction, rétroaction, rétroactif, action en retour. — **Façons d'agir.** Agir en, s'agiter, agitation, agitateur, trublion; agir par calcul, calculer; commettre un méfait; se comporter en, comportement; se conduire en, conduite. ▪ Action d'éclat, exploit, prouesse, trait de courage; agissement; complot, délit, faute; coup de main, coup de tête, foucade; intrigue, intriguer, brigue; machination, manœuvre, manigances; méfait; menées, meneur. ▪ Être actif, abattre de la besogne, être débrouillard/dégourdi/déluré/efficace/énergique; avoir de l'allant/de l'entrain/de l'entregent; être entreprenant / enthousiaste / empressé / à la hauteur / pétulant / remuant; avoir du ressort, de la vivacité; être vif/violent. ▪ Avoir le diable au corps; se donner du mal; être toujours sur la brèche; faire ses preuves; mettre la main à la pâte, y mettre du sien; voler de ses propres ailes.

AGIR (S') → *matière.*

AGISSEMENT → *agir.*

AGITATEUR, AGITATION → *agir, exciter, passion, révolte, trouble.*

AGITER → *mêler, mouvement, remuer, trouble.*

AGNEAU → *mouton, pur.*

AGNELAGE, AGNELER → *mouton.*

AGNOSTICISME, AGNOSTIQUE → *philosophie, religion.*

AGNUS DEI → *liturgie.*

AGONIE, AGONISER → *finir, mourir.*

AGORAPHOBIE → *peur.*

AGRAFE, AGRAFER → *attacher, bijou, lier.*

AGRAIRE → *terre.*

AGRANDIR, AGRANDISSEMENT → *augmenter, grand, photographie.*

AGRANDISSEUR → *photographie.*

AGRÉABLE → *plaire, satisfaire.*

AGRÉÉ → *tribunal.*

AGRÉER → *accord, recevoir.*

AGRÉGAT, AGRÉGATION → *amas, chimie, lier, mêler.*

AGRÉGATION, AGRÉGÉ → *enseignement, université.*

AGRÉMENT → *accord, art, permettre, plaire.*

AGRÉMENTER → *décoration.*

AGRÈS → *gymnastique, navire.*

AGRESSER, AGRESSEUR, AGRESSION → *adversaire, attaquer.*

AGRESSIF, AGRESSIVITÉ → *attaque, brusque, critique.*

AGRESTE → *campagne, grossier.*

AGRICOLE, AGRICULTEUR → *agriculture, campagne, terre.*

AGRICULTURE → *culture, élevage, terre.* — **Ceux qui s'adonnent à l'agriculture.** Colon, colonie; cultivateur, culture; éleveur, élevage; exploitant, exploitation agricole; fermier, ferme, intendant, laboureur; métairie, métayer; paysan; planteur, plantation; producteur; propriétaire, propriété rurale; régisseur. ▪ Aoûteron, berger, bûcheron, charretier, conducteur de tracteur ou tractoriste, domestique de ferme, garde, gardien, homme de main, jardinier, journalier, ouvrier agricole, tâcheron, valet. ▪ Betteravier, faneur, faucheur, moissonneur, vanneur. ▪ Association / comices / concours/ coopérative/ crédit/ exposition/ foire agricole; syndicat des agriculteurs. — **Science de l'agriculture.** Agrochimie, agrologie, agronomie; ingénieur agronome, Institut national agronomique; agrologie : botanique, géologie agricole, hydraulique agricole; enseignement / école / institut / lycée agricole ou d'agriculture; expérimentation, station agricole / agronomique. — **Produits agricoles.** Agrumes; céréales : avoine, blé, maïs, millet, orge, riz, sarrasin, seigle, sorgho; fourrages; fruits; légumes. ▪ Cacao, café, épices, oléagineux, sucre, tabac, thé ▪ Graisse, lait, miel, œuf, viande. ▪ Alcool, bière, chocolat, cidre, huile, vin. — **Industrie agricole.** Biscuiterie, brasserie, chocolaterie, cidrerie, confiturerie, conserverie, distillerie, féculerie, huilerie, meunerie, raffinerie, sucrerie, vinaigrerie; bûcheronnage, tannerie, industrie caoutchoutière/ textile; produits congelés/pasteurisés/ surgelés.

AGRIPPER, AGRIPPER (S') → *attacher, main, prendre.*

AGROLOGIE → *agriculture.*

AGRONOME, AGRONOMIE → *agriculture.*

AGRUMES → *boisson, fruit.* — **Agrumes divers.** Bergamote, bergamotier, essence de bergamote, bonbon à la bergamote; cédrat, cédratier, cédratine, citrus, confiserie; clémentine, mandarine; pamplemousse, grape-fruit, pomélo. — **Le citron.** Citron, citronnier, lime, limette, limon, limonier; écorce, rondelle, tranche, zeste; jus de citron, citron pressé, boisson citronnée, citronnade, grog, limonade, punch, soda, thé au citron; bonbon/ confiture/ crème / glace / sorbet / tarte au citron; citronnelle. ▪ Acide citrique, citrate; amanite citrine; citrine, topaze; jaune citron, être jaune comme un citron; presser quelqu'un comme un citron. — **L'orange.** Orange, orangette, oranger; orange amère, bigarade, bigaradier, orange douce, sanguine; clémentine, mandarine; écorce, peau, pelure, pépin, quartier, tranche, zeste; jus d'orange, orange pressée, sirop d'orange, orangeade; liqueur à l'orange, curaçao; confiture d'orange, confit, marmelade, orangeat; salade d'orange/de fruits, sangria; orange glacée, glace/sorbet à l'orange; orange confite, cumquat; gâteau à l'orange, orangine, canard à l'orange; infusion de fleur d'oranger, eau de fleur d'oranger, néroli. ▪ Orangeraie, orangerie, musée de l'Orangerie. ▪ Couronne de fleur d'oranger, virginité.

AGUERRIR → *dur, guerre, habitude.*

AGUETS → *attendre, attention.*

AGUICHER, AGUICHEUR → *attirer, plaire, regarder.*

AHAN, AHANER → *difficile, douleur, fatigue.*

AHURIR, AHURISSEMENT → *étonnement, trouble.*

AIDE → *aider, moyen.*

AIDE → *construction, deux, grade, inférieur.*

AIDE-MÉMOIRE → *abréger, inscription.*

AIDER → *arranger, défendre, part, prêter.* — **Aider quelqu'un, quelque chose.** Agir pour/en faveur de; aider, aide; aller à la rescousse; appuyer, appui; assister, assistance; collaborer avec, collaboration; conforter; conseiller, conseil; consoler, consolation; délivrer, délivrance; donner un coup d'épaule/un coup de main/de pouce; s'employer pour; s'entraider, entraide; épauler; étayer; favoriser, faveur; guider, guide; obliger, obligeance; patronner, patronage; piston; protéger, protection; réconforter, réconfort;

recours ; remettre à flot ; rendre service à ; renflouer, renflouement ; repêcher, repêchage ; seconder ; secourir, secours, porter/prêter secours ; service, rendre service, être serviable, bons offices ; se solidariser, solidarité ; soulager, soulagement ; soutenir, soutien ; question subsidiaire. ■ Être de connivence avec ; faire beaucoup pour quelqu'un ; faire jouer ses relations ; prêter son bras/la main/main-forte ; tendre la main/la perche à ; venir à l'aide/à la rescousse/au secours de. — **Aider à.** S'associer à, association ; collaborer à, prêter sa collaboration ; concourir, concours ; contribuer à, donner sa contribution ; coopérer à, coopération ; faciliter, donner/offrir des facilités ; favoriser, faveur ; participer à, participation ; permettre ; pousser à la roue ; prendre part à ; renforcer ; tendre la main à. — **Moyens et formes d'aide.** Aide morale/pécuniaire ; allocation ; aumône ; bienfait ; intervention ; médiation ; pension ; secours ; soutien ; subsides ; subvention, subventionner. ■ Abri ; aide sociale ; asile d'enfants/de vieillards ; assistance publique ; association de bienfaisance ; coopérative ; mutualité, mutuelle ; ouvroir ; refuge ; secours mutuel, sécurité sociale, solidarité. — **Personnes qui aident.** Accompagnateur, acolyte, adjoint, adjuvat, aide de camp, aide-comptable, aide-cuisinier, aide-électricien, aide familiale, aide ménagère, aide-maçon, allié, apprenti, assesseur, assistant, associé, auxiliaire, bienfaiteur, bras droit, coadjuteur, collaborateur, commis, compagnon, complice, conseiller, consolateur, coopérateur, manœuvre, mutualiste, ouvrier, partenaire, prête-nom, protecteur, secrétaire, sous-fifre (fam.), sous-ordre, subalterne. ■ Être bienfaisant/bienveillant/charitable / complaisant / de bon conseil/obligeant/officieux/d'un grand secours / secourable / serviable / solidaire.

AIDES → *impôt.*

AIEUL, AIEUX → *famille, vieillesse.*

AIGLE → *adroit, oiseau, papier.*

AIGLON → *oiseau.*

AIGRE → *acide, aigu, cri.* — **Qui a un goût acide et désagréable.** Acide, acidité ; âcre, âcreté ; aigre, aigrelet, aigreur ; piquant, piquer ; sur, surir, vert ; tourner à l'aigre, aigrir, lait tourné, petit-lait. — **Chose désagréable par sa vivacité aiguë.** Air, vent aigrelet / cuisant / froid / glacé / glacial/piquant/saisissant/vif ; ton de voix aigre-doux/criard/perçant. — **Personne d'une vivacité mordante.** Acerbe ; acide, acidité ; âcreté ; acrimonieux, acrimonie ; agressif, agressivité ; aigri, s'aigrir ; amer, amertume ; avoir de l'animosité ; âpre, âpreté ; cassant ; malveillant ; mordant ; piquant ; sec, sécheresse ; sévère, sévérité. ■ Être acariâtre/atrabilaire/irritable/revêche.

AIGRE-DOUX → *aigre, critique, goût, parler.*

AIGREFIN → *tromper, voler.*

AIGRELET → *acide, aigre, vin.*

AIGRETTE → *chapeau, oiseau, plume.*

AIGREUR, AIGRI → *aigre, mécontentement.*

AIGREURS → *estomac.*

AIGU → *aiguiser, maladie, subtil.* — **Terminé en pointe ou tranchant.** Acéré, aciculaire, affilé, affûté, aiguisé, anguleux, coupant, effilé, fin, perçant, piquant, pointu, saillant, tranchant. ■ Angle aigu, triangle acutangle ; aiguille, aiguillette, aiguillon ; épine, épineux ; feuille acuminée/lancéolée/subulée ; insecte aculé ou porte-aiguillon, abeille, guêpe ; plante aculéiforme. — **Son perçant.** Acéré, aigre, clair, criard, crissant, déchirant, élevé, haut, flûté, glapissant, grinçant, nasillard, perçant, pointu, strident, suraigu. ■ Accent aigu, oxyton, paroxyton, proparoxyton. ■ Cri, crissement ; glapissement, grincement ; note aiguë, acuité ; stridence, sauter du grave à l'aigu ; voix de clairon/de crécelle/d'eunuque/de fausset. — **Douleur violente.** Cuisant, déchirant, intolérable, piquant, vif, violent. ■ Acuité ; crise ; intensité ; paroxysme ; tension. — **D'une grande lucidité.** Incisif ; mordant ; perçant ; pénétrant, pénétration ; profond, profondeur ; subtil, subtilité ; vif, vivacité. ■ Avoir un sens aigu des réalités ; vue aiguë, œil de lynx, regard d'aigle.

AIGUE-MARINE → *joaillerie.*

AIGUIÈRE → *eau, vaisselle.*

AIGUILLAGE, AIGUILLER → *conduire, train.*

AIGUILLE → *broder, chirurgie, couture, dentelle, horlogerie, montagne.* — **Aiguille à coudre.** Aiguille à broder/à coudre/à repriser/à tapisserie ; aiguille à brider ; aiguille de bourrelier ou carrelet/d'emballeur/de relieur/de voilier ; passe-corde, passe-lacet. ■ Cannelure, œil ou chas, corps, pointe, tête. ■ Aiguillier, étui, porte-aiguilles ; dé ; pelote. ■ Faire une aiguillée, enfiler, désenfiler, manier/tenir une aiguille ; pousser/tirer l'aiguille. ■ Broder, broderie ; coudre, couture, dentelle/point/travail à l'aiguille. — **Fabrication.** Calibrage du fil d'acier ; découpage ; dressage ; empointage ; blanchissage ; estampage ; perçage du chas ; cassage ; trempe ; meulage ;

polissage; triage ou tallage; bronzage de la tête; drillage du chas; empaquetage. — **Tiges d'acier à différents usages.** Aiguille à tricot, tricoter; aiguilles d'horloge/de montre/de pendule; aiguille aimantée de boussole, aiguille astatique de galvanomètre; aiguille de balance; aiguille d'électrophone, diamant, saphir; aiguille de chemin de fer, aiguillage, aiguiller; aiguille de chirurgie/hypodermique/à suture/à vaccin/seringue; acuponcture, électroponcture ou galvanoponcture, igniponcture; fusil à aiguille ou épinglette. — **Divers objets terminés en pointe.** Aiguille cristalline, cristaux aciculaires; aiguille de pin; aiguille montagneuse, bec, dent, pic, piton, les Aiguilles Rouges; aiguille de clocher, flèche, obélisque, pyramide; insectes aculéates.

AIGUILLÉE → *aiguille, fil.*

AIGUILLETTE → *attacher, bœuf.*

AIGUILLON, AIGUILLONNER → *aigu, désir, exciter.*

AIGUISER → *aigu, faim.* — **Rendre tranchant.** Affiler, affileur, affûter, affûteur, affûtage; aiguiser, aiguiseur, aiguisage; écacher, écacheur; émorfiler; émoudre, émouleur, rémouleur; repasser, repasseur; tourneur. ▪ Aiguisoir, coffin du faucheur, cuir, fusil, meule, pierre, queue; donner de la voie à une scie. — **Rendre plus vif.** Aiguiser l'appétit/la convoitise; aiguillonner, aiguillon; aviver; exacerber; exciter, excitant; stimuler, stimulant. ▪ Aiguiser le jugement, affiner/délier l'esprit/l'intelligence, délurer, rendre plus subtil; afféter, afféterie; aiguiser/polir/travailler ses pointes, être mordant/piquant.

AIL → *aliment, cuisine, légume.*

AILE, AILÉ → *architecture, armée, automobile, insecte, oiseau.* — **Ailes des oiseaux.** Ailes courtes : oiseaux brévipennes; ailes longues : oiseaux longipennes; bipenne, envergure, fouet, moignons, plumes; couverture grande/moyenne/petite; pennes, rémiges primaires/secondaires/bâtardes/scapulaires/tectrices. — **Ailes d'insectes.** Balancier, élytre, hémiélytre ou hémélytre, nervure; -ptère, insectes ptérygogènes; insectes ailés ou aphaniptères : archiptères, coléoptères, diploptères, diptères, hémiptères, hétéroptères, homoptères, hyménoptères, lépidoptères, névroptères, orthoptères, tétraptères. — **Autres animaux ailés.** Baleinoptères ou rorqual; chiroptère ou chauve-souris; écureuil volant; mégaptère ou jubarte; poisson volant ou galéopithèque; polyptère. — **Mouvement d'ailes.** Battre des ailes, battement d'ailes; déployer ses ailes, déploiement; étendre/ouvrir/replier ses ailes; s'envoler d'un coup d'aile, fendre l'air, prendre son envol/son essor/sa volée; fondre sur; se percher; planer, vol plané; plonger; se poser sur; ramer dans les airs, vol ramé; tournoyer; voler bas/haut/en rasant le sol/en rond/à tire-d'aile, voleter, voltiger; oiseaux voiliers, grand voilier ou albatros, volatiles. ▪ Couper/éjointer/rogner les ailes. — **Êtres allégoriques.** Fortune, roue ailée de la Fortune, gloire, Paix, Temps, Vents, Victoire, Victoire aptère. ▪ Amour ou Cupidon ou Eros; les Anges; Dédale; dragon ailé de saint Georges; Icare; Mercure, messager ailé, son caducée; Pégase, cheval ailé, et son cavalier Bellérophon; le Sphinx. — **En forme d'aile.** Aile d'une armée, aile marchante, ailier, flanc, envelopper/manœuvrer/tourner par les ailes; aile d'une automobile, garde-boue; aile, aileron d'un avion/d'un planeur; ailes d'une construction; ailes d'une équipe sportive, ailier droit, ailier gauche; ailette de projectile, bombe, grenade, torpille à ailettes/volante, V 1, V 2; ailette d'une hélice ou pale; ailerons de requin; temple aptère/diptère/monoptère/périptère. — **Locutions.** Abriter sous son aile, avoir des ailes; se brûler les ailes à; donner des ailes à; marcher d'un pas ailé, d'une démarche rapide/légère/souple; des paroles ailées; une pensée ailée / aérienne / immatérielle / pure/sublime; voler de ses propres ailes.

AILERON → *aile, architecture, aviation, poisson.*

AILETTE → *aile, hydraulique.*

AILIER → *aile, balle.*

AILLADE, AILLER → *aliment.*

AILLEURS → *orientation.*

AILLOLI → *aliment.*

AIMABLE → *amour, manière, plaire.*

AIMANT, AIMANTER → *attirer, fer.* — **Nature.** Aimant naturel ou pierre d'aimant, oxyde de fer ou magnétite; aimant artificiel; corps sidéromagnétiques ou magnétogènes. — **Phénomène d'aimantation.** Aimanter, aimantation, aiguille aimantée de la boussole, les deux pôles d'un aimant; armer un aimant, armature ou armure par contact ou par friction, par l'électricité, électro-aimant, électromagnétisme, par le magnétisme terrestre; induire du magnétisme dans le fer, induction; magnétisme permanent/temporaire/induit/rémanent, aimantation rémanente ou retard d'aimantation, rémanence; manifestation hystérèse ou hystérésis. — **Propriétés.** Attirer le fer, vertu attractive, attraction magnétique; repousser le bismuth, vertu répulsive, répulsion de l'aimant. ■ Axe, balance, flux d'induction ; corps, métal diamagnétique ; intensité, lignes de forces d'un champ magnétique, vertu magnétique. ■ Unités magnétiques ou électromagnétiques du système CGS/de Gauss/Maxwell/Œrsted/Weber, théorie électromagnétique de la lumière. ■ Magnétisme terrestre, polarité de l'aiguille aimantée de la boussole, affolement de l'aiguille, aiguilles astatiques du galvanomètre. — **Appareils.** Boussole, déclinomètre, électro-aimant, magnétomètre, machine magnéto-électrique ou magnéto, magnétophone, solénoïde.

AIMER → *amitié, goût, passion, tendance.* — **Goût vif d'un être pour un autre.** Accorder ses faveurs ; adorer ; s'amouracher, une amourette ; avoir le béguin pour, avoir dans la peau ; brûler pour ; chérir ; conter fleurette à ; s'enamourer, être enamouré ; s'enflammer ; être enivré ; s'enticher de ; être éperdu d'amour ; s'éprendre, être épris ; faire sa déclaration d'amour/des mamours/les yeux doux ; filer le parfait amour ; mal d'aimer ; en pincer pour (fam.) ; se prendre de passion pour ; soupirer après/pour ; transporté d'amour. ■ Aimer d'amour/ardemment / beaucoup / éperdument / avec ferveur / à la folie / passionnément / tendrement / de toute son âme/de tout son cœur/de toutes ses forces/comme la prunelle de ses yeux/plus que soi-même/plus que la vie. ■ Baisers, billet doux, caresses, faveurs, poulet. — **Affection, attachement pour un être.** Affectionner, éprouver/ressentir de l'affection ; aimer cordialement, amitié ; s'attacher à, être attaché, attachant, attachement ; cajoler, cajolerie ; chouchouter (fam.) ; choyer ; dorloter ; estimer, estime ; préférer, avoir à la bonne (pop.), avoir une préférence pour ; sympathie, sympathiser. — **Goût vif pour une chose.** Adorer ; affectionner ; être amateur/amoureux de ; apprécier ; se coiffer de ; se complaire à ; s'engouer, engouement ; s'enticher de ; estimer, amour-estime ; être friand/gourmand de ; avoir du goût pour, goûter ; s'intéresser à ; avoir la manie de ; se passionner ; avoir un penchant pour ; se plaire à ; prendre/trouver plaisir à ; raffoler/se régaler de ; tenir à ; se toquer de ; trouver agréable/à son goût. ■ Être aise/content / enchanté / joyeux / ravi de ; -mane, mélomane, etc. ; -phile, bibliophile, cinéphile, etc. ■ Caprice, dada, folie, manie, marotte, parti pris, préjugé favorable, tocade. — **Formes d'amour.** Abnégation ; adoration ; altruisme ; amitié ; amour conjugal/filial / fraternel / maternel / paternel ; amour libre ; amour platonique ; amour-propre ; ardeur ; attachement ; béguin ; bienveillance ; bonté ; camaraderie ; chaleur ; charité ; chauvinisme ; civisme ; cordialité ; dévotion ; dévouement ; dilection ; égocentrisme, égoïsme ; enthousiasme ; estime ; familiarité ; fétichisme ; flamme ; flirt ; fraternité ; galanterie ; idolâtrie ; inclination ; intérêt ; narcissisme ; partialité ; passade ; passion ; patriotisme ; penchant ; philanthropie ; piété ; prédilection ; préférence ; sensibilité, sentiment ; sollicitude ; sympathie ; tendresse ; transports ; zèle. — **Relations amoureuses.** Amours ancillaires ; amour coupable/illégitime : adultère, concubinage, débauche, inceste, liaison, libertinage, luxure, union libre ; amour légitime : hymen, hyménée, mariage, sacrement du mariage ; amour physique : appétit, ardeur, attraction, besoin, chair, charnel, concupiscence, désir, ébats amoureux, érotisme, instincts sexuels, plaisir des sens, sensuel ; amours vénales : femme entretenue, prostituée, prostitution. ■ Accouplement, acte d'amour, coït, rut, saison des amours. ■ Être ardent/calin/entreprenant/galant / jaloux / langoureux / lascif / passionné / sensuel / tendre / voluptueux. — **Être aimant, aimé.** Adorateur ; amant ; ami, bon ami, petit ami ; amoureux, amoureux transi ; chevalier servant ; dévot ; galant ; prétendant ; sigisbée ; soupirant ; zélateur. ■ Adoré ; aimable, aimé ; cajolé ; chéri ; chouchou, chouchouté (fam.) ; coqueluche ; enfant gâté ; favori ; idole ; jeune premier. — **Termes exprimant l'amour.** Agneau, âme, amour, ange, beau, bel, bellot (fam.), biche (fam.), bien-aimé, bijou (fam.), bon, bonhomme, caille (fam.), chat (fam.), cher, chéri, chou (fam.), coco (fam.), cocotte (fam.), cœur, crotte (fam.), joli, lapin (fam.), mie, mignon, minet (fam.), moineau, oiseau, poule (fam.), poulet (fam.), poulot (fam.), poupée (fam.), prince, princesse, rat (fam.) raton (fam.), roi, reine, tourterelle, trésor, vieux, etc.

AINE → *ventre.*

AÎNÉ, AÎNESSE → *âge, enfant, famille, supérieur.*

AIR → *affectation, manière, semblable.*

AIR → *chant, musique.*

AIR → *astronomie, attitude, aviation, ciel, météorologie, visage.* — **Gaz de l'atmosphère.** Air chaud/comprimé/liquide ; bulle/colonne/couche/trou d'air. ■ Analyse volumétrique de l'air, eudiomètre ; étude de la densité de l'air/de sa raréfaction, aérométrie, aéromètre Baumé ; étude de l'humidité de l'air, état hygrométrique, hygrométrie, hygromètre, psychromètre; étude de la pesanteur de l'air/de la pression atmosphérique, baromètre; étude de la température de l'air, thermomètre; étude des phénomènes aériens ou atmosphériques, météorologie. ■ Atmosphère, azur, ciel, espace aérien/interplanétaire; éther; hétérosphère, homosphère, stratosphère; bactérie, microbe aérobie, aérobiose; fluide aériforme; tube aérifère. — **Sciences et techniques.** Aérodynamique; aérographie, aérographe; aérologie; aéromancie; aérométrie; aéronautique; aérostatique; aérotechnique; aérothérapie; aérothermique. ■ Aérofrein, aéromoteur, aéronef, aérostat, aéroplane, aérotrain, aviation. — **L'air qu'on respire.** Air ambiant, appel d'air, ascendance, bain d'air, bouffée, brin d'air, brise, courant d'air, déplacement d'air, souffle d'air, vent. ■ Air climatisé, climatisation; conditionné, conditionnement; pressurisé, pressurisation; raréfié, raréfaction; réfrigéré, réfrigération; surchauffé. ■ Air confiné/corrompu / étouffant / fétide / impur / infecté / irrespirable / malsain / raréfié/renfermé/vicié. ■ Air léger/libre/limpide / pur / respirable / sain / salubre / tonique / transparent / vital. ■ Aérer, aéré, aérage, aérateur, aération; aérophobie; éventer; humidifier/insuffler/renouveler l'air, humidificateur; ventiler, ventilateur, ventilation. ■ Aspirer / boire / humer / prendre / respirer l'air; changer d'air, prendre le frais, l'air du pays. ■ Ambiance, atmosphère, climat, esprit, influence, milieu, ton.

AIRAIN → *cuivre, métal, dur.*

AIRE → *céréales, grain, surface.*

AISANCE → *abondance, manière, parler.*

AISE, AISÉ → *abondance, facile, riche.*

AISSEAU → *tonneau.*

AISSELLE → *bras.*

AJONC → *plante, végétation.*

AJOUR, AJOURER → *broderie, ouvrir, sculpture, trou.*

AJOURNER, AJOURNEMENT → *retard, tribunal.*

AJOUT, AJOUTER → *augmenter.*

AJUSTAGE, AJUSTEMENT, AJUSTER, AJUSTEUR → *accord, coudre, égal, fusil, mécanique, monnaie.*

AKINÉSIE → *mouvement.*

ALABANDINE → *joaillerie.*

ALABASTRITE → *marbre.*

ALACRITÉ → *joie, vif.*

ALAISE ou **ALÈSE** → *jardin, lier, lit.*

ALAMBIC → *alcool.*

ALAMBIQUÉ → *affectation, difficile, obscur, subtil.*

ALANGUIR, ALANGUISSEMENT → *abattre, faible, fatigue, mou.*

ALARME, ALARMER, ALARMISTE → *avertir, peur.*

ALBANAIS, ALBANIE → *Europe.*

ALBÂTRE → *marbre.*

ALBATROS → *aile, mer, oiseau.*

ALBÉDO → *lumière.*

ALBIGEOIS → *hérésie.*

ALBINOS, ALBINISME → *blanc.*

ALBUGO → *œil.*

ALBUM → *dessin, écrire, inscription.*

ALBUMINE, ALBUMINOÏDE → *blanc, colle, œuf.*

ALBUMINURIE, ALBUMINURIQUE → *maladie, rein.*

ALCADE → *magistrat.*

ALCAÏQUE → *poésie.*

ALCALESCENCE, ALCALESCENT → *alcali.*

ALCALI → *chimie, engrais.* — **Alcali et dérivés.** Alcali fixe; alcali minéral ou potasse; alcali végétal ou soude; alcali volatil ou ammoniaque. ■ Alcalis oxydes de métaux alcalins, corps basiques des alcaloïdes : baryte, liptine, strontiane; cendres des végétaux marins/terrestres; lixivier, lixiviation; plantes à alcali, dorema, gomme ammoniaque, kali; terre ammoniacale, terramare. ■ Crude ammoniac; gaz ammoniac; natron; sels ammoniacaux, chlorhydrate/sulfate/nitrate/phosphate d'ammoniaque. — **Alcalins.** Métaux alcalins : césium, lithium, potassium, rubidium, sodium ou natrium; métaux alcalino-terreux : baryum, calcium, strontium, radium; roches alcalines, eaux alcalines, alcalinité. — **Alcaloïdes.** Alcaloïdes végétaux, liquides, volatils, non oxygénés : cicutine, nicotine, spartéine; alcaloïdes solides, non volatils et oxygénés : aniline, atropine, caféine, cocaïne, codéine, éphédrine, morphine, papavérine, philocarpine, quinine, réserpine, strychnine, théine, tropine; alcaloïdes animaux, alcaloïdes artificiels. — **Traitement chimique.** Alcaliser, alcaliniser, alcalinisation, corps alcalescent, alcalescence; dosage des alcalins, alcalimétrie, alcalimètre; principe alcalifiant, alcaligène; réactif, réaction, tournesol.

ALCALIMÉTRIE, ALCALIN → *alcali.*

ALCALINISER, ALCALOÏDE → *alcali.*

ALCALOSE → *sang.*

ALCHIMIE, ALCHIMISTE → *magie.* — **Art.** Art sacré ou grand art, archimagie, hermétisme, magie, science alchimique/ésotérique/occulte, théosophie; quête du baume universel, ou baume de vie ou élixir ou panacée; quête du principe vital/du feu central de la terre ou Archée/de la pierre philosophale; Mercure animé ou l'arbre des philosophes. ■ Conversion des métaux vils en métaux nobles, extraire les arcanes/les quintessences; transmuer, transmutation des métaux; la vertu aurifique, argyropée, chrysopée. — **Alchimistes.** Adepte, alambiqueur, archimage, initié, philosophe hermétique, rose-croix, sage, théosophe. ■ Hermès trismégiste, hermétisme; Faust, Paracelse, Raymond Lulle, R. Bacon. — **Exercice de l'alchimie.** Calciner, calcination; cohober, cohobation; distiller, distillation de l'esprit de nitre, vapeur rouge ou salamandre; préparation de l'œuf des sages; sublimer, sublimation. ■ Alambic, cornue, fourneau. ■ Acide gras, altingat ou vert-de-gris, driffe, eau céleste ou soufre, élixir, magistère, menstrue blanchi/végétal ou eau ardente, or potable, panacée, poudre argentifère, poudre de projection, régule, sel de sagesse.

ALCOOL → *bière, boisson, vin.* — **Fabrication de l'alcool.** Alcool éthylique ou esprit-de-vin; alcoolification; fermentation des moûts, macération, faire macérer; ferments ou levures alcooliques : diastase, zymase; mutation, muter; vinage, viner. ■ Déféquer, défécation; déflegmer, déflegmation, éliminer le flegme; distiller, distillation, alambic; filtrer, filtration; rectifier, rectification à 60°/ à 90°. ■ Alcoomètre, alcoométrie, concentration, degré, titre; œnomètre, œnométrie. ■ Adultérer/falsifier / frelater / mouiller / trafiquer un alcool, un vin. — **Alcool industriel.** Alcool dénaturé : betterave, canne à sucre, grains, tubercules; saccharification, saccharifier les amidons / les matières amylacées des grains : amylomices, diastase, maltage, mucorinées; distillation, élimination du flegme, fermentation, rectification. ■ Alcool à brûler, lampe/réchaud à alcool; carburant végétal, carburation; explosifs, fulminate de mercure; médicaments à base d'alcool, alcoolat, alcoolature, antiseptique, baume alcoolé, camphre, chloral, chloroforme, collodion, cordial, élixir, éthers, éthylène, révulsif, teintures; thermomètre à alcool, vernis à l'alcool. — **Boissons alcooliques et alcoolisées.** Alcooliser un liquide, alcoolisation; bouilleur de cru; brûler, brûlerie; distillateur, distillerie, distillation de cidres/fruits/marcs/poirés/vins, liqueur, liquoriste. ■ Alcool naturel : eau-de-vie, essence, marc; eau-de-vie de fruits : calvados, framboise, kirsch, mirabelle, poire, quetsche; eau-de-vie de grain : genièvre ou schiedam, gin, vodka, whisky, bourbon; eau-de-vie de vin : armagnac, brandy, cognac, fine champagne; marc de poire/de pomme/de raisin, marc de Bourgogne/de Champagne. ■ Apéritifs, digestifs; boissons au rhum : grog, punch; fruits à l'eau-de-vie; liqueurs : anisette, arack, bénédictine, cassis, chartreuse, curaçao, kummel, marasquin, menthe, mirabelle, prunelle, raki, verveine; ratafia; spiritueux. ■ Fam. et pop. : bistouille, brûlot, gnole, goutte, pousse-café, rincette, schnaps, schnick, tord-boyau, vitriol. — **Relatif à la consommation d'alcool.** Alcoolisme, alcoolique, alcoolisme aigu/chronique; cirrhose du foie; éthylisme/intempérance/ivrognerie; recherche du taux d'alcool dans le sang ou alcoolémie; *delirium tremens;* état d'ivresse, ivre mort; ligue/mouvement antialcoolique; loi sur la prohibition, prohibitionnisme, prohibitionniste, antiprohibitionniste, bootlegger.

ALCOOLAT, ALCOOLÉ, ALCOOLIFICATION → *alcool.*

ALCOOLIQUE → *alcool, boire, excès, poison.*

ALCOOLISATION, ALCOOLISER → *alcool, boisson.*

ALCOOLISME → *alcool, excès, poison.*

ALCOOMÈTRE, ALCOOMÉTRIE → *alcool.*

ALCÔVE → *chambre, lit.*

ALCYON, ALCYONAIRES → *oiseau, polype.*

ALDIN → *typographie.*

ALE → *bière.*

ALÉA, ALÉATOIRE → *événement.*

ALÊNE → *chaussure, cuir.*

ALÉNOIS → *légume.*

ALENTOUR, ALENTOURS → *proche, orientation.*

ALERTE, ALERTER → *avertir, cri, danger.*

ALERTE → *joie, vif.*

ALÉSAGE, ALÉSER → *blason, mécanique, métal.*

ALÉSOIR, ALÉSEUSE → *machine.*

ALEVIN, ALEVINAGE, ALEVINER → *poisson.*

ALEXANDRIN, ALEXANDRINISME → *poésie, subtil.*

ALEXANDRITE → *joaillerie.*

ALEXIE → *lire.*

ALEZAN → *cheval, couleur.*

ALFA → *papier, vannerie.*

ALGARADE → *discussion.*

ALGÈBRE → *calcul, géométrie, mathématiques.* Coefficient; inconnue; nombre au-dessus/au-dessous de zéro/imaginaire, l'infini, l'unité;

nombre rationnel/irrationnel/réel; paramètre; signe négatif/positif; symbole; valeur algébrique absolue/négative/positive. ■ Exposant; formule; puissance d'un nombre/d'un ensemble, élever à la puissance *n*; quantité; racine carrée/cubique/nième, extraire la racine; radical, extraire le radical. ■ Équation littérale/numérique/à une/à plusieurs inconnues, mise en équation; équation du premier/du second/du troisième degré; expression algébrique : binôme, monôme, polynôme; fonction algébrique/exponentielle/intégrale/double ou triple/logarithmique / trigonométrique / transcendante; fonction de Bessel/numérique/de transfert. ■ Abscisse, axe, coordonnées, ordonnée, variable, vecteur; algorithme; égalité, identité, rapport, substitution; hypothèse, opération, problème, résoudre, solution. ■ Algèbre de Boole, algèbre logique, logique mathématique, Averroès; algèbre moderne, théorie des ensembles : exclusion, inclusion, intersection, union.

ALGÉBRIQUE, ALGÉBRISTE → *algèbre.*

ALGÉRIE, ALGÉRIEN, ALGÉROIS → *Afrique.*

ALGIDE → *froid.*

ALGIE → *douleur.*

ALGORITHME → *algèbre.*

ALGUAZIL → *agent, police.*

ALGUE → *champignon, engrais, mer, plante.*

ALIAS → *nommer.*

ALIBI → *accusation, défendre, excuse.*

ALIDADE → *surface.*

ALIÉNATION, ALIÉNÉ, ALIÉNER → *donner, éloigner, folie, soumettre.*

ALIGNEMENT, ALIGNER → *droite, ligne.*

ALIGOTÉ → *vin.*

ALIMENT → *agriculture, cuisine, industrie, manger.* — **Caractères.** Aliment appétissant/délicat/gras/grossier / immangeable / léger / lourd / maigre / mangeable / nourrissant / nutritif / raffiné / répugnant / solide / substantiel. ■ Aliment antidéperditeur/assimilable / calorifique / digeste / échauffant / indigeste / rafraîchissant. — **Alimentation.** Bouffe (pop.); boustifaille (pop.); chère, bonne chère; consommer des aliments; gastronomie, gastronome; mangeaille (pop.), manger; se nourrir, nutrition; prendre des aliments; régime alimentaire, diététique, diététicien, gastrotechnie. — **Classification des aliments.** Aliments d'origine animale/végétale : albumines, protides, protéines; amidons, glucides, hydrates de carbone, sucres; lipides, matières grasses; pouvoir/valeur calorifique/énergétique d'un aliment, équilibrer les calories; vitamines, vitaminisation. ■ Aliment analeptique / débilitant / reconstituant; aliment cru/frais, crudité; produit congelé/surgelé. ■ Intolérance à certains aliments, allergie, idiosyncrasie. — **Différents aliments.** Comestibles, conserves, denrées, en-cas, mets, morceaux, nourriture, pitance, plat, portion, portion congrue, produit, provisions, ration, ravitaillement, subsistance, viatique, victuailles, vivres. ■ Aliments liquides : boisson, bouillie, bouillon, potage, soupe. ■ Aliments solides : charcuterie, confiserie, fruits, fromages, gibier, légumes, œufs, pain, pâtes, pâtisserie, poisson, riz, salade, viande, volaille. ■ Carte, menu : dessert, entrée, entremets, hors-d'œuvre, potage, plat central, plat du jour, plat de résistance. — **Assaisonnement.** Accompagner, accompagnement; accommoder; ailler; aromatiser, aromates, assaisonner, assaisonnement acide/gras/poivré/salé/sucré; à la croque-au-sel; condiment; épicer, épices; farcir, farce; garnir, garniture; mariner, marinade; au naturel; pimenter, poivrer; relever un mets. ■ Ail, anchois, anis, basilic, cannelle, câpre, cari, champignon, citron, coriandre, cornichon, cumin, curry, fenouil, genièvre, gingembre, clous de girofle, laurier, marjolaine, moutarde, muscade, paprika, piment, poivre, quatre-épices, romarin, safran, sarriette, sauge, sel blanc/gris/fin/gros/de mer, sucre, truffe, vanille, vinaigre; safraner, saler, vinaigrer. ■ Fines herbes : cerfeuil, ciboule, ciboulette, civette, cresson, échalote, estragon, oignon, oseille, persil, serpolet, thym. ■ Matières grasses : beurre, graisse, huile, margarine, saindoux. — **Sauces.** Aillade, ailloli, béarnaise, coulis, court-bouillon, demi-glace, jus, marinade, mayonnaise, mousseline, moutarde, oignonade, persillade, pimentade, ravigote, rémoulade, roux, tartare, verte, vinaigrette; sauce béchamel/au beurre blanc/au beurre noir/blanche/Colbert/financière / madère / maître d'hôtel / Nantua / normande / piquante / poulette / poivrade / suprême / veloutée; sauce anglaise/tomate/ketchup; sauce claire / courte / consistante / épaisse / insipide / lavasse / liquide / tournée; ■ Allonger/déglacer/lier/mouiller une sauce; gâte-sauce.

ALIMENTAIRE, ALIMENTATION → *aliment, mariage.*

ALIMENTER → *manger, parler.*

ALINÉA, ALINÉAIRE → *écrire, ligne, typographie.*

ALIQUANTE, ALIQUOTE → *nombre.*

ALITEMENT, ALITER → *lit, maladie.*
ALIZÉ → *vent.*
ALLAH → *Dieu, musulman.*
ALLAITEMENT, ALLAITER → *enfant, lait.*
ALLANT → *vif.*
ALLÉCHANT, ALLÉCHER → *attirer, plaire.*
ALLÉE → *mouvement, route.*
ALLÉGATION → *affirmer, faux.*
ALLÈGE → *mur, navire.*
ALLÉGEANCE → *fidèle, pays, soumettre.*
ALLÉGEMENT, ALLÉGER → *diminuer, impôt, peser.*
ALLÉGORIE, ALLÉGORIQUE → *abstraction, signe, symbole.*
ALLÈGRE, ALLÉGRESSE → *joie, vif.*
ALLEGRO, ALLEGRETTO → *musique.*
ALLÉGUER → *affirmer, cause, excuse.*
ALLÉLUIA → *joie, liturgie.*
ALLEMAND, ALLEMAGNE → *Europe.*
ALLER → *but, marcher, monter, mouvement, venir.*
ALLER (S'EN) → *abandon, sortir, mourir.*
ALLERGIE, ALLERGIQUE → *contraire, maladie.*
ALLERGOLOGIE → *médecine.*
ALLIACÉ → *parfum.*
ALLIAGE → *cuivre, fer, mêler, métal.*
ALLIANCE → *association, groupe, guerre, mariage.*
ALLIÉ, S'ALLIER → *accord, association, famille.*
ALLIGATOR → *reptiles.*
ALLITÉRATION → *accord, son.*
ALLOCATAIRE, ALLOCATION → *aider, donner.*
ALLOCENTRISME → *différent, psychologie.*
ALLOCUTION → *parler.*
ALLOGÈNE → *différence, race.*
ALLONGE → *étendre.*
ALLONGEMENT → *augmenter.*
ALLONGER → *attitude, augmenter, étendre, mêler.*
ALLOPATHE, ALLOPATHIE → *médecine.*
ALLOTROPIE, ALLOTROPIQUE → *chimie.*
ALLOUER → *attribuer, donner.*
ALLUMAGE, ALLUMER → *automobile, exciter, feu, lumière, moteur.*
ALLUMETTE → *feu, pâtisserie.*
ALLURE → *affectation, air, attitude, cheval, manière.*
ALLUSIF, ALLUSION → *parler.*
ALLUVIAL, ALLUVION, ALLUVIONNER → *géologie, rivière.*
ALMANACH → *astronomie, calendrier, livre.*
ALMANDINE, ALAMANDINE → *joaillerie.*
ALMÉE → *danse.*
ALOÈS, ALOÉTIQUE → *gomme, médicament, textile.*
ALOI → *mêler, qualité.*
ALOPÉCIE → *cheveu.*
ALOSE → *poisson.*
ALOUETTE → *oiseau.*
ALOURDIR, ALOURDISSEMENT → *augmenter, peser.*
ALOYAU → *bœuf.*
ALPAGA → *laine, tissu.*
ALPAGE → *élevage, montagne.*
ALPHA → *commencer, écrire.*
ALPHABET, ALPHABÉTIQUE → *écrire, typographie.*
ALPHABÉTISATION, ALPHABÉTISER → *enseignement.*
ALPHABÉTISME → *écrire.*
ALPHABÉTIQUE, ALPHANUMÉRIQUE → *classe, informatique.*
ALPIN, ALPINISME → *montagne, sport.*
ALTÉRABLE, ALTÉRATION → *faux, musique, son, tromper.*
ALTERCATION → *discussion.*
ALTÉRÉ, ALTÉRER → *boire, changer, diminuer, dommage, mal.*
ALTÉRITÉ → *deux, différent.*
ALTERNANCE, ALTERNAT → *intervalle, suivre, venir.*
ALTERNATEUR, ALTERNATIF → *électricité.*
ALTERNATIVE → *choisir, suivre*
ALTERNE → *angle, géométrie.*
ALTERNER → *changer, culture, suivre.*
ALTESSE → *honneur, souverain.*
ALTIER → *orgueil.*
ALTIMÈTRE, ALTITUDE → *haut, montagne.*
ALTO → *chant, instrument.*
ALTOCUMULUS, ALTOSTRATUS → *météorologie.*
ALTRUISME, ALTRUISTE → *amour, bon.*
ALUMINAGE → *aluminium.*
ALUMINATE, ALUMINE → *aluminium.*
ALUMINIUM → *métal.* — **Le métal et ses composants.** Minerai d'aluminium : aluminerie, argile, bauxite ; hydrate d'alumine : aluminate, cryolithe, feldspath, kaolin, lapis-lazuli, tourmaline ; oxyde d'alumine : alumine colorée, améthyste, émeri, rubis, saphir, topaze ; sulfate d'alumine : alunite, alun, mine d'alun ou

alunière, procédé d'alunation, alun ordinaire ou alun de potasse, alun d'ammoniaque/de soude/de fer, pierres aluminaires. — **Alliages d'aluminium.** Alpax, bronze d'aluminium, duralumin ou dural; ferro-aluminium; partinium. — **Usages de l'aluminium.** Aluminage, aluminiage, aluminothermie, calorisation, soudure autogène, thermite; bâtiment, construction aéronautique / automobile / électrique/mécanique; décoration, quincaillerie; papier d'aluminium. — **Usages de l'alun.** Aluner, alunage; astringent; encollage du papier; tannage du cuir; teinture des étoffes; thérapeutique.

ALUMINOTHERMIE → *aluminium.*

ALUNIR, ALUNISSAGE → *astronautique, lune.*

ALUNITE → *aluminium.*

ALVÉOLAIRE, ALVÉOLE → *cire, dent, poitrine, trou.*

ALVIN → *ventre.*

AMABILITÉ → *manière, plaire.*

AMADOU → *feu.*

AMADOUER → *caresse, doux, plaire.*

AMAIGRIR, AMAIGRISSEMENT → *diminuer, maigre.*

AMALGAME, AMALGAMER → *amasser, mêler.*

AMANDE, AMANDIER → *arbre, confiserie, fruit, noyau.* — **Le fruit.** Amande amère/douce; coque; décortiquer; écale, écaler; monder. — **Graine de fruit.** Anacarde ou noix de cajou, anacardier; arachide, cacahuète; cacao, cacaoyer; coprah, coco; noisette, noisetier; noix d'arec, aréquier; noix, noyer; pignon, pin; pistache, pistachier ou térébinthe. — **Usages.** Biscuit, confiserie, dragée, gâteau, mendiant, praline, pralin, praliné. ▪ Crème/pâte d'amandes, frangipane, massepain, nougat, sirop d'orgeat, touron. ▪ Cold-cream, émulsion, huile d'amandes douces, lait de toilette, savon amygdalin. — **Relatif à l'amande.** Amygdale, amygdaloïde; souchet ou amande de terre; pétoncle ou amande de mer; yeux fendus/taillés en amande.

AMANITE → *champignon.*

AMANT → *amour, passion.*

AMARANTE → *bois.*

AMARINER → *navire.*

AMARRAGE, AMARRE, AMARRER → *corde, navire.*

AMAS, AMASSER → *abondance, beaucoup, lier.* — **Amas de choses.** Accumulation; agglomération, agglomérer; agglutiner, conglutiner, conglomérat, conglomérer; agrégat, agrégation, agréger; amalgame, amalgamer; amoncellement, monceau, montagne, amonceler; assemblage, assembler; attirail; collection, collectionner; concentration, concentrer; constellation; échafaudage, échafauder; empiler, pile, pyramide; englober; entasser, tas, entassement; fatras; grouper, groupement; joindre, jonction, conjonction; rassemblement, rassembler; recueillir, réunir, réunion. — **Amas de gens.** Affluence, affluer, afflux; s'agglutiner; assemblée, s'assembler; attroupement, s'attrouper; concours, concourir, accourir; foule, groupe, groupement; masse, se masser; multitude; rassemblement, se rassembler; réunion, se réunir. ▪ Assemblage, bande, collection, ramas, ramassis, troupe, troupeau. — **Amas particuliers.** Amas d'eaux : canaliser, collecter, recueillir, collecteur, citerne, réservoir; amas de céréales : barge, botte, gerbe, javelle, meule, mulon, ruée, veillote; amas de cheveux ou de poils : bourre, chignon, mèche, toupet; amas de documents : compilation, compiler, recueil, recueillir, amas de marchandises/de provisions : accumulation, accumuler, cumul, accaparer, butiner, butin, emmagasiner, empiler, mettre en réserve/en silo; amas de matériaux divers : agglomération, alluvion, atterrissement, banc, bloc, cailloutis, concrétion, déblai, dépôt, éboulis, ensablement; amas de neige : avalanche, banquise, boule, congère, récif; amas de richesse/de choses précieuses : butin, capital, capitaliser, collection, collectionner, collectionneur, économiser, économies, thésauriser; amas de sang : caillot, congestion; amas de terre : taupinière, tertre, tumulus.

AMASSETTE → *peinture.*

AMATEUR → *aimer, commerce, goût.*

AMATEURISME → *paresse.*

AMAUROSE → *œil.*

AMAZONE → *cheval.*

AMAZONITE → *joaillerie.*

AMBAGES → *franc, parler.*

AMBASSADE, AMBASSADEUR → *agent, diplomatie, envoyer.*

AMBIANCE → *air, entourer, milieu.*

AMBIDEXTRE → *main.*

AMBIGU, AMBIGUÏTÉ → *doute, obscur.*

AMBITIEUX, AMBITION → *désir, orgueil.*

AMBIVALENCE, AMBIVALENT → *deux, opposé.*

AMBLE, AMBLER → *cheval, marcher.*

AMBLYOPE → *œil.*

AMBON → *église.*

AMBRE → *bijou, parfum.*

AMBROISIE → *mythologie.*

AMBULACRE, AMBULACRAIRE → *pied.*

AMBULANCE, AMBULANCIER → *chirurgie, maladie, soigner.*

AMBULANT → *marcher, poste, voyage.*

AMBULATOIRE → *changer, maladie.*

ÂME → *artillerie, conscience, esprit, important, intérieur.*

AMÉLIORATION, AMÉLIORER → *beau, progrès.*

AMEN → *liturgie.*

AMÉNAGEMENT, AMÉNAGER → *arranger, plan.*

AMENDE → *payer, peine.*

AMENDEMENT, AMENDER → *culture, gouverner, loi, progrès.*

AMÈNE → *manière, plaire.*

AMENER → *bas, cause, venir, voiture.*

AMÉNITÉ → *manière, plaire.*

AMENUISER → *diminuer, petit.*

AMER → *aigre, boisson, goût, triste.* — **Saveur amère.** Acre, âcreté ; âpre, âpreté ; amer, amertume, amarescent ; avoir la bouche amère ; amer comme chicotin/comme fiel/comme du picrate ; amer de bœuf/de carpe ; fiel. ▪ Les amers, jus d'écorces amères : absinthe, aloès, armoise, camomille centaurée, chicorée, chicotin, coloquinte, genièvre, gentiane, houblon, menthe, pavot, quinquina, rhubarbe, romarin, sauge, etc. ; les apéritifs amers : bitter, quinquina, vermouth. — **Qui exprime le chagrin, la tristesse.** Dégoût / dépit / déplaisir / douleur amère ; larmes/regrets/souvenirs amers ; pilule amère, avaler la pilule, calice de l'amertume. ▪ Affligeant, cruel, cuisant, douloureux, morose, pénible, sombre. — **Paroles amères.** Acre, acrimonieux, acrimonie ; aigre, aigreur ; âpre, plein d'animosité, blessant, désagréable, dur, fielleux, mordant, offensant, piquant, rude, sarcastique, sévère. ▪ Critique, flèche, flèche du Parthe, injure, insulte, ironie, raillerie, reproche, sarcasme, pique.

AMÉRICANISER, AMÉRICANISME → *Amérique, industrie.*

AMÉRINDIEN → *Amérique.*

AMÉRIQUE → *pays, terre.* — **Amérique du Nord.** Américain, Yankee ; Canadien ; Amérique anglo-saxonne ; Oncle Sam ; transatlantique ; dollar, gratte-ciel, jazz, mormon, quaker ; Floride, Miami, Palm-Beach. ▪ Amérindiens, Indiens, réserves, calumet, scalp, tomahawk ; Apaches, Hurons, Mohicans, Sioux, Peaux-Rouges. ▪ Cow-boy, Far West, ranch. ▪ Esclavage, problème noir, intégrationnisme, ségrégationnisme, Black Power ; Ku-Klux Klan. ▪ Bison, loup, mustang, ours blanc/brun/gris, phoque, renard. — **Amérique centrale.** Antilles, isthme, canal de Panama, mer des Sargasses. ▪ Canne à sucre, rhum, téquila. ▪ Civilisation des Aztèques/des Incas/des Mayas/des Toltèques ; Indien cacique, Indes occidentales. — **Amérique du Sud.** Amérique latine ; civilisation précolombienne des Incas/Patagons ; forêts vierges, llanos, pampas, rios ; gaucho, hacienda, lasso. ▪ Boa, condor, iguane, jaguar, lama. ▪ Café, canne à sucre, élevage, rhum.

AMERRIR → *aviation, mer.*

AMERTUME → *aigre, amer, triste.*

AMÉTHYSTE → *joaillerie.*

AMÉTROPIE → *œil.*

AMEUBLEMENT → *maison, meuble.*

AMEUBLIR → *culture.*

AMEUTER → *chien, exciter.*

AMI → *aimer, amitié, relation.*

AMIABLE → *arranger, paix.*

AMIANTE → *brûler.*

AMIBE, AMIBIASE → *maladie, microbe.*

AMICAL → *amitié.*

AMICALE → *amitié, association, groupe.*

AMIDE → *chimie.*

AMIDON, AMIDONNER → *farine, pli.* — **Amidon et dérivés.** Amidon, amidine, amiduline ; amylase, diastase, maltose ; dextrine, glucose, glycogène ; substances amylacées : fécule, tapioca, alcools amyliques. — **Fabrication.** Amidonnerie, amidonnier, féculerie ; matières premières : blé, riz, maïs, manioc, pomme de terre ; procédé chimique : fermentation du gluten, démêler les blancs ; procédé mécanique : broyage, décantation, pâtons, piston de bois, toile métallique ; séchage, mise en grains/en pains/en poudre. — **Usage.** Amidonnage du linge, amidonner ; apprêt, apprêter, empeser, empesage, empois ; colle d'amidon, colle de pâte, coller ; gélatine, gélatineux ; poudre de riz, poudrer ; thérapeutique : bain émollient, cataplasme d'amidon.

AMINCIR, AMINCISSEMENT → *diminuer, maigre.*

AMIRAL → *grade, marine.*

AMITIÉ → *aimer, fidèle, lier, sensibilité.* — **Sentiments d'amitié.** Affection, attachement, attirance, attraction, bienveillance, bonté, camaraderie, chaleur, concorde, confiance, conformité de goûts, convenance, cordialité, cousinage, entente, harmonie, inclination, intimité, liaison, sollicitude, sympathie, tendresse, vénération. ▪ Amitié affectueuse/amoureuse / ardente / chaleureuse / chaude/ constante / cordiale / désintéressée / dévouée / élective / d'élection /

étroite / éprouvée / ferme / fidèle / fausse / franche / fraternelle / inébranlable / indéfectible / intéressée / intime / respectueuse / sincère / solide / tendre/véritable. — **Manifestations de l'amitié.** Affectionner, s'attacher à, être attiré par, attirance, attraction, cajoler, câliner, chérir, choyer, embrasser, entourer, éprouver un sentiment, fraterniser avec, fréquenter, gagner le cœur de, se lier, se prendre d'amitié pour, porter/vouer de l'amitié à, prendre dans ses bras, protéger. ■ Être affectueux / amical / bienveillant / bon / chaleureux / cordial / tendre ; cimenter / conserver / cultiver / entretenir l'amitié. ■ Faire ses amitiés/ses amabilités/ses compliments/ses condoléances / des encouragements / des félicitations ; déclaration d'amitié, démonstrations, marques de pitié / de sensibilité : accolade, baiser, caresse, embrassade, poignée de main. — **Relations amicales.** Accointances, s'accointer avec ; accord, se mettre d'accord ; affinités, affinités électives ; alliance, s'allier ; association, s'associer, une amicale ; chaîne ; avoir commerce avec ; entente, entente cordiale ; ne faire qu'un ; fréquenter, fréquentation ; harmonie, harmonie préétablie, s'harmoniser avec, être au diapason/à l'unisson ; hanter quelqu'un ; bonne intelligence, bons termes, intime avec, sympathie ; lier des relations, serrer des liens/des nœuds, entretenir des rapports avec ; rendre visite à. ■ Brouille, se brouiller ; fâcherie, se fâcher ; refroidissement d'amitié ; rompre, rupture. ■ Se rabibocher, se raccommoder, raccommodement, se réconcilier, réconciliation, renouer. — **Appellations amicales.** *Alter ego*, ami, binôme (arg.), camarade, chevalier servant, compagne, compagnon, confident, confidente, copain, copine (fam.), coturne (arg.), frère, vieux frère, pote (pop.) ; à la vie à la mort.

AMMONIAQUE → *alcali.*

AMMONITE → *mollusques.*

AMNÉSIE, AMNÉSIQUE → *mémoire.*

AMNIOS, AMNIOTIQUE → *accouchement.*

AMNISTIE, AMNISTIER → *libre, pardon.*

AMOCHER → *dommage, laid.*

AMODIATION, AMODIER → *changer, location, progrès.*

AMOINDRIR, AMOINDRISSEMENT → *diminuer.*

AMOLLIR, AMOLLISSEMENT → *mou.*

AMONT → *rivière.*

AMORAL, AMORALISME → *morale.*

AMORCE, AMORCER → *commencer, exploser, pêcher.*

AMOROSO → *musique.*

AMORPHE → *forme, mou.*

AMORTIR, AMORTISSEMENT → *devoir, diminuer, revenu.*

AMOUILLANTE → *lait.*

AMOUR → *aimer, amitié, mariage, passion, sensibilité.*

AMOURACHER (S') → *aimer.*

AMOURETTE, AMOUREUX → *aimer.*

AMOUR-PROPRE → *aimer, orgueil.*

AMOVIBLE → *changer, enlever, fonction.*

AMPÉLOGRAPHIE, AMPÉLOPSIS → *vigne.*

AMPÈRE → *électricité, mesure.*

AMPHIBIE → *animal, vie, voiture.*

AMPHIBOLOGIE → *deux, obscur.*

AMPHIGOURI, AMPHIGOURIQUE → *obscur, parler.*

AMPHISBÈNE → *reptiles.*

AMPHITHÉÂTRE → *cirque, géologie, spectacle, théâtre.*

AMPHITRYON → *recevoir.*

AMPHORE → *récipient.*

AMPLE, AMPLEUR → *grand, important, style.*

AMPLIATION → *deux, reproduction.*

AMPLIFICATEUR → *disque, télécommunications.*

AMPLIFICATION, AMPLIFIER → *augmenter, changer, convaincre.*

AMPLITUDE → *astronomie, balance, mesure.*

AMPOULE → *électricité, lampe, tumeur, verre.*

AMPOULÉ → *style.*

AMPUTATION, AMPUTER → *chirurgie, couper, enlever.*

AMUÏR (S'), AMUÏSSEMENT → *son.*

AMULETTE → *croire, magie.*

AMURE, AMURER → *corde, voilure.*

AMUSEMENT, AMUSER → *jouer, plaire, rire, tromper.*

AMUSETTE → *futile.*

AMYGDALE, AMYGDALITE → *gorge, maladie.*

AMYGDALOIDE → *amande.*

AMYLACÉ, AMYLASE, AMYLE → *amidon.*

AMYOTROPHIE → *muscle.*

AN → *âge, année, temps, vie.*

ANABAPTISTE → *protestant.*

ANACARDE → *amande, noyau.*

ANACHORÈTE → *monastère, religion.*

ANACHRONIQUE, ANACHRONISME → *date, temps, tromper, vieillesse.*

ANACOLUTHE → *changer, style.*

ANACONDA → *reptiles.*

ANAGRAMME → *lettre, mot.*

ANAL → *psychanalyse.*

ANALECTES → *choisir, livre.*

ANALGÉSIE, ANALGÉSIQUE → *douleur, insensibilité, médicament.*

ANALOGIE, ANALOGIQUE → *classe, informatique, relation, semblable.*

ANALOGUE → *deux, semblable.*

ANALYSE, ANALYSER → *chimie, grammaire, psychanalyse, raisonnement, science.*

ANALYSTE, ANALYTIQUE → *comptabilité, géométrie, langage, psychologie.*

ANANAS → *agrumes.*

ANAPESTE → *poésie.*

ANAPHORE → *mot, style.*

ANAPHRODISIAQUE → *sexe.*

ANAPHYLAXIE → *sensibilité.*

ANAPLASIE → *chair.*

ANAPLASTIE → *chirurgie.*

ANARCHIE, ANARCHIQUE → *libre, politique, trouble.*

ANARCHISTE → *politique.*

ANASTOMOSE → *articulation, veine.*

ANASTROPHE → *mot, style.*

ANATHÈME → *colère, pape, religion.*

ANATOMIE → *bras, intestins, muscle, nerf, peau, sang, ventre.* — **Les parties du corps.** Cou ; tête : bouche, cerveau, cheveu, nez, oreille, yeux ; tronc : dos, épaules, poitrine, torse. ■ Membres supérieurs : bras, main ; membres inférieurs : cuisse, jambe, pied. ■ Chair, dent, muscle, nerf, os, peau, sang. — **Science anatomique.** Anatomie animale ou zoologie, anatomie humaine, anatomie végétale ou botanique ; anatomie macroscopique : descriptive, topographique, des organes, organogénie ; microscopique : des cellules, des tissus, cytologie, histologie ; biologie. — **Anatomie humaine.** Angiologie, arthrologie, chondrologie, cytologie, histologie, myologie, nécrologie, ophtalmologie, ostéologie, sarcologie, somatologie, splanchnologie, syndesmologie. — **Enseignement de l'anatomie.** Amphithéâtre ; anatomiste, prosecteur, adjuvat ; cadavre, écorché, squelette, sujet. ■ Faire l'anatomie de : analyser, analyse ; autopsie ; disséquer, dissection, dissecteur ; viviséquer, vivisection ; bistouri, érigne, scalpel.

ANCESTRAL, ANCÊTRE → *famille, vieillesse.*

ANCHE → *instrument.*

ANCHOIS → *aliment, poisson.*

ANCIEN, ANCIENNETÉ → *âge, avant, fonction, temps, vieillesse.*

ANCILLAIRE → *servir.*

ANCRAGE, ANCRER → *ancre, marine, navire.*

ANCRE → *arrêter, horlogerie, navire.* — **Ancres.** Ancre maîtresse ou ancre de miséricorde/de salut ; ancre d'affourche / borgne / de cap / de corps-mort/d'empennelage/d'empennelle/de flot/flottante/à jet/de jusant/de touée/de veille. — **Détail de l'ancre.** Anneau ou cigale, organeau ; barre droite ou tige, verge ; barre transversale ou jas, jouail ; bec ; branches ou bras, pattes ; croisée, collet, diamant ; oreilles ; semelle ou savate. — **Accessoires.** Amure, aussière, cabestan, câble, cantonnière, chaîne, bosse-debout, bossoir, serre-bosse, bouée ou orin, éculiers, étalingure, guindeau, manille, palan. — **Manœuvres.** Amarrer, bitte d'amarrage ; ancrer, ancrage, jeter/laisser tomber l'ancre, tenir à l'ancre ; mouiller, mouillage, mouiller en créance/en croupière/en patte d'oie ; touer, touée. ■ Affourcher, désaffourcher, empenneler, étalinguer, riper ; chasser sur son ancre, engager son ancre ; ancre qui croche/dérape/est surjalée. ■ Appareiller, désancrer, hisser/lever l'ancre ; virer sur la chaîne.

ANDANTE → *musique.*

ANDOUILLE → *gauche, porc.*

ANDOUILLER → *cerf, corne.*

ANDRINOPLE → *tissu.*

ANDROCÉPHALE → *tête.*

ANDROGYNE → *deux, sexe.*

ÂNE → *bétail, cheval, ignorer, sot.* — **L'animal.** Ane, ânesse, ânon, équidé, espèce asine, asinien. ■ Baudet ; bourrique, bourriquet, bourricot ; hémione, mule, mulet ou bardot, cheval mulassier, espèce mulassière ; onagre ; zèbre. ■ Aliboron, Martin ; âne de Buridan/de Sancho Pança, grison, roussin d'Arcadie. — **Les caractéristiques.** Crinière, croupe, longues oreilles, raie cruciale. ■ Braire, braiment, hi-han ; chauvir, dresser les oreilles ; hennir, hennissement. ■ Entêtement, têtu ; obstination ; patience ; sobriété — **Usage.** Anée, ânier ; aiguillonner l'âne, diguet ; bâter, embâter, débâter ; transporter à dos d'âne, cacolet.

ANÉANTIR, ANÉANTISSEMENT → *abattre, annuler, détruire.*

ANECDOTE, ANECDOTIQUE → *dire, futile, pensée, récit.*

ANÉMIE, ANÉMIQUE → *faible, sang.*

ANÉMOMÈTRE → *vent.*

ANÉMONE → *fleur.*

ÂNERIE → *âne, faute, sot.*

ÂNESSE → *âne.*

ANESTHÉSIE, ANESTHÉSIER → *chirurgie, douleur, insensibilité.*

ANESTHÉSISTE → *chirurgie, médecine.*

ANÉVRISME → *tumeur, veine.*

ANFRACTUOSITÉ → *relief, trou.*

ANGE → *ciel, dieu, esprit.* — **Messager de Dieu.** Esprit aérien/céleste/pur ; être spirituel/non incarné ; messager, ministre de la volonté divine. ▪ Ange de l'Annonciation/Gabriel, salutation angélique ; ange de l'Apocalypse, les quatre cavaliers de l'Apocalypse ; ange exterminateur : Asmodée, Belzébuth, Lucifer, Satan. — **Créature spirituelle.** Bon ange : ange du ciel/de lumière/gardien/protecteur/tutélaire, la Vierge, reine des anges ; mauvais ange : ange déchu/noir/rebelle/des ténèbres, démon, diable ; armée, légion, milice céleste ; chute des anges ; cité céleste, paradis ; le culte de dulie ; le pain des anges : l'eucharistie. — **Hiérarchie et chœurs.** Trois ordres : séraphins, chérubins, trônes ; Dominations, Vertus, Puissances ; Principautés, Archanges, Anges. — **En parlant des hommes.** Être le bon/le mauvais ange/le génie de quelqu'un ; être l'ange gardien de quelqu'un ; ange de bonté/de douceur/de piété/de perfection/de pureté/de vertu ; douceur séraphique, patience d'ange/angélique ; petit ange : angelot, chérubin ; tentation d'angélisme.

ANGÉLIQUE, ANGÉLISME → *ange, doux, pur.*

ANGELOT → *ange.*

ANGÉLUS → *liturgie.*

ANGINE → *gorge, maladie.*

ANGIOLOGIE → *anatomie.*

ANGIOME → *tumeur.*

ANGLAISE → *cheveu, écrire.*

ANGLE → *droite, géométrie.* — **La figure.** Demi-droites ou côtés ; demi-plans ou faces ; sommet, pointe ; complément, supplément, sinus, cosinus ; bissection, bissectrice. — **Angles divers.** Angle droit/aigu/obtus/plat ; angle alterne/externe/interne/orthogonal ; angle correspondant/complémentaire/supplémentaire/symétrique ; angle adjacent/opposé par le sommet ; angle curviligne ; angle plan ; angle rentrant/saillant/sphérique ; angle d'incidence/de réflexion/de réfraction ; angle de contingence ; angle d'objectif ; azimut, azimut magnétique ; dièdre, tétraèdre, polyèdre. — **Figures géométriques à angles.** Carré ; figure angulaire / isogone / quadrangulaire / rectangulaire/triangulaire ; hexagone ; losange ; octogone ; parallélogramme ; polygone ; quadrilatère ; rectangle ; trapèze ; triangle acutangle/équilatéral/isocèle / obtusangle / rectangle / rectiligne/scalène/sphérique. — **Mesure des angles.** Degré ; grade, décigrade, centigrade, radian, seconde, tierce ; inclinaison, obliquité, ouverture, trisection. ▪ Goniologie,. goniométrie ; triangulation, trigonométrie ; alidade, équerre, goniomètre, graphomètre, pantomètre, rapporteur, réglette, sauterelle, théodolite. — **Angles particuliers.** Architecture : anglet, brisis, corne, cornier, encoignure, noue, pan. ▪ Artillerie : angle de chute/de mire/mort ; angle flanquant/rentrant/saillant. ▪ Astronomie : azimut, cercle gradué ; physique : angle optique/visuel/d'incidence/de réflexion/de réfraction. — **Coin/extrémité en angle.** Angle d'une maison/d'une rue : coin, coude, encoignure, pan coupé, tournant. ▪ Angle d'une pierre : arête, biais, biseau, brisure, carne, coin, onglet, saillant. ▪ Angle de planche : chanfrein, coin, corne, coude, écoinçon, encoignure, enfoncement, noue ; anglet, croix anglée.

ANGLET → *architecture.*

ANGLETERRE → *Europe.*

ANGLICAN, ANGLICANISME → *protestant.*

ANGLICISME, ANGLICISTE → *langage.*

ANGOISSANT, ANGOISSE → *danger, douleur, peur, psychologie.*

ANGOISSER → *peur, trouble.*

ANGORA → *chat, lapin.*

ANGUILLE → *poisson.* — **Le poisson.** Anguillidé, murénidé ; anode ; carnassier, glissant, visqueux, vorace ; larve ou leptocéphale ; mer des Sargasses. ▪ Bouiron, civelle, lanson, piballe ; anguille argentée/électrique ou gymnote/de mer ou congre ; lamproie, lampion ; ophisure ; serpent de mer ou murène. ▪ Anguillère ou anguillière ; matelote d'anguille ; nasse ou bosselle. — **Relatif à l'anguille.** Anguiforme ; anguillette ou anguille fumée ; coup d'anguillade, donner l'anguillade. ▪ Agile comme une anguille, échapper/glisser entre les mains comme une anguille.

ANGULAIRE → *angle.*

ANGULEUX → *angle, visage.*

ANGUSTICLAVE → *rouge.*

ANHÉLATION, ANHÉLER → *respirer.*

ANHÉPATIE → *foie.*

ANHYDRE → *sec.*

ANICROCHE → *difficile, obstacle.*

ÂNIER → *âne.*

ANILINE → *couleur, houille.*

ANIMADVERSION → *adversaire, déplaire, détester, opposé, refus.*

ANIMAL — **Principaux animaux.** Animal, la gent animale, le monde/le règne animal ; faune ; les bêtes fauves/noires/rousses, le gibier. ▪ Animaux domestiques : âne, bélier, bétail, bœuf, bouc, chameau, chat, cheval, chèvre, chien, lapin, mouton, mulet, porc, taureau, vache, volaille. ■ Animaux sauvages, bêtes féroces : antilope, biche, bison, buffle, caribou, chacal, chameau, chamois, chevreuil, daim, dromadaire, cerf, éléphant, faon, gazelle, girafe, guépard, hippopotame, hyène, jaguar, lama, léopard, lièvre, lion, loup, lynx, mouflon, ours, panthère, puma, renard, renne, rhinocéros, sanglier, singe, tigre, yack, zèbre, zébu. ■ Petits animaux, animalcules, bestioles : coquillages, crustacés, insectes microbes et animaux microcospiques, mollusques, mouche, oiseau, papillon, rapaces, reptiles et batraciens, rongeurs, serpents, vers. ■ Animaux fabuleux : alcyon, centaure, chimère, dragon, griffon, harpie, hippocampe, hydre, licorne, loup-garou, minotaure, monstre, pégase, phénix, sirène, sphinx, strige, tarasque. — **Classification des animaux.** Classe, division, espèce, genre, groupe, ordre, sous-ordre, embranchement. ■ Protozoaires : flagellés, rhizopodes et amibes ; sporozoaires : ciliés et infusoires ; métazoaires : cœlentérés, échinodermes, spongiaires ; artiozoaires. ■ Vers, némathelminthes ; mollusques : arthropodes et crustacés, myriapodes ; insectes mérostomes : arachnidés. ■ Vertébrés : mammifères, batraciens, oiseaux, poissons, reptiles. Animaux fossiles : ammonite, dinosaurien, diplodocus, ichtyosaure, mammouth, mastodonte, mégalosaure, ptérodactyle. — **Caractères propres aux animaux.** Apprivoisé, domestique, sauvage ; animal de trait, bête d'embouche, bête de somme ; animal aquatique/terrestre/amphibie ; animal annelé / articulé / vertébré / invertébré ; artiodactyle, isodactyle ; bimane, quadrumane ; bipède, quadrupède, solipède ; ongulé, palmipède ; digitigrade, plantigrade, tardigrade ; échinoderme, pachyderme ; édenté, mastodonte ; cynocéphale ; anoure, dasyure, macroure ; brévipenne, longipenne ; chiroptère, lépidoptère, névroptère, hyménoptère ; ovipare, ovovipare, vivipare ; homéotherme, poïkilotherme ; grégaire, solitaire ; nyctalope ; carnivore, carnassier, frugivore, herbivore, insectivore, omnivore, ruminant ; vorace ; ichtyophage, rhizophage ; chasseur, fouisseur, grimpeur, migrateur, rongeur ; inoffensif, utile, nuisible ; parasite, venimeux. — **Sciences des animaux.** Biologie ; sciences naturelles, histoire naturelle, naturaliste ; zoologie, zoologiste. ■ Anatomie et physiologie, écologie, embryologie, éthologie, zoogéographie, zootechnie ; généticien, éleveur, vétérinaire. ■ Conchyologie ; entomologie ; ichtyologie ; ornithologie ; taxidermie, taxidermiste. — **Traitement des animaux.** Acclimater, acclimatation, jardin d'acclimatation ; apprivoiser ; belluaire ; charmer, charmeur de serpents ; dresser, dressage, dresseur ; domestiquer, domestication ; dompter, domptage, dompteur ; élever, élevage, éleveur ; engraisser, engrais ; gaver, gavage. ■ Accoupler, accouplement ; castrer, châtrer, hongrer, castration ; croiser, croisement ; métisser, métissage ; reproduction, étalon ; sélectionner, sélection. ■ Fourrière, haras, ménagerie, parc zoologique, vivarium, zoo. ■ Anier, cavalier, cornac, dompteur, écuyer, chasseur, pêcheur, peintre/sculpteur animalier, vétérinaire. — **Relatif aux animaux.** Animal, animalité ; bestial, bestialité ; brutal, brutalité ; grossier, grossièreté ; instinct, instinctif ; mue, mutation, propagation de l'espèce ; totem ; zoolâtrie, zoophilie, zoophobie ; zoopsie.

ANIMALIER → *animal, peinture, sculpture.*

ANIMALITÉ → *animal, vie.*

ANIMATEUR, ANIMER → *chef, cinéma, conduire, enseignement, exciter.*

ANIMISME → *religion.*

ANIMOSITÉ → *colère, discussion, mécontentement.*

ANIS, ANISETTE → *alcool, boisson.*

ANKYLOSE, ANKYLOSER (S') → *articulation, fatigue, insensible, mouvement.*

ANKYLOSTOME → *ver.*

ANNAL → *année.*

ANNALES → *date, histoire, livre.*

ANNATE → *revenu.*

ANNEAU → *astronomie, attacher, bijou, cercle.* — **Diverses sortes d'anneau.** Anneau, annelet, agrafe, attache, boucle, bride, cercle, erse, estrope, fibule, œillet, œilleton, organeau, porde, ris. ■ Bague de serrage, clavier, collet, collerette, collier, coulant, frette, lasso, manille, manchon, moraillon, morne, verterelle, virole. ■ Anneau de fiançailles/de mariage/ nuptial ou alliance/pastoral ou du pêcheur ; anneau magique/de Gygès ; bague, baguier ; boucles d'oreilles ; bracelet ; chaîne, chaînette ; collier ; gourmette ; couronne ; diadème. — **Usage.** Boucler, déboucler ; enfiler, désenfiler ; mettre/porter/passer un anneau au doigt.

ANNEAUX → *gymnastique.*

ANNÉE → *âge, calendrier, saison, temps.* — **L'année proprement dite.** Astronomique, anomalistique, planétaire, sidérale, lunaire, luni-solaire, solaire, synodique, tropique. ■ Époques de l'année ; équinoxe de printemps/ d'automne, solstice d'hiver/d'été ; saison, saisonnier ; semaine, hebdomadaire. ■ Année en cours/échue/écoulée / passée / précédente / prochaine / révolue/à venir; début/fin d'année, bout de l'année; lustre, siècle, séculaire. — **Période de douze mois.** Année de congé/d'exercice/de service; annuité de gain/de revenu/ de noviciat/ de probation. ▪ Année d'abondance/de crise/de disette/de prospérité/de sécheresse; bonne/ mauvaise année. — **En fonction de l'année.** Age, calendrier, chronologie, date, millésime, temps, vie. ▪ Nouvel an, le jour/le premier de l'an, souhaiter la bonne/la nouvelle année, au gui l'an neuf. ▪ Chaque année, tous les ans, par an, annuellement, annuel; bisannuel, biennal; trisannuel, triennal; quinquennal, septennal, décennal, vicennal, tricennal, centennal. ▪ Anniversaire, service religieux du bout de l'an, messe anniversaire; année jubilaire/ sabbatique; biennale, cinquantenaire, centenaire, bicentenaire; saison théâtrale. ▪ Annales littéraires/scientifiques; annuaire, agenda, almanach, calendrier.

ANNELÉ → *animal, anneau.*

ANNELET → *anneau, architecture, colonne.*

ANNEXE → *augmenter, édifice.*

ANNEXE, ANNEXER, ANNEXION → *dépendance, édifice, lier, soumettre.*

ANNIHILER → *annuler, détruire.*

ANNIVERSAIRE → *année, fête.*

ANNONCE → *avertir, commerce, informer, inscription, journal.*

ANNONCER → *avertir, prévoir.*

ANNONCES → *journal.*

ANNONCIATION → *liturgie, vierge.*

ANNOTATION, ANNOTER → *écrire, expliquer.*

ANNUAIRE → *année, livre.*

ANNUEL → *année.*

ANNUITÉ → *année, devoir, fonction, revenu.*

ANNULAIRE → *anneau, doigt.*

ANNULATION → *annuler.*

ANNULER → *détruire, mémoire.* — **Une loi, un droit.** Abolir, abolition; abroger, abrogation; éluder; empêcher l'effet de, invalider une élection, invalidation; prescrire, prescription; rapporter/retirer une loi; rendre nul, frapper de nullité, déclarer nul/caduc, caducité, prononcer la nullité de. ▪ Annulabilité; déchéance, être déchu d'un droit; lésion, nullité, non-usage; se perdre, se périmer, tomber en désuétude. — **Une procédure.** Acte entaché de nullité; annuler/casser un jugement, cassation, se pourvoir en cassation; forclore, être forclos, forclusion; infirmer, infirmation; périmer, péremption, péremption d'instance; prescription; rédhibition; réformer; rescinder, rescision, rescindant, rescisoire; révoquer, révocation; vice de forme, vice rédhibitoire, empêchement dirimant. — **Un engagement antérieur.** Annuler, annulation de commande, contrordre; se dédire, dédit; se déjuger; dénoncer, dénonciation; désavouer, désaveu; dissoudre, dissolution; divorcer, divorce; relever d'un vœu; reprendre/retirer sa parole, revenir sur sa parole; résilier, résiliation; résoudre, résolution, clause résolutoire; se retirer, retrait; se rétracter, rétractation; révoquer, révocation; rompre un engagement, rupture; faire table rase. — **Des écritures, des actes.** Barrer, barre; biffer, biffure; brûler; caviarder; contre-passation; détruire, destruction, *deleatur;* effacer, effacement, délébile; gommer; gratter, grattoir; oblitérer, oblitération; passer un trait sur; radier, radiation; raturer, rature; rayer; surcharger, surcharge; vicier. ▪ Clause commissoire / rédhibitoire; contre-lettre. — **Une dette.** Amortir, amortissement; faire disparaître, disparition; éteindre, extinction; liquider, liquidation. — **Une faute.** Anéantir, anéantissement; détruire, destruction; faire disparaître; effacer, effacement; oublier, oubli; racheter une faute; rayer, radiation; supprimer, suppression. ▪ Pardonner, pardon; passer l'éponge, faire table rase, repartir de zéro. — **Les efforts.** Anéantir, annihiler, détruire, neutraliser; rendre inutile/impuissant/vain.

ANOBLIR, ANOBLISSEMENT → *honneur, noblesse.*

ANODE → *électricité.*

ANODIN → *douleur, doux, faible, futile.*

ANOMAL, ANOMALIE → *grammaire, règle.*

ÂNON → *âne.*

ÂNONNER → *lire, parler.*

ANONYMAT, ANONYME → *nommer, secret, signe.*

ANORAK → *froid, vêtement.*

ANORDIR → *vent.*

ANOREXIE → *faim, psychanalyse.*

ANORMAL → *différence, diminuer, folie, injustice, règle.*

ANOURES → *batraciens.*

ANOXÉMIE → *sang.*

ANOXIE → *oxygène.*

ANSE → *main, mer, prendre, récipient, voler.*

ANSÉRIFORME → *canard.*

ANTAGONISME, ANTAGONISTE → *adversaire, opposé.*

ANTALGIQUE → *douleur.*

ANTAN → *année, avant, temps, vieillesse.*

ANTARCTIQUE → *orientation.*

ANTÉCÉDENT → *avant, grammaire.*
ANTÉCHRIST → *bible, Christ.*
ANTÉDILUVIEN → *avant, temps, vieillesse.*
ANTÉFIXE → *architecture.*
ANTENNE → *insecte, radio, télécommunications, voilure.*
ANTÉPÉNULTIÈME → *classe, finir.*
ANTÉRIEUR, ANTÉRIORITÉ → *avant, temps.*
ANTHÈRE → *fleur.*
ANTHOLOGIE → *abréger, choisir, livre.*
ANTHRACITE → *charbon.*
ANTHRAX → *tumeur.*
ANTHROPOÏDE → *animal, singe.*
ANTHROPOLOGIE → *homme.*
ANTHROPOMÉTRIE → *personne, police.*
ANTHROPOMORPHISME → *religion.*
ANTHROPOPHAGE → *homme, manger.*
ANTHROPOPITHÈQUE → *animal, singe.*
ANTIALCOOLIQUE, ANTIALCOOLISME → *alcool.*
ANTIBIOTIQUE → *médicament, microbe.*
ANTIBROUILLARD → *automobile.*
ANTICHAMBRE → *attendre, chambre, maison.*
ANTICHAR → *artillerie.*
ANTICHRÈSE → *devoir.*
ANTICIPATION, ANTICIPER → *avant, récit.*
ANTICLÉRICAL, ANTICLÉRICALISME → *politique, religion.*
ANTICORPS → *maladie, microbe, sang.*
ANTICYCLONE → *météorologie.*
ANTIDATE, ANTIDATER → *avant, faux, temps.*
ANTIDOTE → *poison.*
ANTIENNE → *chant, liturgie.*
ANTIGEL → *automobile, froid.*
ANTILOPE → *chèvre, mammifères.*
ANTIMOINE → *chimie.*
ANTINOMIE → *opposé, philosophie.*
ANTIPARASITÉ → *radio.*
ANTIPARTI → *parti.*
ANTIPATHIE, ANTIPATHIQUE → *déplaire, opposé, détester.*
ANTIPHLOGISTIQUE → *médicament.*
ANTIPHONAIRE → *chant, liturgie, livre.*
ANTIPHRASE → *style.*
ANTIPODE → *opposé.*
ANTIPYRÉTIQUE → *fièvre.*
ANTIQUAIRE → *art, marchandises, meuble.*
ANTIQUE, ANTIQUITÉ → *âge, histoire, temps.*
ANTIRABIQUE → *chien.*
ANTIREFLET → *optique.*
ANTISÉMITE, ANTISÉMITISME → *juif.*
ANTISEPSIE → *maladie, microbe, soigner.*
ANTISEPTIQUE → *médicament.*
ANTISTROPHE → *poésie.*
ANTITHÈSE → *opposé, style.*
ANTONOMASE → *style.*
ANTONYME, ANTONYMIE → *mot.*
ANTRE → *estomac, habiter, trou.*
ANUBIS → *dieu.*
ANUS → *intestin.* — **L'anus.** Anus, anal ; cul (pop.), derrière (fam.), fondement, postérieur (fam.), rectum, siège ; cloaque des reptiles ; périnée, périnéal ; sphincter, constricteur. ■ Éliminer par l'anus, défécation, matières fécales, fèces. — **Maladies.** Crevasses ; fissure, fistule, fistulaire ; hémorroïdes, flux hémorroïdal ; imperforation, occlusion intestinale ; proctalgie, proctile, proctorragie, épreintes, tenesme ; proctoptose, prolapsus ; proctorrhée ; tumeur cancéreuse. — **Soins.** Bain de siège, clystère, injection, lavement émollient/astringent/purgatif, suppositoire ; bock, canule, clysoir, clysopompe, irrigateur, seringue, tube à injection. ■ Proctologie, proctologue ; rectoscopie, rectoscope.
ANXIÉTÉ, ANXIEUX → *nerf, peur, souci.*
AORISTE → *verbe.*
AORTE, AORTITE → *cœur, sang, veine.*
AOÛT → *calendrier, saison.*
APACHE → *bande, homme, mal, voler.*
APAISANT, APAISER → *calme, doux, paix.*
APANAGE → *féodalité, posséder.*
APARTÉ → *éloigner, théâtre.*
APATHIE, APATHIQUE → *faible, mou, paresse.*
APATRIDE → *pays, personne.*
APEPSIE → *estomac.*
APERCEPTION → *esprit.*
APERCEVOIR → *attention, œil, regarder.*
APERÇU → *abréger, expliquer.*
APÉRITIF → *alcool, boisson.*
APHASIE → *parler.*
APHÉLIE → *astronomie.*
APHONE, APHONIE → *son.*
APHORISME → *affirmer, pensée.*
APHRODISIAQUE → *magie, sexe.*
APHTE, APHTEUX → *bouche, fièvre, maladie.*
API → *pomme.*

APICOLE, APICULTURE → *cire, élevage.*
APIQUER → *voilure.*
APITOIEMENT, APITOYER → *demander, pardonner, toucher.*
APLANIR, APLANISSEMENT → *égal, expliquer, niveau.*
APLATIR, APLATISSEMENT → *niveau, pardon.*
APLOMB → *confiance, mur.*
APOCALYPTIQUE, APOCALYPSE → *ange, bible, malheur, style.*
APOCOPE → *mot.*
APOCRYPHE → *bibl doute, faux.*
APODE → *anguille, pied.*
APODOSE → *grammaire.*
APOGÉE → *astronomie, extrême, haut, réussir.*
APOLLON → *dieu, mythologie, soleil.*
APOLOGÉTIQUE, APOLOGIE → *défendre, éloge, théologie.*
APOLOGISTE → *éloge.*
APOLOGUE → *abstraction, récit.*
APONÉVROSE → *muscle, nerf.*
APOPHTEGME → *pensée.*
APOPHYSE → *os.*
APOPLECTIQUE, APOPLEXIE → *sang.*
APOSTASIE, APOSTAT → *abandon, hérésie, religion.*
APOSTER → *garder, placer.*
A POSTERIORI → *après, opinion, raisonnement.*
APOSTILLE → *demander.*
APOSTOLAT → *Christ, convaincre, croire, religion.*
APOSTOLIQUE → *croire, pape.*
APOSTROPHE → *appeler, grammaire, style.*
APOTHÈME → *droite.*
APOTHÉOSE → *dieu, honneur.*
APOTHICAIRE → *médecin, médicament.*
APÔTRE → *bible, Christ.*
APPARAÎTRE → *commencer, montrer, venir.* — **Apparaître aux regards.** Affleurer, affleurement; apparaître, réapparaître, apparition; crever les yeux; se découvrir, se dégager, se dessiner, se détacher, se dévoiler, se distinguer; éclore, éclosion; émerger, émergence; exposer, exposition; frapper les regards; jaillir; se faire jour; se lever; luire; se manifester; se montrer; naître; s'offrir à la vue; paraître, reparaître, parution, publication; percer; poindre, pointer; se présenter; se profiler; se répandre; ressortir; se révéler, révélation; sauter aux yeux; surgir; survenir; transparaître; venir, revenir; se faire voir. ▪ Crever les yeux, être exposé, s'offrir à la vue, frapper les regards, sauter aux yeux; être apparent, distinct, ostensible, perceptible, proéminent, saillant, en vedette. ▪ Arrivée, commencement, éruption, explosion, lueur, manifestation, naissance, phase, phénomène, épiphénomène, épiphanie, théophanie. — **Apparaître à l'esprit.** S'apercevoir; conjecturer, conjecture; constater, constatation; évoquer, évocation; percevoir, perception; présumer, présomption; reconnaître; sentir, sentiment; voir. ▪ S'avérer que, se manifester, manifestation, ressortir que, résulter que. ▪ Être apparent / clair / évident / manifeste / notoire / palpable / patent / plausible / probable / sensible / vraisemblable. ▪ Caractère aléatoire, conjecture, évidence, hypothèse, noumène, paradoxe, présomption, probabilité, soupçon, vraisemblance. — **Apparence extérieure.** Air, allure, appareil, aspect, dehors, enveloppe, extérieur, façade, figure, forme, mine, physionomie, physique, port, tournure. ▪ Avoir l'air, avoir bonne/mauvaise allure, avoir bonne mine; prendre bonne/mauvaise tournure. ▪ Caractère, cachet, caractéristique, chic, couleur, haut en couleur, lueur, marque, ombre, trace, soupçon, vestige. — **Apparence trompeuse.** Brillant, avoir du brillant; clinquant; couleur, fausses couleurs, sous couleur de; couverture; croûte; décor; déguisement; dehors, sous des dehors; éclat; écorce; enduit; enveloppe; façade; face, perdre la face; fantôme; fard; faire mine de; faux-semblant; figure, figurer; forme; frime; hallucination; illusion; jour, faux jour; livrée; masque, masquer; mirage; montre; ombre; ostentation, ostentatoire; prestige, prestigieux; rêve; rideau de fumée; un semblant, faire semblant, simulacre, simuler; superficiel, vernis; truquage ou trucage; voile. ▪ Se donner l'air de; duper, épater, faire le brave/le malin; fausseté; feindre, feinte; hypocrisie, hypocrite; jeter de la poudre aux yeux; jouer l'étonné; manières captieuses; simulation, simulateur.
APPARAT → *cérémonie, critique.*
APPARAUX → *navire.*
APPAREIL → *assemblage, cérémonie, chirurgie, machine, vêtement.*
APPAREILLAGE, APPAREILLER → *maçonnerie, marine, navire, partir.*
APPAREILLER → *accord, bâtir, chirurgie, pierre.*
APPARENCE, APPARENT → *affectation, apparaître, imaginer, semblable, tromper.*
APPARENTER → *élire, famille, relation.*
APPARIER → *deux, lier.*

APPARITEUR → *bureau, garder, université.*

APPARITION → *apparaître, esprit, imaginer, magie.*

APPARTEMENT → *habiter.*

APPARTENANCE, APPARTENIR → *libre, parti.*

APPAS → *attirer, forme, plaire.*

APPÂT → *attirer, pêcher.*

APPÂTER → *attirer, élevage, pêcher.*

APPAUVRIR, APPAUVRISSEMENT → *diminuer.*

APPEAU → *appeler, chasse.*

APPEL → *air, appeler, athlétisme, demander, sauter.*

APPELANT → *chasse.*

APPELER → *exciter, nommer, parler.* — **Pour faire venir à soi.** Apostropher, apostrophe ; appeler, s'entr'appeler, appel ; avertir, avertissement ; battre le rappel ; claquer de la langue, claquement ; cligner de l'œil, clignement ; crier, cri ; héler ; interjection ; interpeller, interpellation ; klaxonner ; siffler ; faire des signes/des signaux ; signaliser, signalisation ; sonner ; vocatif. ▪ Appeau, avertisseur, cloche, corne d'appel, klaxon, sifflet, sonnette, trompe. ▪ Appeler à l'aide/au secours, implorer, invoquer, tendre les bras vers. — **Inviter à venir.** Attirer, attirance ; convier ; convoquer, convocation ; engager ; exciter, excitation, excitant ; exhorter, exhortation ; inciter, incitation ; inviter, invite, invitation ; fasciner, fascination ; mander ; pousser à, impulsion ; prier de venir, prière ; provoquer, provocation ; solliciter, sollicitation ; voix de la conscience ; vocation. ▪ Appel au combat/à l'insurrection, discours, proclamation, sonnerie ; appeler en duel, défier, défi, provoquer, jeter le gant ; faire appel à ; rappeler à l'ordre. — **Appeler en justice.** Assigner, assignation ; citer, citation ; appeler à comparaître, mandat de comparution, contumace ; interjeter/faire appel, se pourvoir en appel, pourvoi ; intimation, l'intimé ; juger sans appel, décision sans appel. ▪ Appel principal/incident, fol appel, amende de fol appel, appeler en témoignage/en garantie, appellation, recours ; appel à minima/à maxima ; cour d'appel. — **Demander.** Faire appel à la générosité/à la charité publique ; faire un appel de fonds ; en appeler à, invoquer ; mobiliser, avoir recours à ; s'en référer à ; recours, sollicitation. ▪ Aspirer à, désirer, souhaiter. — **Appeler sous les armes.** Appeler sous les drapeaux ; battre/sonner l'appel, batterie, clairon, signal, sonnerie, tambour ; conseil de revision ; incorporer, incorporation ; lever les troupes, levée ; mobiliser, mobilisation ; recenser, recensement ; recruter, recrutement. ▪ Le contingent, la classe. — **Appeler par le nom.** Appeler, appellation, appellation contrôlée/d'origine ; baptiser ; désigner, désignation ; dénommer, dénomination ; épeler, épellation ; nommer, prénommer, surnommer, nom, prénom, surnom, pseudonyme ; qualifier, qualification, qualificatif ; titre ; vocatif, vocable. ▪ Faire l'appel / le contre-appel ; manquer à l'appel, être absent ; répondre à l'appel, être présent ; voter par appel nominal.

APPELLATION → *appeler, qualité, vin.*

APPENDICE → *abréger, deux, insecte, intestin.*

APPENDICITE → *maladie.*

APPENDICULAIRE → *insecte.*

APPENDRE → *pendre.*

APPENTIS → *édifice, maison.*

APPESANTIR, APPESANTISSEMENT → *lent, peser.*

APPÉTENCE → *désir, tendance.*

APPÉTISSANT → *aliment, attirer, goût, plaire.*

APPÉTIT → *désir, faim, manger, tendance.*

APPLAUDIR, APPLAUDISSEMENT → *accord, éloge, honneur, théâtre.* — **Applaudir quelqu'un/quelque chose.** Acclamer, acclamation ; applaudir, applaudissement ; battre un ban, battre/claquer des mains ; bisser, un bis ; congratuler, congratulation ; crier bravo ; frapper des pieds ; lancer des fleurs ; faire une ovation, ovationner ; rappeler, rappel ; saluer, salut ; siffler ; tambouriner, tambourinage, tambourinement ; trépigner, trépignement. ▪ Applaudir à tout rompre, applaudissements chaleureux/nourris ; arracher des applaudissements, couvrir d'applaudissements, crouler sous les applaudissements ; provoquer/soulever un concert/une tempête/un tonnerre d'applaudissements, salve d'applaudissements. ▪ Applaudisseur, ban, claque, chef de claque, claqueur, fanatique, fan (pop.). — **Applaudir à quelque chose.** Admirer, admiration ; applaudir à ; approuver entièrement/vivement, approbation ; consentir, donner son complet assentiment, donner son consentement à ; complimenter, compliment ; encourager, encouragement ; s'enthousiasmer pour, enthousiasme ; se féliciter de, félicitation ; se louer de, éloge, louange ; se réjouir de. ▪ S'applaudir, s'admirer, s'estimer content, se glorifier, se louer, tirer vanité de, triompher, se vanter. — **Cris d'applaudissement.** Ah !, bien !, très bien !, bis !, bravo !, courage !, encore !, hip hip hip hourra !, hourra !, vas-y !, vive ! ; Alléluia !, hosanna !

APPLICATION → *attention, couvrir, exécuter, soigner.*

APPLIQUE → *lampe, mur.*

APPLIQUER, APPLIQUER (S') → *attention, munir, relation, soigner.*

APPOINT → *monnaie, part.*

APPOINTEMENTS, APPOINTER → *aiguiser, gagner, payer.*

APPONTEMENT → *navire.*

APPONTER → *aviation.*

APPORT, APPORTER → *association, donner, offrir, produire.*

APPOSER, APPOSITION → *cachet, grammaire, proche, signe.*

APPRÉCIATION, APPRÉCIER → *estimer, mesure, opinion.*

APPRÉHENDER, APPRÉHENSION → *arrêter, peur, refus.*

APPRENDRE → *enseignement, métier, université.* — **Acquérir des connaissances.** Apprendre par l'exemple/l'expérience/l'imitation ; apprentissage, être apprenti, faire ses classes ; être autodidacte ; faire connaissance avec ; se débrouiller dans ; découvrir ; se dégourdir ; se dégrossir ; se dessaler ; étudier ; s'exercer à ; se frotter à ; s'initier à ; s'instruire ; se faire la main ; avoir du métier ; se mettre à/au courant/au fait/à même de/en état/en mesure de ; faire un stage, stagiaire ; avoir une teinture de. ▪ Absorber ; assimiler, capacité d'assimilation ; avaler ; avide/curieux d'apprendre ; digérer ; se gaver ; charger/farcir sa tête/son crâne de ; se fourrer dans la tête ; ingurgiter ; s'intoxiquer de ; se nourrir de. ▪ S'appliquer à ; s'acharner ; bachoter, bachotage ; se cantonner dans ; se plonger dans ; rabâcher, rabâchage ; réciter ; remâcher ; repasser ; répéter ; retenir ; ruminer ; savoir. — **Contracter une habitude.** S'accoutumer à, apprendre à, faire l'apprentissage, s'entraîner, se faire à, s'habituer à. — **Informer, être informé.** Aviser par écrit/par oral ; avertir ; communiquer ; faire connaître ; découvrir ; dire ; éclairer ; indiquer ; informer ; mettre au courant/dans la confidence / dans le bain ; renseigner, faire savoir. ▪ Être avisé/informé/instruit/mis au fait de/éclairé/renseigné sur ; tenir de quelqu'un ; il vient à ma connaissance, il me revient. — **Enseigner à quelqu'un.** Apprendre, catéchiser ; démontrer, débrouiller, dégourdir, dégrossir, déniaiser, dessaler (fam.), dresser, éduquer, faire l'éducation de, enseigner à, exercer, expliquer, inculquer, montrer, faire voir ; guider, initier, instruire. ▪ Abreuver ; abrutir, abrutissement ; assommer de ; faire avaler ; bourrer, bourrage de crâne, farcir la tête ; endoctriner, endoctrinement ; enfoncer/fourrer dans la tête ; lavage de cerveau ; seriner (fam.).

APPRENTI, APPRENTISSAGE → *aider, apprendre, commencer, ignorer, métier.*

APPRÊT, APPRÊTER → *affectation, amidon, peinture, prévoir.*

APPRIVOISER → *animal, doux.*

APPROBATEUR, APPROBATIF → *accord, applaudir, pousser.*

APPROBATION → *accord, permettre.*

APPROCHANT → *proche, semblable.*

APPROCHE, APPROCHER → *mouvement, proche, semblable, venir.*

APPROFONDIR, APPROFONDISSEMENT → *expliquer, raisonnement.*

APPROPRIATION, APPROPRIER → *attribuer, convenir, prendre.*

APPROUVER → *accord, estimer, permettre.*

APPROVISIONNEMENT, APPROVISIONNER → *abondance, munir.*

APPROXIMATIF, APPROXIMATION → *calcul, estimer, proche.*

APPUI → *aider, défendre, influence, supporter.*

APPUYER → *aider, influence, peser, presser.*

APRAXIE → *mouvement.*

ÂPRE → *aigre, amer, désir, dur, goût.*

APRÈS → *arrière, suivre, temps.* — **A la suite de, à l'issue de.** Après-dîner, après-midi ; après-demain, lendemain, surlendemain ; après-guerre ; postérieur, postérieurement ; tard, tardivement ; ultérieur, ultérieurement. ▪ Avenir, futur, prochain, suivant ; aussitôt/immédiatement après, désormais, dorénavant, d'ores et déjà, à partir de maintenant ; sur ce, après quoi, ensuite, puis ; aussitôt que, dès que, depuis que, du moment où. ▪ Alterner, alternance, alternativement, tour à tour ; continuer, continuation, continuateur ; descendre de, descendance ; hériter, hérédité, héritage, héritier ; postdater, posthume, puîné ; succéder, successeur, successif, succession ; survivre, survie, survivance, survivant. — **Derrière, au-delà de.** Marcher à la queue leu leu, faire la queue ; suivre, suite, séquelle ; subséquent ; traîner après quelqu'un, être à la traîne, traînard. ▪ Arrière, arrière-garde, bout, dernier, derrière, désinence, épilogue, épiphénomène, fin, postface, postposer, postposition, post-scriptum, queue, sortie, suffixe, terminaison. ▪ Après, ci-après, ci-dessous, au-delà de, par-delà, là-dessus, plus loin, au sortir de. — **A la poursuite de, contre.** S'acharner après, être après, harceler, importuner, moquer, poursuivre, railler ; crier après/

contre. ■ Courir après, rattraper, rejoindre ; pleurer après, convoiter, désirer. — **Succession dans la hiérarchie.** Se conformer à, en conformité avec, conformément à ; faire d'après quelqu'un/d'après quelque chose ; imiter, imitation ; seconder, secondaire ; suivre, venir ensuite. ■ Adjoint, aide, assistant, dernier, disciple, élève, imitateur, sous-chef, sous-fifre, sous-officier, sous-ordre, subordonné, suivant, suivante, suite. — **En conséquence de.** Par conséquent, par voie de conséquence, conséquemment, consécutif, consécutivement à ; effet, en effet ; s'enchaîner ; s'ensuivre, ensuite ; entraîner ; *a posteriori ;* résultat, résulter ; succéder, successivement.

ÂPRETÉ → *aigre, dur, violence.*

A PRIORI, APRIORISME → *avant, injustice, raisonnement.*

À PROPOS → *convenir, temps.*

APTE → *capable, pouvoir, tendance.*

APTÈRE → *aile.*

APTITUDE → *adroit, qualité, tendance.*

APUREMENT, APURER → *calcul, comptabilité.*

AQUAFORTISTE → *gravure.*

AQUAPLANE → *nager.*

AQUARELLE, AQUARELLISTE → *peinture.*

AQUARIUM → *eau, poisson.*

AQUATINTE → *gravure.*

AQUATIQUE → *animal, eau.*

AQUEDUC → *canal, eau, hydraulique.*

AQUEUX → *eau, œil.*

AQUILIN → *bec, nez.*

AQUILON → *vent.*

ARA → *oiseau.*

ARABE, ARABIE → *Afrique, musulman.*

ARABESQUE → *courbe, danse, décoration.*

ARABIQUE → *gomme.*

ARABLE → *culture, produire, terre.*

ARACHIDE → *amande, huile.*

ARACHNÉEN, ARACHNIDÉS → *araignée.*

ARACHNOÏDE → *cerveau.*

ARAIGNÉE → *animal, pêche.* — **L'animal.** Arachnides, aranéides ; aragne, araigne, araignée : abdomen, céphalothorax, chélicères, glande vénénifique, pattes thoraciques. ■ Filières, filandre, filer, ourdir, sécréter, tisser la toile ; fil, arantile, réseau, soie ; mordre, paralyser la proie. — **Genres d'araignées.** Argyronète, dolomedes, épeire, faucheur, lycose, mygale, ségestrie, tarentule, tégénaire, théridion, thomise. — **Relatif à l'araignée.** Arachné, arachnéen ; membrane arachnoïde ; aranéen, aranéeux ; écriture en pattes d'araignée ; aranéographie.

ARAIRE → *culture.*

ARAK → *alcool.*

ARASEMENT, ARASER → *égal, menuiserie, niveau.*

ARATOIRE → *culture, jardin.*

ARBALÈTE → *arc, arme, jeter.*

ARBALÉTRIER → *charpente.*

ARBITRAGE → *balance, course, estimer, sport, supérieur.*

ARBITRAIRE → *injuste, pouvoir, volonté.*

ARBITRE, ARBITRER → *décider, estimer, sport, tribunal.*

ARBORER → *haut, montrer, symbole, volonté.*

ARBORESCENT → *arbre.*

ARBORICOLE, ARBORICULTURE → *arbre, fruit.*

ARBRE → *bois, mécanique, noblesse, plante.* — **Description.** Aubier, bois, cerne, cœur, duramen, écorce, liber, moelle, nœud, racine, sève, tronc. ■ Branche : branchage, embranchement, fourche, rameau, ramille, ramure ; cime : faîte, houppe, houppier, sommet. ■ Feuillage : aiguilles, chevelure, couronne, couvert, épines, feuille, frondaison, ombrage. — **Vie de l'arbre.** S'enraciner, prendre bien, prendre racine ; croître, se développer, grandir, pousser, végéter. ■ Bourgeonner, bourgeon ; bouture ; brout ; cépée ; drageon ; gourmand ; pousse ; recrû, repousse, repousser, reprendre ; rejet, surgeon, surgeonner. ■ Débourrer, débourrement ; éclore, éclosion ; s'effeuiller, perdre ses feuilles ; s'épanouir, épanouissement ; fleurir, fleur, floraison ; produire/porter des fruits, s'affruiter, se mettre à fruit ; verdir, verdoyer, reverdir. — **Nature des arbres.** Arbre agreste, douçain ; arbre franc de pied/sauvage/sauvageon ; arbre greffé/de semis ; arbre en pleine terre/de plein vent. ■ Arbre géant ou nain/à épines ou épineux/à feuilles persistantes ou caduques/feuillu ou vert / forestier / fruitier / gommeux / ornemental/résineux ; arbrisseau, arbuste ; baliveau. ■ Arbre branchu/chenu / chevelu / creux / élancé / fleuri / fourchu / moussu / noueux / rabougri / d'un seul brin/d'une seule venue/en pleine sève/de basse ou de haute tige/ touffu. — **Lieu planté d'arbres.** Boiser, déboiser, reboiser, reboisement ; peupler, repeupler, repeuplement ; planter, déplanter, replanter, transplanter, transplantation. ■ Alignement, allée, avenue, berceau, bocage, bois, terrain boisé, boisement, bosquet, boqueteau, boulevard, bouquet, brousse, charmille, complant, cordon, forêt, forêt vierge, fourré, futaie, gloriette, haie, labyrinthe, lisière, mail, massif, rangée, rideau, taillis, touffe, tonnelle, treille, végétation, verdure, voûte. — **Entretien des lieux.** Débroussailler, débroussailleuse ; éclaircir, dépresser, essarter. ■ Chemin forestier : allée/route forestière ; clairière ; coupe-feu ; éclaircie ; laie, layon ; percée ; rond-point ; sentier ; trouée. ■ Conservateur, conservation des eaux et forêts ; garde champêtre, garde-chasse, garde forestier. — **Traitement et taille.** Arboriculture, arboriculteur ; horticulture, horticulteur ; pépiniériste ; sylviculture, sylviculteur, industrie sylvicole. ■ Baguer, baguage, incision ; butter, buttage ; chauler, chaulage ; chausser, enchausser, chaussée ; conduire ; courber, arcure ; déchausser ; décortiquer, décortication ; éborgner, éborgnage ; ébourgeonner, ébourgeonnage, ébourgeonnement ; ébrancher, ébranchage, ébranchement ; écheniller, échenillage ; écimer, écimage ; éclaircir, éclaircie ; écorcer, écorçage ; écussonner, écussonnage ; effeuiller, effeuillage ; élaguer, élagage, élagueur ; émonder, émondage, émondeur ; enter, ente ; essarter, essarts ; étêter, étêtage, étêtement ; étronçonner ; greffer, greffage, greffe ; habiller, habillage ; inciser, incision ; œilletonner, œilletonnage ; pincer, pinçage, pincement ; scarifier, scarification ; tailler, taille ; tuteurer, tuteurage. ■ Abattre, abattage ; balivage ; cerner ; couper, coupe à blanc/claire/réglée/sombre ; dépresser, dépressage, dépressis ; éclaircir, écorces, équarrir ; essoucher, souche ; étaillissage ; furetage ; layer ; marquer ; faire un miroir. ■ Arbre d'assiette/cornier/coupier ; arbre de lisière ou tronce, baliveau, lais, marmenteau, pérot, arbre de repeuplée, témoin, têtard. — **Principales espèces.** Arbres forestiers : acacia, acajou, baobab, bouleau, cèdre, cyprès, charme, châtaignier, chêne, chêne-liège, coudrier, épicéa, érable, frêne, giroflier, hêtre, hévéa, mélèze, okoumé, orme, palissandre, peuplier, pin, robinier, santal, sapin, sycomore, teck, thuya, tremble. ■ Arbres fruitiers : abricotier, amandier, cacaoyer, caroubier, cerisier, châtaignier, citronnier, cocotier, cognassier, dattier, figuier, goyavier, grenadier, kola, mandarinier, manguier, mûrier, muscadier, néflier, noisetier, noyer, olivier, oranger, palétuvier, pamplemoussier, pêcher, pistachier, poirier, pommier, prunier, sagoutier ; arbre à beurre/ à pain. ■ Arbres ornementaux : acacia, arbre de Judée, aubépin, cactus, camélia, catalpa, chêne rouge, chêne vert ou yeuse, cyprès, eucalyptus, frêne, hêtre rouge, if, laurier, lilas, magnolia, marronnier, mimosa, orme, orne, palmier, platane, faux poivrier, saule, saule pleureur, sycomore, tamaris, térébinthe, tilleul, tulipier. ■ Arbrisseaux: arbousier, aucuba, aulne, bambou, bananier, bourdaine, bruyère, buis, caféier, câprier, cassis, coca, cormier, cornouiller, cotonnier, cytise, églantier, framboisier, frangipanier, fusain, genêt, genévrier, groseillier, houx, jujubier, myrte, osier, prunellier, rhododendron, ronce, rosier, seringa, sorbier, sureau, théier, troène, vigne. — **Accidents, maladies.** Abroutissement, abrouti ; brouissure, broui ; broussin, loupe, loupeux ; cadran, cadrané ; chancre, chancreux ; déracinement ; dessèchement ; ébranchement ; écuissage, écuissé ; encroué ; gel, gélivure, arbre gélif ; gouttière ; lenticelle ; rabougrissement, rabougri ; ruiné, mort. — **Relatif à l'arbre.** Arborescent, arboricole ; dendrite, dendrolithe, sigillaire ; dendrographie, dendrologie ; dendroïde. ■ Dryade, hamadryade, sylvain. ■ Arbre de la liberté/de mai ; arbre/sapin de Noël ; arbre généalogique/de vie.

ARBRISSEAU, ARBUSTE → *arbre*.

ARC → *architecture, arme, courbe, droite*. — **Arme.** Bois, corde, courbure, flèche, carquois de flèches. ■ Bander, débander l'arc, bandage ; décocher/encocher la flèche ; lancer ; tirer à l'arc, tir à l'arc. ■ Arc à jalet, arbalète ; coche, fût, poignée, ressort ; carreau, dard, dardelle, garrot, javelot, trait. ■ Arbalétrier, archer, l'archerot Cupidon, franc-archer, sagittaire. — **Figure géométrique.** Arc de cercle : amplitude, corde, flèche, octant, sextant, quadrant ; arc astronomique/de progression/de rétrogradation/diurne ou nocturne ; unité trigonométrique : cosinus, radian, sinus. — **Figures analogues.** Amphithéâtre, anse, arcade, arc-boutant, arceau, arc-en-ciel, arche, arçon, arcure, cambrure, cintre, courbe, courbure, croissant, demi-cercle, demi-lune, hémicycle, voûte. ■ Arquer, busquer, cambrer, cintrer, courber. — **Forme architecturale.** Arc en accolade/en anse de panier/aigu/brisé ou en tiers-point/en plein cintre/en berceau/en doucine/elliptique/en fer à cheval/en lancette, lancéolé/en mitre/ogival / outrepassé / polylobé / rampant/surbaissé/surhaussé/trilobé ; arc-boutant, contrefort, culée, contre-buter ; arc de décharge, arc-doubleau, formeret, ogive ; arceau ; arche ; archivolte, claveau, corbeau, pendentif, sommier, voussoir, voussure ; assises, coussinet, pied-droit, retombée, tas de charge ; clef, intersection, ouverture d'arc. ■ Arcades accouplées/géminées/jumelées/ternées/festonnées/lobées ; cintre, courbe, courbure, extrados, intrados, trompe ; ogive équilatérale/en quinte-point/en tiers-point/lancéolée/

mauresque / obtuse / surbaissée / surhaussée ; croisée d'ogives, voûte en ogive. — **Constructions en arc ou arcade.** Arc de triomphe, arche de pont, aqueduc, cloître, coupole, dôme, galerie, portique, rue en arcades, voûte.

ARCADE → *arc, architecture, cercle, œil.*

ARCANE → *intérieur, obscur, secret.*

ARCATURE → *arc, architecture, cercle.*

ARC-BOUTANT → *arc, architecture, église.*

ARC-BOUTER → *arc, architecture, résister, supporter.*

ARC-DOUBLEAU, ARCEAU → *arc, architecture.*

ARC-EN-CIEL → *arc, ciel, couleur, lumière, pluie.*

ARCHAÏQUE, ARCHAÏSME → *langage, mot, vieillesse.*

ARCHANGE → *ange.*

ARCHE → *arc, bateau, bible, pont.*

ARCHÉOLOGIE, ARCHÉOLOGUE → *art, histoire, temps.*

ARCHER → *arc, armée.*

ARCHET → *arc, instrument.*

ARCHÉTYPE → *psychanalyse, psychologie, reproduction.*

ARCHEVÊCHÉ, ARCHEVÊQUE → *ecclésiastique.*

ARCHI → *supérieur.*

ARCHIDIACRE, ARCHIDIOCÈSE → *ecclésiastique.*

ARCHIDUC, ARCHIDUCHÉ, ARCHIDUCHESSE → *souverain.*

ARCHIÉPISCOPAL, ARCHIÉPISCOPAT → *ecclésiastique.*

ARCHIMANDRITE → *monastère.*

ARCHIPEL → *mer.*

ARCHIPRÊTRE → *ecclésiastique.*

ARCHITECTE → *architecture, construction.*

ARCHITECTONIQUE → *architecture, règle.*

ARCHITECTURE → *art, construction, maçonnerie.* — **L'art de construire.** Architecture, architecte, art libéral, arts plastiques, école des beaux-arts ; architecte urbaniste ; bâtisseur, bâtir ; constructeur, construction ; entrepreneur, entreprise de matériaux de construction ; géomètre ; ingénieur, école de travaux publics ; maître d'œuvre ; maître maçon, maçon ; métreur, faire un métré ; promoteur. ▪ Bâtir, construire, disposer, orner, réparer, restaurer, restauration, vérifier des travaux. ▪ Beaux-arts, Ponts et Chaussées, Travaux publics. — **La technique architecturale.** Architectonique ; coupe, dessin, devis, échelle, élévation, épure, module, plan de masse. — **Ordres architecturaux et styles.** Ordre corinthien/dorique/ionique/toscan ; style roman/gothique/gothique flamboyant ou rayonnant/Renaissance/baroque/Louis XIII/Louis XIV/Louis XV/rococo/Louis XVI/pompéien / Directoire / Empire / 1900/1925 / modern-style / moderne / d'avant-garde. ▪ Architecture arabe/assyrienne/byzantine/cyclopéenne ou mycénienne / égyptienne / grecque / lombarde / mégalithique / mauresque / romaine ; urbanisme. — **Constructions diverses.** Bâtiment, construction, édifice, établissement, immeuble, monument, ouvrage. ▪ Basilique, bâtisse, building, caserne, cathédrale, chapelle, château, couvent, école, église, ferme, fortifications, hôpital, hôtel, magasin, maison, palais, temple, tour, villa. ▪ Aqueduc, barrage, bassin, canal, château d'eau, digue, écluse, gare, pont, port, réservoir, viaduc. — **Principaux ornements architecturaux.** Acrotère, agrafe, ajour, amortissement, antéfixe, arabesque, arc, arcature, arceau, archivolte, armille, astragale, atlante, bague, baguette, bande, bandeau, bâton, besant, billette, bordure, bossage, bosse, boucle, bouton, bracelet, bucrâne, câble, canal, cannelure, cariatide, cartouche, chapelet, chardon, chevron, cimaise, clocheton, colonne, coquille, corbeau, corbeille, cordelière, cordon, corne d'abondance, courbure, couronne, créneau, crochet, cul-de-lampe, culot, damier, dard, dent, dentelure, échine, écille, encadrement, enroulement, entrelacs, épi, feston, feuillage, feuille, filet, fleuron, flots, frette, frise, fronton, fuseau, gâble, gargouille, godron, gousse, goutte, grecque, gradille, grotesque, guirlande, imbrication, losange, mascaron, mauresque, méandre, médaille, métope, motif, moulure, mutule, natte, nébule, nervure, nielle, olive, onde, orle, ornement, ove, palme, palmette, pampre, panache, patère, perle, piécette, pilastre, plinthe, pointe de diamant, postes, quadrilobe, quatrefeuille, quintefeuille, rais de cœur, rayure, redent, retombée, revêtement, rinceau, rive, rocaille, rosace, rostre, ruban, rudenture, sculpture, semis, statue, strie, tête-de-clou, tête plate, tore, torsade, trèfle ou trilobe, triglyphe, trompe, trophée, tympan, vermiculure, volute.

ARCHITRAVE → *architecture.*

ARCHIVES, ARCHIVISTE → *écrire, garder, histoire.*

ARCHIVOLTE → *arc, architecture.*

ARCHONTE → *magistrat.*

ARÇON → *arc, équitation, gymnastique.*

ARCTIQUE → *orientation.*

ARCURE → *arbre, arc, courbe.*

ARDENT → *brûler, désir, vif.*

ARDEUR → *chaleur, passion, vif.*

ARDILLON → *attacher, ceinture.*

ARDOISE → *couvrir, pierre.* — **Nature.** Feuilletée, feuilles, feuillets, feuilletis; fissile, fissilité; lamellée, lamelles; scissile; schiste argileux, schisteux; bloc, délit, fendis, planche, plaque, point veine. — **Travail de l'ardoise.** Ardoisière : banc; cosse; couche; assereaux, failles, pendage d'une couche; gisement; gîte; mort-terrain; veine; zone. ■ Abattre, abattage; diviser, division; débiter, débitage; tailler, taille. ■ Boucage; cliver, clivage; exfolier, exfoliation; fendre, fendage; foncer, fonçage; quernage; répartonnage, répartons; rondissage; tenure; treille. ■ Alignoir, bassicot, chaput, couperet, doleau, étapliau, flamme, pic, rabattoir, verdillon. ■ Ardoisier, bassicotier, carrier, fendeur, querneur, rondisseur. — **Usages.** Ardoiser, couvrir/recouvrir un toit, couvreur; embroncher; lier les ardoises, ruiler; asseau, assette, bourriquet, chat, chevalet. ■ Revêtir un sol/une table : carreau, carrelage, carreler; dallage, dalle, daller. ■ Ardoise pour écrire : crayon, tablette.

ARDOISIER, ARDOISIÈRE → *ardoise.*

ARDU → *difficile, obscur.*

ARE, ARÉAGE → *mesure, surface.*

ARÉIQUE, ARÉISME → *sec.*

ARÈNE → *combat, sable, spectacle.*

ARÉOLE → *cercle, poitrine.*

ARÉOMÈTRE, ARÉOMÉTRIE → *liquide.*

ARÉOPAGE → *tribunal.*

ARÊTE → *angle, ligne, poisson.*

ARÊTIER → *charpente.*

ARGENT → *bijou, métal, monnaie, riche.* — **Le métal.** Ductile, malléable, métal précieux; minerais argentifères, sulfures d'argent : argentopyrite ou sternbergite, argyrose ou argentite; galène argentifère; stéphanite. — **Ses alliages et analogues.** Alfénide, argentan ou argenton, blanc, électrum, kérargyre, maillechort, platinoïde, vermeil, vif-argent. — **Son extraction.** Procédé d'amalgamation, gangue, mercure; coupellation, coupeller, coruscation, rochage. ■ Affinage, affiner; avivage, aviver; brunissage, brunir; planage, planer; polissage, polir. ■ Cisaille ou rognure, feuille, grenaille, lame, lingot, paillette. ■ Aloi; contrôle, contrôler, épreuve, éprouver, essayer l'argent; essai à la pierre de touche/au touchau; garantir le titre; poinçonnage, poinçonner, poinçon de l'État. — **Ses usages.** Argentage, argenture, argenter les glaces/les métaux, métal argenté; argenture galvanique, galvanoplastie, argenteur. ■ Argenterie, bijouterie, orfèvrerie, vaisselle d'argent. ■ Broderie de fils d'argent, cannetille, cannetiller, cordonnet d'argent, passementerie, étoffe d'argent, brocart. ■ Damasquiner, damasquinage, damasquinure, incruster d'argent, incrustation. ■ Produits chimiques et pharmaceutiques : argent colloïdal, collargol, électrargol, protargol; nitrate d'argent, bromure d'argent. — **La monnaie.** Argent liquide/monnayé, monnaie métallique, papier-monnaie. ■ Avoir de l'argent (fam. et pop.) : de la braise/du flouse/du fric/de la galette/de l'oseille/des pépètes/du pèze/des picaillons/du pognon; être sans argent : sans le sou/sans un/sans un radis/sans un rond; être argenté/riche, richard; être désargenté/indigent/pauvre/dans la dèche/à court d'argent/dénué/dépourvu d'argent; menue monnaie, mitraille; francs, balles; millier, sac; million, brique. ■ L'argent circule/est déprécié/file/fond dans les mains. — **Opérations d'argent.** Payer en argent comptant, argent sur table; affaire d'argent / de gros sous, mariage d'argent. ■ Amasser, déposer, économiser, entasser, faire travailler/placer son argent, rentrée d'argent. ■ Avancer de l'argent; donner des arrhes; débourser, débours, prêter, prêt. ■ Devoir de l'argent, dû : emprunter, emprunt; rembourser, remboursement. ■ Contribuer de son argent, contribution; cracher (pop.), délier / desserrer les cordons de la bourse (fam.), les lâcher (pop.), mettre le paquet (fam.), en avoir pour son argent. ■ Bas de laine, bourse, cagnotte, caisse, chaussette, coffre, coffre-fort, porte-monnaie, tirelire. ■ Être dépensier/insouciant/panier percé/prodigue; jeter l'argent par les fenêtres; manger/semer son argent; se ruiner; avoir des soucis pécuniaires. — **Proverbes.** L'argent est le nerf de la guerre; l'argent n'a pas d'odeur; l'argent ne fait pas le bonheur; plaie d'argent n'est pas mortelle; point d'argent, point de Suisse; prendre quelque chose pour argent comptant; *time is money,* le temps, c'est de l'argent.

ARGENTÉ, ARGENTER → *argent, couleur, riche.*

ARGENTERIE, ARGENTIER → *argent, meuble, vaisselle.*

ARGENTIFÈRE → *argent.*

ARGENTIN → *argent, son.*

ARGENTURE → *argent, glace.*

ARGILE → *céramique, maçonnerie, terre.* — **Sortes d'argile.** Argile, argileux; argile blanche/à blocaux/jaune/rouge; boucaro; calamite; glaise, terre glaise, glaiseux; kaolin; latérite; ocre jaune/rouge; terre bolaire, bol d'Arménie. — **Lieux d'extraction.** Argilière, argilier; boulbène, glaisière; marne, marneux, marnière; terre argilo-calcaire / argilo-sablonneuse / argilo-siliceuse; terrain argilifère. — **Utilisation de l'argile.** Argile figuline, céramique; argile fusible/pétrie/moulée/séchée; argile réfractaire; argile smectique, bentonite, terre à foulon; brique; corroi, corroyage, corroyer un mur, corroyeur; modelage, modeler; mortier d'argile, bauge, pisé; poterie, potier; tuile. — **Briques, briqueterie.** Amaigrir au sable, engraisser à la chaux, marcher ou pétrir, pétrissage; mouler, moulage; calibrer, calibrage; sécher, séchage, séchoir, étagères, selle; cuire, cuisson, four. ▪ Brique crue / cuite / creuse / pleine / réfractaire; brique émaillée/vernissée; carreau, carreler, carrelage, tommette. — **Fabrication des tuiles.** Tuilerie, tuilier; tuile creuse/faîtière/mécanique/plate/romaine/ronde/sarrasine. ▪ Couverture de toit, embrocher, enchevêtrer, enfaîter.

ARGILEUX → *argile.*

ARGONAUTE → *marine, mollusques.*

ARGOT → *langage.*

ARGOUSIN → *police.*

ARGUER → *discussion, raisonnement.*

ARGUMENT → *abréger, convaincre, discussion, raisonnement.*

ARGUMENTATION, ARGUMENTER → *affirmer, raisonnement.*

ARGUTIE → *raisonnement, subtil.*

ARGYRONÈTE → *araignée.*

ARGYROSE → *argent.*

ARIA → *chant.*

ARIANISME → *hérésie.*

ARIDE, ARIDITÉ → *difficile, sec.*

ARIETTE → *chant.*

ARISTOCRATE, ARISTOCRATIE → *classe, noble.*

ARISTOTE, ARISTOTÉLICIEN → *philosophie.*

ARITHMÉTIQUE → *calcul, mathématiques, nombre.*

ARITHMOLOGIE → *nombre.*

ARITHMOMÈTRE → *calcul.*

ARLEQUIN, ARLEQUINADE → *rire, théâtre.*

ARMADA → *navire.*

ARMAGNAC → *alcool.*

ARMATEUR → *navire.*

ARMATURE → *charpente, maçonnerie.*

ARME → *armure, escrime, fusil, guerre, projectile.* — **Sortes d'armes.** Armes blanches/contondantes ou tranchantes; armes de chasse; armes à feu/lourdes/nucléaires/portatives; armes de guerre, défensives, offensives; armes de parade. ▪ Collection d'armes, panoplie; faisceau d'armes, trophée. — **Armes défensives.** Armes antichar : bazooka, canon, roquette; armes antiaériennes : canon, D.C.A., fusée, fusée sol-air, missile. ▪ Armer; barder, blinder, blindage; cuirasser; fortifier, fortifications, Mur de l'Atlantique, ligne Maginot; rempart. — **Armes offensives.** Armes de main/d'estoc/de taille : baïonnette, cimeterre, couteau, coutelas, dague, épée, glaive, poignard, sabre, stylet. ▪ Armes de choc : bâton, canne, casse-tête, coup-de-poing, maillet, marteau, masse, massue, plombée, trique. ▪ Armes à feu : arquebuse, canon, carabine, escopette, espingole, fusil, fusil mitrailleur, mitraillette, mitrailleuse, mousquet, pistolet, pistolet mitrailleur, revolver, tromblon; arme à percussion/à tir automatique/à répétition. ▪ Armes d'hast : épieu, faux, fléau, fourche, framée, francisque, hache, hallebarde, lance, pertuisane, pique, sagaie, tomahawk, vouge. ▪ Armes de jet : arbalète, arc, boomerang, dard, falarique, fronde, javeline, javelot, pilum, trait. ▪ Armes de siège, machines de guerre : baliste, bélier, bombarde, catapulte, char d'assaut, engin, lance-flammes, mantelet, mine, tortue, tour mobile. ▪ Projectiles : balle, bombe, boulet, cartouche, cocktail Molotov, flèche, fusée, munition, obus, pierre, plomb, torpille. — **Port et usage des armes.** Armé de pied en cap/jusqu'aux dents; être en armes/sur le pied de guerre; manier/porter les armes, l'arme en bandoulière/sur l'épaule; présenter les armes, prise d'armes. ▪ Abandonner/déposer/jeter bas/mettre bas/poser les armes; capituler avec armes et bagages; désarmer; suspension d'armes, cessation des hostilités, armistice. ▪ Braquer / brandir / dégainer / rengainer / diriger/pointer une arme; charger, décharger, chargeur, coup, décharge, détonation, rafale d'arme automatique. ▪ Aiguiser, astiquer, brunir, fourbir, graisser, polir, tremper, trempe. ▪ Armurerie, armurier, dépôt d'armes, arsenal, magasin d'armes; fabrication, fabrique d'armes/d'armement.

ARMÉE → *artillerie, aviation, cavalerie, chef, grade, guerre, infanterie, marine.* — **Formation.** Appeler, appel, un appelé; classe, conscription, conscrit; contingent; dépôt; engagement, engagé volontaire; enrôlement; incorporation, recensement, recensé; rengagement, rengagé; révision, conseil de révision; service militaire; soldat. — **Différentes armées.** Armée active/coloniale/nationale/permanente/régulière/de réserve; armée de l'air ou aviation/de mer ou marine/de terre; armée de francs-tireurs/irrégulière/de mercenaires/de partisans/ de volontaires ; armée, front, troupes de libération/d'occupation. ■ Bande, commando, corps détaché, groupe franc, formation, horde, milice, patrouille. ■ Constituer, constitution ; former, formation ; lever/des troupes/ le ban et l'arrière-ban, levée en masse ; mobiliser, mobilisation ; racoler, racolage ; recruter, recrutement, recrue ; tirage au sort. — **Composition.** Armée ; corps d'armée ; division, division aérienne/aéroportée/blindée ; brigade ; régiment ; bataillon, compagnie, escadron, escadrille, peloton, section, unité ; centurie, cohorte, légion, manipule, phalange, turme ; commandement, état-major, quartier général. ■ Artillerie, aviation, cavalerie, infanterie, intendance, génie, service de santé, train des équipages. ■ Écoles militaires, enfant de troupe ; École navale/ polytechnique / Saint-Cyr, École militaire. — **Vie militaire.** Armement, armer, arsenaux ; encadrer, encadrement ; équiper, équipement ; magasin ; manutention ; matériel ; munitions. ■ Être affecté, affectation, recevoir sa feuille de route ; bivouaquer, bivouac ; camper, campement, partir en campagne, armée en campagne ; être cantonné, cantonnement ; être caserné, caserne, casernement ; chambrée, garnison, quartier, être consigné au quartier, consigne, salle de police, arrêts simples/de rigueur ; défiler, défilé, fanfare, clairon, tambour, trompette ; faire l'exercice/des manœuvres, maniement d'armes, ordre serré, parcours du combattant ; monter la garde, être de garde, chef de poste, piquet de garde, guérite ; marches, marches forcées, patrouilles, ronde ; passer la revue/en revue ; faire une période ; polygone/ champ de tir. ■ Équipement, fourniment : armes, bidon, gamelle, quart, sac ; tenue de sortie/numéro un, uniforme, grand uniforme, tenue de gala/ de combat, battle-dress, treillis, tenue camouflée. — **Personnel de l'armée.** Engagé ; gradé ; libérable ; permissionnaire ; recrue ; réserviste ; simple soldat, bidasse, troufion (pop.), troupier ; sursitaire ; territorial ; volontaire. ■ Être de la classe/du contingent ; être de l'active/de la réserve/du cadre de réserve. ■ Être démobilisé, démobilisation ; désarmer, désarmement ; déserter, déserteur ; limoger, limogeage ; réformer, être réformé, mettre à la réforme ; rempiler, un rempilé ; rengager, rengagé. — **Stratégie.** Aile, alignement, arrière-garde, arrières ; avant-garde, avant-poste, poste avancé ; base ; centre ; colonne, colonne volante ; dispositif, formation en carré ; flanc ; front ; gros de l'armée ; ligne, première ligne, arrière-ligne ; secteur ; vagues d'assaut ; zone. ■ Opérations stratégiques : attaque, attaquer ; assaut, assaillir ; avance, avancer ; bataille ; bombardement, bombarder ; camouflage, camoufler ; campagne ; charge, charger ; cheminer, cheminement ; choc, troupes de choc / d'intervention, commandos ; combat, combattre ; contact, contacter ; contre-attaque, contre-attaquer ; contre-marche ; conquête, conquérir ; coup de main ; couverture, troupes de couverture ; débordement, déborder ; défendre, défense, défenseur ; dégagement, dégager ; destruction, détruire ; engagement, engager ; enveloppement, envelopper, mouvement tournant ; expédition, exploit ; extermination, exterminer, tailler en pièces ; guérilla, guérillero ; harcèlement, harceler, tactique de harcèlement ; intervention, intervenir ; investissement, investir une place ; liaison ; manœuvre, manœuvrer ; marche ; mouvement ; nettoyage, nettoyer ; observation, observer ; poursuite, poursuivre ; quadrillage, quadriller ; recul, reculer ; repli, se replier ; retraite, se retirer ; siège, assiéger ; stratégie, stratège ; tactique, tacticien ; travaux de circonvallation, fortifications, ouvrages, tranchées, guerre de position/de mouvement ; troupes d'assaut / de choc/d'élite/de ligne/légères/mobiles.

ARMEMENT → *arme, guerre, navire.*

ARMER → *arme, armée, défendre, fusil, machine, munir.*

ARMET → *armure.*

ARMILLE → *architecture, colonne.*

ARMISTICE → *abandon, arme, convenir, guerre, paix.*

ARMOIRE → *meuble.*

ARMOIRIES, ARMORIAL → *blason, noblesse.*

ARMURE → *arme, chevalier, textile, vêtement.* — **Différentes armures.** Armures de guerre/de joute/de parade ; cataphracte, cotte, cuirasse, harnois de mailles/de plates. — **Pièces de l'armure.** Armure de tête : armet, bassinet, bourguignotte, cabasset, calotte, capeline, casque, cervelière, chapeau, coiffe, couvre-nuque, crête, gorgerin, heaume, mentonnière, mézail, morion, nasal, oreillon, ventail, visière, vue. ■ Armure du cou et des épaules : bavière, camail, colletin, épaulière, hausse-col. ■ Armure de corps : braconnière, brigandine, chemise, corselet, cotte, cuirasse, dossière, faucre, garde-reins, halecret, haubert, haubergeon, jaque, pansière, pectoral, plastron, tunique. ■ Armure du bras : brassard, canon, cubitière. ■ Armure de la main : gant, gantelet, miton. ■ Armure de la cuisse et de la jambe : cuissard, cuissot, genouillère, grève, jambière, jambart, tassette. ■ Armure du pied : soleret, soleret à la poulaine. — **Armure du cheval.** Barde de crinière/de croupe/de gorge/de poitrail ; caparaçon ; cervicale ; chanfrein ; flancois ; garde-queue ; harnois, haubergerie ; muserolle ; têtière ; tonnelle.

ARMURERIE, ARMURIER → *arme, fusil.*

AROMATE → *aliment, parfum.*

AROMATIQUE, AROMATISER → *aliment, parfum, plante.*

ARÔME → *parfum.*

ARONDE → *charpente, oiseau.*

ARPÈGE → *musique.*

ARPENT → *mesure, surface.*

ARPENTAGE, ARPENTER, ARPENTEUR → *géométrie, marcher, mesure, surface.*

ARPÈTE → *métier.*

ARQUÉ → *arc, cheval, courbe, résister.*

ARQUEBUSE, ARQUEBUSIER → *arme, fusil.*

ARQUER → *arc, courbe.*

ARRACHAGE → *arracher, enlever, jardin.*

ARRACHÉ → *gymnastique.*

ARRACHER → *enlever, prendre, part, tirer, violence.* — **Enlever de terre.** Arracher, arrachage, arrachis ; déchaumer, déchaumage ; débroussailler, débroussaillage ; défricher, défrichement ; déplanter, déplantation ; déraciner, déracinement ; déterrer, déterrement ; éradication ; essarter, essartage ; essoucher, essouchement ; extirper, extirpation ; nettoyer, nettoyage ; sarcler, sarclage. ■ Arrache-racines, arracheur, arracheuse, arrachoir, extirpateur, sarcloir. — **Enlever avec effort.** Arracher, arracheur de dents ; avulsion, divulsion, évulsion ; couper ; déchirer, déchirement ; défaufiler, tirer le faufil ; démembrer, démembrement ; dépiler, dépilation, dépilatoire ; dépouiller, dépouillement ; détacher, détachement ; écorcher, écorchement ; éfaufiler, éfaufilage ; effeuiller, effeuillement ; effiler, effilocher ; égrapper ; emporter ; enlever ; épiler, épilation, épilatoire ; étriper, étripement ; extirper, extirpation ; extraire, extraction ; plumer, plumaison. ■ Arrache-clou, davier, pince, pincette, pince à épiler, tenailles. — **Enlever de force à.** Détacher ; enlever, enlèvement ; kidnapper, kidnapping ; rapine, rapt ; ravir, ravisseur. ■ Arracher de l'argent/une victoire à quelqu'un, emporter, extorquer, obtenir, soutirer, voler. — **Faire quitter une place de force.** Arracher au foyer ; bannir, bannissement ; chasser ; détacher, détachement ; détourner, détournement ; écarter, écartement ; éloigner, éloignement ; exiler, exil ; expulser, expulsion ; séparer, séparation ; soustraire, soustraction ; tirer de. — **S'arracher.** S'arracher quelqu'un, se disputer la compagnie/la présence/la société de ; s'arracher à, s'arracher de, se détacher de, s'éloigner de, s'extraire de, se soustraire à.

ARRACHEUSE → *arracher, culture.*

ARRACHIS → *arracher.*

ARRAISONNER → *marine.*

ARRANGEANT → *arranger, faible, permettre.*

ARRANGEMENT → *accord, arranger, décoration, mathématiques, musique.*

ARRANGER, ARRANGER (S') → *accord, règle, réparer.* — **Disposer d'une manière convenable.** Accommoder un plat ; agencer, agencement ; ajuster, ajustement, rajuster ; aménager, aménagement ; appareiller, appareillage ; apprêter, apprêt ; arranger, arrangement, s'arranger pour ; arrimer, arrimage ; composer son visage, composition ; constituer, constitution ; construire une phrase, syntaxe ; disposer, disposition ; dresser la table ; échafauder, échafaudage ; emboîter, emboîtement ; emménager, emménagement ; empiler, empilement, pile ; établir, établissement ; façonner ; fignoler, fignolage ; installer, installation, installateur ; inventer, invention, inventeur ; mettre, mise en place ; monter, montage, monteur ; préparer, préparatif, préparation, préparateur ; ranger, rangement ; tourner, tour de main/de phrase ; transformer, transformation. ■ Armure, contexture, structure, texture, tissure. — **Arranger quelqu'un.** Accoutrer, accoutrement ; attifer ; coiffer, arranger sa coiffure ; embellir ; équiper, équipement ; habiller, habillement ; harnacher, harnachement ; orner ; parer, parure. — **Mettre dans un ordre convenable.** Assembler ; classer, classement, classification, classeur ; combiner, combinaison ; coordonner, coordination, coordinateur ; embellir, embellissement ; entretenir, entretien ; mettre/remettre/remise en état ; ordonner, ordonnance, ordonnateur ; organiser, organisation, organisateur ; orner, ornement ; réajuster ; reclasser ; remanier, remaniement ; réorganiser ; rétablir ; retouche, retoucher, retoucheur ; trier, tri, gare de triage. — **Mettre en accord.** Accommoder, accommodement ; adapter, adaptation, adaptateur ; approprier, propriété d'un mot ; arbitrer, arbitrage, médiation ; arranger, ménager une entrevue, arrangement, arrangement musical, arrangeur ; associer, association ; assortir, assortiment ; combiner, combinaison ; composer avec ; concilier, conciliation ; grouper, groupe, groupement ; harmoniser, harmonisation ; intercéder, intercesseur, intercession ; joindre, jonction ; mettre d'accord, accord, compromis ; orchestrer, orchestration ; raccommoder, raccommodement ; raccorder, raccordement ; rapprocher les partis ; régler, terminer à l'amiable ; réconcilier, réconciliation. ▪ Personne accommodante/aimable/arrangeante/conciliante ; s'arranger de, s'accommoder de, se satisfaire de.

ARRÉRAGES → *dette, revenu.*

ARRESTATION, ARRÊT → *arrêter, police, prison, tribunal.*

ARRÊTÉ → *loi.*

ARRÊTER → *finir, fixer, prendre, prison, retard.* — **Empêcher d'avancer.** Aborder, accoster, arrêter, contenir, immobiliser, maintenir, retenir quelqu'un. ▪ Accrocher quelque chose ; ancrer un navire, ancrage ; assujettir, assujettissement ; bloquer, blocage ; enrayer, enrayage ; fixer, fixation ; freiner, freinage ; immobiliser, immobilisation ; mettre l'embargo sur ; rogner les ailes à. ▪ Arrêter, combattre, contenir, endiguer, étancher, tarir un flot. — **Empêcher d'agir.** Achopper ; arrêter court, être arrêté par ; asphyxier, asphyxie ; briser là ; buter contre ; captiver, être captif ; contenir ; couper court à ; désamorcer ; entraver, entrave ; étouffer ; inhiber, inhibition ; interrompre ; paralyser, paralysie ; rebuter, être rebuté par ; retarder ; suspendre l'action ; faire taire ; tenir en échec. — **Suspendre le cours d'une chose.** Ajourner ; arrêter ; borner, borne ; faire cesser ; clore ; contenir ; différer ; enrayer ; étouffer, étouffement ; fixer ; intercepter ; juguler ; limiter, limite ; mettre en panne/en sommeil ; modérer, modération ; refréner, refrènement ; régler un compte, règlement ; réprimer, répression ; retenir, rétention ; rompre, rupture ; stase ; surseoir à, sursis ; suspendre, suspension/arrêt des hostilités, armistice, cessez-le-feu. ▪ Congé, délai, entracte, intermède, intervalle, marasme, pause, répit, repos, retard, vacance. — **Retenir prisonnier.** Appréhender, appréhension ; arrestation, maison d'arrêt ; captiver, captivité, captif ; capturer, capture ; envoyer/mettre au bloc (pop.) ; coincer (fam.) ; s'emparer de, butin, proie ; empoigner, empoignade ; emprisonner, otage, prison, prisonnier ; mettre la main au collet/le grappin sur ; prendre, prise ; rafle ; retenir, rétention ; saisir, saisie. ▪ Fam. et pop. : se faire agrafer / choper / coffrer / cueillir / emballer / embarquer / épingler / harponner/paumer/pincer/poisser, être fait (comme un rat). — **S'arrêter, cesser d'avancer.** Arrêt, chien d'arrêt ; s'attarder ; camper ; croupir, croupissement ; demeurer, demeure ; descendre ; faire halte, faire une pause ; mettre pied à terre ; être planté ; relâcher, faire relâche ; se relaxer ; reprendre haleine ; respirer ; rester ; séjour, séjourner ; être stable, se stabiliser ; stagner, stagnation ; stationner, être en stationnement ; temps d'arrêt ; silence. — **Régler de manière définitive.** Arrêter un choix, s'arrêter à ; arrêt du tribunal, arrêté administratif ; choisir ; conclure un marché ; convenir de ; décider, décision ; déterminer ; s'engager à ; fixer ; régler ; résoudre, résolution.

ARRÊTS → *peine.*

ARRHES → *argent, commerce, payer.*

ARRIÈRE → *après, mouvement, placer, temps.* — **Dans le temps.** Antédiluvien ; antérieur, antériorité ; démodé ; dernier ; désuet ; historique, histoire ; passé ; postérieur, postériorité ; précédent ; préhistorique ; récent ; retardataire, retard ; rétroactif, rétroactivité ; rétrograde, rétrogradation ; rétrospectif, rétrospective, rétrospectivement ; suranné ; tardif ; vétuste ; vieux, vieillesse. ▪ Rajeunir, rajeunissement ; regarder en arrière ; régression ; remonter au déluge ; se reporter en ; retarder sur ; retourner à ; rétrograder ; traces, vestiges. — **Partie opposée à l'avant.** Arrière-boutique, arrière-chœur, arrière-corps, arrière-cour, arrière-garde, arrière-main, arrière-train ; croupe, croupion, cul, culasse, culot, derrière, dos, dossier, doublure, envers, fesses, nuque, occiput, postérieur, poupe, queue, revers. — **En sens inverse de la marche.** Aller à rebours, faire marche arrière / un pas en arrière ; battre en retraite, fuir ; inverser, inverse, inversion ; marcher en écrevisse ; réagir, réaction ; rebondir, rebondissement ; rebrousser chemin, rebrousser, à rebrousse-poil ; récession ; reculer, recul, reculade, à reculons ; récurrence, récurrent ; réfléchir, réflexion, réfraction ; refléter, reflet ; refluer, reflux ; refouler, refoulement ; rejeter ; remorquer, à la remorque de ; se replier, position de repli ; être repoussé ; se renverser, tomber à la renverse ; se retirer, retrait, retraite ; retourner, s'en retourner, retour ; rétrograder, rétrogradation ; revenir sur ses pas ; ruer, ruade ; tête-à-queue ; tourner bride/casaque/les talons ; rétractile ; rétroflexion, rétroflexif ; rétroversion, rétroversé ; rétroviseur ; révulsif, révulsion. ▪ Arrière !, au diable !, allez ouste !, *vade retro, Satanas !* — **Revenir sur sa pensée.** Arrière-pensée ; céder ; se dédire, se dégager ; faire son examen de conscience ; faire machine arrière ; penser à contresens ; rectifier son jugement ; réfléchir, réflexion ; se reprendre ; se rétracter, rétractation, palinodie, relaps ; revenir sur, faire un retour sur soi-même.

ARRIÉRÉ → *arrière, diminuer, retard, vieillesse.*
ARRIÈRE-BAN → *armée.*
ARRIÈRE-BOUCHE → *bouche, gorge.*
ARRIÈRE-BOUTIQUE → *arrière, commerce.*
ARRIÈRE-COUR → *arrière, maison.*
ARRIÈRE-GARDE → *armée, arrière.*
ARRIÈRE-GRANDS-PARENTS → *famille.*
ARRIÈRE-PENSÉE → *cacher, secret.*
ARRIÈRE-PLAN → *peinture.*
ARRIÈRE-TRAIN → *animal.*
ARRIMAGE, ARRIMER → *arranger, charger, navire.*
ARRIVAGE → *marchandises.*
ARRIVÉE, ARRIVER → *but, événement, réussir, venir.*
ARRIVISME, ARRIVISTE → *désir, réussir.*
ARROGANCE, ARROGANT → *noblesse, orgueil.*
ARROGER (S') → *attribuer, prendre.*
ARRONDIR → *augmenter, coudre, monnaie.*
ARRONDISSEMENT → *province, ville.*
ARROSAGE → *arroser, boire, jardin, mouiller.*
ARROSER, ARROSEUSE → *eau, mouiller.*
ARROSOIR → *jardin.*
ARS → *cheval.*
ARSENAL → *arme, armée, magasin, navire.*
ARSENIC → *chimie, poison.*
ART → *architecture, graver, musique, peinture, sculpture.* — **Les arts.** Arts libéraux ; les neuf muses du Parnasse : Clio, l'histoire ; Calliope, l'éloquence ; Melpomène, la tragédie ; Thalie, la comédie ; Euterpe, la musique ; Terpsichore, la danse ; Erato, l'élégie ; Polymnie, le lyrisme ; Uranie, l'astronomie ; Apollon et les Muses. ■ Trivium : dialectique, grammaire, rhétorique ; quadrivium : arithmétique, géométrie, histoire, musique. ■ Arts mécaniques ; arts et métiers, artisan, ingénieur. ■ Arts plastiques, beaux-arts, arts décoratifs, artiste : architecture, gravure, musique, peinture, sculpture, art décoratif ; septieme art, cinéma ; arts graphiques. ■ Arts mineurs ou d'agrément : antiquités, bijouterie, broderie, céramique, décoration, ébénisterie, émaillerie, orfèvrerie, tapisserie, verrerie. — **Les artistes.** Architecte, artiste, auteur, chorégraphe, compositeur, décorateur, dessinateur, écrivain, graveur, inventeur, metteur en scène, musicien, peintre, sculpteur. ■ Acteur, comédien, exécutant, interprète, musicien, vedette, virtuose. — **Production artistique.** Chef-d'œuvre ; composition ; création ; morceau, morceau de bravoure ; œuvre d'art/majeure/mineure ; ornement ; photographie/ouvrage d'art. ■ Académie, Académie des beaux-arts ; atelier ; Conservatoire d'art dramatique / de chant/de musique ; exposition ; festival ; galerie ; musée ; pinacothèque ; salon. ■ Concourir, exposer, avoir les honneurs de la cimaise, monter en loge, vernissage. — **Qualités artistiques.** Adresse, don, génie, goût, habileté, imagination créatrice, inspiration, intelligence, manière, originalité, personnalité, puissance, sensibilité, tempérament artistique. ■ Art, artifice ; connaissances ; culture ; facture ; maestria ; main ; maîtrise, passer maître en, exécuter avec maîtrise/de main de maître/de façon magistrale ; métier ; procédés d'expression/de travail ; savoir-faire ; science ; talent ; technique ; virtuosité. — **Doctrines et écoles.** Art antique/byzantin/gothique/grec/Renaissance/romain/roman. ■ École allemande/anglaise/flamande / française / hollandaise / italienne (florentine, siennoise, vénitienne), etc. ■ Classicisme, cubisme, dadaïsme, futurisme, impressionnisme, modernisme, modern style, naturalisme, réalisme, romantisme, etc. — **Relatif à l'art.** Amateur d'art, critique d'art ; esthète ; imprésario ; marchand de tableaux ; mécène ; théoricien.
ARTÉMIS → *mythologie.*
ARTÈRE → *route, sang, veine.*
ARTÉRIEL, ARTÉRIOLE → *sang, veine.*
ARTÉRIOSCLÉROSE, ARTÉRITE → *maladie, veine.*
ARTÉSIEN → *eau, jeter, liquide.*
ARTHRITE, ARTHRITISME → *articulation, maladie.*
ARTHROPODES → *animal, araignée, crustacés, insecte.*
ARTHROSE → *articulation.*
ARTICHAUT → *légume.*
ARTICLE → *classe, commerce, grammaire, journal.*
ARTICULAIRE → *articulation.*
ARTICULATION → *lier, os, parler, son.* — **Jointure entre deux os.** Articulation, s'articuler, désarticuler, disloquer ; attache ; charnière ; emboîtement, s'emboîter ; engrènement, s'engrener ; joint, jointure, jonction ; ligament. ■ Acétabule ; capsule synoviale ; synovie ; cartilage ; cavité cotyloïde, cotyle ; condyle ; glène, cavité glénoïde ; ménisque ; symphyse ; trochlée. ■ Cheville, clavicule, coude, genou, hanche, poignet, rotule. — **Maladies et soins des articulations.** Ankylose, ankylostéotomie ;

arthralgie, arthrite, arthritisme, arthrectomie, arthrodèse, arthrotomie, arthrologie ; arthropathie, arthrose ; coxalgie, coxarthrose ; déboîtement ; déviation ; diastasis ; dysarthrose ; entorse ; épanchement synovial ; exarthrose ; foulure ; goutte ; hydarthrose ; luxation ; nodosité ou nodus ; rhumatisme ; syndesmologie ; tophus ; tumeur. — **Assemblage de diverses parties entre elles.** Articulation ; assemblage ; cardan ; charnière ; cheville ; emboîtement, s'emboîter ; enchaînement, s'enchaîner ; engrènement, engrenage, s'engrener ; imbrication ; jeu, jouer ; joint, jointure, jonction ; être lié ; être en rapport. — **Émission distincte de sons.** Articuler les mots/les syllabes, détacher, énoncer, exprimer, marteler, prononcer. ▪ Élocution ; énonciation ; phonétique, phonéticien ; prononciation claire/nette/rigoureuse ; sons inarticulés/inaudibles/inintelligibles.

ARTICULATOIRE → *articulation.*

ARTICULÉS → *animal.*

ARTIFICE → *art, feu.*

ARTIFICIEL → *affectation, faux.*

ARTIFICIER → *artillerie, feu.*

ARTIFICIEUX → *subtil, tromper.*

ARTILLERIE → *arme, fusil, guerre, projectile.* — **Pièces d'artillerie ancienne.** Aspic, basilic, bâtarde, bombarde, canon, cardinale, caronade, couleuvrine, crapaud, crapouillot, émerillon, espingole, faucon, fauconneau, mortier, pierrier, serpentin, venglaire. ▪ Machines : baliste, bélier, catapulte, mangonneau, onagre, scorpion. — **Pièces d'artillerie moderne.** Batterie ; bazooka ; bouche à feu ; canon ; engin blindé/sol-sol/sol-air ; fusée balistique/intercontinentale/à ogive/à tête nucléaire/téléguidée, rampe de lancement ; lance-fusées ; mortier ; obusier ; roquette ; torpille ; tourelles doubles/triples/quadruples. — **Munitions et véhicules de transport.** Amorce ; boîte à mitraille ; bombe/au napalm/au phosphore/à retardement/soufflante ; boulet/en pierre/en fer forgé ; carreaux d'arbalète ; cartouche ; culot ; détonateur ; douille ; étoupille électrique/à friction ; gargousse ; obus explosif/sous-calibré/à charge creuse ; projectile. ▪ Affût, affût-truck, affût automoteur/à berceau/biflèche ; caisson ; chenille ; prolonge ; tracteur, artillerie tractée. — **Le canon.** Culasse : cordon tire-feu, éjecteur, extracteur, percuteur, tranche ; tube : âme, bouche, bourrelet, couvre-bouche, frein de bouche, galets, rayure, volée. ▪ Brague ; chapiteau ; crosse, poignée de crosse ; couvre-lumière ; flasque ; flèche ; frette ; lumière ; lunette de cheville ouvrière ; tourillons. ▪ Canon antiaérien/antichar/de chasse/de marine/de place ; canon de petit/moyen/gros calibre ; canon biflèche/à tubes jumelés/multiples, orgues de Staline ; canon sans recul. — **Différents corps d'artillerie.** Artillerie antiaérienne, D.C.A., flak ; artillerie atomique/blindée/de campagne / légère / lourde / de marine/de montagne/motorisée/navale/à grande puissance/à longue portée (la grosse Bertha) /de siège/tractée. — **Manœuvres et tirs d'artillerie.** Démonter, entretenir, graisser le canon, écouvillon, refouloir. ▪ Armer une batterie, mettre en batterie ; ouvrir le feu, feu ! ; pointer le canon, appareils de pointage : berceau, collimateur, goniomètre, hausse, manivelle, télémètre, volants ; repérer l'objectif ; télécommander, télépointer. ▪ Arrosage, arrosement, arroser l'objectif ; bombardement, bombarder ; bordée ; canonnade, canonner ; décharge ; duel ; pilonnage, pilonner ; préparation d'artillerie ; rafale ; salve ; volée. ▪ Angle de tir, ligne de tir ; parabole ; portée ; tir de barbette/de barrage/courbe/d'enchassure/de plein fouet/fusant/de neutralisation/plongeant/de précision/progressif/à ricochet/vertical ; trajectoire.

ARTIMON → *voilure.*

ARTISAN, ARTISANAT → *art, cause, économie, métier.*

ARTISTE → *art, beau, métier, style.*

ARTISTIQUE → *adroit, art, beau, exécuter.*

ARUM → *fleur.*

ARYTHMIE → *cœur, irrégulier.*

AS → *adroit, carte, jouer, supérieur.*

ASCARIDE → *intestin, ver.*

ASCENDANCE, ASCENDANT, ASCENDANTS → *air, astrologie, famille, haut, influence, monter, parent.*

ASCENSEUR → *bas, maison, monter.*

ASCENSION → *astronomie, haut, liturgie, montagne, monter.*

ASCENSIONNEL → *haut.*

ASCENSIONNISTE → *montagne.*

ASCÈSE, ASCÈTE, ASCÉTISME → *morale, sage, saint.*

ASCLÉPIADE → *poésie.*

ASCOMYCÈTES → *champignon.*

ASEPSIE, ASEPTISATION, ASEPTISER → *infecter, nettoyer, soigner.*

ASEXUÉ → *reproduction, sexe.*

ASIATE, ASIATIQUE → *Asie.*

ASIE → *terre.* — **Continent.** Asie Mineure, Proche-Orient, Moyen-Orient, Levant ; Asie centrale, Sibérie, Extrême-Orient ; Asie sèche, Asie des moussons. ▪ Asiate, asiatique, eurasien. — **Proche et Moyen-Orient.** Arabes, Arméniens, Assyriens, Druses, Hittites, Juifs, Kurdes, Mèdes, Perses, Persans, Sémites, Turcs. ▪ Chrétiens maronites/orthodoxes ; juifs, judaïsme, yiddish ; mazdéistes. ▪ Musulmans, Islam : arabe, turc ; Coran, Croissant, eau sainte, minaret, mosquée, muezzin. ▪ Calife, raïs, roi des rois, shah, sultan, vizir. ▪ Bains turcs, babouches, caftan, cimeterre, foz, hammam, harem, narguilé, pouf, raki, sérail, sofa, turban, yatagan. ▪ Ali-Baba et les quarante voleurs, Contes des Mille et Une Nuits, Shéhérazade. — **Asie centrale et Inde.** Aryens ; dravidiens ; indien, indianiste ; moghol, mongol ; tibétain ; tzigane ; gourkha, mahratte, rajput, sikh. ▪ Bouddha, bouddhisme, bouddhiste, bonze, bonzesse ; Brahma, brahmanisme, brahmane, brahmine, Vichnou, Çiva ; hindou, hindouïsme ; jaïnisme ; Véda, védisme, nirvana, yoga ; Brahmana, Purana, Upanishad ; animaux (vache) sacrés, castes, intouchables, parias ; fakir, mendaint sacré ; fleuve/montagne sacrés, Gange. ▪ Anglais, bengali, brahmi, hindi ou hindoustani, sanskrit, tamoul. ▪ Dalaï-lama, maharajah, maharani, mahatma, nabab, panchen-lama, pandit, sultan. ▪ Cachemire, châle, chanvre indien, hachisch, jute, madras. ▪ Gong, sitar, vina. ▪ Charmeur de serpents, cobra, crotale, éléphant, cornac, panthère, tigre du Bengale, yack. — **Chine et Extrême-Orient.** Chinois, chintoque (pop.) ; coréen ; indochinois ; japonais ; khmer ; nippon ; malais ; mandchou ; mongol ; tibétain ; vietnamien. ▪ Bouddhisme, confucianisme, shintoïsme, taoïsme, pagode, culte des ancêtres. ▪ Kamikaze, lama, lettré, mandarin, samouraï, shogun. ▪ Fumerie d'opium, hara-kiri, judo, karaté, riz, thé. ▪ Japonaiserie, chinoiserie : céladon, dragon, estampe, ivoire, jade, laque, paravent, potiche, porcelaine, soieries, shantung ; kimono, natte, pékinois. ▪ Ailerons de requin, baguettes, bol, canard laqué, chop-suey, lychees, pâté impérial, nid d'hirondelle.

ASILE → *calme, défendre, folie, soigner, sûr.*

ASINIEN → *âne.*

ASPARAGUS → *plante.*

ASPE, ASPLE → *soie.*

ASPECT → *apparaître, attitude, forme, extérieur.*

ASPERGE → *légume.*

ASPERGER → *liquide, mouiller.*

ASPÉRITÉ → *bosse, grossier, irrégulier, relief.*

ASPERSION → *liturgie, liquide, mouiller.*

ASPHALTE, ASPHALTER → *charbon, couvrir, route.*

ASPHODÈLE → *fleur.*

ASPHYXIE, ASPHYXIER → *arrêter, mourir, respirer.*

ASPIC → *cuisine, désir, plante, reptiles.*

ASPIRANT → *désir, essayer, grade, métier.*

ASPIRATEUR → *nettoyer.*

ASPIRATION, ASPIRER → *attirer, désir, prononcer, son, vide.*

ASPIRINE → *médicament.*

ASPRE → *monnaie.*

ASQUE → *algue, champignon.*

ASSAGIR, ASSAGISSEMENT → *calme, sage.*

ASSAILLANT, ASSAILLIR → *attaque, brusque, souci.*

ASSAINIR, ASSAINISSEMENT → *infecter.*

ASSAISONNEMENT, ASSAISONNER → *aliment, goût.*

ASSARMENTER → *vigne.*

ASSASSIN, ASSASSINAT, ASSASSINER → *crime, mourir, violence.*

ASSAUT → *attaque, escrime, guerre.*

ASSEAU → *ardoise.*

ASSÈCHEMENT, ASSÉCHER → *lac, sec.*

ASSEMBLAGE → *amas, lier, menuiserie.*

ASSEMBLÉ → *danse.*

ASSEMBLÉE → *gouverner, groupe, rencontre.*

ASSEMBLER → *arranger, charpente, lier.*

ASSENER → *bâton, frapper.*

ASSENTIMENT → *accord, permettre.*

ASSEOIR → *impôt, mouvement.*

ASSERMENTÉ, ASSERMENTER → *engager.*

ASSERTION, ASSERTORIQUE → *affirmer, pensée, vrai.*

ASSERVIR, ASSERVISSEMENT → *inférieur, soumettre.*

ASSESSEUR → *fonction, magistrat.*

ASSEZ → *abondance, beaucoup, convenir, satisfaire.*

ASSIDU, ASSIDUITÉ → *exact, présence, soigner.*

ASSIÉGÉ, ASSIÉGER → *guerre, souci.*

ASSIETTE → *impôt, fonder, pouvoir, vaisselle.*

ASSIETTÉE → *contenir, vaisselle.*

ASSIGNAT → *monnaie.*

ASSIGNATION, ASSIGNER → *appeler, attribuer, payer, tribunal.*

ASSIMILATION, ASSIMILER → *estomac, semblable, son.*

ASSIS → *magistrat, sûr, tribunal.*

ASSISE → *construction, plante.*

ASSISES → *crime, tribunal.*

ASSISTANCE → *abandon, aider, bienfaisance, présence, spectacle, tribunal.*

ASSISTANT → *aider, université.*

ASSISTER → *aider, présence.*

ASSOCIATION, ASSOCIÉ → *arranger, commun, franc-maçonnerie, groupe, secret.* — **Associer quelqu'un à quelque chose.** Accueillir, accueil, hôte, hôtesse ; adjoindre, adjonction, adjoint ; allier, alliance, allié ; associer, association, associationnisme, associé, sociétaire ; collaborer, collaboration, collaborateur ; communier, communion ; coopérer, coopération, coopérant ; incorporer, incorporation ; initier, initiation ; lier à, liaison, lien ; marier, mariage ; participer, participation ; rendre solidaire, solidariser, solidarité ; unir, union, unité. ▪ Cercle, clan, communauté, compagnie, colonie, équipe, famille, groupe, nation, ordre, peuple, société, tribu. — **Former une association.** Acte d'association, personnalité civile, statuts ; adhérer à, adhésion ; être admis, admission ; s'affilier à, affiliation ; association déclarée/non lucrative/reconnue d'utilité publique / contractuelle / libre / obligatoire. ▪ Adhérent ; affilié ; membre actif/bienfaiteur/honoraire/à vie ; militant ; président ; secrétaire ; syndic ; trésorier. ▪ Ami, camarade, collègue, confrère (consœur), corélégionnaire, frère (sœur). — **Association d'États, de cités.** Alliance, allié ; amphictyonie ; coalition, coalisé ; communauté, Commonwealth, Marché commun ; confédération, confédéré, État confédéral ; empire ; entente, l'Entente cordiale ; fédération, fédéralisme, fédéré, fédéral ; hanse, ligue hanséatique ; ligue, ligueur ; Organisation des Nations Unies (O.N.U.) ; pacte, pactiser ; société, Société des Nations (S.D.N.) ; union, Union douanière. — **Associations à fins corporatives.** Association, association des étudiants ; cercle ; chambre, chambre syndicale des avoués/des huissiers/des notaires ; club ; compagnonnage, compagnon ; Conseil de l'ordre ; coopération, coopératif, coopérative, coopérateur ; corporation, corpo (fam.), corporatif, corporatisme ; gilde ou guilde ; mutualité, mutuelle, mutualisme ; ordre des avocats/des médecins/des vétérinaires ; syndicat, syndiqué, syndicalisme. — **Association à fins politiques.** Cartel, club, coalition, comité, confédération, congrès, corps, coterie, covenant, faction, fédération, formation, front, front populaire, groupe, ligue, mouvement, parti, rassemblement, secte, société secrète, union. ▪ Cabale ; complot ; conjuration ; conspiration ; franc-maçonnerie, *Opus Dei*, Sainte Vehme. ▪ Adhérer à ; admettre dans ; s'affilier à ; appartenir à ; s'enrôler dans ; entrer ; être inféodé à ; s'inscrire ; militer pour/dans les rangs de, militant ; être présenté ; se rallier à, ralliement. ▪ Appareil du parti, bureau, chef, cellule, section, secrétaire, secrétaire général. — **Association d'intérêt économique et commercial.** Cartel ; compagnie d'agents de change/d'assurances ; consortium ; lobby ; phalanstère ; pool ; société par actions, actionnaire, dividende ; société anonyme, apport, capital ; tontine ; trust. — **Association d'intérêt social.** Amicale ; association de bienfaisance/d'intérêt culturel ; association de prévoyance/de secours mutuels ; fédération ; Ligue des droits de l'homme ; société philanthropique/d'utilité publique. — **Association religieuse.** Association cultuelle/diocésaine ; chapitre ; clergé régulier/séculier ; communauté ; compagnie, Compagnie de Jésus ; conclave ; confrérie ; congrégation, congréganiste ; couvent, conventuel ; croisade, croisé ; mission, missionnaire ; ordre monastique/religieux, tiers-ordre ; parti ; patronage ; secte ; séminaire, séminariste. ▪ Collègue, confrère, consœur, coréligionnaire, frère, père.

ASSOCIER, ASSOCIER (S') → *accord, association, lier, part.*

ASSOIFFÉ → *boire, désir.*

ASSOLEMENT, ASSOLER → *culture, intervalle, suite, terre.*

ASSOMBRIR → *obscur, triste.*

ASSOMMANT, ASSOMMER → *fatigue, frapper.*

ASSOMPTION → *liturgie, Vierge.*

ASSONANCE → *poésie, son.*

ASSOCIER, ASSOCIER (S') → *accord, arranger, choisir, commerce, marchandises.*

ASSORTIR (S') → *accord, suivre.*

ASSOUPIR → *calme, dormir, lent.*

ASSOUPLIR → *adroit, doux, pli.*

ASSOURDIR, ASSOURDISSEMENT → *bruit, entendre, son.*

ASSOUVIR → *satisfaire.*

ASSUJETTIR → *fixer, soumettre.*

ASSUMER → *choisir, prendre.*

ASSURANCE, ASSURANCES → *certifier, confiance, contrat, engager.* — **Les différentes assurances.** Assurance (contre) accidents/décès/dégâts des eaux/grêle/incendie/invalidité/maladie/mortalité du bétail/risque locatif/vieillesse/vol ; assurance automobile/tous risques/tierce collision/au tiers ; assurance-crédit ; assurances mutuelles ; assurances sociales ; assurance-vie. ▪ Assurances maritimes/

terrestres. — **Établissement du contrat.** Assurer, garantir; s'assurer contre, se garantir, se prémunir, se réassurer; contracter une assurance ■ Avenant; clause; cotisation; contrat; dispache; police; prime, remboursement, surprime. ■ Avarie, dommage, préjudice, risque, sinistre. — **Les agents.** Actuaire, actuariat; assureur, assureur-conseil; courtier, courtage; démarcheur, démarcher; dispacheur, dispacher; expert, expertiser, expertise; inspecteur, inspecter; prospecteur, prospecter. ■ Chambre d'assurances, compagnie d'assurances, lloyd, mutualité, portefeuille d'assurances.

ASSURÉ → *assurances, certifier, confiance, sûr.*

ASSURER → *certifier, engager, fixer, promettre.*

ASSURER (S') → *assurances, prévoir.*

ASSUREUR → *assurances.*

ASTER → *fleur.*

ASTÉRIDES, ASTÉRIE → *polype.*

ASTÉRISQUE → *typographie.*

ASTÉROÏDE → *astronomie, soleil.*

ASTHÉNIE, ASTHÉNIQUE → *diminuer, faible, insensibilité, vieillesse.*

ASTHMATIQUE, ASTHME → *maladie, respirer.*

ASTICOT → *mouche, pêcher.*

ASTICOTER → *souci.*

ASTIGMATE, ASTIGMATISME → *œil, optique.*

ASTIQUAGE, ASTIQUER → *briller, nettoyer, polir.*

ASTRAGALE → *colonne, jambe.*

ASTRAKAN → *mouton, poil.*

ASTRAL, ASTRE → *astronomie, soleil.*

ASTREIGNANT, ASTREINDRE → *force, soumettre.*

ASTREINTE → *devoir.*

ASTRINGENT → *médicament.*

ASTROLABE → *astronomie, marine.*

ASTROLOGIE, ASTROLOGUE → *destin, prévoir.* — **Art astrologique.** Astre, astrologie, astrologue, astromancie, devin; astrologie judiciaire/onomantique; généthliologie, généthliaque; hermétisme, hermétique; horoscope; magie, mage; occultisme, sciences occultes; sidéromancie. ■ Déterminer/lire/prédire/prévoir le destin dans l'avenir/dans les astres, prévisions astrales; pronostics, pronostication, pronostiquer. — **Bases de l'étude.** Ascendant; aspect/conjonction (sextil, quartil, trin ou trigone)/opposition des astres; ciel, ciel de naissance, carte du ciel, bas/fond du ciel, maison; décan, date de naissance; domification; horoscope; influence astrale; influx bénéfique/favorable / maléfique / mystérieux / néfaste / occulte / surnaturel; maisons des planètes, mansions; maître; planète anérète/aphète/bénéfique/maléfique; position; sidération; signes zodiacaux/d'air/d'eau/de feu/de terre; symboles astrologiques ou généthliaques; thème astral, thème de nativité. ■ Zodiaque : Bélier, Taureau, Gémeaux, Cancer, Lion, Vierge, Balance, Scorpion, Sagittaire, Capricorne, Verseau, Poisson. — **Influences.** Consulter les astres; être né sous un astre favorable/sous une bonne étoile; être prédisposé/prédestiné, prédestination; avoir le mauvais œil. ■ Aspect bénin/malfaisant des astres; de bon/de mauvais augure; influence de la lune/des planètes; haut/bas degré d'influence. ■ Se faire dire la bonne aventure, se faire tirer les cartes, chiromancie.

ASTRONAUTE → *astronautique.*

ASTRONAUTIQUE → *lune.* — **Science de l'espace.** Astronaute, astronautique; astronef; cosmonaute; espace extra-atmosphérique/sidéral; navigation interplanétaire. ■ Gravité, gravitation; pesanteur, apesanteur, absence de pesanteur. — **Véhicules spatiaux.** Engin automatique/lunaire/spatial; missile; mobile interplanétaire; nef; planétoïde artificiel; satellite artificiel/météorologique/polaire; sonde/station spatiale; vaisseau spatial; spoutnik. ■ Bouclier thermique; cabine; capsule; étage; fusée porteuse; libération de l'attraction terrestre; mise à feu, compte à rebours; moteur-fusée; propulser, propulseur à réaction, poussée des réacteurs; rétrofusée, rétropropulsion; satelliser, satellisation, mettre/placer sur orbite; simulateur de vol; station orbitale; vol spatial habité/inhabité. ■ Cosmodrome, rampe de lancement.

ASTRONOME → *astronomie, ciel.*

ASTRONOMIE, ASTRONOMIQUE → *astrologie, lune, soleil, terre.* — **La science et ses annexes.** Astrométrie; astronomie descriptive ou astronomie d'observation; astronomie géométrique, cosmographie; astronomie de position, trigonométrie sphérique, mécanique céleste; astronomie physique, astrophysique, physique céleste, radioastronomie; astronomie cométaire / planétaire / sidérale, astronome, astrostatique; astrophotographie; météorologie, météorologue; optique électronique; sélénographie; spectroscopie. ■ Calculs, éphémérides, mappemonde, observatoire, planétarium, planisphère, sphère armillaire, tables astronomiques, unités astronomiques. — **Astronomes célèbres.** Ptolémée, Copernic, Galilée, Tycho Brahé, Kepler, Newton, Halley, Herschel, Einstein. — **Les astres.** Cosmos ; espace cosmique / interplanétaire / intersidéral/interstellaire ; firmament ; galaxie ; rayon cosmique ; sphère céleste ; système planétaire/solaire/stellaire. ■ Astéroïde ; constellation ; corps céleste ; étoile, amas ouverts/globulaires ; lune, satellite terrestre ; météorite, bolide, comète ; nébuleuse, galaxie, Voie lactée ; planètes inférieures/supérieures/telluriques ; radio source, quasar ; soleil, disque/globe solaire ; terre, globe terrestre. — **Mouvement des astres.** Aberration ; antécédence ; aphélie ; apogée ; arc diurne/nocturne ; ascendant, ascension ; attraction ; conjonction ; consécution ; conversion ; coucher ; cours ; crépuscule astronomique ; culmination ; cycle ; déclin, signe descendant ; déviation ; digression ; direction ; éclipse ; écliptique ; émersion ; équinoxe, équinoxial ; évection ; gravitation ; hauteur ; immersion ; inégalité ; irrégularité ; lever ; lunaison, lunule ; nadir ; occultation ; opposition ; orbe, orbite ; passage ; péragration ; périgée ; périhélie ; phase ; précession ; radiant ; rétrogradation ; révolution ; solstice ; station, stationnaire ; révolution synodique ; syzygie ; zénith. — **Mesures.** Amplitude, angle de position ; anomalie ; apside ; arc ; aspect ; axe ; azimut/magnétique, azimutal ; coordonnée ; déclinaison ; degré ; élongation ; ellipse, elliptique ; excentricité ; inclinaison ; latitude ; longitude ; méridienne ; octant ; parallaxe ; pôle ; sextant ; sidérostat. — **Instruments d'observation et de mesure.** Analyseur de lumière ; astrolabe/à prisme ; cœlostat ; collecteur ; collimateur ; coronographe ; équatorial ; héliomètre, hélioscope ; holomètre ; instrument réflecteur/réfracteur ; lunette astronomique ; méridien ; spectrohéliographe, spectrographe, spectroscope ; télescope, télescope électronique, radiotélescope.

ASTROPHYSICIEN → *astronomie.*

ASTUCE, ASTUCIEUX → *esprit, subtil, vif.*

ASYMÉTRIE, ASYMÉTRIQUE → *désaccord, irrégulier.*

ASYMPTOTE, ASYMPTOTIQUE → *courbe.*

ASYNDÈTE → *style.*

ASYSTOLIE → *cœur.*

ATARAXIE → *calme, philosophie, sage.*

ATAVIQUE, ATAVISME → *habitude, tendance.*

ATAXIE → *marcher, mouvement.*

ATELIER → *art, couture, industrie.*

ATERMOIEMENT, ATERMOYER → *attendre, doute, retard.*

ATHÉE, ATHÉISME → *dieu, philosophie, religion.*

ATHLÈTE, ATHLÉTIQUE → *athlétisme, force, gymnastique, jouer, sport.*

ATHLÉTISME → *course, gymnastique, sport.* — **Exercices athlétiques.** Athlétisme, athlète ; épreuves d'athlétisme : concours, courses, épreuves combinées, décathlon, pentathlon ; sport athlétique/individuel. ■ Championnat amateur/ d'Europe/ international/national, champion ; compétition, compétiteur, compétitif ; Jeux olympiques ; match international/national. ■ S'affronter ; améliorer ses résultats/son score ; club sportif ; disputer une épreuve ; s'entraîner, entraînement, entraîneur, pousser l'entraînement ; gymnase, gymnaste ; piste ; stade. — **La course.** Allure, distance, parcours, temps, train. ■ Accélérer, accélération, rush, sprint ; chronométrer, chronomètre ; ligne de départ, se mettre en ligne, partir. ■ Course à pied avec ou sans handicap/de fond/de haies/d'obstacle/de relais/de vitesse ; cross-country ; marathon ; rallye ; steeple-chase. — **Le saut.** Appel, prendre l'appel, planche d'appel ; détente ; élan, prendre son élan ; extension ; flexion ; se recevoir, réception ; saut en hauteur/en longueur/à la perche/périlleux/en ciseaux/en extension/en rouleau ; triple saut, sautoir. — **Le lancer.** Disque, discobole ; javelot ; marteau ; palet ; poids. ■ Pivoter sur soi-même ; prendre son appel/son élan ; prendre appui sur.

ATLANTE → *sculpture.*

ATLAS → *géographie, livre, terre.*

ATMOSPHÈRE, ATMOSPHÉRIQUE → *air, ciel, entourer, météorologie, milieu.*

ATOLL → *mer.*

ATOME → *chimie, nucléaire, petit, physique.*

ATOMIQUE → *arme, nucléaire.*

ATOMISER → *changer, détruire, part.*

ATOMISEUR → *récipient, toilette.*

ATOMISME → *philosophie.*

ATONE → *faible, son.*

ATONIE → *faible, insensibilité, mou.*

ATOURS → *toilette, vêtement.*

ATOUT → *avantage, carte, réussir.*

ATRABILAIRE → *triste.*

ÂTRE → *feu.*

ATRIUM → *maison.*

ATROCE, ATROCITÉ → *dur, laid, peine.*

ATROPHIE, ATROPHIER → *diminuer, faible, insensibilité, plante.*

ATTABLER (S') → *manger.*

ATTACHANT → *aimer, attirer, plaire.*

ATTACHE → *anneau, articulation, corde, lier.* — **Ce qui tient à l'attache un animal/une chose.** Accouer/amarrer des chevaux ; amarrage, amarrer, bitte d'amarrage ; ancre, ancrage, ancrer ; ansette ; attacher, droit d'attache, port d'attache ; attelle.

attelage, atteler ; bollard ; bricole ; chaîne, enchaîner, enchaînement ; collier, mettre au collier ; entrave, entraver ; guide ; harder, harde ; joug, mettre sous le joug ; laisse ; licol, licou ; longe. — **Attache dans l'équipement/l'habillement.** Agrafe, agrafage, agrafer ; aiguillette ; anneau ; ansette ; bandage, bande, bander ; boucle, boucler ; bouton, boutonner ; brassière ; bretelle ; bride, brider ; chaîne, chaînette ; ceinture, ceinturon, ceinturer ; cercle, cerclage, cercler ; collier ; corde, s'encorder, cordon, cordonnet ; courroie ; crampon, cramponner ; croc, crochet, crocheter, accrocher ; épingle, épingler ; fermeture, fermer ; ficelle, ficeler ; fil, faufiler, surfiler, coudre ; fixation, fixer ; garrot, jarretelle, jarretière ; jugulaire ; lacet, lacer ; lanière ; ligature, ligaturer ; lien, lier ; ligoter ; menottes ; mentonnière ; mousqueton ; nœud, nouer ; ruban ; sangle, sangler ; tresse, tresser. ▪ Accoler, accoupler, agripper, ajuster, annexer, assembler, coupler, joindre, maintenir, mettre, pendre, serrer, suspendre, retenir, réunir, tenir. — **Attaches de matériaux.** Bosse, bosser ; boulon, boulonner, déboulonner ; câble, câbler ; clou, clouer ; colle, coller ; corde, corder, ligoter ; crampon, cramponner ; élingue, élinguer ; étalingure, étalinguer ; happe ; rivet, river ; vis, visser. ▪ Appareillage ; armature ; assemblage, assembler/échafaudage. — **Attaches diverses.** Attache des membres : articulation, cheville, emmanchement, insertion, jointure, ligament, poignet. ▪ Bijoux : agrafe, attache de diamants, bracelet, broche, clip, chaîne, collier, fermail, fermoir, fibule, pince. ▪ Attache pour papiers : agrafe, agrafer, agrafeuse ; épingle, épingler ; pince, pincer ; reliure, relier ; trombone. — **Attaches affectives.** Accointance ; affection ; amitié, amour, aimer ; attachement, être attaché à ; chaîne, chaîne de solidarité ; dévotion ; engagement, s'engager ; goût ; intérêt, s'intéresser à, éprouver de l'intérêt pour ; liaison, lien, avoir des liens avec ; nœud, nouer des liens ; obligation, avoir des obligations envers ; racine ; relation. ▪ Attacher, enchaîner, se rattacher à ; rompre les attaches/ses amarres/ses chaînes. — **S'attacher à.** S'accrocher, adhérer, s'agglutiner, s'agripper, coller, se cramponner, s'incorporer à, s'insérer dans, se prendre.

ATTACHÉ → *fonction.*

ATTACHEMENT → *aimer, amitié.*

ATTACHER → *attache, fixer*

ATTAQUE, ATTAQUER → *accuser, commencer, critique, guerre, opposé.* — **Commencer le combat.** Déclarer la guerre, engager la bataille, ouvrir le feu/les hostilités. ▪ Aborder, abordage ; accroche, accrochage ; déclencher une action ; affronter, affrontement ; agresser, agression ; assaillir, assaillant, donner l'assaut ; assiéger, faire le siège ; attaquer de front/par derrière/par escalade, diriger/lancer l'attaque, passer à l'attaque/contre-attaque ; battre en brèche ; blocus, bloquer ; bombarder, bombardement atomique ; canonner ; cerner ; charger, faire une charge/un coup de main ; choc ; encercler, encerclement ; envahir, invasion ; envelopper, enveloppement ; foncer/fondre sur ; harceler, harcèlement ; incursion ; investir, investissement ; se jeter sur ; passer à l'offensive, contre-offensive ; raid ; razzia, rezzou ; se ruer sur, rush ; surprendre ; tomber sur ; en venir aux mains. — **Faire acte de violence contre quelqu'un.** Agresser, agression, agresseur, agressivité ; assaillir, assaillant ; assommer ; attaquer, attaque à main armée ; attenter à, attentat, attentatoire ; se bagarrer contre, bagarre ; boxer, faire le coup de poing ; dégainer ; fondre sur ; frapper ; lapider ; porter la main sur ; poursuivre, poursuivant, poursuite ; provoquer, provocateur ; tirer sur ; tomber sur. ▪ Agressif, bagarreur, bandit, batailleur, combatif, menaçant, vaurien, violent.—**Attaquer par écrit ou propos.** Accuser, accusation ; battre en brèche ; braver ; calomnier, calomnie, calomniateur ; charger quelqu'un, charge ; cingler quelqu'un, propos cinglants ; contester, contestation ; critiquer, critique ; défier, jeter un défi ; dénigrer, dénigrement ; déposer contre ; diatribe ; imputer, imputation ; incriminer, incrimination ; injure, injurier ; insinuer, insinuation ; insulter, insulte ; invectiver, invective ; jeter la pierre à ; médire de, médisance ; se moquer, moquerie ; pamphlet ; persécuter, persécution ; polémiquer, polémique ; pourfendre ; prendre parti contre, prendre à parti ; protester contre, protestation ; provoquer, provocation ; quereller, querelle ; railler, raillerie ; ridiculiser ; faire une sortie contre ; tirer sur, lancer des traits ; tomber sur ; toucher à ; traîner dans la boue ; vilipender ; vitupérer ; vitupération. — **Faire des avances à quelqu'un.** Faire appel à, manœuvres d'approche ; attaquer par le faible, repousser des attaques ; inviter, faire une invite ; prendre quelqu'un par son faible ; presser ; provoquer ; provocation ; solliciter, sollicitation ; sonder, sondage d'opinion. — **Causer du dommage.** Altérer ; attaquer ; atteindre ; corroder, corrosion ; corrompre, corruption ; détériorer, détérioration ; endommager ; entamer ; gâter ; léser, lésion ; miner ; mordre, morsure ; oxyder, oxydation ;

piquer, piqûre; ronger; rouiller; saper. ▪ Abrasif; acide; substance caustique/corrosive; rouille; ver. ▪ Gangrène, maladie infectieuse/pernicieuse. — **Accès subit d'un mal.** Accès de fièvre; attaque d'apoplexie/de goutte; premières atteintes d'un mal; bouffée de vapeur; coup de sang, crise de colique/d'épilepsie; hoquet; nausée. — **Commencer.** Aborder/attaquer un discours/un morceau de musique/un plat/un sujet; entamer; entonner un chant; entreprendre; entrer en matière.

ATTARDER, ATTARDER (S') → *retard, suivre.*

ATTEINDRE → *attaque, rencontre, toucher, venir.*

ATTEINTE → *attaque, perdre.*

ATTELAGE, ATTELER → *attache, bœuf, cheval, harnais.*

ATTELLE → *chirurgie, harnais.*

ATTENANT → *placer, proche, toucher.*

ATTENDRE → *arrêter, désir, manque, retard.* — **Attendre sur place.** Être à l'affût/aux aguets; faire antichambre; demeurer; être en faction, guetter; être sur le gril/sur des charbons ardents; s'impatienter; languir; moisir; se morfondre; patienter, patience; faire le pied de grue (fam.)/le poireau (fam.), poireauter (fam.); prendre racine; rester; stationner, être en stationnement. ▪ Antichambre, parloir, salle d'attente, salle des pas perdus. — **Faire attendre.** Amuser, lanterner, tenir dans l'attente/dans l'expectative/en suspens; faire tirer la langue à; voir venir. ▪ Ajourner, ajournement; délai; différer; mûrir, laisser mûrir; reculer; remettre; réserver; surseoir à, sursis; suspendre. ▪ Atermoyer, atermoiement; être attendu comme le Messie; se faire désirer; hésiter, hésitation; tarder, être en retard; temporiser, temporisation; tergiverser, tergiversation. ▪ Attentisme, être attentiste; opportunisme, opportuniste. — **Être en attente.** Délai, intérim, interruption, grève, panne, pause, prolongation, prorogation, suspension. ▪ Ajourné, intérimaire, provisoire, en souffrance, temporaire. — **S'attendre à.** Calculer, calcul; compter sur; craindre, crainte; croire à; désirer, désir; escompter, escompte; espérer, espérance, espoir; exiger, exigence; être dans l'expectative; imaginer, imagination; avoir la perspective de; prévoir, prévision; se promettre; redouter; souhaiter, souhait; tabler sur.

ATTENDRIR, ATTENDRISSEMENT → *doux, pardonner, sensibilité.*

ATTENTAT, ATTENTATOIRE → *attaque, crime, révolte.*

ATTENTE → *attendre, prévoir.*

ATTENTER → *attaque, crime, règle.*

ATTENTIF → *attention, regarder, soigner.*

ATTENTION → *attendre, entendre, pensée, plaire, regarder.* — **Regarder avec attention.** Être attentif; arrêter/attacher/coller son regard sur; s'aviser de; considérer; contempler, contemplation; dévisager; épier; être en éveil; examiner, examen; fixer; guetter; inspecter, inspection; noter, notation; observer, observation; s'occuper de; ouvrir l'œil; peser; regarder; remarquer; suivre de l'œil; surveiller, surveillance; veiller à, vigilance; tout voir, avoir l'œil à tout. — **Écouter avec attention.** Boire les paroles de; donner audience à; dresser l'oreille; écouter, être tout yeux tout oreilles; ouvrir l'oreille; prêter une oreille attentive à; être suspendu aux lèvres de. — **Goûter avec attention.** Apprécier; déguster, dégustation; flairer, flair; gastronome, gastronomie; gourmet; goûter, goût; jouir de, jouisseur; se régaler, régal; savourer, savoureux. — **Attention de l'esprit.** S'abstraire dans, faculté d'abstraction; s'apercevoir de; s'appliquer à, application; faire attention; bander son esprit; être circonspect, circonspection; concentrer son attention sur, être concentré, concentration; contention; être curieux; examiner, examen de conscience; s'isoler dans; jouer serré; méditer, méditation; penser; se plonger dans; prendre des précautions; prendre en considération; se préoccuper de; être prudent, prudence; réfléchir à, réflexion; remarquer; soigner, songer; studieux, tendre son esprit, être tendu, tension; vigilance, vigilant. — **Attirer l'attention.** Appeler; avertir; aviser quelqu'un de quelque chose; signaler; souligner; soumettre quelque chose à quelqu'un. ▪ Absorber, accaparer, attirer, capter, captiver, se distinguer, s'emparer de, éveiller, exciter, fixer, forcer, frapper, être le point de mire, provoquer, faire remarquer, retenir, se singulariser, tape-à-l'œil, tenir en haleine. ▪ Faire impression, marquer; faire sensation, se mettre en valeur, faire le mariole, se donner en spectacle, être voyant. — **Nature de l'attention.** Attention ardente / avide / passionnée / persévérante / suivie / soutenue / vigilante; effort d'attention, attention fatigante/pénible/surhumaine. ▪ Délaisser, n'écouter que d'une oreille, se moquer de, ne pas tenir compte, laisser tomber; détourner / distraire / laisser faiblir / relâcher son attention; lasser/troubler l'attention de.

ATTENTIONNÉ → *attention, manière, plaire, soigner.*

ATTÉNUATION, ATTÉNUER → *changer, diminuer, faible, lumière.*

ATTERRÉ, ATTERRER → *abattre, peur, trouble.*

ATTERRIR, ATTERRISSAGE → *aviation, terre.*

ATTESTATION, ATTESTER → *affirmer, certifier, sûr.*

ATTICISME → *goût, langage, style.*

ATTIÉDIR, ATTIÉDISSEMENT → *chaleur, diminuer.*

ATTIFER, ATTIFER (S') → *arranger, toilette, vêtement.*

ATTIRAIL → *amas, munir, sac, voyage.*

ATTIRANCE → *attirer, plaire.*

ATTIRER → *aimant, appeler, cause, tirer.* — **Tirer vers soi.** Faire affluer, afflux ; amener vers ; appeler, arrêter les regards ; capter l'attention, *captatio benevolentiae ;* conduire ; dériver, dérivation ; emporter ; entraîner ; fasciner ; fixer l'attention ; hypnotiser ; magnétiser, magnétisme ; inciter ; inviter ; faire monter ; polariser ; porter ; prendre ; provoquer ; faire sensation ; solliciter l'attention ; subjuguer ; taper dans l'œil (fam.) ; tirer ; faire tomber, faire venir. ▪ Absorber, aspirer, drainer, drainage, humer, laper, pomper, sucer ; force d'absorption/d'aspiration attractive ou d'attraction/de dérivation/de succion. ▪ Affinité/attraction moléculaire/terrestre ; centre de gravité, gravitation universelle, graviter autour de ; magnétisme terrestre, champ magnétique. — **Attirer par un appât.** Abuser ; affriander ; affrioler, affriolant ; allécher, alléchant ; amorcer ; appâter ; attirant, attirer, attrayant ; débaucher ; fasciner, fascinant ; leurrer ; racoler ; recruter ; tromper. ▪ Amorce, appât, aubaine, filet, lacs, lacets, miroir aux alouettes, piège, promesse. — **Attirer par des charmes.** Agacer, agacerie ; aguicher, aguichant, aguicheur ; amadouer ; appeler ; s'attacher, attachant ; attirer, attirance ; attrait ; faire des avances ; cajoler, cajolerie, cajoleur ; captiver, captivant ; complaire à, complaisant ; se concilier, conciliant ; enchanter, enchanteur ; engager, engageant ; enjôler, enjôleur ; ensorceler, ensorceleur ; gagner ; hypnotiser ; inviter, faire des invites ; marquant ; plaire, plaisant ; provoquer, provocation, provocant ; séduire, séduction, séduisant, séducteur ; tenter, tentateur. ▪ Appas, appétissant ; attrait ; charme ; concupiscence ; coquetterie ; manège ; manigances. ▪ Affinités électives, attraction, inclination, sympathie, penchant. — **Exercer une attraction magnétique.** Attraction/fascination irrésistible/mystérieuse/occulte/puissante ; dispenser un fluide/un regard magnétique, être doué d'un puissant magnétisme ; envoûter, envoûtement ; fasciner ; hypnotiser, soigner par hypnotisme ; mesmérisme ; suggérer, suggestion, autosuggestion. ▪ Attouchements ; hypnotiseur, magnétiseur, passes magnétiques ; séances d'hypnotisme ; somnambulisme, somnambule ; spirite. — **Entraîner à sa suite.** Appeler, attirer, causer, concilier, entraîner, éveiller, exciter, obtenir, occasionner, porter à, procurer, provoquer, soulever, valoir.

ATTISER → *exciter, feu.*

ATTITRÉ, ATTITRER → *habitude.*

ATTITUDE → *affectation, manière, montrer, orgueil.* — **Position du corps.** Attitude, mouvement, pose, position, fausse position, posture, tenue. ▪ Attitude de repos : pause, station allongée, s'allonger, allongement ; coucher, se coucher ; étendu, s'étendre, s'étendre de tout son long/à plat ventre. ▪ Attitude verticale : cambré, se cambrer ; debout ; dressé sur ses jambes, droit, levé. ▪ Accoudé, s'accouder ; s'accroupir, accroupissement, à croupetons ; adossé, s'adosser ; affaissé, s'affaisser, affaissement ; s'affaler (fam.) ; agenouillé, s'agenouiller, agenouillement, à genoux ; appuyé, s'appuyer ; assis, s'asseoir, assiette, sur son séant ; baissé, se baisser ; courbe, se courber ; écroulé, s'écrouler, écroulement ; incliné, s'incliner, inclinaison ; penché, se pencher ; prosterné, se prosterner/aux genoux/aux pieds de ; ramassé, se ramasser ; se tapir. ▪ Être à califourchon/à cheval/en l'air/en équilibre/à quatre pattes/sur la pointe des pieds/renversé/à la renverse. — **Différents mouvements du corps.** Se blottir ; avoir les bras ballants ; cambrer la taille, se cambrer ; courir ; croiser les jambes/les bras ; se déhancher, balancer/rouler les hanches, tortiller des hanches, mettre les poings sur les hanches ; écarter les bras/les jambes ; effacer les épaules ; embrasser ; enfourcher ; étendre en croix les bras/les jambes ; gesticuler, faire des gestes ; hausser les épaules ; se hisser ; laisser pendre ses jambes, jambes pendantes ; tomber les jambes en l'air ; se jeter à terre ; se jucher ; marcher ; se planter ; ramper ; se relever ; se rouler ; se traîner ; se vautrer. ▪ Attitude aisée/dégagée/gauche/forcée/naturelle/nonchalante/rigide ; aisance, gaucherie, raideur. — **Attitude correspondant à un état de l'âme.** Air, allure, aspect, carrure, contenance, dégaine, dehors, démarche, expression, extérieur, façons, genre, geste, manières, maintien, mimique, mine, mouvement, physionomie, port, prestance, tenue, tournure. ▪ Adopter/affecter/prendre une attitude ; changer/modifier son attitude. ▪ Arrogant, arrogance ; aplomb ; assuré, assurance ; belliqueux ; contrit ; craintif, crainte ; décent, décence ; décidé, décision ; désinvolte, désinvolture ; effronté, effronterie ; élégant, élégance ; embarrassé ; évasif ; fat, fatuité ; ferme, fermeté ; froid, froideur ; gauche, gaucherie ; gêné, gêne ; grave, gravité ; hautain, hauteur ; humble, humilité ; hypocrite, hypocrisie ; martial ; modeste, modestie ; noble, noblesse ; obscène, obscénité ; provocant, provocation ; superbe ; timide, timidité. ■ Affecté, affectation ; composé ; concerté ; étudié ; emprunté ; forcé ; ridicule ; théâtral. — **Attitude morale.** Adopter/garder/maintenir une attitude/un comportement/une conduite/une décision/une disposition. ■ Appuyer, être favorable à / partisan de, participer, soutenir une action ; activisme ; attentisme ; être engagé, engagement, non-engagement, désengagement ; individualisme ; narcissisme ; neutralisme ; opportunisme ; prudence ; réagir, réaction, réactionnaire ; se replier.

ATTORNEY → *magistrat.*

ATTOUCHEMENT → *caresse, toucher.*

ATTRACTIF, ATTRACTION → *aimant, attirer, plaire, spectacle.*

ATTRAIT → *attirer, plaire.*

ATTRAPE → *jouer, moquer, spectacle, tromper.*

ATTRAPE-NIGAUD → *tromper.*

ATTRAPER → *prendre, reproduction, tromper.*

ATTRAYANT → *attirer, plaire.*

ATTRIBUER, ATTRIBUER (S') → *donner, offrir, part, prendre.* — **Donner un avantage, une prérogative.** Accorder ; adjuger, adjudication, adjudicataire ; affecter, affectation ; allouer, allocation, allocataire ; annexer, annexion ; assigner, assignation ; attribuer, attribution, attributif ; concéder, concession ; conférer ; confier ; consacrer, consécration ; décerner ; dédier, dédicace, dédicataire ; départir, département ; destiner, destinataire ; distribuer ; donner ; doter, dotation ; gratifier de, gratification ; impartir ; lotir, lotissement ; octroyer, octroi ; partager, part ; répartir, répartition ; attribuer une qualité, gratifier de, prêter ; qualifier de, qualification, qualificatif ; reconnaître, supposer. — **Rendre responsable.** Accuser, accusation ; appliquer à, application ; attribuer, attribution ; honorer, faire honneur à ; imputer, imputation ; juger capable ; mettre sur le compte/sur le dos de ; s'en prendre à ; prêter telle intention à ; rejeter sur ; reprocher ; supposer, supposition ; taxer de ; traiter de. ■ Dépendre de ; incomber à ; attribution, charge, compétence, devoir, obligation. — **S'attribuer une qualité, un pouvoir.** S'adjuger ; s'appliquer ; s'attribuer, porter les attributs d'un pouvoir ; s'approprier ; s'arroger, appropriation ; se donner ; s'emparer de ; s'ériger ; se faire gloire / honneur de ; se parer de ; se poser en ; se qualifier de ; revendiquer, revendication ; se saisir de ; se targuer de ; usurper, usurpation, usurpateur ; se vanter de. — **S'attribuer le bien d'autrui.** Dérober, empocher, enlever, escroquer, grignoter, prendre, ravir, saisir, souffler (fam.), soustraire, voler.

ATTRIBUT → *grammaire, particulier, symbole.*

ATTRIBUTION → *attribuer, grammaire, part, pouvoir.*

ATTRISTANT, ATTRISTER → *abattre, triste.*

ATTROUPEMENT, S'ATTROUPER → *amas, groupe.*

AUBADE → *chanter, musique.*

AUBAINE → *avantage, événement.*

AUBE → *journée, lumière.*

AUBE → *roue.*

AUBÉPINE → *arbre.*

AUBÈRE → *cheval.*

AUBERGE → *hôtel.*

AUBERGINE → *légume.*

AUBERGISTE → *hôtel.*

AUBIER → *arbre, bois.*

AUBURN → *cheveu.*

AUCUBA → *arbre.*

AUDACE, AUDACIEUX → *courage, danger.*

AUDIBLE → *entendre, son.*

AUDIENCE → *attention, entendre, recevoir, tribunal.*

AUDITEUR → *musique, radio, spectacle.*

AUDITIF, AUDITION → *entendre.*

AUDITOIRE → *présence, spectacle.*

AUDITORIUM → *musique, radio, son.*

AUGE → *bétail, hydraulique, maçonnerie, récipient, relief.*

AUGMENTATION → *augmenter.*

AUGMENTER → *changer, grand.* — **En surface et en volume.** Accroître, accroissement, accrue ; agrandir, agrandissement ; amplifier, amplification ; arrondir, arrondissement ; croître, croissance, aller croissant, crue ; délayer, délayage ; développer, développement ; dilater, dilatation ; distendre, distension ; élargir, élargissement ; enfler, enflure ; épaissir, épaississement ; étendre, extension ; foisonner, foisonnement ; gagner du terrain ; gonfler, gonflement ; grossir, grossissement ; renfler, renflement ; tendre, tension ; tuméfier, tuméfaction, tumescence, tumescent ; turgescence, turgescent. ■ Annexe, appendice, excroissance, supplément, tumeur. — **En hauteur, longueur et durée.** Aller crescendo; allonger, allongement; élever, élévation; étendre, étendue; étirer, étirement; exhausser, exhaussement; extension; hausser, hausse/montée, monter; progresser, progression; prolonger, prolongation; proroger, prorogation; rallonger, rallonge; rehausser, rehaussement; remonter, remontée, surhausser; traîner en longueur. ■ Ajournement, délai, retard, sursis. — **En quantité et qualité.** Accumuler, accumulation, cumul; additionner, addition; adjoindre, adjonction; améliorer un rendement, amélioration; centupler, centuple; décupler, décuplement; doubler, doublement; élever, élévation; enrichir, enrichissement; excédent; foisonner, foisonnement; gagner, gain; multiplier, multiplication; progresser, progression, progressif; propager, propagation de l'espèce; pulluler, pullulement; quadrupler, quadruple; rajouter; rapporter; redoubler, redoublement; tripler, triple. ■ Par-dessus le marché, plus, rabiot (fam.), supplément, surcroît, superflu. — **En valeur et prix.** Aggraver, aggravation des impôts; alourdir, alourdissement des charges; élever, élévation; enchérir, enchérissement; exagérer, exagération; hausser, hausse; grossir, grossissement; majorer, majoration; monter, montée; renchérir, surenchérir, surenchérissement; surtaxer, surtaxe; valoriser, revaloriser, valorisation. ■ Inflation, inflationniste; plus-value; usure, usurier. — **En intensité.** Accélérer, accélération; accentuer, accentuation; aggraver, aggravation; aiguiser; consolider, consolidation; exacerber, exacerbation; exalter, exaltation; exciter, excitation; forcer, forcing; fortifier, fortifiant; intensifier, intensification; intensif; irriter, irritation; progresser, progression; ranimer, ranimation; recrudescent, recrudescence; redoubler; renforcer, renforcement, renfort; faire résonner, résonance; revigorer, revigorant; stimuler, stimulant, stimulation; surexcité, surexcitation. ■ Crescendo; crise; gradation, graduellement; poussée; regain. — **En paroles et écrits.** *Addenda*, addition, ajout; augmenter, augmentation; amplifier, amplification oratoire / verbale; broder une histoire; commenter, commentaire; compléter, complément; délayer, délayage; développer, développement; exagérer, exagération; exégèse d'un texte; expliquer, explication, explicatif; gloser, faire une glose sur; hyperbole, hyperbolique; interpoler, interpolation; magnifier, magnification; paraphraser, paraphrase; redondance; rehausser; remplir, faire du remplissage; renchérir, renchérissement; argument superfétatoire; verbiage.

AUGURAL, AUGURE, AUGURER → *prévoir.*

AUGUSTE → *respect.*

AUJOURD'HUI → *journée, temps.*

AULNE, AUNE → *arbre.*

AUMÔNE → *bienfaisance, donner.*

AUMÔNIER → *ecclésiastique.*

AUMÔNIÈRE → *sac.*

AUNAGE, AUNE → *mesure, tissu.*

AURA → *entourer, saint, signe, symbole.*

AURÉOLE, AURÉOLER → *cercle, lumière.*

AURICULAIRE → *cœur, doigt, entendre.*

AURIFÈRE → *mine, or.*

AURIFIER → *dent.*

AURIGE → *spectacle.*

AUROCHS → *bœuf.*

AURORAL, AURORE → *commencer, journée, lumière.*

AUSCULTATION, AUSCULTER → *entendre, médecine, soigner.*

AUSPICES → *prévoir, réussir.*

AUSSIÈRE → *attache, corde.*

AUSSITÔT → *brusque, temps, vitesse.*

AUSTÈRE, AUSTÉRITÉ → *dur, morale, simple.*

AUTAN → *vent.*

AUTARCIE, AUTARCIQUE → *économie.*

AUTEL → *église, honneur, liturgie.*

AUTEUR → *cause, commencer, droit, écrire.*

AUTHENTICITÉ, AUTHENTIFIER, AUTHENTIQUE → *certifier, exact, loi, vrai.*

AUTOBERGE → *automobile, route.*

AUTOBIOGRAPHIE, AUTOBIOGRAPHIQUE → *récit, vie.*

AUTOBUS, AUTOCAR → *transport, voiture.*

AUTOCHENILLE → *automobile, voiture.*

AUTOCHTONE → *pays, population.*

AUTOCINÉTIQUE → *lumière.*

AUTOCLAVE → *cuisine.*

AUTOCOAT → *vêtement.*

AUTOCOPIE → *reproduction.*

AUTOCRATE, AUTOCRATIE → *chef, gouverner, politique.*

AUTOCRITIQUE → *critique, faute.*

AUTOCUISEUR → *cuisine.*

AUTODAFÉ → *feu, hérésie, peine.*

AUTODÉTERMINATION → *décider, libre.*

AUTODIDACTE → *apprendre, volonté.*

AUTODROME → *automobile, course.*

AUTO-ÉCOLE → *automobile.*

AUTOFINANCEMENT → *entreprise.*

AUTOGAMIE → *fleur.*

AUTOGÈNE → *mêler, métal.*

AUTOGESTION → *entreprise.*

AUTOGIRE → *aviation.*

AUTOGRAPHE → *écrire, signe.*

AUTOMATE → *machine.*

AUTOMATION, AUTOMATIQUE → *entreprise, habitude, industrie, machine, mécanique.*

AUTOMATISATION, AUTOMATISER → *machine, travail.*

AUTOMATISME → *habitude, mouvement.*

AUTOMNAL, AUTOMNE → *âge, saison.*

AUTOMOBILE → *moteur, route, voiture.* — **Définition.** Machine, mobile, véhicule, voiture automobile. ▪ Auto, autobus, autocar ; autorail ; camion, camionnette ; char ; chasse-neige ; taxi ; tracteur. ▪ Automobile de tourisme/utilitaire ; bagnole (fam.) ; clou (fam.) ; guimbarde (fam.) ; tacot (fam.) ; teuf-teuf (fam.). ▪ Autoberge, autodrome, autoroute ; banc d'essai ; courses automobiles ; salon de l'automobile, automobile club. — **Conduite.** Automobiliste, chauffeur, conducteur, chauffard (fam.), moniteur d'auto-école ; carte grise/verte, triptyque ; carte routière ; code ; numéro d'immatriculation ; permis de circulation, permis de conduire ; police d'assurance ; voie carrossable. ▪ Accélérer, accélération ; appuyer sur le champignon ; arrêter, arrêt ; bloquer, blocage sur place ; braquer ; changer de vitesse, passer en première/seconde/troisième/quatrième / au point mort ; déboiter ; débrayer, débrayage ; démarrer, démarrage, dépasser, doubler ; embrayer, embrayage ; se garer, créneau ; manœuvrer, manœuvre ; mettre en marche arrière/en prise ; piloter, pilotage, pilote de course ; ralentir, ralentissement ; rouler à plein gaz/en échappement libre ; tenir le volant ; virer, prendre les virages. — **Accidents et entretien de l'automobile.** Brouter, broutage, broutement ; capoter, capotage ; entrer en collision ; couler une bielle ; crever, crevaison ; déraper, dérapage ; faire une embardée/un tête-à-queue/ des tonneaux ; essayer une automobile ; graisser, graissage ; panne, dépanner, dépannage ; réparer, réparation ; roder, rodage ; vidanger, vidange. ▪ Garer la voiture, box, garage, parking, garage de réparation. — **Carrosserie.** Berline, break, cabriolet, commerciale, conduite intérieure, coupé, automobile de course, décapotable, limousine. ▪ Aile avant/arrière ; caisse ; calandre ; capot ; carrossage ; coffre, malle, spider ; custode ; glaces ; lunette arrière ; marchepied ; panneau de porte, portière ; pare-brise ; pneus ; toit, capote, toit ouvrant. — **Châssis.** Avant-train, train avant ; amortisseur, arbre de transmission ; barre d'accouplement ; direction ; batterie d'accumulateurs, accus ; bobine ; boite de vitesses ; carburateur ; cardan ; démarreur ; dynamo ; embrayage, disque, pédale d'embrayage ; essieu ; filtre à air ; frein, tambour de frein ; levier de commande/de débrayage ; moteur à explosion/à injection ; pompe à essence ; radiateur ; réservoir ; suspension, ressort de suspension ; tuyau d'échappement. — **Moteur.** Arbre à came, axe des culbuteurs ; bielle ; bougie ; carburateur ; carter ; collecteur d'échappement ; culasse ; culbuteurs ; cylindre ; démarreur ; distributeur d'allumage, delco ; gicleur ; pipe de sortie d'eau ; piston, pompe à eau/à essence/à huile ; ressort de soupape ; segments ; soupape ; starter ; tubulure d'admission ; ventilateur ; vilebrequin ; volant. — **Accessoires.** Antenne de radio ; antidérapant ; avertisseur, corne, klaxon ; butoir de pare-chocs ; catadioptre, cataphote ; compteur ; déflecteur ; enjoliveur de bas de caisse/de roue ; essuie-glace ; feux arrière/de stationnement ; indicateur de direction ou clignotant/de freinage ou stop/de vitesse ; jonc chromé ; lanternes ; lave-glace ; pare-chocs ; phare antibrouillard/de recul ; plafonnier ; plaque minéralogique ou d'immatriculation ; plaque de nationalité ; projecteur ; rétroviseur ; tableau de bord ; trousse à outils, cric, manivelle. ▪ Couverture, housse, paillasson, plaid.

AUTOMOBILISME, AUTOMOBILISTE → *automobile, transport.*

AUTOMOTRICE → *train.*

AUTONOME, AUTONOMIE → *libre.*

AUTOPLASTIE → *chirurgie.*

AUTOPOMPE → *feu, voiture.*

AUTOPORTRAIT → *peinture.*

AUTOPROPULSEUR, AUTOPROPULSION → *pousser.*

AUTOPSIE, AUTOPSIER → *anatomie, médecine.*

AUTORAIL → *train, transport.*

AUTORISATION, AUTORISER → *chef, droit, permettre.*

AUTORITAIRE, AUTORITARISME → *chef, gouverner, politique.*

AUTORITÉ → *chef, commander, influence, règle, soumettre.*

AUTOROUTE → *route.*

AUTO-STOP, AUTO-STOPPEUR → *voyage.*

AUTOSUGGESTION → *inconscience, influence.*

AUTOUR → *oiseau.*

AUTRE → *deux, différence, opposé.*

AUTRUCHE → *oiseau.*

AUTRUI → *différence, personne.*

AUVENT → *couvrir, pluie.*

AUXILIAIRE → *aider, fonction, médecine, verbe.*

AVACHIR (S'), AVACHISSEMENT → *faible, mou, paresse.*

AVAL → *certifier, engager, rivière.*

AVALANCHE → *abondance, amas, neige.*

AVALER → *boire, croire, gorge, manger.*

AVALISER → *certifier, engager.*

À-VALOIR → *devoir, prêter.*

AVALOIRE → *harnais.*

AVANCE → *avant, payer, plaire, prêter.*

AVANCÉ, AVANCÉE → *armée, avant, dommage, fortification, nouveau.*

AVANCEMENT → *fonction.*

AVANCER → *affirmer, avant, mouvement, payer, prêter.*

AVANIE → *offense.*

AVANT → *avantage, choisir, placer, temps.* — **Priorité dans le temps.** Ancien; antériorité, antérieur; antédiluvien, passé, préglaciaire, préhistorique, préhistoire; d'abord, auparavant, ci-devant, dernièrement; hier, avant-hier; au préalable, préalablement; *a priori*, primitivement; récemment; tout à l'heure; la veille; l'avant-veille. ■ Anticiper, anticipation; antidater; devancer, devancier; précéder, précédent; précoce, précocité; prédestiner, prédestination; prédéterminer, prédéterminisme; prédire, prédiction; préétablir; préexister, préexistence; préfigurer, préfiguration; préjuger de; préméditer, préméditation, prémonition, prémonitoire; présager, présage; pressentir, pressentiment; prescience; présumer, présomption; prévoir, prévisible, prévisionnel; pronostiquer, pronostic; prophétiser, prophétie. ■ Avant-propos, exorde, préalable, préambule, préface, préliminaire, prélude; conjecture, hypothèse, idée avancée / d'avant-garde / moderne / nouvelle/préconçue/prématurée, préjugé; supposition, conjecturer, conjecture. ■ Préfabriqué, préfabrication; préformer, préformation; prélaver, prélavage; béton précontraint; aliment prédigéré. — **Priorité dans l'espace.** En avant de, loin, profondément; antéfixe; antichambre; avancée; avant-bras; avant-corps; avant-cour; avant-main; avant-poste; avant-scène; avers de médaille; balcon; bec; capot; devanture; endroit; face, façade; front, fronton, frontispice; narthex; prognathisme, prognathe; proue; recto. ■ Antécédent; antépénultième; pénultième; préfixe, préfixation; prélude musical; préposition, locution prépositive; préverbe. ■ Avant-garde; joueur d'avant, tête de colonne, avant-centre. — **Priorité de rang.** Accourir, bruit avant-coureur; aller en tête; aller de l'avant; avancer, être en avance; dépasser, devancer, doubler; éclairer, éclaireur; frayer le chemin; guider, guide; marcher devant/en tête; précéder, prédécesseur, précession; être le premier; avoir la priorité, prioritaire; progresser, progression. ■ Choisir, choix; élire, élection; mettre en avant/en tête/en relief/en valeur, se mettre en avant; avoir le pas sur; avoir de la prédilection pour; prédominer, prédominance; avoir la prééminence sur, prééminent; préférer, préférence, préférentiel; avoir droit de préemption; avoir droit de préséance; se prévaloir de. ■ Avantage, passe-droit, prépondérance, prérogative, primauté, primeur, priorité, privilège, supériorité. ■ Mettre en avant une excuse: alléguer, allégation; avancer; prétexter, prétexte; produire.

AVANTAGE, AVANTAGER → *défendre, gagner, supérieur, utile.* — **Ce qui est profitable, utile.** Attributions, bénéfice, bien, bienfait, boni, distinction, fruit, gain, intérêt, prérogative, prestation, profit, utilité, privilège. ■ Avantage pécuniaire : gain, rémunération, rétribution; avantage en nature : logement, nourriture, être blanchi/logé/nourri; avantage appréciable / faible / illusoire / léger / mince/ précieux / réel; accorder / garantir / offrir/procurer de notables avantages à, faire un pont d'or à quelqu'un; bénéficier, jouir d'avantages; être bénéficiaire, trouver son compte dans; tirer avantage de tout; tenir le bon bout. ■ Une affaire avantageuse/intéressante/ rentable, un prix bon marché; contrat léonin; travail rémunérateur. — **Avantager quelqu'un.** Aider, choyer, défendre, distinguer, encourager, faciliter, favoriser, gratifier, pousser, préférer, protéger, seconder, servir, soutenir, traiter bien. ■ Appui, bienfaits, complaisance, bonnes dispositions, dons, égards, encouragements, faveurs, ménagements, services, soutien, tutelle. ■ Amnistie, autorisation spéciale, billet de faveur, brevet, commutation de peine, dispense; exemption, être exempt de; immunité, être immunisé; intercéder pour; lettre d'introduction/de recommandation; licence; monopole, monopoliser; passe-droit; permission; octroyer une faveur/une grâce/un pardon/un plaisir; tolérer, tolérance. ▪ Être bienveillant/clément/complaisant/indulgent/partial. ▪ Distinction, esprit de corps, favoritisme, népotisme, partialité, passion, prédilection, privilège, préférence. ▪ Client, créature, âme damnée, élu, favori, favorite, mignon, obligé, poulain, protégé. ▪ Être avantagé, être le chouchou/le favori, être fortuné/gâté/heureux/bien loti/privilégié/préféré; être bien en cour/en crédit, être dans les bonnes grâces/dans les papiers de; avoir l'avantage/avoir barre sur quelqu'un. — **Être à l'avantage de.** Être bénéfique, bénin, commode, convenable, favorable, flatteur, opportun, propice. ▪ Atout, avance, avantage, bénéfice de l'âge, chance, don, mérite, prérogative, supériorité, privilège, talent. ▪ Avoir de la chance; être doué/bien partagé; embellir, faire valoir, mettre en valeur; être/se montrer/paraître à son avantage/sous un jour avantageux/favorable; faire l'avantageux, être fat/suffisant. — **Avantage sportif.** Accorder/concéder/donner un avantage à l'adversaire, rendre des points, accorder une bonification; avantage au service, dedans, dehors, détruit; emporter / obtenir / prendre / remporter/reprendre/ressaisir l'avantage/le dessus; gagner, gain; succès; triompher, triomphe; vaincre, victoire. — **Avantage juridique.** Faire un avantage à quelqu'un, donner, doter, léguer, privilégier; avantage direct/indirect/particulier/au profit d'un associé/d'un enfant/d'un créancier/d'un époux; contrat de bienfaisance; don, donation; libéralité, préciput, préférence, privilège.

AVANTAGEUX → *avantage, orgueil.*

AVANT-BEC → *pont.*

AVANT-CENTRE → *balle.*

AVANT-CORPS → *construction.*

AVANT-COUREUR → *avertir, prévoir, signe.*

AVANT-GARDE → *armée.*

AVANT-GOÛT → *goût, prévoir.*

AVANT-POSTE → *armée.*

AVANT-PREMIÈRE → *spectacle.*

AVANT-PROPOS → *livre.*

AVANT-SCÈNE → *théâtre.*

AVANT-VEILLE → *avant, temps.*

AVARE, AVARICE → *amas, argent, économie.* — **L'avare.** Avare, barguigneur, chien, corsaire, gredin, grigou (fam.), grippe-sou, harpagon, harpie, ladre, lésineur, mercenaire, mercanti, pignouf (pop.), pingre (fam.), pouilleux, radin (fam.), rapace, rapiat (fam.), thésauriseur, usurier, vampire, vautour. — **L'avarice.** Être âpre au gain, âpreté; avare, avaricieux, avarice; avide, avidité; chiche; être chien (fam.) avec quelqu'un, chiennerie (fam.); cupide, cupidité; dur à la détente (pop.), dureté; économe à l'excès; intéressé, intéressement; ladre, ladrerie; lésineur, lésiner; ménager; mercantile, mercantilisme; mesquin, mesquinerie; parcimonieux, parcimonie; pingre, pingrerie; pouilleux, pouillerie; rapace, rapacité; rat (pop.); regardant; serré; sordide, sordidité; vénal, vénalité. — **Comportement de l'avare.** Accumuler, accumulation; adorer le veau d'or; amasser sou par sou; barguigner, barguignage; chipoter, chipotage; couper un sou en quatre; enfouir; entasser; épargner; grappiller; lésiner; plaindre son argent; regratter sur tout; remplir sa chaussette/son coffre; thésauriser, thésaurisation; tondre un œuf (fam.).

AVARIE, AVARIER → *dommage.*

AVATAR → *changer.*

AVE → *liturgie, Vierge.*

AVEN → *trou.*

AVENANT → *assurance.*

AVENANT → *plaire.*

AVÈNEMENT → *souverain, supérieur, venir.*

AVENIR → *après, événement, prévoir, suivre, temps.*

AVENT → *liturgie.*

AVENTURE, AVENTURER → *avenir, danger, essayer, événement, prévoir.*

AVENTUREUX, AVENTURIER → *courage, danger, voyage.*

AVENTURINE → *pierre.*

AVENUE → *route, ville.*

AVÉRÉ, S'AVÉRER → *apparaître, exact, vrai.*

AVERS → *avant, monnaie, montagne.*

AVERSE → *météorologie, pluie, tomber.*

AVERSION → *déplaire, éloigner.*

AVERTIR, AVERTISSEMENT → *appeler, impôt, livre, opinion, prévoir.* — **Donner avis.** Afficher, affiche; annoncer, annonce, annonceur, annonciateur; appeler à la réflexion/à la prudence; appeler l'attention sur; apprendre; aviser, donner avis; cafarder, cafardage (fam.); claironner; communiquer, communication, communiqué; conseiller, conseilleur, conseil; dénoncer, dénonciateur, dénonciation; éclairer, éclaireur; informer, informateur; insinuer, insinuation; instruire, instruction, instructeur, moniteur; prévenir; recommander, recommandation; faire remarquer, remarque; renseigner, renseignement; faire savoir; suggérer, suggestion. ▪ Être affranchi/averti/avisé/au courant/émancipé / expérimenté / expert / instruit/prudent/sage; avertissement charitable/salutaire, écarter/négliger/recevoir/suivre un avertissement; dépêche, lettre; message, radiodiffusé, radiotélévisé, émission radiophonique, publication. — **Appeler à la prudence.** Alerter, alerte; appeler, appel, rappel; avertir, avertisseur; crier gare, cri, donner l'éveil; mettre en garde, donner l'alarme/l'alerte; punition exemplaire; siffler, sifflet; signaler, signal, signal d'alarme, signalisation, faire signe, signaliser; sonner, sonnette, sonnerie; sommer, sommation. ■ Avertisseur d'automobile : corne, klaxon, corner, klaxonner, trompe; avertisseur auto-alarme d'un navire; avertisseur d'incendie/de sécurité; coup de cloche/de gong/de tambour/de tocsin/de tonnerre; feu de signalisation/rouge/vert; marque; monument; poteau indicateur, sémaphore. — **Avertir sévèrement.** Admonester, admonestation; enjoindre, injonction; gronder, gronderie; menacer, menaçant, menace; représenter; réprimande, réprimander; semoncer, être semoncé, semonce; sermonner, sermon; se tenir pour averti. ■ Adresser/faire un blâme, donner une leçon, faire la morale/des observations/une remontrance à; rappeler à l'ordre. — **Informer d'avance.** Annoncer, signe annonciateur, avant-coureur; augurer de, augure; avertissement du ciel; préavis; prémonition, prémonitoire; présager, présage; pressentir, pressentiment, prescience; prévenir; prévoir, prévision; secret instinct; voix mystérieuse.

AVERTISSEUR → *appeler, avertir.*

AVEU → *affirmer, faute, reconnaître, vérité.*

AVEUGLANT → *clair, lumière.*

AVEUGLE, AVEUGLEMENT → *architecture, entier, œil, passion.*

AVEUGLER → *fermer, lumière, obstacle, passion.*

AVEUGLETTE (À L') → *essayer, marcher.*

AVEULIR, AVEULISSEMENT → *mou, paresse.*

AVIATEUR → *aviation.*

AVIATION → *air, armée, transport.* — **Locomotion aérienne.** Aéronautique, aérostatique, aérotechnique, avionique ou aéroélectronique; circulation / locomotion / navigation aérienne, pont/transport aérien; aéronef, ballon captif, ballon dirigeable/saucisse, zeppelin; aviation civile/commerciale / côtière / marchande / maritime/militaire/navale ou aéronavale/postale/privée/sanitaire/de tourisme; forces aéroterrestres, division aéroportée / aérotransportée. ■ Compagnie, lignes, réseaux, routes aériennes : aéro-club, aérodrome, aérogare, aéroport, altiport, base/camp/champ/terrain d'aviation, héligare, héliport, infrastructure aérienne, services de météorologie/de radio; meeting, rallye, record, salon de l'aviation. — **Les avions.** Aéronef, aéroplane, appareil, autogire, coucou (fam.), giravion, girodyne hélicoptère, hydravion, machine, planeur, zinc (fam.). ■ Avion amphibie, mono-/bi-/tri-/quadrimoteur; bi-/mono-/multiplan; biplace, multiplace; bipoutre; avion léger/petit/mouche; avion lourd/géant; avion catapulté / convertible, avion / fusée / à réaction / robot / stratosphérique / supersonique. Avion de combat / de guerre : avion d'assaut/d'attaque/de bombardement, bombardier; avion de chasse, chasseur; avion d'escorte/d'observation/de patrouille/de reconnaissance/de renseignement; avion-cargo, avion-école, long-courrier. — **Description de l'avion.** Aile, aileron, amortisseur, capot, carlingue, cellule, commande, dérive, empennage, envergure, feu, frein, fuselage, gouvernail, gouverne, habitacle, hauban, hélice, leviers de commande ou manche à balai, manette, moteur, nez, pale, palonnier, pare-brise, pédale, plan, propulseur, redan, réservoir, rotor d'hélicoptère, roue, soute, stabilisateur, surfaces sustentatrices ou de sustentation, tableau de bord, train d'atterrissage, voilure, volet. ■ Altimètre, anémomètre, antenne, chronomètre, clinomètre, compas, contrôleur de vol, dégivreur, girouette, gyroscope, indicateur, navigraphe, projecteur, radio, radiogoniomètre, sirène, trépidomètre, tube acoustique, variomètre. ■ Carnet de bord, cartes. — **Pilotage et vol d'un avion.** Amerrir, amerrissage; apponter; ascension; atterrir, atterrissage; être catapulté, catapultage, catapulte; couper les gaz; décoller, décollage; déjauger; descente; s'envoler, envol; escale; freiner, freinage; monter en pointe, montée; passer le mur du son; piquer, en piqué; plafonner, plafond; planer, vol plané; rampe de lancement; rentrer à la base; survoler, survol; prendre de l'altitude / de la vitesse; ronronner, vrombir, vrombissement du moteur; voler en rase-mottes. ■ Acrobatie, acrobatie aérienne, carrousel, chandelle, cloche, évolution, looping, performance, tonneau, voltige, vrille. ■ Aire d'atterrissage; balisage, balisation, balise; hangar; manche à air, biroute (fam.); ondes radio-électriques, radioguidage; piste; signalisation, signal; téléguidage, téléguidé; tour de contrôle; vérification, check-list. — **Combat et accidents aériens.** Raid d'avions : attaquer en piqué; bombarder, bombardement; capoter, capotage; entrer en collision ; être déporté, déportement ; être détecté, détection au radar ; givrage, être givré ; lâcher des bombes/des fusées/des torpilles ; tomber en panne ; parachuter des troupes/des vivres ; parachutage, parachute. ▪ Batterie contre avions, D.C.A., canon antiaérien, fusée, roquette. — **Personnel et passagers.** Aviateur, copilote, commandant ; équipage ; escadre, escadrille ; formation, groupe ; hôtesse de l'air ; ingénieur ; mécanicien ; météorologiste ; moniteur ; navigateur ; navigant ; observateur ; pilote ; radionavigant ; steward ; technicien. ▪ Brevet, école, insigne de pilotage ; personnel rampant et personnel volant ; passagers, monter en avion, prendre l'avion, le baptême de l'air ; embarquer, débarquer : descente d'avion, escale.

AVICULTEUR, AVICULTURE → *élevage, oiseau.*

AVIDE, AVIDITÉ → *désir, goût.*

AVILIR, AVILISSEMENT → *boue, débauche, gêner, mépris, morale.* — **Abaisser la valeur morale.** Rendre abject / bas / honteux / indigne / infamant / infâme / méprisable / odieux / servile/vil. ▪ Abaissement, abaisser ; abjection ; corruption, corrompre ; faire déchoir, déchu, déchéance ; déconsidération, déconsidérer ; décri, décrier ; dégradation, dégrader ; déshonneur, déshonorer ; diffamer, diffamation ; discrédit, discréditer ; flétrissure, flétrir ; infamie ; humiliation, humilier ; opprobre ; profanation, profaner ; prostitution, prostituer ; rabaissement, rabaisser ; ravalement, ravaler ; souillure, souiller ; tache ; turpitude ; vilenie. — **S'avilir, être avili.** S'abaisser, se commettre, se dégrader, s'embourber, s'encanailler ; bassesse, lâcheté, platitude, servilité. ▪ Être crapuleux/crasseux / déchu / galeux / ignoble / ignominieux / infâme / lâche / rampant / pelé / pouilleux / servile / sordide / taré/trivial. ▪ Canaille, coquin, crapule, crétin, croquant, déchet humain, drôle, drôlesse, esclave, fripon, goujat, gredin, gueux, maroufle, misérable, paltoquet, paria, pied-plat, piètre personnage, pleutre, polisson, pouilleux, reptile. ▪ Bas-fonds, boue, lie, milieu, pègre, populace, racaille, ramassis. — **Abaisser la valeur marchande.** Abaisser, abâtardir, baisser, déprécier, dévaluer, diminuer, rendre de vil prix. ▪ Abaissement/avilissement de la monnaie ; baisse des cours, dépréciation, dévaluation, inflation.

AVINÉ → *boire, son.*

AVION, AVIONIQUE → *aviation.*

AVIONNERIE, AVIONNEUR → *aviation.*

AVIRON → *bateau, sport.*

AVIS → *informer, livre, opinion, pensée.*

AVISÉ → *avertir, prévoir, sage.*

AVISER → *avertir, regarder.*

AVISO → *bateau.*

AVITAMINOSE → *maladie.*

AVIVER → *chirurgie, exciter, vif.*

AVOCASSERIE, AVOCASSIER → *justice.*

AVOCAT → *défendre, justice, tribunal.*

AVOINE → *céréales.*

AVOIR → *posséder, revenu.*

AVOISINANT, AVOISINER → *proche.*

AVORTEMENT, AVORTER → *accoucher, échouer.*

AVORTON → *homme, laid, petit.*

AVOUÉ → *justice, tribunal.*

AVOUER → *accord, faute, reconnaître, vérité.*

AVRIL → *calendrier, saison.*

AVULSION → *arracher.*

AVUNCULAIRE → *famille.*

AXE → *astronomie, géométrie, milieu.*

AXILLAIRE → *bras, plante.*

AXIOMATIQUE → *mathématiques, philosophie.*

AXIOMATISER, AXIOME → *philosophie, règle, symbole.*

AXIS → *cou.*

AZALÉE → *fleur.*

AZIMUT → *angle, astronomie.*

AZOÏQUE, AZOTATE → *azote.*

AZOTE → *gaz.* — **Le gaz.** Azote ammoniacal / minéral / nitreux / nitrique / organique, azotation, azotimètre, distillation fractionnée ; azotémie, syndrome azotémique ; azotorrhée ; azoturie ; gaz incolore/inodore/insipide. — **Combinaisons de l'azote.** Ammoniac ; anhydride azoteux ou nitreux, azotique ou nitrique ; azotate ou nitrate, azotite ; azoture ou azothydrate ; bioxyde, peroxyde d'azote ou azotyle ; acide perazotique ou pernitrique ; cyanogène, nitrure ; protoxyde ; azoter un corps. — **Utilisations.** Industrie agricole : produit désherbant : nitrate de cuivre ; engrais, nitrate d'ammonium/de chaux/de potasse/de soude/du Chili/du Pérou ; industrie chimique : colorants, aniline ; explosifs : dynamite, fulmicoton, mélinite, nitrobenzine, nitrocellulose, nitroglycérine, trinitrotoluène ou tolite ; celluloïd, collodion, fibres artificielles, vernis ; médecine : azotate ou nitrate d'argent, antiseptique, caustique, azotate ou nitrate, sous-nitrate de bismuth, coloration de micro-organismes, microphotographie, azotate de potassium diurétique ; solution d'eau-forte, gravure sur cuivre.

AZOTÉMIE, AZOTURIE → *azote, rein, sang.*
AZTÈQUE → *Amérique.*
AZULEJO → *brique.*
AZUR → *air, bleu.*
AZURAGE → *blanc, bleu.*
AZURÉ, AZURER → *bleu.*
AZURITE → *cuivre.*
AZYGOS → *veine.*
AZYME → *pain, juif.*

BABA → *étonner.*
BABA → *pâtisserie.*
BABEURRE → *beurre.*
BABIL, BABILLAGE, BABILLARD → *enfant, parler.*
BABILLARDE → *écrire.*
BABILLER → *parler.*
BABINES → *bouche, goût.*
BABIOLE → *futile.*
BÂBORD, BÂBORDANT → *navire.*
BABOUCHE → *chaussure.*
BABOUIN → *singe.*
BABOUVISME → *commun, politique.*
BAC → *bateau, récipient, rivière.*
BACCALAURÉAT → *enseignement, université.*
BACCARA → *carte, jouer.*
BACCARAT → *verre.*
BACCHANALE, BACCHANTE → *débauche, vin.*
BACCHANTES → *poil.*
BACCIFORME → *fruit.*
BÂCHE → *couvrir, mouiller.*
BACHIQUE → *vin.*
BACHOT → *bateau.*
BACHOTAGE, BACHOTER → *apprendre, enseignement.*
BACILLAIRE, BACILLE → *microbe.*
BACILLURIE → *rein.*
BÂCLAGE, BÂCLER → *exécuter, mal.*
BÂCLE → *barre.*
BACON → *porc.*
BACTÉRICIDE, BACTÉRIE → *microbe.*
BACTÉRIOLOGIE, BACTÉRIOLOGISTE → *microbe.*
BACTÉRIOPHAGE → *microbe.*
BACTRIOLES → *or.*
BADAUD, BADAUDERIE → *chercher, marcher, repos.*
BADERNE → *vieillesse.*
BADIGEON, BADIGEONNER → *étendre, mur, peinture.*
BADIN → *esprit, futile.*
BADINAGE, BADINER → *esprit, parler, subtil.*
BADINE → *bâton.*
BAFOUER → *moquer, offense.*
BAFOUILLAGE, BAFOUILLER, BAFOUILLEUR → *obscur, parler.*
BÂFRER → *manger.*
BAGAGE → *connaître, partir, sac, voyager.*
BAGARRE → *attaque, discussion, frapper, guerre.*
BAGATELLE → *futile.*
BAGNARD, BAGNE → *fatigue, peine, prison.*
BAGNOLE → *automobile.*
BAGOU → *commerce, parler.*
BAGUAGE → *anneau, arbre.*
BAGUE → *anneau, colonne.*
BAGUENAUDER (SE) → *futile, marcher.*
BAGUER → *anneau, oiseau.*
BAGUETTE → *bâton, magie, pain.*
BAGUIER → *anneau, bijou.*
BAHUT → *coffre, meuble, mur.*
BAI → *cheval.*
BAIE → *mer.*
BAIE → *fruit.*

BAIE → *fenêtre, ouvrir.*

BAIGNADE, BAIGNER → *bain, eau, nager.*

BAIGNEUR → *nager.*

BAIGNOIRE → *bain, théâtre.*

BAIL → *contrat, location.*

BÂILLEMENT, BÂILLER → *dormir, fatigue, ouvrir.*

BAILLEUR → *contrat, donner.*

BAILLI, BAILLIAGE → *magistrat.*

BÂILLON, BÂILLONNER → *bouche, défendre.*

BAIN → *eau, nager.* — **Plonger un corps dans un liquide.** Baigner, bain ; faire chauffer au bain-marie ; immerger, immersion ; faire macérer, macération ; mariner, marinade ; plonger, plongeon ; tremper, trempage. — **Le liquide lui-même.** Bain, faire couler un bain ; bain d'eau douce/d'huile/de mercure/de sable/de sulfite/de vapeur ; bain de bouche ; bain galvanique ; bain pour photographie : de développement/de fixage/de virage. — **Traitement par les bains.** Balnéation, balnéothérapie ; héliothérapie : bain de soleil, bronzer, bronzage, brunir, brunissage ; hydrothérapie : bain d'air sec/de chaleur/de sudation/de vapeur/russe ou finnois/turc ou maure, sauna ; étuves humides/sèches/totales/limitées ; douche ascendante / descendante / écossaise / horizontale/locale/en pluie ; thalassothérapie : bain d'eau de mer/chaud/froid ; thermothérapie, traitement thermal : bain d'eau minérale/carbogazeux/solide/de boue minérale ; bain électrostatique ; bain hygiénique/médicamenteux/sinapisé. ▪ Bain général/local, bain de bouche/de pied ou pédiluve ; bain de siège. — **Lieux où l'on prend des bains.** Baignade de rivière ; bain de mer, bord de mer, plage, station balnéaire ; baigneur, baigneuse ; bains-douches municipaux/publics ; piscine, petit bain, grand bain ; salle de bain ; thermes, thermal, station thermale. ▪ Eaux thermales : calciques, chlorurées, ferrugineuses, minérales, sodiques, sulfureuses ; aller aux eaux, prendre les eaux. ▪ Bains grecs, gymnase, oindre le corps d'huile ; hammams orientaux, bains ordinaires ou de vapeur, massage, masseur ; sudation, suer ; thermes romains, étuves, frictions, onctions. — **Matériel de bain.** Cabine de bain/de douche, cabinet de toilette, salle de bain, salle de douche, salle d'eau. ▪ Appareils sanitaires : baignoire, baignoire sabot ou demi-baignoire ; bain de pieds, bain de siège ; bassin, bassine ; bidet ; cuvette ; chauffe-eau ; collier-pomme de douche ; douche ; jet ; lance ; lavabo ; robinet ; tub. ▪ Bikini, bonnet, boxer-short, caleçon de bain, deux-pièces, maillot de bain, serviette, slip, sortie de bain.

BAIN-MARIE → *bain, chaleur.*

BAÏONNETTE → *arme, fusil.*

BAISEMAIN → *manière.*

BAISER, BAISOTER → *bouche, caresse.*

BAISSE, BAISSER → *avilir, bas, changer, diminuer, faible.*

BAISSIER → *banque.*

BAJOUE → *visage.*

BAJOYER → *maçonnerie, mur.*

BAKCHICH → *mérite, payer.*

BAKÉLITE → *plastique.*

BAL → *danse, recevoir.*

BALADE, BALADER (SE) → *marcher.*

BALADEUR → *roue.*

BALADEUSE → *lampe.*

BALADIN → *danse, rire, spectacle.*

BALAFRE, BALAFRER → *blessure, visage.*

BALAI → *avion, brosse, nettoyer, transport.*

BALALAÏKA → *instrument, musique.*

BALANCE → *commerce, égal, peser.* — **L'instrument.** Aiguille, bras, couteaux, étrier, fléau, joug, languette, plateau, point de suspension, traversant, traversin, verge. ▪ Ajuster la balance, équilibrer les plateaux, tenir la balance juste/en équilibre, faire pencher/trébucher la balance, peser ; masse, poids, tare. ▪ Balance fidèle/folle / indifférente / juste / paresseuse / précise/sensible ; contrôle, poinçonnage, poinçon, service des Poids et Mesures. — **Différentes balances.** Balance automatique ou bascule, balance à cavalier/à crochet/cubique/à curseur / enregistreuse / d'essai / médicale/de précision/à ticket ; balance de Roberval ; balance semi-automatique ; bascule romaine/à double romaine, dynamomètre ; pèse-fûts ; peson à contrepoids/à ressorts ; pont-bascule. ▪ Ajustoir, microbalance, pesette, pèse-bébé, pèse-grains, pèse-lettre, pèse-personne, trébuchet. — **Appareils analogues.** Balance aérodynamique / algébrique / arithmétique ou machine à calculer ; balance de Bérard/de Mohr ; balance élastique d'horloger / électrodynamique / électromagnétique de Cotton / gravimétrique / d'Eötvös hydrostatique/de torsion ou balance de Coulomb ; baroscope. ▪ Balance de locomotive, balance de pêche, balancine, balancette, caudrette, truble, pêche aux écrevisses. — **Moyen d'apprécier hommes et choses.** Balance de l'équité/du jugement/de la justice/de la raison ; juste appréciation ; balancer, entrer en balance/en jeu ; être mis en comparaison, peser dans la balance, compter, avoir une importance particulière; mettre dans la balance, examiner, opposer, peser le pour et le contre; tenir la balance égale/en équilibre; se montrer équitable/impartial/juste; jeter/mettre un poids dans la balance, peser par un argument décisif, déterminer; faire pencher la balance, être décisif, l'emporter, faire prévaloir. — **Balance commerciale.** Balance de l'actif et du passif d'un compte, balance carrée, balance d'inventaire, bilan, différence, solde; balance d'entrée/de sortie/générale; balance des profits et pertes; balance économique, exportations, importations, favorable, en excédent, défavorable, en déficit; balance des comptes, bilan, balance des paiements. — **Sens figurés et symboliques.** Égalité, équilibre, justice, partages égaux; balance du Jugement dernier; constellation, septième signe zodiacal; être/rester en balance/dans l'incertitude/l'indécision/l'hésitation; être indécis/hésitant/en suspens; balance des forces, équilibre, rapport; balance des pouvoirs, équilibre, juste répartition, partage égal.

BALANCE → *astrologie.*

BALANCELLE → *bateau, meuble.*

BALANCEMENT → *balancer.*

BALANCER → *balance, mouvement, remuer.* — **Mouvoir de part et d'autre.** Agiter, agitation; faire aller et venir, aller et retour, va-et-vient; balancer, balance, balancement; baller, ballant; ballotter, ballottement; basculer, faire la bascule; battre, battement; bercer, bercement; boiter, boitement; brandiller, brandillement; branler, branlement, branlant, branle; brimbaler, brinquebaler; chanceler; chavirer; claudiquer, claudication; se dandiner, dandinement; dodeliner, dodelinement, dodiner; flotter, flottement; fluctuer, fluctuation, faire la navette; ondoyer, ondoiement; onduler, ondulation, ondulatoire; osciller, oscillation; palpiter, palpitation, pulsation; sauter, sautiller; secouer, secousse; tanguer, tangage; tituber; se tortiller; vaciller, vacillation, vacillement; vibrer, vibration, vibratile, vibratoire. ▪ Mouvement alterné/alternatif: bricole, roulis, tangage d'un navire; cadence, flux et reflux, libration de la lune, nutation de la terre. ▪ Balancier d'horloge/de pendule/de montre; balancier de danseur de corde; balançoire, balancelle, bascule, fauteuil à bascule, rocking-chair; encensoir; escarpolette, hamac; pendule de sourcier. — **Mettre en équilibre.** Balancer une composition picturale, disposer symétriquement, équilibrer, répartir harmonieusement; se balancer, s'équilibrer, se correspondre, se répondre; correspondance, équilibre, harmonie, pondération, justes proportions; homme, femme bien balancés/bien bâtis/ aux proportions heureuses. ▪ Balancer une période/des phrases, construire harmonieusement, équilibrer les parties; balancer un compte, balance, solde; balancer les dépenses par les recettes, couvrir, avoir une couverture; compenser, compensation; contrebalancer; corriger, correction; égaler en importance; équilibrer, contrepoids, correspondant; l'un dans l'autre. — **Être incertain.** Balancer entre deux partis; flotter, flottement; hésiter, hésitation; vaciller, vacillation. ▪ Être ballotté/divisé/hésitant/indécis/velléitaire; être comme l'âne de Buridan.

BALANCIER → *balancer, horlogerie.*

BALANCINE → *corde.*

BALANÇOIRE → *balancer, jouer.*

BALAYAGE, BALAYER → *brosse, lumière, nettoyer.*

BALAYEUR, BALAYEUSE → *brosse, nettoyer.*

BALBUTIEMENT, BALBUTIER → *parler.*

BALCON → *architecture, maison, spectacle.*

BALDAQUIN → *architecture, lit, meuble.*

BALEINE → *animal, pluie.* — **L'animal.** Animal marin, cétacé, mammifère, troupeau; barbe, crins, évents, fanons, lames cornées; baleine, baleineau, baleinon, baleine franche/lunulée/noueuse/à museau pointu/à bosse ou jubarte ou mégaptère, baleinoptère ou rorqual. — **Autres cétacés.** Bélouga, cachalot, dauphin ou bec-d'oie, dugong, épaulard ou orque, lamantin ou sirène, licorne de mer, marsouin, narval, physeter, souffleur; odontocètes, zeuglodontes, mysticètes. — **Pêche et utilisation ancienne et moderne.** Pêche à la baleine; baleinier, baleinière, harpon, harponneur; chair de baleine ou crapois, lard de carême; chasseur ou navire-baleinier; navire-usine; canon lance-harpon, harpon; détection au radar; dépecer, dépeçage, charpentier de baleine; ambre gris, blanc de baleine ou spermaceti, cold-cream au blanc de baleine, chair, huile de baleine; baleine de corset, busc; baleine de parapluie.

BALEINIER, BALEINIÈRE, BALEINOPTÈRE → *baleine.*

BALÈSE → *force.*

BALISAGE, BALISE → *avertir, aviation, port, signe.*

BALISER, BALISEUR → *avertir, lampe, signe.*

BALISTE → *arme, jeter.*

BALISTIQUE → *arc, arme, jeter, projectile.*

BALISTITE → *poudre.*

BALIVAGE, BALIVEAU → *arbre, charpente.*

BALIVERNE → *futile, parler.*

BALLADE → *musique, poésie.*

BALLANT → *balancer.*

BALLAST → *navire, route.*

BALLE → *fusil, jouer, sport.* — **Jouer à la balle.** Balle de caoutchouc durci/élastique/gonflé d'air/mousse, de celluloïd/de liège ; couper la balle, donner de l'effet, jeter, lancer, recevoir, renvoyer, prendre au bond/au rebond/à la volée, rabattre, rebondir ; balle de match, balle au camp/au chasseur/au mur/au pot/au prisonnier/au tamis. — **Jeux sportifs.** Base-ball : bases ou piquets, batte, jalons, parcours. ▪ Cricket : bat, batte de bois, battoir, balle de son, guichets ; batteur, équipe, lanceur. ▪ Golf : bunkers, canne, club à tête en bois/en fer, crosse, green, link, obstacle, parcours, terrain, trous (18) ; caddie, joueur, partie en single/en double ; golf miniature ou petit golf. ▪ Hockey sur gazon : balle de cuir, crosse de bois, poteaux de but ; gardien de but, équipe : arrières, demis, avants, mi-temps, repos ; hockey sur glace : crosse, jambières, maillot, palet ou puck, patins à glace, patinoire ; équipe, hockeyeur, substituts, titulaires. ▪ Lawn-tennis ou tennis : court, terre battue, sur herbe, court couvert, sur bois ; faire des balles, filet, jouer en simple/en double : catégories, séries ; avantage, jeu, points, sets ; lignes de côté/de fond/de service, couloirs ; raquette ; servir, service, serveur ; chandelle, drive, lob, passing-shot, revers, smash, volée ; tenue blanche du tennisman/de la tenniswoman. ▪ Jeu de paume : masse, raquette, triquet ; courte paume, rectangle fermé, murs, longue paume, terrain ouvert ; pelote basque : balle plombée/de caoutchouc dur, chistera, équipes, joueurs ou pelotari, jouer à main nue, fronton, mur. ▪ Ping-pong ou tennis de table, pongiste : filet bas, raquettes pleines ; table : carrés, côtés. ▪ Jeux d'amateurs/de professionnels : arbitre, championnat, coupe, match, match-retour, tournoi, goal-average. — **Jeux sportifs avec ballon.** Ballon en baudruche/en caoutchouc/en cuir, vessie gonflée. ▪ Basket-ball : basketteur, équipe ; dribbler, envoyer/lancer au panier, faire une passe. ▪ Football : ballon rond/au pied, camp, capitaine, équipes ; footballeur : avants, demis, ailiers droit/gauche, arrières droit/gauche, centre, gardien de but, goal, terrain ; attaquer, bloquer, se dégager, se démarquer, dribbler, feinter, intercepter, marquer, plonger, shooter ; but, corner, coup franc, être hors-jeu, penalty, coup de réparation, shoot, touche, mi-temps, prolongation. ▪ Handball : ballon rond/à la main, handballeur. ▪ Rugby, rugby à quinze, jeu à treize, rugby américain : ballon ovale/à la main, poteaux de but, terrain, ligne de milieu/de touche/de ballon mort, rugbyman ; équipes, avants ou pack, talonneur, piliers, demis d'ouverture/de mêlée, ailiers, centres, arrières ; coup franc, dribbler ; essai, en-avant, tenu, touche, transformation, contrôle, arrêts de volée, passes, coup de pied de volée tombé/placé/à suivre, plaquage. ▪ Volley-ball : ballon à la main, camp, équipes, filet, jouer de volée, volleyeur. ▪ Water-polo

BALLE → *argent, céréales, grain, marchandises.*

BALLER → *balancer, pendre.*

BALLERINE → *chaussure, danse.*

BALLET → *danse, musique, théâtre.*

BALLON → *aviation, balle, essayer, jouer, montagne.*

BALLONNÉ, BALLONNEMENT → *gonfler.*

BALLON-SONDE → *météorologie.*

BALLOT → *marchandises, paquet.*

BALLOTTAGE → *élire.*

BALLOTTER → *balancer, élire, remuer.*

BALLOTTINE → *cuisine.*

BALL-TRAP → *fusil.*

BALLUCHON, BALUCHON → *paquet.*

BALNÉAIRE → *bain, mer.*

BALOURD, BALOURDISE → *grossier, lent, sot.*

BALSAMINE → *fleur.*

BALSAMIQUE → *médicament.*

BALUSTRADE, BALUSTRE → *architecture, colonne.*

BALZAN, BALZANE → *cheval.*

BAMBIN → *enfant.*

BAMBOCHARD, BAMBOCHE → *débauche, fête.*

BAMBOU → *bâton, bois.*

BAMBOULA → *débauche, fête.*

BAN → *applaudir, armée, éloigner, mariage.*

BANAL, BANALITÉ → *commun, grossier.*

BANANE, BANANIER → *fruit.*

BANC → *amasser, église, essayer, étendre, meuble, poisson.*

BANCAIRE → *banque.*

BANCAL → *jambe, marcher.*

BANCHER → *maçonnerie.*

BANCO → *carte, jouer.*

BANCROCHE → *diminuer, marcher.*

BANDAGE → *bande, chirurgie, roue, soigner.*

BANDAGISTE → *bande.*

BANDE → *ceinture, navire, récit, son.* — **Lanière étroite.** Bande de cuir/d'étoffe/de fourrure/de métal/de papier/de tissu : angusticlave, bâillon, bandeau, bandoulière, baudrier, bélière, biais, bolduc, bordure, bourrelet, brassard, brayer, bricole, ceinture, ceinturon, collier, courroie, crêpe, diadème, dragonne, écharpe, entre-deux de broderie/de dentelle, épaulette, étole, frange, galon, jarretelle, jarretière, laisse, lanière, laticlave, lé, lien, lisière, manipule, bande molletière, patte, penture, ruban, ruche, ruché, sangle, serre-tête, surdos, surfaix, talonnette, tour de tête, trépointe, turban, volant. ■ Bandelettes de momie ; banderille, banderillero ; jeu de colin-maillard. ■ Border, lier, maintenir, orner, recouvrir. — **Bande chirurgicale.** Bande, bandage, bandagiste, orthopédiste-bandagiste ; bande de caoutchouc/de charpie/de coton/de coton hydrophile/de crêpe/de gaze/de sparadrap/de tulle ; adhésive, élastique ; bande Velpeau. ■ Appliquer/défaire/dérouler/enrouler/serrer une bande/un bandage, bander une blessure/une plaie ; ligaturer, ligature ; panser, pansement. ■ Fixer un appareil, maintenir un emplâtre/une fracture : attelle, éclisse, plâtre ; bandage composé/simple ; bandage compressif/contentif / divisif / incarnatif / préservatif / circulaire / croisé / étoilé / inamovible / renversé/en croix/en épi ou spica/en fronde/en T/en X ; bandage herniaire, bandeau, brayer, chevêtre, compresse, écharpe, étrier, gantelet, mentonnière, oreillette. ■ Bandage mécanique/orthopédique, appareillage : arceau, courroie, sangle, suspensoir ; corset, gouttière, redresseur, sous-ventrière. — **Objets en forme de bande.** Bande d'un drapeau : raie, rayure ; bande colorée/lumineuse : faisceau, rai, rayon ; bande de terrain : plate-bande, région, ruban, zone ; bande de billard, toucher la bande, jouer par la bande, prendre par la bande/en biais ; bandeau architectural : bandelette, frise, moulure, plate-bande ; bande dessinée / illustrée : histoire, récit ; bande cinématographique/enregistrée/magnétique/perforée/sonore : bobine, film, pellicule.

BANDE → *amasser, armée, groupe.*

BANDEAU, BANDELETTE → *architecture, bande, chapeau.*

BANDER → *arc, bande, tirer.*

BANDERILLE → *course.*

BANDEROLE → *bande, inscription.*

BANDIT, BANDITISME → *attaquer, crime, violence, voler.*

BANDOULIÈRE → *arme, bande, sac.*

BANG → *bruit.*

BANJO → *instrument.*

BANK-NOTE → *argent, banque, monnaie.*

BANLIEUE → *ville.*

BANNIÈRE → *symbole.*

BANNIR → *chasser, éloigner, peine.*

BANQUE → *argent, commerce, monnaie.* — **L'établissement.** Agence, banque, bureau de change, comptoir, succursale de banque ; Banque de France ; banque d'État/nationalisée/privée / agricole / industrielle / populaire ; banque d'affaires/de circulation/de crédit/de dépôt et d'escompte/d'émission/hypothécaire/de spéculation/de virement. ■ Banquier, caissier, directeur, employé, fondé de pouvoir, garçon de recette, gouverneur, sous-gouverneur, régent, trésorier. ■ Caisse, coffres, guichets. ■ Bank-note, billet de banque/à ordre/au porteur, bon, coupure, coupon, document, effets, encaisse, encours, lettres de change/de crédit/de voiture, mandat, obligation, ordonnance, traite documentaire/domiciliée, valeur en compte/en marchandises/en portefeuille, warrant. — **Opérations bancaires courantes.** Accréditer quelqu'un auprès d'une banque ; être client d'une banque ; déposer de l'argent/des titres ; se faire ouvrir un compte/un crédit ; avoir une couverture/un découvert/une provision ; emprunter ; fournir un état/une position/une situation de compte ; faire / émettre / endosser / signer / tirer/virer un chèque. ■ Chèque bancaire, chèque sans provision, carnet de chèques, chéquier, chèque barré, traveller's chèque ; compte courant, crédit, débit, dépôt, épargne, intérêt, investir, mouvement des fonds, placer, prêt, recouvrement, taux, versement, virement. ■ Accepter ; avaliser, donner son aval ; émettre, émission ; endos, endossement ; escompter, escompte, taux d'escompte ; négocier un effet ; protester, protêt faute d'acceptation, protêt faute de paiement, recours ; réaliser, réalisation ; remboursement ; renouveler, renouvellement, novation ; souscrire, souscription ; tirer, tirer à vue. ■ Agio, caution, commission, cours, cours forcé, crédit, débit, passation, contre-passation, reçu, remise. ■ Délai, échéance, remise, terme, usure. ■ Accepteur, bénéficiaire, changeur, certificateur, endosseur, escompteur, homme d'affaires, huissier, mandant, mandataire, mauvais payeur, porteur, preneur, souscripteur, tireur, tiré. — **Opérations de bourse et de change.** Acheteur ; agioteur ; arbitragiste ; baissier; boursier; boursicoter, boursicoteur; cambiste; changeur, agent de change; coulissier; courtier, courtage; démarcheur; haussier; porteur de carnet; remisier; spéculateur; tripoteur; vendeur. ■ Acheter; changer; fréquenter la Bourse; gérer un portefeuille; jouer à la Bourse/à la baisse/à la hausse; liquider; négocier; se racheter; réaliser; reporter; spéculer; tripoter; vendre. ■ Bourse du commerce / des marchandises; bourse, marché des valeurs; corbeille, coulisse, hémicycle, parquet. ■ Action, actionnaire; annuité; bons; coupon; encaissement; obligation, obligataire; part de fondateur; rente; script; titre nominatif/au porteur; valeur. ■ Acompte, arrérage, boni, dividende, intérêt, solde, taux. ■ Amortissement, amortir; appel de fonds; couper/détacher des coupons; émission, plafond d'émission, émettre; lancement; libérer une action; remboursement, rembourser; tirage, lot. ■ Achat, offre publique d'achat (O.P.A.); agiotage; négociation; ordre; souscription; spéculation; stellage; transaction; transfert; vente à couvert/à découvert. ■ Arbitrage, change, compensation, déport, différence, filière, liquidation; marché au comptant/à livrer/à terme; marché à primes ou options; report, reporter. ■ Cote officielle, coter en Bourse; cours moyen, premier/dernier cours; dédit; écart de primes; échelles; ordre fixe/au mieux, stop; réponse de primes. ■ Baisse, boom, chute, hausse, krach de la Bourse.

BANQUEROUTE → *commerce, comptabiliser, devoir.*

BANQUET → *fête, manger.*

BANQUETTE → *course, meuble, route.*

BANQUIER → *banque, jouer.*

BANQUISE → *amasser, froid.*

BANVIN → *droit, vin.*

BAOBAB → *arbre.*

BAPTÊME → *sacrement.*

BAPTISER, BAPTISMAL, BAPTISTAIRE → *liturgie, sacrement.*

BAPTISTÈRE → *église.*

BAQUET → *récipient.*

BAR → *boire, mesure, poisson.*

BARAGOUIN, BARAGOUINER → *obscur, parler.*

BARAKA → *réussir.*

BARAQUE → *maison.*

BARAQUEMENT → *camp, maison.*

BARATERIE → *tromper, voler.*

BARATIN, BARATINER, BARATINEUR → *commerce, parler.*

BARATTE, BARATTER → *beurre.*

BARBACANE → *couler, défendre, fortification.*

BARBARE → *dur, grossier, nature.*

BARBARISME → *faute, grammaire.*

BARBE → *poil.*

BARBEAU → *poisson.*

BARBECUE → *cuisine, feu.*

BARBE-DE-CAPUCIN → *légume.*

BARBELÉ → *fermer, fortification.*

BARBER → *fatigue, gêner.*

BARBET → *chien.*

BARBICHE, BARBIER → *poil.*

BARBILLON → *bœuf, cheval, poisson.*

BARBITURIQUE → *médicament.*

BARBON → *vieillesse.*

BARBOTAGE, BARBOTER → *boue, canard, gaz.*

BARBOTEUSE → *enfant, vêtement.*

BARBOTIN → *roue.*

BARBOTINE → *céramique.*

BARBOUILLAGE, BARBOUILLER → *écrire, peinture.*

BARBUE → *poisson.*

BARCAROLLE → *chant, musique.*

BARCASSE → *bateau.*

BARD → *porter.*

BARDA → *voyage.*

BARDE → *poésie.*

BARDE → *armure, porc.*

BARDEAU → *supporter.*

BARDOT → *âne.*

BARÈME → *comptabilité, mesure.*

BARGE → *bateau.*

BARGUIGNER → *acheter, doute.*

BARIGOULE → *cuisine.*

BARIL → *tonneau.*

BARILLET → *fusil, horlogerie.*

BARIOLAGE, BARIOLER → *couleur, peinture.*

BARKHANE → *sable.*

BARLONG → *étendre, forme.*

BARMAN → *boire, hôtel.*

BARNABITE → *monastère.*

BAROGRAPHE → *aviation, baromètre.*

BAROMÈTRE → *air, météorologie, température.* — **L'instrument de mesure.** Baromètre ou baroscope, barométrie, barymétrie; hygromètre, hypsomètre, nivellement barométrique; météorologie, température. ■ Degré, graduation barométrique, millibar. — **Description.** Aiguille mobile/munie d'une plume; boîte métallique, cadran; chambre barométrique; colonne mercurielle; cuve ou cuvette; cylindre tournant ou tambour vertical; flotteur; mercure; papier gradué/quadrillé; siphon; tube recourbé/vertical. ■ Baisser, baisse; courbe; dépression, se déprimer; descendre; hausse, monter. ■ Être au beau/au beau fixe/au variable/à la pluie ou au vent/à la tempête. ▪ Corrections barométriques de niveau : cathétomètre ; de capillarité ; de température ou réduction en °C ; correction additive ou soustractive. — **Différents baromètres.** Baromètre anéroïde ou métallique/de Vidie et Bourdon/à cadran/à cuvette/enregistreur/enregistreur des altitudes ; altimètre enregistreur, barographe ; baromètre normal de Regnault ; baromètre de Fortin/de Torricelli.

BAROMÉTRIE, BAROMÉTRIQUE → *baromètre.*

BARON, BARONNIE → *féodalité, mouton, noblesse.*

BAROQUE → *art, architecture, étonner, irrégulier, style.*

BAROUD → *guerre.*

BAROUF → *bruit.*

BARQUE → *bateau.*

BARQUETTE → *bateau, pâtisserie.*

BARRAGE → *artillerie, eau, fermer, hydraulique.*

BARRE → *bateau, gymnastique, mer, tribunal.* — **Pièce étroite, longue et rigide.** Ancre de construction, arbre, arc-boutant, axe, bâcle, baguette, barre de bois/de fer/de métal précieux, barre d'appui, barreau, barrette, barrot, bâton, bau, chaîne, chaîner, chaînage, croisée, croisillon, échelon, épar, fléau de balance, manche d'outil, meneau, montant, perche, piquet, poutre, poutrelle, rouleau, souchon, tige, traverse, tringle. ▪ Chien, cottière, davier, fourgon, levier, pince, râble, ringard, tisonnier. — **Emplois spéciaux.** Automobile : barre, bielle d'accouplement, direction. ▪ Danse : exercices à la barre/d'assouplissement. ▪ Gymnastique : barre fixe, barres parallèles. ▪ Marine : barre d'anspect/du cabestan/du gouvernail/de plongée, être à la barre, barrer, diriger, gouverner, donner un coup de barre, changer d'orientation, barreur, pilote, timonier. ▪ Barre fluviale : rocheuse, sableuse, banc, crête, mascaret. — **Barrer le passage.** Bâcler ; barrer, barrage, barrière ; faire barrage/obstacle/obstruction à ; barricader ; boucher ; clore, clôture ; couper le chemin ; fermer, fermeture ; obstruer, obstruction. ▪ Barricade, champ de mines, cordon de police, cordon sanitaire, digue, échalier, écran, estacade, garde-fou, grillage, grille, haie, limite, obstacle, palissade, tir de barrage, treillage, treillis. — **Barre d'écriture.** Barre de soustraction, barre du t, bâton, ligne, rature, trait. ▪ Tirer une barre : annuler, annulation, barrer, biffer, effacer, gommer, raturer, rayer, supprimer, suppression.

BARREAU → *barre.*

BARREAU → *justice.*

BARRER → *annuler, barre, écrire, fermer, ligne.*

BARRETTE → *barre, chapeau.*

BARREUR → *barre, bateau.*

BARRICADE, BARRICADER → *barrer, fermer, révolte.*

BARRIÈRE → *barre, fermer, obstacle.*

BARRIQUE → *tonneau.*

BARRIR → *cri.*

BARYE → *mesure.*

BARYMÉTRIE → *baromètre, peser.*

BARYTON → *chant, mot.*

BARYUM → *métal.*

BAS → *abattre, avilir, inférieur, son.* — **Qui est en bas.** En aval ; le bas, au bas, en bas ; en contrebas ; couché, creux, gisant, inférieur, petit, profond, au ras du sol, à ras de terre, en rase-mottes. ▪ Bas bout, bas-côté, bas-fond, bas mât, bas-relief, basse-cour, basse-fosse, basse lisse, basses eaux, basse mer, marée basse ; bas quartiers, basse terre, basse ville. ▪ Base, cale, cave, cul-de-basse-fosse, cul de bouteille, cul-de-lampe, culot, dépôt, entresol, étiage, fond, hypogastre ou bas-ventre, hypogée, lie, nadir, pied, plaine, précipité, résidu, reste, rez-de-chaussée, sédiment, soubassement, sous-sol, souterrain, talon, val, vallée, vallon. — **Abaisser, mettre en bas.** Abaisser ; abattre, abattage ; abattis ; accabler ; affaiblir ; affaisser ; affouiller ; aplatir ; baisser, baisse ; caler un mât, calage ; comprimer, compression ; coucher, couchage ; courber ; démolir, démolition ; déposer, dépôt ; descendre, descente ; détruire ; diminuer ; écraser ; enfoncer ; enfouir ; engloutir ; enterrer ; immerger, immersion ; incliner, inclinaison ; pencher ; ployer, ploiement ; précipiter ; presser, pression ; rabaisser, rabaissement, rabais ; rabattre ; ravaler ; renfoncer ; renverser ; sombrer ; submerger ; surbaisser ; tasser ; terrasser, terrassement ; verser, versement. ▪ Ascenseur, descenseur ; chute ; crémaillère ; décrue ; reflux. — **S'abaisser, baisser.** S'accroupir ; s'affaiblir, s'affaisser ; s'affaler ; s'agenouiller ; baisser ; céder ; se coucher, couler ; se courber ; déchaler ; décliner, déclin ; déclivité, déclive ; décroître, décroissance ; dégringoler, dégringolade ; descendre ; diminuer ; dévaler ; s'écrouler ; faiblir ; fléchir ; fléchissement, flexion ; incliner, inclinaison, oblique ; se pencher ; plonger, plongée, plongeon ; se prosterner ; refluer, reflux ; sombrer ; se tasser ; tomber ; se traîner ; ramper. — **Notes et sons bas.** Accord, note, son, ton bas/caverneux / grave / sourd ; voix de basse : basse chantante, basse-contre, basse profonde, basse-taille ; chuchoter, chuchotis, chuchoterie (fam.), chuchotement; murmurer, murmure; rabaisser/rabattre le caquet/le ton; faire un aparté, dire des messes basses; marmonner; parler bas/tout bas; soliloquer, soliloque; susurrer. — **Valeurs basses.** Monnaie de bas aloi, bas prix, évaluer au bas mot, bon marché, inférieur, infime, modéré, modique, vil prix; degré/ordre/rang inférieur, subalterne : basses cartes; bas clergé; basse extraction; bas morceaux. ▪ Ame basse, basses pensées, sentiment bas : avilissement, bassesse, grossièreté, lâcheté, laideur, médiocrité, mesquinerie, petitesse, platitude, servilité, trivialité, vulgarité. ▪ Abject, avili, crapuleux, dégradant, honteux, ignoble, impur, indigne, infâme, innommable, lâche, médiocre, méprisable, mesquin, plat, prosaïque, rampant, servile, terre-à-terre, trivial, vulgaire.

BAS → *jambe, vêtement.*

BASALTE, BASALTIQUE → *pierre.*

BASANE → *cuir, mouton.*

BASANÉ, BASANER → *noir, peau, soleil.*

BAS-BLEU → *femme, science.*

BAS-CÔTÉ → *église, route.*

BASCULE, BASCULER → *balance, peser, tomber.*

BASE → *bas, chimie, commencer, géométrie, fonder, groupe.*

BASE-BALL → *balle.*

BASER → *fonder, partir, raisonnement.*

BAS-FOND → *avilir, bas, mer.*

BASICITÉ → *base, chimie.*

BASIDIOMYCÈTES → *champignon.*

BASILIC → *imaginer, reptiles.*

BASILIC → *aliment, plante.*

BASILIQUE → *architecture, église.*

BASIN → *tissu.*

BASIQUE → *chimie.*

BASKET-BALL, BASKETTEUR → *balle.*

BASOCHE → *justice.*

BASQUE → *vêtement.*

BAS-RELIEF → *sculpture.*

BASSE → *bas, chanter.*

BASSE-CONTRE → *bas.*

BASSE-COUR, BASSE-COURIER → *ferme.*

BASSE-FOSSE → *bas, prison.*

BASSESSE → *avilir, bas.*

BASSET → *chien.*

BASSE-TAILLE, BASSE CHANTANTE → *bas chanter, son.*

BASSIN, BASSINE → *eau, port, récipient, ventre.*

BASSINER, BASSINOIRE → *chaleur, lit.*

BASSON → *instrument.*

BASTIDE → *fortification, maison.*

BASTILLE → *fortification, prison.*

BASTIN → *corde.*

BASTINGAGE → *navire.*

BASTION → *défendre, fortification.*

BASTONNADE → *bâton.*

BASTRINGUE → *danse, musique.*

BAS-VENTRE → *bas, ventre.*

BÂT → *âne, harnais.*

BATAILLE → *guerre, opposé.*

BATAILLER → *discussion.*

BATAILLEUR → *attaque, violence.*

BATAILLON → *armée.*

BÂTARD → *chien, enfant, mêler, obscur.*

BÂTARD → *pain.*

BÂTARDE → *écrire.*

BATARDEAU → *hydraulique, sec.*

BÂTARDISE → *chien, mêler.*

BATAVIA → *légume.*

BATEAU → *eau, marine, navire, sport, voilure.* — **Différents bateaux.** Bateau de commerce/marchand/de transport de marchandises; bateau côtier; bateau de course/de pêche ou pêcheur/de plaisance/de rivière ou fluvial/de sauvetage/de sport. ▪ Bateau à aubes/à hélice/à moteur/à rames/à roues/à vapeur/à voiles; bateau étanche / insubmersible / ponté / plat / à deux / à trois mâts. ▪ Allège, aviso, bac, bachot, balancelle, baleinière, bananier, barcasse, barge, barque, batelet, batyscaphe, bélandre, bette, boutre, brise-glace, caboteur, câblier, caïque, canadienne, caneton, canoë, canot, canot automobile/à vapeur, cargo, catamaran, chaland, chaloupe, chalutier, charbonnier, coche d'eau, crevettier, doris, embarcation, esquif, felouque, ferry-boat, finn, fruitier, gabare, galère, galiote, glisseur, gondole, harenguier, hors-bord, hourque, hydroglisseur, jonque, langoustier, lège, méthanier, morutier, motoscaphe, nacelle, nef, outrigger, paquebot, péniche, périssoire, pétrolier, pinasse, pinque, pirogue, ponton, prao, pyroscaphe, radeau, rafiot (fam.), remorqueur, runabout, sampang, sardinier, schooner, skiff, steamer, tanker, tartane, thonier, torpilleur, toueur, traille, vapeur, vedette, voilier, yacht, yole, youyou. ▪ Bateau baliseur, bateau-citerne, bateau dragueur ou drague, bateau-feu, bateau-mouche, bateau-phare, bateau-pilote, bateau-pompe, bateau transbordeur, marie-salope. ▪ Arche de Noé. — **Description du bateau.** Arrière, avant, barre, bastingage, bord, bordage, cabine, carène, château, coque, couples, courbes, éperon, étambot, étrave, gabarit, gaillard, gouvernail, ligne de flottaison, poupe, proue, quille, râblure, solives, tillac, varangue. ■ Amarre, ancre, arbre, aussière, aviron, chaudière, cordage, cordelle, croc, dame, écope, écoute, gaffe, godille, grappin, harpon, hélice, mât, moteur, motogodille, pagaie, perche, rame, tolet ou tollet, vergue, voile, voilure. — **Manœuvres.** Aborder, abordage ; amarrer, amarrage ; ancrer, ancrage, jeter l'ancre ; batelée, bateler, batelage, batellerie ; caréner, carénage ; charger, chargement ; chavirer, chavirement ou chavirage ; débarder, débardement ; débarquer, débarquement, débarcadère ; décharger ; délester, délestage ; démarrer, démarrage ; échouer, échouage ou échouement ; embarquer, embarquement, embarcadère ; s'engraver ; éviter ; gabarer ; garer, gare ; godiller ; gouverner, gouvernail ; haler, halage ; lester, lest ; mettre à la voile ; mouiller, mouillage ; nager ; naufrager, naufrage ; naviguer, navigation ; pagayer ; piloter, pilotage ; ramer ; remonter le courant ; remorquer, remorquage, prendre en remorque ; sombrer ; stopper ; touer, touage ; transborder, transbordement ; transport, transporter. ■ Chaîne, flottille, train ou trait de bateaux ; remous, sillage, tirage, tirant d'eau, traversée. ■ Chemin de halage ; écluse ; grue ; mât de charge ; pont mobile ; port ; quai ; tonnage. — **Équipage et gens de bateau.** Arrimeur, barreur, batelier, canotier, capitaine au long cours, charpentier, chiourme, débardeur, déchargeur, docker, équipage, équipe, équipier, gabarier, gabier, galérien, godilleur, gondolier, haleur, lamaneur, loup de mer, marin, marinier, matelot, mathurin, mousse, nautonier, nocher, novice, passager, passeur, patachon, patron, pilote, plaisancier, rameur, sauveteur, voilier, yachtman.

BATÉE → *or.*

BATELÉE → *bateau.*

BATELEUR → *commerce, spectacle.*

BATELIER, BATELLERIE → *bateau, transport.*

BATER → *harnais.*

BAT-FLANC → *ferme, part.*

BATHYSCAPHE → *mer.*

BÂTI → *charpente, couture.*

BATIFOLER → *enfant, futile.*

BATIK → *tissu.*

BATILLAGE → *bateau.*

BÂTIMENT → *architecture, construction, maison, navire.*

BÂTIR → *construction, couture, fonder.*

BÂTISSE → *édifice, maçonnerie, maison.*

BÂTISSEUR → *construction, fonder.*

BATISTE → *tissu.*

BÂTON → *bois, écrire, symbole.* — **Bâton d'appui, de support.** Alpenstock, bambou, bâton de chaise, béquilles, bourdon, canne, canne blanche, échalas, échasses, flèche de lit, hampe, houlette, manche d'outil, manche à balai, perche, pieu, pilotis, piolet, piquet, potence, quenouille, stick, tringle, tuteur. — **Arme de choc.** Aiguillon, assommoir, baguette, boomerang, cravache, épieu, férule, fouet, gaule, gourdin, houssine, lance, masse, massue, matraque, nerf de bœuf, pieu, sagaie, trique, verge. ■ Assener un coup de bâton/de fouet/de trique ; bâtonner, bastonnade, volée de coups de bâton ; battre ; cravacher ; fouetter ; frapper ; gauler les noix ; houssiner ; matraquer ; donner les verges, passer par les verges. — **Symboles divers.** Badine de cavalier ; baguette de chef d'orchestre/de fée/de magicien ; bâton de maréchal ; bâton de saint Nicolas ; bâtonnier, bâtonnat ; caducée de Mercure ; canne de suisse/de tambour-major ; crosse d'évêque, bâton pastoral ; faisceau de licteur ; houlette ; marotte de bouffon ; sceptre royal ; thyrse de Dionysos. — **Corps et objets en forme de bâton.** Appui-main, archet, bacille, bactérie, bactéridie, balancier de funambule, barre, barreau, barrette, batte, battoir, billot, bûche, canne à pêche, cheville, chromosome, débouchoir, fléau de battage, garrot, infusoire, jalon, jauge, jonc, jonchets, latte de parquet, moulinet, mouvette, palette, palis, planche, queue de billard, rabouilloir, rame à petits pois, règle graduée, rondelet de bourrelier, rondin, rouleau à pâtisserie, scion, spatule, stick, tribart, tringle. ■ Bâton de cire/de craie/de réglisse/de rouge à lèvres/de sucre d'orge.

BÂTONNAT → *justice.*

BÂTONNER → *bâton, frapper.*

BÂTONNIER → *justice.*

BATRACIENS → *animal.* — **La classe.** Alyte, amblystome, amphiume, bombinateur, cécilie, cératophrys, crapaud, grenouille, pipa, protée, rainette, rhacophore, salamandre, sirène, triton, uroplate. — **Les caractéristiques.** Amphibiens, amphibie ; anoures, apodes, urodèles ; ovipares ; vertébrés. ■ Frai, larve, métamorphose, têtard ; peau humide/molle/nue/visqueuse. — **Le crapaud.** Anoure ; crapaude, crapelet, crapaudière ; crapaud commun ; crapaud accoucheur, agua ; insectivore. ■ Bave, coasser, coassement, glandes parotides ; pustules verruqueuses, verrues ; venin. — **La grenouille.** Graisset, raine, rainette ; grenouille jaune/rousse/verte ; grenouillère.

BATTAGE → *céréales, or, pâtisserie.*

BATTANT → *cloche, fenêtre, porte.*
BATTE → *balle, bâton.*
BATTELLEMENT → *couvrir.*
BATTEMENT → *applaudir, intervalle.*
BATTERIE → *artillerie, automobile, cuisine, instrument.*
BATTEUR → *céréales, jazz, or.*
BATTEUSE → *céréales, métal.*
BATTITURES → *fer.*
BATTOIR → *balle, nettoyer.*
BATTRE → *balancer, carte, fer, frapper, guerre, supérieur.*
BATTU → *commun, fatigue.*
BATTUE → *chasse.*
BAU → *barre, navire.*
BAUDET → *âne.*
BAUDRIER → *arme, bande, ceinture.*
BAUDROIE → *poisson.*
BAUDRUCHE → *balle, gonfler.*
BAUGE → *habiter, maçonnerie, porc, sale.*
BAUME → *calmer, médicament.*
BAUXITE → *aluminium.*
BAVARD, BAVARDAGE, BAVARDER → *futile, parler, secret.*
BAVE, BAVER → *liquide, parler.*
BAVETTE → *enfant, parler, vêtement, viande.*
BAVEUX → *écriture, œuf.*
BAVOCHER → *typographie.*
BAVOIR → *enfant.*
BAVOLET → *chapeau.*
BAVURE → *sale, typographie.*
BAYADÈRE → *danse, tissu.*
BAYER → *paresse.*
BAZAR → *commerce, désaccord, marchandises.*
BAZARDER → *enlever.*
BAZOOKA → *artillerie.*
B.C.G. → *microbe, poitrine.*
BEAGLE → *chien.*
BÉANT → *ouvrir.*
BÉAT → *bonheur, calmer.*
BÉATIFICATION, BÉATIFIER → *saint.*
BÉATITUDE → *bonheur, calmer.*
BEAU → *art, forme, goût.* — **Le beau, la beauté.** Beau absolu/idéal ; beauté céleste / divine / parfaite ; beauté formelle / morale / physique / plastique ; culte, sens du beau, sentiment de la beauté, émotion esthétique ; goût esthétique : art, artiste, esthétisme, esthète ; poésie, poète ; normes d'équilibre/de perfection/de plastique/de proportions harmoniques. ■ Agrément, charme, délicatesse, distinction, éclat, élégance, faste, finesse, force, fraîcheur, grâce, grandeur, harmonie, joliesse, magnificence, majesté, noblesse, pureté, richesse, séduction, somptuosité, splendeur, sublimité, vénusté. ■ Bath (fam.), chic (fam.), chouette (fam.), formidable (fam.), sensass (fam.), terrible (fam.). — **Beauté humaine.** Être beau/bien balancé (fam.)/bien bâti/bien conformé/bien découplé/bien fait/fait à ravir/bien foutu (pop.)/bien proportionné/bien roulé (pop.)/bien tourné ; avoir le corps bien moulé/harmonieux/sculptural/la taille bien prise. ■ Enfant adorable, bellot, mignon ; beau comme un ange/un archange/un dieu/le jour ; un bellâtre, un vieux beau ; Adonis, Apollon, Cupidon, Narcisse. ■ Beau brin de fille, beauté accomplie/angélique / animée / artificielle / classique / éblouissante / éclatante / empruntée / enchanteresse / factice / fade / florissante / incomparable / mièvre / naturelle / piquante / rare / ravissante / sévère/sophistiquée ; belle comme un ange/un cœur/une déesse/une reine ; être dans tout l'éclat de sa beauté, la beauté du diable, les appas/les beautés/les charmes d'une femme ; Aphrodite, Vénus de Milo, Vénus Callipyge. ■ Concours, prix de beauté : miss, pin-up, reine ; chirurgie esthétique, esthéticien, esthéticienne, institut de beauté. ■ Crème/produit de beauté : cosmétique, fard, maquillage ; être/mettre en beauté, se faire/se refaire une beauté, se farder, se maquiller, se parer, se pomponner. — **Beauté de la nature et des choses.** Beautés artistiques, chefs-d'œuvre, trésors ; spectacle, objet admirable/artistement fait/artistique / charmant / bien composé / coquet / délicieux / divin / éblouissant/éclatant / élégant / enchanteur / exquis / fastueux / féerique / glorieux / gracieux / grandiose / harmonieux / imposant / incomparable / joli / magique / magistral / magnifique / majestueux / merveilleux / mirifique / mirobolant/monumental/sans pareil/parfait / piquant / pittoresque / plaisant / radieux / ravissant / riant / riche / sculptural / séduisant / somptueux / splendide / stupéfiant / sublime / superbe/supérieur/d'une belle venue. ■ Améliorer, amélioration ; embellir, embellissement ; enjoliver, enjolivement, enjolivure ; farder, fard ; maquiller, maquillage ; orner, ornement ; poétiser. — **Beauté intellectuelle et morale.** Bel esprit, beau génie, belle intelligence : adroit, adresse ; astucieux, astuce ; brillant ; charmeur, charme ; cultivé, culture ; délicat, délicatesse ; distingué, distinction ; élégant, élégance ; élevé, élévation ; fin, finesse ; haut, hauteur ; honnête, honnêteté intellectuelle ; intelligent, intelligence ; probe, probité ; profond, profondeur ; raffiné, raffinement ; subtil, subtilité. ■ Avoir du goût, être es-

thète, esthétisme. ■ Caractère naturel/ admirable / digne / élevé / estimable / généreux / grand / honorable / juste / magnanime / magnifique / pur / sain / sublime/vertueux : une belle action, une belle mort, une belle vie.

BELLE → *carte, fuir, jouer.*

BEAUCOUP → *abondance, amasser, nombre.* — **Grand nombre.** Beaucoup de, bien des, force, maint, moult, multiple, bon nombre de, de nombreux, pas mal de, plein (fam.), plusieurs, quantité de ; des dizaines, des douzaines, des centaines, des milliers, des millions, des mille et des cents. ■ Abondance, armée, avalanche, bande, bataillon, cargaison, essaim, flotte, flopée, foule, infinité, légion, masse, multitude, nuée, profusion, tas, troupe, troupeau. ■ Additionner, addition ; affluer, afflux, affluence ; centupler, au centuple ; doubler, double ; encombrer, encombrement ; foisonner, foisonnement, à foison ; fourmiller, fourmillement ; envahir, invasion ; grouiller, grouillement ; se multiplier, multiple, multiplicité, multiplication ; pluralisme, pluralité ; pulluler, pullulement ; quadrupler, au quadruple ; quintupler, au quintuple ; tripler, triple, triplement. ■ Archimillionnaire, archi-, multiflore, multiforme, multimillionnaire, multipare ; polychrome, polyvalent, polycopie, polycopier, polyèdre, polyglotte, polynôme. — **Grande quantité.** Abondance, amas, bordée, débordement, déluge, excès, flot, flux, forêt, fournée, grêle, masse, mer, moisson, plénitude, pléthore, pléthorique, pluie, richesse, surabondance, surcharge, torrent. ■ Être archicomble/archiplein/plein de/ pourri de/rempli de/saturé de/surchargé. ■ Abondamment, amplement, copieusement, à discrétion, à forte dose, à foison, à gogo (fam.), largement, libéralement, à la pelle, à plaisir, plantureusement, à pleines mains, à poignée, à profusion, à satiété, à souhait, à tire-larigot (fam.), en veux-tu en voilà (fam.), à volonté ; *ad libitum ;* tout son soûl. ■ Abonder en, amasser, bourrer de, combler de, entasser, farcir de, inonder de, joncher de, peupler, rassasier de, remplir de, repaître de, saturer de, suralimenter ; truffer de. ■ Arsenal, mine, provision, réserve, réservoir de ; supermarché, superproduction, suralimentation. — **Grande fréquence.** Sans arrêt, bien des fois, sans cesse, communément, constamment, continuellement, couramment, fréquemment, habituellement, à maintes reprises, ordinairement, perpétuellement, souvent, toujours, usuellement. ■ Accumulation, chaîne, chapelet, enchaînement, enfilade, énumération, file, kyrielle, litanie, procession, ribambelle, séquelle, série, succession, suite. ■ Accumuler, enchaîner, harceler, obséder, persécuter, radoter, réitérer, répéter, taquiner, tarabuster (fam.). — **Grande intensité.** Bien, bigrement, bougrement (pop.), considérablement, diablement, énormément, étonnamment, extraordinairement, extrêmement, fabuleusement, fichtrement (fam.), fortement, grandement, infiniment, intensément, joliment, longtemps, monstrueusement, notablement, passablement, passionnément, prodigieusement, profondément, puissamment, singulièrement, terriblement, véhémentement, vivement. ■ Apogée, comble, excellence, paroxysme, sublime ; archibête, archifou, etc. ; extra-dur, extra-fin, extrafort, extralucide, extraordinaire, extra- ; superfin, superfinition ; surchauffé, surcomprimé, surchoix, surfin.

BEAU-FILS, BEAU-FRÈRE → *famille, mariage.*

BEAUJOLAIS → *vin.*

BEAU-PÈRE → *famille, mariage.*

BEAUPRÉ → *voilure.*

BEAUX-ARTS → *art.*

BEAUX-PARENTS → *famille, mariage.*

BÉBÉ → *enfant.*

BE-BOP → *danse, jazz.*

BEC → *faim, oiseau, parler, pont.* — **Le bec.** Barbe, barbillon, bords tranchants, caroncule, casque, cire, étui corné, lamelles, mandibules, narines, opercules, poche, pointe, spatule. ■ Bec aplati/arqué/comprimé/conique/ corné / coudé / court / crochu / denticulé / droit / élargi / énorme / faible / grêle / large / long / osseux / ouvert / pointu/recourbé/renflé/robuste. ■ Aiguiser/essuyer son bec ; happer la becquée ; becqueter, frapper, mordiller, pincer. — **Classification des oiseaux selon le bec.** Brévirostre, bec court ; conirostre, en forme de cône ; crénirostre, crénelé ; cultrirostre, en couteau ; cunéirostre, en coin ; dentirostre, échancré ; fissirostre, fendu ; lamellirostre, à lamelles ; latirostre, large ; lévirostre, léger ; longirostre, long ; oncirostre, crochu ; plénirostre, plein ; pressirostre, comprimé ; serrirostre, en scie ; subulirostre, en alène ; ténuirostre, fin ; térétirostre, presque cylindrique. ■ Bec-d'argent, bec-courbé, bec-croisé, bec-de-cire, bec-de-corail, bec-de-hache, bec-en-ciseaux, bec-en-croix, bec-en-cuiller, bec-en-fourreau, bec-en-scie, bec-figue, bec-fin. — **En forme de bec.** Bec à gaz, bec de gaz ; bec de grue hydraulique ; bec d'instrument de musique ; bec de plume ; bec de selle ; bec verseur. ■ Anatomie : bec-de-lièvre ; bec de perroquet ou ostéophyte; coquillage bec-de-jar ou clanque ou mye ou quatre-moines; nez: aquilin, en bec d'aigle/de-corbin/de perroquet; outils : bec-d'âne ou bédane, bec-de-cane, bec-de-corbeau, bec-de-corbin, bec-de-faucon, bec-de-perroquet. — **Expressions diverses.** Béjaune, blanc-bec; être fin bec, bec fin; claquer du bec; avoir le bec salé; être bon bec, fort en bec, avoir le bec bien affilé; donner un coup de bec; clore/clouer/fermer le bec à; tenir le bec dans l'eau; se prendre de bec, prise de bec; tomber sur un bec.

BÉCANE → *bicyclette.*

BÉCARD → *bec, poisson.*

BÉCARRE → *musique.*

BÉCASSE, BÉCASSEAU, BÉCASSINE → *chasse, oiseau.*

BEC-CROISÉ → *bec.*

BEC-DE-CANE → *porte, serrure.*

BEC-DE-LIÈVRE, BECFIGUE → *bec, bouche.*

BEC-FIN → *bec, oiseau.*

BÉCHAMEL → *aliment.*

BÊCHE, BÊCHER → *culture, jardin, terre.*

BÊCHEUR → *critique, orgueil.*

BÊCHOIR → *culture.*

BÉCOT, BÉCOTER → *bouche, caresse.*

BECQUÉE → *bec, oiseau.*

BECQUET → *typographie.*

BECQUETAGE, BECQUETER → *bec, manger.*

BEDAINE → *ventre.*

BÉDANE → *bec, menuiserie.*

BEDEAU → *église.*

BEDON, BEDONNER → *gras, ventre.*

BÉDOUIN → *Afrique.*

BÉE → *étonner, frapper, peur.*

BÉER → *ouvrir.*

BEFFROI → *cloche, édifice.*

BÉGAIEMENT, BÉGAYER → *gêner, parler.*

BÉGONIA → *fleur.*

BÉGU → *cheval.*

BÈGUE → *parler.*

BÉGUÈTEMENT, BÉGUETER → *chèvre, cri.*

BÉGUEULE, BÉGUEULERIE → *affectation, morale.*

BÉGUIN → *aimer, chapeau.*

BEHAVIORISME → *psychologie.*

BEIGE → *couleur, laine.*

BEIGNE → *frapper.*

BEIGNET → *cuisine, pâtisserie.*

BÉJAUNE → *bec, oiseau, sot.*

BEL → *son.*

BÊLEMENT, BÊLER → *cri, mouton.*

BELETTE → *mammifères.*

BELGE, BELGIQUE → *Europe.*

BÉLIER → *arme, astrologie, frapper, hydraulique, mouton.*

BÉLIÈRE → *anneau, bande, cloche.*

BÉLINOGRAMME, BÉLINOGRAPHE → *image, photographie, télécommunications.*

BELLADONE → *plante.*

BELLÂTRE → *beau.*

BELLE-DE-JOUR, BELLE-DE-NUIT → *fleur.*

BELLE-FILLE, BELLE-MÈRE → *famille, mariage.*

BELLES-LETTRES → *littérature.*

BELLICISME, BELLICISTE → *guerre, politique.*

BELLIGÉRANCE, BELLIGÉRANT → *guerre.*

BELLIQUEUX → *attitude, guerre, violence.*

BELLOT → *aimer, beau.*

BELLUAIRE → *animal, spectacle.*

BELON → *mollusques.*

BELOTE → *carte.*

BELUGA, BELOUGA → *baleine.*

BELVÉDÈRE → *haut, regarder.*

BÉMOL → *musique.*

BÉNARDE → *serrure.*

BÉNÉDICTIN → *monastère.*

BÉNÉDICTION → *liturgie, religion, sacrement.*

BÉNÉFICE → *avantage, commerce, revenu.*

BÉNÉFICIAIRE, BÉNÉFICIER → *avantage, droit, revenu.*

BÉNÉFIQUE → *astrologie, avantage, réussir.*

BENÊT → *sot.*

BÉNÉVOLE → *bon, volonté.*

BENGALE → *feu.*

BENGALI → *oiseau.*

BÉNIGNITÉ, BÉNIN → *doux, faible.*

BÉNIR → *culte, éloge, liturgie, sacrement.*

BÉNITIER → *église, récipient.*

BENJAMIN → *jeune.*

BENJOIN → *parfum, pin.*

BENNE → *mine, transport.*

BENTONITE → *argile.*

BENZÈNE, BENZINE → *houille.*

BÉOTIEN → *grossier, ignorer.*

BÉQUILLE, BÉQUILLER → *bâton, marcher, supporter.*

BERBÈRE → *Afrique.*

BERCAIL → *famille, mouton.*

BERCEAU → *arc, enfant, lit.*

BERCELONNETTE → *enfant, lit.*

BERCER, BERCEUR → *balance, calmer, dormir, enfant.*

BERCEUSE → *chant, dormir.*

BÉRET → *chapeau.*

BERGAMASQUE → *danse.*

BERGAMOTE → *agrumes.*

BERGE → *bord, rivière.*

BERGER → *chien, garder, mouton.* — **Celui qui garde les moutons.** Berger, bergère; cape, échasses du berger landais, houlette, limousine, panetière, pèlerine. ■ Chien de berger : briard, beauceron ou bas-rouge, berger des Pyrénées ou labrit, berger allemand / anglais / belge / écossais; bouvier des Flandres/des Pyrénées; groendael, malinois. ■ Chant, ranz des vaches; instruments de musique : chalumeau, cor des Alpes, corne, cornemuse, flageolet, flûte, musette, pipeau. — **Lieu d'abri des moutons.** Abri, bercail, bergerie, étable, jas, parc. ■ Auge, case, crèche, doublier, ratelier. ■ Bergerie d'élevage/d'engraissement; bergerie nationale de Rambouillet, Ecole nationale d'élevage ovin. — **Celui qui garde les bestiaux.** Anier; bouvier; chevrier; cow-boy; gardeur de moutons/d'oies/de porcs/de vaches; gardien; gaucho; gardian de Camargue; muletier; pasteur, pastoureau, pâtre; porcher; toucheur de bœufs; vacher, vaquero. ■ Garder le bétail/le troupeau; faire/mener paître, mener aux champs, mettre au vert; parquer, parc; pacage; transhumer, transhumance. — **Œuvres pastorales.** Poésie bucolique/idyllique/pastorale : bucoliques, églogues, idylles, pastorales; bergeries de Racan, bergers d'Arcadie; « L'Astrée », Céladon; bucoliques latines, le berger de Mantoue, Virgile : Amaryllis, Chloé, Galatée, Tircis, Tityre; bucoliques grecques, le berger de Syracuse, Théocrite.

BERGÈRE → *meuble.*

BERGERIE → *berger, mouton.*

BERGERONNETTE → *oiseau.*

BERGSONISME → *philosophie.*

BÉRIBÉRI → *maladie.*

BERLINE → *automobile, mine, voiture.*

BERLINGOT → *confiserie, paquet.*

BERLUE → *imaginer, tromper.*

BERME → *trou.*

BERNARDIN → *monastère.*

BERNARD-L'ERMITE → *crustacés.*

BERNE → *enterrement.*

BERNER → *moquer, tromper.*

BERTILLONNAGE → *personne.*

BÉRYL → *joaillerie.*

BESACE → *maçonnerie, sac.*

BESANT → *blason, monnaie.*

BESET, BESAS → *jouer.*

BESICLES → *optique.*

BÉSIGUE → *carte.*

BESOGNE, BESOGNER → *agir, travail.*

BESOGNEUX → *pauvre, travail.*

BESOIN → *désir, faim, manquer, utile.*

BESSEMER → *acier.*

BESSON → *deux, enfant.*

BESTIAIRE → *animal, combat, spectacle.*

BESTIAL, BESTIALITÉ → *animal, grossier, sexe.*

BESTIAUX → *animal, bétail.*

BESTIOLE → *animal, petit.*

BEST-SELLER → *livre.*

BÊTA → *sot.*

BÉTAIL → *animal, berger, élevage, ferme.* — **Le bétail.** Animaux domestiques; bestiaux; bêtes; gros bétail : ânes, bœufs ou bovins, chevaux, mulets; menu ou petit bétail : chèvres ou caprins, moutons ou ovins, porcs ou porcins; cheptel vif ou vivant, bétail sur pied; troupeau, têtes de bétail. ■ Bêtes à cornes/à laine/à poil; bêtes d'embouche/de labour/de somme/de trait; bête attelée/épaulée/de prix/de race, pedigree. ■ Agneau, bélier, brebis, mouton, race ovine; âne, ânesse, baudet, espèce asine; bœuf, bouvillon, génisse, taureau, taurillon, vache, veau, race bovine; bouc, chèvre, chevreau, race caprine; cheval, jument, poulain, race chevaline; porc, porcelet, pourceau, truie, verrat, race porcine. — **Reproduction.** Étalon reproducteur, jument poulinière : accouplement, croisement, être en rut; saillir, saillie, sélection. ■ Être pleine; mettre bas, mise bas, gésine : agneler, agnelage; biqueter; cochonner, cochonnée; pouliner, poulinage; vêler, vêlage. ■ Castrer, castration. — **Alimentation.** Affenage; affouragement, affourager; élevage, élever, éleveur; embouche; engraisser, engraissement; nourrissage, nourrisseur. ■ Barbotage, buvée, foin, fourrage, herbage, herbager, herbagement, paille, pâtée, pâturage, pouture, prairie, pré, provende, tourteau. ■ Abreuvoir, auge, crèche, râtelier; s'abreuver, brouter, paître. — **Logement et vie.** Bergerie, bouverie, étable, écurie, gagnage ou gagnerie, nourricerie, pacage, parc, pâtis, pâturage, porcherie, soue, vacherie. ■ Divagation, divaguer; hivernage, hiverner; remue; stabulation, séjourner en étable; transhumer, transhumance, alpage. ■ Attelage, chaîne, corde, entrave, joug, piquet; clarine, cloche, clochette, sonnaille; maladies : épidémie, épizootie, vétérinaire; marché, foire aux bestiaux. — **Abattage des bestiaux.** Abattoir, abattre, assommer, maillet, masque, merlin, pistolet;

écorcher, écorchage; habiller, habillage. ▪ Découper, découpage; dépecer, dépeçage; dépouiller, dépouillement; équarrir, équarrissage, équarrisseur. ▪ Abats, boyaux, déchets, issues, triperie, tripaille; corne, graisse, peau; vente à la cheville, boucher chevillard; boucher; tripe, tripier.

BÊTE → *animal, bétail, sot.*

BÉTEL → *dent.*

BÊTIFIER, BÊTISE → *sot.*

BÊTISE → *confiserie.*

BÊTISIER → *sot.*

BÉTON → *maçonnerie.*

BÉTONNAGE, BÉTONNER, BÉTONNIÈRE → *maçonnerie.*

BETTE, BETTERAVE → *légume.*

BETTING → *course.*

BEUGLANTE → *chant.*

BEUGLEMENT, BEUGLER → *cri.*

BEURRE → *bœuf, gras, lait.* — **Les beurres.** Beurre naturel : acide butyrique, butyrine, matière butyreuse, corps gras; beurre en conserve/fondu/pasteurisé / sans sel / demi-sel / salé; beurre frais/fort/rance; rancir, rancissement, levure pathogène, muguet; beurre de Bretagne/des Charentes/de Normandie ou d'Isigny. ▪ Succédanés : beurre artificiel/végétal, margarine; beurre de coco, végétaline; beurre de cacao/de karité/de muscade/de palme; arbre à beurre : bassia, butyrosperme, caryocar, garcinia, irvingia. — **Fabrication.** Beurrerie, industrie/vache beurrière; crémerie, crème; laiterie, lait ; écrémer, écrémage, écrémeuse centrifuge; baratter, barattage, baratte, batte à beurre, battre le beurre, pilon, ribot; délaiter, délaitage ou délaitement, délaiteuse, babeurre, petit-lait; malaxer, malaxage, malaxation, malaxeur; mouler, moulage, moule; motte, pain de beurre ou beurret; appareils de mesure, butyromètre. — **Usage.** Pot à beurre, beurrier; beurrer, embeurrer; pain beurré, beurrée, rôtie au beurre, tartine ou toast beurré. ▪ Cuisine au beurre : frire, friture; faire blondir, revenir au beurre; rissoler, rissole; sauce au beurre blanc/blond/noir/roux; crème au beurre; pâte feuilletée, petit-beurre. ▪ Pâtisserie au beurre ; beurre d'ail/d'anchois/d'écrevisse/de homard/de saumon.

BEURRÉ → *pomme.*

BEURRÉE, BEURRER → *beurre, pain.*

BEURRIER → *beurre, récipient, vaisselle.*

BEUVERIE → *boire, débauche.*

BÉVUE → *faute, tromper.*

BEY → *chef.*

BI → *deux.*

BIAIS, BIAISER → *indirect, pencher, subtil, tromper.*

BIBELOT → *décoration, futile.*

BIBERON → *enfant, lait.*

BIBERONNER → *boire.*

BIBI → *chapeau.*

BIBLE → *liturgie, livre, religion.* — **Les livres de la Bible.** Les Saintes Écritures, l'Écriture sainte, la Sainte Bible; les Deux Alliances ou Deux Testaments, l'Ancien/le Nouveau Testament; canon des Écritures, canon juif; bible hébraïque, canon chrétien; l'Évangile, les Quatre Évangiles canoniques. ▪ Annoncer/prêcher/répandre l'Évangile, évangéliste, évangélisation, évangélisme, Église évangélique; manuscrit araméen/hébreu/traduit en grec/en latin; livres apocryphes/authentiques / deutérocanoniques / protocanoniques. — **L'Ancien Testament.** L'Ancienne Alliance, Pentateuque, les Prophètes, les Hagiographes; les cinq livres du Pentateuque : Genèse, Exode, Lévitique, Nombres, Deutéronome; les livres historiques : Josué, Juges, Ruth, Sagesse, Samuel I/II, Rois I/II, Chroniques I/II, Esdras, Néhémie, Esther; les livres poétiques : Job, Psaumes, Proverbes, Ecclésiaste, Cantique des Cantiques; les livres prophétiques : Isaïe, Jérémie, Ezéchiel, Daniel; Osée, Joël, Amos, Abdias, Jonas, Michée, Nahum, Habacuc, Sophonie, Aggée, Zacharie, Malachie. ▪ La loi de Moïse, l'Ancienne Loi, loi de l'Ancien Testament, le Décalogue, les tables, le livre de la loi ou Torah; les lamentations de Jérémie; les proverbes de Salomon; les psaumes de David. — **Le Nouveau Testament.** La Nouvelle Alliance, les Quatre Évangiles, les Actes des Apôtres, Épîtres de Paul/Jacques/Pierre/Jean/Jude, Apocalypse de Jean; les quatre évangélistes : saint Matthieu, saint Marc, saint Luc, saint Jean; leur représentation symbolique : ange, lion, bœuf, aigle; le quatrième Évangile ou Évangile selon saint Jean. ▪ Sources de l'Évangile : béatitudes, paraboles, parole divine ou Verbe, révélation, tradition orale, visions apocalyptiques; Antéchrist. — **Contenu et versions.** Version grecque de l'Ancien Testament, les Septante, Hexaples; Vulgate latine. ▪ Bible du Centenaire/polyglotte/des protestants/synodale/de Yale. ▪ Chapitre, livre, stichométrie, verset; concordance, parallèles; le Synopse, les Évangiles synoptiques. ▪ Allégorie, image, parabole. — **Science biblique.** Anagogie; commentaire; critique; ésotérisme, ésotérique; exégèse, exégetique; glose, glossateur ;hagiographie, hagiographe ; herméneutique sacrée, herméneutique cabalistique, la cabale ou kabbale, tradition juive/hébraïque ; Massorah ou Massore, les Massorètes ; rabbiniste, rabbinisme ; Talmud, recueil talmudique, mischna, œuvre des Amoraïm, érudit talmudiste, traditionnaire ; targum, targumin, traductions araméennes, textuaire. — **Livres résumant une doctrine politique ou religieuse.** Bible, catéchisme, credo, dogme, foi, loi, règle. ▪ Coran, livre sacré des musulmans, surate ; Mahawansa, livre sacré du bouddhisme ; Védas, Pouranas, les Upanishad, livres du brahmanisme, brahmaniste ; shinto, shintoïsme ; Louen Yu, vie de Confucius ; les Tantras, livres du tantrisme, hindouisme ; Tao-tö king, livre du taoïsme.

BIBLIOBUS → *livre.*

BIBLIOGRAPHIE → *livre.*

BIBLIOMANIE, BIBLIOPHILIE → *livre, passion.*

BIBLIOTHÈQUE → *garder, livre, meuble.*

BIBLIQUE → *Bible.*

BICAMÉRISME → *gouverner.*

BICARBONATE → *médicament.*

BICÉPHALE → *tête.*

BICEPS → *bras, muscle.*

BICHE → *cerf.*

BICHER → *bien.*

BICHON → *chien.*

BICHONNER → *cheveu, soigner, toilette.*

BICHROMIE → *couleur, typographie.*

BICOLORE → *couleur.*

BICONCAVE, BICONVEXE → *optique.*

BICOQUE → *maison.*

BICORNE → *chapeau, corne.*

BICOT → *chèvre, musulman.*

BICYCLE, BICYCLETTE → *course, sport, transport, voyage.* — **Pièces de la bicylette et des cycles.** Axe, boyau, bec de selle, câble de frein, cadre, cale-pied, carter, cataphote, chaîne, clef, dérailleur, feu rouge, filet, fourche, frein, garde-boue, guidon, jante, levier de changement de vitesse moyeu, palette, patin de frein, pédale, pédalier, phare, grand/moyen/petit pignon, pneumatiques, pneus ballons, demi-ballons (boyaux), poignée de frein/de guidon, porte-bagages, rayons, roue directrice/fixe/motrice, roulement à billes, selle, stabilisateurs, tan-sad, tige, timbre, valve. — **Cycles divers.** Appareil de locomotion à deux/à trois roues ; cycle, bicycle ; bycyclette de course / mixte / d'homme / de dame / d'enfant / à moteur / pliante, bécane (fam.), clou (fam.), cycle, cyclomoteur, motobécane, motocycle, motocyclette, pétrolette (fam.), scooter, side-car, solex, tricycle, triporteur, tandem, vélo (fam.), vélocar, vélocipède, vélomoteur, vélo-pousse, vélo-taxi. ▪ Cycliste, rouleur, routier ; fabricant / marchand de cycles. — **Entretien.** Crever, être à plat, crevaison ; changer le boyau/la chambre à air ; dégonfler, regonfler, gonfler, gonflage, pompe ; graisser, graissage ; mettre une pièce/une rustine ; dissolution ; avoir une roue voilée ; sacoche ; trousse à outils : démonte-pneu, sardine. — **Utilisation.** Braquet, développement, vitesse ; aller/monter/rouler à bicyclette ; enfourcher sa bicyclette ; faire roue libre/du surplace ; piste/route cyclable, vélodrome, Vélodrome d'hiver, Vel d'Hiv (fam.) ; cyclisme amateur/professionnel, course cycliste, cyclo-cross, moto-cross, cyclotourisme.

BIDET → *cheval, toilette.*

BIDON → *eau, récipient.*

BIDONVILLE → *pauvre, ville.*

BIEF → *canal, rivière.*

BIELLE, BIELLETTE → *automobile, barre, moteur.*

BIEN → *appeler, avantage, beaucoup, bon.* — **Avantageux, profitable.** Avantage, bénéfice, bienfait, intérêt, profit, résultat heureux, satisfaction, secours, service, utilité. ▪ Aisance, bien-être, confort, mieux-être, soulagement. ▪ Faire du bien, vouloir le bien : altruisme, altruiste ; bienfaisant, bienfaisance ; charitable, charité ; humain, humanité ; philanthrope, philanthropie. ▪ Biens du ciel, bénédiction, bienfait, don, faveur, félicité, grâce, présent. ▪ Aller bien, bien se porter, être en bonne santé/sain, bien prendre, réussir, bien tourner ; être bien avec, bien vu de, bien en cour. — **Qui convient.** Aller à, aller bien, aller comme un gant/à ravir, faire l'affaire de ; arranger ; être à l'avantage, avantageux, avantager ; bicher (pop.) ; botter (pop.) ; bien cadrer avec ; coller (fam.) ; convenir ; faire bon effet, être de mise, bien tomber, être de bon ton ; se sentir/se trouver bien. ▪ Bienséant, bienséance ; commode, commodité ; confortable ; convenable, convenance, convenir ; décent, décence ; favorable ; opportun, opportunité ; parfait, perfection ; pertinent, pertinence ; à propos ; réussi, réussite ; séant, seyant, seoir. — **Agréable, bien fait.** Admirable, beau, bien bâti, bienveillant, harmonieux, gracieux, joli, merveilleux ; avoir de l'agrément/de la grâce/de la joliesse ; bien-dire, parler éloquent ; bien-faire, adresse, habileté. —

Conforme aux règles, au droit. Agir/se conduire bien, juger/penser bien : être avisé; bien-fondé; bienséant, bienséance; correct, correction; digne, dignité; exact, exactitude; honorable, honneur, honnêteté, honnête; juste, justice, légal, légalité; légitime, légitimité; licite; ponctuel, ponctualité; prudent, prudence; raisonnable, raison; réglementaire, règlement, régulier, règle; sage, sagesse; savoir-vivre; valable, valide, valider, validité. ■ Comme il se doit, dans les formes, à point nommé, à propos, à temps, en temps et lieu. — **Approbation complète.** Absolument, complètement, entièrement, expressément, extrêmement, à fond, formellement, intégralement, nettement, pleinement, profondément, réellement, totalement, tout à fait, très, vraiment. ■ Bravo, excellent, parfait. — **Bien moral.** Souverain bien, vrai bien, bien suprême; un homme/une femme de bien/de devoir/honnête/intègre/irréprochable/de mérite/sage. ■ Bienveillance, bonté, délicatesse, devoir, honnêteté, intégrité, mérite, perfection, sagesse. ■ Bénéfique, bienfaisant, bienveillant, favorable, salutaire; bonheur, chance, réussite, succès. ■ Idéalisme, idéaliste; optimisme, optimiste; utopie, utopiste, utopique. — **Biens matériels.** Acquêts, biens de confort/de consommation/de production; capital, cheptel, chose, domaine, fortune, fruit, héritage, patrimoine, possession, produit, propriété, récolte, richesse. ■ Biens oisifs/productifs, exploiter ses biens; biens-fonds, biens meubles, et immeubles/corporels et incorporels/consomptibles ou non consomptibles / fongibles / privés / publics / communs / propres / dotaux / successoraux / de mainmorte / réservés/vacants. ■ Cession de biens, inventaire des biens, séparation de corps et de biens; se perdre corps et biens.

BIEN-AIMÉ → *aimer.*

BIEN-ÊTRE → *bien, satisfaction, vie.*

BIENFAISANCE → *aider, bien, bon, donner.* — **Inclination à faire le bien.** Altruisme; bon, bonté; être une bonne âme/un bon bougre/un brave homme, la bonne dame; bienveillant, bienveillance; charitable, charité; avoir bon cœur/le cœur sur la main/le cœur tendre; avoir de la commisération, compatir, compatissant, être empli de compassion; compréhensif, compréhension; dévoué, dévouement, avoir la fibre sensible; généreux, générosité; humain, humanitaire, humanité, humanitarisme; large; miséricordieux, miséricorde; pitoyable, pitié; philanthrope, philanthropie, philanthropisme. ■ Affable, affabilité; complaisant, complaisance; gentil, gentillesse; obligeant, obligeance; pas fier; serviable, serviabilité. — **Faire le bien.** Bienfaiteur, membre bienfaiteur, donateur, mécène, protecteur, sauveteur, sauveur; dame de charité/d'œuvres/patronnesse/visiteuse; ordres charitables : frères et sœurs de charité, sœurs de Saint-Vincent-de-Paul, petites sœurs des pauvres; nos pauvres, les pauvres de la paroisse. ■ Aumône, cadeau, charité, don, faveur, générosité, grâce, largesse, legs, libéralité, munificence, obole, bon office, plaisir, présent, secours. ■ Dispenser des aumônes/des bienfaits/des secours; donner un coup de main/d'épaule; faire le bien/du bien/la charité, ouvrir sa bourse/sa maison/son porte-monnaie/sa table; verser son obole/son sang. ■ Bureau de bienfaisance, bonne œuvre, œuvre pie, œuvres, bonnes œuvres, œuvres charitables / philanthropiques / d'assistance. ■ Asile; asile de vieillards/de nuit; Assistance publique, enfant, pupille de l'Assistance, mère nourricière; crèche; fondation; havre de grâce; hôpital; hospice; institution, maison de retraite; orphelinat; patronage. ■ Armée du Salut, auberge de jeunesse, chaîne de solidarité, fonds pour l'enfance, Ligue antialcoolique, Secours catholique, Unesco; collecte, quête, taxe des pauvres; fête de bienfaisance, vente de charité; prix de vertu, prix Cognac, prix Monthyon. — **Qui a une action bienfaisante.** Adapté, *ad hoc,* au poil (pop.), avantageux, bénéfique, calmant, cordial, favorable, idoine, indiqué, profitable, remontant, sain, salubre, tonifiant, tonique, utile.

BIENFAISANT → *bienfaisance.*

BIENFAIT, BIENFAITEUR → *avantage, bienfaisance.*

BIEN-FONDÉ → *bien, droit, reconnaître.*

BIEN-FONDS → *bien, posséder.*

BIENHEUREUX → *bonheur, saint.*

BIENNAL, BIENNALE → *année, deux.*

BIEN-PENSANT → *bien, morale.*

BIENSÉANCE, BIENSÉANT → *bien, convenir, manière.*

BIENVEILLANCE, BIENVEILLANT → *aimer, avantage, bien, bienfaisance, permettre.*

BIENVENIR, BIENVENU, BIENVENUE → *bien, recevoir.*

BIÈRE → *boisson.* — **Caractéristiques.** Boisson fermentée non alcoolisée ou alcoolisée; céréales germées, aromates : gingembre, genièvre; houblon, lupulin, orge (cervoise). ■ Bière blonde / brune / colorée / double / forte, petite bière; bière de mars; bière allemande / d'Alsace / anglaise (ale, pale-ale, porter, stout)/belge (faro, gueuze lambic) ; bière spéciale au gingembre : ginger beer ; bière de riz ou saké. — **Fabrication.** Industrie de la bière, brasserie, brasseur. ▪ Maltage, malterie, malt ; mouillage, trempage, égermage, germination ; orge germée/séchée/touraillée ; dégreneur, germoir, pelleteur ; touraillage, touraille. ▪ Brassage ou préparation du moût : concassage du malt, broyeurs à cylindres, concasseurs ; empâtage, trempe ou brassage proprement dit, filtration, cuisson ou houblonnage, refroidissement ; empâtage ou hydratation ou salade : mélange d'eau et de farine de malt ; trempe, saccharification de l'amidon ; brassage par décoction/par infusion/mixte ; brassin, moût, maishe ou trempe, chaudière à trempe, cuve-matière ; filtration, moût, drêche, cuve-filtre ou cuve de clarification, filtre-presse, petite bière ; cuisson, ébullition, houblonnage, cuve à bouillir ; refroidissement du moût, bac refroidissoir, cassure ou tranchée, réfrigérant Baudelot, échangeur à plaques. ▪ Fermentation basse/haute ; sucres fermentescibles, ensemencement, levure, floculation de la levure, zymase ; cuves de bois/de ciment/de métal, foudres ; tanks ; filtration, filtre à masse de cellulose, mise en fûts/en bouteilles, soutireuse isobarométrique ; pasteurisation. — **Débit de la bière.** Bière en bouteille, canette de bière ; écume ; à la pression, pompe à pression, tirer de la bière ; mousse, mousseux, spumeux, spumosité, faire un faux col ; bock, double bock, baron, botte, canon, chope, cruchon, demi, formidable, quart, sérieux. ▪ Bar, brasserie, buvette, café, débit de boissons, estaminet, taverne. ▪ Bière aigre/filante/plate/surie.

BIÈRE → *enterrement.*

BIFFAGE, BIFFER → *annuler, écrire.*

BIFFIN → *infanterie.*

BIFIDE → *deux, langue.*

BIFILAIRE → *deux, fil.*

BIFLÈCHE → *artillerie.*

BIFOCAL → *optique.*

BIFTECK → *bœuf, viande.*

BIFURCATION, BIFURQUER → *deux, route.*

BIGAME, BIGAMIE → *deux, mariage.*

BIGARREAU → *noyau.*

BIGARRER, BIGARRURE → *couleur, irrégulier.*

BIGLE, BIGLER, BIGLEUX → *œil, regarder.*

BIGORNE → *fer.*

BIGORNEAU → *mollusques.*

BIGOT, BIGOTERIE → *excès, religion*

BIGOUDEN → *France.*

BIGOUDI → *cheveu.*

BIGREMENT → *beaucoup.*

BIGUE → *monter.*

BIGUINE → *danse.*

BIHEBDOMADAIRE → *deux, journée.*

BIJECTIF, BIJECTION → *mathématiques.*

BIJOU → *attache, cou, joaillerie, or, toilette.* — **Les bijoux.** Agrafe, aigrette, alliance, anneau, bague, bandeau, barrette de diamants, boucles d'oreilles, boutons de manchettes, bracelet, breloque, brillant, broche, cabochon, camée, chaîne, châtelaine, clip, cœur, collier, crachat (fam.), couronne, croix, diadème, dormeuse, épingle, fermail, fermoir, ferronnière, fibule, gourmette, jonc, joyau, médaille, médaillon, montre, parure, pendants d'oreilles, pendeloque, pendentif, plaque, rang de perles, rivière de diamants, sautoir, semainier, solitaire. ▪ Bijou discret/scintillant/somptueux/voyant ; couvrir/parer de bijoux, être paré comme une châsse ; mettre/porter des bijoux, dépouiller de ses bijoux. — **Matière.** Bijou en métal précieux : argent, or, or gris, platine ; en pierres fines ou précieuses : agate, aigue-marine, améthyste, béryl, chrysoprase, cornaline, diamant, émeraude, grenat, jade, jais, lapis-lazuli, opale, rubis, sanguine, saphir, topaze, tourmaline, turquoise, zircon. ▪ Acier, cuivre, émail, strass, verre. ▪ Ambre, camée, corail, coralline, jaspe, nacre, perle ; chrysocale, maillechort, ruolz, similor, tombac, vermeil ; doublé, plaqué ; argenture, dorure, métal fin/demi-fin/de fantaisie/gemmé de pierres précieuses. — **Fabrication.** Industrie des bijoux, bijouterie : brunir, brunissage ; ciseler, ciselure ; cliver, clivage ; découper, découpage ; emboutir, emboutissage ; enchâsser, enchâssement ; enchatonner, chaton ; facetter, facette ; graver, gravure ; laminer, laminage ; mater, matir ; monter, montage, monture ; nieller, niellure ; polir, polissage ; sertir, sertissage, dessertir ; souder, soudure ; tailler, taille en fuseau/en marquise/en navette/en quenouille. ▪ Bouterolle, brunissoir, chalumeau, ciselet, dé à emboutir, drille, échoppe à sertir, foret, matoir, pointe, pince, pointe à sertir, résingle, scie à main, triboulet. — **Commerce des bijoux.** Bijoutier, bijouterie, bijoutier fantaisie, commis bijoutier ; diamantaire ; horloger-bijoutier ; joaillier, joaillerie ; lapidaire ; médailleur ; orfèvre, orfèvrerie. ▪ Faux bijou, copie, fantaisie, imitation, toc ; quincaillerie (fam.). ▪ Bijou contrôlé / poinçonné, coin, contremarque, poinçon ; carat, titre. ▪ Ba-

guier, boîte, cassette, coffret, écrin, étui, tabatière.
BIJOUTERIE, BIJOUTIER → *bijou, joaillerie.*
BIKINI → *bain.*
BILAN → *balance, commerce, estimer.*
BILATÉRAL → *bord, deux.*
BILBOQUET → *jouer.*
BILE → *foie, souci, triste.*
BILIAIRE → *foie.*
BILIEUX → *colère, foie.*
BILINGUE, BILINGUISME → *deux, langage.*
BILIRUBINE → *foie.*
BILL → *loi.*
BILLARD → *boule, jouer.*
BILLE → *arbre, bois, boule, tête.*
BILLET → *banque, droit, écrire, monnaie, payer.*
BILLETTE → *acier, architecture, blason, bois.*
BILLEVESÉE → *futile, parler.*
BILLION → *nombre.*
BILLON, BILLONNAGE → *culture, monnaie.*
BILLOT → *bois, peine.*
BILOQUER → *culture.*
BIMBELOTERIE → *futile.*
BIMÉTALLISME → *monnaie.*
BIMOTEUR → *aviation.*
BINAGE → *culture.*
BINAIRE → *calcul, musique, nombre.*
BINER → *culture, liturgie.*
BINETTE, BINEUSE → *culture, jardin.*
BINIOU → *instrument, France.*
BINOCLE, BINOCULAIRE → *œil, optique.*
BINOME → *algèbre, amitié.*
BIO- → *vie.*
BIOCHIMIE → *chimie, vie.*
BIOGRAPHE, BIOGRAPHIE → *récit, vie.*
BIOLOGIE, BIOLOGISTE → *vie.*
BIOMÉTRIE → *calcul, vie.*
BIOPHYSIQUE → *physique, vie.*
BIOPSIE → *médecine.*
BIOSPHÈRE → *terre, vie.*
BIOSYNTHÈSE, BIOTHÉRAPIE → *vie.*
BIOXYDE → *oxygène.*
BIPARTI, BIPARTITE → *deux, part, parti, politique.*
BIPARTISME → *politique.*
BIPARTITION → *couper, part.*
BIPÈDE → *animal, marcher, pied.*
BIPENNE → *aile.*
BIPLAN, BIPOUTRE → *aviation.*
BIQUE, BIQUET, BIQUETTE → *chèvre.*
BIRBE → *vieillesse.*
BIRÉACTEUR → *aviation.*
BIRÉFRINGENCE, BIRÉFRINGENT → *optique.*
BIRIBI → *armée, peine.*
BIROUTE → *aviation.*
BIS → *couleur, terne.*
BIS → *applaudir, deux, spectacle.*
BISAÏEUL → *famille.*
BISAIGUË → *menuiserie.*
BISBILLE → *discussion.*
BISCAÏEN → *boule, fusil, projectile.*
BISCORNU → *forme, irrégulier.*
BISCOTTE → *pain.*
BISCUIT → *céramique, pain, pâtisserie.*
BISCUITER → *céramique.*
BISCUITERIE → *agriculture, aliment, industrie.*
BISE → *froid, saison, vent.*
BISE → *bouche, caresse.*
BISEAU, BISEAUTER → *carte, couper, glace, pencher.*
BISET → *oiseau.*
BISMUTH → *métal.*
BISON → *bœuf.*
BISQUE → *cuisine.*
BISQUE, BISQUER → *colère, mécontentement, moquer.*
BISSAC → *sac.*
BISSECTEUR, BISSECTRICE → *angle, géométrie, ligne, milieu.*
BISSER → *applaudir.*
BISSEXTE, BISSEXTILE → *année, calendrier.*
BISTOURI → *chirurgie, couper.*
BISTOURNAGE → *bœuf.*
BISTOURNER → *tourner.*
BISTRE → *couleur, dessin, terne.*
BISTROT → *boire.*
BITORD → *corde.*
BITTE → *ancre, bateau, port.*
BITTER → *boisson.*
BITUME → *couleur, pétrole.*
BITUMER, BITUMINEUX → *couvrir, route.*
BITURE → *boire.*
BIUNIVOQUE → *nombre.*
BIVALENT → *chimie.*
BIVALVE → *mollusques.*
BIVEAU → *pierre, typographie.*
BIVOUAC, BIVOUAQUER → *camp, repos.*
BIZARRE, BIZARRERIE → *étonner, folie, irrégulier.*
BIZUT, BIZUTH, BIZUTAGE → *enseignement.*
BLA-BLA-BLA → *futile, parler.*
BLACKBOULER → *échouer, élire.*
BLACK-OUT → *défendre, obscur, secret.*
BLACK-ROT → *vigne.*

BLAFARD → *blanc, terne, visage.*

BLAGUE → *sac, tabac.*

BLAGUE, BLAGUER → *moquer, récit, rire, tromper.*

BLAIR → *nez.*

BLAIREAU → *mammifères, poil, toilette.*

BLÂMABLE → *accuser, critique.*

BLÂME, BLÂMER → *accuser, avertir, critique, mécontentement.*

BLANC → *couleur, fusil, nettoyer, pur.* — **De couleur blanche.** Blanc, blanchâtre, blancheur ; blanc candide/ cassé / crayeux / crème / cru / douteux / éblouissant / éclatant / immaculé / laiteux / lilial / mat / neigeux / net/pur/sale ; blanc argenté/blafard/ blême / cadavérique / chromé / fantomatique / ivoirin / lacté / lactescent / livide / nacré / nickelé / opalin / pâle / vierge ; blanc d'argent/de céruse/ d'Espagne/de plomb, petit blanc. ■ Albâtre, amidon, aube, blanchet, chaux, colombe, craie, cygne, écume, farine, fromage blanc, gelée, givre, hermine, lait, lis, neige, nénuphar, plâtre, talc. ■ Albinisme, albinos ; albugo ; leucorrhée, maladie du blanc. ■ Exposition de blanc, blanc grand teint ; peau/race blanche ; blanchir sous le harnais, être chenu, avoir les tempes argentées. — **De couleur claire ou incolore.** Clair, glaireux, gris, incandescent, incolore, transparent, translucide. ■ Arme blanche ; blanc de baleine ; bois blanc ; eau blanche ; blanc-manger ; blanc d'œuf ; poivre blanc ; raisin blanc ; sauce blanche ; blanquette ; viande blanche ; vin blanc, blanc de blanc. ■ Albumine, bave, glaire, sperme. ■ Blanchir de peur/de rage ; blanc comme un linge ; blêmir ; colère blanche. — **Enduire de blanc.** Blanchir, blanchiment, badigeonner de blanc, passer au blanc ; chauler, chaulage ou chaudage, lait de chaux ; enduire de blanc, enduit ; enfariner, fariner, farine ; plâtrer, plâtras, plâtre ; poudrer, talquer à blanc, poudrage, talc, poudre. — **Rendre blanc.** Blanchir des tissus écrus : débouillissage, bain d'acide chlorhydrique, lavage, séchage, exposition au soleil, herberie ; blanchiment chimique : lessivage, chlore, eau oxygénée, lessive, soufre ; blanchiment de la cire/ des colles/des huiles/de l'ivoire/de la paille/du papier/des peaux ; dérochage des métaux, dérocher ; étioler, étiolement des plantes ; platiner le cuivre ; raffiner le sucre, raffinage, terrer, terrage. — **Éclaircir, nettoyer.** Azurer, azurage ; blanchir, blanchissage ; décolorer, décoloration ; éclaircir, éclaircissement ; épurer, épuration ; laver, lavage ; lessiver, lessivage, lessive ; nettoyer, nettoyage ; purifier, purification. ■ Blanchissage du linge, blanchisserie, buanderie, laverie ; blanchisseur, blanchisseuse, lavandière, repasseuse ; amidon, bleu, détergent, eau de Javel, enzyme, lessive, savon ; battre, battoir, selle, machine à laver. ■ Blanchir l'argenterie ; blanchir des légumes ; blanchir une page, blancs, interlignes, marges ; blanchir / dégrossir / égaliser une planche, une pièce forgée ; lime, meule, rabot. — **Sens symboliques.** Candide, candeur ; innocent, innocence ; pur, pureté ; vierge, virginal, virginité, être voué au blanc. ■ Être blanc comme neige, se blanchir d'une accusation, se disculper, s'innocenter.

BLANC-BEC → *jeune, sot.*

BLANCHAILLE → *poisson.*

BLANCHÂTRE → *blanc.*

BLANCHE → *musique.*

BLANCHET → *cuir.*

BLANCHEUR, BLANCHIMENT, BLANCHIR → *blanc.*

BLANCHISSAGE, BLANCHISSERIE, BLANCHISSEUR → *blanc, nettoyer.*

BLANC-MANGER → *pâtisserie.*

BLANC-SEING → *commerce, confiance.*

BLANCS-MANTEAUX → *monastère.*

BLANQUETTE → *blanc, viande, vin.*

BLASEMENT, BLASER → *goût, insensible, sensibilité.*

BLASON → *noblesse, poésie, symbole.* — **Signes distinctifs d'une famille.** Armes, armes parlantes, armoiries, armorié, écu, écusson, bannière, cartouche, cimier, devise, listel, panonceau, pennon, sceau, timbre. ■ Ancêtres, chevalerie, féodalité, noblesse, quartiers/titres de noblesse, nom, titre ; être fier de son blason ; redorer/salir/ternir son blason. — **Science de ces signes.** Armorial, armorier, armoriste, d'Hozier ; blason, blasonner, blasonnier ; héraldique, héraldiste. — **L'écu.** Dextre, senestre ; abîme, cœur, flanc ; chef, pointe ; canton ; partition de l'écu : écu contre-palé / coupé / écartelé / équipolé / gironné/taillé/tiercé (en bande, en barre, en chevron, en fasce, en pal, en pointe)/tranché/écartelé en sautoir. — **Couleurs.** Les émaux : azur (bleu), gueules (rouge), pourpre (violet), sable (noir), sinople (vert) ; les métaux : or (jaune), argent (blanc) ; les pannes ou fourrures : hermine, vair. — **Pièces héraldiques ou honorables, partitions.** Bande, barre, bordure, campagne, chappe, chausse, chef, chevron, cœur, croix, émanche, embrasse, équerre, fasce, flanc, giron, gousset, losange, mantel, orle, pairle, pal (et vergettes), pile, sautoir, vêtement. ■ Rebattement des pièces honorables ou multiplication des partitions : bandé, barré, burèle, chevronné, coticé, échiqueté, équipollé, palé, tiercé, vergeté. ■ Attributs ou modification des pièces honorables par des lignes droites : denché ou vivré, dentelé, crénelé, bastillé, biétessé, fretté, patté, perroné, potencé, rompu, vivré. ■ Attributs ou modification par des lignes courbes : engrêlé, ondé, nébulé, ployé. ■ En leur surface : ajouré, rempli, resarcelé, vidé. — **Meubles ou figures.** Figures naturelles : animaux, astres, êtres humains, végétaux. ■ Étoiles à cinq ou six rais, soleil, ombre de soleil, croissant, lune, comète. ■ Êtres humains ; ange, aquilon, dextrochère, senestrochère, tête ou cap de Maure. ■ Animaux : agneau, bélier, lion, lion rampant, léopard, lion léopardé, léopard lionné, loup, ours, renard, sanglier, taureau ; aigle, aigle essorante, aiglette, alérion, canette, canette mornée, colombe, coq, grue, merlette, pélican ; bar, dauphin, lézard, serpent, coquille Saint-Jacques ; animaux imaginaires : amphisbène, centaure, chimère, dragon, griffon, guivre, harpie, hydre, licorne, phénix, salamandre, sirène, sphinx, tarasque. ■ Végétaux : arbre, cep de vigne, gerbe, grappe de raisin, lis, quarte feuille, quinte feuille, tierce feuille, rose, trèfle. ■ Figures artificielles : arbalète, ardent, bris d'huis, casque, château, chausse-trape, courtine, donjon, épée, fer de lance, gonfanon, macle, muraille, pont, tour ; anille, clef, colonne, doloire, hache, hie, lambrequin, maillet, marteau, torque, tortil ; cloche, crosse, église ; cor, huchet, maison, vaisseau, ville. ■ Attributs du meuble ou modification : abaissé, accosté, adextré, adossé, affronté, brisé, brochant, cantonné, chargé, contourné, couché, dentelé, deux et un, dressé, enté, flamboyant, fleurdelisé, haussé, herminé, senestré, sommé, soutenu, surmonté, tourné, versé, volté.

BLASONNER → *blason.*

BLASPHÉMATOIRE, BLASPHÈME → *hérésie, mépris, offense, religion.*

BLASTODERME → *germe, œuf.*

BLASTOMYCOSE → *champignon.*

BLASTULA → *germe.*

BLATÉRER → *cri.*

BLATTE → *insecte.*

BLAZER → *vêtement.*

BLÉ → *céréale, farine, pain.* — **Sortes de blé.** Blé, froment, céréale panifiable ; blé d'automne ou froment de saison, blé d'hiver/de printemps ; blé d'Espagne/d'Inde/de Turquie ou maïs ; blé noir ou sarrasin ; blé amidonnier ; blé commun ou blé tendre ; blé à épis barbus/sans barbe ou touselle/dur ; engrain ou petit épeautre ; local ou loculard, épeautre ; poulard ou renflé ; blé coupé ou dépouillé/en herbe/vert/sur pied ou empouillé ; champ de blé — **Description.** Chaume, éteule, feuille, feurre, racine, taille, tige, tuyau ; fane, blé fané. ■ Épi et fleurs : arêtes/barbes de l'épi, balle, épillet, glume, glumelle ; épi barbu/bien garni/long/lourd/maigre ; grain, caryopse, amidon, gluten ; monter en épi, épier, épiage. — **Culture du blé.** Agriculture, travaux agricoles, céréaliculture ; arracher les chaumes, chaumage, chaumer, déchaumer ; ensemencer, semailles, semer, semis, blé de semence, sélection, chaulage des graines, chauler ; emblaver, emblavage, emblavure ; herser, hersage ; labourer, labour, sillon ; rouler ; sarcler, sarclage. ■ Charrue, déchaumeuse, herse, rouleau, sarcloir, semeuse, semoir, tracteur. ■ Blé clairsemé/déchaussé ; blondir, fleurir, jaunir, lever, mûrir, onduler, verser. — **Récolte du blé.** Moisson, moissonner, moissonneur ; Cérès, déesse des moissons ; messidor, mois des moissons. ■ Couper les blés, déblaver, faucher, faucheur ; enjaveler, javeler, mettre en javelles, javeleur, ameulonner, botteler, bottelage, botte ; gerber, gerbe, meule, moyette. ■ Dépiquer, dépiquage ; effaner, effanage ; égrener, égrenage ; glaner les épis, glaneuse. ■ Battre, battage ; cribler, criblage ; vanner, vannage ; engranger le blé, ensiler, ensilage, ensiloter, ensilotage, entreposer, pelleter, pelletage. ■ Entrepôt, grange, grenier, silo ; moudre, mouture, farine, moulin ; faucheuse-lieuse, faucille, faux, fléau, javeleuse, moissonneuse-batteuse, rouleau, tarare, van. — **Maladies et parasites du blé.** Herbes parasites, mauvaises herbes : agrostis, ivraie, lychnide, mélampyre ou blé rouge, blé de vache ; insectes parasites : beauvotte, calandre, charançon, cosson, teigne, zabre, blé charançonné. ■ Broui, brouissure ; brûlure, carie ; charbon ; moucheture, nielle, niellure ; rachitisme ; rouille ; blé broui / brûlé / carié / charbouillé / moucheté / niellé / rachitique / rouillé ; blé couché/échaudé/gelé/versé.

BLED → *Afrique, obscur, province.*

BLÊME, BLÊMIR → *blanc, peau, peur, visage.*

BLENDE → *zinc.*

BLENNIE → *poisson.*

BLENNORRAGIE → *sexe.*

BLÉPHARITE → *œil.*

BLÉSER, BLÉSEMENT, BLÉSITÉ → *parler.*

BLESSANT → *offense.*

BLESSER, BLESSURE → *bande, couper, frapper, offense, soigner.* — **Donner un coup.** ▪ Avec un objet contondant, dur : abîmer, amocher, amputer, arranger, assommer, battre, casser, contusionner, déboîter, démettre, désarticuler, écharper (fam.), éborgner, écorcher, écraser, égratigner, érafler, éreinter, estropier, fracasser, frapper, fouler, froisser, griffer, labourer le visage, larder de coups de couteau, léser, luxer, maltraiter, meurtrir, mordre ; percer/cribler de coups, pocher un œil, rompre les os. ▪ Bleu, bosse, contusion, coup, déboîtement, désarticulation, distorsion, ecchymose, égratignure, élongation, entorse, éraflure, foulure, fracture, fracture comminutive, froissement, hernie, lésion, luxation, meurtrissure, morsure, pinçon, plaie contuse, rupture, traumatisme. ▪ Avec un objet coupant, un coup de couteau/d'épée/de poignard : amputer, balafrer, broyer, couper, déchiqueter, déchirer, écorcher, entailler, lacérer, mutiler, saigner, taillader. ▪ Balafre, cicatrice, coupure, déchirure, écorchure, entaille, estocade, estafilade, mutilation, plaie ouverte/purulente/saignante. ▪ Avec un coup de feu, de fusil, de revolver : atteindre, brûler, frapper, fusiller, percer de balles, revolvériser (fam.), tirer à bout portant sur. — **État du blessé.** Être blessé gravement/grièvement/légèrement/mortellement ; grand blessé, blessé grave/léger. ▪ Être amputé/aveugle / boiteux / borgne / cul-de-jatte / éclopé / estropié / impotent / infirme / invalide / manchot / mutilé / unijambiste. ▪ Cécité, claudication, escarre, esquille d'os, gangrène, infirmité, invalidité ; blessés/ mutilés de guerre ; conventions internationales, Croix-Rouge. — **Causer une vive douleur.** Affecter ; déchirer/écorcher les oreilles ; effaroucher la vue ; gêner ; peser sur, faire pression. — **Soins aux blessés.** Évacuer, évacuation, transport : ambulance, ambulancier, brancard, brancardier, civière ; opérer, opération chirurgicale ; panser, pansement : appareil, bande, orthopédie ; réduire une fracture, recoudre : agrafe, couture, point de suture ; soigner, traiter : traitement médical, médecine opératoire ; clinique, hôpital, infirmerie, salle de malades, salle d'opération. ▪ Chirurgien, infirmier, infirmière, interne, kinésithérapeute, médecin, rebouteux. — **Blesser moralement.** Choquer, contrarier, déplaire, froisser, heurter, impressionner désagréablement, irriter, offenser, piquer au vif, porter un coup, retourner le fer dans la plaie, scandaliser, toucher au vif, traumatiser, ulcérer, vexer. ▪ Être agressif/blessant/mordant/piquant/vexant ; blessure d'amour-propre, froissement, moquerie, morsure de l'orgueil, raillerie, taquinerie, vexation. ▪ Être facilement blessé : fragile, sensible, susceptible, vulnérable ; se blesser, se formaliser, se froisser, s'offenser, se piquer, se vexer. — **Porter atteinte à.** Aller à l'encontre, attenter, blesser, être contraire à, enfreindre, heurter, léser, nuire, pécher contre, porter préjudice, faire tort, violer. ▪ Blesser les bienséances/les convenances/les goûts/ les règles/les principes/les usages/le savoir-vivre ; atteinte à la sûreté de l'État, attentat aux mœurs/à la pudeur ; crime de lèse-majesté ; violation de droit/de frontière ; viol moral/physique.

BLET, BLETTIR → *fruit.*

BLEU → *couleur, frapper.* — **De couleur bleue.** Bleu, bleuâtre, bleui, bleuté ; bleu acier/ardoise/azur/barbeau/ canard / céleste / céruléen / de Chine / ciel / clair / électrique / faïence / foncé / gendarme, bleu-gris, gros bleu, bleu horizon ; bleu hussard/indigo/ jade / lavande / lilas / marine /-mauve / Nattier / noir / outremer / pâle / paon / pastel / pers / pervenche / pétrole / porcelaine/ de Prusse/ roi/ de Saxe / de Sèvres /turquin/ turquoise /-vert /-violet. ▪ Azulejo, azur, bleuet, lapis-lazuli ou lazurite, myosotis, pervenche, saphir, turquoise, violette. ▪ Bleu, cyanose, ecchymose, œdème bleu, maladie bleue. — **Teinter en bleu.** Azurer, azurage ; bleuir, bleuissage, bleuissoir ; bleuter, bleuté ; colorant bleu ; bleus végétaux : bleu guède ou pastel, indigo, inde, tournesol ; bleus minéraux : bleu d'azur/de Prusse ou de Berlin, cyanure de fer ; bleu de cobalt/d'outremer/de safre/de smalt ; bleus de houille : aniline, induline, méthylène, rosaniline, naphtaline, bleu de résorcine ; bleu azoïque/sulfuré. — **Objets désignés par leur couleur bleue.** Chien bleu d'Auvergne/de Gascogne ; cuisine : être fin cordon bleu, cuire un poisson au bleu, bifteck bleu/à point/ saignant ; boire du gros bleu (fam.) ; fromage : bleu d'Auvergne/de Bresse ; photographie : tirage des bleus ; P.T.T. : envoyer un petit bleu/une dépêche/un pneumatique/un télégramme ; femme savante : bas-bleu.

BLEUÂTRE → *bleu.*

BLEUET → *fleur.*

BLEUIR, BLEUISSEMENT, BLEUTÉ, BLEUTER → *bleu.*

BLIAUD → *vêtement.*

BLINDAGE, BLINDÉ → *arme, armée, armure, fortification.*

BLINDER → *armure, munir.*

BLIZZARD → *vent.*

BLOC → *écrire, groupe, morceau, prison.*

BLOCAGE → *arrêter, maçonnerie.*
BLOCAILLE → *maçonnerie.*
BLOCAUX → *argile.*
BLOC-CUISINE → *cuisine.*
BLOCKHAUS → *fortification.*
BLOC-MOTEUR → *moteur.*
BLOC-NOTES → *écrire, mémoire.*
BLOC-SYSTÈME → *train.*
BLOCUS → *attaque, fortification, guerre.*
BLOND, BLONDASSE, BLONDIN → *cheveu, couleur.*
BLONDINET → *cheveu, enfant.*
BLONDIR → *couleur.*
BLOOM → *fer, porte.*
BLOQUER → *arrêter, attaque, groupe, lier, maçonnerie.*
BLOTTIR (SE) → *attitude, cacher.*
BLOUSE → *vêtement.*
BLOUSER → *tromper, voler.*
BLOUSON → *vêtement.*
BLOUSON-NOIR → *homme, jeune.*
BLUE-JEAN → *vêtement.*
BLUES → *chant, danse, jazz.*
BLUETTE → *récit.*
BLUFF, BLUFFER → *imaginer, tromper.*
BLUTAGE, BLUTER, BLUTOIR → *farine.*
BOA → *cou, reptiles.*
BOBARD → *faux, informer.*
BOBÈCHE → *bougie.*
BOBINAGE → *aimant, électricité, textile.*
BOBINER → *textile.*
BOBINETTE → *fermer, porte.*
BOBINEUR, BOBINEUSE, BOBINOIR → *fil.*
BOBO → *mal.*
BOBSLEIGH → *montagne, sport.*
BOCAGE, BOCAGER → *arbre, campagne, terre.*
BOCAL → *récipient.*
BOCARD, BOCARDER → *métal.*
BOCK → *bière, récipient.*
BODHISATTVA → *sage.*
BOETTE, BOËTE, BOUETTE, BOITTE → *pêche.*
BŒUF → *animal, bétail, course, viande.* — **L'espèce.** Bovidé, bovin, herbivore, race bovine de Durham/bretonne/charolaise/gasconne/limousine/Maine-Anjou/normande / parthenaise, etc., ruminant. ▪ Bétail, cheptel, troupeau ; bœuf, bouvillon, génisse, taureau, taurillon, vache, veau. ▪ Aurochs, bison, bœuf musqué ou ovibos, buffle, uru, yack, zébu. — **Particularités.** Babines, bouse, cornes, fanons, mufle, museau, pis, poitrail, sabots, tétine. ▪ Poil : blaireau, blanc, bonnet, caillé, fauveau, noir, pie, rouan, roux, truité. ▪ Beugler, beuglement ; meugler, meuglement ; mugir, mugissement ; cloche, sonnailles. — **Élevage.** Bête primée, comice agricole, concours, exposition ; bœuf d'embouche/de labour/de travail ; vache à lait, beurre, lait, traire, traite, trayeuse. ▪ Bouverie, bouvier ; élevage, éleveur ; emboucheur ; engraisseur ; étable ; pâturage, pré, pré d'embouche ; toucheur ; vacher, vacherie. ▪ Attelage, collier, joug ; insémination ; mener la vache au taureau ; saillie, saillir ; vêlage, vêler. ▪ Abattoir, boucher, boucherie ; chevillard. ▪ Cuir : box, box-calf, buffleterie ; déchets ; peau ; velot. — **Viande.** Aloyau, bavette d'aloyau ; collier ; crosse du gîte ; cuisse ; culotte ; entrecôte ; filet, contre-filet ou faux-filet ; flanchet ; gîte à la noix, gîte-gîte ; griffe ; jambe, jarret ; rouelle ; longe ; macreuse ; noix ; os à moelle, os ; paleron ; plat de côtes couvert/découvert ; quasi de veau ; surlonge ; tendron. ▪ Cœur, foie de veau/de génisse/de bœuf ; langue, pis, ris, rognons, tétine, tripes. — **Viande en cuisine.** Bœuf bourguignon/braisé/en daube/gros sel/miroton/mode ; bouillon de bœuf ; bifteck : chateaubriand, steak, tournedos ; brochettes, grillade ; corned-beef ; cuire, cru, bleu, saignant, à point ; pot-au-feu ; ragoût ; rosbif, rôti. ▪ Veau en blanquette/Marengo/en ragoût ; escalope, paupiette de veau. — **Symbole et mythologie.** Fort / lourd / patient / travailleur comme un bœuf ; regard bovin, la vache qui regarde passer les trains ; souffler/suer comme un bœuf. ▪ Le bœuf Apis, le Minotaure ; Bucentaure ; Bucéphale.
BOGUET → *voiture.*
BOGGIE → *train.*
BOGUE → *fruit.*
BOHÈME → *art, débauche.*
BOHÉMIEN → *vagabond.*
BOIRE → *alcool, attention, boisson.* — **Action de boire.** Boire une boisson/un breuvage/un canon/une chopine/ une consommation/un cruchon/un coup (fam)., un petit coup (fam.), un doigt/un godet (fam.), une goutte/la gouttte/une larme/ une mixture/une pinte/un pot (fam.), une potion/une rasade/un verre. ▪ Absorber, déguster, se désaltérer, étancher sa soif, ingurgiter, prendre un verre, se rafraîchir, rafraîchissement ; se jeter un verre derrière la cravate (pop.), s'en jeter un (pop.), se rincer la dalle (pop.). ▪ Arroser un événement, boire à la santé de quelqu'un, porter un toast, offrir une tournée/une tournée générale, trinquer. ▪ Boire à petites gorgées ; aspirer,

goûter, humer, lamper, lampée, laper, lapement, siroter (fam.) ; boire à grandes goulées ou lampées ; d'un coup, à la régalade, faire cul sec (pop.), rubis sur l'ongle, boire d'un trait ; descendre (pop.)/liquider (pop.)/siffler (fam.)/ vider une bouteille ; boire au biberon/à la bouteille/à la régalade/au tonneau. — **Instruments pour boire.** Biberon, bock, bol, calice, chope, coupe, cratère, cuillère, flûte, gobelet, hanap, louche, pot, tasse, taste-vin, timbale, verre, vidrecome. — **Lieux publics où l'on boit.** Assommoir (pop.), bar, bistrot (fam.), bougnat, boui-boui (fam.), buvette, caboulot (fam.), café, cafétéria, cantine, débit de boissons/ de vins et liqueurs, estaminet, guinguette, mastroquet (pop.), pub, salon de thé, saloon, taverne, troquet (pop.), zinc (pop.). ▪ Barmaid, barman, buvetier, cabaretier, cafetier, garçon de café, limonadier, patron, serveuse, tavernier, tenancier ; client, consommateur. — **Boire à l'excès.** Beuverie, boire ; un homme qui boit ; boire sec (fam.), boire trop/à tire-larigot (fam.)/ comme un Polonais/comme un trou ; avoir la dalle en pente (pop.) ; lever le coude, picoler (fam.), pinter (pop.), vider les bouteilles/les fonds de verre. ▪ Être alcoolique/buveur/ ivrogne/pilier de cabaret/pochard/poivrot/soiffard/soûlot (fam.) ; alcoolisme, dipsomanie, hérédité alcoolique/éthylique, éthylisme ; antialcoolisme, prohibition, tempérance. ▪ Être aviné/beurré (pop.)/bourré (pop.)/ cuit (pop.) ; prendre/tenir une cuite (pop.) ; avoir sa dose (pop.) ; état d'ébriété, être imbibé comme une éponge/ivre/ivre mort ivresse, être soûl/pompette (fam.)/rond (pop.), soûlerie. — **Avoir besoin de boire.** Être altéré/assoiffé/déshydraté/desséché ; avoir le bec salé (pop.)/le gosier sec (fam.) / la pépie (fam.) ; avoir soif/une soif ardente, inextinguible, mourir de soif, tirer la langue. ▪ Apaiser/assouvir/calmer/étancher sa soif ; se désaltérer, se rafraîchir ; supplice de Tantale, le radeau de la Méduse.

BOIS → *arbre, cerf, instrument, menuiserie.* — **Espace couvert d'arbres.** Bocage, bois, boqueteau, bosquet, bouquet d'arbres, broussaille, brousse, buisson, forêt, fourré, futaie, hallier, massif, parc, sous-bois, taillis. ▪ Aunaie, châtaigneraie, chênaie, frênaie, houssaie, noiseraie, sapinière ; lieu boisé, bois de Boulogne ; bois sacrés, bois de Dodone/d'Épidaure/de Paphos/de Vesta ; clairière, lisière, orée. ▪ Hôtes des bois, Diane, dryade, faune, nymphe, satyre, sylvain. ▪ Bois communaux/domaniaux/de réserve ; ségrairie, bois segrais ; bois taillis ; droit d'affouage ou d'afforestage ; ébûcheter, ramasser le bois mort. — **La matière ligneuse.** Fibre/ matière ligneuse, tissu vasculaire, bois primaire/secondaire. ▪ Aubier, cambium, cœur, écorce, liber, liège, moelle, rayon médullaire, sève, vaisseau. ▪ Amidon, camphre, cellulose, lignine, résines ou oléorésines, tanin ; science du bois, xylologie. — **Divers états du bois.** Bois arsin/de brin/ brouté / chablis / charmé / défensable / en défends ou défens/déshonoré/ éhouppé/encroué/en état ; bois d'entrée/en gruerie/en grume/marmenteau ; bois mort, mort-bois, bois vif. ▪ Bois artisonné/dur/échauffé/malandre / piqué / pourri / rabougri / rongé / sec / spongieux / tendre / tordu / veiné/vermoulu/vert ; insectes et animaux xylophages : artison, bombyx, cossus, gâte-bois, perce-bois, taret, termite, ver, vrillette. ▪ Défauts du bois : broussin ; gélivure, arbre gélif ; loupe ; nodosité, nœud, bois noueux ; ronde, ronceux ; roulure. ▪ Être d'une belle venue, se déjeter, s'échauffer, gauchir, se lignifier, travailler ; conservation, protection, traitement : carbonyle ; étuvage, immersion, séchage, vieillissement, ventilation. — **Principales essences de bois.** Bois blancs : aune, bouleau, marronnier, peuplier, saule, tilleul, tremble ; bois exotiques : acajou, amarante, calambac, campêche, ébène, okoumé, palissandre, pitchpin, séquoia, teck ; bois de fer : alisier, amandier, buis, cerisier, cerisier-merisier, charme, cormier, cornouillier, coudrier, érable, hêtre, platane, poirier, pommier ; bois feuillus à zone poreuse : châtaignier, chêne, faux-acacia, frêne, micocoulier, mûrier, olivier, orme ; bois résineux, tendres : cèdre, épicéa, genévrier, if, mélèze, pin, sapin. — **Abattage et transport.** Abattre, recéper ; bûcheronnage, bûcheron ; cognée, coin, ébuard, gouet, hache, passe-partout, scie, serpe. ▪ Aménager/régler les coupes ; embûcher, équarrir, bois brut/ équarri, dosse ; fendre, bois de fente ; scier, scierie, scieur de long, bois de sciage, scié, tranché. ▪ Bois débité : bille, merrain, rondin, roule, roulon ; bois mis en tas, corde, cordée, pile, rôle, stère ; cubage, dendromètre, stéréométrie ; bois d'œuvre. ▪ Débarder ; téléphérage ; traînage ; transporter le bois sur radeau, flottage, bois flotté, bois canard, bois volant ; transporter sur traîneau, schlittage, schlitte, bûcheron schlitteur. ▪ Coupler un train de bois, le défaire, le dépecer, déchirage, dépècement. — **Le bois de chauffage.** Bois à brûler, combustible, bois de feu, bois gris/en grume/pelard ; menu bois, gros bois, bois de boulange/de corde/de chauffage ; casser/

couper/faire/fendre du bois : billot, hache, hachette, merlin, scie. ■ Bois de moule : billette, branchage, branche, branchette, brindille, bûche, bûchette, bourrée, brassée, charbonnette, fagot, falourde, fascine, margotin, moulée, quartier, rondin ; déchets de bois : broutilles, copeau, éclat, éclisse, racine, sciure, souche. ■ Entreposer le bois, bûcher ; charbon de bois, charbonnière, chantier ; charbons ardents : braise, braisette, incandescent, tison ; charbon de terre : lignite, tourbe. — **Les autres utilisations du bois.** Distillation du bois ; produits chimiques : acétone, acide acétique, alcool méthylique, charbon, gaz, goudron. ■ Bois d'industrie ou de service : étais, madriers, pannes, perches, planches, poteaux, poutres, solives, traverses ; bois de calage/de fardage ; bois de mine : boisage, boiser ; bois de papeterie/de tournerie ; bois d'œuvre : constructions civiles et navales ; bois de boissellerie/de carrosserie/de charpente/de charronnage/d'ébénisterie ; bois exotiques/fins/précieux/tropicaux/des îles ; bois de menuiserie ; bois de placage : aggloméré, contreplaqué, fibre, Isorel ; bois de tonnellerie : bois feuillard ; bois de vannerie : osier, rotin. ■ Bois médicinaux/odorants/tannants, bois de tannage : tanin ; bois de teinture. — **Objets en bois.** Bois gravé, xylographie, xylographe, gravure sur bois ; orchestre de bois : instruments à vent ; bois des cervidés : andouillers ; manche d'outil, piquet, poteau, rame, ski.

BOISAGE, BOISER → *bois, mine, supporter.*

BOISÉ, BOISEMENT, BOISER → *arbre, bois.*

BOISERIE → *menuiserie, mur.*

BOISEUR → *bois, mine.*

BOISSEAU → *couleur, mesure, tuyau.*

BOISSELIER, BOISSELLERIE → *mesure.*

BOISSON → *boire, eau.* — **Boissons alcooliques.** Apéritifs : absinthe, amer, anisette, alcool ; digestifs : alcools, liqueurs, spiritueux ; boissons à l'eau ; eau gazeuse/pétillante/plate/de Seltz ; bitter, cocktail, shaker, pastis, punch glacé. ■ Bière, cidre, hydromel, kawa, képhyr, kwass, nectar. ■ Vins pharmaceutiques/toniques/de noix/de palme/d'orange/au quinquina, etc. — **Infusions.** Décoction, dilution, tisane : café arrosé/express/frappé/irlandais/au lait/noir/turc/viennois, capuccino ; camomille ; chicorée ; maté ; menthe ; queues de cerises ; thé de Ceylan/de Chine/noir/vert/-citron/au jasmin/au lait/à la menthe/au rhum ; tilleul ; verveine. — **Boissons sucrées et diverses.** Chocolat chaud/frappé/fumant/au lait ; coco ; cola ; lait, lait d'amande/de poule/au sirop de grenadine ou lait-grenadine/au sirop de fraise ou lait-fraise, etc. ; limonade, diabolo ; sirop, citronnade, orangeade, orgeat ; soda. ■ Liquides acidulés, boissons aromatisées ; glaces, sorbets.

BOÎTE → *automobile, coffre, moquer, tête.*

BOITEMENT, BOITER, BOITERIE → *marcher.*

BOITEUX → *désaccord, irrégulier, marcher.*

BOÎTIER → *coffre.*

BOITILLER → *marcher.*

BOL → *boire, récipient, vaisselle.*

BOLCHEVISME, BOLCHEVIQUE → *politique.*

BOLDUC → *bande.*

BOLÉE → *vaisselle.*

BOLÉRO → *danse, vêtement.*

BOLET → *champignon.*

BOLIDE → *astronomie, mouvement, vitesse.*

BOLIVAR → *chapeau, monnaie.*

BOLIVIANO → *monnaie.*

BOLLARD → *attache.*

BOLOMÈTRE → *température.*

BOMBAGISTE → *verre.*

BOMBANCE → *fête, manger.*

BOMBARDE → *arme, artillerie, instrument.*

BOMBARDEMENT, BOMBARDER → *artillerie, attaque, aviation, guerre, projectile.*

BOMBARDIER → *aviation.*

BOMBE → *chapeau, débauche, exploser, pâtisserie, projectile, récipient.*

BOMBEMENT, BOMBER → *courbe, route.*

BOMBYX → *papillon, soie.*

BON → *avantage, bienfaisance, importance, plaire, sûr.* — **Qui aime à faire le bien.** Altruiste, altruisme ; bienfaisant, bienfaisance ; bienveillant, bienveillance ; charitable, charité ; clément, clémence ; compatissant, compassion ; condescendant, condescendance ; désintéressé, désintéressement ; dévoué, dévouement ; généreux, générosité ; humain, humanitaire, humanité ; indulgent, indulgence ; magnanime, magnanimité ; miséricordieux, miséricorde ; philanthrope, philanthropie ; secourable, secours ; sensible, sensibilité ; serviable, serviabilité ; tendre, tendresse. ■ Être plein d'abnégation/de bonhomie/de mansuétude/de pitié ; avoir bon cœur/un cœur d'or/le cœur sur la main ; être fraternel ; ange de bonté, ange gardien/tutélaire, providence des malheureux ; à titre bénévole/gracieux, bénévolement, gracieusement. ▪ Être d'une bonté excessive : être bête, bêtise ; bonasse ; crédule, crédulité ; débonnaire ; faible, faiblesse, d'une faiblesse coupable ; naïf, naïveté ; une bonne pâte ; une bonne bête ; un bon gogo (pop.), une bonne poire (pop.). — **Aimable.** Affable, affabilité ; aimable, amabilité ; amène, aménité ; bonhomme, bonhomie ; brave ; compréhensif, compréhension ; complaisant, complaisance ; conciliant ; cordial, cordialité ; doux, douceur ; estimable, estime ; familier, familiarité ; franc, franchise ; gentil, gentillesse ; honnête, honnêteté ; obligeant, obligeance ; paterne ; paternel ; poli, politesse ; serviable, serviabilité ; simple, simplicité ; sociable, sociabilité. ▪ Être bon bougre/bon diable/bon enfant/brave type/chic type/bon zig (pop.)/de bonne composition ; avoir bon esprit. ▪ Être accommodant/facile/traitable ; accorder ses faveurs ; obliger par ses bontés ; rendre service ; vivre en bonne intelligence avec. — **Qui procure une satisfaction/une jouissance.** Faire bonne chère, manger un bon morceau : agréable, agrément ; confortable, confort ; délicat, délicatesse ; délicieux, délice ; exquis ; savoureux ; suave, suavité ; succulent, succulence. ▪ Faire une bonne affaire, avoir un bon rendement, bien rendre, fructifier : avantageux, avantage ; fertile, fertilité ; lucratif ; productif, productivité ; propice. ▪ Dire un bon mot/une plaisanterie ; être amusant/plaisant/drôle/spirituel ; jouer un bon tour ; prendre les choses du bon côté, être optimiste, voir la vie en rose, faire des rêves bleus ; être né sous une bonne étoile. — **Digne de confiance et d'estime.** Avoir un bon jugement, être de bon conseil : être avisé/éclairé/judicieux/prudent/raisonnable/sage. ▪ Le bon droit, l'équité ; exactitude, exact ; justice, juste ; rigueur, rigoureux ; être sérieux / solide / strict / sûr / valable / véritable/vrai. ▪ Être de bonne famille/de famille distinguée/honnête/honorable ; avoir une bonne conduite ; être excellent / exemplaire / louable / méritoire/un modèle/moral/parfait/raisonnable/vertueux/sans reproche/sans tache. — **Bon à quelque chose.** Adroit, adresse ; apte, aptitude ; capable, capacité ; consciencieux, conscience ; doué, don ; expert, expérimenté, expérience ; fort en, force ; habile, habileté ; ingénieux, ingéniosité ; malin ; propre à, propriété ; scrupuleux, scrupule ; sérieux ; talentueux, talent. ▪ Avoir de la bonne volonté/la bosse de/la vocation ; être fait pour ; être un bon à rien/un vaurien. — **Approprié au but poursuivi.** Être adapté/*ad hoc*/adéquat/concordant/convenable / correct / efficace / favorable / habile / idoine / juste / pertinent / propice / propre / salutaire / utile/valable ; être bien exécuté/bien joué/bien mené. — **Qui marque un degré important.** Arriver bon premier ; faire bon poids/bonne mesure ; recevoir un bon coup ; abondant, acceptable, complet, considérable, fin, fort, grand, plein, satisfaisant, suffisant.

BON → *banque, permettre.*

BONASSE → *bon, mou.*

BONBON → *confiserie.*

BONBONNE → *bouteille.*

BONBONNIÈRE → *coffre, confiserie.*

BOND → *sauter.*

BONDE → *lac, tonneau.*

BONDÉ → *fermer, emplir.*

BONDÉRISATION, BONDÉRISÉ → *fer.*

BONDIR → *colère, joie, sauter.*

BONHEUR → *joie, plaire, réussir, sage, satisfaire.* — **Chance.** Avoir du bonheur/de la chance, être chanceux/favorisé / fortuné / heureux / veinard (fam.)/verni (fam.) ; être né coiffé (fam.)/sous une bonne étoile/sous un astre favorable ; avoir une veine de pendu/de cocu (fam.)/le vent en poupe/ la main heureuse ; bien tomber. ▪ Aubaine, bénédiction ; bonheur accidentel / miraculeux / occasionnel / providentiel ; coup de chance/ de veine ; faveur du ciel/du sort ; bonne occasion, opportunité ; réussite, succès, faire une chose avec bonheur, bien réussir ; porter bonheur, porte-bonheur : amulette, fétiche, grigri ou gris-gris (fam.), mascotte. ▪ Par bonheur, par chance, heureusement, par raccroc ; au petit bonheur, au petit bonheur la chance. — **Bonheur physique.** Avoir/prendre ses aises, se sentir bien aise ; bien-être, bien-être animal ; confort ; délices, délices de Capoue ; douceurs ; engourdissement, être engourdi ; euphorie, être euphorique ; jouissance physique, jouir ; plaisir ; quiétude, quiet ; satisfaction, être satisfait ; sérénité, serein ; volupté, voluptueux. ▪ Épicurisme, épicurien ; hédonisme ; matérialisme, matérialiste ; optimisme, optimiste ; sybaritisme, sybarite ; être comme un coq en pâte, rire aux anges. — **Félicité.** Ataraxie ; béatitude, béat ; calme ; contentement, content ; enchantement, enchanté, enchanteur ; euphorie, euphorique ; extase, extatique ; félicité ; joie, joyeux ; paix, paisible ; paradis, paradisiaque ; plaisir, plaisant ; ravissement, ravissant ; satisfaction, satisfaisant ; sérénité, serein. ▪ Bonheur céleste/ineffable/sans mélange/sans nuage/paisible/parfait/souverain/suprême ; bonheur instable/menacé/précaire ; assombrir/gâcher/troubler le bonheur. ■ Être aux anges/bienheureux/comblé / enivré / heureux / illuminé / radieux/rayonnant/au septième ciel/ transfiguré par le bonheur; aspirer à, tendre vers le bonheur, aptitude au bonheur; appétit/désir/soif de bonheur. ■ Ataraxie, eudémonisme, épicurisme, nirvana, stoïcisme; lune de miel, paradis, pays de cocagne; vivre comme un pacha. — **Prospérité.** Croître, croissance; se développer, développement; s'étendre; être en faveur / florissant / fortuné / heureux / bien loti/prospère/en plein essor; fleurir, floraison; gagner, gain; progresser, progrès; prospérer, prospérité; réussir, réussite; être riche de, richesse. ■ Avoir du succès/de la vogue, être au sommet de la vague/ sur le pinacle; bien marcher, bien tourner, prendre bonne tournure. ■ Être bénéfique/favorable/propice.

BONHEUR-DU-JOUR → *bureau, meuble.*

BONHOMIE → *bon, doux.*

BONHOMME → *bon, doux, homme.*

BONI → *avantage, mérite.*

BONIFICATION, BONIFIER → *changer, vin.*

BONIMENT, BONIMENTEUR → *commerce, parler, plaire.*

BONJOUR → *rencontre.*

BONNE → *servir.*

BONNEMENT → *simple.*

BONNET → *chapeau, vêtement.*

BONNETIÈRE → *meuble.*

BONNETTE → *fortification, voilure.*

BONSOIR → *rencontre.*

BONTÉ → *bien, bienfaisance, bon, doux, qualité.*

BONZE → *Asie, ecclésiastique.*

BOOGIE-WOOGIE → *danse, jazz.*

BOOKMAKER → *course.*

BOOM → *banque, réussir.*

BOOMERANG → *arme, projectile.*

BOOTLEGGER → *alcool.*

BOQUETEAU → *bois.*

BORA → *vent.*

BORBORYGME → *bruit, ventre.*

BORTCH, BORTSCH → *cuisine.*

BORD → *finir, forme, navire, rivière.* — **Extrémité d'une surface.** Arête, bordure, borne, cercle, circonférence, confins, contour, côté (bas, bon, mauvais), entourage, extrémité, flanc, limite, pourtour, rebord; mer bordière. ■ Affleurer, affleurement; avoisiner, avoisinement; border, être bord à bord/en bordure/sur le bord; mettre de chant; confiner à; contourner, contournement; côtoyer, côtoiement, être côte à côte; effleurer, effleurement; encercler, encerclement; longer; raser; suivre; toucher. ■ Adjacent, adjoint, attenant, avoisinant, concentrique, juxtaposé, latéral, limitrophe, marginal, parallèle, proche, tangent, voisin. ■ De biais, de chant; à ras bord, à fleur de peau, à fleur de tête; couler à pleins bords, déborder, débordement, inondation. — **Bords particuliers.** Bas-côté d'une église/d'une route; berge de fleuve/de rivière; bordure, cadre, cartouche, encadrement d'un tableau; chambranle, châssis; contre-allée; côte, côtier; fossé; frange; frontière; ganse, ganser; grève; lèvre d'une plaie; limbe d'une planète; liséré, lisière; liteau d'une serviette; littoral; marge d'une feuille; margelle d'un puits; marli d'une assiette; ourlet d'un tissu : passepoil; plage; plate-bande; profil; retroussis; rivage, rive; route en corniche; silhouette, silhouetter; tranche d'un livre; versant. ■ Bord effilé/effrangé/ourlé; bordage. — **Bord d'un navire.** Bord, bâbord, tribord, matelot bâbordais/tribordais; bordage, bordé, bordée, border un navire/les avirons/ une voile; navire de haut bord/de bas bord; bord du vent, bord de sous le vent, franc-bord; journal/livre de bord; tableau de bord. ■ Aborder, abordage; caboter, cabotage, caboteur; être/monter à bord, embarquer; transborder, transbordement; virer de bord/bord sur bord, faire une virée, tirer une bordée.

BORDAGE, BORDÉ → *bord.*

BORDEAUX → *vin.*

BORDÉE → *artillerie, débauche.*

BORDELAISE → *bouteille, tonneau.*

BORDER → *bord, voilure.*

BORDEREAU → *abréger, commerce.*

BORDERIE → *ferme.*

BORDIER → *bord.*

BORDIGUE → *fermer, poisson.*

BORDURE → *bord, finir.*

BORE → *chimie.*

BORÉAL → *orientation.*

BORÉE → *vent.*

BORGNE → *obscur, œil.*

BORNAGE, BORNE, BORNÉ → *bord, finir, grossier, ignorant.*

BORNÉ → *grossier, ignorant.*

BORNOYER → *droit.*

BORT → *diamant, laine.*

BOSQUET → *arbre.*

BOSSAGE → *architecture, bosse.*

BOSSE → *blesser, corde, dos, gonfler, irrégulier, relief.* — **Grosseur anormale sur le corps.** Ampoule, boule, boursouflure, bulle, cloque, enflure, grosseur, intumescence, œdème, protubérance, tumeur, vésicule. ■ Être bossu/contrefait/difforme/

gibbeux; boscot (fam.); fée Carabosse, Polichinelle; cyphose, difformité, gibbosité, lordose, rachitisme, scoliose. — **Protubérance naturelle.** Apophyse, bombement, bourrelet, condyle, grain de beauté, mamelle, proéminence, protubérance, rondeur, saillie, sein, tubérosité. ■ Bosse crânienne/occipitale; bosses frontales/pariétales; phrénologie, physiognomonie. ■ Bosses de bison/de chameau/de dromadaire/de zébu. — **Élévation arrondie sur une surface plane.** Bombement, bosse, bosselure, convexité, crête, éminence, dos-d'âne, inégalité, mamelon, monticule, renflement, repli, sinuosité, tumulus. ■ Accident de terrain; être accidenté/bombé/bosselé/ bossué/ inégal/ mamelonné/ montueux/renflé; bosseler, bosselage, bossellement; se boursoufler, boursouflure; butte; cabossé, cabossement. — **Ornement en saillie.** Balcon, bossage, bosselure, bossette d'arme à feu/de harnais; console, corbeau, cordon, côte, crête, encorbellement, gargouille, moulure, nervure, nœud, quart-de-rond; rebord, ressaut, surplomb; sculpture en demi-bosse/en ronde-bosse, bas-relief; vaisselle en bosse : relever/travailler en bosse.

BOSSELAGE, BOSSELER, BOSSELURE → *bosse.*

BOSSETTE → *bosse, cheval.*

BOSSOIR → *navire.*

BOSSU, BOSSUER → *bosse, homme, laid.*

BOSTON → *danse.*

BOT → *pied.*

BOTANIQUE, BOTANISTE → *plante.*

BOTRIOCÉPHALE → *ver.*

BOTTE → *amasser, chaussure, escrime.*

BOTTELAGE, BOTTELER → *amasser, blé, culture, lier.*

BOTTER → *bien, chaussure, convenir, satisfaire.*

BOTTIER → *chaussure.*

BOTTILLON, BOTTINE → *chaussure.*

BOTULIQUE, BOTULISME → *poison.*

BOUC → *faute, chèvre, poil.*

BOUCAN → *bruit.*

BOUCANER → *garder, viande.*

BOUCANIER → *voyager.*

BOUCAU → *port.*

BOUCAUD, BOUCOT → *crustacés.*

BOUCHARDE, BOUCHARDER → *maçonnerie.*

BOUCHE → *dent, goût, manger, ouvrir, parler.* — **Dénominations diverses.** Bec, groin, gueule, mandibule, mufle, museau, suçoir, trompe; bec (fam.), clapet (pop.), goule, goulot (fam.), gueule (pop.), margoulette (fam.), museau (fam.). — **Les lèvres.** Lèvre inférieure/supérieure; contour de la bouche, commissure des lèvres, dessin, ourlet; lèvres fines/minces/bien ourlées/pendantes; lippe, lippu; lèvres retroussées/purpurines/vermeilles. ■ Babine, badigoince, labre; bec-de-lièvre. ■ Rouge à lèvres, lèvres peintes. — **Parties de la bouche.** Avant-bouche, arrière-bouche, cavité/muqueuse buccale : amygdale, dent, glotte, gorge, langue, luette, mâchoires, maxillaires, palais, palatal, voile du palais, voûte palatine; haleine, salive. — **Objets divers en forme de bouche.** Bouche de chaleur/à eau/d'égout/à feu/d'incendie/du métro; les bouches d'un fleuve, embouchure; bonde; bouchon, aboucher, boucher, déboucher, reboucher. — **La bouche, organe de la parole.** Avoir la bouche pleine de, en avoir plein la bouche, avoir sans cesse à la bouche, se gargariser de, postillonner, être fort en gueule (pop.), ouvrir le bec (fam.); mettre des mots dans la bouche de, parler par la bouche de, recueillir/tenir de la bouche de; voler de bouche en bouche. ■ Fermer la bouche de, clouer le bec, museler, river son clou; rester bouche bée/bouche close/bouche cousue. — **Signes faits avec la bouche.** Avoir la bouche en cœur/en cul de poule/enfarinée; bâiller, bâillement, bayer, béer, béant, bouche bée; baver; cracher; faire la moue, minauder, moue boudeuse/incrédule/de dédain/d'ennui/d'étonnement/de scepticisme, etc., pincer les lèvres, bouche fine/dédaigneuse, lèvres blanches; rire, rictus, sourire, souris; siffler, sifflement, siffloter; tirer la langue. — **Baiser.** Baiser, baisoter; bécot, bécoter; bise, faire la bise/une grosse bise; embrasser, s'embrasser sur la bouche/à pleine bouche/à bouche que veux-tu, embrassade, embrassement. ■ Cueillir/dérober/prendre/ravir/voler un baiser; déposer/donner/planter/poser un baiser; dévorer/manger de baisers; recevoir/rendre un baiser; baisement, baisemain; baiser de Judas, baiser Lamourette; suçon. — **Manger.** Avoir la bouche pleine; avoir/faire venir l'eau à la bouche, supplice de Tantale; avoir la bouche amère/mauvaise/pâteuse/sèche/la gueule de bois. ■ Être une fine bouche/une fine gueule/un fin gourmet; être une bouche inutile; faire la petite bouche, chipoter; garder pour la bonne bouche; s'ôter les morceaux/le pain de la bouche; provisions/munitions de bouche. ■ Bouchée, goulée, lappée; ne faire qu'une bouchée de, dès la dernière bouchée dans la bouche ; bouchée au chocolat/ à la reine. ▪ Aspirer, sucer, suçotter ; régurgiter ; rendre ; rot, roter ; vomissement, vomir. — **Maladies et soins de la bouche.** Aphtes, gingivite, glossite, grenouillette, langue blanche/ chargée, parulie, pépie, pyorrhée, scorbut, stomatite aphteuse/crémeuse (muguet)/diphtérique / membraneuse. ▪ Désinfection : collutoire, gargarisme, rince-bouche ; stomatologie, stomatologue, stomatoscope ; uranoplastie.

BOUCHÉ → *ignorant, sot, vin.*

BOUCHÉE → *bouche, confiserie, cuisine, pâtisserie.*

BOUCHER, BOUCHERIE → *bétail, marchandises, viande.*

BOUCHER → *bouteille, fermer, obstacle.*

BOUCHE-TROU → *placer, théâtre.*

BOUCHON → *bouteille, fermer, pli, vin.*

BOUCHONNER → *cheval.*

BOUCHOT → *mollusques.*

BOUCLAGE, BOUCLE → *anneau, attacher, cheveu, course.*

BOUCLER → *attache, cheveu, fermer.*

BOUCLIER → *arme, défendre, géologie.* — **Arme ancienne.** Bouclier d'acier/d'airain/de bronze/de cuir/ d'osier ; bouclier en amande/curviligne/ovale/rond/triangulaire ; bouclier grec : pelte ; bouclier romain : clypeus, scutum ; bouclier d'Achille/de Pallas ou égide. ▪ Broquel, écu, pavois (hisser sur le pavois), rondache, rondelle, targe, target ; faire la tortue. — **Parties du bouclier.** Anse, boucle, champ, guiche, enguichure, orle. — **Valeur symbolique du bouclier.** Appui, carapace, défenseur, palladium, rempart, sauvegarde ; faire un bouclier de son corps, se faire un bouclier de sa vertu ; levée de boucliers, tollé.

BOUDDHA, BOUDDHISME → *Asie, religion.*

BOUDER, BOUDERIE, BOUDEUR → *mécontentement, triste.*

BOUDIN → *architecture, porc.*

BOUDINAGE, BOUDINER → *fil, presser.*

BOUDOIR → *chambre.*

BOUE → *eau, sale, terre.* — **Dans la nature.** Boue, bourbe, bouse, braye, crotte, fange, gâchis, gadoue, gadouille, immondices, lie, limon, margouillis, ordures, tourbe, vase. ▪ Bourbier, cloaque, fondrière, marais, marécage, marigot, ornière, souille, terre boueuse/bourbeuse/collante/détrempée / gluante / meuble / molle / spongieuse/vasarde/visqueuse. ▪ Barboter/patauger/patouiller (fam.) dans la boue ; se couvrir/se crotter/se salir/ se souiller de boue ; être couvert d'éclaboussures/de taches, être crotté/ crotté des pieds à la tête/dégoûtant/ sale ; s'enliser, s'envaser. ▪ Curer, draguer, drague ; boueux, dragueur, éboueur. ▪ Décrottoir, garde-boue, garde-crotte, paillasson. — **Dans la société.** Abjection, corruption, infamie, ordure, vilenie ; dégoûtant, écœurant, honteux, ignoble, immonde, infect, innommable, scandaleux. ▪ Aimer remuer la boue/se vautrer dans la boue/dans la fange ; cochon, cochonnerie ; une âme de boue ; couvrir de boue, traîner dans la boue.

BOUÉE → *ancre, marine.*

BOUFFANT → *gonfler.*

BOUFFARDE → *tabac.*

BOUFFÉE → *vent.*

BOUFFER → *gonfler, manger.*

BOUFFI, BOUFFIR, BOUFFISSURE → *gonfler, gras.*

BOUFFON, BOUFFONNERIE → *rire.*

BOUGAINVILLÉE → *plante.*

BOUGE → *obscur, tonneau.*

BOUGEOIR → *bougie.*

BOUGEOTTE → *mouvement, vif, voyager.*

BOUGER → *mouvement.*

BOUGIE → *lampe, lumière.* — **Types et usages divers.** Bougie, calbombe (pop.), camoufle (pop.), candélabre, chandelle, cierge, flambeau, girandole, herse, lampion, lanterne, lanterne vénitienne, lumignon, luminaire, lustre, martinet, oribus, quinquet, torche, torchère, veilleuse. ▪ Cire, mèche, paraffine, stéarine, suif. ▪ Allumer/moucher/souffler une chandelle ; une bougie qui coule/fond/frise/tremble/vacille ; chandelle à la baguette/au moule ; blanchir/rogner les chandelles ; s'éclairer à la bougie, dîner aux bougies, fête aux lampions, les lampions du 14 Juillet/du carnaval, souper aux chandelles ; chapelle ardente. — **Accessoires.** Bougeoir ; bout de table ; chandelier d'argent/de bois/de cristal/ de cuivre/d'église ; chandelier à sept branches : binet, bobèche, brûle-tout, éteignoir. — **Acceptions techniques.** Bougie de chirurgie/creuse/ élastique/fondante. ▪ Bougie de moteur à explosion, chaude/froide, électrode, clef à bougies ; changer/chauffer/gratter/nettoyer / noyer / régler les bougies/l'allumage. ▪ Candela, bougie, une ampoule de cent bougies.

BOUGON, BOUGONNER → *mécontentement, triste.*

BOUGRAN → *tissu.*

BOUGRE → *bon, homme.*

BOUGREMENT → *beaucoup.*

BOUI-BOUI → *boire.*

BOUIF → *chaussure.*

BOUILLABAISSE → *bouillir, poisson.*
BOUILLANT → *chaud, passion, vif.*
BOUILLE → *visage.*
BOUILLEUR → *alcool.*
BOUILLIE → *bouillir, enfant, farine, poudre.*
BOUILLIR → *chaleur, colère, liquide, vapeur.* — **En parlant d'un être humain.** S'agiter, bouillir de colère/d'impatience/de rage, bouillonner, s'échauffer, être en effervescence, fermenter, frémir, surexcitation générale, être surexcité, trembler. ■ Tempérament actif/ardent/bouillant/emporté/explosif/fougueux/impatient/ prompt / vif/vif-argent; le bouillant Achille; avoir le sang chaud/un tempérament de braise/de feu. ■ Accès, ardeur, bouillon ou bouillonnement de l'âme/du cœur/du sang; effervescence, emportement, mouvement, transport, tumulte. — **En cuisine.** Faire bouillir de l'eau/du lait/la marmite/des plantes/un pot; eau/huile bouillante; eau/cuir/viande bouillie; bouilli de bœuf, pot-au-feu; bouillie de farine pour bébé; crème, marmelade, purée, polenta. ■ Partir/s'en aller en bouillie, mettre en bouillie, écrabouiller, écraser, gâchis, de la bouillie pour les chats. ■ Faire bouillir à gros bouillons/à grand feu/à petit feu, mijoter, mitonner; bouillon, brouet, chaudeau, consommé, potage, soupe; bouillon clair/chaud/fumant; bouillon de poisson ou court-bouillon, bouillabaisse; bouillon coupé, eau de vaisselle (pop.), lavasse (pop.), lavure; bouillon maigre, les yeux du bouillon, dégraisser un bouillon, passer un bouillon gras; bouillon aux herbes/de légumes/de tortue/de viande, pot-au-feu; bouillonnement, bulle, ébullition, fermentation. ■ Bouilloire, bouillotte, casserole, chaudière, chaudron, coquemar, lessiveuse, marabout, marmite, samovar. — **Techniques diverses.** Faire bouillir le vin, bouillonnement des moûts; bouilleur de cru, distillateur; alambic, cornue; bouillie anticryptogamique / bordelaise / bourguignonne. ■ Bouillie, bouillon médicinal, cataplasme, décoction, bouillon de culture; chyme, exsudat; barbotine, magma, pulpex.
BOUILLOIRE → *bouillir, récipient.*
BOUILLON → *bouillir, microbe, pli.*
BOUILLONNEMENT, BOUILLONNER → *bouillir, mouvement, vif.*
BOUILLONS → *journal.*
BOUILLOTTE → *bouillir, chaleur, récipient.*
BOULANGE, BOULANGER → *pain.*
BOULANGERIE → *marchandises.*
BOULBÈNE → *terre.*
BOULE → *balle, jouer.* — **Les boules.** Balle, ballon, bille, boulet, boulette, bulle, globe, globule, pelote, peloton, pomme, rondeur, sphère, sphéroïde. — **Boule de billard.** Bille blanche, bille rouge, d'ivoire; bande, bande avant, deux/trois bandes avant; effet, effet contraire, donner de l'effet; queue, queuter, faire une fausse queue. ■ Caramboler, carambolage; couler sa bille; jouer bille en tête; masser; piquer la bille ou boule; boulier. — **Jeu de boules.** Boule de bois ou de métal; boulodrome; bowling; cochonnet, pétanque; boulisme, bouliste. ■ Faire un carreau, jouer à l'appui, ouer fort, piéter, pointer, poquer, tirer. — **Jeu de billes.** Boule de terre/de verre; jouer aux billes; agate, bille, calot; école, école buissonnière. — **Arme.** Boule de pierre ou de métal : boulet de canon, biscaïen, bombe, obus; balle, chevrotines, plomb; partir comme un boulet de canon. — **Objets divers.** Boule à bas ou œuf; boule de cristal, marc de café, voyante extralucide; boule à légumes/à riz/à thé; boulet de charbon; boule/pomme d'escalier; boule de neige; grelot. — **La boule qui roule.** Abouler, s'abouler, débouler, ébouler, éboulis, faire boule de neige, envoyer bouler (pop.). — **Qualifiant un être vivant.** Boule de chair/de graisse, boulot, boulotte, gros, petit, pot à tabac, tonneau. ■ Tête : avoir la boule à zéro (pop.), être chauve; avoir une bonne boule / une bonne bille / une sale bouille/une bonne tête; faire des yeux en boule de loto (pop.). ■ Se mettre en boule/en colère; avoir les nerfs en boule/en pelote/à vif, être à cran; perdre la boule, tourneboulег (fam.), faire tourner la boule (fam.). ■ Se mettre en boule/en rond, roulé-boulé, se pelotonner, le chat qui pelote, se ramasser.
BOULEAU → *arbre, bois.*
BOULEDOGUE → *chien.*
BOULER → *boule.*
BOULET → *artillerie, boule, projectile.*
BOULETTE → *boule, faute.*
BOULEVARD → *route, ville.*
BOULEVERSANT, BOULEVERSEMENT, BOULEVERSER → *changer, trouble.*
BOULIER → *calcul.*
BOULIMIE, BOULIMIQUE → *faim.*
BOULIN → *charpente.*
BOULINE → *voilure.*
BOULINGRIN → *herbe.*
BOULISME, BOULISTE → *boule.*
BOULOIR → *maçonnerie.*
BOULON, BOULONNER → *attacher, charpente, clou.*
BOULOT → *gras.*

BOULOT → *pain.*
BOULOT → *métier, travail.*
BOUM → *bruit.*
BOUQUET → *bois, extrême, fin, fleur, vin.*
BOUQUET → *crustacés.*
BOUQUETIÈRE → *fleur.*
BOUQUETIN, BOUQUIN → *chèvre.*
BOUQUIN, BOUQUINER, BOUQUINISTE → *livre.*
BOURBE, BOURBEUX, BOURBIER → *boue, sale.*
BOURBON → *alcool.*
BOURDAINE → *plante.*
BOURDE → *faute, tromper.*
BOURDON → *bâton.*
BOURDON → *broder, cloche, insecte.*
BOURDON → *typographie.*
BOURDONNEMENT, BOURDONNER → *bruit, entendre, insecte.*
BOURG, BOURGADE → *ville.*
BOURGEOIS, BOURGEOISIE → *classe, état, ville.* — **Classe sociale.** Aristocratie ; bourgeoisie, bourgeois ; ouvriers ; paysans, paysannerie ; peuple ; prolétaires, prolétariat ; travailleurs manuels. ▪ Cadres moyens/supérieurs ; classe moyenne ; la grande/la haute/la petite bourgeoisie ; roture, roturier, tiers-état. ▪ Être d'ancienne/de bonne bourgeoisie, s'embourgeoiser ; bourgeois aisé/cossu/fortuné, riche bourgeois ; capitaliste, propriétaire, rentier, vivre de ses rentes ; les exploiteurs, les nantis, les possédants. — **Esprit bourgeois.** Attaches/esprit/goût/habitudes/idées/vêtements bourgeois ; vertus bourgeoises : amasser, capitaliser, économiser, mettre de côté, thésauriser. ▪ Bourgeois bedonnant/casanier/froussard (fam.)/pantouflard (fam.)/peureux/prudent/organisé/repu/routinier/traditionaliste/ventru ; esprit de famille, les traditions de famille ; idées bourgeoises/ conservatrices/ réactionnaires/surannées. ▪ Comédie bourgeoise, drame bourgeois, le roman bourgeois ; béotien, philistin. ▪ Habitudes / cuisine / maison / pension / table bourgeoises ; bonnet de nuit, gilet, gousset, oignon ; civil, pékin ; Joseph Prudhomme, le père Ubu, prudhommesque, ubuesque.
BOURGEON, BOURGEONNER → *arbre, bouton, germe, plante, reproduction.*
BOURGERON → *vêtement.*
BOURGMESTRE → *magistrat, ville.*
BOURGUIGNON → *bœuf, vin.*
BOURLINGUER → *navire, voyage.*
BOURRACHE → *plante.*
BOURRADE → *pousser.*
BOURRAGE, BOURRE → *amasser, emplir, fil, poil.*
BOURREAU → *peine.*
BOURRÉE → *bois, danse.*
BOURRELER → *faute, souci.*
BOURRELET → *bande, gras.*
BOURRELIER, BOURRELLERIE → *cuir.*
BOURRER → *apprendre, emplir, munir.*
BOURRETTE → *fil.*
BOURRICHE → *mollusques.*
BOURRICHON → *imaginer.*
BOURRICOT → *âne.*
BOURRIN → *cheval.*
BOURRIQUE → *âne.*
BOURRIQUET → *mine.*
BOURRU → *brusque, grossier, triste.*
BOURSE → *argent, banque, monnaie, sac.*
BOURSICOTER, BOURSICOTEUR → *banque.*
BOURSIER → *aider, enseignement.*
BOURSOUFLÉ, BOURSOUFLURE → *gonfler, style.*
BOUSCULADE, BOUSCULER → *pousser.*
BOUSE → *bœuf, résidu.*
BOUSILLER → *casser, exécuter, maçonnerie, mal.*
BOUSSOLE → *aimant, orientation.*
BOUSTIFAILLE → *aliment, manger.*
BOUSTROPHÉDON → *écrire.*
BOUT → *finir, lier, petit, part, temps.*
BOUTADE → *brusque, esprit, pensée, vif.*
BOUT-DEHORS → *voilure.*
BOUTE-EN-TRAIN → *esprit, rire.*
BOUTEFEU → *feu.*
BOUTEILLE → *boire, liquide, récipient.* — **La bouteille.** Anneau, col, collet, cul, fond, goulot, panse, ventre ; bouteille blanche/colorée/teintée, vert bouteille ; bouteille de grès/de plastique/de verre ; bouteille carrée/clissée/plate/ronde ; débris/tessons de bouteille ; verre consigné/perdu. ▪ Nettoyer un parquet au cul de bouteille ; mur couronné de tessons de bouteille. — **Sortes de bouteilles.** Bouteille de 1 litre, demi-bouteille, chopine, fillette, jéroboam, litre, litre étoilé, litron (pop.), kile (pop.), magnum. ▪ Amphore, bidon, bonbonne, canette, carafe, carafon, cruche, cruchon, dame-jeanne, fiasque, fiole, flacon, gourde, outre, pichet, siphon, tonnelet, tourie, vache ; bordelaise, bourguignonne, champenoise ; bouteille d'air comprimé/de gaz/d'oxygène ; burette à huile, les burettes : huilier, vinaigrier. — **Utilisation de**

la bouteille. Égoutter/laver/rincer une bouteille : goupillon, hérisson ; mettre du vin en bouteille, embouteillage, embouteiller : boucher, cacheter, capsuler, coiffer, étiqueter ; entonnoir, canelle, bouchon, cire, muselet ; capsulerie, casier, panier à bouteilles, paillon, porte-bouteilles. ▪ Déboucher/décapsuler/décoiffer une bouteille, décapsuleur, tire-bouchon ; boire/sécher/vider une bouteille, bouteille vidée/morte, un cadavre ; verser à boire, glouglou. ▪ Une bonne/une vieille bouteille, bouteille centenaire/poussiéreuse/de derrière les fagots ; la dive bouteille ; aimer/cultiver/être porté sur la bouteille ; bouteiller, caviste, sommelier.

BOUTEILLON → *récipient.*

BOUTER → *éloigner, pousser.*

BOUTEROLLE → *bijou, serrure.*

BOUTE-SELLE → *cavalerie.*

BOUTIQUE, BOUTIQUIER → *commerce, marchandises, montrer.*

BOUTISSE → *mur.*

BOUTOIR → *cuir, frapper, porc.*

BOUTON → *attache, germe, plante, tumeur.* — **Sur une plante.** Bourgeon, bourgeonner, bourgeonnement ; bouton, drageon, œil, œilleton, pousse ; bouton à bois/à feuille/de fleur/à fruit ; boutonner, boutonnement ; drageonner ; éborgner, éborgnage ; ébourgeonner, écussonner ; éclore, éclosion ; s'épanouir, épanouissement ; germer, germination ; pousser. — **Sur la peau.** Abcès, ampoule, bubon, clou, furoncle, orgelet, pustule, vésicule ; acné, bouton de fièvre, herpès, rougeole, urticaire, varicelle, variole, vérole, petite vérole ; affection vésiculeuse, zona ; être boutonneux/vérolеux ; bourgeonner, boutonner, éruption cutanée. — **Sur les vêtements.** Bouton de bottine/de braguette/de chemise/de col/de culotte/de manchette ; boutonnière, brandebourg, bride, œillet. ▪ Accrocher ; agrafer ; attacher ; boutonner, déboutonner ; border/brider/passepoiler une boutonnière, point de boutonnière ; coudre un bouton avec queue/sans queue. ▪ Bouton de bois/de celluloïd/de corne/de corozo/d'ivoire/de jais/de matière plastique/de métal/de nacre/d'os/de tissu/de verre ; bouton-pression. ▪ Fabrication : boutonnerie, boutonnier ; vente : mercerie, mercier. — **En forme de bouton.** Bouton de couvercle : poignée ; bouton de porte, de serrure : bec-de-cane, clenche ; bouton de poste de radio : appuyer sur/enclencher/tourner le bouton ; bouton d'appel/de sonnerie/de sonnette : poire, timbre ; bouton électrique : commutateur, interrupteur, olive ; bouton de feu : cautère, cautériser ; bouton de fleuret : fleuret boutonné, coup de bouton, boutonner quelqu'un ; bouton de mire : viser.

BOUTON-D'OR → *fleur.*

BOUTONNAGE, BOUTONNER → *bouton.*

BOUTONNIÈRE → *bouton, trou.*

BOUTON-PRESSION → *bouton.*

BOUTRE → *bateau.*

BOUT-RIMÉ → *poésie.*

BOUTURE, BOUTURER → *jardin, plante.*

BOUVERIE → *bétail, bœuf.*

BOUVET → *menuiserie, plancher.*

BOUVIER → *berger, bœuf, garder.*

BOUVILLON → *bœuf.*

BOUVREUIL → *oiseau.*

BOVIDÉS → *bétail.*

BOVIN, BOVINÉS → *bœuf.*

BOWLING → *boule, jouer.*

BOW-WINDOW → *fenêtre.*

BOX → *automobile, cheval.*

BOX-CALF → *cuir.*

BOXE, BOXER, BOXEUR → *coup, frapper, sport.* — **Le boxeur et son équipement.** Boxe, boxer, boxeur, pugilat, pugiliste ; boxe anglaise/antique / au ceste / française, savate ; catch, catcheur ; catégories : poids mouche / coq / plume / léger / super-léger / welter / superwelter / moyen / mi-lourd/lourd ; gants de cinq/six ou huit onces, protège-dents. ▪ Échauffement, entraînement ; jeu de jambes, saut à la corde, punching-ball. ▪ Amateur, professionnel ; carrure, nez cassé, visage marqué ; écurie, poulain ; entraîneur, manager, soigneur. — **Le combat.** Cloche, gong, reprise ou round ; cordes, être acculé dans les cordes, ring, monter sur le ring ; arbitre, juge-arbitre, chronométreur ; challenger, champion. ▪ Coup, coup bas, crochet, cross, direct, gauche-droite, swing, uppercut, contre ; avoir du punch ; appuyer/suivre/téléphoner (pop) ses coups ; corps à corps, esquive, parade ; la garde, se mettre en garde, une garde haute/basse ; être disqualifié ; gagner, remporter la victoire par knock-out/aux points ; knock-down, aller au tapis, être compté, jet de l'éponge, abandon.

BOXER → *chien.*

BOY → *danse, servir.*

BOYAU → *corde, gonfler, intestin, tuyau.*

BOYCOTTAGE, BOYCOTTER → *défendre.*

BOY-SCOUT → *jeune.*

BRABANT → *culture.*

BRACELET → *bijou, colonne, main.*

BRACHIAL, BRACHIALGIE → *bras.*

BRACHYCÉPHALE → *tête.*

BRACONNAGE, BRACONNER, BRACONNIER → *chasse, voler.*
BRACONNIÈRE → *armure.*
BRACTÉAL, BRACTÉE, BRACTÉOLE → *feuille, fleur.*
BRADER, BRADERIE, BRADEUR → *commerce, offrir.*
BRADYCARDIE → *cœur.*
BRAGUETTE → *couture, ouvrir.*
BRAHMANE, BRAME, BRAMINE → *Asie, religion.*
BRÀHMANIQUE, BRAHMANISME → *Asie, religion.*
BRAI → *résidu.*
BRAIES → *vêtement.*
BRAILLARD → *cri, enfant.*
BRAILLE → *écrire, œil.*
BRAILLEMENT, BRAILLER → *cri.*
BRAIMENT → *âne.*
BRAINSTORMING, BRAIN-TRUST → *conduire, entreprise, groupe.*
BRAIRE → *âne, cri.*
BRAISE → *bois, feu.*
BRAISER → *cuisine.*
BRAISETTE, BRAISIÈRE → *bois, feu.*
BRAME → *métal.*
BRAME, BRAMEMENT, BRAMER → *cerf, cri.*
BRANCARD, BRANCARDIER → *blesser, cheval, soigner.*
BRANCHAGE, BRANCHE → *arbre, bois, classe, famille, jardin.*
BRANCHEMENT, BRANCHER → *lier, oiseau, tuyau.*
BRANCHIAL, BRANCHIES → *crustacés, poisson, respiration.*
BRANCHU → *arbre.*
BRANDADE → *cuisine, poisson.*
BRANDE → *plante.*
BRANDEBOURG → *bouton, décoration.*
BRANDEVIN → *alcool.*
BRANDILLER → *mouvement.*
BRANDIR → *monter.*
BRANDON → *désaccord, discussion, feu.*
BRANDY → *alcool.*
BRANLANT, BRANLE → *balancer, détruire, faible, mouvement, remuer, vieillesse.*
BRANLE-BAS → *commencer, trouble.*
BRANLER → *balancer, détruire, tête.*
BRAQUE → *chien, folie.*
BRAQUEMART → *escrime.*
BRAQUEMENT, BRAQUER → *automobile, regarder, tourner.*
BRAQUET → *bicyclette.*
BRAS → *anatomie, doigt, main.* — **Description.** Membre supérieur, avant-bras, bras, haut du bras, saignée : artère axillaire ou brachiale/collatérale externe/interne ; articulations : aisselle, coude, épaule, poignet ; clavicule, omoplate ; muscles : biceps, brachial, deltoïde, triceps ; os : cubitus, humérus, radius ; saleron, salière ; ceinture scapulaire. ■ Bras charnu/décharné/gros/musclé/nerveux, le gras du bras ; bras couvert/nu, être en bras de chemise ; une brassée, une brasse, une coudée, dépasser d'une coudée ; carrure, encolure. ■ Avoir les bras ankylosés/rompus : brachialgie ; amputé, estropié, manchot, moignon. — **Mouvements de bras.** Avoir les bras ballants/en croix/ouverts/tendus ; agiter/arrondir / baisser / balancer / croiser / écarter/ lever/ ouvrir/ plier/ tendre les bras ; ambidextre, droitier, gaucher. ■ S'accouder, accotoir ; brandir ; coudoyer, coudoiement ; embrasser, embrassade, embrassement ; enlacer, enlacement ; étreindre, étreinte ; jeter les bras au cou de, se jeter dans/entre les bras de ; porter dans/entre/sur ses bras ; porter sous le bras ; serrer dans ses bras ; tomber dans les bras de. ■ A bras-le-corps ; à bout de bras ; bras tendu ; bras dessus, bras dessous. — **Sens symboliques.** Couper bras et jambes : décourager, lier les bras, avoir les bras liés, être empêché/retenu, les bras m'en tombent ; ouvrir/tendre les bras à : aider, pardonner, secourir, recevoir à bras ouverts ; tendre les bras vers : désirer, implorer, prier, supplier ; rester les bras croisés : être inactif, avoir les bras retournés, être paresseux. ■ Être dans les bras de Morphée : dormir ; avoir des affaires/des soucis/quelqu'un sur les bras : être chargé de ; à tour de bras, à bras raccourcis. ■ Le bras de Dieu, bras vengeur ; le bras séculier ; le bras de la Justice. ■ Autorité, force, pouvoir, puissance : avoir le bras long, avoir de l'influence, être le bras droit/l'agent de confiance ; manquer de bras/de soldats/de travailleurs. — **En forme de bras.** Bras d'ancre/de balance/de levier ; bras d'un brancard/d'une chaise à porteurs/d'un fauteuil : accoudoir, accotoir, appui ; charrette à bras ; bras de poulpe : tentacules ; bras de mer : détroit, bras mort.
BRASAGE, BRASER → *métal.*
BRASERO → *brûler, chaleur.*
BRASIER → *feu.*
BRASSAGE → *bière, mêler.*
BRASSARD → *armure, bande, signe.*
BRASSE → *mesure, nager.*
BRASSÉE → *bras, nombre.*
BRASSER → *bière, mêler, voilure.*
BRASSERIE, BRASSEUR → *bière.*

BRASSIÈRE → *attache, enfant, vêtement.*

BRASSIN → *bière.*

BRAVACHE, BRAVADE → *affectation, courage, orgueil.*

BRAVE → *bon, courage.*

BRAVER → *attaquer, orgueil.*

BRAVISSIMO, BRAVO → *applaudir.*

BRAVOURE → *art, courage, danger.*

BRAYER → *bande, maçonnerie.*

BREAK → *automobile, voiture.*

BREBIS → *mouton.*

BRÈCHE → *attaquer, casser, dommage, ouvrir.*

BRÈCHE-DENT → *dent.*

BRÉCHET → *oiseau, poitrine.*

BREDOUILLE → *échouer.*

BREDOUILLEMENT, BREDOUILLER → *obscur, parler, son.*

BREF, BRÈVE → *brusque, simple.*

BREF → *pape.*

BREGMA, BREGMATIQUE → *tête.*

BRÉHAIGNE → *cheval.*

BREITSCHWANZ → *mouton, poil.*

BRELAN → *carte.*

BRÊLER → *corde.*

BRELOQUE → *bijou, pendre.*

BRÊME → *poisson.*

BRÉSIL, BRÉSILIEN → *Amérique.*

BRETAGNE → *France, province.*

BRETÈCHE → *édifice, fortification, maison.*

BRETELLE → *attache, bande, route, vêtement.*

BRETESSÉ → *blason.*

BRETON, BRETONNANT → *France.*

BRETTE, BRETTEUR → *couper, escrime.*

BRETZEL → *pain, pâtisserie.*

BREUVAGE → *boisson.*

BRÈVE → *son.*

BREVET, BREVETER → *certifier, enseignement, sûr.*

BRÉVIAIRE → *bible, liturgie, livre.*

BRIARD → *berger, chien.*

BRIBES → *morceau, résidu.*

BRIC-À-BRAC → *commerce, marchandises.*

BRIC ET DE BROC (DE) → *désaccord, irrégulier, morceau.*

BRICK → *navire.*

BRICOLE → *futile, harnais, pêche.*

BRICOLER, BRICOLEUR → *réparer, travail.*

BRIDE → *bouton, harnais, lier.*

BRIDER → *contenir, œil, presser.*

BRIDGE, BRIDGER, BRIDGEUR → *carte.*

BRIE → *lait.*

BRIÈVEMENT, BRIÈVETÉ → *temps, vif, vitesse.*

BRIGADE, BRIGADIER → *armée, grade, police.*

BRIGAND, BRIGANDAGE, BRIGANDER → *mal, voler.*

BRIGANDINE → *armure.*

BRIGANTINE → *voilure.*

BRIGUE, BRIGUER → *désir, politique, secret.*

BRILLANCE → *briller, lumière.*

BRILLANT → *diamant.*

BRILLANT, BRILLANTER → *briller.*

BRILLANTINE → *cheveu.*

BRILLER → *esprit, feu, lumière, réussir.* — **Émettre, réfléchir la lumière.** Chatoyer, chatoyant, chatoiement ; être constellé ; éblouir, éblouissant, éblouissement ; éclater, éclat ; étinceler, étincelle ; flamboyer, flamboyant, flamboiement ; fulgurer, fulgurant, fulguration ; s'illuminer, illumination ; iriser, irisation ; irradier, irradiant ; limpide, limpidité ; luire, reluire, luisant, reluisant, lueur, luisance ; miroiter, miroitant, miroitement ; papilloter, papillotement ; pétiller, pétillant, pétillement ; rayonner, rayonnant, rayonnement ; réfléchir, réfléchissement, réflexion ; resplendir, resplendissant, resplendissement, splendeur, splendide ; réverbérer, réverbération ; rutiler, rutilant, rutilance, rutilement ; scintiller, scintillant, scintillement ; être transfiguré. ▪ Être aveuglant/coruscant/lumineux / phosphorescent / radieux ; briller de mille feux. — **Ce qui brille.** Acier, argent, bronze, cristal, cuivre, ivoire, laque, nacre, or, vernis, verre ; bijou : diamant taillé en brillant/à facettes, strass, paillette, perle, orient ; constellations : étoile, lune, soleil ; couleur clinquante/lumineuse/phosphorescente/tapageuse/vive/voyante ; éclair, glace, eau, mica, miroir, vitre ; étoffes : broché, damas, lamé, moire, rayonne, satin, soie ; motifs décoratifs, brique vernissée, carreau émaillé/de faïence, vernis. ▪ Argenter, argenture ; astiquer, asticage ; briquer (pop.) ; cirer, cirage ; diaprer, diaprure ; dorer, dorure ; émailler, émaillage ; enluminer, enluminure ; glacer, glaçage ; illuminer, illumination ; escarboucle ; laquer, laquage ; lustrer, lustrage ; métalliser ; moirer, moirure ; pailleter, paillette ; polir, polissage ; reluire, reluisant ; satiner, satin ; vernir, vernisser, vernissage. ▪ Enseigne lumineuse ; feu d'artifice : fusée ; feu de la rampe ; projecteur, spot ; spectacle son et lumière. ▪ Noctiluque, ver luisant. — **Se manifester avec éclat.** Attirer les regards ; captiver / charmer / éblouir / ensorceler/frapper/impressionner/ravir quelqu'un : attirant, captivant, charmant, éblouissant, ensorceleur, impressionnant, ravissant, resplendissant. ■ Étaler, faire étalage/montre/parade de; manifester, mettre en relief/en valeur, montrer, faire paraître/remarquer/ressortir/valoir tel avantage. ■ Se distinguer, éclabousser (fam.), épater, faire de l'épate (fam.), étinceler, exceller, en jeter plein la vue (fam.), parader, paraître, se pavaner, se faire remarquer. ■ Avoir de l'allure/de la beauté/du brillant/du brio/du charme/du chic/du chien/de la distinction/de l'éclat/de l'élégance/de la gueule (fam.)/de l'originalité/du panache; être curieux/enviable/excentrique/à la mode/original/remarquable/dans le vent. ■ Affectation, apparat, apparence, chiqué, clinquant, excentricité, fard, faux brillant, magnificence, originalité, toc; faire de l'effet, faire sensation, jeter de la poudre aux yeux; faire un éclat/un esclandre/un scandale, scandaliser, scandaleux.

BRIMADE → *moquer, offense, supporter.*

BRIMBALEMENT, BRIMBALER → *balancer.*

BRIMBORION → *futile.*

BRIMER → *mal, supporter.*

BRIN → *corde, fil, morceau.*

BRINDILLE → *bois, morceau.*

BRINGUE → *débauche.*

BRINGUEBALER, BRINQUEBALER → *balancer.*

BRIO → *esprit, supérieur, vif.*

BRIOCHE, BRIOCHÉ → *pain, pâtisserie, ventre.*

BRIQUE → *argent, argile, couleur, maçonnerie.*

BRIQUER → *nettoyer.*

BRIQUET → *feu, tabac.*

BRIQUET → *chien.*

BRIQUETAGE, BRIQUETER → *maçonnerie.*

BRIQUETERIE, BRIQUETIER → *argile.*

BRIQUETTE → *feu.*

BRIS → *casser.*

BRISANT → *échouer, mer.*

BRISE → *vent.*

BRISÉ → *arc, irrégulier, ligne, pli.*

BRISE-GLACE → *navire, pont.*

BRISE-LAMES → *port.*

BRISE-MOTTES → *culture.*

BRISER → *arrêter, casser, détruire, libre, morceau.*

BRISE-VENT → *vent.*

BRISTOL → *papier.*

BRISURE → *blason, casser, morceau.*

BRITANNIQUE → *Europe.*

BROC → *récipient, toilette.*

BROCANTE, BROCANTER, BROCANTEUR → *commerce, marchandises.*

BROCARD, BROCARDER → *moquer, offense.*

BROCART → *tissu.*

BROCHAGE → *livre, textile.*

BROCHANT → *blason.*

BROCHE → *bijou, chirurgie, cuisine, joaillerie, textile.*

BROCHÉ, BROCHER → *livre, tissu.*

BROCHET → *poisson.*

BROCHETTE → *cuisine.*

BROCHURE → *livre.*

BRODEQUIN → *chaussure.*

BRODER, BRODERIE → *décoration, dentelle, récit, tissu.* — **L'art de broder:** Broder, exécuter une broderie : ajourer, appliquer, festonner, incruster, rebroder, surbroder; brodeur, brodeuse; broder à l'aiguille/au crochet/à la main/à la machine/sur cadre/sur métier/sur tambour; canevas, cartisane, fond, patron, toile, tracé; cannetille, cordonnet, coton, fil d'aluminium/d'argent/d'or; ganse, lacet, laine, soie, soutache; paillettes, perles, pierres précieuses. — **Métiers à broder.** Cadre carré/rectangle, filet à broder, rond d'acier, tambour; emboîter/fixer/tendre le tissu; métier industriel/mécanique : brodeuse, cousobrodeuse; métier sur pieds, ensouple; métier à pinces, broderie du cuir/de la peau; métier sur tréteaux. — **Point de broderie.** Broderie anglaise, Cornély; broderie blanche, broderie de jours/de fantaisie; broderie de Lunéville/d'Ombrie/lamée/persane/suisse; broderie de métal/d'ornements d'église; tapisserie à l'aiguille. ■ Point de bourdon/de chaînette/de croix/d'épine/d'ombre/de passé empiétant/de tige/coulé/noué/piqué/plat; petit point, gros point, relief; point de Beauvais / d'Espagne / de Hongrie / de Paris, jour d'Alençon/échelle/Venise. — **Broderies.** Ouvrages brodés, application, bouillons, broché, damas, entre-deux, feston, guipure, incrustation, jour, nervure, nid d'abeilles, orfroi, passementerie, picot, piqûres, plumetis, pois smocks, surapplication, tapisserie, trou-trou. ■ Poncer une pièce de toile, tracer, décalquer. ■ Ajourer, appliquer, apprêter, border, bourrer, brocher, chiner, damasser, escamoter des fils, évider, galonner, lisérer, ombrager, rembourrer, remplir, soutacher. — **Broder une histoire.** Agrémenter de détails, amplifier, amplification; développement, développer; embellir, embellissement; exagérer, exagération; orner, ornement; remplir, remplissage; renchérir : détails, fioritures, variations, verbiage.

BRODEUR → *broder.*

BROME → *chimie.*
BROMOFORME → *dormir.*
BROMURE → *photographie.*
BRONCHE → *poitrine, respiration.*
BRONCHER → *cheval, courage, résister.*
BRONCHIOLE → *poitrine.*
BRONCHITE, BRONCHO-PNEUMONIE → *respiration.*
BRONTOSAURE → *animal.*
BRONZE → *âge, métal.*
BRONZER → *couleur, peau, soleil.*
BROSSE, BROSSER → *nettoyer, peinture.* — **La brosse.** Brossier, brosserie ; grosse brosserie, brosserie fine ; dos/garniture/manche ou patte d'une brosse. ▪ Brosse en chiendent ou fermière/en crins/en fibre/en ligneul/ en nylon/en poils/en soies de porc/ de sanglier/en tampico ; brosse de peintre/métallique. — **Le balai.** Balai-brosse, balai mécanique, balayette, époussette, plumeau, tête-de-loup ; balai de bouleau/de bruyère/de chiendent/de coco/de genêt/de nylon/de paille/de soies/de sparte ; balayeur, balayeuse municipale, concierge, femme de ménage, ménagère ; balayer, balayure, donner un coup de balai, essuyer, frotter, nettoyer, ramoner. — **Le pinceau.** Blaireau, pied-de-biche, queue-de-morue ; dernier coup de pinceau, dernière touche ; peindre à la brosse, brosser un tableau, tableau bien brossé/bien léché. — **Sortes de brosses et de brossages.** Brosse à chaussures/à souliers/à cirer/à décrotter/à poussière/à reluire ; faire briller/ reluire, décrottoir, polissoir ; cirage, cire, pâte, cireur, petit cireur noir ; tapis-brosse, décrottoir, paillasson, s'essuyer les pieds. ▪ Brosse à dents, brosse à barbe, blaireau ; brosse à cheveux : barbe, cheveux en brosse ; brosse à étriller/à panser les chevaux, brosser à contre-poil/à rebrousse-poil ; brosse à bouteilles/à canon : goupillon, écouvillon ; brosse à ramasser les miettes ou ramasse-miettes ; lave-dos, lave-pont, etc.
BROSSERIE, BROSSIER → *brosse.*
BROU → *couleur.*
BROUET → *bouillir.*
BROUETTE, BROUETTER → *transport.*
BROUHAHA → *bruit.*
BROUILLAMINI → *obscur, trouble.*
BROUILLARD → *commerce, météorologie, pluie.*
BROUILLASSER → *pluie.*
BROUILLE, BROUILLERIE → *désaccord, discussion, relation.*
BROUILLER → *mêler, œuf.*
BROUILLEUR → *radio.*
BROUILLON → *commencer, écrire, obscur.*
BROUSSAILLES, BROUSSAILLEUX → *bois, végétation.*
BROUSSARD → *nature.*
BROUSSIN → *bois.*
BROUTER → *automobile, bétail, mouton.*
BROUTILLE → *bois, futile.*
BROWNING → *fusil.*
BROYAGE, BROYER, BROYEUR → *poudre, triste.*
BRU → *famille, mariage.*
BRUANT → *oiseau.*
BRUCELLES → *prendre, presser.*
BRUCELLOSE → *microbe.*
BRUGNON, BRUGNONIER → *noyau.*
BRUINE, BRUINER, BRUINEUX → *pluie.*
BRUIR, BRUISSAGE → *textile.*
BRUIRE, BRUISSEMENT → *bruit.*
BRUIT → *cri, nouveau, son.* — **Bruits légers.** Babil, babiller ; bruissement, bruire ; clapotis, clapotement, clapoter ; cliquetis, cliquètement, cliqueter ; crachement, crachotement, cracher, crachoter ; froissement, froisser ; frôlement, frôler ; gazouillement, gazouillis, gazouiller ; geignement, geindre ; grouillement, grouiller ; pépiement, pépier ; ramage ; renifler ; soupir, soupirer ; tapement, taper ; tintement, tinter ; tintinnabuler ; vagissement, vagir. — **Bruits retentissants.** Braillement, brailler ; chambard ; charivari ; claquement, claquer ; cri, crier ; déflagration ; détonation, détoner ; éclatement, éclater ; explosion, exploser ; fracas ; gueulement, gueuler (pop.) ; hurlement, hurler, pétarade, pétard, pétarader, péter ; vacarme ; vocifération, vociférer. — **Bruits aigus ou secs.** Battement, battre ; choc, choquer, entrechoquer ; clappement, clapper ; claquement, claquer, claquette, claquoir ; craquement, craquer, craquètement, craqueter ; crépitement, crépiter ; criaillement, criaillerie, criailler ; crissement, crisser ; glapissement, glapir ; grésillement, grésiller ; grincement, grincer ; pétillement, pétiller ; sifflement, siffler. — **Bruits sourds.** Borborygme ; bourdonnement, bourdonner ; chuintement, chuinter ; cogner, cognement ; ébrouement, s'ébrouer ; gargouillement, gargouillis, gargouiller ; gémissement ; gémir ; grognement, grogner ; grondement, gronder ; murmure, murmurer ; plainte, se plaindre ; râle, râler ; renâcler ; ronflement, ronfler ; ronronnement, ronronner ; roucoulement, roucouler ; roulement, rouler ; susurrer ; ululement, ululer ; vrombir, vrombissement.

Nature des bruits. Agaçant, aigre, aigu, assourdissant, bref, clair, confus, crépitant, creux, criard, discordant, distinct, doux, éclatant, énorme, étouffé, étourdissant, faible, fort, grave, grinçant, infernal, léger, menaçant, métallique, monstrueux, nasillard, perçant, plaintif, plein, prolongé, retentissant, ronflant, sec, sonore, sourd, strident, subit, terrible, tonitruant, vibrant ; s'élever, s'étendre, (se répercuter), écho, retentir. ▪ Bruits de l'organisme/cardiaques / musculaires / respiratoires : ausculter, auscultation, stéthoscope ; battement du cœur ; borborygme ; craquement des os, gargouillis, pulsations, pouls ; éternuement, éternuer ; hoquet, hoquètement, hoqueter ; pet, péter ; râle, râler ; ronfler ; rot, roter ; souffle, souffler ; soupir, soupirer ; toux, tousser ; vent, vesse. ▪ Bruits artificiels : bruitage, bruiter, fond sonore, sonoriser. — **Onomatopées.** Badaboum, bang, boum, brr, clac, clic, crac, cric, cric-crac, crincrin, ding/daing/dong, drelin drelin, froufrou, flac, flic, floc, flonflon, glouglou, gloup, paf, pan, patapouf, patatras, psitt, pif, ping, pin pon, plouf, pouf, poum, prout, ronron, tac, tic-tac, tam-tam, toc, zim, zoum. — **Faire beaucoup de bruit.** Abasourdir, assommer, brailler, casser la tête/les oreilles, crever le tympan, crier à tous les diables, écorcher les oreilles, étourdir, fatiguer, gueuler (pop.), harceler, importuner, rompre la cervelle, tempêter, tuer. ▪ Bacchanale, bagarre (fam.), barouf (pop.), boucan (fam.), brouhaha, cacophonie, chahut, chamaille, charivari, clameur, cri, éclat, émoi, esclandre, foin (pop.), grabuge (pop.), hourvari, huées, pétard (pop.), potin (fam.), raffut (fam.), ramdam (fam.), rumeur, sabbat, sarabande, tapage, tempête, tintamarre, tintouin (pop.), tohu-bohu, train, tumulte, vacarme. — **Contre le bruit.** Amortir, amortissement des sons ; assourdir, assourdisseur, assourdissement ; capitonner, capiton ; étouffer, étouffement ; intercepter les bruits ; insonoriser, insonorisation, insonorité ; isoler, matériaux isolants : laine de verre, liège, tapis, tissu, verre ; sons feutrés/ouatés ; parler/rire en sourdine ; mettre un silencieux/une sourdine. ▪ Se boucher les oreilles, boules de cire/de coton ; contre-fenêtre, contre-porte, portière.

BRUITAGE, BRUITER, BRUITEUR → *bruit, cinéma.*

BRÛLAGE → *brûler, jardin.*

BRÛLANT → *brûler, danger, difficile, importance.*

BRÛLÉ → *danger.*

BRÛLE-GUEULE → *tabac.*

BRÛLE-PARFUM → *parfum.*

BRÛLE-POURPOINT → *brusque.*

BRÛLER → *chaleur, désir, feu, passion, sec.* — **Brûler pour chauffer.** Brûler de l'alcool liquide ou solide/de l'essence/du fuel/du mazout/du méta/du pétrole ; brûler du bois/des bûches, dans l'âtre/le foyer/la cheminée ; brûler du charbon/de l'anthracite/du coke/de la houille/de la tourbe, sous forme d'aggloméré/de boulets ; brûler du gaz de ville/du gaz en bouteille/butane/propane/du gaz naturel/de Lacq. ▪ Bassinoire, brasero, chaudière, chauffe-eau, cuisinière, four, fourneau, poêle, réchaud. ▪ Combustible, combustion ; ignition ; inflammabilité, inflammable, matière ignifugée/pyrophore. — **Brûler pour transformer.** Brûler du café, griller, torréfier, torréfaction ; brûler du vin, distiller, eau-de-vie, cognac, rhum, punch ; brûler à l'acide, vitrioler ; cuire à l'excès, calciner, carboniser, consumer, embraser, griller, réduire en cendres/en charbons, rôtir : brûlé, échaudé, caramélisé, cramé (pop.), ébouillanté, racorni, roussi. ▪ Brûle-parfum, cassolette, encensoir, encens, papier d'Arménie. — **Brûler un être humain.** Brûler un cadavre, crémation, crématoire, incinérer, incinération : cendres, columbarium, four, urne cinéraire ; brûler un condamné : autodafé, brasier, bûcher, feu purificateur, holocauste, supplice, brûler vif/à petit feu. ▪ Une passion brûlante/dévorante/qui embrase ; être enfiévré/enflammé / excité / miné / transporté. — **Façons de brûler.** Allumer avec un allume-feu/des allumettes ; le feu part/prend : flammèche, fumée ; le feu crépite/s'embrase/s'enflamme/flambe / flamboie / pétille : brandon, escarbille, étincelle, flambée, flamboiement, flamme, flammèche, feu vif, tourbillon ; le feu s'éteint : braise, cendres, tison ; le feu couve ; extincteur ; l'électricité brûle ; ampoule, fanal, flambeau, lampe, lustre, phare, torche. — **Incendie.** Brasier, embrasement, feu, foyer, sinistre ; incendie d'une forêt / d'une maison / d'une ville / de Rome par Néron/de Moscou ; incendie criminel/volontaire : incendiaire, pétroleuse, pyromane ; l'incendie se déclare/éclate/fait rage ; bâtiment qui est la proie des flammes/consumé/réduit en cendres. ▪ Assurances/défense/lutte/protection contre l'incendie ; pompier, sapeur-pompier, vigile : casque, hache, grande échelle, lance, motopompe ; avertisseur, extincteur à mousse ; bouche d'incendie, seau, tuyau ; contre-feu, coupe-feu, pare-feu.

BRÛLERIE → *alcool, café.*

BRÛLEUR → *chaleur.*

BRÛLIS → *culture.*

BRÛLOIR → *café.*

BRÛLOT → *alcool.*

BRÛLURE → *blessure, chaleur, feu.*

BRUMAIRE → *calendrier.*

BRUMASSE, BRUMASSER, BRUME, BRUMEUX → *météorologie.*

BRUN → *aliment, cheveu, couleur.*

BRUNE → *journée.*

BRUNETTE → *cheveu, femme.*

BRUNIR, BRUNISSAGE, BRUNISSEMENT → *peau, polir, soleil.*

BRUNISSEUR, BRUNISSOIR → *bijou, polir.*

BRUSQUE, BRUSQUER, BRUSQUERIE → *vif, vitesse.* — **Trait de caractère.** Abrupt, bourru, brutal, cassant, cavalier, cru, gauche, impatient, impétueux, ombrageux, nerveux, prompt, raide, rébarbatif, rude, sec, vif, violent; manières soldatesques, ton brusque/bref/sec; pète-sec (pop.). ▪ Brusquer, brutaliser, malmener, molester, rabrouer, rembarrer, repousser, rudoyer, vexer. — **Façons brusques.** A brûle-pourpoint, de court, à la hussarde, à l'improviste, à l'instant, au pied levé, au saut du lit, tout à coup, tout à trac; de prime abord, d'un coup, d'emblée, de prime saut, d'un trait, de but en blanc, tout d'un coup, tout d'un trait; abruptement, *ex abrupto,* aussitôt, brusquement, sur-le-champ, crac, illico (fam.), immédiatement, inopinément, instantanément, sans crier gare, soudain, soudainement, subit, subitement, subito. — **Survenir brusquement.** Arriver en trombe, assaillir, assommer, débouler, fondre sur, foudroyer, jaillir, passer en coup de vent, sauter, surgir, tomber du ciel comme une bombe/pile (fam.)/raide (fam.). ▪ Accès, coup de main, coup sec, coup de théâtre, éclat, explosion, irruption, péripétie, putsch, révolution, surprise, saisissement; improvisateur, improvisation, impromptu. ▪ A-coup, bond, choc, élan, incartade, ressaut, ruade, saccade, saut, secousse, soubresaut, spasme, sursaut. ▪ Boutade, foucade, saillie, imprévu, inattendu, inopiné, précipité, rapide, soudain, subit. — **Choses qui surviennent brusquement.** Averse, bourrasque, commotion, coup de foudre/de massue, décharge électrique, éclair, rafale, trombe d'eau. ▪ Accident, avalanche, cataclysme, catastrophe, inondation, pépin, plongeon, séisme, secousse sismique, tuile (fam.).

BRUT → *commun, grossier, nature, peser.*

BRUTAL → *brusque, force, grossier.*

BRUTALITÉ, BRUTE → *animal, brusque, grossier.*

BRUYANT → *bruit.*

BRUYÈRE → *brosse, plante, tabac, végétation.*

BUANDERIE → *maison, nettoyer.*

BUBON, BUBONIQUE → *tumeur.*

BUCCAL → *bouche.*

BUCCIN → *instrument, mollusques.*

BÛCHE → *bois, sot, tomber.*

BÛCHER → *travail.*

BÛCHERON → *arbre, bois.*

BÛCHETTE → *bois.*

BUCOLISME, BUCOLIQUE → *berger, campagne, poésie.*

BUDGET, BUDGÉTAIRE → *comptabiliser, gouverner, prix.*

BUÉE → *vapeur.*

BUFFET → *meuble, poitrine, vaisselle.*

BUFFLE → *bœuf.*

BUFFLETERIE → *cuir.*

BUFFLONNE → *bœuf.*

BUGLE → *instrument.*

BUILDING → *architecture, édifice.*

BUIRE → *récipient.*

BUISSON, BUISSONNEUX → *bois, chasse.*

BULBE, BULBEUX → *cerveau, plancher, plante.*

BULLDOZER → *construction, niveau.*

BULLE → *bosse, bouillir, boule, pape, vapeur.*

BULLETIN → *certifier, informer, journal.*

BULL-FINCH → *course.*

BULL-TERRIER → *chien.*

BUNA → *caoutchouc.*

BUNGALOW → *maison.*

BUNKER → *fortification.*

BUNSEN (BEC) → *gaz.*

BURALISTE → *café, bureau, impôt.*

BURE → *tissu.*

BUREAU → *écrire, entreprise, meuble, parti.* — **Table pour écrire.** Bureau, bonheur-du-jour, pupitre, secrétaire, scriban, table de travail/de bureau; bureau d'architecte/de dactylo/de dessinateur/de secrétaire; bureau Louis XIV/Louis XV/Louis XVI/ Empire / anglais / à cylindre / en dos d'âne / droit / ministre / d'acajou / de chêne/de merisier/en acier. ▪ Couvercle ou abattant, plan de travail, sous-main, tiroirs, blocs de tiroirs ou caissons, tréteaux. ▪ Fournitures de bureau : buvard, cartonnier, casier, classeur, crayon, dossiers, encre, fichier, gomme, machine à écrire, règle, serre-papiers, stylo, tablettes. ▪ Mobilier de bureau : chaise, fauteuil, tabouret mobile/pivotant/à roulettes; bibliothèque, rayons. — **Lieu de travail.** Aller au bureau, travailler dans un bureau; agence, boîte (fam.), cabinet, caisse, capitainerie, comptoir, contentieux, économat, étude, factorerie, greffe, recette, succursale; bureau administratif/commercial/d'études/d'état-major. ▪ Personnel de bureau : agent, appariteur, buraliste, caissier, chef de bureau/de division/de service, commis, commis aux écritures, clerc, principal clerc, comptable, contrôleur, dactylographe, directeur, économe, employé, expéditionnaire, fonctionnaire, fondé de pouvoir, garçon, gérant, huissier, inspecteur, intendant, préposé, receveur, rédacteur, secrétaire, surnuméraire. ▪ Apparatchik; col-blanc, gratte-papier (fam.), paperassier, rond-de-cuir (fam.), scribouillard (fam.); homme de bureau/de cabinet. ▪ Bureaucrate, bureaucratie, bureaucratisation, bureaucratisme. — **Établissements d'intérêt public.** Bureau d'assistance/de bienfaisance/de charité/de placement/de recrutement; bureau des changes/des contributions/des douanes/de l'enregistrement//de l'état civil/des hypothèques/de l'octroi; bureau de poste, guichets; bureau de tabac, débit de tabac, recette buraliste; bureau/guichet de théâtre, bureau de location, jouer à bureaux fermés. — **Membres élus d'une assemblée.** Bureau d'une association/d'une société/d'un syndicat, politburo : président, questeur, secrétaire, syndic, trésorier, vice-président; élire/renouveler le bureau; réunir le bureau, faire partie du bureau; bureau définitif/démissionnaire/provisoire; commission, comité technique, délégués, experts; Bureau Veritas; bureau de vote : assesseurs, collège ou section, président, secrétaire, secrétariat.

BUREAUCRATE, BUREAUCRATIE → *bureau, gouverner.*

BUREAUCRATIQUE, BUREAUCRATISATION, BUREAUCRATISME → *bureau, politique.*

BURELLE, BURÈLE → *blason.*

BURETTE → *bouteille, liturgie.*

BURGRAVE, BURGRAVIAT → *noblesse.*

BURIN, BURINER → *couper, graver, pli.*

BURLESQUE → *rire, style.*

BURNOUS → *vêtement.*

BURON → *berger, lait.*

BUSARD → *oiseau.*

BUSC → *baleine, fusil.*

BUSE → *oiseau, sot.*

BUSINESS → *travail.*

BUSQUÉ → *courbe, nez.*

BUSTE → *poitrine, sculpture.*

BUT → *balle, orientation, plan.* — **Point où l'on vise.** Butte de tir, cible, ligne de mire, objectif, cran/ligne/point de mire. ▪ Ajuster le tir, braquer son arme, coucher/mettre en joue, viser le but; atteindre/frapper/toucher le but, tirer au blanc, mettre dans le mille, faire un carton, faire mouche; but à éclipse/fixe/mobile; carton, cochonnet, figurine, pipe, poupée, silhouette; tir aux pigeons, ball-trap; jeu de boules, jeu de massacre. ▪ Abuter, pointer, pointeur, pointage, tir au but. — **Endroit à atteindre.** Arrivée, but, limite, ligne d'arrivée, point, terme; but d'un terrain de jeu, les bois, le filet, le panier, les poteaux; gardien de but, buteur, goal. ▪ Envoyer dans le but/dans les buts; marquer/réussir un but, transformer un essai en but; gagner par trois buts à un, en être à deux buts partout, goal-average. — **Fin que l'on se propose d'atteindre.** Dessein, fin, intention, objectif, objet, projet, propos, résolution, visée, vue; s'assigner un but, n'avoir d'autre but que pourchasser; ne vivre que pour, viser, avoir en vue. ▪ Tendre à un but; tendre vers le même but : s'accorder, concorder, concourir, confluer, converger, être en concordance; tendre vers deux buts : courir deux lièvres à la fois. ▪ S'acheminer, aller, cheminer, se destiner à, se diriger vers, poursuivre, remplir, se réserver pour, suivre un but; aboutir, aller droit au but, ne pas y aller par quatre chemins, arriver à destination/à ses fins/au port/à bon port, frapper au but; but de l'existence/dans la vie : raison de vivre; avoir une direction/une ligne de conduite/un objectif; objet apte à servir à un but/à une fin précise : adéquat, approprié, convenable, idoine, propre, utile à. — **Expression de but.** Relations de but, complément, conjonction, proposition de but; dans le but de, dans le dessein, dans l'intention de, à l'effet de; afin de/que, de crainte de/que, pour éviter que, de façon à, de manière à, de peur de/que, pour, pour que, en sorte que, en vue de.

BUTANE → *gaz.*

BUTÉ → *résister, volonté.*

BUTÉE → *pont.*

BUTER → *obstacle, supporter, volonté.*

BUTIN → *amasser, prendre.*

BUTOIR → *obstacle.*

BUTOR → *grossier, oiseau.*

BUTTE → *haut, montagne.*

BUTTER → *arbre, jardin.*

BUTYRINE, BUTYREUX → *beurre.*

BUTYROMÈTRE → *beurre.*

BUVABLE → *boire.*

BUVARD → *papier.*

BUVÉE → *bétail.*

BUVETIER, BUVETTE → *boire.*

BUVEUR → *boire.*

BYSSUS → *mollusques.*

BYZANTIN, BYZANTINISME → *art, subtil.*

CAB → *voiture.*
CABALE → *alchimie, bible, magie, plan, secret.*
CABALISTE, CABALISTIQUE → *bible, magie.*
CABAN → *vêtement.*
CABANE → *édifice.*
CABANON → *campagne, folie, édifice.*
CABARET, CABARETIER → *boire, boisson, café.*
CABAS → *sac, vannerie.*
CABASSET → *armure.*
CABERNET → *vigne.*
CABESTAN → *corde, monter.*
CABILLAUD → *poisson.*
CABINE → *avion, bain, chambre, télécommunications.*
CABINET → *bureau, maison, gouverner, toilette.*
CÂBLE → *corde, électricité, télécommunications.*
CÂBLER → *corde, tourner.*
CÂBLIER → *bateau, navire.*
CABOCHARD → *résister, volonté.*
CABOCHE → *clou, tête.*
CABOCHON → *bijou, pierre.*
CABOSSER → *bosse.*
CABOT → *chien.*
CABOTAGE, CABOTER, CABOTEUR → *navire.*
CABOTIN, CABOTINAGE, CABOTINER → *affectation, théâtre.*
CABOULOT → *boire.*
CABRER → *cheval, droite.*
CABRI → *chèvre.*
CABRIOLE, CABRIOLER → *danse, sauter.*
CABRIOLET → *automobile, chapeau, voiture.*
CABUS → *chou.*
CACA → *résidu.*
CACABER → *cri.*
CACAHUÈTE → *amande, huile.*
CACAO → *beurre, confiserie.*
CACAOYER → *arbre.*
CACARDER → *cri.*
CACATOÈS → *oiseau.*
CACATOIS → *voilure.*
CACHALOT → *baleine.*
CACHE → *cacher, photographie.*
CACHE-CACHE → *cacher, jouer.*
CACHE-COL → *cacher, cou, vêtement.*
CACHEMIRE → *tissu.*
CACHE-MISÈRE → *cacher, vêtement.*
CACHE-MOUCHOIR, CACHE-TAMPON → *jouer.*
CACHE-NEZ → *cou, vêtement.*
CACHE-POT → *cacher.*
CACHER → *obscur, secret.* — **Dérober un objet à la connaissance.** Abriter, abri ; cacher, cache, cachette ; camoufler, camouflage ; cave ; celer, receler, receleur ; coffre, coffre-fort ; coin, recoin ; crypte ; faire disparaître, disparition ; dissimuler ; enfermer, renfermer ; enfouir ; enserrer, serrer ; ensevelir, enterrer ; escamoter ; mettre sous clef, en sûreté ; prestidigitation, prestidigitateur ; profondeurs ; saint des saints ; trésor. ■ Arrêter/boucher la vue ; aveugler ; cacher, cacher son jeu,

jeu de cache-cache; cache-col, cache-corset, cachez-nez, cache-pot, cache-radiateur, cache-sexe, etc.; cagoule; couvrir, recouvrir, couverture; déguiser, déguisement; éclipser, éclipse; envelopper, enveloppe; latence, latent; loup; masque, bal masqué; obscurcir, obscurcissement, obscurité; obstacle; obstruer; occultation d'un astre; ombre; rideau de fumée; voiler, voile. — **Dérober des actions à la connaissance.** En cachette; en catimini; clandestin, clandestinement, clandestinité; couver un dessein; à la dérobée; en douce (pop.); façade; faux, fausses écritures, double comptabilité; fiction, société fictive/bidon (pop.); frauder, fraudeur, contrebandier; imitation; incognito, ni vu ni connu; à l'insu de; larvé; manœuvres souterraines; marcher à pas de loup; mystère, mystérieux; occulte; dans l'ombre; ourdir/tramer un complot, comploter, conjuré; paravent; sur la pointe des pieds; rire dans sa barbe/sous cape; secret, secrètement, en secret, dans le plus grand secret, top secret, garder le secret; subrepticement; en suisse (pop.); en tapinois; tendre une embuscade/un guet-apens/un piège; travail de sape/de taupe; truquer; toc, simili. — **Dérober des sentiments à la connaissance.** Cacher son jeu; cachotterie, cachottier; discret, discrétion; déguiser, déguisement; dissimuler, dissimulateur, dissimulation; farder la vérité; feindre, feinte; garder pour soi; faux, hypocrite, jésuite, madré; masquer ses sentiments; se réserver, réservé; réticence; faire semblant, simuler, simulateur, simulation, simulacre; sournois, sournoiserie; tartufe, tartuferie. ▪ Dévorer ses larmes; faire bonne contenance/bonne figure/contre mauvaise fortune bon cœur; rentrer en soi-même/dans sa coquille; se replier; rire jaune, d'un rire forcé. — **Se cacher.** Anachorète; se blottir; disparaître; se dissimuler; s'éclipser; ermite; filer à l'anglaise (fam.); être insaisissable, invisible; se nicher; ours; se pelotonner; se réfugier; se retirer du monde, retraite; solitaire; se tapir; se terrer.

CACHE-SEXE → *vêtement*.

CACHET → *payer, poste, signe*. — **Le cachet.** Anneau; armes, armoiries; cachet monté en bague, chaton de bague, muni d'un manche, cachet officiel ou sceau; cachet d'or/de rubis/d'agate; devise; effigie; initiales; motifs symboliques. ▪ Cancel du Grand Sceau de l'État, chancelier, garde des Sceaux, chancellerie. ▪ Appliquer/apposer un cachet/un sceau; authentiquer; cacheter; fixer/poser les scellés; lettre de cachet, arbitraire royal; sceller. — **L'empreinte du cachet.** Cachet de cire; bulle de plomb; cacheter, fermer par un cachet; cachet entier/pendant/plaqué; plomber, plomb; sceau blasonné; sigillographie, sphragistique. — **Marque apposée à l'aide d'un moyen quelconque.** Cachet commercial, empreinte, estampille, griffe, marque, poinçon, plomb, sceau, signature, tampon, timbre humide/sec. ▪ Authentifier; confirmer; estampiller; oblitérer; poinçonner; tamponner, apposer un tampon, donner un coup de tampon; timbrer, mettre un timbre, timbre dateur/horodateur/numéroteur. ▪ Cachet mobile ou timbre d'affranchissement; philatélie, philatéliste; timbre postal, timbre-poste; timbrer, timbrage; vente de timbres, bureau de tabac/de poste. ▪ Timbre fiscal, timbre-quittance, contre-timbre, timbre mobile/proportionnel; recouvrer le droit de timbre, Enregistrement; vignette.

CACHET → *médicament*.

CACHETER → *cachet, écrire, fermer vin*.

CACHETTE → *cacher*.

CACHEXIE → *faible, maigre*.

CACHOT → *prison*.

CACHOTTERIE, CACHOTTIER → *cacher*.

CACHOU → *couleur, cuir, dent*.

CACIQUE → *chef*.

CACOCHYME → *faible, vieillesse*.

CACOLET → *harnais*.

CACOLOGIE → *grammaire*.

CACOPHONIE → *bruit, couleur, désaccord, son*.

CACTACÉES, CACTUS → *plante, sec*.

CADASTRAL, CADASTRE → *mesure, posséder*.

CADAVÉRIQUE, CADAVRE → *blanc, mourir*.

CADDIE → *balle*.

CADE → *huile, médicament*.

CADEAU → *donner, fête, joie*.

CADENAS, CADENASSER → *fermer, serrure*.

CADENCE, CADENCER → *musique, règle, rythme*.

CADENETTE → *cheveu, tourner*.

CADET → *âge, famille, petit*.

CADI → *musulman*.

CADMIUM → *métal*.

CADRAGE → *cinéma, photographie, typographie*.

CADRAN → *grand, horlogerie, temps*.

CADRAT → *typographie*.

CADRATURE → *horlogerie*.

CADRE → *bicyclette, bord, campagne, coffre, milieu*.

CADRE → *chef, conduire, entreprise.*
CADRER → *accord, convenir.*
CADUC → *annuler, vieillesse.*
CADUCÉE → *médecine, symbole.*
CÆCUM → *intestin.*
CÆSIUM, CÉSIUM → *métal.*
C.A.F → *commerce.*
CAFARD → *insecte.*
CAFARD, CAFARDER → *avertir, faux.*
CAFARD → *tristesse.*
CAFÉ → *boire, boisson.* — **Liquide que l'on boit.** Bourbon, Martinique, moka, plant, plantation, planteur; café décaféiné; grains de café, café en grains, café moulu; caféine, essence de café, café vert. ■ Brûler, brûlerie, brûloir; griller, grillage; faire macérer, macération; moudre, moulin à café; torréfier, torréfaction, torréfacteur. ■ Café express/arrosé/crème/filtre/froid/glacé/italien/au lait/liégeois/nature / noir / viennois / turc; bistouille (fam.), gloria (fam.), jus (fam.), lavasse (fam.). ■ Cafetière, cuiller à café/à moka, petite cuiller, filtre, mazagran, percolateur, soucoupe, tasse. — **Lieu où l'on boit.** Bar; bistrot (pop.); brasserie; buvette; cabaret; café, café-chantant, café-concert ou caf' conc' (fam.), cafétéria; débit de boissons; estaminet; guinguette; milk-bar; pub; saloon; troquet (pop.).
CAFÉIER → *arbre.*
CAFÉINE → *café.*
CAFETAN → *vêtement.*
CAFÉTÉRIA, CAFETIER, CAFETIÈRE → *boire, café.*
CAFOUILLAGE, CAFOUILLER, CAFOUILLIS → *désordre, moteur.*
CAGE → *garder, maison, mine, poitrine.*
CAGEOT → *coffre.*
CAGIBI, CAGNA → *maison.*
CAGNARD, CAGNARDER → *paresse.*
CAGNE, KHÂGNE, CAGNEUX, KHÂGNEUX → *enseignement.*
CAGNEUX → *cheval, jambe.*
CAGNOTTE → *argent, jouer.*
CAGOT, CAGOTERIE → *affectation, excès, faux, religion.*
CAGOULE → *cacher, chapeau.*
CAHIER → *convenir, papier.*
CAHIN-CAHA → *mal.*
CAHOT, CAHOTER → *obstacle, sauter.*
CAHUTE → *édifice.*
CAÏD → *chef, magistrat.*
CAILLASSE → *maçonnerie, pierre.*
CAILLE → *cri, oiseau.*
CAILLÉ → *lait.*
CAILLEBOTIS → *plancher.*
CAILLEBOTTE, CAILLER → *lait.*
CAILLETAGE, CAILLETER, CAILLETTE → *parler.*
CAILLETTE → *estomac.*
CAILLOT → *épais, sang.*
CAILLOU → *pierre.*
CAILLOUTAGE, CAILLOUTER → *céramique, maçonnerie, route.*
CAILLOUTEUX, CAILLOUTIS → *maçonnerie, route.*
CAÏMAN → *reptiles.*
CAÏQUE → *bateau.*
CAIRN → *montagne.*
CAISSE → *bureau, coffre, comptabilité, instrument, voiture.*
CAISSERIE, CAISSETTE → *coffre.*
CAISSIER → *bureau, comptabilité.*
CAISSON → *artillerie, maçonnerie, mourir, plancher.*
CAJOLER, CAJOLEUR → *caresse, plaire.*
CAKE → *pâtisserie.*
CAL → *dur, main, os.*
CALAMBAC → *bois.*
CALAMINE, CALAMINER (SE) → *moteur, zinc.*
CALAMISTRÉ → *cheveu.*
CALAMITÉ, CALAMITEUX → *malheur.*
CALANDRE → *automobile, polir.*
CALANQUE → *mer.*
CALAO → *oiseau.*
CALCAIRE → *pierre, relief.*
CALCANÉUM → *pied.*
CALCÉDOINE → *joaillerie.*
CALCÉOLAIRE → *plante.*
CALCIFICATION, CALCIFIÉ → *calcium.*
CALCINATION, CALCINER → *brûler.*
CALCIQUE, CALCITE → *calcium, pierre.*
CALCIUM → *chimie, maçonnerie, métal.* — **Le calcium et ses composés.** Carbonate de calcium ou calcaire, métal blanchâtre/brillant/fusible/malléable/mou; protoxyde de calcium ou chaux; sulfate de calcium ou plâtre; sels de calcium, sels calciques. — **Le calcaire.** Calcaire pur : calcite, cipolin, craie, marbre blanc, spath d'Islande, tuffeau; calcaire argileux : compact, dolomitique ou dolomie, cargneule; calcaire grossier : lithographique, magnésien, marneux ou marne, siliceux ou meulière/meulière caverneuse / oolithique / organique / pisolitique. ■ Calcicité de l'eau, hydrotimètre; concrétion, dépôt calcaire, calcin, stalagmite, stalagtite, travertin, tuf; dépôt organique : calcification ou dégénérescence calcaire ou infiltra-

tion, calcifier, décalcifier, recalcifier; pierre/roche calcaire, castine, liais; plateau calcaire ou causse. — **La chaux.** Calciner, calcination des pierres calcaires, pierres à chaux/à plâtre; four à chaux ou chaufour, chaufournier, cuisson continue/intermittente, cuisson à courte/longue flamme, recuit; bouler / détremper / saturer la chaux; chaux éteinte/grasse/maigre / hydraulique / vive; foisonner, fuser. ■ Chaulage, chauler les arbres/les terrains, chauleuse; badigeonner, badigeon, crépir, crépi, crépissage, crépissure; sels de chaux, chloroforme, chloropicrine, gypse. — **Le plâtre.** Carrière de gypse, plâtrerie ou plâtrière, cuisson du gypse ou pierre à plâtre, four à plâtre; moudre, mouture, pulvériser, tamiser, trémie, gravats; plâtre au panier/à bâtir/à enduit/à maçonner, plâtrer, plâtrage; plâtre au sas/à mouler; staff, staffeur; stuc, stucage, stuquer. ■ Couler, délayer, gâcher le plâtre, auge, gâchis; pigeon, plâtre noyé; durcir, prendre; s'effriter, tomber, plâtras. ■ Crépir, gobeter, jointoyer; replâtrer, replâtrage; ruiler.

CALCUL, CALCULER → *algèbre, informatique, mathématiques, nombre, plan.* — **Sortes de calcul.** Calcul algébrique / arithmétique/différentiel / fonctionnel / infinitésimal / intégral / logarithmique/matriciel/tensoriel/vectoriel. — **Faire des calculs.** Chiffre; compte, décompte; mesure; nombre; numérotation; symbole. ■ Appréciation; faire des calculs, calculer, calcul complexe/enfantin/erroné/faux/simple; casse-tête; comput, computation; estimation; évaluation; preuve; prévision; spéculation; supputation. — **Opérations.** Addition, additionner; s'élever à; monter à; montant; plus (+); somme, sommer; total, totaliser, colonnes. ■ Soustraction, soustraire : moins (—), poser une soustraction, ôter/retenir, retenue, retrancher, reste. ■ Multiplication, multiplier (×) : facteur, multiplicande, multiplicateur, plus grand commun multiple ou PGCM, multiple, produit, table de Pythagore. ■ Division, diviser(:) : décimales, dénominateur, plus grand commun diviseur ou PGCD, diviseur, dividende, divisibilité, divisible, indivisible, nombre entier, fraction, réduire une fraction, fractionnaire, numérateur, quotient. ■ Règles d'arithmétique : preuve, preuve par neuf, règle de trois, règle du reste ou du plus fort reste. — **Moyens de calcul ou appareils à calculer.** Abaque, arithmographe, arithmomètre, boulier compteur, échelle, instruments logarithmiques, logarithme, règle logarithmique/à calcul/à calculer, table, tableau logarithmique. ■ Machine arithmétique de Pascal, machine à calculer, calculateur, calculatrice/à clavier / électromagnétique / électronique, cerveau électronique, ordinateur, simulateur. ■ Unité d'entrée/de sortie. ■ Carte perforée, mémoire, organigramme, programme, programmation, registre, totalisateur, hardware, transcodage, software. — **Combiner.** Chiffrer, compter, mesurer : apprécier, déterminer, estimer, évaluer, établir, peser, peser ses chances/le pour et le contre, prévoir, supputer, supputations risquées/hasardeuses. ■ Agencer, ajuster, apprêter, arranger, combiner, combinaison, dessein, mesure, moyen, plan, tirer des plans sur la comète, préméditer, régler. ■ Calcul bas/infernal/machiavélique/mesquin; calcul avisé/froid/intéressé. ■ Adapter; coordonner; proportionner; raisonner, réfléchir; stratège, tacticien.

CALCUL → *épais, foie, rein.*

CALCULATEUR, CALCULATRICE, CALCULER → *calcul, informatique.*

CALE → *niveau.*

CALE → *navire.*

CALÉ → *apprendre, difficile, science.*

CALEBASSE → *récipient.*

CALÈCHE → *voiture.*

CALEÇON → *bain, vêtement.*

CALÉFACTION → *chaleur.*

CALEMBOUR → *mot, rire.*

CALEMBREDAINE → *futile, rire, sot.*

CALENDES → *calendrier, retard.*

CALENDRIER → *année, journée, temps.* — **Les calendriers et leur utilisation.** Calendrier égyptien/grec/romain : calendes, ides, nones, fastes, féries; calendrier julien : jour, semaine, mois, année, année bissextile, jour intercalaire; calendrier ecclésiastique/grégorien : bref, canon pascal, comput, fêtes mobiles, ordo; calendrier républicain; calendrier israélite : sabbat; calendrier musulman : hégire. ■ Agenda, almanach, annuaire, éphéméride, calendrier des postes, les saints du calendrier. ■ Équinoxe, lever/coucher des astres, pleine lune, lune rousse, solstice; date, dater, antidater, postdater, le cachet de la poste; emploi du temps, journal, programme; saint du jour, patron, timing. — **Jour.** Anniversaire, astronomique, bissexte, civil, complémentaire, faste, férié, chômé, payé, intercalaire, ouvrable, sidéral; journalier, quotidien, biquotidien, à journée faite, tous les jours. ■ Lundi, mardi, mercredi, jeudi, vendredi, samedi, dimanche; primidi, duodi, tridi, quartidi, quintidi, sextidi, septidi, octidi, nonidi, decadi, jours supplémentaires ou sans-culottides. ■ Aujourd'hui ; demain, après-demain, le lendemain, le surlendemain, lundi en huit, en quinze ; hier, avant-hier, la veille, l'avant-veille, vigile ; huitaine, semaine, quinzaine. — **Mois.** Intercalaire, lunaire, solaire ; janvier, février, mars, avril, mai, juin, juillet, août, septembre, octobre, novembre, décembre ; vendémiaire, brumaire, frimaire, nivôse, pluviôse, ventôse, germinal, floréal, prairial, messidor, thermidor, fructidor ; semaine, mois, année ; trimestre, trimestriel, semestre, semestriel ; mensuel, bimensuel, hebdomadaire, mensualité ; mois courant, le quinze courant.

CALE-PIED → *bicyclette.*

CALEPIN → *livre, papier.*

CALER → *arrêter, niveau.*

CALER → *moteur.*

CALFAT, CALFATER → *fermer, navire.*

CALFEUTRAGE, CALFEUTRER → *fermer, froid.*

CALIBRAGE, CALIBRE, CALIBRER → *arme, mesure, projectile.*

CALICE → *fleur, liturgie, récipient.*

CALICOT → *tissu.*

CALIFAT, CALIFE → *musulman.*

CALIFOURCHON (À) → *cheval.*

CÂLIN, CÂLINER, CÂLINERIE → *caresser, doux.*

CALISSON → *confiserie.*

CALLEUX → *cerveau, dur.*

CALLIGRAPHE, CALLIGRAPHIE, CALLIGRAPHIER → *écrire.*

CALLIPYGE → *beau.*

CALLOSITÉ → *dur, épais, main.*

CALMAR → *mollusques.*

CALME, CALMER → *bonheur, paix, repos, sage, sûr.* — **Calme de la nature.** Accalmie, bonace, calme plat, embellie ; apaisement, assoupissement, détente, engourdissement, ralentissement, repos, sommeil de la nature ; s'apaiser, s'assoupir, se calmer, dormir, sommeiller ; calme crépusculaire, nature douce/sereine/tranquille, ciel pur, paix du soir ; calmir, se taire, tomber. — **Calme intérieur.** Calme, conserver/garder son calme ; rester coi/maître de soi/de sang-froid ; tête froide, présence d'esprit, maîtriser ses passions, se posséder, se tenir en main, tenir la bride à ses passions. ■ Apaisé, béat, confiant, content, détaché, heureux, résigné, sage, satisfait, sûr de soi. ■ Ataraxie, béatitude, détachement, égalité d'âme, maîtrise, nirvana, paix de l'âme / de la conscience, quiétude, sagesse, sécurité. — **Caractère / humeur calme.** Être calme / compassé / doux / flegmatique / froid / grave / impassible / imperturbable / insensible / modéré / paisible / patient / philosophe / placide / pondéré / posé / prudent / rassis / réfléchi / réservé / sage / serein / sérieux/ tranquille. ■ Calme, douceur, flegme, froideur, gravité, impassibilité, insensibilité, modération, patience, philosophie, placidité, pondération, prudence, réflexion, réserve, sagesse, sérénité, sérieux, tranquillité. ■ Apathique, apathie ; indolent, indolence ; lent, lenteur ; mou, mollesse ; nonchalant, nonchalance. — **Calmer un mouvement violent.** Apaiser, apaisement ; assouvir, assouvissement ; se contenir ; contenter, contentement des passions ; dompter ; étouffer ; imposer silence à ; maîtriser, maîtrise ; modérer ; se rasséréner, se remettre, reprendre son sang-froid, faire taire ses émotions, mettre une sourdine à. ■ Calmer les douleurs, les querelles : amadouer, apaiser la rancune ; calmer les esprits ; consoler ; cicatriser les douleurs ; désarmer la haine ; dompter la colère ; mater ; mettre le holà ; modérer, modération ; pacifier, pacification ; ramener à soi ; rasseoir les esprits ; refréner ; refroidir ; réprimer, répression ; rétablissement de l'ordre ; retenir ; faire taire ; tempérer les ardeurs. — **Calmer une douleur.** Adoucir, alléger, amuser, apaiser, assoupir, assourdir, atténuer, calmer, charmer, distraire, endormir, éteindre, lénifier, modérer, réconforter, soulager, tromper la douleur ; adoucissement, allégement, apaisement, atténuation, consolation, détente, rémission, répit, soulagement. ■ Baume, onguent, pansement, piqûre, remède, somnifère ; analgésique, anesthésique, anodin, antalgique, hypnotique, lénifiant, lénitif, narcotique, parégorique, rafraîchissant, sédatif, soporifique ; calmant : antipyrine, chloral, chloroforme, codéine, laudanum, morphine, opium.

CALMIR → *calme.*

CALO → *langage.*

CALOMNIATEUR, CALOMNIE, CALOMNIEUX → *accuser, faux, réputation.*

CALORESCENCE → *rayon.*

CALORIE → *aliment, chaleur, mesure.*

CALORIFÈRE, CALORIFICATION, CALORIFIQUE → *chaleur.*

CALORIFUGE, CALORIFUGER → *défendre, froid.*

CALORIMÈTRE, CALORIMÉTRIE → *chaleur, physique.*

CALOT → *chapeau.*

CALOTIN → *ecclésiastique.*

CALOTTE → *chapeau, courbe.*

CALOTTER → *frapper, voleur.*

CALQUE, CALQUER → *copier, dessin, reproduction.*

CALUMET → *tabac.*

CALVADOS → *alcool.*

CALVAIRE → *Christ, douleur, supporter.*

CALVINISME → *protestant, religion.*

CALVITIE → *cheveu.*

CAMAÏEU → *couleur, peinture.*

CAMAIL → *vêtement.*

CAMARADE, CAMARADERIE → *amitié, relation.*

CAMARD → *nez.*

CAMARILLA → *groupe, secret.*

CAMBIAL, CAMBISTE → *banque, droit.*

CAMBIUM → *bois.*

CAMBOUIS → *gras, huile.*

CAMBRÉ, CAMBRER → *arc, courbe.*

CAMBRIEN → *géologie.*

CAMBRIOLER, CAMBRIOLEUR → *voler.*

CAMBROUSSE → *campagne, éloigner, obscur, province.*

CAMBRURE → *chaussure, courbe.*

CAMBUSE → *chambre, navire.*

CAME → *roue.*

CAMÉE → *bijou, graver, joaillerie.*

CAMÉLÉON → *changer, reptiles.*

CAMÉLIA → *fleur.*

CAMELOT → *commerce.*

CAMELOTE → *marchandises, qualité.*

CAMEMBERT → *lait.*

CAMÉRA, CAMÉRAMAN → *cinéma.*

CAMÉRIER → *pape.*

CAMÉRISTE → *chambre, servir.*

CAMERLINGUE → *pape.*

CAMION → *automobile, peinture, voiture.*

CAMIONNAGE, CAMIONNER, CAMIONNEUR → *transport.*

CAMISOLE → *folie.*

CAMOMILLE → *boisson, plante.*

CAMOUFLAGE, CAMOUFLER → *cacher, obscur.*

CAMOUFLET → *offense.*

CAMP → *armée, fortification.*

CAMPAGNARD → *campagne.*

CAMPAGNE → *chercher, commerce, guerre, politique.* — **Campagne et travail.** Garenne, glèbe, herbage, lande, pâtis, pâturage, plantation, prairie, pré. ▪ Emblavure, fourragère, guéret, jardin, jardin potager, rizière, roncier, ronceraie, roseraie, semis, verger, vigne, vignoble. ▪ Barrière, brûlis, chaume, clos, enclos, haie, closed field, open field. ▪ Agraire, agricole, agriculteur, agriculture, exploitation agricole, agronome, agronomie ; berger ; coopérative ; culture, cultivateur ; fermier, bail, fermage, affermer. ▪ Kolkhoze, kolkhozien ; journalier, ouvrier agricole, tâcheron ; paysan, Jacques Bonhomme, paysan du Danube, bouseux (pop. et péj.), croquant, cul-terreux (pop. et péj.), péquenot, rustique ; vigneron. ▪ Arboriculteur, apiculteur, horticulteur, pépiniériste, sylviculteur. ▪ Bergerie, ferme, mas, métairie, tenure. — **Campagne et loisirs.** Bastide, cabanon, castel, château, closerie, folie, maison de campagne, maison de maître, manoir, pavillon de chasse, propriété, villa ; châtelain, gentleman-farmer, propriétaire, propriétaire foncier ; se retirer à la campagne, aller planter ses choux (fam.) ; l'air/le calme de la campagne, week-end à la campagne, chasse. ▪ Agreste, bucolique, champêtre, idyllique, pastoral, rural, rustique.

CAMPANE → *cloche.*

CAMPANILE → *cloche.*

CAMPANULE → *fleur.*

CAMPÊCHE → *bois.*

CAMPER → *armée, arrêter, fortification, guerre.* — **Camp militaire.** Bivouac, bivouaquer ; camp romain, circonvallation, castramétation, gromaticien ; camp de concentration/de prisonniers ; camp fixe/fortifié/retranché/volant ; campement, camper ; cantonnement, cantonner, prendre ses quartiers ; feu de camp, extinction des feux. ▪ Abri, abri-vent ; baraque, baraquement ; cagna ; feuillées ; guitoune ; popote, roulante ; tente. — **Le camping.** Camp, campement, campeur, camping ; excursionniste ; pique-nique, pique-niqueur ; touriste. ▪ Tente : faîtière, mât, piquet, sardines, tapis de sol ; tente à auvent/en bonnet de police/à double toit/pneumatique ; dresser / monter / planter / démonter / plier sa tente ; coucher sous la tente/ à la belle étoile. ▪ Matériel de campement/de couchage/de camping : bidon, duvet, gamelle, galetouse (fam.), jerrycan d'eau, lit de camp, marmite, matelas pneumatique, réchaud à alcool/à essence/à gaz/à méta, sac à dos, table pliante, vache à eau, valise camping. ▪ Terrain de camping, caravane, caravaning ; bohémien, nomade, romanichel, tzigane ; roulotte, hutte, paillote, wigwam.

CAMPEUR → *camper.*

CAMPHRE, CAMPHRIER → *médicament.*

CAMPING → *camper.*

CAMUS → *nez.*

CANADA → *Amérique.*

CANADIENNE → *bateau, vêtement.*

CANAILLE, CANAILLERIE → *mépris, voler.*

CANAL → *hydraulique, mer, transport.* — **Canal servant à la navigation.** Canal, bras de mer, chenal, détroit, fjord, goulet, passe, pertuis, robine; canal maritime/de Kiel/interocéanique/de Panama/de Suez; canaux d'Amsterdam/de Bruges; le grand canal de Venise/de Versailles. ▪ Balandre, chaland, péniche/automotrice/tractée, pousseur; balisage, clayonnage; batelier, marinier. ▪ Berge, berme, bief/d'amont/d'aval/de fuite, chemin de halage, déversoir, écluse, franc-bord, pont/basculant/levant, sas, vannes. ▪ Canaliser, canalisation; curage; désenvasement; déversement; dragage, drague. — **Canal d'adduction ou d'évacuation.** Branchement, colonne, colonne montante, conduit, conduite, pipe-line, tube, tuyau, tuyauterie, tuyère, voie. ▪ Aqueduc, buse, étier, caniveau, fossé, gazoduc, oléoduc, rigole, ruisseau, tranchée. ▪ Canal d'assèchement/de drainage/d'écoulement, collecteur, cunette, dalot, drain, égout, gargouille, goulette, gouttière, noulet, saignée, watergang, tout-à-l'égout. — **Terme d'anatomie.** Canal excréteur : biliaire/cholédoque/cystique/digestif / éjaculateur / galactophore / hépatique/uretère/de Stenon/de Wirsung et de Santorini. ▪ Canal osseux : carotidien / maxillaire / médullaire / nourricier/de Harvey/rachidien ou vertébral/radiculaire / sacré / semi-circulaire. ▪ Canal vasculaire : artériel/chylifère/pulmonaire/thoracique; artère, infantibulum, trompe, urètre, vagin, veine; calcul, fistule, méat. — **Canaliser.** Centraliser, concentrer, diriger, grouper, réunir; filière, entremise, intermédiaire, moyen, source, truchement; voie, par le canal de.

CANALISATION, CANALISER → *canal, conduire, rivière, tuyau.*

CANAPÉ → *pain, lit, meuble.*

CANARD → *journal, oiseau.* — **Les caractéristiques.** Anatidés, ansériforme, lamellirostre, palmipède. ▪ Oiseau aquatique, ailes longues, bec jaune, doigts palmés; canard domestique/migrateur/sauvage. ▪ Canard domestique : cane, caneton ou canardeau ou canichou / de Barbarie / de Rouen ou rouennais; canard sauvage : colvert, malard, halbran, pilet, souchet, tadorne ou canard hollandais; canard des régions nordiques : eider, macreuse, milouin, morillon; canard métissé : mulard; oiseaux voisins : harle, sarcelle. — **Vie des canards.** Basse-cour; barboter, barbotage, barbotière; cancaner; se dandiner, dandinement; mare aux canards, canardière; nager; plonger, plongeon. ▪ Chasse au canard/à l'affût/à l'appeau, canarde, canardière, chien barbet ou canard, prendre au filet, étang. — **Utilisation de l'animal.** Cuisine : canard laqué/rôti/aux navets/aux olives/à l'orange/aux petits pois; aiguillettes, pâté de canard. ▪ Duvet d'eider, plumes pour édredon. — **Animaux voisins.** Le cygne : blanc/noir, domestique/sauvage/tuberculé/chanteur; blancheur, cou flexible, duvet; chant du cygne; Jupiter et Léda; Virgile, le Cygne de Mantoue; Fénelon, le Cygne de Cambrai. ▪ L'oie : le jars, l'oison, troupeau d'oies; oie sauvage ou anser, oie de Sibérie, oie bernache, vol d'oies sauvages; engraisser, gaver l'oie; oie de Noël/aux marrons, confit/graisse/rillons d'oie; pâté de foie gras; oie à duvet ou eider.

CANARI → *oiseau.*

CANASSON → *cheval.*

CANASTA → *carte.*

CANCAN → *danse.*

CANCANER → *canard, critique, faux, parler.*

CANCER, CANCÉREUX, CANCÉRIGÈNE, CANCÉROLOGIE → *maladie, tumeur.*

CANCOILLOTTE → *fromage.*

CANCRE → *enseignement, paresse.*

CANCRELAT → *insecte.*

CANDELA → *mesure.*

CANDÉLABRE → *bougie, lampe.*

CANDEUR → *pur, simple.*

CANDI → *sucre.*

CANDIDAT, CANDIDATURE → *demander, élire.*

CANDIDE → *pur, simple.*

CANDIR, CANDISATION → *sucre.*

CANE → *canard.*

CANÉPHORE → *supporter.*

CANETTE → *bière, bouteille, textile.*

CANEVAS → *broder, littérature, récit.*

CANICHE → *chien.*

CANICULAIRE, CANICULE → *chaleur, saison.*

CANIF → *couper, graver.*

CANIN → *chien.*

CANINE → *dent.*

CANIVEAU → *canal, liquide.*

CANNAGE → *vannerie.*

CANNE → *bâton, marcher, pêche, sucre.*

CANNE → *récipient.*

CANNELER → *colonne.*

CANNELIER, CANNELLE → *aliment.*

CANNELLONI → *farine.*

CANNER → *vannerie.*

CANNETILLE → *broderie, fil.*

CANNIBALE, CANNIBALISME → *manger.*

CANOË, CANOÉISTE → *bateau, sport.*

CANON → *artillerie, boire, fusil.*

CANON → *chant, droit, liturgie, règle.*

CAÑON → *relief.*

CANONIAL, CANONICAT → *ecclésiastique.*

CANONICITÉ, CANONIQUE → *liturgie, règle.*

CANONISATION, CANONISER → *pape, saint.*

CANONNADE, CANONNER → *artillerie, projectile.*

CANONNIER → *artillerie.*

CANONNIÈRE → *navire, ouvrir.*

CANOPE → *enterrement, récipient.*

CANOT, CANOTER → *bateau, lac.*

CANOTER, CANOTIER → *bateau, chapeau, sport.*

CANTABILE → *chant.*

CANTAL → *lait.*

CANTALOUP → *légume.*

CANTATE → *chant.*

CANTATRICE → *chant, théâtre.*

CANTHARE → *récipient.*

CANTHARIDE → *insecte.*

CANTILÈNE → *chant.*

CANTILEVER → *pendre, pont.*

CANTINE, CANTINIER, CANTINIÈRE → *boire, manger.*

CANTINE → *coffre.*

CANTIQUE → *chant, liturgie.*

CANTON → *blason, province.*

CANTONADE → *parler, théâtre.*

CANTONNEMENT → *camper, habiter.*

CANTONNER (SE) → *camper, sage.*

CANTONNIER → *route.*

CANTONNIÈRE → *coffre, décoration.*

CANULAR → *moquer, rire.*

CANULE → *tuyau.*

CANUT → *soie, textile.*

CAOUTCHOUC, CAOUTCHOUTER → *bande, gomme, mouiller.* — **Types de caoutchoucs.** Caoutchouc, caoutchoutage, caoutchouter, caoutchouteux, caoutchoutifère; caoutchouc nature/artificiel ou synthétique; caoutchouc brut / cellulaire / spécifié / spongieux/vulcanisé; caoutchouc minéral ou élatérite; gomme, gomme arabique. ▪ Arbre à caoutchouc, euphorbia, ficus, hévéa, urcéole, vahé; broyage, cylindrage, déchiquetage, laminage, pétrissage, séchage, trempage. ▪ Pétrochimie : « buna » S, styrène, « buna » N, nitrile, butyle, néoprène, vinyle, polyuréthanes (polyéthers et polyesters), silicones, polysulfures, acryliques, polyisoprène, polybutadiène; ébonite, késite, plastique. — **Objets en caoutchouc.** Amortisseur, bandage, bande de roulement, chambre à air, coussin, courroie, dunlopillo, joint, matelas pneumatique, rustine, sandow, tapis. ▪ Bretelle, ceinture, condom, élastique, gaine, jarretelle, jarretière, préservatif, ventouse. ▪ Caoutchouc, chaussure, semelle, talon, botte, cuissarde, snowboot. ▪ Ciré, imper (fam.), imperméable, imperméabiliser, réimperméabiliser, imperméabilité, loden. — **Relatif aux propriétés du caoutchouc.** Bondir, rebondir, se contorsionner, homme-caoutchouc; collant, gluant, visqueux. ▪ Compressible, étirable, extensible, flexible, imperméable, malléable, moelleux, mou, souple, variable.

CAP → *entrer, mer, marine, orientation.*

CAPABLE → *adroit, pouvoir.*

CAPACIMÈTRE → *électricité.*

CAPACITÉ → *droit, mesure, pouvoir, ressource.*

CAPARAÇON, CAPARAÇONNER → *cheval, harnais.*

CAPE → *chapeau, rire, tabac, vêtement.*

CAPE, CAPÉER, CAPEYER → *marine.*

CAPELER → *voilure.*

CAPELET → *cheval.*

CAPELINE → *chapeau.*

CAPHARNAÜM → *mêler.*

CAPILLAIRE, CAPILLARITÉ → *cheveu, plante, tuyau.*

CAPILOTADE → *casser.*

CAPITAINE → *chef, grade, marine, sport.*

CAPITAL → *faute, importance, peine.*

CAPITAL → *bien, ressource.*

CAPITALE → *pays, typographie, ville.*

CAPITALISATION, CAPITALISER → *amasser, économie.*

CAPITALISME, CAPITALISTE → *économie, politique, riche.*

CAPITAN → *affectation, courage.*

CAPITATION → *impôt.*

CAPITEUX → *parfum.*

CAPITOLE → *édifice.*

CAPITON, CAPITONNAGE, CAPITONNER → *lit, munir.*

CAPITOUL → *magistrat.*

CAPITULAIRE → *ecclésiastique.*

CAPITULARD → *mou, peur.*

CAPITULE → *fleur.*

CAPITULER → *abandon, guerre.*

CAPON → *peur.*

CAPORAL → *grade, tabac.*

CAPORALISER, CAPORALISME → *chef, politique.*

CAPOT → *automobile, couvrir.*

CAPOT → *carte.*

CAPOTE → *chapeau, couvrir, vêtement.*

CAPOTER → *automobile, échouer.*

CÂPRE → *aliment.*

CAPRICE, CAPRICIEUX → *femme, irrégulier, volonté.*

CAPRICORNE → *astrologie, insecte.*

CAPRIN → *chèvre.*

CAPSULE → *astronautique, bouteille, médicament, rein.*

CAPSULER, CAPSULERIE → *bouteille, fumer.*

CAPTATEUR, CAPTATION → *donner, succession.*

CAPTER → *liquide, rivière.*

CAPTIEUX → *tromper.*

CAPTIF → *guerre, prison, soumettre.*

CAPTIVANT, CAPTIVER → *attirer, plaire.*

CAPTIVITÉ → *guerre, prison.*

CAPTURE, CAPTURER → *prendre, soumettre.*

CAPUCE, CAPUCHE → *chapeau.*

CAPUCHON, CAPUCHONNER → *écrire, vêtement.*

CAPUCIN → *monastère.*

CAPUCINE → *fleur.*

CAPULET → *chapeau.*

CAQUE, CAQUER → *poisson.*

CAQUET, CAQUETAGE, CAQUETER → *cri, parler.*

CAR → *automobile.*

CARABIN → *médecine.*

CARABINE → *chasse, fusil.*

CARABINIER → *police.*

CARACO → *vêtement.*

CARACOLE, CARACOLER → *sport.*

CARACTÈRE → *particulier, psychologie, qualité, tendance, typographie.*

CARACTÉRIEL → *psychologie.*

CARACTÉRISATION, CARACTÉRISER, CARACTÉRISTIQUE → *particulier, qualité.*

CARACTÉROLOGIE → *psychologie.*

CARAFE → *bouteille.*

CARAFON → *bouteille.*

CARAMBOLAGE, CARAMBOLER → *automobile, boule, frapper.*

CARAMBOUILLAGE, CARAMBOUILLEUR → *voler.*

CARAMEL, CARAMÉLISER, CARAMÉLISATION → *confiserie, sucre.*

CARAPACE → *crustacés, défendre.*

CARAQUE → *navire.*

CARAT → *bijou, joaillerie.*

CARAVANE, CARAVANIER → *voyage.*

CARAVANSÉRAIL → *hôtel, voyage.*

CARAVELLE → *navire.*

CARBOCHIMIE, CARBOCHIMIQUE → *houille.*

CARBONADE, CARBONNADE → *viande.*

CARBONADO → *joaillerie.*

CARBONARISME, CARBONARO → *secret.*

CARBONATE, CARBONATER → *chimie.*

CARBONE → *charbon, chimie, joaillerie, reproduction.*

CARBONIFÈRE → *charbon, mine.*

CARBONIQUE → *acide, chimie.*

CARBONISATION, CARBONISER → *brûler, charbon.*

CARBONYLE → *bois.*

CARBURANT, CARBURATEUR → *automobile, moteur, pétrole.*

CARBURATION, CARBURE, CARBURER → *moteur.*

CARCAILLER → *cri.*

CARCAN → *cheval, peine.*

CARCASSE → *charpente, os.*

CARCINOÏDE, CARCINOLOGIE, CARCINOME → *tumeur.*

CARDAN → *automobile, mouvement.*

CARDE → *légume.*

CARDE, CARDER, CARDEUR, CARDEUSE → *laine.*

CARDIA → *estomac.*

CARDIALGIE, CARDIAQUE → *cœur.*

CARDIGAN → *laine, vêtement.*

CARDINAL → *important, nombre.*

CARDINAL, CARDINALAT, CARDINALICE → *ecclésiastique, pape.*

CARDIO → *cœur.*

CARDIOLOGIE, CARDIOPATHIE → *cœur.*

CARDIOTONIQUE, CARDIO-VASCULAIRE, CARDITE → *cœur.*

CARDON → *légume.*

CARÊME, CARÊME-PRENANT → *fête, liturgie, pardon.*

CARENCE, CARENCER → *maladie, manquer.*

CARÈNE, CARÉNER → *navire, réparer.*

CARESSANT → *caresse, doux.*

CARESSE, CARESSER → *aimer, bouche, doux, plan.* — **Accolade.** Accoler, accolade ; embrasser, embrassade ; enlacer, enlacement ; étreindre, étreinte amicale/cordiale/fraternelle/muette/passionnée ; se pendre/sauter au cou de quelqu'un ; presser/serrer sur son cœur/entre ses bras. — **Attouchement.** Faire des avances/des avances directes/du pied ; avoir des gestes osés/des familiarités/des privautés ; cajoler, cajoleries ; câlin, câliner, faire un câlin/une câlinette (fam.) ; caresse, caresser, accabler/couvrir de caresses, prodiguer ses caresses, caresses adulatrices/étudiées/trompeuses; chatouiller, chatouille (fam.), chatouillement; chatterie; effleurement; flatteries, flatter; frôlement, frôler; frottement, frotter; mamours (fam.); mignotise, mignoter; mimis (pop.); palper; pelotage, peloter (pop.); tapoter; titiller; toucher, attouchement; tripoter, tripotis. — **Qui caresse.** Affectueux, aimant, amoureux, cajoleur, câlin, démonstratif, doux, expansif, séducteur, tendre. ▪ Coup d'œil/regard/œillade caressante, voix caressante/chaude/enjôleuse/voluptueuse. ▪ Faire la cour/patte de velours, passer la main dans le dos.

CARET → *reptiles.*

CARET → *corde.*

CARGAISON → *charger, marchandises.*

CARGO → *marchandises, navire.*

CARGUE, CARGUER → *voilure.*

CARIATIDE → *colonne.*

CARIBOU → *cerf.*

CARICATURE, CARICATURER CARICATURISME → *dessin, laid, moquer, rire.*

CARIE, CARIER → *blé, dent.*

CARILLON, CARILLONNER, CARILLONNEUR → *cloche, fête, son.*

CARINATES → *oiseau.*

CARLIN → *chien.*

CARLINGUE → *aviation, navire.*

CARLISME, CARLISTE → *politique.*

CARMAGNOLE → *danse, révolte.*

CARME, CARMEL, CARMÉLITE → *monastère.*

CARMIN → *rouge.*

CARNAGE → *mourir, violence.*

CARNASSIER → *animal, chair, manger.*

CARNASSIÈRE → *chasse, sac.*

CARNATION → *chair, couleur, peau.*

CARNAVAL, CARNAVALESQUE → *fête, rire, soie, visage.*

CARNE → *chair, viande.*

CARNET → *livre, papier.*

CARNIER → *chasse, sac.*

CARNIVORE → *animal, chair, manger.*

CAROGNE → *cheval, mépris.*

CARONADE → *artillerie.*

CARONCULE → *chair.*

CAROTÈNE → *rouge.*

CAROTIDE → *gorge, veine.*

CAROTTE → *géologie, légume, tabac.*

CAROTTER, CAROTTEUR, CAROTTIER → *tromper, voler.*

CAROUBIER → *arbre.*

CARPE → *poisson, sauter.*

CARPELLE → *fleur.*

CARPOCAPSE → *fruit, papillon.*

CARQUOIS → *arc.*

CARRARE → *marbre.*

CARRE → *angle.*

CARRÉ → *angle, franc, carte, navire, surface.*

CARREAU → *arc, carte, céramique, mine, verre.*

CARRÉE → *chambre.*

CARREFOUR → *rencontre, route.*

CARRELAGE, CARRELER → *céramique, couvrir, plancher.*

CARRELET → *aiguille, pêche, poisson.*

CARRELEUR → *couvrir.*

CARRER → *repos.*

CARRIER, CARRIÈRE → *mine, pierre.*

CARRIÈRE → *diplomatie, imagination, métier, travail.*

CARRIOLE → *voiture.*

CARROSSABLE → *automobile, route.*

CARROSSE → *voiture.*

CARROSSER, CARROSSERIE, CARROSSIER → *automobile.*

CARROUSEL → *cheval.*

CARROYAGE, CARROYER → *dessin.*

CARRURE → *dos, forme.*

CARTABLE → *sac.*

CARTE → *ciel, écrire, géographie, manger, terre.* — **Cartes à jouer.** Brème (arg.); cartier, carterie; jouer aux cartes, partie de cartes, taper le carton (fam.). ▪ Jeu de cartes/de 32 cartes/de 52 cartes; les couleurs : carreau, cœur, pique, trèfle; annoncer/envoyer/jouer la couleur; figures, honneurs : as, dame, manillon, reine, roi, tarot, valet; basses cartes. ▪ Brelan, fredon, quarte, quinte, séquence, sizain, tierce, tierce belotée/majeure/mineure/au roi/à la dame. ▪ Atout, ratout (fam.), ratatout (fam.), faire tomber les atouts. ▪ Cartomancie, cartomancienne. — **Sortes de jeux de cartes.** Aluette, baccara, bassette, bataille, belote, bésigue, blanque, bog, bonneteau, boston, bouillotte, bridge, brisque, chemin de fer, écarté, hoca, hombre, impériale, lansquenet, manille, mariage, mistigri, nain jaune, pamphile, pharaon, piquet, poker, polignac, quadrille, rami, rams, retournette, réussite, reversi, revertier, tarot, trente-et-un, trente-et-quarante, triomphe, vingt-et-un, whist. — **Jouer aux cartes.** Battre les cartes, brouiller, mêler, remêler, couper, donner, faire, donne, maldonne, talon, tour, tourner;

tenir les cartes, cacher/montrer son jeu. ■ Annonce, annoncer; arroser; battre les cartes; brouiller les cartes; contrer, surcontrer, contre; couper, surcouper, coupe; couvrir; (se) défausser, défausse; donner, donne, maldonne, enchère, surenchère; faire le mort; fournir; faire une impasse; ouvrir; prendre; renoncer, renonce; retourner. ■ Atout, levée, pic, repic, pli, point, remise, rentrée, singleton, vole, faire le vole, être en dévole. ■ Belle, revanche. ■ Gagner : être heureux au jeu, marquer/mener à la marque, jouer gros, miser, ponter, tailles; le chelem (petit, grand). ■ Perdre : capot, déveine, malchance; être lessivé/ratissé (fam.), prendre une culotte/une dégelée. ■ Biseauter les cartes, cartes biseautées, avoir/mettre une carte dans sa manche, filer, maquiller, piper, tricher, tricheur. — **Accessoires de jeu.** Table de bridge, table à jeu, tapis vert; fiche, haricot, jeton, pion, plaque. ■ Casino, cercle, maison/salle de jeu, tripot; banquier, croupier, ponte, rateau.

CARTEL → *accord, association, groupe, horlogerie.*

CARTE-LETTRE → *écrire, poste.*

CARTER → *automobile, bicyclette.*

CARTÉSIANISME, CARTÉSIEN → *philosophie.*

CARTILAGE, CARTILAGINEUX → *anatomie.*

CARTOGRAPHIE, CARTOGRAPHIQUE → *géographie.*

CARTOMANCIE, CARTOMANCIENNE → *destin, prévoir.*

CARTON → *but, coffre, dessin, papier.*

CARTONNAGE, CARTONNIER, CARTONNERIE → *papier.*

CARTOON → *cinéma.*

CARTOTHÈQUE → *géographie.*

CARTOUCHE → *artillerie, projectile.*

CARTOUCHE → *écrire, inscription.*

CARTOUCHIÈRE → *projectile, sac.*

CARYOPSE → *blé, grain.*

CAS → *crime, difficile, événement, maladie, particulier.*

CAS → *grammaire.*

CASANIER → *habitude.*

CASAQUE, CASAQUIN → *vêtement.*

CASBAH → *édifice.*

CASCADE, CASCADER → *eau, rivière, tomber.*

CASCADEUR → *cinéma, danger, spectacle.*

CASCATELLE → *eau, tomber.*

CASE → *échecs, habiter, meuble.*

CASÉEUX, CASÉIFICATION, CASÉINE → *lait.*

CASEMATE → *fortification.*

CASER → *placer.*

CASERNE, CASERNEMENT, CASERNER → *armée, camper, maison.*

CASH → *payer.*

CASIER → *crustacés, impôt, meuble, police.*

CASING → *chaleur, pétrole.*

CASINO → *carte, jouer.*

CASOAR → *chapeau.*

CASQUE, CASQUETTE → *chapeau.*

CASSANT → *casser, chef, parler.*

CASSATE → *pâtisserie.*

CASSATION → *annuler, peine.*

CASSE → *typographie, verre.*

CASSÉ → *faible, vieillesse, vin.*

CASSEAU → *typographie.*

CASSE-COU → *courage, danger.*

CASSE-CROÛTE → *manger.*

CASSE-NOISETTE, CASSE-NOIX → *casser.*

CASSE-PATTES → *alcool.*

CASSE-PIEDS → *gêner.*

CASSE-PIPE → *guerre.*

CASSER → *détruire, justice.* — **Mettre en morceaux.** Abîmer; bousiller (pop.); briser, bris, brise-fer, brise-tout, avoir la main lourde/malheureuse; broyer, broyage, broyeur; casser, casse, cassant, fragile, cassure; concassé, concasseur; craquer, craqueler; crouler, croulant; débiter; déchirer, déchirement; déchiqueter, déchiquetage, déchiqueteur; détruire, destruction, destructeur; disloquer, dislocation; ébrécher, ébrèchement; éclater, éclatement; écrabouiller (fam.), écraser, écrasement; écrouler, écroulement; effondré, effondrement; fêler, fêlure; fendre, fendillé, fendu; fracasser; fractionner, fraction; friable, friabilité; morceler, morcellement; péter (pop.); piler, pilon; rompre, rupture. ■ Mettre en capilotade/en charpie/en miettes/en mille morceaux; débris, ébréchure, éclat, épave, fente, fraction, fracture, fragment, morceau, objet déglingué/démantibulé (pop.), parcelle, pièce, tesson, tronçon. ■ Choc, coup, dégât, ennui, grabuge (pop.), perte; envoyer à la casse/au rebut/chez le réparateur; marteau, casse-noix, casse-sucre. — **Fatiguer, faire violence.** Se casser le bonnet (fam.)/la tête, casse-tête, casse-tête chinois, imbroglio, puzzle; casser les oreilles/les pieds, casse-pieds, enquiquineur (fam.), importun, raseur (fam.); casser la figure/la gueule, battre, rompre les os; se casser la voix, voix cassée, enrouement; être plié en deux, courbé, voûté. — **Casser quelqu'un.** Casser aux gages ; chasser ; dégrader, dégradation ; démettre, démission ; déposer, déposition ; destituer, destitution ; limoger ; radier, radiation, rayer des cadres/des contrôles ; renvoyer, renvoi ; révoquer, révocation ; suspendre, suspension.

CASSEROLE → *cuisine, récipient, vaisselle.*

CASSE-TÊTE → *arme, difficile, jouer.*

CASSETIN → *typographie.*

CASSETTE → *coffre.*

CASSEUR → *pierre.*

CASSIS → *alcool, fruit.*

CASSIS → *route, trou.*

CASSOLETTE → *brûler, parfum.*

CASSON, CASSONADE → *sucre.*

CASSOULET → *cuire.*

CASSURE → *casser, géologie, relief.*

CASTAGNETTES → *instrument.*

CASTE → *Asie, classe, noblesse.*

CASTEL → *édifice, habiter, maison.*

CASTOR → *construction, poil, ronger.*

CASTRAT, CASTRATION, CASTRER → *enlever, manque, sexe.*

CASUEL → *ecclésiastique.*

CASUISTE, CASUISTIQUE → *subtil, théologie.*

CASUS BELLI → *cause, guerre.*

CATABOLISME → *vie.*

CATACHRÈSE → *style.*

CATACLYSME → *détruire, malheur, trouble.*

CATACOMBES → *enterrement, trou.*

CATADIOPTRE → *lumière, optique.*

CATAFALQUE → *enterrement.*

CATALECTIQUE → *poésie.*

CATALEPSIE, CATALEPTIQUE → *dormir, insensible.*

CATALOGUE, CATALOGUER → *classe, livre.*

CATALPA → *arbre.*

CATALYSE, CATALYSER, CATALYSEUR → *chimie.*

CATAPHOTE → *automobile, lumière.*

CATAPLASME → *médicament.*

CATAPULTE, CATAPULTER → *arme, aviation, jeter.*

CATARACTE → *eau, liquide, œil, rivière.*

CATARRHE, CATARRHEUX → *nez.*

CATASTROPHE → *brusque, malheur.*

CATASTROPHER → *abattre.*

CATCH, CATCHEUR → *sport.*

CATÉCHÈSE, CATÉCHISER, CATÉCHISME → *enseignement, religion.*

CATÉCHUMÈNE → *enseignement, nouveau, sacrement.*

CATÉGORIE → *classe.*

CATÉGORIQUE → *parler.*

CATÉNAIRE → *train.*

CATGUT → *chirurgie.*

CATHARE → *hérésie.*

CATHARSIS → *esprit, pur.*

CATHÉDRALE → *architecture, édifice, église.*

CATHÉTER, CATHÉTÉRISME → *chirurgie, rein.*

CATHÉTOMÈTRE → *physique.*

CATHODE, CATHODIQUE → *électricité.*

CATHOLICISME, CATHOLICITÉ, CATHOLIQUE → *église, religion.*

CATILINAIRE → *garder, écrire.*

CATIMINI → *cacher.*

CATIN → *débauche, femme.*

CATIR, CATISSAGE → *textile.*

CATOGAN → *cheveu.*

CATOPTRIQUE → *optique.*

CATTLEYA → *fleur.*

CAUCHEMAR, CAUCHEMARDEUX → *dormir, imaginer.*

CAUDAL → *queue.*

CAUDATAIRE → *pape.*

CAUDILLO → *chef.*

CAUDRETTE → *crustacés.*

CAULESCENT → *plante.*

CAUSAL, CAUSALISME, CAUSALITÉ → *cause.*

CAUSE, CAUSER → *défendre, justice, raisonnement, tribunal.* — **Principe philosophique et logique.** Causalité : pas d'effet sans cause ; cause déterminante/efficiente/finale/formelle / immédiate / matérielle / médiate / morale / occasionnelle/occulte/physique/prédisposante/préexistante ; causes premières/secondes ; origine ; principe. ▪ Déterminisme ; finalisme : hasard, motivation, relation, relation de cause à effet, corrélation, lien. ▪ Causalisme, causaliser, causalisation, causation, causatif. ▪ Absolu, sans cause, *causa sui ;* dépendant, déterminé, prédéterminé, motivé, immotivé, relatif, corrélatif. ▪ Déduire, déduction, induire, induction, postulat, prémisses ; étiologie, métaphysique, positivisme, rationalisme. ▪ Analyser, démonter, démontrer, trouver le fin mot. — **Source, occasion, motif.** Brandon, pomme de discorde ; *casus belli ;* découler ; dériver ; émaner ; ferment ; fondement ; germe ; idée première ; levain ; origine ; originel, le péché originel ; point de départ ; procéder de ; provenir/venir de ; semence ; source. ▪ Amener, apporter, attirer, causer, créer, donner lieu/matière à/naissance à/l'occasion de, entraîner, être un sujet de, faire, faire naître, former, impliquer, nécessiter, produire. ▪ Aboutir à, avoir pour conséquence/pour effet/pour résultat, conduire, contribuer, mener à. ▪ But; considération; fin; intention, intentionnel; mobile; motif, motif légal, motiver, exposé des motifs; mettre au compte de; objet; occasion; prétexte, prétexter de, raison; sujet; tenants et aboutissants. ▪ Ficelles, leviers, moteur, nerf, ressort, vertu; le comment, le pourquoi. — **Être l'agent de quelque chose.** Acteur, artisan, auteur, créateur, fauteur, inspirateur, instigateur, meneur, père, promoteur, provocateur; être l'âme de/le boute-en-train/la cheville ouvrière/l'élément moteur/l'éminence grise/ la locomotive (fam.), tirer les ficelles. ▪ Agir, action, actif, agissement, agissant, allumer, déclencher, développer, donner l'impulsion, impulser, exciter; fomenter, inspirer, motiver; occasionner; pousser à, provoquer, souffler à, susciter; être pour quelque chose, tremper dans; faire du bien/du mal/du tort, rendre fou/sage, etc. — **Lien causal.** Pourquoi ?, attendu que, à cause que (vx), étant donné que, du fait que, dans la mesure où, parce que, puisque, pour la raison, pour la bonne raison que, vu que; pour l'amour de, à cause de, pour cause de, compte tenu de, considérant, en considération de, eu égard à, du fait de, en raison de, en vertu de. ▪ Ainsi, ainsi donc, aussi, aussi bien, du coup, du même coup, donc, partant, c'est pourquoi, voilà pourquoi, voilà les raisons pour lesquelles; et pour cause, à ces causes, pour ces motifs; d'autant que, d'autant plus que; car, en effet; *a fortiori, ergo, ipso facto, propter hoc.*

CAUSER, CAUSERIE, CAUSETTE → *parler.*

CAUSEUSE → *meuble.*

CAUSSE → *calcium, montagne, relief.*

CAUSTICITÉ, CAUSTIQUE → *acide, médicament, moquer.*

CAUTELEUX → *subtil.*

CAUTÈRE, CAUTÉRISER → *chair, chirurgie, médicament, sang.*

CAUTION, CAUTIONNEMENT → *certifier, payer.*

CAVAILLON → *légume.*

CAVALCADE, CAVALCADER → *cheval, course.*

CAVALE → *cheval.*

CAVALER → *courir, fuir.*

CAVALERIE → *armée, cheval, chevalerie, harnais.* — **Cavalerie montée.** Cavalier grec, hipparque; cavalier romain, préfet de cavalerie; cavalerie du Moyen Age, chevalier; cavalerie française : argoulet, carabin, carabinier, cent-garde, chasseur, chevau léger, cuirassier, dragon, éclairer, gendarme, guide, hussard, lancier, mousquetaire; spahi; cavalier allemand : uhlan; cavalier musulman : goumier, mameluck; cavalier russe : cosaque. ▪ Cavalerie légère/de ligne/lourde. ▪ Charge à fourragère, chevauchée, patrouille, reconnaissance, vedette. — **Organisation et équipement.** Brigade, escadron, peloton, régiment; brigadier, maréchal des logis, maréchal des logis-chef, margi (pop.), chef d'escadron(s). ▪ Cornette, étendard, fanion, guidon; chabraque, chapska, dolman, fontes, kolback, lance, latte, sabre ou bancal, sabretache, shako, trousse, etc. — **Cavalerie motorisée.** Automitrailleuse, char d'assaut, chenillette, tank (patton, panzer, sherman, T 34, centurion, AMX), tankiste, unité blindée/cuirassée/motorisée/portée.

CAVALIER → *armée, cheval, clou, échecs, suivre.*

CAVALIER → *brusque, libre.*

CAVATINE → *chant.*

CAVE → *garder, maison, obscur, vin.*

CAVE → *maigre, veine.*

CAVEAU → *enterrement, théâtre.*

CAVEÇON → *cheval, mouton.*

CAVERNE, CAVERNEUX → *habiter, son, trou.*

CAVIAR → *œuf.*

CAVIARDER → *annuler, critiquer.*

CAVISTE → *hôtel, vin.*

CAVITÉ → *trou.*

CAWCHER → *juif, viande.*

CÉCITÉ → *œil.*

CÉDER → *abandon, donner, soumettre.*

CÉDILLE → *écrire.*

CÉDRAT → *confiserie, fruit.*

CÈDRE → *arbre.*

CEINDRE → *ceinture, entourer, souverain.*

CEINTURE → *bande, sport, vêtement.* — **Ce qui entoure.** Agrafer; attacher; boucler; ceinturer, chemin de fer de ceinture; enceinte, ceindre; encercler; enclore; enfermer; enserrer; entourer, entourage, alentours; environné, environnement; noyé dans; perdre au milieu de; sangler. — **Sortes de ceintures.** Bandage, bande, baudrier, cartouchière, ceinturon, cilice, cordelière, cordon, écharpe, obi, pagne, ruban. ▪ Porte-jarretelles; ceinture de chasteté/de Vénus, ceinture de grossesse / orthopédique / de Sainte-Marguerite; ceinture/gilet de sauvetage; ceinture de caoutchouc/de cuir/de flanelle/de tissu; corset, être corseté; gaine, gainé. — **Accessoires.** Agrafe, anneau; ardillon, attache, bélière, boucle, coulant, cran, fermail, fermoir, gland, houppe, incrustations, œil, œillet, passant, patte, pendant, plaque, pompon.

CEINTURER → *entourer, mur.*

CEINTURON → *ceinture.*

CÉLÉBRANT → *cérémonie, liturgie.*

CÉLÈBRE → *connaître, réputation.*

CÉLÉBRER → *connaître, éloge, honneur.*

CÉLÉBRITÉ → *connaître, réputation.*

CELER → *cacher.*

CÉLERI → *légume, plante.*

CÉLÉRITÉ → *vif.*

CÉLESTA → *instrument.*

CÉLESTE → *ciel, Dieu.*

CÉLIBAT, CÉLIBATAIRE → *homme, mariage.*

CELLA → *édifice.*

CELLÉRIER → *monastère.*

CELLIER → *garder, maison.*

CELLOPHANE → *papier.*

CELLULAIRE → *peau, prison.*

CELLULAR → *tissu.*

CELLULE → *cire, monastère, peau, prison, tumeur.*

CELLULITE → *gras, peau.*

CELLULOÏD → *plastique.*

CELLULOSE → *plante.*

CÉMENT → *dent, métal.*

CÉMENTATION, CÉMENTER → *acier, métal.*

CÉNACLE → *Christ, groupe.*

CENDRE → *brûler, couleur, feu, liturgie.*

CENDRIER, CENDRÉ → *couleur, mêler, tabac.*

CÈNE → *Christ.*

CÉNESTHÉSIE, CÉNESTHÉSIQUE → *sensibilité.*

CÉNOBITE, CÉNOBITISME → *commun, monastère.*

CÉNOTAPHE → *enterrement, mourir.*

CENS → *impôt.*

CENSÉ, CENSÉMENT → *prévoir.*

CENSEUR → *critique, enseignement, magistrat.*

CENSITAIRE → *élire.*

CENSURE, CENSURER → *critique, défendre, journal.*

CENT, CENTAINE → *nombre.*

CENTAURE → *cheval, imaginer.*

CENTAURÉE → *fleur.*

CENTENAIRE → *année, fête, vieillesse.*

CENTENNAL, CENTÉSIMAL → *nombre.*

CENTIARE → *surface.*

CENTIGRADE → *angle, mesure.*

CENTIGRAMME → *mesure, peser*

CENTILITRE → *contenir, mesure.*

CENTIME → *monnaie.*

CENTIMÈTRE → *mesure.*

CENTON → *littérature.*

CENTRAL → *important, milieu, télécommunications.*

CENTRALE → *électricité, groupe.*

CENTRALISATION, CENTRALISER → *commun, lier.*

CENTRE → *balle, important, milieu, politique.*

CENTRER → *balle, milieu, orientation.*

CENTRIFUGE, CENTRIFUGER, CENTRIPÈTE → *machine, milieu, mouvement.*

CENTRISTE, CENTRISME → *politique.*

CENTUPLE, CENTUPLER → *augmenter, beaucoup, progrès.*

CENTURIE, CENTURION → *armée, chef.*

CEP, CÉPAGE → *vigne.*

CÈPE → *champignon.*

CÉPHALÉE, CÉPHALALGIE, CÉPHALALGIQUE → *tête.*

CÉPHALOPODES → *mollusques.*

CÉRAMIQUE → *récipient, vaisselle.* — **Définition.** Arts céramiques : être céramiste / faïencier / porcelainier / potier ; industrie faïencière, faïencerie ; industrie porcelainière, musée céramique ; fabrication des carreaux/des vases en terre cuite/des faïences/des porcelaines ; platerie. — **Matériaux.** Argile, pâte argileuse ; barbotine ; biscuit ; figuline ; glaise ; grès cérame ; kaolin ; pâte ferrugineuse ; porcelaine à pâte dure/tendre/translucide/vitrifiée. — **Fabrication des objets.** Préparation de la pâte, mélange des matières premières, pétrissage de la pâte ou marchage : contourner, façonner par modelage (battoir, couteau, galet) / par moulage / par tournage (calibre, mère, moule, bouchon de paille, tour) ; lut, luter, séchage. ■ Décoration par application/par impression, émaillage, imperméabilisation/ par vernissage, engobe, cuisson ou cuite, four à porcelaine ou moufle ; four à poterie ou alandier, four couloir, four à étages. ■ Biscuiter, biscuit ; recouvrir, vernisser, vitrifier, couverte, émail, glaçure. ■ Poterie d'essai ou montre ; retouper une poterie manquée ; poterie brute / glacée / mate / plombée / vernissée / craquelée / réticulée/truitée. — **Objets fabriqués.** Pastillage ; poteries en terre cuite/en chamotte/en grès : cérame, cruche, cruchon, diable, écuelle, poêlon, terrine, pot à fleur, tuile, tuyau ; poteries poreuses, alcarazas, gargoulette ; poteries antiques/étrusques/grecques/ latines, amphores, cratères, vases. ■ Faïence émaillée ou vernissée/commune/fine, stannifère, cailloutage, majolique, terre de pipe, brique, carreau, azuléjo, carrelage, dallage, mosaïque; cuvette, service, vase, vaisselle; faïence de Delft/de Nevers/de Rouen/de Strasbourg/de Wedgwood. ▪ Porcelaine au feu ou de laboratoire, électrotechnique, bougie filtrante, creuset, isolateur; porcelaine phosphatique tendre; porcelaine sanitaire; porcelaine fine/précieuse, biscuit, magot, potiche, santon, statuette, vaisselle, vase; procédé de lithophanie, porcelaine de Chine/de Hollande/du Japon/de Limoges/de Saxe/de Sèvres.

CÉRAMISTE → *céramique.*

CÉRASTE → *reptiles.*

CERBÈRE → *garder, porte.*

CERCEAU → *cercle, jouer, tonneau.*

CERCLE → *arc, géométrie, groupe, tonneau.* — **Figure géométrique.** Aire, diamètre, rayon, nombre pi; cercle, demi-cercle, quart de cercle, arc, corde, flèche, secteur circulaire, segment, tangente, grand cercle, petit cercle ou cercle sécant; circonscrire une figure à un cercle, inscrire dans un cercle, polygone circonscriptible, excentrique, exinscrit, inscrit, tangent. ▪ Mesure d'un cercle : degré, grade, tierce, compas, quadrant, rapporteur, sextant, simbleau; problème de la quadrature du cercle. — **Objets figurant un cercle.** Anneau, arc, aréole, auréole, bague, bille, boule, bouton, bracelet, cerceau, cerne, col, collerette, collier, courbe, courbure, couronne, disque, frette, globe, halo, nimbe, orbe, orbite, parasélène, rond, rondelle, roue, rouelle, rouleau. — **Emploi du cercle en architecture.** Arc, arcade, arceau, arche, bulbe, cintre, plein cintre, couple, croissant, dôme, globe, lobe, lunule, niche, ogive, rosace, sphère, voûte en anse de panier/en berceau/en ellipse/en ogive/sphérique. ▪ Édifices circulaires : abside, absidiole, amphithéâtre, arènes antiques, cirque, hémicycle, rotonde, théâtre grec/romain. — **Lignes et mouvements circulaires.** Décrire/faire/tracer un cercle/des moulinets; mouvement arqué/cambré/cintré/circulaire/rotatif/rotatoire; figure curviligne; rotondité; sens giratoire. ▪ **Circulation.** Circumduction, circumnavigation, circonvolution, révolution, volte; circuit, rotation, tour, tourbillon, tournis, valse. ▪ Cercle horaire, équateur, méridien, parallèle, tropique, zone/cercle arctique/antarctique; cercle décrit par les astres, écliptique, épicycle, orbe, orbite. ▪ Cercle de personnes, cercle familial/littéraire/musical / militaire / poétique / politique / de bridge, club. ▪ Cercle des connaissances humaines, domaine, étendue, limite, s'enfermer dans un cercle étroit. ▪ Cercle infernal/vicieux; se dérouler, s'enrouler, se lover, tourbillonner, tourner, tourner en rond.

CERCOPITHÈQUE → *singe.*

CERCUEIL → *coffre, enterrement.*

CÉRÉALE → *blé, culture.* — **Les céréales graminées.** Avoine, blé, maïs, millet, orge, riz, sarrasin, seigle, sorgho. ▪ Opérations agricoles, céréaliculture, Cérès, déesse des Moissons : battre le grain, aire, airée; épiage, arrachage des chaumes ou chaumage, chaumer; engrangement, grange, mettre en silo; ensiler. ▪ Biser, dégénérer, noircir, échauffement, s'échauffer; fermentation, fermenter; maladies et parasites : charbon, ivraie, mélampyre, piétin, rouille. — **L'avoine.** Avoine commune/d'hiver/de printemps/fourragère/élevée ou fromental ou ray-grass français; avoine stérile ou folle avoine; épillets, en panicules, balle, grain, gruau, paille. ▪ Bouillie, flocons d'avoine/de gruau, nourriture des chevaux/du gros bétail : fourrage, paille, picotin d'avoine; potage, tisane diurétique/émolliente. — **Le maïs.** Épi cylindrique, feuilles lancéolées; grains ronds; blé d'Espagne/d'Inde/de Turquie ou turquet; maïs blanc/jaune/rouge/bigarré/à gros grains/à grains étroits / hâtif / quarantain / cinquantain. ▪ Écimage, effeuillage, égrenage, corn-picker, égreneuse. ▪ Engraisser la volaille/les porcs à la millade; farine de maïs, bouillie; galette/gâteau de maïs, gaude, millas, polenta; grains de maïs grillés/soufflés, pop-corn, corn-piper; maïserie. — **L'orge.** Épi simple; épillet, fleur, grain; orge commune ou petit blé/hâtive ou escourgeon/d'hiver à six rangs/de printemps à deux rangs ou paumelle/d'Europe ou élyme/fourragère. ▪ Brasserie, malt, malter, bière, kwass, sirop d'orgeat, whisky; thérapeutique : hordéine, orge mondé/perlé, décoction, tisane. — **Le riz.** Grain de riz, caryopse, riz cultivé/sauvage. ▪ Aire/zone rizicole, riziculture, riziculteur; rizière sèche, riz de montagne; rizière inondée, mise en eau, parcellement, digues, riz aquatique ou de marécage; semailles, repiquage, récolte. ▪ Riz à grains courts/longs/ronds; riz en paille/vêtu ou paddy; traitement du riz, rizerie, décortiquage, blanchiment, polissage, glaçage; riz décortiqué/cargo/blanchi/poli/glacé/perlé; balle/brisures de riz. ▪ Riz cuit au gras/au carry/au safran, croquette de riz, poule au riz, paella, pilaf, risotto; entremets : crème, galette, gâteau, riz au lait; alcool : eau-de-vie de riz, arack ou raki, saké. — **Autres céréales.** Millet commun : blanc/à grappes; millet des oiseaux; millet noir ou blé noir ou sarrasin, bouillie, crêpes, galettes, pain;

gros millet ou gros mil, millet à balai/de Guinée/des Indes ou sorgho ; farine de mil, couscous, fourrage. ■ Seigle : champart, méteil, passe-méteil, farine panifiable, pain.

CÉRÉBELLEUX, CÉRÉBRAL, CÉRÉBRO-SPINAL → *cerveau.*

CÉRÉMONIAL → *cérémonie, liturgie, règle.*

CÉRÉMONIE → *famille, fête, honneur, liturgie, manière, sacrement.* — **Cérémonie du culte religieux catholique.** Liturgie ; ablutions ; aspersion ; célébrer la cérémonie, célébrant, célébration ; dire la messe, officier, bénir, bénédiction ; chanter, cantique ; génuflexion ; imposer, joindre les mains ; observance ; onction ; prier, prière, oraison, neuvaine ; rituel ; signe de croix, se signer. ■ Cérémonie sacramentelle : les sacrements catholiques, cérémonie du baptême : suppléer les cérémonies du baptême, baptiser/de la confirmation : confirmer/de l'eucharistie ou communion : communion privée/solennelle/de la pénitence/de l'extrême-onction / cérémonie mortuaire : enterrement, funérailles / du mariage : marier, unir par les liens du mariage ; de l'ordination : ordonner prêtre ; sacrer un roi, oindre de la sainte-ampoule, cérémonie du couronnement. — **Autres cérémonies religieuses.** Cérémonies de circoncision/de dédicace / d'excommunication / de conjuration/de consécration/d'exorcisme / d'expiation / d'initiation / d'intronisation/d'investiture/de lustration/de purification ; orgie, orgiaque. ■ Cortège, pardon, procession, pèlerinage. — **Célébration d'un événement solennel.** Anniversaire ; centenaire, bicentenaire ; commémoration ; distribution de prix ; festival ; fête nationale/publique ; gala ; inauguration ; installation (d'un magistrat) ; investiture ; jubilé ; réception de souverains étrangers ; réjouissances publiques. ■ Cérémonies familiales : entrée dans le monde, fiançailles, noces d'argent/d'or/de diamant, etc. — **Définition du cérémonial.** Régler les cérémonies, fixer le rang/les fonctions des officiers/les honneurs et préséances. ■ Cérémonial de chancellerie ou de protocole diplomatique/maritime/politique : appareil, étiquette, protocole ; grand maître des cérémonies, chambellan, chef du protocole. ■ Célébrer avec apparat / éclat / majesté / pompe/solennité ; escorte officielle, personnage officiel, rendre les honneurs ; cavalcade, canonnade, chant, cortège, défilé, discours, escorte, fanfare militaire, feu d'artifice, mousqueterie, musique, parade, revue, salves. ■ Vêtements et ornements sacerdotaux : aube, chape, chasuble, dalmatique de l'évêque, étole, manipule, parement d'autel ; vêtements civils : se mettre en tenue d'apparat/en habit de cérémonie ; vêtements militaires : grand uniforme, grande tenue, uniforme de parade. — **Règles de politesse entre particuliers.** Code de l'honneur/de la politesse/du savoir-vivre ; connaître/observer/respecter la bienséance/les convenances/les formes/les pratiques ; garder/observer/ignorer le cérémonial, être soucieux des lois/des règles/du décorum ; bien tenir son rang, savoir se tenir, savoir son monde (fam.), tenir son rang, avoir du savoir-vivre/de la tenue. ■ Être affecté/apprêté/cérémonieux / formaliste / guindé / gourmé / intimidant / obséquieux / pointilleux / poli/ révérencieux/ protocolaire/ snob/ vieille France/à cheval sur les principes ; être aimable/attentionné/charmant / délicat / distingué / exquis/ parfait. ■ Fam. et pop. : faire des chinoiseries/des façons/des grimaces/des manières/des ronds de jambe/des simagrées/des singeries.

CÉRÉMONIEUX → *affectation, manière.*

CERF → *blason, chasse.* — **Cerf et cervidés.** Cerf, biche ; faon, brocard, daguet, hère. ■ Axis, caribou, cerf-cochon, cervule, chevreuil, daim, élan, muntjac, orignal, renne, rusa ou sambar, wapiti. ■ Chevreuil, chevrette, chevrillard, chevrotin. ■ Daim, daine, daneau, faon. ■ Troupe de cerfs, harde, harpaille. — **Les bois du cerf.** Bois développés/ramifiés, ramification ou cor ; andouillers, branchage, cornes, dagues ; ramure. ■ Andouiller de massacre, chevillure, empaumure ou paumure, enfourchure, époi, gouttière, meule, perche ou merrain, perlures, pierrure, pivot, surandouiller, tête, trochure. — **L'âge du cerf.** Avant la pousse des dagues : petit cerf ou hère ; après la pousse des dagues : daguet ou dagard ; seconde/troisième/quatrième tête ; cerf dix-cors jeunement, âgé de six ans ; cerf dix-cors bellement, âgé de sept ans ; gros cerf, grand vieux cerf, cerf paumé, vieux cerf ; cerf qui porte chandelier, très vieux cerf ; ravaler. — **Vie du cerf.** S'embucher, débucher, rembucher ; frayer ses cornes ; gîter, gîte : chambre, fort, reposée ; se nourrir, paître, viander, pâture, saunière, viandis ; se vautrer, souiller, être en rut, muser. ■ Bramer, brame, bramement ; raire, réer ; pleurer, larme, larmier, glande larmière. — **Chasse au cerf, vénerie.** Chasse à l'affût/à courre/aux pièges/aux traques ou battues ; courre le cerf, cervaison, détourner le cerf ; découpler les chiens, laisser courre, trolle ; reconnaître les traces du cerf, abattures, foulées, frayoir, fumées, hardées, marches ; être à la menée, suivre la menée, débusquer le cerf ; forcer, forlancer, poursuivre, randonner, traquer, mettre aux abois le cerf, meute, limiers ; servir, tuer le cerf ; curée ; faire les honneurs du pied. ■ Fanfares de trompes et de cor de chasse, hallali. — **Venaison.** Cuissot/hampe de cerf ; cuissot/filet/longe de chevreuil.

CERFEUIL → *aliment, herbe.*

CERF-VOLANT → *insecte, jouer.*

CERISE, CERISIER → *arbre, fruit, noyau.*

CERNE, CERNER → *arbre, cercle, entourer, fatigue.*

CÉROPLASTIQUE → *cire.*

CERS → *vent.*

CERTAIN → *banque, certifier, fixer, sûr.*

CERTIFICAT → *certifier, qualité.*

CERTIFIER, CERTITUDE → *affirmer, sûr, vérité.* — **Assurer comme vrai.** Affirmer, affirmation ; approbation, approuver ; assurer, assurance ; attester, attestation ; certifier, donner comme certain, certificat ; confirmer, confirmation écrite/orale ; constater, constatation ; corroborer ; démontrer, démonstration, démonstratif ; fortifier ; garantir, garantie, garant ; maintenir que ; militer en faveur de ; prouver, preuve, probant ; répondre de, répondant ; témoigner, témoignage, témoin ; tenir de bonne source. ■ Être fixé/fondé à dire, s'appuyer sur, se fonder sur ; donner son billet, la certitude que. — **Garantir par un acte.** Authentifier, authentification ; breveter, être breveté (S.G.D.G.) / diplômé / certifié, certification, pièce certificative ; collationner ; entériner ; légaliser, légalisation ; officialiser ; ratifier, ratification ; vérifier, vérification ; vidimer, vidimus. ■ Délivrer/donner un certificat ; fournir/produire un certificat/des pièces justificatives/un quitus/des références ; certifier conforme à l'original, certifier une caution, en répondre, certificateur. ■ Aval, caution, cautionnement, gage, hypothèque, nantissement, warrant ; couverture, couvrir. ■ Acte (de notoriété), attestation, billet, bordereau, brevet, bulletin, certificat, constatation, diplôme, parère, récépissé, reçu, *satisfecit.* ■ Certificat d'aptitudes professionnelles/d'études/de bonnes vie et mœurs/d'origine/de résidence/de travail/de vie. — **Avoir une certitude.** Adepte ; conviction, croyance, opinion arrêtée, être convaincu/persuadé ; croire, faire la profession de, mettre sa main au feu, parier ; partisan ; sectateur ; séide. ■ Être affirmatif/dogmatique / fanatique / intolérant / intransigeant/sectaire ; dogmatisme, fanatisme, sectarisme ; avoir des œillères. — **Expression de la certitude.** Authentique, authenticité ; clair ; confirmé ; décisif ; enraciné ; évident, évidence ; exact, exactitude ; flagrant ; fondé, bien-fondé ; formel ; franc ; inattaquable ; incontestable ; inévitable ; infaillible, infaillibilité ; inébranlable ; irrécusable ; manifeste ; officiel ; palpable ; positif ; reconnu ; réel ; rigoureux ; sûr ; vrai, véracité, vérité. ■ Crever les yeux, sauter aux yeux ; être cousu de fil blanc ; tomber sous le sens, lapalissade. — **Origine de la certitude.** Certitude mathématique : axiome, principe, théorème ; certitude morale : conviction, croyance, opinion, probabilité, sentiment ; certitude rationnelle : raisonnement, raisonner, bon sens, jugement, notion de l'absolu, vérité admise / nécessaire / reconnue ; fait avéré/certain/établi/manifeste/notoire/patent/positif/visible. ■ Autorité, confirmation, historicité/notoriété d'un fait ; certitude religieuse : article de foi/d'évangile, bible, credo, dogme, sainte parole.

CÉRULÉEN → *bleu.*

CÉRUMEN → *cire, entendre.*

CÉRUSE → *blanc, plomb.*

CERVAISON → *cerf.*

CERVEAU → *électricité, nerf, penser, sensibilité.* — **Situation dans le corps.** Région céphalique, crâne, boîte crânienne, appareil/axe cérébro-spinal, organe, viscère ; bulbe rachidien, olive bulbaire, cervelet, pédoncules cérébraux, protubérance ; artère cérébrale, les deux carotides, nerfs cérébraux. — **Conformation extérieure.** Circonvolutions, hémisphères cérébraux ; lobe frontal/occipital/pariétal/temporal ; mésencéphale ou mésocéphale ; scissure de Rolando / de Sylvius. ■ Membranes, méninges : pie-mère, dure-mère. — **Conformation intérieure.** Capsule interne, chiasma ; corps calleux/strié ; cortex ; épendyme ; glande pinéale ou épiphyse ; infundibulum ; liquide céphalo-rachidien, nerf crânien/olfactif/optique/spinal/trifacial/trijumeau ; noyaux gris centraux ; substance blanche/corticale/grise/médullaire, matière grise (fam.) ; thalamus ; trigone ; ventricules latéraux/moyens. — **Le cervelet.** Écorce ; lobes ; pédoncules cérébelleux ; substance blanche/grise, arbre de vie ; tente ; toit du quatrième ventricule ; vermis, parties vermiformes. — **Troubles et maladies.** Aliénation mentale ; anémie ; aphasie ; apoplexie, être apoplectique ; cérébro-sclérose ; congestion cérébrale ; encéphalite ; fièvre cérébrale ou méningite ; fracture du crâne ; hémiplégie, hémorragie ; hydrocéphalie ; méningite cérébro-spinale/

tuberculeuse ; paralysie ; ramollissement ; surmenage ; transport au cerveau ; tumeur ; troubles du cervelet, ataxie, atrophie, lésion, syndrome cérébelleux, cérébellite. ▪ Examen du cerveau ou cérébroscopie ; lobectomie, lobotomie ; trépanation, être trépané.

CERVELAS → *porc.*

CERVELET → *cerveau, nerf.*

CERVELLE → *cerveau, esprit.*

CERVICAL → *cou.*

CERVIDÉS → *cerf.*

CERVOISE → *bière.*

CÉSARIENNE → *accoucher, chirurgie.*

CÉSARISME → *politique.*

CESSATION, CESSER → *abandon, arrêter, finir.*

CESSEZ-LE-FEU → *arrêter, guerre.*

CESSION → *abandon, succession.*

CESTODES → *ver.*

CÉSURE → *couper, poésie.*

CÉTACÉS → *baleine.*

CÉTOINE → *insecte.*

C.G.S. → *mesure.*

CHABICHOU → *chèvre, lait.*

CHABLIS → *vin.*

CHABROT → *vin.*

CHACAL → *chien.*

CHACONNE → *danse.*

CHAFOUIN → *visage.*

CHAGRIN, CHAGRINER → *abattre, douleur, malheur, offense, triste.*

CHAGRIN, CHAGRINER → *chèvre, cuir, mouton.*

CHÂH, SHÂH → *chef.*

CHAHUT → *bruit, danse.*

CHAHUTER, CHAHUTEUR → *bruit, désaccord, enseignement.*

CHAI → *garder, vin.*

CHAÎNAGE, CHAÎNER → *charpente, mur.*

CHAÎNE → *attacher, bijou, lier, montagne, produire, travail.*

CHAÎNER, CHAÎNEUR → *mesurer.*

CHAIR → *anatomie, peau, viande.* — **La substance organique.** Chair, tissu cellulaire/conjonctif/musculaire, cellules ; être bien en chair/charnu/plantureux/replet ; chair douce/élastique/ferme/fraîche/lisse/tendre ; chair avachie/bouffie/flasque/molle ; chair abondante / épanouie / florissante / gonflée / grasse / plantureuse / saine / vive ; chair baveuse/déchirée/gangrenée / sanguinolente / spongieuse / tuméfiée. ▪ Carnation, teint carné, incarnat ; chair blanche/diaphane/dorée/éclatante / nacrée / pâle / rose / rouge / satinée. ▪ Adhérence, bourrelet, excroissance ou caroncule, lambeau/repli de chair. — **États maladifs, étude, soins.** Être blessé, blessure, plaie ; bleuir, bleu ; être bouffi, bouffissure ; se carnifier, carnification du tissu pulmonaire ; être contusionné, contusion ; être décharné, n'avoir que la peau sur les os ; enfler, gonfler, enflure, gonflement, intumescence, œdème ; mourir, mortification des chairs ; sarcome, tumeur maligne, ulcération, anaphasie, cancer, sarcomatose ; être tuméfié, tuméfaction. ▪ Amputer, amputation ; charcuter (pop.) ; mutiler, mutilation ; tailler dans la chair vive, chirurgie. ▪ Brûler, cautériser la chair/les tissus, cautérisation, galvanocautère, thermocautère ; igniponcture, pointes de feu. ▪ Histologie, myologie, splanchnologie. — **La chair que l'on mange.** Chair des fruits, mésocarpe, pulpe, chair fondante/succulente ; chair des animaux, carne, viande ; chair blanche : porc, veau, volaille ; chair rouge : bœuf, cheval, mouton ; chair noire : gibier, venaison ; chair à saucisse, charcuterie, charcutier. ▪ Chair crue/cuite/fraîche/fumée/salée ; régime carné, animal carnassier, carnivore, mouche carnaire ; anthropophagie, cannibalisme, omophagie. — **Matière opposée à l'esprit.** Incarnation de l'esprit, incarner ; biens charnels/temporels/terrestres ; tempérament charnel/matérialiste/sensuel, bon vivant. ▪ Acte/commerce/plaisir charnel/sexuel ; aiguillon ; appel / appétits / démon de la chair ; concupiscence, désir, libido, luxure, passion, péché de la chair/de fornication ; instinct animal/bestial/impur. ▪ Être brute/lascif/libidineux/lubrique/luxurieux/sensuel ; assouvir les besoins de la chair ; crucifier/mortifier sa chair, pratiquer l'ascèse, ascétisme, mortification.

CHAIRE → *église, enseignement.*

CHAISE → *meuble, voiture.*

CHAISIER, CHAISIÈRE → *ecclésiastique, location.*

CHALAND, CHALAND-CITERNE → *bateau, canal, pétrole.*

CHALCOGRAPHIE → *graver.*

CHALCOPYRITE, CHALCOSINE → *cuivre.*

CHÂLE → *dos, vêtement.*

CHALET → *bois, édifice, maison, montagne.*

CHALEUR → *passion, reproduction, saison, sexe, vif.* — **Température élevée.** Chaleur animale (métabolisme basal), calorification, chaud ; chaleur du soleil/de la terre, géothermie ; chaleur latente / radiante / rayonnante/spécifique. ▪ Canicule, étuve, fournaise, tiédeur, vague de chaleur ; climat méditerranéen/tropical, été, température estivale, thermidor. ▪ Chaleur accablante / caniculaire / douce / étouffante / humide / lourde / modérée/moite/orageuse/sèche/de serre/suffocante/tiède/torride. ■ Mesure de quantité et d'intensité de la chaleur : calorimètre, pyromètre, pyroscope, thermomètre ; calorie, degré, thermie. — **Phénomènes physiques concernant la chaleur.** Thermochimie, thermodynamique, thermologie. ■ Caléfaction ; conductibilité, corps conductibles/bons conducteurs (corps calorifère, diathermane)/mauvais conducteurs (corps adiabatique, athermique, calorifuge, isolant) ; convection, convecteur ; déperdition de chaleur, calorifuger, calorifugeage ; combinaison, pyrogénation, réaction, transformation chimique/athermique/endothermique/exothermique ; échange de chaleur, thermicité ; phénomènes électriques, thermo-électricité, thermostat, phénomène thermo-ionique, production d'énergie, énergie thermique ; propagation, radiation, rayonnement ; réverbération de la chaleur. — **Sources de chaleur.** Sources naturelles : chaleur animale, feu, flamme, lumière, soleil, vent du sud ou sirocco ; eau bouillante, fer rouge. ■ Appareils de chauffage : bassinoire, bouillotte, bouche de chaleur, calorifère, chauffe-eau, chauffe-plat, chaudière, chaufferette, étuve, four, gril, réflecteur, rôtissoire ; chauffage central, chaleur par frottement, combustion, étincelle. ■ Brûler du combustible : brasero, cheminée, foyer, poêle ; désintégration atomique, énergie nucléaire ; électricité, courant électrique, générateur/récupérateur/régénérateur de chaleur, thermopompe ; lumière, radiations lumineuses, calorescence ; ouate thermogène ; récipient isotherme, bouteille Thermos (n.d.). — **Utilisation de la chaleur.** Chimie, pyrolyse, thermolyse ; énergie atomique, réaction thermonucléaire ; (dessiccation par) étuvage/séchage ; énergie thermique centrale/machine thermique, fluide caloriporteur ; incandescence, luminescence ; liquation de métaux ; liquéfaction d'un gaz, thermoplastique ; souder, soudure, chalumeau ; thérapeutique par diathermie, héliothérapie, thermothérapie ; vaporisation d'un liquide ; volatilisation d'un corps. ■ Faire couver, couvaison, couveuse artificielle : faire mûrir, aoûter, maturité, maturation, mûrisserie. — **Effets de la chaleur.** Bouillir, bouillant, ébullition ; braiser ; brouir, brouissure ; brûler, combustion ; calciner, calcination ; chauffer au rouge, incandescence/à blanc, bleuir, bleui ; cramer (pop.) ; cuire, cuisson ; dégourdir ; dilater, dilatation ; dorer ; échauder ; échauffer ; embraser, embrasement ; engourdir, engourdissement ; étuver, cuire à l'étouffée/à l'étuvée ; faire fondre, fusion ; griller, grilloir, gril ; réchauffer, réchauffement ; recroqueviller ; rôtir, rôtissoire ; roussir ; surchauffer ; tiédir. ■ Congestionner, étouffer, suer, suffoquer, transpirer ; bouffée de chaleur, congestion, coup, brûlure de chaleur/de soleil, échauffement, étouffement, fièvre, inflammation, insolation, sueur, vapeurs. — **Chaleur des sentiments.** Être actif/animé / ardent / chaleureux / cordial / dynamique / empressé / enflammé / enthousiaste / exalté / fanatique / fervent / impétueux / lyrique / passionné / pressant / véhément / vif / violent/zélé. ■ Avoir du brio, brûler de ; dynamisme, élan, entrain, flamme, vie ; réchauffer / réconforter quelqu'un. ■ Amour, amitié, ardeur, concupiscence, cordialité, effervescence, empressement, enthousiasme, entrain, exaltation, ferveur, feu, fièvre, flamme, impétuosité, passion, véhémence, verve, vigueur, violence, zèle.

CHALEUREUX → *aimer, manière, vie, vif.*

CHÂLIT → **lit.*

CHALLENGE, CHALLENGER → *sport.*

CHALOUPE → *bateau.*

CHALUMEAU → *feu, instrument, métal, tuyau.*

CHALUT, CHALUTAGE → *pêche.*

CHALUTIER → *bateau.*

CHAMAILLE, CHAMAILLER (SE) → *désaccord, discussion.*

CHAMARRER, CHAMARRURE → *décoration, riche.*

CHAMBARD → *bruit, répondre.*

CHAMBARDEMENT, CHAMBARDER → *désordre, révolte.*

CHAMBELLAN → *cérémonie, souverain.*

CHAMBERTIN → *vin.*

CHAMBRANLE → *fenêtre, porte.*

CHAMBRE → *dormir, gonfler, lit, maison.* — **Chambre à coucher.** Chambre d'amis/de bonne/de domestique / d'enfant / nursery ; chambre conjugale/nuptiale ; chambre de soldat, chambrée, dortoir ; (pop.) carrée, crèche, piaule, taule, turne. ■ Chambre attenante/contiguë/communicante / indépendante / donnant sur cour/sur rue/garnie/meublée/nue/carrelée / lambrissée / mansardée / parquetée/planchéiée/tapissée de moquette ; tenture, doubles rideaux. ■ Alcôve, ruelle ; armoire à glace, coiffeuse, commode, divan, lit, penderie, placard, psyché, table de nuit, table de toilette ; siège : bergère, chaise, chauffeuse, fauteuil, pouf. ■ Femme de chambre, camériste ; valet de chambre, camérier du pape, chambellan, chambrier du roi. ■ Garder la chambre, se confiner dans sa chambre, faire chambre à part, chambrer quelqu'un, travailler en chambre. — **Local particulier.** Antichambre, appartement, boudoir, bureau, cabine, cabinet, cachot, cagibi, cellule, chambrette, fumoir, galetas, laboratoire, local, loge, logement, mansarde, office, oratoire, parloir, pièce, réduit, salle d'attente, salon, soupente, studio, vestiaire, vestibule. ■ Chambre de chauffe d'un navire, chaufferie, chauffeur, chaudière ; chambre froide ou frigorifique ; chambre à gaz ; chambre des machines/des pompes ; chambre de navigation/des cartes/de veille, poste de pilotage, carré des officiers ; chambre de sûreté, prison ; chambre de torture. — **Lieu d'assemblée, assemblée.** Chambre d'agriculture/de commerce / d'industrie ; chambre de compensation / de discipline, conseil de l'ordre ; chambre de métiers ; chambre syndicale ; chambre du travail. ■ Chambre du tribunal : première chambre, deuxième chambre, président de chambre ; chambre/de la cour de cassation/civile/criminelle/des requêtes ; chambre de la cour d'appel/des appels correctionnels/d'accusation ; chambre correctionnelle ; chambre des vacations/des référés, se réunir dans la chambre du conseil. ■ Chambre des députés, Assemblée nationale, Palais-Bourbon, convoquer/dissoudre la Chambre ; siéger à la Chambre ; Chambres du Parlement britannique : Chambre basse ou des communes, Chambre haute ou des lords ou des pairs. — **Cavité ou compartiment dans un appareil.** Chambre à air/à air comprimé, pneu, roue ; chambre d'une arme à feu/d'une mine/d'une torpille ; chambre de combustion d'une turbine à gaz ; chambre noire ou obscure d'un appareil photographique ; chambre de l'œil, cristallin, humeur aqueuse, humeur vitrée ; chambre de Wilson.

CHAMBRÉE → *chambre.*

CHAMBRER → *vin.*

CHAMEAU, CHAMELLE → *bosse, mammifères.*

CHAMOIS → *chèvre.*

CHAMOISAGE, CHAMOISERIE → *cuir, peau.*

CHAMOTTE → *céramique.*

CHAMP → *blason, campagne, éloigner, étendre.*

CHAMPAGNE, CHAMPAGNISER → *vin.*

CHAMPART → *impôt.*

CHAMPÊTRE → *campagne.*

CHAMPIGNON → *automobile, légume.* — **Espèces de champignons.** Cryptogame, thallophyte : myxomycètes, oomycètes ou syptomycètes, ascomycètes ; basidiomycètes : algues, bactéries, barbes, champignons, fucus, goémon, levures, lichen, moisissures, mousse, mucor, oscillaires ; champignons parasites : amadouvier, écidie, empuse, entomophtorée, fuligo, mycorhize, oïdium, pénicillium, polypore, rhizoctone, saprophyte, spumaire. ■ Mycologie, mycologue, mycétologie. — **Description et vie du champignon.** Anneau, bague, collier, collerette, bulbe, chapeau, lamelle adhérente / décurrente / écartée / émarginée, pied, pédicule, piléus, stipe, volve, voile. ■ Asque, baside, conceptacle, paraphyse, réceptacle, spore, thèque ; pruine, oospore, périthèce, spermogonie, sphériacée. — **Principaux champignons français.** ■ Comestibles : agaric boule-de-neige ou psalliote, amanite rougeâtre, bolet blafard, cèpe de Bordeaux, coprin chevelu, girolle ou chanterelle, hygrophore ponceau, lactaire délicieux, langue-de-bœuf, lépiote élevée ou coulemelle, marasme d'Oréade, morille, mousseron, nonette voilée, oronge vraie, palomet, pezize, pied-bleu, pied-de-mouton ou hydre, russule charbonnière, tricholome équestre, trompette-des-morts, truffe, vesse-de-loup. ■ Non comestibles : anthurus, armillaire mucidé, bolet amer, géaster fimbrié, polyphore luisant, russule émétique, satyre puant, strophiaire vert-de-gris, tricholome soufré. ■ Vénéneux : amanite panthère / phalloïde / printanière / tue-mouches/vireuse, bolet Satan, clavaire élégante, clitocybe du bord des routes, cortinaire des montagnes, entolome livide, inocybe de Patouillard, lépiote brune/helvéolée, pleurote de l'olivier. — **Récolte, culture et utilisation du champignon.** Carrière ; champignonnière ; culture du champignon de couche/de Paris, mise en meule, blanc, lardage, gobetage. ■ Chercher, cueillir, aller à la cueillette, ramasser, ramasseur de champignons. ■ Plat de champignons : coquille, croustade, croûte, omelette, sauce aux champignons, cèpes à la bordelaise, morilles à la crème. — **Empoisonnements et maladies provoqués par les champignons.** Empoisonnement muscarien/phalloïdien ; ergotine, muscarine, phalline ; maladie cryptogamique, actinomycose, aspergillose, carate, carie, charbon, dartrose, ergot, fongus, mildiou, muguet, mycose, oïdium, rouille. ■ Mycothérapie.

CHAMPION, CHAMPIONNAT → *défendre, sport.*

CHAMPLEVER → *graver.*

CHANCE → *événement, réussir.*

CHANCELANT, CHANCELER → *balancer, doute, tomber.*

CHANCELIER → *cachet, chef.*

CHANCELIÈRE → *pied.*

CHANCELLERIE → *cachet, justice.*

CHANCIR → *dommage.*

CHANCRE → *arbre, maladie.*

CHANDAIL → *laine, vêtement.*

CHANDELEUR → *fête.*

CHANDELIER, CHANDELLE → *aviation, bougie, économie.*

CHANFREIN → *armure, cheval.*

CHANFREIN, CHANFREINER → *menuiserie.*

CHANGE → *banque, changer, monnaie, tromper.*

CHANGER → *banque, place, progrès.* — **Céder une chose pour une autre.** Abandonner/céder/donner sa place, ne pas la changer pour un boulet de canon/pour un empire ; changer des devises, change, changeur, conversion, convertibilité ; changer un billet, le casser (pop.), monnaie ; changer son cheval borgne pour un aveugle ; compensation, contrepartie, dédommagement ; échanger, échange standard, permutation ; échanges internationaux, libre-échange, protectionnisme, barrières douanières ; perdre au change ; troc, troquer. — **Remplacer.** Alterner, alternance ; changer, interchangeable, rechanger ; faire l'intérim ; relayer, relais ; relever, prendre la relève ; renouveler, renouvellement ; subroger, subrogation ; substituer, substitution ; suppléer, suppléance ; faire tourner, rotation. ■ Adjoint, doublure, intérimaire, provisoire, remplaçant, substitut, suppléant ; ersatz, succédané. — **Changer de direction / de place / de relief.** Bouger, déclasser, déloger, déménager, déplacer, déranger, intervertir, inverser, muter, permuter, remuer, transférer, transplanter, transporter, transposer. ■ Déménager, déménagement ; être dépaysé, dépaysement ; déplacer, déplacement ; déranger, dérangement ; émigrer, s'expatrier, émigration ; immigration ; interversion, inversion ; migration, migratoire ; mutation, permutation ; remue-ménage ; transfert ; transplantation ; transport ; transposition. ■ Baisse, baisser ; descendre ; détour, détourner ; déviation, diviser ; diversion ; évolution, évoluer ; gradation ; monter ; obliquer ; progrès, progression, recul, reculer, saute de vent, le vent tourne ; tournant, transition, variation ; tourner bride/court ; virage, virer de bord. ■ Accident, dénivellation, illégalité, irrégularité de terrain. — **Changer d'état.** Amender, amendement ; bouleverser, bouleversement ; chambarder, chambardement (pop.) ; chambouler, chamboulement (pop.) ; corriger, correction ; débaptiser ; diversifier, diversification ; infléchir, inflexion ; innover, innovation ; modifier, modification ; passer de tel à tel état, refondre, refonte ; réformer, réformer ; remanier, remaniement ; renouveler, renouvellement ; rénover, rénovation ; renverser, renversement ; retoucher, retouche ; révolutionner, révolution ; toucher à tout ; transfigurer, transfiguration ; transformer, transformation transmuer, transmutation ; transposer, transposition ; vicissitudes de la fortune/du sort. ■ Altération, anacoluthe, métaplasme, métaphore, métastase, métonomasie, métonymie de langage. — **Changer d'idée / de goût.** Abjurer, abjuration ; apostasier, apostasie ; se convertir, conversion ; se dédire, dédit ; divertir, diversion, divertissement ; évoluer, évolution ; fluctuer, fluctuation ; papillonner, papillonnement ; se raviser, ravisement ; renier, renégat, reniement ; retourner sa veste ; se rétracter, rétractation ; revenir sur ; varier, variation ; virer de bord, virage. ■ Palinodie, retournement, revirement, volte-face ; passer du blanc au noir/du coq à l'âne, être arlequin/caméléon/girouette/papillon/Protée ; faire des pirouettes, faire peau neuve, changer de peau. ■ Apostat, capricieux, changeant, inconstant, inégal, infidèle, instable, léger, lunatique, renégat, versatile, volage. — **Changer en, transformer.** Commuer, commutation de peine ; convertir, conversion, convertisseur ; métamorphose ; muer, faire sa mue, mutation ; reconvertir, reconversion ; transfigurer, transfiguration ; transformer, transformation, transformateur ; transmuer, transmutation. ■ Avatar ; enchanteur Merlin, magicien, Circé, fée, baguette magique, Protée. ■ Changer en bien : améliorer, amélioration ; amender, amendement ; bonifier, bonification ; corriger, correction. ■ Changer en mal : abâtardir, abâtardissement ; adultérer, adultération ; aggraver, aggravation ; altérer, altération ; contrefaire, contrefaçon ; corrompre, corruption ; défigurer, défiguration ; déformer, déformation ; déguiser, déguisement ; dénaturer, dénaturation ; falsifier, falsification ; fausser ; maquiller ; pervertir, perversion ; truquer, truquage ou trucage. ■ Changer en grand : accroître, accroissement ; agrandir, agrandissement ; augmenter, augmentation ; élargir, élargissement. ■ Changer en petit : amoindrir, amoindrissement ; diminuer, diminution ; minimiser ; réduire, réduction ; restreindre, restriction. ■ Changer de visage : blanchir/pâlir/rougir/verdir d'émotion, être méconnaissable. ■ Dogme de la transsubstantiation ; théorie du transformisme, Lamarck, Darwin ; phénomène d'acclimatement / d'accommodation / d'adaptation / d'allotropie / de mimétisme / de métamorphisme.

CHANLATE, CHANLATTE → *charpente.*

CHANOINE → *ecclésiastique.*

CHANSON → *chanter, musique, poésie.*

CHANSONNER, CHANSONNIER → *moquer, rire, spectacle.*

CHANT → *poésie, son.*

CHANT → *bord.*

CHANTAGE → *influence.*

CHANTEFABLE → *récit.*

CHANTEPLEURE → *ouvrir, tonneau.*

CHANTER → *bruit, éloge, musique, poésie.* — **Émettre des sons musicaux.** Chanter bien/juste/en cadence/en mesure/avec expression/euphonie. ▪ Chanter faux, faire des canards/des couacs (fam.), détonner, cacophonie. ▪ Chanter légèrement : bourdonner, chantonner, chevroter, fredonner, psalmodier, roucouler. ▪ Chanter fort : à pleine voix/à tue-tête, beugler (fam.), brailler (fam.), crier, s'égosiller, gueuler, coup de gueule (fam.). ▪ Voix, un filet de voix, une voix flûtée/d'eunuque/de fausset. ▪ Chanson, chant des oiseaux : bruit, gazouillis, murmure, pépiement, ramage, sifflement, trilles ; gazouiller, pépier, siffler, siffloter. ▪ Chanter sur tous les toits : rabâcher, rebattre les oreilles, refrain, répéter ; scie (fam.), tube (fam.). — **Art du chant.** Le bel canto ; cultiver/exercer/moduler/nuancer/travailler sa voix ; gamme, registre, tessiture grave / aiguë ; poser sa voix ; solfier ; vocaliser, faire des vocalises. ▪ Interpréter un chant : attaquer la note, entonner, faire des roulades, filer les sons. ▪ Air, cadence, diapason, harmonie, mélodie, ligne mélodique, mesure, solfège. ▪ Appui de la voix ; débit, élocution, émission de la voix ; inflexion, infléchir ; intonation ; modulation, moduler ; phrasé, phraser un air ; portée de la voix ; timbre, travailler son timbre ; voix pleine/riche/bien timbrée/au timbre argentin/clair/doux/enfantin / grave / sonore / vibrant / voilé ; voix sans timbre, voix blanche ; voix de gorge/de poitrine/de tête. ▪ Chant harmonieux / mélodieux / discordant ; chanter à une voix, monophonie, monodie, solo ; chanter à plusieurs voix/en canon/en duo/en trio/en quatuor/en chœur ; chant choral/collectif/polyphonique, polyphonie ; école de chant, conservatoire. — **Chant et chanson populaire.** Chanson, chanteur, chanteuse, chanteur amateur/professionnel / ambulant / comique / populaire ; chanteur de blues/de charme/de cabaret/de jazz, artiste, chansonnier, choriste, duettiste, interprète, orphéoniste, vedette. ▪ Cabaret, café chantant, comédie musicale, crochet, show, music-hall. ▪ Couplets, paroles, refrain, rengaine, ritournelle. ▪ Chanson d'amour/de charme/d'étudiant/de marche/de route ; chanson bachique/gaie / grivoise / paillarde / rosse / satirique/triste. ▪ Aubade, ballade, barcarolle vénitienne, berceuse, beuglante (pop.), blues, canzonette, chansonnette, complainte, comptine, goualante (arg.), mélodie, mélopée, ranz des vaches, romance, ronde, sérénade, séguedille, negro spiritual, tyrolienne ; chansons anciennes : cantilène, cavatine, pont-neuf, villanelle, chanson polyphonique et *a cappella,* chanson de toile. ▪ Écrire/composer des chansons, compositeur, parolier, arrangement musical, pot-pourri ; mettre en chanson, chansonner, chansonnier ; recueil, chansonnier, folklore. — **Chant savant ou solennel.** Bardit ; chant bucolique/de deuil/épique/de guerre/lyrique / national / nuptial / pastoral / patriotique ; épithalame ; hymne, Marseillaise ; nénies ; péan ; thrène ; vocero. ▪ Chanson de chevalerie/de geste, chanson de Roland ; chants de l'épopée/de l'Énéide/de l'Iliade/de l'Odyssée ; chanteurs du Moyen Age : aède, barde, citharède, ménestrel, minnesinger, rhapsode, troubadour, trouvère. ▪ Canevas, couplet, leitmotiv, motif, partition, passage, phrase, reprise, stance, strophe, thème, trille, variation. ▪ Opéra, opéra-comique, opérette, vaudeville : artiste lyrique, cantatrice, chanteur d'opéra, choriste, choreute, diva, exécutant, interprète, prima donna, récitant, soliste, virtuose, voix de basse chantante, basse-taille ; baryton / contralto / mezzo-soprano / soprano / ténor / ténorino / ténor léger. ▪ Air, aria, ariette, arioso, ballade, cantabile, cantate, cavatine, lied, mélodie, mélopée, oratorio, récitatif, rhapsodie. — **Chant religieux.** Chant liturgique/religieux/sacré/d'église ; chant ambrosien/grégorien, plain-chant, déchant. ▪ Antienne, cantate, cantique, choral, hymne, litanie, motet, oratorio, prose, psaume, répons, séquence ; *agnus dei,* alléluia, *Dies irae,* hosanna, *magnificat, miserere,* Noël, prose de la Pentecôte, *requiem, Te Deum.* ▪ Antiphonaire, hymnaire, psautier, psalmodier ; castrat ; chantre, choriste, enfant de chœur, psalmiste, chantrerie ; chapelle, maître de chapelle, maîtrise, manécanterie, psallette ; *schola cantorum.*

CHANTERELLE → *instrument.*

CHANTERELLE → *champignon.*

CHANTIER → *construction, navire, tonneau.*

CHANTONNEMENT, CHANTONNER → *chanter.*

CHANTOUNG → *tissu.*

CHANTOURNER → *menuiserie, pencher.*

CHANTRE → *chant.*

CHANVRE → *plante, textile.*

CHAOS → *trouble.*

CHAPARDAGE, CHAPARDER → *voler.*

CHAPE → *couvrir, vêtement.*

CHAPEAU → *armure, commencer, tête, vêtement.* — **En général.** Chapelier, chapellerie ; chapeau, se chapeauter ; être en cheveux ; coiffe, coiffeur, se coiffer ; couvre-chef, se couvrir, se découvrir ; perruque, postiche. — **Coiffure civile.** Béret, béret basque ; chapeau haut de forme, gibus, huit-reflets, chapeau mécanique ou claque, tromblon, tube ; chapeau melon/mou/de feutre, feutre mou/taupé ; chapeau de paille, bolivar, canotier, manille, panama ; suroît. ▪ Chéchia, fez sombrero, tarbouch, turban. ▪ Chapeau de brousse/de chasse/de jardin/de pêche/de pluie/de soleil/tyrolien ; (pop.) bitos, galette, galure, galurin. ▪ Bourdalou, calotte, carcasse, carre, coiffe, coiffant ; cocarde, cordon, crêpe, galon, nœud, plume, pompon, ruban ; bords, soie ou peluche, sparterie, tergal. ▪ Brosse, carton à chapeau. — **Coiffures militaires.** Béret ; bicorne, tricorne ; bonnet à poil ; calot ; casque, casque léger / lourd / à pointe ; casque d'acier / de cuir / de fer ; casque colonial/de pompier/de scaphandrier ; casoar ; casquette d'aviateur/de marin/d'officier ; chapska ; colback ; gamelle (fam.) ; képi ; shako ; toque. ▪ Aigrette, cimier, crinière, couvre-nuque, écusson, jugulaire, mentionnière, panache, plumet, visière. — **Coiffures spéciales diverses.** Coiffure d'ecclésiastique : barrette, cagoule, calotte, capuce, capuche, chapeau de cardinal, mitre épiscopale, tiare pontificale ; coiffure de religieuse : béguin, cornette ; coiffure d'homme de robe : bonnet carré, mortier, toque ; coiffure nobiliaire : couronne, tiare, tortil ; coiffure de cavalier : bombe ; coiffure d'uniforme : casquette de facteur/de potache, faluche, etc. — **Chapeau de femme.** Atour, hennin, fontange, à la belle-poule ; béret, bibi (fam.), cabriolet, capuche, capuchon, capulet, chapeau cloche, diadème, fanchon, feutre, madras, mantille, réseau, résille, serre-tête, toque. ▪ Bonnet de laine/à poil/plissé/tuyauté, bavolet, coiffe alsacienne / arlésienne / bretonne / bigouden/boulonnaise, etc. ▪ Brides, mentonnière ; épingle, plume, voilette. — **Formes classiques.** Béguin, béret, breton, canotier, capeline, capote, cloche, marquis, toque, turban.

CHAPEAUTER → *chapeau.*

CHAPELAIN → *ecclésiastique.*

CHAPELET → *bijou, demander, liturgie, suivre.*

CHAPELIER, CHAPELIÈRE → *chapeau.*

CHAPELLE → *chant, église, groupe.*

CHAPELURE → *pain.*

CHAPERON → *chasse, mur, suivre.*

CHAPITEAU → *colonne, spectacle.*

CHAPITRE → *classe, ecclésiastique, livre, récit.*

CHAPITRER → *critique.*

CHAPON → *élevage, oiseau.*

CHAPTALISATION → *vin.*

CHAR → *transport, voiture.*

CHARABIA → *langage, obscur.*

CHARADE → *obscur.*

CHARANÇON → *céréale, insecte.*

CHARBON → *brûler, dessin, mine, maladie.* — **Le charbon de bois.** Carboniser, carbonisateur, carbonisation ; charbonnier, bougnat ; chantier, charbonnière ; cornue, four, meule, tunnel ; charbonnette ; charbon fort, charbon doux. ▪ Braise, braisière, braiser, charbonner, charbons ardents, cendre(s), fumeron, mâchefer, tison. ▪ Barbecue, brasero, gazogène, gril ; carbonnade, grillade. — **Types de charbon.** Combustible, noir ; charbon minéral/de terre : anthracite, houille grasse / maigre / maréchale / sèche, lignite, tourbe ; charbon de cornue : coke, cokéfaction, cokéfier, cokerie. ▪ Concassage, criblage, levage, triage : aggloméré, boulet, briquette, escarbille, gailletin ou tête-de-moineau, charbon de Paris, poussier, tout-venant. ▪ Panier/seau/soute à charbon ; chaudière, chauffage, cuisinière, poêle, salamandre. — **Les mines de charbon.** Bassin houiller, terrain carbonifère/houilleux, houillère, houillification ; borinage, charbonnage, terrain fossilifère, tourbière ; affleurement, faille, gisement, veine. ▪ Carreau, chevalement, coron, crassier, fosse, galerie, mine, terril. ▪ Galibot, mineur de fond, porion, ingénieur des mines, « gueules noires », *Germinal* ; coup de grisou, éboulement, poche d'eau, silicose. — **Traitement de la houille.** Asphalte ; bitume, huile bitumineuse ; brai ; carbochimie ; carbonyl ; coaltar ; cokerie ; *cret back* ; crésyl ; deggut ; goudronner, goudron, goudronneuse ; macadam, pègle. ▪ Benzols, huiles légères / anthracéniques / phénoliques ; acétone, aniline, anthracène, antipyrine, benzène, butadiène, carbazol, mélinite, naphtaline, paraffine, phénol, toluène, xylène ; alcool salicylique, salol, etc.

CHARBONNAGE → *charbon.*

CHARBONNETTE → *bois, charbon.*

CHARBONNIER, CHARBONNIÈRE → *charbon.*

CHARCUTER → *chair, chirurgie, couper.*

CHARCUTERIE, CHARCUTIER → *chair, cuisine, porc.*

CHARDON → *plante.*

CHARDONNERET → *oiseau.*

CHARGE → *charger, magistrat, moquer, rivière.*

CHARGEMENT → *marchandises.*

CHARGER → *accuser, attaquer, confiance, excès, peser, transport.* — **Mettre une charge sur.** Accabler, surcharger, charge excessive/lourde/pesante ; charge alaire d'un avion, charge utile d'un véhicule ; charge admissible/de sécurité/de rupture ; limite d'élasticité, surcharge. ▪ Baladeuse, banne, binard, brouette, caisson, camion, carriole, char, chariot, charretin, charreton, charrette, diable, éfourceau, fardier, haquet, tombereau, trinqueballe, truc ou truck, wagon ; charges : batelée, brouettée, cargaison, charretée, faix, fardeau, fret, lest, poids. ▪ Charger un navire : arrimer, fréter, lever, prendre la charge, transborder ; charger, embarquer la cargaison, par appontement ; appareils de chargement : grue, palan, treuil commissionnaire / chargeur ; navire en pleine charge, tirant d'eau/en charge, ligne de flottaison ; débardeur, docker, porteur, portefaix. — **Garnir d'une quantité déterminée.** Bourrer. ▪ Charger un appareil photo/une caméra : chargeur, bobine, film, pellicule. ▪ Charger une arme à feu : charge, balle, bourre, cartouche, poudre, projectile ; chargeur, bande-chargeur, remplir/vider un chargeur ; charger un canon par la culasse/jusqu'à la gueule, chargeur, pourvoyeur, servant ; charge d'explosifs, charge creuse. ▪ Charger une batterie d'accumulateurs : charge d'un condensateur, potentiel, accumulation, perte de charge ; charger/recharger les accus, chargeur, batterie déchargée/à plat ; charge/décharge électrique ; courant de charge. — **Mettre sous le poids d'une charge.** Accabler, alourdir, couvrir, écraser sous, emplir, recouvrir, remplir, surcharger de. ▪ Charger de chaînes, enchaîner, être chargé/couvert de décorations, chamarré, comblé d'honneurs ; style chargé/fleuri/tarabiscoté. ▪ Charger d'injures, injurier, insulter, maudire ; charger de crimes/de torts, accuser, calomnier ; déposer contre quelqu'un, noircir ; porter/produire des charges contre ; témoin à charge/à décharge. ▪ Accabler, charger de dettes/d'impôts/de redevances, écraser, endetter, grever, imposer, obérer, soumettre à ; charges foncières/sociales, dépenses, imposition, obligations légales, prestations, taxes. ▪ Être chargé de famille, charge matérielle/morale : avoir à charge/sur les bras ; être à charge à quelqu'un ; gêner, incommoder, peser sur ; gêne, incommodité, servitude. — **Attaquer.** Charger l'ennemi, attaquer, foncer sur, donner l'assaut. ▪ Attaque/charge à la baïonnette, choc ; charge de cavalerie/en ligne de bataille/en fourrageurs ; pas de charge, battre/sonner la charge ; retourner/revenir à la charge, insister, s'obstiner, persister dans, poursuivre. — **Exagérer.** Charger des comptes/un prix ; charger/forcer/outrer un rôle ; jouer en charge, faire la charge de quelqu'un, outrer, ridiculiser ; portrait en charge, caricature, caricaturer, charge cruelle/féroce/burlesque/comique. ▪ Canular, farce, mystification, plaisanterie.

CHARGEUR → *charger, feu, fusil.*

CHARIOT → *transport, voiture.*

CHARISME → *religion.*

CHARITABLE, CHARITÉ → *bienfaisance, doux, morale.*

CHARIVARI → *bruit.*

CHARLATAN, CHARLATANERIE → *médecine, tromper.*

CHARLESTON → *danse.*

CHARLOTTE → *chapeau, pâtisserie.*

CHARME → *magie, plaire.*

CHARME → *arbre, bois.*

CHARMER, CHARMEUR → *plaire.*

CHARMILLE → *arbre, bois.*

CHARNEL → *chair, désir.*

CHARNIER → *enterrement, mourir.*

CHARNIÈRE → *articulation, lier, mollusques, porte.*

CHARNU → *chair, fruit.*

CHAROGNE → *infecter, mourir.*

CHARPENTE, CHARPENTER → *bois, construction, joindre, menuiserie, os.* — **Sortes de charpentes.** Charpente de construction : assemblage, bâti, cadre, carcasse, chaise, chaise-support, charpente, châssis, ossature, voile ; charpente provisoire : boisage, coffrage, échafaud, échafaudage, échafaud fixe / mobile / roulant/volant / sur plans horizontaux / verticaux. ▪ Charpente de bois : bois de charpente, châtaignier, chêne, orme, pin, sapin ; charpente métallique : acier, fer ; charpente à pans de bois/à pans de fer. ▪ Charpente d'une œuvre littéraire : architecture, structure, plan, charpenter un discours/un roman. —

Pièces de charpente. Pièce de bois/de fer : arbalétrier, arc-boutant, arêtier, chanlatte, chantignole, chapeau, chéneau, chevêtre, chevron, colombe, contre-boutant, contre-fiche, corbeau, corniche, (poteau) cornier, coyau, croisillon, doubleau, dôme, enrayure, entrait, entremise, entretoise, équerre en T/en L, étai, étrésillon, faîtage, faîteau, jambe de force, jambette, jumelles, lambourde, latte, limande, linçoir, linteau, longeron, longrine, madrier, membrure, moise, montant, noue, panne, patin, pilier, planche, plançon, poinçon, pointal, poteau, poteau de refend, poutre, poutrelle, pylône, racinal, sablière, semelle, sole, solive, sommier, sous-faîte, support, tasseau, tirant, tournisse, travée, traverse, ventrière. ■ Pièces d'échafaudage : baliveau, boulin, chevalet, écoperche, étai, planche, tasseau, tréteau. — **Ouvrages de charpente.** Archine ; batardeau ; bâti ; beffroi ; cadre ; cage ; cale sèche/de radoub ; chaînage ; cintre ; colombage ; comble, appentis, bâtière, comble brisé/en coupole/en poivrière, faux-comble ; contreventement ; décharge ; épi ; ferme ; fronton ; gable ; lattis ; noulet ; pignon ; plancher ; plantage ; potence ; poutraison ; radier. — **Travail du charpentier.** Échafauder, fonder, tracer le cadre d'une charpente, calculer sa charge. ■ Assembler, assemblage carré/en adent/en bouement/à clef/à embrèvement/à grain d'orge/à mortaise/en onglet/à oreilles/à queue d'aronde/à rainure/à tenon/à trait de Jupiter ; boulonner, boulonnage ; cheviller ; claveter ; emboîter deux pièces, emboîtement, emboîture ; embrever, embrèvement ; empatter, empatture ; encastrer, encastrement ; enchevêtrer, enchevêtrure ; enfourchement ; goujonner, river, riveter, visser, boulon, cheville, clou, crampon, dent-de-loup, étrier, goujon, rivet, vis. ■ Charpenter un assemblage : cintrer, contre-bouter ou contre-buter, contreventer, enchaîner, étayer, lier, soutenir, ouvrir une baie ; charpenter une pièce de bois : dégauchir, équarrir, rainer, refouiller, tailler, entaille, rainure, refouillement, ruinure. ■ Outillage de charpentier : amorçoir, bec-d'âne ou bédane, bisaiguë, ciseau, ébauchoir, équerre, gouge, hache, herminette, maillet, piochon, rossignol, rouanne, simbleau, tarière, tenailles, traceret, traçoir, vérin.

CHARPIE → *bande, morceau, soigner.*

CHARRETIER, CHARRETTE → *charger, voiture.*

CHARRIAGE → *géologie.*

CHARRIER → *excès, moquer, rivière, transport.*

CHARROI, CHARRON, CHARRONNAGE → *voiture.*

CHARRUE → *culture.*

CHARTE → *droit, loi.*

CHARTER → *voyage.*

CHARTREUSE → *alcool.*

CHARTREUX → *monastère.*

CHAS → *aiguille.*

CHASSE → *animal, chien, sport, viande.* — **Exercice de la chasse.** Chasseur, art/sport de la chasse, cynégétique, Diane chasseresse. ■ Chasse à courre, petite/grande vénerie ; saint Hubert, patron des grandes chasses, chasse à l'oiseau de proie, fauconnerie, haute et basse volerie ; chasse à tir/à piège, tenderie. ■ Ouverture/fermeture ; droit/permis de chasse ; expédition de chasse, safari, partie de chasse ; pavillon/rendez-vous de chasse ; société/actionnaire de chasse ; trappeur. ■ Chasse giboyeuse/gardée/réservée, garde-chasse. — **Chasse à courre.** Chasse noble/royale/à cor et à cri, grande vénerie ; chasse à la grosse bête : chamois, éléphant, ours, lion ; chasse au cerf/au chevreuil/au daim/au loup, louveterie ; chasse au sanglier, vautrait, équipage, chasseur, piqueur, rabatteur, traqueur, veneur ; chien de chasse, couple, harde, meute, troupe ; criée, taïaut, sonner une chasse, cor, fanfare, trompe, le débucher, le hallali, la curée. ■ Phases de la chasse : découpler/laisser courre/appuyer / effiler / exciter les chiens ; chasse de forlonge, contre-pied des chiens. ■ Allée/chemin/voie de l'animal, ressui, reposée ; battre les buissons, faire buisson creux, organiser une battue ; repérer les brisées/les erres/les foulées/les menées/les traces ; quête du gibier : débucher, débusquer, dépister, détourner, lancer, relancer, rembucher, requêter, traquer, trolle ; forcer, mettre aux abois ; faire curée au couteau de chasse/à l'épieu, mettre les chiens en curée, jeter à la curée, donner la curée aux chiens. ■ Couper la hure d'un sanglier, faire les honneurs du pied. — **Chasse à l'oiseau de proie.** Fauconnerie, volerie, grand fauconnier, fauconnerie royale. ■ Aire, volière, oiseau ; chasseurs de bas/de haut vol, autour, faucon, milan ; variétés de faucon : crécerelle, émerillon, émouchet, épervier, faucon sor/hagard/de repaire, gerfaut, hobereau, laneret, lanier, sacre, tiercelet. ■ Affaiter/apprivoiser/dresser le faucon, affaitage ; chaperon, longe, vervelle ; coiffer, décoiffer, lancer ; leurrer, leurre ; rappeler, réclamer, réclame ; siller/dessiller les yeux du faucon. — **Chasse à tir.** Fusil de chasse, canardière, carabine : balle, cartouche, petit plomb ou cendrée, gros plomb ou chevrotine ; cabane, hutte, layon, tiré. ■ Chasse au marais ou au gibier d'eau/au canard ; chasse à l'affût, se poster, poste ; chasse à la passe/à la billebaude ; chasse organisée, battre le bois/les buissons, faire lever le gibier, battue ; débouler ; déguerpissement du gibier, déguerpir ; étraquer/rabattre le gibier, rabatteur ; faire bouquer/dégîter le gibier. ■ Ajuster, canarder, tirer à l'arrêt / au déboulé / au jugé / au posé/au vol ; faire coup double/un doublé ; carnier, carnassière, gibecière, tableau de chasse, pièces ; revenir bredouille. ■ Chasse sous-marine, fusil, harpon, poisson. — **Pièges divers.** Braconner, braconnage ; chasser au furet, furetage ; chasser les petits oiseaux de nuit, fouée. ■ Attirer le gibier : appât, appeau, appelant, chanterelle, grand duc, pipeau, pipée ; frouer, siffler. ■ Capturer le gibier : collet, chausse-trappe, filet, fosse, glu, lacet, lacs, lasso, miroir, nasse, panneau, pantière, poche, tendue, tirasse, toile, tonnelle, trappe, traquet, trébuchet. — **Prise de chasse.** Gros gibier : cerf, daim, sanglier ; menu/petit gibier : bécasse, bécassine, caille, canard, faisan, lapin, lièvre, palombe, perdrix, sarcelle ; gibier à plume/à poil/d'eau/de passage/de plaine. ■ Breuil, gîte, retrait, remise du gibier. ■ Cuisine, venaison, fumet du gibier : faire faisander, mariner, marinade, viande faisandée/marinée/mortifiée ; cuissot, gigue de chevreuil ; brochette, civet, chaud-froid, fricassée, gibelotte, pâté, rôti, salmis.

CHÂSSE → *coffre, optique.*

CHASSÉ, CHASSÉ-CROISÉ → *danse.*

CHASSELAS → *vigne.*

CHASSE-NEIGE → *automobile, froid.*

CHASSEPOT → *fusil.*

CHASSER → *chasse, éloigner, posséder.*

CHASSE-ROUE → *mur, porte.*

CHASSEUR → *aviation, cavalerie, chasse, cinéma, hôtel.*

CHASSIE, CHASSIEUX → *œil.*

CHÂSSIS → *automobile, charpente, fenêtre, typographie.*

CHÂSSIS-PRESSE → *photographie.*

CHASSOIR → *tonneau.*

CHASTE → *morale, pur, sexe.*

CHASUBLE → *ecclésiastique, vêtement.*

CHAT → *animal, gorge, jouer, mammifères.* — **Généralités.** Animal, carnassier, carnivore ; félins, race féline, félidés ; mammifère ; quadrupède. ■ Chat domestique/sauvage : crocs ; griffes acérées / courbes / rétractiles ; poils, pelage moucheté/ocellé/rayé/tigré. — **Le chat domestique.** Chat, chatte, chaton, matou, minet (fam.), minou, mistrigri ; chat blanc/gris/noir/commun ou de gouttière/angora/persan/siamois/sauvage ou haret. ■ Chatonner, mettre bas, portée de chatons, chattée. ■ Manger du lait/du mou/du poisson ; miauler, miaulement, miaou ; ronronner, ronronnement, ronron. ■ Être câlin/caressant/cruel/ énigmatique/ gourmand/ friand/paresseux ; faire le gros dos/patte de velours, rentrer ses griffes ; être à l'affût, guetter les oiseaux/les rats/les souris ; jouer avec sa proie. — **Le chat sauvage.** Caracal, cougouar ou puma, cyra, guépard, guarondi, léopard, lion, lynx ou chat-pard ou loup-cervier, margay ou chat-tigre, ocelot, once, panthère, serval, tigre.

CHÂTAIGNE, CHÂTAIGNERAIE, CHÂTAIGNIER → *arbre, bois, fruit.*

CHÂTAIN → *cheveu, couleur.*

CHÂTEAU → *architecture, édifice, fortification.*

CHÂTEAUBRIANT → *bœuf.*

CHÂTELAINE → *bijou.*

CHÂTELET → *fortification.*

CHAT-HUANT → *oiseau.*

CHÂTIER → *peine.*

CHATIÈRE → *ouvrir, porte.*

CHÂTIMENT → *peine.*

CHATON → *bijou, joaillerie.*

CHATON, CHATONNER → *chat.*

CHATOUILLEMENT, CHATOUILLER, CHATOUILLEUX → *caresse, exciter, toucher.*

CHATOYANT, CHATOYER → *briller, changer, lumière.*

CHÂTRER → *couper, enlever, sexe.*

CHATTEMITE → *affectation, doux.*

CHATTERIE → *caresse, doux.*

CHATTERTON → *colle, électricité.*

CHAUD → *chaleur, chirurgie, vif.*

CHAUD-FROID → *chasse, cuisine.*

CHAUDIÈRE, CHAUDRON → *chaleur, cuivre, récipient.*

CHAUFFAGE → *bois, brûler, chaleur.*

CHAUFFARD → *conduire.*

CHAUFFE → *chaleur, chambre, navire.*

CHAUFFE-ASSIETTES, CHAUFFE-BAIN, CHAUFFE-EAU → *chaleur.*

CHAUFFER → *brûler, chaleur, conduire.*

CHAUFFERETTE → *chaleur, pied.*

CHAUFFERIE → *chaleur, chambre, navire.*

CHAUFFEUR → *automobile, chambre, conduire.*

CHAUFOUR, CHAUFOURNIER → *calcium.*

CHAULAGE, CHAULER, CHAULEUSE → *arbre, calcium, culture.*

CHAUME, CHAUMER → *blé, céréale, couvrir.*

CHAUMIÈRE, CHAUMINE → *maison.*

CHAUSSE → *blason, vêtement.*

CHAUSSÉE → *hydraulique, lac, mer, route.*

CHAUSSE-PIED → *chaussure, pied.*

CHAUSSER → *chaussure, culture, jardin, optique, pied.*

CHAUSSE-TRAPPE → *chasser, défendre, prendre.*

CHAUSSETTE → *jambe, pied, vêtement.*

CHAUSSEUR → *chaussure.*

CHAUSSON → *chaussure, danse, pâtisserie.*

CHAUSSURE → *cuir, marcher, pied.* — **Sortes de chaussures.** Chaussures basses : souliers bas/décolletés, escarpin, mocassin, richelieu, souliers de bal/fins/habillés/vernis ; chaussures de marche, gros souliers ; chaussures montantes : bottes, bottines, brodequins, cuissardes, snow-boot ; chaussures légères, chaussures d'appartement : babouche, chausson, mule, pantoufle, sandale, sandalette, savate, spartiate. ■ Boucle, bouton, brides, crochets, élastiques, fermeture Éclair (n. d.), lacets, pattes. ■ Semelles de bois/de caoutchouc/de corde/de cuir/de crêpe/en élastomère/de peau ; chaussure à semelle cloutée/compensée/à crampons/ferrée/à talons hauts/aiguilles/plats, galoche, espadrille, mocassin, sabot. ■ Chaussures de confection/sur mesure/orthopédiques. ■ Chaussures de basket/de chasse/de ski/d'après-ski/de sport/de tennis ; chaussons de danse, ballerines ; patins à glace/à roulettes, patiner, patinage, patineur. ■ Chaussures anciennes : cothurne, sandale, socque, poulaine, chaussure à la poulaine. ■ Dénominations populaires : bateau, croquenot, écrase-merde, godasse, godillot, grolle, péniche, pompe, tatane. — **Fabrication des chaussures.** Bottier, chausseur, cordonnier, sabotier, savetier. ■ Matières premières : bois, caoutchouc, corde, cuir de mollèterie ou d'œuvre, matière plastique, satin, toile ; cuirs divers : agneau, cheval, chevreau, mouton, vache, veau ou box-calf ; crocodile, daim, lézard, serpent. ■ Fabrication à la main : coupe, montage, gravure, cambrure ; assouplissage, finissage, astiquage. ■ Fabrication à la machine : découpage, cambrage, piqûre, montage, gravure, finissage ; tailler à la pointure, teindre, teinture, cirage. ■ Parties de la chaussure : bout, cambrure, carré, claque, contrefort, empeigne, languette, œillet, quartier, semelle, talon, talonnette, tirant, trépointe. — **Utilisation et entretien.** Chausser, mettre/porter des chaussures, se chausser, se rechausser ; se déchausser, enlever/ôter ses chaussures ; délacer/lacer des souliers, dénouer les cordons de chaussures ; guêtres, leggings, bandes molletières. ■ Chausse-pied, tire-botte ; paillasson, tapis-brosse. ■ Chaussures neuves / vieilles / déformées / éculées/percées/usées. ■ Astiquer/faire briller/faire reluire/cirer/décrotter les chaussures, brosse, chiffon, cirage, cireur ; formes, embauchoirs. — **Réparer des chaussures.** Atelier/boutique de cordonnier/de bouif (pop.), cordonnerie ; carreler, dessemeler, rapiécer, recarreler, recoudre, remonter, ressemeler, ressemelage. ■ Matériel ou crépins : alêne, astic, billot, buis ou buisse, clous, ébourroir, emporte-pièce, fer à lisser, fil poissé, forme, grattoir, ligneul, manicle, marteau, moule, poix, régloir, rivetier, tire-pied, tiers-point, tranchet.

CHAUVE → *cheveu, tête.*

CHAUVE-SOURIS → *aile, animal.*

CHAUVIN, CHAUVINISME → *aimer, pays.*

CHAUX → *calcium, maçonnerie, pierre.*

CHAVIREMENT, CHAVIRER → *balance, marine, trouble.*

CHÉCHIA → *chapeau.*

CHECK-LIST → *essayer.*

CHEDDITE → *exploser, feu.*

CHEF → *conduire, gouverner, grade, magistrat.* — **Exercer le pouvoir de chef.** Administration, administrer, administrateur ; animer, animateur, animation ; commander, commandement ; conduire, conducteur, conduite ; diriger, directeur, dirigeant, direction ; dominer, dominateur, domination ; entraîner, entraîneur, entraînement ; fonder, fondateur, fondation ; gouverner, gouverneur, gouvernante, gouvernement ; s'impatroniser, impatronisation ; leadership ; mener, meneur, menée ; opprimer, oppresseur, oppression ; présider, président, présidente ; régenter, régent, régence ; régner, régnant, règne ; surintendant ; tenir en main ; tyranniser, tyran, tyranneau, tyrannie. ■ Être investi/revêtu d'une autorité ; prendre le commandement/la direction de ; être à la tête/maître/responsable de, maîtrise, responsabilité. ■ Hégémonie, omnipotence, prééminence, supériorité, suprématie ; avoir barre sur. — **Façons d'exercer le pouvoir.** Ascendant, autorité, crédit, empire, emprise, influence, poids, prestige. ■ Autorité établie/légitime/reconnue / abusive / arbitraire / illégale / usurpée ; autorité absolue/despotique/dictatoriale/ discrétionnaire/ magistrale/oppressive/rigoureuse/sévère/ sans contrôle/sans limite. ■ Autoritaire, autoritarisme étroit/mesquin, caporalisme ; être cassant/despotique/dominateur / dur / impératif / impérieux / intransigeant/jaloux de ses prérogatives/omnipotent/pète-sec (fam.)/puissant/tout-puissant / rigide / sévère / strict / tyrannique. ■ Dicter/donner/imposer ses directives/ses lois/ses ordres/sa volonté, ordonner, déléguer son autorité, délégué ; exiger l'obéissance/le respect/la soumission de ses subordonnés, faire plier, soumettre ; mettre/ranger sous sa férule/son joug/sa loi. — **Chefs hiérarchiques.** Hiérarchie, hiérarchisation, ordre, subordination ; degré, échelon, filière, voie hiérarchique ; être au sommet de la hiérarchie. ■ Hiérarchie administrative : administrateur, chef de bureau/de cabinet/d'entreprise/de service, contremaître, contrôleur, député, directeur, fonctionnaire d'autorité, inspecteur, maire, municipalité, ministre, ministère, patron, patronat, préfet, préfecture, sous-préfet, président, secrétaire, sénateur. ■ Hiérarchie scolaire : censeur, directeur, doyen, inspecteur, principal, proviseur, recteur, rectorat. ■ Hiérarchie ecclésiastique : abbé, cardinal, curé, évêque, épiscopat, pape, papauté, prieur, supérieur, prieuré, vicaire général. ■ Hiérarchie militaire : amiral, capitaine, colonel, commandant, général, officier. ■ Hiérarchie judiciaire : bâtonnier, bâtonnat, conseiller, juge, magistrat, président de chambre, procureur (général) de la République, substitut. ■ Chef de famille, maître de maison, patriarche, cheffesse (pop.), cheftaine. ■ Boss (arg.), caïd (arg.), magnat de l'acier/du pétrole, mandarin, potentat, roi, singe (arg.). — **Chefs d'État, de territoire.** Absolu, absolutisme ; autocrate, autocratie ; césarisme, régime césarien ; consul, consulat ; despote, despotisme ; dictateur, dictature ; duce ; empereur, empire ; führer ; gouverner, gouvernement ; monarque, monarchie ; président, présidence ; principat ; régent, régence, roi, royauté, règne ; souverain, souveraineté ; tyran, tyrannie. ■ Pouvoir arbitraire/autocratique / consulaire / despotique / dictatorial / impérial / gouvernemental / monarchique / présidentiel / princier / royal / souverain / tyrannique. ■ Classe dirigeante : aristocratie, démocratie, ploutocratie, théocratie ; attributs du chef : couronne, palais, sceptre, trône. ■ Chef de l'antiquité égyptienne : pharaon ; grecque : archonte, éphore, stratège ; perse : satrape ; romaine : consul, préteur, questeur, édile. ■ Chefs arabes/musulmans/turcs : agha, bey, calife, cheikh, chérif, émir, khédive, pacha, padichah, sultan, vizir. ■ Chefs anciens européens : burgrave, stathouder, staroste, tsar, voïvode. ■ Chefs actuels étrangers : caudillo en Espagne ; châh ou shâh en Iran ; chancelier en Allemagne ; khan en Turquie ; maharadjah, nabab, radjah en Inde ; mikado au Japon ; négus, ras en Éthiopie ; raïs en Égypte.

CHEF-D'ŒUVRE → *art, exécuter, produire, réussir.*

CHEF-LIEU → *province.*

CHEFTAINE → *chef.*

CHEIKH → *Afrique, chef.*

CHÉILITE → *bouche.*

CHEIRE → *volcan.*

CHELEM → *carte.*

CHÉLONIENS → *reptiles.*

CHEMIN → *Christ, église, liturgie, réussir, route, train.*

CHEMINEAU → *demander, marcher, pauvre.*

CHEMINÉE → *brûler, feu, montagne, volcan.*

CHEMINEMENT, CHEMINER → *marcher, progrès.*

CHEMINOT → *train.*

CHEMISE → *moteur, vêtement.*

CHEMISERIE → *tissu.*

CHEMISETTE, CHEMISIER → *vêtement.*

CHÊNAIE → *arbre, bois.*

CHENAL → *canal, mer.*

CHENAPAN → *homme, mal, voler.*

CHÊNE, CHÊNEAU → *arbre*

CHENEAU → *charpente, couvrir*

CHÊNE-LIÈGE → *arbre.*

CHENET → *feu.*

CHÈNEVIÈRE, CHÈNEVIS, CHÈNEVOTTE → *textile.*

CHENIL → *chien.*

CHENILLE → *papillon, roue, soie.*

CHENILLE, CHENILLETTE → *armée, voiture.*

CHENU → *blanc, vieillesse.*

CHEPTEL → *animal, bétail.*

CHÈQUE, CHÉQUIER → *argent, banque, payer.*

CHER → *aimer, prix.*

CHERCHER → *essayer, science.* — **S'efforcer d'obtenir (en général).** Chercher à, s'efforcer de, essayer de, s'évertuer, s'ingénier à, tâcher, tenter. — **S'efforcer de découvrir (avec activité physique).** Battre la campagne/les bois, faire une battue ; se mettre en campagne/en chasse/en quête ; chasse à l'homme ; chercher par monts et par vaux ; filer, filature ; passer au peigne fin ; pister, piste ; ratisser ; traquer, traces, indices, vestiges. ■ Aller au-devant/en reconnaissance/à la rencontre ; chercher méthodiquement/patiemment/à l'aveuglette/au petit bonheur la chance ; chercher une épingle dans une meule de foin; éclairer, éclaireur; explorer, explorateur; gargouiller, fouiller, flairer, flair, fouiner, fourgonner, fourrager, fureter; avoir du nez, mettre son nez dans; faire la revue de; subodorer; trifouiller. — **S'efforcer de découvrir (avec activité mentale).** Calculer, calcul; compulser; examiner, examen; investigation; se pencher sur; peser, soupeser; réfléchir, réflexion; scruter; sonder, sondage, gallup; tester, test. ■ Former des hypothèses, hypothèses de travail, critères, méthode de recherche, heuristique, supposer, supposition, présupposer, présupposition, calcul des probabilités, prospecter, prospection, prospective, supputer, supputation; tâtonner. ■ Se battre les flancs, se creuser le crâne, rester sec, stérile; chercher la difficulté/midi à quatorze heures. ■ Ambitionner, ambition; briguer, brigue; intriguer, intrigue; confesser, confesseur; s'enquérir, enquête; s'informer, information; inquisition, inquisiteur, grand inquisiteur, inquisitorial; inspecter, inspection; instruire une affaire; interroger, interrogation, interrogatoire, tirer les vers du nez; perquisition; questionner, question. ■ Étudier sous tous les angles/sur toutes les coutures, éplucher, chercher la petite bête (fam.); censeur, examinateur, expert. — **Curieux, curiosité.** Attentif, attention; avide, avidité, goût pour, passionner, passion; écouter aux portes, être aux écoutes/à l'affût/aux aguets; épier, espionner, espion; faire le guet, guetter; se mêler de ce qui ne vous regarde pas. ■ Commère, commérage, concierge, curieux, importun, indiscret, raseur. — **Digne d'être recherché.** Attachant, bizarre, étrange, extraordinaire, inouï, intéressant, rare, singulier, surprenant, unique; une curiosité, un monstre, un phénomène, une rareté, l'oiseau rare, le merle blanc, la septième merveille.

CHÈRE → *goût, manger.*

CHÉRI → *aimer.*

CHÉRIF → *musulman.*

CHÉRIR → *aimer.*

CHERRY → *alcool.*

CHERTÉ → *prix.*

CHÉRUBIN → *ciel, enfant.*

CHESTER → *lait.*

CHÉTIF → *maigre, pauvre.*

CHEVAINE, CHEVESNE → *poisson.*

CHEVAL → *cavalerie, chevalerie, course, harnais.* — **Description du cheval.** Tête : chanfrein, ganache, naseaux, salière; corps : crinière, croupe, encolure, garrot; membres : boulet, canon, couronne, gigot, paturon, sabot; avant-main, arrière-main, aplombs, ensellure. ■ Cheval trop ensellé/court de reins/goussaut; cheval bien gigoté/bien culotté; cheval bien croupé; cheval arqué/bouleté/brassicourt / cagneux / court-jointé / long-jointé / désuni / efflanqué / castelé/épointé/féru/jarreté; cheval large/ouvert ou serré du devant/du derrière; cheval panard/pinçard/rampin/solbatu; cheval bégu/bouleux/trapu; œil vairon/métitant, yeux de bœuf/de cochon/cernés. — **Sortes de chevaux.** Équidés, solipèdes : âne, cheval, hémione, zèbre; bardot, mule, mulet; hennir, hennissement; crottin, pissat; hippologie. ■ Cheval, jument; poulain, pouliche; entier, hongre; étalon; jument poulinière. ■ Cheval anglais/anglo-normand/arabe/ardennais / barbe/boulonnais / breton / camarguais / circassien / comtois/flamand/hanovrien / hollandais / hongrois / kabyle / kirghiz / klepper / landais / limousin / lorrain/ mecklembourgeois/ mongol/ navarrais/normand/percheron/persan/picard/poitevin/russe/tartare/tcherkess / turc, etc.; cheval sauvage, mustang, tarpan; cob; genet d'Espagne; poney. ■ Bidet, bourrin, bourrique, canasson, carogne, carne, haridelle, mazette, rosse, rossinante; dada. ■ Cheval fabuleux/ailé, Pégase, centaure, hippogriffe, licorne; Bucéphale (cheval d'Alexandre), Rossinante(cheval de don Quichotte). — **Couleurs du cheval.** Robe du cheval : balzane, épi, étoile, frisure, ladre, liste, raie, tache, zébrure. ■ Alezan brûlé/doré/aubère/bai/bai brun/clair/balzan/blanc/blanc argenté / brun / gris / gris moucheté / isabelle / louvet / miroité / moreau / noir/noir jais/mal teint/pie/pommelé/rouan / rubican / saure / tigré / tourdille/truité/zain. — **Caractères ou défauts du cheval.** Cheval ardent/fougueux/franc du collier/fringant/impétueux/tride/vaillant/vif. ■ Cheval léger à la main/obéissant/piaffeur; cheval bouleux/ombrageux/quinteux/récalcitrant / rétif / vicieux / fingard / grincheur/ramingue. — **Dressage, élevage et soin du cheval.** Hippotechnie : dressage, élevage, dresser, confirmer, élever. ■ Ferme, haras; monte, saillie, saillir, étalonner, pedigree, stud-book, trotting; écurie, box, picotin, stalle; bouchonner, brosser, épousseter, étriller, panser, garçon d'écurie, lad, palefrenier, valet; chabraque, housse; couper les oreilles, bretauder la queue, anglaiser, courtauder. ■ Ferrer, fer à cheval, maréchal-ferrant, marquer, mettre au vert. ■ Attacher, accouer, buder, avec une longe/une plate-longe. ■ Castrer, châtrer, bretauder, hongrer. — **Maladies, blessures et malformations du cheval.** Hippiatrie, hippiatre, vétérinaire : albugo ; capelet ; charbon ; colique ; cornage, corner ; courbature ; cheval couronné ; embarrure ; encastelé ; enchevêtré ; enclouure ; éparvin ou épervin ; exostose ; faim-valle ; farcin ; fic ; fièvre ; filandre ; fortrait, fortraiture ; fourbu, fourbure ; gourme ; gras-fondu ; jarde ou jardon ; javart ; lampas ; malandre ; morfonture ; morve ; osselet ; polype ; pousse, poussif ; râpes ; cheval rouvieux ; seime ; suros ; taie ; tranchée ; vertige ; vessigon. ■ Emplâtre, huile de cade ; flamme, lancette, morailles, serre-nez, tord-nez, travail, trousse-pied. — **Le cheval en mouvement.** Aller, allure, allure douce/basse/terre à terre ; amble, ambler ; aubin, aubiner ; canter ; entrepas ; galop, galoper, galopade, galop d'essai ; mésair ; pas, aller au pas/cadencé/écourté/relevé ; saut, sauter, sautiller ; trac ; train ; trot, trotter, trotteur, grand et petit trot, trot raccourci, trottiner. ■ Aller à bride abattue/ventre à terre, prendre le mors aux dents. ■ Le cheval s'abat/s'accule/s'arme/se donne des atteintes/bat à la main/billarde/bourre/bronche (bronchement)/bute/se cabre/cabriole/caracole / chauvit / dresse / pointe ses oreilles/choppe/se coupe/fait la courbette/se dérobe (dérobade)/s'ébroue (ébrouement)/fait un écart/s'emballe (emballement)/ s'enchevêtre (enchevêtrement) / s'empêtre/s'enterre/ s'entrecoupe / s'épare / falque / fauche / piaffe (piaffement)/gouaille/regimbe (regimbement)/rue/rue dans les brancards (ruade)/tique (ticage)/tombe les quatre fers en l'air. ■ Estrapade, foulée, incartade, parade, tortillement, trépignement, trottinement, virevolte. — **Atteler et conduire les chevaux.** Attelage, harnachement, harnacher, harnais, joug, sulky ; attelage en arbalète/en file/en flèche/en tandem/à la bricole/à la Daumont/à la volée/*four in hand*. ■ Cheval côtier/limonier/porteur/sous-verge/timonier. ■ Conducteur de chevaux : aurige, automédon, charretier, cocher, cocher de fiacre/de grande maison, postillon ; fouet, hue !, dia !, huhau ! — **Équitation.** Hippisme, hippique, monter à cheval, faire du cheval : allée cavalière, amazone, cavalier, écuyer, écuyère, picador, piqueur ; académie, manège, voltige, haute école, Cadre noir de Saumur. ■ Monter à califourchon/à cru/en amazone/en croupe ; enfourcher son cheval, être ferme sur ses arçons, avoir une bonne assiette, être bien en selle ; rassembler son cheval. ■ Cravacher, cingler, éperonner ; piquer des deux ; perdre/vider les arçons, chute de cheval. ■ Brûler/claquer / crever / estrapasser / forcer le cheval. ■ Capote, caveçon, chambrière, fouet ; badine, bombe, bottes, culotte, cravaché, éperon, jodhpurs, molette. — **Utilisation du cheval.** Cheval d'armes/de bataille, destrier, roussin ; cheval de bât, bête de somme, cheval de chasse ; cheval de course/de polo, crack, yearling ; cheval de main, écuyer ; cheval de parade, palefroi ; cheval de poste, postier ; cheval de selle, coursier, haquenée, monture ; cheval de trait/de gros trait/de trait léger/de labour. ■ Cheval de boucherie, boucherie chevaline/hippophagique. ■ Cavalerie, légère/de ligne/lourde ; cheval de remonte/de renfort/de réquisition ; cheval sauvage, mustang, rodéo.

CHEVAL-ARÇONS → *gymnastique.*

CHEVALEMENT, CHEVALER → *charpente, maçonnerie.*

CHEVALERESQUE → *chevalerie, courage.*

CHEVALERIE → *féodalité, noblesse.* — **Au Moyen Age.** Féodalité, féodal, institution féodale, militaire et religieuse. ■ Apprentissage du jeune noble, damoiseau ; aspirer à devenir chevalier, être chevalier, écuyer, armer/recevoir chevalier, conférer la chevalerie ; noviciat, probation ; varlet, veillée d'armes. ■ Accolade, adoubement, adouber chevalier, cérémonie, récipiendaire, parrain, parrainage. ■ Armure, casque, cheval d'armes, devise, écu, épée, éperon d'or, lance, olifant ; bénir les armes. ■ Obligations, observances, vœux : être au service du droit, défendre les faibles et les opprimés ; protéger la veuve et l'orphelin ; redresser les torts ; servir la religion ; servir sa dame, porter ses couleurs, être son vassal (amour courtois, cour d'amour, galanterie). ■ Goût pour le cartel/le combat singulier/le défi/la joute/le tournoi ; combattre en champ clos/dans la lice ; champion, tenant. ■ Être brave/chevaleresque/courtois/généreux/gentil/loyal/vaillant ; bravoure, courtoisie, félonie, loyauté, vaillance ; être en quête d'actions d'éclat/d'aventures héroïques/d'exploits ; chanson de geste, roman de chevalerie ; chevalier errant, paladin. ■ Charlemagne et ses preux, le Chevalier au lion, Perceval et la quête du Graal, *La Chanson de Roland ;* don Quichotte de la Manche, le chevalier de la Triste Figure ; Bayard, le chevalier sans peur et sans reproche. — **Autres ordres de chevalerie.** Membre de confrérie/d'ordre militaire et religieux : les chevaliers de la Table Ronde ; Ordre de l'Annonciade/de Malte/du Saint-Sépulcre/des Chevaliers teutoniques/du Temple, templier. — **Ordres honorifiques.** Décorations : crachat, collier, cordon, croix, médaille, plaque, rosette ; chevalier, commandeur, dignitaire, grand cordon (en sautoir), grand maître, officier de la Légion d'honneur,

Grand-Croix. ■ Chevalier du Saint-Esprit/de la Jarretière/de la Toison d'Or; chevalier de la Légion d'honneur, du Mérite, de la Santé publique, etc.; Compagnons de la Libération.

CHEVALET → *charpente, instrument, peinture.*

CHEVALIER → *chevalerie.*

CHEVALIÈRE → *anneau, bijou, doigt.*

CHEVALIN → *cheval, visage.*

CHEVAL-VAPEUR → *automobile, mesure, vapeur.*

CHEVAUCHÉE → *cheval.*

CHEVAU-LÉGER → *cavalerie.*

CHEVÊCHE → *oiseau.*

CHEVELU, CHEVELURE → *cheveu.*

CHEVET → *église, lit.*

CHEVÊTRE → *charpente.*

CHEVEU → *couleur, obscur, poil, souci, subtil, tête.* — **Nature des cheveux.** Cheveux, chevelure, cresson (pop.), crins (pop.), persil (pop.) perruque (pop.), plumes (pop.), poils (pop.), tiffes (pop.); cuir chevelu, système pileux, pointe/racine du cheveu; couronne de cheveux, crinière (pop.), flot, forêt, masse, tignasse (pop.), toison, épi, mèche, ligne, plantation basse/haute. ■ Cheveux fins / gros / brillants / sains / soyeux / vigoureux / gras / secs / ternes / abondants / drus / épais / fournis / touffus / clairsemés/maigres/mangés par les souris/rares/lisses/plats/raides comme des baguettes de tambour/crépus/frisés/frisottés/laineux comme de l'étoupe/ondés/vaporeux. ■ Être décoiffé/dépeigné/ébouriffé/échevelé, avoir des nœuds dans les cheveux/les cheveux en bataille/en broussaille/en coup de vent/emmêlés/épars/follets/hérissés/hirsutes. — **Couleur.** Couleur, coloration; pigment, pigmentation. ■ Cheveux blonds/blondasses/dorés/de lin/d'or/blond ardent/argent/cendrés / clairs / dorés / fades / filasse / pâles/platine/vénitien/blond naturel/blond artificiel/décolorés/oxygénés; blondin, blondinet, blondinette, fausse blonde. ■ Cheveux bruns/brun clair/châtain clair/foncés/brun sombre/noir d'ébène/de jais/aile de corbeau; brunet, brunette, noiraud. ■ Cheveux roux / rouges / acajou / auburn / carotte/cuivrés/mordorés/queue de vache; rouquin, rousseau, rousseur, Poil de carotte. ■ Cheveux blancs/de neige, tête argentée/chenue, canitie, blanchir. ■ Cheveux gris/grisonnants/poivre et sel, grisonner, grison. — **Maladies et soins.** Cheveux cassants/fourchus/gras/secs, séborrhée, pellicules; chute des cheveux, calvitie, être chauve, se dégarnir, repousse; maladies du cuir chevelu : dermatose, dermatologie, dermatologiste; alopécie ou pelade, être pelé; trichoma ou trichome. ■ Croûte de lait, eczéma, favus, gourme, impétigo, teigne, être teigneux; pou, lente, être pouilleux, phtiriasis. — **Arranger les cheveux.** Faire/laisser pousser les cheveux, cheveux longs/mi-longs; les couper, cheveux courts. ■ Faire les cheveux : brosser, coiffer, démêler, peigner; défaire les cheveux, dénatter, dénouer, dérouler, détresser. ■ Couper, faire une coupe au carré/en dégradé, dégarnir, désépaissir, effiler, rafraîchir, raser la tête/la nuque, tailler, tondre, tonsurer. ■ Laver les cheveux, lave-tête; lisser, mettre en plis, mise en plis, sécher, mettre sous le casque; ondulation, indéfrisable, permanente; décolorer, teindre, teinture, faire les racines/un reflet/un rinçage/un shampooing. ■ Attacher, boucler, donner un coup de peigne, créper / friser / laquer / natter / relever / retrousser / rouler / tirer / tordre / torsader / tresser/ tortiller les cheveux, être bichonné / calamistré / frisoté / pommadé. ■ Artiste capillaire, barbier, capilliculteur, coiffeur, perruquier; figaro, merlan. — **Coiffures diverses.** ■ Coiffures de femmes : accroche-cœur, anglaises, bandeaux, boucles, boudin, cadenette, chignon bas/haut, coques, couettes, crans, frange, friselis, frisons, guiches, macarons, mèches, natte, ondulation, queue de cheval, raie, rouleau, torsade, toupet, tresse. ■ Coiffures d'hommes : brosse, côtelettes, cran, crâne rasé, boule à zéro (fam.), favoris, pattes, rouflaquettes, tonsure, toupet, raie. ■ Faux cheveux, chichi, perruque, moumoute (fam.), postiche. — **Accessoires.** Brosse, démêloir, peigne, peigne fin/à queue; appareils électriques, casque, fer à friser/à onduler, ciseaux, rasoir, sèche-cheveux, tondeuse, séchoir; barrette, bigoudis, épingles, pinces, rouleaux; bandeau, catogan, diadème, filet, résille, serre-tête, voilette. ■ Brillantine, cosmétique, crème de soins, fixatif, friction, laque, lotion, pommade, shampooing à la camomille/au henné/aux œufs/à la quinine/à l'huile / neutre / traitant / antipelliculaire.

CHEVILLARD → *viande.*

CHEVILLE → *agent, charpente, inférieur, pied, poésie.*

CHEVILLER → *charpente, menuiserie.*

CHEVIOTTE → *laine, tissu.*

CHÈVRE → *animal, cerf, cuir, mammifères.* — **L'espèce.** Mammifère ongulé, ruminant; race caprine, les caprins, les caprinés, chèvre commune/sauvage/d'Angora ou Cachemire/d'Europe/du Levant/nubienne/de Perse/du Tibet; chèvre, bique (fam.), chevrette, menon; bouc; bicot (fam.), biquet, bouquetin (fam.), cabri, chevreau, mouflon. ■ Barbe, barbiche ; cornes creuses, animal cavicorne, cornes recourbées/spiralées/en lyre ; mamelles, pis ; poil court/raide/rêche, toison longue/fine/épaisse/soyeuse ; sabots. ▪ Cri : bégueter, bêler, chevroter. — **Vie des chèvres.** Animal agile / capricant / capricieux/leste/vagabond/vif ; mettre bas, biqueter, chevreter ; bondir, faire des bonds de cabri/des cabrioles, se cabrer, grimper, sauter, sautiller, se suspendre aux rochers. — **Animaux proches de la chèvre.** Chamois, isard ; chevrette, chevreuil, chevrillard, chevrotain, faon, brocard ou broquard ; daim, daine, daguet, daneau. ▪ Antilope, gazelle, springbok ; bubale, damalisque ; kob, saïga. ▪ Divinités aux pieds de chèvre : Pan, faunes, satyres, sylvains capripèdes ou chèvres-pieds. — **Utilisation.** Lait, fromage, chabichou, chevrotin, crottin. ▪ Cuir de ganterie, mollèterie, reliure, sellerie, peau de chamois/de daim ; chevreau, chevrotin, maroquin ; chabraque. ▪ Chirurgie, fil de suture, catgut. ▪ Étoffes, laines, cachemire, cilice, mohair.

CHEVREAU → *chèvre, cuir.*

CHÈVREFEUILLE → *plante.*

CHÈVRE-PIED → *chèvre.*

CHEVRETER, CHEVROTER → *chèvre.*

CHEVRETTE → *chèvre.*

CHEVREUIL → *chèvre.*

CHEVRIER → *berger, chèvre, grain.*

CHEVRON → *charpente, tissu.*

CHEVRONNÉ → *blason, connaissance, habitude.*

CHEVROTANT, CHEVROTER → *parler, son.*

CHEVROTINE → *chasse, projectile.*

CHEWING-GUM → *dent, gomme.*

CHEZ-SOI → *habiter.*

CHIANTI → *vin.*

CHIASME → *style.*

CHIASSE → *résidu.*

CHIBOUQUE, CHIBOUK → *tabac.*

CHIC → *affectation, couture, manière.*

CHICANE → *obstacle.*

CHICANE, CHICANIER → *critique, raisonnement, résister, subtil.*

CHICHE → *avare.*

CHICHE → *grain.*

CHICHI, CHICHITEUX → *affectation, déplaire, manière.*

CHICORÉE → *boisson, légume.*

CHICOT → *arbre, dent.*

CHICOTER → *cri, rongeur.*

CHICOTIN → *amer.*

CHIEN, CHIENNE → *animal, avare, difficile, météorologie.* — **Caractéristiques.** Mammifère, carnassier ou carnivore, famille des canidés. ▪ Chien sauvage/domestique : babines ; canines ; crocs ; ergot ou éperon ; gueule ; museau ; nez ou truffe ; oreilles droites/tombantes ; pattes, jarrets, jambes droites / torses, chien courtaud / pataud/pattu ; poil, poil long / ras, martelure, robe marquetée/tachetée ; queue en balai/en fouet/en trompette. ▪ Chien caressant/dévoué/fidèle / furieux / hargneux / intelligent / méchant/rageur. — **Vie du chien.** Aboyer, aboiement ; glapir, glapissement ; gronder, grondement ; haleter ; hurler à la lune/à la mort, hurlement ; japper, jappement ; laper, lapement ; lécher ; mordre, morsure ; ronger ; se purger. ▪ Être en chaleur/en chasse, chienner, chiennée, portée de chiots ; croiser des chiens, mâtiner, croisement ; chien de pure race, pedigree ; chien bâtard, bâtardise ; chien mâtiné, corniaud. — **Élevage, maladies et traitement.** Accoupler, accouple ; attacher/détacher/lâcher un chien ; attache, chaîne, collier, laisse ; harder, harde ; muselière, museler/démuseler un chien ; niche, chenil. ▪ Appeler/caresser/dresser/siffler un chien ; faire coucher ; donner la pâtée/la soupe/les os/la viande. ▪ Couper la queue/les oreilles, essoriller ; faire la toilette du chien, épucer, laver, nettoyer, toiletter (fam.), toilettage, tondre, tondeur de chiens. ▪ Blessures : aggravée, butture, décousure, patte cassée ; maladies : gale, hydrophobie, puces, rage, tiques, vers ; chien boiteux/enragé/galeux / pelé / rouvieux ; médecine vétérinaire, vaccin antirabique, Pasteur. — **Le chien à la chasse.** Chasse à courre, cynégétique, vénerie ; chasse en plaine. ▪ Ameuter/coupler/découpler / harder / déharder / relayer les chiens ; harde, meute, relais ; rappeler/rompre les chiens, hourvari ; appuyer/effiler/exciter/rebaudir les chiens ; donner la curée ; transport des chiens, dog-cart. ▪ Chien couchant ou d'arrêt : chien clabaudeur, clabaud ; chien courant : aboyer, clabauder, clabaudage ; chien ratier ; éventer/flairer/halener/humer la trace du gibier ; quêter, quoailler ou coailler ; rabattre le gibier. — **Différents types de chiens.** Chiens sauvages : caberu, cyon, dingo, otocyon, chien-hyène ou lycaon ; chiens domestiques : cabot (fam.), clébard (pop.), clebs (pop.), toutou (fam.) ; chien de race ; chien bâtard. ▪ Chien de berger ; chien de garde, cerbère, molosse ; chien de luxe/d'appartement ; chien policier ; chien sanitaire ; chien de trait/esquimau, attelage, traîneau. ▪ Barbet, basset, beagle, berger, bichon, bleu d'Auvergne, bouledogue, braque, briquet, bull-terrier, caniche, carlin, chien-loup, chou-pille, chow-chow, clabaud, cocker, colley, corniot, dalmatien, danois, dogue, épagneul, griffon, havanais, houret, king-charles, lévrier, levrette, limier, loulou, malinois, mastiff, mâtin, pékinois, pointer, ratier, roquet, setter, sloughi, terre-neuve, terrier, fox-terrier, vautre.

CHIENDENT → *brosse, herbe.*

CHIENLIT → *trouble.*

CHIEN-LOUP → *chien.*

CHIENNERIE → *avare.*

CHIFFE → *mou, tissu.*

CHIFFON → *morceau, papier, tissu.*

CHIFFONNER → *fatigue, offense, souci.*

CHIFFONNIER → *meuble, morceau.*

CHIFFRE, CHIFFRER → *calcul, décoration, musique, nombre, secret.*

CHIGNOLE → *trou.*

CHIGNON → *cheveu.*

CHI'ISME → *musulman.*

CHIMÈRE, CHIMÉRIQUE → *abstraction, faux, imaginer, poisson, récit.*

CHIMIE → *alchimie, culture, médicament, science.* — **Divisions de la chimie.** Étude de la constitution des corps/de leurs propriétés/de leurs transformations ; chimie pure, chimie appliquée. ▪ Chimie générale, lois/étude des pondérables et volumétriques, notation chimique, lois relatives aux masses atomiques et moléculaires, théorie atomique, étude de la réaction chimique/énergétique/cinétique/statique. ▪ Chimie physique, nombre d'Avogadro, théorie des ions, application de la thermodynamique à la mécanique chimique, effet photoélectrique, émission thermo-électronique, rayonnement des corps radioactifs (fluorescence). ▪ Chimie descriptive, chimie minérale ou inorganique/organique et biologique ou biochimie ; chaîne ouverte, composés cycliques, chaînes fermées. ▪ Chimie analytique, analyse quantitative/qualitative / pondérale / volumétrique. — **Chimie appliquée.** Agricole ou agrochimie ; animale ou zoochimie ; médicale ; pharmaceutique ou pharmacochimie ; chimiothérapie, électrochimie. ▪ Industrie du bois/de la cellulose/de la céramique/des colorants/des combustibles/des corps gras/des engrais/des explosifs/des métaux/des parfums/du verre ; industries de synthèse ; photochimie, stéréochimie, thermochimie. — **État et constitution des corps.** Atome, ion, masse, molécule, macromolécule, particule ; élément, isotope, radical. ▪ Corps purs ou espèces chimiques ou principes immédiats ; corps purs/composés ou combinaisons, corps simples ou éléments. ▪ Allotropie ; corps amorphe/colloïdal/cristallisé/dimorphe / hétérogène / homogène / hydraté / isomorphe / polymorphe / trimorphe / fluide / gazeux / liquide / solide/binaire/ternaire/univalent/bivalent/trivalent, etc. ▪ Corps, matière, substance ; fluide, gaz, liquide, métal, métalloïde, solide, vapeur ; acide, base, sel ; concentré, dissolution, essence, esprit, état natif, extrait, ferment, précipité, résidu, solution, suspension. — **Propriétés des corps.** Acidité ; affinité moléculaire ; agrégation, agrégat ; alcalinité, alcalin ; basicité, base, basique ; pouvoir calorifique ; cohésion ; combustibilité, combustible ; compressibilité, compressible ; comburant ; conductibilité, conductible ; conducteur, bon/mauvais ; friabilité, friable, clivable ; fusibilité, fusible ; hydratation, hydraté, hydrate ; isomérie, isomère ; odeur, odorant, inodore ; polymérie, polymère, tantomère ; saveur, sapide, insipide ; solubilité, soluble, insoluble ; volatilité, volatil. ▪ Coefficient de dilatation, densité, fonction/masse/poids atomique/moléculaire ; température d'ébullition/de fusion ; valence. — **Étude en laboratoire.** Chimiste, laborantine, garçon de laboratoire, manipulateur, préparateur, professeur de chimie ; chimistes célèbres : Avogadro, Berthollet, Lavoisier. ▪ Méthodes : analyse, synthèse ; déduction, induction ; expérimenter, expérimentation, expérience ; identifier un corps pur, constante ; manipuler, manipulation ; observer, observation ; préparer, préparation. ▪ Appareils : agitateur, alambic, aludel, ampoule, ballon, capsule, cloche, cornue, coupelle, creuset, cristallisoir, défécateur, éprouvette, eudiomètre, flacon, matras, moufle, siphon, spectroscope, têt, tube à essai, tuyau ; bec, brûleur, chalumeau, four, fourneau, lampe à alcool, réchaud à gaz. — **Opérations chimiques.** Analyse immédiate ; identifier les corps purs ; isoler. ▪ Calcination, calciner ; catalyse, catalyseur, catalyser ; cémentation, cémenter, cément ; coagulation, coaguler, coagulum ; combinaison, combiner ; combustion ; concentration, concentrer ; congélation, congeler ; cristallisation, cristaux ; décantation, décanter ; décomposition, décomposer ; défécation, déféquer ; désagrégation, désagréger ; désintégration, désintégrer ; dessiccation, dessécher ; désoxydation ou réduction, désoxyder ou réduire ; dialyse, dialyser, dialyseur ; dissociation, dissocier ; dissolution, dissoudre, solution ; distillation, distiller ; docimasie des minerais ; dosage, doser ; ébullition, bouillir ; électrolyse, électrolyseur, électrolyte; évaporation, vapeur; fermentation, fermenter; fixation, fixateur; floculation, floculer; fluidification, fluidifier; fractionnement, fractionner; fusion, fondre; incération, cire; lessive; lévigation, léviger; lixiviation; lyophilisation; minéralisation, minéralisateur; nitrification, nitrifier; permutation, permuter; précipitation, précipité, précipiter; réaction, réactif; réduction; revivification, revivifier; saturation, saturer, sursaturer; solidification, solidifier; solution; stratification, stratifier; sublimation, sublimer; substitution, substituer; transmutation, transmuer ou transmuter; volatilisation, volatiliser. — **Les corps simples et leur symbole.** *A,* Argon; *Ac,* Actinium; *Ag,* Argent; *Al,* Aluminium; *As,* Arsenic; *Au,* Or; *Ba,* Baryum; *Bi,* Bismuth; *Bo,* Bore; *Br,* Brome; *C,* Carbone; *Ca,* Calcium; *Cd,* Cadmium; *Ce,* Cérium; *Cb,* Colombium; *Cl,* Chlore; *Cr,* Chrome; *Cs,* Caesium; *Cu,* Cuivre; *Co,* Cobalt; *Dy,* Dysprosium; *Er,* Erbium; *Eu,* Europium; *F,* Fluor; *Fe,* Fer; *Ga,* Gallium; *Gd,* Gadolinium; *Ge* Germanium; *Gl,* Glucinium; *H,* Hydrogène; *He,* Hélium; *Hg,* Mercure; *Ho,* Holinium; *I,* Iode; *In,* Indium; *Ir,* Iridium; *K,* Potassium; *Kr,* Krypton; *La,* Lanthane; *Li,* Lithium; *Lu,* Lutécium; *Mg,* Magnésium; *Mn,* Manganèse; *Mo,* Molybdène; *N,* Azote; *Na,* Sodium; *Nd,* Néodyne; *Ne,* Néon; *Ni,* Nickel; *Nt,* Niton; *O,* Oxygène; *Os,* Osmium; *P,* Phosphore; *Pd,* Palladium; *Pb,* Plomb; *Po,* Polonium; *Pt,* Platine; *Pr,* Phraséodyne; *Ra,* Radium; *Rb,* Rubidium; *Rh,* Rhodium; *Ru,* Ruthénium; *S,* Soufre; *Sa,* Samarium; *Sb,* Antimoine; *Sc,* Scandium; *Se,* Sélénium; *Si,* Silicium; *Sn,* Étain; *Sr,* Strontium; *Ta,* Tantale; *Tb,* Terbium; *Te,* Tellure; *Th,* Thorium; *Ti,* Titane; *Tl,* Thallium; *Tu,* Thulium; *U,* Uranium; *V,* Vanadium; *W,* Tungstène; *X,* Xénon; *Y,* Yttrium; *Yb,* Ytterbium; *Zn,* Zinc; *Zr,* Zirconium. — **Corps composés.** Acides : diacide, triacide; hydracide, oxacide, anhydride; oxydes : bioxyde, péroxyde, protoxyde, sesquioxyde, hydroxyde, chaux, eau, massicot, minium, potasse, rouille, vert-de-gris. ■ Bases : alcali, ammoniaque, hydrate, hydroxyde, potasse, soude. ■ Sels : acétate, carbonate, oxalate, sulfate; alun, ammoniac, borax, cacodylate, nitrate, nitre, salpêtre, sel marin; composés organiques ou composés du carbone; acycliques. ■ Carbures saturés et dérivés : alcool, carbure, hydrocarbure, éther-oxyde, amine, mercaptan; carbures étyléniques : carbures acétyléniques et dérivés, aldéhyde, amide, cétone; anhydride carbonique et dérivés. ■ Corps à fonctions multiples : hydrates de carbone, amidon, cellulose, glucose, sucre, polyalcools, glycérine. ■ Séries cycliques : série benzénique/arylamine/diazoïque, phénol; noyaux complexes, naphtalène, naphtaline, naphtol; anthracène, anthraquinone, préparation des colorants. ■ Série cyclanique hormone, vitamine. ■ Série hétérocyclique, alcaloïdes.

CHIMIOTHÉRAPIE → *chimie, médicament.*

CHIMISTE → *chimie.*

CHIMPANZÉ → *singe.*

CHINCHILLA → *poil, ronger.*

CHINE → *Asie, céramique, papier.*

CHINÉ → *couleur, textile.*

CHINER → *critique, moquer.*

CHINER → *acheter.*

CHINOISERIE → *céramique, difficile.*

CHINTZ → *tissu.*

CHIOT → *chien.*

CHIOURME → *garder prison.*

CHIPER → *voler.*

CHIPIE → *femme.*

CHIPOLATA → *porc.*

CHIPOTER, CHIPOTEUR → *avare, difficile.*

CHIQUE → *dent, tabac.*

CHIQUENAUDE → *frapper, main.*

CHIQUER, CHIQUEUR → *tabac.*

CHIROGRAPHAIRE → *payer.*

CHIROMANCIE → *main, prévoir.*

CHIROPRACTEUR, CHIROPRAXIE → *main.*

CHIRURGICAL → *chirurgie.*

CHIRURGIE, CHIRURGIEN → *couper, dent, médecine, médicament.* — **Ceux qui pratiquent la chirurgie.** Chirurgien; chirurgien-major, apprenti chirurgien, assistant, carabin (arg.), interne; mauvais chirurgien : boucher (pop.), charcutier (pop.). ■ Chirurgie dentaire, chirurgien-dentiste; chirurgie esthétique; médecine vétérinaire. ■ Chirurgien - accoucheur, dermatologue, oculiste, oto-rhino-laryngologiste, radiologue, stomatologue, traumatologue, pédicure, rebouteux. — **Opérations de chirurgie.** Intervention chirurgicale, opération, choc opératoire, commotion, opérer à chaud/à froid/à cœur ouvert. ■ Anesthésie générale/locale, anesthésique, anesthésiste; aseptiser, asepsie, antisepsie, antiseptique; chloroformer, chloroforme; endormir; insensibiliser, insensibilisation; nettoyer la plaie; stériliser, stérilisation. ■ Couper, section; débrider, débridement; disséquer, dissection; inciser, incision; ouvrir, ouverture; réséquer, résection; vivisection. ■ Amputer, amputation; diérèse, exérèse; enlever, énucléer, retrancher, ablation, aphérèse, énucléation; exciser, excision; extirper, extirpation; extraire, extraction, éradication; réduire, réduction. ▪ Aviver, avivement; cureter, curetage; décoller, décollement; évider, évidement; paracentèse, ponction, saignée, scarification, transfusion; racler, raclage. ▪ Arrêter la circulation/le sang, forcipressure, hémostase, acupuncture; bander, bande; cathétériser, cathétérisme; cautériser, cautérisation; injecter, injection; insuffler, insufflation; panser, pansement; recoudre, couture, ligaturer, ligature, point de suture, agrafe; sonder, sonde; tamponner, tamponnement, compresse, mèche. ▪ Greffer, anaplastie, autoplastie, greffe, hétéroplastie, prothèse. — **Opérations localisées.** Accouchement, césarienne; appendicectomie; artériotomie; bronchotomie; circoncision; céphalotomie; cystotomie; embryotomie; gastrotomie; cholécystectomie; glossotomie; kératectomie; kératotomie; laparotomie; laryngotomie; lithotomie; lithotritie; névrotomie; ophtalmotomie; ostéotomie; ovariotomie; phlébotomie; pneumothorax; rhinoplastie; taille; tarsectomie; taxis; thoracentèse; thoracoplastie; trachéotomie; trépanation; uranoplastie. — **Instruments et matériel chirurgical.** Ambulance; clinique; hôpital, être hospitalisé, hospitalisation; poste/bloc opératoire; salle d'opération; table d'opération ou billard (pop.); trousse de chirurgien. ▪ Bistouri, cisaille, ciseaux, couteau, curette, lancette, lithotome, lithotriteur, phlébotome, scalpel, scarificateur, scie, stylet, trépan, trocart. ▪ Clamp, dilatant, dilatateur, érigne, extracteur, forceps, garrot, pince, tourniquet. ▪ Bougie, canule, cathéter, explorateur, sonde, spéculum. ▪ Agrafe, aiguille, catgut, drain, galvanocautère, seringue, spatule, thermocautère, ventouse. ▪ Bande, charpie, compresse, gaze, coton hydrophile, mèche, ouate, pansement, sparadrap. ▪ Appareil, arceau, attelle, bandage, brayer, broche, capeline, cataplasme, ceinture/corset orthopédique, éclisse ou clisse, emplâtre, étrier, gouttière, minerve, séton.

CHIRURGIEN-DENTISTE → *dent.*

CHISTERA → *balle.*

CHITINE, CHITINEUX → *insecte.*

CHITON → *mollusques, vêtement.*

CHIURE → *mouche, résidu.*

CHLAMYDE → *vêtement.*

CHLORE → *chimie.*

CHLOROFORME, CHLOROFORMER → *chirurgie, dormir.*

CHLOROPHYLLE → *plante, vert.*

CHLOROPICRINE → *gaz.*

CHLOROSE, CHLOROTIQUE → *plante, sang.*

CHLORURE → *chimie, sel.*

CHOC → *attaque, étonner, frapper, trouble.*

CHOCOLAT, CHOCOLATERIE → *confiserie.*

CHOCOLATIÈRE → *récipient.*

CHOÉPHORE → *enterrement.*

CHŒUR → *chanter, danse, église, groupe.*

CHOIR → *tomber.*

CHOISIR, CHOIX → *aimer, estimer, prendre.* — **Prendre de préférence.** Aimer mieux; faire choix de, arrêter, fixer son choix sur; jeter son dévolu sur; avoir une prédilection pour; préférer; tenir pour. ▪ Adopter, adoption; coopter, cooptation; couronner; désigner, désignation; distinguer; donner/décerner la palme à; élire, élection, élu, suffrage, vote; nommer, nomination; privilégier, privilège; sélectionner, sélection, méthode sélective; trier sur le volet, tri. ▪ Influence, influençable, se laisser influencer; objectif, objectivité; partial, partialité; impartial, impartialité; subjectif, subjectivité. ▪ Être appelé; être le chouchou (fam.), être choyé; enfant gâté; favori, favorite; prédestination, être prédestiné; privilégié. — **Se décider entre plusieurs partis.** Décider, prendre une décision/une résolution; discerner, discernement; s'engager, engagement; opter, option; se prononcer; prendre parti pour; trancher. ▪ S'affilier à un parti, affiliation; embrasser une carrière; épouser une querelle. ▪ Alternative; choix, choix crucial, n'avoir que l'embarras du choix; dilemme; mettre le marché en main, laisser le choix à, à prendre ou à laisser. ▪ Arbitrer, arbitrage, arbitre; éclectisme, éclectique; à mon gré, à ma guise; liberté, libre, libre-arbitre; volonté. — **Choses choisies.** Cuisine choisie/délicate/raffinée, morceau de choix/de roi, de qualité; langage choisi/châtié/correct/élégant/précieux / recherché; société choisie / distinguée / raffinée / sélect (fam.), élite, fine fleur (fam.), crème (fam.), surchoix. — **Choix composés.** Choix de marchandises : assortiment, collection, éventail, avoir du choix; un choix limité, réassortiment, réassortir un choix. ▪ Choix de textes, morceaux choisis : analectes, anthologie, centon, chansonnier, chrestomathie, compilation, dictionnaire, encyclopédie, florilège, mélanges, miscellanées, sélection, sottisier, spicilège.

CHOKE-BORE → *fusil.*

CHOLAGOGUE → *foie.*

CHOLÉDOQUE → *foie.*
CHOLÉMIE → *foie, sang.*
CHOLÉRA → *maladie.*
CHOLÉRÉTIQUE → *foie.*
CHOLESTÉROL → *foie.*
CHOLÏAMBE → *poésie.*
CHOLURIE → *rein.*
CHÔMAGE, CHÔMER, CHÔMEUR → *fête, repos, travail.*
CHONDROMATOSE, CHONDROSARCOME → *os.*
CHOPE → *bière, boire, récipient.*
CHOPER → *prendre, voler.*
CHOPINE → *bouteille, mesure.*
CHOQUER → *déplaire, exploser, frapper, offense, trouble.*
CHORAL, CHORALE → *chanter, liturgie.*
CHORÉE → *nerf.*
CHORÈGE → *fête.*
CHORÉGRAPHE, CHORÉGRAPHIE → *danse.*
CHOREUTE → *chanter.*
CHORÏAMBE → *poésie.*
CHORISTE → *chanter.*
CHORIZO → *porc.*
CHOROÏDE → *œil.*
CHORUS → *groupe, parler.*
CHOSE → *événement, matière.*
CHOU → *échouer, gagner, légume, pâtisserie.*
CHOUAN, CHOUANNERIE → *révolte.*
CHOUCAS → *oiseau.*
CHOUCHOU, CHOUCHOUTER → *aimer, choisir, soigner.*
CHOUCROUTE → *légume, porc.*
CHOUETTE → *oiseau.*
CHOU-FLEUR, CHOU-NAVET, CHOU-RAVE → *légume.*
CHOW-CHOW → *chien.*
CHOYER → *aimer, choisir, soigner.*
CHRÊME → *sacrement.*
CHRÊMEAU → *sacrement.*
CHRESTOMATHIE → *choisir, livre.*
CHRÉTIEN, CHRÉTIENNE → *Christ.*
CHRISME → *abréger, Christ.*
CHRIST, CHRISTIANISME → *bible, ciel, Dieu église, hérésie, religion.* — **Le Christ.** Christ, Jésus-Christ (J.-C.), Jésus, le Christ-Roi, Notre Seigneur Jésus-Christ (N.S.J.-C.), le Messie, l'Oint du Seigneur, le Verbe ; le Fils, le fils de Dieu, le fils de l'homme, le fils de Marie, l'Agneau de Dieu ; le Rédempteur, le Sauveur. ▪ Chrisme, JHS, INRI, ICHTHUS, croix, agneau pascal, bon pasteur ; la Sainte Face. ▪ Christ Emmanuel, Annonciation, Nativité, Noël, Adoration des bergers/des rois mages, Épiphanie, Présentation, Circoncision ; Christ enseignant, Jésus au milieu des docteurs, la Cène ; Christ souffrant, Passion, Jardin des Oliviers, Baiser de Judas, *Ecce Homo*, Pilate, reniement de saint Pierre, flagellation, Couronne d'épines, portement de croix, crucifix, crucifiement, crucifixion, Golgotha, calvaire, descente de croix, mise au tombeau ; Christ triomphant/en gloire/en majesté, Résurrection, Ascension, Jugement dernier, parousie. — **Le message du Christ.** Évangiles, miracles, paraboles. ▪ Amour de Dieu, amour du prochain, charité ; humilité, pauvreté, simplicité ; pardon des offenses, rémission des péchés ; communion des saints, résurrection des corps, vie éternelle. — **L'héritage du Christ.** Les apôtres, les disciples, les fidèles, les martyrs, les saints ; saint Pierre, le vicaire du Christ, le pape, l'Église, la chrétienté, le christianisme. ▪ Église catholique, apostolique et romaine ; religion réformée, églises protestantes/calvinistes / luthériennes ; église orthodoxe : arméniens, coptes, maronites, etc.
CHRISTMAS → *fête.*
CHROMATIQUE → *couleur, musique.*
CHROME → *chimie, métal.*
CHROME, CHROMER → *acier.*
CHROMISER, CHROMISATION → *métal.*
CHROMISTE → *graver.*
CHROMOLITHOGRAPHIE → *couleur.*
CHROMOSOME → *reproduction.*
CHROMOSPHÈRE → *soleil.*
CHROMOTYPOGRAPHIE → *couleur.*
CHRONICITÉ, CHRONIQUE → *maladie, temps.*
CHRONIQUE → *histoire, journal, livre.*
CHRONIQUEUR → *histoire, journal.*
CHRONOGRAPHE → *horlogerie, temps.*
CHRONOLOGIE, CHRONOLOGIQUE → *histoire, temps.*
CHRONOMÈTRE, CHRONOMÉTRER → *horlogerie, sport, temps.*
CHRONOMÉTRIE → *physique, temps.*
CHRYSALIDE → *papillon.*
CHRYSANTHÈME → *fleur.*
CHRYSÉLÉPHANTIN → *or.*
CHRYSOBÉRYL → *joaillerie.*
CHRYSOCAL ou CHRYSOCHALQUE → *or.*
CHRYSOCOLLE, CHRYSOLITE → *pierre.*

CHRYSOPRASE → *joaillerie.*
CHTHONIEN → *enfer, terre.*
CHUCHOTEMENT, CHUCHOTER → *bas, parler, secret.*
CHUINTANT, CHUINTER → *cri, son.*
CHUTE → *détruire, finir, liquide, morceau, tomber.*
CHYLE → *estomac, intestin.*
CHYME → *estomac, intestin.*
CIBLE → *but, fusil.*
CIBOIRE → *liturgie, récipient.*
CIBOULE → *aliment, herbe.*
CICATRICE, CICATRISER → *calme, peau, réparer, signe, soigner.*
CICÉRO → *typographie.*
CICÉRONE → *conduire, voyage.*
CIDRE, CIDRERIE → *boisson, pomme.*
CIEL → *air, astrologie, astronautique, astronomie, météorologie, mythologie.* — **Espace où se meuvent les astres.** Ciel, espace, firmament, immensité des cieux, infini, univers, voûte céleste/étoilée. ▪ Atmosphère, exosphère, stratosphère, : astres, étoiles, météorites, planètes, planisphère; gravitation, graviter; zodiaque, les douze constellations. ▪ Astronomie, astronome, Copernic; cosmographie, cosmographe, uranographie, uranométrie; influence du ciel/des planètes, astrologie, carte du ciel, horoscope, thème astral. — **Séjour divin.** Aller/monter au ciel/aux cieux, Ascension de Jésus-Christ, Assomption de la Vierge; le royaume des cieux, le royaume de Dieu, l'au-delà, les nues, le Paradis, le séjour céleste. ▪ Les anges, les bienheureux, les saints, les élus, les justes, vision béatifiques des élus, la Reine du ciel, la Reine des anges. ▪ Attester/bénir/invoquer/remercier/prendre à témoin/le Ciel; bénédiction/coup/faveur/grâce/manne céleste présent/vengeance du Ciel. ▪ Les champs Élysées, l'empyrée, séjour des dieux antiques; les douze dieux de l'Olympe : Apollon ou Phoïbos, le Soleil, dieu des Arts; Jupiter ou Zeus, père des hommes et des dieux; Mars ou Arès, dieu de la Guerre; Mercure ou Hermès, dieu des Marchands et des Voleurs, messager du ciel; Neptune ou Poséidon, dieu des Mers; Vulcain ou Héphaïstos, dieu du Feu et du Métal; Cérès ou Déméter, déesse de l'Agriculture, des Moissons; Diane ou Artémis, déesse de la Nuit et de la Chasse; Junon ou Héra, déesse du Mariage, épouse de Jupiter ou Zeus; Minerve ou Athéna, déesse de la Sagesse, la déesse aux yeux pers; Vénus ou Aphrodite, déesse de l'Amour et de la Beauté; Vesta ou Hestia, déesse du Foyer. — **Le ciel au-dessus de nos têtes.** La calotte/la coupole/le dôme du ciel; nadir, zénith. ▪ Ciel calme/changeant/clair/constellé d'étoiles/dégagé/étoilé/lavé/léger/lumineux/pur/serein/transparent; ciel bas/brouillé/brumeux/chargé/couvert/embrumé/nébuleux/nuageux/orageux/pluvieux/pommelé/vaporeux; ciel d'azur/bleu d'azur/empourpré/gris/noir/pourpre/rose/sombre; ciel d'encre/de plomb; le ciel s'assombrit/se couvre/se dégage/s'éclaircit. ▪ Accalmie, échappée de ciel, éclaircie, embellie, trouée de ciel; les sept couleurs de l'arc-en-ciel.
CIERGE → *bougie, cire, église, plante.*
CIGALE → *cri, insecte.*
CIGARE, CIGARETTE → *tabac.*
CIGOGNE → *oiseau.*
CIGUË → *plante, poison.*
CIL, CILIAIRE → *œil.*
CILICE → *ceinture, douleur, saint.*
CILLEMENT, CILLER → *œil.*
CIMAISE → *architecture, peinture.*
CIME → *arbre, haut, montagne.*
CIMENT, CIMENTER → *calcium, lier, maçonnerie.*
CIMENTERIE → *maçonnerie.*
CIMETERRE → *arme, escrime.*
CIMETIÈRE → *enterrement.*
CIMIER → *chapeau.*
CINABRE → *rouge.*
CINÉASTE → *cinéma.*
CINÉ-CLUB → *cinéma.*
CINÉGRAPHIQUE → *cinéma.*
CINÉMA → *photographie, radio, spectacle.* — **Ancêtres du cinéma.** Le chronophotographe ou pistolet photographique; le kinétoscope, Edison; la lanterne magique; les ombres chinoises; le phonakistiscope, le praxinoscope, le stroboscope, le zootrope. ▪ Frères Lumière, cinéma muet/parlant/sonore. — **Le cinéma actuel.** L'art/la technique cinématographique, le cinématographe, le septième art; cinéma en noir et blanc/en couleur/en relief, anaglyphes, stéréoscope; cinémascope, cinérama, écran panoramique; comédie musicale; court métrage : documentaire, sketch; long métrage : film comique, gags, film d'art/dramatique/érotique/intimiste/policier/pornographique/à grand spectacle/à thèse; peplum; superproduction; thriller; western, western spaghetti (pop.). ▪ Mise en scène, production, réalisation, scénario synopsis. — **La prise de vues.** Bande, film, image photographique ou photogramme, pellicule; champ, contrechamp, panoramique, plongée, contre-plongée, travelling; plan, plan américain/général/moyen, premier plan, gros plan, détail, flash, flash-back, fondu, fondu enchaîné, prise de vues;

tourner, tournage. — **La prise de son.** Bruitage, musique, paroles; contrôle, enregistrement, mixage des différents sons, report sur bande magnétique/sur film optique; bande sonore, film son, piste sonore; doubler, doublage; rush, sonorisation, sonoriser, sous-titres, film sous-titré; synchroniser, synchronisation, post-synchronisation. ■ Amplificateur, galvanomètre, oscillographe ou cellule photo-électrique, microphone. — **Le montage.** Découpage du film, montage du film positif ou bande de travail, projection de contrôle, montage du négatif, introduction des titres, des trucages; truc, truquer, accéléré, ralenti, surimpression, transparence. ■ Copie du film son et du film image, film positif unique, copie, contretype, remake, séquence. — **Le jeu des acteurs.** Champ, décor, extérieur, plateau, scène, studio; entrer dans le champ, sortir du champ; figurer; jouer une scène; tourner dans un film. ■ Acteur, chanteur, danseur, monstre sacré, jeune premier, star, vedette; cascadeur, doublure, figurant. ■ Affiche, tête d'affiche; générique; vedette américaine. — **Le personnel technique.** Cinéaste, commanditaire, dialoguiste, metteur en scène, assistant du metteur en scène, producteur, réalisateur, régisseur, scénariste. ■ Cameraman, chasseur d'images, chef électricien/machiniste/monteur/opérateur, directeur de la photographie, ingénieur du son, régisseur. ■ Accessoiriste, coiffeuse, habilleuse, maquilleuse, script-girl; costumier, couturier, décorateur. — **Exploitation et diffusion.** Cinéma d'exclusivité/de quartier / permanent, salle de projection/de spectacle/caissière, ouvreuse; ciné-club, cinémathèque, cinéphile, culture cinématographique. ■ Lancer / passer / projeter/ visionner/sortir un film, distribution, lancement, publicité, slogan; version originale, version doublée. ■ Coupures, censurer/interdire un film. ■ Critique cinégraphique; obtenir un prix/un oscar.

CINÉMASCOPE → *cinéma.*

CINÉMATHÈQUE → *cinéma.*

CINÉMATIQUE → *mécanique, mouvement.*

CINÉMATOGRAPHIER, CINÉMATOGRAPHIQUE → *cinéma.*

CINÉMOGRAPHE, CINÉMOMÈTRE → *vitesse.*

CINÉPHILE → *cinéma.*

CINÉRAIRE → *mort, plante.*

CINÉRAMA → *cinéma.*

CINÉ-ROMAN → *récit.*

CINÉTIQUE → *mouvement.*

CINGLANT → *dur.*

CINGLÉ → *folie.*

CINGLER → *frapper.*

CINQ, CINQUANTAINE, CINQUANTE → *âge, nombre.*

CINQUANTENAIRE → *âge, année.*

CINQUANTIÈME, CINQUIÈME → *nombre.*

CINTRE, CINTRER → *courbe.*

CIPOLIN → *marbre.*

CIPPE → *enterrement.*

CIRAGE → *chaussure, cire.*

CIRCAÈTE → *oiseau.*

CIRCONCIRE, CIRCONCISION → *chirurgie, juif.*

CIRCONFÉRENCE → *cercle, courbe, géométrie.*

CIRCONFLEXE → *écrire.*

CIRCONLOCUTION → *obscur, parler.*

CIRCONSCRIPTION, CIRCONSCRIRE → *cercle, finir, province.*

CIRCONSPECT, CIRCONSPECTION → *danger, prévoir.*

CIRCONSTANCE → *particulier, présence.*

CIRCONSTANCIEL → *grammaire.*

CIRCONVALLATION → *fortification.*

CIRCONVENIR → *tromper.*

CIRCONVOLUTION → *cercle.*

CIRCUIT → *économie, électricité, voyage.*

CIRCULAIRE → *cercle, voyage.*

CIRCULAIRE → *décider.*

CIRCULATION → *économie, mouvement, route, sang.*

CIRCULATOIRE → *sang.*

CIRCULER → *étendre, sang, tourner, voyage.*

CIRCUMDUCTION → *tourner.*

CIRCUMNAVIGATION → *marine, voyage.*

CIRCUMPOLAIRE → *marine, orientation.*

CIRE → *bougie, cachet, graisse, nettoyer.* — **Sortes de cires.** Cire animale : abeille, abeille (cirière/ ouvrière), alvéole, cire gaufrée, rayon, ruche; cire végétale : arbre à cire ou cirier ou myrica; cire de pétrole : paraffine microcristalline. ■ Cire blanche/jaune/vierge. — **Utilisations de la cire.** Cirage; cire, cire à cacheter ou cire d'Espagne, cire dentaire/ à épiler/à modeler; encaustique. ■ Cirage, encaustiquage, lustrage; cirer, encaustiquer, frotter, faire briller un meuble/un parquet, parquet luisant, odeur de cire, cireuse électrique; cirer les chaussures, faire reluire, brosse à reluire, cireur. ■ Céroplaste, céroplastie, modeler; fonte à cire perdue; médaillon; sceau. ■ Figurine/poupée/statuette de cire, envoûtement, magie; musée Grévin, musée Tussaud. ■ Bougie, cierge; cérat, cosmétique, cold-cream à la cire, onguent; savon; tablettes de cire pour écrire, diptyque, triptyque; toile cirée, un ciré.

CIRÉ → *chapeau, pluie, vêtement.*

CIRER → *chaussure, cire, meuble.*

CIREUX → *blanc, visage.*

CIRIER, CIRIÈRE → *cire.*

CIRQUE → *course, jouer, spectacle.*

CIRRE, CIRRHE → *bosse.*

CIRRHOSE → *foie, maladie.*

CIRRO-CUMULUS, CIRRO-STRATUS, CIRRUS → *pluie.*

CISAILLE, CISAILLER, CISEAU → *couper, sculpture.*

CISELER → *couper, sculpture.*

CISELET → *bijou, sculpture.*

CISELEUR, CISELURE → *métal.*

CISTE → *vannerie.*

CISTRE → *instrument.*

CISTUDE → *reptiles.*

CITADELLE → *fortification, importance.*

CITADIN → *ville.*

CITATION → *appeler, honneur, livre, tribunal.*

CITÉ → *maison, politique, ville.*

CITÉ-DORTOIR → *ville.*

CITER → *appeler, nommer, tribunal.*

CITÉRIEUR → *proche.*

CITERNE → *eau, récipient, transport, voiture.*

CITHARE → *instrument.*

CITHARÈDE → *chanter.*

CITOYEN, CITOYENNETÉ → *personne, politique, ville.*

CITRATE, CITRINE, CITRIQUE → *agrumes.*

CITRON → *agrumes, fruit.*

CITRONNADE, CITRONNÉ → *agrumes, boisson.*

CITRONNELLE → *agrumes, parfum, plante.*

CITRONNIER → *bois, agrumes.*

CITROUILLE → *légume.*

CIVELLE → *anguille, poisson.*

CIVET → *chasse, cuisine.*

CIVETTE → *parfum, poil.*

CIVETTE → *herbe.*

CIVIÈRE → *blesser, transport.*

CIVIL → *droit, guerre, particulier, tribunal.*

CIVILISATION, CIVILISER → *particulier, progrès, vie.*

CIVILITÉ → *manière.*

CIVIQUE → *droit, personne, politique.*

CIVISME → *aimer, pays.*

CLABAUD, CLABAUDER → *chien.*

CLABAUDER → *critique.*

CLAFOUTIS → *pâtisserie.*

CLAIE → *lait, vannerie.*

CLAIR → *apparaître, couleur, lumière, pur, son.*

CLAIRE → *mollusques.*

CLAIRET, CLAIRETTE → *vin.*

CLAIRE-VOIE → *fenêtre, ouvrir.*

CLAIRIÈRE → *arbre, ouvrir.*

CLAIR-OBSCUR → *dessin, peinture.*

CLAIRON, CLAIRONNER → *avertir, informer, instrument, son.*

CLAIRSEMÉ → *cheveu, intervalle, nombre.*

CLAIRVOYANCE, CLAIRVOYANT → *esprit, prévoir, subtil.*

CLAMER, CLAMEUR → *cri, violence.*

CLAN → *famille, groupe.*

CLANDESTIN, CLANDESTINITÉ → *secret.*

CLAPET → *bouche, couvrir, fermer, machine.*

CLAPIER → *élevage, lapin.*

CLAPOTEMENT, CLAPOTER → *bruit, mer.*

CLAPOTIS → *bruit, mer.*

CLAPPEMENT, CLAPPER → *bouche, bruit.*

CLAQUAGE → *muscle.*

CLAQUANT → *fatigue.*

CLAQUE → *applaudir, chaussure, éloge, frapper.*

CLAQUE → *chapeau.*

CLAQUEMURER → *fermer.*

CLAQUER → *bruit, fatigue, frapper, mourir.*

CLAQUETER → *cri.*

CLAQUETTE → *danse.*

CLARIFICATION, CLARIFIER → *expliquer, lumière.*

CLARINE → *bétail.*

CLARINETTE, CLARINETTISTE → *instrument.*

CLARISSE → *monastère.*

CLARTÉ → *esprit, lumière, pur.*

CLASSE → *bourgeois, noblesse.* — **Classer en général.** Arranger, arrangement; branche; catégorie, catégoriel; classe, sous-classe, classement, classer, classeur, classifier, classification, déclasser, déclassement; cycle, division, subdivision, diviser, subdiviser; espèce; genre, sous-genre, générique; groupe, sous-groupe, groupement, grouper, regrouper, regroupement; ordre, sous-ordre, organisation, organiser, ordinateur; partie; ramification, se ramifier; rang, rangement, ranger; règne animal/minéral/végétal; répartir, répartition; section, sous-section; série, sériel, sérier; sorte, assortir, assortiment; tri, trier; variété; ventilation, ventiler. — **Types de classement.** Classement alphabétique/analogique/ chronologique/ hiérarchique/ numérique / statistique / thématique; classement par ordre de grandeur/de mérite/de valeur, etc.; classement par catégories/par genres/par matières, etc. ▪ Engeance, famille, gent, parenté, race, tribu; congénère, compatriote, coreligionnaire; affinités, opinions, sympathies. ▪ Hiérarchie, avancement à l'ancienneté/au choix, degrés, échelons, grade; pharmacien/ soldat de première classe. ▪ Catalogue, cataloguer; cote; fiche, fiche perforée, ficher, fichier; index, indexer; inventaire; nomenclature; répertoire, répertorier; rubrique; table des matières; tête de chapitre; taxologie, taxinomie. — **Les classes sociales.** Les trois ordres : noblesse, clergé, tiers-état; aristocratie, bourgeoisie, intelligentsia, peuple, roture, roturier; classe dirigeante / moyenne / laborieuse; les travailleurs, le prolétariat, le salariat; riches, pauvres; exploiteurs et exploités; maîtres, domestiques, serviteurs, esclaves. ▪ Lutte des classes, société sans classes; capitalisme, communisme, socialisme ; marxisme, marxisme-léninisme, maoïsme. ▪ Être d'une bonne/d'une grande famille, fils de bonne famille/de bonne souche/ bien né; l'élite, la crème (fam.), le gratin (fam.), le beau monde, le grand monde, la high society, le Tout-Paris, le Jockey Club, les deux cents familles. ▪ Être de condition modeste/ de basse extraction/fils du peuple/né dans la rue; les gens simples, les petites gens; les bas fonds, la lie de la société, la pègre, la populace, le populo. ▪ Se déclasser; déchoir, déchéance; déroger; se mésallier, mésalliance; soutenir son rang. ▪ Quartiers résidentiels; quartiers ouvriers/populaires; bidonville, faubourg.

CLASSEMENT, CLASSER → *finir.*

CLASSEUR → *meuble.*

CLASSICISME → *art, littérature.*

CLASSIFICATION, CLASSIFIER → *classe.*

CLASSIQUE → *art, habitude.*

CLASTIQUE → *pierre.*

CLAUDICATION, CLAUDIQUER → *balancer, marcher.*

CLAUSE → *contrat.*

CLAUSTRAL → *monastère.*

CLAUSTRATION, CLAUSTRER → *fermer.*

CLAUSTROPHOBIE → *fermer, peur.*

CLAVEAU → *arc.*

CLAVECIN, CLAVECINISTE → *instrument.*

CLAVELÉE → *mouton.*

CLAVETTE → *clou, machine.*

CLAVICULAIRE, CLAVICULE → *dos, os.*

CLAVIER → *instrument, serrure.*

CLAYÈRE → *mollusques.*

CLAYMORE → *escrime.*

CLAYON → *lait, mouton, sec.*

CLEARING → *banque.*

CLEF, CLÉ → *comprendre, fermer, règle, serrure.*

CLÉMATITE → *plante.*

CLÉMENCE, CLÉMENT → *doux, pardon.*

CLÉMENTINE → *agrumes.*

CLENCHE → *porte, serrure.*

CLEPSYDRE → *horlogerie.*

CLEPTOMANE, CLEPTOMANIE → *voler.*

CLERC → *agent, ecclésiastique, justice, science.*

CLERGÉ → *ecclésiastique, monastère, pape, religion.*

CLERGYMAN → *ecclésiastique, vêtement.*

CLÉRICAL, CLÉRICALISME → *ecclésiastique, politique.*

CLÉRICATURE → *ecclésiastique.*

CLIC → *bruit.*

CLICHÉ, CLICHER → *commun, photographie, typographie.*

CLIENT, CLIENTÈLE → *acheter, commerce, relation, tribunal.*

CLIGNEMENT, CLIGNER → *œil.*

CLIGNOTANT → *automobile, intervalle.*

CLIGNOTEMENT, CLIGNOTER → *lumière, œil.*

CLIMAT → *météorologie.*

CLIMATÉRIQUE → *année.*

CLIMATIQUE → *météorologie.*

CLIMATISATION, CLIMATISER → *maison.*

CLIMATOLOGIE → *météorologie.*

CLIN D'ŒIL → *œil.*

CLINFOC → *voilure.*

CLINICIEN, CLINIQUE → *médecine.*

CLINIQUE → *édifice, maladie, soigner.*

CLINOMÈTRE → *mesure.*

CLINQUANT → *briller, faux.*

CLIP → *attache, bijou.*

CLIPPER → *bateau.*

CLIQUE → *groupe, musique.*

CLIQUES → *fuir, partir.*

CLIQUET → *roue.*

CLIQUETER, CLIQUETIS → *bruit.*

CLISSE, CLISSER → *lait, vannerie.*

CLIVAGE, CLIVER → *géologie.*

CLOAQUE → *eau, lac, sale.*

CLOCHARD → *pauvre, sale, vagabond.*

CLOCHE → *chapeau, chimie, couvrir, son.* — **Les cloches.** Airain, bronze, cuivre, étain ; couler/fabriquer une cloche, chape, fausse cloche, moule, noyau, tracé ; monter une cloche, empoutrerie, mouton, sommier ; baptiser une cloche. ■ Partie d'une cloche : anse, battant, cerveau, chape, chasse, couronne, faussure, gorge, mouton, panse, pince, demi-roue. ■ Bélière, bourdon ; campane, clarine, clochette, sonnaille ; grelot, clarine, clochette ; grelot, sirène, sonnerie, sonnette, sonnette électrique, tambour, timbre, trompe. ■ Beffroi, campanile, clocher, clocheton, tour. — **Faire sonner les cloches.** Branle, entrer en branle, mettre en branle, donner le branle ; brimbaler, brimbalement ; carillon, carillonner ; piquer/copter la cloche ; sonner l'angélus/les mâtines / la messe / les offices / les vêpres/le glas/le couvre-feu/le tocsin, sonner à toute volée ; sonneur, jaquemart. ■ Frémir, frémissement, sonner, résonner, tinter, tintement, tintinnabuler.

CLOCHE-PIED → *marcher.*

CLOCHER → *mal.*

CLOCHER, CLOCHETON → *cloche, église.*

CLOCHETTE → *cloche, fleur.*

CLOISON, CLOISONNER → *mur, part.*

CLOÎTRE, CLOÎTRER → *fermer, monastère.*

CLOITRE, CLOITRER → *fermer, monastère, prison.*

CLOPORTE → *crustacés.*

CLOQUE, CLOQUER → *bosse.*

CLORE → *arrêter, entourer, fermer, finir.*

CLOS → *terre, vigne.*

CLOSEAU, CLOSERIE → *ferme.*

CLÔTURE, CLÔTURER → *entourer, finir, monastère.*

CLOU → *fixer, pendre.* — **Clou.** Clou d'acier/de cuivre/de fer/de laiton/de zinc ; clou d'ameublement/à ardoise/à chaussure/de maçon/de tapissier/de vitrier ; clou en biseau ou crampillon, clou à crochet/à damas/à tête plate, ronde/en U ou cavalier/en X. ■ Broquette ; cabochon ; cheville ; clavette ; crampillon ; crochet ; goupille ; patte ; piton ; pointe, petite/grosse pointe, pointe sans tête ou goujon ; punaise ; rivet ; semence. ■ Clouer, clouter, déclouer, enclouer, enfoncer / fixer / mettre / rabattre / river un clou ; chasse-clou, cloueuse, marteau ; pied-de-biche, tenailles, tire-clou. ■ Cloutière ; filière, tréfilerie, tréfilage. — **Vis.** Filet, filetage, hélice, pas de vis, spire, tête de vis. ■ Vis à bois/à métaux/à tête ronde/à tête plate/à rainure simple/cruciforme/à ailettes ; visserie : boulon, écrou, contre-écrou, rondelle, tire-fond. ■ Serrer, desserrer, visser, dévisser, bloquer ; vis qui foire (pop.), qui ne prend pas ; cheville (ou tampon)/en bois/en plastique. ■ Chignole, clef plate/à mollettes, perceuse, pince, pince crocodile, tamponnoir, taraud, tarauder ; tournevis ; vis sans fin/micrométrique/platinée/de pressoir/de réglage.

CLOUER → *clou, charpente, fixer, lier.*

CLOUTER → *clou, décoration, route.*

CLOUTERIE, CLOUTIER → *clou.*

CLOVISSE → *mollusques.*

CLOWN, CLOWNERIE, CLOWNESQUE → *rire, spectacle.*

CLUB → *groupe, rencontre.*

CLUB → *balle.*

CLUSE → *relief, rivière.*

CNÉMIDE → *jambe.*

COACH → *automobile, voiture.*

COADJUTEUR → *ecclésiastique.*

COAGULATION, COAGULER → *chimie, épais, sang.*

COALISER, COALITION → *association, groupe.*

COASSEMENT, COASSER → *batraciens, cri.*

COB → *cheval.*

COBALT → *bleu, métal.*

COBAYE → *ronger.*

COBOL → *informatique, langage.*

COBRA → *reptiles.*

COCAGNE → *abondance, fête.*

COCAÏNE, COCAÏNOMANE → *dormir, poison.*

COCARDE → *montrer.*

COCARDIER → *pays.*

COCASSE, COCASSERIE → *rire.*

COCCIDIOSE → *lapin.*

COCCINELLE → *insecte.*

COCCYGIEN, COCCYX → *dos, os.*

COCHE → *bateau, voiture.*

COCHE → *porc.*

COCHE, COCHER → *montrer, signe.*

COCHER → *conduire.*

COCHER → *élevage.*

COCHÈRE → *porte.*

COCHON, COCHONNAILLE, COCHONNER → *porc.*

COCHONNERIE → *grossier, sale.*

COCHONNET → *boule, porç.*

COCHYLIS → *papillon, vigne.*

COCKER → *chien.*

COCKPIT → *aviation.*

COCKTAIL → *boisson, composer.*

COCO → *boisson, fruit.*

COCON → *papillon.*

COCORICO → *cri.*

COCOTIER → *arbre.*

COCOTTE → *cuisine, vaisselle.*

COCOTTE → *débauche, femme, oiseau.*

COCU, COCUAGE, COCUFIER → *mariage, tromper.*

CODA → *finir, musique.*

CODE, CODER → *abréger, informatique, loi, règle.*

CODÉINE → *calme.*

CODICILLE → *succession.*

CODIFIER → *groupe, loi.*

COEFFICIENT → *algèbre, calcul.*

CŒLIAQUE → *ventre.*

CŒLIOSCOPIE → *intestin.*

COERCIBLE, COERCITIF, COERCITION → *soumettre.*

CŒUR → *aimer, courage, importance, poitrine, sensibilité.* — **Description.** Muscle cardiaque : endocarde, myocarde, oreillettes, péricarde, ventricules. ▪ Battement, contraction, dilatation, mouvement, palpitation, pulsation, rythme, systole, diastole, périsystole. — **Maladies, maux et soins.** Cardiographie, cardiologie, cardiopathie. ▪ Angine de poitrine, asystolie, asthme, bradycardie, cardite, collapsus, coronarite, cyanose, infarctus du myocarde, maladie cardio-vasculaire, souffle, syncope, tachycardie, thrombose. ▪ Cardiotonique, cordial, stimulant, tonicardiaque ; cœur artificiel, greffe, massage, opération à cœur ouvert, ranimation. ▪ Dégoût, maux de cœur, nausée ; écœurer, dégoûter, lever/soulever le cœur ; avoir des haut-le-cœur/le mal de mer, être barbouillé, rendre, vomir. — **Mouvements affectifs du cœur.** Agiter/émouvoir/remuer/serrer/toucher/troubler le cœur ; angoisse, chagrin, gaieté, douleur, joie, tristesse ; blesser/briser/crever/dilater/enflammer / fendre / glacer / miner / percer / réchauffer / réjouir / ronger / serrer / faire déborder / frémir / saigner/ tressaillir/vibrer le cœur ; ulcérer. ▪ Cœur gros/léger/lourd ; le cri/la voix du cœur. — **Le cœur amoureux.** Éprouver / sentir / ressentir de l'affection/de l'amour/de l'attachement/de la passion/de la tendresse. ▪ Allumer, brûler, captiver, enflammer, gagner, posséder, prendre, trouver le chemin d'un cœur ; donner/offrir/refuser son cœur ; être ardent/changeant/épris/fidèle/inaccessible/libre de tout engagement/vide/volage. ▪ Aimer de tout cœur/à la vie à la mort/pour la vie/profondément ; s'épancher, ouvrir son cœur ; parler à cœur ouvert/du fond du cœur. ▪ Affaire/ami/amant de cœur ; bourreau des cœurs ; faire le joli cœur. — **Avoir du cœur.** Bonté, bienveillance, charité, compassion, délicatesse, dévouement, générosité, indulgence, pitié, sensibilité, tact ; être bon/dur/insensible/ sec / sensible / sincère/spontané/tendre ; cœur d'or/de pierre, sans cœur, s'attendrir, avoir le cœur sur la main, être bon pour les animaux. ▪ Association charitable, aumône, œuvre de charité, pardon des offenses, travail bénévole. — **Avoir du cœur pour quelque chose.** Ardeur, courage, désir, enthousiasme, énergie, flamme, zèle. ▪ Avoir du cœur à l'ouvrage/au ventre (fam.) ; faire contre mauvaise fortune bon cœur.

COEXISTENCE → *politique.*

COFFIN → *aiguiser.*

COFFRAGE → *charpente.*

COFFRE, COFFRET → *contenir, meuble, paquet, placer.* — **Coffres et coffrets.** Bahut, boîte, caisse, caisson, cantine, coffret, écrin, emballage, étui, malle, mallette, pyxide, tirelire, valise. — **Description.** Bois, carton, cuir, fer, métal, plastique ; ciselé, renforcé, rivé, sculpté, soudé, vissé. ▪ Le couvercle, le fond, les parois, un tiroir ; fermeture, ferrures, lanière, poignée, sangle, serrure. — **Utilisation.** Boucler, fermer, forcer, fracturer, ouvrir ; déballer, emballer, emplir, enfermer, enserrer, ranger, vider. ▪ Baguier ; coffre à bois/à jouets/à linge/à outils ; coffre à rideaux, cantonnière ; coffre-fort, chiffre, combinaison ; malle ; poubelle ; travailleuse ; tronc d'église, etc.

COGESTION → *commun, entreprise.*

COGITATION, COGITER → *pensée.*

COGNAC → *alcool.*

COGNASSIER → *arbre.*

COGNAT, COGNATION → *famille.*

COGNÉE → *bois, couper.*

COGNER → *bruit, frapper, moteur.*

COGNITIF, COGNITION → *connaissance.*

COHABITATION, COHABITER → *commun.*

COHÉRENT, COHÉRENCE → *lier.*

COHÉSION → *chimie, lier.*

COHORTE → *armée, groupe.*

COHUE → *nombre.*

COI, COITE → *calme.*

COIFFE → *chapeau.*

COIFFER → *couvrir, cheveu.*

COIFFEUR, COIFFEUSE → *cheveu.*

COIFFEUSE → *meuble, toilette.*

COIFFURE → *chapeau, cheveu.*

COIN → *angle, bijou, bois, monnaie, signe.*

COINCEMENT, COINCER → *arrêter, fixer.*

COÏNCIDENCE, COÏNCIDER → *accord, égal, événement, rencontre.*

COING → *fruit.*

COKE → *charbon.*

COKÉFIER, COKERIE → *charbon.*

COL → *bouteille, cou, montagne, vêtement.*

COLBACK → *chapeau.*

COL-BLEU → *marine.*

COLBERTISME → *économie.*

COLCHIQUE → *fleur.*

COLCOTAR → *verre.*

COLCRETE → *maçonnerie.*

COLD-CREAM → *baleine, peau.*

COLÉOPTÈRES → *insecte.*

COLÈRE → *blesser, psychologie, vif, violence.* — **Formes de la colère.** Animosité, courroux, déchaînement, exaspération, fureur, furie, indignation, irritation, mauvaise humeur, passion, rage, rogne; colère folle / froide / mutette / noire. ■ Caractère coléreux / colérique / emporté / impatient / irascible / irritable / querelleur / sanguin/soupe au lait/susceptible; tête chaude; vif, violent. — **Mettre en colère.** Allumer/faire éclater/exploser/naître/surgir la colère. ■ Agacer, crisper, échauffer la bile/les oreilles (fam.), embêter (fam.), énerver, exaspérer, exciter, fâcher, froisser, horripiler, impatienter, importuner, outrer, pousser à bout, scandaliser, taquiner, ulcérer, vexer. — **Être en colère.** Être à bout/agressif/comme un crin/courroucé/écumant/enragé/exaspéré/forcené/furibard (fam.)/furibond/furieux/hors de soi; ne pas décolérer. ■ Apaiser/calmer/contrôler / désarmer / dominer / doucher / éteindre / rentrer / retenir sa colère ; sang-froid, self-control. ■ Accès/crise/explosion de colère; faire/piquer (fam.)/prendre une colère; prendre le mors aux dents/la mouche; sortir de ses gonds, se déchaîner, s'échauffer, s'emporter, s'indigner, s'irriter, se monter contre quelqu'un, se révolter. — **Manifestations de la colère.** Algarade, bagarre, blasphémer, être blême de rage, brusquerie, brutalité, casser la vaisselle, changer de couleur, crier, échanger des propos très vifs, s'enflammer, fulminer, grossièreté, hurler, injurier les gens, jeter feu et flamme, jeter à la figure, jurer, juron (gros mots), maronner (fam.), maugréer, pâlir, pester, quereller, rager, râler, rougir, rouspéter (fam.), scandale, suffoquer, taper du pied, tempêter, tonner, trembler, trépigner, violence verbale, voir rouge. ■ Passer sa colère sur quelqu'un (bouc émissaire) ; remâcher sa colère, aigreur, amertume, rancœur, être ulcéré.

COLÉREUX, COLÉRIQUE → *colère, vif.*

COLIBACILLE, COLIBACILLOSE → *intestin, microbe.*

COLIBRI → *oiseau.*

COLIFICHET → *futile.*

COLIMAÇON → *cercle, mollusques, monter.*

COLIN → *poisson.*

COLIN-MAILLARD → *jouer.*

COLIQUE → *intestin, ventre.*

COLIS → *marchandises, paquet, poste.*

COLLABORATEUR, COLLABORATION → *commun, deux, politique.*

COLLABORER → *commun, lier, travail.*

COLLAGE → *colle.*

COLLANT → *vêtement.*

COLLATÉRAL → *famille.*

COLLATÉRAL → *église.*

COLLATION → *donner, manger.*

COLLE → *demander, peine, fixer, gomme, lier.* — **Sortes de colle.** Colle acrylique / amylacée / animale / anti-fongique / au caoutchouc / cellulosique / cyano-acrylate / époxyde / gomme / à la gutta-percha / néoprène/ de poisson/à base de résines synthétiques/vynilique ; colle blanche/contact/ gel/ hot melt / liquide / mastic / en pâte ou pâteuse/à prise rapide; colle à bois/de bureau/à métaux/à papier peint/à porcelaine/pour tissus/universelle; peinture à la colle ou détrempe; maroufle. — **Relatif au collage.** Adhérer, adhérence, papier / pansement / ruban / tissu adhésif, scotch, chatterton; assembler, assemblage; autocollant, enveloppe/vignette autocollante, un autocollant; coller, collage, colleur d'affiches; contrecoller; décoller, décollage, décollement; encoller, encollage; enduire de colle/de gomme/de glu; gluer, engluer; gommer, engommer, dégommer, papier gommé; humecter; pré-encollé, papier peint pré-encollé; recoller, recollage ou recollement; tapisser les murs.

■ Colleuse, décolleuse à vapeur, encolleuse, pinceau, pot de colle, presse, serre-joint, table à encoller, tube de colle. — **Substance collante.** Baveuse, collante, filante, gélatineuse, gluante, huileuse, onctueuse, poisseuse, sirupeuse, tenace, visqueuse.

■ État colloïdal : agar-agar, albumine, argile, bave, caramel, cire, empois, gélatine, glaire, glu, gluten, gomme, goudron, graisse, mastic, mucosité, mucus, onguent, poix blanche / noire / navale, pommade, sirop, résine, sperme. — **Se coller contre.** Adhérer à; s'appliquer à; s'appuyer à/contre; s'attacher à; se coller à; se cramponner à, être collant/crampon (fam.); s'écraser contre ; se fixer à ; se mettre dans ; se plaquer ; se presser/se serrer contre.

COLLECTE, COLLECTER → *demander, donner.*

COLLECTEUR → *canal, demander, électricité, tuyau.*

COLLECTIF, COLLECTIVE → *groupe.*

COLLECTIF → *loi, nommer.*

COLLECTION, COLLECTIONNER → *choisir, couture, groupe.*

COLLECTIVISATION, COLLECTIVISME → *commun, économie.*

COLLECTIVITÉ → *commun, groupe.*

COLLÈGE → *commun, élire, enseignement, pape.*

COLLÉGIEN → *enseignement.*

COLLÈGUE → *commun, fonction.*

COLLER → *colle, donner, échouer, fixer.*

COLLERETTE → *anneau, cou, vêtement.*

COLLET → *affectation, anneau, chasse, clou, dent, vêtement.*

COLLEUR → *informer.*

COLLIER → *attache, chevalerie, cou, harnais, poil.*

COLLIGER → *critique.*

COLLIMATEUR → *optique, tirer.*

COLLINE → *bosse, relief.*

COLLISION → *rencontre, violence.*

COLLOÏDAL, COLLOÏDE → *colle.*

COLLOQUE → *parler, rencontre.*

COLLUSION → *accord, secret.*

COLLUTOIRE → *bouche.*

COLLYRE → *œil.*

COLMATER → *fermer, réparer.*

COLOMBAGE → *charpente.*

COLOMBE, COLOMBIER → *oiseau, paix.*

COLOMBIER → *papier.*

COLOMBIN, COLOMBINE → *oiseau, résidu.*

COLOMBOPHILE, COLOMBOPHILIE → *oiseau.*

COLON → *colonie, ferme.*

COLON → *intestin.*

COLONIAL COLONIALISME → *armée, colonie, politique.*

COLONIE, COLONISER → *État, groupe.* — **Colon.** Être déporté, un déporté, déporté politique, colonie pénitentiaire, bagnard, forçat, Cayenne, Guyane. ▪ Émigrant, émigration, émigrer ; exil ; s'expatrier, être rapatrié ; goût de l'aventure/du risque ; prosélytisme, propagation de la foi ; terres vierges, l'Ouest, le Far West, la Terre promise. ▪ Agriculteur, chercheur d'or, clérouque, conquistador, corsaire, cosaque, éleveur, explorateur, flibustier, missionnaire, nabab, négrier, pionnier, pirate, planteur, soldat, paysan soldat, squatter, trafiquant, trappeur, Viking. ▪ Colonat, défrichement, estancia, plantation, sovkhoze ; esclave, esclavage, trafic d'esclaves, Noir, bois d'ébène. — **Colonie, colonisation.** La colonie, les colonies, les anciennes/les ex-/colonies : allemandes, anglaises ou britanniques, belges, françaises, italiennes, russes, etc. ; possessions.

▪ Colonies de peuplement/d'encadrement/d'exploitation ; colonie blanche, colonie de couleur ; établissement, comptoir, factorerie. ▪ Administration directe/indirecte, compagnie à charte, compagnie coloniale, franchises ; administrateur, capitaine général, corregimento, gouverneur (général/militaire), résident (général), vice-roi.

▪ Concession, mandat, protectorat, tutelle, territoire sous mandat/sous protectorat / sous tutelle ; départements/territoires d'outre-mer. ▪ Empire colonial français, Union française, Communauté, États associés, zone franc, coopération ; Empire colonial britannique, armée/route des Indes, Commonwealth, dominion, zone sterling, condominium, zone d'influence.

▪ Autodétermination, autonomie ; décolonisation, émancipation ; indépendance, guerre d'indépendance/de libération. — **Colonialisme.** Colonisateur, colonisé ; exploiteur, exploité ; faire suer le burnous ; impérialisme culturel / démographique / économique/politique/religieux. ▪ Conquête, débouchés, expansion, grandeur, marché, monopole, prestige ; théorie de force/des grands espaces/de l'espace vital/du trop-plein. ▪ Apartheid, métissage, pacte colonial ; racisme ; troupes coloniales, la colo (pop.), la Légion.

COLONNADE → *architecture, colonne.*

COLONNE → *architecture, armée, édifice, soutenir.* — **Description.** Balustre, colonne, colonnette, contrefort, pilastre, pilier, pilier carré ou pied-droit, poteau, pylône ; base, fût, chapiteau. ▪ Base ou piédestal, socle, soubassement, stylobase ; fût : contracture, escape, tambour, tige, tronc ; chapiteau : abaque, architrave, base, corne, tailloir. ▪ Styles : assyrien, byzantin, composite, corinthien, dorique, égyptien, ionique, perse, roman, toscan ; chapiteau campaniforme/carré/évasé/renflé / gothique / hathorique / Renaissance/roman/toscan. — **Ornements et moulures.** Annelet, armille, astragale, bague, bande, boudin, bracelet, canal, cannelure, congé, côte, échine, enroulement, gorgerin, griffe, hélice, listel, orle, ove, pampre, plinthe, rudenture, scotie, trie, tore, volute. ▪ Colonne annelée/baguée/cannelée/crucifère / hermétique / incrustée / moulée / rudentée / sculptée / serpentine / triée / torse / unie ; statue-colonne : atlante, cariatide, télamon ; volutes de chapiteaux, chapiteaux historiés, feuille d'acanthe, tigette. — **Sortes de colonnes.** Accostée, adossée, engagée, demi-colonne, dosseret, cornière, cylindrique, flanquée de pilastres, fuselée, galbée, renflée, tronquée. ▪ Colonnes accolées / accouplées / adossées/doublées/en faisceau/gémellées/géminées/groupées/jumelées/liées. — **Constructions à colonnes.** Arc, arcade, arcature, balustrade, cloître, colonnade, galerie, loge, loggia, narthex, péristyle, portique, propylée, rotonde, salle hypostyle, triforium. ▪ Édifice monoptère/diptère/périptère, entrecolonnement, ordonnance systyle. ▪ Colonne commémorative/funéraire / rostrale / sépulcrale / triomphale, obélisque, stèle. ▪ Colonne Trajane/Vendôme/de Juillet, Génie de la Bastille ; obélisque de Louqsor. — **Objets ou formations en colonne.** Colonne vertébrale, échine, épine dorsale, rachis. ▪ Beffroi, borne kilométrique, cheminée, colonne Morris, columelle, flèche d'église, mât de cocagne, phare, stalactite, stalagmite, tour, vis à pressoir. ▪ Colonne d'air/d'eau/de feu/de fumée/de mercure/montante/sèche. ▪ Colonne, cortège, défilé, procession, théorie d'hommes/de réfugiés/de soldats/de voitures ; tête/queue de colonne ; colonne d'artillerie/d'infanterie/mobile ; cinquième colonne ; défiler, marcher colonne par deux/par quatre.

COLONNETTE → *architecture, colonne.*

COLOQUINTE → *légume.*

COLORANT → *chimie, couleur.*

COLORATION, COLORER → *couleur.*

COLORIAGE, COLORIER → *couleur, dessin, peinture.*

COLORIS → *couleur, mêler, peau.*

COLORISTE → *peinture.*

COLOSSAL → *excès, grand.*

COLOSSE → *force, grand, sculpture.*

COLPORTER, COLPORTEUR → *informer, marchandises, transport.*

COLT → *fusil.*

COLTINER, COLTINEUR → *peser.*

COLUMBARIUM → *enterrement.*

COLVERT → *canard.*

COLZA → *huile.*

COMA, COMATEUX → *dormir.*

COMBAT → *armée, attaque, guerre.*

COMBATIF, COMBATIVITÉ → *guerre, vif.*

COMBATTANT → *guerre.*

COMBATTRE → *adversaire, arrêter, attaque, guerre.*

COMBE → *montagne, relief.*

COMBINAISON → *chimie, lier, mêler, plan, vêtement.*

COMBINARD, COMBINE → *réussir, subtil.*

COMBINÉ → *sport, télécommunications.*

COMBINER → *arranger, chimie, plan.*

COMBLE → *charpente, extrême, haut, maison.*

COMBLE, COMBLER → *abondance, donner, emplir, excès.*

COMBURANT → *chimie, moteur.*

COMBUSTIBILITÉ, COMBUSTIBLE → *brûler, chaleur, chimie, feu.*

COMBUSTION → *brûler, chimie, moteur.*

COME-BACK → *venir.*

COMÉDIE → *affectation, cinéma, théâtre.*

COMÉDIEN → *affectation, faux, théâtre.*

COMÉDON → *peau.*

COMESTIBLE → *aliment, manger.*

COMÈTE → *astrologie, plan, prévoir.*

COMICE → *agriculture.*

COMIQUE → *rire, spectacle, théâtre.*

COMITÉ → *critiquer, groupe.*

COMMANDANT → *chef, grade.*

COMMANDE → *acheter, aviation marchandises.*

COMMANDEMENT, COMMANDER → *armée, chef, conduire, mouvement, volonté.*

COMMANDERIE, COMMANDEUR → *chevalerie, décoration.*

COMMANDITAIRE, COMMANDITE → *commerce, typographie.*

COMMANDO → *armée, guerre.*

COMMÉMORATION, COMMÉMORER → *cérémonie, mémoire.*

COMMENCEMENT → *commencer.*

COMMENCER → *cause, conduire, ouvrir.* — **Faire commencer.** Accoupler ; acoquiner ; amorcer, amorce ; attaquer, attaque ; créer, création, créateur, le Créateur ; déclencher, déclenchement ; donner le coup d'envoi/le *la*/le signal/le ton/le top ; débuter, début ; démarrer, démarrage, démarreur, starter ; ébaucher, ébauche ; esquisser, esquisse, crayon, premier jet ; essayer, essai ; embarquer, embarquement ; emmancher ; engager, engagement, s'engager à ; engrener, engrenage, mettre le doigt dans l'engrenage ; entamer ; entremetteuse ; étrenner ; fonder, fondateur, fondation, fondement, bases ; former ; go ! ; inaugurer, inauguration ; introduire, introduction, introducteur ; instigation, instigateur ; instituer ; intenter un procès ; inventer, invention, inventeur, être l'auteur/le père ; inviter, faire des invites ; lancer, lancement, première ; nouer/ourdir une intrigue ; ouvrir le ban/le feu, ouverture ; partir, être bien/mal parti ; prendre les devants ; prévenir ; provoquer, provocation, provocateur ; être au seuil de. — **L'opération primordiale, ses causes et ses formes.** Axiome, cause, cause première, fondement, hypothèse, origine, postulat, prémisse, principe. ■ Alpha, antécédent, base, début, naissance, origine, précédent, préliminaire, racine, source. ■ Bord, bordure, bout, entrée, lisière, orée, porte, seuil. ■ Avertissement ; chapeau ; en-tête ; entrée en matière ; exorde ; exposition ; frontispice ; incipit ; initiale ; introduction ; introït ; liminaire (épître) ; majuscule ; préambule ; préface ; prélude ; prolégomènes ; prologue ; tête de chapitre/de liste/de rubrique ; titre. ■ Aube, aurore, matin, printemps ; adolescence, berceau, enfance, naissance, naître. ■ Bourgeon, bourgeonner : éclore, éclosion ; embryon, germe ; être en herbe. ■ Apparaître, apparition ; arriver, arrivée ; émerger ; se lever ; percer ; poindre ; pousser, sourdre ; prendre, se former. ■ Inchoatif, initial, premier, primaire, primitif, primordial ; primo, d'abord, de prime abord, d'emblée, *ab ovo*. — **Commencer à progresser.** Abaisser ; aborder ; apprendre, apprenti ; avances ; balbutier, balbutiement ; bégayer, bégaiement ; commencer, commençant ; débuter, débutant ; déflorer ; dégrossir ; dépuceler ; éléments, élémentaire ; essayer, essai, coup d'essai ; essor ; se hasarder ; faire ses premières armes/ses premiers pas ; initier, initiation ; innover, innovation ; jeter sa gourme ; se lancer dans ; se mettre à, mettre la main à ; mordre à ; néophyte, nouveau, novice, bleu (fam.) ; pionnier ; prendre goût à ; progresser, progrès, progression ; rebondir ; se risquer ; rudiments, rudimentaire ; tâter, tâtonner, tâtonnement, à tâtons ; tenter, tentative.

COMMENDATAIRE → *monastère.*

COMMENSAL → *manger.*

COMMENTAIRE, COMMENTATEUR, COMMENTER → *expliquer.*

COMMÉRAGE → *critique, parler.*

COMMERÇANT → *commerce.*

COMMERCE, COMMERCER → *acheter, banque, comptabilité, marchandises.* — **Actes de commerce.** Achat, acheter ; affaires, être dans les affaires ; affrètement, affréter ; agence, agent ; assurances ; banque ; change, changer ; commission ; construction, construire ; courtage, courtier ; échange, échanger ; emprunt, prêt ; fournitures, fournir ; location, louer, sous-louer ; manufacture ; navigation, naviguer ; négoce ; spectacle public ; transport, transporter ; vente, revente, revendre. ■ Économie politique, loi de l'offre et de la demande ; ministère du Commerce et de l'Industrie, Conseil supérieur du commerce ; tribunal de commerce, juge, juré, jurande, consul. — **Écritures commerciales.** Échéancier ; écritures bien tenues/à jour/mal tenues / falsifiées / truquées ; facture / consulaire / douanière / *pro forma*, protestable ; livre, grand-livre, livre-journal, livre de caisse/de comptes/ d'inventaire, pièces comptables, registres, tiroir-caisse ; papier à en-tête, raison sociale. ■ Bail, clause, licence, loyer commercial, patente ; société anonyme/en commandite. ■ Amortissement, capital, fonds, liquide, fonds de caisse/de roulement ; bénéfices, marge bénéficiaire, gain, recette ; bilan ; chiffre d'affaires ; découvert, déficit, dettes, pertes, profits et pertes ; frais généraux ; impôts ; intérêt ; taxe à la valeur ajoutée (T.V.A.). ■ Banqueroute ; déconfiture ; déposer son bilan ; faillite, être au bord de/acculé à la faillite, faillite frauduleuse ; être lessivé ; lever le pied ; liquider, liquidation, liquidation judiciaire ; mévente ; ruine ; syndic de faillite. ■ Effets de commerce : billet ; carnet de chèques, chèque, chéquier ; commande, passer commande, commander, bon de commande ; crédit, créditer, créditeur ; débit, débiter, débiteur ; escompte, escompter ; lettre de change ; mémorandum ; reconnaissance de dettes ; traite, tirer une traite ; warrant. — **Types de commerces.** Commerce, avoir un commerce, être dans le commerce, commerçant, marchand, mercanti, négociant, revendeur, trafiquant ; s'établir, fonder une maison, fondateur, fonds de commerce, succéder, successeur, de père en fils ; fermer/ouvrir/tenir une boutique/un débit de tabac/un tabac. ■ Accaparer, accaparement, accapareur ; commerce forcé/libre/réglementé ; monopole, monopoliser ; trafiquer ; trust, truster. ■ Bazar ; boutique, boutiquier, petit boutiquier ; comptoir ; débit ; échoppe ; étal ; foire, stand ; halle, halles, carreau des halles, mandataire aux halles ; magasin, libre-service, self-service, succursale ; marché, faire les marchés, souk. ■ Bric-à-brac ; brocante, brocanteur ; camelot ; décrochez-moi-ça ; fripe, fripier ; foire aux puces, puces ; forain. ■ Chaîne commerciale, réseau commercial, : agence, agent agréé/exclusif/officiel, concession, concessionnaire, correspondant, représentant ; grand magasin, magasin à succursales multiples, hypermarché, supermarché. ■ Caissier, chef de rayon, commis, directeur, employé, livreur, magasinier, service des ventes, service après vente; vendeur. ▪ Amateur, client, clientèle, pratique, bon/gros client, mauvais payeur. — **Techniques de vente.** Vente au comptant/à crédit/par correspondance/directe/par intermédiaire/à tempérament. ▪ Barème, cote, mercuriale; prix, prix d'ami, prix choc / concurrentiel / courant / fixe / indicatif/de lancement/promotionnel/ publicitaire; tarif. ▪ Enseigne, griffe, label, marque, sous-marque, article démarqué; étalage, étalagiste; vitrine, faire du lèche-vitrines (fam.). ▪ Publicité, publiciste, agence de publicité : battage / budget / campagne / support publicitaire; commercialiser, diffuser, lancer, lancement publicitaire, matraquer, répandre dans le commerce, sortir; étudier les débouchés, étude de marché, marketing; placer la marchandise, prospecter, faire de la prospection/du porte-à-porte; prospectus, affiche, annonce, catalogue, dépliant, réclame, slogan. ▪ Affaire du jour, bonus, concours, jeu, prime, donner en prime; faire l'article, avoir du bagou/du baratin (fam.), baratiner (fam.); boniment, bonimenter, débiter un boniment; camelot; démonstrateur, démonstration, dégustation, essai gratuit; placier; représentant/voyageur de commerce. ▪ Baisse, baisser; brader, braderie; discount, casser les prix; dumping; liquider, liquidation des invendus/des laissés-pour-compte / des stocks; marchandage, marchander; pourcentage; réduction, remise, reprise, ristourne, ristourner; soldes, solder, acheter en solde, vendre à perte/au rabais/pour rien. ▪ Affaire, faire une affaire, être sur une affaire, flairer/louper/manquer/rater une affaire, sauter sur/se faire souffler une affaire (fam.); chance / coup / occasion exceptionnelle/unique/à profiter; concurrent, concurrence dure/impitoyable/loyale/ déloyale/à mort/serrée. — **Commerce extérieur.** Balance commerciale/ des comptes/des paiements extérieurs; couverture; change, contrôle/office des changes; exportation, exportateur, import-export, importation, importateur; liberté des changes, contingentement, licence; liquidités internationales. ▪ Affréter, affréteur, fret; douane, agréé en douane, transport sous douane; transit, base C.A.F. (coût, assurance, fret), base F.O.B. (*franco on board*). ▪ G.A.T.T., (*General Agreement on Tariffs and Trade*), Marché commun, les Six, union douanière, zone franc, zone de libre-échange. ▪ Attaché, conseiller commercial, consul, consulat.

COMMERCIALE → *automobile.*

COMMERCIALISER → *commerce.*

COMMÈRE, COMMÉRER → *critique, justice, parler.*

COMMETTRE → *agir, faute, nommer.*

COMMINATOIRE → *dur.*

COMMIS → *agent, fonction, inférieur.*

COMMISSAIRE → *charger, police, sport.*

COMMISSAIRE - PRISEUR → *estimer.*

COMMISSARIAT → *charger, fonction.*

COMMISSION → *banque, charger, mérite, servir.*

COMMISSIONNAIRE → *commerce, marchandises, servir.*

COMMISSIONNER → *commerce, fonction.*

COMMISSOIRE → *convenir.*

COMMISSURE → *bouche, nerf.*

COMMODE → *bien, facile, utile.*

COMMODE → *meuble.*

COMMODITÉ → *facile.*

COMMODORE → *grade, marine.*

COMMOTION, COMMOTIONNER → *frapper, remuer, trouble.*

COMMUER → *changer, pardon, sensibilité, trouble.*

COMMUN → *abondance, association, groupe, part.* — **Qui se rencontre souvent.** Abondant; commun, communément, sens commun, le bon sens populaire, le commun des mortels; connu, bien connu, archiconnu; conventionnel; courant, couramment; démocratisé; fréquent; général, généralement, généralité; lieu commun, cliché, stéréotype; notoire, être de notoriété publique; public, publiquement; répandu; série, fait en série; universalité, universel; vulgariser, vulgarisateur. ▪ Banal, banalité, banalité d'usage; éculé; grossier; impersonnel, impersonnalité; médiocre, médiocrité; ordinaire; plat, platitude; poncif; prosaïque; rebattre, ressassé, chemins battus; trivial; usuel, d'usage; vulgaire. — **Partager quelque chose avec quelqu'un.** Bien indivis (maison, propriété), indivision; cogérer, cogérance, cogestion; cohabiter, cohabitation; colocataire; coopérer, coopérative; copropriété, copropriétaire; mitoyenneté, mur mitoyen. ▪ Associé association; collège, collègue, collégialité, direction collégiale; être de moitié/de compte à demi, faire bourse commune, mettre en commun, payer son écot/sa part; vivre en commun, vie commune, esprit/vie communautaire. ▪ Faire cause commune/ front commun; communier, être en communion d'idées/de sentiments;

conjuguer ses efforts. ▪ S'allier, signer une alliance/un pacte ; collusion, compère, complice, être cul et chemise (fam.), s'entendre comme larrons en foire. ▪ Mariage : biens communs, biens propres, séparation de corps et de biens ; communauté légale/réduite aux acquêts ; contrat ; héritage, héritier, cohéritier ; inventaire ; partage ; testament ; usufruit. — **Théories communistes.** Associationnisme ; babouvisme, Babœuf, Société des égaux ; bolchevisme, bolchevik, soviet ; collectivisme ; Commune de Paris, communard ; communisme ; fouriérisme ; égalitarisme ; les icariens ; gauchisme ; léninisme, Lénine ; maoïsme, Mao Tsé-toung ; marxisme, marxisme-léninisme, Marx ; l'Internationale, les prolétaires ; nationalisation ; partageux ; réforme agraire ; rouge ; saint-simonisme ; socialisme ; société sans classes ; trotskisme.

COMMUNAL, COMMUNALISER → *relation, ville.*

COMMUNAUTAIRE, COMMUNAUTÉ → *commun, groupe, religion, ville.*

COMMUNAUX, COMMUNE → *province, ville.*

COMMUNICATIF → *confiance, part.*

COMMUNICATION → *informer, relation, télécommunications.*

COMMUNIER, COMMUNION → *commun, part, liturgie, sacrement.*

COMMUNIQUÉ → *informer.*

COMMUNIQUER → *commun, informer, relation.*

COMMUNISME, COMMUNISTE → *commun, politique.*

COMMUTATEUR → *électricité.*

COMMUTATION → *changer, peine.*

COMPACITÉ, COMPACT → *épais, obscur, peser, style.*

COMPAGNE → *aider, part.*

COMPAGNIE → *armée, association, proche, rencontre.*

COMPAGNON → *association, construction, part.*

COMPAGNONNAGE → *association, travail.*

COMPARAISON → *estimer, relation.*

COMPARAÎTRE, COMPARANT → *accusation, tribunal.*

COMPARATIF → *grammaire.*

COMPARÉ, COMPARER → *différence, relation.*

COMPARSE → *agir, aider, inférieur, théâtre.*

COMPARTIMENT, COMPARTIMENTER → *part, train.*

COMPAS → *géométrie, mesure.*

COMPASSÉ → *affectation, triste.*

COMPASSER → *mesure.*

COMPASSION → *pardon.*

COMPATIBILITÉ, COMPATIBLE → *accord, disque.*

COMPATIR, COMPATISSANT → *douleur, part.*

COMPATRIOTE → *pays.*

COMPENDIUM → *abrégé.*

COMPENSATION, COMPENSATOIRE → *balancer.*

COMPENSÉ → *chaussure.*

COMPENSER → *balancer.*

COMPÉRAGE, COMPÈRE → *accord.*

COMPÈRE-LORIOT → *œil.*

COMPÉTENCE, COMPÉTENT → *connaître, pouvoir, tribunal.*

COMPÉTITIF → *égal.*

COMPÉTITION → *demander, sport.*

COMPILATION, COMPILER → *choisir, livre.*

COMPLAINTE → *chanter.*

COMPLAIRE → *aimer, éloge, plaire, satisfaire.*

COMPLAISANT → *plaire, servir, supporter.*

COMPLÉMENT → *angle, entier, grammaire.*

COMPLÉMENTAIRE, COMPLÉMENTARITÉ → *angle, couleur, entier.*

COMPLET, COMPLÉTER → *emplir, entier, finir.*

COMPLÉTIF, COMPLÉTIVE → *grammaire.*

COMPLEXE → *difficile, nombre.*

COMPLEXE → *chimie, industrie, psychologie.*

COMPLEXION → *tendance.*

COMPLEXITÉ → *difficile.*

COMPLICATION → *difficile, maladie, obstacle.*

COMPLICE, COMPLICITÉ → *agir, aider, crime.*

COMPLIES → *liturgie.*

COMPLIMENT, COMPLIMENTER → *applaudir, éloge.*

COMPLIMENTEUR → *plaire.*

COMPLIQUÉ, COMPLIQUER → *difficile, esprit, obscur.*

COMPLOT, COMPLOTER, COMPLOTEUR → *agir, plan, secret, trouble.*

COMPONCTION → *douleur, orgueil.*

COMPORTEMENT, COMPORTER (SE) → *conduire, psychologie.*

COMPORTER → *contenir.*

COMPOSANT → *chimie, composer.*

COMPOSANTE → *géométrie.*

COMPOSÉ, COMPOSER → *affectation, amasser, chimie, mêler, typographie.* — **Composer un tout fait**

d'éléments distincts. Composer, assemblage composite; consister en; être constitué de, constituants, éléments, ingrédients, matières, organes, parties, pièces; disparate; divers; entrer dans la composition; hétéroclite, hétérogène; liste; mécanisme, moteur, pièces; mot / temps / verbe composé. — **Composer en organisant les éléments.** Agencer; assembler; arranger; associer; combiner un plat/une recette; constituer une assemblée/un ministère, constitution politique, corps constitués; coordonner; disposer; dresser un plan; grouper; incorporer; insérer; intégrer; introduire; mélanger, cocktail; ordonner; organiser, ouvrage composé; suivre une méthode/un plan/une règle; structure, structurer; synthèse; système, systématiser; unir. ■ Décomposer un corps chimique, composé minéral ou organique; un visage décomposé / défait / transformé. — **Composer une œuvre créatrice.** Auteur, auteur-compositeur; bâtir un discours; compiler; confectionner; constituer un recueil; créer, créateur; édifier une œuvre; élaborer; écrire des vers/une symphonie, écrivain, musicien; fabriquer un personnage; imaginer, imaginatif; improviser; inventer; mettre en œuvre; peindre une composition/un portrait/un tableau, peintre; préparer; produire; raconter, rassembler des matériaux; rédiger une composition française/un compte rendu/un devoir/une dissertation/une rédaction. ■ Action, argument, canevas, conception, documents, épisode, inspiration, intrigue, matériaux, matière, notes, plan, résumé, sommaire, sujet, style, table des matières, texture.

COMPOSEUSE → *typographie.*

COMPOSITE → *architecture, différence.*

COMPOSITEUR → *musique.*

COMPOSITION → *accord, chimie, mêler, produire.*

COMPOST, COMPOSTER → *culture.*

COMPOSTER, COMPOSTEUR → *calendrier, train, signe.*

COMPOTE → *fruit.*

COMPOTIER → *fruit, vaisselle.*

COMPRÉHENSIBLE → *expliquer, facile.*

COMPRÉHENSIF, COMPRÉHENSION → *bon, permettre, sensibilité.*

COMPRENDRE → *contenir, permettre, raisonnement.*

COMPRESSE → *bande, chirurgie, soigner.*

COMPRESSEUR → *air, presser.*

COMPRESSIBLE, COMPRESSIBILITÉ → *chimie, presser.*

COMPRESSIF → *chirurgie.*

COMPRESSION → *diminuer, moteur, presser.*

COMPRIMÉ → *médicament.*

COMPRIMER → *air, contenir, moteur, presser.*

COMPROMETTANT, COMPROMETTRE → *gêner.*

COMPROMIS → *accord, proche.*

COMPTABILITÉ → *banque, commerce, impôt, revenu.* — **Opérations comptables.** Affecter, affectation; balancer, balance; bilan, arrêter/dresser/établir un bilan, bilan positif/négatif; caisse, faire la caisse, caisse noire; calculer, calcul; chiffrer, chiffre; colonne, comptabiliser, comptabilité/en règle, comptable, pièce/plan/rapport comptable; compte/juste/rond; compter, décompter, précompter, recompter; décaisser, décaissement; décompte; déduire, déductions; écritures/privées/publiques, tenir les écritures; encaisser, encaisse, encaissement; exercice; facturer, facture, facturation; imputer/sur, imputation; inventaire, fermeture pour inventaire ; livre/de comptes/comptable/de commerce ou journal, grand-livre, Grand-livre de la Dette Publique; passer en compte, passation d'écriture; poste/budgétaire/comptable; registre; reporter, report; sommier; ventiler/un budget/une somme, ventilation des frais généraux. — **Termes de comptablité.** Actif, amortissement, avoir, bénéfice/brut/net, bonus, cash flow, charges, créance, découvert, débit, déficit, dette, doit, dû, équilibre, excédent, fonds de roulement/secrets, frais/fixes/généraux, perte, pertes et profits, provisions, ratio, revenu, solde, trou, valeurs/disponibles/immobilisées/réalisables à court terme. — **Types de comptabilité.** Comptabilité analytique / commerciale / économique / générale / industrielle / nationale / en partie double / publique / simple; compte d'affectation / complémentaire / consolidé / de capital /-écran / d'exploitation / financier / d'opérations / de production / réfléchi / spécial; comptes de la ménagère, budget familial, fin de mois, tirer le diable par la queue (fam.); comptes prévisionnels / prospectifs / rétrospectifs; comptes de tutelle, rendre des comptes, reddition de comptes. — **Comptables.** Agent/officier comptable; caissier; commissaire aux comptes; contrôleur de gestion; comptable, aide / chef / expert comptable, être comptable des deniers publics; économe; employé aux écritures; facturière; intendant; inventoriste; sergent / comptable / fourrier /-major; trésorier, trésorier-payeur-général. ■ Cabinet d'expertise comptable, Commissariat au Plan, Cour des Comptes, direction financière, intendance, Ministère des Finances, Trésor (public). — **Machines à compter.** Abaque, boulier, calculateur, calculatrice, comptage, compte-fils, compte-gouttes, compte-tours, compteur divisionnaire / enregisteur / général / indicateur / journalier / totalisateur, compteur d'eau / d'électricité ou électrique (/bleu/de nuit)/Geiger/ kilométrique/volumétrique, compteur à piston / à sintillations/à turbine, machine comptable/numérique/alphanumérique / facturière / imprimante. ▪ Mètre (chronomètre, podomètre, tachymètre...).

COMPTABLE → *agent, comptabilité, nombre.*

COMPTANT → *acheter, argent, payer.*

COMPTE → *banque, comptabilité, connaissance, raisonnement.*

COMPTE-GOUTTES → *comptabilité, liquide.*

COMPTER → *calcul, comptabilité, contenir, important, sûr.*

COMPTEUR → *comptabilité, machine, mesure.*

COMPTINE → *musique.*

COMPTOIR → *bureau, colonie, commerce.*

COMPULSER → *chercher.*

COMPUT, COMPUTATION → *comptabilité, temps.*

COMPUTER → *informatique.*

COMTAL, COMTE, COMTESSE → *noblesse.*

COMTOISE → *horlogerie.*

CON → *sot.*

CONCASSER → *casser, morceau.*

CONCENTRATION → *amasser, camp, économie, pensée.*

CONCENTRÉ → *chimie, épais.*

CONCENTRER → *amasser, fixer, groupe, physique.*

CONCENTRIQUE → *cercle, milieu.*

CONCEPT → *abstraction, philosophie, raisonnement.*

CONCEPTACLE → *algue.*

CONCEPTION → *liturgie, raisonnement, reproduction.*

CONCERNER → *relation.*

CONCERT → *accord, association, musique.*

CONCERTER → *accord, plan.*

CONCERTISTE, CONCERTO → *musique.*

CONCESSION → *abandon, droit, enterrement.*

CONCESSIONNAIRE → *commerce.*

CONCETTI → *affectation, esprit, vif.*

CONCEVABLE, CONCEVOIR → *commencer, écrire, imaginer, pensée.*

CONCIERGE, CONCIERGERIE → *garder, porte, prison.*

CONCILE → *religion.*

CONCILIABULE → *parler, rencontre, secret.*

CONCILIANT → *bon, doux, permettre.*

CONCILIATION, CONCILIER → *accord, mariage, paix, pardon.*

CONCIS, CONCISION → *parler, petit, style.*

CONCITOYEN → *pays, ville.*

CONCLAVE, CONCLAVISTE → *pape.*

CONCLUANT → *convaincre.*

CONCLURE → *finir, raisonnement.*

CONCLUSION → *discussion, finir, suite.*

CONCOMBRE → *légume.*

CONCOMITANCE, CONCOMITANT → *conséquence, suite, temps.*

CONCORDANCE, CONCORDANT → *accord, grammaire, relation.*

CONCORDAT → *commerce, pape.*

CONCORDE, CONCORDER → *accord, paix, relation.*

CONCOURIR, CONCOURS → *but, course, événement, sport.*

CONCRET, CONCRÉTION → *amas, dur, matière, pierre.*

CONCRÉTISER → *exécuter, matière.*

CONCUBIN, CONCUBINAGE → *mariage.*

CONCUPISCENCE, CONCUPISCENT → *débauche, désir, plaire, sensibilité.*

CONCURRENCE, CONCURRENT → *adversaire, commerce, économie, sport.*

CONCUSSION → *crime, gagner, injustice.*

CONDAMNATION → *accusation, crime, critique, peine, refus.*

CONDAMNER → *crime, critique, maladie, porte, soumettre.*

CONDENSATEUR → *électricité, chimie, diminuer.*

CONDENSEUR → *froid, vapeur.*

CONDESCENDANCE, CONDESCENDRE → *accord, bon, orgueil.*

CONDIMENT → *aliment.*

CONDISCIPLE → *enseignement.*

CONDITION → *acheter, convenir, état, noblesse, personne.*

CONDITIONNÉ → *air, soumettre.*

CONDITIONNEL → *relation.*

CONDITIONNER → *habitude, influence, nouveau, paquet, relation.*

CONDITIONNEUR → *paquet.*

CONDOLÉANCES → *douleur, mourir, partager.*

CONDOMINIUM → *colonie.*

CONDOR → *oiseau.*

CONDUCTANCE, CONDUCTION → *chaleur, électricité.*

CONDUCTEUR, CONDUCTRICE → *conduire, construction.*

CONDUCTIBILITÉ, CONDUCTIBLE → *chimie, électricité.*

CONDUIRE, CONDUIRE (SE) → *automobile, chef, entreprise, morale.* — **Conduire dans l'espace.** Accompagner, accompagnateur, amener, emmener, faire aller, faire avancer dans une direction/vers, mener; berger; canaliser, canalisation, conduit, conduite d'eau/de gaz/d'électricité; chauffeur, conducteur, convoyer, convoyeur, chef/tête du convoi; chien d'aveugle; cicérone; direction d'une automobile; entraîner; envoyer; escorter, faire un brin de conduite, raccompagner; guide de montagne, premier de cordée; guider les pas/la main; indiquer le chemin; faire manœuvrer un cheval/un régiment/un véhicule; machiniste; marcher en tête de file/le premier; mener en laisse; montrer la route/la voie; pilote automatique/d'avion/de course, piloter un bolide; téléguider, téléguidage; traîner. ▪ Borne, boussole, code de la route, carte, flèche, indicateur, itinéraire, plan, signalisation. — **Conduire à un résultat.** Faire avancer avec clarté/logique/ordre/ jusqu'à sa conclusion un cours/un débat/une discussion/un exposé/une pensée/un raisonnement. ▪ Diriger, mener quelqu'un à un état d'esprit : acculer à la dépression/au désespoir/ à la folie/au suicide; avertir; conseiller; contrôler; diriger la conscience de quelqu'un, directeur de conscience, direction spirituelle; éducateur; entraîner; exciter; exemple; influencer; inspirer, instigateur; magistère; mentor; porter/pousser au crime/au vice; souffler; subjuguer; suggérer; tenter. — **Conduire en chef.** Avoir l'autorité/l'initiative; chef; commander, commandant; conduire le bal/la course/la danse/le deuil/la farandole; directeur d'école/de journal/de théâtre; dictateur, donner des ordres; gouverneur; maître, maîtriser; manager; meneur d'une bande / d'un groupe; ordonnateur des pompes funèbres, ordonner; régent, régenter, régir, régisseur; responsable d'une équipe; roi. ▪ Exercer une tutelle, faire la pluie et le beau temps (fam.), mener par le bout du nez (fam.), mettre au pas, porter la culotte (fam.). — **Conduire une affaire.** Administration, administrer une entreprise, conseil d'administration; cadre de direction; curateur, curatelle, tuteur, tutelle; directeur (administratif, général, technique), diriger une usine; gérance, gérant, gérer, gestion; imposer sa loi; intendant; manier des affaires; manœuvrer; organiser une opération; patron; présider; surveiller un chantier. ▪ Définir des objectifs/une stratégie; management; mener un projet à bien/à l'échec/à la faillite/à la gloire/à la ruine/au succès; poursuivre un résultat; suivre un plan d'action. — **Conduire sa vie, se conduire.** Acte, action, activité, agir, se comporter, diriger ses actions, faits et gestes, mener sa barque, avoir des principes, suivre une ligne de conduite/une règle de vie. ▪ Attitude, allure, comportement; bonne/mauvaise conduite, zéro de conduite; discipline, s'imposer une discipline, exploits, façon de faire, mœurs, moralité, prouesses; vivre bien/mal/correctement/en crapule/de façon inqualifiable/en homme bien élevé/honnêtement.

CONDUIT → *tuyau.*

CONDUITE → *automobile, chef, conduire.*

CONDYLOME → *tumeur.*

CÔNE → *géométrie, rivière, volcan.*

CÔNE → *pin.*

CONFECTION, CONFECTIONNER → *couture, exécuter.*

CONFÉDÉRATION, CONFÉDÉRER → *association, Etat.*

CONFER → *envoyer.*

CONFÉRENCE, CONFÉRENCIER → *informer, parler, rencontre.*

CONFÉRER → *donner, parler, relation.*

CONFESSER, CONFESSEUR → *accord, reconnaître.*

CONFESSION, CONFESSIONNAL → *église, reconnaître.*

CONFESSIONNEL → *croire, religion.*

CONFETTI → *fête, papier.*

CONFIANCE → *charger, croire, orgueil, secret.* — **Le sentiment de confiance.** Confiance, faire confiance à, mettre/placer sa confiance en, confiance bien/mal placée; se fier à; foi, ajouter foi à, avoir foi en, être de bonne foi. ▪ Confiance absolue/ aveugle/sans bornes/imperturbable/ inébranlable / sans limites / totale; confiance relative, demi-confiance; se défier, défiance; méfiance, se méfier. — **Confiance en soi.** Aplomb; assuré, assurance; calme; confiant; courage tranquille; optimiste, optimisme; orgueilleux, orgueil; sentiment de sécurité; sûreté, sûr de soi/de son bon droit/de sa force. ▪ Croire en son étoile/à la chance/à la fortune/ au hasard ; s'engager à, se faire fort de, jurer, promettre ; perdre confiance, déchanter (fam.), rabattre de ses prétentions. ■ Avoir du culot, être culotté (fam.) ; effronté, effronterie ; fanatique, fanatisme/ politique/ religieux ; fat, fatuité, être infatué de ; être gonflé (pop.) ; outrecuidant, outrecuidance ; trop présumer, être présomptueux, présomption ; prétentieux, prétention ; téméraire, témérité ; avoir du toupet, ne douter de rien. ■ Crédule, crédulité ; gober, gogo ; naïf, naïveté. — **Faire confiance à quelqu'un ou à quelque chose.** Confiance, donner/manifester/marquer/réitérer/témoigner sa confiance ; crédit, faire crédit, accorder du crédit, créditer, accréditer ; déléguer, mandater, donner un pouvoir/une procuration ; donner carte blanche/pleins pouvoirs/blanc-seing ; fidéicommis ; poser la question de confiance ; retirer sa confiance. ■ Compter, faire fond sur, jouer/miser/tabler sur ; s'en rapporter/s'en remettre à, se reposer sur. ■ Abandon, s'abandonner ; communicatif ; se confier, confidentiel, confidentiellement, confidemment ; être/mettre en confiance/à l'aise ; se déballer, déballage (fam.) ; effusion ; s'épancher, épanchement ; expansif, expansion ; se livrer ; s'ouvrir ; se sentir en sécurité avec ; révélation, secret ; vider son cœur, son sac (fam.). — **A qui/à quoi on fait confiance.** Affidé ; confesseur ; confident ; directeur de conscience ; disciple ; familier ; féal ; fidèle ; inconditionnel ; intime ; être au mieux avec (fam.)/dans les petits papiers de (fam.) ; muet ; personne de confiance/de toute confiance ; pilier ; roc ; suivante ; valeur sûre.

CONFIANT → *abandon, confiance, croire.*

CONFIDENCE → *confiance, secret.*

CONFIDENT → *confiance, théâtre.*

CONFIDENTIEL → *confiance, secret.*

CONFIER → *charger, confiance, donner, secret.*

CONFIGURATION, CONFIGURER → *forme.*

CONFINER, CONFINER (SE) → *fermer, finir, placer, proche.*

CONFINS → *extrême, finir.*

CONFIRE → *confiserie, cuisine, garder.*

CONFIRMATION, CONFIRMER → *affirmer, sacrement, sûr.*

CONFISCATION → *prendre, peine.*

CONFISERIE, CONFISEUR → *doux, sucre.* — **Les produits.** Bergamote de Nancy ; berlingot ; bêtise de Cambrai ; bonbon acidulé/fourré/à la liqueur ; calisson d'Aix ; caramel ; chewing-gum ; chocolat, bouchée, croquette, crotte, truffe ; confiture ; cotignac ; douceurs ; dragée ; petit four ; friandise ; fruit confit ; gâteau ; gelée ; glace ; marron glacé ; marmelade ; miel ; nougat de Montélimar ; pastille ; pâte de fruits ; pistache ; praline ; sirop ; soda ; sucette ; sucre, sucre d'orge, sucrerie. — **Le métier.** Sucre boulé/cassé/ lissé/perlé/soufflé. ■ Commerce, confectionner, fabrication, fabriquer, faire glacer, mettre à l'étalage, préparer, vendre. ■ Boîte, caissette, cornet, emballage, papier doré, ruban, sac, tablette. — **La consommation.** Absorber ; aimer, apprécier ; boire, consommer, croquer, déguster, se délecter, laisser fondre, mâcher, sucer ; se régaler, savourer. ■ Appétissant, bon goût, délectable, délicat, délicieux, doux, exquis, fin, friand, savoureux, succulent, sucré.

CONFISQUER → *prendre.*

CONFIT → *confiserie, garder.*

CONFITURE, CONFITURERIE → *confiserie, cuisine, fruit.*

CONFITURIER → *récipient.*

CONFLAGRATION → *guerre.*

CONFLIT → *désaccord, guerre.*

CONFLUENT, CONFLUER → *rencontre, rivière.*

CONFONDRE → *discussion, étonner, mêler, soumettre.*

CONFORME → *accord, certifier, forme, semblable.*

CONFORMÉ → *forme.*

CONFORMER, CONFORMER (SE) → *accord, soumettre.*

CONFORMISME, CONFORMISTE → *opinion, soumettre.*

CONFORMITÉ → *accord, semblable.*

CONFORT, CONFORTABLE → *bien, bon, vie.*

CONFRÈRE, CONFRÉRIE → *association, métier.*

CONFRONTATION, CONFRONTER → *accusation, crime, rencontre.*

CONFUCIANISME → *Asie, philosophie, religion.*

CONFUS, CONFUSION → *gêne, obscur, trouble.*

CONGAÏ → *femme.*

CONGÉ → *abandon, éloigner, impôt, manque, repos, travail.*

CONGÉDIER → *éloigner, envoyer.*

CONGÉLATION, CONGELER → *chimie, épais, froid, viande.*

CONGÉNÈRE → *semblable.*

CONGÉNITAL → *tendance.*

CONGÈRE → *amasser, froid.*

CONGESTIF, CONGESTION, CONGESTIONNER → *amasser, sang.*

CONGLOMÉRAT, CONGLOMÉRER → *amasser, pierre.*

CONGLUTINANT, CONGLUTINER → *amasser, colle.*

CONGRATULATIONS, CONGRATULER → *applaudir, éloge.*

CONGRE → *poisson.*

CONGRÉER → *corde.*

CONGRÉGANISTE, CONGRÉGATION → *association, monastère.*

CONGRÈS, CONGRESSISTE → *association, gouverner, rencontre.*

CONGRU → *accord, aliment, petit.*

CONIFÈRE → *arbre, pin.*

CONIQUE → *géométrie.*

CONJECTURAL, CONJECTURE, CONJECTURER → *opinion, plan, prévoir.*

CONJOINT → *mariage.*

CONJONCTEUR - DISJONCTEUR → *électricité.*

CONJONCTIF → *grammaire, lier.*

CONJONCTION → *astronomie, grammaire, rencontre.*

CONJONCTIVE, CONJONCTIVITE → *œil.*

CONJONCTURE → *état, événement, rencontre.*

CONJUGAISON → *grammaire.*

CONJUGAL → *aimer, lier, mariage.*

CONJUGUER → *commun, grammaire, lier.*

CONJURATION → *accord, révolte, secret.*

CONJURATION, CONJURER → *magie.*

CONJURER → *demander.*

CONNAISSANCE, CONNAÎTRE → *informer, pensée, raisonnement, relation.* — **Idée, notion de base.** Apercevoir, s'apercevoir, aperçu; appréhender, appréhension; apprendre; clartés; conscience, conscient; données de base; éléments, élémentaire; entrevoir; idée, avoir une petite idée, idée innée; impression, première impression; intuition, connaissance intuitive; juger de, jugement; lucidité, lucide; lueur, lumière; percevoir, perception; pressentiment, pressentir, prescience; principe, postulat; rudiment; sensation, sentiment, sentir; teinte, teinture; vernis; voir, vue. ■ Savoir, science fraîche : début, débutant, frais émoulu, néophyte, stagiaire; se documenter, étudier, examiner, (s') initier, se renseigner, sonder, tâter, tâtonner. — **Intelligence.** Cognitif, cognition; comprendre, compréhension; considérer, considération; curiosité intellectuelle; discerner, discernement; entendre, entendement; envisager; éprouver; expérimenter, expérience; intellect; méthode, progression méthodique, classer, comparer, définir; pénétrer, pénétration; perception, percevoir; piger (fam.); prescience; prévoir, prévision; représentation, se représenter; saisir. ■ Avec discernement, à bon escient, judicieusement, avec pertinence, pertinemment, sagement, savamment. ■ Être apte/doué/intelligent; esprit agile/clair/curieux/pénétrant/vif. — **Savoir.** Averti; dans le coup (fam.), au courant; au fait; informé; instruit; au parfum (pop.); sciemment. ■ Acquis, acquisition, bagage, bases, culture, éducation, instruction; encyclopédie, encyclopédique; omniscience, omniscient; universel. ■ Amateur, connaisseur, curieux, expert, initié, spécialiste, technicien. ■ Averti, compétent, compétence; calé, ferré, fort, force, de première force; pédant, pédantisme, puits de science, ponte (fam.), roi, sommité, versé dans. ■ S'y connaître, connaître à fond/par cœur/sur le bout des doigts/comme le fond de sa poche; posséder parfaitement, en savoir long; être du métier/de la partie; connaître la musique (fam.); faire autorité. ■ Adresse, art, coup, coup de main, doigté, entregent, habileté, savoir-faire, savoir-vivre. ■ Célèbre, connu, évident, fameux, illustre, insigne, notoire, proverbial, public, su, vanté. ■ Avéré, banal, commun, décrié, rebattu, ressassé. — **Rapports, relations.** Aborder, s'aboucher, s'acoquiner, s'accointer, accointance, accoster, entrer en contact, être d'intelligence avec, lier connaissance, renouer; connaître de nom/de réputation/de vue, se lier, se mettre en rapport, rencontrer.

CONNECTER, CONNECTEUR → *attache, électricité, lier.*

CONNÉTABLE → *souverain.*

CONNEXE, CONNEXITÉ → *électricité, lier, relation.*

CONNIVENCE → *accord, secret.*

CONNOTATION → *mot, signe.*

CONNU → *connaître, réputation, sûr.*

CONQUE → *mollusques.*

CONQUÉRANT, CONQUÉRIR → *gagner, orgueil, soumettre.*

CONQUÊTE → *plaire, posséder.*

CONQUISTADOR → *colonie.*

CONSACRANT, CONSÉCRATEUR → *sacrement.*

CONSACRÉ, CONSACRER → *donner, habitude, liturgie, mémoire, permettre.*

CONSANGUIN, CONSANGUINITÉ → *famille.*

CONSCIENCE, CONSCIENT → *connaître, morale, psychologie.*

CONSCIENCIEUX → *morale, soigner.*

CONSCRIPTION, CONSCRIT → *appeler, guerre.*

CONSÉCRATION → *affirmer, liturgie, sacrement.*

CONSÉCUTIF, CONSÉCUTIVE → *conséquence, suite.*

CONSEIL, CONSEILLER → *avertir, entreprise, influence, opinion.*

CONSEIL, CONSEILLER → *agent, aider, charger, magistrat.*

CONSENSUS → *accord.*

CONSENTEMENT, CONSENTIR → *accord, permettre, volonté.*

CONSÉQUENCE → *grammaire, importance, raisonnement, suite.* — **Considérée quant à son résultat.** Aboutir, aboutissement; conclure, conclusion; conséquence, consécution, consécutif, conséquent, tirer à conséquence; contrecoup; déduction; démonstration, démontrer; effet, efficient, cause efficiente; efficace, efficacité; s'enchaîner, enchaînement; incidence; induire, induction; inférer; issue; réagir, réaction, répercussion; résulter, résultat, résultante; se refléter, reflet; rejaillir, rejaillissement; retentir, retentissement; retomber sur, retombée, sanction; séquelles; solution; suivre, suite, suite logique. ■ Bavure, choc, choc en retour; efficace, efficient, valable; insignifiant, broutille, vétille. ■ De la dernière/de grande conséquence; grave, important, de grande portée; lourd de conséquence; qui mène/qui va loin, conséquences lointaines. — **Considérée quant à son origine.** Amener; appeler; causer, cause, causalité, rapport de cause à effet; découler; déduire; dépendre, dépendance; descendre, descendance; dériver; déterminer, déterminisme; engendrer; s'ensuivre; entraîner; faire naître; filiation; impliquer, implication; occasionner; prouver; servir à; tenir à. ■ S'accompagner; concomitance, concomitant; conforme, conformément à; corrélation, corrélatif, corollaire; correspondre, correspondance. ■ Enfant, fils, fruit, mère, père, prémices, produit. — **Expressions de conséquence.** Ainsi, après, aussi, conformément à, par conséquent, conséquemment, dès lors, donc, *ergo,* partant, c'est pourquoi, subséquemment; en raison de, en sorte, de sorte (que), par suite, en vertu; il appert, il s'ensuit, d'où.

CONSÉQUENT → *raisonnement, rivière.*

CONSERVATEUR, CONSERVATISME → *garder, politique.*

CONSERVATOIRE → *enseignement, musique.*

CONSERVE, CONSERVER → *aliment, garder, soigner.*

CONSIDÉRABLE → *grand, importance.*

CONSIDÉRATION, CONSIDÉRER → *estimer, regarder.*

CONSIGNATION → *garder, marchandises.*

CONSIGNE, CONSIGNER → *décider, enseignement, garder, payer.*

CONSISTANCE, CONSISTANT → *dur, épais.*

CONSISTER → *composer.*

CONSISTOIRE → *ecclésiastique, pape.*

CONSOLATEUR, CONSOLATION → *calme, paix, soigner.*

CONSOLE → *instrument, meuble.*

CONSOLER → *calme, doux, soigner.*

CONSOLIDATION, CONSOLIDER → *banque, force, réparer.*

CONSOMMATEUR, CONSOMMATION → *acheter, boire, économie.*

CONSOMMÉ → *extrême, pur.*

CONSOMMÉ → *bouillir, cuisine.*

CONSOMMER → *boire, économie.*

CONSOMPTIF, CONSOMPTION → *maigre.*

CONSONANCE, CONSONANT → *son.*

CONSONANTISME, CONSONNE → *langage, son.*

CONSORT → *part, souverain.*

CONSORTIUM → *association, groupe.*

CONSPIRATEUR, CONSPIRATION → *accord, révolte, secret.*

CONSPUER → *mépris.*

CONSTANCE, CONSTANT → *fidèle, force, suite.*

CONSTANTE → *chimie, nombre.*

CONSTAT → *tribunal.*

CONSTATION, CONSTATER → *certifier, connaître, vérité.*

CONSTELLATION → *astronomie.*

CONSTELLÉ, CONSTELLER → *briller, ciel.*

CONSTERNATION, CONSTERNER → *abattre, douleur, étonner, triste.*

CONSTIPATION, CONSTIPER → *intestin.*

CONSTITUER → *composer, état.*

CONSTITUTIF, CONSTITUTION → *composer, forme, placer, politique, tribunal, corps.*

CONSTITUTIONNEL → *droit, loi.*

CONSTRICTEUR, CONSTRICTION → *muscle, presser.*

CONSTRUCTEUR → *construction.*

CONSTRUCTIF → *imaginer.*

CONSTRUCTION → *architecture, édifice, grammaire, maçonnerie, plan.* — **Art de construire.** Assembler, assemblage; atelier; bâtir, bâtiment;

chantier ; création ; disposer, disposition ; échafauder, échafaudage ; édifier, édification ; élever ; ériger, érection ; établir, établissement ; fonder, fondation ; former, formation. ■ Construction en épi/en rotonde/en saillie/préfabriquée. — **Bâtiments construits.** Abri, bâtisse, bâtiment, barrage, château, édifice, église, ferme, fortification, immeuble, maison, monument, palais, pont, temple, tour. — **Métiers concernant la construction.** Architecte, architecture, bâtisseur, constructeur, édificateur, édile, entrepreneur, fondateur, ingénieur. ■ Charpenterie, charpentier ; couverture, couvreur ; maçonnerie, maçon ; marbrerie, marbrier ; menuiserie, menuisier ; peinture, peintre ; plâtrerie, plâtrier ; plomberie, plombier ; serrurerie, serrurier ; tapisserie, tapissier ; vitrerie, vitrier. ■ Compagnon, conducteur de travaux, maître d'œuvre, métreur, ouvrier du bâtiment. — **Matériaux de construction.** Aluminium, ardoise, béton, bois, brique, chaume, ciment, fer, marbre, moellon, mortier, parpaing, pierre, pisé, plâtre, staff, torchis, tuile, verre, zinc. — **Principaux éléments d'une construction.** Aile, assise, corps de bâtiment/d'édifice, avant-corps, arrière-corps. — **Avant la construction.** Fondations ; fondement ; infrastructure ; lit ; gros œuvre ; rempiétement ; soubassement ; structure, substructure, superstructure ; terrassement, terrassier.

CONSTRUCTIVISME → *sculpture.*

CONSTRUIRE → *composer, construction, dessin, édifice.*

CONSUBSTANTIALITÉ, CONSUBSTANTIATION → *mêler, sacrement.*

CONSUL, CONSULAT → *chef, diplomatie.*

CONSULTATIF → *élire, opinion.*

CONSULTATION, CONSULTER → *demander, élire, informer, justice, médecine.*

CONSUMER → *brûler, détruire.*

CONTACT → *automobile, optique, relation, toucher.*

CONTAGIEUX, CONTAGION → *étendre, maladie.*

CONTAINER, CONTENEUR → *marchandises, paquet.*

CONTAMINATION, CONTAMINER → *maladie.*

CONTE → *imaginer, récit.*

CONTEMPLATIF → *monastère, saint.*

CONTEMPLATION, CONTEMPLER → *regarder.*

CONTEMPORAIN → *semblable, temps.*

CONTEMPTEUR → *mépris.*

CONTENANCE → *affectation, conduire, contenir, emplir, gêne.*

CONTENIR → *arrêter, coffre, mesure, emplir, récipient, sac.* — **Renfermer.** Contenant, contenu ; fond, forme ; signe, signifiant ; symbole, sens, signification, signifié, substance, substantiel, substantifique moelle. ■ Comporter, composer (se), être composé, composé, hétéroclite, hétérogène, complexe, compliqué ; comprendre, compris ; conclure, conclusion ; conséquence, consécutif, consécution, effet ; embrasser ; enceindre, enceinte ; enchâsser, enchâssement ; enclave, enclaver ; enclore, enclos, clos, clôture ; enfermer, renfermer ; englober, global ; enserrer, serres, griffes ; entourer, alentour, autour ; entraîner ; envelopper, enveloppe ; environner, environnement, environs ; garder, garde-fou, rambarde, rampe ; impliquer, implicite, implication ; inclure, inclus, inclusion ; incorporer ; mesurer, mesure ; posséder, possession ; receler ; tenir, capacité, contenance, teneur. — **Empêcher.** Arrêter, arrêt, donner un coup d'arrêt ; assujettir, sujet, sujétion ; bloquer, blocage ; borner, borne, terme ; coercition, coercitif, incoercible ; comprimer, compression ; contraindre, contraignant, contrainte ; contrôler, contrôle, contrôle des changes/de la circulation/des prix, contravention ; se dominer, sang-froid, self-control ; dompter ; emberlificoter, embobeliner, embobiner (fam.) ; emprisonner, prison ; endiguer, endiguement, digue ; enfermer ; enserrer ; entortiller ; entraver, entrave ; freiner ; limiter, limite, limitation ; maintenir, maintien ; maîtriser (se), maîtrise, être maître de ; modérer, modération, modestie ; refouler, refoulé, refoulement ; refréner, frein, effréné ; réprimer, répression, répressif ; être réservé ; retenir, rétention ; sobriété ; tempérance ; tenir, tenir en main/en respect ; violence, se faire violence. ■ Affecté, chaste, gourmé, pudibond, pudique, réservé, réticent, sobre ; affecter, avoir/se donner/prendre une contenance, bonne/piteuse ; rester sur son quant-à-soi. — **Capacité.** Chargement, cubage, gabarit, intérieur, jauge, tonnage, volume. ■ Aire, étendue, superficie, surface. ■ Épaisseur, largeur, longueur, profondeur. ■ Système décimal ; unités de mesure : are, litre, mètre, mètre cube, stère. ■ Le contenant : boîte, cadre, caisse, emballage, enveloppe, panier, récipient, sac, vase ; le contenu : brouettée, assiettée, bolée, brassée, cuvée, pelletée, pincée, etc.

CONTENT, CONTENTEMENT → *bonheur, joie, satisfaire.*

CONTENTER → *plaire, satisfaire.*

CONTENTIEUX → *bureau, discussion, tribunal.*

CONTENU → *contenir.*

CONTER → *écrire, récit.*

CONTESTATION, CONTESTER → *critiquer, désaccord, discussion, refus, révolte.*

CONTEUR → *écrire, récit.*

CONTEXTE → *expliquer, particulier.*

CONTEXTURE → *composer, lier.*

CONTIGU, CONTIGUÏTÉ → *proche, toucher.*

CONTINENCE, CONTINENT → *pur, sage.*

CONTINENT → *pays, terre.*

CONTINGENCE, CONTINGENT → *événement, pouvoir.*

CONTINGENT, CONTINGENTER → *appeler, marchandises, part.*

CONTINU, CONTINUATION → *après, deux, suivre.*

CONTINUEL, CONTINUER, CONTINUITÉ → *durer, suivre.*

CONTONDANT → *arme, blesser.*

CONTORSION, CONTORSIONNER (SE) → *crispation, mouvement, tourner.*

CONTOUR → *bord, entourer, finir, forme.*

CONTOUR → *bord, entourer, finir.*

CONTOURNÉ → *affectation.*

CONTOURNER → *céramique, tourner.*

CONTRACEPTIF, CONTRACEPTION → *reproduction.*

CONTRACTÉ, CONTRACTION → *crispation, grammaire, nerf.*

CONTRACTER → *crispation, habitude, lier, maladie, payer.*

CONTRACTER, CONTRACTION → *diminuer, petit, presser.*

CONTRACTUEL → *agent, contrat, fonction.*

CONTRACTURE → *colonne, crispation, muscle, presser.*

CONTRADICTION, CONTRADICTOIRE → *discussion, opposé.*

CONTRAINDRE, CONTRAINTE → *contenir, force, soumettre.*

CONTRAINT → *affectation, gêner.*

CONTRAINTE → *gêner, soumettre, violence.*

CONTRALTO → *chanter.*

CONTRARIANT → *déplaire, discuter, refus.*

CONTRARIÉ → *souci.*

CONTRARIER → *déplaire, mécontentement, obstacle, refus.*

CONTRARIÉTÉ → *déplaire, gêner, mécontentement.*

CONTRASTE, CONTRASTER → *désaccord, opposé.*

CONTRAT → *association, location, règle.* — **Convention en général.** Accord, s'accorder, tomber d'accord; contrat, contracter, contractuel, personnel / obligations contractuelles; convention, convenir, contravention, contrevenant; s'engager, engagement, faire face à ses engagements; s'entendre, entente; marché; s'obliger, obligation, obligation morale; pacte; police; traité, traiter de gré à gré. ■ S'accommoder, accommodement; s'arranger, arrangement; composer, compromis; transiger, transaction. — **Types de contrats.** Bail, bailleur; contrat tacite/verbal, quasi-contrat; contrat administratif : adjudication, adjudicataire, concession, concessionnaire, soumission, soumissionnaire, cahier des charges, marché; contrat d'assurance, police; contrat de louage de choses : fermage, location, logement, propriété commerciale, société, vente (acte de); contrat de louage d'ouvrage : entreprise, louage; contrat de louage de services : travail; contrat de mariage : communauté, régime dotal, séparation de biens; contrat synallagmatique ou bilatéral/synallagmatique imparfait ou unilatéral. ■ De bienveillance, désintéressé, don, donation, legs; commutatif ou aléatoire; consensuel, réel, solennel; principal, accessoire; successif. — **Dresser, signer un contrat.** Acte authentique/notarié/sous-seing privé; document; instrument, instrumenter; contractants, notaire, officier ministériel, parties, prête-nom, témoin; rédiger en bonne et due forme, grosse, minute. ■ Approuver, consentir, ratifier, souscrire, valider; cautionnement, dépôt, frais d'enregistrement, mandat, prêt, promesse. — **Obligations du contrat.** Article/clause commissoire, rescindable, résolutoire; condition; convention, établissement conventionné/sous contrat; disposition; stipulation, stipuler, stipuler expressément, être écrit en toutes lettres; termes, termes exprès. ■ Contracter, passer un contrat; exécuter, exécution, exécutoire; contrat léonin; dol, erreur, lésion, violence. — **Inexécution d'un contrat.** Assigner en justice, assignation légale; constat, faire constater par huissier, exploit, notification, protêt; contravention, contrevenir; dérogation, dérogatoire; inexécution; inobservation; résiliation, résiliable; résoudre, résolution; rompre, rupture. ■ Annuler, annulation, nullité; brûler, déchirer; casser, cassation; concordat, compromis, dédit; dénoncer, dénonciation; résilier, résiliation; révoquer; transaction. — **Convention**

collective. Code civil; contrat de louage de services, domestique, ouvrier, maître, patron; embaucher, débaucher, mettre à pied; contrat de travail/de progrès; convention ordinaire, convention-contrat, convention étendue, convention-règlement; inspection du travail.

CONTRAVENTION → *faute, peine.*

CONTREBALANCER → *balancer.*

CONTREBANDE, CONTREBANDIER → *défendre, voler.*

CONTREBAS → *bas.*

CONTREBASSE → *instrument.*

CONTRE-BOUTANT → *charpente.*

CONTRE-BOUTER, CONTRE-BUTER → *charpente, supporter.*

CONTRECARRER → *obstacle, opposé.*

CONTRECŒUR (À) → *déplaire.*

CONTRECOUP → *conséquence, suivre.*

CONTRE-COURANT → *mer, opposé.*

CONTREDANSE → *danse, peine.*

CONTREDIRE → *critique, discussion, opposé.*

CONTRÉE → *pays.*

CONTRE-ESPIONNAGE → *secret.*

CONTREFAÇON, CONTREFACTEUR, CONTREFAIRE → *imiter, tromper, voler.*

CONTREFAIT → *forme, laid.*

CONTREFIL → *opposé.*

CONTRE-FILET → *bœuf.*

CONTREFORT → *architecture, chaussure, montagne.*

CONTRE-JOUR → *lumière.*

CONTREMAÎTRE → *chef.*

CONTREMARQUE, CONTREMARQUER → *bijou, signe, voyage.*

CONTREPARTIE → *changer, comptabilité, donner.*

CONTRE-PENTE → *montagne.*

CONTRE-PERFORMANCE → *sport.*

CONTREPÈTERIE → *mot.*

CONTRE-PIED → *chasse, opposé.*

CONTRE-PLACAGE, CONTRE-PLAQUÉ → *bois, colle.*

CONTREPOIDS → *balance, peser.*

CONTRE-POIL (À) → *opposé.*

CONTREPOINT → *musique.*

CONTREPOISON → *poison.*

CONTRER → *carte.*

CONTRESCARPE → *fortification.*

CONTRESEING → *signe.*

CONTRESENS → *faux.*

CONTRETEMPS → *événement, musique.*

CONTRE-TORPILLEUR → *navire.*

CONTRETYPE → *cinéma, photographie.*

CONTRE-VALEUR → *banque.*

CONTREVALLATION → *fortification.*

CONTREVENANT → *contrat, faute, règle.*

CONTREVENT → *fenêtre.*

CONTREVENTEMENT, CONTREVENTER → *charpente.*

CONTREVÉRITÉ → *faux.*

CONTRIBUABLE → *impôt.*

CONTRIBUER, CONTRIBUTION → *impôt, part.*

CONTRISTER → *triste.*

CONTRIT, CONTRITION → *triste.*

CONTRÔLE, CONTRÔLER → *bijou, police, regarder.*

CONTRÔLEUR → *agent.*

CONTRORDRE → *annuler.*

CONTROUVÉ → *faux, imaginer.*

CONTROVERSE, CONTROVERSER → *discussion.*

CONTUMACE, CONTUMAX → *accuser, appeler.*

CONTUSION, CONTUSIONNER → *blesser, frapper.*

CONURBATION → *ville.*

CONVAINCRE, CONVAINCU → *influence, parler, reconnaître.* — **Action de persuader.** Agir sur; amadouer; catéchiser; décider; détourner; dissuader; émouvoir; faire entendre raison; entraîner; exciter; exhorter, exhortation; gagner à une cause; persuader, persuasion; raisonner; remuer; séduire, séduction; vaincre. ▪ Faire avouer, convaincre de; faire entrer/mettre dans la tête; graver/imprimer dans l'esprit; faire impression, impressionner; inculquer; influencer, influence, sous l'influence de; inspirer, inspiration; insuffler; prosélytisme, prosélyte; souffler. — **Qui emporte la conviction.** Argument concluant / décisif / percutant / probant; discours convaincant/éloquent/ émouvant/ enflammé/ enthousiaste / entraînant / expressif / fougueux/impressionnant/d'une logique implacable/passionné/pathétique/persuasif/puissant/roboratif/tonique/touchant; parler avec chaleur/conviction/feu/flamme/force/fougue/habileté / pathétique / véhémence / verve / vigueur. ▪ Avoir du bagout/de la faconde/de la facilité/la parole facile; facilité d'élocution/ d'expression; charmeur, disert, éloquent; loquace, loquacité, puissant, volubile, volubilité. ▪ Orateur, tribun; saint Jean Chrysostome ou Bouche d'or. — **Être convaincu.** Être certain, certitude; être convaincu, conviction; croire, croire dur comme fer (fam.), croyance, ferme croyance; en mettre sa main au feu; sûr, sûr et certain; ton assuré/ convaincu / éloquent / ferme / pénétré. ▪ Donner son adhésion/sa confiance/sa foi; de tout son être, de tout son cœur; être sous le charme/pendu aux lèvres de, boire les paroles. — **Dangers de l'éloquence.** Abuser; aveugler; avoir (fam.); circonvenir; éblouir; embobiner (fam.); endoctriner, endoctrinement, dogmatisme, fanatisme; enjôler, enjôleur; ensorceler; fasciner, fascination; griser, griserie; induire en erreur; manœuvrer; mener, mener les foules, manœuvrier, meneur; monter la tête/le bourrichon (pop.); séduire, séduction, séducteur; sophisme, sophiste; subjuguer; suborner, suborneur; tenter, tentation, tentateur; tromper, tromperie. — **Art oratoire.** *Ars dicendi,* déclamation, diction, élocution, logographe, rhétorique, rhéteur; Démosthène, Cicéron. ▪ Genre : les trois genres : délibératif, démonstratif, judiciaire; les cinq genres : académique, judiciaire (barreau), militaire, politique (tribune), religieux (chaire). ▪ Avocat, parlementaire, prédicateur, orateur, tribun. ▪ Amplification, artifice, atticisme, couleur, élégance, élévation, emphase, enflure, envolée, fleurs de rhétorique, figure, force, grâce, grandiloquence, image, ironie, lieu commun, onction, pathos, période, pompe, précautions oratoires, redondance, rhétorique, tirade. ▪ Exorde, parallèle, parties du discours, péroraison, portrait, réfutation. ▪ Allocution, conférence, cours magistral, discours, harangue, homélie, oraison funèbre, panégyrique, philippique, plaidoirie, prêche, proclamation, réquisitoire, sermon, speech, toast, topo (fam.).

CONVALESCENCE, CONVALESCENT → *maladie, repos.*

CONVECTION → *mouvement.*

CONVENABLE, CONVENANCE → *convenir, manière, satisfaction.*

CONVENIR → *accord, reconnaître, utile.* — **Convenir, être à la convenance de quelqu'un.** Agréer à, être aimé, s'accorder avec, être agréable, être assorti, botter (fam.), se convenir réciproquement, plaire, trouver à son goût/à son gré. ▪ Accord, adéquation, affinité, conformité, harmonie, rapport de goût / de caractère / d'humeur; aller bien avec, arranger, être avantageux, chanter (fam.), être commode, contenter, faire l'affaire, être au goût, intéresser, plaire, répondre au désir de quelqu'un/à son état/à sa situation, satisfaire, seoir, il sied, être seyant, sourire à, être utile. — **Être opportun.** Adapté, s'adapter, acceptable, adéquat, *ad hoc,* s'ajuster, être approprié/à propos, cadrer avec, conforme, congru, convenable, correspondre, fait pour, favorable, idoine, opportun, propice, propre à, requis, suffisant. — **Avoir les qualités convenables pour quelque chose.** Adroit; apte à, avoir des aptitudes; avoir l'art de; bon/fait/né pour quelque chose; bosse (fam.), avoir la bosse des maths; capable, capacité; compétence, compétent; don, avoir le don, don de fée, don des langues; doué pour; avoir de la facilité; faculté; fort en thème; habile à, habileté en; penchant; prédisposition; propension; qualité innée/naturelle; susceptible de; tendances; talent; vocation. — **Ce qu'il est convenable de faire.** Il appartient, on doit, il faut, il sied; il est bienséant/bon/convenable/habituel/juste/à propos/séant/utile/conforme aux habitudes/à la juste mesure/à la raison/aux usages. ▪ Bon sens, bienséance, convenances, correction, décence, éducation, modération, morale, orthodoxie, politesse, protocole mondain, pudeur, réserve, savoir-vivre; homme bien élevé/comme il faut/correct/digne/honorable; bonnes manières, propos honnêtes/raisonnables, vêtements décents; les règles, la tradition, conformisme, non-conformisme. ▪ Conventionnel, peu sincère, superficiel : politesse conventionnelle, du bout des lèvres, mariage de convenance/d'intérêt/de raison. — **Convenir de, être d'accord sur.** Admettre, avouer, concéder, confesser, consentir à, reconnaître, convenir de sa faute/de sa responsabilité/de ses torts. ▪ S'accorder sur, s'arranger, arrêter, décider, s'entendre, fixer une convention, régler, tomber d'accord, transiger; convenir d'un prix/d'un rendez-vous; convention expresse/tacite; négocier un accord, compromis, concession, contrat, convention, engagement, entente, marché, obligation, pacte, traité, transaction. ▪ Débattre; discuter; négociation, préliminaires; ratifier; stipuler des clauses/conditions/dispositions/règles; dresser un procès-verbal/un protocole d'accord; partie contractante, plénipotentiaire. ▪ Armistice, trêve, ultimatum. ▪ Conventions de genre, conventions théâtrales, procédés romanesques; convention collective de travail; conventions de la Croix-Rouge/de Genève/de La Haye/internationales/militaires.

CONVENTION → *accord, contrat, convenir, règle.*

CONVENTIONNÉ → *soigner.*

CONVENTIONNEL → *commun, convenir.*

CONVENTUALITÉ, CONVENTUEL → *monastère.*

CONVENU → *convention.*

CONVERGENCE, CONVERGENT,

CONVERGER → *but, optique, orientation, semblable.*
CONVERS → *monastère.*
CONVERSATION, CONVERSER → *parler, rencontre.*
CONVERSION → *banque, calcul, changer, religion.*
CONVERTIBILITÉ, CONVERTIBLE → *changer, monnaie.*
CONVERTIR → *changer, religion.*
CONVERTISSEUR → *acier, changer, métal.*
CONVEXE, CONVEXITÉ → *courber, optique.*
CONVICTION → *convaincre, opinion, religion.*
CONVIER, CONVIVE → *manger, relation.*
CONVOCATION → *appeler, écrire.*
CONVOI → *enterrement, groupe.*
CONVOITER, CONVOITISE → *avare, désir.*
CONVOLER → *lier, mariage.*
CONVOQUER → *appeler.*
CONVOYER, CONVOYEUR → *conduire, défendre, suivre.*
CONVULSER, CONVULSIF, CONVULSION → *crispation, révolte.*
COOPÉRATEUR, COOPÉRATIF, COOPÉRATION → *association, économie.*
COOPÉRATIVE → *association, économie.*
COOPÉRER → *commun, travail.*
COOPTATION, COOPTER → *choisir, élire.*
COORDINATION, COORDONNANT, COORDONNÉ → *grammaire, lier.*
COORDONNÉES → *calcul.*
COORDONNER → *lier, plan.*
COPAIN → *aimer.*
COPAL → *pin.*
COPEAU → *bois, morceau, résidu.*
COPIAGE, COPIE, COPIER → *imiter, reproduction, voler.*
COPIEUX → *abondance.*
COPISTE → *reproduction.*
COPRAH → *amande.*
COPROLALIE → *psychologie.*
COPROLOGIE, COPROPHAGE → *résidu.*
COPROPRIÉTAIRE, COPROPRIÉTÉ → *commun, posséder.*
COPTE → *langage.*
COPULATIF, COPULE → *grammaire, lier.*
COPULATION → *reproduction, sexe.*
COPYRIGHT → *livre, reproduction.*
COQ → *boxe, important, oiseau, symbole.*
COQ → *navire.*
COQ-À-L'ÂNE → *brusque, changer, parler.*
COQUART, COQUARD → *frapper, œil.*
COQUE → *charpente, couvrir, mollusques, œuf.*
COQUEBIN → *sot.*
COQUELICOT → *fleur.*
COQUELUCHE → *maladie, réputation, respiration.*
COQUEMAR → *récipient.*
COQUET, COQUETTE → *important, plaire, soigner.*
COQUETER → *plaire.*
COQUETIER → *œuf.*
COQUETTERIE → *couture, femme, toilette.*
COQUILLAGE → *mollusques.*
COQUILLART → *calcaire.*
COQUILLE, COQUILLER → *mollusques, œuf.*
COQUIN, COQUINERIE → *avilir, vif.*
COR → *cerf, instrument.*
COR → *pied.*
CORAIL → *bijou, polype.*
CORALLIAIRES → *polype.*
CORALLIEN → *polype.*
CORALLINE → *bijou.*
CORAN, CORANIQUE → *musulman.*
CORBEAU → *cri, oiseau.*
CORBEILLE → *architecture, spectacle, vannerie.*
CORBEILLE-D'ARGENT → *fleur.*
CORBILLARD → *enterrement, transporter.*
CORBILLON → *jouer.*
CORDAGE → *corde.*
CORDE → *arc, cercle, gorge, instrument, lier, pendre.* — **Description.** Câble; cordage; cordeau de jardinier, aligner au cordeau; cordeau de mine; cordelette; cordelière; cordon, cordonnet; coulisse; courroie; ficelle; fil, fil de fer, filament, filin; ganse; lacet; lanière; lien; ligament; ruban; sandow; sangle. ▪ Acier, boyau, chanvre, coton, crin, jute, lin, métal, nylon, soie, textile. ▪ Câbler, cordeler, corderie, corder, cordonner, entortiller, tordre en torons, torsion, tortiller, tresser les brins/les fibres; fil de caret. — **Attacher les cordes.** Accrocher; attacher; boucle, bouclette; coulisser; débrouiller; délacer, dénouer; détacher; embrouiller, emmêler, enchevêtrer; enrouler; entrelacer, entrelacs; épissure; lasso; lover; nœud lâche/serré/double/coulant, nouer; pendre, suspendre. ▪ Brider, cercler, empaqueter, entraver, ficeler, harnacher, lier, ligaturer, ligo-

ter, mettre une laisse/un licou, sangler. — **Ouvrages de corde.** Balai de corde, faubert, natter, natte; paillasson; O'cédar (n.d.), semelles de corde, espadrilles; tapis de corde; râpé/usé jusqu'à la corde/la trame; tisser; tresser, tresse. — **Exercices avec corde.** Corde de bateleur/de funambule, danseur de corde; corde à sauter. ■ Anneaux, balançoire, corde à nœuds, corde lisse, échelle de corde, grimper, portique, se suspendre, trapèze; cordes du ring de boxe, aller/envoyer dans les cordes. ■ Limite d'hippodrome, virage, prendre son virage à la corde/au bord/au plus court/de justesse. ■ Assurer, s'encorder, corde d'assurance/de rappel; cordée. — **Les cordages.** Amarrer, hâler, hisser, rabanner, riper, tirer, tirer un bout, tirer au palan. ■ Gréement, aussière, drisse, écoute, garcette, hauban, élingue, laguis, ralingue, trévire, verboquet. ■ Clef, demi-clef, nœud de chaise/de vache/plat, tour mort. — **Les cordons.** Cordelière de robe de chambre, ceinture, torsade; cordon de soulier, lacet; cordon de la porte/de sonnette, tirer le cordon; cordons de la bourse; cordon ombilical, funicule, tirette.

CORDEAU → *corde, exploser, jardin.*

CORDÉE → *montagne, pêcher.*

CORDELER → *corde.*

CORDELIER → *monastère.*

CORDELIÈRE → *architecture, corde.*

CORDER, CORDERIE → *corde.*

CORDIAL, CORDIALITÉ → *amitié, faible, manière.*

CORDILLÈRE → *montagne.*

CORDITE → *feu.*

CORDON → *accouchement, architecture, chevalerie, corde, microbe.*

CORDON-BLEU → *cuisine.*

CORDONNERIE → *chaussure, cuir.*

CORDONNET → *corde.*

CORDONNIER → *chaussure, cuir.*

CORELIGIONNAIRE → *religion.*

CORIACE → *dur, résister.*

CORIANDRE → *plante.*

CORICIDE → *pied.*

CORINDON → *pierre.*

CORINTHIEN → *architecture, colonne.*

CORMIER → *arbre.*

CORMORAN → *mer, oiseau.*

CORNAC → *conduire.*

CORNAGE → *respiration.*

CORNALINE → *bijou.*

CORNARD → *corne, tromper.*

CORNE → *cavalerie, cerf, insecte, pli, respiration.* — **Description.** Andouiller, bois, cors, ramure; corne conique / creuse / dure / massive / pleine / pointue / annelée / droite / enroulée / ramifiée / en vrille / caduque / persistante/frontale/nasale; paire. — **Bêtes à cornes.** Encorné, longicorne, monocère : bovidé, cervidé, antilope, bélier, bouc, chèvre, girafe, licorne, rhinocéros, taureau, vache. ■ Antennes d'insecte, cornes d'escargot/de limace, vipère à cornes. ■ Diable, satyre cornu; faire/montrer les cornes à quelqu'un, faire honte, se moquer de quelqu'un, planter/porter des cornes, cocu, cornard. — **Objets en corne.** Bouquin, cor, cor de chasse, corne de brume, cornet de berger/de vacher, cornet à pistons, trompe d'automobile, avertisseur; claironner/corner aux oreilles, crier, klaxonner, répéter à son de corne, ressasser; corne d'abondance; corne à boire, hanap; corne à chaussures, chaussepied; peigne, tabatière, etc. ■ Aplatir, aplatissoir, diviser/macérer/racler/scier la corne; bleu de prusse, cyanure de potasse. — **Figures en forme de corne.** Angle, coin d'un bois/d'un village, cornet à dés, gobelet, godet de papier, cornet acoustique; cornette, voile de religieuse; corniche, moulure d'une armoire/d'un édifice/d'un meuble/d'un mur, cornière, encoignure, pied, poteau cornier, poteau d'angle, cornue de grès/de platine/de verre. — **Appendices cornés.** Callosité du pied, cor, oignon; éperon du chien; ergot du coq; griffe des carnassiers; ongle rétractile/semi-rétractile; pied ongulé; sabot de cheval, serre des rapaces. ■ Déchirer, égratigner, érafler, gratter, griffer, montrer, rentrer, sortir ses griffes.

CORNÉ → *corne.*

CORNED-BEEF → *bœuf.*

CORNÉE → *œil.*

CORNEILLE → *oiseau.*

CORNEMUSE, CORNEMUSEUR → *instrument.*

CORNER → *avertir, pli.*

CORNER → *balle.*

CORNET → *instrument, jouer, sac.*

CORNIAUD, CORNIOT → *chien, sot.*

CORNICHE → *architecture.*

CORNICHON → *légume, sot.*

CORNIER → *arbre.*

CORNIER → *angle.*

CORNOUILLER → *arbre.*

CORN-PICKER → *céréale.*

CORNU → *corne.*

CORNUE → *alchimie, chimie.*

COROLLAIRE → *raisonnement.*

COROLLE → *fleur.*

CORON → *habiter.*

CORONAIRE → *cœur.*

CORONAL → *soleil.*

CORONARITE → *cœur.*
CORONER → *police.*
CORONOGRAPHE → *soleil.*
CORPORATIF, CORPORATION → *métier.*
CORPOREL, CORPS → *anatomie, attitude, chimie, construction.*
CORPULENCE, CORPULENT → *forme, grand, gras.*
CORPUS → *livre.*
CORPUSCULAIRE, CORPUSCULE → *nucléaire, physique.*
CORRECT → *convenir, manière, règle, satisfaire.*
CORRECTEUR, TRICE → *changer, typographie.*
CORRECTIONNEL, CORRECTIONNELLE → *crime, tribunal.*
CORRÉLATIF, CORRÉLATION → *lier, relation.*
CORRESPONDANCE → *accord, écrire, relation, train.*
CORRESPONDANT → *angle, écrire, journal, relation, semblable.*
CORRESPONDRE → *accord, écrire, proche, relation.*
CORRIDA → *course.*
CORRIDOR → *maison, passer.*
CORRIGÉ → *enseignement, expliquer.*
CORRIGER → *changer, critique, peine, progrès, réparer.*
CORRIGEUR → *typographie.*
CORROBORER → *raisonnement.*
CORRODANT, CORRODER → *dommage.*
CORROI, CORROIERIE → *cuir.*
CORROMPRE → *avilir, débauche, dommage, morale.*
CORROSIF, CORROSION → *dommage, ronger.*
CORROYAGE, CORROYER, CORROYEUR → *cuir.*
CORRUPTEUR, CORRUPTION → *avilir, débauche, mal, morale.*
CORSAGE → *poitrine, vêtement.*
CORSAIRE → *avare, colonie, jambe, marine.*
CORSELET → *armure, insecte, poitrine, vêtement.*
CORSER → *force, important, récit, vin.*
CORSET, CORSETER, CORSETIER → *bande, couture, vêtement.*
CORSO → *fête.*
CORTÈGE → *cérémonie, suivre.*
CORTEX, CORTICAL, CORTICOSURRÉNALE → *cerveau, rein.*
CORTINAIRE → *champignon.*
CORTISONE → *glande.*
CORUSCANT → *briller.*
CORVÉABLE, CORVÉE → *fatigue, féodalité, travail.*
CORVETTE → *navire.*
CORVIDÉS → *oiseau.*
CORYMBE → *fleur.*
CORYPHÉE → *chanter, danse.*
CORYZA → *nez.*
COSAQUE → *cavalerie.*
COSINUS → *angle.*
COSMÉTIQUE, COSMÉTOLOGIE → *beau, cheveu, toilette.*
COSMIQUE, COSMO → *astronautique, astronomie, ciel.*
COSMOGONIE, COSMOGONIQUE → *astronomie.*
COSMOGRAPHIE, COSMOGRAPHIQUE → *astronomie.*
COSMOLOGIE, COSMOLOGIQUE → *astronomie.*
COSMOPOLITE, COSMOPOLITISME → *mêler, pays.*
COSMOS → *astronomie.*
COSSARD, COSSE → *paresse.*
COSSE → *électricité, grain.*
COSSER → *mouton.*
COSSU → *abondance, riche.*
COSSUS → *papillon.*
COSTAL → *poitrine.*
COSTAUD → *force.*
COSTUME → *vêtement.*
COSTUMIER → *cinéma, théâtre, vêtement.*
COSY, COSY-CORNER → *lit, meuble.*
COSY, COSY-CORNER → *lit.*
COTE → *banque, classe, estimer, mesure, part, prix.*
CÔTE → *bosse, mer, montagne, poitrine.*
CÔTÉ → *angle, bord, orientation, proche, toucher.*
COTEAU → *montagne, relief.*
CÔTELÉ → *tissu.*
CÔTELETTE → *porc, viande.*
COTER → *banque, estimer, nombre, prix.*
COTERIE → *groupe, secret.*
COTHURNE → *chaussure.*
COTIDAL → *mer.*
CÔTIER → *mer, rivière.*
COTIGNAC → *confiserie.*
COTILLON → *jouer.*
COTIR → *dommage, fruit.*
COTISATION, COTISER → *payer, part.*
COTON, COTONNADE → *fil, textile, tissu.*
COTONNERIE, COTONNIER → *fil, textile.*
COTON-POUDRE, (FULMICOTON) → *feu, poudre.*
CÔTOYER → *proche.*

COTRE → *bateau.*

COTTAGE → *maison.*

COTTE → *armure, vêtement.*

COTYLE → *os.*

COTYLÉDON → *graine.*

COU, COL → *tête, vêtement* — **Partie du corps.** Cervic-, cervical ; col, cou, gorge, gosier, larynx, nuque, pharynx, pomme d'Adam. ▪ Artère cervicale/ascendante/profonde/transverse, carotide, trachée-artère ; veine cervicale/jugulaire. ▪ Ganglion cervical/inférieur/moyen/supérieur ; ligament ; nerf ; œsophage ; plexus ; thymus ; thyroïde ; vertèbres, atlas, axis, proéminente. ▪ Aponévrose cervicale, cervicarthrose ; torticolis. ▪ Se casser le cou, casse-cou ; couper le cou, décapiter, décoller, décollation ; étrangler, strangulation ; pendre par le cou, pendaison, corde, avoir la corde au cou ; (se) rompre le cou ; tordre le cou. — **Qui entoure le cou.** Col de chemise/de corsage/de manteau/de dentelle/de fourrure ; col mou/empesé/dur ; col ouvert/cassé/droit ; col Claudine/Danton/officier ; col roulé/marin, col-bleu. ▪ Cache-col, cache-nez, tour de cou, écharpe, fichu, foulard, pointe ; collerette ; collet, collet de mailles ou colletin, petit collet, rabat ; cravate, cravater, lavallière ; décolleter, décolleté, décolletage ; encolure ; fraise, fraise godronnée/à confusion ; gorgerin ; guimpe ; hausse-col ; jabot. ▪ Chaîne, collier (de chien), pendentif, sautoir. ▪ Cangue, carcan, collier de force, licou. — **De forme longue et étroite.** Col du fémur/de l'utérus/de la vessie ; col/goulot d'une bouteille, d'un vase ; col de cygne. ▪ Brèche, défilé, détroit, gorge, goulet, pas, port.

COUAC → *bruit.*

COUARD, COUARDISE → *peur.*

COUCHAGE → *camp, lit.*

COUCHANT → *chien, soleil.*

COUCHE → *accouchement, couvrir, jardin, lit, population.*

COUCHE, COUCHE-CULOTTE → *accouchement, enfant.*

COUCHER, COUCHER (SE) → *astronomie, courbe, étendre, lit, pencher, tirer.*

COUCHETTE → *lit, navire, train.*

COUCOU → *oiseau.*

COUCOUMELLE → *champignon.*

COUDE → *angle, bras, tuyau, vêtement.*

COUDÉE → *mesure.*

COU-DE-PIED → *pied.*

COUDER → *courber, plier.*

COUDOYER → *proche, toucher.*

COUDRE → *aiguille, couture, fil.*

COUDRIER → *arbre.*

COUENNE, COUENNEUX → *porc.*

COUETTE → *cheveu, lit, plume.*

COUFFIN → *sac.*

COUFIQUE → *écrire.*

COUILLE → *sexe.*

COUILLON, COUILLONNER → *sot, tromper.*

COUINEMENT, COUINER → *cri.*

COULANT → *facile, nature, permettre.*

COULANT → *anneau.*

COULÉE → *métal, nager, volcan.*

COULEMELLE → *champignon.*

COULER → *automobile, liquide, navire, passer, remuer, temps.*

COULEUR → *lumière, peinture.* — **Avoir une couleur.** Coloris, demi-teinte, gamme / harmonie / mélange / modulation de couleurs ; nuance, teinte, ton, tonalité. ▪ Clair, éclatant, foncé, intense, pâle, sombre, tendre, vif. ▪ Bariolage, bariolé, bicolore, bigarré, bigarrure, bizarre, blafard, camaïeu, contraste, dégradé, fondu, grisaille, heurt, incolore, monochrome, moucheté, multicolore, neutre, opaque, panaché, polychrome, terne, tiqueté, tiqueture, transparent, tricolore, uni, versicolore. — **Classement des couleurs.** Arc-en-ciel, couleurs du prisme/du soleil/du spectre : violet, indigo, bleu, vert, jaune, orangé, rouge ; couleurs complémentaires / composées / fondamentales / simples, bleu, jaune, rouge ; couleur d'ambiance/chaude / excitante/ fonctionnelle /froide / reposante / stimulante ; daltonien, daltonisme. — **Couleur changeante.** Lumière, ombre : briller, éclairer, éclatant, illuminer, obscur, clair-obscur, obscurité, ombrer ; chatoyer, colorer, décolorer, délaver, déteindre ; chiné, diapré, émaillé, estompé, fané, foncé, gorge-de-pigeon, irisé, jaspé, moiré, moirure, nuancer, pâlir, ton passé, reflet, tache/touche de couleur, ternir. ▪ Prendre couleur, cuire, foncer, se teinter, virer ; ça prend couleur (fam.), se dessiner, devenir effectif/réel. — **Couleur de la peau.** Carnation, peau, pigment, pigmentation, teint de lis et de rose. ▪ Femme/gens/homme/peuple de couleur, africain, café au lait, chocolat (fam.), mulâtre, nègre, noir. ▪ Prendre/reprendre des couleurs/de belles couleurs/de bonnes joues/bonne mine ; un teint fleuri/frais/vermeil. ▪ Basané, bistre, blafard, bronzage, bronzer, teint brouillé, brunir, cuivré, éblouissant, foncé, hâle, hâler, mat, pâle, tanné, terreux, verdâtre. — **Les soins de beauté.** Artifice, aviver, fard, farder, grimer, maquillage, maquiller la peau/le visage, tatouer ; cosmétique, faux cils, fond de teint, mouches, noir, poudre, produit de beauté, rimmel, rose à joues, rouge à lèvres, vernis à ongles. ▪ Teindre les cheveux, décoloration, henné, rinçage, shampooing colorant, teinture; acajou, blanc, blond, brun, cendré, châtain, gris, marron, noir, roux. — **Techniques pour colorer.** Aluminage; aluner, alunage, alun; apprêter; blanchir, blanchiment; décruer; dégraisser, dégraisseur; imbiber; imprégner, imprégnation; liter, litage; mordancer, mordançage, mordant; nettoyer; procédé du batik, raciner; tremper. ▪ Bain, clapot, cuve, foulard; biser; brésiller; cocheniller; colorer; foncer; garancer; noircir; patiner, donner une patine; raviver; rocouer; safraner; teindre, teinter, teinte, grand teint, bon teint, déteindre, reteindre; teinturier, teinturerie, pressing; tinctorial, produits tinctoriaux. ▪ Alapin, brou de noix, campêche, chica, chromate de plomb, garance, guède, indigo, kamala, kermès, nerprun, oxyde, quercitron, sandix, tournesol. — **Le caractère des choses.** Apparence, aspect, image; couleurs fausses, prétexte fallacieux, sous couleur, sous prétexte; couleur des jours/du temps, les circonstances, les humeurs, voir la vie en rose/en noir, être gai/joyeux/optimiste/pessimiste/triste; couleur locale, originalité, pittoresque, spécificité d'une région/d'une ville. ▪ Couleur de style : brillant, éclat, expression, force, un style coloré/énergique/expressif/fleuri/haut en couleur/imagé/original/pittoresque/savoureux/truculent/vert / vibrant / vigoureux / vivant; couleur / nuance politique, choix, opinion, parti. — **Couleurs symboliques.** Couleurs nationales, drapeau, pavillon, les trois couleurs; amener/envoyer/hisser/saluer les couleurs, sonner aux couleurs. ▪ Porter les couleurs d'une dame, être son champion/son chevalier/son défenseur; casaque/cravate/insigne/uniforme d'un club / d'une école/d'une écurie. ▪ Annoncer/jouer la couleur aux cartes, atout, carreau, cœur, pique, trèfle; noir, rouge. ▪ Couleurs héraldiques : azur, émail, gueule, hermine, pourpre, sable, sinople, vair.

COULEUVRE → *reptiles.*

COULEUVRINE → *artillerie.*

COULIS → *aliment, maçonnerie, vent.*

COULISSE, COULISSER → *corde, secret, théâtre.*

COULISSIER → *banque.*

COULOIR → *passer.*

COULOMB → *électricité.*

COULOMMIERS → *lait.*

COULPE → *douleur, faute.*

COULURE → *métal.*

COUP → *boire, essayer, événement, frapper, jouer.*

COUPABLE → *crime, faute, peine.*

COUPAGE → *alcool, vin.*

COUPAILLER → *couper.*

COUPANT → *couper, parler.*

COUP-DE-POING → *arme.*

COUPE → *réussir, sport, verre.*

COUPE → *arrêter, bois, carte, couper, couture.*

COUPÉ → *automobile, danse.*

COUPE-CIGARES → *tabac.*

COUPE-CIRCUIT → *électricité.*

COUPÉE → *navire.*

COUPE-FEU → *brûler.*

COUPE-GORGE → *danger.*

COUPELLATION, COUPELLE, COUPELLER → *four, verre.*

COUPER → *couture, intervalle, mêler, morceau, parler.* — **Couper, diviser un corps, un objet.** Abréger, abrégé; cisailler; ciseler, ciselure, ciseleur; couper, coupe, coupeur, coupage; découper, découpage, découpeur; détacher; diviser, division; ébarber; écourter, raccourcir; émarger, émincer, encoche; enlever; entamer, entame; fendre, refendre, fente, refente; fragmenter, fragment, fragmentation; hacher; lever; mâcher, mâchurer; massicoter, massicot; morceler, morceau; ôter; partager, part (bi-, tri-) partition; racler, raclure; rainer, rainure; rogner, rogure; scinder, scission; sectionner; segmenter; subdiviser; tailler, taillader, taille en biseau, biseauter / en chanfrein, chanfreiner; trancher, tranche; tronquer. ▪ Cisaille; ciseau de graveur, berceau, burin, ciselet, gouge, grattoir, matoir, pointe, repoussoir; ciseau de menuisier, biseau, bec-d'âne, ébauchoir, fermoir, gouge, gougette, plane, poinçon; ciseau de sculpteur, riflard, rondelle; ciseaux de brodeuse/de bureau/de couturière/de tailleur; coupe-chou, coupe-cigares, coupe-ongles, coupe-paille, coupe-papier, coupe-racines; couperet, coupoir; couteau; coutre; emporte-pièce; hache, hachoir, hansart; pince coupante, plane, rabot; raclette, racloir. — **Couper une plante/un arbre.** Abattre, abattage; chaumer, chaume; coupe franche/nette/à ras/à fleur de terre, coupe de bois, coupe à blanc; débiter; dépresser, dépressis; dérober; ébouter, ébouture; ébrancher; écimer, écimage, cimée; élaguer, élagage, élagueur; émonder, émondage, émondeur; équarrir; étêter, étêtage, tête; faucarder, faucardeuse; faucher, faucheur; fendre; moissonner; raser; recéper, recépage; saper; tailler, taille; tondre, tonte, tronçonner, tronçon. ▪ Écussonner, enter, greffer. ▪ Cisaille, ciseau, cueille-fleur, cueilloir; cognée, coin, hache, hachette;

faucille, faucheuse, faux ; machette, sabre d'abattis ; scie, passe-partout, tronçonneuse ; sécateur ; serpe, serpette ; tondeuse à gazon. — **Couper un organe vivant.** Amputer, ablation, amputation, amputé de guerre, moignon ; anatomie ; balafrer, balafre ; blesser, blessure ; castrer, châtrer, castration, castrat ; circoncire, circoncision, circoncis ; charcuter (pop.) ; chirurgie ; couper, coupure ; décapiter, décoller ; dépecer, dépeçage, dépècement ; disséquer, dissection, autopsie, vivisection ; écharper ; écorcher, écorcheur, écorchure ; égorger ; entailler, entaille ; entamer ; estafilade ; exciser, excision ; inciser, incision ; gercer, gerçure ; labourer ; mutiler, mutilation, mutilé de guerre ; opérer, opération chirurgicale ; ouvrir ; raser ; résection ; scalper, scalp ; scarifier, scarification ; tondre, tonte ; trancher. ▪ Instruments de chirurgie : bistouri, ciseaux (de Richter...), curette, lancette, scalpel. ▪ Coupe-chou, coupe-coupe, couteau, épée, guillotine, lame, rasoir, sabre. — **Le couteau.** Lame, manche, onglet, poignée, virole ; dos, fil, morfil, pointe, taillant, tranchant ; affiler, affûter, aiguiser, repasser ; fusil, meule, rémouleur. ▪ Couteau de poche/à cran d'arrêt/de table/de cuisine. ▪ Canif, surin (pop.), couperet, tranche-lard, tranchoir, épluchoir ; dague, navaja, poignard ; planche/service à découper.

COUPE-RACINES → *bétail.*

COUPERET → *couper.*

COUPEROSE → *rouge, visage.*

COUPEUR → *couture.*

COUPLE, COUPLER → *deux, lier, mariage, mécanique.*

COUPLET → *chanter.*

COUPLEUR → *deux.*

COUPOIR → *couper.*

COUPOLE → *couvrir, église.*

COUPON → *banque, morceau, tissu.*

COUPURE → *banque, couper, critique, intervalle, journal.*

COUQUE → *pâtisserie.*

COUR → *chef, ferme, maison, plaire, souverain, tribunal.*

COURAGE, COURAGEUX → *cœur, orgueil, volonté.* — **Avoir du courage.** Ardeur, ardent ; assurance, assuré, sûr de soi ; audace, audacieux ; aventureux ; bravoure, brave ; casse-cou ; avoir du cœur/du cœur au ventre, être un homme de cœur ; constance, constant ; courage, être plein/rempli/déborder de courage, courage à toute épreuve, courageux ; avoir du cran ; culot, culotté (fam.) ; décision, décidé ; détermination, déterminé ; énergie, énergique ; avoir de l'estomac ; fermeté, ferme ; force, force d'âme, fort ; ne pas avoir froid aux yeux ; être gonflé/gonflé à bloc (pop.) ; hardiesse, hardi ; héroïsme, héroïque, héros ; indomptable ; impavide ; impétuosité, impétueux ; intrépidité, intrépide ; mépris du danger ; patience, patient ; persévérance, persévérant ; résolution, résolu ; risque-tout ; sang-froid, sang chaud, avoir du sang dans les veines ; stoïcisme, stoïque ; témérité, téméraire ; avoir du toupet (fam.) ; travailleur ; vaillance, vaillant ; valeur, valeureux ; volonté, volontaire. — **Donner du courage.** Affermir ; aguerrir ; animer, ranimer ; conforter ; doper, dopant ; encourager, encouragement, enflammer ; enhardir ; exciter, excitant ; relever le courage ; réconfort, réconforté ; regonfler (pop.) ; remonter (fam.), remontant, cordial ; retremper ; réveiller ; soutenir le moral. ▪ Un supporter ; courage !, allez !, allez-y !, haut les cœurs ! — **Montrer son courage.** Attendre de pied ferme, faire bonne contenance, faire face/front ; payer de sa personne, rester fidèle au poste, tenir bon/le coup/tête, se faire tuer sur place, vendre cher sa peau (fam.)/sa vie. ▪ Éclat, exploit, fait d'armes, hauts faits, prouesse ; gentilhomme, héros, chevalier, homme de cœur, lion, paladin, preux ; grognard, poilu. ▪ Achille, Bayard, Don Quichotte, Richard Ier Cœur de Lion, le maréchal Ney dit le Brave des braves. ▪ Crâne, décidé, déterminé, farouche, mâle, martial, noble, résolu, viril. ▪ Faire le brave, brave à trois poils, bravache ; crâner, crâneur ; fanfaron, fanfaronner, fanfaronnade ; fier-à-bras ; matamore ; olibrius ; rodomontade ; tranche-montagne ; faire le zouave (pop.).

COURAMMENT → *facile, habitude.*

COURANT → *chien, eau, habitude, présence.*

COURANT → *électricité, mouvement, progrès.*

COURANTE → *écrire, musique.*

COURBATU, COURBATURE, COURBATURER → *douleur, fatigue.*

COURBE, COURBER, COURBER (SE) → *arc, cercle, pli, soumettre.* — **Courbe géométrique.** Cercle ; circonférence ; concave, convexe ; cône, section conique ; cylinder ; ove, ovale, ové ; sphère, sphéroïde. ▪ Anse de panier, asymptote ; caustique ; chaînette ; cissoïde ; cycloïde, épicycloïde développante/développée ; ellipse, elliptique, ellipsoïde, ellipsoïdal ; enveloppe, enveloppée ; focale ; génératrice ; hélice, hélicoïdal ; hyperbole, hyperbolique, hyperboloïde ; lemniscate ; logarithmique ; loxodromie ; orbite ; orthogonale ; parabole, parabolique, paraboloïde ; plane ; polygone de sustantation ; radiale ; révolution; sinusoïde; spirale, spire; transcendante. ■ Abscisse, arc, asymptote, axe, branche, courbure, degré, diamètre, foyer, nœud, pôle, sommet, tangente, trajectoire. ■ Compas; curvigraphe, curviligne, curvimètre; ellipsographe. — **Ligne courbe.** Arabesque; arc, arcature, arquer; arrondi, arrondir; bomber, bombement; bosseler; boucle, boucler, bouclé; busqué; cambrer, cambrure; cintrer; concentrique; contourner; couder, coude; courbe, courbure; déjeter; enfler, enflure, fluxion; enrouler; fausser; feston, festonner; fléchir, flexueux; galbe, galber; gauchir; gondoler; incliner, incurver; infléchir; en lacet; lobe, lobule; méandre; ondulation, onduler; pansu; pencher; plier; ployer; rebondir; recourber; renflé; replier; rond; serpenter, serpentin; sinuosité, sinueux; tordre, tordu, tors, torsion, tortu, tortueux; tourner, tournant; vallonné; volute; virer, virage; voiler, voile; voûté, voussure, voûte. — **Attitude courbée.** Se baisser, s'abaisser; biscornu; bossu; se cambrer, cambrure; cassé; se courber, faire des courbettes, révérence; se déjeter, déjeté; déviation de la colonne vertébrale, ensellure, lordose, scoliose; fléchir, flexion, fléchissement; de guingois; s'incliner, incliner le buste, inclinaison; infléchir; se pencher; ployer, ploiement; se voûter, voûté.

COURBETTE → *cheval, manière.*

COURBURE → *courbe.*

COUREUR → *course, débauche, sport.*

COURGE, COURGETTE → *fruit, légume.*

COURIR → *course, informer, sport, vitesse.*

COURLIS → *oiseau.*

COURONNE → *cercle, chef, dent, souverain, tête.*

COURONNEMENT, COURONNER → *cérémonie, extrême, finir, haut, pur, souverain.*

COURRE → *chasse.*

COURRIER → *écrire, journal, poste.*

COURRIÉRISTE → *journal.*

COURROIE → *attache, bande, harnais, paquet.*

COURROUCER, COURROUX → *colère.*

COURS → *astronomie, commerce, enseignement, réussir, rivière, route, suivre.*

COURSE → *acheter, athlétisme, marcher, mouvement, sport.* — **Aller à vive allure.** Avoir des ailes/le diable à ses trousses (fam.)/le feu au derrière (pop.); se carapater (pop.); cavaler (pop.); courir à bride abattue/à fond de train (fam.)/à toutes jambes/à perdre haleine/ventre à terre; détaler; dropper (pop.); fendre l'air; filer; foncer (pop.); galoper; gazer, pleins gaz, mettre la gomme (pop.); se magner (pop.), piquer (un cent mètres); trotter, au trot!; voler. ■ Foulée, pas accéléré/de course/de gymnastique; train d'enfer. — **Participer à une course.** S'entraîner, entraînement, entraîneur; parcours, piste, randonnée, stand de ravitaillement. ■ S'aligner, prendre le départ, disputer une compétition/une épreuve; « à vos marques ! », démarrer, se détacher, dominer, s'échapper, une échappée, mener, se placer, prendre le commandement/la tête, remonter. ■ Être distancé/lâché/semé/à la traîne; abandonner; peloton de queue/de tête. ■ Rush, sprint, sprinter. ■ Battre, l'emporter/gagner/vaincre d'un cheveu/d'une encolure/d'une longueur/d'une courte tête, coiffer au poteau (fam.); photo-finish; walk-over. — **Courses à pied.** Course pédestre, athlétisme, cross-country; starting-block; cendrée, couloir, piste, stade. ■ Course de vitesse/de demi-fond/de fond/de grand fond; course plate, 100 m, 200 m, 400 m, 800 m, 1 500 m, 5 000 m, 10 000 m, marathon; course d'obstacles/de haies, 110 m haies, steeple-chase (3 000 m); course de relais, 4 x 100 m, 4 x 400 m, passer le témoin. — **Courses cyclistes.** Courses en ligne, Paris-Roubaix, Paris-Tours, Bordeaux-Paris, Milan-San Remo, Critérium national; entraîneur, derny; épreuve sur route, routière; course par étapes, tour de France/d'Italie; maillot jaune, lanterne rouge; course contre la montre, Grand Prix des Nations. ■ Épreuves sur piste, pistard, vitesse, poursuite, demi-fond, omnium; les « Six Jours »; vélodrome, cyclo-cross. — **Courses de chevaux.** Hippisme, sport hippique, haras, champ de courses, hippodrome; paddock, pelouse, pesage, stand, tribune; Société d'encouragement pour l'amélioration de la race des chevaux, Jockey-Club; concours hippique, Derby d'Epsom, Grand Prix de l'Arc de Triomphe. ■ Courses au galop/au trot/d'obstacles/de plat; course attelée, sulky; course mixte/en partie liée/à réclamer; critérium, omnium; handicap; steeple-chase, cross-country. ■ Les obstacles : banquette, barrière (double, fixe avec brook), haie (vive sur pivot), *open ditch, rail ditch and fence, oxer,* rivière. ■ Éleveur, haras; entraîneur; jockey, casaque; lad; manège; propriétaire, couleurs, écurie de courses; commissaire, juge, juge aux allures, starter, starting gate. ■ Crack, pur-sang, trotteur, yearling, deux ans, trois ans ; favori, outsider ; forfait. — **Courses de taureaux.** Corrida, amateur de corrida, aficionado. ■ Sortir du toril ; arène ; écorner ; toréer, travailler le taureau ; jeu de cape, pique, pose de banderilles, passe de cape et de muleta, mise à mort, estoquer, estocade. ■ Toréador, torero, matador, novillero ; le quadrille ; péon, picador, banderillero, espada, puntillero. — **Courses diverses.** Course de lévriers, cynodrome. ■ Course de chars antiques ; arène, borne, carrière, cirque ; aurige, cocher ; bige, quadrige. ■ Course de bateaux/nautique/motonautique, balise, bouée : canoë ; canot à rames, aviron, rowing ; canot automobile, dinghy, hors-bord, racer, runabout ; course de voiliers, course-croisière, régate. ■ Course d'automobiles, anneau, autodrome, circuit ; rallye ; rallye de Monte-Carlo, « Vingt-quatre Heures du Mans » ; stock-car ; bolide, formule 1, monoplace, prototype ; pilote de course, coureur automobile. ■ Course de motocyclettes, gymkhana, kart, karting, moto-cross, vélodrome. — **Parier aux courses de chevaux.** Turf, turfiste. ■ Pari mutuel, pari mutuel urbain ou P.M.U., hippodrome ; cote des paris, betting, pari à la cote, donner/parier à dix contre un, donneur, parieur ; favori, outsider ; hasarder, risquer ; gagner, gain, perdre, perte ; pronostic, tuyau. ■ Sweepstake ; gagnant, placé, report ; pari simple/couplé/jumelé/tiercé, rapport du tiercé.

COURSIER → *cheval.*

COURSIER → *envoyer.*

COURSIVE → *navire, passer.*

COURT → *brusque, diminuer, durer, petit, vitesse.*

COURTAGE → *banque, commerce.*

COURTAUD → *petit.*

COURTAUDER → *chien.*

COURT-BOUILLON → *cuisine.*

COURT-CIRCUIT → *supérieur.*

COURTELINESQUE → *rire.*

COURTEPOINTE → *lit.*

COURTIER → *assurances, banque, commerce.*

COURTILIÈRE → *insecte.*

COURTILLE → *jardin.*

COURTINE → *fortification, lit.*

COURTISAN → *plaire, souverain.*

COURTISANE → *débauche, femme.*

COURTISER → *éloge, plaire.*

COURTOIS, COURTOISIE → *manière.*

COURU → *réputation, réussir.*

COUSCOUS → *cuisine.*

COUSETTE → *couture.*

COUSEUSE → *couture, livre.*

COUSIN → *mouche.*

COUSIN, COUSINAGE → *famille.*

COUSINER → *accord, famille.*

COUSSIN, COUSSINET → *sac, meuble.*

COUSU → *blason.*

COÛT → *dépense, prix.*

COUTEAU → *balance, couper, mollusques, peinture.*

COUTELAS → *couper.*

COÛTER, COÛTEUX → *dépense, peser, prix, produire.*

COUTIL → *tissu.*

COUTRE → *agriculture.*

COUTUME, COUTUMIER → *droit, habitude.*

COUTURE, COUTURIER → *broderie, textile, tissu, vêtement.* — **Faire des coutures.** Assembler, baguer, bâtir, border, broder, faire des bouclettes ; coudre, découdre, piquer, point d'assemblage/d'ornement ; couture anglaise ou double/rabattue/simple ; cranter, épingler, faufiler, froncer, ourler, ourlet, raccommodage, raccommoder, rapiécer, ravauder, recoudre, réparer, repriser, retourner, roulotter, stoppage, stopper, surjet, surfiler. — **Matériel de couture.** Aiguille, bobine, ciseaux, dé, épingle, fil, mètre souple/de couturière, patron ; fournitures de mercerie : agrafe, boucle, bouton, bouton-pression, dentelle, doublure, drap, entoilage, épaulette, étoffe, frange, galon, liséré, passepoil, ruban, tissu, triplure. ■ Machine à coudre électrique/mécanique/à main/à pied/à bras libre, canette, levier, navette, pédale, pied-de-biche ; nécessaire de couture, sac à ouvrage, ouvrage, travail. — **Coutures spéciales.** Broder, broderie, brodeuse, lingère, travaux d'aiguille ; broderie à la machine, point zigzag ; recoudre une blessure, faire une suture, suturer ; coudre un livre, brocher, cousoir, couseuse ; coudre du cuir, alène, fil poissé, couture sellier. — **Couture artisanale.** Apprentie, arpète, corsetière, cousette, couturière, culottière, essayeuse, midinette, petite main, première, retoucheuse, tailleur ; travail à façon. ■ Ajuster, arrondir, biais, boutonnière, cintrer, coupe, couper, croiser, doubler, draper, droit fil, entoiler, essayage, essayer, finition, flou, en forme, garniture, lisière, montage, monter, nervure, patte, pince, pli, plisser, prendre les mesures, rembourrage, reprendre les coutures, retoucher, tailler, triplure. ■ Braguette, ceinture, col, corsage, devant, dos, emmanchure, empiècement, encolure, épaulette, fond de culotte, jambe, jupe, manche, manchette, parement, parmenture, poche, poignet, revers, soufflet, taille, volant. — **Couture industrielle.** Bodygraph, mesure industrielle, prêt à porter/sur mesures, taille normalisée; confectionner, maison de confection; confection, costume/modèle/vêtement de série; fabrication: coupeuse, essayeuse, finisseuse, mécanicienne, modéliste, ouvrière, patronnière, styliste. ▪ Magasin de nouveautés/de mode, modiste; mode masculine/féminine; journal de mode, magazine, revue. — **Haute couture.** Avoir du chic/du cachet, élégant, élégance, modèle exclusif/ original / pimpant / raffiné / sémillant, richesse, sobriété. ▪ Atelier, collection d'été/d'hiver, défilé/présentation des modèles. ▪Acheteuse, cover-girl, habilleuse, mannequin, poser pour un magazine de mode, première vendeuse. ▪ Donner le ton, à la dernière mode, suivre la mode; dandy, gandin; Brummell, le Roi de la mode.

COUVAIN → *insecte.*

COUVAISON, COUVÉE → *œuf, oiseau.*

COUVENT, COUVENTINE → *monastère.*

COUVER → *oiseau, plan, secret, soigner.*

COUVERCLE → *coffre, couvrir, récipient.*

COUVERT → *certifier, manger, obscur.*

COUVERT → *couvrir, météorologie, parler, vaisselle, vêtement.*

COUVERTE → *céramique.*

COUVERTURE → *banque, couvrir, lit.*

COUVEUSE → *accouchement, œuf.*

COUVI, COUVOIR → *œuf.*

COUVRE-CHEF → *chapeau.*

COUVRE-FEU → *guerre, lumière.*

COUVRE-JOINT → *maçonnerie.*

COUVRE-LIT, COUVRE-PIED → *lit.*

COUVREUR → *couvrir.*

COUVRIR → *abondance, étendre, paquet, secret, vêtement.* — **Couvrir d'un tissu, d'un papier.** Bande, bandage, bander; pansement, panser; tampon; tégument, croûte. ▪ Couverture, couvre-livre, jaquette, liseuse, protège-cahier, reliure. ▪ Courtepointe; couvrir, recouvrir, couverture, couvrante (fam.), couvre-lit, couvre-pieds; drap, drap mortuaire; édredon, housse; linceul; nappe, napperon; plaid; taie; tapis. ▪ Bandeau; barder, bardé; calotte; cape, capote, décapoter, décapotable; capuchon, capuchonner; chapeau; coiffe, coiffer; couvrir, couvre-chef; se draper, drapé; emmailloter, emmitoufler; enchaperonner; envelopper; harnais, harnachement; manteau, tunique, veste, voile, etc. ▪ Bâche, bâcher; banne, banner; lambris, lambrisser; plaquage, plaquer; tapisserie, tapisser; tenture, tendre. — **Mettre une couche.** Asphalter; bitumer; blinder, blindage; caparaçonner, caparaçon; chape; cimenter; crépir, crépi; cuirasser, cuirasse; enduire, enduit; fresque, frise; incruster, incrustation; lambris; mosaïque; paver, pavage, pavement; peindre, peinture; plâtres, plâtre; revêtement. ▪ Métalliser, plaquer; plaqué or; argenter, chromer, cuivrer, dorer, étamer, nickeler, plastifier; tartiner. — **Envelopper.** Chemise, chemiser; conditionner; cornet; couvercle, couvrir; écorce, décortiquer, emballage, emballer, emballeur, ballot; emboîter, boîte; entourer; entortiller, papillote; étui; fourreau; gaine, gainer; gangue; habiller, habillage; paquet, empaqueter; peau, pellicule, pelure; sac, sachet, ensacher; tégument, zeste. — **Couvrir une maison.** Coupole, couverture, dôme, toit, toiture; toit d'ardoises/de bardeaux/de chaume/de fibrociment/de glui/de tôle galvanisée, ondulée/de tuiles/de zinc; châssis, cloche, serre, verrière. ▪ Abri, appentis, auvent, avant-toit, chaperon, halle, hangar, marquise, remise, terrasse. ▪ Couvreur, plombier-zingueur. — **Mettre une grande quantité de.** Accabler; bigarrer, bigarrure, charger, surcharger; chamarrer; combler; consteller, constellation; couvrir, recouvrir; cribler; crouler sous; éclabousser; écraser; émailler; éparpiller, éparpillement; étendre; inonder, inondation, flot; jeter à profusion; joncher, jonchée; maculer; pailleter; semer, semis; submerger. ▪ Masse, poids, quantité, tas; énorme, innombrable, immense.

COVENANT → *association.*

COVER-GIRL → *couture, photographie.*

COW-BOY → *bétail.*

COXALGIE → *articulation, jambe.*

COYOTE → *loup.*

C.Q.F.D. → *expliquer, raisonnement.*

CRABE → *crustacés.*

CRABOT, CRABOTAGE → *articulation, lier.*

CRACHAT → *décoration, humeur.*

CRACHEMENT, CRACHER → *bouche, jeter, mépris, offense.*

CRACHIN → *pluie.*

CRACHOIR → *parler, récipient.*

CRACHOTEMENT, CRACHOTER → *bruit, jeter.*

CRACK → *course, supérieur.*
CRACKING → *pétrole.*
CRAIE → *calcium, écrire.*
CRAILLER → *cri.*
CRAINDRE, CRAINTE → *peur, respect.*
CRAMOISI → *rouge.*
CRAMPE → *crispation, muscle.*
CRAMPONNER, CRAMPON → *attache, chaussure, clou, gêne, plante.*
CRAN → *cheveu, couper, courage, grade.*
CRÂNE → *cerveau, tête.*
CRÂNER, CRÂNERIE, CRÂNEUR → *courage, orgueil.*
CRÂNIEN, CRANIOLOGIE → *tête.*
CRANTER → *cheveu, couper, irrégulier.*
CRAPAUD → *batraciens, instrument, meuble.*
CRAPAUDINE → *porte, tuyau.*
CRAPULE, CRAPULERIE, CRAPULEUX → *débauche, mal, tromper, voler.*
CRAQUELAGE, CRAQUELER, CRAQUELURE → *casser, céramique.*
CRAQUEMENT, CRAQUER → *bruit, échouer, exploser.*
CRAQUÈTEMENT, CRAQUETER → *bruit, cri.*
CRASE → *mot.*
CRASSANE → *pomme.*
CRASSE → *ignorer.*
CRASSANE → *pomme.*
CRASSE, CRASSEUX → *sale.*
CRASSE, CRASSIER → *résidu.*
CRATÈRE → *trou, volcan.*
CRAVACHE, CRAVACHER → *cheval, frapper.*
CRAVATE, CRAVATER → *bande, cou, vêtement.*
CRAWL → *nager.*
CRAYEUX → *blanc, calcium, terne.*
CRAYON → *dessin, écrire, toilette.*
CRAYONNAGE, CRAYONNER, CRAYONNEUR → *dessin.*
CRÉANCE, CRÉANCIER → *croire, devoir, diplomate.*
CRÉATEUR, CRÉATION → *commencer, Dieu, imaginer, nature.*
CRÉATURE → *fidèle, nature, personne.*
CRÉCELLE → *tourner*
CRÉCERELLE → *oiseau.*
CRÈCHE → *bétail, Christ, habiter.*
CRÉDENCE → *église, meuble, vaisselle.*
CRÉDIBILITÉ → *croire.*
CRÉDIRENTIER → *devoir.*
CRÉDIT → *acheter, banque, dépense, influence, payer.*
CRÉDITER, CRÉDITEUR → *banque, comptabiliser.*
CREDO → *croire.*
CRÉDULE, CRÉDULITÉ → *confiance, croire, sot.*
CRÉER → *commencer, entreprise, exécuter, fonder.*
CRÉMAILLÈRE → *cuisine, pendre.*
CRÉMANT → *vin.*
CRÉMATION, CRÉMATOIRE → *brûler, enterrement.*
CRÈME → *classe, couleur, gras, lait, pâtisserie, supérieur.*
CRÉMERIE, CRÉMIER → *beurre, lait, œuf.*
CRÉMONE → *fenêtre.*
CRÉNEAU, CRÉNELÉ → *architecture, fortification, ouvrir.*
CRÉNELER, CRÉNELURE → *couper, irrégulier.*
CRÉOSOTE → *soigner.*
CRÊPE, CRÊPER → *caoutchouc, cheveu, enterrement, tissu.*
CRÊPE, CRÊPERIE → *manger, pâtisserie.*
CRÉPI → *calcium, maçonnerie, mur.*
CRÉPINE → *mouton, tuyau.*
CRÉPINETTE → *porc.*
CRÉPIR, CRÉPISSURE → *étendre, mur.*
CRÉPITATION, CRÉPITEMENT, CRÉPITER → *bruit.*
CRÉPON → *graver, tissu.*
CRÉPU → *cheveu.*
CRÉPUSCULAIRE, CRÉPUSCULE → *finir, journée, lumière.*
CRESCENDO → *augmenter, musique, son.*
CRESSON, CRESSONNIÈRE → *légume.*
CRÉSUS → *riche.*
CRÉSYL → *houille.*
CRÊT → *montagne.*
CRÉTACÉ → *calcium, géologie.*
CRÊTE → *haut, mer, peau, terre.*
CRÉTIN, CRÉTINISME → *diminuer, ignorer, sot.*
CRETONNE → *tissu.*
CREUSER → *chercher, faim, trou, vide.*
CREUSET → *métal, récipient.*
CREUX → *courbe, trou, vaisselle, vide.*
CREVAISON → *gonfler.*
CREVANT → *fatigue, rire.*
CREVASSE, CREVASSER → *montagne, ouvrir, peau.*
CREVÉ → *vêtement.*
CRÈVE-CŒUR → *tristesse.*
CREVER → *fatigue, gonfler, mourir, trou.*
CREVETTE → *crustacés.*

CRI → *animal, appeler, applaudir, bruit.* — **Pousser un cri/des cris.** Beugler; brailler (fam.); clamer; criailler; cris d'orfraie/de paon/aigus/perçants/tonitruants, **crier à tue-tête/de toutes ses forces/comme si on écorchait;** crier comme un âne/un putois/un veau/un beau diable/un damné/un enragé/un fou/un perdu/un sourd; **s'égosiller, s'époumoner,** s'exclamer, forcer sa voix, glapir, grogner, gronder, gueuler (fam.), hurler, mugir, piailler, rugir, tempêter, tonitruer, vagir. ▪ Beuglement (fam.), braillement (fam.), criaillerie, glapissement, grognement, grondement, gueulement, coup de gueule (fam.), hurlement, mugissement, piaillerie. ▪ Cris d'une assemblée, d'une foule : séditieux/tumultueux/d'approbation/de colère/de désapprobation/d'encouragement/ d'exhortation/ d'indignation/de mort/de protestation/de révolte; cabale, claque, concert de cris, hourvari; donner un ban, faire du chambard (fam.), le charivari, crier haro sur le baudet. ▪ Acclamation, acclamer; applaudissement, applaudir; huée, huer; ovation, ovationner, faire une ovation/du tapage; soulever un tollé; tumulte, vacarme; vocifération, vociférer. — **Interjections et appels.** Crier sa marchandise, vendre à la criée, marchand ambulant, vendeur de journaux; cri d'armes/de guerre/de ralliement, devise, slogan. ▪ Cris d'appel, d'avertissement : attention !, chut !, silence !, à moi !, à l'assassin !, au voleur !, sauve qui peut !, au secours !, aux armes !. ▪ Cris d'encouragement : allez !, allons !, bis !, bravo !, courage !, hip !, hip ! hip !, vivat !, vive !. ▪ Cris de joie : ah !, alléluia !, évoé !, hosanna !. Cris de tristesse : oh !, ciel !, hélas !, malheur !, misère !, miséricorde !. ▪ Cris de marche, de sport : allez !, en avant marche !, halte !, hue !, dia !, en route !, stop !, taïaut !. ▪ Cris de menace : à bas !, hou !, à mort !, qui va là !, qui vive !. — **Dire quelque chose d'une voix forte.** Acclamer, applaudir à, crier merveille/miracle/victoire, admirer, s'étonner, s'exclamer, se récrier de joie; crier famine/misère/au scandale, dénoncer, engueuler (fam.), injurier, jeter les hauts cris, se plaindre de, protester contre, se récrier, récriminer, vociférer contre, voix de stentor. engueulade (fam.), injure, plainte, protestation, récrimination, vocifération. ▪ Crier vers quelqu'un, implorer, prier, réclamer, supplier; crier grâce / merci / miséricorde / vengeance. ▪ Avertir, crier publiquement/sur tous les toits, faire éclater, proclamer, répandre; crier casse-cou, crier gare. — **Principaux cris d'animaux.** ▪ Cris de mammifères : braire, braiement (âne); beugler, meugler, mugir, mugissement (bœuf); bramer, braire, râler, raller, réer, bramement (cerf); blatérer (chameau); feuler, miauler, ronronner (chat); s'ébrouer, hennir (cheval); bêler, bégueter (chèvre); aboyer, clabauder, clatir, grogner, hurler, japper (chien); barêter, barrir (éléphant); clapir, couiner (lapin); rugir (lion); hurler (loup); bêler (mouton); grogner (porc); grommeler (sanglier); chicoter (souris); rauquer (tigre). ▪ Cris de batraciens et reptiles : coasser (crapaud, grenouille); lamenter (crocodile); siffler (serpent). ▪ Cris des insectes : bourdonner (abeille, mouche); chanter, craquer, craqueter, striduler (cigale); grésiller, grésillonner (grillon). ▪ Cris d'oiseaux : babiller, chanter, gazouiller jaboter, pépier, piailler, piauler, ramager; cacaber, carcailler, courailler, margoter, pituiter (caille); craquer, craqueter (cigogne); crailler, coqueriquer, cocorico (coq); croasser (corbeau); grailler (corneille); coucouler (coucou); glouglouter (dindon); trisser (hirondelle); cacarder (oie); brailler (paon); cacaber (perdrix); jacasser, jaser (pie); caqueter, glousser (poule); gringoter (rossignol); gémir, roucouler (tourterelle). ▪ Cris des rapaces : glatir, trompeter (aigle); chuinter (chouette); huer, ululer (chouette, hibou); hôler (hulotte).

CRIAILLEMENT, CRIAILLER → *bruit, cri.*

CRIAILLERIE, CRIAILLEUR → *mécontentement.*

CRIANT → *mécontentement.*

CRIARD → *couleur, cri, désaccord son.*

CRIBLE, CRIBLER, CRIBLEUR → *devoir, part, sable, trou.*

CRIC → *monter réparer.*

CRICKET → *balle, jouer, sport.*

CRICOÏDE → *gorge.*

CRICRI → *insecte.*

CRIÉE → *estimer, marchandises.*

CRIER → *bruit, cri, mécontentement, parler.*

CRIME → *accusation, mal, peine, tribunal.* — **Homicide volontaire.** Assassiner, assassinat, assassin; boucherie; bourreau; crime, criminel, crime crapuleux/odieux, etc.; égorger, égorgement, égorgeur; empoisonner, empoisonnement, empoisonneur, l'Affaire des poisons; étrangler, strangulation, étrangleur; éventrer, éventrement, éventreur; euthanasie; fratricide; génocide; homicide volontaire/involontaire; infanticide, bourreau d'enfant; massacrer, massacre; matricide; meurtre, meurtrier; parricide;

régicide; suicide; tuer, tuerie, tueur. ▪ Cadavre, corps, sang; arme du crime, crime signé/maquillé. — **Infraction grave.** Attenter à, attentat; comploter, complot, comploteur; crime de lèse-majesté/contre nature/contre la sûreté de l'État; détournement de mineur; espionnage, espion; faute grave; forfait, forfaiture; guet-apens; incendier, incendiaire, pyromane; inceste; malfaiteur; pécher; piraterie, pirate; rapt, ravisseur, enlèvement, kidnapping; sodomiser, sodomie; trahir, trahison, traître; vendetta; violer, viol, violence, sadique, satyre, violation de la loi; vol par effraction/à main armée. ▪ Commettre/consommer/perpétrer un crime; complicité, complice. — **Délits divers.** Abus d'autorité/de confiance; association de malfaiteurs, gang, racket; cambriolage; chantage, maître chanteur; concussion; corruption, pot-de-vin; délinquance; escroquerie, escroc; extorsion de fonds; faux, fausses écritures, faussaire; filou, filouterie; fraude; grivèlerie; larcin; maraudage, maraude; outrage aux mœurs/à la pudeur; pillage; rapine; tricherie; trucage; vagabondage; vol, hold-up, kleptomane, antivol. ▪ Fait délictueux, corps de délit, quasi-délit. — **Le châtiment du crime.** Police, surveillance policière, brigade antigang, limier, souricière; être arrêté/emprisonné/mis hors d'état de nuire/pris en flagrant délit/pris la main dans le sac. ▪ Accusation, instruction, juge d'instruction, aveu, confrontation, reconstitution du crime, rétractation; poursuites judiciaires; tribunal, assises, correctionnelle, tribunal de simple police/militaire, cour martiale/de sûreté; vindicte publique. ▪ Circonstances aggravantes/atténuantes; être condamné, condamnation, peine, verdict; être coupable, culpabilité; défense; jugement, juge; responsable, irresponsable; récidiviste, avoir un casier judiciaire chargé/vierge. ▪ Amende, bagne, contravension criminelle à perpétuité, relégation, travaux forcés. ▪ Expier, payer, expulsion, galères, interdiction de séjour, mort, perte des droits civiques, prison, proscription, radiation, réclusion criminelle à perpétuité, relégation, travaux forcés; expier, payer, réparer. ▪ Criminaliste, criminalité, criminologie, criminologiste.

CRIMINALISTE, CRIMINALITÉ, CRIMINEL, CRIMINOLOGIE → *crime, peine.*

CRIN → *cheveu, colère, force, poil.*

CRINCRIN → *instrument.*

CRINOLINE → *vêtement.*

CRIQUE → *mer.*

CRIQUET → *insecte.*

CRISE → *danger, désaccord, difficile, économie, maladie, manque.*

CRISPATION, CRISPER → *colère, nerf, serrer.* — **Crispation des muscles du visage.** Contorsion; crispation, crisper; grimace, grimacer; moue; simagrée, singerie; tic. ▪ Claquement, claquer; clignement, cligner de l'œil; flétrir, flétrissure; froncement, froncer les sourcils; se pincer, lèvres pincées; patte-d'oie; pli, plissement, froncer les sourcils; patte-d'oie; se pincer, lèvres pincées; pli, plisserider; sillon, trismus. — **Crispation des muscles de la gorge.** Bâillement, bâiller; bégaiement, bégayer; être convulsé, fou rire, sanglot convulsif/hystérique/involontaire; éternuer, éternuement,atchoum!; étranglement, s'étrangler; hoquet, hoqueter; inflammation/irritation des bronches/de la gorge, coqueluche; quinte de toux; sternutation, sternutatoire; tousser, toussoter; vomir, vomissement, haut-le-cœur. — **Crispation des autres muscles.** Contracter, contraction, contracture, ankylose, crampe, distension, distorsion, entorse; s'évanouir, évanouissement, se pâmer, pâmoison, syncope; fibrillation du myocarde; fourmis dans les jambes; mouvement péristaltique; paralysie; raccourcissement; se racornir; raideur, se raidir, raidissement; se recroqueviller; se resserrer; rétraction; rétrécissement; rigide, rigidité; se rouiller; se serrer; systole du cœur; se tasser; tendre, tension; tétanos; tirailler; tordre, torsion. ▪ Accès; agitation, s'agiter; attaque de nerfs; convulsion; crise; danse de Saint-Guy; éclampsie; élasticité; épilepsie, épileptique, haut mal; frémir, frémissement; frisson, frissonner; haut-le-corps; hystérie convulsive; saccade; secouer, secousse; soubresaut; spasme, spasmodique; sursauter; tétanie; se tordre dans des convulsions; trembler de froid; trémulation; tressaillement, tressaillir. ▪ Électricité, électrochoc, électrocuter, électrocution; gaz lacrymogène; irritant chimique/mécanique/physique; réflexe conditionné ou acquis; stimulation, stimuler, stimulus. — **Crispations nerveuses.** Agacement, agacer; amertume; assommer; colère; contrariété; dégoûter, soulever le cœur; énervement, énerver; exacerber, exaspération, exaspérer; excéder; exciter; fâcher; fatiguer; harceler; indignation; irritation, irriter; taquiner. ▪ Agitation s'agiter; brûler/être dévoré de curiosité; fièvre; griller, sécher d'angoisse/d'anxiété/d'attente; impatience; ne plus tenir en place. ▪ Être confus/contracté; embarrasser; émouvoir, ému; engourdi; gauche; gêné; avoir la gorge serrée; immobile, immobiliser; inquiet, inquiétude; intimidé; mal à l'aise; nerveux, nervosité; paralyser; pétrifier; peur; surprise; stupéfier; tendu; terreur; timide; tremblant; troublé.

CRISSEMENT, CRISSER → *bruit, dent.*

CRISTAL, CRISTALLIN → *géologie, son, verre.*

CRISTALLIN → *œil.*

CRISTALLISATION, CRISTALLISER → *chimie, fixer, géologie, passion, sucre.*

CRISTALLOÏDE → *chimie.*

CRITÈRE → *estimer.*

CRITÉRIUM → *sport.*

CRITIQUE, CRITIQUER → *estimer, journal, mal, moquer.* — **Critiquer, juger.** Analyser, arbitrer, apprécier, classer, comparer, considérer, contrôler, passer au crible, discuter, éplucher, étudier, examen de détail/d'ensemble, examiner, objecter, observer, peser, rectifier, soupeser. ▪ Conclure, décider, émettre une appréciation/un avis, estimer, évaluer, juger, régler, sentence, statuer sur, trancher, verdict. ▪ Approuver, blâmer, désapprouver, louer .— **Qualités de l'esprit critique.** Doué d'esprit critique : bon sens, défiance, discernement, douter, entendement, jugement, libre examen, perspicacité, raison, remettre en question, sagesse, scepticisme, scrupule. ▪ Esprit curieux/érudit/fin/incisif/intelligent / judicieux / mordant / observateur / réfléchi / satirique / sérieux / soigneux; style à l'emporte-pièce. ▪ Apparat, bibliographie, édition/annotée/colligée/critique, glose, note, variante, critique des textes, faire des conjectures, reconstituer, vérifier; critique de la connaissance/de l'expérience/de la raison, criticisme, esprit méthodique/scientifique. — **Critiquer, faire des reproches.** Accuser; admonester; anathème; attraper (fam.) ; autocritique; avertir/blâmer un élève/un fonctionnaire, infliger un blâme; censure, censurer un avocat/un député; chapitrer; chicaner; condamnation, condamner; corriger; débiner (fam.) ; dénigrer; désapprouver, murmure/silence de désapprobation; désavouer, désaveu public; donner tort à; éreinter, esquinter (fam.) ; faire grief de quelque chose; fulminer; fustiger; gronder; houspiller (fam.); imputer; injurier; insulter; invectiver; laver la tête; mercuriale; morigéner; objurguer; faire des observations; rappeler à l'ordre; faire des récriminations/des remarques/des remontrances/des réprimandes/des reproches; rembarrer (fam.) ; en remontrer; reprendre; réprobation, réprouver; répudier; savonner (pop.), passer un savon; sabrer (fam.) ; semonce; sermon, sermonner; taper sur; trouver à redire/à reprendre. ▪ Applaudir, bravo!; cabale; clameur; claque; envoyer des fleurs/des pommes cuites/des tomates, hourra!; huée, huer; siffler; tollé. — **Critiquer, dire du mal.** Attaquer; bêcher (fam.) ; calomnier; cancaner, cancan; clabauder; clouer au pilori; commérage; dauber sur; déblatérer; décrier; dénigrer; avoir la dent dure; déshonorer; desservir; détracteur; diatribe; diffamation; discréditer; éclabousser; épiloguer sur; flétrir; honnir; incriminer; jaser; jeter la pierre à quelqu'un; médire; mettre à l'index/en cause/sur le dos de quelqu'un; montrer du doigt; noircir; faire le procès; protester; le qu'en-dira-t-on; ragot; répudier; salir; stigmatiser; ternir; tonner contre; traîner dans la boue; être venimeux; vilipender; vitupérer quelqu'un. ▪ Critique spirituelle, ironie : brocarder, caricaturer, fronder, frondeur, chiner (fam.), décocher une épigramme/un trait, larder de plaisanteries, mettre en boîte (fam.)/en chanson (chansonnier), se moquer, moquerie, pamphlet, parodie, persifler, railler, raillerie, rosserie, sarcasme, satire. ▪ Admettre/supporter la critique : donner prise, encourir, prêter le flanc à la critique, fournir des verges pour être fouetté. ▪ Avoir toujours l'esprit critique : blasé, dégoûté, mal tourné, pessimiste, soupçonneux. — **Le métier de critique.** Censeur, comité de censure; chroniqueur; commentateur; critique d'art/de cinéma / dramatique / historique/ littéraire/ musical; détracteur; écrivain, écrivain satirique; journaliste; libelliste; pamphlétaire; polémiste; spécialiste; article, brochure, chronique, écho, émission, feuilleton, libelle, page, recueil, revue, rubrique, tribune de critique. ▪ Admiration, apologie, approbation, compliment élogieux/favorable, félicitation, flatterie, indulgence, louange, porter aux nues. ▪ Critique éclairée/fondée / impartiale / indépendante /injuste/juste/ objective/ spirituelle/ unanime; culture, goût personnel, honnêteté intellectuelle.

CROASSEMENT, CROASSER → *batraciens, cri.*

CROC → *dent, pendre.*

CROC-EN-JAMBE → *tomber.*

CROCHE → *musique.*

CROCHE-PIED → *tomber.*

CROCHET → *boxe, défendre, dentelle, indirect, serrure, typographie.*

CROCHETER, CROCHETEUR → *serrure.*

CROCHU → *courbe, nez.*

CROCODILE → *reptiles.*

CROCUS → *fleur.*

CROIRE → *confiance, estimer, opinion, religion.* — **Tenir une chose pour véritable.** Accepter ; accord ; adhérer, donner son adhésion ; admettre, assentiment ; être certain, certitude ; confesser ; considérer que ; avoir conscience ; être convaincu, avoir la conviction que ; croire, croire dur comme fer, croyance ; escompter ; espérer ; estimer ; se figurer ; avoir dans l'idée que ; s'imaginer ; juger ; embrasser/partager une opinion ; penser, pensée ; être persuadé, persuasion ; préjugé ; prévision ; se rallier à ; reconnaître que ; savoir ; supposer, présupposé ; en tenir pour. ▪ A mon avis, à ce que je crois, d'après moi, selon moi ; on dirait ; il est avéré/certain/probable/sûr/sûr et certain ; il semble bien. — **Tenir quelqu'un pour sincère.** Apprécier ; être coiffé de ; compter/miser sur ; avoir confiance en, faire confiance à, se confier à ; confident ; accorder crédit ; croire sur parole ; écouter ; s'enticher de ; estimer, estime ; se fier à ; croire aux promesses de. — **Ce que l'on croit.** Admissible ; qui mérite créance ; crédible, crédibilité ; digne de foi ; plausible ; probable, probabilité ; recevable, recevabilité ; valable ; véridique ; vraisemblable, vraisemblance. ▪ Admis par tous, démontré, prouvé, reconnu, vérité d'évidence, qui tombe sous le sens ; coutume, tradition, traditionalisme, usage. ▪ Confession, conviction, crédit, credo, croyance, devise, foi, doctrine, dogme, mystique, parole d'Évangile, religion, surnaturel. — **Celui qui croit trop.** Être abusé ; accepter ; avaler la pilule ; candeur, candide ; crédulité, crédule ; donner dans ; duperie, dupe ; gober, gobeur, gogo (fam.) ; grugé ; jobard, jobardise ; jocrisse ; marcher ; naïveté, naïf ; pigeon, poire (fam.) ; prendre pour argent comptant ; être trompé. ▪ Occultisme, spiritisme, superstition, superstitieux ; bigot, dévot, fidèle, martyr, mystique, pieux, pratiquant, religieux. ▪ Se croire, s'en croire, être dogmatique/imbu de/infatué/sectaire/tranchant/vaniteux ; avoir la science infuse.

CROISADE, CROISÉ → *guerre.*

CROISÉ → *textile.*

CROISÉE → *église, fenêtre, rencontre.*

CROISEMENT, CROISER → *mêler, passer, rencontre, route.*

CROISEUR → *navire.*

CROISIÈRE → *navire, voyage.*

CROISILLON → *église.*

CROISSANCE → *augmenter, grand, progrès.*

CROISSANT → *arbre, lune, musulman, pâtisserie.*

CROÎTRE → *augmenter, grand, progrès.*

CROIX → *bijou, chevalerie, Christ, peine.* — **Description d'une croix.** Branches ou bras ancrés/bifurqués/crossés/doublés/en fleurons/en fleurs de lis ; croix pattée/potencée ; croisillon ; hampe ; montant ; pied ; tablette ; traverse. ▪ Croix ancrée/ansée/croissantée / égyptienne / gammée ou svastika/huguenote/grecque/latine/de Lorraine/de Malte/papale/russe ou patriarcale/en sautoir ou de Saint-André ou de Bourgogne/en tau ou de Saint-Antoine/tréflée. — **La croix du Christ.** Calvaire, Golgotha, Passion, Vendredi saint ; la Croix, la sainte/la vraie Croix ; portement de croix, porter sa croix, mise en croix, érection de la croix, descente de croix ; crucifix, crucifixion, crucifier, le Crucifié, crucifiement, martyre, supplice, torture. ▪ Folie/mystère/sacrifice/scandale de la Croix ; exaltation/invention de la Croix. ▪ Chemin de croix ; signe de croix, se signer, au nom du Père, du Fils et du Saint-Esprit. ▪ Bénir, bénédiction ; croix de consécration, consacrer ; croix pectorale/processionnelle/reliquaire/de résurrection/triomphale. — **Choses ou symboles en forme de croix.** Bâtons en croix ; bifurcation, carrefour, croisement, (se) croiser, embranchement, intersection ; chaîne, entrecroiser, entrelacer, lacis, trame ; croisée, croisillon, meneau ; croix de l'épée ; cruciforme, crucifère, crucial, un crucifix ; mots croisés, chiasme, cruciverbiste, rimes croisées.

CROMLECH → *édifice.*

CROQUANT → *dur, grossier.*

CROQUE AU SEL (À LA) → *cuisine.*

CROQUEMBOUCHE → *pâtisserie.*

CROQUE-MITAINE → *peur.*

CROQUE-MONSIEUR → *pain.*

CROQUE-MORT → *enterrement.*

CROQUENOT → *chaussure.*

CROQUER → *dépense, dessin, manger.*

CROQUET → *boule.*

CROQUET → *pâtisserie.*

CROQUETTE → *confiserie, cuisine.*

CROQUIGNOLE → *nez.*

CROQUIGNOLET → *petit.*

CROQUIS → *dessin.*

CROSNE → *légume.*

CROSS-COUNTRY → *course.*

CROSSE → *balle, bâton, cœur, fusil.*

CROTALE → *reptiles.*

CROTTE, CROTTER → *boue, résidu, sale.*

CROTTIN → *résidu.*

CROULANT → *tomber, vieillesse.*

CROULER → *cri, détruire, tomber.*

CROUP → *gorge.*
CROUPE → *arrière, dos, jambe.*
CROUPETONS (À) → *attitude.*
CROUPIER → *jeu.*
CROUPIÈRE → *harnais.*
CROUPION → *arrière, dos, queue.*
CROUPIR, CROUPISSEMENT → *arrêter, eau, sale.*
CROUPON → *cuir.*
CROUSTADE → *pâtisserie.*
CROUSTILLANT, CROUSTILLER → *dur, pain.*
CROÛTE → *dur, pain, retard, vieillesse.*
CROÛTON → *pain, retard, vieillesse.*
CROYANCE, CROYANT → *confiance, croire, politique, religion.*
CRU → *trouver, viande, vin.*
CRU → *cuisine, dur, grossier, libre, nature.*
CRUAUTÉ → *douleur, dur, mal.*
CRUCHE → *récipient, sot.*
CRUCIAL → *choisir, croix, essayer, important.*
CRUCIFIER, CRUCIFIX → *Christ, croix, église.*
CRUCIFORME → *croix.*
CRUCIVERBISTE → *croix, jouer.*
CRUDITÉ → *aliment, force, grossier.*
CRUE → *augmenter, rivière.*
CRUEL → *douleur, dur, mal, violence.*
CRUOR → *sang.*
CRURAL → *jambe.*

CRUSTACÉS → *animal.* — **Caractères communs.** Animaux articulés, arthropodes, crustacéen, crustacéologie : antennes ; carapace, bivalve, univalve ; céphalothorax ; chitine ; mâchoires, maxilles, mandibules ; nauplius ; pattes abdominales, pattes-mâchoires ou maxillipèdes, pattes thoraciques ; pinces. — **Entomostracés.** Branchiopodes, cladocères : daphnie ou puce d'eau ; phyllopodes : apus, artémie, branchipe, limnadie ; cirripèdes : anatife, balane ou gland de mer, coronule, sacculine ; copépodes : argule ou pou des poissons, calige, lernée ; ostracodes : cypris. — **Malacostracés.** Amphipodes : caprelle ou chevrette, cycime, crevettine ou crevette de ruisseau, talitre ; décapodes : brachyure ; crabe, birgue ou crabe des cocotiers, étrille, gécarcinidés ou crabes terrestres, maia ou crabe-araignée, thelphusidés ou crabes d'eau douce, tourteau, dormeur, houvet, poing clos ; macroures : caridine, crevette grise/rose, bouquet, écrevisse américaine/du Danube/à pattes blanches/à pattes rouges, hippe ou encorné, homard, langouste, langoustine ou nephrops, pagure ou bernard-l'hermite ; isopodes : armadille, aselle, cloporte ; leptostracés : nébalie ; schizopodes : mysis ; stomatopodes, squille. — **Pêche.** Crochet à crabes ; casier, drague, tramail à homards et langoustes ; bourraque, crevettière, filet à crevettes, haveneau, havenet, pousseux pour les crevettes ; balance, pêchette pour les écrevisses.

CRUZEIRO → *monnaie.*
CRYO → *froid.*
CRYOSCOPIE, CRYOMÉTRIE, CRYOTHÉRAPIE → *froid.*
CRYPTE → *église.*
CRYPTOGAME, CRYPTOGAMIQUE → *champignon.*
CRYPTOGRAMME, CRYPTOGRAPHIE → *écrire, secret.*
CSARDAS → *danse.*
CUBAGE → *bois, mesure.*
CUBE, CUBER → *contenir, mesure.*
CUBISME, CUBISTE → *art.*
CUBITUS → *bras.*
CUCURBITE → *chimie, récipient.*
CUEILLETTE, CUEILLEUR → *fleur, fruit, plante.*
CUEILLIR → *arracher, enlever, prendre.*
CUEILLOIR → *couper.*
CUILLER, CUILLÈRE → *manger, pêche, vaisselle.*
CUILLERÉE → *contenir.*

CUIR → *animal, chaussure, cheveu, peau.* — **Cuir brut.** Coriace/dur comme du cuir, corne, semelle de botte ; cuir chevelu, peau du crâne ; débarrasser / dépiauter / dépouiller / détacher le cuir ; écorcher ; scalper le crâne ; séparer de la chair. — **Tannage du cuir.** Aluner ; apprêter ; assouplir ; battre ; cuir bouilli ; chamoisage, chamoiser ; côté chair, côté fleur ; corroierie, corroyage, corroyer ; croûte, cuir en croûte/non apprêté ; cylindrage ; découper ; dépecer, dépeçoir de gantier ; détremper ; drayer, drayoire ; ébourrage ; écharner, écharneuse, écharnoir ; édossage ; égaliser ; étirer ; fouler, foulon, foulonnier ; gaufrer, gaufreur de relieur ; greneler, grener ; hongroyage, hongroyer ; imperméabiliser ; lisser ; lustrer ; cuir mégi, mégisserie, mégisser, habillage de mégisserie ; mise au vent, mise en suif ; palissonnage ; ponçage ; racler ; refendage ; salage, séchage ; tannage, tanner, tannerie, tanneur ; teindre ; tendre ; traiter. ▪ Acide tannique, alun, chaux, plain de chaux, chrome, dégras, formol, huile de bouleau/de poisson, sel, suif, tan, tannin d'écorce/de châtaignier/de chêne/de quebracho/de sumac. — **Les cuirs travaillés.** Agneau, basane, box-calf, buffle, chagrin de mouton, chamois, chevreau, cordouan, crocodile ; cuir glacé/suédé/verni/de

Russie, daim, lézard, maroquin de chèvre/de mouton, parchemin, parchemin en cosse, papier parchemin; pécari, phoque, porc, serpent, vachette, veau, vélin. ▪ Cuir artificiel : plastique façon cuir, simili-cuir, moleskine, skaï; cuir ciselé/doré / imprimé / marqueté/ martelé/repoussé/verni. — **Premiers métiers du cuir.** Bourrellerie, bourrelier; buffleterie, courroie, cravache, cuir à rasoir, équipement militaire, étrivière, fouet, knout, lanière, mèche, sangle. ▪ Sellerie, sellier : banquette, collier, garniture, harnachement, harnais, housse de voiture, revêtement de siège, rond de cuir, sacoche, selle, siège. — **Commerce des articles de cuir.** Bottier; chausseur; cordonnerie, cordonnier; ganterie; maroquinerie, maroquinier; peausserie, peaussier; pelleterie, pelletier; relieur, reliure, demi-reliure, pleine peau.

CUIRASSE, CUIRASSER → *armure, défendre, force, insensibilité.*

CUIRASSIER → *cavalerie.*

CUIRE → *brûler, cuisine, feu.*

CUISANT → *aigu, douleur, moquer.*

CUISINE → *aliment, manger, pâtisserie.* — **Mobilier de cuisine.** Arrière-cuisine, débarras, coin cuisine, cuisine, kitchenette, office. ▪ Barbecue; cheminée; cuisinière, boutons/ trous de la cuisinière; four, grille/ plaque/ porte du four; fourneau à bois/ à charbon/à électricité/à gaz/à mazout; gazinière; réchaud. ▪ Aérateur; armoire; bloc; buffet; chaise; chauffe-eau; égouttoir; éléments de cuisine; évier en acier inoxydable/en porcelaine émaillée; garde-manger; hotte; machine à laver la vaisselle/à laver/ à repasser; placard; plan de travail; poubelle; réfrigérateur; table; tabouret; vide-ordures. — **Art culinaire.** Gastronomie, livre de cuisine/de recettes, menu, mets, règles de diététique, traité de gastronomie. ▪ Apprêter les aliments; cuisiner, faire à manger/ la cuisine/le repas/la tambouille (fam.)/le frichti (fam.)/la popote (fam.); bonne/fine/grande cuisine; cuisine au beurre/bourgeoise/chinoise/exotique/familiale/gastronomique / pratique/régionale; spécialités. — **Qui fait la cuisine.** Cantinière, chef, cordon bleu, cuisinier, cuisinière, cuistancier (pop.), cuistot (fam.), domestique, extra, gargotier, gâte-sauce, maître coq, maître-queux, marmiton, plongeur, tournebroche; Brillat-Savarin, Carême, Vatel. — **Apprêter les aliments.** Allonger une sauce; arroser/ barder un rôti; assaisonner, boîte à épices/à sel; brider/plumer/trousser une volaille; confire; bassine à confiture; couper et éplucher, couteau de cuisine, coutelas, découper, planche à découper; démouler, moule, moule à tarte; doser les ingrédients; écaler les œufs; écosser les pois; écumer, écumoire; égoutter; émincer; entrelarder, larder, lardoir; éplucher, faire les pluches (fam.); ficeler; filtre, filtrer; foncer un moule/un plat; fourrer; garnir, garniture; gratter les carottes; habiller un animal; hacher, hacher menu, couperet, hachoir; ingrédient; marinade, mariner; moudre, moulin à café/à légumes, moulinette; mouiller; nettoyer la salade; ouvre-boîte; paner; parer; peler des fruits; peser, balance de ménage; râper, râpe à carottes/à fromage; rattraper/reprendre une sauce; rouleau à pâtisserie; saler; spatule; tourner; touiller; truffer. — **Faire des mélanges.** Battre au batteur/au fouet/à la fourchette/ dans un bol/une jatte/une terrine; bouillabaisse; brandade; brouiller les œufs; broyer; farce, farcir; fouetter, fouet à main/électrique, mixeur, crème fouettée/chantilly, blancs d'œufs en neige; galimafrée, hachis parmentier; lier une sauce; macédoine de fruits/ de légumes, jardinière, julienne; mélanger, mixer, mixture; panacher; passer, chinois, passoire, tamis; piler, mortier, pilon; presse-purée, purée; quenelles de poisson/de volaille; ratatouille; salmis; tourner à la cuiller. — **Faire cuire à l'eau et à l'étouffée.** Autoclave, autocuiseur; bain-marie; blanchir; bouillir, bouilloire; cafetière; casserole; chaudron; cocotte, Cocotte-minute (n.d.); coquemar; court-bouillon; cuire à l'étouffée/à l'étuvée; faitout; frémir, frissonner; cuire au jus; marmite; mijoter; mitonner; pocher, œuf/poisson poché/à la vapeur, pommes vapeur/à l'anglaise; réduire la cuisson. ▪ Attacher; brûler; calciner; carboniser; chauffer; coller; coup de feu; cramer (fam.); feu doux/ vif, petit feu; réchauffer; roussir; tiédir. — **Cuire à la graisse et à sec.** Braiser; broche électrique/mécanique, embrocher, faire des brochettes; flamber; fricasser; frire, friteuse, friture de poissons, beignets, croquettes, pommes de terre frites; four, enfourner un gâteau, mettre au four, plat au four, régler la chaleur/la cuisson/le four/le thermostat; gratiner, plat à gratin; gril, grillade, grille-pain, griller, pain grillé, rôtie, toast, steak grillé; paner, chapelure, panure; poêler, cuire à la poêle, poêle; faire revenir/rissoler au beurre/ à l'huile; rôtir à la broche/en cocotte/ au four, poulet rôti, rosbif; saisir, sauter, sauteuse; sous la cendre; torréfier le café. — **Préparations spéciales.** Ballottine, barigoule, beignet, bisque, blanquette, bouillon, boulette, carbonnade, civet, chaud-froid, compote, confit, confiture, conserve, consommé, crêpe, croquette, croustade, darne, daube, décoction, émincé, escalope, fricassée, fritot, galette, gelée, gibelotte, marmelade, matelote, médaillon, omelette, papillote, pâte, pâté, paupiette, pet-de-nonne, plat en sauce, pot-au-feu, potage, quiche, ragoût, rissole, riz créole/pilaf, sauce, sirop, soufflé, soupe, terrine, timbale, velouté, vol-au-vent. — **Préparations exotiques et régionales.** Plat à l'américaine/à l'anglaise/à la grecque/ à la lyonnaise/à la niçoise/à la provençale/à la normande/à la russe. ▪ Blini, bortch, cassoulet, choucroute, couscous, curry, fondue, gnocchi, goulash, hot dog, méchoui, paella, pissaladière, pizza, polenta, porridge, pudding, ravioli, etc.

CUISINIER, CUISINIÈRE → *cuisine.*

CUISSARD → *armure, vêtement.*

CUISSARDES → *vêtement.*

CUISSE → *jambe.*

CUISSEAU, CUISSOT → *bœuf, chasse, jambe.*

CUISSE-MADAME → *pomme.*

CUISSON → *brûler, douleur.*

CUISTOT → *cuisine.*

CUISTRE, CUISTRERIE → *affectation, grossier.*

CUIT → *cuisine, perdre.*

CUITE → *boire.*

CUITER (SE) → *boire.*

CUIVRE → *graver, instrument, métal, peau.* — **Caractéristiques du cuivre.** Minerai cuprifère/oxydé : azurite, cuprite, malachite/pur/sulfuré : chalcopyrite; blanc, bleu, gris, jaune, noir, rouge, rose, de Rosette. ▪ Bon conducteur de chaleur/d'électricité, ductile, malléable, oxydable, sel toxique, vert-de-gris. — **Traitement du cuivre.** Batteur de cuivre, chaudronnerie, dinanderie, fonderie, métallurgie, quincaillerie, quincaillier; cuivre affiné au feu / désoxydé / électrolytique / ordinaire; décuivrer une pièce métallique, décuivrage; étamer, rétamer, rétameur. ▪ Cuivre damasquiné / incrusté / gravé, gravure, calcographie; cuivre repoussé; cuprothérapie. — **Alliages.** Composé du cuivre, cuivreux, cuivrique, colorant : airain; argentan; bronze, bronze de frottement/parisien, bronzage, bronzer; cupro-alliage, cupro-aluminium, cupro-nickel; laiton, laiton spécial; maillechort; sulfate cuprique, bouillie bordelaise, sulfater la vigne; tombac. — **Objets en cuivre.** Alambic, appareil de distillation; appareillage électrique; arme; bassinoire; bronze d'art; canalisation; canon; chandelier; chaudière, chaudron; cloche; douille; engrenage; hélice; médaille, monnaie; plateau; pompe; robinet; statue de bronze; tuyau; ustensiles de cuisine. ▪ Astiquer/décaper/faire les cuivres, faire briller/reluire; frotter, patiner. — **Instruments de musique.** Bugle, clairon, cor, cornet à pistons, cymbales, saxophone, timbale, trombone à coulisse/à pistons, trompette, trompette de cavalerie; son claironnant/cuivré/ énergique, sonnerie éclatante, timbre chaud.

CUIVRÉ → *peau.*

CUIVRER, CUIVREUX, CUIVRIQUE → *cuivre.*

CUL → *anus, arrière, bouteille.*

CULASSE → *feu, moteur.*

CULBUTE, CULBUTER → *pousser, sauter, soumettre, tomber.*

CULBUTEUR → *moteur.*

CUL-DE-FOUR → *plancher.*

CUL-DE-JATTE → *jambe.*

CUL-DE-LAMPE → *architecture, graver.*

CUL-DE-SAC → *échouer, route.*

CULÉE → *pont, supporter.*

CULERON, CULIÈRE → *harnais.*

CULINAIRE → *cuisine.*

CULMINANT, CULMINER → *astronomie, extrême, haut.*

CULOT → *architecture, courage, extrême, lampe, métal.*

CULOTTE → *bœuf, conduire, jouer, vêtement.*

CULOTTÉ → *courage.*

CULOTTER, CULOTTIER → *couture, jambe.*

CULPABILITÉ → *crime, faute.*

CULTE → *croire, Dieu, liturgie, respect.*

CUL-TERREUX → *campagne.*

CULTIVATEUR → *agriculture, campagne, culture.*

CULTIVÉ, CULTIVER → *agriculture, culture, étendre, relation.*

CULTURE → *agriculture, jardin, littérature, terre.* — **Différentes sortes de cultures.** Agriculture, agriculteur; arboriculteur, arboriculture; horticulture, horticulteur, hortillonnage; maraîcher; sériciculture, sériciculteur; sylviculture, sylviculteur; viticulture, viticulteur. ▪ Culture céréalière/fruitière/ maraîchère / coloniale / tropicale / de plantes oléagineuses/textiles/tinctoriales; cultures améliorantes/épuisantes/dérobées. — **Méthodes.** Culture extensive ou intensive/hâtée/forcée; culture irriguée ou sèche, dry farming; culture de pleine terre/de plein champ ou sous abri/sous châssis/en serre; culture alternée, alternat, rotation de culture, assoler, dessoler, sole, assolement à jachère/triennal, alternance; culture-jachère; monoculture, polyculture; motoculture. — **Outillage agricole.** Charrue, brabant, buttoir, haquet, polysoc, tourne-oreilles, versoir. ■ Araire ; arracheur ; batteuse ; billonneuse ; bineuse ; botteleuse ; brise-mottes ; broyeur ; concasseur ; défonceuse ; déchaumeuse ; décolleteuse ; écroûteuse ; faucheuse ; herse ; moissonneuse-lieuse-batteuse ; rouleau ; tombereau ; tonneau ; tracteur. ■ Instruments aratoires : arrosoir ; bêche ; bêchoir ; binette ; brouette ; cisailles ; cognée ; couteau à foin ; ébranchoir ; échenilloir ; fourche ; houe ; hoyau ; pelle ; pic ; pioche ; plantoir ; rabot ; racloir ; rasette ; râteau ; sarcloir ; sécateur ; semoir ; serpe ; soufreuse ; tarare ; trident. — **Travaux agricoles.** Affiner ; amender, amendement ; ameublir, rendre meuble ; arroser, arrosage ; assainir, assainissement ; assoler, assolement ; bêcher, bêchage ; chauler, brûler, brûlis, chaulage ; colmater ; composter ; curer ; débrousser ; déchausser ; déchaumer ; défoncer ; défricher ; dessécher ; drainer, drainage ; épandage ; essoucher, essarter, essarts ; fertiliser ; fumer, fumure ; irriguer, irrigation ; marner, marnage ; racler, raclage ; soufrer, soufrage ; sulfater, sulfatage. — **Labourer, labourage.** Arracher, arrachage ; battre les céréales, battage ; biloquer et sombrer, billonner, culture en billons/en lignes/en planches/à plat ; biner, binage ; botteler, bottelage ; démarier ; enrayer, enrayure, raie, rayon, sillon ; emblaver, emblavage, emblavure ; ensemencer, ensemencement ; étramper ; faner, fenaison ; faucher ; herser, hersage ; hiverner, hivernage ; moissonner ; récolter ; rouler, roulage, rouleau ; semer, semailles, semis.

CUMIN → *aliment, plante.*

CUMUL, CUMULER → *amasser, fonction.*

CUMULUS → *météorologie.*

CUNÉIFORME → *écrire.*

CUPIDE, CUPIDITÉ → *avare, désir.*

CUPRI-, CUPRO- → *cuivre.*

CUPULE → *couvrir.*

CURABILITÉ, CURABLE → *soigner.*

CURAÇAO → *agrumes, alcool.*

CURARE, CURARISANT → *mouvement, poison.*

CURATELLE, CURATEUR → *défendre, enfant, esprit, succession.*

CURATIF → *médicament.*

CURE → *soigner.*

CURE, CURÉ → *ecclésiastique.*

CURE-DENT → *dent.*

CURÉE → *chasse.*

CURE-ONGLES → *doigt.*

CURE-OREILLE → *entendre.*

CURETAGE, CURETER, CURETTE → *chirurgie.*

CURIE → *pape.*

CURIETHÉRAPIE → *électricité, rayon.*

CURIEUX, CURIOSITÉ → *chercher, connaître, étonner, rare.*

CURISTE → *soigner.*

CURRICULUM VITAE → *personne, vie.*

CURSIF → *écrire, vitesse.*

CURVILIGNE, CURVIMÈTRE → *courbe.*

CUSTODE → *automobile, église, sacrement.*

CUTANÉ → *peau.*

CUTICULE → *plante.*

CUTI-RÉACTION → *poitrine.*

CUVAGE, CUVAISON → *vin.*

CUVE, CUVEAU → *récipient.*

CUVÉE → *vin.*

CUVELAGE, CUVELER → *trou.*

CUVER → *boire, vin.*

CUVETTE → *récipient, relief, trou.*

CUVIER → *récipient.*

CYANHYDRIQUE → *poison.*

CYANOGÈNE → *gaz.*

CYANOSE → *sang.*

CYANURATION → *métal.*

CYANURE → *poison.*

CYBERNÉTIQUE → *informatique, mouvement, vie.*

CYCLAMEN → *fleur, plante.*

CYCLE, CYCLIQUE → *enseignement, mouvement, suivre, temps.*

CYCLISME, CYCLISTE → *bicyclette.*

CYCLO-CROSS → *bicyclette, course.*

CYCLOÏDAL, CYCLOÏDE → *courbe.*

CYCLOMOTEUR, CYCLOMOTORISTE → *bicyclette.*

CYCLONAL, CYCLONIQUE, CYCLONE → *orage, vent.*

CYCLOPE → *crustacés, excès, grand.*

CYCLOPÉEN → *excès, mur.*

CYCLOTHYMIE, CYCLOTHYMIQUE → *esprit, irrégulier.*

CYCLOTOURISME → *bicyclette, voyage.*

CYCLOTRON → *nucléaire.*

CYGNE → *canard.*

CYLINDRAGE → *route.*

CYLINDRE → *bureau, géométrie, moteur, rouler.*

CYLINDRÉE → *moteur.*

CYLINDRER, CYLINDREUR → *papier, rouler, route.*

CYLINDRIQUE, CYLINDROÏDE → *géométrie.*

CYMBALE, CYMBALIER, CYMBALUM → *instrument.*

CYME → *fleur.*

CYNÉGÉTIQUE → *chasse.*

CYNIQUE, CYNISME → *débauche, gêner, mépris, orgueil.*

CYNOCÉPHALE → *singe.*
CYNODROME → *course.*
CYPHO-SCOLIOSE, CYPHOSE → *bosse, dos.*
CYPRÈS, CYPRIÈRE → *pin.*
CYPRIN → *poisson.*
CYRILLIQUE → *écrire.*
CYSTICERQUE → *ver.*
CYSTIQUE, CYSTITE, CYSTOGRAPHIE → *rein.*
CYTISE → *arbre.*
CYTOLOGIE → *vie.*
CYTOPLASME → *tissu.*

DA CAPO → *musique.*

DACRYOADÉNITE, DACRYOCYSTITE → *œil.*

DACTYLE, DACTYLIQUE → *poésie.*

DACTYLO, DACTYLOGRAPHIE, DACTYLOGRAPHIER → *écrire, entreprise.*

DACTYLOLOGIE, DACTYLOSCOPIE → *doigt.*

DADA → *aimer, art, cheval, folie.*

DADAIS → *gauche, sot.*

DAGUE → *arme, cerf, escrime.*

DAGUERRÉOTYPE, DAGUERRÉOTYPIE → *photographie.*

DAGUET → *cerf.*

DAHLIA → *fleur.*

DAIGNER → *mépris, volonté.*

DAIM, DAINE → *cerf, cuir, vêtement.*

DAIS → *église, pendre.*

DALAÏ-LAMA → *Asie, religion.*

DALLE, DALLER → *couvrir, plancher.*

DALMATIEN → *chien.*

DALMATIQUE → *vêtement.*

DALOT → *canal.*

DALTONIEN, DALTONISME → *couleur, œil.*

DAMAS → *tissu.*

DAMASQUINER, DAMASQUINEUR → *argent, bijou, décoration, or.*

DAMASSER, → *tissu.*

DAME → *carte, échecs, femme, presser.*

DAME-JEANNE → *bouteille.*

DAMER → *échecs, presser.*

DAMIER → *échecs.*

DAMNATION, DAMNER → *enfer, peine.*

DAMOISEAU → *chevalerie.*

DANCING → *danse.*

DANDINEMENT, DANDINER (SE) → *balancer.*

DANDY, DANDYSME → *attitude, couture, homme, toilette.*

DANGER, DANGEREUX → *confiance, courage, difficile, mal, peur.* — **Être/mettre en danger.** Aventurer, s'aventurer, aventure ; compromettre ses intérêts ; courir un danger ; crise ; difficulté ; être/mettre en danger/en détresse/dans la gueule du loup/dans une impasse/en péril/sous l'épée de Damoclès ; exposer sa santé/sa sécurité/sa vie, s'exposer ; hasard, hasardé, hasarder, hasardeux ; inconvénient, risque du métier ; jouer avec le feu ; menaçant, menace, menacer ; prendre au nez de quelqu'un ; péril, périlleux, au péril de sa vie, péril jaune/rouge ; prêter le flanc à ; provoquer un danger ; risque, à ses risques et périls, à ses frais, sous sa responsabilité, risquer ; tendre une embuscade/un guet-apens, tomber dans le piège. — **Danger, risque du jeu.** Aléa, aléatoire ; chance, malchance ; coup de dés ; doubler/gagner/perdre son enjeu/sa mise ; engager/exposer son honneur/ses intérêts ; faire un faux pas ; jeu dangereux/douteux/hasardé/hasardeux/ risqué ; jeu de hasard, loterie ; jongler avec les difficultés ; jouer sa dernière carte/sa fortune/sa réputation/son va-tout ; marcher sur la corde raide/sur des œufs ; mettre en jeu ; pari, parier, tenir un pari ;

prendre un risque / des risques, risque à courir, risquer gros, risquer le coup/le paquet (fam.)/le tout pour le tout/sa vie; risquer/avancer/hasarder un œil/une remarque/une question; saut périlleux/de la mort, sans filet; tenter sa chance/la partie; tirer à la courte paille/à pile ou face/au sort. — **Danger de circuler.** Accident; aller à l'aventure/à l'aveuglette; attention!; avalanche; bourbier, s'embourber; cassis; chute de pierres; coupe-gorge; croisement dangereux/traître/sans visibilité; dos-d'âne; éboulement; écueil; épave; explosion; mine; passage dangereux; récif; route glissante/sinueuse; sable mouvant; sens interdit; sortie de carrière/d'école/d'usine; terrain brûlant/glissant/mouvant; tournant; verglas. — **Danger moral.** Corrompre; éprouver, mettre à l'épreuve; mal; péché; perdre; pervertir; séducteur, séduire; tentation, tenter, céder/résister/soumettre/succomber à la tentation; vice. ■ Dangereux, démon, diable, immoral, licencieux, malsain, mauvais, méchant, nuisible, pernicieux, perverti, redoutable, scabreux, traîtrise. — **Protection contre le danger.** Alarme, alarmer; alerte, alerter; attacher le grelot; attentif, redoubler d'attention; crier au secours/casse-cou/gare; déclencher/tirer le signal/la sonnette d'alarme; donner, sonner l'alarme/l'alerte/la sirène/le tocsin; police-secours, prévenir la police; sauve-qui-peut; vigilance. ■ S'assurer, assurances incendie/tous risques/sur la vie/contre le vol. ■ Conjurer le danger; se défendre; échapper au danger, l'échapper belle; être hors de danger/d'atteinte, être sauvé; se protéger; se tirer d'affaire. ■ Asile, refuge, sauvegarde, sécurité, sûreté, tranquillité. — **Attitudes vis-à-vis du danger.** Affronter, faire front, mépriser/rechercher le danger; aguerri; audacieux; aventureux, aventurier; braver, bravade, bravache, brave; calme; cascadeur; casse-cou; contenance; courage, courageux; défier, défi; goût du risque; hardi; imprudent; inconscient; insouciant; se jeter tête baissée; se lancer à corps perdu; mépris; oser; prendre des risques, risque-tout; téméraire; tête brûlée. ■ Affolement; agitation; alarme; angoisse; se cacher; craindre; se défiler; avoir les foies (pop.), les jetons (pop.), la pétoche (pop.); froussard (fam.); lâche; panique; peureux; trouble.

DANOIS → *chien, Europe.*

DANS → *intérieur, milieu.*

DANSE, DANSER, DANSEUR → *art, musique, spectacle.* — **Danses antiques.** Danse magique/religieuse/rituelle : battement de mains, chant en chœur, chalumeau, flûte, percussion; bacchanale, bibasis, cordax, danse bachique / dionysiaque / orgiaque/des prêtres de Cybèle (corybantes), emmélie, gymnopédie, pyrrhique, sicinnis; chorège, coryphée; Terpsichore. — **Danses folkloriques ou de caractère.** Bourrée, branle, chevalet, chiberli, danse des ceintures, courante, farandole, gaillarde, gavotte, gigouillette, gigue, guimbarde, passe-pied, ridée, rigaudon, sabotière, danse des treilles. ■ Allemande, barcarolle, boléro, bouzouki, cachucha, csardas, écossaise, fandango, flamenco, forlane, habanera, hussarde, jota, pavane, polonaise, sardane, séguedille, sicilienne, tarentelle, tyrolienne, zapatéado. — **Les pas de danse classique.** Arabesque, assemblé, attitude, battement, battu, cabriole, changement de pied, chassé, chassé-croisé, contretemps, coulé, coupé, déchassé, développé, grand écart, entrechat, fouetté, glissade, glissé, jeté, moulinet, pas de deux/de trois/de quatre/de six, piqué, pirouette, plié, pointe, révérence, rond de jambe, tombé. — **Les danseurs professionnels.** Chorégraphie, chorégraphe, cours, conservatoire, professeur de danse. ■ Ballet, compagnie, corps/maître de ballet; ballet abstrait/académique/blanc/de cour, pantomime; Ballets russes, Saddler's Wells Ballet, Ballets de Monte-Carlo/de Paris/de l'Opéra de Paris, etc. ■ Élève, second quadrille, premier quadrille, coryphée, petit sujet, grand sujet, première danseuse et premier danseur, étoile; rat, petit rat; girl, les Blue Bell girls, music-hall, revue, show. ■ Chausson, collant, maillot, tutu; travailler à la barre. — **Danses de salon.** Chacone, contredanse, gaillarde, gavotte, loure, menuet, passacaille, pastourelle, pavane, rigaudon, sarabande, tambourin, volte; carmagnole, marche, ronde. ■ Cancan, cake-walk, cotillon, galop, lanciers, mazurka, polka, scottish, shimmy. ■ Baïon, biguine, blues, boogie-woogie, charleston, fox-trot, java, madison, mambo, one-step, paso doble, rock'n roll, rumba, samba, slow, tango, twist, valse, valse chaloupée / musette. — **Lieux et occasions où l'on danse.** Danser, guincher (pop.), inviter, faire tapisserie, twister, valser. ■ Bal, bastringue, cabaret, boîte de nuit, gambille (pop.), guinche (pop.), guinguette, soirée, surprise-party, thé dansant. ■ Danseur mondain, entraîneuse, taxi-girl.

DAPHNIE → *crustacés.*

DARD, DARDER → *jeter, rayon, reptiles, sculpture, soleil.*

DARE-DARE → *vitesse.*

DARNE → *poisson.*

DARSE → *port.*

DARTRE → *peau.*
DARTROSE → *champignon.*
DARWINIEN, DARWINISME → *vie.*
DATATION, DATE, DATER → *calendrier, temps, vieillesse.*
DATIF → *grammaire.*
DATTE, DATTIER → *arbre, fruit.*
DAUBE → *cuisine, viande.*
DAUBER, DAUBEUR → *critique, moquer.*
DAUPHIN, DAUPHINE → *baleine, souverain.*
DAURADE, DORADE → *poisson.*
DAVIER → *arracher, dent.*
D.D.T. → *insecte, infecter.*
DÉ → *couture, jouer.*
DÉAMBULATOIRE → *église.*
DÉAMBULER → *marcher.*
DÉBÂCLE → *froid, guerre, trouble.*
DÉBALLAGE, DÉBALLER → *marchandises, paquet, vide.*
DÉBANDADE, DÉBANDER, DÉBANDER (SE) → *trouble.*
DÉBAPTISER → *changer, nom.*
DÉBARBOUILLAGE, DÉBARBOUILLER → *nettoyer, toilette.*
DÉBARCADÈRE → *port, voyage.*
DÉBARDER, DÉBARDEUR → *bois, charger, marchandises.*
DÉBARQUEMENT, DÉBARQUER → *enlever, voyage.*
DÉBARRAS, DÉBARRASSER → *abandon, enlever, libre, maison.*
DÉBAT, DEBATER, DÉBATTRE → *convaincre, discussion, raisonnement, tribunal.*
DÉBAUCHE, DÉBAUCHÉ, DÉBAUCHER → *abandon, boire, fête, mal, morale, travail.* — **État scandaleux.** Avilissement, s'avilir ; crapule, crapulerie ; débauche, débaucher ; débordement ; déportements ; dérèglement ; désordre ; dévergondage, (se) dévergonder ; dissipation, (se) dissiper ; vie dissolue ; égarements ; s'encanailler ; excès ; fornication, forniquer ; galanterie, commerce galant ; ignominie, ignominieux ; inconduite ; incontinence ; indignité, indigne, perdre toute dignité ; libertinage ; licence, licencieux ; luxure, luxurieux ; oisiveté ; orgie ; paresse ; le péché ; les plaisirs ; prostitution ; relâchement ; stupre ; turpitude ; vice. ■ Courir les mauvais lieux ; jeter sa gourme/son bonnet pardessus les moulins ; se plonger/tomber dans la débauche ; faire la vie, vie de bohème, mener une vie de bâton de chaise. — **Tares du débauché.** Athéisme, athée ; bassesse ; concupiscence ; corruption, corrompu ; coureur ; cynisme, cynique ; dépravation, dépravé ; immoralité, immoral ; impudicité, impudeur, impudique ; intempérance ; ivrognerie ; lascivité, lascif ; libertinage, libertin ; libidineux ; luxurieux ; mal ; paillardise, paillard ; perversité, pervers ; polissonnerie, polisson ; sensualité, sensuel ; vice, vicieux, vicelard (pop.) ; volupté, voluptueux. — **Occasions de débauche.** Bacchanale, orgie, sabbat ; fam. et pop. : bamboche, bambocher, bambocheur, bamboula, beuverie, bombe, bordée, bringue, foire, partie carrée/fine, partouse, ribote, ribouldingue, soûlerie, tournée, vadrouille, virée. ■ Bordel, mauvais lieu, lieu de perdition. ■ Détourner, détournement de mineur, dissiper, perdre, pervertir, prostituer. — **Les débauchés.** Cochon, coquin, coureur, fêtard, noceur, pourceau d'Épicure, ribaud, roué, ruffian, satyre, séducteur, suborneur, mauvais sujet, vaurien, viveur. ■ Concubine, drôlesse, femme entretenue/galante/légère/de mauvaise vie, fille perdue, grue, ivrognesse, noceuse (fam.). ■ Alcibiade, Casanova, don Juan, Héliogabale, Lovelace, Sardanapale. — **Prostitution.** Bordel, lupanar, maison close/de passe/de rendez-vous/de tolérance. ■ Entremetteur, maquereau (pop.), marlou (pop.), proxénète, sous-maîtresse, souteneur, taûlier (pop.), tenancier, traite des blanches. ■ Catin, courtisane, demi-mondaine, fille, fille de joie/perdue/publique, hétaïre, morue (pop.), péripatéticienne, poule de luxe (pop.), prostituée, putain (pop.), pute (pop.), tapineuse, traînée ; faire la retape/le tapin/le trottoir (pop.), être en carte ; racoler, racolage.
DÉBET → *devoir.*
DÉBILE, DÉBILITANT, DÉBILITÉ → *diminuer, faible.*
DÉBINE → *pauvre.*
DÉBINER → *critique.*
DÉBIRENTIER, DÉBIT → *devoir.*
DÉBIT → *bois, commerce, mesure, parler, rivière.*
DÉBITANT, DÉBITER → *commerce, couper, morceau, parler.*
DÉBITEUR, DÉBITRICE → *devoir, payer.*
DÉBLAI, DÉBLAIEMENT, DÉBLAYER → *construction, enlever.*
DÉBLATÉRER → *critique, mécontentement, violence.*
DÉBLOCAGE, DÉBLOQUER → *enlever, folie, permettre, sot.*
DÉBOBINER → *tourner.*
DÉBOIRE → *malheur, offense.*
DÉBOISEMENT, DÉBOISER → *bois, couper.*
DÉBOÎTEMENT, DÉBOÎTER → *enlever, os.*
DÉBONDER → *tonneau.*

DÉBONNAIRE, DÉBONNAIRETÉ → *bon, mou.*
DÉBORDEMENT, DÉBORDER → *abondance, bord, lit, passer, rivière.*
DÉBOSSELER → *bosse.*
DÉBOUCHÉ → *commerce, métier, passer.*
DÉBOUCHER, DÉBOUCHOIR → *bouteille, enlever, rivière.*
DÉBOUCLER → *ceinture, cheveu.*
DÉBOULÉ → *chasse.*
DÉBOULER → *brusque, chasse, entrer, vitesse.*
DÉBOULONNER → *clou.*
DÉBOURBER, DÉBOURBEUR → *boue, enlever, nettoyer.*
DÉBOURRAGE, DÉBOURRER → *enlever, tabac.*
DÉBOURS, DÉBOURSEMENT, DÉBOURSER → *argent, payer.*
DEBOUT → *attitude, magistrat, marine, vent.*
DÉBOUTER → *justice.*
DÉBOUTONNER, DÉBOUTONNER (SE) → *bouton, reconnaître.*
DÉBRAILLER → *négliger, vêtement.*
DÉBRANCHER → *électricité, train.*
DÉBRAYAGE, DÉBRAYER → *automobile, moteur, travail.*
DÉBRIDÉ → *libre.*
DÉBRIDER → *harnais, soigner.*
DÉBRIS → *casser, morceau, résidu.*
DÉBROUILLARD, DÉBROUILLARDISE → *adroit, vif.*
DÉBROUILLER → *expliquer.*
DÉBROUSAILLER → *bois, enlever.*
DÉBUCHER, DÉBUSQUER → *chasse.*
DÉBUT, DÉBUTANT, DÉBUTER → *commencer, métier.*
DÉCA- → *mesure.*
DÉCACHETER → *écrire, ouvrir.*
DÉCADE → *calendrier.*
DÉCADENCE, DÉCADENT → *finir, tomber, vieillesse.*
DÉCAÈDRE → *géométrie.*
DÉCAFÉINER → *café.*
DÉCAGONAL, DÉCAGONE → *angle.*
DÉCALCIFICATION, DÉCALCIFIER → *calcium.*
DÉCALCOMANIE → *dessin, reproduction.*
DÉCALER → *mouvement, temps.*
DÉCALITRE → *contenir.*
DÉCALOGUE → *bible.*
DÉCALQUE, DÉCALQUER → *dessin, reproduction.*
DÉCAMÈTRE → *mesure.*
DÉCAN → *astrologie.*
DÉCANAL, DÉCANAT → *chef, université.*
DÉCANTER → *nettoyer, pur.*
DÉCAPAGE, DÉCAPANT, DÉCAPER → *nettoyer.*
DÉCAPITATION, DÉCAPITER → *arbre, cou, enlever, tête.*
DÉCAPODES → *crustacés.*
DÉCAPOTABLE, DÉCAPOTER → *automobile.*
DÉCAPSULER, DÉCAPSULEUR → *bouteille.*
DÉCASYLLABE → *poésie.*
DÉCATHLON → *athlétisme.*
DÉCATIR, DÉCATISSAGE → *terne, textile, vieillesse.*
DÉCAVAILLONNEUSE → *vigne.*
DÉCAVÉ, DÉCAVER → *jouer.*
DÉCÉDER → *mourir.*
DÉCÈLEMENT, DÉCELER → *montrer, secret, trouver.*
DÉCÉLÉRER, DÉCÉLÉRATION → *mouvement, vitesse.*
DÉCEMBRE → *calendrier.*
DÉCEMVIR, DÉCEMVIRAT → *magistrat.*
DÉCENCE → *convenir.*
DÉCENNIE → *temps.*
DÉCENT → *convenir, morale.*
DÉCENTRALISATION, DÉCENTRALISER → *éloigner, libre.*
DÉCENTREMENT, DÉCENTRER → *milieu, optique.*
DÉCEPTION → *tristesse, tromper.*
DÉCERNER → *attribuer, donner, honneur, mérite.*
DÉCÈS → *mourir.*
DÉCEVANT, DÉCEVOIR → *tromper.*
DÉCHAÎNÉ, DÉCHAÎNER → *colère, exciter, violence.*
DÉCHANTER → *confiance, imaginer, tromper.*
DÉCHARGE → *arme, électricité, maçonnerie, résidu.*
DÉCHARGER → *arme, enlever, libre, marchandises.*
DÉCHARNÉ → *maigre.*
DÉCHAUMER, DÉCHAUMEUSE → *culture.*
DÉCHAUSSÉ, DÉCHAUX → *monastère.*
DÉCHAUSSÉ, DÉCHAUSSER → *chaussure, dent.*
DÉCHAUSSEUSE → *vigne.*
DÈCHE → *pauvre.*
DÉCHÉANCE → *avilir, perdre, tomber.*
DÉCHET → *résidu.*
DÉCHIFFRER → *écrire, expliquer, musique.*
DÉCHIQUETER → *dent, morceau.*

DÉCHIRANT, DÉCHIRER → *désaccord, douleur, sensibilité.*

DÉCHIRURE → *casser, muscle.*

DÉCHOIR → *avilir, diminuer, tomber.*

DÉCHRISTIANISER → *religion.*

DÉCIBEL → *son.*

DÉCIDÉ, DÉCIDER → *chef, choisir, convaincre, plan.* — **Décisions d'ordre social ou juridique.** Arbitrage; arrêter, arrêt, arrêté; canon; conclusion, conclure, conclusif, conclusoire; décision exécutoire/préalable; décret, décrétale, décréter; déterminer; dire, édit, édicter; disposition, disposer que; fixer; jugement, jugement décisoire, juger, juge, juge-arbitre; loi, légiférer; oracle; ordonnance, ordonner; prononcer; règlement, régler; résolution, résoudre; sentence; trancher; tribunal; ukase, verdict. — **Se décider soi-même.** Acte volontaire, libre-arbitre, déterminisme, fatalisme, volonté, volontarisme. ■ Arrêter/prendre une décision; choisir, choix, oui ou non, pile ou face; délibérer, délibération; *fiat, fiat voluntas tua;* en finir; franchir le Rubicon, *alea jacta est;* se hasarder, décision hasardeuse; se lancer; motif, motivation, prétexte; opter, option; parti, prendre un parti; plan/programme d'action; se prononcer pour; se résoudre, résolution; sauter le fossé/le pas; solution; tirer au sort/à la courte paille; trancher, trancher dans le vif/le nœud gordien. ■ C'est entendu/d'accord/O.K./vu/tout vu; ne faire ni une ni deux, se décider à la légère/de propos délibéré/après mûre réflexion; certitude, intime conviction. ■ Se fier à la chance/au destin/à son étoile/à la fortune/au hasard. ■ Arracher une décision, convaincre, entraîner, mettre au pied du mur, persuader, pousser; ascendant, influence, pression. — **Qui a l'esprit de décision.** Audacieux, audace; brave; avoir du caractère; carré; catégorique, courageux; courage; crâne; déterminé, détermination; dogmatique; énergie, énergique; ferme, fermeté; hardi, hardiesse; péremptoire; résolu, résolution; tranchant; volontaire, volonté. ■ Chef, guide, directeur, patron.

DÉCILITRE → *contenir.*

DÉCIMAL → *nombre.*

DÉCIMER → *détruire.*

DÉCIMÈTRE → *mesure.*

DÉCISIF, DÉCISION, DÉCISOIRE → *décider, volonté.*

DÉCLAMATION, DÉCLAMATOIRE, DÉCLAMER → *convaincre, parler, style.*

DÉCLARATION, DÉCLARER → *affirmer, dire.*

DÉCLASSÉ, DÉCLASSER → *changer, classe, inférieur.*

DÉCLENCHER, DÉCLIC → *commencer, mouvement.*

DÉCLIN → *astronomie, finir, vieillesse.*

DÉCLINAISON → *astronomie, orientation.*

DÉCLINER → *astronomie, finir, grammaire, nommer, refuser.*

DÉCLIVE, DÉCLIVITÉ → *pencher.*

DÉCLOUER → *clou.*

DÉCOCHEMENT, DÉCOCHER → *jeter, vif.*

DÉCOCTION → *bouillir, médicament.*

DÉCODAGE, DÉCODER, DÉCODEUR → *informatique.*

DÉCOIFFER → *cheveu.*

DÉCOLÉRER → *colère.*

DÉCOLLATION → *cou, tête.*

DÉCOLLEMENT, DÉCOLLER → *colle.*

DÉCOLLETÉ, DÉCOLLETER → *cou, couper, vêtement.*

DÉCOLLETEUR, DÉCOLLETEUSE → *clou.*

DÉCOLONISATION, DÉCOLONISER → *colonie.*

DÉCOLORATION, DÉCOLORER → *couleur, cheveu, terne.*

DÉCOMBRES → *détruire, morceau, résidu.*

DÉCOMMANDER → *annuler.*

DÉCOMPOSER, DÉCOMPOSITION → *composer, dommage.*

DÉCOMPRESSION, DÉCOMPRIMER → *presser.*

DÉCOMPTE, DÉCOMPTER → *comptabiliser.*

DÉCONCERTANT, DÉCONCERTER → *doute, étonner.*

DÉCONFIT, DÉCONFITE → *gêner, trouble.*

DÉCONFITURE → *échouer.*

DÉCONTENANCER, DÉCONTENANCER (SE) → *gêner, trouble.*

DÉCONTRACTER, DÉCONTRACTION → *crispation, muscle, repos.*

DÉCONVENUE → *échouer, tristesse.*

DÉCOR, DÉCORATEUR → *décoration, spectacle, théâtre.*

DÉCORATION, DÉCORER → *architecture, bijou, honneur, meuble, tapis.* — **Décoration civile et militaire.** Décoration, dignité, drapeau, gloire, honneur, honorer, ornement. ■ Chaîne, cocarde, collier, cordon, grand cordon, grand-croix, crachat (fam.), croix, croix de guerre; décorer, décoration; remettre, remise de décorations, être chamarré/couvert de décorations. ■ Dragonne, épaulette, fourragère, galon; distinction honorifique : étoile, insigne, Légion d'honneur, médaille, médaillé, palme, plaque, porter ses décorations à la boutonnière/en écharpe/en sautoir, rosette, ruban. ■ Acclamer, applaudir, couronne de chêne/de laurier, couronner, tresser des couronnes/des guirlandes/des lauriers ; décerner un prix, distribution des prix, féliciter, garde d'honneur, rendre les honneurs, ovation, pavoiser ; tableau d'honneur, inscrire au tableau d'honneur. — **Décoration, ornementation.** Accessoire, agencer, agrément, agrémenter, apparence, apprêter, arranger, art, attrayant, auréoler, beauté, caractère, charme, décorer, éclat, égayer, embellir, embellissement, enjoliver, enrichir, fioriture, garnir, grâce, habiller, harmoniser, harnacher, luxe, ornement, orner, ouvrager, parer, peindre, pomponner, précieux, préparer, rehausser, revêtir, style, valeur. — **Décorer un intérieur.** Ambiance, atmosphère, bricolage, bricoleur, cadre, décor, décorateur, décoration, design, designer, ensemblier, étalagiste, maquettiste, modéliste, style, styliste. ■ Argent, argenterie, émail, émailleur, étain, filigrane, incrustation, or, orfèvre, orfèvrerie, plaqué, pierrerie, vermeil ; bosse, chiffre, chiffrer, coquille, feston, filet, fleuron, godron, guilloché, guirlande, nielle, nœud, ogive, ove, perle, rosace. ■ Bibelot, céramique, collection, collectionneur, cristal, cristallerie, faïence, ivoire, ivoirier, objet d'art, porcelaine, poterie, vase, verrerie. ■ Fleur : bouquet, jardinière, fleuriste, horticulteur, jardinier, paysagiste, plante d'ornement, vase. ■ Glace : glace biseautée / taillée, miroir, miroiterie, psyché, sorcière, trumeau. ■ Horloge : cartel, pendule, pendulette. ■ Lampe : abat-jour, applique, candélabre, chandelier, flambeau, lampadaire, lustre, plafonnier, projecteur, suspension, torchère. ■ Tableau : bordure, cadre, encadrement, filet, fresque, peinture, plafond, toile, trumeau. — **Décoration des meubles.** Ameublement, meuble, mobilier authentique / d'époque / moderne/de style ; antiquaire, antiquité, meuble ancien, objet d'art. ■ Ébéniste, ébénisterie : acajou, citronnier, ébène, fruitier, olivier, palissandre ; application, damasquiner, emboîter, enchâsser, estamper, incrustation, placage, plaquer, rapporter, tourner, tourneur. ■ Marqueterie, marqueteur, tabletier, tabletterie : corne, écaille, ivoire, nacre, métal, os, dés, damier, dominos, échiquier, mosaïque. ■ Menuiserie, menuisier, bois blanc/ciré, contre-plaqué, bois laqué/peint/vernis. ■ Peintre, peinture, sculpteur, sculpture sur bois, polir, poncer, tailler ; enluminure, entrelacs, feston, flamme, flammé, fleuron, frontispice, guirlande, illustration, miniature, moulure, motif, vignette. — **Décoration du tapissier.** Carpette, descente de lit, moquette, natte, tapis, tapisserie. ■ Cantonnière, cordelière, coulisse, coussin, crépine, dessus de lit/de table, dragonne, draperie, embrasse, entoilage, feutre, feutrine, frange, galon, ganse, gland, housse, lambrequin, lézarde, macramé, passementerie, portière, rideau, store, tissu d'ameublement, tenture, toile de Jouy, voilage. ■ Bourrer, bourre ; capitonner, capiton ; clouter, clous ; doubler ; embourrer, embourrure ; entoiler, fourrer, garnir, lambrisser, maroufler, ouater, matelasser, rafistoler, recouvrir, rembourrer, revêtement, revêtir, tapisser, tendre. ■ Boiserie, lambris, parquet, parqueté, plafond. ■ Panneau, papier peint : coller, couper, émarger, encoller, poser les papiers peints. — **Décoration des édifices.** Les arts décoratifs, École des arts décoratifs ; élément, motif, ornement rapporté, ornemental, plastique. ■ Architecture ; carrelage, carreleur, mur, pavement ; esthétique industrielle ; mosaïque, marbre, pierre ; ornemaniste, peintre, sculpteur d'ornement, peinture, sculpture ; statuaire, statue, atlante, cariatide, télamon ; vitrail, vitre.

DÉCORTIQUER → *arbre, enlever, grain.*

DÉCORUM → *convenir.*

DÉCOTE → *impôt.*

DÉCOULER → *cause, conséquence.*

DÉCOUPAGE → *cinéma, couper, élire.*

DÉCOUPE, DÉCOUPER → *couper, couture, morceau.*

DÉCOUPLÉ → *forme.*

DÉCOUPLER → *chasse, chien.*

DÉCOUPOIR, DÉCOUPURE → *couper.*

DÉCOURAGEMENT, DÉCOURAGER → *abattre, courage, fatigue.*

DÉCOURS → *astronomie, maladie.*

DÉCOUSU → *couture, lier.*

DÉCOUVERT → *banque, défendre.*

DÉCOUVERTE, DÉCOUVRIR → *chercher, connaissance, enlever, mine, trouver.*

DÉCRASSER → *ignorant, nettoyer.*

DÉCRÉPIT, DÉCRÉPITUDE → *faible, vieillesse.*

DECRESCENDO → *diminuer.*

DÉCRET, DÉCRÉTALE → *loi, pape.*

DÉCRÉTER → *décider, gouverner.*

DÉCREUSAGE, DÉCREUSER → *textile.*

DÉCRIER → *critique, mépris.*

DÉCRIRE → *dessin, récit.*

DÉCROCHEMENT, DÉCROCHER → *enlever, guerre, maçonnerie, mérite.*

DÉCROCHEZ-MOI-ÇA → *commerce.*

DÉCROISSANCE, DÉCROÎTRE → *diminuer.*

DÉCROÎT → *lune.*

DÉCROTTER, DÉCROTTOIR → *boue, chaussure, nettoyer.*

DÉCRUE → *diminuer, rivière.*

DÉCRYPTAGE, DÉCRYPTER → *lire, secret.*

DÉCUIVRAGE, DÉCUIVRER → *cuivre.*

DÉCUPLÉ, DÉCUPLEMENT, DÉCUPLER → *augmenter, nombre.*

DÉCURRENT, DÉCUSSÉ → *feuille.*

DÉCUVAGE, DÉCUVER → *vin.*

DÉDAIGNEUX, DÉDAIGNER, DÉDAIN → *mépriser, orgueil.*

DÉDALE, DÉDALÉEN → *obscur, perdre.*

DEDANS → *intérieur.*

DÉDICACE, DÉDICACER → *fête, livre.*

DÉDIER → *liturgie.*

DÉDIRE, DÉDIRE (SE) → *abandon, annuler, refus.*

DÉDOMMAGER → *changer, donner, réparer.*

DÉDOUANEMENT, DÉDOUANER → *douane.*

DÉDOUBLEMENT, DÉDOUBLER → *esprit, folie, train.*

DÉDUCTIF, DÉDUCTION, DÉDUIRE → *conséquence, diminuer, enlever, raisonnement.*

DÉESSE → *dieu.*

DÉFAILLANCE, DÉFAILLIR → *diminuer, manquer.*

DÉFAIRE → *détruire, faible, libre, vêtement.*

DÉFAIRE, DÉFAITE → *guerre.*

DÉFAITISME, DÉFAITISTE → *confiance, politique.*

DÉFALCATION, DÉFALQUER → *enlever.*

DÉFAUFILER → *couture.*

DÉFAUSSER, DÉFAUSSER (SE) → *carte, droite.*

DÉFAUT → *débauche, mal, manque.* — **Absence de quelqu'un, de quelque chose.** Abandonner, abandon; absence; carence; vers catalectique; défaillir, défaillance; défaut, faire défaut, défaut de courage, lâcheté, manque d'énergie, mollesse, défaut/trouble de mémoire, manque de prévoyance, négligence, manque de talent, nullité, etc.; défection, verbe défectif; déficience, déficient; déséquilibre; discordance; disproportion, etc.; ellipse, elliptique; faute, faute de, peu s'en faut; au lieu de; manque; pénurie, disette; privation, être privé de; rareté; regretter, regret. ▪ Dépouillé, écorné, mutilé, trompé. ▪ Être condamné par défaut/par contumace, défaillance, défaillant; défaut-congé, défaut contre avoué/contrepartie. — **Défaut matériel.** Avarie, avarié; bavure; brûlure, brûlé; corne, corné; défaut de fabrication, défectuosité, défectueux; incorrection, incorrect; inexactitude, inexact; faiblesse, point faible; falsifié, frelaté; fruit vert/véreux/pourri; gerce, nœud du bois; grossier, mal dégrossi; impureté, impur; inconvénient; informe; malfaçon, mal fait, où il y a à redire/à reprendre/à retoucher, en mauvais état; paille dans une pièce métallique; rature; soufflure dans un matériau coulé; tache, taché; vice de fabrication/de forme/de conformation, non conforme au modèle/à la norme/à la règle. ▪ Défaut de la cuirasse, là où le bât blesse; quelque chose cloche/ne va pas/va de travers. — **Défaut physique.** Animal bâtard, abâtardi; anormal, anomalie; arriéré, demeuré; avorton; dégénéré, dégénérescence; difforme, difformité; imperfection; infirme, infirmité; invalide; mal; malformation congénitale; tare, tare héréditaire, être taré; tic; vice, vice de conformation. ▪ Bancal; bec-de-lièvre; bègue, bégayer; bigleux (pop.), loucher; boiteux, boiter, claudiquer, traîner la patte (pop.), pied-bot; borgne; bossu; cul-de-jatte; manchot; nain, nabot; zézayer, bléser. — **Défaut moral.** Débauche; défaut véniel; dépravation, dépravé; faible, avoir un faible pour, faiblesse; imperfection, imparfait; mal, maladie; manie, sale manie, maniaque, obsédé; péché, les sept péchés capitaux; mauvais penchant; ridicule; tache; être affligé d'un travers; vice honteux/naturel/odieux. ▪ Avarice, égoïsme, envie, gourmandise, hypocrisie, impudicité, intempérance, jalousie, luxure, oisiveté, orgueil, paresse, vanité.

DÉFAVEUR → *estime, mépriser.*

DÉFAVORABLE, DÉFAVORISER → *gêner, mal.*

DÉFÉCATION → *chimie, résidu.*

DÉFECTIF → *grammaire.*

DÉFECTION → *abandon, défaut.*

DÉFECTUEUX, DÉFECTUOSITÉ → *défaut.*

DÉFENDEUR → *justice.*

DÉFENDRE → *aider, arrêter, fortification, tribunal.* — **Lutter pour quelqu'un ou quelque chose.** Aider, aide; appuyer, appui; se battre pour; défendre, défendeur, défense, autodéfense; s'entremettre; épauler, donner un coup d'épaule/de main; favoriser, faveur, passe-droit, piston (fam.); justifier, justificatif, justification, autojustification; intercéder, intercession, intercesseur, médiateur; intervenir en faveur de, intervention, recommandation; plaider, plaidoirie, plaidoyer, plaidoyer *pro domo*, avocat, apologie, cause, défense; pousser quelqu'un; prendre fait et cause, prendre parti/position pour ou contre, champion, partisan, soldat; se prononcer pour; venir à la rescousse; sauvegarder, sauvegarde; sauver, sauveur, sauveteur, sauvetage; secourir, secours; servir, service, serviteur; être à la solde de; soutenir, soutenir du bout des lèvres, soutien matériel/moral; tenir pour, tenant, supporter; se faire tuer pour; faire valoir ses droits/entendre sa voix. — **Se défendre contre quelqu'un ou quelque chose.** Être sur la défensive/en garde/hostile/méfiant/prudent; défense passive, black-out; légitime défense. ■ Boycott, boycotter; grève; lock-out. ■ Se défendre pied à pied; disputer le terrain; s'opposer, opposant, opposition; parer, parade, rendre, rendre coup pour coup; réfuter, réfutation point par point; répondre, répondre du tac au tac, réponse; résister, résistance, résistant, maquisard; riposter, riposte, contre-attaque. — **Protéger quelqu'un ou quelque chose.** Anti-, anticorps, défense antiaérienne, antigel; contre-, contre-feu, contrevallation, etc.; -fuge, calorifuge, centrifuge, etc.; garde-, garde-boue, garde-fou, garde-mites, etc.; pare-, pare-brise, pare-soleil, etc. ■ Couvrir, couverture, se mettre à couvert; se cuirasser contre; se mettre sous l'égide de; flanquer; fortifier; garantir, garantie, garant; garder, garde, gardien, ange gardien; intercéder pour; interdire; patron, patronner; préserver, préservation, préservatif, contraceptif; protéger, protection, protectorat, protectionnisme, protecteur; surveiller, surveillance, tutelle; veiller sur, vigilance. — **Interdire.** Condamner, abroger, abrogation, condamnation; confisquer, confiscation; défense de, il est défendu de; lever/mettre l'embargo sur; empêcher, empêchement; exclure, exclusion; excommunier, excommunication; fermer; mettre à l'index/au ban; indisponibilité, rendre indisponible; inhibition, refoulement; interdire, interdit, interdiction; lutter contre; mettre en garde/le holà/hors la loi; faire opposition à; prohiber, prohibition, prohibitionnisme; proscrire, proscription; punir; refuser; réprimer, répression; supprimer, suppression; suspendre, suspension; tabou; veto. ■ Amende, avertissement, blâme, procès-verbal, punition, poursuites, réprimande, sanction. ■ Action illégale/illégitime/illicite/indue/injuste; braconnage; contrebande, etc. — **Moyens de défense et de protection.** Avocat, champion, chaperon, chevalier servant, curateur, curatelle, duègne, patron, redresseur de torts, tuteur, tutelle. ■ Armée, escorte, garde, chien de garde, garde du corps, gorille (pop.), garnison. ■ Armure, bouclier, carapace, casque, cuirasse, gilet, heaume, munition. ■ Abri, asile, auvent, boulevard, citadelle, écran, fort, fortin, fortification, ligne fortifiée/Maginot, mur, muraille, paravent, pare-feu, position, réduit, refuge, rempart, repaire, retranchement; chausse-trappe, chevaux de frise, fil de fer barbelé/électrique, garde-fou, hérisson, piège. ■ Amulette, fétiche, gris-gris, mascotte, saint-christophe, talisman. ■ Aiguillon, carapace, coquille, corne, croc, dard, défense, dent, pince, piquant; se gonfler, gronder, se mettre en boule, rentrer dans sa coquille, sortir ses griffes.

DÉFENESTRATION → *fenêtre, jeter.*

DÉFENS, DÉFENDS → *bois.*

DÉFENSE, DÉFENSEUR, DÉFENSIVE → *attaque, défendre, dent, justice.*

DÉFÉQUER → *anus, chimie.*

DÉFÉRENCE, DÉFÉRENT → *respect.*

DÉFÉRER → *tribunal.*

DÉFERLEMENT, DÉFERLER → *étendre, mer, voilure.*

DÉFEUILLAISON, DÉFOLIATION, DÉFEUILLER → *feuille.*

DÉFEUTRAGE → *laine.*

DÉFI → *appeler, attaque, orgueil.*

DÉFIANCE → *confiance, doute, peur.*

DÉFICIENCE, DÉFICIENT → *défaut, manque.*

DÉFICIT, DÉFICITAIRE → *balance, commerce, manque.*

DÉFIER → *appeler, attaque, orgueil.*

DÉFIER, DÉFIER (SE) → *confiance, peur.*

DÉFIGURER → *changer, différence, dommage.*

DÉFILÉ, DÉFILER → *cérémonie, marcher, passer, suivre.*

DÉFINI, DÉFINIR → *expliquer, franc.*

DÉFINITIF → *décider, sûr.*

DÉFINITION → *qualité, raisonnement.*

DÉFLAGRATION → *bruit, exploser, feu.*

DÉFLATION, DÉFLATIONNISTE → *banque, économie.*

DÉFLECTEUR → *automobile.*

DÉFLEXION → *droite, optique.*

DÉFLORAISON, DÉFLORER → *fleur, dommage, pur, vierge.*

DÉFLUENT, DÉFLUVIATION → *rivière.*

DÉFONCER, DÉFONCEUSE → *culture, fond.*
DÉFORMATION, DÉFORMER → *changer, dommage, habitude, métier.*
DÉFOULEMENT, DÉFOULER (SE) → *libre, psychologie.*
DÉFOURNER → *feu.*
DÉFRAÎCHIR → *terne.*
DÉFRAYER → *parler, payer.*
DÉFRICHER → *culture, expliquer.*
DÉFRIPER → *pli.*
DÉFRISER → *cheveu, déplaire.*
DÉFROISSER, DÉFRONCER → *pli.*
DÉFROQUE, DÉFROQUER → *ecclésiastique, monastère, vêtement.*
DÉFUNT → *mourir.*
DÉGAGÉ → *attitude.*
DÉGAGEMENT, DÉGAGER → *engager, enlever, libre, obstacle.*
DÉGAINE → *attitude, marcher.*
DÉGAINER → *arme, escrime.*
DÉGARNIR → *vide.*
DÉGÂT → *détruire, dommage.*
DÉGAUCHIR, DÉGAUCHISSEUSE → *droite, menuiserie.*
DÉGAZOLINAGE, DÉGAZOLINER → *gaz.*
DÉGEL, DÉGELER → *froid, libre, saison.*
DÉGÉNÉRER → *défaut, diminuer, faible, perdre, qualité.*
DÉGINGANDÉ → *homme, marcher.*
DÉGLINGUER → *détruire.*
DÉGLUTIR → *gorge, manger.*
DÉGOBILLAGE, DÉGOBILLER → *estomac, gorge.*
DÉGOISER → *parler.*
DÉGOMMAGE, DÉGOMMER → *fonction.*
DÉGONFLEMENT, DÉGONFLER → *gonfler, peur.*
DÉGORGEOIR → *fer, hydraulique, pêche.*
DÉGORGER → *eau, enlever, nettoyer.*
DÉGOTTER, DÉGOTER → *trouver.*
DÉGOULINAGE, DÉGOULINER → *liquide.*
DÉGOURDI → *adroit, vif.*
DÉGOURDIR, DÉGOURDISSEMENT → *chaleur, mouvement.*
DÉGOÛT, DÉGOÛTANT, DÉGOÛTER → *déplaire, goût, sale.*
DÉGOUTTER → *liquide.*
DÉGRADANT, DÉGRADATION, DÉGRADER → *avilir, détruire, grade, peine.*
DÉGRADÉ, DÉGRADER → *couleur, diminuer.*
DÉGRAFER, DÉGRAFAGE → *attache, vêtement.*
DÉGRAISSAGE, DÉGRAISSER, DÉGRAISSEUR → *graisse, nettoyer.*
DÉGRAVOYER → *sable.*
DEGRÉ → *grade, mesure, monter, musique.*
DÉGRESSIF, DÉGRESSIVE → *diminuer.*
DÉGRÈVEMENT, DÉGREVER → *diminuer, impôt.*
DÉGRINGOLADE, DÉGRINGOLER → *bas, tomber.*
DÉGRISEMENT, DÉGRISER → *déplaire, échouer.*
DÉGROSSIR, DÉGROSSISSAGE → *apprendre, commencer, forme.*
DÉGROUILLER (SE) → *vitesse.*
DÉGUENILLÉ → *morceau, négliger, vêtement.*
DÉGUERPIR, DÉGUERPISSEMENT → *abandon, fuir, partir.*
DÉGUISEMENT, DÉGUISER → *changer, fête, vêtement.*
DÉGUSTATEUR, DÉGUSTATION, DÉGUSTER → *boisson, goût.*
DÉHALER → *navire.*
DÉHANCHEMENT, DÉHANCHER (SE) → *attitude, marcher.*
DÉHISCENCE, DÉHISCENT → *ouvrir, plante.*
DEHORS → *apparaître, extérieur.*
DÉICIDE, DÉIFICATION, DÉIFIER → *dieu.*
DÉISME, DÉISTE, DÉITÉ → *dieu.*
DÉJANTER → *roue.*
DÉJECTION → *résidu, volcan.*
DÉJETÉ → *défaut, forme.*
DÉJEUNER → *manger, vaisselle.*
DÉJOUER → *échouer, plan.*
DÉJUGER, DÉJUGER (SE) → *arrière, changer.*
DÉLABRÉ, DÉLABREMENT, DÉLABRER → *détruire, faible.*
DÉLAI → *attendre, retard.*
DÉLAINAGE, DÉLAINER → *mouton.*
DÉLAISSEMENT, DÉLAISSER → *abandon.*
DÉLAITEMENT, DÉLAITER, DÉLAITEUSE → *lait.*
DÉLASSEMENT, DÉLASSER → *repos.*
DÉLATEUR, DÉLATION → *accuser, secret.*
DÉLAVÉ, DÉLAVER → *couleur, faible, terne.*
DÉLAYAGE, DÉLAYER → *durer, mêler, parler.*
DELCO → *moteur.*
DÉLÉATUR → *annuler, typographie.*
DÉLÉBILE → *annuler.*
DÉLECTABLE, DÉLECTATION, DÉLECTER (SE) → *goût, plaire.*
DÉLÉGATAIRE, DÉLÉGATEUR, DÉLÉGATION → *charger, groupe.*

DÉLÉGUÉ, DÉLÉGUER → *charger, confiance, envoyer.*

DÉLESTAGE, DÉLESTER → *électricité, peser, voler.*

DÉLÉTÈRE → *dommage, gaz.*

DÉLIBÉRATIF, DÉLIBÉRATION → *discussion, pensée.*

DÉLIBÉRÉ, DÉLIBÉRER → *décider, pensée, tribunal.*

DÉLICAT, DÉLICATESSE → *convenir, difficile, maigre, plaire, subtil.*

DÉLICES, DÉLICIEUX → *plaire.*

DÉLICTUEUX → *faute.*

DÉLIÉ → *écrire, forme, subtil.*

DÉLIER → *attache, corde, libre.*

DÉLIMITATION, DÉLIMITER → *finir.*

DÉLINÉAMENT, DÉLINÉER → *forme.*

DÉLINQUANCE, DÉLINQUANT → *faute.*

DÉLIQUESCENCE, DÉLIQUESCENT → *dommage, liquide.*

DÉLIRE, DÉLIRER → *excès, folie, trouble.*

DELIRIUM TREMENS → *alcool, folie.*

DÉLIT → *faute, peine.*

DÉLITER → *calcium, pierre.*

DÉLITESCENT, DÉLITESCENCE → *chimie.*

DÉLIVRANCE, DÉLIVRER → *accouchement, donner, libre.*

DÉLOGER → *changer, partir, pousser.*

DÉLOYAL, DÉLOYAUTÉ → *confiance, tromper.*

DELPHINIUM → *fleur.*

DELTA, DELTAÏQUE → *rivière.*

DÉLUGE → *beaucoup, orage, pluie.*

DÉLURÉ → *adroit, vif.*

DÉMAGOGIE, DÉMAGOGUE → *éloge, politique, tromper.*

DEMAIN → *journée, temps.*

DÉMANCHER → *instrument.*

DEMANDE, DEMANDER → *désirer, informer, justice, mariage, permettre.* — **Demander un renseignement.** S'adresser à ; colle (fam.) ; confesser, confession ; consulter, consultant ; curieux ; demander ; devinette ; se documenter ; s'éclaircir ; énigme ; s'enquérir ; examen, examiner ; fouiller ; information, s'informer ; interpeller ; interrogation directe/indirecte, point d'interrogation ; interrogation écrite/orale, interroger ; investigation ; ironie socratique, maïeutique ; mettre sur la sellette, passer à la question, cuisiner un témoin ; question de confiance/préalable ; poser/soulever une question, questionner ; se renseigner, service de renseignements. ▪ Enquête, conduire/mener/ouvrir une enquête, enquêter, enquêteur ; interview, interviewer ; questionnaire ; sondage, sondage d'opinion, gallup, statistique ; test. — **Chercher à obtenir.** Appeler, attendre, attendre quelque chose de quelqu'un, avoir besoin/envie de quelque chose ; demander, adresser / faire / présenter une demande ; démarche, démarcher, tenter une démarche ; désirer, désirer obtenir, desiderata ; mobiliser ; nécessiter ; pétition, faire circuler/signer une pétition, recueillir des signatures ; rechercher ; réclamation, réclamer ; recourir à, recours en grâce ; requérir ; souhaiter ; vouloir. ▪ Demander la main d'une jeune fille/en mariage, faire sa demande, prétendant. — **Demander impérativement.** Commandement, commander, confier une mission ; diktat, ultimatum ; enjoindre ; exiger, exigible, exaction ; harceler ; imposer ; insister ; mander ; obliger à ; ordonner ; prescrire ; prétendre à quelque chose, émettre des prétentions ; protester, protestation ; réquisition, réquisitionner, réquisitoire ; revendiquer ; sommation, sommer. — **Demander en suppliant.** Adjurer, s'agenouiller, conjurer, crier merci ; demander grâce/pardon ; s'excuser à genoux/humblement/avec humilité ; intercéder ; implorer, instance, inviter à, invoquer ; mendier, chemineau, clochard, mendiant, demander l'aumône/la charité, tendre la main ; se mettre à genoux ; quémander, quémandeur, quérir ; quête, quête sur la voie publique, faire une collecte, journée nationale d'entraide, quêter ; se plaindre ; prier ; se prosterner ; requête ; sollicitation, solliciter, solliciteur ; souhaiter ; supplication, supplier, présenter un placet/une supplique. — **Demande commerciale.** Abonnement, s'abonner. ▪ Commander, demander, faire une commande, passer commande ; remplir/signer un bon, un bulletin de commande, souscrire ; à la demande, sur commande, sur mesure ; compétition, concurrence, loi de l'offre et de la demande. ▪ Demander un emploi/du travail, briguer, poser sa candidature, postuler, candidat, postulant. ▪ Demander un prix/un salaire/tant de l'heure/tant par mois, donner ses conditions, faire un prix, prétendre à, avoir des besoins/des prétentions.

DEMANDEUR, DEMANDERESSE → *justice.*

DÉMANGEAISON, DÉMANGER → *désir, peau.*

DÉMANTÈLEMENT, DÉMANTELER → *détruire, fortification.*

DÉMANTIBULER → *casser, détruire.*

DÉMAQUILLANT, DÉMAQUILLER → *toilette.*

DÉMARCATIF, DÉMARCATION → *finir.*

DÉMARCHAGE, DÉMARCHEUR → *assurance, banque.*

DÉMARCHE → *demande, marcher, raisonnement.*

DÉMARIER → *jardin.*

DÉMARQUÉ, DÉMARQUER → *commerce, reproduction, sport.*

DÉMARRER, DÉMARREUR → *automobile, commencer, moteur.*

DÉMASQUER → *montrer, secret.*

DÉMÊLÉ → *discussion.*

DÉMÊLER → *choisir, expliquer.*

DÉMÊLOIR → *cheveu.*

DÉMEMBREMENT, DÉMEMBRER → *arracher, morceau.*

DÉMÉNAGEMENT, DÉMÉNAGER, DÉMÉNAGEUR → *changer, meuble, transport.*

DÉMENCE → *folie.*

DÉMENER (SE) → *fatigue, mouvement.*

DÉMENT, DÉMENTIEL → *folie.*

DÉMENTI → *refus.*

DÉMENTIR → *opposé, refus.*

DÉMÉRITE, DÉMÉRITER → *mal, mérite.*

DÉMESURE, DÉMESURÉ → *excès.*

DÉMETTRE → *abandon, fonction.*

DÉMEUBLER → *meuble.*

DEMEURE → *devoir, maison, pousser.*

DEMEURER → *arrêter, durer, habiter, maison.*

DEMI → *bière, milieu, sport.*

DÉMILITARISATION, DÉMILITARISER → *paix.*

DEMI-LUNE → *fortification.*

DEMI-MESURE → *milieu, ressource.*

DEMI-MONDAINE, DEMI-MONDE → *débauche, morale.*

DÉMINÉRALISATION, DÉMINÉRALISER → *sel.*

DEMI-PENSION, DEMI-PENSIONNAIRE → *enseignement, hôtel.*

DEMI-SANG → *cheval.*

DEMI-SEL → *lait.*

DÉMISSION, DÉMISSIONNAIRE, DÉMISSIONNER → *abandon, fonction, refus.*

DEMI-TEINTE → *couleur, terne.*

DEMI-TON → *musique.*

DÉMIURGE → *dieu.*

DÉMOBILISATION, DÉMOBILISER → *armée, paix.*

DÉMOCRATE, DÉMOCRATIE, DÉMOCRATIQUE → *politique, population.*

DÉMOCRATISATION, DÉMOCRATISER → *commun.*

DÉMODÉ, DÉMODER (SE) → *couture, vieillesse.*

DÉMOGRAPHE, DÉMOGRAPHIE → *population.*

DEMOISELLE → *femme, mariage, vierge.*

DÉMOLIR, DÉMOLITION → *détruire, réputation.*

DÉMON → *ange, dieu, enfer.*

DÉMONÉTISATION, DÉMONÉTISER → *monnaie.*

DÉMONIAQUE, DÉMONOLOGIE → *dieu, enfer.*

DÉMONSTRATEUR → *commerce.*

DÉMONSTRATIF, DÉMONSTRATION → *grammaire, montrer, raisonnement.*

DÉMONTER → *gêner, morceau, réparer, trouble.*

DÉMONTRER → *expliquer, montrer, raisonnement.*

DÉMORALISER → *abattre, faible, triste.*

DÉMORDRE → *abandon, refus.*

DÉMOTIQUE → *écrire.*

DÉMOULAGE, DÉMOULER → *sculpture.*

DÉMULTIPLICATEUR, DÉMULTIPLICATION, DÉMULTIPLIER → *vitesse.*

DÉMUNIR → *enlever, pauvre.*

DÉMYSTIFIER → *vérité.*

DÉMYTHIFIER → *histoire, récit, vérité.*

DÉNANTIR → *devoir.*

DÉNATURATION, DÉNATURER → *alcool, changer, dommage.*

DÉNÉGATION → *refus.*

DÉNI → *justice, refus.*

DÉNIAISER → *apprendre, commencer, vierge.*

DÉNICHER → *trouver.*

DENIER → *église, fil, monnaie.*

DÉNIER → *refus.*

DÉNIGREMENT, DÉNIGRER → *attaque, critique, mécontentement.*

DÉNIVELER, DÉNIVELLATION, DÉNIVELLEMENT → *niveau.*

DÉNOMBREMENT, DÉNOMBRER → *comptabilité, nombre.*

DÉNOMINATEUR → *calcul.*

DÉNOMINATION, DÉNOMMER → *nommer.*

DÉNONCER, DÉNONCIATEUR, DÉNONCIATION → *accuser, annuler, montrer, secret.*

DÉNOTER → *signe, montrer.*

DÉNOUEMENT, DÉNOUER → *finir, récit, théâtre.*

DÉNOYAUTER, DÉNOYAUTEUR → *noyau.*

DENRÉE → *aliment, marchandises.*

DENSE → *épais, métal, nombre, style.*

DENSIMÈTRE, DENSITÉ → *chimie, liquide, population.*

DENT, DENTAIRE → *bouche, critique, manger, montagne, morceau, ronger.* — **La dent.** Dentaire, dental ; dents de lait, quenottes, faire/percer ses dents ; dentition, denture : canines, incisives, molaires, grosses molaires, prémolaires, dents de sagesse ; dent de l'œil, mâchelière, œillère. ▪ Alvéole, apex, bulbe, cément, chambre pulpaire, collet, couronne, dentine, émail, follicule ou sac dentaire, gencive (muqueuse gingivale), ivoire, pulpe, odonte. ▪ Mâchoire, maxillaire inférieur/supérieur, muscle buccinateur, masséter. — **Les dents des animaux.** Broche (du sanglier), croc, crochet, crochet à venin, défense, dent palatale, dents en velours, dent triangulaire (du requin), fanon, lanterne d'Aristote (de l'oursin), pince (du poulain). ▪ Anodonte ; brachyodonte ; hypsodonte ; isodonte, anisodonte ; mastodonte ; monophyodonte, diphyodonte ; sélénodonte. — **Hygiène et maladies des dents.** Antisepsie ; brosse à dents ; cure-dent ; eau, élixir, poudre/savon dentifrice ; opiat ; se brosser/se laver les dents ; avoir les dents blanches/une bouche bien meublée. ▪ Abcès, carie dentaire, chicot ; dents branlantes/cariées/cassées/creuses/déchaussées/entartrées / gâtées/jaunes/noires/pourries ; épulis ou épulide ou épulie ; fluxion ; gingivite ; mal de dents, odontalgie ; pyorrhée ; rage de dents ; être brèche-dent/ édenté. — **Soins des dents.** Art/ chirurgie dentaire, odontologie, école dentaire/odontologique ; arracheur de dents, barbier-chirurgien, chirurgien-dentiste, dentiste, mécanien-dentiste ; dentisterie opératoire, chirurgie bucco-dentaire, parodontologie, prothèse, implants, orthodontie ; stomatologie, stomatologue. ▪ Arracher, extraire, extraction ; dévitaliser ; incruster ; inlays, onlays ; insensibiliser le nerf ; obturer, obturation ; plomber, plombage ; reconstituer une dent, fausse dent, dent en or, osanore. ▪ Appareil, bridge, couronne, crochet, dentier, pivot, ratelier. ▪ Cabinet : cautère, crachoir, curette, davier, élévateur, fauteuil, fraise, réflecteur, roulette, tour. — **Usage des dents.** Arracher avec les dents, croquer, déchiqueter, déchirer à belles dents, emporter un morceau, enfoncer ses crocs, grignoter, lacérer, mordiller, mordre, ronger ; coup de dent, morsure ; empêcher de mordre, museler, muselière ▪ Broyer, chiquer, jouer des mâchoires/des mandibules (fam.), mâcher, mâchonner, mâchouiller, mâchurer, manger, mastiquer, remâcher, ruminer, rumination, ruminant, saliver, salivation, triturer. ▪ Chique ; mélanges/pâtes masticatoires : bétel, cachou, chewing-gum, tabac. — **Objets à dents ou en forme de dents.** Cran, cranté ; créneau, crénelé ; denté, dentelé, dentelure ; doigt ; ergot ; languette ; taquet. ▪ Broche, cric, engrenage, fraise, pignon, roue, scie ; fourche, fourchette, râteau, trident. ▪ Montagne, pic, pointe.

DENTAL → *langage, son.*

DENTÉ, DENTELÉ, DENTELER → *couper, dent, muscle, roue.*

DENTELLE, DENTELLIER → *broderie, couture, décoration, vêtement.* — **Éléments de dentelle.** Dentelure, filet, jour (ajouré, arachnéen), maille, passement, réseau, tissu, tuile ; clair, fin, léger, ouvré, travail de fée. ▪ Coton, fil d'argent/d'or, laine, lin, nylon, soie. ▪ Avec un bord/un champ/ un fond/un motif ; avec un ornement animal / dentelé / floral / géométrique / végétal. ▪ Col, garniture, jabot, linge, lingerie, manchette, mantille, ornement, parure, voile, voile de mariée. — **Technique.** Artisan, dentellière, professionnel ; dentelle à la machine/ mécanique/à la main. ▪ Dentelle à l'aiguille : point coupé/de feston/de fond/de tulle, barrette, lacis ; point à la rose/d'Alençon/de Bruxelles/de Reticella/de Venise. ▪ Dentelle au fuseau : carreau, épingle, fuseau multipaire, lacet, métier, tambour ; dérouler, enchevêtrer, entrecroiser, rotation ; dentelle d'Arras/de Bruges/de Chantilly/ de Cluny/d'Irlande/de Malines/de Milan/de Paris/du Puy/de Valenciennes ; guipure des Flandres ; maille, crochet, filet, tricot ajouré. ▪ Dentelle au métier : point de nœud/noué/de reprise/ de Ténériffe. ▪ Dentelle à la navette : bouclette, entre-deux, frivolité, macramé, picot.

DENTELURE → *couper, dent, feuille.*

DENTIER, DENTIFRICE, DENTINE → *dent.*

DENTISTE, DENTITION, DENTURE → *dent.*

DÉNUDATION, DÉNUDER → *vêtement.*

DÉNUÉ, DÉNUEMENT → *défaut, manque, pauvre.*

DÉONTOLOGIE, DÉONTOLOGIQUE → *devoir, morale.*

DÉPANNAGE, DÉPANNER, DÉPANNEUSE → *réparer.*

DÉPAQUETAGE, DÉPAQUETER → *paquet.*

DÉPAREILLÉ, DÉPAREILLER → *désaccord, deux, manque.*

DÉPARER → *désaccord, laid.*

DÉPARIER → *deux.*

DÉPART → *commencer, partir.*

DÉPART, DÉPARTAGER → *deux, milieu.*

DÉPARTEMENT, DÉPARTEMENTAL → *part, province.*

DÉPARTIR, DÉPARTIR (SE) → *abandon, part.*

DÉPASSER → *avant, éloigner, étonner.*

DÉPAYSEMENT, DÉPAYSER → *changer, habitude, pays.*

DÉPÈCEMENT, DÉPEÇAGE, DÉPECER → *couper, morceau.*

DÉPÊCHE → *écrire, informer, journal.*

DÉPÊCHER, DÉPÊCHER (SE) → *envoyer, vitesse.*

DÉPEINDRE → *dessin, récit.*

DÉPENAILLÉ → *morceau, négliger, vêtement.*

DÉPENDANCE, DÉPENDANT → *entourer, lier, relation, soumettre.*

DÉPENDRE → *pendre.*

DÉPENDRE → *cause, conséquence, lier, soumettre.*

DÉPENS → *tribunal.*

DÉPENSE, DÉPENSER → *acheter, avare, commerce.* — **Emploi d'argent.** Addition; argent de poche; calcul, calculer ses dépenses; charge, avoir de lourdes charges, charges d'exploitation; contribution, contribuer; cotisation, cotiser; dépense, menues dépenses, menus plaisirs, dépenses de personnel/de matériel, investissement; écot, payer/verser son écot; extra; finance, financer, financement; frais divers/généraux, faux frais; paiement, payer, payer de sa poche; participation, participer à; poste fixe de dépense; quote-part; règlement, régler un arriéré/une note; réforme/loi somptuaire; remboursement, rembourser; souscription, souscrire. ▪ Tenir le compte des dépenses: bilan, budget, comptabilité, compte, débit, débours, décaissement, devis; équilibre financier, boucler son budget, coût de la vie, joindre les deux bouts, faire bouillir la marmite; excédent des dépenses sur les recettes, déficit, perte, trou. ▪ Caissier, comptable, économe, intendant, ménagère, trésorier-payeur. — **Dépenser de l'argent pour quelqu'un.** Aider, aide; donner une bourse d'études/de recherches; faire crédit, ouvrir un crédit; défrayer, défraiement; entretenir, pourvoir à l'entretien de, femme entretenue; indemniser, indemnité; inviter, payer sa tournée/une tournée générale; faire les frais de, se mettre en frais, tous frais payés; prêter, prêt, prêt à fonds perdus; rente; soutenir, soutien, bienfaiteur; subvenir à, subvention, subventionner. ▪ Faire chanter, vivre aux crochets/aux dépens de, gruger, mettre à sec, ruiner; tenir les cordons de la bourse. — **Dépenser à l'excès.** Claquer (pop.); consumer; coulage; croquer; grande/grosse dépense, dépenses folles/effrénées/inconsidérées, dépenser sans compter, être dépensier; dévorer; dilapider; dissiper, dissipation; ébrécher/écorner sa fortune; s'endetter, être couvert/criblé de dettes; engloutir, gouffre; flamber, flambeur (fam.); faire des folies; gaspiller, gaspillage, gaspilleur, gabegie (fam.), gâchis; manger, manger son blé en herbe; mener la vie à grandes guides; jeter l'argent par les fenêtres/à pleines mains; luxe, lois somptuaires; moyens, vivre au-dessus de ses moyens/sur un grand pied; panier percé; prodiguer, prodigalité, prodigue; se ruiner; se saigner aux quatre veines; semer son argent; mener grand train. ▪ Objet coûteux/dispendieux / onéreux / ruineux; vie coûteuse/chère, standing, train de vie. — **Employer, user.** Dépense intellectuelle/nerveuse/physique; dépense, perte d'énergie/de temps; dépenser des trésors d'ingéniosité/de patience. ▪ Étaler, étalage; exhiber, exhibition; montrer, faire montre de; parader, parade, faire de l'épate (pop.). ▪ Se dépenser, se donner à plein/tout entier/corps et âme, se donner du mal; se remuer (fam.), remuer ciel et terre.

DÉPENSIER → *dépense.*

DÉPERDITION → *chaleur, diminuer, perdre.*

DÉPÉRIR, DÉPÉRISSEMENT → *faible, mourir, tomber.*

DÉPÊTRER, DÉPÊTRER (SE) → *libre, partir.*

DÉPEUPLEMENT, DÉPEUPLER → *population, vide.*

DÉPHASAGE, DÉPHASÉ → *perdre, physique.*

DÉPIAUTER → *peau.*

DÉPILATION, DÉPILATOIRE, DÉPILER → *peau, poil, toilette.*

DÉPIQUAGE, DÉPIQUER → *jardin.*

DÉPISTAGE, DÉPISTER → *soigner, tromper, trouver.*

DÉPIT, DÉPITER → *tristesse.*

DÉPLACÉ → *grossier.*

DÉPLACEMENT, DÉPLACER → *changer, fonction.*

DÉPLAIRE, DÉPLAISIR → *blesser, mécontentement, souci, tristesse.* — **Façons de déplaire.** Agacer, assommer, (engendrer de l') aversion, blesser, casser les pieds (fam.), choquer, contrarier, défriser (fam.), dégoûter, déplaisir, déranger, désobliger, effaroucher, embêter (fam.), emmerder (pop.), énerver, ennuyer, (ennuyeux), fâcher, faire suer (pop.), froisser, gêner, hérisser, heurter, horrifier, impatienter, importuner, incommoder, indigner, indisposer (causer de l'irritation), irriter, mécontenter, offenser, offusquer, peiner, porter ombrage, répugner, révolter, scandaliser, tanner (fam.), tracasser, vexer. ■ Être antipathique/casse-pieds/déplaisant / désagréable / embêtant (fam.)/emmerdant (pop.)/énervant / gênant / irritant/ odieux/pénible. ■ En dépit de, malgré, ne vous en déplaise. — **Cause du dégoût/du déplaisir.** Abject, affreux, agaçant; être la bête noire/le bouc émissaire/la tête de Turc; contrariant, contrariété; contrecarrer; avoir des déboires; décevant; dégoûtant, dégoût, dégoûter; dégueulasse (pop.); désagréable, désagrément; désobligeant; détestable; difficile à digérer; disgracieux; embêtement, ennui; exécrable; fâcheux; fade, fastidieux, fatigant; fétide; gêneur; grossier; hideux; horrible; ignoble; ignominie; immangeable; immonde; importun; inconvenant; indigeste; indiscret; infect; innommable; inopportun; insipide; insupportable, intolérable; mal, maussade, mauvais; méprisable; nauséabond; obscène, cochon, histoires cochonnes (fam.); odieux, ordure; pornographie; puant, puer; (peu) ragoûtant; rébarbatif; rebutant; repoussant; répugnant; révoltant; rude à l'oreille; sale, saleté; scandale, scandaleux; scatologie; suspect; vexant; vil. — **Manifestations du dégoût, du déplaisir.** Du bout des lèvres, à contrecœur, à corps défendant; avec répugnance. ■ Bâillement, bâiller; écœurer, écœurement, faire vomir, haut-le-cœur, mal au cœur, malaise, nausée, soulever le cœur; faire la fine bouche/la grimace/ la moue; frissonner d'horreur, horreur; prendre sur soi; recul, reculer d'horreur; refuser; repousser, répulsion; révolter; scandaliser. — **Conséquences du dégoût/du déplaisir.** Affadir, amertume, anorexie, aversion, avoir horreur de quelque chose, en avoir assez/par-dessus la tête/plein le dos (pop.)/tout son soûl. ■ Blasé, découragé, déçu, dégoûté, délicat, désappointé, désenchanté, désillusionné, difficile; décrier; défaveur, dégriser, désintérêt; discrédit, discréditer; disgrâce, disgracier; éloignement, éloigner, limoger; émousser le goût, fatiguer, être fatigué; impopulaire, impopularité; inappétence, indigestion, indisposition; las, lassé, se lasser de quelque chose, lassitude; mépris; misanthropie; ôter l'appétit/le désir/l'envie de quelque chose; prendre en dégoût; rassasier; rebuter; rechigner, renâcler; répugnance, répugner; saturer; souffrir; soûler; spleen.

DÉPLANTER, DÉPLANTOIR → *arracher, jardin.*

DÉPLÂTRAGE, DÉPLÂTRER → *calcium.*

DÉPLIANT → *commerce, écrire.*

DÉPLIER, DÉPLISSER → *pli.*

DÉPLORABLE, DÉPLORER → *douleur, malheur, triste.*

DÉPLOYER → *étendre, guerre, montrer.*

DÉPLUMER (SE) → *cheveu, plume.*

DÉPOITRAILLER → *vêtement.*

DÉPOLARISANT, DÉPOLARISER → *électricité.*

DÉPOLIR, DÉPOLISSAGE → *terne.*

DÉPOLITISATION, DÉPOLITISER → *politique.*

DÉPONENT → *grammaire.*

DÉPOPULATION → *population.*

DÉPORT → *banque.*

DÉPORTATION, DÉPORTER → *crime, peine, prison.*

DÉPORTEMENT → *débauche.*

DÉPOSANT, DÉPOSER → *banque, bas, enlever, fonction, justice.*

DÉPOSITAIRE → *commerce, confiance.*

DÉPOSITION → *Christ, croix, fonction, justice.*

DÉPOSSÉDER, DÉPOSSESSION → *posséder.*

DÉPÔT → *banque, garder, livre, résidu.*

DÉPOTER → *jardin, plante.*

DÉPOTOIR → *jeter, résidu.*

DÉPOUILLE, DÉPOUILLER → *abandon, comptabilité, élire, enlever, peau.*

DÉPOURVU → *brusque, défaut, gêner, manque.*

DÉPOUSSIÉRER, DÉPOUSSIÉREUR → *nettoyer, poudre.*

DÉPRAVATION, DÉPRAVÉ, DÉPRAVER → *débauche, morale.*

DÉPRÉCIATION, DÉPRÉCIER → *critique, diminuer.*

DÉPRÉDATEUR, DÉPRÉDATION → *dépense, dommage, voler.*

DÉPRENDRE (SE) → *éloigner, goût.*

DÉPRESSIF, DÉPRESSION → *diminuer, économie, physique, relief.*

DÉPRIMANT, DÉPRIMER → *faible, fatigue, triste.*

DE PROFUNDIS → *enterrement.*

DÉPURATIF, DÉPURER → *médicament, pur.*

DÉPUTATION, DÉPUTÉ, DÉPUTER → *diplomatie, envoyer, gouverner.*

DÉRACINER → *arracher, partir.*

DÉRAILLEMENT, DÉRAILLER, DÉRAILLEUR → *bicyclette, folie, train.*

DÉRAILLER → *excès, folie.*

DÉRAISON, DÉRAISONNABLE, DÉRAISONNER → *folie, sot.*

DÉRANGEMENT, DÉRANGER → *gêner, trouble.*

DÉRAPAGE, DÉRAPER → *automobile, voiture.*

DÉRASEMENT, DÉRASER → *niveau.*

DÉRATÉ → *course, rire, vitesse.*

DÉRATISATION, DÉRATISER → *ronger.*

DERBY → *course, sport.*

DÉRÉGLÉ, DÉRÈGLEMENT, DÉRÉGLER → *débauche, irrégulier, trouble.*

DÉRÉLICTION → *abandon.*

DÉRIDER → *joie, pli.*

DÉRISION, DÉRISOIRE → *mépris, moquer, petit.*

DÉRIVATIF → *changer, repos.*

DÉRIVATION → *électricité, mot, rivière.*

DÉRIVE → *aviation, mou, navire, tirer.*

DÉRIVÉ → *mot.*

DÉRIVÉE → *mathématiques.*

DÉRIVER → *cause, mot, navire, rivière.*

DÉRIVER → *clou.*

DERMATITE, DERMATOLOGIE, DERME → *peau.*

DERNIER, DERNIÈRE → *après, arrière, extrême, finir.*

DÉROBÉ, DÉROBER → *cacher, culture, secret.*

DÉROCHAGE, DÉROCHEMENT, DÉROGATION, DÉROGATOIRE, DÉROGER → *manque, permettre.*

DÉROUILLER → *commencer, frapper, nettoyer, nouveau.*

DÉROULEMENT, DÉROULER (SE) → *bois, suivre, temps.*

DÉROUTANT, DÉROUTE, DÉROUTER → *gêner, guerre, navire, perdre, trouble.*

DERRICK → *pétrole.*

DERRIÈRE → *après, arrière, dos, orientation.*

DERVICHE → *musulman.*

DÉSABUSÉ, DÉSABUSEMENT, DÉSABUSER → *perdre, triste, tromper.*

DÉSACCORD, DÉSACCORDER → *adversaire, différence, discussion, guerre, opposé.* — **Dans les relations humaines.** Brouiller, brouille, brouillerie ; chicane, chicaneur ; conflit ; contester, contestation, contestataire ; crise ; déchirement intérieur ; démêlé ; désaccord ; désunir, désunion ; différer, différend ; discorde ; discourtoisie ; discuter, discussion, discutailler, discutailleur ; disputer, dispute ; dissension, dissensions intestines ; dissentiment ; divergence ; diviser, division ; divorce ; se fâcher, fâcherie ; friction ; froid ; incompatibilité d'humeur ; litige, litigieux ; inimitié, être en mauvais termes ; malentendu ; mésintelligence, vivre en mauvaise intelligence avec ; mésentente ; s'opposer, opposition ; être partagé ; polémique ; (se) quereller, querelle ; refus, refuser ; rompre, rupture, couper les ponts ; schisme ; scission ; tension ; tiraillement. ■ Brandon/ferment/sujet/tison de discorde ; être comme chien et chat/à couteaux tirés ; faire mauvais ménage ; se regarder en chiens de faïence ; le torchon brûle. — **Entre les choses.** Aller mal avec/ensemble ; anormal, anomalie ; asymétrie, asymétrique ; boiter, boiteux ; choquer, choquant ; clocher, il y a quelque chose qui cloche (fam.)/qui ne colle pas (fam.) ; contradiction, contradictoire ; contraste ; dépareillé, qui dépare, désassorti ; désordre, désordonné ; différence ; discordance ; disparate ; disproportion ; dissonance ; dissymétrie ; divorce ; incohérence ; incompatibilité ; inconvenant, malséant, déplacé ; inharmonie ; irrationnel ; hétéroclite, hétérogène, de bric et de broc. — **D'un point de vue artistique.** Discorder, discordance, discordant ; dissonance, dissonant ; piano désaccordé/discord. ■ Cacophonie, couac, écorcher les oreilles, faux, chanter faux, fausse note, voix de fausset, inharmonie, tohu-bohu. ■ Couleurs criardes, hurler, jurer.

DÉSACCOUPLER → *deux.*

DÉSACCOUTUMANCE, DÉSACCOUTUMER → *habitude.*

DÉSACRALISATION, DÉSACRALISER → *saint.*

DÉSAFFECTATION, DÉSAFFECTER → *abandonner, vide.*

DÉSAFFECTION, DÉSAFFECTIONNER (SE) → *abandon.*

DÉSAGRÉABLE → *déplaire, goût.*

DÉSAGRÉGATION, DÉSAGRÉGER → *chimie, dommage.*

DÉSAGRÉMENT → *déplaire, souci, triste.*

DÉSALTÉRANT, DÉSALTÉRER → *boire, boisson.*

DÉSAMORÇABLE, DÉSAMORCER → *arrêter, projectile.*

DÉSAPPARIER → *deux.*

DÉSAPPOINTEMENT, DÉSAPPOINTER → *triste, tromper.*

DÉSAPPRENDRE → *mémoire.*

DÉSAPPROBATION, DÉSAPPROUVER → *critique, mécontentement, refus.*

DÉSARÇONNER → *cheval, trouble.*

DÉSARGENTER → *argent, pauvre.*

DÉSARMEMENT, DÉSARMER → *arme, armée, calme, paix.*
DÉSARROI → *peur, trouble.*
DÉSASSORTIMENT, DÉSASSORTIR → *marchandises.*
DÉSASTRE, DÉSASTREUX → *guerre, malheur.*
DÉSAVANTAGE, DÉSAVANTAGER → *dommage, mal.*
DÉSAVEU, DÉSAVOUER → *arrière, critique, refus.*
DÉSAXER → *folie, milieu, trouble.*
DESCELLEMENT, DESCELLER → *cachet, enlever, fixer.*
DESCENDANCE, DESCENDANT → *bas, famille.*
DESCENDRE, DESCENTE → *bas, mourir, niveau, police, sport.*
DESCRIPTIF, DESCRIPTION → *construction, dessin, récit.*
DÉSEMPARÉ, DÉSEMPARER → *durer, gêner, navire, trouble.*
DÉSEMPLIR → *vide.*
DÉSENCHANTER → *imaginer, perdre, tromper.*
DÉSÉQUILIBRE, DÉSÉQUILIBRER → *balancer, folie, esprit.*
DÉSERT, DÉSERTIQUE → *sec, terre, végétation, vide.*
DÉSERT, DÉSERTER, DÉSERTEUR, DÉSERTION → *abandon, guerre, vide.*
DÉSESPÉRANCE, DÉSESPÉRÉ → *souci, triste.*
DÉSESPÉRER, DÉSESPOIR → *douleur, souci, triste.*
DÉSHABILLÉ, DÉSHABILLER → *enlever, vêtement.*
DÉSHABITUER → *habitude.*
DÉSHERBAGE, DÉSHERBER → *herbe, nettoyer.*
DÉSHÉRENCE → *succession.*
DÉSHÉRITÉ → *défaut, diminuer, manque, perdre, pauvre.*
DÉSHÉRITEMENT, DÉSHÉRITER → *avantage, succession.*
DÉSHONNEUR, DÉSHONORANT, DÉSHONORER → *débauche, honneur, réputation.*
DÉSHYDRATATION, DÉSHYDRATER → *eau, garder.*
DESIDERATA → *demander, désir.*
DESIGN, DESIGNER → *dessin.*
DÉSIGNATION, DÉSIGNER → *choisir, montrer, qualité, signe.*
DÉSILLUSION, DÉSILLUSIONNÉ → *imaginer, perdre, triste, tromper.*
DÉSINCARNÉ → *esprit, pur.*
DÉSINENCE → *finir, mot.*
DÉSINFECTER, DÉSINFECTION → *microbe, nettoyer.*
DÉSINTÉGRER → *détruire, rayon.*
DÉSINTÉRESSÉ, DÉSINTÉRESSEMENT → *abandon, cœur, payer.*
DÉSINTÉRÊT → *déplaire, mépris, négliger.*
DÉSINTOXICATION, DÉSINTOXIQUER → *poison, soigner.*
DÉSINVOLTE, DÉSINVOLTURE → *attitude, libre, négliger.*
DÉSIR, DÉSIRER → *amour, sensibilité, tendance, volonté.* — **Désirer vivement.** Affriolant; allécher, alléchant; ambitionner, ambition, ambitieux; appéter, appétence; appétit, appétissant, qui fait venir l'eau à la bouche; aspirer à, aspiration; attirer, attirance, attrait, attrayant; avide, avidité; brûler pour, brûlant, désir ardent; convoiter, convoitise; cupidité, cupide; démanger, démangeaison; désirer, désireux; être dévoré/miné/rongé de désir; envier, envie, enviable, envieux; exiger, exigence; faim, être affamé/friand/gourmand de; impatience, griller d'impatience, être sur des charbons ardents; languir après, fièvre, fiévreux; être jaloux, crever de jalousie; passion, être passionné pour; prétendre à, prétention; séduisant, séduction; soif, être insatiable; tendance; tenter, tentation, tentant; vouloir, volonté. — **Rechercher.** Attendre, attente; besoin, avoir besoin, ressentir le besoin de; briguer; jeter son dévolu; espérer, espérance, espoir; goût pour; guetter, guigner; incliner, être enclin, inclination; intention; s'intéresser à, intérêt; lorgner; penchant; rechercher; rêver, rêve; solliciter; souhaiter, souhait, souhaitable; soupirer pour, soupirer; tendre à, tendre les bras vers; velléité, velléitaire; viser, visée, but, dessein. ▪ Appel, demande, vœu; caprice, curiosité, fantaisie, foucade; prendre ses désirs pour des réalités. — **Désir sensuel.** Amour, amoureux, aimer; aphrodisiaque; appétit; ardeur, ardent; chair, charnel, aiguillon/démon de la chair, démon de midi; concupiscence; convoitise, convoiter; Cupidon, le dieu aveugle; érotique; feu, flamme; instinct sexuel, être en chaleur/en rut; passion; les sens, sensualité, sensuel; sexuel; vénérien. ▪ Éros, libido, déviation, névrose, obsédé sexuel, refoulement, sublimation, tabou. ▪ Personne désirable/séduisante, charme, sex-appeal.
DÉSIREUX → *désir.*
DÉSISTEMENT, DÉSISTER (SE) → *abandon, élire.*
DÉSOBÉIR, DÉSOBÉISSANCE → *faute, résister, révolte.*
DÉSOBLIGEANT, DÉSOBLIGER → *déplaire, grossier, peine.*
DÉSODORISANT, DÉSODORISER → *infecter, parfum.*

DÉSŒUVRÉ, DÉSŒUVREMENT → *paresse, repos.*

DÉSOLANT, DÉSOLATION, DÉSOLER → *souci, triste.*

DÉSOLÉ → *vide.*

DÉSOLIDARISER (SE) → *abandon, désaccord.*

DÉSOPILANT → *joie, rire.*

DÉSORDONNÉ → *excès, irrégulier, mouvement.*

DÉSORDRE → *débauche, désaccord, révolte, trouble.*

DÉSORGANISER → *trouble.*

DÉSORIENTÉ, DÉSORIENTER → *gêner, perdre, trouble.*

DÉSOSSEMENT, DÉSOSSER → *os, viande.*

DÉSOXYDATION, DÉSOXYDER → *chimie.*

DESPOTE, DESPOTISME, DESPOTIQUE → *chef, gouverner, pouvoir, souverain.*

DESQUAMATION, DESQUAMER → *peau.*

DESSAISIR, DESSAISISSEMENT → *abandon, perdre, tribunal.*

DESSALEMENT, DESSALER → *sel.*

DESSÈCHEMENT, DESSÉCHER → *insensible, maigre, sec.*

DESSEIN → *imaginer, pensée, plan.*

DESSERT → *manger.*

DESSERTE → *église, manger, meuble, transport.*

DESSERTIR, DESSERTISSAGE → *bijou, joaillerie.*

DESSERVANT, DESSERVIR → *église, transport.*

DESSICCATEUR, DESSICCATION → *garder, sec.*

DESSILLER → *chasse, expliquer, secret, vérité.*

DESSIN, DESSINATEUR, DESSINER → *ligne, peinture, plan.* — **Représenter.** Contour ; crayon, crayonner ; croquer ; décrire, description ; se détacher ; (se) dévoiler ; figure, figurer ; former ; -graphie, -graphique, graphisme ; gribouiller ; illustrer ; image, imager ; indiquer ; ligne, linéaire ; montrer (se) ; mouler ; présenter ; profil, profiler (se) ; représentation, représenter ; reproduction, reproduire ; révéler ; ressortir, faire ressortir ; tracer, tracé, trait. — **Types de dessin.** Dessin d'architecture/coté/écorché/en élévation ; épure ; dessin linéaire/en perspective ordinaire ou isométrique/de machines ou industriel/minute ou à l'effet/ombré ; topographie à vue. ▪ Dessin abréviatif/abstrait ou non figuratif ; affiche ; dessin d'après la bosse/aux deux/aux trois crayons ; croquer, croquis ; dessin géométral/géométrique ; graffite, graphique ; dessin grené/d'imitation/lavé, lavis ; dessin leucographique/à main levée/d'après nature ; orthographie ; dessin d'ornement ; dessin pointillé/poncé/au trait. ▪ Arabesque, grecque, méandre, motif. — **Art du dessin.** Arts plastiques ; composer, composition ; contraste, contraster, clair-obscur ; courbe, courbe de niveau ; design ; hachure ; lignes de force/de fuite ; masser ; méplat ; modelé ; monochromie ; ombre ; perspective ; plan ; projection ; proportions ; raccourci ; réduction ; rehaut, rehausser ; relief, relever ; taille ; volume. ▪ Caricature, charge, illustration, nature morte, nu, paysage, portrait, silhouette, vue. ▪ Cartouche, miniature, vignette. ▪ Académie, académisme, école de dessin ; Académie des beaux-arts ; cabinet de dessins du Louvre/des Offices/du British Museum/du Prado/de l'Albertina ; élégance, finesse, modelé, mouvement, nervosité, rendu, rigueur, rythme, vie. — **Phases du dessin.** Canevas ; carton ; à chaud, sur le vif, à froid ; conception, concevoir ; crayon, crayonner ; croquis ; ébauche, ébaucher ; esquisse, esquisser, le feu de l'esquisse ; étude ; jeter les grandes lignes/les grands traits ; maquette ; patron ; plan ; projet ; schéma. ▪ Dessin fignolé/fini/fouillé/léché/soigné. — **Matériel utilisé par celui qui dessine.** Bistre, craie ; crayon, crayon Conté, gras ; encre de Chine, aplat d'encre ; estompe, dessin estompé ; fixatif ; fusain ; gouache ; mine dure/tendre ; papier à dessin, calque ; pastel ; pinceau ; plume ; pochoir ; pointe d'argent/de bois/de plomb, pointe sèche ; roseau ; sanguine ; sauce ; sépia. ▪ Carton/godet/planche à dessin, table à dessiner. ▪ Compas, double décimètre, équerre, fil à plomb, pistolet, rapporteur, règle, té, tire-ligne. ▪ Bleu, calque, décalque, décalcomanie, patron. — **Celui qui dessine.** Affichiste, caricaturiste, concepteur, décorateur, designer, dessinateur en broderie, cartographe, détaillant d'études/d'exécution/industriel, petites études, projeteur ; bureau de dessin ; illustrateur-modéliste, ornemaniste, paysagiste.

DESSOLEMENT, DESSOLER → *culture.*

DESSOUS → *inférieur, secret, vêtement.*

DESSOUS-DE-BOUTEILLE → *bouteille.*

DESSOUS-DE-PLAT → *vaisselle.*

DESSOUS-DE-TABLE → *payer, secret.*

DESSUINTAGE, DESSUINTER → *laine.*

DESSUS → *avantage, gagner, supérieur.*

DESSUS-DE-LIT → *lit.*

DESSUS-DE-PORTE → *porte.*

DESTIN, DESTINÉE → *astrologie, événement, prévoir.* — **Avenir, destinée.** Arrêts du destin ; astres, astrologie, astrologue ; cartomancie, lignes de la main ; desseins impénétrables de la Providence ; déterminer, déterminisme ; fatalité, fatalisme, être fataliste ; finalité, finalisme ; futur ; horoscope ; livre des Destins, Grand-Livre ; oracle, oraculaire ; ordres du Ciel ; prédiction, prédire ; trancher la destinée, tuer ; vaticination, vaticiner. ▪ Affecter, assigner, attribuer, garder, promettre, réserver. — **Volonté divine.** Anankê, la Fatalité ; Moira, les Moires ; Tychê, Agathê Tychê, le Hasard. ▪ Fatum, Fortune, les trois Parques : Atropos, Clotho, Lachésis. ▪ Aruspice, augure, devin, interprète des dieux, prêtre ; Calchas, Cassandre, Tirésias ; livres sibyllins, la sibylle de Cumes ; oracle de Delphes, Apollon, la pythie/de Dodone/d'Épidaure. — **Sort individuel.** Avenir ; cas de force majeure ; chance ; destin, aveugle destin, croire à son destin, forcer le destin, maudire son destin, être résigné, se résigner à son destin ; destinée, être promis aux plus hautes destinées ; c'est dit, c'est écrit, mektoub ; étoile, être né sous une bonne/une mauvaise étoile ; existence ; fatalité, fatal, fatidique ; fortune, bonne/mauvaise fortune ; hasard ; immuable, inéluctable, inévitable ; issue fatale ; lot, loterie ; nécessaire, nécessité ; prédestination ; sort ; vie ; vocation, être appelé/élu/voué à.

DESTINATAIRE, DESTINATION, DESTINER → *attribuer, destin, poste.*

DESTITUER, DESTITUTION → *enlever, fonction, peine.*

DESTRIER → *cheval.*

DESTROYER → *navire.*

DESTRUCTEUR, DESTRUCTION → *annuler, détruire, perdre, tomber.*

DÉSUET, DÉSUÉTUDE → *abandon, vieillesse.*

DÉSUNI, DÉSUNION, DÉSUNIR → *désaccord, deux, trouble.*

DÉTACHANT, DÉTACHER → *nettoyer.*

DÉTACHÉ, DÉTACHEMENT, DÉTACHER → *envoyer, fonction, guerre, insensible, négliger.*

DÉTAIL, DÉTAILLANT → *commerce.*

DÉTAIL, DÉTAILLER → *futile, morceau, récit.*

DÉTARTRANT, DÉTARTRER → *nettoyer, résidu.*

DÉTAXÉ, DÉTAXER → *douane.*

DÉTECTER, DÉTECTION → *trouver.*

DÉTECTIVE → *police.*

DÉTEINDRE → *couleur, influence.*

DÉTELAGE, DÉTELER → *animal, travail.*

DÉTENDEUR → *gaz, machine.*

DÉTENDRE, DÉTENDU → *calme, repos.*

DÉTENIR → *posséder.*

DÉTENTE → *arme, gaz, repos.*

DÉTENTION → *posséder.*

DÉTENTION, DÉTENU → *peine, posséder, prison.*

DÉTERGENT → *nettoyer.*

DÉTÉRIORATION, DÉTÉRIORER → *dommage.*

DÉTERMINANT → *grammaire, mathématiques.*

DÉTERMINATION, DÉTERMINÉ → *décider, fixer, volonté.*

DÉTERMINER, DÉTERMINISME → *cause, décider, destin, fixer.*

DÉTERREMENT, DÉTERRER → *terre, trouver.*

DÉTERSIF, DÉTERSION → *nettoyer.*

DÉTESTER → *déplaire, mal.* — **Ne pas aimer.** Acrimonie ; aigreur ; amertume ; animadversion ; antagonisme, antagoniste ; antipathie ; blâme, blâmer ; censure, censurer, censeur ; être comme chien et chat ; avoir une dent contre ; éloignement ; garder sur le cœur/sur la patate (pop.) ; hostilité, sentiments hostiles ; être mal/au plus mal avec quelqu'un ; se mettre à dos ; prendre en grippe ; inimitié ; malveillance ; mal voir, voir d'un mauvais œil ; faire mauvais ménage/grise mine ; rancœur, rancune, rancunier ; renâcler à (fam.) ; réprobation, réprouver, œil réprobateur ; répugnance, répugner à ; ressentiment. — **Haïr.** Abhorrer ; abominer, abominable, abomination ; animosité ; aversion ; bile, bilieux ; être à couteaux tirés ; détestation ; s'entre-déchirer, s'entre-haïr, etc. ; exécrer ; fanatisme ; fiel, fielleux ; haine, haineux ; horreur, avoir horreur de ; répulsion ; être ulcéré ; vengeance, vindicatif ; venin, venimeux. ▪ Concevoir/nourrir/vouer une haine cruelle/éternelle/farouche/féroce/furieuse/implacable/inexorable/irréconciliable/jurée/mortelle ; allumer/attiser/déchaîner/exciter la haine ; prendre en haine ; ferment de haine. ▪ Ne pas pouvoir blairer (pop.)/encaisser (pop.)/pifer (pop.)/sentir (fam.)/souffrir/voir/voir en peinture (fam.) ; avoir dans le nez (pop.). ▪ Misanthrope, misogyne ; -phobe, phobie, agoraphobie, xénophobe. — **Maudire.** Anathématiser, jeter/lancer l'anathème sur ; blasphémer, blasphème ; condamner, condamnation sans appel ; diable, envoyer au diable ; s'emporter contre ; excommunier, excommunication ; honnir ; imprécation, concert d'imprécations ; s'indigner; jurer, juron, bordée/chapelet d'injures/de jurons; maudire, malédiction, maudit soit; pester contre; râler (pop.); rouspéter (fam.); vouer aux gémonies. ■ Damné, fichu, sacré, sale, satané; maudit, réprouvé. — **Effets de la haine.** Brouille, colère, défaveur, désaccord, désunion, discorde, disgrâce, dispute, discussion, division, divorce, fâcherie, mépris, mésintelligence, mauvais procédés, querelle, rupture, scission, trouble, violences. — **Détestable, détesté.** Abject, abominable, affreux, atroce, dégoûtant, déplaisant, désagréable, détestable, empoisonneur, exécrable, fâcheux, haï, haïssable, honni, ignoble, indigne, infâme, insupportable, méchant, odieux, pénible, raseur, repoussant, salaud (pop.), vil. ■ Bête noire, ennemi, rival.

DÉTONATION, DÉTONER → *bruit, exploser, projectile.*

DÉTONNER → *couleur, désaccord, musique.*

DÉTORDRE, DÉTORSION → *tourner.*

DÉTORTILLER → *tourner.*

DÉTOUR, DÉTOURNÉ → *changer, indirect.*

DÉTOURNEMENT → *voler.*

DÉTOURNER → *changer, éloigner, influence, voler.*

DÉTRACTEUR → *critique.*

DÉTRAQUÉ, DÉTRAQUEMENT, DÉTRAQUER → *casser, folie, trouble.*

DÉTREMPE → *peinture.*

DÉTREMPER → *liquide, mouiller.*

DÉTRESSE → *danger, malheur, pauvre.*

DÉTRIMENT → *dommage.*

DÉTRITUS → *résidu.*

DÉTROIT → *mer.*

DÉTROMPER → *expliquer, imaginer.*

DÉTRONER → *souverain.*

DÉTROUSSER → *voler.*

DÉTRUIRE → *annuler, casser, tomber.* — **Mettre à bas ce qui est construit.** Abattre; battre en brèche; bombarder, bombe; canonner; dégâts; déglinguer; dégrader, dégradation; délabrement, délabré; démanteler; démantibuler; démolir, démolition, démolisseur; démonter; désarticuler; désoler, désolation; détériorer; détruire de fond en comble; disloquer; dynamiter; faucher; jeter bas; miner, mine; pilonner; plastiquer; raser, mettre à ras; réduire en cendres; renverser; ruiner, ruine, menacer ruine, tomber en ruine; saper, sape, sapeur; faire sauter. ■ Craquer, crouler, s'écrouler, écroulement, s'effondrer, effondrement, péricliter; être branlant/croûlant/fissuré/lézardé/vermoulu. ■ Bélier, bulldozer, pic, pioche. ■ Avalanche, cataclysme, cyclone, désastre, éruption volcanique, fléau, incendie, inondation, ouragan, raz de marée, tornade, typhon. — **Supprimer ce qui est établi.** Abattre, abolir, bouleverser, faire chanceler, culbuter, déraciner, désagréger, désorganiser, ébranler, effacer, éliminer, étouffer, étrangler, extirper, miner, réformer, réfuter, renverser, rompre, ronger, subvertir, subversion, subversif. ■ Décevoir; dégriser; désillusionner; dissiper/enlever/ôter/perdre des illusions; émousser; éteindre; étioler; gâter; troubler. ■ Agressif, corrosif, critique, néfaste; barbare, iconoclaste, vandale. — **Destruction d'êtres humains.** Autodestruction; décimer; empoisonner; exterminer, extermination, ange exterminateur, apocalypse, fin du monde; foudroyer; fusiller, fusillade, fusilleur; génocide; immoler, immolation; massacrer, massacre, massacreur; sacrifier, sacrifice, sacrificateur; tuer, tuerie, tueur. ■ Carnage, hécatombe, mort; délétère, fatal, méphitique, mortel. ■ Chlorose, cancer, consomption, délabrement, dépérissement, décomposition, désintégration, gangrène, langueur, lèpre, pourriture, putréfaction, tuberculose. — **Anéantir ce qui est établi.** Abîmer; absorber, absorption; anéantir, anéantissement, néant; annihiler; briser; broyer; casser; consumer, consomption; corroder, corrosion, corrosif; défoncer; démolir; dépecer; désintégrer, désintégration; désoler; détraquer; dévaster, dévastation, désastre; dévorer; dilapider; disloquer; faire disparaître; dissiper; dissoudre, dissolution, dissolvant; dommage, dommageable; faire éclater; enfoncer; engloutir, gouffre; ensevelir, mener au tombeau /au cercueil; fin, mettre fin/un terme; fracasser; infester; piller; pourrir; pulvériser, réduire en poudre; ravager, ravage; réduire à néant/à rien; rompre; saborder; saboter; saccager, mettre à sac; supprimer, suppression.

DETTE → *dépense, devoir, payer.*

DEUIL → *enterrement, triste.*

DEUS EX MACHINA → *théâtre.*

DEUX, DEUXIÈME → *nombre, reproduction, part.* — **Deux.** Numéro, acte II, scène II, tome II, Frédéric II; tous les deux, tous deux, toutes deux, à deux, deux à deux, deux par deux, en deux, l'un et l'autre, autre, duo, tête-à-tête; duelliste, duettiste, partenaire; second, secondaire, secondement, secondairement, secundo. ■ Accouplement, accoupler, couple, coupler, coupleur, couplage; apparier, paire; dualisme, manichéisme; dualité; ensemble. ■ Ambi-, ambivalent; amphi-, amphibie; bi-, biceps, bivalve; bis-, biscotte; di-, diplopie, dipode, diptyque; dupli-, duplex. — **Diviser en deux, moitié.** Bipartition; couper en deux demi, mi-, semi-; dédoubler, dédoublement; dépareiller, dépareillé, déparier; dichotomie, dichotomique; diviser, division; discorde, dissension, dissentiment, dissocier, etc., schisme; mi-parti, mi-partition, mi-chemin, mi-côte, etc.; milieu; moitié, agir de moitié, être de moitié/pour moitié, louer/prendre à moitié, en rabattre de moitié, réduire de moitié; partage, partager un objet/un héritage/des responsabilités; part, partie, cohéritier, coprésident, coresponsable; simple. ▪ Qui partage en deux : bissectrice, diamètre, équateur, ligne médiane, mur mitoyen. ▪ Alternative : balance, choix, dilemme, équilibre, juste milieu, *in medio stat virtus.* ▪ A moitié : à demi; moitié-moitié, couci-couça (fam.), half and half; mi-figue, mi-raisin, mi-chair, mi-poisson, entre deux, poivre et sel. — **Double.** Doubler, doublage, doublet, doublement, doublure; redoubler, redoublement, redoublant; re-, recommencer, refaire, etc. ▪ Faire un double : ampliation; analogie, analogue; copie, double, carbone; faire double emploi; duplicata, duplicateur; fac-similé; pendant; pléonasme; redite, redondant, superflu, répétition; réplique; reproduction, photocopie; symétrie, symétrique; tautologie. ▪ *Alter ego,* double, doublure, image, jumeau, jumelle, miroir, remplaçant, sosie. ▪ Qui a deux aspects : duplicité,double ; à double face, dissimulé, hypocrite, sournois, tartufe; double jeu, agent double, manger à deux râteliers, miser sur les deux tableaux. ▪ A double sens : ambigu, amphibologique, douteux, qui peut s'entendre de deux façons, sous-entendu, équivoque. ▪ De sexe incertain : androgyne, hormaphrodite, travesti. ▪ Double commande, double flux, double fond, double toit; double dose, double menton, doubles rideaux, etc. ▪ Additionner, multiplier par deux, mettre à la puissance deux/au carré; un et un font deux, deux et deux font quatre. — **Être le second, seconder.** Acolyte, adjoint, aide, allié, appui, assesseur, assistant, auxiliaire, bras droit, collaborateur, complice, lieutenant, nègre, partenaire, capitaine en second, commander en second, brillant second. ▪ Accessoire, adventice, épisodique, marginal, mineur, secondaire; second sujet, jouer les seconds rôles/les utilités; figure/homme de second plan; être/rester dans l'ombre de, éminence grise.

DEUX-MÂTS → *voilure.*

DEUX-PIÈCES → *bain, vêtement.*

DEUX-POINTS → *écrire.*

DÉVALER → *bas, vitesse.*

DÉVALISER → *voler.*

DÉVALORISATION, DÉVALORISER → *diminuer, monnaie.*

DÉVALUATION, DÉVALUER → *monnaie.*

DEVANCER, DEVANCIER → *avant, supérieur.*

DEVANT → *avant.*

DEVANTURE → *marchandises.*

DÉVASTATEUR, DÉVASTATION, DÉVASTER → *détruire, dommage, voler.*

DÉVEINE → *malheur.*

DÉVELOPPÉ → *danse, gymnastique.*

DÉVELOPPEMENT, DÉVELOPPER → *calcul, étendre, expliquer, paquet, photographie.*

DEVENIR → *changer, destin, temps.*

DÉVERGONDAGE, DÉVERGONDÉ, DÉVERGONDER (SE) → *débauche, morale.*

DÉVERROUILLAGE, DÉVERROUILLER → *ouvrir.*

DÉVERS → *niveau, pencher.*

DÉVERSEMENT, DÉVERSER, DÉVERSOIR → *canal, eau, lac.*

DÉVÊTIR → *enlever, vêtement.*

DÉVIATION → *changer, éloigner, indirect, route.*

DÉVIATIONNISME, DÉVIATIONNISTE → *parti.*

DÉVIDAGE, DÉVIDER, DÉVIDOIR → *fil.*

DÉVIER → *changer, indirect.*

DEVIN, DEVINERESSE → *destin, prévoir.*

DEVINER, DEVINETTE → *jouer, prévoir, trouver.*

DEVIS → *dépense, prévoir.*

DÉVISAGER → *regarder.*

DEVISE → *banque, parler, symbole.*

DEVISER → *parler.*

DÉVISSER → *clou, enlever.*

DÉVITALISER → *dent.*

DÉVOIEMENT → *tuyau.*

DÉVOILEMENT, DÉVOILER → *montrer, roue.*

DEVOIR, DEVOIR (LE) → *argent, commerce, enseignement, morale, prêter.* — **Qui est nécessaire, obligatoire.** Avoir à, ne plus avoir qu'à, avoir pour destin; être astreint à/contraint de/destiné à; falloir, il faut; être forcé de, cas de force majeure; être obligé/tenu de. ▪ Charge; contrainte, contraignant; devoir impératif; nécessité, nécessaire, d'une nécessité vitale, question de vie ou de mort ; obligation, obligatoire, rigoureusement / strictement obligatoire ; responsabilité, responsable ; tâche ; travail. ■ Fatal, fatalité ; inéluctable, inévitable, infaillible, qui ne peut manquer, immanquable, à tout coup. ■ Consigne, ordre absolu/formel/irrévocable/rigoureux/strict. ■ Devoir pénible, barbe (fam.), calvaire, corvée. — **Devoir de l'argent.** Contracter des dettes/un emprunt, reconnaissance de dettes, s'endetter ; être couvert/criblé/perdu de dettes ; dette criarde/d'honneur/de jeu ; débiteur, codébiteur, débirentier, créancier, gage, antichrèse. ■ Arriéré, banqueroute, déficit, dû, échéance, faillite, impayé, mémoire, moins-perçu, passif, redevance, reliquat, reste, retard, saisie ; acquitter, amortir, éponger, éteindre, liquider/payer/régler/rembourser ses dettes ; être quitte. ■ Dette caduque/chirographaire/civile/claire ou liquide/commerciale ou consulaire/de communauté / hypothécaire / légale / privilégiée/propre/simulée. ■ Dette publique, grand-livre ; dette intérieure ou extérieure ; dette flottante/inscrite ou consolidée /perpétuelle / remboursable ou amortissable/viagère, annuités ; amortissement, consolidation, conversion. ■ Créance certaine/chirographaire/ commerciale/ exigible/ liquide/ litigieuse/privilégiée/solidaire ; obligation alternative/conditionnelle/divisible/indivisible/solidaire/à terme. — **Devoir moral.** Bien moral, les commandements ; conflits de devoirs/du devoir et de la passion, être déchiré / partagé, Antigone, le Cid ; conscience, consciencieux, avoir sa conscience pour soi, conscience/satisfaction du devoir accompli, bonne conscience, homme de devoir ; droit ; déontologie professionnelle. ■ Les droits et les devoirs : devoirs envers Dieu/autrui/son prochain, devoir pascal/religieux ; devoir militaire, faire son devoir jusqu'au bout, code de l'honneur, amour de la patrie, forfaire, manquer à/trahir son devoir ; devoir civique/de citoyen ; devoir conjugal ; impératif catégorique, loi morale, Kant ; morale civique/laïque/pratique/privée/sociale ; raison ; règle morale ; respect des lois/de la propriété ; sens/sentiment du devoir/de ce que l'on doit croire/faire ; payer son tribut à ; vertu. ■ Code de la bienséance/de la politesse ; se conduire/être comme il faut ; présenter ses civilités/ses devoirs/ses hommages ; rendre les derniers devoirs ; rendre à quelqu'un ce qu'on lui doit /les égards/les honneurs dus à son âge/à sa fortune/à son rang.

DÉVOLU → *choisir.*

DÉVOLUTION → *succession.*

DÉVORER → *détruire, manger, passion, souci.*

DÉVOT, DÉVOTION → *aimer, religion, respect.*

DÉVOUEMENT, DÉVOUER (SE) → *abandon, aimer, servir.*

DÉVOYÉ, DÉVOYER → *débauche.*

DEXTÉRITÉ → *adroit, habitude.*

DEXTRALITÉ, DEXTRE → *droite.*

DEXTRINE → *amidon.*

DEY → *chef.*

DIA → *cri.*

DIABÈTE, DIABÉTIQUE → *rein.*

DIABLE → *ange, enfer, mal, vif.*

DIABLERIE → *vif.*

DIABLESSE → *femme, mal.*

DIABLOTIN → *enfer, vif.*

DIABOLIQUE → *enfer, mal.*

DIABOLO → *jouer.*

DIACHRONIE, DIACHRONIQUE → *langage, temps.*

DIACONAT, DIACONESSE, DIACRE → *ecclésiastique.*

DIADÈME → *bijou, joaillerie, souverain.*

DIAGENÈSE → *géologie.*

DIAGNOSE → *plante.*

DIAGNOSTIC, DIAGNOSTIQUER → *médecin, soigner.*

DIAGONALE → *droite.*

DIAGRAMME → *reproduction.*

DIAGRAPHE, DIAGRAPHIE → *reproduction.*

DIALECTAL, DIALECTE → *langage.*

DIALECTICIEN, DIALECTIQUE → *raisonnement.*

DIALECTOLOGIE, DIALECTOLOGUE → *langage.*

DIALOGUE, DIALOGUER, DIALOGUISTE → *cinéma, discussion, littérature, parler.*

DIAMANT, DIAMANTAIRE → *bijou, joaillerie.*

DIAMÉTRAL, DIAMÈTRE → *cercle, droite.*

DIAPASON → *chanter, musique, niveau.*

DIAPHANE, DIAPHANÉITÉ → *lumière.*

DIAPHRAGME → *muscle, photographie.*

DIAPHYSE → *os.*

DIAPOSITIVE → *photographie.*

DIAPRÉ, DIAPRER, DIAPRURE → *couleur.*

DIARRHÉE, DIARRHÉIQUE → *intestin.*

DIARTHROSE → *articulation.*

DIASPORA → *éloigner.*

DIASTOLE → *cœur.*

DIATONIQUE → *musique.*

DIATRIBE → *critique.*

DICHOTOME, DICHOTOMIE → *deux, lune, plante.*

DICOTYLÉDONES → *grain, plante.*

DICTAPHONE → *disque.*

DICTATEUR, DICTATURE → *chef, gouverner, souverain.*

DICTÉE, DICTER → *influence, son, soumettre.*

DICTION → *parler, poésie, son.*

DICTIONNAIRE → *livre, mot.*

DICTON → *mot, pensée.*

DIDACTIQUE → *enseignement.*

DIÈDRE → *géométrie.*

DIÉLECTRIQUE → *électricité.*

DIÉRÈSE → *son.*

DIÈSE → *musique.*

DIESEL → *moteur.*

DIES IRAE → *enterrement.*

DIÈTE → *gouverner.*

DIÈTE → *soigner.*

DIÉTÉTIQUE → *aliment.*

DIEU → *Christ, ciel, Eglise, religion.* — **Les dénominations de Dieu.** Architecte/auteur du monde; Bien, souverain Bien; Créateur, Créateur du monde, création; démiurge; Dieu, Dieu-Homme, Dieu fait homme; Esprit divin, Esprit saint; Éternel; Être suprême; Logos; Père; Providence; Roi; Seigneur; Souverain, Souverain Juge; Tout-Puissant; Très-Haut; Verbe. — **Dieu et dieux.** Dieux, déités; déifier, diviniser, apothéose. ▪ Forces occultes : animisme; fétichisme, fétiche; idolâtrie, idole; paganisme, païen; totémisme, totem; zoolâtrie. ▪ Dualisme, evhémérisme, manichéisme, monothéisme, panthéisme, polythéisme. ▪ Séjour des dieux : ciel, cieux, enfer, Enfers, Olympe, paradis, royaume céleste; vie éternelle. — **Attributs de Dieu.** Attributs métaphysiques : éternité, immanence, immensité, immutabilité, incréé, omniprésence, pureté, simplicité, unité. ▪ Attributs moraux : bonté, intelligence, liberté, providence, personnalité, sagesse, science (omniscient), toute-puissance (omnipotent). ▪ Métaphysique, théodicée, théologie; mythologie, théogonie. — **La connaissance de Dieu.** Agnosticisme; athéisme, athée; avoir la foi; déisme; matérialisme; paganisme; scepticisme; théisme. ▪ Expérience mystique, mysticisme, les grands mystiques, sainte Thérèse d'Avila, saint Jean de la Croix; immanence divine; intuition, grâce, esprit de finesse, le pari de Pascal; méthodes intuitives/discursives. ▪ Les preuves de l'existence de Dieu : preuve *a priori*/ontologique/*a posteriori*; preuve cosmologique/par la cause efficiente/par la contingence du monde/par la diversité des degrés de perfection/par la finalité/par le mouvement/téléologique. — **Les dieux.** Déesse, démon, divinité, esprit, être, génie, principe, symbole. ▪ Égypte : Amon-Rê, Anubis, Hathor, Horus, Isis, Osiris, Ptah, Rê, Thot; Chaldée : Adonis, Ashtart, Astarté, Baal, Gilgamesh, Mardouk, Shamash. ▪ Rome et Grèce : les douze grands dieux, Apollon ou Phébus, Cérès ou Déméter, Diane ou Artémis ou Hécate ou Phœbé, Junon ou Héra, Jupiter ou Zeus, Mars ou Arès, Mercure ou Hermès, Minerve ou Athéna, Neptune ou Poséidon, Vénus ou Aphrodite, Vesta, Vulcain ou Héphaïstos; ambroisie, nectar; lare, mânes, pénates; Olympe, Panthéon. ▪ Germanie : Odin, Wothan; Walhalla. ▪ Bouddhisme : Bouddha, Bodhisattva. ▪ Indouisme : Brahma, Çiva, Vishnu; Krishna, Parvati, Skanda. ▪ Islam : Allah. ▪ Judaïsme : Jehovah, Yaveh, le Dieu d'Abraham, d'Isaac, de Jacob et de David, le Roi des Rois; Christ, Messie.

DIFFA → *manger, recevoir.*

DIFFAMATOIRE, DIFFAMER, DIFFAMATION → *critique, mal, réputation.*

DIFFÉRÉ → *radio.*

DIFFÉRENCE, DIFFÉRENCIATION, DIFFÉRENCIER → *banque, changer, opposé.* — **Calcul d'une différence.** Addition, ajouter, plus; somme; faire le calcul/la différence/l'opération/la soustraction, ôter, retirer, retrancher, soustraire, supprimer. ▪ Décompter, déduire, défalquer, prélever, retenir. ▪ Appoint, complément, défaut, déficit, différence, écart, excédent, excès, excessif, manque, moins, reliquat, retenue, reste, solde, soulte, supplément, surplus; insuffisamment, pas assez, trop, trop peu. — **Différencier.** Autre; comparatif, comparer; différence, différenciation, différencier; différent, différer; dissemblable, dissemblance, dissimilitude, disparité; distinct, distinction; divers, diversité. ▪ Caractériser; comparaison, comparer; départ; discrimination discriminer; établir une ligne de démarcation/de partage, partager; distinguer, faire un distinguo/une distinction, couper les cheveux en quatre; division, diviser; isoler; mettre à part, mettre un fossé/un monde entre deux choses; nuancer; opposer, opposition; ségrégation, apartheid; séparation, séparer. ▪ Choix, choisir, élection, élire, préférence, préférer, refus, refuser, rejeter, repousser. — **Différence externe, différent des autres.** Anomal, anomalie, anormal; autre; autrui; bizarre; caractérisé, caractéristique; contraire, contraste, contrastant; criard; dépareillé, désassorti; dérouter; se détacher du peloton; détoner; distinctif, se distinguer; s'éloigner; étrange, étranger, étrangeté; excentricité, excentrique; exception, exceptionnel; extraordinaire; extravagant; hétérodoxe; inattendu; incommensurable, incomparable, incompatible; indépendant; individualiser, individuel; inédit; inégalité; infériorité, supériorité; insolite; monstre, géant, nain; neuf, nouveau; non conformiste; original, originalité; particularité, particularisme, particulier; phénix, phénomène; privilège, privilégié; rare; remarquable, se faire remarquer; seul; se signaler, se singulariser, singularité, singulier; spécial, spécialité, spécifique; trancher sur la moyenne; type, typique; unique. — **Différence interne des éléments composants.** Baroque, bigarré, complexe, composite, désaccord, désordonné, désordre, difforme, discordance, disparate, disproportion, dissonance, divergence, divers, diversité, diversifier, division, diviser, hétéroclite, hétérogène, hybride, qui hurle/jure avec, incohérent, incompatible, irrégulier, mélangé, mêlé, subdivisé, variante, varié, variété.

DIFFÉREND → *désaccord, discussion.*

DIFFÉRENT, DIFFÉRENCIATION, DIFFÉRENTIEL → *calcul, différence.*

DIFFÉRENTIEL → *automobile.*

DIFFÉRER → *désaccord, différence, temps.*

DIFFICILE, DIFFICULTÉ, DIFFICULTUEUX → *douleur, dur, obstacle, souci.* — **Caractère difficile.** Acariâtre, chatouilleux, contrariant, désagréable, dur, dur à la détente, dur en affaires, épineux, exigeant, fermé, grincheux, insociable, invivable, irascible, ombrageux, quinteux, rebutant, rude, susceptible. ▪ Enfant difficile/agité/caractériel/désobéissant/dyslexique / indocile / instable / insupportable / intraitable/nerveux/pénible/qui pose des problèmes/rebelle/turbulent. ▪ Goût difficile/délicat/exigeant/fin, être insatisfait, faire le dégoûté/le difficile/la fine bouche/la moue, pointilleux, raffiné, sévère. — **Problème difficile.** Alambiqué, ardu, complexe, complication, compliqué, confus, coton (fam.), dédale, devinette, difficultueux, dur (fam.), embrouillé, imbroglio, énigme, épineux, hermétique, impénétrable, inabordable, inaccessible, inconcevable, indéchiffrable, indigeste, inextricable (sac de nœuds (fam.)), infaisable, inintelligible, insoluble, introuvable, laborieux, labyrinthe, logogriphe, malaisé, mystère, mystérieux, obscur, obscurité, problème, rébus, subtil, tiré par les cheveux (fam.), trapu (fam.), tour de force, travail d'Hercule. ▪ S'arracher les cheveux, se casser la tête, chercher une aiguille dans une botte de foin/la quadrature du cercle, perdre son latin, pâlir, sécher sur (fam.), suer sang et eau, se torturer les méninges (fam.); être déconcerté/perplexe, donner sa langue au chat; comprendre, expliquer, résoudre, solution. — **Situation difficile.** Corvée, crise, danger, embarras, ennui, épine, époque / période / situation contraire / critique / épineuse / fâcheuse / grave / intolérable / scabreuse / sérieuse / troublée, épreuve, impasse, mauvais pas, mauvaise passe, os (fam.), pépin (fam.), péril, périlleux, risque, temps difficile/préoccupant, tracas, traverse. ▪ Difficultés financières/matérielles : gêne, impuissance, insuffisance, manque d'argent, panade (fam.), purée (fam.). ▪ Difficulté morale : chagrin, détresse, douleur, effort, inquiétude, mal, peine, souffrance, tourment; lourd, malaisé, mauvais, pénible, raide, rude, triste. ▪ Être aux abois/à quia/dans de beaux draps/dans le pétrin (fam.)/dans une position fausse, mettre sur la paille, réduire aux expédients. ▪ Créer/faire/rencontrer/soulever des difficultés. ▪ Anicroche, aria, contestation, contrariété, empêchement, encombrement, entrave, litige, objection, obstacle, obstruction, opposition, résistance; avoir/donner du fil à retordre (fam.)/du mal/du tintouin (pop.). ▪ Difficilement, à grand-peine, avec peine, avec répugnance.

DIFFORME, DIFFORMITÉ → *défaut, forme, laid.*

DIFFRACTER, DIFFRACTION → *lumière.*

DIFFUS, DIFFUSER, DIFFUSION → *informer, lumière, rayon, style.*

DIFFUSEUR → *moteur, parler, répondre.*

DIGÉRER → *estomac, foie, lire, manger, soumettre.*

DIGEST → *abréger, livre.*

DIGESTIF, DIGESTION → *estomac, foie, manger.*

DIGESTIF → *alcool.*

DIGIT, DIGITAL → *informatique.*

DIGITAL → *doigt.*

DIGITALE → *fleur.*

DIGITALINE → *poison.*

DIGITIGRADE → *doigt, marcher.*

DIGNE → *convenir, mérite.*

DIGNITAIRE → *fonction, importance.*

DIGNITÉ → *convenir, fonction, importance, orgueil, respect.*

DIGRESSION → *éloigner, indirect.*

DIGUE → *hydraulique, obstacle.*

DIKTAT → *demande.*

DILACÉRER → *morceau.*

DILAPIDER → *dépense, voler.*

DILATATION, DILATER → *augmenter, chaleur, joie, physique.*

DILATOIRE → *retard, temps.*

DILECTION → *aimer.*

DILEMME → *choisir, raisonnement.*

DILETTANTE, DILETTANTISME → *goût, négliger.*

DILIGENCE, DILIGENT → *vif, voiture.*

DILUER, DILUTION → *liquide, mêler.*

DILUVIEN → *orage, pluie.*

DIMANCHE → *calendrier.*

DÎME → *impôt.*

DIMENSION → *espace, grand, mesure.*

DIMINUER → *abréger, défaut, faible, laine, petit.* — **Diminuer la dimension.** Abaisser, rabaisser ; abréger, abréviation ; amputer ; atrophier ; couper ; diminuer, diminution ; écorner ; écourter ; émincer ; limiter ; moindre, moins ; mutiler ; raccourcir ; raser ; retrancher ; rogner, rogner sur ; ronger ; tronquer ; user. ▪ Comprimer ; concentrer ; condenser ; contracter ; décroissance, décroître, décrue ; dégonfler ; graticuler ; miniature ; presser ; rapetisser ; se ratatiner, se recroqueviller ; réduire (format/modèle réduit) ; résorber ; resserrer ; restreindre ; retraire ; rétrécir, rétrécissement ; serrer ; tasser. ▪ Dissoudre, évaporation, s'évaporer, fondre, résoudre. ▪ Diminuer un ouvrage au crochet/un tricot/le nombre des mailles/deux mailles ensemble, un surjet simple. — **Diminuer la force.** Adoucir, adoucissement ; affadir ; altérer ; amoindrir ; amortir ; apaisement, apaiser ; atténuation, atténuer, mettre de l'eau dans son vin ; decrescendo, diminuendo ; déperdition ; dégrader ; édulcorer ; émousser ; mitiger ; modérer ; ralentir ; refroidir ; relâchement, relâcher ; tarir ; tempérer ; tiédir. ▪ Affaiblir, affaiblissement ; amenuiser ; amaigrir ; amincir ; asthénie ; baisser, être bien bas ; débiliter ; déclin, décliner ; décrépit, décrépitude ; défaillir ; dépérir ; s'encroûter ; épuisement, épuiser ; étiolement, s'étioler ; faiblesse, faiblir ; fatigue ; mettre en veilleuse (fam.) ; péricliter ; rabougrir ; régresser ; vieillir, vieillissement. ▪ Graduellement, par degrés, par paliers, en pente douce, progressivement ; brutalement, d'un seul coup, rapidement. — **Diminué mental ou physique.** Anormal, arriéré, caractériel, crétin, débile, demeuré, déprimé (état dépressif), déséquilibré, fou, idiot, innocent, instable, mongolien, retardé, simple, taré. ▪ Amputé, atrophié, aveugle, blessé, boiteux, cul-de-jatte, éclopé, estropié, goitreux ; handicapé, impotent (jambe de bois, membre artificiel), infirme, invalide, malade, malformation, manchot, mutilé, paralysé perclus, podagre, poliomyélitique, rachitique, réformé, scoliose. — **Diminuer le prix.** Abattre, faire un abattement ; allègement des charges/de la fiscalité/des impôts, alléger ; amortir, amortissement ; baisse, baisser ; compression du budget ; faire des déductions, déduire ; dévalorisation, dévaloriser ; dévaluation, dévaluer ; diminuer, diminution ; escompte, escompter ; gâcher les prix ; gratis, gratuit ; liquidation, liquider ; meilleur marché, moins cher, moins-value ; occasion ; rabais, rabattre ; faire une réduction, réduire ; remettre, remise, ristourne ; sacrifier, prix sacrifié ; solde, solder. — **Diminuer de valeur.** Avilir ; avoir le dessous ; baisser d'un cran/d'un échelon, baisse de niveau ; clairsemer, éclaircir ; décadence, déchéance, déchoir, déchu ; dégrader, dégradation ; dégringoler ; dénigrer ; déposséder ; dépréciation, déprécier ; déroger ; désavantager, désavantage ; discrédit, discréditer ; disgrâce, disgracier ; inférieur, infériorité ; mésestimer ; mineur, minorité, minimiser ; perdre, perte, déperdition ; rabaisser ; raréfaction, raréfier ; ravaler ; tomber.

DIMINUTIF → *mot, nommer.*

DIMINUTION → *diminuer, laine, payer.*

DIMISSOIRE → *ecclésiastique.*

DIMORPHE → *forme.*

DINANDERIE, DINANDIER → *cuivre.*

DINAR → *monnaie.*

DINDE, DINDON → *oiseau, sot, tromper.*

DÎNER, DÎNETTE, DÎNEUR → *manger, recevoir.*

DINGHY → *bateau.*

DINOSAURES → *reptiles.*

DIOCÉSAIN, DIOCÈSE → *ecclésiastique, province.*

DIODE → *électricité.*

DIONYSOS, DIONYSIES → *mythologie.*

DIOPTRIE, DIOPTRIQUE → *optique, physique.*

DIORAMA → *photographie.*

DIORITE → *pierre.*

DIPHASÉ → *électricité.*

DIPHTÉRIE, DIPHTÉRIQUE → *maladie, microbe.*

DIPHTONGUE, DIPHTONGUER → *son.*

DIPLODOCUS → *reptiles.*

DIPLOMATE, DIPLOMATIE, DIPLOMATIQUE → *charger, fonction, relation, politique.* — **Les diplomates.** Agent diplomatique / secret / spécial ; ambassadeur extraordinaire et plénipotentiaire/de France, ambassade ; attaché d'ambassade/commercial/culturel/militaire ; chancelier, chancellerie; chargé d'affaires; conseiller; consul, consul général, vice-consul, rang consulaire, consulat; corps diplomatique, doyen du corps diplomatique; envoyé personnel/spécial; légat, légation; ministre des Affaires étrangères, ministère, Quai d'Orsay, Foreign Office, ministre plénipotentiaire; *missi dominici;* mission diplomatique/permanente, chef de la mission diplomatique; nonce, internonce, nonciature; poste, être en poste; représentant permanent; résident, résident général; secrétaire, premier secrétaire, secrétaire de chancellerie. — **Usages et privilèges diplomatiques.** La carrière, École nationale d'administration, Son Excellence; accréditer, être accrédité auprès, lettres de créance, audience, droit d'asile, *exequatur,* exterritorialité, inviolabilité, valise diplomatique; rappeler son ambassadeur, lettres de rappel, être déclaré *persona non grata.* — **Actes diplomatiques.** Armistice; charte; concordat; conférence; congrès; convention; déclaration de guerre; dépêche; manifeste; médiation, médiateur, bons offices; mémorandum; négociation, négociateur, émissaire, parlementaire; note; pacte; protocole; ratification; rupture des relations diplomatiques; traité; trêve; ultimatum. ▪ Incident / maladie / manières/pourparlers/usages diplomatiques. ▪ Science des traités, la diplomatique, diplomatiste; paléographie, archiviste-paléographe, École des Chartes.

DIPLÔMÉ, DIPLÔME → *enseignement, souverain, université.*

DIPLOPIE → *œil.*

DIPODE → *pied.*

DIPSOMANE, DIPSOMANIE → *boire.*

DIPTÈRE → *aile, architecture, mouche.*

DIPTYQUE → *livre, peinture.*

DIRE → *affirmer, écrire, parler, récit.*

DIRECT → *droite, grammaire, train.*

DIRECT → *boxe, radio.*

DIRECTEUR, DIRECTION → *bureau, chef, conduire, entreprise, influence.*

DIRECTIVE → *conduire.*

DIRECTOIRE → *art, style, tribunal.*

DIRECTOIRE → *chef, conduire.*

DIRHAM → *monnaie.*

DIRIGEABLE → *aviation.*

DIRIGEANT, DIRIGER → *chef, conduire, entreprise.*

DIRIGISME, DIRIGISTE → *économie.*

DIRIMANT → *annuler, important.*

DISCAL → *disque.*

DISCERNEMENT, DISCERNER → *différence, estimer, reconnaître, regarder.*

DISCIPLE → *apprendre, confiance, respect.*

DISCIPLINAIRE, DISCIPLINE → *enseignement, peine, règle, soumettre.*

DISCOBOLE, DISCOÏDE → *disque.*

DISCONTINU, DISCONTINUER, DISCONTINUITÉ → *durer, intervalle.*

DISCONVENIR → *reconnaître.*

DISCOPHILE → *disque.*

DISCORDANCE → *désaccord.*

DISCORDANT, DISCORDE → *désaccord, discussion, son.*

DISCOTHÈQUE → *disque.*

DISCOURIR, DISCOURS → *convaincre, parler.*

DISCOURTOIS, DISCOURTOISIE → *grossier, manière.*

DISCRÉDIT, DISCRÉDITER → *critique, déplaire, diminuer, réputation.*

DISCRET, DISCRÉTION → *manière, secret.*

DISCRÉTIONNAIRE → *tribunal.*

DISCRIMINATION, DISCRIMINATOIRE → *estimer, opinion.*

DISCULPATION, DISCULPER → *faute, justice.*

DISCURSIF → *raisonnement.*

DISCUSSION, DISCUTER → *critique, désaccord, doute, parler.* — **Parler avec d'autres.** Bavarder, bavardage; causer; conférer, conférence; converser, conversation; conseil; discussion, discuter à bâtons rompus/de choses et d'autres/le coup (pop.)/le bout de gras (pop.), être discuteur, discutailler, discutailleur; épiloguer, épiloguer sans fin; exposer les tenants et les aboutissants, remonter au déluge; ergoter, ergoteur; laïus; logomachie; marchander; négocier; palabrer, palabres; parlementer, parlement; pérorer; raisonner, être raisonneur; relancer la discussion; répliquer, réplique; répondre, réponse; rétorquer; tenir le crachoir (pop.)/le dé de la conversation; verbiage, verbeux. ▪ Article, développer, discourir, disserter, énoncer, énoncé d'un problème, essai, étude, exposer, formuler, mémoire, mettre sur le tapis (fam.), parler de, philosopher sur, proposer, traiter de. — **Examiner par un débat.** Agiter; argument, argumenter, arguer de, être à bout d'arguments, argutie; arbitrer, arbitrage, arbitre; clore la discussion, conclure, conclusion, tirer la leçon/la morale/la philosophie; porter la contradiction, contradicteur, débat contradictoire; controverse, point controversé, éristique; couper court; critiquer, critique ; débattre, débat, debater ; délibérer, délibération ; démêler une question embrouillée ; dialectique ; procéder à un échange de vues ; envisager sous tous les angles/sous tous les aspects/toutes les possibilités/ toutes les solutions ; entrer en lice ; examiner, examen ; (s')expliquer, explication ; joute, joute oratoire ; mettre/révoquer en doute ; mettre en question ; avoir le dernier mot, clouer le bec, l'emporter, sortir vainqueur ; se placer sur un bon/un mauvais terrain ; soutenir un point de vue avec acharnement/mordicus (fam.) ; traiter de ; trancher la discussion. ▪ Argument contestable/criticable/faible/fort ; fait, verser des faits à un dossier ; point contestable/douteux/litigieux ; question ; sujet de discussion, matière à discussion, contentieux. ▪ Argument, explication, objection, passe d'armes, polémique, raisonnement, réfutation, réfuter point par point, thèse. ▪ Discussion amicale / cordiale / franche / loyale / âpre / dure / serrée ; discussion byzantine, chinoiser, couper les cheveux en quatre, pinailler (pop.). — **Discussion violente.** Altercation ; apostrophe, apostropher ; attaque, attaquer ; bagarre ; bataille ; être en bisbille ; se chamailler ; charivari ; chicaner ; contestation, contestataire ; avoir des démêlés ; diatribe ; différend ; dispute, se disputer, disputation théologique ; dissension ; qui s'engage mal, qui s'envenime ; empoignade ; esclandre ; explication orageuse ; guerre ; invectiver, invectives ; avoir des mots, mots qui dépassent la pensée ; prise de bec ; se quereller, querelle, querelleur ; rixe ; scène de ménage, faire une scène/une sortie ; tempête. ▪ Discussion qui tourne à l'aigre/qui tourne mal/qui tourne au vinaigre (fam.)/qui prend mauvaise tournure, ça barde (fam.), ça chauffe (fam.) ; en venir aux mains, s'empoigner, empoignade. — **Qui aime la discussion.** Acariâtre, acharné, agressif, bagarreur, chicaneur, contrariant, avoir l'esprit de contradiction, coriace, mauvais coucheur, disputailleur, mal embouché, enragé, ergoteur, de mauvaise foi, intransigeant, partial, pointilleux, provocateur, raisonneur, répondeur, retors, sectaire, têtu. ▪ Chercher dispute/noise/des crosses (pop.)/quelqu'un (pop.), envenimer la discussion ; ergoter, jeter de l'huile sur le feu/la pagaille (pop.)/ la perturbation/le trouble/la zizanie. — **Manifester son désaccord.** Contrariété, être contrarié ; s'emporter, emportement ; faire la grève ; grogner, grognon, grognard, grogne ; grommeler ; s'insurger ; marmonner ; maugréer ; murmurer ; pester ; faire un procès ; râler, râleur (pop.) ; rechigner ; se récrier ; récriminer, récrimination ; revendiquer ; rogne, se mettre en rogne ; ronchonner, ronchon (fam.) ; rouspéter, rouspétance, rouspéteur (fam.) ; sortir de ses gonds. — **Réprimander.** Admonester, admonestation ; algarade ; attraper quelqu'un ; avertir, avertissement ; blâmer, blâme ; crier après/ contre quelqu'un ; crier quelqu'un (pop.) ; disgracier, disgrâce, tomber en disgrâce ; donner sur les doigts ; doucher, douche écossaise ; emballer (fam.) ; engueuler, engueulade (pop.) ; enguirlander (fam.) ; gourmander ; gronder ; houspiller ; lavage de tête ; leçon ; mercuriale ; faire la morale ; morigéner, moucher (pop.) ; objurguer ; adresser une observation ; passer un savon (fam.) ; remettre à sa place ; remontrance ; représentation ; reprocher, reproche, adresser de vifs reproches ; secouer les puces (fam.) ; sermon, sermonner ; sonner les cloches (fam.) ; tancer d'importance/vertement ; tirer les oreilles.

DISERT → *convaincre, parler.*

DISETTE → *faim, manque.*

DISEUR → *prévoir.*

DISGRÂCE, DISGRACIER → *déplaire.*

DISGRACIÉ, DISGRACIEUX → *déplaire, laid.*

DISJONCTEUR → *électricité, intervalle.*

DISJONCTION → *lier.*

DISLOCATION, DISLOQUER → *casser, détruire, part.*

DISPARAÎTRE → *abandon, cacher, détruire, mourir, partir.*

DISPARATE, DISPARITÉ → *différence.*

DISPARITION, DISPARU → *cacher, mourir.*

DISPATCHER, DISPATCHING → *train.*

DISPENDIEUX → *dépense.*

DISPENSAIRE → *soigner.*

DISPENSE, DISPENSER → *avantage, donner, excuse, règle.*

DISPERSER → *éloigner, lumière.*

DISPLAX → *informatique.*

DISPONIBILITÉ, DISPONIBLE → *fonction, libre, posséder.*

DISPOS → *vie.*

DISPOSER, DISPOSITION → *arranger, convenir, plan, tendance.*

DISPOSITIF → *guerre, machine, tribunal.*

DISPROPORTION, DISPROPORTIONNÉ → *différence, forme, laid.*

DISPUTE, DISPUTER → *adversaire, désaccord, discussion.*

DISQUAIRE → *disque.*

DISQUALIFIER → *faute, sport.*

DISQUE → *athlétisme, dos, musique, son.* — **Enregistrement des sons.** Enregistrer, enregistrement, appareil enregistreur/récepteur, cabine d'enregistrement, ingénieur du son ; graver un disque, gravure, caractéristique de gravure, pas de la gravure, gravure électrique/latérale, sillon, microsillon. ■ Cire, néocire, ébonite, gomme, laque, vinylite, résine vinylique ; phonographie, disque phonographique, discographie. ■ Disque dur/souple ; matrice, mère, mouler, original, pelure, père, presser un disque ; disque d'or ; 78/45/33 tours ; classique, jazz, variétés ; disque mono-stéréophonique/compatible. ■ Bande magnétique, cassette, mini-cassette, dictaphone, magnétophone, piste. ■ Discophile, discothèque (musique disco), disquaire, phonothèque, musée de la Parole. — **Reproduction des sons.** Gramophone, machine parlante, néophone, pathéphone : cylindre, pavillon ; phonographe, tourne-disque, électrophone, chaîne haute fidélité/« hi fi » : aiguille, amplificateur, baffle, bras, changeur de disques automatique, haut-parleur, oscillateur électromécanique/phonocapteur ou pick-up/magnétique ou piézo-électrique, platine, saphir, tête de lecture, tuner. ■ Écouter/mettre/passer/rayer un disque ; concert, danse, musique d'ambiance. — **Divers objets en forme de disque.** Discobole, lancer du disque, palet. ■ Disques intervertébraux, discite, discopathie, hernie discale, sciatique ; disque musculaire. ■ Disque nectarifère des fleurs / nectaire / préhensile de l'ampélopsis. ■ Disque de la lune/du soleil ; disque de charrue/d'embrayage/de frein, frein à disque, disque de stationnement/de téléphone ou cadran ; objet discoïde, feu, disque rouge, disque à distance ; timbre de pendule.

DISSECTION → *chirurgie, couper.*

DISSEMBLABLE → *différence.*

DISSÉMINATION, DISSÉMINER → *étendre, surface.*

DISSENSION, DISSENTIMENT → *désaccord, différence, discussion.*

DISSÉQUER → *chirurgie, couper.*

DISSERTATION, DISSERTER → *discussion, enseignement, raisonnement.*

DISSIDENCE, DISSIDENT → *éloigner, révolte.*

DISSIMILITUDE → *différence.*

DISSIMULATION, DISSIMULER → *cacher, tromper.*

DISSIPATEUR, DISSIPATION, DISSIPER → *débauche, dépense, négliger, partir.*

DISSOCIABLE, DISSOCIATION, DISSOCIER → *intervalle.*

DISSOLU → *débauche.*

DISSOLUTION, DISSOLVANT → *détruire, liquide, mou, nettoyer.*

DISSONANCE, DISSONANT → *désaccord, son.*

DISSOUDRE → *annuler, finir, liquide, mêler.*

DISSUADER, DISSUASION → *influence.*

DISSYMÉTRIE, DISSYMÉTRIQUE → *différence.*

DISTANCE, DISTANCER → *avant, différence, intervalle, supérieur.*

DISTANT → *éloigné, haut.*

DISTENDRE, DISTENSION → *étendre, gonfler.*

DISTILLATEUR, DISTILLATION, DISTILLER → *alcool, liquide, vapeur.*

DISTILLERIE → *alcool.*

DISTINCT, DISTINCTIF → *différence, reconnaître, signe.*

DISTINCTION, DISTINGUÉ → *différence, honneur, manière, raisonnement.*

DISTINGUER, DISTINGUER (SE) → *différence, discussion, réputation.*

DISTIQUE → *poésie.*

DISTORDRE, DISTORSION → *crispation, économie, photographie, radio, tourner.*

DISTRACTION, DISTRAIRE → *éloigner, repos, voler.*

DISTRAIT → *négliger.*

DISTRIBUER → *donner, égal, part.*

DISTRIBUTIF → *grammaire, justice.*

DISTRIBUTION → *cinéma, économie, moteur, part, théâtre.*

DISTRICT → *groupe, part, province.*

DIT → *nommer.*

DITHYRAMBE, DITHYRAMBIQUE → *éloge.*

DIURÈSE, DIURÉTIQUE → *rein.*

DIURNE → *journée.*

DIVA → *chanter.*

DIVAGATION, DIVAGUER → *folie, imaginer, parler, rivière.*

DIVAN → *lit, meuble.*

DIVERGENCE, DIVERGER → *désaccord, éloigner, optique.*

DIVERS, DIVERSIFIER, DIVERSITÉ → *changer, différence.*

DIVERSION → *éloigner, négliger, repos.*

DIVERTIR, DIVERTISSEMENT → *jouer, plaire.*

DIVIDENDE → *banque, revenu.*

DIVIN, DIVINITÉ → *Dieu, pur.*

DIVINATION → *prévoir.*

DIVINISER, DIVINITÉ → *dieu.*

DIVISER, DIVISEUR, DIVISION → *calcul, deux, part.*

DIVORCE, DIVORCER → *désaccord, mariage.*

DIVULGATION, DIVULGUER → *informer, secret.*

DIX, DIZAINE → *nombre.*

DIZAIN → *poésie.*

DJEBEL → *montagne.*

DJELLABA → *vêtement.*

DJINN → *esprit, imaginer, magie.*

DOCILE, DOCILITÉ → *soumettre.*

DOCIMASIE → *médecine.*

DOCK, DOCKER → *marchandises, navire.*

DOCTE → *science.*

DOCTEUR, DOCTORAL → *bible, médecine, parler, science, université.*

DOCTORAT → *université.*

DOCTORESSE → *médecine.*

DOCTRINAIRE, DOCTRINAL, DOCTRINE → *croire, opinion, orgueil.*

DOCUMENT, DOCUMENTAIRE, DOCUMENTALISTE → *informer.*

DODÉCAPHONISME → *musique.*

DODELINEMENT, DODELINER → *balancer, tête.*

DODO → *lit.*

DODU → *gras.*

DOG-CART → *chasse.*

DOGE → *chef.*

DOGMATIQUE, DOGMATISER, DOGMASTISME, DOGME → *croire, décider, entier, opinion, religion.*

DOGUE → *chien.*

DOIGT → *corne, main.* — **Description des doigts.** Dactyle, digital; annulaire, auriculaire ou petit doigt, index, majeur ou médius, pouce; doigt de pied, orteil, gros/petit orteil; empan, face dorsale/palmaire; muscles lombricaux : muscle abducteur/adducteur et opposant du pouce; nerf cubital/médian/radial; phalange, phalangette, phalangine; tendon extenseur/fléchisseur. ▪ Doigts fins/fuselés/longs; doigts boudinés/courts/spatulés. — **Maladies et soins des doigts.** Engelures, envie, goutte, mal blanc, onglée, panaris, rhumatisme articulaire, tourniole; polydactylie, syndactylie; doigts hippocratiques, doigt mort, doigts palmés (palmature), doigt à ressort, doigts soudés. ▪ Cor, orteil en marteau. ▪ Dé, délot, doigtier, gant, poucier, poupée. — **Ce qu'on fait avec les doigts.** Doigté, tact, vélocité; doigts agiles/déliés/souples/de fée; doigts gourds/noueux/raides. ▪ Caresser; dactylographie; effleurer; faire les cornes/un pied de nez; faire craquer ses doigts; menacer/montrer du doigt; mettre le doigt sur la bouche, chut!; palper; pincer, pincée, pince; prendre, prise; taper, tapoter, chiquenaude, pichenette; tâter, marcher à tâtons; toucher, attouchement; tripoter. ▪ Prestidigitation, prestidigitateur; mon petit doigt m'a dit. — **Description des ongles.** Mammifères onguiculés, ongulés : griffe, pince, sabot, serre. ▪ Corne, cuticule, kératine, lit, lunule, matrice, peau de l'ongle; ongles cannelés/lisses/striés; ongles courts/jaunes/longs/noirs ou en deuil/sales. ▪ Manger/ronger ses ongles, onychophagie; égratigner, gratter, griffer. — **Maladies et soins des ongles.** Albugo, onychomycose, onychose, onyxis, tourniole; ongle cassant/incarné. ▪ Manucure, pédicure : brosser / curer / faire / nettoyer / peindre/polir/soigner/vernir ses ongles; matériel/nécessaire/trousse à ongles, onglier : brosse, ciseaux, coupe-ongles, lime, repoussoir. ▪ Dissolvant, laque, rouge, vernis.

DOIGTÉ → *adroit.*

DOIGTIER → *doigt.*

DOL → *tromper.*

DOLCE VITA → *riche.*

DOLÉANCES → *mécontentement.*

DOLENT → *douleur, maladie, triste.*

DOLICHOCÉPHALE → *tête.*

DOLLAR → *monnaie.*

DOLMAN → *vêtement.*

DOLMEN → *édifice.*

DOLOMIE, DOLOMITE → *calcaire.*

DOLOSIF → *tromper.*

DOMAINE, DOMANIAL → *posséder.*

DÔME → *architecture, courbe, église, plancher.*

DOMESTICITÉ, DOMESTIQUE → *animal, maison, servir.*

DOMESTIQUER → *animal, soumettre.*

DOMICILE → *maison.*

DOMICILIATION, DOMICILIER → *habiter.*

DOMINATEUR, DOMINATION, DOMINER → *chef, influence, soumettre, supérieur.*

DOMINICAIN → *monastère.*

DOMINICAL → *journée, repos, travail.*

DOMINION → *colonie.*

DOMMAGE, DOMMAGEABLE → *casser, détruire, mal.* — **Dommage matériel en général.** Abîmer; altérer, altération; amocher (fam.); avarier, avarie; bousiller (fam.); casse; dégât; déglinguer; dégrader, dégradation; déprédation; détériorer, détérioration; détraquer; dévaster; dommage, endommager, endommagement, dédommager, dédommagement, payer les pots cassés, réparer ; esquinter ; estropier ; gâcher, gâchis, gâcheur ; gâter, gâte-sauce ; mal, mettre à mal ; méfait ; meurtrissure ; mutiler, mutilation ; outrage/injures du temps ; pillage, piller, pillard ; ravager, ravage, ravageur, fléau ; saboter, sabotage, saboteur ; saccager, mettre à sac ; sinistre ; usure ; vandale, vandalisme. ■ Acte dommageable/fâcheux/nuisible/préjudiciable. — **Objet particulier qui s'endommage/qui est endommagé.** S'affadir, affadi ; s'affaiblir, affaibli ; s'atrophier, atrophié ; bigorné (pop.) ; brèche, ébréché, ébréchure ; cabossé ; se décomposer, décomposé, décomposition ; défiguré ; défloré ; défoncé ; se déformer, déformé ; délabré, délabrement ; déliquescent, déliquescence ; dépérir, dépérissement ; se désagréger ; enlaidir ; érafler, éraflure ; mauvais/piètre/piteux état ; se fendre, fendu, fendillé, fente ; fermentation ; être fichu (fam.) ; se fissurer, fissuré, fissure : se flétrir, flétri, flétrissure ; se lézarder, lézarde ; malade ; moisir, moisi ; pollution ; pourrir, tomber en poudre / en poussière, pourri, putréfié, putréfaction ; ramolli ; rance, ranci ; rouille, rouiller ; ruine, menacer ruine, tomber en ruine/en décombres ; sombrer ; s'user, usagé, usé ; vermoulu, piqué de vers, mangé, rayé ; vétusté, vétuste ; vicié ; vieilli. ■ Étoffe éraillée/fripée/froissée/mitée/salie/souillée/tachée ; fruit blet/coti/meurtri/trop mûr/pourri/tapé ; viande avancée/faisandée/pourrie ; vin aigre/éventé/qui sent l'évent/passé/piqué/tourné. — **Dommage personnel.** Dommage causé avec ou sans intention de nuire/direct ou indirect/matériel ou moral/prévu ou imprévu ; dommages et intérêts, demander des/réclamer des/poursuivre en/dommages et intérêts ; dommages de guerre ; indemnisation, *pretium doloris*, réparation, sinistré. ■ Atteindre, porter atteinte au crédit/à l'honorabilité/à la réputation/au sérieux ; dam, dol, détriment, lésion, manque à gagner, perte, préjudice, tort. ■ Désavantager, déshériter, léser, offenser ; à ses dépens, pâtir, laisser des plumes. — **Dommage moral et psychologique.** Corrompre, corruption ; débaucher ; décadence, dégénérescence ; déformer l'esprit ; déshonorer ; détraquer l'esprit ; diminuer ; empester ; empoisonner ; fausser l'esprit ; galvauder ; gangrener ; gâter, enfant gâté, vieillard gâteux/ramolli/tombé en enfance ; influence néfaste ; infecter ; passer tout à quelqu'un ; perdre, fille perdue ; pervertir, perversion ; pourrir ; profaner un lieu sacré ; salir ; souiller ; tare ; ternir une réputation ; tourner la tête ; vicier, vicié.

DOMPTER, DOMPTEUR → *soumettre, spectacle.*

DON → *bienfaisance, convenir, donner, succession.*

DONATAIRE, DONATEUR, DONATION → *contrat, donner, succession.*

DONDON → *femme, gras.*

DONJON → *fortification.*

DON JUAN, DONJUANESQUE → *débauche, plaire.*

DONNE → *carte.*

DONNÉE → *fonder, raisonnement.*

DONNER → *attribuer, bienfaisance, informer.* — **Abandonner à titre gracieux.** Aliéner, aliénation à titre gratuit ; allouer, allocation, allocataire ; aumône, faire la charité ; bienfaisance, bienfaiteur, bienfait ; cadeau, faire cadeau ; combler de ; cracher (pop.) ; donner, don, donation, donateur, donatrice, donataire, faire don de, donner son âme/son cœur/son temps/sa vie, il donnerait sa chemise, il a le cœur sur la main, donner et retenir ne vaut ; doter, dot, dotation ; faveur, faveurs ; gaspiller, gaspillage ; gâter, gâterie ; générosité, généreux ; gratifier de, gratification, gratuit, gratis, *gratis pro deo ;* hommage ; largesse, large ; libéralité, libéral ; munificence ; offrir, offre, offrande, oblation ; ouvrir sa bourse/son porte-monnaie ; pièce, pot-de-vin, bakchich, graisser la patte ; pourboire ; présent ; prodiguer, prodigue, prodigalité ; récompenser, récompense ; refiler (pop.) ; sacrifice, sacrifier ; secours ; subside ; subvenir, subvention. — **Donation juridique.** Donation irrévocable / notariée / solennelle ; donation entre vifs/déguisée/gratuite/indirecte/manuelle/onéreuse/sous condition potestative/des biens à venir/caduque ; donation par contrat de mariage/entre époux : dot, régime dotal ; léguer, legs, légataire ; mutation à titre gratuit ; testament, tester. — **Accorder, mettre à la disposition de.** Accorder son amitié/ses faveurs, etc. ; adjuger ; administrer une fessée (fam.)/les sacrements ; apporter/approcher/avancer un siège ; bailler, bailleur de fonds ; céder, concéder, rétrocéder, cession, concession, rétrocession ; conférer ; consentir ; se défaire de ; déléguer ; décerner ; dispenser un cours/une leçon ; distribuer, distribution, distributeur, distributeur automatique ; donner le bras/la main/le sein à un bébé ; fournir, fournir en échange, donnant donnant ; laisser ; marchander ; octroyer ; offrir ; passer ; pourvoir, pourvoyeur ; présenter ; prêter, prêteur, prêt ; procurer ; produire, produit du pays/régional ; rapporter, rendre ; représenter une pièce, donner un bal/une fête ; tendre ; transmettre. — **Rendre.** Compenser, compensation, contrepartie ; donner en retour ; livrer un criminel, extradition ; payer ses dettes, payer de retour ; réhabiliter, réhabilitation ; réintégrer dans ses fonctions/son rang ; rembourser, remboursement ; remettre, remise d'une dette ; rendre, rendre des comptes/la monnaie, faire rendre gorge, reddition ; réparer, réparation, sommeil réparateur ; restituer, restitution ; revigorer, rendre des forces, remontant ; revaloir, je vous le revaudrai. — **Se donner à.** S'adonner ; s'attacher ; se consacrer ; se décarcasser (pop.) ; se dépenser ; se dévouer à ; se donner tout entier/corps et âme, se donner du mal/de la peine, etc. ; se livrer ; se prêter ; se sacrifier à, sacrifice ; se vouer à, voué, don votif. — **Don naturel.** Apanage ; aptitude ; art ; bosse ; capacité ; don, don du Saint-Esprit ; être doté de/doué de/doué pour ; facilité ; faveur ; génie, génial ; grâce ; habileté ; avoir reçu en partage ; privilège ; qualité ; talent.

DON QUICHOTTE → *courage, droite, imaginer.*

DONZELLE → *femme.*

DOPER → *exciter, sport.*

DORÉ, DORER, DOREUR → *or, pâtisserie.*

DORIQUE → *architecture, colonne.*

DORIS → *bateau, mollusques.*

DORLOTER → *aimer, doux.*

DORMANT → *fenêtre, porte.*

DORMANT, DORMEUR → *dormir, lit.*

DORMEUSE → *bijou.*

DORMIR → *attirer, insensible, journée, lit.* — **Endormir, s'endormir.** S'assoupir, assoupissement, s'endormir, endormissement, endormant, endormeur, ennuyeux, fastidieux, fatigant, lassant, monotone, rasant ; balancer/bercer un enfant, berceuse ; bâiller, dormir debout, papilloter, crever (fam.) / tomber de sommeil ; le marchand de sable. ▪ Adoucir, amuser, apaiser, atténuer, attiédir, bercer, calmer, consoler, émousser, engourdir, enjôler, leurrer, soulager, tromper. — **Dormir.** Dodo (fam.) ; dormeur ; méridienne ; pioncer (pop.) ; reposer, repos ; roupiller, piquer un roupillon (pop.) ; sieste ; faire un somme/un petit somme ; sommeil diurne/nocturne, demi-sommeil, en plein sommeil, premier sommeil, sommeiller ; somnoler, somnolent ; torpeur, torpide. ▪ Sommeil dur/pesant/profond/réparateur ; être dans les bras de Morphée ; sommeil du juste/de plomb, dormir comme un loir/une marmotte/à poings fermés/comme une souche/tout son soûl ; dormir comme un sabot/une toupie, ronfler. ▪ Dortoir, lit, chambre à coucher. — **Être inactif ou immobile.** Abruti, alourdi, ankylosé, apathique, appesanti, atone, dormant, engourdi, endormi, faire l'endormi, figé, immobile, indolent, inerte, lent, lourd, lourdaud, mou, paresseux, silencieux. — **Sommeil artificiel.** Cure de sommeil, hypnose, hypnotique, narcose, narcotique, sopor, coma, état comateux ; dormitif, somnifère, soporatif, soporifique, stupéfiant ; bromures alcalins, barbituriques, chloral, chloralose, laudanum, opium, pavot ; calmant, infusion, tisane. ▪ Catalepsie, hypnotiser, hypnotisme, hypnotiseur, état hypnagogique, hypnoblepsie, léthargie, magnétisme, somnambulisme, somnambule. ▪ Anesthésie, anesthésier, anesthésiant, anesthésique, anesthésiste, bromoforme, chloroforme, chloroformer, cocaïne, éther, éthériser, morphine ; insensibiliser. ▪ Maladie du sommeil, trypanosomiase, mouche tsé-tsé. ▪ Estivation, hibernation. — **Éveil.** Éveiller, éveil, s'éveiller, ouvrir les yeux ; réveiller, se réveiller, réveil, réveille-matin ; se lever tôt/tard, faire la grasse matinée. ▪ Ne dormir que d'un œil ; ne pas fermer l'œil, nuit blanche, insomnie, insomniaque, veille, veiller, veillée ; sommeil agité/inquiet, fièvre. — **Rêve.** Cauchemar, cauchemardeux ; délire ; hallucination ; onirique, onirocritie, oniromancie ; rêve, rêver ; songe, la clef des songes.

DORMITION → *vierge.*

DORSAL → *dos.*

DORTOIR → *dormir, lit.*

DORURE → *or.*

DORYPHORE → *insecte.*

DOS → *abandon, arrière, harnais, livre.* — **Le dos de l'homme.** Bas du dos, derrière ; clavicule ; coccyx ; colonne vertébrale, vertèbres dorsales ; épaule, carrure, être carré d'épaules ; épine dorsale, spinal ; fesses, muscles fessiers, fessier, être fessu, lombes, région lombaire ; moelle épinière ; muscles dorsaux, grand/long dorsal, rhomboïde ; trapèze ; omoplate, acromion ; rachis, axe/canal rachidien ; reins. ▪ Bosse, être bossu ; cyphose ; cypho-scoliose ; lordose ; lombalgie, lombarthrose ; lumbago ; myélite ; nouure, noué ; rachialgie ; scoliose ; spondylarthrite ; tassement de vertèbres. — **Positions du dos.** Adosser, s'adosser, dossier d'un siège ; s'allonger ; se coucher ; dormir ; s'étendre ; tomber sur le dos/les quatre fers en l'air/à la renverse. ▪ Avoir dans le dos ; courber le dos ; être dos à dos ; faire le gros dos ; tendre le dos aux coups ; tourner le dos, avoir le dos tourné. ▪ Dos courbé/droit/rond/voûté. — **Le dos de l'animal.** Croupe ; croupion d'un oiseau ; nageoire dorsale ; dos, râble d'un lapin/d'un lièvre ; rein. ■ Bât, dossière, selle, animal ensellé, dos de mulet ou dos de casque, tranchant. — **Le dos d'un objet.** Dos d'un couteau/du rasoir ; dos d'un livre, faux dos, reliure à dos brisé/à dos plein ; envers d'un papier, écrire au dos, endosser. ■ Ados, endos, extrados, intrados, surdos. — **Qu'on met sur le dos.** Dossard de sportif ; dossière ; faix, fardeau, portefaix, porteur, à dos d'homme ; harnachement ; musette ; sac à dos, sac tyrolien ; veste, vêtement.

DOSAGE, DOSE, DOSER → *mesure.*

DOSIMÈTRE → *rayon.*

DOSSARD → *dos, sport.*

DOSSERET, DOSSIER → *arrière, dos, meuble.*

DOSSIÈRE → *dos, harnais.*

DOT, DOTAL → *donner, mariage.*

DOTATION, DOTER → *donner, mariage, posséder.*

DOUAIRE, DOUAIRIÈRE → *femme, noblesse, revenu, succession.*

DOUANE, DOUANIER → *commerce, économie, voler.* — **Organisation générale.** Bureau/poste de la douane ; frontière, poteau frontière, Zoll. ■ Brigades douanières, douanier, gabelou, garde-côte ; contrôleur/receveur des douanes ; Direction générale des douanes et des droits indirects. ■ Commonwealth, Marché commun, Union douanière, zone de libre échange, Zollverein ; traité de commerce. — **Fonctionnement des douanes.** Droits *ad valorem*/spécifiques/fiscaux / prohibitifs / protecteurs ; tarif, système tarifaire, tarification, tarif autonome/conventionnel, double tarif ; tarifs généraux/légaux/préférentiels, clause de la nation la plus favorisée. ■ Commerce extérieur ; contrôle des changes ; déclarer à la douane, déclaration ; dédouaner, dédouanement ; devises ; exemption, franchise, port franc, valise diplomatique ; exportateur, importateur, import-export ; octroi ; taxe ; traite ; transport sous douane / plombé. ■ Formalités douanières ; acquit-à-caution, carnet de passage en douane, draw-back, entrepôt, passavant, passeport, transit, transitaire en douane, triptyque. — **Frauder la douane.** Braconnier, braconner ; clandestin, clandestinement, passager clandestin ; confisquer, confiscation ; contrebandier, contrebande, contrebande absolue/conditionnelle/de guerre ; faux saunier, faux saunage ; fraude, frauder, fraudeur ; frontalier, passeur ; saisir, saisie ; trafiquant d'armes/de cigarettes/de drogue/de sel, commerce interlope. ■ Fouille ; ronde, chemin des douaniers ; surveillance des aérodromes/des côtes/des frontières/des gares/des ports ; visite des bagages.

DOUAR → *habiter.*

DOUBLE → *deux, faux, reproduction.*

DOUBLÉ → *bijou, chasse.*

DOUBLEMENT, DOUBLER → *augmenter, avant, cinéma, deux.*

DOUBLET → *deux.*

DOUBLON → *or.*

DOUBLURE → *deux, spectacle, vêtement.*

DOUCEÂTRE, DOUCEREUX → *doux.*

DOUCEUR → *bon, calme, doux, plaire.*

DOUCHE → *bain, toilette.*

DOUCINE → *menuiserie.*

DOUCIR, DOUCISSAGE → *glace.*

DOUÉ → *adroit, donner, tendance.*

DOUELLE → *tonneau.*

DOUER → *convenir, tendance.*

DOUGLAS → *pin.*

DOUILLE → *électricité, projectile.*

DOUILLET → *doux, sensibilité.*

DOUILLETTE → *vêtement.*

DOULEUR, DOULOUREUX → *mal, maladie, triste.* — **Manifestations physiologiques.** Cri, crier, rugir, aïe !, ouille !, ton larmoyant/pleurard, voix éplorée ; douleur, douleurs, point douloureux ; élancement, élancer ; geindre, geignard ; gémir, gémissement ; grincer des dents, serrer les dents/les poings, tressaillir ; larmes, se plaindre, pleurer, pleurnicher, sangloter ; mimique faciale, grimace, grimacer, rictus, yeux gonflés/rouges, visage baigné/inondé de larmes ; trouble circulatoire/nerveux, convulsions, étouffement, fièvre, oppression, pâleur, palpitations, pincement au cœur, rougeur, spasme, tremblement, trembler. ■ Accès, crise, moment critique, paroxysme. ■ Algie, -algie : céphalgie, gastralgie, etc. ; barre ; brûlure ; colique ; courbature, lumbago ; crampe ; effort, claquage ; goutte ; inflammation, être enflammé ; mal, mal de tête, etc. ; malaise ; migraine ; morsure ; point ; rage de dents ; rhumatisme ; tranchée. ■ Brûler, cuire ; comprimer, écraser, pincer ; endolori, douloureux, enflammé, gonflé, cloqué, infecté ; gratter, irriter, démanger, prurit. — **Douleur morale ou psychologique.** Affliction, affliger ; affres ; amertume ; angoisse, angoisser, angoissant ; chagrin, chagriner ; componction ; consternation, consterner, consternant ; contrition, contrit ; crève-cœur ; déchirement, déchirer, déchirant ; désespoir, désespérer, désespérant ; désolation, désoler, désolant ; détresse ; deuil, endeuiller ; épreuve, éprouver, éprouvant ; expier, expiation, expiatoire ; infortune ; mal, malheur; misère; se mordre les doigts; navrer, navrant; peine, peiner, pénible; regretter, regret, remords, remâcher sa souffrance; repentir; souffrance; tourment, tourmenter; tribulation; transes; tristesse. ■ Être abîmé dans la douleur, accablé / anéanti / assommé / écrasé / envahi/épuisé/submergé de douleur; avoir le cœur gros/percé/serré/transpercé/qui saigne, être pantelant; raviver une douleur, remuer/retourner le couteau dans la plaie. ■ Partager la douleur de quelqu'un, condoléances, sympathie. ■ Calvaire; couronne d'épines; croix, porter sa croix, être crucifié; passion, pathétique; enfer, géhenne, martyre, purgatoire, supplice; boire le calice jusqu'à la lie; Notre-Dame des Sept-Douleurs. — **Sortes de douleurs.** Aiguë, fulgurante, irradiante, lancinante, pongitive, profuse, pulsatile, sourde, tensive, térébrante. ■ Atroce, cruelle, cuisante, déchirante, horrible, infernale, insupportable, intolérable, pénétrante, pénible, poignante, sensible, torturante, vive, violente. — **Souffrir, faire souffrir.** Endurer, endurance; éprouver; être sur un lit de douleur; mal, avoir mal, malade; pâtir, patient; ressentir, sentir; souffrir, souffrance, souffrant, souffreteux, souffre-douleur, souffrir comme un damné/le martyre/mille morts; soutenir; subir; supporter. ■ Arracher le cœur, briser, déchirer, écarteler, martyriser, percer, ronger, tenailler, tirailler, torturer, tourmenter, travailler. — **Qui aime souffrir/faire souffrir.** Atrocité; barbare, barbarie; boucher; bourreau; brute; cruel, cruauté, cruauté mentale, raffinements de cruauté; dénaturé; féroce, férocité; fléau du genre humain; ignoble, ignominie; implacable, inexorable; monstre, monstrueux, monstruosité; Néron; odieux; sanguinaire, altéré de sang, soif de sang; sans cœur, sans entrailles, sans pitié; *SS;* tortionnaire; tyran, vampire. ■ Coup, flagellation, mortification, se mortifier, cilice, discipline, haire, jeûne, macération; masochisme, sadomasochisme, sadisme; mutilation, torture; éprouver un plaisir malsain/pervers/sadique; jouir de la douleur, érotisation de la douleur. — **Résister à la douleur.** Analgésie, anesthésie, insensibilisation, narcotique. ■ Dur au mal/à la souffrance, s'endurcir, s'entraîner, s'exercer; stoïcisme, stoïque, stoïcien, « Douleur, tu n'es pas un mal », « Souffre et abstiens-toi ».

DOUMA → *gouverner.*

DOURO → *monnaie.*

DOUTE, DOUTER, DOUTEUX → *balancer, croire, discussion, faux, obscur.* — **Être incrédule.** Affirmer le contraire; anxiété, anxieux; avoir un doute/des doutes; blasé; circonspect; contester; contredire, controverser; critiquer; défiance, défiant, se défier de soi-même; désespérer; discuter; douter de l'authenticité/de l'exactitude/de la réalité/de la sincérité/de la vérité; émettre un doute, esprit fort, être/laisser dans le doute, ton dubitatif; incertitude; incroyance; incrédule, incrédulité; inquiétude; jalousie; libre examen, libre penseur; mécréant; méfiance, méfiant; mettre en doute/en question; nier; objecter, objection; « Que sais-je? »; perplexité; philosophe, philosophique; pyrrhonien, pyrrhonisme; récuser; remettre en question; réserve, faire des réserves, être réservé; révoquer en doute; sceptique, scepticisme; soupçonner, soupçonneux; suspension du jugement; suspicion, tenir en suspicion; voltairien. — **Inconnu, douteux.** Acceptable, alambiqué, ambigu, amphibologique, apparent, attaquable, casuel, confus, conjecture, se perdre en conjectures, contestable, critiquable, croyable, incroyable, deviner, discutable, discuté, douteux, embarrassant, embrouillé, énigmatique, équivoque, évasif, faux-fuyant, flou, hypothèse, hypothèse gratuite, hypothétique, illimité, imprécis, inconnu, indéfini, indéterminé, indistinct, inexact, interlope, inventé, irréel, litigieux, louche, de mauvais goût, de mauvaise qualité, mystérieux, nébuleux, niable, obscur, plausible, précaire, présumer, présupposer, prétendre, réponse de Normand, supposition, suspect, vague, véreux. ■ Espèce de, genre de, sorte de; chose, machin, truc. — **Avenir douteux.** Admissible, inadmissible, aléatoire, avenir, chance, conditionnel, contingent, éventuel, futur, hasard, hasardeux, imprévisible, incertain, mettre la puce à l'oreille, éveiller les soupçons, en perspective, possible, prédiction, prédire, prévision, prévoir, probable, improbable, problématique, pronostic, provisoire, putatif, risque, risquer de, virtuel, vraisemblable, invraisemblable. ■ Sans conteste, sans aucun doute, sans doute, sans nul doute; certainement, sûrement; apparemment, peut-être, probablement, vraisemblablement. — **Douter de ce qu'on a à faire.** Ajourner; être comme une âme en peine; atermoyer; balancer; ballotter; biaiser; chanceler; chimérique; craindre, crainte, craintif; défiant; désarroi; désorienté; différer; discrétion; ébranlé; embarras, embarras du choix, embarrassé; faible; flottant, flotter; fluctuation; se garder, être sur ses gardes/sur le qui-vive; hésiter à, hésitation; incertitude; indécis, indécision; indétermination, insécurité; instable, instabilité; irrésolu, irrésolution ; lanterner ; louvoyer ; ménager la chèvre et le chou ; mettre en garde ; être comme l'oiseau sur la branche, osciller ; perplexe, perplexité ; précautionneux ; présumer ; prudence, imprudence ; redouter ; réserve, se réserver, réserver ; réticence, réticent ; ne pas savoir sur quel pied danser, être bien en peine de savoir ; suspendre son jugement, être en suspens ; avoir scrupule à, scrupuleux ; se tâter, tâtonner ; temporiser ; tergiverser ; timidité ; timoré ; il n'y a pas à tortiller (fam.) ; se troubler ; vaciller ; varier ; velléitaire, velléité.

DOUVE → *fortification, tonneau.*

DOUX, DOUCE → *bienfaisance, bon, calme, caresse.* — **Doux aux sens.** Agréable, agréablement ; bon, bien-être, bonheur ; délicat, délicatesse, délicatement ; délice, délicieux ; délectation, délectable, se délecter ; douillet ; doux, douceur, doux-amer ; enchanteur ; estompé, estomper ; exquis ; fin ; flûté ; fondant ; friandise ; harmonieux ; mélodieux ; miel ; moelleux ; onctueux ; savoureux ; soyeux ; suave, suavité ; succulent ; sucré, sucrerie ; tamisé ; tendre, tendreté ; velours, velouté. ■ Adoucir, assouplir, dulcification, dulcifier, édulcorer, tempérer. — **De caractère doux.** Accueillant ; affable, affabilité ; aimable, amabilité ; amène, aménité ; angélique ; anodin ; bienveillant, bienveillance ; bénin, bénignité ; bon, bonté, bonasse, bonhomme ; calme ; caressant, caresse ; charitable, charité ; charmant, charme ; clément, clémence ; complaisant ; conciliant ; coulant ; débonnaire ; délicat, délicatesse ; désarmant, désarmé ; douillet, doux, doucet, adoucir ; facile ; fin, finesse ; gentil, gentillesse ; gracieux, grâce ; humain ; indolent ; indulgent ; liant ; malléable ; mansuétude ; mignon ; modéré, modération ; mou, mollesse ; pacifique, paisible, pacifisme, paix ; patient, patience ; placide, placidité ; serein, sérénité ; tempéré ; tendre, tendresse ; tolérant ; traitable ; tranquille. ■ Agneau, colombe, mouton. — **Mouvements ou manières douces.** Amadouer ; s'attendrir ; câliner, câlinerie ; chatterie ; couci-couça ; délicat ; discret ; dorloter ; tout doux !, en douce (fam.), se la couler douce (fam.), doucettement ; euphémisme, euphémique ; faible ; furtivement ; graduellement, par degrés ; imperceptible ; insensible ; langoureux, langueur ; léger ; lent, lenteur ; mollement, mollo (pop.), mou (pop.) ; pas à pas, à pas feutrés ; patient ; piano, pianissimo ; peu à peu, petit à petit ; posé ; avec précaution, précautionneusement ; se radoucir ; sourdement ; en tapinois. — **Excès de douceur.** Douceâtre, doucereux, écœurant, emmiellé, fadasse (fam.), fade, faiblard (fam.), faible, insipide, liquoreux, sirupeux, sucré, tiédasse. ■ Affecté, affectation ; cauteleux ; faire la chattemitte/la fine bouche/le bec enfariné ; enjôleur ; fade, dire des fadaises ; hypocrite ; insinuant ; mielleux ; mièvre, mièvrerie ; mignard, mignardise ; obséquieux ; onctueux, onction ; papelard ; patelin ; simulé ; sournois, sournoiserie ; être tout sucre, tout miel. ■ Grippeminaud, Tartuffe.

DOXOLOGIE → *éloge, opinion.*

DOYEN → *âge, vieillesse.*

DOYEN → *université.*

DOYEN, DOYENNÉ → *ecclésiastique.*

DRACHME → *monnaie.*

DRACONIEN → *dur.*

DRAGÉE → *amande, confiserie.*

DRAGEON, DRAGEONNER → *arbre.*

DRAGLINE → *trou.*

DRAGON → *animal, cheval, femme.*

DRAGONNE → *bande.*

DRAGUE, DRAGUER → *boue, nettoyer.*

DRAGUEUR → *bateau, exploser.*

DRAIN, DRAINAGE, DRAINER → *canal, sec, tuyau.*

DRAISINE → *train.*

DRALON → *tissu.*

DRAMATIQUE, DRAMATISER → *difficile, imaginer, théâtre.*

DRAMATURGE, DRAMATURGIE → *théâtre.*

DRAME → *malheur, théâtre.*

DRAP → *gêner, lit, tissu.*

DRAPÉ → *pli.*

DRAPEAU → *armée, symbole, train.*

DRAPEMENT, DRAPER, DRAPER (SE) → *couvrir, orgueil, pli.*

DRAPERIE, DRAPIER → *décoration, tissu.*

DRASTIQUE → *nettoyer.*

DRÊCHE → *bière.*

DRÈGE → *pêche.*

DRELIN → *bruit.*

DRESSAGE, DRESSER → *animal, apprendre, droite, écrire, exciter, soumettre.*

DRESSOIR → *manger, vaisselle.*

DRIBBLE, DRIBBLER → *balle.*

DRILLE → *joie.*

DRISSE → *voilure.*

DRIVE, DRIVER → *balle.*

DRIVE-IN → *cinéma.*

DROGUE, DROGUER (SE) → *médicament, poison.*

DROGUERIE, DROGUISTE → *marchandises.*

DROIT → *contrat, impôt, justice, loi, règle, tribunal.* — **Origines et carac-**

tères du droit. Coutume, coutumier; droit acquis/divin/naturel; force; habitude; intérêt; morale; nature; principe; tradition. ■ Bon droit, bonne foi; droit écrit/oral, droit des gens; équitable, équité; inaliénable; juste, justice; positif; raison; règle sociale. ■ Droit répressif/sacré/souverain/universel. — **Être soumis au droit, droit objectif.** Arrêt, arrêté, Code civil, Constitution, contrainte, contrat, convention, décret, disposition, doctrine, impératif, institution, juridiction, jurisprudence, justice, légalité, législatif, législation, législation comparée, légitime/de droit, légitimité, loi, obligation, ordonnance, prescription, principe, règle, règlement, réglementation, stipulation. ■ Droit administratif/aérien / canon / canonique / catholique / civil/commercial/cambial et maritime/ commun / constitutionnel / coutumier/ financier/international/pénal ou criminel/politique / privé / public / social. — **Étude du droit.** École nationale d'administration (E.N.A.), École des Sciences politiques (Sciences Po), Faculté/Université de droit. ■ Agrégé, agrégation, capacitaire, doctorat, docteur, licence, licencié. ■ Avocat, civiliste, conseiller juridique, juge, juriste, magistrat, notaire, clerc de notaire. — **Avoir le droit, droit subjectif.** Autorisation, droit, exigence, exigible, faculté, permis, permission, possibilité, pouvoir, prérogative, privilège, qualité. ■ Acquérir/avoir/conférer le droit/la liberté; être en droit de, être dans son droit; avoir/faire valoir un droit/des droits/des garanties/des titres; revendiquer la jouissance/la possession; être fondé pour/mal venu à; réhabilitation, réhabiliter. ■ De droit, de plein droit, sans contestation; à bon droit, en toute justice, à juste titre, avec raison. ■ Droit, pouvoir, puissance; droit d'aînesse/du plus fort/du sang; majorité civile et civique, majorité pénale; droit d'asile/de cité/de défense/de jouissance/de passage/de préemption/de propriété/de réponse/ de reproduction/de visite. — **Droits de l'homme et du citoyen.** Aide sociale, Assistance/Sécurité sociale; dignité de l'homme; droit familial et social; égalité fiscale/judiciaire/législative/politique/raciale; liberté économique/du travail/individuelle/d'association/de croyance/d'enseignement/ d'opinion/de pensée/de presse/de réunion. ■ Droits politiques : citoyen actif/passif, électeur, élection, éligible, majeur, majorité, scrutin, suffrage, voix, vote; séparation des pouvoirs; souveraineté de la Nation. — **Défendre ses droits.** Acte/action judiciaire/ juridique; aller devant la justice/les tribunaux; constat d'huissier; ester en justice; être forclos, forclusion; intenter/ouvrir un procès, plaider, porter plainte, poursuivre quelqu'un, saisir la justice. ■ Faire droit à quelqu'un; accorder, rendre justice, par arrêt/ décision/jugement du tribunal; compromis; exécution, médiation, opposition, sommation, transaction, voies d'exécution. ■ Ayant cause, ayant droit, défendeur, demandeur, juge, juré, jury, magistrat, partie, témoin, tiers, tribunal.

DROIT → *angle, franc, justice.*

DROITE → *gauche, ligne, parti, politique.* — **Côté droit.** Être assis à la droite de, place d'honneur; conduite à droite, garder/tenir sa droite, prendre à droite, priorité à droite, tourner à droite; dextre, dextrogyre; droite d'une assemblée politique, conservateur, droitier, extrême droite; membre droit, jambe, main, pied, etc., droite, droitier, à droite, droite!, faire un à droite; tribord. — **Ligne droite.** Aligner, alignement; angle aigu/droit/ obtus; axe; azimut; bissectrice; diagonale; diamètre; droite d'Euler/de Simpson; équerre; fil, droit-fil, fil à plomb; file, file indienne; géométrie plane; ligne, ligne droite/horizontale/ oblique/parallèle/de pente/perpendiculaire ou normale/verticale; niveau, niveler, nivellement; pente abrupte/ escarpée/raide; à-pic; rang, rangée, se mettre en rangs/en rangs d'oignons; règle, rectiligne, rectitude; souligner, soulignement; té, tire-ligne; trait, rayer d'un trait de plume, barrer, biffer. ■ En droite ligne, directement, sans intermédiaire, de la main à la main. — **Mettre debout.** (Se) cabrer; dresser; ériger, érection, érectile; étayer, arc-boutant, étai, tuteur; ficher; hérisser; lever, relever, appareil de levage; mettre d'aplomb/sur pied; planter. ■ Bâton, cierge, colonne, mât, montant, pieu, piquet, poteau. — **Mettre droit, redresser.** Aplanir, planer, plan; découder, défausser, dégauchir, détordre, etc.; dressage d'une tôle, planage; équarrir; érection d'un monument, ériger; polir, poli, lisse; racler, raclette; râtisser, râteau; rectifier; tailler, taille. ■ Amender, amendement; apprivoiser, apprivoisement; corriger, correction; dresser un animal, dressage, dompter; éduquer, éducation, éducateur; former, formation; mater (fam.); remettre dans le droit chemin; faire les pieds; poli; redresser un bilan; redresser un être humain, maison de redressement; redresser physiquement, corset, gymnastique corrective, orthopédie; redresseur de torts, défenseur de la veuve et de l'orphelin, don Quichotte; réformer, réforme, réformateur, réformisme; relever, relèvement; réparer, réparation;

restaurer, restauration; rétablir, rétablissement; styler, employé stylé.
DROIT-FIL → *droite.*
DROITIER → *droite, parti.*
DROITURE → *franc.*
DROLATIQUE, DRÔLE → *rire.*
DRÔLE → *homme.*
DRÔLERIE → *rire.*
DRÔLESSE → *femme, mépris.*
DROMADAIRE → *animal, bosse.*
DRU → *abondance, épais.*
DRUGSTORE → *marchandises.*
DRUIDE, DRUIDISME → *religion.*
DRUMS → *jazz.*
DRUPE → *noyau.*
DRY → *sec.*
DRY-FARMING → *culture.*
DRYADE → *bois.*
DÛ → *devoir.*
DUALISME → *deux, philosophie.*
DUBITATIF → *doute.*
DUC → *noblesse, oiseau, souverain.*
DUCASSE → *fête.*
DUCAT → *or.*
DUCHÉ → *noblesse.*
DUCTILE, DUCTILITÉ → *métal.*
DUÈGNE → *défendre, femme, suivre.*
DUEL, DUELLISTE → *adversaire, offense.*
DUETTISTE, DUETTO → *deux, chanter, musique.*
DUFFEL-COAT, DUFFLE-COAT → *vêtement.*
DUIT → *hydraulique.*
DULCIFICATION, DULCIFIER → *doux.*
DULCINÉE → *femme.*
DULIE → *ange, imaginer.*
DUM-DUM → *projectile.*
DUMPING → *commerce, économie.*
DUNE → *sable.*
DUNETTE → *navire.*
DUO → *deux, chanter, groupe.*
DUODÉNITE, DUODÉNUM → *intestin.*
DUPE, DUPER, DUPERIE → *sot, tromper.*
DUPLEX → *deux.*
DUPLEX → *télécommunications.*
DUPLICATA, DUPLICATEUR, DUPLICATION → *deux, reproduction.*
DUPLICITÉ → *deux, faux.*
DUR → *déplaire, difficile, insensible, résister.* — **Dur au goût.** Acide; âcre, âcreté; aigre, aigreur; amer, amertume; âpre, âpreté; coriace; avoir du corps, corsé; croquant; croustillant, croûte, croûton; épicé; raide; râpeux; relevé; salé; tendineux. ■ Caillou, caoutchouc, pierre; eau calcaire. — **Dur au toucher.** Adamantin; consistant, consistance; empesé; ferme, fermeté; glacé; induré, induration; pétrifié, dur comme pierre; raboteux, raboter; racorni; rassis; rêche; rénitent; résistant, résistance; rigide, rigidité; rocailleux; rugueux, rugosité; sec; solide; substantiel; thermodurcissable ■ Acier, acier trempé, airain, bois, diamant, fer, pierre, roc. — **Qui résiste à quelque chose.** Aguerri; courageux; désobéissant; être dur à la fatigue/au mal/à la peine/à la tâche; dur à cuire, un dur (fam.), un dur de dur (fam.); endurant; endurci; entêté; patient; réfractaire; tenace; têtu; turbulent. ■ Avoir l'oreille dure, être dur d'oreille/dur de la feuille (pop.); avoir la peau dure, être blindé/cuirassé, cuir; avoir la tête dure, être bouché/borné/buté/entêté/têtu. — **Pénible à supporter.** Apre, âpreté; désolé, désolation, paysage lunaire; heurté; inclément; inhospitalier; rebutant; rigoureux, rigueur; rocailleux; rude, rudesse; sec, sécheresse; verdeur de propos. ■ Acharné, acharnement; affligeant; choquant; difficile, difficulté; douloureux, douleur; farouche; malaisé, pénible; repoussant; sévère, sévérité. ■ Criard, discordant, dissonant, écorcher les oreilles. ■ En voir de dures (fam.), coucher sur la dure (fam.), coup dur (fam.), à dure école. — **Dur de caractère.** Acariâtre; acerbe; acéré; acrimonieux, acrimonie; sans âme; arrogant, arrogance; austère, austérité, ascète; autoritaire; barbare, barbarie; blessant; bourru; bref; brusque, brusquerie; brutal, brutalité; cassant; cinglant; sans cœur; coupant; cruel, cruauté; dénaturé; direct; égoïste, égoïsme; sans entrailles; entier; exigeant; farouche; féroce, férocité; froid, froideur; glacé, glacial, être de glace; hargneux, hargne; impassible, impassibilité; impitoyable, implacable; inclément; indifférent, indifférence; inébranlable; inexorable; inflexible; inhumain; insensible, insensibilité; intraitable; intransigeant, intransigeance; irascible, irascibilité; irritable; méchant, méchanceté; rébarbatif; réfrigérant; renfrogné; revêche; rigoriste; rogue; rude, rudesse; rustre; sauvage, sauvagerie; sec, sec de cœur, sécheresse; sévère, sévérité; sombre; stoïque; strict; terrible; vache (pop.); violent. — **Dur d'autorité.** Ne pas badiner; barder (fam.); chauffer (fam.); être à cheval sur; despote, despotisme; discipline, discipline de fer/spartiate; draconien; exigeant; main de fer; malmener; maltraiter; mener à la baguette/au knout, mener la vie dure; ne rien passer; parler en maître/crûment/sans ménagement; rembarrer; rudoyer; sévir, sévices; éducation spartiate; tenir la bride haute; tyran, tyrannie. ■ Cerbère,

marâtre, rabat-joie, pète-sec, rosse (fam.), vache (fam.). — **Durcir.** Affermir; aguerrir; aigrir; callosité, cor, corne, durillon; cristalliser; cuirasser; endurcir; glacer; indurer, induration; racornir; raffermir; rassir, pain rassis; scléreux, sclérose, artériosclérose, se scléroser; sécher; solidifier.

DURABILITÉ, DURABLE → *durer.*

DURALUMIN → *aluminium.*

DURAMEN → *arbre.*

DURCIR, DURCISSEMENT → *dur, insensible, résister.*

DURÉE → *durer, temps.*

DURE-MÈRE → *cerveau.*

DURER → *petit, temps, vieillesse.* — **Avoir une durée.** Pendant combien de temps?, au cours de, durant, pendant; cependant que, pendant que, tandis que. ▪ Depuis combien de temps?, il y a quelque temps, voici/voilà quelque temps; depuis peu, dernièrement, naguère, récemment; de temps immémorial; de toute antiquité. ▪ Jusqu'à quand?, dans/pour quelque temps; à court/long/moyen terme; à jamais, à perpétuité, sans rémission, pour toujours, pour la vie, *in aeternum.* ▪ Age; cours; durée; espace; existence; laps; période; succession; suite; temps; vie; couler, durer, s'écouler, être, exister, passer, se succéder, vivre, être vif/vivace/vivant. — **De longue durée.** Ancien, ancienneté; éternel, éternité, éterniser; immortel, immortalité; infini; long, longévité; pérennité; perpétuel, perpétuité; vieux, vieillesse. ▪ Consécutif; continu, continuité, continuel; constant, constance; définitif; durable; endémique; enraciné; ferme, fermeté; fidèle, fidélité; illimité; impérissable; imprescriptible; incessant; indélébile; inépuisable; intarissable; interminable; invétéré; longuet (fam.); opiniâtre, opiniâtreté; permanent, permanence; persévérant, persévérance; persistant, persistance; régulier, régularité; résistant, résistance; sempiternel; suivi; survivance, survivre; tenace, ténacité; vie, à vie, viager. ▪ Continuer, défier les années, demeurer, durer, s'entêter, s'étendre, s'éterniser, fixer (fixation, fixité), immortaliser, insister, perpétuer, persévérer, persister, poursuivre, prolonger, régner, résister, rester, soutenir un effort, subsister, tirer/traîner en longueur. ▪ D'affilée, d'arrache-pied, de longue haleine, à jet continu, d'un seul jet, longtemps, longuement, sans arrêt, sans cesse, sans désemparer, sans discontinuer, sans fin, sans interruption, sans trêve. — **De courte durée.** Caprice, coup de foudre/de tête, déjeuner de soleil, éclair, étincelle, étoile filante, fantaisie, feu de paille, instant, lubie, lueur, météore, minute, moment, orage, passade, passage, seconde, toquade. ▪ En un clin d'œil, en moins de rien, en un tournemain. ▪ Accidentel; bref, brièveté; caduc, caducité; changeant; discontinu, discontinuité; éphémère; épidémique; fragile, fragilité; frêle; fugace, fugacité; fugitif; fulgurant, fulgurance; inconstant, inconstance; instable, instabilité; instantané, instantanéité; intérimaire, intérim; intermittent, intermittence; momentané; passager; périodique, péripdicité; précaire, précarité; provisoire; révocable; temporaire; transitoire; vain, vanité. ▪ Couler, disparaître, s'enfuir, s'évanouir, filer, fuir, passer.

DURETÉ → *difficile, dur, insensible.*

DURILLON → *dur, main, pied.*

DURIT → *moteur, tuyau.*

DUUMVIR → *magistrat.*

DUVET, DUVETEUX → *lit, plume, poil.*

DYKE → *volcan.*

DYNAMIQUE → *groupe, mécanique.*

DYNAMIQUE, DYNAMISME → *force, santé, vif.*

DYNAMITAGE, DYNAMITE, DYNAMITER → *détruire, exploser.*

DYNAMO → *électricité, moteur.*

DYNAMOGRAPHE, DYNAMOMÈTRE → *force.*

DYNASTIE → *souverain, suivre.*

DYNE → *force, mesure.*

DYSARTHRIE → *parler.*

DYSCHROMIE → *peau.*

DYSCRASIE, DYSCRASIQUE → *psychologie.*

DYSENTERIE, DYSENTÉRIQUE → *intestin, microbe.*

DYSGRAPHIE → *écrire.*

DYSLALIE → *parler.*

DYSLEXIE → *lire.*

DYSMÉNORRHÉE → *sang.*

DYSPEPSIE, DYSPEPSIQUE, DYSPEPTIQUE → *estomac, foie.*

DYSPNÉE → *respiration.*

DYSURIE, DYSURIQUE → *rein.*

EAU → *canal, hydraulique, liquide, mer, nager, pluie, rivière.* — **Propriétés de l'eau.** Couleur de l'eau : bleu, bleuté, incolore ; inodore ; insipide, saveur ; transparent, transparence ; l'eau bout à 100 °C, vapeur, évaporation ; l'eau gèle à 0 °C, glace, glaçon, congeler. ▪ Composé stable : hydrogène, oxygène ; déshydrater, hydratation, hydrate, hydrater, hydrolyse. ▪ Atmosphère, humidité, hygrométrie, pluie ; évaporation, condensation, précipitation ; eau courante/vive ; eau d'infiltration / de ruissellement / sauvage ; eaux souterraines, nappe ; eau douce/de mer ; eau dure/minérale. ▪ Élément aqueux, plante aquatique. ▪ Hydrogéologie, hydrographie, hydrologie, hydrométrie, corps hydrosoluble ; hydrophile, hydrophobe. — **Qui contient ou fournit de l'eau.** Adduction d'eau, adducteur ; aquarium ; aqueduc ; bassin ; canal, canaliser, canalisation ; capter, captage ; cascade ; château d'eau ; chute d'eau ; citerne ; colonne ; conduite/forcée ; étang ; flaque, fontaine, fontaine Wallace ; geyser ; jaillir, jet d'eau ; jeu d'eau, les grandes eaux de Versailles ; lac, lac artificiel, barrage, eau croupissante/dormante/stagnante ; lagune ; marais ; mare ; nappe aquifère/karstique/profonde ou captive/souterraine/superficielle ou phréatique ou libre, affleurement, émergence ; pièce d'eau ; piscine ; pompe, aspirante et refoulante ; prise d'eau ; puits, puits artésien ; réserve, réservoir ; résurgence ; robinet, robinetterie ; sourdre, source, sourcier ; suinter ; thermo-syphon, trop-plein ; tuyau ; vanne. ▪ Déborder, dégorger, inonder, submerger, submersible. — **Utilisation de l'eau.** Se baigner, bain ; avoir de l'eau jusqu'au cou/jusqu'à la ceinture/à mi-jambes ; barboter ; boire la tasse (fam.) ; se mouiller ; nager, nage, nageur ; se noyer, hydrocution ; plonger ; se tremper. ▪ Boire de l'eau, boisson, château-la-pompe (pop.), flotte (fam.) ; eau potable/fraîche / incolore / inodore / limpide / pure. ▪ Laver à l'eau ; lessive, lessiver ; rincer, rinçage ; vaisselle. ▪ Se laver : ablutions, bain, douche, pot à eau, lavabo, savon, toilette ; chasse d'eau. ▪ Arrosage, arroser, arrosoir, tourniquet ; drainage, drainer, drain ; humecter, humidifier ; irriguer, canal d'irrigation ; tremper, trempage. — **Hydrothérapie.** Eaux chaudes/froides/thermales/volcaniques ; eaux alcalines/arsenicales/calciques et magnésiennes/chlorurées sodiques/ferrugineuses/indéterminées/radioactives/sulfureuses. ▪ Bain, boisson, douche, vapeur ; cure d'eaux, aller aux eaux, ville d'eaux, les eaux de la Bourboule/de Vichy, etc., thermalisme. — **Eaux sales ou usées.** Eau boueuse / croupie / impure / sale/saumâtre / trouble / vaseuse ; bactérie, germe, impureté, microbe. ▪ Eaux grasses/ménagères, petites eaux, eaux résiduaires, eau de vaisselle, eaux-vannes, eau de vidange ; épandage, champ/nappe d'épandage ; évacuation des eaux : caniveau, chantepleure, collecteur, descente, déversoir, égout, évier, fosse, gouttière, rigole. — **Amélioration des eaux.** Aération ; clarification ; décantation, laisser reposer ; épuration ; filtration, filtrage, filtre, bougie de Chamberland ; javellisation ;

minéraliser, minéralisation ; précipitation ; procédé d'Anderson ; stérilisation, eau distillée/stérilisée ; verdunisation. ▪ Eau douce, adoucir l'eau, adoucisseur, corps échangeurs/de base/d'ions, résines, régénération de l'adoucisseur ; eau dure, mesure de la dureté, degré hydrotimétrique. ▪ Eaux gazeuses artificielles, siphon, sparklet (n.d.) ; gazomètre, saturateur, tireuse.

EAU-DE-VIE → *alcool.*

EAU-FORTE → *graver.*

EAUX-VANNES → *eau, résidu.*

ÉBAHIR → *étonner.*

ÉBARBER, ÉBARBOIR → *enlever, livre, métal.*

ÉBATS, ÉBATTRE (S') → *joie, jouer, mouvement.*

ÉBAUBI, ÉBAUBIR (S') → *étonner.*

ÉBAUCHE, ÉBAUCHER → *art, commencer.*

ÉBAUCHOIR → *sculpture.*

ÉBÈNE → *bois, cheveu, noir.*

ÉBÉNISTE → *bois, menuiserie, meuble.*

ÉBERLUÉ → *étonner.*

ÉBLOUIR, ÉBLOUISSANT, ÉBLOUISSEMENT → *beau, étonner, lumière, orgueil.*

ÉBONITE → *caoutchouc.*

ÉBORGNER → *arbre, œil.*

ÉBOUEUR → *résidu.*

ÉBOUILLANTER → *chaleur.*

ÉBOULEMENT, ÉBOULIS → *amas, tomber.*

ÉBOURGEONNER → *arbre, vigne.*

ÉBOURIFFANT, ÉBOURIFFER → *cheveu, étonner.*

ÉBRANCHAGE, ÉBRANCHER → *arbre.*

ÉBRANLER → *mouvement, remuer.*

ÉBRASEMENT, ÉBRASER, ÉBRASURE → *fenêtre, grand, porte.*

ÉBRÈCHEMENT, ÉBRÉCHER, ÉBRÉCHURE → *casser, dommage, ouvrir.*

ÉBRIÉTÉ → *boire.*

ÉBROUEMENT, ÉBROUER (S') → *cheval, remuer, respiration.*

ÉBRUITEMENT, ÉBRUITER → *informer.*

ÉBULLITION → *exciter, liquide.*

ÉCAILLE, ÉCAILLER, ÉCAILLER (S') → *décoration, mollusques, poisson, reptiles.*

ÉCAILLEUX → *poisson, reptiles.*

ÉCALE, ÉCALER → *amande, cuisine.*

ÉCARLATE → *rouge.*

ÉCARQUILLER → *œil.*

ÉCART, ÉCARTÉ → *différence, éloigner, jambe.*

ÉCARTÉ → *carte.*

ÉCARTELÉ → *blason.*

ÉCARTÈLEMENT, ÉCARTELER → *part, peine.*

ÉCARTER → *éloigner, pousser.*

ECCE HOMO → *Christ.*

ECCHYMOSE → *blesser, frapper, sang.*

ECCLÉSIAL, ECCLÉSIASTIQUE → *église.*

ECCLÉSIASTIQUE → *église, monastère, pape, religion.* — **Fonctions ecclésiastiques.** Administration des sacrements ; catéchèse, catéchisation, catéchiser, catéchisme, catéchiste ; célébration de la messe/des offices ; direction des consciences, directeur de conscience/spirituel ; enseignement libre ; gouvernement des diocèses/des paroisses ; instruction religieuse ; ministère, ministre du culte ; mission, missionnaire, évangélisation, évangéliser ; prédication, prédicateur, prêche, prêcher ; sacerdoce, sacerdotal. — **Vie ecclésiastique.** Célibat ; clergé régulier/séculier ; ordination, être ordonné prêtre, sacrement de l'ordre ; séminaire, séminariste ; théologien, docteur en théologie ; tonsure, un tonsuré ; vocation tardive. ▪ Bénéfice, casuel, dignité, dignitaire, hiérarchie, honneur, honoraires ; calendrier ecclésiastique, pèlerinage, retraite ; droit canon, juridiction/loi/tribunal ecclésiastique ; prêtre défroqué/suspendu *a divinis*/excommunié. — **Les dignités ecclésiastiques.** Abbé ; archevêque ; archiabbé ; archidiacre, archidiaconat, archidiaconé ; archiprêtre ; archiprebytérat ; aumônier/militaire, grand aumônier, vicaire aux armées ; cardinal, la pourpre cardinalice ; Son Éminence ; chanoine/honoraire/prébendé, chapitre, canonicat ; chapelain ; confesseur, curé / décimateur / à portion congrue, cureton (pop.), cure, presbytère, paroisse, paroissial, paroissien ; doyen, décanat ; évêque, homme d'église ; pape ; prêtre/desservant, desserte, prêtre-ouvrier, prêtrise, prêtraille, soutane noire ; vicaire, vicaire général, premier vicaire, etc. ▪ Archipope, pope ; clergyman, pasteur. — **L'évêque.** Archevêque, archiépiscopat, archevêque-évêque ; évêque, évêché, épiscopat, dignité épiscopale, évêque auxiliaire/commendataire/coadjuteur / *in partibus*/métropolitain/suffragant ; patriarche, patriarcat ; prélat, prélat de Sa Sainteté, prélature, prélature *nullius* ; primat, primatie, primatial, le primat d'Aquitaine/de Hongrie. ▪ Élire/nommer/consacrer un évêque, évêque consécrateur ; déposer un évêque. ▪ Curie épiscopale : archidiacre, curé consulteur, défenseur du lien, chancelier, directeur de l'enseignement libre/des œuvres diocésaines, examinateurs et juges synodaux, official, supérieur du grand séminaire, vicaire général; synode diocésain; voyage *ad limina*, le concile. ■ Pouvoir d'ordre, confirmation; pouvoir de juridiction; dimissoire, lettre dimissoriale. ■ Anneau, armoiries, couleur violette, croix pectorale, crosse, dais, mitre, pallium, trône; Monseigneur, Son Excellence Monseigneur l'évêque, Excellence révérendissime. — **Auxiliaires ecclésiastiques.** Bedeau; calotin (fam.); chaisière; clerc, clerc tonsuré, cléricature, clérical, cléricalisme; conseil de fabrique; dame patronnesse; diacre, sous-diacre, diaconal, diaconat, diaconesse; enfant de chœur, porte-missel, porte-croix; maître de chapelle, manécanterie; organiste; marguillier; œuvre; sacristain; sonneur; suisse; thuriféraire.

ÉCERVELÉ → *inconscience, négliger.*

ÉCHAFAUD → *monter, mourir.*

ÉCHAFAUDAGE, ÉCHAFAUDER → *amas, charpente, imaginer.*

ÉCHALAS, ÉCHALASSER → *femme, maigre, vigne.*

ÉCHALOTE → *aliment, légume.*

ÉCHANCRER, ÉCHANCRURE → *couper, couture, mer, ouvrir.*

ÉCHANGE, ÉCHANGER → *changer, donner.*

ÉCHANGEUR → *route.*

ÉCHANSON → *boire.*

ÉCHANTILLON, ÉCHANTILLONNER → *morceau, part.*

ÉCHAPPATOIRE → *excuse, fuir, obstacle.*

ÉCHAPPÉE → *course, étendre, regarder, vitesse.*

ÉCHAPPEMENT → *horlogerie, moteur.*

ÉCHAPPER, ÉCHAPPER (S') → *fuir, tomber.*

ÉCHARDE → *morceau.*

ÉCHARNEMENT, ÉCHARNER, ÉCHARNOIR → *cuir.*

ÉCHARPE → *bande, indirect.*

ÉCHARPER → *blesser.*

ÉCHARS, ÉCHARSE → *monnaie.*

ÉCHASSE → *bâton, berger, jambe, oiseau.*

ÉCHASSIER → *oiseau.*

ÉCHAUDÉ → *pâtisserie.*

ÉCHAUDER, ÉCHAUDOIR → *blé, chaleur, malheur, viande.*

ÉCHAUFFANT, ÉCHAUFFEMENT, ÉCHAUFFER → *chaleur, colère, exciter.*

ÉCHAUFFOURÉE → *guerre.*

ÉCHAUGUETTE → *fortification.*

ÉCHÉANCE, ÉCHÉANCIER → *commerce, devoir.*

ÉCHEC → *échouer.*

ÉCHECS → *jouer.* — **Le jeu d'échecs.** Adouber; les blancs et les noirs; case blanche/noire; champion, championnat, tournoi; échange; échec, être échec, échec au roi/à la reine/à la découverte, échec double, échec et mat; échiquier; gambit; être mat/pat; ouverture; pièces du jeu : cavalier, fou, pion, reine ou dame, roi, tour; prise; roquer, roque, grand / petit roque. — **Jeux voisins.** Jeu de dames, jouer aux dames, damier, pions; aller à dame, mener un pion à la dame. ■ Jacquet, jacquet de toute table, matador; dame courrier, postillon; dame découverte/recouverte; rentrer/sortir les dames; bouchage; dé. ■ Trictrac, trictrac à la chouette/à écrire/à tourner, gammon, garanquet : bredouilles, dé, jeton, tablier, talon, trou; petit jan, grand jan; jouer tout d'une/tout à bas.

ÉCHELIER → *monter.*

ÉCHELLE → *colère, monter, relation.*

ÉCHELON → *grade, monter.*

ÉCHELONNEMENT, ÉCHELONNER → *intervalle.*

ÉCHENILLAGE, ÉCHENILLER, ÉCHENILLOIR → *arbre.*

ÉCHEVEAU → *fil, mêler.*

ÉCHEVELÉ, ÉCHEVELER → *cheveu, folie.*

ÉCHEVETTE → *fil.*

ÉCHEVIN, ÉCHEVINAGE → *magistrat.*

ÉCHINE → *colonne, dos, soumettre.*

ÉCHINER (S') → *fatigue.*

ÉCHINODERMES → *mer.*

ÉCHIQUETÉ → *blason.*

ÉCHIQUIER → *échecs, jouer, opposé.*

ÉCHO → *informer, son.*

ÉCHOIR → *devoir, événement.*

ÉCHOPPE → *marchandises.*

ÉCHOPPE, ÉCHOPPER → *graver.*

ÉCHOTIER → *critique, journal.*

ÉCHOUER → *arrêter, malheur, navire, obstacle.* — **Échouer un bateau.** Se briser; faire côte, aller à la côte; échouage, cale / port d'échouage; échouement; échouer un bateau, s'échouer; s'enfoncer, s'engraver, s'ensabler, s'envaser; naufrage, naufragé, naufrageur; relever, remettre à flot, renflouer, renflouement, déséchouer; sombrer; talonner; toucher, toucher le fond. — **Qui fait échouer.** Banc de sable, bas-fonds, brisant, chaussée, écueil, récif, roc, rocher à fleur d'eau, étoc. ■ Barrage, chausse-trappe, contre-performance, cul-de-sac, point délicat, danger, difficulté, hic, manœuvres, menées, obstacle, contre-offensive, péril, piège, pierre d'achoppement, réaction. — **D'un être qui échoue.** Achopper; subir un affront; avorter, avortement; être / revenir bredouille; broncher / buter sur l'obstacle; se casser le nez; faire chou blanc, être dans les choux (fam.); chute; déboire; déconvenue, être déçu, déception; dégrisé, défaite, défaite écrasante; déroute, être mis en déroute; désappointement, être désappointé; échec, échec et mat, mettre/tenir en échec, essuyer/subir un échec, courir à un échec; échouer à un examen, rater (fam.), sécher (fam.), être collé (fam.)/blackboulé; être écrasé/enfoncé; faillite; fausse route; faute; fiasco (fam.); four; insuccès, ne pas réussir; jouer de malheur; louper (fam.), louper une occasion; manquer son affaire/son coup; naufrage; faire un faux pas, mauvais pas, mauvaise passe; perdre la partie; se faire piler (pop.), prendre une pile/une tape (pop.); ramasser une gamelle/une pelle/une veste (pop.); rater (fam.), rater le coche/l'occasion, ratage; résultat nul; revers; succomber; tomber sur un bec (fam.), tomber de Charybde en Scylla; torpiller quelqu'un (fam.); tourner mal; trébucher; être vaincu. ▪ Échec cruel / cuisant / déshonorant / injuste / sanglant; efforts inutiles/stériles/superflus/vains, s'évertuer en vain; Bérésina, Trafalgar, Waterloo. — **D'une chose qui échoue.** Aller à vau-l'eau; avorter; claquer, claquer dans les mains (fam.); craquer; crever; crouler, s'écrouler; foirer (pop.); manquer; péter (pop.); ne pas prendre; rater, un raté; tomber, tomber à l'eau; mal tourner, tourner en eau de boudin, prendre mauvaise tournure, faire long feu.

ÉCIMAGE, ÉCIMER → *arbre.*

ÉCLABOUSSEMENT, ÉCLABOUSSER, ÉCLABOUSSURE → *boue, jeter, sale.*

ÉCLAIR → *briller, électricité, intervalle, lumière, vitesse.*

ÉCLAIR → *pâtisserie.*

ÉCLAIRAGE, ÉCLAIRAGISTE → *lumière.*

ÉCLAIRCIE → *bois, ciel, pluie.*

ÉCLAIRCIR → *couleur, diminuer, expliquer.*

ÉCLAIRCISSEMENT → *expliquer.*

ÉCLAIRÉ → *science.*

ÉCLAIRER → *expliquer, informer, lumière, sûr.*

ÉCLAIREUR → *jeune, sûr.*

ÉCLAMPSIE → *crispation.*

ÉCLAT, ÉCLATANT → *briller, bruit, casser, réputation.*

ÉCLATER, ÉCLATEMENT → *briller, bruit, colère, exploser, montrer, rire.*

ÉCLECTIQUE, ÉCLECTISME → *mêler, opinion.*

ÉCLIPSE → *astronomie, lumière, lune, soleil.*

ÉCLIPSER, ÉCLIPSER (S') → *astronomie, cacher, éloigner, fuir, supérieur.*

ÉCLIPTIQUE → *soleil.*

ÉCLISSE → *bois, chirurgie, vannerie.*

ÉCLOPÉ → *diminuer, marcher.*

ÉCLORE, ÉCLOSION → *apparaître, œuf, ouvrir.*

ÉCLUSE, ÉCLUSÉE, ÉCLUSER → *canal, fermer, hydraulique.*

ECMNÉSIE → *mémoire.*

ÉCŒURANT, ÉCŒUREMENT, ÉCŒURER → *déplaire, goût.*

ÉCOINÇON → *livre, mur, pierre.*

ÉCOLE → *art, enseignement, opinion.*

ÉCOLIER → *apprendre, enseignement.*

ÉCOLOGIE → *nature, vie.*

ÉCONDUIRE → *partir, refuser.*

ÉCONOMAT, ÉCONOME → *dépense.*

ÉCONOME → *avare, dépense, économie.*

ÉCONOMÉTRIE → *économie.*

ÉCONOMIE, ÉCONOMIQUE, ÉCONOMISER → *commerce, commun, dépense.* — **Histoire des faits économiques.** Age pastoral, chasse, cueillette, nomadisme, pêche; économie familiale, tribu; économie domaniale/féodale/manoriale/seigneuriale; économie nationale : corporation de métiers, jurande, maîtrise; économie libérale : capitalisme, concentration industrielle, concurrence, division du travail, impérialisme, machine à vapeur, propriété privée, syndicalisme, travailleur, usine; économie dirigée : dirigisme, nationalisation, capitalisme d'État; économie socialiste / centralisée / planifiée. — **Les doctrines économiques.** Mercantilisme : bullionisme, caméralisme, colbertisme, commercialisme; école physiocrate / physiocratique, libéralisme/classique/optimiste/pessimiste ou malthusianisme, « laisser faire, laisser passer »; interventionnisme, nationalisme économique, protectionnisme; paternalisme, corporatisme, catholicisme social; socialisme : associationnisme, babouvisme, socialisme libertaire / scientifique, marxisme, marxisme-léninisme. ▪ Écoles historiques, historicisme économique / éthique, néo-historicisme; école marginaliste / psychologique et néo-marginaliste, école de Cambridge, école mathématique, économétrie; école institutionnaliste, socialisme de la chaire, théories keynésiennes, keynésianisme. — **L'économie d'un pays.** Agriculture, artisanat, capital, démographie, infrastructure, population, énergie, industrie, matières premières, productivité, richesse, secteur de l'économie, travail, valeur; conjoncture, plan, objectifs à court/à long terme, prévision, progrès, redressement, statistique; crise, dépression, distorsion, inflation, marasme, sous-équipement, stagnation, stagflation, tension économique; boom, prospérité, reprise. ▪ Achat, vente; banque; budget; circulation de l'argent, circuit économique, économie en circuit fermé, autarcie, dirigisme, étatisme; commerce, le grand/le petit commerce; concurrence loyale / déloyale, dumping, fluidité; consommation, consommateur, autoconsommation; droits; échanges, change, douane; ententes/horizontales/verticales; gain, gagner, bénéfices, marges bénéficiaires; impôt; intérêt, taux d'intérêt; marche des affaires; monnaie, offre, demande, loi de l'offre et de la demande, loi du marché; prix, baisse/hausse des prix/des cours/des cours de la Bourse/des halles/des marchés mondiaux; profit; propriété; rente, rentier, rentabiliser; revenu brut/net/national, produit national brut par habitant; salaire, salarié, masse salariale, le salariat; taxe, taxer. — **Faire des économies.** Accumuler, amasser/établir un capital; avare, avarice; chipoter (fam.); compter, économie ménagère, livre de comptes; constituer une dot/une rente; économie, économiser, être économe, avoir/faire des économies, économiser ses forces, appareil économique/économiseur; épargne, épargne active/collective/individuelle/forcée/libre, épargner, épargner sou à sou, épargnant, petit épargnant, caisse d'épargne; frugalité, frugal; marchandage, marchander; ménager, être ménager de, dépenser avec ménagement; mesure; mettre de côté / à gauche (fam.); modération; parcimonie, parcimonieux; pécule; faire sa pelote (fam.); placement, placer de l'argent; prévoyance, prévoyant, prévision; regarder à; avoir une rentrée; réserve, avoir/constituer une réserve, mettre en réserve; se restreindre; sobre, sobriété; tempérance, tempérant; thésauriser; vivre de peu/de rien. ▪ Tenir les cordons de la bourse serrés; garder une poire pour la soif; bas de laine, cagnotte, magot, tirelire.

ÉCONOMISEUR → *économie.*

ÉCOPE, ÉCOPER → *bateau, supporter, vide.*

ÉCOPERCHE → *charpente.*

ÉCORCE, ÉCORCER → *arbre, cerveau, couvrir, terre.*

ÉCORCHÉ → *dessin, sculpture.*

ÉCORCHER, ÉCORCHEUR → *cuir, payer.*

ÉCORCHER, ÉCORCHURE → *blesser.*

ÉCORNER → *course, diminuer, livre.*

ÉCORNIFLER, ÉCORNIFLEUR → *manger.*

ÉCOSSAIS → *tissu.*

ÉCOT → *dépense, manger, part.*

ÉCOULEMENT, ÉCOULER → *commerce, liquide, marchandises, pluie.*

ÉCOUMÈNE, ŒKOUMÈNE → *terre.*

ÉCOURTER → *abréger, diminuer.*

ÉCOUTE → *corde.*

ÉCOUTE, ÉCOUTEUR → *entendre, radio, télécommunications.*

ÉCOUTER → *entendre, recevoir.*

ÉCOUTILLE → *navire.*

ÉCOUVILLON → *brosse.*

ÉCRABOUILLAGE, ÉCRABOUILLER → *casser, presser.*

ÉCRAN → *cinéma, défendre, feu, radio.*

ÉCRASANT, ÉCRASEMENT → *presser.*

ÉCRASER → *blesser, casser, guerre, morceau.*

ÉCRÉMAGE, ÉCRÉMER, ÉCRÉMEUSE → *lait.*

ÉCRÊTER → *projectile.*

ÉCREVISSE → *crustacés.*

ÉCRIER (S') → *cri.*

ÉCRIN → *coffre.*

ÉCRIRE, ÉCRIT → *composer, enseignement, informer, inscription, littérature, livre, typographie.* — **Sortes d'écritures.** Écriture, scriptural : abécédaire; alphabet, alphabétisme, écriture alphabétique, consonne, voyelle; boustrophédon; écriture Braille; caractère; écriture chiffrée, chiffre, code, cryptogramme; écriture consonantique/cunéiforme; -graphe, -gramme, prapho-, -graphie, -graphique, graghisme; hiéroglyphe, hiéroglyphique; idéogramme, idéographique, chinois; écriture latine; lettre ou graphème; morse; écriture ogham; phonétique; pictogramme, pictographique; runes; script; signe; sténographie, sténotypie; écriture syllabique; télégraphie. ▪ Écriture arabe/coufique/cyrillique / démotique / égyptienne / gothique / grecque / hébraïque / onciale/phénicienne/romaine. — **L'acte d'écrire.** Arabesque; barbouillis, barbouiller; copier, recopier, mettre au propre, faire un double/un duplicata; consigner, coucher par écrit; crayonner; dessiner; écrire, écriture, écrit; gratter (fam.); graver, gravure, graver des initiales; gribouiller, gribouillis, brouillon; griffonner, griffonnage; inscrire, inscription; noircir du papier; noter, prendre des notes, jeter des notes sur le papier; recopier; relever; remplir une page; surcharger, surcharge; tenir les écritures/un journal; tracer, tracé; transcrire, transcription; translitération. ■ Écriture arrondie/courante / cursive / droite / fine / moulée/petite/ronde/serrée. ■ Calligraphie, avoir une belle écriture/une belle main : anglaise, bâtarde, coulée, gothique, ronde. ■ Faire un pâté/une tache; contrefaire, déguiser son écriture, maquiller un texte; écriture illisible/indéchiffrable, vilaine écriture, pattes de mouche, écrire comme un chat. ■ Graphologie, graphologue, expert graphologue, expert en écriture; paléographie, papyrologie, pasigraphie. — **La correspondance.** Billet, billet doux, poulet; carte, carte-lettre, carte postale/de visite/de vœux; correspondre, correspondance, correspondant; dépêche; épître, épistolier, épistolaire; lettre; libelle, libellé; missive; mot, petit mot; papier à lettres; pneumatique; post-scriptum; télégramme, bleu, télex. ■ Émargement, émarger; griffe, apposer sa griffe; initiales; monogramme; parafe, parafer; signature, signer le courrier; souscrire; soussigner. — **Écrits divers.** Acte notarié / autographe / olographe; enregistrer; enrôler, rôle; grossoyer, grosse; manuscrit, lettre/note manuscrite; minute; original; papyrus; parchemin. ■ Cartouche, enseigne, en-tête, épigraphe, épitaphe, exergue, intitulé, libellé, sigle, suscription, titre. ■ Abrégé, aide-mémoire, brochure, bulletin, citation, état, index, liste, relevé; affiche, appel, dépliant, écriteau, étiquette, graffiti, imprimé, inscription, manifeste, pancarte, panonceau, panneau, placard, placet, proclamation, programme, prospectus, texte, tract. ■ Catilinaire, diatribe, écrit incendiaire/séditieux, épigramme, factum, feuille, un folliculaire, pamphlet, satire. ■ Chiffon de papier; grimoire; faux; palimpseste; paperasses, paperasserie, esprit paperassier, remplir des paperasses; torche-cul (pop.); torchon (fam.). — **Orthographe et ponctuation.** Barre, boucle, délié, hampe, jambage, liaison, plein; capitale, majuscule, minuscule; accolade, alinéa, ligne, paragraphe, page; orthographie, cacographie, faute d'orthographe, *lapsus calami*. ■ Signes de ponctuation, ponctuation logique/stylistique : guillemets (« »), parenthèses ( ), tiret (—), point (.), point d'interrogation (?), point d'exclamation (!), points de suspension (...), deux points (:), point-virgule (;), virgule (,); signes diacritiques : accent aigu/grave/circonflexe, cédille, coronice, tréma, tilde. — **Celui qui écrit.** Auteur, coauteur; bureaucrate, rond-de-cuir; commis aux écritures; copiste; écrivain, écrivain public, écrivailleur, écrivaillon, écrivassier, barbouilleur, gribouilleur; expéditionnaire; gratte-papier; greffier, greffe; homme de lettres; journaliste; littérateur; notaire; parolier; plumitif; rédacteur, rédactrice, rédiger; scribouillard (fam.), scribe; scripteur; secrétaire, sténographe, dactylographe, écrire sous la dictée; vivre de sa plume. — **Qui sert à écrire.** Craie; crayon, crayon-encre, crayon à bille; mine; pastel; plume, plume d'oie/sergent-major, porte-plume, tremper sa plume; style, stylographe, stylo, stylo-bille, capuchon, cartouche, réservoir. ■ Ardoise, cire, papier, papyrus, parchemin, tableau noir; feuille, page de papier, agenda, bloc, cahier, registre; bureau, écritoire, secrétaire, table; buvard, encrier, plumier, sous-main, taille-crayon. — **Machine à écrire.** Caractère Élite/Pica; chariot mobile; clavier; cylindre; dactylographie, dactylographe; frappe; machine électrique/de bureau/portative; ruban; tabulateur; touches.

ÉCRITEAU → *informer, inscription.*

ÉCRITOIRE → *bureau, écrire.*

ÉCRITURE → *commerce, écrire, style.*

ÉCRIVAILLER, ÉCRIVAILLEUR, ÉCRIVAIN, ÉCRIVASSIER → *écrire, littérature.*

ÉCROU → *clou.*

ÉCROU, ÉCROUER → *prison.*

ÉCROUELLES → *tumeur.*

ÉCROUIR, ÉCROUISSAGE → *métal.*

ÉCROULEMENT, ÉCROULER (S') → *détruire, échouer, tomber.*

ÉCRU → *grossier, nature.*

ECTHYMA → *peau.*

ECTOBLASTE, ECTODERME → *peau.*

ECTOPARASITE → *parasite.*

ECTROPION → *œil.*

ÉCU → *armure, blason, bouclier, monnaie.*

ÉCUBIER → *navire.*

ÉCUEIL → *échouer, obstacle.*

ÉCUELLE → *vaisselle.*

ÉCULÉ → *chaussure, commun.*

ÉCUMANT, ÉCUME, ÉCUMER, ÉCUMEUX → *bouillir, cheval, colère.*

ÉCUMOIRE → *cuisine, nettoyer.*

ÉCURAGE, ÉCURER → *nettoyer.*

ÉCUREUIL → *ronger.*

ÉCURIE → *cheval, course, groupe, sport.*

ÉCUSSON → *blason, insecte, serrure, vêtement.*

ÉCUSSONNER → *arbre, germe.*

ÉCUYER → *chevalerie, équitation, spectacle.*

ÉCUYÈRE → *équitation, spectacle.*

ECZÉMA, ECZÉMATEUX → *peau.*

ÉDAM → *lait.*

EDELWEISS → *fleur, montagne.*

ÉDEN → *plaire.*

ÉDENTÉ, ÉDENTER → *dent, mammifères.*

ÉDICTER → *décider, informer.*

ÉDICULE → *édifice.*

ÉDIFIANT, ÉDIFICATION, ÉDIFIER → *informer, morale.*

ÉDIFICE → *construction, fortification, habiter, maison.* — **Bâtiment important.** Amphithéâtre ; arènes ; bâtiment, bâtisse, bâtir ; building ; caserne ; cathédrale ; clinique ; collège ; construction, construire ; école ; édifice, édifier, édification ; église ; gratte-ciel ; habitation ; hôpital, hospice ; hôtel, hôtel particulier, hôtel de ville ; immeuble, immeuble de rapport, immobilier ; lotissement ; lycée ; maison, maison de maître ; monument ; palais, palais de justice ; salle de spectacle, cinéma, cirque, théâtre ; temple ; thermes ; tour, tourelle. ▪ Castel, demeure ducale/princière / seigneuriale, gentilhommière, manoir, palais, résidence ; ailes, cour d'honneur, escalier d'honneur, grille, lambris, parc, perron. ▪ Colossal, démesuré, énorme, gigantesque, grandiose, immense, imposant, majestueux, monumental. — **Monument.** Arc de triomphe, triomphal ; cénotaphe ; colonne ; mausolée ; mémorial ; monument funéraire / aux morts ; monuments mégalithiques/préhistoriques, cromlech, dolmen, menhir, mégalithe ; sépulcre ; stèle, tombeau ; trophée ; tumulus. ▪ Consacrer / dresser / élever / ériger / inaugurer un monument. — **Temple.** Cella, colonnade, façade, lieu sacré, naos, obélisque, pagode, portique, pyramide, sacristie, saint, saint des saints, salle hypostyle, sanctuaire, temple, téocalli, ziggourat ; le Capitole, le Temple de Jérusalem. — **Parties d'un édifice.** Assises, bases, colonnade, coupole, dôme, façade, fondations, frontispice, fronton, péristyle, terrasse, tour, travée ; masse, parties, proportions. — **Petit édifice.** Annexe, appentis, baraque, bicoque, bungalow, cabane, cahute, chalet, chalet de nécessité, chaumière, cottage, édicule, folie, gourbi, guinguette, hutte, maisonnette, masure, paillote, pavillon, pied-à-terre, rendez-vous, villa.

ÉDILE, ÉDILITÉ → *magistrat.*

ÉDIT → *loi.*

ÉDITER, ÉDITEUR, ÉDITION → *journal, livre.*

ÉDITORIAL → *journal.*

ÉDREDON → *canard, couvrir, lit.*

ÉDUCATEUR, ÉDUCATIF, ÉDUCATION → *enseignement, manière.*

ÉDULCORER → *diminuer, doux.*

ÉDUQUER → *enfant, enseignement, morale.*

ÉFAUFILER → *couture.*

EFFACÉ, EFFACEMENT, EFFACER (S') → *annuler, mémoire, supérieur, vide.*

EFFARANT, EFFARÉ, EFFARER → *étonner, peur, trouble.*

EFFAROUCHER → *peur, trouble.*

EFFECTIF → *présence, réalité.*

EFFECTIF → *nombre.*

EFFECTUER → *exécuter.*

EFFÉMINÉ, EFFÉMINER → *faible, femme, homme, mou.*

EFFERVESCENCE, EFFERVESCENT → *bouillir, exciter.*

EFFET → *affectation, balle, banque, cause, conséquence.*

EFFETS → *banque, vêtement.*

EFFEUILLAGE, EFFEUILLER → *enlever, feuille.*

EFFICACE, EFFICACITÉ → *cause conséquence.*

EFFICIENCE, EFFICIENT → *cause, produire, réussir.*

EFFIGIE → *monnaie, reproduction.*

EFFILÉ, EFFILER → *cheveu, fil.*

EFFILOCHÉ, EFFILOCHER → *tissu.*

EFFLANQUÉ, EFFLANQUER → *maigre.*

EFFLEUREMENT, EFFLEURER → *caresse, toucher.*

EFFLUVE → *électricité, parfum, partir.*

EFFONDRÉ, EFFONDREMENT, EFFONDRER → *abattre, casser, détruire, tomber.*

EFFORCER (S'), EFFORT → *difficile, douleur, essayer, volonté.*

EFFRACTION → *crime, serrure, voler.*

EFFRAIE → *oiseau.*

EFFRANGER → *couper, tissu.*

EFFRAYANT, EFFRAYER → *excès, laid, peur.*

EFFRÉNÉ → *débauche, excès.*

EFFRITEMENT, EFFRITER → *morceau, tomber.*

EFFROI → *peur.*

EFFRONTÉ, EFFRONTERIE → *confiance, grossier, libre.*

EFFROYABLE → *extrême, peur.*

EFFUSION → *aimer, étendre, sang.*

ÉFOURCEAU → *charger.*

ÉGAILLER (S') → *fuir.*

ÉGAL, ÉGALER → *niveau, semblable.* — **Égalité des choses.** Égalité en dimensions/nature/quantité/valeur : approcher, approchant ;

coïncider, coïncidence ; conforme, conformité à un modèle ; égal (=), égaler, égaliseur, égaliseuse ; égalité algébrique, équation, identité, égalité logique ; équilibre, équilibreur, équilibriste, mettre/tenir en équilibre, équilibre indifférent/instable/naturel, stable, statique ; équivaloir, équivalence, équivalent ; harmonie, harmoniser, harmonieux ; *idem*, identité, identique ; le même, la même chose ; parallèle, parallélisme ; pareil, appareiller ; parité, pair, paire, parisyllabique ; être le pendant de ; permanence, permanent ; proportions heureuses/justes, etc., proportionnalité, la proportionnelle ; rapport juste ; régularité ; semblable, similaire, similarité ; symétrie, symétrique ; synchronique ; uniformité, uniforme. ▪ Équiconcave, équiconvexe, équicourant, équidistant, équilatéral, équinoxe, équipartition, équipollence, équipotentiel ; isobare, isobathe, isochrone, isoélectrique, isomère, isomorphe, isopérimètre, isotope, isotrope, etc. ▪ Aussi, autant, comme, même, *ex aequo*. — **Égalité des êtres.** Aller de compagnie/de pair, marcher côte à côte ; *alter ego* ; camarade, camaraderie ; collégialité, collègue, direction collégiale ; communauté, commun, esprit communautaire ; concitoyen ; concorde ; confrère, confraternité, confraternel ; droits de l'homme ; égalité, égalité civique/politique/sociale, égalité des chances/des droits/des devoirs, être à égalité ; égalitaire, égalitarisme ; égalité devant l'impôt/devant la loi, etc. ; justice distributive/sociale ; nivellement ; pair, parité, organisation paritaire ; réciprocité, réciproque ; rivaliser avec, rendre la pareille ; république ; socialisme ; traiter d'égal à égal. — **Rendre égal.** Ajuster ; aplanir, planer, planifier ; assimiler, assimilation ; balancer, contrebalancer, peser le pour et le contre, tenir la balance égale ; comparer, comparaison, comparatif ; compenser, compensation, indemnité compensatrice, en guise/à titre de compensation ; égaler, égaliser ; équilibrer ; mettre sur le même pied ; niveler, mettre de niveau ; parangonner ; péréquation ; polir ; pondérer ; répartir, répartition ; standard, standardiser ; unir, unifier. — **Qui ne varie pas.** Calme, le calme ; constant, constance, constante ; continuité ; égalité d'âme/d'humeur/de caractère ; équanimité, équanime ; équilibré ; équitable ; impartial, impartialité ; rester impassible ; invariable ; mesuré ; monotone, monotonie ; neutre, neutralité ; paisible ; plan, plat ; pondération, pondéré ; régulier ; sage, sagesse ; serein, sérénité ; sociabilité ; tempérant, tempérance ; tolérant, tolérance ; uni, uniforme. ▪ Ça m'est égal, je m'en bats l'œil (pop.), je m'en fiche (fam.), je m'en fous (pop.), je m'en moque ; peu me chaut ; c'est tout un/du pareil au même (fam.).

ÉGALISATION, ÉGALISER → *égal, niveau*.

ÉGALITAIRE, ÉGALITARISME → *égal, politique*.

ÉGALITÉ → *droit, égal, niveau*.

ÉGARD → *attention, manière*.

ÉGARÉ, ÉGAREMENT, ÉGARER → *éloigner, partir, perdre, trouble*.

ÉGAYER → *décoration, joie*.

ÉGÉRIE → *influence*.

ÉGIDE → *défendre*.

ÉGLANTIER, ÉGLANTINE → *fleur*.

ÉGLEFIN → *poisson*.

ÉGLISE → *ecclésiastique, liturgie, pape, religion*. — **Noms d'une église.** Abbatiale, abbaye ; baptistère ; basilique ; campanile ; cathédrale ; chapelle ; collégiale ; couvent ; église, église métropolitaine/paroissiale/pontificale ; lieu saint ; maison de Dieu ; monastère ; oratoire ; pèlerinage ; prieuré ; sanctuaire ; stationnale. ▪ Mosquée, synagogue, temple. — **L'édifice.** Abside, absidiole ; arc, architrave ; autel, maître-autel, autel latéral, canons, missel, nappe, retable, tabernacle ; chapelle/latérale/rayonnante ; chevet ; chœur, arrière-chœur ; collatéral ; cloître ; colonne, chapiteau, pilier ; coupole, pendentif, trompe ; crypte, reliques ; déambulatoire ; jubé ; narthex ; nef, bas-côté ; plan basilical/en croix grecque/latine ; sacristie ; transept, bras / croix du transept ; tribune ; triforium ; vaisseau ; vitrail, rosace, rose, remplage ; voûte en berceau plein cintre ou brisé d'arêtes, croisée d'ogives. ▪ Cloche, clocheton, clocher, coq ; contrefort, arc-boutant ; façade ; flèche ; gargouille ; parvis ; porche ; portail ; portique ; tympan ; tour. ▪ Église byzantine/carolingienne/romane/gothique ; église classique / jésuite / baroque / néo-classique. — **Mobilier de l'église.** Ambon ; baldaquin ; banc, banc d'œuvre ; bénitier, eau bénite ; candélabre, chandelier ; chaire à prêcher ; chaises ; châsse ; chemin de croix ; cierge ; clôture de chœur ; confessionnal ; crédence ; crucifix ; dais ; ex-voto ; fonts baptismaux ; harmonium ; lampe, luminaire ; lutrin ; orgue, buffet/tribune d'orgue ; prie-Dieu ; reliquaire ; stalle, miséricorde ; tronc. ▪ Fresque, mosaïque, peinture murale, tableau, tentures. — **Ceux qui fréquentent l'église.** Bigot, cagot, dévot ; catholique, chrétien ; communauté religieuse ; fidèles ; grenouille de bénitier ; ouailles, paroissien, pratiquer, pratiquant ; pilier d'église. ▪ Aller à l'église/à confesse/à la messe ; recevoir les sacrements ; baptême, communion, mariage, enterrement ; cérémonies, liturgie.

ÉGLOGUE → *poésie.*

EGO → *personnalité.*

ÉGOCENTRIQUE, ÉGOCENTRISME → *aimer, personnalité.*

ÉGOÏNE, ÉGOHINE → *menuiserie.*

ÉGOISME, ÉGOISTE → *aimer, dur, personnalité, satisfaction.*

ÉGORGER, ÉGORGEUR → *mourir, payer.*

ÉGOSILLER (S') → *cri.*

ÉGOTISME, ÉGOTISTE → *personnalité.*

ÉGOUT → *canal, résidu, tuyau.*

ÉGOUTIER → *nettoyer.*

ÉGOUTTER, ÉGOUTTOIR → *cuisine, lait, nettoyer, sec.*

ÉGRAPPER → *fruit.*

ÉGRATIGNER, ÉGRATIGNEUR, ÉGRATIGNURE → *blesser, peau.*

ÉGRENAGE, ÉGRENER, ÉGRENEUSE → *étendre, grain.*

ÉGRILLARD → *joie, libre.*

ÉGRISAGE, ÉGRISÉE, ÉGRISER → *pierre, polir.*

ÉGROTANT → *maladie.*

ÉGRUGEAGE, ÉGRUGER → *poudre.*

ÉGUEULÉ → *volcan.*

ÉGYPTIEN → *typographie.*

ÉGYPTOLOGIE → *histoire.*

ÉHONTÉ → *grossier.*

EIDER → *canard.*

ÉJACULATION, ÉJACULER → *jeter, sexe.*

ÉJECTABLE, ÉJECTER, ÉJECTEUR, ÉJECTION → *jeter.*

ÉLABORATION, ÉLABORER → *estomac, exécuter, produire, travail.*

ÉLAGAGE, ÉLAGUER, ÉLAGUEUR → *arbre, enlever.*

ÉLAN → *cerf.*

ÉLAN → *athlétisme, cœur, jeter, mouvement.*

ÉLANCÉ → *grand, maigre.*

ÉLANCEMENT → *douleur.*

ÉLANCER, ÉLANCER (S') → *douleur, jeter, mouvement.*

ÉLARGIR, ÉLARGISSEMENT → *augmenter, libre.*

ÉLASTICITÉ, ÉLASTIQUE, ÉLASTIQUE (L') → *caoutchouc, forme, morale, mou.*

ÉLASTOMÈRE → *caoutchouc, chaussure.*

ELBEUF → *tissu.*

ELDORADO → *abondance.*

ÉLECTEUR → *élire.*

ÉLECTIF → *choisir, élire.*

ÉLECTION → *choisir, élire, pays.*

ÉLECTIVITÉ, ÉLECTORAL, ÉLECTORAT → *élire.*

ÉLECTRICIEN → *électricité.*

ÉLECTRICITÉ → *aimant, chaleur, lumière, mouvement, moteur.* — **Électrostatique.** Électricité statique/résineuse/vitrée/positive ou négative : ambre jaune ; corps conducteurs/diélectriques / isolants, pouvoir des pointes, machine de Wimshurst ; décharge, étincelle, potentiel ; champ électrique, intensité du champ, ligne de force/de champ ; charge électrique, permittivité ; coulomb ; condensateur, constante électrique, farad, microfarad, nanofarad, picofarad, bouteille de Leyde ; condensateur chimique/céramique/à lame ajustable/variable/au mica/au papier/styroflex ; électromètre ; électroscope à feuille d'or ; galvanomètre ; ionisation, ion positif/négatif, électron, chambre à bulles. ▪ Forces attractives/répulsives, loi de Coulomb, théorie des écrans, cage de Faraday, influence électrique. ▪ Piézo-électricité, piézographie, quartz, micro. — **Électrocinétique.** Arc/courant électrique, intensité, ampère, ampèremètre, voltmètre, wattmètre, compteur ; courant alternatif/triphasé, fréquence, période, alternateur, redresseur de courant, transformateur ; courant continu, accumulateur, cellule photo-électrique, dynamo, magnéto, pile, pile de Volta, thermocouple ; courant dérivé, lois de Kirchhoff, effet calorifique ou effet Joule, résistance, ohm. ▪ Électrolyse, électrolyte, cuve électrolytique ou voltamètre ; électrode, anode, cathode, ion, anion, cathion ; loi de Faraday, valence, valence-gramme ; électrochimie, électrométallurgie, galvanoplastie, affinage du cuivre, argenture, dorure, ferro-alliages, production de l'aluminium. ▪ Énergie électrique, tension, générateur, force électromotrice. — **Électromagnétisme.** Bobine, bobiner, bobinage ; bonhomme d'Ampère ; boussole d'Œrsted ; champ magnétique, intensité, position ; électro-aimant, à entrefer variable/invariable, alternateur, dynamo ; électrodynamique, électrodynamomètre, équations de Maxwell, hystérésis magnétique ; électromagnétisme, ampère, Gauss, Œrsted, Weber ; équivalence ; induction, auto-induction, courant induit, courants de Foucault, forces de Laplace ; magnétisme, magnétique, magnétomètre (à protons), magnétostriction ; onde électromagnétique, radar, radio, télévision ; potentiel ; solénoïde. — **Électrotechnique.** Production, transport, distribution : barrage ; câble ; centrale électrique/au fil de l'eau/de basse/de haute/de moyenne chute, centrale atomique / hydrothermique, usine marémotrice; électricité d'origine chimique/hydraulique, houille blanche, hydroélectricité, électricité nucléaire/thermique; énergie électrique, fil électrique; génératrice, alternateur, turbine; groupe électrogène; lignes à haute tension, pylône; poste de distribution, dispatching; réseau électrifié/d'interconnexion, délester un réseau, délestage; transformateur. — **Utilisation de l'électricité.** Consommer, consommation, kilowatt heure (kWh); compteur électrique, compteur bleu; éclairage commercial/public; électrifier, électrification; électriser, électrisation, galvaniser; électrocution, chaise électrique; électroménager, appareils électroménagers. ■ Électrométallurgie, électrosidérurgie, procédés électrolytiques par voie ignée/humide, en anode insoluble/soluble; procédés électrothermiques, fours à résistance/à arc/à induction. ■ Électro-osmose, électrophorèse; horloge/pendule électrique; lumière électrique, ampoule, lampe, phare, phare à iode, pile, projecteur, spot, torche, tube au néon; sonnerie, sonnette, sirène, etc.; traction électrique, locomotive, motrice, métropolitain, tramway, tram (fam.), trolleybus. — **Électricité médicale.** Bistouri électrique; électrobiogenèse, électrobiologie; électrocardiographie, électrocardiogramme, électrocardioscope; électrocautère ou galvanocautère; électro-encéphalographie, électro-encéphalogramme; électrochirurgie; électrochoc; électrocoagulation ou diathermocoagulation; électrocorticogramme; électrodiagnostic; électrolepsie ou maladie de Bergeron; électrophysiologie; électroponcture; électropyrexie; électroradiologie; radiations par rayons ultraviolets, actinothérapie/par rayons X, radiothérapie/par rayons α/β/γ, neutrons, curiethérapie; photothérapie; rœntgenthérapie; ultrasonothérapie. — **Installation électrique.** Ampoule, culot, douille, filament; baguette; brancher, débrancher, branchement; connecter, déconnecter, connexion, boîte de connexion; dérivation, boîte de dérivation; commutateur, interrupteur; contact; coupe-circuit, monter, monter en série, montage, monteur; panne d'électricité, court-circuiter, court-jus (fam.), les fusibles/les plombs sautent, l'ampoule/le moteur grille (fam.); prise de courant, fiche, résistance; rhéostat; shunt, shunter, shuntage; va-et-vient. ■ Chatterton, domino, pince, tournevis, voltmètre. — **Électronique.** Atome; composant; conduction dans les solides cristallisés, bande de valence; diode à lampe, semi-conductrice, transistor, thyristor, transistor à effet de champ, circuit imprimé, capacités, inductance, résistance; effet photo-électrique/thermo-électronique; électron, électron secondaire/de valence, électron-trou/-gramme, négaton, positon, photon, neutron, proton; ion négatif / positif, ionisation; lampe diode/triode; molécules, électrolytes; ondes électromagnétiques; radioactivité, radium; rayons bêta/cathodiques/positifs/X; semi-conducteur; théorie relativiste. ■ Conductibilité, couche, faisceau, flux, gaz, image, rayon; magnétron, quartz piézoélectrique, iconoscope, transformateur d'images, transistor, tube détecteur, redresseur photo-électrique / photomultiplicateur. ■ Avionique, radar, radiophonie, radiotélégraphie, télécommande, téléguidage, téléradar; caméra, microscope, miroir, télescope, tube électrique; guitare/harmonica/mandoline électrique, orgues électroniques, ondes Martenot, ondioline; phonogène, régulateur temporel, synthétiseur électrique, vocodeur.

ÉLECTRIFICATION, ÉLECTRIFIER → *électricité.*

ÉLECTRIQUE, ÉLECTRISATION → *électricité.*

ÉLECTRISER → *électricité, influence.*

ÉLECTRO-AIMANT → *aimant, attirer.*

ÉLECTROCARDIOGRAMME, ÉLECTROCARDIOGRAPHIE → *cœur.*

ÉLECTROCAUTÈRE → *chirurgie.*

ÉLECTROCHIMIE → *électricité.*

ÉLECTROCHOC → *esprit, folie, soigner.*

ÉLECTROCINÉTIQUE → *électricité.*

ÉLECTROCOAGULATION → *soigner.*

ÉLECTROCUTER, ÉLECTROCUTION → *électricité.*

ÉLECTRODE → *électricité.*

ÉLECTRODYNAMIQUE → *physique.*

ÉLECTRO-ENCÉPHALOGRAMME → *cerveau, électricité.*

ÉLECTROGÈNE, ÉLECTROLYSE, ÉLECTROLYSER → *électricité.*

ÉLECTROLYTE → *chimie.*

ÉLECTROMAGNÉTISME, ÉLECTROMÉCANIQUE → *électricité.*

ÉLECTROMÉNAGER → *électricité.*

ÉLECTROMÉTALLURGIE → *métal.*

ÉLECTRON, ÉLECTRONICIEN, ÉLECTRONIQUE → *électricité.*

ÉLECTROPHONE → *disque, musique.*

ÉLECTROPUNCTURE, ÉLECTRORADIOLOGIE → *soigner.*

ÉLECTROSCOPE → *électricité.*

ÉLECTROSTATIQUE → *physique.*

ÉLECTROTECHNIQUE, ÉLECTROTHÉRAPIE, ÉLECTROTHERMIE → *électricité, soigner.*

ÉLECTRUM → *métal.*

ÉLÉGANCE, ÉLÉGANT → *beau, couture, manière.*

ÉLÉGIAQUE, ÉLÉGIE → *poésie, triste.*

ÉLÉMENT → *chimie, composer, groupe, milieu, physique.*

ÉLÉMENTAIRE → *abréger, chimie, commencer, enseignement, simple.*

ÉLÉPHANT, ÉLÉPHANTEAU → *animal, mammifères.*

ÉLÉPHANTESQUE, ÉLÉPHANTIASIS → *gras.*

ÉLEVAGE → *animal, bétail, oiseau.* — **Élevage en général.** Affinage; castration; croisement, race améliorée; élevage extensif/intensif/de multiplication, éleveur; engraissement, embouche; herbagement, herbager; insémination; nourrissage, nourrisseur; pacage, pacager; reproduction; sélection. ■ Autrucherie, faisanderie, haras, nourricerie; fazenda, ranch. ■ Apiculture, astaciculture, aviculture, cuniculiculture, héliciculture, mytiliculture, ostréiculture, pisciculture, sériciculture, zootechnie, zoothérapie. — **Élevage des volailles.** Chaponner; cocher; couver, couvée, couvaison, couveuse, accouveur, accouver, accouvage, incubation artificielle; éleveuse; engraisser; épinette; faisandier, volailler, volailleur. ■ Aliments composés, farine, grains, gravier, pâtée; mangeoire, trémie. ■ Choléra, diphtérie, pullorose, tuberculose, typhose aviaire, gale, poux. ■ Basse-cour, faisanderie, mue, poulailler, cage à poules, volière; la volaille gratte/juche/niche/perche/picore/vermille. ■ Caille; canard, cane, caneton; dindon, dinde, dindonneau; faisan; oie, jars, oison; paon, paonne, paonneau; pintade, pintadeau. ■ Chapon; coq, coq de combat, cochet, coquelet, coquelleux; poule, cocotte (fam.), bresse, faverolles, gâtinaise, marans (coucou, noir cuivré), leghorn, new-hampshire, rhode-island, sussex; poule naine; poule pondeuse, une pondeuse; poularde, poulet, poulette; poussin, œuf. — **Élevage de lapins.** Aliment concentré, chou, fanes de carotte, herbe à lapins; cabane, case, clapier; lapin de chou/de clapier ou clapier/d'élevage/de garenne; lapin, lapine, lapereau; lapin angora/argenté/chinchilla/géant des Flandres/géant du Bouscat/géant normand/papillon/russe/vendéen; lapinière, litière, terrier; portée; coccidiose, myxomatose. — **Élever des poissons.** Alevin, alevinage, aleviner; auge d'incubation; bouteille de Macdonald/de Zoug; empoissonner, rempoissonner, repeupler; fécondation artificielle; frai, frayère; laitance; nourrain; piscicole, pisciculture, pisciculteur, mareyeur. ■ Aquarium, bassin, étang d'élevage, parc, vivier.

ÉLÉVATEUR, ÉLÉVATOIRE → *monter.*

ÉLÉVATION → *haut, liturgie, monter.*

ÉLÈVE → *apprendre, enseignement.*

ÉLEVÉ → *haut, supérieur.*

ÉLEVER → *augmenter, construction, haut.*

ÉLEVEUR → *animal, bétail, élevage.*

ELFE → *esprit, imaginer.*

ÉLIDER → *enlever.*

ÉLIGIBILITÉ, ÉLIGIBLE → *élire.*

ÉLIMER → *dommage.*

ÉLIMINATION, ÉLIMINATOIRE, ÉLIMINER → *éloigner, partir, sport.*

ÉLINGUE, ÉLINGUER → *corde, monter.*

ÉLIRE → *choisir, droit, nommer.* — **Campagne électorale.** Affiche, colleur d'affiches, affichage; agent électoral; candidat, candidat officiel, se porter candidat, candidature; corruption/cuisine électorale (fam.); démagogie, démagogue; député, député sortant, briguer la députation, siège à pourvoir/vacant; fief électoral; meeting; panneau; parti; période électorale; se présenter; programme, plate-forme; promesses électorales; propagande; rendre compte de son mandat; réunion électorale/contradictoire, porter la contradiction, débat, discussion; tournée électorale. — **Consultation électorale.** Bulletin de vote/blanc/nul; bureau de vote, président; carte d'électeur; consultation, consulter les électeurs, corps électoral; élection, électeur, électrice, électoral, éligibilité, inéligibilité, perte des droits civiques/politiques; isoloir; liste électorale, inscription sur les listes, révision des listes électorales, inscrit; plébiscite, plébiscitaire; référendum, référendaire; proclamation des résultats; procès-verbal; secret du vote, scrutin public/secret; suffrage direct/indirect/au second degré, suffragette; urne, ouvrir les urnes; vote, voter, « a voté », votant, voter par correspondance/par procuration, vote multiple/obligatoire/personnel; voix, voix favorables, *vox populi, vox dei*, le verdict populaire. ■ Renouvellement partiel/total/par quart/par tiers. — **Types de scrutin.** Scrutin uninominal/d'arrondissement, circonscription électorale, découpage des circonscriptions, scrutin de liste, apparentement, s'apparenter; liste bloquée/incomplète, queue/tête de liste; panacher, panachage; vote préférentiel ■ Système majoritaire/majoritaire à deux tours, tours de scrutin; majorité absolue/relative. ■ Représentation proportionnelle : quotient électoral/national; représentation des minorités; répartition des restes/selon le procédé des plus forts restes/de la plus forte moyenne; sièges en l'air; système de Hondt/islandais/avec vote unique transférable. — **Être élu.** Annuler une élection, élection nulle; attaquer, contester; être élu/vainqueur/battu/blackboulé/en ballottage, se désister, se retirer; fonction élective; mandat électif/impératif; valider, validation, invalider, invalidation, casser. ■ Conseiller municipal/général, député, sénateur, président de la République; maire; élu du peuple, écharpe tricolore. ■ Assemblée, comices, congrès, conclave, parlement. — **Façons de voter.** S'abstenir, abstention, abstentionniste; délibération; majorité, être en majorité/majoritaire, gouvernemental; refus de vote; renouveler l'épreuve; voix consultative/délibérative, mettre aux voix, voix prépondérante, droit de veto; vote, votation, voter pour/contre/à main levée/par assis et debout.

ÉLISION → *enlever.*

ÉLITE → *classe, supérieur.*

ÉLIXIR → *médicament.*

ELLIPSE, ELLIPSOIDAL, ELLIPSOIDE → *courbe, géométrie.*

ÉLOCUTION → *parler.*

ÉLOGE, ÉLOGIEUX → *affectation, applaudir, réputation, style.* — **Genre de discours.** Apologie; apothéose; célébration, célébrer; chanter; compliment, débiter un compliment; dithyrambe; doxologie; éloge académique/funèbre; éloquence; encomiastique; entonner les louanges; épopée; exaltation, exalter les mérites/les vertus; hyperbole, discours hyperbolique; glorification, glorifier, gloire à, gloria; laudes, los; oraison; panégyrique; plaidoyer; rhétorique, rhéteur; thuriféraire. — **Louer, louange.** Applaudir, applaudissements; approuver, approbation; célébrer les mérites; chanter; congratuler, congratulation; couvrir d'éloges/de fleurs/de gloire/d'honneur; dresser des autels; élever, porter aux nues/au pinacle; encourager, encouragement; féliciter, félicitation; glorifier, hosanna, gloria; lauriers; louer, louable, louange, louangeur, laudatif, avare/avide/digne/prodigue de louanges; magnifier; mettre sur le pavois/sur un piédestal; prôner; publicité; réclame; rehausser; ne pas tarir d'éloges; trompettes de la Renommée; tresser des couronnes; faire valoir; vanter, se vanter. ■ Bien, bon, digne, estimable, honnête, magnifique, méritoire, valable. — **Flatter.** Aduler, adulation, adulateur, adulatrice; bercer d'illusions; berner; cajoler, cajolerie, cajoleur; câliner; caresser; caudataire; chatouiller; complaisant, complaisance; cour, faire sa cour, courtiser, courtisanerie, courtisan, faire des courbettes, faire du plat (fam.)/des ronds de jambe (fam.); encens, encenser, encenseur, brûler de l'encens, coups d'encensoir, parfum; flagornerie, flagorneur; flatter, flatteur, flatterie; génuflexion, se mettre à genoux; glorifier; hypocrite, hypocrisie; (pop.) : lécher, faire de la lèche, lécher les bottes, lèche-bottes, lèche-cul, lécheur; leurrer, leurre; obséquiosité, obséquieux; passer la pommade (pop.); patelin; thuriféraire.

ÉLOIGNÉ, ÉLOIGNEMENT → *éloigner.*

ÉLOIGNER → *envoyer, indirect, jeter.* — **Éloigner quelqu'un de.** Aliéner, aliénation; aversion; antipathie; déconseiller; dégoûter, dégoût; détacher, détachement; détourner; dissuader, dissuasion; écarter; égarer; éliminer, élimination; envoyer au loin/paître (fam.)/promener (fam.)/se faire voir (fam.); loin de moi!, *vade retro!*; pousser, repousser, mettre au rancart (fam.), rejeter; inspirer de la répugnance/de la répulsion; séparer, mettre/tenir à l'écart, apartheid, ségrégation raciale. — **Exclure.** Bannissement, mettre au ban/au ban de la société, être en rupture de ban; chasser; congédier, donner/signifier son congé; déporter, déportation; diaspora; éconduire; exclure, exclusion, exclu; évincer, évincement; exil, exiler, exilé; exode, expulser, expulsion, expulsion *manu militari;* ostracisme; proscrire, proscrit, proscription, liste de proscription; rayer; refouler; reléguer, relégation; renvoyer, renvoi, ficher (fam.)/foutre à la porte (pop.). — **S'éloigner, être éloigné.** S'en aller, aller trop loin, dépasser; décroître, bruit qui décroît; se dérober; différer; diverger; disparaître, disparition; se disperser, se disséminer; s'écarter, s'échapper, s'éclipser, s'esbigner (fam.); s'effacer, effacement; s'égailler; s'enfoncer/pénétrer dans/au cœur de; s'évader, évasion, évadé; s'expatrier; s'évanouir, s'évaporer; filer, filer à l'anglaise/à tire-d'aile (fam.); fuir fuite, être fuyant, fuyard; gagner/prendre le large; partir, départ, dégagement progressif; quitter; se réfugier réfugié; se retirer, retraite, tanière; se sauver; tourner le dos à. — **Éviter.** Ajourner, remettre à plus tard/au lendemain; couper à (fam.); se dérober, dérobade; différer; se dispenser, dispense; éluder; escamoter, escamotage; esquiver, esquive; paroles évasives ; éviter, évitable, inévitable ; faux-fuyant ; fuir ; se jeter de côté ; parer, parade, parapluie, paratonnerre, etc. ; proroger, prorogation ; reculer, recul, reculade ; retirer, retrait, retraite, éloignement du monde, recollection ; se soustraire à. — **Diverses façons de s'éloigner.** Faire un aparté/une digression/un *excursus*/une parenthèse, s'éloigner/sortir du sujet. ■ Accroc à un régime/à une règle, distraction, divagation, écart, faux pas, manquement. ■ Aventure, détour, déviation, embardée, expédition, voyage. ■ Abstrait, farfelu, irréaliste, loufoque, purement théorique. ■ Mouvement centrifuge, porte-voix, téléphone, télescope, télévision. — **Qui est loin.** Arriéré, être/rester en arrière/en panne, être lâché/semé ; antipodes ; bout du monde ; au-delà, par-delà ; désert ; distant, à distance, à perte de vue ; au diable ; écarté, à l'écart ; étranger ; excentrique ; faubourg ; hors d'atteinte/de portée/de vue ; loin, au loin, de loin, de loin en loin, loin de, d'aussi loin que, du plus loin que, lointain, dans le lointain ; perspective ; pays perdu, bled (fam.), trou (pop.), Trifouillis-les-Oies (pop.) ; pays reculé, aux confins de. ■ Ancien ; date ; durer ; longue habitude ; prévoir, voir de loin ; reculé ; tard ; de temps en temps, la nuit des temps ; ultérieur ; vieux.

ÉLONGATION → *étendre.*

ÉLOQUENCE, ÉLOQUENT → *convaincre, parler.*

ÉLU → *choisir, ciel, élire.*

ÉLUCIDATION, ÉLUCIDER → *expliquer.*

ÉLUCUBRATION, ÉLUCUBRER → *folie, penser.*

ÉLUDER → *éloigner, excuse.*

ÉLYTRE → *aile.*

ELZÉVIR → *typographie.*

ÉMACIATION, ÉMACIÉ, ÉMACIER (S') → *maigre.*

ÉMAIL → *blason, céramique, dent.*

ÉMAILLER → *céramique, couleur.*

ÉMAILLERIE, ÉMAILLEUR, ÉMAILLURE → *céramique.*

ÉMANATION → *chimie, gaz, montrer, parfum, partir.*

ÉMANCIPATEUR, ÉMANCIPATION, ÉMANCIPER → *enfant, libre.*

ÉMANER → *parfum, partir.*

ÉMARGEMENT, ÉMARGER → *certifier, couper, signe.*

ÉMASCULATION, ÉMASCULER → *faible, sexe.*

EMBÂCLE → *froid.*

EMBALLAGE → *entourer, lier, paquet, vide.*

EMBALLEMENT, EMBALLER, EMBALLER (S') → *discussion, sensibilité, vif, vitesse.*

EMBALLEUR → *paquet.*

EMBARBOUILLER, EMBARBOUILLER (S') → *écrire, obscur, sale.*

EMBARCADÈRE → *port.*

EMBARCATION → *bateau.*

EMBARDÉE → *automobile, éloigner.*

EMBARGO → *défendre, marchandises.*

EMBARQUEMENT, EMBARQUER → *navire, port, pousser, prison.*

EMBARRAS, EMBARRASSANT, EMBARRASSER → *gêner, obstacle, souci, trouble.*

EMBARRER → *monter.*

EMBASE, EMBASEMENT → *fonder, supporter.*

EMBASTILLER → *prison.*

EMBATTAGE, EMBATTRE → *roue.*

EMBAUCHAGE, EMBAUCHE, EMBAUCHER → *contrat, travail.*

EMBAUCHOIR → *chaussure.*

EMBAUMEMENT, EMBAUMER, EMBAUMEUR → *enterrement, parfum.*

EMBECQUER → *pêche.*

EMBELLIE → *ciel.*

EMBELLIR, EMBELLISSEMENT → *beau, décoration.*

EMBERLIFICOTER → *gêner, obscur.*

EMBÊTEMENT, EMBÊTER → *déplaire, gêner, souci.*

EMBLAVE, EMBLAVER, EMBLAVURE → *blé, culture.*

EMBLÉE (D') → *commencer.*

EMBLÉMATIQUE, EMBLÈME → *symbole.*

EMBOBELINER, EMBOBINER → *tromper.*

EMBOBINER → *tourner.*

EMBOÎTAGE, EMBOÎTEMENT, EMBOÎTER, EMBOÎTURE → *articulation, charpente, lier, roue.*

EMBOLIE → *maladie.*

EMBONPOINT → *gras.*

EMBOSSAGE, EMBOSSER → *navire.*

EMBOUCHE → *bétail, élevage.*

EMBOUCHÉ → *grossier.*

EMBOUCHER → *instrument.*

EMBOUCHURE → *instrument, rivière.*

EMBOUQUEMENT, EMBOUQUER → *entrer, marine.*

EMBOURBER → *boue.*

EMBOURGEOISEMENT, EMBOURGEOISER (S') → *bourgeois*

EMBOURRER, EMBOURRURE → *décoration.*

EMBOUT → *extrême, finir.*

EMBOUTEILLAGE, EMBOUTEILLER → *bouteille, obstacle.*
EMBOUTIR → *frapper, métal.*
EMBOUTISSAGE, EMBOUTISSEUR, EMBOUTISSOIR → *métal.*
EMBRANCHEMENT, EMBRANCHER → *croix, part, route, tuyau.*
EMBRASEMENT, EMBRASER → *feu, passion.*
EMBRASSE → *corde.*
EMBRASSEMENT, EMBRASSER → *caresse, choisir, contenir, entourer.*
EMBRASURE → *fenêtre, ouvrir.*
EMBRAYAGE, EMBRAYER → *automobile, moteur.*
EMBRIGADEMENT, EMBRIGADER → *groupe, influence, parti.*
EMBROCATION → *médicament, soigner.*
EMBROCHER → *cuisine.*
EMBROUILLAGE, EMBROUILLER → *mêler, obscur.*
EMBRUMER → *météorologie.*
EMBRUNS → *pluie.*
EMBRYOGENÈSE, EMBRYOGÉNIE → *germe, reproduction.*
EMBRYOLOGIE, EMBRYOLOGISTE → *reproduction, vie.*
EMBRYON, EMBRYONNAIRE → *germe.*
EMBÛCHE → *tromper.*
EMBUER → *mouiller.*
EMBUSCADE → *attaque, guerre.*
EMBUSQUÉ, EMBUSQUER, EMBUSQUER (S') → *guerre.*
ÉMÉCHER → *boire.*
ÉMERAUDE → *joaillerie.*
ÉMERGENCE, ÉMERGENT, ÉMERGER → *apparaître, lumière, surface.*
ÉMERI → *polir, sot.*
ÉMERILLON → *chasse, oiseau.*
ÉMÉRITE → *adroit, qualité, supérieur.*
ÉMERSION → *astronomie.*
ÉMERVEILLEMENT, ÉMERVEILLÉ → *étonner.,*
ÉMÉTIQUE → *jeter.*
ÉMETTEUR, ÉMETTRE → *banque, produire, radio.*
ÉMEUTE, ÉMEUTIER → *révolte.*
ÉMIETTEMENT, ÉMIETTER → *morceau.*
ÉMIGRANT, ÉMIGRATION, ÉMIGRÉ, ÉMIGRER → *changer, éloigner, pays.*
ÉMINCÉ, ÉMINCER → *couper, diminuer, viande.*
ÉMINENCE → *bosse, ecclésiastique.*
ÉMINENT → *haut, qualité, supérieur.*
ÉMIR → *chef.*
ÉMISSAIRE → *agent, canal, envoyer.*
ÉMISSION → *produire, radio, son.*
EMMAGASINER → *amas, marchandises.*
EMMAILLOTEMENT, EMMAILLOTER → *enfant, entourer.*
EMMANCHEMENT, EMMANCHER → *commencer.*
EMMANCHURE → *bras, couture.*
EMMÊLEMENT, EMMÊLER → *mêler, obscur, trouble.*
EMMÉNAGEMENT, EMMÉNAGER → *meuble.*
EMMENER → *conduire.*
EMMENTAL, EMMENTHAL → *lait.*
EMMÉTROPE, EMMÉTROPIE → *œil.*
EMMIELLER → *affectation, doux.*
EMMITOUFLER → *couvrir, froid, vêtement.*
EMMURER → *fermer, mur.*
ÉMOI → *sensibilité, trouble.*
ÉMOLLIENT → *mou.*
ÉMOLUMENT → *gagner, payer.*
ÉMONDAGE, ÉMONDEMENT, ÉMONDER, ÉMONDEUR → *arbre, couper, enlever, nettoyer.*
ÉMORFILER → *aiguiser.*
ÉMOTIF, ÉMOTION → *psychologie, sensibilité, trouble.*
ÉMOULU → *enseignement, nouveau.*
ÉMOUSSER → *presser.*
ÉMOUSTILLANT, ÉMOUSTILLER → *exciter, joie.*
ÉMOUVANT, ÉMOUVOIR → *sensibilité, trouble.*
EMPAILLER, EMPAILLEUR → *animal, emplir.*
EMPALEMENT, EMPALER → *peine.*
EMPAN → *mesure.*
EMPANACHER → *chapeau, plume.*
EMPAQUETAGE, EMPAQUETER → *paquet.*
EMPARER (S') → *attribuer, prendre.*
EMPÂTÉ, EMPÂTEMENT, EMPÂTER → *gonfler, gras, peinture.*
EMPATTEMENT, EMPATTER → *charpente, maçonnerie, roue.*
EMPAUMER, EMPAUMURE → *cerf, main.*
EMPÊCHEMENT, EMPÊCHER → *défendre, gêner, obstacle.*
EMPÊCHEUR → *gêner.*
EMPEIGNE → *chaussure.*
EMPENNAGE, EMPENNE, EMPENNÉ → *aviation, plume.*
EMPEREUR → *chef.*
EMPERLER → *mouiller.*
EMPESAGE, EMPESER → *affectation, amidon, dur.*
EMPESTER → *dommage, infecter, parfum.*

EMPÊTRÉ, EMPÊTRER → *gêner.*
EMPHASE, EMPHATIQUE → *affectation, excès, parler, style.*
EMPHYSÉMATEUX, EMPHYSÈME → *gonfler, respiration.*
EMPIÈCEMENT → *couture.*
EMPIERREMENT, EMPIERRER → *route.*
EMPIÈTEMENT, EMPIÉTER → *excès, prendre.*
EMPIFFRER, EMPIFFRER (S') → *manger.*
EMPILAGE, EMPILE → *pêche.*
EMPILER, EMPILEUR → *amas, marchandises, voler.*
EMPIRE → *art, chef, colonie, gouverner, influence.*
EMPIRER → *dommage, maladie.*
EMPIRIQUE, EMPIRISME, EMPIRISTE → *médecine, réalité.*
EMPLACEMENT → *placer.*
EMPLÂTRE → *mou, peau, soigner.*
EMPLETTE → *acheter.*
EMPLIR, EMPLISSAGE → *abondance, beaucoup, nombre.* — **Emplir un espace.** Abonder, être abondant/en abondance/en pagaye (pop.) ; bourrer, embourrer, rembourrer, capitonner ; charger, surcharger ; combler un trou ; couvrir, maculer, être couvert de taches ; empailler, rempailler ; encombrer, encombrement ; envahir, envahissant, envahisseur ; enfler ; étoffer ; étouper ; fourrer ; gonfler, gonfleur ; peupler, repeuplement ; regorger ; remplir, rempli ; se remplir les poches, s'en mettre plein les poches (pop.) ; se remplir l'estomac/le jabot/la panse (pop.), s'en mettre plein la lampe (pop.) ; en mettre plein la vue (fam.) ; remplir un réservoir, faire le plein ; saturer, arriver à saturation ; tamponner, tampon ; truffer de ; volumineux. ■ Bouteille, cuve, récipient, réservoir, tonneau, vase, verre ; maison, salle, train, wagon. — **Qui emplit.** Blocage, blocaille, bouche-trou, bourre, bourrette, capiton, étoupe, feutre, fourrage, laine, ouate, paille, ploc, plume, son ; farce, garniture, hachis ; faire du remplissage, baratiner (fam.), broder, cheville, expédient, tirer à la ligne. — **Combler de.** Abreuver ; accabler/assourdir/concert d'éloges/de protestations ; baigner ; être débordant d'amabilité ; enflammer ; enfler ; gonfler ; inonder, flot ; parfum ; saturation, saturé, à satiété, ressasser. — **Être plein.** Bondé ; comble, archicomble, à n'y pas jeter une aiguille ; complet, autobus/hôtel complet ; débordant ; plein, plein à craquer (fam.)/comme un œuf (fam.)/jusqu'aux bords, à ras bords ; à pleines mains, à pleins poumons, à plein gosier, à pleins tubes (fam.) ; en avoir plein les bottes (fam.)/le dos (fam.) ; à ras ; rassasié, repu ; refuser du monde, jouer à bureaux fermés ; rempli, qui ne désemplit pas.
EMPLOI → *fonction, théâtre, travail.*
EMPLOYÉ → *fonction, servir.*
EMPLOYER, EMPLOYEUR → *travail, servir.*
EMPLUMER → *plume.*
EMPOCHER → *recevoir.*
EMPOIGNADE, EMPOIGNER → *discussion, prison, sensibilité.*
EMPOIS → *colle.*
EMPOISONNEMENT, EMPOISONNER, EMPOISONNEUR → *crime, dommage, gêner, infecter, poison, souci.*
EMPOISSER → *colle.*
EMPOISSONNEMENT, EMPOISSONNER → *lac, poisson.*
EMPORTÉ, EMPORTEMENT → *colère.*
EMPORTE-PIÈCE → *couper, critique.*
EMPORTER → *arracher, enlever, perdre, supérieur.*
EMPORTER (S') → *colère.*
EMPOTÉ → *gêner, sot.*
EMPOTER → *jardin.*
EMPOURPRER → *gêner, rouge, visage.*
EMPOUSSIÉRER → *poudre.*
EMPREINDRE, EMPREINTE → *doigt, signe.*
EMPRESSÉ, EMPRESSEMENT, EMPRESSER (S') → *manière, vitesse.*
EMPRISE → *influence.*
EMPRISONNEMENT, EMPRISONNER → *fermer, prison.*
EMPRUNT, EMPRUNTER → *comptabilité, devoir, prendre, prêter, reproduction.*
EMPRUNTÉ → *affectation, gêner.*
EMPUANTIR, EMPUANTISSEMENT → *infecter.*
EMPYRÉE → *ciel, dieu.*
ÉMU → *sensibilité, trouble.*
ÉMULATION, ÉMULE → *égal, suivre.*
ÉMULSION, ÉMULSIONNER → *mêler.*
ENAMOURER (S') → *aimer.*
ÉNARQUE → *enseignement.*
ENCABANAGE, ENCABANER → *soie.*
ENCABLURE → *mesure.*
ENCADREMENT, ENCADRER → *décoration, entourer, entreprise, tirer.*
ENCADREUR → *décoration.*
ENCAGER → *fermer.*
ENCAISSE → *banque.*
ENCAISSÉ → *difficile, rivière, route.*

ENCAISSER → *banque, fermer, supporter.*
ENCAISSEUR → *banque.*
ENCAN → *estimer, prix.*
ENCANAILLEMENT, ENCANAILLER → *avilir.*
ENCAPUCHONNER → *couvrir.*
ENCART, ENCARTER → *livre.*
EN-CAS, ENCAS → *manger.*
ENCASTELER (S'), ENCASTELURE → *cheval.*
ENCASTREMENT, ENCASTRER → *charpente, entrer.*
ENCAUSTIQUAGE, ENCAUSTIQUE, ENCAUSTIQUER → *briller, nettoyer.*
ENCEINDRE, ENCEINTE → *entourer, fermer, fortification.*
ENCEINTE → *accouchement.*
ENCENS → *parfum, résine.*
ENCENSER, ENCENSEUR, ENCENSOIR → *éloge, liturgie.*
ENCÉPHALE, ENCÉPHALITE, ENCÉPHALOGRAMME → *cerveau.*
ENCERCLEMENT, ENCERCLER → *cercle, entourer, guerre.*
ENCHAINÉ → *cinéma.*
ENCHAINEMENT, ENCHAINER → *attache, lier, soumettre.*
ENCHAINER (S') → *suivre.*
ENCHANTÉ → *joie.*
ENCHANTEMENT, ENCHANTER, ENCHANTEUR → *magie, plaire.*
ENCHASSEMENT, ENCHASSER → *entrer, joaillerie, placer.*
ENCHATONNEMENT, ENCHATONNER → *joaillerie.*
ENCHAUSSER → *jardin.*
ENCHEMISAGE, ENCHEMISER → *couvrir.*
ENCHÈRE, ENCHÉRIR, ENCHÉRISSEMENT, ENCHÉRISSEUR → *acheter, estimer, prix.*
ENCHEVALEMENT → *charpente.*
ENCHEVÊTREMENT, ENCHEVÊTRER → *charpente, mêler, obscur.*
ENCHIFRENÉ, ENCHIFRÈNEMENT → *nez.*
ENCLAVE, ENCLAVEMENT, ENCLAVER → *fermer.*
ENCLENCHEMENT, ENCLENCHER → *mouvement.*
ENCLIN → *adroit, tendance.*
ENCLIQUETAGE, ENCLIQUETER → *roue.*
ENCLORE, ENCLOS → *entourer, fermer, jardin.*
ENCLOUAGE, ENCLOUER → *clou.*
ENCLUME → *fer, métal.*
ENCOCHE, ENCOCHEMENT, ENCOCHER → *arc, couper, serrure, signe.*
ENCOIGNURE → *angle, meuble.*
ENCOLLER, ENCOLLEUR, ENCOLLEUSE → *colle.*
ENCOLURE → *cheval, cou, couture.*
ENCOMBRANT, ENCOMBREMENT, ENCOMBRER → *emplir, gêner, obstacle.*
ENCORBELLEMENT → *maçonnerie.*
ENCORDER (S') → *attache, corde.*
ENCORNÉ, ENCORNER → *corne.*
ENCOURAGEANT, ENCOURAGEMENT, ENCOURAGER → *courage, pousser.*
ENCOURIR → *attirer.*
ENCOURS → *banque.*
ENCRASSEMENT, ENCRASSER → *poudre, sale.*
ENCRE, ENCRER, ENCREUR → *dessin, écrire, typographie.*
ENCRIER → *récipient, typographie.*
ENCROÛTE, ENCROÛTEMENT, ENCROÛTER (S') → *diminuer, habitude, paresse.*
ENCYCLIQUE → *pape.*
ENCYCLOPÉDIE, ENCYCLOPÉDIQUE, ENCYCLOPÉDISTE → *connaissance, entier, livre, science.*
ENDÉMIE → *maladie.*
ENDÉMIQUE, ENDÉMISME → *durer, maladie.*
ENDETTEMENT, ENDETTER → *devoir.*
ENDEUILLER → *enterrement, triste.*
ENDIABLÉ → *vif.*
ENDIGUEMENT, ENDIGUER → *contenir, obstacle.*
ENDIMANCHER → *vêtement.*
ENDIVE → *légume.*
ENDOCARDE, ENDOCARDITE → *cœur.*
ENDOCARPE → *noyau.*
ENDOCRINE, ENDOCRINIEN, ENDOCRINOLOGIE → *glande.*
ENDOCTRINEMENT, ENDOCTRINER → *convaincre, influence, opinion.*
ENDOGAMIE → *mariage.*
ENDOGÈNE → *intérieur.*
ENDOLORIR, ENDOLORISSEMENT → *douleur.*
ENDOMMAGEMENT, ENDOMMAGER → *dommage, mal.*
ENDORMANT, ENDORMIR → *dormir, fatigue.*
ENDORMI → *mou, paresse.*
ENDOSCOPE, ENDOSCOPIE → *lumière, médecin.*
ENDOSSE, ENDOSSER → *banque, dos, supporter.*
ENDROIT → *avant, livre, pays, place.*
ENDUIRE, ENDUIT → *couleur, couvrir, peinture.*
ENDURANCE, ENDURANT → *douleur, dur, résister.*

ENDURCIR, ENDURCISSEMENT → *dur, insensible, résister.*

ENDURER → *douleur, supporter.*

ÉNERGÉTIQUE, ÉNERGIE, ÉNERGIQUE → *courage, force, physique, volonté.*

ÉNERGUMÈNE → *exciter.*

ÉNERVANT, ÉNERVER → *colère, exciter, mou, nerf.*

ENFAÎTEAU, ENFAÎTER → *argile, couvrir.*

ENFANCE → *âge, commencer, faible, vie.*

ENFANT → *âge, famille, jouer.* — **Les étapes de l'enfance**. Age, premier/deuxième/troisième âge ou enfance, âge tendre, dès le berceau; aîné, cadet, enfant unique, jumeaux univitellins; croissance physique, grandir; développement affectif, selon Freud : stades prégénitaux et stade génital, conflit œdipien, libido; développement mental, test, quotient intellectuel (Q.I.); développement psychomoteur; enfance, sortir de l'enfance, souvenir d'enfance; grand, devenir grand; langage, commencer à parler; petit, tout-petit; puberté, stades selon Piaget : intelligence sensori-motrice, activité conceptuelle/égocentrique; stades selon Wallon : impulsif, émotif, sensori-moteur, objectivement moteur, personnalisme. ▪ Maladies infantiles : coqueluche, diphtérie, oreillons, rougeole, rubéole, scarlatine, varicelle. — **Le bébé.** Déclaration de naissance, exposition, infanticide, mort-né. ▪ Bébé, enfant en bas âge/au berceau/au biberon/à la mamelle; lardon (pop.); loupiot (pop.), marmot (fam.); nourrisson, nourrir, nourrir au sein, nourrice, nurse, nouveau-né; poupon, pouponner. ▪ Barboteuse; bave, baver, bavette, béguin; berceau, bercer, berceuse, bercelonnette, couffin, moïse, nacelle; biberon; bouillie, sucette, téter, tétée, tétine; brassière, cache-brassière; couche, couche-culotte, changer un enfant; hochet; landau; lange, langer; layette; maillot, emmailloter, démailloter; pèse-bébé; poupée, baigneur; poussette; voiture d'enfant. ▪ Babil, babiller, babillard; balbutiement, balbutier; braillement, brailler, braillard; cri, crier; gazouillis, gazouiller; piaillement, piailler; pleurs, pleurer; vagissement, vagir. — **L'enfant.** Bambin, bambine; blondinet; drôle; fille, fillette, petite fille; galopin; gamin, gamine, gaminerie; garçon, garçonnet, petit garçon, petit homme, petit bonhomme; garnement; gavroche; gosse, sale gosse; marmot (fam.); marmaille (fam.); marmouset; merdeux (pop.); mioche (fam.); môme (fam.); morveux (pop.), morveuse; moutard (fam.); poulbot; rejeton (fam.). — **Qualités et défauts.** Air angélique, ange, chérubin; candeur, candide; curiosité, curieux; fraîcheur; ingénuité, ingénu; enfantin, infantile; innocence, innocent, innocent comme l'enfant qui vient de naître; joueur; naïveté, naïf; précoce, prodige; puérilité, puéril; sagesse, sage, sage comme une image. ▪ Arriéré, bruyant, capricieux, coquin, diable, espiègle, gâté, insupportable, polisson, touche-à-tout, vaurien, zig (fam.). — **L'éducation des enfants.** Corriger, correction, claque, fessée, fesser; éducation, éduquer; élever, enfant bien/mal élevé; s'épanouir; gronder; instruire, instruction; leçon, morale; obéir, obéissance, enfant obéissant/désobéissant; punir, punition; récompense, récompenser, père Noël; réprimander. ▪ Aumônier, bonne d'enfant, correspondant, éducateur, gouvernante, gouverneur, instituteur, jardinière d'enfants, maître/maîtresse d'école maternelle/primaire, moniteur, nurse, parrain, marraine; pédagogue, pédagogie; pédiâtre, pédiâtrie; précepteur; puéricultrice, garderie; surveillant, tuteur. — **Statut légal de l'enfant.** Ascendance, ascendant; autorité parentale/des père et mère; curatelle, curateur, conseil de famille, subrogé tuteur, tutelle; descendance, descendant, petit-fils, petite-fille; émanciper un mineur; enfant adoptif, adoption; enfant légitime/légitimé, légitimation, lignée; enfant naturel/bâtard/naturel adultérin/naturel incestueux; enfant putatif, supposition d'enfant; famille, foyer; filiation naturelle; héritage, hériter, héritier, déshériter, exhéréder; orphelin; parents, père et mère; puissance paternelle, déchéance de la puissance paternelle/de plein droit/facultative; reconnaître un enfant; sang, race; droit de succession. — **L'aide à l'enfance.** Enfant abandonné, abandon d'enfant; aide à l'enfance, aide sociale; Assistance publique, enfant de l'Assistance, assistante sociale, visiteuse d'enfant; enfant surveillé; enfant trouvé, champi; enfant en garde; placement, enfant placé; protection de l'enfance; pupille de l'État/de la Nation. ▪ Bourse, catéchisme, colonie de vacances, crèche, patronage. — **Livres et spectacles pour enfants.** Bibliothèque rose; contes : fée, lutin, ogre, prince charmant; fables et histoires d'animaux, « Le Livre de la jungle »; histoire récréative; légende; roman de cape et d'épée/d'aventures : « L'Ile au Trésor », « Le Dernier des Mohicans », « Robinson Crusoé ». ▪ Livres d'images/illustrés : « Le Sapeur Camember », « Le Savant Cosinus », « Les Pieds

Nickelés », « Tarzan », « Tintin ». ■ Dessin animé : Bambi, Blanche-Neige, Mickey, Walt Disney ; cirque, clown, prestidigitateur ; marionnettes, guignol.

ENFANTEMENT, ENFANTER → *accouchement, produire, reproduction.*

ENFANTILLAGE → *enfant, futile.*

ENFANTIN → *enfant, facile.*

ENFARINÉ, ENFARINER → *doux, poudre.*

ENFER → *ange, douleur, livre.* — **Démons et diables.** Ange déchu/maudit/noir/rebelle ; Azazel ; Baphomet ; Belzébuth ; démon, démone, démoniaque, démonisme, démonologie, démonomanie ; diable, diablesse, diablotin, diablerie, diabolique, diabolisme, endiablé ; djinn ; elfe ; esprit immonde/impur/du mal/mauvais ; génie, génie du mal, mauvais génie ; incube ; korrigan ; lamie ; Lilith ; Lucifer, prince des démons/des ténèbres ; lutin ; le Malin, esprit malin/maléfique/pernicieux/pervers ; puissances infernales/d'en bas ; roi des enfers ; Satan, satanique, satanisme ; succube ; le tentateur. ■ Ailes, cornes, oreilles pointues, pied fourchu, longue queue ; boiteux, porte une fourche ; gargouille. — **Le diable et les hommes.** Être ensorcelé/maudit/possédé du diable ; vendre son âme au diable, pacte diabolique, Faust et Méphistophélès, méphistophélique, les ruses/les tentations diaboliques, crapaud, femme, monstre, serpent, etc. ■ Magie, magie/messe noire, démonolâtrie ; occultisme ; sorcellerie, sorcier, sorcière, bûcher, chasse aux sorcières ; sabbat. ■ Conjurer les démons, conjuration ; exorciser, exorcisme, exorciste, adjuration, prière, signe de croix ; talisman. — **L'enfer des chrétiens.** Aller/finir en enfer ; châtiment ; dam, damné ; enfer, infernal ; Enfer de Dante, les neuf cercles ; expier ses péchés, expiation ; feu, flammes éternelles ; géhenne ; pandémonium ; purgatoire ; réprouvé ; supplice éternel ; ténèbres/tourments/tortures de l'enfer. — **Les Enfers des Anciens.** Averne ; chien des Enfers, Cerbère ; Érèbe ; les divinités chthoniennes ; les fleuves des Enfers : Achéron, Cocyte, Pyriphlégéton ou Phlégéton, Styx ; Hadès ou Pluton ; les juges des Enfers : Eaque, Minos et Rhadamante ; le Léthé ; nocher des Enfers, Charon ; Orcus ; Perséphone ou Proserpine ; les suppliciés célèbres : les Danaïdes, Sisyphe, Tantale ; le Tartare. ■ Abîme, demeure, empire, ombres myrteux, sombres rivages, royaume de Pluton, séjour des ombres.

ENFERMER → *entourer, fermer, prison.*

ENFERRER → *escrime, pêche, tromper.*

ENFIÈVREMENT, ENFIÉVRER → *exciter.*

ENFILADE → *ligne, suivre.*

ENFILAGE, ENFILER → *entrer, ligne, trou, vêtement.*

ENFLAMMÉ, ENFLAMMER → *emplir, exciter, feu.*

ENFLER → *augmenter, emplir, gonfler, gras.*

ENFLURE → *excès, gonfler, gras.*

ENFONCEMENT, ENFONCER → *détruire, entrer, pousser, supérieur, trou.*

ENFOUIR, ENFOUISSEMENT → *cacher, vide.*

ENFOURCHEMENT → *charpente.*

ENFOURCHER → *monter.*

ENFOURNER → *cuire, manger.*

ENFREINDRE → *excès, faute.*

ENFUIR (S') → *fuir.*

ENFUMER → *fumée.*

ENFÛTAGE, ENFUTAILLER → *tonneau.*

ENGAGÉ → *colonne, parti.*

ENGAGÉ → *armée.*

ENGAGEANT → *attirer, engager.*

ENGAGEMENT → *armée, confiance, guerre, parti, prêter.*

ENGAGER, ENGAGER (S') → *commencer, entrer.* — **Promettre.** Assurer, donner l'assurance/l'espérance que, faire espérer ; donner sa parole ; s'engager oralement ; se fiancer, fiançailles, fiancés, futurs, promis ; promesse de mariage ; gager, tenir une gageure ; jurer, jurer ses grands dieux ; parier, faire le pari que ; promettre, offre prometteuse, promettre monts et merveilles, promesse ronflante, bercer de promesses, eau bénite de cour ; protester, protestation d'amitié ; surenchère, surenchérir. ■ S'acquitter de, être fidèle à, remplir, respecter/tenir une promesse/sa parole. — **S'engager à.** Bail ; billet ; contrat ; convention ; dette ; échéance ; engagement, engager sa foi/son honneur/sa parole/sa responsabilité, s'engager, accepter/contracter un engagement, s'acquitter, faire face à / honorer un engagement ; engagement moral/mutuel/tacite/solidaire/à vue ; foi, foi jurée, jurer sur l'Évangile/l'honneur/la vie ; garantie d'un engagement, garantir, assurance, caution, gage, hypothèque, nantissement ; obliger, s'obliger à, obligation ; pacte ; parole, donner sa parole/sa parole d'honneur ; promettre sur l'honneur, promesse sacrée, « chose promise, chose due » ; reconnaissance ; serment, déférer le serment, assermenter, faire/prêter serment, lever la main, être assermenté, juré, jury, caution juratoire, serment d'allégeance/judiciaire/politique / professionnel, faux serment ; souscrire, souscription ; être contraint / forcé/ obligé de. — **Rompre l'engagement.** Se dédire, dédit ; se dégager, dégagement ; faire faux bond, faillir à ; manquer à sa parole ; relever de ses vœux ; rendre/retirer sa parole ; rétracter une promesse, rétractation, se rétracter. ■ Abjurer, se parjurer, parjure, renier sa parole, renégat ; violer son serment. — **Engagement religieux**. Accomplir un vœu, brûler un cierge ; commuer un vœu ; consacrer/dévouer/ mettre sous la protection de ; faire vœu de, prononcer/proférer ses vœux, faire profession, profès, professe ; relever d'un vœu ; vœu monastique/simple/ solennel/de chasteté/d'obéissance/de pauvreté ; vouer, messe votive, ex-voto. — **Pousser à.** Affriolant ; aguicher, aguichant, aguicheur ; allécher, alléchant ; amener ; amorce, appât ; appeler, appel ; appétissant ; attirer, attirant, attrayant, attractif, attraction, attrait ; conduire à ; conseiller, conseil ; convaincre ; convier ; corrompre ; déterminer ; disposer ; encourager, encourageant, encouragement, courage ! ; engager, engageant ; exciter, excitant ; exhorter, exhortation ; guider ; inciter, incitation ; inviter, invite, invitation ; mener ; faire miroiter, miroir aux alouettes, piège ; perversion, perversité, perverti ; plaisant ; porter à ; presser, pressant ; recommander ; séduire, séduisant, séducteur, séduction ; soudoyer ; stimuler, stimulant, stimulus ; suggérer, suggestif ; tenter, tentateur, tentant, tentation.

ENGAZONNER → *herbe, jardin.*

ENGEANCE → *mépris.*

ENGELURE → *froid.*

ENGENDREMENT, ENGENDRER → *accouchement, produire.*

ENGERBAGE, ENGERBER → *blé.*

ENGIN → *arme, machine.*

ENGINEERING, INGÉNIERIE → *entreprise, plan.*

ENGLOBER → *entier, entourer, entrer.*

ENGLOUTIR, ENGLOUTISSEMENT → *détruire, manger, partir.*

ENGLUEMENT, ENGLUER → *chasse, colle.*

ENGOBAGE, ENGOBER → *céramique.*

ENGOMMAGE, ENGOMMER → *résine.*

ENGONCER → *gêner.*

ENGORGEMENT, ENGORGER → *obstacle.*

ENGOUEMENT, ENGOUER (S') → *aimer.*

ENGOUFFREMENT, ENGOUFFRER → *eau, entrer, manger, vent.*

ENGOURDIR, ENGOURDISSEMENT → *dormir, fixer.*

ENGRAIS, ENGRAISSER → *bétail, culture, gras.* — **Fertilisation des sols.** Améliorer, amélioration ; amender, amendement ; chauler ; écobuer, écobuage ; engraissage, engraisser ; épandre, épandage ; faluner, falun ; fertiliser, fertile, fertilisant, fertilité ; fumer, fumure, fumage, fumer en couverture, enfouir/enterrer le fumier ; marner. ■ Humus, tangue, terramare, terreau. — **Engrais azotés.** Boues et ordures des villes, gadoues ; compost ; corne torréfiée ; cuir désagrégé ; déjections humaines, engrais humain, flamand, poudrette ; drêches ; eaux résiduaires ; engrais verts ; fumier, litière, crottin, purin ; goémon, varech ; guano ; laine désagrégée ; limon, wagage ; pulpes ; sang desséché ; tourteaux. ■ Engrais à azote/ammoniacal, crude ammoniac, cyanamide de chaux, sulfate d'ammoniaque, urée. ■ Engrais à azote nitrique, nitrate de chaux/de soude ; ammonitrates. — **Engrais phosphatés et potassiques.** Engrais à phosphate monocalcique, superphosphate double/simple ; engrais à phosphate bicalcique, basi-phosphate, phosphate précipité ; engrais à phosphate tricalcique/minéraux ou naturels/d'origine animale, cendres d'os, poudres d'os dégélatinés ; engrais à phosphate tétracalcique, scories. ■ Engrais potassiques ; sels bruts, sylvinite ; sels raffinés, carbonate/chlorure/ nitrate/sulfate de potassium.

ENGRANGEMENT, ENGRANGER → *blé, céréales, marchandises.*

ENGRAVER, ENGRAVER (S') → *échouer, sable.*

ENGRENAGE → *lier, roue.*

ENGRÈNEMENT, ENGRENER → *articulation, grain, roue.*

ENGUEULADE, ENGUEULER → *discussion.*

ENGUIRLANDER → *décoration, discussion.*

ENHARDIR, ENHARDIR (S') → *courage.*

ENHARNACHER → *harnais.*

ENHERBER → *herbe.*

ÉNIÈME → *nombre.*

ÉNIGMATIQUE, ÉNIGME → *difficile, obscur.*

ENIVRANT, ENIVREMENT, ENIVRER → *exciter, joie, passion.*

ENIVRER (S') → *boire.*

ENJAMBÉE → *jambe, marcher.*

ENJAMBEMENT → *poésie.*

ENJAMBER → *jambe, passer.*

ENJAVELER → *blé, céréales.*

ENJEU → *engager, jouer.*

ENJOINDRE → *décider, volonté.*

ENJOLEMENT, ENJOLER, ENJOLEUR → *attirer, plaire, tromper.*

ENJOLIVEMENT, ENJOLIVER → *décoration, récit.*

ENJOLIVEUR, ENJOLIVURE → *automobile, roue.*

ENJOUÉ, ENJOUEMENT → *joie.*

ENKYSTER, ENKYSTER (S') → *tumeur.*

ENLACEMENT, ENLACER → *bras, caresse, presser.*

ENLAIDIR, ENLAIDISSEMENT → *laid.*

ENLEVÉ → *facile, vif.*

ENLÈVEMENT → *enlever, voler.*

ENLEVER → *monter, prendre, vide, voler.* — **Dégager un lieu.** Balayer, balai ; débarrasser ; découvrir ; déblayer, déblai ; déboiser ; débroussailler, débroussailleuse ; dégager, dégagement, dégager le terrain, avoir une vue dégagée ; dégarnir, démeubler, dépailler, dépaver, etc. ; desservir ; épierrer ; épousseter ; mettre à blanc/à nu ; nettoyer, nettoiement, nettoyage, nettoyage par le vide (fam.) ; sarcler ; vider. — **Ôter du corps.** Se débarrasser ; décapiter ; déchausser ; se décoiffer ; déculotter, déganter, dégrafer, délacer, démasquer, dépiauter, etc. ; déshabiller, dévêtir ; enlever son chapeau ; épiler ; épouiller, épucer ; ôter ; plumer ; poser, quitter ; retirer ; tomber la veste (pop.). — **Détacher en séparant.** Amovible ; amputer, ablation ; arracher ; couper, coupe ; cueillir ; déboîter ; déclouer, desceller, désosser, détacher, dévisser, etc. ; ébarber, effeuiller, élaguer, émonder, étêter, etc. ; extirper, etc. ; gratter, grattoir ; peler ; prélever, prélèvement, échantillon ; racler, raclette ; ravir, rapt ; tirer, retirer ; trancher. — **Enlever en supprimant.** Censurer, caviarder (fam.), châtrer, émasculer ; couper ; défalquer, ristourne ; détacher, détachant ; détruire, deleatur ; diminuer, diminution ; faire disparaître ; effacer ; élider, élision, ellipse ; éliminer, élimination, éliminatoire ; essuyer ; excepter, exception ; frotter ; frustrer, frustration ; laver, laver à grande eau ; mutiler, mutilation ; ôter ; raboter ; radier, rayer, radiation ; retrancher ; sabrer ; sevrer, sevrage ; soustraire, soustraction ; supprimer, suppression, supprimer radicalement ; tronquer. — **Enlever une charge.** Aider, aide, appui, appoint ; décharger, décharge ; délivrer, délivrance ; dispenser, dispense ; exempter, exemption ; exonérer, exonération ; libérer, libérateur ; prendre sa part/à sa charge ; remettre, remise de peine ; soulager, soulagement, ouf !

ENLISEMENT, ENLISER (S') → *boue, sable.*

ENLUMINER, ENLUMINEUR, ENLUMINURE → *décoration, peinture.*

ENNEIGEMENT, ENNEIGER → *froid.*

ENNEMI → *adversaire, détester, guerre.*

ENNOBLISSEMENT, ENNOBLIR → *noblesse.*

ENNUAGER (S') → *météorologie.*

ENNUI, ENNUYER, ENNUYEUX → *fatigue, souci.*

ÉNONCÉ, ÉNONCER, ÉNONCIATION → *discussion, écrire, parler.*

ENORGUEILLIR, ENORGUEILLIR (S') → *orgueil.*

ÉNORME, ÉNORMITÉ → *excès, important, sot.*

ÉNOSTOSE → *tumeur.*

ENQUÉRIR (S') → *informer.*

ENQUÊTE, ENQUÊTER, ENQUÊTEUR → *demander, essayer, informer.*

ENQUIQUINER → *gêner.*

ENRACINEMENT, ENRACINER → *arbre, fixer, jardin, pont.*

ENRAGÉ, ENRAGEANT, ENRAGER → *colère, exciter, moquer, vif.*

ENRAYEMENT, ENRAYAGE, ENRAYER → *arme, arrêter, roue.*

ENRAYURE → *charpente, roue.*

ENRÉGIMENTER → *groupe.*

ENREGISTREMENT, ENREGISTRER → *disque, écrire, impôt, livre, son.*

ENRHUMER, ENRHUMER (S') → *froid, nez.*

ENRICHI, ENRICHIR, ENRICHISSEMENT → *riche, style.*

ENROBAGE, ENROBEMENT, ENROBER → *couvrir.*

ENROCHEMENT, ENROCHER → *fonder.*

ENRÔLEMENT, ENRÔLER, ENRÔLER (S') → *armée, groupe, tribunal.*

ENROUEMENT, ENROUER → *gorge, parler.*

ENROULEMENT, ENROULER, ENROULEUR → *entourer, tourner.*

ENSABLEMENT, ENSABLER → *échouer, sable.*

ENSACHAGE, ENSACHER → *sac.*

ENSAISINEMENT, ENSAISINER → *féodalité.*

ENSANGLANTER → *sang.*

ENSEIGNANT → *enseignement.*

ENSEIGNE → *inscription, signe, symbole.*

ENSEIGNE → *grade.*

ENSEIGNEMENT, ENSEIGNER → *apprendre, expliquer, montrer, université.* — **Généralités sur l'enseignement.** Allocation scolaire, bourses d'études ; école gratuite/laïque et obligatoire, lois Ferry ; école publique/communale / maternelle / primaire ; grandes écoles ; école confessionnelle/libre/sous contrat d'association, loi Barangé; enseignement primaire/secondaire/technique/supérieur; établissement d'enseignement public; études, cycle d'études; monopole; neutralité. ■ Académie, rectorat, université, ministère de l'Éducation nationale. ■ Corps/personnel enseignant, syndicats d'enseignants. — **Enseignement primaire.** Brevet élémentaire; certificat d'études primaires (C.E.P.)/d'études primaires supérieures; cours préparatoire/élémentaire/moyen/supérieur/de fin d'études; cycle élémentaire; diplôme de fin d'études; école maternelle, classe enfantine, jardin d'enfants; école communale/primaire élémentaire/primaire supérieure (E.P.S.). ■ Calcul, chant, dessin, écriture, éducation physique, histoire et géographie; instruction civique et morale, leçons de choses, lecture, travaux manuels. ■ Directeur/directrice d'école; instituteur, institutrice, maître/maîtresse d'école, école normale; inspecteur primaire/d'académie/général de l'enseignement primaire. — **Enseignement technique ou professionnel.** Apprenti, apprentissage, centre d'apprentissage industriel; certificat d'aptitude professionnelle (C.A.P.); collège d'enseignement technique (C.E.T.); cours professionnels, cours du soir/de perfectionnement/de recyclage. ■ Formation permanente des adultes; lycée agricole / d'enseignement professionnel technique (L.E.P.). ■ Baccalauréat technique, brevet d'études professionnelles (B.E.P.), brevet de technicien; école nationale professionnelle (E.N.P.). — **Enseignement du second degré.** Baccalauréat, bachot, bac, bachelier, première/deuxième partie; brevet de fin d'études du premier cycle (B.E.P.C.); classes : sixième, cinquième, quatrième, troisième, seconde, première, terminale, préparatoire; collège d'enseignement général (C.E.G.)/d'enseignement secondaire (C.E.S.); cours complémentaire; premier cycle, second cycle; école normale supérieure; enseignement secondaire/classique/moderne/général/court/long; lycée municipal/d'État/de garçons/de jeunes filles/mixte / polyvalent; section. ■ Éducation physique, instruction civique, langue et littérature françaises, langues anciennes, humanités, langues vivantes, histoire et géographie, mathématiques, philosophie, physique et chimie, sciences économiques, sciences naturelles. ■ Directeur, directrice, proviseur, principal, censeur, conseiller principal d'éducation (C.P.E.), surveillant général, surveillant, pion (fam.), surveillant d'externat / d'internat; économe, intendant, attaché d'intendance; préfet des études; préparateur; professeur, professeur principal : agrégé, certifié, licencié, délégué ministériel/rectoral; magister, régent. — **La vie scolaire.** Bizut, bizuter, bizutage; boursier; cancre; chef de classe; chouchou du professeur (fam.); consigne, être consigné; collégien, condisciple; composition; devoir, devoir surveillé/sur table; discipline, conseil de discipline; distribution des prix; écolier, école buissonnière; élève, bon/mauvais élève examen, examen blanc, examinateur, jury; exclusion, renvoi, être exclu/renvoyé; externe, externat; fort en thème; interrogation, colle, être interrogé, interrogation écrite; interne, internat, pensionnaire, demi-pensionnaire; lauréat de Concours général; leçon, leçon particulière, précepteur; répétiteur, •tapir (fam.); potache, potasser; prix, premier prix, prix d'excellence, croix; punition, colle (fam.), consigne, coin, ligne, pensum, piquet, retenue, zéro de conduite; réviser une composition/un examen/ses leçons; récréation; redoubler, redoublant, vétéran; rentrée; scolarité; trimestre, bulletin, notes trimestrielles, conseil de classe, tableau d'honneur; vacances, grandes vacances. ■ Chaire, cour de récréation, dortoir, estrade, étude, foyer socio-éducatif, activités scolaires, parloir, préau, réfectoire, salle de cours, tableau noir. — **Pédagogie.** Animation, animateur; auteurs au programme; classement; compte rendu; conférence; conversation libre; correction des copies, corrigé; cours *ex cathedra* / magistral / par correspondance; directivité, non-directivité; émulation, bon point, croix; enseignement programmé; exercice, exercices improvisés; exposé, plancher (fam.); Institut national de Recherche pédagogique (I.N.R.P.); lecture; leçon, récitation des leçons; matériel audio-visuel, disques, films, radio, télévision; motiver, motivation; pédagogie, pédagogue; téléenseignement; travail en équipe. ■ Cours/professeur ennuyeux/rasant/rasoir (fam.)/sans autorité; bavarder, bavardage; chahut, chahuter. ■ Corriger, démontrer, dévoiler, éclairer, éduquer, former, inculquer, initier, instruire, ouvrir l'esprit rabâcher, répéter. — **Examen scolaire.** Candidat, impétrant; être admissible/admis/reçu/reçu avec mention/avec félicitations du jury/avec indulgence du jury; être ajourné/collé/refusé. ■ Écrit, épreuves écrites, oral, épreuves orales; coefficient, matière, matière facultative/à option; session, session spéciale/de rattrapage/de repêchage. ■ Correcteur, examinateur, interrogateur, jury, président du jury. ■ Baccalauréat (série A, B, C, D, E, F, G), bachoter, brevet, concours, examen de première/deuxième année, etc., doctorat, licence, maîtrise, unité de valeur; docimologie. — **Divers établissements d'enseignement.** Académie, atrium, boîte (pop.), conservatoire de danse/de musique, collège, cours, couvent, école, gymnase; Institut national des jeunes aveugles/des sourds et muets; institution; lycée municipal/d'État/agricole/technique; médersa; pension, pensionnat; prytanée militaire; *schola cantorum*; scolasticat, séminaire, grand/petit. — **Grandes écoles.** École des arts et métiers/des beaux-arts/centrale des arts et manufactures/des chartes/des hautes études commerciales/des langues orientales/militaire/des mines/nationale d'administration/navale/normale supérieure/de physique et chimie/polytechnique/des ponts et chaussées/Saint-Cyr/des sciences politiques/supérieure d'électricité, etc.; Institut agronomique. ▪ Classe préparatoire littéraire, khâgne, khâgneux, hypokhâgneux; classe préparatoire scientifique, taupe, hypotaupe, taupin, hypotaupin; piston, épices, fumier, etc.; carré, cube, bica, archicube; trois-demi, cinq-demi, sept-demi, penta.

ENSELLÉ → *cheval.*

ENSELLURE → *dos.*

ENSEMBLE → *accord, deux, groupe, lier, mathématiques, vêtement.*

ENSEMBLIER → *décoration.*

ENSEMENCEMENT, ENSEMENCER → *culture, jardin, microbe.*

ENSERRER → *entourer.*

ENSEUILLEMENT → *fenêtre.*

ENSEVELIR, ENSEVELISSEMENT → *cacher, enterrement.*

ENSILAGE, ENSILER → *céréales.*

ENSOLEILLÉ, ENSOLEILLEMENT, ENSOLEILLER → *lumière, soleil.*

ENSOMMEILLÉ → *dormir.*

ENSORCELANT, ENSORCELER, ENSORCELEUR → *attirer, convaincre, magie.*

ENSUIVRE (S') → *conséquence, suivre.*

ENTABLEMENT → *colonne.*

ENTACHER → *annuler, honneur, réputation.*

ENTAILLE, ENTAILLER → *blesser, couper.*

ENTAMÉ, ENTAMER → *commencer, couper, morceau.*

ENTARTRER → *sale.*

ENTASSEMENT, ENTASSER → *amas, presser.*

ENTÉLÉCHIE → *philosophie, pur.*

ENTENDEMENT, ENTENDEUR, ENTENDRE → *bruit, connaissance, volonté.* — **Oreille.** Oreille externe : conduit auditif externe; conque; hélix, anthélix; lobe, lobule; ourlet, pavillon; tragus, antitragus. ▪ Oreille moyenne : cavités mastoïdiennes; fenêtre ovale; osselets, marteau, enclume, étrier; trompe d'Eustache; tympan, caisse, membrane du tympan, crever le tympan. ▪ Oreille interne : canaux cochéaires / semi-circulaires; cavités membraneuses/osseuses; conduit auditif interne; endolymphe, périlymphe; labyrinthe osseux, limaçon, labyrinthe membraneux; nerf auditif; organe de Corti; rocher; saccule, utricule; vestibule. ▪ Otologie, oto-rhino-laryngologie, otoscopie; audiogramme, audiomètre, acoumètre, audimètre, décibel. ▪ Oreillons, otite, otalgie; perforation du tympan, fénestration. — **Qui empêche d'entendre.** Abasourdir, abasourdi; assourdir; bourdonnement; bruit; cérumen, cire; dureté d'oreille, être dur d'oreille/de la feuille (pop.), hypoacousie; fading, parasites; otalgie, otomycose, otorragie, otorrhée, otosclérose, otospongiose; sourd, sourdingue (pop.), sourd comme un pot (fam.), sourd-muet; sourdine; surdité congénitale / partielle / totale, surdimutité; tinter, tintement. — **Qui permet d'entendre.** Acoustique, acousticien; acuité auditive; amplificateur; appareil, appareiller un sourd; cornet acoustique; haut-parleur, mégaphone, microphone; porte-voix; sonoriser, sonorisation, sonore, niveau sonore; tympan acoustique. — **Écouter.** Attention, attentif; audition, auditeur, auditoire, audible, inaudible; ausculter; discerner; distinguer; écouter, écouter/coller son oreille aux portes, écoute; entendre; guetter, être aux aguets, espion; dresser/prêter/tendre l'oreille, ouvrir les oreilles/ses esgourdes (pop.), être tout oreilles, se boucher les oreilles, faire la sourde oreille; ouïr, ouïe, ouï-dire, être tout ouïe, oyez! oyez!; être pendu/suspendu aux lèvres de quelqu'un, boire ses paroles; public; surprendre des propos.

ENTENDRE (S') → *accord, adroit, association.*

ENTENDU → *adroit, convenir.*

ENTENTE → *accord, association, économie.*

ENTER → *arbre, menuiserie.*

ENTÉRINEMENT, ENTÉRINER → *certifier.*

ENTÉRITE, ENTÉROCOLITE → *intestin.*

ENTÉRORÉNAL, ENTÉROVACCIN → *intestin.*

ENTERREMENT, ENTERRER → *mourir, terre.* — **Entre la mort et l'enterrement.** Acte de décès, médecine légale, autopsie; catafalque; chapelle ardente, cierge; dépouille mortelle; embaumer, embaumement, embaumeur; exposition du corps; faire-part de décès, nécrologie; fermer les yeux; levée du corps; linceul; maison mortuaire; mettre/mise en bière, clouer le cercueil; pleureuses, chants funèbres, thrène, vocero; suaire; veiller un mort, veillée funèbre. — **Deuil.** Crêpe noir; deuil, être en deuil/en grand deuil, demi-deuil, les deuillants, mener/quitter le deuil; drapeaux en berne, fusils renversés; vêtements noirs, voiles; veuf, veuve, orphelin. ▪ Froid, funèbre, lugubre, noir, sombre, triste. — **Cérémonie religieuse.** Absoute; chants funèbres, *dies irae, de profundis;* glas, sonner le glas; goupillon; messe des morts/de première/de deuxième classe/de requiem/pour le repos de l'âme; obit, registre obituaire; office des morts; oraison funèbre, les Oraisons funèbres de Bossuet; *requiem,* le *Requiem* de Mozart/de Verdi, etc.; service funèbre. — **Enterrement.** Cercueil, sapin, chêne, plomb; cérémonie funèbre; convoi; corbillard; cordons du poêle; crêpe; derniers devoirs; drap/fourgon mortuaire; ensevelir, ensevelissement; enterrer, enterrement civil/religieux; fleurs et couronnes, croix/coussin de fleurs; funérailles, funérailles nationales, Panthéon, funéraire; inhumer, inhumation, permis d'inhumation; marche funèbre; obsèques; porter en terre/à sa dernière demeure; tentures noires, larmes d'argent. ▪ Pompes funèbres, entrepreneur/ordonnateur de pompes funèbres, croque-mort (fam.), enterrer en grande pompe. — **Cimetière.** Catacombes; caveau, caveau de famille; cénotaphe; chambre mortuaire; colonne funéraire; concession; crypte; dalle; fosse, fosse commune, charnier; galgal; gisant, tombeau à gisant; hypogée; if, cyprès, chrysanthème; mastaba; mausolée; momie; monument funèbre/aux morts; nécropole; ossuaire; pelletée de terre; plaque tombale; pyramide; sarcophage; statue, statue priante; stèle, tombe, tombeau, pierre tombale/tumulaire; tertre; tombelle; tumulus. ▪ Cippe, croix, épitaphe: ci-gît, ici repose, repos éternel, *requiescat in pace.* — **Autres rites funéraires.** Crémation, four crématoire, crématorium; incinération, incinérer, urne cinéraire, columbarium; bûcher, cendres; vases funéraires antiques ou canopes.

EN-TÊTE → *inscription.*

ENTÊTÉ, ENTÊTEMENT, ENTÊTER (S') → *entier, résister, volonté.*

ENTÊTER → *parfum.*

ENTHOUSIASME, ENTHOUSIASMER, ENTHOUSIASTE → *exciter, joie, passion.*

ENTICHEMENT, ENTICHER → *aimer, passion.*

ENTIER → *groupe, nombre, pur.* — **Qui a toutes ses parties.** Bloc, en bloc; de bout en bout, d'un bout à l'autre; comble; complet, au complet, compléter, complètement, complément, complémentaire; emplir, empli; ensemble, dans l'ensemble; entier, entièrement, nombre entier; exhaustif, exhaustivité; global, globalement, *grosso modo;* homogène, homogénéité; illimité; *in extenso;* intégral, intégralité, intégralement, édition intégrale, l'intégrale d'une œuvre; olo-, holo-; plein, plénier, assemblée plénière; total, totalité, totalement. — **Sur le plan logique et psychologique.** Absolu; achevé; encyclopédique, encyclopédie, encyclopédisme; fini; fondamental, fondamentalement; général, généralité, généraliser, généralisation; idéal; immuable; intact; intégrité; modèle, copie conforme; œcuménique, œcuménisme, œcuménicité; omniscience, omniscient, omni-; pan-, panthéisme; parfait, perfection; radical, radicalement; sans réserve; somme; total; universel, universalité. — **Caractère entier.** Absolu; jugement arrêté; autoritaire; brutal, brutalité; cassant; catégorique; constant; dogme, dogmatisme; entêté, entêtement; exclusif, jeter l'exclusive; fanatisme, fanatiser, fanatique; ferme, fermeté; fier; formel; impérieux; inflexible, intraitable, intransigeant; obstiné; opiniâtre, opiniâtreté, s'opiniâtrer; orgueilleux; raide, raideur; têtu; tranchant; volonté, volontaire.

ENTITÉ → *abstraction, philosophie.*

ENTOILAGE, ENTOILER → *couture, tissu.*

ENTOMOLOGIE, ENTOMOLOGISTE → *insecte.*

ENTONNAGE, ENTONNEMENT, ENTONNER → *tonneau.*

ENTONNER → *chanter.*

ENTONNOIR → *vin.*

ENTORSE → *articulation, faute, jambe.*

ENTORTILLEMENT, ENTORTILLER → *couvrir, lier, obscur, tromper.*

ENTOURAGE → *décoration, famille, milieu.*

ENTOURER → *ceinture.* — **Mettre autour.** Auréoler, auréole, aura; bander, bandage, bande; ceindre, ceint, ceinturer, enceinte; cercler, encercler, encerclement; circonscrire (d'un trait), circonscription; clore, clos, enclore, enclos, clôturer, clôture; décorer, décoration; draper; enlacer, enlacement, lacis; embobiner; embrasser; emmailloter; encadrer, encadrement, cadre, cadrer; enrouler, rouler; entortiller; entourer; envelopper, enveloppe; fortifier, fortifications, murs, remparts; habiller, habillage; hérisser, hérisson; insérer; lier, lien; sertir, sertissage. — **Être autour.** Acculer; assiéger, assiégeant, siège; attaquer, attaquant; baigner, bain; bloquer, blocus; cadre, encadrer; cerner; coincer; couronner; encercler; enserrer; entourer; environs, environner, environnement, les environs; fermer; graviter, gravitation; se presser/tourner autour. ■ Ami, ennemi; meute, troupe; paysage. — **Ce qui entoure.** Ambiance, atmosphère, bain, cadre, cénacle, cercle, circonstances, compagnie, cour, entourage, foyer, milieu, les proches, société, univers, voisinage. ■ Abords, alentours, anneau, bande, banlieue, bordure, cadre, ceinture, cercle, cerne, châsse, chemin de ronde, circonvallation, clôture, contexte, contour, couronne, courroie, déambulatoire, enveloppe, faubourg, feston, guirlande, halo, nimbe, périmètre, péristyle, pourtour, rond.

ENTOURLOUPETTE → *moquer.*

ENTRACTE → *repos, spectacle.*

ENTRAIDE, ENTRAIDER (S') → *aider.*

ENTRAILLES → *intérieur, intestin, sensibilité.*

ENTRAIN → *joie, vif.*

ENTRAÎNEMENT, ENTRAÎNER → *attirer, conduire, mouvement, sport, tirer.*

ENTRAÎNEUR → *sport.*

ENTRAÎNEUSE → *danse.*

ENTR'APERCEVOIR → *regarder.*

ENTRAVE, ENTRAVER → *gêner, obstacle.*

ENTREBÂILLEMENT, ENTREBÂILLER, ENTREBÂILLEUR → *ouvrir.*

ENTRE-BANDE → *tissu.*

ENTRECHAT → *danse.*

ENTRECHOQUEMENT, ENTRECHOQUER → *frapper.*

ENTRECOLONNEMENT → *colonne.*

ENTRECÔTE → *bœuf.*

ENTRECOUPER → *intervalle.*

ENTRECROISEMENT, ENTRECROISER → *croix.*

ENTRECUISSE → *jambe.*

ENTRE-DÉCHIRER (S') → *mal.*

ENTRE-DEUX → *broder, meuble.*

ENTRÉE → *commencer, droit, ouvrir.*

ENTRÉE → *manger.*

ENTREFAITES → *temps.*

ENTREFENÊTRE → *fenêtre, tapis.*

ENTREFILET → *journal.*

ENTREGENT → *adroit, relation.*

ENTREJAMBE → *siège, vêtement.*

ENTRELACEMENT, ENTRELACER, ENTRELACS → *croix, décoration, lier.*

ENTRELARDÉ, ENTRELARDER → *mêler, viande.*

ENTREMÊLEMENT, ENTREMÊLER → *intervalle, mêler.*

ENTREMETS → *manger.*

ENTREMETTEUR, ENTREMETTRE (S'), ENTREMISE → *agent, défendre, part.*

ENTREPONT → *navire.*

ENTREPOSER, ENTREPOSEUR, ENTREPOSITAIRE, ENTREPOT → *garder, marchandise.*

ENTREPRENANT, ENTREPRENDRE → *agir, commencer, confiance.*

ENTREPRENEUR → *construction, entreprise.*

ENTREPRISE → *confiance, économie, exécuter, produire.* — **Mettre à exécution.** Agir, action; aller de l'avant; attaquer, attaque; commencer, commencement; créer, création; déclencher, déclenchement; débuter, début; dessein; se disposer à; engager, engager le combat/les hostilités; engager / entamer un processus; essayer, essai; établir; fonder; hasarder; lancer, lancement; se mettre à, mettre la main à, mettre en train; montrer l'exemple; oser; ouvrir/tracer le chemin/la voie; plan; prendre sur soi; projet, projeter; risquer, risque à courir; tenter, tentative. ■ Entreprise colossale / considérable / dangereuse / délicate/ difficile/ douteuse/ folle/ hasardeuse / périlleuse / risquée / sûre / téméraire/vaine. ■ Action, affaire, chose, œuvre, opération, ouvrage, travail. — **Se charger d'une affaire.** Adjudication, adjudicataire; assumer les responsabilités; concession, concessionnaire; faire son affaire de; ferme, affermer; prendre la charge/ en charge/en main; soumissionner, soumission, soumissionnaire. ■ Réussite, succès; échec, fiasco, faillite, insuccès; entreprise florissante/heureuse/malheureuse/qui bat de l'aile (fam.)/qui tourne mal; renflouer. — **Qui a l'esprit d'entreprise.** Actif, activité; animateur; audacieux, audace; autoritaire, avoir de l'autorité, s'imposer; brasseur d'affaires; commander, savoir commander/se faire obéir; concevoir, avoir des idées; décider, esprit de décision; dynamique, dynamisme; esprit d'équipe; hardi, hardiesse; initiative, esprit d'initiative, pionnier; moderne; négociateur; bon organisateur; plein d'allant/de talent/de vie, etc. — **Entreprises industrielles ou commerciales.** Affaire; atelier; branche d'industrie; chantier; commerce; coopérative, familistère; entreprise artisanale/commerciale/familiale/industrielle; entreprise de plomberie/de pompes funèbres/de transports/de travaux publics, etc., entrepreneur; entreprise petite/moyenne/grande/grosse/géante; libre entreprise; entreprise nationalisée/privée/publique/reconnue d'utilité publique; établissement; exploitation; firme; groupe, groupe international; industrie; régie; société, société de personnes/de capitaux/à responsabilité limitée (S.A.R.L.); usine. ▪ Agence, bureau d'achats/d'études, comptoir, sous-comptoir, concession, département, division, filiale, réseau de distribution, sous-traitance, succursale. ▪ Absorption; concentration, concentration horizontale / verticale; fusion; intégration; participation, prise de participation, reprendre une affaire. ▪ Cartel, combinat, consortium, entente, holding, konzern, trust. — **Gestion d'une entreprise.** Administration; animation d'équipe; concevoir; conception; contrôle de la qualité; coordination; développement; diversifier la production, diversification; encadrer, encadrement; engineering ou ingéniérie; étude de marché, marketing; expansion, taux d'expansion; gestion administrative/commerciale/financière/technique; bonne/désastreuse/mauvaise/saine gestion; information, informatique; investissement de capitaux; lancement; management; méthodes; objectif, direction par objectifs; organisation, organisationnel, organigramme; plan, planifier, planification, planning; prévision, prévisionnel; publicité, budget publicitaire; réalisation; recherche, recherche fondamentale/opérationnelle, recherche et développement; reconversion, reconvertir; standardisation, standardiser; vente, méthodes/techniques de vente. ▪ Embauche, formation, recrutement, recyclage; comité d'entreprise, section syndicale, syndicat, délégué syndical. — **Personnel d'entreprise.** Administrateur; agent d'exécution/de maîtrise; cadre, cadre moyen/supérieur; chef d'entreprise, patron, patronat, boss (fam.), singe (pop.); comptable, expert-comptable; contremaître; directeur, directeur adjoint/général, président-directeur général (P.D.G.); directeur commercial/financier/du personnel/des relations publiques/technique, directorial; dirigeant; entrepreneur; hôtesse d'accueil; ingénieur, ingénieur en chef, ingénieur-conseil, consultant; gérant, gérant responsable/statutaire; industriel, maître de forges; main-d'œuvre; manager; promoteur; responsable; secrétaire, secrétaire général, secrétaire de direction, sténo-dactylo; tâcheron; technicien, technico-commercial; vendeur, vendeuse. ▪ Brain-trust, comité d'entreprise, conseil d'administration, état-major, groupe exécutif, rouages.

ENTRER → *commencer, composer, intérieur.* — **Aller dans.** Accéder à, accès, accession; se couler; courir à l'intérieur; embouquer un canal, embouquement, embouchure; s'enfermer dans une pièce; enfiler une rue; s'enfoncer, renfoncement; s'engager dans; entrer, entrée, entrant, entrée en scène/dans l'arène/en lice; se faufiler; se glisser; s'infiltrer, infiltration, filtrer les entrées; s'insinuer; s'introduire, introduction; monter dans une voiture; passer dans, pas, passage; pénétrer, pénétration; plonger, plongeon; porte; se précipiter; prendre; rentrer, rentrée. ▪ Antichambre, entrée, hall, seuil, vestibule. — **Entrer avec violence.** Attaquer, attaque; bourrasque, coup de vent, trombe; choc; coup d'épaule dans une porte, enfoncer; donner dans; écarteler; effraction; s'engouffrer; envahir, envahissement; fendre la foule; forcer le passage/la porte; faire intrusion/irruption/une percée/une trouée; se jeter dans; se lancer dans; percuter; se précipiter; se ruer, rush; tamponner, collision. — **Se mettre en situation sociale.** Accéder à; adhérer, adhérent; se croiser, croisé; débuter, débutant; être élu/coopté/désigné/nommé; s'embarquer dans une affaire; embauche; embrasser une carrière; s'engager, engagement; entamer; entrer dans l'armée/dans les ordres; être impliqué dans; incorporation; initiation, initier, stage; s'inscrire, inscription; intégrer dans, réintégrer; se mêler des affaires des autres/de politique, etc.; néophyte, nouveau, nouveau-né; se placer, être placé; prendre l'habit/l'uniforme. — **Faire entrer.** Caler, cale; caser; coincer, coin; emboîtement; encastrer; enchâsser, enchâssement; enclaver, enclave; enfoncer, enfoncement; enfourner; engager; ficher; fourrer; glisser; greffer, greffe, greffon; immerger, immersion; importer, importation; inclure, inclus; incorporer; incruster, incrustation; inculquer; infuser; ingérer, ingestion; injecter, injection, seringue; innover; inoculer, vaccin; insérer, insertion; insinuer, insinuation; instiller; inspirer; insuffler; intercaler, intercalaire; interpoler, interpolation; introduire, introduction, intromission; inviter, invite, invitation, intrus; mettre; passer; planter, plantoir, implant; poteau, pieu, piquet; plonger; pousser dans; sonder, sonde; verser dans. ▪ Comprendre, embrasser, englober, inclure, etc.

ENTRESOL → *maison.*

ENTRETAILLE → *graver.*

ENTRE-TEMPS → *temps.*

ENTRETENIR, ENTRETENU, ENTRETIEN → *défendre, durer, parler.*
ENTRETOISE, ENTRETOISER → *charpente, lier.*
ENTREVOIE → *train.*
ENTREVOIR → *connaissance, regarder.*
ENTREVOUS, ENTREVOÛTER → *maçonnerie, plancher.*
ENTREVUE → *parler, rencontre.*
ENTROPIE → *informatique.*
ENTROUVERT, ENTROUVRIR → *ouvrir.*
ENTURE → *menuiserie.*
ÉNUCLÉATION, ÉNUCLÉER → *arracher, noyau, œil.*
ÉNUMÉRATIF, ÉNUMÉRATION, ÉNUMÉRER → *nombre, part.*
ÉNURÉSIE, ÉNURÉTIQUE → *rein.*
ENVAHIR, ENVAHISSANT, ENVAHISSEMENT → *entrer, gêner.*
ENVAHISSEUR → *entrer, gêner, guerre.*
ENVASEMENT, ENVASER → *boue.*
ENVELOPPANT → *couvrir, plaire.*
ENVELOPPE, ENVELOPPEMENT, ENVELOPPER → *cacher, couvrir, entourer, paquet.*
ENVENIMEMENT, ENVENIMER → *blesser, discussion, important.*
ENVERGUER, ENVERGURE → *aile, grand, voilure.*
ENVERS → *mal, opposé, trouble.*
ENVIABLE, ENVIER, ENVIEUX → *désirer.*
ENVIE → *désirer, doigt.*
ENVIRONNEMENT, ENVIRONNER → *entourer, nature.*
ENVISAGER → *plan, prévoir.*
ENVOI → *balle, envoyer, jeter, poésie, poste.*
ENVOL, ENVOLER (S') → *aile, aviation, fuir.*
ENVOLÉE → *convaincre.*
ENVOUTEMENT, ENVOUTER → *attirer, influence, magie, plaire.*
ENVOYER, ENVOYÉ → *jeter, partir, poste.* — **Envoyer une chose.** Acheminer ; bombarder ; catapulter ; coup d'envoi ; décocher une flèche/un trait ; destiner, destination, destinataire ; diffuser, diffuseur, diffusion ; diriger sur ; expédier, expéditeur, expédition, expéditionnaire, retour à l'envoyeur ; exporter, exportation ; expulsion ; jeter, jet, rejet ; lâcher ; lancer, lancement, lance-flammes, lance-pierres, etc. ; larguer ; porter, envoyer par porteur ; postillonner, postillons ; pousser ; projeter, projection ; tirer. ■ Colis, commande, livraison, paquet, projectile ; messageries, port, transport. — **Envoyer quelqu'un en mission.** Ambassade, ambassadeur, lettres de créance ; charger quelqu'un, chargé de mission ; courrier ; déléguer, délégué, délégation ; dépêcher ; députer, députation, député ; détacher, détachement ; émissaire ; envoyer, envoyer en éclaireur/en reconnaissance/en mission exploratoire, envoyé, envoyé spécial, reporter ; estafette ; expédier, expédition, corps expéditionnaire ; exprès ; héraut ; homme de confiance ; mandater, mandataire, mandat ; messager ; mission, missionnaire, pères blancs, propagation de la foi, prosélytisme ; parlementaire ; patrouille ; plénipotentiaire ; représentant. — **Renvoyer quelqu'un.** Balancer (pop.) ; chasser ; congédier, donner/signifier son congé, donner son compte/ses huit jours ; éconduire ; envoyer au diable/paître (fam.)/se faire voir (pop.) ; expédier (fam.) ; mettre à la porte ; remercier ; rembarrer ; renvoyer, renvoi. — **Envoyer en sens contraire.** Catadioptre, cataphote ; contre-choc, contrecoup, choc en retour ; miroir, miroiter ; réagir, réacteur, réaction, rétroaction ; rebondir, rebondissement ; recul, reculer ; réfléchir, réflexion, réflexe, réflecteur ; rejaillir, rejaillissement ; renvoyer la lumière/le mouvement/le son/la voix ; répercuter, répercussion, écho ; ressaut ; retourner, retour, retour de manivelle, cheval de retour ; revenir ; réverbérer, réverbération. — **Renvoyer à une indication.** Astérisque ; chiffre ; croix ; échelle ; index, indexer ; lettrine ; marque ; note, *nota bene ;* numéro, numérotation ; référence, référer, *confer ;* renvoi, renvoyer ; report, se reporter ; signe ; table des matières ; voir.
ENZYME → *nettoyer.*
ÉOCÈNE → *géologie.*
ÉOGÈNE → *géologie.*
ÉOLIEN → *vent.*
ÉOSINE → *rouge.*
ÉPAGNEUL → *chien.*
ÉPAIR → *papier.*
ÉPAIS, ÉPAISSEUR → *dur, gras grossier, lent.* — **Épaisseur d'un objet, d'un être.** Cal, callosité ; couche, épaisse couche, couvrir de plusieurs couches ; court, courtaud ; engraisser ; épais, épaissir, épaississement ; force, fort, papier fort, renforcer ; gros, grosseur, grossier, grossièreté, faire grossir, liasse ; lourd, lourdeur, alourdir ; matelas, matelasser ; mastoc (fam.) ; opaque, opacité, verre opaque, hublot, loupe ; pachyderme, pachydermique ; râblé ; ramassé ; solide, solidité ; tas ; trapu. — **Épaisseur d'un liquide.** Boue, boueux, fange, vase, bouillie ; butyreux, crème, huile ; cailler, caillé, lait caillé, caillot ; chargé ; coaguler, coagulation ; concentré, lait concentré ; concret, concrétion, saline, calcaire, pierreuse ; condenser,

lait condensé, conglutiner ; congeler, congélation ; consistant, consistance ; cristalliser, cristallisation ; dense, densité, densimètre, dasymètre ; dépôt, déposer, sédiment ; épais, épaisseur, épaississement ; figer, figement ; floculation, floculer ; gélatineux, gélification, gélifier ; gluant ; gras ; grumeau, grumelé ; homogénéisé ; lier une sauce ; liqueur, liquoreux ; magma ; pâte, pâteux, empâté, empâtement ; prendre, faire prendre une mayonnaise ; sirop, sirupeux ; solidifier, solidification ; visqueux, viscosité. ▪ Calcul, pierre, tumeur ; bézoard, nodus, tophus. — **Densité.** Bas ; couvert ; intense, intensité ; opaque, opacité ; profond, profondeur ; sombre, assombrir, ombre épaisse. ▪ Abondant, abondance ; dense, brouillard dense ; dru ; feuillu ; fourni ; impénétrable ; plein ; serré ; tassé ; touffu, touffe, fourré.

ÉPAISSIR, ÉPAISSISSEMENT → *épais.*

ÉPAMPRAGE, ÉPAMPRER → *vigne.*

ÉPANCHEMENT, ÉPANCHER, ÉPANCHER (S') → *confiance, étendre, liquide, parler.*

ÉPANDAGE, ÉPANDRE → *culture, étendre, passer, résidu.*

ÉPANOUIR, ÉPANOUIR (S'), ÉPANOUISSEMENT → *fleur, joie, ouvrir.*

ÉPAR → *barre.*

ÉPARGNANT, ÉPARGNE, ÉPARGNER → *avare, économie, prêter, prévoir.*

ÉPARPILLEMENT, ÉPARPILLER → *espace, étendre, morceau.*

ÉPARS → *étendre.*

ÉPARVIN → *cheval.*

ÉPATANT → *plaire.*

ÉPATÉ, ÉPATER → *étonner.*

ÉPATÉ, ÉPATEMENT → *nez.*

ÉPAULE → *articulation, bras, dos.*

ÉPAULETTE → *bande, grade, symbole.*

ÉPAVE → *abandon, malheur, morceau.*

ÉPEAUTRE → *blé.*

ÉPÉE → *escrime, presser.*

ÉPEIRE → *araignée.*

ÉPÉISTE → *escrime.*

ÉPELER, ÉPELLATION → *lire, mot.*

ÉPENDYME → *cerveau.*

ÉPENTHÈSE, ÉPENTHÉTIQUE → *mot.*

ÉPERDU → *trouble, violent.*

ÉPERLAN → *poisson.*

ÉPERON → *cheval, corne, fortification, relief.*

ÉPERONNER → *cheval, exciter.*

ÉPERVIER → *oiseau, pêcher.*

ÉPHÈBE → *homme, jeune.*

ÉPHÉLIDE → *peau.*

ÉPHÉMÈRE → *durer, insecte.*

ÉPHÉMÉRIDE → *astronomie, calendrier, événement.*

ÉPHORE → *magistrat.*

ÉPI → *céréale, cheveu, fleur, mur.*

ÉPICARPE → *fruit.*

ÉPICE, ÉPICÉ → *aliment, libre, parfum.*

ÉPICÉA → *pin.*

ÉPICÈNE → *mot.*

ÉPICENTRE → *remuer.*

ÉPICER, ÉPICERIE, ÉPICIER → *aliment, marchandises.*

ÉPICRÂNIEN → *tête.*

ÉPICURIEN, ÉPICURISME → *philosophie, plaire.*

ÉPICYCLE → *cercle.*

ÉPICYCLOÏDAL → *roue.*

ÉPICYCLOÏDE → *courbe.*

ÉPIDÉMIE, ÉPIDÉMIOLOGIE, ÉPIDÉMIQUE → *maladie.*

ÉPIDERME, ÉPIDERMIQUE → *peau.*

ÉPIER → *regarder, secret.*

ÉPIERRER, ÉPIERREUSE → *pierre.*

ÉPIEU → *bâton.*

ÉPIGASTRE, ÉPIGASTRIQUE → *ventre.*

ÉPIGLOTTE → *bouche.*

ÉPIGRAMME → *moquer, poésie.*

ÉPIGRAPHE, ÉPIGRAPHIE → *inscription.*

ÉPILATION, ÉPILATOIRE → *poil.*

ÉPILEPSIE, ÉPILEPTIQUE → *crispation, folie.*

ÉPILER → *arracher, poil.*

ÉPILLET → *céréale, grain.*

ÉPILOGUE → *finir.*

ÉPILOGUER → *critique.*

ÉPINARD → *légume.*

ÉPINE → *aigu, difficile, dos, plante.*

ÉPINETTE → *élever, instrument.*

ÉPINEUX → *difficile, plante.*

ÉPINGLAGE, ÉPINGLE, ÉPINGLER → *aiguille, attacher, couture, prison.*

ÉPINIÈRE → *dos.*

ÉPINOCHE → *poisson.*

ÉPIPHANIE → *liturgie.*

ÉPIPHÉNOMÈNE → *événement, influence, psychologie.*

ÉPIPHYSE → *os.*

ÉPIPHYTE → *plante.*

ÉPIPLOON → *intestin.*

ÉPIQUE → *grand, poésie.*

ÉPISCOPAL, ÉPISCOPAT → *ecclésiastique.*

ÉPISCOPE → *optique.*

ÉPISODE, ÉPISODIQUE → *deux, événement, part, récit.*

ÉPISSER, ÉPISSURE → *corde.*
ÉPISTAXIS → *sang.*
ÉPISTÉMOLOGIE → *science.*
ÉPISTOLAIRE, ÉPISTOLIER → *écrire.*
ÉPITAPHE → *enterrement, inscription.*
ÉPITHALAME → *mariage, poésie.*
ÉPITHÉLIAL, ÉPITHÉLIUM → *peau.*
ÉPITHÈME → *médicament.*
ÉPITHÈTE → *grammaire.*
ÉPITOMÉ → *abréger.*
ÉPÎTRE → *Bible, écrire, poésie.*
ÉPIZOOTIE → *bétail, microbe.*
ÉPLORÉ → *douleur.*
ÉPLUCHAGE, ÉPLUCHER → *attention, enlever, tissu.*
ÉPLUCHEUR, ÉPLUCHURE → *couper, enlever.*
ÉPODE → *poésie.*
ÉPOINTAGE, ÉPOINTER → *presser.*
ÉPONGE, ÉPONGER → *nettoyer, pardon, polype, sec, toilette.*
ÉPONTILLE → *supporter.*
ÉPONYME → *nom.*
ÉPOPÉE → *poésie, récit.*
ÉPOQUE → *meuble, temps.*
ÉPOUILLER → *parasite.*
ÉPOUMONER (S') → *cri.*
ÉPOUSAILLES, ÉPOUSE, ÉPOUSÉE, ÉPOUSER → *mariage.*
ÉPOUSSETAGE, ÉPOUSSETER → *nettoyer, poudre.*
ÉPOUSTOUFLANT, ÉPOUSTOUFLER → *étonner.*
ÉPOUVANTABLE → *malheur, peur.*
ÉPOUVANTAIL → *oiseau, peur.*
ÉPOUVANTE, ÉPOUVANTER → *peur, trouble.*
ÉPOUX, ÉPOUSE → *mariage.*
ÉPRENDRE (S') → *aimer, passion.*
ÉPREUVE → *douleur, enseignement, photographie, sport, typographie.*
ÉPRIS → *aimer.*
ÉPROUVER → *douleur, essayer, sensibilité, supporter.*
ÉPROUVETTE → *chimie, essayer.*
ÉPUCER → *parasite.*
ÉPUISEMENT, ÉPUISER → *diminuer, faible, fatigue, vide.*
ÉPUISETTE → *jeter, pêche.*
ÉPULPEUR → *sucre.*
ÉPURATEUR, ÉPURATION, ÉPURATOIRE → *parti, pur.*
ÉPURE → *dessin.*
ÉPUREMENT, ÉPURER → *partir, pur.*
ÉQUARRIR, ÉQUARRISSAGE, ÉQUARRISSEUR → *bétail, pierre.*
ÉQUATEUR → *terre.*
ÉQUATION → *algèbre, astronomie, mathématiques.*
ÉQUATORIAL → *météorologie, terre.*
ÉQUERRE → *angle, charpente, dessin, menuiserie.*
ÉQUESTRE → *cheval, chevalerie.*
ÉQUEUTAGE, ÉQUEUTER → *fruit.*
ÉQUIDÉS → *cheval, mammifères.*
ÉQUIDISTANCE, ÉQUIDISTANT → *égal, géométrie.*
ÉQUILATÉRAL, ÉQUILATÈRE → *angle, égal, géométrie.*
ÉQUILIBRE, ÉQUILIBRER → *accord, balancer, calme.*
ÉQUILIBRISTE → *spectacle.*
ÉQUIN → *pied.*
ÉQUINOXE, ÉQUINOXIAL → *année, astronomie.*
ÉQUIPAGE → *groupe, marine, servir.*
ÉQUIPE → *groupe, jouer.*
ÉQUIPÉE → *entreprise.*
ÉQUIPEMENT, ÉQUIPER → *arme, munir.*
ÉQUIPIER → *groupe, sport.*
ÉQUIPOLLENCE → *égal.*
ÉQUIPOTENT, ÉQUIPOTENTIEL → *égal.*
ÉQUITABLE → *balance, justice.*
ÉQUITATION → *cheval.*
ÉQUITÉ → *égal, balance, justice.*
ÉQUIVALENCE, ÉQUIVALENT, ÉQUIVALOIR → *égal, semblable.*
ÉQUIVOQUE → *deux, doute, indirect.*
ÉRABLE → *arbre.*
ÉRADICATION → *arracher.*
ÉRAFLEMENT, ÉRAFLER, ÉRAFLURE → *blesser, dommage.*
ÉRAILLEMENT, ÉRAILLER → *dommage, parler, son, tissu.*
ÈRE → *géologie, temps.*
ÉRECTILE, ÉRECTION → *droite, fonder, gonfler, monter.*
ÉREINTANT, ÉREINTER → *critique, fatigue.*
ÉRÉTHISME → *exciter.*
ERG → *sable, sec.*
ERG → *mesure.*
ERGASTULE → *prison.*
ERGOGRAPHE → *muscle.*
ERGONOMIE → *travail.*
ERGOT → *céréale, corne.*
ERGOTAGE, ERGOTER, ERGOTEUR → *discussion, raisonnement.*
ERGOTHÉRAPIE → *folie.*
ÉRIGER → *attribuer, construction, droite, fonder.*
ÉRIGNE → *chirurgie.*
ÉRISTIQUE → *discussion, raisonnement.*
ERMITAGE, ERMITE → *éloigner, monastère.*
ÉRODER → *ronger.*
ÉROS → *amour, sexe.*

ÉROSIF, ÉROSION → *géologie, rivière, ronger.*

ÉROTIQUE, ÉROTISME, ÉROTOMANIE → *amour, sexe.*

ERPÉTOLOGIE, HERPÉTOLOGIE → *reptiles.*

ERRANT → *vagabond.*

ERRATA, ERRATUM → *faute, typographie.*

ERRE → *vitesse.*

ERREMENTS → *habitude.*

ERRER → *marcher, tromper, vagabond.*

ERREUR → *faute, faux, tromper.*

ERRONÉ → *faux.*

ERSATZ → *faux.*

ERS → *légume.*

ÉRUBESCENCE, ÉRUBESCENT → *rouge.*

ÉRUCTATION, ÉRUCTER → *estomac.*

ÉRUDIT, ÉRUDITION → *science.*

ÉRUPTIF, ÉRUPTION → *maladie, pierre, volcan.*

ÉRYSIPÈLE, ÉRÉSIPÈLE → *peau.*

ÉRYTHÈME → *peau, rouge.*

ESBIGNER (S') → *éloigner, fuir.*

ESBROUFE, ESBROUFER, ESBROUFEUR → *étonner.*

ESCABEAU → *monter, meuble.*

ESCADRE, ESCADRILLE → *aviation, marine.*

ESCADRON → *aviation, cavalerie.*

ESCALADE, ESCALADER → *guerre, montagne, monter, passer.*

ESCALATOR → *monter.*

ESCALE → *arrêter.*

ESCALIER → *monter.*

ESCALOPE → *bœuf, viande.*

ESCAMOTABLE → *cacher, enlever.*

ESCAMOTAGE, ESCAMOTER → *enlever, fuir, voler.*

ESCAMPETTE → *fuir.*

ESCAPADE → *fuir.*

ESCARBILLE → *charbon, morceau.*

ESCARBOUCLE → *briller, joaillerie.*

ESCARCELLE → *argent.*

ESCARGOT → *lent, mollusques.*

ESCARMOUCHE → *guerre.*

ESCARPE → *fortification.*

ESCARPÉ, ESCARPEMENT → *montagne, pencher.*

ESCARPIN → *chaussure.*

ESCARPOLETTE → *balancer.*

ESCARRE, ESCARRIFIER → *blesser, chirurgie.*

ESCHATOLOGIE, ESCHATOLOGIQUE → *finir, mourir.*

ESCLAFFER (S') → *rire.*

ESCLANDRE → *discussion, réputation.*

ESCLAVE → *colonie, soumettre.*

ESCOFFIER → *mourir.*

ESCOGRIFFE → *grand, homme.*

ESCOMPTE, ESCOMPTER → *banque, croire, devoir.*

ESCOPETTE → *fusil.*

ESCORTE, ESCORTER → *groupe, suivre.*

ESCORTEUR → *navire.*

ESCOUADE → *groupe.*

ESCOURGEON → *céréale.*

ESCRIME, ESCRIMEUR → *sport.* — **Faire des armes.** Armes, arme, armement; assaut, faire assaut; escrime, escrimer, escrimeur; maître/prévôt d'armes; salle d'armes/d'escrime; tirer, tireur; tournoi. ▪ Bavette, gants à crispin, masque, plastron. — **Art de l'escrime.** Action, action de seconde intention; attaque au fer, battement, froissement, pression; attaque au corps; avancer, avancé; botte, porter une botte; coup au sabre : à la figure/au flanc/à la poitrine/au ventre, manchette; coup à l'épée : d'arrêt/double; coup au fleuret : coupé/droit; défense, se défendre, défensive; développement; engager le fer, engagement, dégagement; d'estoc et de taille, estocade; feinter, feinte; se fendre; flanconade; garde, tomber en garde; moulinet du sabre; parer, parade, parade du tac, contre; positions de la ligne basse : octave, seconde, septime, prime; positions de la ligne haute : sixte, tierce, quarte, quinte; prise de fer, croisé, enveloppé, lié; redoubler, redoublement; reprise; riposter, riposte, contre-riposte; rompre; contretemps. ▪ Épée, bouton, boutonnée; fleuret, mouche, moucheté; sabre. — **Épée.** Alfange, épée d'apparat/de parade; épée bâtarde ou claymore ou estramaçon; braquemart; colichemarde; épée de cour; épée espagnole; estoc ou épée d'arçon; épée à deux mains/longue/de parement/en verrouil / wallonne; flamberge; palache; rapière. ▪ Baïonnette, dague, poignard. ▪ Épée à l'allemande/à la milanaise/à la mousquetaire/à la suisse / ajourée / argentée / ciselée / dorée/damasquinée/de Tolède. ▪ Arc de jointure, coquille, écusson, fusée, garde, contre-garde, lame; pas-d'âne, plat de la lame, poignée, pommeau, soie, talon, tranchant de la lame. ▪ Durandal (de Roland), Joyeuse (de Charlemagne), Scalibor (du roi Arthur). — **Sabre.** Bancal; briquet; cimeterre; coupe-chou (pop.), coupe-coupe; latte; sabre d'abattis/d'abordage / au clair / de cavalerie / d'infanterie/d'officier; yatagan. ▪ Sabrer, sabreur, traîneur de sabre. — **Utilisation des armes.** Bretailler, bretteur ; ceindre l'épée, adoubement du chevalier ; croiser le fer ; dégainer, engainer, rengainer ; duel, duelliste, se battre en duel, laver un affront dans le sang, duel à mort/sans merci ; embrocher/enfiler son adversaire, enfoncer son épée jusqu'à la garde ; ferrailler ; fourbir ses armes ; mettre l'épée à la main/flamberge au vent ; pourfendre ; tirer l'épée. ▪ Baudrier, bélière, dragonne, fourreau.

ESCRIMER (S') → *essayer.*

ESCROC, ESCROQUER, ESCROQUERIE → *tromper, voler.*

ESCUDO → *monnaie.*

ESGOURDE → *entendre.*

ÉSOTÉRIQUE, ÉSOTÉRISME → *obscur, secret.*

ESPACE → *astronautique, éloigner, intervalle, surface, temps, ville.* — **Espace mathématique.** Dimensions de l'espace ; espace abstrait/affiné/conforme/projectif ; espace de configuration/d'extension en phase ; espace euclidien/non euclidien/de Hilbert/de Riemann ; espace-temps, à quatre dimensions ; espace vectoriel, géométrie analytique/de l'espace/à trois dimensions/plane ; projection ; relativité de l'espace, théorie des quanta, Einstein ; topologie. — **Étendue indéfinie.** Atmosphère ; écart, écarter, écartement ; échappée ; espace, espacer, espace libre, spatial, spatialité ; étendue ; immensité, immense ; incommensurable, indéfini, infini, sans bornes/fin/limites ; loin, lointain, éloigné, éloignement ; panorama ; profondeur, profond, sans fond ; vide ; vue. — **Étendue limitée.** Aire ; are, hectare ; autour, alentour ; cadre ; capacité ; carrière ; champ ; circonférence, circonscription, etc. ; clairière, éclaircie ; cour ; dimensions : grandeur, hauteur, largeur, longueur, profondeur ; espace libre/rempli/vide/vital ; format ; interstice ; intervalle, interligne, une espace typographique ; joint ; lieu ; limite ; lot, lotissement ; place, emplacement ; plan d'eau, étang, flaque, lac, mare, mer ; région ; sphère d'influence ; superficie, étendue superficielle ; surface ; terrain, terre-plein ; vaste ; volume ; zone. ▪ Agrandir, étendre ; contracter, réduire, tasser. — **Distance.** Chemin ; course ; distance, distant, équidistant, distancer, distanciation, prendre du champ/de la distance/du recul ; espacer, espacement ; étape ; itinéraire ; ligne droite, le plus court chemin d'un point à un autre ; mesure ; portée ; profondeur du champ ; route ; trajet, trajectoire, traite, trotte ; à vol d'oiseau. ▪ Échelonner, échelonnement ; éloigner, éloignement. ▪ Disséminer, éparpiller.

ESPACEMENT, ESPACER → *espace, intervalle.*

ESPADON → *poisson.*

ESPADRILLE → *chaussure.*

ESPAGNE → *Europe.*

ESPAGNOLETTE → *fenêtre.*

ESPALIER → *fruit, jardin.*

ESPAR → *voilure.*

ESPÈCE → *classe, doute, groupe, qualité.*

ESPÉRANCE → *attendre, croire, désir.*

ESPÉRANTISTE, ESPÉRANTO → *langage.*

ESPÉRER → *croire, désir, prévoir.*

ESPIÈGLE → *moquer, vif.*

ESPION → *agent, informer, regarder.*

ESPION → *glace.*

ESPIONNAGE, ESPIONNER → *regarder, secret.*

ESPLANADE → *ville.*

ESPOIR → *attendre.*

ESPRIT → *attention, connaissance, folie, vif.* — **Principe immatériel.** Âme, animisme ; chair, la chair et l'esprit, l'esprit et la matière ; conscience ; esprits animaux ; esprit malin, le diable ; inspiration divine, le Saint-Esprit, l'Esprit saint ; intelligence ; matérialisme, mécanisme ; métaphysique, métempsycose, transmigration des âmes ; noologie ; paraclet ; pensée ; principe ; psyché, psychique, psychisme, psychologie, psychologue ; rendre l'esprit, expirer ; souffle vital ; sujet ; spiritualiser, spiritualisme, spiritualité, dualisme. ▪ Désincarné, immanent, immatériel, immortel, incorporé, pur, spirituel, vital. — **Tendance générale dé l'individu.** Caractère ; disposition, prédisposition, disposé, prédisposé ; esprit, bon/mauvais esprit, esprit du bien/du mal ; état d'esprit ; forme d'esprit ; disposition innée, innéisme ; esprit de corps/civique/militaire/public/ d'entreprise/ d'intrigue/ de sacrifice ; humeur ; sens profond/réel, l'esprit d'une lettre ; sentiment ; tour/tournure d'esprit, avoir l'esprit bien/mal tourné ; travers d'esprit. ▪ Clairvoyance, clarté, clairvoyant, clair ; concentration (faculté de) ; confusion, confusionnisme mental ; contemplation, esprit contemplatif/théorique ; délicatesse, délicat ; distinction, distingué ; élévation, élevé ; immaturité ; judicieux ; lourdeur, lourd ; maturité, mûr ; netteté, net ; pénétration, pénétrant ; perspicacité, perspicace ; réflexion ; sérieux ; subtilité, subtil ; vivacité, vivace ; vulgarité, vulgaire. — **Vivacité ingénieuse.** Adresse, adroit ; badiner, badinage, élégant badinage ; bouffonnerie ; boutade ; calembredaine ; calembour ; charmant ; cultivé ; élégance, élégant ; esprit, bel esprit, homme d'esprit, faire de l'esprit, être spirituel ; facétie, facétieux ; finesse, fin ; frondeur ; humour, humoristique, humoriste ; ingénieux ; malice, malicieux ; mot, bon mot ; pétiller/pétillant d'esprit ; piquer, piquant ; plaisanterie, plaisanter, plaisant, plaisantin ; pointe ; primesautier ; saillie ; trait d'esprit. — **Chose, être imaginaire.** Chimère, illusion, mirage, théorie, utopie, vision, vue de l'esprit. ▪ Ame en peine/errante ; démon ; elfe ; esprit familier/du foyer, fantôme ; feu follet ; esprit frappeur ; farfadet ; fée ; génie ; gnome ; goule ; houri ; korrigan ; lutin ; lémures ; mânes ; monstre, lamie ; ondine ; revenant ; spectre, maison hantée ; spiritisme, spirite, évoquer les esprits, faire tourner les tables, psychagogie ; strige ; télépathe, télépathie ; troll ; vampire.

ESPRIT-DE-VIN → *alcool.*

ESQUIF → *bateau.*

ESQUILLE → *morceau, os.*

ESQUIMAU → *pâtisserie, vêtement.*

ESQUINTER → *critique, dommage, fatigue.*

ESQUISSE, ESQUISSER → *commencer, dessin.*

ESQUIVE, ESQUIVER → *fuir.*

ESSAI → *chimie, essayer, livre.*

ESSAIM → *mouche, nombre.*

ESSAIMER → *mouche, nombre.*

ESSANGER → *nettoyer.*

ESSARTER, ESSARTS → *arbre, arracher.*

ESSAYER → *couture, entreprise, métal.* — **Contrôler.** Analyser, analyse, laboratoire d'analyses ; aperçu ; s'assurer de ; banc d'essai ; collationner un texte ; contrôle, contrôler, contrôleur ; critère ; crucial, déterminant ; déguster, dégustation, dégustateur ; échantillon ; éprouver, épreuve, mettre à l'épreuve, épreuve d'un examen, éprouvette ; essayer, essayage, essayeur, pilote d'essai, tube à essai, essayer des monnaies, essai concluant/encourageant/décevant, etc. ; examiner, examen, examinateur ; s'exercer, exercice ; expérience, expérimenter, expérimentation, expérimentateur ; goûter, goût, avant-goût ; homologuer, homologation ; identifier, identification ; jauger ; mesurer ; prendre à l'essai, noviciat ; stage ; pierre de touche ; prototype ; répéter, répétition ; réviser, révision, revoir, repasser, pointer ; sonder, sondage, gallup ; tâter de ; test, tester ; vérifier, vérification, sérum de vérité ; visiter, visite. ▪ Contre-appel, contre-enquête ; contre-épreuve, contre-essai, contre-expertise, contre-visite. ▪ Analyse chimique, combustion, comparaison, étirement, flexion, microscope, résistance, traction. — **Tenter.** Apprentissage d'un métier ; audace, audacieux ; audition, auditionner ; (premier) balbutiement ; chercher à, recherche ; début, débuter, débutant ; ébauche, ébaucher ; s'efforcer, effort ; entreprendre, entreprise, entreprenant ; essayer, essai, coup d'essai, ballon d'essai ; esquisse, esquisser ; expédition ; s'escrimer ; s'évertuer ; se hasarder ; s'ingénier ; se jeter ; se lancer, lancement ; se mêler de ; premier pas ; prendre sur soi de ; remuant ; réussite, réussir du premier coup ; risque, se risquer à, risquer le paquet (fam.), risque-tout ; faire le saut, franchir le Rubicon ; tâcher de ; tâter de, tâtonner, à tâtons, tâtonnement ; tenter l'aventure/le coup (fam.), tentative, tentant, tentation ; vouloir, volonté, velléité, velléitaire.

ESSAYEUR → *argent, couture, or.*

ESSAYISTE → *littérature.*

ESSENCE → *philosophie, qualité.*

ESSENCE → *bois, parfum, pétrole.*

ESSENTIEL → *important, qualité.*

ESSEULÉ → *abandon, triste.*

ESSIEU → *roue.*

ESSOR → *oiseau, progrès.*

ESSORAGE, ESSORER, ESSOREUSE → *sec.*

ESSORILLEMENT, ESSORILLER → *chien, entendre.*

ESSOUCHEMENT, ESSOUCHER → *arbre, arracher.*

ESSOUFFLEMENT, ESSOUFFLER → *fatigue, respiration.*

ESSUIE-GLACE → *automobile.*

ESSUIE-MAINS → *vaisselle.*

ESSUYAGE, ESSUYER → *enlever, nettoyer, supporter.*

EST → *orientation.*

ESTACADE → *mur.*

ESTAFETTE → *envoyer.*

ESTAFILADE → *couper.*

ESTAMINET → *boire.*

ESTAMPE, ESTAMPER → *forme, graver, signe, voler.*

ESTAMPILLE, ESTAMPILLER → *marque.*

ESTER → *justice.*

ESTHÈTE → *art, beau, goût.*

ESTHÉTICIEN, ESTHÉTIQUE → *beau, toilette.*

ESTHÉTIQUE → *philosophie.*

ESTIMATION → *estimer.*

ESTIME → *estimer, marine.*

ESTIMER → *aimer, payer.* — **Action de déterminer la valeur de.** Aperçu ; apprécier, appréciation, appréciateur, déprécier, dépréciation, dépréciatif ; approximation, approximatif ; bilan ; calculer, calcul ; devis ; dire/donner/fixer un prix ; estimation de marchandises/de travaux, estimation correcte/juste/avec ou sans marge d'erreur ;

estimer une maison/un tableau/à sa juste valeur/au-dessus de sa valeur : surestimer, surestimation, surfaire/au-dessous de sa valeur : sous-estimer, sous-estimation ; action/état estimatif/estimatoire ; naviguer à l'estime, longitude/latitude estimée, point estimé ; évaluer, évaluation ; examiner, examen ; expertiser, expertise, expert, arbitre, juré, jury ; en gros, *grosso modo ;* jauger ; au jugé, à vue de nez (fam.), au pifomètre (pop.) ; peser le pour et le contre ; priser, prisée, commissaire-priseur ; supputer. — **Bonne opinion.** Aimer, aimable, amitié, amour, amour-estime ; apprécier, appréciable, inappréciable, être apprécié ; attacher de l'importance/du prix/de la valeur/le plus grand prix/la plus grande valeur ; avoir à la bonne (fam.) ; faire cas/grand cas/le plus grand cas de ; être convenable/conforme/comme il faut ; avoir confiance, être confiant, de confiance ; bonne conscience, fierté, orgueil ; considérer, avoir de la considération pour, être considéré, un personnage considérable, déconsidéré, discrédité ; cote, avoir la cote (fam.) ; crédit, discrédit, faveur, défaveur ; avoir de la déférence pour ; distinguer, distinction ; goûter ; avoir les bonnes grâces de, disgracier, disgrâce ; rendre hommage à ; honorer, honneur, honorable ; avoir une haute idée de ; s'intéresser à, intérêt pour ; mériter, mérite, méritant, méritoire ; préférer, préférence, être le préféré/le chouchou (fam.)/l'enfant chéri ; priser ; réhabiliter, réhabilitation ; respecter, respect, être respecté, respectable, respectabilité ; tenir à ; vénérer, vénération, vénérable ; voir d'un œil favorable, être bien vu. ▪ Estime, avoir de l'estime, tenir en grande/en haute estime, prodiguer à quelqu'un des marques d'estime ; être digne d'estime, mériter de l'estime ; baisser/monter/remonter dans l'estime de quelqu'un ; succès d'estime. — **Juger.** Être d'avis, considérer, croire, estimer, incliner à croire, juger, penser, présumer, reconnaître, tenir, trouver que. ▪ Croire, juger, regarder comme, tenir pour, trouver indispensable/utile de/que. ▪ Avis, donner son avis, à mon avis, à mon idée, pour moi, selon moi, il me paraît, il me semble ; avouer son ignorance/son incompétence ; conclure, déduire, inférer ; conjecture, conjecturer, hypothèse ; opiner, opinion ; préjugé ; pressentiment ; sentiment, partager le sentiment général.

ESTIVAGE, ESTIVAL → *saison.*

ESTIVANT → *repos, saison.*

ESTOC, ESTOCADE → *escrime, frapper.*

ESTOMAC → *intestin, manger.* — **Description de l'estomac.** Abdomen ; cardia ; chorion ; courbure, grande / petite ; duodénum ; épigastre ; gastrique, -gastre, gastro- ; glande du fundus/gastrique/du type pylorique ; jejunum ; position descendante ou verticale/horizontale ou inférieure ; œsophage ; paroi ; poche ; pylore ; tubérosité, grosse/petite ; tunique séreuse / musculaire, sous-muqueuse, muqueuse ; ventre, ventral, ventru ; zone conjonctivo-vasculaire / réticulaire. ▪ Estomac des ruminants : bonnet ou réseau, caillette ou franche-mule, feuillet ou livret, panse ou rumen. ▪ Estomac des oiseaux : gésier, jabot, ventricule succenturié. — **Fonctionnement de l'estomac.** Activité mécanique, contraction, évacuation, mouvements péristaltiques/antipéristaltiques, vomissement ; activité chimique, acide chlorhydrique, chyme, mucus, pepsine, présure, suc gastrique. ▪ Assimiler les aliments ; élaborer, élaboration ; digérer, digestion ; éructer, éructation ; gaz ; estomac chargé/lourd/nerveux/pesant ; ingérer, ingestion ; renvoi ; ruminer, rumination. — **Maladies de l'estomac.** Affection gastrique ; aérophagie, flatulence, gargouillement, tiraillement ; cancer ; crampe ; dilatation stomacale, ptôse ; dyspepsie ; embarras gastrique ; gastropathie, gastrite, gastralgie, gastroentérite, gastro-entérologie, gastrectomie ; hyper-/hypochlorhydrie ; troubles gastriques, aigreurs, brûlures ; ulcère ; vomissement, émétique.

ESTOMAQUER → *étonner.*

ESTOMPE, ESTOMPER → *dessin, doux, mémoire.*

ESTOURBIR → *mourir.*

ESTRADE → *haut.*

ESTRAGON → *plante.*

ESTRAN → *mer.*

ESTRAPADE, ESTRAPADER → *peine.*

ESTROPIÉ, ESTROPIER → *diminuer, dommage.*

ESTUAIRE → *rivière.*

ESTUDIANTIN → *université.*

ESTURGEON → *poisson.*

ÉTABLE, ÉTABLER → *bétail.*

ÉTABLI → *meuble.*

ÉTABLIR → *fixer, fonder, habiter.*

ÉTABLISSEMENT → *enseignement, entreprise, fonder, habiter.*

ÉTAGE → *géologie, maison.*

ÉTAGEMENT, ÉTAGER → *placer, supérieur.*

ÉTAGÈRE → *meuble.*

ÉTAI, ÉTAIEMENT, ÉTAYAGE → *charpente, supporter.*

ÉTAIN → *cuivre, métal.*

ÉTAL → *commerce, meuble, viande.*

ÉTALAGE → *marchandises.*

ÉTALAGISTE → *décoration, marchandises.*

ÉTALE → *mer, niveau.*

ÉTALEMENT, ÉTALER → *étendre, montrer.*

ÉTALINGUER, ÉTALINGURE → *ancre.*

ÉTALON → *cheval.*

ÉTALON, ÉTALONNER → *grade, mesure, peser, vrai.*

ÉTAMER, ÉTAMEUR → *couvrir, métal.*

ÉTAMINE → *fleur.*

ÉTAMINE → *passer.*

ÉTANCHE, ÉTANCHÉITÉ, ÉTANCHER → *boire, fermer, sec.*

ÉTANÇON, ÉTANÇONNER → *supporter.*

ÉTANG → *eau, hydraulique, lac.*

ÉTAPE → *arrêter, espace, sport.*

ÉTARQUER → *voilure.*

ÉTAT → *gouverner, manière.* — **Manière d'être.** Caractère ; comportement, se comporter ; condition ; conformation, conformé ; constitution, constitué ; contexture ; disposition ; essence ; état anormal, colère, ivresse, femme enceinte, etc. ; état normal/ordinaire/usuel, habitude, mentalité ; état critique/fâcheux/lamentable/piteux/triste, être dans un bel état, se mettre dans tous ses états ; état de santé, bon/florissant/satisfaisant/désespéré/grave, aller bien/mal, être en bonne santé/malade, état général ; être ; existence ; mode, modalité ; sentiment ; sort ; tempérament. ■ État de choses, les choses étant ce qu'elles sont, dans ces conditions, puisqu'il en est ainsi ; état de fait ; circonstances, conjoncture, situation, *statu quo ;* cours/train des choses ; état gazeux/liquide/solide ; qualité. — **Liste.** Bilan, dresser un bilan/un état ; bordereau ; cahier des charges ; catalogue ; compte, compte rendu ; connaissement ; constat ; copie ; dénombrement, énumération ; devis ; état de biens/des lieux/de services ; état descriptif/estimatif/liquidatif / matriciel / nominatif / rectificatif/signalétique ; coucher sur un état ; exposé ; facture ; index ; inventaire ; liste, cocher sur une liste ; livre de comptes ; mémoire ; nécrologe ; nomenclature ; note, notice, note de frais, état de frais ; procès-verbal ; recensement, recenser ; relevé ; répertoire ; rôle ; statistique ; tableau. — **L'État.** Absolutisme, despotisme, dictature, monarchie, tyrannie ; administration, bureaucratie de l'État, fonctionnaire ; anarchisme, suppression de l'État ; cité antique, *civitas, polis ;* citoyen, citoyenneté ; communauté nationale ; constitution ; corps politique ; démocratie ; dirigisme ; État, étatisme, étatiser, étatique, étatisation ; État-arbitre, État-patron, État-providence ; État fédéral, confédération d'États, État unitaire ; État français ; nation, national, nationaliser, nationalisation ; patrie ; police, État policier ; pouvoir central, centralisation, décentralisation ; reconnaissance d'un État/d'un régime ; république, chose publique, État républicain ; service de l'État ; service public, esprit civique ; socialisme, socialisation, État socialiste, dépérissement de l'État, dictature de classe ; société ; souveraineté nationale ; subvention de l'État. ■ Chef de l'État, chef d'État, ministre/secrétaire d'État ; homme d'État, homme politique ; le char/les rouages/le vaisseau de l'État.

ÉTATIQUE, ÉTATISATION, ÉTATISER → *État.*

ÉTATISME → *économie.*

ÉTAT-MAJOR → *armée, entreprise, groupe.*

ÉTAU → *fer, menuiserie, presser.*

ÉTAYER → *supporter.*

ÉTÉ → *chaleur, saison.*

ÉTEIGNEUR, ÉTEIGNOIR → *bougie, lumière.*

ÉTEINDRE, ÉTEINDRE (S') → *calme, devoir, lumière, mourir.*

ÉTEINT → *terne.*

ÉTENDARD → *symbole.*

ÉTENDOIR → *étendre.*

ÉTENDRE, ÉTENDRE (S') → *augmenter, couvrir, grand, lit, mêler.* — **Donner plus de surface, d'importance.** Accroître, accroissement, croître, croissance ; agrandir, agrandissement ; amplifier, amplification ; arrondir ; augmenter ses connaissances/sa culture/sa mémoire, augmentation ; appendice, supplément ; déployer, déploiement, éployer ses ailes ; développer, développement ; di-, dis- ; dilater, dilatation, dilatatoire ; distendre, distension, bosse, distendu ; écarteler, écartèlement ; élargir, élargissement ; prendre plus d'envergure ; étaler, étalement, étalage ; étaler du beurre, beurrer, tartiner ; étaler un enduit, enduire, couvrir, recouvrir ; étendre, étendue ; étendre le champ d'une expérience/le sens d'un mot/la sphère de ses relations ; expansion, extension ; généraliser, généralisation ; grossir, exagérer, gros, exagéré ; repousser les bornes/les frontières/les limites. ■ Ample, gonflé, grand, gros, immense, infini, large, spacieux, turgescent, vaste, volumineux. — **Allonger.** Allonge, allonger, allongement, élongation ; détendre, se détendre ; détirer ; développer ; ductilité, ductile ; élastique ; étirer, étirage, s'étirer, pandiculation ; extension, extensif, extensible, extenseur, *in extenso ;* filer, filière, tréfilage, tréfilerie, fil ; prolonger, prolongement, prolongation, prolongé; langue protractile; rallonger, rallonge; tendre, tendeur, tension; tirer, traction. ■ Interminable, long, maigre, enfilade, file, queue, rangée. — **Mettre à plat.** Aplatir, aplanir; appliquer sur; coller sur; coucher, couche, lit; défriper, défroisser, déplier, déplisser; dérouler, déroulement, déroulage, dérouleuse; détordre; étendre du linge, étendoir; fixer sur; gésir, gisant; plaquer, plaqué; raidir, raide; tendre; se vautrer. — **Avoir une certaine étendue.** S'étendre; aller jusqu'à; border; continuer; courir; s'étendre au-delà, déborder; s'étendre le long, longer, côtoyer; s'étendre autour, cerner, entourer; s'étendre à l'infini/à perte de vue, échappée, horizon, panorama. — **Répandre, se répandre.** Accréditer; communiquer; contagion, contagieux; couvrir; déferler, déferlement, flot; diffuser, diffusion; disperser, dispersion; disséminer; s'égrener; envahir, envahissement, invasion; s'épancher, épanchement, effusion; épandre, épandage; éparpiller, s'éparpiller, éparpillement, s'égailler; épidémie; s'étaler; gagner, gagner du terrain, de jour en jour; jeter çà et là; parsemer; progresser, progrès, à grands pas, à pas de géant; propager, propagande, propagation, des bruits circulent/filtrent/se propagent; régner, règne; rayon, rayonner, irradier; semer; tache, faire tache d'huile; transmettre, transmission. — **S'étendre en paroles.** Allonger la sauce (fam.); amplifier, amplification oratoire; s'appesantir sur; bavarder, bavardage; broder; charger; délayer, délayage; développer, développement; enjoliver, gloser; paraphraser, paraphrase; pérorer; remplir, remplissage; renchérir. ■ Être bavard/ diffus / disert / intarissable / phraseur/prolixe/verbeux; circonlocutions, détours, longueurs, périphrases, tours périphrastiques.

ÉTENDU → *grand, mêler.*

ÉTENDUE → *chanter, durer, espace, importance.*

ÉTERNEL, ÉTERNISER, ÉTERNITÉ → *Dieu, durer, temps.*

ÉTERNUEMENT, ÉTERNUER → *bruit, crispation, nez.*

ÉTÉSIEN → *vent.*

ÉTÊTER → *arbre, couper, pétrole.*

ÉTEULE → *blé.*

ÉTHER → *alcool, ciel, dormir.*

ÉTHÉRÉ → *pur.*

ÉTHÉROMANE, ÉTHÉROMANIE → *poison.*

ÉTHIQUE → *morale, philosophie.*

ETHNIE, ETHNIQUE → *groupe, race.*

ETHNOGRAPHIE, ETHNOLOGIE, ETHNOLOGUE → *groupe, pays, race.*

ÉTHOLOGIE, ÉTHOLOGIQUE → *morale.*

ÉTHYLÈNE, ÉTHYLÉNIQUE → *chimie.*

ÉTHYLIQUE, ÉTHYLISME → *alcool, boire.*

ÉTIAGE → *bas, niveau, rivière.*

ÉTIER → *canal.*

ÉTINCELER, ÉTINCELLE → *briller, électricité, esprit, lumière, vif.*

ÉTIOLER, ÉTIOLER (S') → *diminuer, faible, plante.*

ÉTIOLOGIE → *cause.*

ÉTIQUE → *maigre.*

ÉTIQUETER → *inscription, paquet, signe.*

ÉTIQUETTE → *cérémonie, inscription, signe.*

ÉTIRER → *étendre, long, métal.*

ÉTOFFE → *qualité, tissu.*

ÉTOFFÉ, ÉTOFFER → *emplir, gras, récit.*

ÉTOILE, ÉTOILER → *astronomie, décoration, lune, réputation, soleil, typographie.*

ÉTOLE → *vêtement.*

ÉTONNEMENT, ÉTONNER → *beau, frapper, peur, trouble.* — **Étonner quelqu'un.** Abasourdir; ahurir; en boucher un coin (pop.); confondre; couper bras et jambes, couper la chique (pop.); déconcerter; décontenancer; dérouter; ébahir; ébaubir; éberluer; éblouir, en mettre plein la vue (pop.); effarer; émerveiller; épater (fam.), faire de l'épate (fam.); époustoufler; esbroufer (fam.), faire de l'esbroufe (fam.); estomaquer (fam.); étourdir; frapper, frapper d'étonnement/de surprise, etc.; impressionner, faire impression/grosse impression; interdire; interloquer; intriguer; prendre au dépourvu/de court; piquer la curiosité; renverser; faire sensation; saisir; scier (pop.); sidérer (fam.); stupéfier; suffoquer; surprendre; troubler. — **État de celui qui est étonné.** Abasourdi; ahuri, ahurissement; baba (fam.); en baver des ronds de chapeau (pop.); confondu, confusion; n'en pas croire ses yeux; cela dépasse mon entendement/me dépasse; désorienté; ébahi, ébahissement; ébaubi; éberlué; ébloui, éblouissement; effaré, effarement; émerveillé, émerveillement; estomaqué (fam.); s'extasier, extase, état extatique; foudroyé; frappé; hébété; interdit; interloqué; pantois; se récrier; renversé; en rester comme deux ronds de flan (pop.); saisi, saisissement; sidéré; soufflé (fam.); stupéfait, stupéfaction, stupeur, stupide; suffoqué; surpris; tomber à la renverse/de son haut/des nues. — **Qui étonne.** Abracadabrant; admirable;

ahurissant ; bizarre ; confondant ; coup de foudre/de théâtre/de maître/fumant ; à couper le souffle ; déconcertant ; éblouissant ; ébouriffant ; effarant ; faire un effet bœuf (fam.) / terrible ; époustouflant (fam.) ; étrange ; étourdissant ; extraordinaire ; fantastique ; faramineux ; fascinant ; imprévisible, imprévu, inattendu, inconcevable, incroyable, inopiné, inouï, insolite, invraisemblable ; magique, magie ; merveilleux, merveille ; miraculeux, miracle ; mirifique ; mirobolant (fam.) ; monstrueux, monstre ; mystérieux, mystère ; phénoménal ; raide (fam.) ; renversant ; rocambolesque (fam.) ; saisissant ; sensationnel ; sidérant ; singulier, singularité ; stupéfiant ; suffoquant ; surnaturel ; surprenant ; troublant ; unique. ▪ Acrobate, funambule, magicien, prestidigitateur, sorcier, thaumaturge. — **Marques et exclamations d'étonnement.** Rester bouche bée/bouche ouverte/immobile/pétrifié ; être muet de surprise ; hausser les sourcils ; avoir le souffle coupé ; ouvrir des yeux ronds, écarquiller les yeux ; haut-le-corps, sursaut, tressaillement ; les bras m'en tombent (fam.), en tomber assis (fam.). ▪ S'écrier, se récrier, s'exclamer, cri, exclamation ; bah !, eh bien !, bigre !, ça alors !, ciel !, diable !, diantre !, Dieu !, fichtre !, mince !, oh !, peste !, que vois-je ?, quoi ?

ÉTOUFFANT → *chaleur, saison.*

ÉTOUFFÉE → *cuisine.*

ÉTOUFFEMENT, ÉTOUFFER → *bruit, respiration.*

ÉTOUPE, ÉTOUPER → *emplir, fermer.*

ÉTOURDERIE, ÉTOURDI → *mémoire, négliger.*

ÉTOURDIR, ÉTOURDIR (S')
ÉTOURDISSANT → *étonner, inconscience, plaire.*

ÉTOURDISSEMENT → *faible, inconscience, trouble.*

ÉTOURNEAU → *oiseau.*

ÉTRANGE → *étonner.*

ÉTRANGER → *différence, éloigner, extérieur, pays.*

ÉTRANGETÉ → *étonner.*

ÉTRANGLÉ → *crispation, presser.*

ÉTRANGLEMENT, ÉTRANGLER → *cou, détruire, mourir, presser.*

ÉTRAVE → *navire.*

ÊTRE → *animal, état personne, réalité, vie.*

ÉTREINDRE, ÉTREINTE → *bras, presser.*

ÉTRENNE → *année, donner.*

ÉTRENNER → *commencer.*

ÊTRES → *maison.*

ÉTRIER → *anneau, cheval, montagne, entendre.*

ÉTRILLE, ÉTRILLER → *cheval, frapper, payer.*

ÉTRIPER → *vider.*

ÉTRIQUÉ, ÉTRIQUER → *maigre, petit.*

ÉTROIT, ÉTROITESSE → *crispation, maigre, petit.*

ÉTRON → *résidu.*

ÉTUDE → *apprendre, enseignement, justice, musique.*

ÉTUDIANT → *enseignement, université.*

ÉTUDIÉ, ÉTUDIER → *affectation, apprendre, plan.*

ÉTUI → *couvrir.*

ÉTUVE, ÉTUVÉE, ÉTUVER → *bain, chaleur, cuisine, sec.*

ÉTYMOLOGIE, ÉTYMOLOGISTE → *langage, mot.*

EUCALYPTOL → *huile.*

EUCALYPTUS → *arbre, plante.*

EUCHARISTIE → *sacrement.*

EUCLIDIEN → *géométrie.*

EUDÉMONISME → *bonheur.*

EUGÉNISME → *reproduction.*

EUNUQUE → *homme, reproduction, sexe.*

EUPHÉMISME → *doux.*

EUPHONIE → *accord, son.*

EUPHORIE → *bonheur, joie.*

EURASIEN → *reproduction.*

EUROPE, EUROPÉEN → *France, terre.* — **Européen.** Européen, européaniser, européanisme ; Communauté européenne du charbon et de l'acier, C.E.C.A. ; Communauté européenne de l'énergie atomique, Euratom ; Communauté économique européenne, C.E.E. ; Marché commun, traité de Rome, esprit communautaire ; parlement européen de Strasbourg. ▪ Les pays socialistes, le rideau de fer, pacte de Varsovie, Comecon. ▪ Race nordique, alpine, méditerranéenne, orientale, dinarique ; aryen, lapon, latin ; langue anglo-saxonne, latine, slave ; catholique, chrétien, orthodoxe, protestant. — **États d'Europe.** Allemagne, les deux Allemagnes, République démocratique allemande ou R.D.A., Berlin, République fédérale allemande ou R.F.A., Bonn ; Empire allemand, Reich ; allemand, germain, teuton ; boche (fam.), fritz (fam.), hun, prusco (fam.), prussien. ▪ Autriche, autrichien, austro-, Vienne. ▪ Benelux ; Belgique, belge, flamand, wallon, Bruxelles ; Luxembourg, luxembourgeois ; Pays-Bas ou Hollande, hollandais, batave, flamand, La Haye. ▪ Espagne, espagnol, hispanique, ibérique, Madrid ; Portugal, portugais, lusitanien, Lisbonne ; Andorre. ▪ Europe centrale,

Balkans ; Albanie, albanais, monténégrin, Tirana ; Bulgarie, bulgare, Sofia ; Hongrie, hongrois, magyar, Budapest ; Pologne, polonais, Varsovie ; Roumanie, roumain, Bucarest ; Tchécoslovaquie, tchécoslovaque, tchèque, slovaque, Prague ; Yougoslavie, yougoslave, croate, serbe, slovène, Belgrade. ▪ Royaume-Uni de Grande-Bretagne, Angleterre, Écosse, Irlande du Nord ou Ulster, Pays de Galles ; anglais, britannique, les îles Britanniques ; Londres ; République d'Irlande, Irlande libre, irlandais, Dublin. ▪ Grèce, grec, grecque, hellène, hellénique, Athènes. ▪ Italie, italien, rital (pop.), la péninsule italienne, la botte, Rome ; Cité du Vatican, États pontificaux ; République de Saint-Marin. ▪ Russie, Union des Républiques socialistes soviétiques, U.R.S.S., russe, soviétique ; le drapeau rouge, faucille et marteau ; Moscou, moscovite. ▪ Scandinavie, nordique, scandinave ; Danemark, danois, Copenhague ; Norvège, norvégien, Oslo ; Suède, suédois, Stockholm ; Finlande, finlandais, finnois, Helsinki. ▪ Suisse, suisse, suissesse, Confédération helvétique, Suisse alémanique, romande, Berne.

EUROVISION → *radio.*

EURYTHMIE, EURYTHMIQUE → *accord.*

EUSTATIQUE, EUSTATISME → *niveau.*

EUTHANASIE, EUTHANASIQUE → *mourir.*

ÉVACUATION, ÉVACUER → *abandon, partir, vide.*

ÉVADÉ, ÉVADER (S') → *fuir, libre.*

ÉVALUATION, ÉVALUER → *estimer.*

ÉVANESCENCE, ÉVANESCENT → *fuir.*

ÉVANGILE → *Bible, croire, écrire, religion.*

ÉVANOUIR (S'), ÉVANOUISSEMENT → *faible, fuir, inconscience.*

ÉVAPORATEUR, ÉVAPORATION → *vapeur.*

ÉVASÉ, ÉVASEMENT, ÉVASER → *ouvrir.*

ÉVASIF → *doute.*

ÉVASION → *fuir, impôt, prison.*

ÉVASURE → *ouvrir.*

ÉVÊCHÉ → *ecclésiastique.*

ÉVECTION → *astronomie.*

ÉVEIL, ÉVEILLER → *dormir, exciter, vif.*

ÉVÉNEMENT, ÉVÉNEMENTIEL → *destin, histoire.* — **Événements heureux.** Aubaine ; bonheur ; chance ; coup de chance/de bol (pop.)/de pot (pop.)/de veine ; bonne étoile ; occasion, occasion à saisir ; réussite ; succès ; veine. — **Événements malheureux.** Accident ; calamité ; cataclysme ; catastrophe ; contretemps ; coup du ciel/du destin/du sort, être accablé par le sort ; coup dur (fam.) ; coup d'éclat/de théâtre/de tonnerre ; désastre ; déveine ; drame ; événement fâcheux/malencontreux ; guigne, malchance ; malheur, jouer de malheur ; mauvaise rencontre ; mésaventure ; scandale, scandaleux, défrayer la chronique ; sinistre ; tragédie, tragique ; tribulation, vicissitudes. — **Événements fortuits.** Accident, accidentel ; aléa, aléatoire ; aventure, aventureux ; cas, casuel, cas fortuit ; circonstance, circonstances adventices, concours de circonstances ; conjoncture ; contingence, contingent ; coup de hasard ; épiphénomène ; épisode ; éventualité, éventuel ; fait, factuel ; fortune ; hasard, hasardeux ; impondérable ; incident ; occasion, occasionnel ; occurrence ; péripétie ; possibilité ; perspective. ▪ Par hasard, fortuitement, à l'improviste ; d'aventure. — **Suite d'événements.** Avoir des hauts et des bas ; les caprices de la Fortune ; cours des événements ; heur et malheur ; les nouvelles du jour ; odyssée ; ouvrage implexe ; recueil d'événements, annales, chronique, histoire ; suite ; vaches grasses et vaches maigres. — **Façons de se produire.** Advenir ; arriver ; avoir lieu ; échoir ; s'élever ; intervenir ; se passer ; les événements prennent tournure, bonne / mauvaise ; se présenter ; se produire ; se réaliser ; suivre ; survenir/tomber au bon/au mauvais moment/à pic (fam.)/pile (fam.) ; tourner bien/mal ; se trouver, il s'est trouvé que. ▪ Alors, tout à coup ; là-dessus, sur ces entrefaites ; le cas échéant.

ÉVENTAIL → *payer, vent.*

ÉVENTAIRE → *marchandises.*

ÉVENTÉ, ÉVENTER → *dommage, vent.*

ÉVENTRATION, ÉVENTRER → *mourir, ventre.*

ÉVENTUALITÉ, ÉVENTUEL → *doute, prévoir.*

ÉVÊQUE → *ecclésiastique.*

ÉVERTUER (S') → *essayer.*

ÉVICTION → *partir.*

ÉVIDEMENT → *trou, vide.*

ÉVIDENCE → *certifier, sûr.*

ÉVIDER → *trou, vide.*

ÉVIER → *vaisselle.*

ÉVINCEMENT, ÉVINCER → *éloigner.*

ÉVITABLE, ÉVITER → *éloigner, fuir.*

ÉVOCATEUR, ÉVOCATION → *essayer, magie, mémoire.*

ÉVOLUÉ, ÉVOLUER, ÉVOLUTION → *changer, mouvement, raffiner, science, supérieur.*

ÉVOLUTIF → *maladie.*

ÉVOLUTIONNISME, ÉVOLUTIONNISTE → *vie.*

ÉVOQUER → *imaginer, magie, mémoire.*

EXACERBER → *exciter.*

EXACT → *certifier, sûr, vérité.* — **Conforme, qui se conforme aux règles.** Absolu ; s'appliquer, application ; attentif, attention ; canonique ; se conformer à l'esprit/à la lettre ; consciencieux, conscience, conscience professionnelle ; exact, exactement, exactitude ; manie, avoir la manie de l'exactitude, maniaque ; minutieux, minutie ; mot juste/propre, justesse/propriété des termes ; parfait, perfection ; précis, précision ; être à cheval sur les principes, service-service (fam.) ; ric-rac (fam.) ; rigoureux, rigueur dans l'exécution ; scrupuleux, scrupule, soin scrupuleux ; sévère ; soigneux, soin ; strict, appliquer strictement la loi ; suivre religieusement/de point en point ; zélé, zèle. — **Conforme à la réalité, au modèle.** Authentique, authenticité ; conforme, conformité au modèle/à l'original ; correct, correction ; exact, exacte vérité, copie exacte, matériellement exact ; fidèle, fidélité ; fouillé, travail fouillé/léché/soigné ; identique ; littéral, littéralité ; même ; mot pour mot, trait pour trait ; pareil ; réel ; rigueur, rigoureux ; semblable, similaire ; sincère, sincérité ; textuel, textuellement, sans changer un iota ; tout à fait ; véridique, véracité, vérité, véritable. ▪ Preuve, prouver, faire la preuve, contre-épreuve, rectification, rectifier ; test. — **Qui est à l'heure.** Arriver à l'heure/à l'heure dite/à l'heure précise/à six heures juste/précises/sonnant/tapant ; assidu, assiduité ; être à l'heure ; « l'heure, c'est l'heure » ; ponctuel, ponctualité ; précis, précision ; recta (fam.) ; réglé, réglé comme un métronome ; régulier, régularité d'horloge ; qui vient à point/à point nommé/en son temps. — **Fondé scientifiquement.** Adéquat, adéquation ; certain, certitude ; correct, raisonnement correct ; impeccable, irréprochable ; juste, justesse ; mathématique ; méthodique ; mis au point ; net ; positif ; précis ; rationnel, rationalité ; régulier, régularité ; solide, raisonnement solide ; sûr, assuré.

EXACTION → *excès, voler.*

EXACTITUDE → *exact.*

EX AEQUO → *égal.*

EXAGÉRATION, EXAGÉRER → *augmenter, excès, gonfler.*

EXALTATION, EXALTÉ, EXALTER → *augmenter, convaincre, éloge, exciter.*

EXAMEN, EXAMINER → *chercher, composer, critique, enseignement, soigner.*

EXAMINATEUR → *enseignement.*

EXANTHÈME → *peau.*

EXASPÉRANT, EXASPÉRATION, EXASPÉRER → *colère, exciter.*

EXAUCEMENT, EXAUCER → *accord, demande, satisfaction.*

EXCAVATEUR, EXCAVATION, EXCAVER → *trou.*

EXCÉDENT, EXCÉDENTAIRE → *excès.*

EXCÉDER → *excès, fatigue.*

EXCELLENCE, EXCELLENT, EXCELLER → *honneur, pur, qualité, supérieur.*

EXCENTRATION, EXCENTRER → *milieu.*

EXCENTRICITÉ, EXCENTRIQUE → *folie, irrégulier, milieu.*

EXCEPTER, EXCEPTION, EXCEPTIONNEL → *abstraction, enlever, étonner, règle, tribunal.*

EXCÈS, EXCESSIF → *abondance, débauche, supérieur, violence.* — **Qui dépasse la mesure.** Affreux ; archi-, archifaux, archiplein, etc. ; colossal ; comble, bouquet (fam.) ; délirant ; dément ; démesuré, démesurément, démesure ; dévorant ; dingue (pop.) ; disproportionné, disproportion ; effrayant ; effréné ; énorme, énormité, énormément ; exagéré, exagération, exagérément ; excédent, excédentaire ; exorbitant ; extraordinaire ; extravagant ; extrême, extrémisme ; exubérant, exubérance ; fabuleux ; foison, foisonner ; fou, folie ; frénésie ; horrible, horreur ; hyper-, hypersensibilité, hypertrophie, etc. ; géant, gigantisme ; immodéré ; insupportable ; luxuriant, luxuriance ; monstrueux, monstre, monstruosité, monstrueusement ; outrage, outrageusement ; outrance, outrancier ; outre, outré, outrecuidant, plénitude ; pléthorique, pléthore ; profusion ; satiété ; saturation ; super-superflu, superfétatoire ; sur-, surabondant, surplus, surproduction, etc. ; terrible ; trop, trop-perçu, trop-plein ; ultra-, ultra-court, ultra-royaliste, etc. — **Abus.** Abus, abus d'autorité / de confiance / de droit / de pouvoir / de mots ; abuser, je crains d'abuser, « usez, n'abusez pas » ; débauche ; désordre ; empiéter ; errement ; exagération ; excès, excessif ; illégalité, illégal ; incontinence ; injustice, injuste ; intempérance ; licence, licencieux ; mal, maux ; profanation ; tyrannie. — **Agir de façon excessive.** Accumuler ; aller trop fort/loin ; attiger (pop.) ; charrier (pop.) ; dérailler (fam.) ; exagérer ; avoir la folie des grandeurs, mégalomanie ; forcer la dose/la note ; grossir ;

outrer, outrepasser ses droits ; passer/dépasser les bornes/les limites ; pousser (pop.) ; promettre monts et merveilles ; regarder les choses par le petit bout de la lorgnette ; saturer ; surexciter ; surmener ; surpasser.

EXCIPER (DE) → *excuse, raisonnement.*

EXCIPIENT → *médicament, mêler.*

EXCISER, EXCISION → *chirurgie, couper.*

EXCITABILITÉ, EXCITANT, EXCITATION → *exciter, pousser.*

EXCITER → *engager, vif.* — **Faire naître une réaction.** Actionner, animer ; appeler, appel ; mettre en branle/en mouvement ; causer ; déclencher ; donner un avant-goût ; émouvoir, émotion ; éveiller, éveil ; exciter, excitant, excitateur, excitation ; insuffler ; mettre en appétit, appétissant, mettre l'eau à la bouche ; faire naître ; ouvrir l'appétit ; piquer la curiosité, piquant ; provoquer, provocation, provocant, mettre au défi ; rallumer/ranimer/raviver un sentiment éteint ; stimulation, stimulus ; susciter ; troubler, troublant. — **Rendre plus vif.** Activer ; aggraver ; aiguillonner ; aiguiser ; allécher, alléchant ; asticoter (fam.) ; attrait, attrayant ; aviver, raviver ; caresser ; chatouiller ; cingler ; donner du nerf/du tonus/de la vigueur ; doper ; électriser, électrisant ; faire enrager ; émoustiller, émoustillant ; éperonner ; fouetter ; harceler, harcèlement ; jeter de l'huile sur le feu ; raffermir, ragaillardir, réchauffer, relever le courage ; remuer ; séduire, séduisant ; souffler sur le feu ; stimuler ; talonner ; taquiner ; tenter, tentant ; titiller ; travailler les esprits ; vivifier, vivifiant. — **Soulever des sentiments violents.** Agiter, agitateur ; allumer ; ameuter, rameuter ; attiser la haine ; déchaîner les passions ; dresser contre ; échauffer, échauffer les oreilles ; embraser ; enfiévrer ; enflammer ; enivrer, enivrant ; envenimer, venimeux ; exacerber ; exalter, exaltant ; exaspérer, exaspérant ; fanatiser, fanatique, fanatisme ; fomenter des troubles, fomentateur/fauteur de guerre/de troubles, boutefeu ; galvaniser ; houle, houleux ; mener, meneur ; monter contre, monter la tête ; passionner, passionnant ; soulever les passions/le peuple ; transporter, transports. — **Qui excite.** Aiguillon ; aphrodisiaque ; brandon de discorde ; démagogue, démagogie ; dopage, dopant, doping ; drogue ; émulation ; éperon ; excitant ; ferment ; fouet ; levain ; réconfortant, reconstituant, remontant ; sex-appeal ; stimulant, stimulus ; taquinerie ; tonique. — **État de qui est excité.** Acharnement, acharné ; agitation, agité ; angoisse, angoissé ; animation, animé ; aigreur ; ardeur, ardent ; colère ; ne plus se contrôler, perdre le contrôle de soi-même ; crispé ; déchaîné ; délire ; être en ébullition/en effervescence ; embrasement des sens ; émoi, émotion, ému ; énervement, énervé, nerveux ; enthousiasme, enthousiaste ; éréthisme ; état de grande/d'extrême agitation, être dans tous ses états ; exaltation, exalté ; exaspération, exaspéré ; excité, un excité, un énergumène ; fébrilité, fièvre, fébrile, fiévreux ; grisé, griserie ; impatience, impatient ; irritation, irritabilité, irrité, irritable ; passion, passionné ; prolixité, prolixe ; perdre la tête, ne plus savoir où donner de la tête, perdre les pédales (fam.) ; être en rage, enragé ; surexcitation, surexcité ; survolté (fam.) ; transports, transporté, transfiguré ; trouble, troublé ; volubilité, volubile.

EXCLAMATIF, EXCLAMATION, EXCLAMER (S') → *cri, étonner, joie, trouble.*

EXCLURE → *défendre, éloigner, extérieur, peine.*

EXCLUSIF → *éloigner, opinion, particulier.*

EXCLUSION, EXCLUSIVE → *éloigner, partir.*

EXCLUSIVITÉ → *particulier.*

EXCOMMUNICATION, EXCOMMUNIER → *défendre, extérieur, pape.*

EXCORIATION, EXCORIER → *peau.*

EXCRÉMENT, EXCRÉMENTIEL → *résidu.*

EXCRÉTER, EXCRÉTEUR, EXCRÉTION → *canal, résidu.*

EXCROISSANCE → *tumeur.*

EXCURSION, EXCURSIONNISTE → *marcher, voyage.*

EXCUSE, EXCUSER → *défendre, faute, pardon.* — **Alléguer pour disculper.** Alibi ; alléguer, allégation ; atténuer la gravité, circonstances atténuantes ; avancer à la décharge de quelqu'un ; blanchir ; chercher une excuse ; défendre, défense, prendre la défense de ; disculper ; erreur de jeunesse, péché de jeunesse ; exciper de ; excuse admissible/plausible/valable/inacceptable/mauvaise ; sans excuse, excusable ; ce n'est pas une excuse ; excuses absolutoires/atténuantes ; expliquer, expliquer sa conduite, explication, se lancer dans des explications confuses/interminables ; forger, alibi forgé/de complaisance ; innocenter ; justifier, justifier de son emploi du temps, fournir une justification ; laver ; motif ; moyen dilatoire ; raison, mauvaises raisons ; ressource ; servir d'excuse ; voiler, couvrir d'un voile épais/pudique. — **Alléguer pour se dispenser.** Arguer de, arguties ; se défiler (fam.) ; se dérober, dérobade ; détours, circonlocution ; dispense, se dispenser ; échappatoire, grossière échappatoire ; éluder, réponse élusive ; exempter, exemption ; esquiver, esquive ; s'excuser d'une absence, excuse ; faux-fuyant ; feindre ; fuite ; invoquer ; issue ; mensonge ; mettre en avant ; porte de sortie/de derrière ; prendre la tangente (fam.) ; prétexter, prétexte, prendre prétexte, saisir le premier prétexte venu, sous de fallacieux prétextes ; reculer, reculade ; se récuser ; refuser ; ruse ; simuler ; subterfuge ; tourner autour du pot (fam.) ; tromper, tromperie. — **Faire des excuses.** Bégayer/bredouiller des excuses ; se confondre en excuses ; être désolé/navré ; faire des excuses, faites excuse (pop.), excuses faites à contrecœur/à regret/du bout des lèvres ; lettre d'excuses, excuses écrites ; mille excuses, excusez-moi ; plates excuses ; présenter ses excuses ; se répandre en excuses ; veuillez m'excuser. ▪ Faire amende honorable ; critique, autocritique ; pardon, pardonnez-moi, demander pardon ; repentir ; regrets, exprimer ses regrets, mille regrets, regretter, regretter amèrement.

EXEAT → *partir, permettre.*

EXÉCRABLE, EXÉCRATION, EXÉCRER → *déplaire, détester.*

EXÉCUTANT → *agent, exécuter, musique.*

EXÉCUTER → *agent, agir, mourir, produire, travail.* — **Mener à bien.** Aboutir ; accomplir, accomplissement, mission accomplie ; achever, achèvement ; s'acquitter de ; composer, composition ; concrétiser un projet, lui donner corps ; construire, construction ; effectuer ; élaborer, élaboration ; entreprendre ; exécuter, exécution, mettre à exécution, passer à l'exécution, impossible à exécuter, impossible, inexécutable, infaisable, expédier les affaires courantes, expédition, procédé expéditif ; faire, faisable ; finir, mener à bien/à bonne fin ; former, formation ; interpréter, interprétation ; matérialiser, matérialisation ; se mettre à l'œuvre/à l'ouvrage/au boulot (fam.) ; opérer, opération ; procéder à ; réaliser, réalisation, réalisable, irréalisable ; refondre, refonte ; remplir ses engagements ; réussir, réussite ; stade d'exécution avancé / initial / final ; tenir une promesse/sa parole ; terminer ; tour de force, gageure. ▪ Fignoler, fignolage ; finir, fini ; lécher, léché ; limer ; parachever, parfaire ; travailler, travaillé. — **Exécuter mal.** Bâcler, bâclage ; barbouiller, barbouillage, barbouilleur ; bousiller, bousillage (fam.) ; bricoler, bricolage, bricoleur ; cochonner (pop.), cochonnerie ; estropier ; expédier, expéditif ; faire à la diable/à la va-vite/par-dessous la jambe (fam.), ni fait ni à faire ; mal fichu, mal foutu (pop.) ; gâcher, gâchis ; galvauder ; gâter ; malfaçon ; massacrer, massacre ; négliger, négligence, négligé, négligent ; saboter, sabotage, saboteur ; sabrer ; saloper, saloperie (pop.) ; savater (fam.) ; torcher (fam.), torchette, torchonner, torchon (fam.). — **Celui qui exécute.** Artisan ; artiste ; auteur ; exécutant ; interprète ; facteur de pianos/d'orgues ; fabricant ; main-d'œuvre ; maître d'œuvre ; ouvrier ; producteur ; réalisateur ; responsable. ▪ Le faire, la griffe, la main, la patte. — **Fabriquer.** Assembler, assemblage ; confectionner, confection ; construire, construction ; entreprise ; fabriquer, fabrication, fabrique ; façonner, façon ; faire, faiseur, fait main ; manufacturer, manufacture, produit manufacturé ; produire, production ; travailler, travail, travail à façon ; usiner, usinage.

EXÉCUTEUR → *exécuter, succession.*

EXÉCUTIF → *gouverner, loi, pouvoir.*

EXÉCUTION → *devoir, exécuter, mourir, musique.*

EXÉCUTOIRE → *décider.*

EXÉGÈSE → *Bible, expliquer.*

EXEMPLAIRE → *supérieur.*

EXEMPLE, EXEMPLIFIER → *événement, peine, reproduction.*

EXEMPT, EXEMPTER, EXEMPTION → *avantage, libre, munir, pur.*

EXERCÉ → *adroit, habitude.*

EXERCER → *apprendre, essayer, fonction, métier.*

EXERCICE → *armée, enseignement, métier, mouvement.*

EXERCISEUR → *gymnastique.*

EXÉRÈSE → *chirurgie.*

EXERGUE → *écrire, inscription.*

EXFOLIATION → *arbre, peau.*

EXFOLIER → *ardoise, plante.*

EXHALAISON → *gaz, parfum.*

EXHALATION, EXHALER → *montrer, partir.*

EXHAUSSEMENT, EXHAUSSER → *haut, monter.*

EXHAUSTIF → *entier.*

EXHÉRÉDATION, EXHÉRÉDER → *succession.*

EXHIBER, EXHIBITION → *montrer, spectacle.*

EXHIBITIONNISME, EXHIBITIONNISTE → *montrer.*

EXHORTATION, EXHORTER → *appeler, convaincre, exciter, pousser.*

EXHUMATION, EXHUMER → *enterrement, mémoire.*

EXIGEANT, EXIGENCE, EXIGER → *demande, difficile.*

EXIGIBILITÉ, EXIGIBLE → *demande.*

EXIGU, EXIGUÏTÉ → *petit.*

EXIL, EXILÉ → *éloigner, pays.*

EXILER → *éloigner, extérieur, pays, peine.*

EXINSCRIT → *cercle.*

EXISTANT, EXISTENCE → *durer, réalité, vie.*

EXISTENTIALISME, EXISTENTIALISTE → *philosophie.*

EXISTENTIEL, EXISTER → *durer, important, réalité, vie.*

EX-LIBRIS → *inscription.*

EXODE → *éloigner, partir, pays.*

EXOGÈNE → *extérieur.*

EXONÉRATION, EXONÉRER → *droit, enlever, impôt.*

EXOPHTALMIE, EXOPHTALMIQUE → *œil.*

EXORBITANT → *excès.*

EXORBITÉ → *œil.*

EXORCISATION, EXORCISER, EXORCISME → *cérémonie, magie.*

EXORDE → *commencer, récit.*

EXOSMOSE → *extérieur.*

EXOSPHÈRE → *ciel.*

EXOSTOSE → *tumeur.*

EXOTÉRIQUE → *commun, connaître.*

EXOTHERMIQUE → *chaleur.*

EXOTIQUE, EXOTISME → *éloigner, extérieur, pays.*

EXPANSIBILITÉ, EXPANSIBLE → *gaz.*

EXPANSIF, EXPANSION → *colonie, étendre, gaz, grammaire.*

EXPANSIVITÉ → *ouvrir.*

EXPATRIATION, EXPATRIER → *éloigner, partir, pays.*

EXPECTANT, EXPECTATIVE → *attendre.*

EXPECTORATION, EXPECTORER → *poitrine.*

EXPÉDIENT → *ressource.*

EXPÉDIER, EXPÉDITEUR → *éloigner, envoyer, poste, reproduction.*

EXPÉDITIF → *vitesse.*

EXPÉDITION, EXPÉDITIONNAIRE → *armée, exécuter, marchandises, transport, voyage.*

EXPÉRIENCE, EXPÉRIMENTAL → *connaissance, essayer, science.*

EXPÉRIMENTATEUR, EXPÉRIMENTATION → *chimie, essayer, physique.*

EXPÉRIMENTÉ, EXPÉRIMENTER → *essayer, habitude, science.*

EXPERT → *connaissance, estimer.*

EXPERTISE, EXPERTISER → *estimer.*

EXPIATION, EXPIATOIRE, EXPIER → *crime, faute, peine, réparer.*

EXPIRANT, EXPIRATEUR, EXPIRATION, EXPIRER → *finir, mourir, poitrine.*

EXPLÉTIF → *mot.*

EXPLICABLE, EXPLICATIF, EXPLICATION → *expliquer.*

EXPLICITATION, EXPLICITE, EXPLICITER → *expliquer, sûr.*

EXPLIQUER → *apprendre, enseignement, montrer, raisonnement.* — **Expliquer un texte.** Annoter, annotation, note, note critique, note de l'éditeur ; commenter, commentaire, commentaire autorisé, commentateur ; critique, appareil / édition critique ; cryptographie, clef, code, grille ; éclaircir, éclairer, éclaircissement ; exégèse, exégète, herméneutique ; expliquer un texte, explication de texte ; gloser, glose, glossateur, glossaire ; interpréter, interprétation, interprète ; légende ; paraphraser, paraphrase ; remarque ; scolie, scoliaste. ▪ Avant-propos, avertissement, avis au lecteur, introduction, notice explicative, préface, prolégomènes. — **Expliquer un fait.** Cause ; C.Q.F.D. ; circonstancier, circonstances atténuantes ; considérants ; débattre, débat, débat sur le fond / public ; débrouiller une affaire ; démêler ; décrire, description ; détailler, donner des détails ; discuter, discussion ; donner l'explication/le pourquoi des choses/ la raison/une version des faits ; éclaircir, éclaircissement ; élucider un point ; justifier, justification ; mise au point, mettre les choses au point ; motiver, motif ; raison ; remonter au déluge/aux origines ; rendre clair/compréhensible/ concevable/intelligible ; reportage ; être significatif ; spécifier ; les tenants et les aboutissants d'une affaire ; vulgariser. — **S'expliquer.** Annoncer, annonce ; communiquer, communiqué, communication ; conférence de presse ; déclarer, déclaration, porte-parole ; décrire ; dévoiler ; s'expliquer carrément/franchement/ loyalement/ nettement/ sans ambages/sans détours ; exposer, exposé ; exprimer ; mettre les points sur les i ; raconter ; relater, relation ; rendre des comptes. — **Qui demande une explication.** Ambigu, amphibologique ; cas particulier/à part ; charade ; complexe, complexité ; confus, confusion ; dédale, labyrinthe ; embrouillement, embrouillamini ; étrange ; malentendu ; mystérieux, mystère ; obscur, passage/point obscur ; oracle, oraculaire ; problématique, problème ; rébus ; réticence ; retournement/revirement d'opinion ; sibyllin ; voilé.

EXPLOIT → *courage, justice.*

EXPLOITANT, EXPLOITATION → *entreprise, tromper.*

EXPLOITER, EXPLOITEUR → *gagner, tromper.*

EXPLORATEUR, EXPLORATION, EXPLORER → *colonie, entreprise, voyage.*

EXPLOSER, EXPLOSIF, EXPLOSION → *gaz, moteur, projectile, vif.* — **Substance explosive.** Acide picrique, picrate ; cheddite ; cordite ; dynamite, coton-poudre, fulmicoton, nitro-cellulose, plastic ; expansion des gaz ; explosif, explosible, explosif brisant, matières explosives ; fulminate de mercure ; gélatinisation ; lyddite ; mélinite ; nitrobenzène, nitroglycérine ; panclastite ; poudre, poudre propulsive ou balistique, poudre B/noire/pyroxylée/SD ; tolite ; trinitrotoluène. — **Explosion, exploser.** Choc, être choqué ; commotion, commotionner ; crépitation, crépitement, crépiter ; déflagration, faire déflagrer ; détonation, détoner, coup de tonnerre ; ébranlement, ébranler ; éclat, éclatement, éclater ; entonnoir ; explosion, exploser, explosion étouffée/sourde ; feu ; fulmination ; onde explosive, onde de choc ; partir ; pétarader ; péter, péter sec (pop.) ; retentir, retentissant ; sauter ; souffler, souffle. ▪ Boum !, crac !, paf !, pan ! — **Engin explosif.** Ame ; amorce, amorcer, amorçage ; appareil de mise à feu ; bombe atomique/à hydrogène ou H/thermonucléaire ; bombe d'exercice / explosive / incendiaire/chimique/éclairante/de jalonnement/au phosphore/au napalm/à retardement ; cordeau détonant/Bickford ; cocktail Molotov ; détonateur ; dispositif d'horlogerie ; fusée ; gargousse ; grenade ; machine infernale ; mèche ; mine marine, dragage, dragueur de mines, mouillage, mouilleur de mines, chambre/fourneau de mine, mine terrestre / antichars / antipersonnel/de type fixe/de type bondissant, champ de mines, déminer, déminage ; obus explosifs/percutants et fusants, gerbe d'obus ; pétard ; torpille, torpiller. ▪ Artificier, dynamiteur, dynamitero, pyrotechnicien. — **Ne pas se contenir.** Bouffée/déchaînement de violences, se déchaîner ; débordement, déborder ; éclater ; explosion de joie, exploser ; fulminer ; rafale d'applaudissements ; crépiter, fuser ; tempête de cris, tempêter.

EXPORTATEUR, EXPORTATION, EXPORTER → *commerce, extérieur, transport.*

EXPOSANT → *marchandises, montrer.*

EXPOSANT → *algèbre.*

EXPOSÉ, EXPOSER, EXPOSITION → *danger, expliquer, parler, placer.*

EXPRÈS, EXPRESS → *affirmer, poste, train, vitesse.*

EXPRESSIF, EXPRESSION → *algèbre, mot, parler, regard, signe, visage.*

EXPRESSIONNISME, EXPRESSIONNISTE → *art.*

EXPRIMER, EXPRIMER (S') → *parler, signe.*

EXPROPRIATEUR, EXPROPRIATION, EXPROPRIER → *posséder.*

EXPULSÉ, EXPULSER, EXPULSION → *extérieur, partir, vide.*

EXPURGER → *critique.*

EXQUIS → *beau, bon, manière, plaire.*

EXSANGUE, EXSANGUINATION, EXSANGUINO-TRANSFUSION → *sang.*

EXTASE, EXTATIQUE, EXTASIER (S') → *étonner, inconscience, plaire, saint.*

EXTENSEUR → *gymnastique.*

EXTENSIBILITÉ, EXTENSIBLE → *étendre.*

EXTENSIF, EXTENSION → *culture, étendre.*

EXTÉNUANT, EXTÉNUATION, EXTÉNUER → *fatigue.*

EXTÉRIEUR → *orientation, pays, voir.* — **Qui se trouve en dehors.** Bord ; bout ; contour, pourtour ; déborder, débordant ; dehors, en dehors de, au-dehors, le dehors, Saint-Paul-hors-les-Murs, *extra muros ;* au-delà, par-delà ; exogène ; extérieur, extériorité, voir de l'extérieur / de haut / de loin ; externe ; extra-, extra-judiciaire, extra-légal, extra-parlementaire ; extrême, extrémité ; extrinsèque ; faubourg, suburbain ; hétéronomie ; hors, hors de, hors commerce, hors de combat, hors de prix, hors-texte, etc. ; loin ; paroi ; périphérie, périphérique ; redoute ; saillie, saillant ; surface, en surface, superficie, superficiellement, superstructure, etc. ; transcendance, transcendant ; ultérieur, ultime. — **Qui ne fait pas partie de.** Exception, exceptionnel, excepté ; exclu ; hormis ; hors catégorie, hors classe, hors concours, hors-jeu, hors ligne, hors pair ou hors de pair, hors série, etc. ; hors-d'œuvre, hors de propos, etc. ; hors-la-loi, outlaw ; individu, individualiser, individualiste ; isolé ; sauf, sauf que ; mettre de côté/à part/au rancart, etc. ; mettre au secret ; solitaire, solitude, seul ; spécial. — **Aller, envoyer à l'extérieur.** Bannir, banni ; chasser ; débarquer ; émettre, émission ; exclure, exclusion, exclusive, prononcer/jeter l'exclusive ; excommunier ; exiler, exil ; s'expatrier, expatrier ; exporter, exportation, exportateur ; expulser, expulsion ; extérioriser des sentiments ; extrader, extradition ; message, messager ; mettre au ban/à la porte ; renvoi, renvoyer ; sortir, sortie, faire une fausse sortie ; transplanter, transplantation ; vider les lieux, videur (pop.). — **Étranger.** Apatride ; colonie, colonial ; cosmopolite, cosmopolitisme ; émigrer, émigration, émigrant ; étranger, un étranger, une étrangère, Affaires/langues étrangères; exotique, exotisme; exterritorialité; immigrer, immigration, immigrant; international, internationalisme; migration, migrateur; naturaliser, naturalisation; nostalgie, nostalgique, mal du pays; outremer; passeport, visa; pèlerin, pèlerinage; réfugié; voyager, voyage, tourisme, touriste, séjour, carte/permis de séjour; xénophile, xénophilie, xénophobe, xénophobie.

EXTÉRIORISATION, EXTÉRIORISER → *montrer.*

EXTERMINATEUR, EXTERMINATION, EXTERMINER → *mourir.*

EXTERNAT, EXTERNE → *enseignement, médecine.*

EXTERRITORIALITÉ → *diplomatie, extérieur.*

EXTINCTEUR, EXTINCTION, EXTINGUIBLE → *brûler, détruire, finir, lumière, parler.*

EXTIRPATION, EXTIRPER → *arracher.*

EXTORQUER, EXTORQUEUR, EXTORSION → *arracher, violence.*

EXTRA → *servir, supérieur.*

EXTRACTIF, EXTRACTION → *algèbre, arracher, dent, famille.*

EXTRADER, EXTRADITION → *donner, extérieur.*

EXTRAIRE → *algèbre, arracher, partir, pur.*

EXTRAIT → *abrégé, choisir, parfum, reproduction.*

EXTRALUCIDE → *prévoir.*

EXTRA-MUROS → *extérieur, ville.*

EXTRAORDINAIRE → *étonner, règle.*

EXTRAPOLATION, EXTRAPOLER → *raisonnement.*

EXTRA-UTÉRIN → *accouchement.*

EXTRAVAGANCE, EXTRAVAGANT, EXTRAVAGUER → *étonner, excès, folie.*

EXTRAVERSION, EXTRAVERTI, EXTROVERTI → *extérieur.*

EXTRÊME → *excès, finir, grand, opposé.* — **Qui termine.** Arrière, arrière-garde, arrière-plan, arrière-train; bec; bord, rebord; bout, aboutir, aboutissement, abouter, mettre bout à bout, embout; cime, cimaise, cimée, cimier, plumet; confins; crête; débouché, déboucher sur, embouchure; dernier, en dernier, dernier de classe, dernière extrémité; extrême, extrémité, *in extremis,* extrême-onction; faîte, faîtière; final, le final, fin, finir, finish, finalement, pour finir; fond, fondation, fondement, fondamental; limite, limitrophe, lisière; pignon; point, point final / d'arrivée / de chute / d'orgue; pointe; queue, en queue, lanterne rouge, coda; sommet, sommité; talon; terme, terminaison, terminal, *terminus a quo, terminus ad quem;* tête; ultime. — **Qui est au plus haut point.** Être aux abois; acmé; apogée; comble, porté à son comble, la mesure est comble; complet; exceptionnel; excès, excessif; extraordinaire; extrême, être à toute extrémité, extrême gauche; extrême droite, extrémiste; infini; intense; maximum, maximal, minimum, minimal; *nec plus ultra,* fin du fin; perfection, parfait; paroxysme, paroxystique; passionné; plafond, plafonner; profond; radical, radicalisme; suprême; tranché; urgent, urgence; zénith. ■ Bâton de maréchal, bouquet (fam.), chant du cygne. — **Extrêmement.** Affreusement, bigrement, bougrement, considérablement, drôlement, exceptionnellement, excessivement, extraordinairement, fabuleusement, fichtrement (fam.), follement, fort, foutrement (pop.), horriblement, immensément, incroyablement, infiniment, puissamment, terriblement, très; en diable, à mourir, au plus haut point, au possible, comme tout; fieffé, fier menteur, mortellement ennuyeux; doux comme un mouton, dur comme fer, fier comme Artaban, fort comme un Turc, riche comme Crésus, etc.

EXTRÊME-ONCTION → *mourir, sacrement.*

EXTRÊME-ORIENT → *Asie.*

EXTRÉMISME, EXTRÉMISTE → *extrême, révolte.*

EXTRÉMITÉ → *finir.*

EXTRINSÈQUE → *extérieur.*

EXUBÉRANCE → *excès, vif.*

EXULTATION, EXULTER → *joie.*

EXUTOIRE → *éloigner, repos.*

EX-VOTO → *église, inscription.*

FABLE, FABLIAU, FABLIER → *faux, imaginer, littérature, poésie, récit.*

FABRICANT, FABRICATION → *entreprise, exécuter.*

FABRIQUE, FABRIQUER → *commerce, entreprise, exécuter, payer.*

FABULATION → *imaginer, récit.*

FABULEUX → *excès, faux, imaginer, récit.*

FABULISTE → *littérature, poésie, récit.*

FAÇADE → *apparaître, avant, maison.*

FACE → *avant, monnaie, résister, visage.*

FACE-A-MAIN → *optique.*

FACÉTIE, FACÉTIEUX → *esprit, moquer, vif.*

FACETTE → *bijou.*

FACHER, FACHERIE → *blesser, colère, déplaire, désaccord.*

FACHEUX → *déplaire, gêner.*

FACIAL → *visage.*

FACIÈS → *visage.*

FACILE, FACILITÉ, FACILITER → *adroit, convenir.* — **Facile à comprendre, à faire.** Accessible ; aisé ; aller de soi ; banal ; clair ; commun ; compréhensible ; concevable, « ce qui se conçoit bien s'énonce clairement » ; couler de source ; courant ; élémentaire ; enfantin ; être à la portée de tous/du premier venu/du premier imbécile venu (fam.) ; facile comme bonjour ; faisable ; intelligible ; ordinaire ; pont aux ânes ; populaire ; simple ; tomber sous le sens ; usuel. ■ Ce n'est pas une affaire, c'est bête comme chou, c'est du billard (fam.), c'est un jeu d'enfant, ce n'est pas la mort d'un homme (fam.)/la mer à boire (fam.), cela ne fait pas un pli (fam.), ce n'est rien, cela va tout seul, c'est du tout cuit (pop.). — **Faciliter.** Aplanir, arranger, clarifier, déblayer le terrain, débrouiller, déchiffrer, démêler, expliquer, faciliter les choses, frayer le chemin, guider, mâcher la besogne/le travail, mettre à l'aise, mettre à la portée de, préparer, simplifier, vulgariser. ■ Aide, concession, index, guide, maître, moyen, occasion, secours, etc. — **Facile à utiliser.** *Ad hoc ;* avantageux ; qu'on a bien en main ; commodité ; fonctionnel ; habitable ; idoine ; léger ; logeable ; maniable ; portatif, portable ; praticable ; pratique ; spacieux ; utile, utilisable. — **De caractère facile.** Abordable ; accessible ; accommodant ; accueillant ; affable, affabilité ; aimable, amabilité ; bon enfant, bon bougre (fam.), brave type (fam.) ; coulant (fam.), à la coule (pop.) ; direct ; facilité de parole, faconde ; familier, familiarité ; indulgent, indulgence ; personne d'abord/d'accès/de commerce facile ; rond ; serviable, serviabilité ; sociable, sociabilité ; souple, souplesse ; traitable.

FAÇON → *affectation, exécuter, manière, qualité.*

FACONDE → *parler.*

FAÇONNER, FAÇONNIER → *affectation, exécuter, forme, habitude.*

FAC-SIMILÉ → *reproduction.*

FACTEUR → *agir, calcul, exécuter, poste, transport.*

FACTICE, FACTICITÉ → *faux, semblable.*

FACTIEUX → *révolte.*

FACTION, FACTIONNAIRE → *attendre, garder, révolte.*

FACTITIF → *verbe.*

FACTORERIE → *bureau, colonie.*

FACTOTUM → *servir.*

FACTURATION, FACTURE, FACTURER, FACTURIER → *commerce, comptabilité, marchandises.*

FACULTATIF, FACULTÉ → *permettre, pouvoir, qualité, université.*

FADA → *folie.*

FADAISE → *futile.*

FADASSE, FADE, FADEUR → *diminuer, faible, futile, goût.*

FADING → *radio.*

FAGNE → *lac.*

FAGOT, FAGOTAGE, FAGOTIER, FAGOTIN → *bois, hérésie.*

FAGOTER → *bois, vêtement.*

FAIBLE, FAIBLESSE, FAIBLIR → *défaut, goût, inconscience, petit.* — **Manque de force physique.** Abattu, abattement ; anéanti ; anémié, anémique, anémie ; asthénie ; atone, sans tonus, atonie ; atrophié, atrophie ; avorton ; chétif ; chlorotique ; crevé, crevard ; débile, débilité ; défait ; déficient, déficience ; délicat, délicatesse, constitution délicate ; émacié ; épuisé, épuisement ; éreinté ; étiolé, étiolement ; faible, affaibli, faible femme, sexe faible, faiblesse ; fatigué, fatigue ; flageolant, flageoler ; fragile, fragilité ; frêle ; freluquet ; grêle ; gringalet ; impotent ; invalide, invalidité ; avoir les jambes molles/en coton (fam.)/qui se dérobent sous soi ; languissant, langueur ; las, lassitude ; maigre, maigrelet, maigreur, maigrichon, maigriot ; malingre ; menu ; mince ; mou, mollesse, ramolli ; rachitique, rachitisme ; avoir le sang pauvre, ne pas avoir de sang dans les veines (fam.) ; souffreteux. ▪ Vieillard branlant/chancelant/cacochyme / cassé / décrépit / délabré / infirme/quinteux/sénile/usé. ▪ Catalepsie, collapsus, consomption, défaillance, étourdissement, évanouissement, pâmoison, syncope. — **Manque de force morale et intellectuelle.** Abandon, abandonner ; aboulique, aboulie ; apathique, apathie ; arriéré, arriération mentale ; avoir le moral à zéro (fam.) ; céder à la tentation ; chancelant, chanceler ; chiffe molle (fam.) ; craintif, crainte, craindre ; déprimé, dépression, état dépressif ; désarmé ; faible d'esprit, débile mental/léger/profond ; dégénéré, dégénérescence ; girouette ; incertain, incertitude ; inconstant, inconstance ; indécis, indécision ; inerte, inertie ; infantile, infantilisme ; instable, instabilité ; irrésolu, irrésolution ; lâche, lâcheté ; se laisser aller, laisser-aller ; léger, légèreté ; manquer de caractère/d'énergie/de nerf/de ressort/de vigueur ; mauviette ; mou, mollesse ; pauvre type ; peureux, peur poule mouillée (fam.) ; pusillanime, pusillanimité ; succomber ; vacillant, vaciller ; vieillard gâteux/ramolli / retombé en enfance ; velléitaire, velléité ; veule, veulerie. — **Manque d'autorité.** Bénin ; bonasse ; chahuté ; complaisant, complaisance ; débonnaire, débonnaireté ; doux, douceur ; faire ce qu'on veut de quelqu'un ; femmelette ; incapable ; être désarmé ; se laisser manger/tondre la laine sur le dos ; mannequin ; mazette (fam.) ; moule (fam.) ; néant, nullité ; pantin ; poire (fam.) ; sans défense ; souffre-douleur ; tendre ; victime, complexe d'infériorité. — **Affaiblir, s'affaiblir (personne).** S'affaisser ; alanguir ; amoindrir ; s'amollir, amollissement ; appauvrir, appauvrissement ; avoir la faiblesse de ; baisser ; céder ; composer ; se consoler ; débiliter ; déchoir ; décourager, céder au découragement ; décroître ; décliner, déclin ; se dérober ; dépérir, dépérissement ; déprimer, dépression ; efféminer ; émasculer ; exténuer ; fatiguer ; fléchir, fléchissement ; miner ; mollir (pop.) ; pâlir ; perdre ses forces ; plier, ployer ; se relâcher ; ruine, ruiner sa santé ; transiger ; se troubler ; vieillir. — **Affaiblir, s'affaiblir (chose).** Adoucir, adoucissement ; affadir, fade ; assourdir, sourd ; atténuer, atténuation ; s'avachir, avachi ; baisser la voix, chuchoter ; décolorer, décoloration ; dégrader, dégradation ; délaver ; détremper une couleur ; édulcorer ; effacer ; énerver ; estomper ; éteindre, éteint ; s'étioler ; étouffer, étouffé ; mitiger ; modérer ; ôter le piquant/le sel ; tempérer ; s'user.

FAÏENCE, FAÏENCERIE, FAÏENCIER → *céramique.*

FAILLE → *tissu.*

FAILLE → *défaut, relief, trou.*

FAILLIBLE, FAILLIR → *faute, manque.*

FAILLITE → *devoir, échouer.*

FAIM → *désir, manger.* — **Envie de manger.** Aiguiser l'appétit, apéritif ; appétit, appétissant ; boulimie, boulimique ; se brosser, claquer du bec (pop.) ; creuser, creux dans l'estomac (fam.), estomac/ventre creux ; crever de faim, crever la dalle (pop.) ; crier famine ; avoir les crocs (pop.) ; danser devant le buffet ; avoir la dent/la dent creuse (pop.) ; dîner par cœur ; disette ; avoir l'estomac dans les talons (fam.), crampe d'estomac ; faim, être dévoré/rongé/torturé par la faim, mourir de faim, faim dévorante/de loup, les affres de la faim, affamé, famine, crier famine ; fringale, fringalé ; être à jeun, jeûner ; faire maigre ; manger, apaiser sa faim, se rassasier, ne pas manger à sa faim ; rester sur sa faim ; la sauter (pop.) ; tiraillement d'estomac ; tomber d'inanition ; avoir le ventre vide ; tromper sa faim, amuse-gueule ; vorace, voracité. ■ Crève-la-faim, meurt-de-faim, famélique ; traîner la faim. — **Priver, se priver de nourriture.** Abstinence ; affamer, affameur, accapareur ; carême, ramadan ; couper les vivres ; endurer la faim ; grève de la faim ; jeûne, jeûner ; mettre à la diète/au pain sec/au régime ; s'ôter le pain de la bouche ; pénitence, faire pénitence ; priver, privation ; se serrer la ceinture (fam.) ; supplice de Tantale/d'Ugolin, tyran de Pise. — **Ne pas, ne plus avoir faim.** Anorexie ; couper l'appétit ; éclater ; être bourré (fam.)/gavé/rassasié/repu ; inappétence ; mal au cœur ; répugnance ; avoir le ventre plein ; vomir.

FAINÉANT, FAINÉANTER, FAINÉANTISE → *paresse.*

FAIRE → *arranger, composer, donner, estimer, exécuter, métier.*

FAIRE-PART → *informer.*

FAIRE-VALOIR → *théâtre.*

FAIR PLAY → *franc, sport.*

FAISAN, FAISANDEAU → *chasse, oiseau.*

FAISANDER → *chasse, cuisine, viande.*

FAISANDERIE, FAISANDIER → *élevage.*

FAISCEAU → *lier, lumière.*

FAIT → *habitude, lait.*

FAIT → *arrêter, habitude, réalité, sûr.*

FAÎTAGE → *charpente.*

FAÎTE → *couvrir, haut.*

FAÎTEAU, FAÎTIÈRE → *charpente, couvrir.*

FAIT-TOUT → *cuisine, vaisselle.*

FAIX → *charger, peser.*

FAKIR → *attirer, magie, spectacle.*

FALAISE → *mer, relief.*

FALBALA → *toilette.*

FALLACIEUX → *faux, tromper.*

FALLOIR → *convenir, devoir, manque.*

FALOT → *lumière.*

FALOT → *faible, terne.*

FALSIFICATEUR, FALSIFICATION, FALSIFIER → *faux, informer, mêler.*

FALUCHE → *chapeau.*

FALUN, FALUNER → *engrais.*

FAMÉLIQUE → *faim, maigre.*

FAMEUX → *qualité, réputation, supérieur.*

FAMILIAL → *famille.*

FAMILIARISER → *habitude.*

FAMILIARITÉ, FAMILIER → *famille, habitude, libre.*

FAMILISTÈRE → *entreprise.*

FAMILLE → *enfant, femme, groupe, homme.* — **Les membres de la famille.** Aïeul, bisaïeul, trisaïeul, aïeux ; aîné, aînée, aînesse, droit d'aînesse ; ancêtre, ancestral ; ascendant, ascendance, collatéral ; cousin, cousin germain/à la mode de Bretagne, cousine, cousinage, cousiner ; descendant, descendance ; enfant, petit-enfant ; famille, familial ; fille, petite-fille ; fils, petit-fils, fiston ; frère ; mère, mater, maman, mamma, matrone, marâtre, maternel, grand-mère, arrière-grand-mère ; neveu, nièce, petit-neveu, petite-nièce ; oncle, avunculaire, tonton (fam.), grand-oncle ; parent proche/éloigné, parenté, lien de parenté ; parents, père et mère, grands-parents, arrière-grands-parents ; père, pater, *pater familias,* paternel, papa, grand-père ; progéniture ; sœur ; tante, tata (fam.). — **Frère et sœur.** Aîné, benjamin, cadet, cadette ; frère, frère adoptif, demi-frère, consanguin, utérin, frère de lait ; fraternel, fraternité ; frérot ; frangin, frangine (pop.) ; jumeaux, jumelles ; petit dernier, petite dernière ; primogéniture ; puîné ; sœur, demi-sœur, sœurette. — **Personnes associées à la famille.** S'allier, alliance, parent par alliance, se mésallier, mésalliance ; entrer dans une famille ; être admis dans l'intimité familiale, fréquenter ; beaux-parents, beau-père, bru ou belle-fille, gendre ou beau-fils, beau-frère, belle-mère, belle-sœur. ■ Aide-familiale ; ami ; bonne ; confesseur ; dame de compagnie ; domestique ; familier ; filleul ; jeune fille au pair ; gouvernante ; invité ; hôte ; nourrice, nounou, nurse ; parrain, marraine ; précepteur. — **Droit de la famille.** Abandon du foyer conjugal ; allocations familiales, prestations familiales ; autorité/puissance paternelle, déchéance de la puissance paternelle ; carte de famille nombreuse ; conseil de famille, conseil judiciaire ; divorce ; droits des enfants/des époux ; enfant adoptif/consanguin/légitime/d'un second lit/utérin ; filiation ; fils de, né de ; garde des enfants ; héritage, héritier ; livret de famille ; mariage, mari et femme, époux, épouse, concubins ; nom, nom de famille, patronyme, prénom ; patrimoine ; pension alimentaire ; recherche de paternité ; tuteur, tutelle, curatelle. ■ Monogamie, bigamie, polygamie, polyandrie ; matriarcat, patriarcat ; tutelle. — **Les grandes familles.** Armes/blason d'une famille ; les Bourbons, les Valois, etc. ; branche, branche aînée/cadette ; dynastie ; fils de famille, fils à papa ; généalogie, arbre généalogique, branche, rameau ; grande famille, famille ancienne/renommée, etc., les 200 familles; de haut lieu; lignée, lignage; nom, grand nom, renom, réputation; race; rang; sang, sang bleu; souche; tige; tronc; tradition familiale, de père en fils. — **La maison familiale et ses habitants.** Bercail; cellule familiale; cercle de famille, le chez-soi; chef de famille; clan, esprit de clan; foyer, foyer domestique, rentrer dans son foyer/dans ses foyers; *gens;* home, logis; maison familiale, paternelle, maisonnée; marmaille; nichée; patriarche; pénates; smala; tribu (fam.); toit. — **Vie de famille.** Anniversaire; brouilles, dispute; communion; conseil de famille; esprit de famille; fête; intérieur; mariage; naissance, baptême; noces d'argent/d'or; repas en commun/de famille; réunion, table, tablée. ▪ En famille, dans l'intimité, en privé.

FAMINE → *faim.*

FANAL → *lumière, mer.*

FANATIQUE, FANATISER, FANATISME → *exciter, passion, volonté.*

FANCHON → *chapeau.*

FANE → *feuille.*

FANER, FANER (SE), FANEUR → *herbe, terne, vieillesse.*

FANFARE → *armée, chasse, fête, musique.*

FANFARON, FANFARONNER → *affectation, courage, orgueil.*

FANFRELUCHE → *toilette.*

FANGE, FANGEUX → *avilir, boue.*

FANION → *symbole.*

FANON → *baleine, bœuf, cheval.*

FANTAISIE, FANTAISISTE → *bijou, imaginer, irrégulier, plume, spectacle.*

FANTASIA → *cheval, fête.*

FANTASMAGORIE, FANTASMAGORIQUE → *imaginer.*

FANTASME → *imaginer.*

FANTASQUE → *irrégulier.*

FANTASSIN → *infanterie.*

FANTASTIQUE → *étonner, imaginer.*

FANTOCHE → *mou.*

FANTOMATIQUE, FANTOME → *apparaître, imaginer, magie.*

FAON → *cerf.*

FAQUIN → *mépris.*

FARAD → *électricité.*

FARAMINEUX → *étonner.*

FARANDOLE → *danse.*

FARAUD → *orgueil.*

FARCE → *cuisine, emplir, moquer, rire, théâtre.*

FARCEUR → *rire.*

FARCIR → *emplir.*

FARD, FARDER → *cacher, toilette, visage.*

FARDEAU, FARDIER → *charger.*

FARFADET → *imaginer, magie.*

FARFELU → *irrégulier.*

FARFOUILLER → *chercher.*

FARIBOLE → *futile.*

FARINE, FARINER, FARINEUX → *céréale, pain, pâtisserie.* — **Meunerie.** Meunier, meunière; minoterie, minotier; féculerie, féculer. ▪ Blutage, bluter, bluterie, blutoir; boulange; broyer le grain, broyeur à cylindre; claquage; convertir, convertissage; désagréger, désagrégeur; issues; meule, meule courante/dormante ou gisante/piquée ou taillée à bâtons rompus; moudre; moulin à vent/à roue/à ailes; mouture; séchage; tamis, tamiser. — **Sortes de farines.** Alvéographe de Chopin; céréales : avoine, blé, maïs, seigle, etc.; farine bise, bisaille; farine basse/dégruautée/fourragère; farine blanche/de gruau, fleur de farine, farine première/seconde; farineux; les farineux : haricot, pois, pomme de terre, etc.; fariner, farinier, enfariner; fécule, féculent; folle farine; gruau; mouture; panifiable, panification, pain; recoupe; repasse; semoule, semoule blanche/vêtue; son; taux d'extraction. ▪ Cassave, sagou, salep, tapioca; farine de lin/de moutarde. — **Pâtes de boulanger.** Pétrin, pétrir; pâte de pâtissier, pâtisserie; semoule de blé dur, pétrissage, tréfilage, séchage. — **Pâtes alimentaires.** Canelloni, coquillettes, faveurs, lasagne, macaroni, nouilles, pâtes d'Italie, pâtes fraîches ou sèches, pâtes aux œufs, ravioli, spaghetti, tortellini, vermicelle.

FARNIENTE → *paresse, repos.*

FAROUCHE → *nature, violence.*

FART, FARTER → *montagne.*

FASCE → *blason.*

FASCICULE → *livre.*

FASCINATEUR, FASCINATION, FASCINER → *attirer, magie, plaire.*

FASCISTE → *chef, politique.*

FASTE → *cérémonie, riche.*

FASTES → *calendrier.*

FASTES → *histoire.*

FASTIDIEUX → *déplaire, fatigue.*

FASTUEUX → *riche.*

FAT → *orgueil.*

FATAL → *destin, malheur, mourir.*

FATALISME, FATALISTE → *destin, philosophie.*

FATALITÉ, FATIDIQUE → *destin, malheur.*

FATIGABILITÉ, FATIGANT → *fatigue.*

FATIGUE, FATIGUER → *force, travail.* — **Fatigue physique et nerveuse.** Accabler, accablement; affaiblir, affaiblissement, moment de fatigue; alanguir, alanguissement; anéantir; anémie; claquer, claquant (fam.);

crever, crevant, se crever le tempérament (pop.) ; dépression ; épuiser, épuisement ; éreinter, éreintant ; exténuer ; forcer un animal, forçage ; fortraire un cheval ; se fouler (fam.) ; harasser, harassement ; plier sous la charge ; n'en plus pouvoir ; rendre las, lassitude ; résister, être dur à la fatigue, infatigable ; stress ; suer sang et eau (fam.) ; surmener, se surmener, surmenage ; tomber de fatigue ; traits creusés/tirés ; tuer, tuant, se tuer au travail, être mort de fatigue ; user, guerre d'usure ; vanner ; yeux battus/cernés. ■ A bout, à bout de course/de rouleau, brisé, claqué, courbatu, courbaturé, crevé, épuisé, éreinté, esquinté, essoufflé, exténué, flagada (pop.), sur le flan (fam.), flapi (fam.), fourbu, moulu, pompé (fam.), prostré, recru de fatigue, rendu, rompu, vanné, vaseux, vidé. — **Fatigue morale et psychologique.** Assassiner (fam.) ; assommer, assommant ; assourdir, assourdissant ; barber, barbant, c'est la barbe ! (fam.) ; bassiner, bassinant (fam.) ; calvaire ; casser les pieds/les oreilles/la tête, casse-pieds (fam.), casse-tête ; corvée (fam.), pénible/rude ; découragement ; dégoûter, dégoûtant ; démoraliser, démoralisant, avoir le moral bas ; déprimer, déprimant ; écœurer, écœurant ; empoisonner, empoisonneur (fam.) ; endormir, endormant, soporifique ; énerver, énervant ; ennuyer, ennuyeux ; étourdir ; exaspérer ; excéder ; fastidieux ; harceler, n'avoir de cesse que, importuner, importun ; lasser, lassant ; raser, rasant, raseur (fam.) ; relancer ; rompre les oreilles ; saturer, saturation ; faire suer (pop.) ; tanner (fam.) ; tarabuster ; vie/métier de chien/de galérien, bagne. — **Défatiguer.** Amuser, amusant, amusement ; changer les idées ; changement d'activité ; cordial ; délasser, délassement ; se détendre, détente ; distraire, se distraire ; fortifiant ; masser, massage, masseur ; réconforter, réconfortant ; relaxation ; remonter, remonter le moral, remontant ; répit ; reposer, reposant, repos ; soulager, soulagement ; stimuler, stimulant ; vacances.

FATRAS → *amas.*

FATUITÉ → *orgueil.*

FATUM → *destin.*

FAUBOURG, FAUBOURIEN → *extérieur, ville.*

FAUCARD, FAUCARDER → *couper, herbe, lac.*

FAUCHAGE, FAUCHAISON, FAUCHE → *culture, herbe.*

FAUCHÉ → *pauvre.*

FAUCHER → *couper, détruire, voler.*

FAUCHEUR, FAUCHEUSE → *blé, couper.*

FAUCHEUX, FAUCHEUR → *araignée.*

FAUCILLE, FAUCILLON → *couper.*

FAUCON, FAUCONNERIE, FAUCONNIER → *chasse, oiseau.*

FAUFIL, FAUFILER → *couture, entrer.*

FAUNE → *animal, mythologie.*

FAUSSAIRE → *faux, voler.*

FAUSSER → *faux, forme, roue.*

FAUSSET → *aigu, chanter, son.*

FAUSSETÉ → *faux, tromper.*

FAUTE → *crime, défaut, manque, peine.* — **Mauvaise action.** Acte blâmable/ déshonorant/ grossier/ honteux/répréhensible/scandaleux ; attentat, attenter à, attentatoire ; broncher ; chute ; crime, criminel ; être en défaut ; délinquance, délinquant ; délit, délictueux, flagrant délit ; désobéissant, désobéir ; écart ; excès ; faiblesse, faiblir, faillible ; faute, fautif, fautive, fauter (fam.) ; faute compréhensible/excusable/légère/pardonnable/vénielle ; faute grave / impardonnable / lourde ; faute contre le droit/l'honneur, etc. ; forfait, forfaiture, forfaire à ; impiété, impie ; inconduite, mal se conduire ; infraction ; méfait, mauvaise action, mal agir, faire mal/du mal ; faux pas ; peccadille ; péché, péché mortel/par omission/véniel, les sept péchés capitaux, pécher, pécheur, pécheresse ; mauvaise pensée ; sacrilège ; scandale, scandaleux ; souillure, tache ; tomber sous le coup de la loi ; trahison, trahir sa foi/sa patrie, etc., traître ; vice. — **Manquement à une règle.** Anerie ; bêtise ; boulette (fam.), bourde (fam.), connerie (pop.) ; contrebande, contrebandier ; contravention, contrevenir, contrevenant ; dérogation, dérogatoire ; disqualifier, disqualification ; enfreindre, infraction, entorse ; erreur, erroné ; étourderie ; faute civile/pénale ; faute commune / contractuelle/délictueuse / inexcusable / intentionnelle / légère / lourde/quasi-délictueuse ; faute personnelle ; faute de service ; gourance (pop.), se gourer (pop.) ; inadvertance ; inattention ; incorrection, incorrect ; inexactitude, inexact ; irrégularité, irrégulier ; mécompte ; négligence criminelle ; omission, omettre ; prévarication, prévaricateur ; quiproquo ; récidive, récidiver ; transgresser ; sottise ; tromper ; viol, violer. ■ Barbarisme ; cacographie ; contresens, faux sens ; coquille ; cuir ; faute de français/de grammaire/d'orthographe ; impropriété ; lapsus ; pataquès ; solécisme. ■ Bourré/émaillé/plein/rempli de fautes ; tissu de bêtises. — **Responsabilité, culpabilité.** Accuser, accusation ; absoudre, absolution ; autocritique, faire son autocritique ; avouer, aveu, passer aux aveux, se mettre à table (pop.) ;

battre sa coulpe; blanchir; châtier, châtiment; confession, se confesser, confesseur; conscience, avoir quelque chose/un poids sur la conscience, avoir mauvaise conscience, décharger sa conscience; contrition, contrit; coupable, culpabilité; complexe/sentiment de culpabilité; couvrir les fautes d'un subordonné; excuser, excuse, circonstances atténuantes; expier, expiation, châtiment expiatoire; fauteur; indulgent; *mea culpa;* passer quelque chose à quelqu'un; peine; punition, punir; reconnaître ses fautes; regret, regretter; remords, être bourrelé/rongé de remords; réparation, réparer; responsabilité, responsable; tort, avoir tort, reconnaître ses torts, venir à résipiscence. — **Manière d'agir maladroite.** Balourdise; bévue; cela ne se fait pas; choquer, choquant; gaffer, gaffe (fam.); impair; incivil; incongruité, incongru; inconvenance, inconvenant; incorrection, incorrect; loup; maladresse, maladroit; pas de clerc; paysan, rustre. ■ Ne pas savoir se tenir, ne pas connaître les bons usages, ne pas avoir les bonnes manières; bourru, brusque, mal embouché (pop.), sauvage, etc.

FAUTER → *femme, morale.*

FAUTEUIL → *meuble.*

FAUTEUR → *agent, révolte, trouble.*

FAUTIF → *faute.*

FAUVE → *animal, couleur.*

FAUVETTE → *oiseau.*

FAUVISME → *peinture.*

FAUX → *couper.*

FAUX → *chanter, mal, reproduction, tromper.* — **Être, rendre contraire à la vérité, à la réalité.** Adultérer, adultération; altérer, altération; bobard (fam.); boniment; bruit, faux bruit, canard (pop.); calomnie, calomnieux; chimère, chimérique; commérer, commérage; conte, conte bleu/à dormir debout; controuvé; dénaturer, dénaturation; enjoliver, enjolivement, enjoliveur, enjolivure; erreur, erroné, induire en erreur; fable, fabulation, fabuleux, affabuler; faux, le faux, fausseté, plaider le faux pour savoir le vrai; fiction, science-fiction, fictif; flatter, portrait flatteur; illusion, illusoire, illusionner; imaginer, imagination, imaginaire; interpoler, interpolation; invention, inventer; légende, légendaire; mirage; mentir, mensonge, mensonger, menteur; mythe, mythique, mythomane; parjure, se parjurer; pseudo, soi-disant. — **Qui n'est pas juste, rigoureux.** Absurde, absurdité; boiteux; captieux; contradictoire, contraire au bon sens/à la vérité, contresens; déraisonnable, déraisonner, dérailler (pop.); douteux; échappatoire; esprit faux; excuse; extravagant, extravagance, extravaguer; faux-fuyant, fausser; forger, forgé pour la circonstance, *ad hoc;* hérésie, hérétique; hétérodoxe; illogique, illogisme; improbable; inexact, inexactitude; insensé; insoutenable; irrationnel; irrecevable; avoir le jugement faux; mauvais; non-sens; paradoxe, paradoxal; paralogisme; prétexte, prétexter; raisonner faux; sans fondement; sophisme, sophiste; sottise; spécieux; subterfuge; superficiel; tortu; vers faux. — **Qui n'a d'une chose que l'apparence.** Antidaté, postdaté; apocryphe; artificiel, artificieux, artifice; clinquant; contrefaçon, contrefaire; copie, copier; dehors, démarquage, démarquer; ersatz; façade, pour la façade; fantôme; faux air, faux-semblant; faux, un faux; faux en écritures commerciales/privées/publiques, faux intellectuel/matériel; faussaire, faux-monnayeur; s'inscrire en faux; falsifier, falsification, falsificateur; frelater, frelatage; homme de paille, prête-nom, imitation, imité, simili; imposture, imposteur; leurre; maquillage, maquiller; mystifier, mystification; parodie, parodier; pastiche, pasticher; plaqué; prétendu, prétendument; pseudonyme; simulacre, simuler, simulateur, semblant; soi-disant; sophistiqué; succédané; supercherie; toc; travestir; tromper, trompe-l'œil; trucage, truquer; sous le voile de, sous couleur de. — **Qui n'est pas naturel.** Affecté, affectation; cabotin, cabotiner (fam.), cabotinage (fam.); calculé; chafouin; charlatan, charlatanerie, charlatanesque, charlatanisme; comédie, comédien; déloyal, déloyauté; dissimuler, dissimulation; emprunté; étudié; factice; faire semblant, faux-semblant; fausse candeur/humilité/joie/naïveté/pudeur, etc.; faux dévot, tartufe, faux jeton (pop.); feindre, feint, feinte, fictif; pour la forme/la frime; fourbe, fourberie; grimacer; guindé; hypocrite, hypocrisie; jouer; larmes de crocodile; masque; papelard; patelin; postiche; ruser, ruse; simagrées; simulé, simulacre; sophistiquer, sophistication; trompeur, tromperie.

FAUX-BOURDON → *chanter.*

FAUX-FUYANT → *excuse, gêner.*

FAUX-MONNAYEUR → *monnaie.*

FAUX-SEMBLANT → *apparaître, faux, semblable.*

FAVEUR → *aimer, avantage, bienfaisance, pouvoir.*

FAVORABLE → *avantage, bon.*

FAVORI → *avantage, choisir, plaire, souverain.*

FAVORIS → *poil.*

FAVORISER, FAVORITISME → *aider, avantage.*

FAVUS → *peau.*

FAZENDA → *élevage, ferme.*
FÉAL → *féodalité, fidèle, suivre.*
FÉBRIFUGE → *fièvre, médicament.*
FÉBRILE, FÉBRILITÉ → *exciter, fièvre, maladie, nerf.*
FÉCAL, FÈCES → *anus, résidu.*
FÉCOND, FÉCONDATION → *produire, reproduction, riche, sexe.*
FÉCONDER, FÉCONDITÉ → *produire, reproduction, riche.*
FÉCULE, FÉCULENT, FÉCULERIE → *amidon, farine.*
FÉDÉRAL, FÉDÉRALISER, FÉDÉRALISME → *commun, État, groupe, politique.*
FÉDÉRATION, FÉDÉRÉ, FÉDÉRER → *État.*
FÉE → *imaginer, récit.*
FÉERIE, FÉERIQUE → *beau, théâtre.*
FEINDRE, FEINTE, FEINTER → *tromper.*
FELDSPATH → *géologie.*
FÊLÉ → *folie.*
FÊLER → *casser.*
FÉLIBRE, FÉLIBRIGE → *langage.*
FÉLICITATION → *éloge, honneur.*
FÉLICITÉ → *bonheur, joie.*
FÉLICITER → *éloge, joie.*
FÉLIDÉS → *chat.*
FÉLIN → *chat.*
FÉLON, FÉLONIE → *tromper.*
FELOUQUE → *bateau.*
FÊLURE → *casser.*
FEMELLE → *animal, femme, sexe.*
FÉMININ → *femme.*
FÉMININ → *grammaire.*
FÉMINISATION, FÉMINISER → *affiner, femme.*
FÉMINISME, FÉMINISTE, FÉMINITÉ → *femme.*

FEMME → *accouchement, maison, servir, sexe.* — **La femme, être physique.** Cycle menstruel ; femelle ; fillette, tendron ; formation, se former, devenir femme ; féminin, féminité ; grossesse, femme enceinte/grosse ; maternité ; ménopause, âge critique ; nubilité, nubile ; puberté ; sexe ; vierge, virginité. ■ Bassin, gorge, hanches, poitrine, seins, voix. — **La femme dans la société.** Belle-fille, bru ; citoyenne ; concubinage, concubine ; dame, madame ; divorcer, divorce, une divorcée ; égalité/inégalité des sexes ; électrice, droit de vote, émancipation de la femme ; famille, épouse, femme au foyer ; féminisme, féministe, suffragette ; fiancée ; fille, fille mère, petite-fille, jeune fille, nom de jeune fille ; héritière, riche héritière, dot ; mariage, se marier, la mariée ; ménage, ménagère ; mère, mère de famille, *mater familias*, maman, mamma, grand-mère, mémé, belle-mère, marâtre, maîtresse de maison, matriarcat ; monogamie, polygamie, polyandrie ; nièce, tante, sœur, sœurette (fam.) ; tribu ; veuve de guerre. ■ Dame, demoiselle, doña, donna, fraulein, lady, mademoiselle, milady, miss, mistress (Mrs.). ■ Couvent, nonne, religieuse, sœur, ma sœur. ■ Gynécée, harem, sérail, femme voilée. — **La femme et l'amour.** Amante, amie, belle, catin (fam.), cocotte (fam.), concubine, coureuse, courtisane, créature, demi-mondaine, favorite, femme entretenue/légère/publique/vénale/de mauvaise vie/de petite vertu, femme fidèle/honnête/d'honneur / vertueuse, gourgandine, hétaïre, maîtresse, nymphomane, poule (pop.), prostituée, se prostituer, vierge, demi-vierge. ■ Gouine (pop.), gousse (pop.) ; invertie, lesbienne, saphisme. ■ Connaître/conquérir/coucher avec/déflorer/désirer/faire la cour à/forcer/posséder/prendre/séduire/violer/vouloir une femme. ■ Accorder ses faveurs, se donner, fauter (fam.), se livrer, succomber. — **Qualités et défauts prêtés à la femme.** Attrait ; beauté, belle, le beau sexe ; capricieux, caprice de femme ; charme ; chic ; coquetterie, coquette ; curiosité, curieuse ; éclat ; élégance, élégante ; faiblesse, faible femme, le sexe faible ; grâce, gestes gracieux ; inconstance, inconstante ; légèreté, légère ; perfidie, perfide ; pudeur, pudique, impudique ; séduction, séduisante ; sex-appeal. — **La femme dans l'art, les mythologies, les religions.** Almée, amazone, bacchante, bayadère, cariatide, déesse, démon, génie, égérie, fée, furie, geisha, harpie, houri, géante, maja, ménade, muse, nymphe, odalisque, ondine, sirène, succube, sylphide, la terre Mère, Vénus, walkyrie. ■ Ève, le serpent ; la Mère de Dieu, la Vierge Marie, la Madone ; une sainte, sainte femme. — **Efféminer, efféminé.** Abâtardir ; affaiblir ; amollir, amolli, mou ; douillet ; efféminer, efféminé ; délicat ; émasculer ; énerver ; féminiser, féminin ; femmelette ; voluptueux. — **Dénominations affectives.** Bourgeoise (pop.) ; donzelle (fam.) ; gamine ; gigolette (fam.) ; gonzesse (pop.) ; ingénue ; jouvencelle ; ma moitié (fam.) ; moukère (pop.) ; môme (pop.) ; mousmé (pop.) ; nana (pop.) ; nénette (pop.) ; pépée (pop.) ; poupée (fam.) ; souris (pop.) ; trottin ; volaille (fam.). — **Dénominations péjoratives.** Femme grande et maigre : bringue (fam.), échalas (fam.), limande (fam.), perche (fam.), planche à pain (fam.), sauterelle (fam.). ■ Femme trop robuste : chameau (fam.), cheval, dragon, gaillarde, garçonne, gendarme (fam.), hommasse, virago. ■ Femme acariâtre : chipie (fam.), furie, garce (pop.), harengère, harpie, hyène, mégère, peste (fam.), poison (fam.), poissarde, teigne (fam.), tigresse. ■ Femme rusée : commère, coquine, diablesse, drôlesse (fam.), masque, fine mouche. ■ Femme grosse/forte : boudin (pop.), boulotte, dondon (pop.), grognasse (pop.), pot (pop.), pouffiasse (pop.), tonneau (pop.). ■ Femme sale : cochonne (fam.), marie-salope (pop.), maritorne, souillon. ■ Femme laide : laideron, moche (pop.), mocheté (pop.). ■ Femme bête ou maniérée : bécasse (fam.); bégueule (fam.), cruche (fam.), dinde (fam.), faire sa duchesse/sa mijaurée/la sainte nitouche, oie, oie blanche, pécore (fam.), péronnelle (fam.), pimbêche (fam.), précieuse, prude, snob, snobinette (fam.), tendron. ■ Vieille femme : douairière (fam.), duègne, mémère (pop.), rombière (pop.), sorcière (fam.), taupe (pop.), toupie (pop.), vieille bique (pop.), vieux tableau (pop.). — **Dénominations élogieuses.** Ange; bien balancée (pop.); une beauté, belle; un bijou; petit bout de femme (fam.); beau brin de femme (fam.); un beau châssis (pop.); qui a du chic/du chien (fam.); femme d'esprit/ de tête; jolie fille; maîtresse femme; beau morceau, morceau de roi; nymphe, nymphette; pin-up; bien roulée (pop.); sirène; star, starlette; vamp; vénus.

FEMMELETTE → *femme, homme.*

FÉMORAL, FÉMUR → *jambe, os.*

FENAISON → *couper, herbe.*

FENDILLÉ, FENDILLEMENT, FENDILLER → *ouvrir.*

FENDRE, FENDRE (SE) → *couper, escrime, ouvrir.*

FENESTRATION → *entendre, ouvrir.*

FENÊTRE, FENÊTRER → *lumière, maison.* — **Parties d'une fenêtre.** Allège, appui, arc, bâcle, battant, chambranle, châssis, châssis dormant/ mobile, crémone, croisillon, dosseret, ébrasement, embrasure, enseuillement, entrefenêtre, espagnolette, feuillure, huisserie, jambage, jet, larmier, linteau, montant, panneton, paumelle, penture, pied-droit, potelet, reverseau, sommier, soubassement, tablette, targette, traverse, vantail, voussure. — **Types de fenêtre.** Baie; bow-window; claire-voie; faîtière; fenêtre tournante / gisante ou mezzanine / rampante; double fenêtre; fenêtre aveugle, fausse fenêtre; fenêtre à petits carreaux; fenêtre en accordéon/à l'anglaise/à l'australienne/basculante/à la canadienne / composée / coulissante/à la française/à guillotine/à l'italienne/ pivotante/à soufflet; fenêtre à croisée/à meneaux; guichet; hublot; imposte; jour; judas; lucarne/à la capucine/faîtière, demoiselle, flamande, lunette; meurtrière; œil-de-bœuf; ouverture; porte-fenêtre; rosace, rose; sabord; soupirail; tabatière; trappe; vasistas; véranda; verrière; vitrage; vitrail, vitrine. — **Utilisation des fenêtres.** Fenêtrer, fenêtrage, ouvrir / percer / pratiquer une fenêtre; aveugler/ condamner/ boucher/ murer une fenêtre. ■ Aération, aérer; défenestrer, défenestration; éclairage, éclairer; fermer; impôt sur les portes et fenêtres; mettre le nez à la fenêtre; mettre le linge à sécher; vue sur cour/ sur rue. — **Accessoires d'une fenêtre.** Auvent; balcon, balustrade; banquette; barreau; bourrelet; brise-bise; carreau; contre-fenêtre; contrevent; croisée; embrasses; grillage, grille; jalousie; joint hermétique, calfeutrage; lambrequin; loggia; moucharabieh; persienne; rideau, double rideau; store, store capote/à l'italienne/vénitien; tenture; treillis, treillage, vitre; voilage; volet, volet de fer.

FENIL → *ferme, herbe.*

FENNEC → *loup.*

FENOUIL → *légume.*

FENTE → *escrime, ouvrir, trou.*

FÉODAL, FÉODALISME → *féodalité.*

FÉODALITÉ → *chevalerie, fortification, noblesse, souverain.* — **Le régime féodal.** Aide et conseil, aide aux quatre cas; allégeance; apanage; aveu; arrière-ban; bourgeois, franc-bourgeois; cérémonie de l'engagement/de l'investiture, baisemain; château, château fort, donjon; dénombrement; droit de relief; engagement de la foi; félonie, félon; fief, fief en besant/mouvant, fieffer, féage, commise du fief; hommage, hommage lige, homme lige; féodalité, féodal, féodalisme, feudataire, feudiste; inféodation, inféodé; haute et basse justice; ligement; noblesse, noble; ost et chevauchée; roture, roturier; seigneur, seigneurial, seigneurie; serment; serf, servage; trêve de Dieu; vassal, vassaux, vassal chasé, vassalité, vassalique, vasselage actif/passif/lige, *vassi dominici;* vilain, manant. — **Le suzerain.** Vassal non chasé, vavasseur, banneret, captal ou baron, comte, marquis, duc, roi; châtelain, haubergier, leude, pair, seigneur bénéficier/ censier / direct / dominant / haut justicier; suzerain, suzeraineté. — **Droit féodal.** Alleu, franc-alleu; bénéfice; censive; châtellenie; coutume, coutumier; domaine seigneurial; pariage; pays de coutume/de droit écrit; privilèges ecclésiastiques; relief; tenure;

terrier ; territorialité des lois. ▪ Aide ; banalité, banal ; capitation ; caverie, cens ; chambellage ; corvée ; cuissage ; jambage ; lods ; péage ; redevance ; rente, rente censuelle ; seigneuriage ; vingtain. ▪ Abeillage, banvin, bâtardise, champart, forage, formariage, gélinage, geôlage, glèbe, gruerie, jalage, mainmorte, minage, mortaille, mouvance, suite.

FER → *cheval, dur, escrime, métal.* — **Le fer et sa production.** Aétite ; affinage ; fer arsenical, carbonaté, chromé, hématite, hydraté, limoneux, magnétite, météorique, natif, oligiste, oxyde, oxyde hydraté, sidérose, spathique, spéculaire, titané ; formations sidérolithiques ; gisement/mine de fer, minière à ciel ouvert/par galeries et puits ; marcassite ; minerai, minette ; minerai magnétique/sédimentaire/latéritique ; nigrine ; puddlage ; pyrite ; teneur. ▪ Fer ductile/malléable/nerveux/aigre / cendreux / écru / rouverin ; blanc-ployant, noir-ployant ; cassure, moine, paille. — **Sortes de fer.** Fer alumino-thermique ; fer-blanc, ferblanterie, ferblantier ; fer carbonyle/ coulé / doux / électrolytique / fondu / forgé / galvanisé / puddlé / réduit / de Suède ; ferrite ; ferrique, ferreux, ferrate ; ferro-, ferromanganèse, ferromolybdène, ferronickel ; eau ferrugineuse ; iron process, permalloy. — **Travail du fer.** Armurerie ; assemblage par soudure/par tenon et mortaise ; battre le fer, fer battu à chaud/à froid ; clouterie, clou ; emboutir, emboutissoir, machine emboutisseuse ; étampage, étamper ; ferronnerie ; ferronnier d'art/de bâtiment ; serrurerie ; sidérographie ; souder, soudure autogène/électrique. ▪ Burin ; chalumeau ; davier ; dévers ; enclume ; étau, étaulimeur ; fer à souder ; forge, forgeron, forgeage ; foyer ; hotte ; larder ; lime, limer, limaille ; marteau, marteler, marteleur ; massif ; percer, perceuse ; poinçon, poinçonneuse ; pinces ; rivet ; scie à métaux ; soufflerie, soufflet ; tenaille ; tuyère. — **Industrie du fer.** Acier, aciérie, acier doux/extra-doux ; âge du fer ; atelier ; émailler ; fer doux/ industriel/pur/recuit, etc. ; fonte, fonderie, fondeur, fonte émaillée ; fourneau, haut fourneau, gueuse ; laminer, laminage, laminoir ; lingot ; maître de forges ; métallurgie, industrie métallurgique ; sidérurgie, industrie sidérurgique ; tréfiler, tréfilage, tréfilerie, filière ; usine. — **Utilisation du fer.** Aimant ; barre de fer ; boîte de conserve ; boulon ; charpente métallique ; émeri ; fer Armco ; fer à U/en T/ à double T ; fer cornière/demi-plat/ plat/carré/demi-rond/rond ; fer à dorer, petits fers/à friser/à onduler/à repasser/à souder/à tuyauter ; fer rouge, fers, marquer au fer ; ferraille, ferrailleur, ferratier ; ferret ; ferrure ; feuillard ; gueuse ; lingot ; paille de fer ; quincaillerie, quincaillier ; ressort ; tôle, tôle repoussée, tôlerie, tôlier ; tringle ; tube. ▪ Fer à bœuf/à cheval, maréchal-ferrant ; branche ; crampon, éponge, étampure, mamelle, pince, pinçon ; ferrer, ferrage, ferreur ; fer couvert/à l'anglaise/à la française/à la florentine/ à la polonaise/à la turque/à pantoufle. — **Protection du fer.** Oxydation, rouille ; bondérisation, objet bondérisé ; galvanisation, objet galvanisé ; huile, huilé ; graissage, graissé ; peinture antirouille, minium ; plastification, objet plastifié.

FER-BLANC, FERBLANTERIE, FERBLANTIER → *fer.*

FÉRIAL, FÉRIE, FÉRIÉ → *calendrier, repos, travail.*

FERLER → *voilure.*

FERMAGE → *ferme, location.*

FERMAIL → *attache, fermer.*

FERME → *courage, décider, force, volonté.*

FERME → *charpente, culture.*

FERME → *campagne, location, maison.* — **Parties de la ferme.** Basse-cour ; bergerie, bercail ; bouverie ; cellier ; clapier ; courtil ; écurie ; étable ; fenil ; fosse à purin ; fournil ; fumier ; grange, engranger ; grenier, grenier à foin ; hangar ; jardin, jardin potager, jardinage ; magasin à fourrage ; maison d'habitation ; niche à chien, chenil ; pailler ; parc à vaches/à veaux, etc. ; porcherie, soue, toit à porc ; poulailler, perchoir, couveuse ; remise ; serre ; silo ; vacherie. — **Étable.** Abreuvoir, auge, barbotoire, bat-flanc, crèche, fourrage, litière, mangeoire, panser/soigner les bêtes, râtelier, rigole, stalle, traite, traire les vaches, trayeuse. — **Sortes de fermes.** Bastide, borde, borderie, domaine, chalet, closeau, exploitation agricole, ferme, fermette, ferme-école, ferme modèle, hacienda, kholkoze, kibboutz, latifundium (latifundia), mas, masure, métairie, plantation, ranch, sovkhoze. — **Le fermage.** Affermer, affermage ; bail, bail rural, bail à ferme ; bordage ; colonage ; exploitant, exploitant agricole ; fermier, fermage ; faisances ; locataire, louage, loyer ; métayer, métayage ; prendre à ferme ; propriétaire ; redevances ; tenure. — **Les gens de la ferme.** Berger, bordier, censier, closier, cocher, colon, cultivateur, domestique, fermier, fermière, fille de ferme, journalier, ouvrier agricole, palefrenier, porcher, tenancier, vacher, valet de ferme/d'écurie. — **Les animaux de la ferme.** Ane, cheval, jument, poulain ; chèvre, chevreau, chevrette, fromage ; chien ;

dinde, dindon ; lapin ; pintade ; porc, cochon, pourceau, truie, verrat ; poule, poulet, poussin, coq, œuf ; vache, veau, lait. ▪ Cheptel, volaille. — **Activités diverses.** Apiculture ; aviculture ; élevage ; culture des champs/maraîchère ; ensemencement, labours, moisson, récolte, vendanges, etc.

FERMÉ → *difficile, insensible, son.*

FERMENT → *agir, cause, microbe.*

FERMENTATION, FERMENTER → *dommage, microbe, vin.*

FERMER → *arrêter, défendre, obstacle, porte, serrure.* — **Clore par une partie fixe ou mobile.** Aveugler, fenêtre aveugle ; bâcler, bâclage ; bâillonner, bâillon ; barrer, barricader ; bonde ; boucher, bouchon, cire, liège, émeri, plastique, verre ; capsuler, capsule ; cadenasser ; ceindre, enceinte ; clos, cour ; clouer ; condamner ; encercler ; enclaver, enclave, enclavement ; enclore, enclos ; enfermer ; entourer ; fermer une boutique/une fenêtre/une porte ; grillager, griller ; murer ; museler, muselière ; obstruer, obstruction ; obturer, obturation ; occlure ; verrouiller, verrouillage. — **Rapprocher des parties écartées, boucher.** Boucher, déboucher, bouchon, tire-bouchon ; boucler, bouclage, boucle ; bourrer ; cacheter, cachet ; calfater, calfatage, calfat ; calfeutrer, calfeutrage ; capitonner, capiton ; cicatriser, cicatrisation, plaie, points de suture ; ciller ; cligner de l'œil ; clouer le bec (fam.) ; colmater, colmatage ; rendre étanche ; étouper, étoupe ; étreindre ; hermétique ; fermer l'œil/les yeux/la main/le poing/une plaie, bords/lèvres de la plaie ; fermer une bourse/un porte-monnaie/un sac ; jointoyer, jointoiement ; lacer ; mastiquer, mastic, masticage, futée ; nouer, nœud ; occlure, occlusion ; remplir ; sceller, sceau ; serrer, serrer les cordons de la bourse ; souder, soudure ; tamponner, tampon, tamponnement ; tapon (fam.). — **Empêcher l'accès, le fonctionnement.** Arrêt, coup d'arrêt ; barrer ; borner, borne ; faire cesser, cesser, cessation ; clore, clôture, clôturer, huis clos ; embouteiller, embouteillage ; encombrer, encombrement ; entraver, entrave ; fermer, fermeture, heures de fermeture, on ferme !, fermé pour cause de décès/pour travaux, fermeture annuelle ; investir, investissement ; lever la séance ; lock-out ; mettre les scellés ; obstruction, faire de l'obstruction, flibustier ; paralyser, paralysie ; relâche, faire relâche ; saisir, saisie, saisie-arrêt ; suspendre, suspension des cours/des travaux ; terminer. — **Enfermer.** Asile ; bloquer, blocus ; cacher, cachette, cachot ; chambrer ; claquemurer ; claustrer, claustration, claustrophobie ; confiner, confinement ; consigner, consigne ; coudre dans un linceul/un sac ; détention ; embastiller, la Bastille ; emmurer ; emprisonner, prison, prisonnier ; geôle ; ghetto ; interner, internement ; mettre sous clef/en lieu sûr/à l'abri des regards indiscrets/à l'ombre, etc. ; parquer, parc ; priver de sa liberté ; reclure, reclus, réclusion ; reléguer, relégation ; séquestrer, séquestration, mettre sous séquestre ; serrer un objet dans. — **Qui sert à fermer.** Bâcle ; barre, barrage, barreau, barricader, barrière ; bobinette ; bouton-pression, boutonnière ; bride ; broche ; cadenas ; chaîne ; cheville, chevillette ; clef, fermer à double tour, clef de voûte ; clenche ; commutateur ; contrevent ; coupe-circuit ; couvercle ; crémone ; diaphragme ; écoutille ; fermail ; fermeture, fermeture à curseur/à glissière/Éclair (nom déposé), fermeture automatique/étanche/hermétique/métallique ; fermoir ; fibule ; grille, grillage ; haie ; herse ; joint ; loquet ; manette ; mur, muret, murette ; opercule ; palissade, claire-voie ; pêne ; porte, portière ; poteau, poteau frontière ; rempart ; rideau ; robinet ; sceau ; scellés ; serrure ; soupape ; sphincter ; trappe ; valve ; vanne ; vantail ; verrou ; volet.

FERMETÉ → *chef, courage, décider, force, résister, volonté.*

FERMETTE → *ferme.*

FERMETURE → *fermer.*

FERMIER → *ferme, impôt.*

FERMOIR → *attache, fermer.*

FÉROCE, FÉROCITÉ → *détester, dur, sang.*

FERRAILLE → *fer.*

FERRAILLER → *escrime.*

FERRAILLEUR, FERRATIER → *fer.*

FERRÉ → *connaissance, fer, science, train.*

FERREMENT, FERRER → *cheval, fer, pêcher.*

FERREUX → *fer, métal.*

FERRIÈRE → *sac, ferrure.*

FERRONNERIE, FERRONNIER → *fer, serrure.*

FERRONIÈRE → *bijou.*

FERROVIAIRE → *train.*

FERRUGINEUX → *eau, fer.*

FERRURE → *fer, serrure.*

FERRY-BOAT → *navire, transport.*

FERTILE, FERTILISER, FERTILITÉ → *abondance, engrais, produire, riche.*

FÉRU → *passion.*

FÉRULE → *chef.*

FERVENT, FERVEUR → *aimer, passion.*

FESSE → *dos.*

FESSÉE, FESSER → *enfant, peine.*

FESSIER, FESSU → *dos.*

FESTIN → *fête, manger.*

FESTIVAL → *art, musique.*

FESTIVITÉ → *fête.*

FESTON, FESTONNER → *broder, décoration.*

FESTOYER → *fête, manger.*

FÊTARD → *débauche, joie.*

FÊTE → *année, cérémonie, joie, saint.* — **Occasion de la fête.** Anniversaire, centenaire, bicentenaire, cinquantenaire; arroser un événement (fam.), ça s'arrose (fam.); célébrer, célébration; circoncision; commémorer, commémoration, commémoratif; communion, communion solennelle; dédicace; déjeuner, dîner; événement heureux; décoration, promotion, succès; fêter quelque chose/quelqu'un, fête d'une personne, bonne fête!; fête agraire/d'un dieu/d'un patron/d'un saint; honorer quelqu'un; inauguration; initiation; mariage, noce, noces d'argent/d'or; mort; naissance, baptême; pendre la crémaillère; victoire. — **Sortes de fêtes.** Bal, grand bal; carnaval; carrousel; cérémonial, cérémonie; cocagne; corso fleuri; courses; fantasia; festin; festival; fête de famille/foraine/de gymnastique/sportive; foire; frairie; gala; garden-party; jubilé; kermesse; matinée récréative; pèlerinage; pot (fam.); raout; réception, recevoir; redoute; régates; réjouissances publiques; sauterie (fam.); soirée; solennité; vin d'honneur. ▪ Fête du pays : apport, assemblée, ballade, ducasse, festin, festo majou, pardon, vogue. — **Fêtes laïques ou officielles.** Fête chômée/fériée, les jours fériés, fête nationale/d'obligation. ▪ Ascension, Assomption; le 1er Janvier ou jour de l'an ou premier de l'an; le 14 Juillet, fête de la prise de la Bastille, fête nationale; le 1er Mai, fête du Travail, défilé du 1er Mai; le 8 Mai, fête de la Victoire de 1945; Noël, le lundi de Pâques et de la Pentecôte; le 11 Novembre, fête de l'Armistice de 1918; la Toussaint, fête des Morts. ▪ Chandeleur, crêpes de la Chandeleur; Mardi gras, Carnaval; fête des Mères/des Pères; les Rois, tirer les Rois; Sainte-Barbe, Saint-Charlemagne, Sainte-Catherine, Saint-Nicolas; Christmas, Memorial Day, Thanksgiving Day, etc. — **Fêtes religieuses.** Fêtes catholiques : fête carillonnée/de dévotion/de précepte/double / simple / à jour fixe / mobile, comput; vigile; Ascension, dimanche, Épiphanie, Fête-Dieu, Nativité ou Noël, Pâques, Toussaint. ▪ Fêtes musulmanes : Baïram, Moharram, Mouloud; fête du Mouton/de la Rupture du jeûne/des Sacrifices ou des Victimes. ▪ Fêtes judaïques : dédicace, expiation ou Yom Kippour, néoménie, pâque, Pentecôte, Pourim, sabbat, tabernacle. ▪ Fêtes hindoues : O Çivarat, Divali, Holi, Makara Sankranti, Vasant Panchama. — **Qui accompagne les fêtes.** Banquet, réveillon, réveillonner, toast; comité des fêtes, organisateur, ordonnateur; concours hippique/gymnique/de tir, etc.; confetti, lampions, serpentins; cortège; danse; défilé, défilé de chars; drapeaux; fanfare; festivités, festoyer; feu d'artifice / de joie; flonflons; grandes eaux; guirlandes; illuminer, illuminations; jeux floraux/de lumière, etc.; manège; mascarade; mât de cocagne; musique, l'harmonie municipale; offrir un bouquet/un cadeau, réciter un compliment; oriflamme; pavoiser; procession; reposoir; revue, revue militaire, prise d'armes; salle des fêtes; souhaits de bonne année/de nouvel an; tuer le veau gras; vœux. ▪ Apparat; beaux atours; costume folklorique/régional; couronne; déguisement, domino, loup, masque; habits du dimanche, beaux habits, s'endimancher; bal masqué/déguisé; grande tenue, grand uniforme.

FÊTE-DIEU → *fête, liturgie.*

FÊTER → *cérémonie, fête.*

FÉTICHE, FÉTICHEUR → *magie.*

FÉTICHISME, FÉTICHISTE → *religion, respect.*

FÉTIDE, FÉTIDITÉ → *infecter.*

FÉTU → *blé, morceau.*

FEU → *brûler, chaleur, charbon, cuisine, fête, fusil, lumière, passion.* — **Faire du feu.** Allumage, allumer, faire prendre/mettre le feu, prendre feu, frottement, percussion, rotation; allumette (allumettes soufrées/suédoises), amadou, briquet, pierre à feu/à fusil, pyrite, silex. ▪ Activer, attiser, braise, brandon, charbon ardent, étincelle, fumeron, incandescence, tison. ▪ Alimenter; brûler; combustible, combustion; crépiter, embrasement, s'embraser; enflammer; entretenir; fourgonner; nourrir; pétillement, pétiller; pousser/rallumer/ranimer le feu; souffler, tisonner. ▪ Alcool, bois, bûche, charbon, électricité, fuel, gaz butane/propane, mazout, pétrole, tourbe. ▪ Feu ardent/qui couve/doux/vif; petit/plein feu; feu d'enfer, brasier; feu de camp/de paille; flambée. ▪ Baisser/contrôler/régler le feu; mettre le feu/la flamme/en veilleuse, couvrir/éteindre/extinction/étouffer/laisser mourir/tomber le feu, vider les cendres/le combustible. — **Chauffage, chauffer.** Appareil à feu, âtre, cheminée, coin de feu, foyer, cheminée de brique/de marbre/de pierre/de porcelaine; bassinoire; bouche de chaleur; brasero, feu de braise; brûleur, calorifère, chaudière, chauffage central/urbain; chauffe-eau, chauffe-bain, chaufferie, chaufferette, étuve, générateur, poêle, radiateur, réchaud, salamandre. ■ Buse, cendrier, grille; cheminée : hotte, manteau, plaque, poteries, tablette, tablier, tuyau ; garde-feu, écran; garniture de cheminée : chenets, crémaillère, pelle, pincette, ringard, soufflet, tisonnier, panier à bois, seau à charbon. ■ Calorie, calorifique, calorique, chaleur, chaud, chauffe, chauffer, réchauffer. — **Faire cuire.** Alimentation, boulangerie, cuire, cuisine, cuisinière, cuisson, enfourner, flamber, four, fourneau, griller, nourriture, rôtir. ■ Arts du feu : céramique, émail, faïence, terre, porcelaine, verre, verrerie. ■ Chauffer à blanc/au rouge, forge, fonderie, bas fourneau, haut fourneau, métal, métallurgie. — **Brûler.** Brûlure au 1er/au 2e/ au 3e degré; cautère, cautérisation, galvanocautère, thermocautère, pointe de feu; pyrogravure. ■ Incinérer, urne cinéraire, usine d'incinération des ordures. ■ Chalumeau, lance-flammes. ■ Brandon, brasier, calciner, embrasement, feu de cheminée, fournaise, incendie, feu de forêt/d'herbes, sinistre; crier au feu, appeler au secours/les pompiers, bouche d'incendie, échelle, extincteur, lance d'incendie, pare-feu; pompe. ■ Mettre à feu et à sang, dévaster, ravager, réduire en cendres, saccager; incendiaire, pyromane, pyromanie; ignifuge, réfractaire. — **Éclairage, éclairer.** Briller, flambeau, illuminer, lampe, lueur, lumière, projecteur, scintiller, torche; feu de bivouac/de brousse/de camp, veillée, feu de joie/ de la Saint-Jean. ■ Fanal, phare; signal lumineux : blanc, orangé, rouge, vert; bateau-feu, feu de mouillage/de navigation/de pêche/de route, feu à éclats/à éclipse/fixe/tournant; pêche au feu, lamparo. ■ Feux de circulation / d'automobile / de chemin de fer, feux clignotants / fixes / de position/de stationnement, éclairage en code / de route ; feux de signalisation/tricolores. ■ Feu d'aéroport/ d'atterrissage. — **Flamme et fumée.** Enflammer, flamber, flamboiement, flamboyer, inflammation; flamme bleue / orange / rouge/rouge feu/dansante/sautillante; flammèche, flammerole, langue, tourbillon de feu; feu Saint-Elme, feu follet, électricité atmosphérique; feu symbolique, ranimer la flamme du souvenir. ■ Appel d'air, conduit de cheminée/de fumée, tuyau; fermer la clef, tirage, tirer; noir de fumée, suie, fuligineux, fuliginosité, fumiste, fumisterie; ramonage, ramoner, ramoneur, racler la suie, balai, grappin, hérisson, raclette. ■ Cendres, réduire en cendres, escarbilles. — **Feu d'artifice.** Artifice, artificier, feu de Bengale, feu d'eau; bombe, bouquet, comète, étoile, fusée, gerbe, girandole, illumination, pétard, pièce d'artifice, roue, soleil. ■ Amorce, baguette, cartouche, charge, étoupille, mèche. ■ Éclater, fuser, tourner. — **Personnages du feu.** Enfer, Mithra, Prométhée, salamandre, Vesta, vestale, Vulcain.

FEU → *mourir.*

FEUDATAIRE, FEUDISTE → *féodalité.*

FEUILLAGE, FEUILLAISON → *arbre, feuille.*

FEUILLANTINE → *pâtisserie.*

FEUILLARD → *tonneau.*

FEUILLE → *journal, métal, papier, typographie.* — **Description botanique.** Botanique, botaniste, herbier, herboriser, plante, végétal. ■ Feuille simple/composée, foliole, trèfle à quatre feuilles; feuille bifide / convolutée / crénelée / dentée / digitée / entière/épineuse/lobée, lobe, lobule; feuille partite/pennée/séquée/striée; limbe mince/plat/symétrique/vert. ■ Nervation, nervure, palmée, parallèle, ramifiée, unique. ■ Feuille pétiolée/ sessile; feuilles alternées/décussées/ engainantes / éparses / géminées / opposées/perfoliées/verticillées; gaine; pétiole; queue; stipule; tige. ■ Parenchyme, tissu de la feuille; sève, suc, vaisseaux ligneux. ■ Bractée de la fleur, enveloppe, glume des graminées, feuille d'artichaut; fane de carottes. — **Vie de la feuille.** Assimilation chlorophyllienne, chlorophylle, respiration, oxygène, transpiration; disposition dans le bouton, estivation, préfloraison, disposition des feuilles, préfoliation, vernation. ■ Bourgeon, bourgeonner, bouton; chaton; pousse, pousser, s'épanouir; verdir, verdoyant, verdoyer, verdure. ■ Chute des feuilles, défeuiller, s'effeuiller, feuille morte/sèche/séchée, tomber, tournoyer; feuillage caduc/ persistant. ■ Feuillage, feuillée, feuillu, frondaison, pampre, ramée, tonnelle, treille, touffu. — **Le motif décoratif.** Arabesque, architecture, chapiteau corinthien, feuille d'acanthe, feston, guirlande, laurier, olivier, palme, rinceau ; feuille de persil/de refend, feuille d'angle / frisée / incisée / lobée / lyrée / runcinée. ■ Motif du parquet : feuille de fougère. ■ Couronne de chêne/de laurier. — **Feuille de papier.** Écrire, écriture, page, papier : copie d'écolier, double/simple, rédiger/remettre une copie; fiche, remplir une fiche; intercaler/insérer/retirer une feuille mobile/ volante : bloc, cahier, carnet, classeur, fichier. ■ Imprimer, imprimerie : couper, pli, plier, endroit, envers, face, recto, verso, format, in-folio, in-quarto, in-octavo, etc.; feuille de décharge/ de mise/de passe; livre, livret, manuscrit, volume; onglet, insérer une feuille, encart, encarter, feuille de garde. ▪ Feuille de chou (fam.), feuilleton, gazette, hebdomadaire, imprimé, journal, pamphlet, revue. — **Ce qui est inscrit sur une feuille.** Annotation, document, dossier, fiche, note ; papier, papier officiel, feuille d'audience/de présence, émarger. ▪ Feuille de contrôle/de marche/de passage ;feuille de déplacement/de route, bon/titre de transport ; feuille, formulaire d'impôts, imprimé, rubriques ; feuille/bulletin de paie.

FEUILLÉE, FEUILLÉES → *camp, résidu.*

FEUILLE-MORTE → *jaune.*

FEUILLERET → *menuiserie.*

FEUILLET → *estomac, livre, papier.*

FEUILLETAGE, FEUILLETÉ → *pâtisserie.*

FEUILLETER → *farine, lire, pâtisserie.*

FEUILLETIS → *ardoise, joaillerie.*

FEUILLETON, FEUILLETONISTE → *journal.*

FEUILLETTE → *tonneau.*

FEUILLU → *arbre, feuille.*

FEUILLURE → *menuiserie.*

FEULEMENT, FEULER → *cri.*

FEUTRAGE, FEUTRÉ → *chapeau, doux, tissu.*

FEUTRER, FEUTRINE → *décoration.*

FÈVE → *légume.*

FÉVRIER → *calendrier.*

FEZ → *chapeau, musulman.*

FIABILITÉ → *machine.*

FIACRE → *voiture.*

FIANÇAILLES, FIANCÉ, FIANCER → *engager, mariage.*

FIASCO → *échouer.*

FIASQUE → *bouteille.*

FIBRANNE → *textile.*

FIBRE, FIBREUX → *tissu.*

FIBRILLATION → *crispation.*

FIBRILLE → *muscle.*

FIBRINE, FIBRINEUX, FIBRINOGÈNE → *sang.*

FIBROCIMENT → *maçonnerie.*

FIBROME → *tumeur.*

FIBULE → *attache.*

FICELÉ → *vêtement.*

FICELER, FICELLE → *attache, lier, pain, paquet, tromper.*

FICHE, FICHIER → *classe, informer, jouer, papier, police.*

FICHIER, FICHISTE → *classe.*

FICHU → *vêtement.*

FICHU → *dommage.*

FICTIF, FICTION → *imaginer.*

FIDÉICOMMIS → *succession.*

FIDÉISME, FIDÉISTE → *religion.*

FIDÈLE → *église, suivre.*

FIDÈLE, FIDÉLITÉ → *aimer, engager, mariage.* — **Fidèle à la réalité.** Conforme à un modèle/à l'original ; mot adapté/propre ; récit adapté/authentique ; témoignage ; traduction à la lettre/littérale/mot à mot. ▪ Certain ; correct, correction ; exact, exactitude ; juste, justesse ; mémoire durable/fidèle/solide ; précis, précision ; sûr, sûreté ; véracité, vérité, vrai. ▪ Instrument de mesure/de pesée, constant, correct, permanent, régulier, constance, permanence, régularité ; réglage, stabilité d'une radio/d'un téléviseur, chaîne haute fidélité (Hi-Fi). ▪ Personne fidèle à la réalité/à la vérité, historien, témoin fidèle/honnête/impartial, impartialité ; être scrupuleux, scrupule ; être sincère, sincérité. — **Fidèle à un engagement.** Donner sa foi/sa parole, engager sa confiance, jurer, jurer fidélité, prêter serment, promettre. ▪ Attentif à ses devoirs, consciencieux, fidèle à son devoir/à sa parole, homme de confiance/d'honneur/de parole, honnête, honnêteté, incorruptible, intègre, intégrité, loyal, loyauté, probe, probité, scrupuleux. ▪ Observer/remplir ses engagements, respecter la parole donnée, rester fidèle au poste, tenir ses promesses. Manquer à sa parole, trahir la confiance. — **Fidèle à quelqu'un, à des affections.** Ami / chien / citoyen / époux / femme/ mari/serviteur fidèle ; attaché, attachement ; bon ; chaste ; constance ; dévoué, dévouement/éprouvé/indéfectible/inébranlable ; loyal, loyalisme ; persévérant ; solide ; sûr ; vertu, vertueux. ▪ Demeurer/rester fidèle, tenir à quelqu'un ; client fidèle, créature de quelqu'un, habitué, pratique, régulier, qui revient. ▪ Lierre, myosotis, fleurs de la fidélité ; Lucrèce, Pénélope, symboles de la fidélité. — **Fidèle à des idées.** Constant ; fidèle à soi-même ; immuable ; imperturbable ; invariable ; obstination, obstiné ; opiniâtre, opiniâtreté ; suivre sa ligne de conduite/sa voie ; tenace, ténacité. ▪ Fidèle à ses convictions/à un idéal/à un jugement : féal, fidèle, inconditionnel d'un parti/ d'une politique. ▪ Fidèle d'une Église/ d'une religion : adepte, croyant, dévot, dévotion, disciple, foi, piété, pieux, pratiquant, pratique ; l'assemblée/le peuple des fidèles, ouailles.

FIDUCIAIRE → *monnaie, succession.*

FIEF → *féodalité, pouvoir.*

FIEFFÉ → *extrême.*

FIEL, FIELLEUX → *amer, mal.*

FIENTE, FIENTER → *résidu.*

FIER → *extrême, noblesse, orgueil.*

FIER (SE) → *confiance.*

FIER-À-BRAS → *courage.*

FIÉROT → *orgueil.*

FIERTÉ → *noblesse, orgueil.*

FIÈVRE, FIÉVREUX → *désir, exciter, maladie, passion, soigner.* — **Manifestations de la fièvre.** État fébrile, fébrilité, malaise physique : brûlant, chaud, enfiévré, fiévreux, glacé, malade, être tout chose (fam.) ; avoir la fièvre, accès/crise/poussée de fièvre, pyrexie, forte/grosse fièvre, fièvre ardente/maligne/de cheval ; feu aux joues, pouls fébrile/rapide, respiration accélérée, sueurs froides, température, dépasser 40°. ▪ Brûler, délirer, frissonner, grelotter, transpirer, trembler. — **Soigner la fièvre.** Diagnostic, hyperthermie, signe clinique : prendre le pouls/la température, mettre un thermomètre médical sous l'aisselle/dans la bouche/dans le rectum ; dresser la courbe des températures, courbe en cloche/en palier ; faire tomber la fièvre, chute de température, en dessous de 37°, défervescence. ▪ Administrer des médicaments fébrifuges/antibiotiques / antipyrétiques / de l'antipyrine, aspirine, quinine, sulfamide ; donner des bains tièdes, faire boire, mettre de la glace sur la tête. — **Maladies fébriles.** Fièvre aphteuse ; fièvre cérébrale, délire, méningite ; fièvres coloniales, amaril ou fièvre jaune, malaria, paludisme, fièvre de Malte. ▪ Éruption, exanthème, fièvre miliaire, rougeole et fièvre morbilleuse, scarlatine, typhose, typhus, fièvre typhoïde, urticaire ; grippe, insolation, rhume ; infection, inflammation, irritation, lépospirose, microbe, fièvre puerpérale, virus. ▪ Fièvre chronique/continente / erratique / éruptive / hectique / intermittente / ondulante / périodique/récurrente/rémittente ; fièvre quarte. — **Phénomène psychologique.** Activité intense ; agitation, agiter ; animation ; chaleur ; désordre ; émotion ; énervement, énerver ; enfiévrer ; exaltation, exalter ; excitation, exciter ; fébrile, fébrilité ; feu ; fougue ; hâte, se hâter ; impatience ; inquiétude ; nerveux, nervosité ; passion, passionner/soulever/surexciter les esprits, surexcitation ; trouble, troubler ; tourmenter. ▪ Amour ; ardeur ; délire, délirer ; désir ardent ; emballement, emballer ; enivrer ; enthousiasme, enthousiasmer ; frénésie ; griserie, griser ; ivresse ; manie ; rêver, rêverie.

FIFRE → *instrument.*

FIGÉ, FIGER → *épais, fixer.*

FIGNOLAGE, FIGNOLER → *exécuter, finir, soigner.*

FIGUE, FIGUIER → *fruit.*

FIGULINE → *argile, céramique.*

FIGURANT → *cinéma, deux, théâtre.*

FIGURATIF → *peinture, réalité.*

FIGURATION → *spectacle.*

FIGURE → *air, danse, dessin, forme, style, visage.*

FIGURÉ → *mot, signe, symbole.*

FIGURER (SE) → *imaginer, montrer, symbole.*

FIGURINE, FIGURISTE → *sculpture.*

FIL → *couper, lier, textile, tissu.* — **Différents fils non textiles.** Brin, cordon, cordonnet, fibre, ficelle ; fil d'araignée, fil de la Vierge, filament, filandre, filandreux. ▪ Catgut, agrafes, fil chirurgical/à ligatures/à sutures. ▪ Crin ; fil de ligne/de pêche, gut. ▪ Fil d'Ariane, guide, labyrinthe, marche à suivre ; fil de la Parque, tisser/trancher le fil de la vie. — **Préparation des fibres textiles animales.** Brin, duvet, faisceau, fibre, filament, poil, substance filamenteuse. ▪ Fibres animales : crin animal, crinière, queue ; laine, lainerie, lainier, lanifère, ovidé, toison ; flocon/mèche/touffe laineuse, tondre, tonte ; laine brute/crue/en dégraissage, dégraisser, dessuintage, dessuinter, lavage, laver, soufrer ; battre, rabattre, rompre ; balle de laine. ▪ Soie, cocon, ver à soie : décoconner, déramer, ébouillanter ; aspe, dévidage, dévider/tirer la soie ; soie brute/crue/écrue/grège ; décruage, décrusage, décruer, décruser, lavage. — **Préparation des fibres végétales.** ▪ Chanvre, crin végétal, jute, lin, tige fibreuse ; chènevière, chènevis, chènevotte, linaire, linière, linier, phormium ; macération, faire macérer, rouir, rouissage, rouissoir. ▪ Brisage, broie, broyage, broyer/écraser les tiges, macque ; décorticage, décortiquer, écorce, écorcer, sérancer, teillage, teille, teiller, teilleur ; fil de caret, corde. ▪ Coton et kapok : balle de coton, capsule, duvet, filament cotonneux, graine du cotonnier/du kapokier ; égrener, égreneuse, ouvreuse, ouverture, ouvrir les fibres ; battage, batteur. ▪ Feuille de palmier, raphia. — **Le cardage.** Cardage, carde, carder, cardeuse, tambour de carde ; dégrossir, démêler, nettoyer ; peignage, peigner, peigneur, peigneux, surpeigner ; triage, trier. ▪ Étoupe, filasse de lin/de chanvre ; manchon, nappe de coton ; laine cardée/croisée/grossière/peignée/lisse. ▪ Bourre, déchet, résidu ; blousse de coton, ouate ; bourre de laine, effilochés, jars ou jarres, lanice ; bourrette de soie, capiton, chappé, filoselle, strasse. ▪ Fibres acryliques / artificielles / minérales polyamides/synthétiques ; fibranne, nylon, rayonne, tergal, térylène, viscose ; distillation du goudron/de la houille/du pétrole ; fils d'amiante/de verre. — **Filature textile.** Doublage, doubler, dédoubler : barrette, banc, cylindre d'étirage, banc à broche, étirage, étirer, bobinage, bobiner, dévidage, dévider, dévidoir, rouet, tour, touret, tournette ; boudin, boudinage, boudiner, mèche, ruban, fil bobiné/dévidé/en écheveau, fil plat. ■ Filage, métier à filer, filature, filer ; fil simple/sous-filé, surfilé ; filandière, fileuse, quenouille, pédale, rouet ; câblage, fil câblé, moulinage, mouliné ; organsinage, organsiner, organsin de soie torse/retordu, tordage, tordeur, tordu, torsion, fil retors/tordu/tors, tortis de chanvre. ■ Fil apprêté/gazé/mercerisé/vaporisé ; fil chiné/écru/jaspé/ombré/pers/teint/vanisé/vergé ; fil d'Écosse/de Turquie en poil de chèvre ; fil de plain ; lacet de chanvre ; fil poissé, ligneul des cordonniers. ■ Bobine, écheveau, fuseau, fusette, manoque de cordage/de fil de ligne, moche de fil, pelote, peloton ; finesse/grosseur du fil, denier, jauge, numéro, tex, titrage, titre. — **Usages.** Textile, textilité, tissage, tisser, tisserand, tisseur, tissu : fil de chaîne, floche, organsin de soie, demi-chaîne, fil de trame, grège ; enrouler/envider le fil de trame/la canette, dinte, longueur de la trame ; ourdir, ourdissage, ourdisseur, ourdissoir, parement, parer, tendre la chaîne ; croiser les fils, tisser, tramer ; bobine de filature, broche, fuseau, navette, rochet, roquetin. ■ Couture, faufil, fil à bâtir/à broder/à coudre/à tricoter/fin/gros. — **Fil métallique.** Acier, fer, fil de fer : étirage, étirer, laminage, laminer, tréfilage, tréfilé ; filière, laminoir ; fil dur/écroui/élastique/recuit ; fil composé/isolé/simple/toronné, câble, corde, toron. ■ Aiguille, clou, grillage, pointe, ressort ; rouleau ; torque de fil de fer ; réseau de fil de fer barbelé ; fil de cuivre, ligatures, fil hélicoïdal, scie du marbre/de la pierre ; fil d'archal/d'argent/d'or, cannetille, filigrane. — **Fil électrique.** Fil conducteur, aluminium, bronze, cuivre ; fil isolé/à enveloppe isolante/nu ; fil électrique simple, câble ; fil conducteur/dérivé/neutre/pilote, prise de terre. ■ Fil d'argent, coupe-circuit électrique, plomb, faire sauter le compteur/le disjoncteur/les plombs. ■ Ligne électrique aérienne/souterraine ; ligne de contact, chemin de fer électrique. ■ Fil électromagnétique, antenne/fil magnétique, fil télégraphique.

FIL-À-FIL → *tissu.*

FILAMENT, FILAMENTEUX → *électricité, fil.*

FILANDIÈRE → *fil.*

FILANDRE → *fil.*

FILANDREUX → *fil, viande.*

FILASSE, FILATEUR, FILATURE → *fil.*

FILE → *groupe, suivre.*

FILER → *fil, suivre.*

FILET → *chasse, cheveu, décoration, dentelle, pêcher, sport.*

FILETAGE → *clou.*

FILETÉ → *tissu.*

FILEUR → *fil.*

FILIAL → *enfant, respect.*

FILIALE → *entreprise.*

FILIATION → *famille, lier.*

FILIÈRE → *lier, métal.*

FILIFORME → *maigre.*

FILIGRANE, FILIGRANER → *bijou, fil, papier.*

FILIN → *corde.*

FILLE → *âge, enfant, femme, monastère, servir.*

FILLETTE → *bouteille, enfant.*

FILLEUL → *famille.*

FILM → *bande, cinéma, couvrir, suivre.*

FILMER, FILMOLOGIE → *cinéma.*

FILON → *mine, réussir.*

FILOSELLE → *fil.*

FILOU, FILOUTER → *tromper, voler.*

FILS → *âge, famille, homme.*

FILTRATION, FILTRE, FILTRER → *passer, pur.*

FIN → *arrêter, but, finir, mourir.*

FIN → *aigu, joaillerie, pur, subtil.*

FINAL → *but, cause, finir.*

FINAL, FINALE → *musique.*

FINALE → *mot, musique, sport.*

FINALISME, FINALISTE → *cause, philosophie.*

FINALITÉ → *but.*

FINANCE, FINANCEMENT, FINANCER → *argent, banque, commerce.*

FINANCIÈRE → *aliment.*

FINASSER, FINASSERIE, FINASSIER → *subtil.*

FINAUD → *subtil.*

FINE → *alcool.*

FINE-DE-CLAIRE → *mollusques.*

FINESSE → *esprit, qualité, subtil, supérieur.*

FINETTE → *tissu.*

FINIR → *extrême, mourir, soigner.* — **Finir une action, une œuvre.** Achever, achèvement, accomplir totalement, mettre fin à ; mettre un terme, terme, terminer. ■ En finir avec/se débarrasser de quelqu'un, trouver une solution, venir à bout de quelque chose ; finir/nettoyer (fam.)/vider un plat, épuiser ; user/utiliser un vêtement ; finir sa vie, fin de mois. ■ But, destination, mener à sa fin/à bonne fin ; arriver/en venir à ses fins, réaliser ses intentions, réussir. — **Parachever.** Améliorer ; apprêter, prêt ; complet, compléter ; définitif ; élaboré ; fignoler, finissage, finition, faire les finitions ; mettre la dernière main/la dernière touche/en état, mise en état ; parachèvement, parachever, parfaire, perfection, perfectionner; polir, polissage; perler; raffiner; vérifier. ■ Aboutir, aboutissement; conclusion, conclure; couronner; dénouement, dénouer, épilogue; péroraison; récapitulation, récapituler; résumé, résumer; régler; résoudre, résultat, solution; sceau, sceller; succès. — **Arrêter.** Abandonner; s'abstenir; arrêt, arrêter; cessation, cesser; clore, clôture; fermer boutique; lever la séance/le siège; tirer le rideau. ■ Couper, faire cesser, interrompre, discontinuer, rompre; échéance, échoir, s'éteindre, laisser tomber, passer de mode, se périmer, temps révolus, tomber, tomber en désuétude; renoncer à, quitter. — **Finir dans l'espace.** Barrière, bord, bordure, borne, bout, confins, contour, côté, extrémité, fin, limite, lisière, terme, terminus; échappatoire, issue, port, sortie. ■ S'arrêter, atteindre, voir le bout, (se) borner, (se) définir, (se) délimiter, (se) limiter, (se) terminer; être sans fin, ne pas en finir être démesuré / étendu / immense / interminable. ■ Dernier, dernière partie, extrême, extrémité, fin, final, pénultième, ultime. ■ Être en queue, fermer la marche, lanterne rouge, voiture-balai. — **Finir son temps.** Agonie, agoniser; aller, être à son terme/sur sa fin; chute; couchant, crépuscule; décadence, fin de siècle; décéder, décès; déclin, décliner; destruction, écroulement, fin/ruine du monde; disparaître, disparition; expiration, expirer; issue; mort, mourir; périr; prendre sa retraite, se retirer; soir de la vie/terme, terminer/tirer à sa fin; vieillesse, vieillir. ■ Ne pas en finir, être intarissable/lent/long, tarder, traîner. ■ Finir par, aboutir à, arriver à, se décider à, en venir à; faire une fin : changer de vie, se marier, se ranger, se retirer des affaires; finir mal, mal tourner.

FINISSAGE, FINISSEUR, FINITION → *finir, soigner.*

FIOLE → *bouteille.*

FIORITURE → *décoration.*

FIRMAMENT → *ciel.*

FIRME → *entreprise.*

FISC, FISCAL, FISCALISER, FISCALITÉ → *impôt.*

FISSILE, FISSION → *ardoise, nucléaire, rayon.*

FISSURATION, FISSURE, FISSURER → *anus, ouvrir, trou.*

FISTON → *famille.*

FISTULAIRE, FISTULE → *canal.*

FIVE-O'CLOCK → *manger.*

FIXATEUR, FIXATIF, FIXATION → *fixer.*

FIXER, FIXE → *arrêter, décider, durer, photographie.* — **Fixer dans l'espace.** Arrêter; attacher; établi; immobile, immobiliser; maintenir, retenir; mettre/tenir en place. ■ Accrocher, agrafer, assujettir, boutonner, boucler, fermeture; adhérence, adhérer, adhésif, ciment, cimenter, coincer, colle, coller, gripper, se gripper, grippage, incruster, sceller, sertir, souder, soudure, ventouse; amarrer/ancrer/embosser un bateau, navire à l'ancre, frapper une amarre, jeter/mouiller l'ancre, mouillage; assurer, cale, caler, enraciner, équilibrer, soutenir; cheviller, clouer, crampon, cramponner, enfoncer/ficher une cheville/un clou/un crochet/une fiche, river, rivet, vis, visser; lacer, lier, monter, monture, nouer. ■ Fixer le regard/les yeux sur quelque chose, les yeux cloués/rivés/vagues. ■ Figer, se figer, au garde-à-vous, ne pas bouger, ne pas remuer, se raidir, rester sur place. — **Fixer sa demeure, son domicile.** Demeurer, être domicilié, se fixer/habiter quelque part; immeuble, immobilier, implantation, s'implanter dans, s'installer, installer, résidence, résider, rester, retenir, être retenu, stationner. ■ Casanier, sédentaire, sédentariser; sans domicile fixe : clochard, nomade, vagabond, coucher sous les ponts/à la belle étoile. — **Fixe dans le temps.** Constant; continu; définitif; durable, durer; habitude, habituel; immuable, inaltérable, inamovible, inchangeable, inchangé, indélébile, inébranlable, ineffaçable, invariable, invétéré, irrévocable; permanence, permanent; persistant; stable; stagnation, stagnant; stationnaire, statique, *statu quo.* ■ A date/heure/jour fixe, en suivant un cycle régulier; feu fixe/continu; idée fixe/permanente, manie, obsession; immutabilité/fixité des espèces. — **Solide.** Affermir, ferme, assurer, sûr; certain, consolider, solide, cristalliser, indestructible, résistant, fixer/laquer les cheveux, vaporiser de la laque; protéger un dessin, pulvériser du fixatif; tremper une photographie dans un bain de fixage, fixateur. ■ Assiette, équilibre, équilibrer, lest, lester, raffermir, stable, stabiliser, stabilisateur; gaz fixe/permanent/stable. ■ Fixer quelqu'un, donner un équilibre moral et psychologique/une assise/des attaches; se fixer, se marier. ■ Arrêter/concentrer/fixer son attention/sa pensée, se concentrer. — **Déterminer.** Arrêter; cristalliser, cristallisation; décidé, décider; défini, définir; délimiter; détermination, déterminer; établir; formuler; indiquer; préciser. ■ Prix fixe, revenu fixe; fixer un *numerus clausus;* limiter/réglementer/régler les impôts. ■ Donner une indication, éclaircir, éclairer, fixer les idées, préciser, renseigner; être fixé, être au courant, savoir.

FIXISME, FIXISTE → *philosophie, vie.*
FIXITÉ → *durer, fixer, regard.*
FJORD → *mer.*
FLACCIDITÉ → *mou.*
FLACHERIE → *soie.*
FLACON, FLACONNAGE → *bouteille.*
FLA-FLA → *montrer, toilette.*
FLAGADA → *fatigue.*
FLAGELLATION → *Christ, frapper.*
FLAGELLE, FLAGELLÉ → *mouvement.*
FLAGELLER → *frapper.*
FLAGEOLER → *balancer, faible, jambe.*
FLAGEOLET → *instrument.*
FLAGORNER, FLAGORNERIE, FLAGORNEUR → *éloge.*
FLAGRANT → *certifier, présence.*
FLAIR, FLAIRER → *chien, prévoir, subtil.*
FLAMANT → *oiseau.*
FLAMBARD, FLAMBART → *orgueil.*
FLAMBEAU → *bougie, lumière.*
FLAMBÉE, FLAMBER → *brûler, cuisine, feu.*
FLAMBOIEMENT, FLAMBOYER → *briller, brûler.*
FLAMBOYANT → *architecture.*
FLAMENCO → *danse.*
FLAMME → *aimer, brûler, feu, enfer, symbole.*
FLAMMÉ → *céramique.*
FLAMMÈCHE → *brûler.*
FLAN → *disque, pâtisserie, typographie.*
FLANC → *blason, bord, poitrine.*
FLANCHER → *abandon, faible.*
FLANCHET → *bœuf.*
FLANCONADE → *escrime.*
FLANDRIN → *grand, homme.*
FLANELLE → *tissu.*
FLÂNER, FLÂNERIE, FLÂNEUR → *marcher, vagabond.*
FLANQUER → *fortification, jeter, proche, suivre.*
FLAPI → *fatigue.*
FLAQUE → *eau, lac.*
FLASH → *cinéma, informer, photographie.*
FLASQUE → *mou.*
FLATTER, FLATTERIE, FLATTEUR → *caresser, éloge.*
FLATULENCE, FLATULENT → *estomac, gaz, gonfler.*
FLÉAU → *balance, malheur.*
FLÈCHE → *arc, cheval, église, jeter, projectile.*
FLÈCHE → *porc.*
FLÉCHER → *signe.*
FLÉCHETTE → *arc, jouer.*
FLÉCHIR, FLÉCHISSEMENT → *bas, courbe, faible, soumettre.*
FLÉCHISSEUR → *muscle.*
FLEGMATIQUE, FLEGME → *calme, froid, lent.*
FLEMMARD, FLEMME → *paresse.*
FLÉTAN → *poisson.*
FLÉTRIR, FLÉTRISSURE → *critique, dommage, signe, vieillesse.*
FLEUR → *âge, choisir, cuir, décoration, plante, poudre, qualité, supérieur.* — **Les éléments de la fleur.** Botanique, botaniste ; ensemble, espèce, famille, flore, groupe, inflorescence. ▪ Calice, carène, foliole, sépale ; calicule, bractée florale, involucre ; corolle, labelle, lobe, pétale ; onglet, périanthe, réceptacle, verticille ; fleur apérianthée/monopérianthée ; apétale, dialypétale, gamopétale. ▪ Androcée, anthère, étamine, pétiole, pollen ; fécondation, pollinisation, reproduction de l'espèce ; gynécée, carpelle, ovaire, ovule, pistil, stigmate, style ; fleur incomplète / unisexuée / dioïque / monoïque/femelle/mâle. ▪ Hampe, pédicelle, pédoncule, queue, tige ; fleur sessile / spiralée / stipitée / verticillée ; nectar, suc. ▪ Disposition des éléments, adhérent, soudé ; apical, axial, terminal ; connivent ; extrorse, introrse, étamine, épigyne inferovarié/infère/supère. — **Formes et inflorescences.** Familles des fleurs : campanulacées, caryophyllées, composacées, labiées, papilionacées, radiées, rosacées. ▪ Fleur actinomorphe/régulière/zygomorphe/irrégulière. ▪ Inflorescences : capitule de la pâquerette, fleur capitulée ; chaton du saule ; corymbe, ombelle de la carotte, ombellifère, ombelliforme ; cyme du myosotis ; épi, épillet, panicule de maïs ; grappe de glycine, grappe composée, thyrse de lilas ; spadice de palmier ; trochet d'arbre fruitier. ▪ Boule, calice, cloche, clochette, cône, entonnoir, étoile ; fleuron, flosculée ; grelot, urcéolée ; gueule, lèvre, pinceau ; tube, tubulaire, tubulé. — **Culture de la fleur.** Fleuriste, floriculture, horticulteur, horticulture, jardinage, jardinier, paysagiste, pépiniériste. ▪ Exposition florale, floralies : balcon, corbeille, jardin, jardinière, massif, orangerie, parterre, pépinière, plate-bande, serre ; calendrier/horloge de Flore. ▪ Bouture, bulbe, bulbeux, fruit, graine, oignon, plant, rameau florifère, rejet, tubercule. ▪ Fleur grimpante/de pleine terre/vivace ; fleur annuelle / bisannuelle / éphémère / hâtive / précoce / remontante / tardive. ▪ Arroser, bouturer, cultiver, culture, désherber, engrais, greffer, hybridation, marcotter, planter, repiquer, sélection, semence, semer, tailler. ▪ Bourgeon,

bouton, éclore, éclosion, s'épanouir, épanouissement, fleurir, fleur, floraison; s'ouvrir; s'effeuiller, se faner, se flétrir, perdre ses pétales; végétation, végétal. ▪ Insectes floricoles : abeille, chenille, frelon, guêpe, papillon. — **Qualités et utilisations de la fleur.** Beauté, coloris, couleur, douceur, éclat, fraîcheur, nuance, somptuosité, velours, velouté. ▪ Effluve, embaumer, exhaler, fleurer, odeur, odorant, parfum, parfumer, senteur, sentir. ▪ Décoration, décorer, ornement, orner, parure : bouquet, bouquetière, couronne, gerbe, guirlande; composer un bouquet, couronne, coussin mortuaire, fleurir ses tombes, gerbe funéraire; couvrir/joncher de fleurs, jeter des fleurs, faire un tapis, parsemer; bac à fleurs, pot, cache-pot, potiche, vase, vasque. — **Principales fleurs.** Arbuste, aubépine, bougainvillée, chèvrefeuille, clématite, églantine, glycine, jasmin, lilas, mimosa, seringa. ▪ Fleur des bois : anémone, bruyère, cyclamen, jonquille, perce-neige, pervenche, violette. ▪ Fleur/fleurette des champs/champêtre/rustique : bleuet, bouton-d'or, colchique, coquelicot, marguerite, pâquerette. ▪ Fleur de jardin : arum, bégonia, calcéolaire, chrysanthème, cinéraire, dahlia, fuchsia, géranium, glaïeul, hortensia, iris, lis, muguet, œillet, pétunia, pivoine, rose, sauge, tulipe, zinnia. ▪ Fleur de montagne : edelweiss, gentiane, rhododendron. ▪ Fleur de serre/exotique/tropicale : azalée, camélia, cyclamen, gardénia, orchidée. ▪ Arbuste, buisson, bordure, touffe. — **Fleurs artificielles.** Métal, papier, parchemin; perle, plastique, plume, porcelaine, soie, tissu, velours. ▪ Cimetière, église, tombe, urne funéraire. ▪ Mode : boutonnière, chapeau, coiffure de mariée, couronne de mariée, fleurs d'oranger; anniversaire, cérémonie, fête. ▪ Fleur de lis, emblème, symbole; fleurdelisé, florencé.

FLEURDELISÉ → *fleur, symbole.*

FLEURER → *fleur, parfum.*

FLEURET → *escrime.*

FLEURETTE → *fleur, plaire.*

FLEURI, FLEURIR → *augmenter, fleur, visage.*

FLEURISTE → *fleur.*

FLEURON, FLEURONNÉ → *fleur, supérieur.*

FLEUVE → *rivière.*

FLEXIBILITÉ, FLEXIBLE → *influence, pli.*

FLEXION, FLEXIONNEL → *grammaire, pli.*

FLEXUEUX, FLEXUOSITÉ → *courbe.*

FLIBUSTE, FLIBUSTER, FLIBUSTIER → *marine, voler.*

FLINT → *optique.*

FLIPOT → *menuiserie.*

FLIRT, FLIRTER → *plaire.*

FLOCHE → *poil.*

FLOCK-BOOK → *mouton.*

FLOCON, FLOCONNER → *amas, froid, laine, peser.*

FLOCULATION, FLOCULER → *épais.*

FLONFLON → *fête, musique.*

FLOPÉE → *abondance.*

FLORAISON, FLORAL, FLORALIES → *fleur.*

FLORE → *plante.*

FLORÉAL → *calendrier.*

FLORICOLE, FLORICULTURE → *fleur.*

FLORILÈGE → *choisir, livre.*

FLORIN → *monnaie.*

FLORISSANT → *réussir, riche.*

FLOT → *abondance, eau, mer, nombre.*

FLOTTABILITÉ, FLOTTABLE → *nager.*

FLOTTAGE → *bois, nager.*

FLOTTAISON → *nager, navire.*

FLOTTANT → *devoir, doute, moteur, nager.*

FLOTTE → *armée, navire, pluie.*

FLOTTEMENT → *doute, nager.*

FLOTTER → *bois, doute, nager.*

FLOTTILLE → *armée.*

FLOU → *doute, mou, peinture, photographie.*

FLOUER → *voler.*

FLOUVE → *herbe.*

FLUCTUATION → *changer, irrégulier.*

FLUET → *maigre.*

FLUIDE, FLUIDIFIER, FLUIDITÉ → *attirer, économie, froid, gaz, liquide.*

FLUOR, FLUORESCENCE, FLUORESCENT → *gaz, rayon.*

FLÛTE, FLÛTÉ, FLÛTEAU, FLÛTISTE → *doux, instrument, jouer.*

FLUVIAL, FLUVIATILE → *rivière.*

FLUVIO-GLACIAIRE → *froid.*

FLUX → *abondance, aimant, liquide, mer.*

FLUXION → *gonfler.*

FOC → *voilure.*

FOCAL → *optique.*

FŒHN, FÖHN → *vent.*

FŒTAL, FŒTUS → *accouchement, reproduction.*

FOI → *confiance, croire, engager, fidèle, franc, religion.*

FOIE → *canard, estomac, peur, ventre.* — **Description.** Glande, organe, bile, viscère; lobe, lobule, sillon. ▪ Artère cystique/hépatique, veine cave/porte/sus-hépatique; canal cholédoque/cystique/hépatique ; hile ; lobe ; pédicule ; péritoine. ■ Vésicule biliaire, réservoir de bile, voie biliaire accessoire ; bile amère/jaune/noire/verte ; bilirubine, cholestérine, pigment/sel biliaire ; amer, fiel. ■ Foie gras d'oie, pâté de foie confit/truffé ; huile de foie de morue. — **Fonction du foie.** Drainer, sécréter : bile, digestion, duodénum, flore intestinale, métabolisme digestif, sécrétion externe. ■ Sécrétion interne : fonction glycogénique, glucose du sang, glycogène ; formation du sang, hématie, hématolytique, hématopoïétique ; fonction martiale, réserve de fer ; uropoïétique, antitoxique ; phospholipide ; prothrombine, coagulation du sang. — **Affections du foie.** Être atrabilaire/bileux/bilieux/hypocondre/mélancolique / pessimiste / soucieux / tourmenté ; se biler, se faire de la bile, s'inquiéter, se ronger le foie ; teint bilieux/hépatique/jaune. ■ Hépatique, hépatisme, avoir mal au foie/une crise de foie/des coliques hépatiques, vomir de la bile : amibiase, artériosclérose, calcul biliaire, cholémie, cholestérol, cirrhose alcoolique ou toxique, hépatalgie, hépatite, hépatocèle, hépatomégalie, ictère, infection, jaunisse, toxine. ■ Insuffisance hépatique/globale/partielle, lésion, obstruction, ulcère ; abcès, cancer, carcinome, kyste, squirre, tumeur ; chirurgie, laparotomie ; soins : hépatologie, cholagogue, héparine.

FOIN → *herbe.*

FOIRAIL → *marchandises.*

FOIRE → *débauche, fête, marchandises.*

FOIRER → *clou, échouer.*

FOISON, FOISONNER → *abondance, augmenter, beaucoup, nombre.*

FOLATRE, FOLATRER, FOLATRERIE → *joie, rire.*

FOLIACÉ, FOLIAIRE, FOLIATION → *feuille.*

FOLICHON, FOLICHONNER → *joie.*

FOLIE → *colère, irrégulier, maladie, psychologie.* — **Être tout fou.** Bizarre, bizarrerie ; bouffon, bouffonnerie ; braque (pop.) ; chien fou, jeune chien, courir comme un fou ; drôle ; écervelé ; extravagance, extravagant ; exubérant ; faire/dire des folies, faire le fou, maison de fous, folâtrer, fou rire : fantasque ; farfelu ; folichon ; illuminé ; insouciant ; loufoque, loufoquerie ; sottise. ■ Folie de jeunesse, frasque, fredaine. — **Être fou de quelque chose.** Amour, caprice, coup de tête, dada (fam.), enthousiasme, idée fixe, ivresse, lubie, manie, marotte, obsession, parti pris, passion, penchant excessif, rage, toquade. ■ Amoureux ; dingue, dingo (fam.) ; emballé, s'emballer ; engoué ; enivré ; enragé ; entiché, s'enticher ; exalté ; excité ; fanatique ; fou ; maniaque ; mordu ; passionné ; toqué. ■ Aimer à la folie/éperdument/passionnément ; idolâtrer. — **Être déraisonnable.** Aberrant, aberration ; absurde, absurdité ; anormal ; aveuglement ; bêtise ; crétin ; délire ; déraisonnable ; échevelé ; égaré, égarement ; énervé, énervement ; étrange ; excessif ; idiot, idiotie ; illogique ; imbécile ; imprévisible ; imprudent ; incohérence, incohérent ; inconscient ; incontrôlé ; insane, insanité, insensé ; irrationnel ; lunatique ; stupide, stupidité ; téméraire ; utopie, utopique. ■ Une vraie folie, une petite folie, frasque, fredaine, incartade, fou, énorme, excessif, exorbitant ; fou du volant, dangereux, imprudent. ■ Une histoire de fous/sans queue ni tête. ■ (Fam. et pop.) Abruti, biscornu, braque, cinglé, cintré, dingo, fada, frappé, maboul, marteau, piqué, siphonné, timbré, toc toc, toqué ; débloquer, déménager, dérailler ; avoir une araignée dans le plafond/un grain/le timbre fêlé, battre la campagne, perdre la boule/la boussole. — **La maladie mentale.** Affection mentale ; aliénation, aliéné ; crétinisme ; démence, dément, démentiel ; demeuré ; dérangé, dérangement ; dérèglement ; désaxé ; déséquilibré ; désordres mentaux ; détraqué ; divagation ; égarement ; état pathologique ; folie, fou ; imbécillité ; lésion cérébrale ; maladie mentale/nerveuse, malade mental ; morbide, morbidité ; névropathe, névrose, névrosé ; psychopathie, psychose. ■ Accès/coup de folie, crise de nerfs, dépression nerveuse ; devenir fou, perdre l'esprit/la raison. — **Formes et manifestations de folie.** Absence, oubli, perte de mémoire ; agitation, fou à lier, fou furieux, forcené, frénétique, fureur, furie, hystérie, rage, violence ; complexe d'infériorité/de supériorité, folie des grandeurs, mégalomanie ; délire, maladie de la persécution, démence précoce, sénile, tomber en enfance, *delirium tremens*, drogue, paradis artificiels ; état cyclothymique/dépressif ; épilepsie, épileptique ; fantasmagorie, fantasme, hallucination, halluciné, possédé, vision, visionnaire ; manie, érotomanie, hébéphrénie, lycanthropie, monomanie, nymphomanie ; mélancolie, neurasthénie ; obsession ; paranoïa, paranoïaque ; phobie ; schizophrène, schizophrénie. — **Traitement de la folie.** Asile d'aliénés, maison de fous, hôpital psychiatrique ; cabanon, camisole de force, chambre capitonnée, douche ; enfermer, internement, interner. ■ Aliéniste, neurologie, neurologue, psychanalyste, psychiatre, psychiatrie, psychopathologie. ■ Électrochoc, électro-encéphalogramme, ergothérapie, narco-analyse, psychochirurgie, lobotomie; psychodrame; psychosomatique, psychothérapie, substances psychotropes, test mental/d'aptitude/de personnalité/de Rorschach; topectomie; tranquillisant, calmant, neuroleptique.

FOLIÉ → *plante.*

FOLIO → *livre.*

FOLKLORE, FOLKLORIQUE, FOLKLORISTE → *pays, province, spectacle.*

FOLLET → *feu, imagination, poil.*

FOLLICULE → *fruit, graine, sac.*

FOMENTATEUR, FOMENTATION, FOMENTER → *cause, exciter, révolte.*

FONCÉ → *couleur.*

FONCER → *cuisine, tonneau, trou, vitesse.*

FONCIER → *impôt.*

FONCTION, FONCTIONNAIRE → *algèbre, chimie, grammaire.* — **La fonction et le rôle.** Action, propriété, rôle, utilité; être fonctionnel; être à la place de; faire fonction/office de, servir de, tenir la fonction/le rôle, tenir lieu de; fonction grammaticale, analyse; fonction chimique; fonction organique. — **Le métier.** Avoir/exercer une activité/un métier : boulot, business (fam.); charge; condition; dignité, accéder à la dignité/au titre de; emploi, occuper un emploi; état; fonctionnariser; gagne-pain, gagner sa croûte (fam.)/sa vie; job (fam.); ministère; moyen d'existence avoué/déclaré/légal; occupation; office, remplir un office/son office; partie, être/travailler dans la partie; place, chercher/trouver une place, bureau de placement, s'inscrire au chômage; position; poste, être en poste quelque part, occuper un poste; profession; rôle; service; situation, une belle/grosse/petite situation; être de semaine, semainier; tâche, remplir sa tâche; travail; vacation. ▪ Fonctions/attributions/obligations/responsabilités de quelqu'un; être sous l'autorité/le pouvoir/la responsabilité de quelqu'un, être de son ressort. — **Catégories de fonctionnaires.** Bureaucrate, rond-de-cuir, fonctionnaire, fonctionnarisme; classe, degré, grade, titre. ▪ Personnel en activité, service actif, personnel amovible/inamovible/affecté : agent, assesseur, attaché, auxiliaire, chargé de mission, commis, contractuel, délégué, détaché, en détachement, employé, honoraire, intérimaire, remplaçant, suppléant (assurer un intérim, faire un remplacement/une suppléance), supplétif, surnuméraire, titulaire, vacataire. ▪ Hiérarchie, collègue, subordonné, supérieur hiérarchique; planning des fonctions, organigramme, pyramide hiérarchique, structure; suivre la voie hiérarchique. ▪ Administration, administrateur; grand commis de l'État; conseil d'administration/de gestion; dignitaire; énarque; haut fonctionnaire, fonctionnaire d'autorité / de gestion/subalterne; magistrat, magistrature; ministère; officier, officier public; serviteur de l'État. — **Carrière des fonctionnaires.** Candidature, briguer une fonction, création de poste : affectation, nomination, affecter / appeler à une fonction, nommer à un poste; conférer une fonction / un titre, collation; élire, élection; intronisation, investiture, entrée en fonction, prise de fonction; recrutement, recruter sur concours/sur titres, *curriculum vitae*, diplôme; réintégrer. ▪ Mouvement, mutation, faire un remplacement, remplacer, vacance, poste vacant. ▪ Avancement, avoir de l'avancement, élévation, élever à, promotion, promouvoir à l'ancienneté/au choix, titularisation, titulariser; échelon, grade, conférer un grade, monter d'un échelon, monter en grade, passer à l'échelon supérieur, ancienneté dans le grade/dans le poste; qualification, qualité, titre. ▪ Casser, dégommer (fam.), se démettre, démission, démissionner, déplacer, dégrader, destituer, faute de service, interdire, licencier, licenciement, limoger, mettre à pied, passer devant la commission disciplinaire, résigner ses fonctions, retraite anticipée, révocation, révoquer, suspension, suspendre avec/sans traitement. ▪ Congé, congé sans solde, disponibilité; appointements, cumul, cumuler, honoraires, solde, traitement; retraite, mise à la retraite, prendre sa retraite, annuités, cotisation, cotiser, retenue.

FONCTIONNARISER, FONCTIONNARISME → *fonction.*

FONCTIONNEL, FONCTIONNER → *fonction, utile.*

FOND, FONDAMENTAL → *arrière, importance, matière.*

FONDANT → *liquide.*

FONDATEUR, FONDATION → *construction, édifice, fonder.*

FONDÉ → *certifier.*

FONDÉ → *banque, pouvoir.*

FONDEMENT → *anus, cause, fonder.*

FONDER → *commencer, composer, construction.* — **Faire les fondations d'une maison.** Architecture; bâtiment, bâtir; construction, construire; dresser; édifice, édifier; élever; ériger; ouvrage, travaux : architecte, constructeur, entrepreneur, maçon, maître d'œuvre, terrassier; permis de construire, terrain viable, viabilité. ▪ Creuser, déblai, déblayer, remblai, remblayer ; empattement d'un mur ; étanchéité ; excavation, fosse, fouille, fouiller, pic, pioche, rooter, scraper, terrassement, terrasser, tranchée. ■ Aplanir, aplatir, bulldozer, camion, combler, damer, empierrer, niveler, nivellement, niveau, marteau piqueur, pelleteuse, pilon, pilonner, rouleau compresseur, passer le rouleau, tracteur. ■ Aire, assise, assiette, base, cave, dalle (couler une dalle de béton), embase, embasement, enrochement, pieu, pile, pilotis, plate-forme, radier, semelle, soubassement, sous-œuvre, sous-sol, stéréobate, support, stabilité, terrain stable/stabilisé, terrasse, terre-plein, tertre, vide sanitaire. — **Être un fondateur.** Constituer, constitution ; créer, création ; décréter ; établir ; fonder ; former ; instaurer ; instituer, institution ; faire naître. ■ Association, établissement, fondation, institution, œuvre, société ; associé, bienfaiteur, donateur, fondateur, léguer, faire un legs, être membre/président ; être le modèle/le premier. ■ Composer, former, organiser, rassembler ; fonder un couple/une famille/un foyer, se marier, passer devant le maire/devant le notaire, signer le contrat de mariage/le registre ; fonder/installer une colonie/une ville, colon, coloniser, pionnier. ■ Décider, instaurer une discipline/une loi/une règle de vie ; découvrir, inventer une morale/une philosophie/une religion ; bouleverser/renouveler un ordre de références/un système de valeurs. — **Établir sur un fondement.** Assise, base, donnée, fondement ; appuyer, asseoir, assurer, baser, faire reposer, jeter les bases, mettre sur pied. ■ Affirmation/espoir/opinion/soupçon fondé/juste/justifié/légitime/motivé/non fondé/gratuit/inconsistant/sans corps/sans fondement/sans raison. ■ Fonder un raisonnement sur quelque chose, déterminer, établir un système/un théorème/une théorie ; déduire, faire découler une hypothèse ; axiome, hypothèse, postulat, prémisse, principe, substance.

FONDERIE, FONDEUR, FONDEUSE → *métal.*

FONDRE → *chaleur, liquide, mêler.*

FONDRIÈRE → *mouiller.*

FONDS → *argent, banque, posséder, qualité.*

FONDU → *liquide.*

FONDU → *cinéma, couleur.*

FONDUE → *cuisine, lait.*

FONTAINE, FONTAINIER → *eau, hydraulique, récipient.*

FONTANELLE → *crâne.*

FONTE → *fer, liquide, métal, pluie.*

FONTES → *harnais.*

FONTIS, FONDIS → *géologie.*

FONTS → *église, sacrement.*

FOOTBALL, FOOTBALLEUR → *balle, sport.*

FOOTING → *marcher.*

FOR → *intérieur, penser.*

FORAGE → *pétrole, puits, trou.*

FORAIN → *spectacle, vagabond.*

FORBAN → *voler.*

FORÇAT → *peine, prison.*

FORCE → *adroit, courage, pouvoir, violence.* — **Force musculaire.** Armoire à glace (pop.) ; athlète ; balèse (fam.) ; colosse, costaud ; énergique ; fort, force corporelle/musculaire/physique, force de l'âge, maturité ; gaillard ; gymnaste, gymnastique ; hercule, herculéen ; infatigable ; malabar ; muscle ; plein de sève ; râblé ; résistant, résistance ; robuste, robustesse ; santé ; solide, solidité ; titan ; trapu ; valide ; vigoureux, vigueur ; virilité. ■ Belle anatomie, bien bâti, bien charpenté, biceps, carrure, avoir des gros bras/du nerf/de la poigne, travailleur de force. ■ Fortifier, fortifiant, ranimer, ravigoter (fam.), réconforter, reconstituer, recouvrer la santé, récupérer, se remettre, remontant, renaître, se requinquer (fam.), reprendre des forces/du poil de la bête (fam.), se retaper (fam.), retremper, revigorer, stimulant, tonifier, tonique, vivifiant, vivifier. ■ Fort comme un bœuf/comme un Turc ; loi de la jungle/du plus fort. — **Force intellectuelle.** Calé ; compétence, compétent ; doué ; extraordinaire ; formidable ; fort, fort en thème, bûcheur, travailleur ; fortiche (fam.) ; foudre d'éloquence/de guerre ; génial ; habile, habileté ; intelligent ; malin ; supérieur ; supériorité. ■ Capacité de l'esprit, niveau d'un individu, possibilité, quotient intellectuel (Q.I.). ■ Difficulté/force/niveau d'un problème, classement, classer, numérotation. — **Force morale.** Autorité ; calme ; confiance ; constance ; courage, courageux ; cran, avoir du cran ; être à tous crins ; décision ; dur ; dynamisme, dynamique ; endurance, endurci ; énergie, énergique ; entraîneur ; éprouvé ; équilibre ; ferme (comme un roc), fermeté ; force d'âme/de caractère ; indomptable, inébranlable, inflexible, invincible ; grave, gravité ; influence, avoir de l'influence sur quelqu'un ; obstination ; à la redresse (pop.) ; ressort ; sang-froid, garder son sang-froid ; sérénité ; solide, solidité ; stable ; tenace, ténacité ; tonus ; trempe ; bien trempé ; vertu ; volonté, volontaire. ■ Cuirasser, endurcir le cœur ; enhardir, ragaillardir, raviver, remonter le courant, réconfort, réconforter. — **Forces physiques.** Dynamique, dynamo, dynamomètre ; énergie atomique / cinétique / potentielle ; force acquise, élan, impulsion ;

force centrifuge/centripète ; force d'inertie, frottement, résistance ; force motrice, énergie, moteur atomique/électrique / hydraulique / mécanique / à vapeur, erg, joule, kilogramme-pesanteur, attraction de la terre, poids, dyne, newton, sthène ; puissance, cheval-vapeur, watt. ▪ Axe, centre de gravité, équilibre, ligne de forces ; décomposition, parallélogramme, polygone, résultante. — **Force, puissance.** Activité ; capable, capacité ; dantesque ; efficace, efficacité ; intense, intensité ; pouvoir ; puissance, puissant ; véhémence, véhément ; virulence, virulent. ▪ Affermir, augmenter, cimenter, consolider, étayer, fortifier, redoubler, renforcer, sceller. ▪ Concentration/degré/force/générosité d'un alcool, avoir du corps, être corsé ; concision/éloquence/véhémence/vie d'un discours ; omnipotence/souveraineté/supériorité/victoire d'un individu, d'une nation. ▪ Forces armées, armes, armées, armement, effectifs, équipement ; force de dissuasion/de frappe, potentiel militaire, renfort ; force publique, forces de l'ordre, police, policiers ; troupes ; équilibre, rapport des forces. — **Force, contrainte.** Contrainte, nécessité, obligation, violence, violent. ▪ Asservir, astreindre, astreinte, contraindre, forcer à, imposer, mettre le couteau sous la gorge, oppression, violenter ; cas de force majeure, inévitable, invoquer la force majeure, se décharger de toute responsabilité ; coup/épreuve de force, résistance, violence ; force des choses, pente naturelle/inévitable/obligatoire des événements ; force de l'habitude, machinal, réflexe, routinier. ▪ De force, par force, contre le gré de quelqu'un, malgré sa résistance, par la violence.

FORCÉ → *affectation, culture, excès, travail.*

FORCENÉ → *colère, folie, passion.*

FORCEPS → *accouchement.*

FORCER → *casser, excès, prendre, soumettre.*

FORCES → *mouton.*

FORCING → *sport.*

FORCLORE, FORCLOS, FORCLUSION → *droit, fin.*

FORER → *trou.*

FORESTIER → *arbre, bois.*

FORET → *trou.*

FORÊT → *arbre, bois.*

FOREUR, FOREUSE → *trou.*

FORFAIRE → *faute.*

FORFAIT → *crime.*

FORFAIT → *course, sport.*

FORFAIT, FORFAITAIRE → *impôt, payer.*

FORFAITURE → *faute, féodalité.*

FORFANTERIE → *orgueil.*

FORGE, FORGER, FORGERON → *fer.*

FORINT → *monnaie.*

FORLANCER → *cerf.*

FORME → *manière, règle, style.* — **Manifestation concrète d'un fait abstrait.** Allure, apparence, arrangement, aspect, caractère, catégorie, constitution, disposition, espèce, état, extérieur, façon, figure, manière d'être/de se présenter, matière, modalité, mode, présentation, sorte, visage, type. ▪ En forme de, sous forme de, sous l'apparence/l'aspect/le visage de. — **La forme d'expression.** Façon/manière d'exprimer la pensée ; le fond et la forme, l'idée et le style, l'art, l'expression, le langage, la traduction. ▪ Mettre en forme : composer, disposer, former, ordonner, ordonnance, ordre, organisation, organiser, rédaction, rédiger, structure, structurer. ▪ Ton, tour, tournure de phrase : classicisme, maniérisme, préciosité, purisme. ▪ La forme littéraire ou musicale : genre, modèle, type ; poème à forme fixe ; forme d'un mot/d'une phrase/d'un verbe, morphologie. — **Les formes juridiques et sociales.** Formel, formalité, formulaire, formule, procédure, règle, règlement des actes juridiques ; forme accidentelle / authentique / notariée / solennelle/substantielle ; forme d'exécution/de procédure ; dans les formes, en forme, en bonne et due forme, vice de forme. ▪ Avoir des formes, connaître les convenances/les conventions/les bonnes manières/la manière d'agir/de procéder ; règles de courtoisie/de politesse. ▪ Agir selon les formes, conforme, conformisme, conformiste ; formalisme, formaliste ; pour la forme, pour sauver les apparences, par convention ; sans autre forme, sans mettre/sans prendre des formes/des gants (fam.), sans détour, sans précautions, tout à trac (fam.). — **Forme plastique d'un être, d'un objet.** Allure, configuration, conformation, délinéament, dimension, ensemble des dimensions, gabarit, proportions. ▪ Contours, dessin, ligne, morphologie, plastique, relief, surface et volume, structure, tracé. ▪ Carcasse, carrure, complexion, constitution, corpulence, dégaine, figure, forme humaine, galbe, modelé, physionomie, port, silhouette, stature, taille (petite/moyenne/mannequin), silhouette (élégante/ramassée/svelte, etc.), tournure, traits, visage ; être bien bâti/bien charpenté (fam.)/bien conformé/bien découplé/bien fait/bien fichu (fam.)/bien tourné. ▪ Forme géométrique/irrégulière / régulière / standard / symétrique : bréviligne, longiligne, ovale, oblongue, ronde ; beauté/esthétique des formes, forme fonctionnelle/pleine/pure ; forme précieuse/recherchée ; prendre forme/un aspect/des contours reconnaissables, ressembler à quelque chose ; reprendre sa forme, élasticité, malléabilité. — **Déformation plastique.** Changer de forme, défigurer, déformer, fausser, fluage, métamorphose, multiforme, polymorphe, Protée, transformation, transformer. ■ Forme biscornue/compliquée/tarabiscotée : difforme, informe ; bosse, bossu, crochu, déjeté, faussé, de guingois, de travers, gauchi, rabougri, racorni, ramassé, ratatiné, recroquevillé, trapu. ■ Embonpoint, maigreur, obésité. — **La forme physique.** Condition physique, disposition intellectuelle/morale/physique, état de santé, bonne santé ; avoir/tenir la forme, avoir le moral/bon moral ; être en forme/au meilleur de sa forme/en pleine forme/d'attaque, se sentir bien/dispos. — **La forme des objets manufacturés.** Configuration ; façon, façonner ; format ; former, mettre en forme/sur forme ; gabarit ; matrice ; modèle, modeler, mouler ; module, patron. ■ Champignon de chapeaux, embauchoir de chaussures, etc. ; couper/tailler une robe en forme/en biais, forme/coupe/structure d'un vêtement.

FORMEL → *apparaître, fond, forme.*

FORMER → *apprendre, composer, enseignement, imaginer.*

FORMIDABLE → *excès, étonner, peur, supérieur.*

FORMIQUE, FORMOL, FORMOLER → *acide, microbe.*

FORMULAIRE → *abréger, forme, inscription.*

FORMULE → *calcul, chimie, manière.*

FORMULER → *parler.*

FORNICATEUR, FORNICATION, FORNIQUER → *débauche, sexe.*

FORSYTHIA → *arbre.*

FORT → *amer, courage, force, habitude, violence.*

FORT, FORTERESSE → *fortification.*

FORTIFIANT → *force.*

FORTIFICATION → *armée, guerre.* — **Ouvrage fortifié.** Abri, abri antiaérien/antiatomique, bastide, bastille, blockhaus, boulevard, bunker, camp retranché, casbah, château, château fort, châtelet, citadelle, enceinte fortifiée, fort, fort à coupole, forteresse, fortin, krak, ksar, redoute, retranchement, ville forte. ■ Limes, oppidum, vallum ; baliste ; siège d'Alésia. ■ L'Acropole, la Bastille, le Capitole, le Kremlin, la Grande Muraille de Chine. — **Détails ou éléments d'un ouvrage fortifié.** Archère, meurtrière ; barbacane ; barbette ; bastion, bastionner, fortification bastionnée ; batterie ; bonnette ; bretèche ; casemate ; cavalier ; chausse-trappe ; chemin couvert/de ronde ; coffre de contrescarpe ; corbeau ; corne ; courtine ; créneau de couronnement/d'étage ; cuirassement ; demi-lune ; donjon ; douves ; échauguette ; escarpe, escarpement, contrescarpe ; esplanade ; fossé ; gabion ; gaine ; gorge ; guette ou guète ; hourd ; mâchicoulis ; merlon ; muraille ; palanque ; parados ; parapet ; poivrière ; pont-levis, herse ; poterne ; redan ; réduit ; remblai, rempart ; tour carrée/à éperon/ronde, tourelle. — **Systèmes fortifiés.** Système de Vauban, fortifications rasantes, place, place forte/de dépôt/de manœuvre/de refuge ; système Séré de Rivières, rideau fortifié, fort de liaison/d'arrêt, ceinture fortifiée ; système des régions fortifiées, ligne Maginot/Mannerheim/Métaxas/Siegfried, mur de l'Atlantique. — **Attaque et défense d'une place fortifiée.** Affamer, faim, famine ; approche, contre-approche ; armée de secours ; artillerie lourde/de siège ; assiéger, assiégé, assiégeant ; assaut, donner/emporter l'assaut, emporter d'assaut ; bélier ; bloquer, débloquer, blocus ; bombarder, bombardement ; brèche ; capituler, capitulation, drapeau blanc ; échelle ; escalader, escalade ; investir, investissement ; miner, mine, contre-mine, galerie de mine ; parlementer, parlementaire ; piller, pillage, livrer au pillage ; prendre une ville, prise ; sac, mettre à sac/à feu et à sang ; saper, sape, sapeur ; siège, mettre le siège. ■ Guet, huile bouillante, poix, se ravitailler, repousser un assaut, sortie, souterrain. ■ Place imprenable/inexpugnable ; démanteler, raser, ville ouverte ; Démétrios Poliorcète. — **Retranchement.** Banquette de tir, boyau, circonvallation, contrevallation, défilement, épaulement, parallèle, talus, tranchée à crochet/tournante/en zigzag. ■ Camoufler, camouflage, chevaux de frise, fascine, fils de fer barbelés/électrifiés, gabion, palissade, pieu, sac de sable. ■ S'enterrer, se retrancher, guerre de position/de tranchées, tir à couvert.

FORTIFIER → *certifier, force, fortification.*

FORTIN → *fortification.*

FORTUIT → *événement.*

FORTUNE, FORTUNÉ → *bonheur, destin, revenu, riche.*

FORUM → *ville.*

FORURE → *serrure, trou.*

FOSSE → *enterrement, géologie, nez, trou.*

FOSSÉ → *canal, fortification, géologie.*

FOSSETTE → *visage.*

FOSSILE, FOSSILISATION, FOSSILISER → *âge, animal, géologie, mollusques.*

FOSSOYEUR → *enterrement.*

FOU → *échecs, excès, folie, passion.*

FOUAILLER → *frapper.*

FOUCADE → *folie, irrégulier.*

FOUDRE → *tonneau.*

FOUDRE → *météorologie, symbole.*

FOUDROYANT, FOUDROYER → *étonner, foudre, frapper.*

FOUÉE → *chasse.*

FOUET, FOUETTARD, FOUETTER → *cuisine, frapper, peine.*

FOUGERAIE, FOUGÈRE → *plante.*

FOUGUE, FOUGUEUX → *vif, violence.*

FOUILLE, FOUILLER, FOUILLEUR → *chercher, fonder, trou, vide.*

FOUILLIS → *trouble.*

FOUINE → *animal, ronger.*

FOUINER, FOUINEUR → *chercher, gêner.*

FOUIR, FOUISSEUR → *animal, trou.*

FOULARD → *cou, toilette.*

FOULE → *amas, commun, groupe, nombre.*

FOULÉE → *athlétisme.*

FOULER → *articulation, marcher, presser, tissu.*

FOULOIR → *tissu.*

FOULURE → *articulation, blesser.*

FOUR → *chaleur, cuisine, échouer, métal.* — **Four pour cuire les aliments.** Chaudière, cuisinière, four banal/de boulanger, four auto-nettoyant/à catalyse/à pyrolyse, fourneau, gazinière, huguenote, poêle, réchaud. ▪ Bouche ; cendrier ; chambre ; chapelle en dôme ; cheminée ; cul ; foyer ; gril, grille ; gueule ; lèchefrite ; plaque ; porte ; sole ; tirette ; tournebroche ; trappillon. ▪ Biscotte ; cuisine au four ; gratin ; pain ; pâtisserie ; rôti, etc. ▪ Bois de boulange ; défourner ; écouvillon ; enfourner, pelle à enfourner ; fourgon, ringard, fourgonner ; fournée ; fournil ; pétrin. — **Fours industriels.** A chauffe directe / distincte / extérieure ; chaufour ; convertisseur (Bessmer) ; four à coupellation/à cuve, cubilot ; four électrique/à arc/à induction/à résistance/électrolytique/à grille/de grillage/métallurgique/Martin/à réchauffer/de traitement thermique ; four de trempe/recuit/revenu/à bain de sel/à cloche/à recuire sans oxydation ; un moufle ; pit ; poussant ; four à réverbère/rotatif basculant/rotatif ou de cimenterie/solaire/à sole mobile ou tournante ; tunnel ; four en vase clos/en vase ouvert/à waterjacket. ▪ Buse, carneau, chauffe, chemise réfractaire, cratère, ouvreau, revêtement, soufflerie. ▪ Chambre de distillation, cornue, foyer, laboratoire. — **Haut fourneau.** Buse, clapet d'explosion, creuset, cuve, étalage, gueulard, ouvrage, trémie, tuyère, ventre. ▪ Appareil de chargement, benne, skip ; centrale ; dépoussiéreur de gaz ; laveur ; récupérateur de chaleur/Cowper/Withwall. ▪ Combustible, fondant, herbue ; cadmie, coulée, laitier, scorie. — **Combustibles utilisés.** Bois, fagot, charbon de bois ; charbon ; électricité ; énergie solaire ; four à coke, gaz, gaz naturel/de Lacq/de ville, gazogène ; huile, huile lourde ; mazout ; pétrole ; vapeur.

FOURBE, FOURBERIE → *tromper.*

FOURBI → *voyage.*

FOURBIR, FOURBISSAGE → *briller, nettoyer, polir.*

FOURBU → *cheval, fatigue.*

FOURCHE → *bicyclette, enfer, herbe, route.*

FOURCHETTE → *cheval, manger, vaisselle.*

FOURGON → *enterrement, train, transport.*

FOURGON, FOURGONNER → *chercher, feu, four.*

FOURGONNETTE → *voiture.*

FOURIÉRISME, FOURIÉRISTE → *commun.*

FOURMI, FOURMILIÈRE → *insecte, nombre.*

FOURMILIER → *mammifères.*

FOURMILION → *insecte.*

FOURMILLEMENT, FOURMILLER → *abondance, beaucoup, nombre.*

FOURNAISE → *chaleur, feu.*

FOURNEAU → *cuisine, exploser, four, métal.*

FOURNÉE → *four, pain.*

FOURNI → *épais, marchandises.*

FOURNIL → *four, pain.*

FOURNIMENT → *munir.*

FOURNIR → *donner, munir, produire.*

FOURNISSEUR, FOURNITURE → *exécuter, marchandises.*

FOURRAGE → *bétail, élevage, herbe, vêtement.*

FOURRAGER → *chercher.*

FOURRAGÈRE → *décoration.*

FOURRÉ → *bois, épais.*

FOURRÉ → *confiserie, vêtement.*

FOURREAU → *couvrir, vêtement.*

FOURRER → *emplir, entrer, vêtement.*

FOURRE-TOUT → *sac, voyage.*

FOURREUR → *poil.*

FOURRIÈRE → *garder.*

FOURRURE → *poil, vêtement.*

FOURVOYER, FOURVOYER (SE) → *perdre, tromper.*

FOX-HOUND, FOX-TERRIER → *chien.*

FOX-TROT → *danse.*

FOYER → *famille, feu, habiter, milieu, optique.*

FRAC → *vêtement.*

FRACAS, FRACASSER → *bruit, casser.*

FRACTION → *calcul, morceau, part.*

FRACTIONNISME, FRACTIONNISTE → *parti.*

FRACTURE, FRACTURER → *casser, durer, faible.*

FRAGILE, FRAGILITÉ → *casser, durer, faible.*

FRAGMENT, FRAGMENTAIRE → *livre, morceau.*

FRAGMENTATION, FRAGMENTER → *morceau, part.*

FRAI → *poisson, reproduction.*

FRAI → *monnaie.*

FRAÎCHEUR → *briller, froid, saison.*

FRAÎCHIR → *météorologie, vent.*

FRAIS → *briller, froid, informer, nouveau.*

FRAIS → *dépense, dommage.*

FRAISE → *fruit, peau.*

FRAISE → *cou, intestin.*

FRAISE, FRAISER → *trou.*

FRAISEUR, FRAISEUSE → *trou.*

FRAISIER → *plante.*

FRAISURE → *ouvrir.*

FRAMBOISE, FRAMBOISIER → *fruit, plante.*

FRAMBOISER → *vin.*

FRAMÉE → *tête.*

FRANC → *monnaie.*

FRANC → *entier, impôt, ouvrir.* — **Caractère franc.** Bonhomme, bonhomie ; brusque, brusquerie ; candide, candeur ; carré, carré en affaires ; catégorique ; confiant ; cordial, cordialité ; décidé ; direct ; droit, droiture ; expansif ; familier, familiarité ; ferme ; honnête, honnêteté, honnêteté foncière ; ingénu, ingénuité, ingénument ; innocent, innocence ; loyal, loyauté, loyalisme, loyalement ; naïf, naïveté ; naturel, le naturel ; net, netteté ; ouvert ; paysan du Danube ; primesautier ; probe, probité ; rectitude, rond, rondeur ; simple, simplicité ; sincère, sincérité ; spontané, spontanéité. ■ Être franc du collier/franc comme l'or ; avoir le cœur sur les lèvres/son francparler. — **Action, situation franche.** Agir sans arrière-pensée/sans façon/sans faiblir/sans hésiter/sans tergiverser, etc. ; être/mettre à l'aise ; aller droit au fait, n'y pas aller par quatre chemins (fam.) ; appeler un chat un chat ; avouer, aveu ; cartes sur table ; certain, certitude ; clair, clarté, clairement ; confiance, rapports confiants ; dire tout haut/tout bonnement/crûment/purement et simplement/tout uniment, dire en face, dire son fait à quelqu'un, ne pas mâcher ses mots ; écrire en toutes lettres/noir sur blanc ; explicite ; effusion, élan du cœur ; bonne foi, en toute bonne foi ; formel ; jouer franc jeu ; net, netteté ; ouvrir/décharger son cœur ; parler franc/sans ambages/sans détours/nettement/résolument/à cœur ouvert, etc. ; précis, précision ; pur, pureté ; recevoir sans cérémonies/sans façon/à la bonne franquette ; vrai, véridique, véracité.

FRANC-BORD → *navire.*

FRANC-BOURGEOIS → *féodalité.*

FRANCE → *pays, province.* — **Gaulois.** Cervoise, gui ; ambactes, barde, druide, vergobret ; braie, sagum, sayon, torque. ■ Le coq gaulois ; esprit gaulois, gauloiserie, égrillard, gaillard, grivois, leste, licencieux, etc. — **Français.** Langue française/latine/romane, ancien français, moyen français ; franciser, francisant ; francophile, francophone, gallophone ; gaulois, gallicisme. ■ Langue d'oc, provençal ; langue d'oïl, francien ; champenois, franc-comtois, lorrain, normand, picard, poitevin, wallon. — **Nord.** Lille. ■ Artois, artésien ; Cambrésis ; Flandre, flamand ; Gohelle ; Pévèle ; Picardie, picard ; Ponthieu ; Thiérache. — **Bassin parisien.** Paris ; Seine. ■ Beauce beauceron ; Brie, briard ; Gâtinais ; Hurepoix ; Ile-de-France ; Soissonnais ; Tardenois ; Valois ; Yvelines. — **Normandie-Maine.** Rouen, Le Mans ; Seine. ■ Bessin, Bray ; Calvados, Cotentin ; pays de Caux ; Perche ; Thimerais ; Vexin. — **Bretagne-Vendée.** Rennes, Nantes ; Massif armoricain, Montagne noire, monts d'Arrée. ■ Cornouaille, Léon, Morbihan, Penthièvre, sillon de Bretagne, Trégorrois ; Bocage, Gâtine, Marais breton, Retz. ■ Breton, réduit breton ; bas breton ; langue bretonne, le breton, la Bretagne bretonnante ; bigouden, biniou, etc. — **Centre.** Angers, Bourges, Orléans, Nevers, Tours ; Loire. ■ Anjou, angevin ; Berry, berrichon ; Bourbonnais ; Morvan, morvandeau ou morvandiau ; Nivernais ; Poitou, poitevin ; Sancerrois ; Sologne, solognot ; Touraine, tourangeau ; Val de Loire, les pays de la Loire. — **Massif central.** Clermont-Ferrand ; Puy-de-Dôme, Plomb du Cantal. ■ Aubrac ; Auvergne, auvergnat, fouchtra (fam.) ; Causses ; Cévennes, cévenol ; Combrailles ; Limagne ; Velay, vellave ; Vivarais. — **Sud-Ouest.** Bordeaux, Toulouse ; Pyrénées ; Garonne, Gironde. ■ Andorre, andorran ; Aquitaine ; Armagnac ; Béarn, Bigorre, bigourdan ; Bordelais ; Comminges ; Corbières ; Gascogne, gascon ; Guyenne ; Landes ; Languedoc ; Lauragais ; Médoc ; Pays basque, basque ou basquais, langue basque, euscara, euscarien ; Périgord, périgourdin ; Quercy ; Rouergue, rouergat ; Roussillon. — **Sud-Est.** Lyon, Marseille ; Alpes, alpin ; Rhône, le sillon rhodanien. ▪ Corse ; Dauphiné, Grésivaudan, Ubaye ; Provence, provençal, Côte d'Azur ; Savoie, savoyard, Chablais ; Vallée du Rhône, Camargue, Comtat, Crau, Tricastin, Vaucluse. — **Bourgogne-Jura.** Dijon ; Saône ; Auxois ; Bourgogne, bourguignon ; Beaujolais ; Charolais ; Côte-d'Or ; Forez ; Lyonnais ; Mâconnais. ▪ Bresse, bressan ; Bugey ; Dombes ; Revermont. — **Est.** Nancy, Metz, Strasbourg ; Vosges, vosgien ; Rhin, rhénan. ▪ Alsace ; Ardennes ; Argonne ; Bar, barrois ; Champagne humide/pouilleuse, champenois ; Côtes de Meuse ; Lorraine ; pays d'Othe ; plateau de Langres ; Saulnoy ; Vallage ; Xaintois ; Warndt ; Woëvre

FRANC-FIEF → *féodalité.*

FRANCHIR → *passer.*

FRANCHISE → *douane, droit, franc.*

FRANCIEN, FRANCIQUE → *langage.*

FRANCISCAIN → *monastère.*

FRANCISER → *France.*

FRANCISQUE → *symbole.*

FRANCISTE → *France.*

FRANCIUM → *métal.*

FRANC-JUGE → *tribunal.*

FRANC-MAÇON, FRANC-MAÇONNERIE, FRANC-MAÇONNIQUE → *secret.* — **Histoire.** Angleterre ; rose-croix ; franc-maçonnerie, maçonnerie, franc-maçon, maçon ; franc-maçonnerie opérative/spéculative ; Grande Loge de Londres, Ancient Masons, Modern Masons, Grande Loge unie. ▪ France : Grande Loge (anglaise) de France ; maîtres écossais ; Grand Orient ; Grande Loge nationale. ▪ Maçonnerie bleue/rouge/noire ; maçonnerie mystique ; martinistes, philalèthes ; le Grand Architecte. ▪ Ésotérisme, initiation, entraide, camaraderie, athéisme. — **Initiation maçonnique.** Profane, apprenti, se dépouiller des métaux, cabinet de réflexion, coq, lampe, pierre cubique, sablier, sel et soufre, squelette, testament ; temple, calice d'amertume, chaîne d'union, épée flamboyante, trois voyages. ▪ Emblèmes : compas, équerre, gants, niveau, truelle, tablier ; mot sacré, frère trois points, tuiler. — **Organisation et grades.** Grades du Grand Orient : apprenti, compagnon, maître ; élu, écossais, chevalier d'Orient, prince rose-croix ; conseil de l'ordre ; atelier, loge. ▪ Grades du rite écossais recherché : Grande Loge nationale de France ; maître écossais de Saint-André, écuyer, novice, chevalier bienfaisant de la Cité sainte ; Souverain Grand Comité des Grands Officiers ; Grand Prieuré des Gaules. ▪ Grades du rite écossais ancien et accepté : les trente-trois degrés ; loge de perfection/vénérable ; maître secret, maître élu des Neuf ; grand maître Architecte, grand élu de voûte sacrée, parfait et sublime maçon ; chapitre, chevalier rose-croix ; aréopage, chevalier Kadosch ; suprême conseil, grand inspecteur, inquisiteur, commandeur, sublime prince du royal secret, souverain grand inspecteur général ; suprême conseil de France, Grand Collège des Rites.

FRANCO → *franc, poste.*

FRANCOPHILE, FRANCOPHOBE, FRANCOPHONE → *France.*

FRANC-PARLER → *franc, libre.*

FRANC-TIREUR → *armée.*

FRANGE, FRANGER → *bord, décoration.*

FRANGIPANE → *amande.*

FRANQUETTE (À LA BONNE) → *franc, simple.*

FRAPPANT → *étonner.*

FRAPPE → *écrire, monnaie.*

FRAPPÉ → *boisson, folie.*

FRAPPER → *blesser, étonner, mal.* — **Atteindre d'un coup.** Appliquer/assener/donner/porter un coup, sans coup férir ; coup de bâton, bâtonner, bastonnade ; coup de fouet, fouailler, fouetter ; coup de hache, hacher ; coup bas, coup de Jarnac ; contrecoup, ricochet. ▪ Battre ; bourrade, bourrer de coups ; boxe, boxer ; brutaliser ; cingler ; cogner ; flageller ; frapper dur/fort/sec ; frapper des médailles/la monnaie ; fouet, fouetter ; fustiger ; gifle, gifler ; meurtrir, meurtrissure ; raclée, ramponneau (pop.), rosser, rossée (pop.) ; tabasser (pop.), taloche (pop.), tambouriner, tape, tapoter, torgnole (pop.), trempe (pop.), tripotée (pop.), volée (pop.), taper à bras raccourcis/comme une brute/à coups redoublés/comme un sourd/à tort et à travers/à tour de bras. — **Le choc.** Abordage, aborder ; accrochage, accrocher ; achopper, achoppement, chopper, choppement ; avalanche ; brisement des flots, se briser, ressac ; cahot ; caramboler ; choc, antichoc, parechoc, s'entrechoquer, se cogner, cogner ; collision ; casser, coup de boutoir/de bélier ; choc de front/de plein fouet ; heurt, heurter, heurtoir, s'entre-heurter ; impact ; tamponner, voiture tamponneuse ; télescoper, télescopage. — **Résultat du choc.** Bosse, bosseler, cabosser ; bris, briser ; cassure, casser, casse (fam.) ; commotion, contusion ; contus, contondant ; cotir, coti ; ecchymose ; éclat, éclatement ; fêlure, fêlé, fêler; fracture, fracturer; fracas, fracasser; hématome; œil au beurre noir; plaie; traumatisme, traumatiser; trou, trouer; tuer. — **Frapper moralement.** Affecter; blesser, blessure; choquer, choc moral; commotionner, commotion; émouvoir, émotionner (fam.), émotion; étonner; frapper de crainte / d'effroi / d'épouvante / d'horreur/de stupeur/de consternation; événement frappant; imposer, imposant; impressionner, impressionnant, faire grosse/forte impression; méduser; saisir, saisissement; surprendre, surprise, surprenant. ■ Affliger, affliction; appesantir son bras/sa main; châtier, châtiment; condamner, condamnation; jeter l'anathème; punir, punition.

FRASQUE → *folie, irrégulier.*

FRATERNEL → *aimer, famille.*

FRATERNISER, FRATERNITÉ → *accord, aimer.*

FRATRICIDE → *crime.*

FRAUDE, FRAUDER → *impôt, tromper, voler.*

FRAUDEUR, FRAUDULEUX → *tromper.*

FRAYER → *lier, ouvrir, poisson.*

FRAYÈRE → *poisson.*

FRAYEUR → *peur.*

FREDAINE → *folie.*

FREDONNEMENT, FREDONNER → *chanter.*

FREEZER → *froid.*

FRÉGATE → *navire.*

FREIN, FREINAGE, FREINER → *arrêter, automobile, cheval, résister.*

FREINTE → *manque.*

FRELATÉ, FRELATER → *alcool, mêler, vin.*

FRÊLE → *durer, faible.*

FRELON → *insecte.*

FRELUQUET → *homme, petit.*

FRÉMIR, FRÉMISSANT, FRÉMISSEMENT → *bouillir, remuer.*

FRÊNAIE, FRÊNE → *arbre, bois.*

FRÉNÉSIE, FRÉNÉTIQUE → *folie, passion.*

FRÉON → *froid.*

FRÉQUENCE, FRÉQUENT → *nombre, radio.*

FRÉQUENTATION, FRÉQUENTER → *aimer, relation.*

FRÈRE, FRÉROT → *âge, famille, monastère.*

FRESQUE, FRESQUISTE → *littérature, peinture.*

FRESSURE → *intérieur.*

FRET → *commerce.*

FRÉTER, FRÉTEUR → *location.*

FRÉTILLANT, FRÉTILLER → *joie, remuer.*

FRETIN → *futile, poisson.*

FRETTE → *cercle.*

FREUDIEN, FREUDISME → *psychanalyse, psychologie.*

FRIABILITÉ, FRIABLE → *poudre.*

FRIAND → *aimer, goût.*

FRIAND → *pâtisserie.*

FRIANDISE → *confiserie.*

FRIC → *argent.*

FRICANDEAU → *porc.*

FRICASSÉE, FRICASSER → *cuisine.*

FRICATIF → *son.*

FRIC-FRAC → *voler.*

FRICHE → *abandon, végétation, vide.*

FRICHTI, FRICOT → *manger.*

FRICOTER, FRICOTEUR → *gagner.*

FRICTION, FRICTIONNER → *cheveu, désaccord, toucher.*

FRIGIDE, FRIGIDITÉ → *froid, sexe.*

FRIGO → *froid.*

FRIGORIFIER, FRIGORIFIQUE, FRIGORISTE → *froid.*

FRILEUX → *froid.*

FRIMAIRE → *calendrier.*

FRIMAS → *froid, météorologie, saison.*

FRIME → *futile, tromper.*

FRIMOUSSE → *visage.*

FRINGALE → *faim.*

FRINGANT → *vif.*

FRINGUER, FRINGUES → *vêtement.*

FRIPER → *pli.*

FRIPERIE, FRIPIER → *commerce.*

FRIPON, FRIPONNERIE → *tromper.*

FRIPOUILLE → *mal, tromper.*

FRIRE → *cuisine.*

FRISANT → *lumière.*

FRISE → *architecture.*

FRISE → *tissu.*

FRISÉ → *cheveu, tourner.*

FRISER → *cheveu, toucher, tourner.*

FRISETTE → *cheveu.*

FRISON, FRISOTTER → *cheveu.*

FRISQUET → *froid.*

FRISSON, FRISSONNER → *crispation, fièvre, froid, remuer.*

FRISURE → *cheveu.*

FRITE, FRITERIE, FRITEUSE → *cuisine, huile.*

FRITTAGE, FRITTE → *poudre, verre.*

FRITURE → *cuisine.*

FRIVOLE, FRIVOLITÉ → *futile.*

FROC → *monastère, vêtement.*

FROID → *calme, insensible, montagne, météorologie.* — **La froideur du temps.** Froid, la froidure; il fait froid/frisquet/frigo (pop.), vague de froid; froid humide / sec / polaire / sibérien; froid âpre/cuisant/mordant/pénétrant/piquant/terrible/vif/qui pince/qui pique/qui saisit; un froid noir (fam.)/ de canard (fam.)/de chien (fam.)/de loup (fam.)/de tous les diables (fam.). ▪ Abaissement de la température, basse température, le thermomètre baisse/descend au-dessous de zéro; fraîcheur, frais, prendre le frais, se promener à la fraîche; frimas; giboulée; givre, givrer, brouillard givrant; hiver rigoureux/rude, la saison froide, hivernal; vent froid, vent du nord, aquilon, bise. — **Neige.** Avalanche, cône/couloir d'avalanche; chasse-neige; flocon, neiger à gros flocons; fonte des neiges, débâcle; neige, neigeux, nival, nivo-glaciaire, nivo-pluvial; chute de neige, la neige tombe; neiges éternelles, névé; neige poudreuse / molle / tôlée / artificielle; snow-boot. ▪ Esquimau, igloo, luge, ski, raquette, traîneau. — **Glace.** Banquise; débâcle, embâcle; décongeler, dégeler, dégivrer, déglacer; ferrer à glace, crampons; gel, geler, gelée blanche; glace, glacé, rétention glaciaire, glacial; glacier, sérac; glaçon, cube de glace, bac à glaçons; grêle, grêlon, grêler, canon antigrêle; grésil, grésiller; iceberg; pic à glace, piolet; verglas, verglacer. ▪ Glisser, glissade, glissoire; patiner, patinage, patinoire; bobsleigh, hockey sur glace, « holiday on ice ». — **Effets du froid.** Algidité, algide; brr!; buée; chair de poule; claquer des dents; coaguler, coagulation; condenser, condensation; crevasser la peau, crevasse, engelure, onglée; engourdir, engourdissement, gourd; fendre les arbres/les canalisations, geler à pierre fendre; figer un liquide, figement; frigorifier; frissonner, frisson; gélivure, arbre gélif; gelure; grelotter; marbrer la peau, marbrure; morfondu; refroidir, refroidissement, attraper un rhume/un chaud et froid; saisir, être saisi; transir, transi; trembler de froid, trembloter, tremblement; visage bleu/blanc/pâle/rouge/violacé/violet de froid. — **Contre le froid.** Amiante, laine de verre; antigel; battre la semelle; bouillotte, boule, brique; calfeutrage, calorifugeage; chauffer, chauffage; conditionner; craindre le froid, être frileux; couverture, se couvrir; s'emmitoufler; feu, allumer le feu; souffler dans ses doigts; vêtement chaud/doublé/fourré, fourrure, cache-nez, passe-montagne, etc. — **Production et utilisation du froid.** Alcarazas, gargoulette; climatiseur, climatiser, climatisation; congeler, congélation, congélateur; cryodessiccation, cryogénie, mélange cryogène, cryothérapie; décongeler, dégeler; frapper, boisson frappée, seau à glace; freezer; Frigidaire (nom déposé), frigorifier; frigorifique, armoire/chaîne/entrepôt/machine/navire/wagon frigorifique, frigo (pop.), réfrigérateur à absorption/à compression, chambre froide; frigorifère, frigoriste, monteur frigoriste fluide frigorigène/frigorique, anhydride sulfureux, ammoniac, chlorure de méthyle, fréons; frigothérapie; glacer, glace, glacière, cube, pain de glace; hibernation artificielle; isotherme; neige carbonique; rafraîchir, rafraîchissement; réfrigérer, réfrigérateur, mélange réfrigérant; refroidir, refroidissement; surgeler; ventiler, ventilation, ventilateur, éventail; vernalisation ou printanisation. — **Froideur de sentiments.** Abstrait; accueil froid, accueillir fraîchement/froidement; austère, austérité; calculs froids, colère/rage froide; détaché, détachement; distant, distance, garder / tenir ses distances; dur, dureté; flegmatique, flegme; froid, battre froid, cela me laisse froid/ne me fait ni chaud ni froid, rester froid / de glace; glacé, glacial; grave, gravité; impassible, impassibilité; imperturbable; indifférent, indifférence; insensible, insensibilité; poser, pose; pisse-froid (pop.); répondre du bout des lèvres/sans chaleur; réservé, réserve; sang-froid, froidement, de sang-froid, de propos délibéré, après réflexion; sec, sécheresse; sérieux; sévère, sévérité; tiédeur, tiède.

FROIDEUR → *insensibilité.*

FROIDURE → *froid.*

FROISSEMENT, FROISSER → *blesser, muscle, offense, pli.*

FROISSURE → *pli.*

FRÔLEMENT, FRÔLER → *bruit, caresse, toucher.*

FROMAGE → *lait, travail.*

FROMAGER, FROMAGERIE → *lait.*

FROMENT, FROMENTAL → *blé.*

FRONCE, FRONCEMENT, FRONCER, FRONCIS → *couture, crispation, pli.*

FRONDAISON → *bois, feuille.*

FRONDE → *jeter, jouer.*

FRONDER, FRONDEUR → *critique, moquer.*

FRONT → *armée, avant, parti, résister, tête.*

FRONTAIL → *armure.*

FRONTAL → *tête.*

FRONTALIER → *douane, finir.*

FRONTALITÉ → *sculpture.*

FRONTEAU → *vêtement.*

FRONTIÈRE → *finir, pays.*

FRONTIGNAN → *vin.*

FRONTISPICE → *avant, graver, livre.*

FRONTON → *architecture, balle, maison.*

FROTTEMENT, FROTTER → *briller, frapper, polir, toucher.*

FROTTEUR → *polir.*

FROTTIS → *peinture.*

FROUFROU, FROUFROUTER → *doux, vêtement.*

FROUSSARD, FROUSSE → *peur.*

FRUCTIDOR → *calendrier.*

FRUCTIFÈRE, FRUCTIFICATION, FRUCTIFIER → *fruit, produire.*

FRUCTOSE → *sucre.*

FRUCTUEUX → *gagner, produire.*

FRUGAL, FRUGALITÉ → *simple.*

FRUGIVORE → *fruit.*

FRUIT → *arbre, grain, mer, noyau, pomme.* — **Description.** Agrumes, aigrette, akène, arille, baie, brou, capsule, carpelle, caryopse, chair, cloison, cœur, columelle, coque, coquille, corymbe, côte, couronne, cupule, déhiscent, indéhiscent, diaphragme, drupe, écale, écorce, élatérie, épi, fleur, gousse, graine, grappe, induvie, locule, loge, noyau, peau ou épicarpe, pédoncule, pépin ; péricarpe charnu/sec, endocarpe, mésocarpe ; pruine, pulpe, pyxide, quartier, queue, rafle, samare, silique, strobile, sycone, tégument, trochet, valve. ▪ Fructose, peptine, suc, vitamine. — **État et goût du fruit.** Fruit avancé/meurtri/piqué / pourri / taché / talé / tavelé / véreux ; fruit mûr/blet/éclaté ; fruit vert, verdeur ; peau duvetée/lisse/rugueuse/veloutée. ▪ Fruit aqueux/cotonneux / farineux / fondant / graveleux / grumeleux / juteux / pierreux ; fruit acide/aigre/aigrelet/amer/doux/odorant / parfumé / savoureux / sucré / sur/suret/suri ; fruité. — **Production des fruits.** Aoûtement ; arboriculteur, arboriculture ; caprification des figuiers ; carpologie ; se cotonner ; couler, coulure ; cueillir, cueillette, cueille-fruit, sécateur ; distiller, distillation, alcool de fruits ; forçage ; fructification ; frugifère ; fruitier, fruitière, fruiterie ; gauler, gaule ; geler, gel ; maturation, maturité, mûrir ; se nouer, nouaison, nouure ; pomiculture, pomologie ; primeurs, fruits précoces ; récolter, récolte ; serre ; tomber ; traiter les arbres ; vendanger, vendanges ; véraison ; ver, véreux ; verger. — **Utilisation des fruits.** Beignet, cake, charlotte, clafoutis, compote, confiture, conserves ; fruits confits, confits, candis ; fruits secs, mendiant ; gelée, jus, marmelade, macédoine, rob, salade, sirop, tarte. ▪ Consommer, consommation ; croquer un fruit ; dénoyauter ; éplucher, peler ; laver ; mordre dans ; presser. — **Principaux fruits de nos pays.** Abricot, airelle, alberge, alise, amande, arbouse, aubergine, aveline, azerole, balise, bigarade, bigareau, brugnon, caroube, cassis, cédrat, cerise, châtaigne, citrouille, cognasse, coing, concombre, corme, cornouille, courge, épine-vinette, faine, figue, fraise, framboise, gland, gratte-cul, grenade, groseille, jujube, kaki, lime, mancenille, marron, melon, mirabelle, mûre, myrtillo, nèfle, noisette, noix, olive, pastèque, pavie, pêche, piment, pistache, poire, poivron, pomme, potiron, prune, prunelle, raisin, sorbe, tomate, vanille. — **Principaux fruits exotiques.** Ananas, averrhoa, avocat, arbre à pain, badamier, banane, cabosse, caïmite, casimiroa, chérimole, corossol, cerise de Cayenne/de Tahiti, datte, durian, féijoa, figue de Barbarie, goyave, groseille des Barbades, grumichama, jaboticaba, jacquier, jamelac, jamelongue, kaki, litchi, mangue, mangoustan, mombin, noix de cajou/de coco/du Brésil, papaye, passiflore, pomme-cannelle, pomme-rose, sapote, sapotille, soump, tamarin, etc.

FRUITÉ → *huile, vin.*

FRUITERIE, FRUITIER → *fruit, marchandises.*

FRUSQUES → *vêtement.*

FRUSTE → *grossier.*

FRUSTRATION, FRUSTRATOIRE, FRUSTRER → *enlever, manque, psychologie, tromper.*

FUCHSIA → *fleur, plante.*

FUCHSINE → *rouge.*

FUCUS → *algue.*

FUEL-OIL, FUEL → *pétrole.*

FUGACE, FUGACITÉ → *durer, fuir, temps.*

FUGITIF → *durer, fuir.*

FUGUE → *fuir, musique.*

FUGUEUR → *fuir.*

FÜHRER → *chef.*

FUIR, FUITE → *liquide, secret.* — **S'éloigner avec hâte.** S'en aller ; se barrer (pop.) ; battre en retraite ; brûler la politesse/les étapes ; caleter (pop.) ; se carapater (pop.) ; cavalcade ; se cavaler (pop.) ; courir, course ; se débander, débandade, débâcle ; se débiner (pop.) ; décamper, ficher le camp (pop.) ; décaniller (pop.) ; déguerpir ; départ ; déroute, panique, sauve-qui-peut ; détaler, détaler comme un lapin (fam.) ; disparaître, disparition ; se disperser ; s'échapper, échappée ; farouche, s'effaroucher ; s'égailler ; s'enfuir ; s'envoler, envol ; s'esbigner (pop.) ; escapade ; s'évader, évasion, évadé ; filer, à l'anglaise/en douce (fam.) ; fugue ; fuir, fuir sans demander son reste, fuite, fuite éperdue/honteuse/précipitée/rapide, etc., fugace, fugitif, fuyard ; gagner le large ; lever le camp ; mettre les bouts (pop.) ; partir ; prendre la fuite/ses jambes à son cou (fam.)/le large/du large/la poudre d'escampette (fam.)/ses cliques et ses claques (fam.) ; sauvage, sauvagerie ; se tirer (pop.) ; vider les lieux. — **Fuir une difficulté, un danger.** Abandonner, abandon ; couper à (fam.) ; se défiler (fam.) ; se dérober, dérobade ; déserter, désertion, déserteur ; disparaître, disparition ; se dispenser de ; s'éclipser ; éluder ; escamoter, escamotage ; esquiver, esquive ; s'exempter, exemption, exempt ; éviter ; excuse ; faux-fuyant ; filer ; frauder ; lâcher pied ; lever le pied ; mettre la clef sous la porte, prendre la clef des champs/la tangente (fam.) ; prétexter, prétexte ; quitter, quitter son poste ; réchapper de ; reculer, reculade ; se récuser ; se replier ; se sauver, être sauf/sain et sauf ; se soustraire à ; tire-au-flanc (fam.) ; subterfuge ; se tirer de ; tourner la difficulté. — **S'échapper, laisser échapper.** Couler, déperdition ; dissiper ; échapper, échappement de vapeur ; écouler, écoulement ; fente, fissure ; fuir, fuite d'eau/de gaz ; gicler, jaillir, geyser, jet ; indiscrétion ; lâcher ; passer ; perdre, perte ; pisser (pop.) ; soupape, pièce, rustine, etc. — **Faire fuir.** Battre ; chasser, chasse ; déloger ; disperser, dispersion ; écarter ; effaroucher ; effrayer ; éloigner ; expulser, expulsion ; mettre en déroute/en fuite ; persécuter, persécution ; poursuivre quelqu'un, poursuite ; repousser ; vider quelqu'un (pop.). ▪ Centrifuge, ignifuge, fébrifuge, vermifuge.

FULGURANT → *briller, durer, frapper, vitesse.*

FULGURATION, FULGURER → *briller.*

FULIGINEUX → *fumée.*

FULMICOTON → *exploser.*

FULMINANT, FULMINATION, FULMINER → *colère, exploser.*

FULMINIQUE → *exploser.*

FUMAGE, FUMAISON → *fumée, garder.*

FUMANT → *étonner, fumée.*

FUMÉ → *photographie.*

FUME-CIGARETTE, FUME-CIGARE → *tabac.*

FUMÉE, FUMER → *brûler, cerf, futile, tabac.* — **Produire de la fumée.** Bois vert, cendres ; bouche/conduit de fumée ; bouillir ; cheminée ; cracher de la fumée ; encenser, encensoir ; enfumer, lieu enfumé ; feu, foyer ; fumeron ; fumigateur, fumigation, fumigatoire ; fumiste, fumisterie ; appareil/obus/pot fumigène ; appareil/foyer fumivore. ▪ Herbes, eucalyptus, haschisch, marijuana, opium, tabac. — **Sortes de fumées.** Buée ; exhalaison ; fumée fine/légère/épaisse/opaque/à couper au couteau (fam.), fumée âcre / étouffante / irritante / suffocante. ▪ Bouffée/flocons/flots/nuage/panache/ torrents/ tourbillons/ volutes de fumée ; la fumée monte/se rabat/tourbillonne ; fumerolle ; fumet ; fumeux ; haleine ; poussière ; vapeur, vaporiser. — **Suie.** Charbon, charbonner ; fuligineux ; noir de fumée ; ramoner, ramoneur, ramonage, hérisson. — **Traiter à la fumée.** Boucaner, boucanage, boucan ; fumage, fumaison, fumure ; goût de fumée, vin fumé ; poisson fumé, hareng, saumon, truite, etc. ; saurer, saurissage, hareng saur, saurin, sauris ; terre fumée ; viande fumée : jambon, lard, pemmican, saucisse, saucisson, etc.

FUMER → *engrais.*

FUMERIE → *tabac.*

FUMEROLLE → *fumée, volcan.*

FUMERON → *fumée.*

FUMET → *chasse, nez, vin.*

FUMEUR → *tabac.*

FUMEUX → *fumée, obscur.*

FUMIER → *bétail, engrais.*

FUMIGATEUR, FUMIGATION, FUMIGATOIRE, FUMIGÈNE → *fumée.*

FUMISTE, FUMISTERIE → *fumée.*

FUMISTE, FUMISTERIE → *futile.*

FUMIVORE, FUMOIR → *tabac.*

FUMURE → *engrais.*

FUNAMBULE, FUNAMBULESQUE → *corde, étonner, spectacle.*

FUNÈBRE, FUNÉRAILLES, FUNÉRAIRE → *enterrement, mourir, triste.*

FUNESTE → *malheur, prévoir.*

FUNICULAIRE → *train.*

FURET → *chasse, jouer, ronger.*

FURETER, FURETEUR → *chercher.*

FUREUR → *colère, passion, violence.*

FURIBARD, FURIBOND → *colère.*

FURIE, FURIEUX → *colère, violence.*

FURIOSO → *violence.*

FURONCLE, FURONCULOSE → *peau, tumeur.*

FURTIF → *cacher.*

FUSAIN, FUSAINISTE → *dessin.*

FUSANT → *exploser.*

FUSEAU → *dentelle, fil, temps, vêtement.*

FUSÉE → *fil, horlogerie, roue.*

FUSÉE → *arme, exploser, projectile.*

FUSELAGE → *aviation.*

FUSELÉ, FUSELER → *maigre.*

FUSER → *exploser, liquide.*

FUSETTE → *fil.*

FUSIBILITÉ, FUSIBLE → *liquide, métal, mou.*

FUSIBLE → *électricité.*

FUSIL → *aiguiser, arme, chasse, guerre.* — **Parties du fusil.** Ame ; amorce ; auget ; bascule ; bouche ; bretelle ; busc ; canon lisse/cannelé/rayé ; chargeur ; chien ; cran d'arrêt ; crosse ; culasse, culasse mobile ; détente; éjecteur automatique; extracteur; frein de bouche; frette; fût; gâchette; grenadière; guidon; hausse, curseur; levier d'armement; magasin; mire, ligne de mire; œilleton; percussion, percuteur; plaque de couche; platine; pontet; quillon; silencieux; sous-garde; sureté; tube, tonnerre; verrou; visière de tir. ■ Baïonnette, bretelle, cartouchière, giberne, lunette de précision. — **Sortes de fusils.** Canardière; carabine, carabine à air comprimé / automatique / Winchester/ 7,62 mm/22 long rifle; flingue (pop.); fusil de guerre automatique/à répétition, fusil lance-grenades; fusil de chasse à broche/calibre 12 / 16 / 20, choke/choke-bore/à deux coups/à canons superposés/hammerless; fusil mitrailleur (F.M.), bipied, épaulière, béquille; fusil sous-marin à sandows/ à ressorts/à flèches/à harpon/à trident; mousqueton; pétoire (pop.); rifle. — **Armes anciennes.** Arquebuse à croc/à mèche/à rouet, arquebusade; biscaïen; chassepot; couleuvrine; escopette, escopetterie; espingole; fusil à aiguille/à capsule/à pierre/ à piston/à silex/à tabatière/Gras/Lebel/Mauser; haquebute; mousquet, mousqueterie; tromblon. ■ Baguette, bassinet, batterie, cheminée. — **Pistolet.** Barillet; browning; chargeur; colt; coup-de-poing; étui; fontes; pistolet d'alarme/d'arçon/à bascule/ d'ordonnance/de précision/de tir; pistolet mitrailleur (P.M.), mitraillette. — **Utilisation du fusil.** Ajuster; armer; braquer son arme; brûler la cervelle; canarder (fam.); coup de feu/ de fusil, pan!; décharger; détonation; épauler; faire feu, feu!, feu à volonté!, ouvrez le feu!, feu nourri, feu de file/ de peloton, feux croisés; faire mouche; fusiller, fusillade; lâcher le coup; maniement d'armes, présenter les armes, présentez armes!; mettre en joue; mousqueterie; rafale; rater, raté; recul; salve; tir à la cible/au pigeon, champ/stand de tir, tir à blanc; tirer, tirer à bout portant/à l'affût/au jugé/au vol, tirailler, tireur, tireur d'élite; viser. ■ Démontage, écouvillon, graisse, lavoir, tire-bourre; faisceau, formez les faisceaux!; fusil en bandoulière/à la bretelle/crosse en l'air.

FUSILIER → *infanterie.*

FUSILLADE → *tirer.*

FUSILLER, FUSILLEUR → *mourir.*

FUSION → *chaleur, liquide, mêler.*

FUSIONNEMENT, FUSIONNER → *mêler.*

FUSTIBALE → *jeter.*

FUSTIGATION, FUSTIGER → *critique, frapper.*

FÛT → *arbre, colonne, fusil, tonneau.*

FUTAIE → *arbre.*

FUTAILLE → *tonneau.*

FUTAINE → *tissu.*

FUTÉ → *subtil, tromper.*

FUTÉE → *fermer.*

FUTILE, FUTILITÉ → *facile.* — **Propos futile.** Bavarder, bavardage; balivernes; billevesées; boutade; calembredaines; cancans; caqueter, caquetage; commérage; conte, conte à dormir debout; enfantillage; enfiler des perles; fadaises, fadeurs; fariboles; paroles inconsidérées; mondanités; mot en l'air; on-dit; parler en l'air/ pour ne rien dire; racontars; ragot; serment d'ivrogne; sornettes; (propos) superfétatoire; verbiage. — **Écrit, objet sans valeur.** Babiole; bagatelle; bêtise; bibelot, bimbeloterie; bricole; brimborion; chiffon de papier; colifichet; fétu; frime; frivolité; gadget; gnognote (pop.); hochet; hors-d'œuvre; lettre morte; oripeau; petite bière (fam.); poudre de perlimpinpin (fam.); rien; superflu. — **Esprit, personne futile.** Badaud, badauder; bon à rien; cerveau creux, songe-creux; cinquième roue du carrosse (fam.); écervelé; espiègle, espièglerie; bel esprit; farfelu; fol, fou, foufou (fam.), follet; menu fretin; frivole, frivolité; fumiste, fumisterie; futile; inanité; insignifiant, insignifiance; léger, légèreté; mouche du coche; nul, nullité; oiseaux; plaisantin; puéril; rigolo (pop.); snob, snobinard (pop.); superficiel; vain, vanité, vaniteux; vide; zéro. — **Action futile.** Amuser le tapis/la galerie, amusette, amuse-gueule; badiner; baguenauder; bêtise; bricoler, bricolage, bricoleur; broutille, s'amuser à des broutilles; châteaux en Espagne; chinoiser, chinoiserie, couper les cheveux en quatre; ergoter; faire l'enfant, enfantillage, faire mumuse (pop.); feu de paille; fumée; mirage; se noyer dans un verre d'eau; musarder, muser; se perdre dans les détails, perdre son temps; se promener, promenade.

FUTUR → *destin, engager, grammaire, prévoir, temps.*

FUYANT → *cacher, dessin, éloigner.*

FUYARD → *fuir, guerre.*

GABARDINE → *pluie, tissu, vêtement.*

GABARE → *marchandises.*

GABARIT → *forme, mesure.*

GABEGIE → *dépense.*

GABELLE, GABELOU → *douane, impôt.*

GABIER → *marine.*

GABION → *vannerie.*

GABLE → *porte.*

GÂCHE → *maçonnerie, porte, serrure.*

GÂCHER → *dommage, maçonnerie.*

GÂCHETTE → *fusil, serrure.*

GÂCHIS → *boue, dépense, dommage, maçonnerie, obscur.*

GADGET → *futile.*

GADOUE → *boue, engrais.*

GAFFE, GAFFER → *faute, prendre, sot, tirer.*

GAFFEUR → *gauche.*

GAG → *cinéma, rire.*

GAGA → *vieillesse.*

GAGE → *certifier, devoir, engager, jouer, prêter.*

GAGER → *engager.*

GAGEURE → *difficile, engager.*

GAGISTE → *prêter.*

GAGNANT → *jouer.*

GAGNE-PAIN → *fonction, métier, ressource, travail.*

GAGNE-PETIT → *métier.*

GAGNER → *argent, avantage, payer, progrès, venir.* — **Gagner de l'argent.** Appointements ; avantage en argent/en nature/bénéfice net/brut, gros/maigres bénéfices, être bénéficiaire ; boni ; cachet ; commission ; dessous-de-table ; dividende ; économiser, économies ; émoluments ; s'enrichir, enrichissement ; faire son beurre (fam.)/sa pelote ; exploiter ; fixe ; tricoter ; fruit, faire fructifier, fructueux ; gages ; gagner davantage/moins/plus ; gagner bien/gros/largement ; gagner son pain, gagne-pain, gagner sa croûte (fam.)/sa vie ; amour/appât/appétit/passion/soif du gain ; grappiller ; gratification, gratte (pop.) ; honoraires ; intérêt, intéresser à, intérêts ; joindre les deux bouts ; lucre, lucratif ; pécule ; perte, manque à gagner ; être au pair/aux pièces ; prime ; produit ; profit ; rapiner, rapine ; rapporter, rapport, d'un bon rapport ; récolter, récolte ; rémunération ; rendement, rendre, faire rendre ; rétribution, être rétribué ; revenu ; ristourne ; salaire ; solde ; temporel, casuel ; tirer avantage/profit/parti ; toucher ; traitement ; usure ; vacation ; vente, vendre. — **Gagner quelque chose.** Acheter, achat ; acquérir, acquisition, acquêt, acquéreur ; arracher ; arriver à/à ses fins/au terme de ses efforts ; attraper ; aubaine ; butin ; chantage, faire chanter ; capter, manœuvre captatoire ; se concilier l'estime de ; conquérir, conquérant, conquête ; cueillir ; décrocher le gros lot (fam.) ; s'emparer de ; emporter d'assaut/de vive lutte ; être exaucé ; extorquer ; gagner, obtenir gain de cause ; glaner ; impétrant ; mériter, mérite ; mettre la main sur ; moisson, moissonner ; obtenir, obtention ; parvenir à ; prendre, prise ; se procurer ; ramasser ; réaliser ses ambitions/ses rêves ; recueillir ; remporter ; réussir, réussite, succès ; se saisir de ; surprendre ; toucher au but ; trophée. ■ Dévolu, échu, héritage, lot, etc. — **Gagner à un jeu.** Battre ; billet gagnant ; décaver ; décrocher le gros lot/la timbale ; dépasser, devancer, doubler ; empocher ; l'emportor, d'une longueur/d'une tête ; encaisser ; enlever un prix ; être chanceux, chance ; faire le point ; gagner, gagnant, gagneur, gagner le match/un pari/la partie, gagner haut la main/les doigts dans le nez (pop.), regagner ; martingale ; nettoyer le tapis ; prendre l'avantage/le meilleur ; rafler les enjeux ; réussir le schelem/le tiercé, etc. ; ramasser le pot ; remporter le prix ; faire sauter la banque, banco ! ; triompher, avoir le triomphe modeste ; vaincre, victoire, victorieux ; veine, être en veine, avoir de la veine, veinard, veine de cocu (fam.)/de pendu (fam.). — **Gagner quelqu'un.** Amadouer ; appâter, appât ; s'attirer ; caresser, caresses ; circonvenir ; conquérir, conquête ; convaincre, emporter la conviction ; convertir, conversion, prosélytisme ; corrompre, corruption, pot-de-vin ; gagner la confiance/les cœurs/l'estime/les faveurs/les suffrages/les voix ; persuader, user de persuasion, ton persuasif ; plaire ; bons procédés ; rallier, ralliement ; séduire, séduisant, séducteur, séduction ; tenter, tentateur.

GAGNEUR → *réussir, volonté.*

GAI, GAIETÉ → *joie, rire.*

GAILLARD → *forcce, libre, santé.*

GAILLARD → *navire.*

GAILLARDISE → *joie, libre.*

GAILLETIN → *charbon.*

GAIN → *avantage, gagner, payer, réussir.*

GAINE → *couvrir, feuille, fortification, vêtement.*

GAINE-CULOTTE → *vêtement.*

GAINER → *couvrir.*

GALA → *fête.*

GALACTIQUE → *astronomie.*

GALACTOGÈNE, GALACTOMÈTRE, GALACTOPHORE → *lait.*

GALACTOSE → *sucre.*

GALALITHE → *plastique.*

GALANDAGE → *mur.*

GALANT, GALANTERIE → *aimer, manière.*

GALANTINE → *cuisine.*

GALAXIE → *astronomie, soleil.*

GALBE → *forme.*

GALBE, GALBÉ, GALBER → *courbe, forme, jambe.*

GALÉJADE, GALÉJER → *moquer.*

GALÈNE → *radio.*

GALÉNIQUE → *médicament.*

GALÈRE → *bateau, peine, travail.*

GALERIE → *art, passer, spectacle.*

GALÉRIEN → *peine, travail.*

GALET → *pierre, roue.*

GALETAS → *habiter.*

GALETTE → *argent, pâtisserie.*

GALEUX → *mal.*

GALIBOT → *charbon, mine.*

GALIMATIAS → *obscur.*

GALIOTE → *bateau.*

GALIPETTE → *jouer, sauter.*

GALLE → *plante.*

GALLICAN, GALLICANISME → *pape.*

GALLICISME → *langage.*

GALLICOLE → *plante.*

GALLINACÉS → *oiseau.*

GALLIUM → *métal.*

GALLON → *mesure.*

GALLUP → *informer.*

GALOCHE → *chaussure, visage.*

GALON, GALONNER → *décoration, grade.*

GALOP → *cheval, danse.*

GALOPADE, GALOPER → *course, vitesse.*

GALOPIN → *enfant.*

GALOUBET → *instrument.*

GALURIN → *chapeau.*

GALVANISATION, GALVANISER → *électricité, passion, zinc.*

GALVANOCAUTÈRE → *chirurgie.*

GALVANOMÈTRE, GALVANOPLASTIE → *électricité.*

GALVANOTYPE → *typographie.*

GALVANOTYPIE → *graver.*

GALVAUDER, GALVAUDEUX → *exécuter, vagabond.*

GAMAY, GAMET → *vin.*

GAMBADE, GAMBADER → *joie, sauter.*

GAMBETTE → *jambe.*

GAMBILLE, GAMBILLER → *danse, jambe.*

GAMBIT → *échecs.*

GAMELLE → *vaisselle.*

GAMÈTE → *reproduction.*

GAMIN, GAMINERIE → *enfant.*

GAMMA → *rayon.*

GAMMÉ → *croix.*

GAMOPÉTALE, GAMOSÉPALE → *fleur.*

GANACHE → *cheval, sot.*

GANDIN → *affectation, jeune.*

GANG → *groupe, voler.*

GANGLION → *glande, nerf.*

GANGRÈNE, GANGRENER, GANGRENEUX → *détruire, maladie.*

GANGSTER, GANGSTÉRISME → *voler.*

GANGUE → *couvrir, métal.*

GANSE, GANSER → *couture, décoration.*

GANT → *balle, main, vêtement.*
GANTELET → *armure.*
GANTER, GANTERIE, GANTIER → *main.*
GARAGE, GARAGISTE → *automobile, réparer.*
GARANCE, GARANCIER, GARANCIÈRE → *rouge.*
GARANT → *assurance, confiance.*
GARANTIE, GARANTIR → *assurance, certifier, défendre, engager.*
GARCE → *femme.*
GARCETTE → *corde.*
GARÇON → *enfant, homme, servir.*
GARÇONNE → *femme.*
GARÇONNET → *enfant.*
GARÇONNIÈRE → *manière.*
GARÇONNIÈRE → *habiter.*
GARDE → *agent, armée, défendre, escrime, garder.*
GARDE-BARRIÈRE → *train.*
GARDE-COTE → *douane, navire.*
GARDE-FOU → *défendre.*
GARDE-MANGER → *garder, manger, meuble.*
GARDÉNIA → *fleur, plante.*
GARDEN-PARTY → *fête.*
GARDER → *aliment, défendre, fermer, prison.* — **Action de garder.** Aposter quelqu'un ; faire attention ; barricader ; conserver, mettre en conserve, conservation ; consigne, consigner, consignation ; contrôler, avoir sous son contrôle ; défendre, défense ; détenir, détention, détenu ; emmagasiner ; enfermer ; entreposer ; escorter ; garder, garder par devers soi/dans la mémoire/comme une relique ; garde, avoir la garde de, être sous bonne garde, garde à vue ; guetter, prendre en filature, filer ; maintenir, maintien ; mettre de côté/en sûreté/en lieu sûr/sous scellés/sous séquestre ; poire pour la soif ; prendre des précautions ; préposer à ; préserver, préservation, préservatif ; prévention ; protéger, protection ; faire des provisions/des réserves ; receler, recel, receleur ; retenir, rétention ; sauver, sauvegarder ; séquestrer, séquestration ; soigner, soin ; suivre ; superviser ; surveiller, surveillance ; veiller sur, veille ; être vigilant, vigilance. — **Celui qui garde.** Appariteur, archiviste, argus, berger ; cerbère, chien de garde, dragon ; chaouch ; concierge ; conservateur des eaux et forêts/de musée ; cow-boy ; escorte ; eunuque, muet du sérail ; garde, garde-barrière, garde-chasse, garde-chiourme, garde du corps, garde forestier, garde général des eaux et forêts, garde champêtre, garde-magasin, magasinier, garde-mites (pop.), garde-malade, garde maritime, messier, garde de navigation, garde particulier, garde-pêche, garde-rivière, garde sanitaire, garde-vente ; garderie ; gardian ; gardien de musée/de nuit/de la paix/de prison ; gardiennage ; gendarme ; geôlier ; guichetier ; huissier ; inspecteur ; pasteur ; piquet de grève/d'incendie ; portier ; sentinelle ; suisse ; surveillant, pion ; tuteur, tutélaire, tutelle ; veilleur, veilleur de nuit ; vigile. — **Garde militaire.** Chef de poste ; consigne ; corps de garde ; faction, factionnaire ; garde, à la garde !, être de garde, prendre la garde, garde descendante/montante ; guérite ; guetteur, mirador ; mot d'ordre ; planton ; officier de garde ; poste de garde ; qui vive, être sur le qui-vive, halte là !, qui va là ? ; relever la garde ; ronde ; vedette. ■ Douanier ; garde impériale/mobile/municipale / nationale / républicaine / royale ; gardes-françaises / suisses ; gendarmerie ; guet ; janissaire ; mameluk ; maréchaussée ; milice, milicien ; prétorien. — **Lieu où l'on garde.** Archives nationales ; banque, Caisse des dépôts et consignations, Caisse d'épargne ; cage ; cave, cellier, chai ; chambre froide ; citerne ; coffre, coffre-fort ; consigne ; dépôt des autobus/des locomotives, dépositaire ; dock ; entrepôt ; fourrière ; frigorifique ; garde-manger, garde-meuble, garde-robe ; garderie ; grange ; grenier ; magasin ; mont-de-piété ; morgue ; réserve, réservoir ; resserre ; silo ; tank ; -thèque, bibliothèque, cinémathèque, etc. ; trémie. — **Conserver des aliments.** Appertisation ; autoclave ; bocal ; boîte de conserve ; boucanage, boucaner ; confiture, confire ; congélation, congeler ; conserverie, conserves ; déshydratation, déshydrater ; dessiccation, dessécher ; fermentation, fermenter ; frigorifier ; fumage, fumer ; lyophilisation, lyophiliser ; macération, macérer ; marinade, mariner ; quick freezing ; réfrigération, réfrigérer ; salaison, saler, saloir ; saumure ; séchage, sécher, sècherie ; semi-conserve ; sertissage, sertir ; stérilisation, stériliser, stérilisateur ; surgélation, surgeler. ■ Corned-beef, hareng saur, lait concentré/en poudre, potage en sachet.

GARDERIE → *bois, enfant.*
GARDE-ROBE → *meuble, vêtement.*
GARDEUR, GARDIAN → *berger.*
GARDIEN → *balle, berger, garder, police.*
GARDIENNAGE → *garder, port.*
GARDON → *poisson.*
GARE → *arrêter, marchandises, train, voyager.*
GARENNE → *lapin.*
GARER → *automobile, placer.*
GARGARISER (SE) → *nettoyer.*

GARGARISME → *bouche, médicament.*
GARGOTE, GARGOTIER → *hôtel.*
GARGOUILLE → *architecture.*
GARGOUILLEMENT, GARGOUILLER, GARGOUILLIS → *bruit, ventre.*
GARGOULETTE → *récipient.*
GARGOUSSE → *exploser, fusil.*
GARNEMENT → *enfant.*
GARNI → *habiter, maison.*
GARNIR → *décoration, emplir, munir.*
GARNISON → *infanterie, ville.*
GARNITURE → *automobile, cuisine, décoration, typographie.*
GARRIGUE → *sec, végétation.*
GARROT → *cheval.*
GARROT → *chirurgie.*
GARROTTER → *lier.*
GARS → *homme.*
GASCONNADE, GASCONNER → *excès.*
GAS-OIL, GASOIL → *pétrole.*
GASPILLAGE, GASPILLER, GASPILLEUR → *défense, dommage.*
GASTRALGIE → *estomac.*
GASTRECTOMIE → *chirurgie, estomac.*
GASTRIQUE → *estomac, manger.*
GASTRITE, GASTRO-ENTÉRITE, GASTRO-ENTÉROLOGIE → *estomac.*
GASTRONOME, GASTRONOMIE, GASTRONOMIQUE → *manger.*
GASTROPODES, GASTÉROPODES → *mollusques.*
GASTROSCOPE, GASTROSCOPIE → *estomac.*
GASTROTECHNIE → *aliment.*
GASTRULA → *germe.*
GÂTEAU → *pâtisserie.*
GÂTER → *détruire, dommage, donner.*
GÂTERIE → *donner, goût.*
GÂTE-SAUCE → *cuisine.*
GÂTEUX, GÂTISME → *faible, vieillesse.*
GAUCHE → *gêner, orientation, parti, politique, sot.* — **Gauche.** Arrière gauche, ailier gauche/demi gauche d'une équipe ; être assis à la gauche de ; bâbord ; conduite à gauche, doubler à gauche ; dia ! ; à gauche, gauche ! ; la gauche, gauche ; gaucher, gauchère, main / bras / pied gauche, crochet du gauche, se lever du pied gauche ; lévogyre ; senestre, senestrochère ; file/voie de gauche. — **Gauchir.** Se courber, courbe, courbe gauche ; se déformer, déformer ; dévié ; déjeté ; gauchir, gauchissement, dégauchir ; oblique ; surface gauche ; se tordre, tordre, tordu ; se voiler, voilé. — **Gaucherie.** Balourdise, balourd ; contraint ; dadais ; disgracieux ; embarras, embarrasser ; emmanché ; empaillé ; empoté ; emprunté ; mal fagoté ; gaffe, gaffer, gaffeur ; gestes/manières gauches ; grand flandrin ; godiche, godichon ; gourd, doigts gourds ; inhabile, inhabileté ; lourd, lourdaud, lourdeur ; maladresse, maladroit ; mal à l'aise ; malhabile, malhabileté ; mazette ; nigaud ; pataud ; péquenot (fam.) ; pesant ; piteux ; provincial ; savate (fam.) ; timide. — **La gauche politique.** Anticléricalisme, anticlérical ; cartel des gauches ; centre-gauche ; communisme, communiste, communisant ; démocrate ; être à gauche/de gauche ; extrême gauche, extrémiste de gauche ; front populaire ; gauchisant, gauchiste ; gauchissement ; homme de gauche ; internationalisme, internationaliste, l'Internationale ; jacobin, jacobinisme ; laïcité ; libéralisme, libéral ; maoïsme, maoïste ; marxisme ; la Montagne, montagnard ; neutralisme, neutraliste ; ouverture à gauche ; professer des idées avancées/des opinions de gauche ; radical, radical-socialiste, radicalisme, radical-socialisme, gauche radicale, gauche républicaine ; progressisme, progressiste ; rouge, les rouges ; siéger à gauche ; socialisme, socialiste ; sympathisant de gauche ; révolutionnaire ; trotskisme, trotskiste.
GAUCHER → *gauche, main.*
GAUCHERIE → *gauche.*
GAUCHIR → *courbe, forme.*
GAUCHISANT, GAUCHISME, GAUCHISTE → *parti, politique, révolte.*
GAUCHO → *berger.*
GAUDRIOLE → *libre, rire.*
GAUFRE → *pâtisserie, cire.*
GAUFRER → *textile.*
GAUFRETTE, GAUFRIER → *pâtisserie.*
GAUFROIR, GAUFRURE → *textile.*
GAULE → *bâton, pêcher.*
GAULER → *frapper.*
GAULLISME, GAULLISTE → *opinion, politique.*
GAULOIS → *France, libre, rire.*
GAULOISE → *tabac.*
GAULOISERIE → *libre.*
GAUSS → *électricité.*
GAUSSER (SE) → *moquer.*
GAVE → *rivière.*
GAVER → *manger.*
GAVIAL → *reptiles.*
GAVOTTE → *danse.*
GAVROCHE → *enfant.*
GAZ → *peser, chimie, cuisine, lumière, moteur.* — **Caractéristiques du gaz.** Absorption, adsorption, chaleur spécifique ; composants d'un gaz, gaz naturel, azote, méthane ; compressibi-

lité, compression, compresseur; condensation, se condenser, condenseur; constante moléculaire; densité; détente, détendre, détendeur, détente adiabatique, isotherme; diffusion; dilatation, se dilater; élasticité, élastique; dissolution, se dissoudre, effervescence, endosmose; expansibilité, expansion; explosion, exploser; fluidité, fluide gazeux; liquéfaction, gaz liquéfié; lois de Bernouilli/de Gay-Lussac/de Mariotte; nappe; pesanteur; pression, baroscope, manomètre; rochage; solidification, gaz solidifié; sublimation, sublimer; température, thermodynamique; vaporisation, vaporiser, vaporisateur; volatil, se volatiliser. — **Principaux gaz.** Air, air liquide; anhydride carbonique/sulfureux; azote; carbures; chlore; éthylène; fluor; gaz ammoniac/hilarant/humide / liquéfié / butane / méthane / propane/naturel/oléifiant; gaz radioactif/de raffinerie/tonnant; gaz rares : argon, krypton, hélium, néon, radon, xénon; grisou, coup de grisou; hydrocarbure gazeux : acétylène, butane, formène, hydrogène; oxygène; ozone. — **Industrie du gaz.** Barbotage; cokerie; cracking; dégazage, dégazolinage, dépropanisation, déthanisation; distillation de la houille; épuration; feider; four à cornue; gaz à l'air, gazogène; gaz humide/sec; gaz de bois/de cokerie/à l'eau/à l'eau carburée/d'éclairage/de haut fourneau/d'huile / intégral / manufacturé / porté/ réformé/riche/de ville; gazéifier, gazéification; industrie gazière, gazier; gazochimie; gazoduc; gazomètre à cuve d'eau/compensateur/à lunettes/sec/télescopique ; gisement de gaz, gaz de Lacq; navire méthanier; pétrochimie; pile à gaz; stockage, stocker; stripping; usine à gaz. ▪ Barillet, condenseur, épurateur, laveur à eau/à huile, mélangeur, détendeur. ▪ Benzol, coke, crude ammoniac, goudron. — **Utilisation du gaz.** Anesthésique, oxyde azoteux; brancher le gaz; chambre à gaz, camp de concentration, cyclon B; chauffage au gaz; compagnie du gaz, Gaz de France; conduite de gaz; compteur à gaz; désinfectant, formaldéhyde, anhydride sulfureux, ozone; éclairage, bec de gaz, acétylène, hydrogène; gaz en bouteille, bouteille de gaz; gazéifier, eau gazeuse/de Seltz, siphon; gonflement des ballons, hélium, hydrogène; production du froid. ▪ Bec Bunsen; bec de gaz; brûleur; chalumeau; chauffe-bain, chauffe-eau; cuisinière à gaz, gazinière, fourneau, four à gaz; lampe; manchon; radiateur; veilleuse. — **Utilisation militaire.** Gaz asphyxiant/délétère/de combat/lacrymogène/méphitique; gaz irritant / suffocant / toxique / vésicant; gaz fugace/insidieux/permanent; arsine, chlore, chloropicrine, cyanogène, phosgène, ypérite. ▪ Bombes, grenades, nappe, vague; gazer, gazé. ▪ Abri antigaz; masque à gaz, A.N.P., cartouche filtrante/amovible.

GAZE → *peser, tissu.*

GAZÉ → *gaz.*

GAZÉIFIER, GAZÉIFORME → *gaz.*

GAZELLE → *chèvre, mammifères.*

GAZER → *gaz.*

GAZETTE → *journal.*

GAZEUX, GAZIER → *gaz.*

GAZODUC → *canal.*

GAZOGÈNE → *gaz.*

GAZOLINE → *pétrole.*

GAZOMÈTRE, GAZOMÉTRIE → *gaz.*

GAZON, GAZONNANT, GAZONNER → *herbe.*

GAZOUILLER, GAZOUILLIS → *bruit, enfant, oiseau.*

GEAI → *cri, oiseau.*

GÉANT → *excès, grand.*

GÉHENNE → *enfer.*

GEIGNARD, GEINDRE → *bruit, douleur.*

GEL → *froid.*

GÉLATINE, GÉLATINEUX → *colle, épais.*

GELÉE → *froid, fruit, viande.*

GELER → *froid.*

GÉLIF, GÉLIVURE → *arbre.*

GÉLIFICATION, GÉLIFIER → *épais.*

GÉLINOTTE → *oiseau.*

GELURE → *froid.*

GÉMEAU, GÉMELLE → *astrologie, deux.*

GÉMINÉ, GÉMINER → *deux.*

GÉMIR, GÉMISSEMENT, GÉMISSEUR → *douleur.*

GEMME → *joaillerie, pin, plante.*

GEMMER → *bijou, pin.*

GEMMULE → *plante.*

GÉMONIES → *détester, mépris.*

GENCIVE → *dent.*

GENDARME → *pierre, police.*

GENDARMER (SE) → *mécontentement, résister.*

GENDARMERIE → *police, sûr.*

GENDRE → *famille, mariage.*

GÈNE → *germe, reproduction.*

GÊNE, GÊNÉ → *argent, mal, pauvre.*

GÉNÉALOGIE, GÉNÉALOGISTE → *famille, histoire, noblesse.*

GÉNÉPI → *plante.*

GÊNER → *affectation, critique, fermer, obstacle, souci.* — **Gêne morale ou psychologique qu'on éprouve.** Angoisse; baisser la tête; blesser, là où le bât blesse; confus; couper le souffle/bras et jambes/la parole/la voix, etc. ; déconvenue ; embarrasser, embarras, embarrassant ; être dans de beaux draps (fam.)/dans le pétrin (fam.)/dans le doute ; gaucherie, gauche ; honte, honteux, courte honte, fausse honte, mourir de honte, couvrir de honte, faire honte ; humilité, humble ; intimider, procédé d'intimidation ; avoir l'oreille basse/la queue entre les jambes ; penaud ; perdre contenance/la tête, perdu, être pris au dépourvu ; phobie, -phobe ; pudeur, pudibonderie ; en rabattre ; remords, repentir, repentant ; respect humain ; rougir, rougeur, le rouge de la honte, devenir cramoisi ; ne plus savoir sur quel pied danser ; serrer la gorge ; timidité, timide ; tourment, tourmenté ; trouble, se troubler ; vergogne. — **Gêne physique.** Blesser, là où le bât blesse ; blessure ; chappe ; comprimer ; couper, coupure ; déranger ; écraser ; éblouir, éblouissement ; engoncer ; étouffer ; gêner, gêne, gêner aux entournures ; gratter ; incommoder ; indisposer, indisposition passagère ; trop juste, ajusté ; oppresser ; paralyser, paralysie ; poids, peser, pesant ; serrer, être serré. ■ Boulet, carcan, cilice, entrave, fardeau, lien, menottes, muselière ; ampoule, écorchure, épine, etc. — **Gêner quelqu'un.** Affront ; avance ; casser les pieds/les oreilles, casse-pieds (fam.) ; compromettre ; confondre, faire tourner à la confusion de ; contrarier, contrariété ; contrecarrer ; cramponner, crampon ; décevoir ; déconcerter, démonter ; déplaire ; déranger ; embarrasser, mettre dans l'embarras ; (pop.) emmerder, emmerdement, emmerdeur ; empêcher, empêchement, empêcheur de danser en rond (fam.) ; (fam.) empoisonner, empoisonnement ; ennuyer, ennui ; (fam.) enquiquiner, enquiquineur, enquiquinement ; envahir, être envahissant ; excéder ; un fâcheux, fâcheux ; fatiguer ; froisser ; harceler ; s'immiscer, immixtion ; importuner, importun ; s'ingérer, ingérence ; intrus, intrusion ; se mêler de/de ce qui ne vous regarde pas, mêlez-vous de vos affaires/de vos oignons (pop.) ; mortifier ; nuire, nocif ; obséder, obsession ; persécuter, persécution ; poursuivre de ses assiduités ; presser de questions ; raser, raseur, rasoir (fam.) ; tanner (fam.) ; tracassier ; trouble-fête ; être de trop ; vexer, vexation, procédé vexatoire. — **Qui gêne.** Anicroche, os (fam.), pépin (fam.) ; grain de sable, paille, poussière. ■ Contrariant, désagréable, déshonorant, handicap, horripilant, ignominieux, incommode, inconvenant, indigne, insupportable, intolérable, malencontreux, parasite. — **Sans gêne.** Cynique ; dévergondé, dévergondage ; effronté, effronterie ; éhonté ; froid, froidement ; goujat, goujaterie ; grossier, grossièreté ; impoli, impolitesse ; impudique, impudicité, impudence, impudent ; indécent, indécence ; insolent, insolence ; malappris ; malpoli ; rustaud, rustre ; sans vergogne ; scandaleux, scandale, scandaliser ; touche-à-tout.

GÉNÉRAL → *commun, entier.*

GÉNÉRAL, GÉNÉRALAT → *grade.*

GÉNÉRALE → *guerre.*

GÉNÉRALISATION, GÉNÉRALISER → *entier, raisonnement.*

GÉNÉRALISSIME → *chef.*

GÉNÉRALISTE → *médecine.*

GÉNÉRALITÉ → *entier, nombre.*

GÉNÉRATEUR → *chaleur.*

GÉNÉRATION → *âge, famille, reproduction, temps.*

GÉNÉRATRICE → *électricité.*

GÉNÉREUX → *bienfaisance, bon.*

GÉNÉRIQUE → *groupe.*

GÉNÉRIQUE → *nommer.*

GÉNÉROSITÉ → *abandon, bien, bienfaisance, bon, donner.*

GENÈSE, GÉNÉSIAQUE → *reproduction.*

GENÊT → *arbre.*

GENET → *cheval.*

GÉNÉTHLIAQUE → *astrologie.*

GÉNÉTICIEN, GÉNÉTIQUE, GÉNÉTISTE → *reproduction.*

GÊNEUR → *gêner.*

GENÉVRIER → *arbre.*

GÉNIAL, GÉNIE → *armée, donner, esprit, grand, nature, supérieur.*

GENIÈVRE → *alcool, arbre.*

GÉNISSE → *bœuf.*

GÉNITAL, GÉNITEUR → *reproduction, sexe.*

GÉNITIF → *grammaire.*

GÉNITO-URINAIRE → *ventre.*

GÉNOCIDE → *crime, groupe.*

GÉNOISE → *pâtisserie.*

GÉNOTYPE → *reproduction.*

GENOU → *jambe, soumettre.*

GENOUILLÈRE → *armure, jambe.*

GENRE → *classe, grammaire, littérature, manière, peinture.*

GENS → *famille, maison, personne.*

GENTIANE → *plante.*

GENTIL → *bon, plaire.*

GENTILHOMME → *noblesse.*

GENTILHOMMIÈRE → *maison.*

GENTILLESSE, GENTILLET → *bon, plaire.*

GENTLEMAN → *homme, manière.*

GENTLEMAN-FARMER → *campagne.*

GÉNUFLEXION → *jambe, liturgie.*

GÉOCENTRIQUE, GÉOCHIMIE → *terre.*

GÉODE → *géologie.*

GÉODÉSIE → *géographie, terre.*

GÉOGRAPHIE, GÉOGRAPHIQUE, GÉOGRAPHE → *relief, ressource, terre.* — **Division de la géographie.** Géographe ; géographie générale/régionale ; géographie biologique, biogéographie ; géographie botanique, phytogéographie ; géographie économique ; géographie historique ; géographie humaine ; géographie mathématique ; géographie paléontologique, paléogéographie ; géographie physique, physique du globe ; géographie politique, géopolitique ; géographie zoologique, zoogéographie. ■ Changement, expression, extension, milieu, nécessité, réalité. ■ Climatologie, cosmographie, démographie, écologie, ethnographie, ethnologie, géodésie, géologie, géomorphologie, pédologie, sociologie, statistique, trigonométrie. — **Cartographie.** Altimétrie ; atlas ; carte de base/de premier ordre/de second ordre/thématique ; carte d'état-major ; carte générale du globe ; carte géologique/géomorphologique ; carte marine/des fonds marins/océanographique/bathymétrique ; cartographie, cartographe, cartothèque ; coordonnées, latitude, longitude ; coupe ; courbe de niveau, hachures ; croquis ; dresser une carte ; échelle (petite, grande) ; carte au 1/1 000, au 1/100 000, etc. ; généralisation ; hydrographie, carte hydrographique ; légende ; levé ; localisation, localiser ; mappemonde ; photogrammétrie, photographie aérienne ; plan, planimétrie, planisphère ; point ; portulan ; projeter, projection de Laborde/de Mercator/de Mollweide, système Lambert ; relief, carte orographique ; réseau aérien/fluvial/routier, etc. ; signes conventionnels ; sphère ; topographie, topographe, règle à éclimètre, tachéomètre ; triangulation graphique/de premier ordre.

GÉOÏDE → *niveau.*

GEÔLE, GEÔLIER → *prison.*

GÉOLOGIE, GÉOLOGIQUE, GÉOLOGUE → *mine, pierre.* — **Branches de la géologie.** Géologie appliquée ; géologie dynamique, géodynamique, géomorphogenèse ; géologue ; minéralogie ; orogénie ; paléontologie, paléontologiste ; pétrographie ou lithologie ; spéléologie, spéléologue ; stratigraphie ou géologie historique ; tectonique. — **Minéralogie.** Anisotropie discontinue ; cristal, milieu cristallin, cristallisation, cristallogénie, cristallographie ; diffraction des rayons X ; figure de corrosion ; loi de constance des angles ; goniomètre ; maille élémentaire ; motif cristallin ; plan de clivage/réticulaire ; réseau cristallin ; structure, structure périodique ; système cristallin ; troncature. ■ Holoèdre, hexaèdre, mérièdre, ogdoèdre, tétartoèdre ; système cubique, cube, dodécaèdre rhomboïdal, octaèdre ; système quadratique ou quaternaire, prisme droit à base carrée, octaèdre quadratique ; système orthorhombique, losange ; système rhomboédrique, rhomboèdre ; système clinorhombique, prisme oblique à base rhombe ; système triclinique ou asymétrique. — **Temps géologique.** Age ; cycle ; ère : paléozoïque ou primaire, mésozoïque ou secondaire, cénozoïque ou tertiaire, quaternaire ; étage ; période ; pli, plissement huronien / calédonien / hercynien/alpin ; précambrien ; système. — **Paléontologie.** Carbonifère ; crétacé ou crétacique ; dévonien ; formation laguno-lacustre ; fossile, terrain fossilifère, fossilisation, se fossiliser ; jurassique ; mer épicontinentale ; miocène, néocène, pliocène ; paléocène, éocène, oligocène, flysch, mollasse, poudingue ; permien ; quaternaire, holocène, pléistocène, limon, lœss, terrasses ; silurien ; triasique, trias. — **Les roches.** Argile, gneiss, kaolin ; calcaire, craie, marbre, calcaire coquillier/oolithique ; carbonates, calcite, dolomite ; clastique ; combustible, charbon, pétrole ; roche cristalline/semi-cristalline/cristallophyllienne ; roche endogène/grenue/microgrenue ; granite ou granit, granitique ; lave ; magma ; marne, marneux ; métamorphique, métamorphisme ; saline, sel gemme, gypse ; schiste, schisteux ; sédimentaire, détritique ; silicates, amphibole, feldspath, mica, pyroxène ; silice, siliceux, calcédoine, grès, quartz, quartzite, sable, tripoli ; roche spéculaire/vitreuse/volcanique. — **Phénomènes géologiques.** Bouleversement ; cataclysme ; dislocation ; effondrement ; plissement ; séisme, sismique, tremblement de terre ; soulèvement ; surrection ; transgression ; volcan, volcanique. ■ Affleurement, agglomérat, agglomération, alluvion, amas, banc, bloc erratique, caillou, chaussée, cheminée, cône de déjection, conglomérat, couche, dépôt, diluvium, falun, filon, formation, géode, gisement, marmite, rognon, sédiment, stalactite, stalagmite, strate, stratification, veine. ■ Anticlinal, synclinal, géosynclinal ; clase, brèche, faille, fissure, fracture, strie, sulcature ; eustatisme, neptunisme, plutonisme, vulcanisme. — **Géologie appliquée.** Carotte, carottage ; derrick ; exploitation, exploiter ; forage, forage au battage, tige de forage, foret, foreur ; injection ; moufle ; pompe à boue ; prospection, prospecteur ; rotary ; sondage, couronne de sondage, sonde; table de rotation; tamis vibrant; tester; tête d'injection; trépan à diamant/à molette; tuber, tubage.

GÉOMAGNÉTIQUE, GÉOMAGNÉTISME → *terre.*

GÉOMANCIE → *prévoir.*

GÉOMÉTRAL → *plan.*

GÉOMÈTRE → *géométrie, mesure.*

GÉOMÉTRIE, GÉOMÉTRIQUE → *angle, courbe, droite, espace, mathématiques.* — **Parties de la géométrie.** Géométrie analytique, Descartes, Fermat; cinématique; géométrie descriptive, dessin graphique, Monge; géométrie différentielle/à *n* dimensions/élémentaire/de l'espace ou à trois dimensions/euclidienne/non euclidienne/hyperbolique/de Lobatchevski / métrique / plane / projective / qualitative/quantitative/de situation, *analysis situ,* topologie; stéréométrie; trigonométrie. — **L'espace géométrique.** Combinaison linéaire; courbure, espace courbe; éléments d'Euclide/de Hilbert/de Riemann; ensemble de points; espace métrique/vectoriel; espace affiné/conforme/projectif; espace-temps, espace classique/relativiste, ligne d'univers; inflexion; intersection; section; tangence; vecteur. — **La ligne droite.** Apothème; arête; asymptote; axe des coordonnées/d'un couple / d'homologie / de rotation / de symétrie/de symptose; bissectrice; ligne brisée; cordes, cordes communes; côté d'un angle/d'un triangle, etc.; diagonale; diamètre, diamétral, diamètres conjugués, théorème d'Apollonius; directrice; droite d'Euler/de Simpson, ligne droite; flèche; génératrice d'une surface; horizontale; hypoténuse; médiane, médiatrice, plan médian; oblique; parallèle; périmètre; perpendiculaire, abaisser/élever une perpendiculaire; rayon de convergence/de courbure/de giration, vecteur; sécante, cosécante d'un angle/ d'un argument; tangente, tangentiel, plan tangent, tangence à une courbe/ d'un arc; équation tangentielle; vecteur, vectoriel; verticale. — **La ligne courbe.** Abscisse; arc concentrique/ rectifiable/simple; asymptote, espace asymptotique; cercle, orthoptique; circonférence; cissoïde; conchoïde; conique; corde; courbe, curviligne; cubique; cycloïde; épicycloïde; développante, de cercle; développée; ellipse, ellipsoïde, ellipsoïdal, grand/ petit axe; hélice, hélice à droite, *dextrorsum*/à gauche, *sinistrorsum,* hélicoïde, hélicoïdal; hyperbole, hyperbolique, foyer, axe focal, axe non transverse; hyperboloïde de raccordement/de révolution/à une nappe/à deux nappes; ordonnée; parabole, paraboloïde; quadrant; sextant; spirale. — **Figure géométrique.** Aire, angle, base, carré (quadrangulaire), cercle, face, -gone (polygone, etc.), losange, lunule, méridien, parallélogramme, plan, quadrilatère, rectangle, rhombe, secteur, section, segment, trapèze, trapézoïde, triangle, triangle acutangle / équilatéral / isocèle / rectangle/scalène/triangulaire. ▪ Anneau, calotte, cône, cône oblique/de révolution, couronne, cube, cylindre, cylindre de révolution, -èdre (polyèdre, etc.), fuseau, onglet, parallélépipède, prisme, pyramide, sphère, hémisphère, sphéricité, sphéroïde, tronc de cône/de pyramide, tronqué, zone. — **Termes décrivant les figures.** Coïncidence; congruence, congruent; convergence, divergence, convergent, divergent; égal, égalité; équidistance, équidistant; équilatéral; équipollence; équivalence, équivalent; homologie, homologue; homothétie; isopérimètre; proportion, proportionnel; symétrie, symétrique. ▪ Hauteur, largeur, longueur, surface, superficie, volume. — **Opérations et énoncés.** Abaissement, abaisser; circonscrire; construction, construire; coupe; développement limité/en série; diagramme; duplication; élévation, élever; engendrer, génération; épure; figure; graphique; inscription, inscrire; inversion, inverser; mesure; projection, aire, plan de projection, projetante, projeter; projection centrale ou conique/oblique/orthogonale; rotation de $\frac{\pi}{2}$, etc.; réduire, réduction; révolution; section, segment; schéma; tracé; transformation. ▪ Axiome, corollaire, démonstration, données, énoncé, lemme, postulat, problème, poser/résoudre un problème, proposition, résolution, scolie, solution, théorème. — **Instruments et applications.** Altimètre, altimétrie; angloir; arpentage, chaîne d'arpenteur, arpenteur, géomètre-arpenteur; compas; curseur; curvigraphe; dessin industriel, dessin de machines; équerre; géodésie; grammomètre, graphomètre; holomètre; jalon; micromètre; perspective, planimétrie; rapporteur; té; toise, toiser; triangulation; vernier.

GÉOMORPHOLOGIE → *géographie.*

GÉOPHYSIQUE → *terre.*

GÉOPOLITIQUE → *politique.*

GÉORGIQUE → *campagne, poésie.*

GÉOSYNCLINAL → *géologie.*

GÉOTHERMIE, GÉOTHERMIQUE → *chaleur, terre.*

GÉOTROPISME → *plante.*

GÉRANCE → *commerce, conduire.*

GÉRANIUM → *fleur, plante.*

GÉRANT → *agent.*

GERBE → *amas, exploser, lier, projectile.*
GERBER → *blé, vin.*
GERCE → *trou.*
GERCER, GERÇURE → *peau.*
GÉRER → *conduire, entreprise.*
GERFAUT → *oiseau.*
GÉRIATRIE → *vieillesse.*
GERMAIN → *famille.*
GERMANISATION, GERMANISME, GERMANISTE → *Europe.*
GERMANIUM → *métal.*
GERMANOPHILE, GERMANOPHOBE → *Europe.*
GERME, GERMER → *cause, fruit, plante, reproduction.* — **Bourgeon.** Blastogénésie, blastographie; bourgeon, bourgeonner, bourgeonnement adventif / latéral / radical / terminal, ébourgeonnement, ébourgeonner, ébourgeonnoir; bourre; bouton, boutonner, boutonnement; coton; drageon, drageonner, drageonnement; écusson, écussonner, écussonnage; enter; jet; maille; oculer, oculation; œil, œilleton, œilletonner; pousse, pousser; rejet, rejeton. — **Être vivant.** Anthérozoïde; bactérie; blastula; chorion; ectogenèse; embryon, embryogénie; engendrer; féconder, fécondation; gamète, mâle/femelle; germer, germe, germen, germinal, germination, germinateur, germinatif; gastrula; hérédité; méiose; microbe; morula; œuf, oosphère; organisme; ovule; plasma végétatif; segmentation de l'œuf; semence, semer, sémination; spermatozoïde; virus, viral; vitelline. — **Graine.** Albumen, albuminé, inalbuminé; amande; barbe; blaste, blastoderme, blatogenèse, blastomère; caroncule; caryopse; cellule, cellulé; chalaze; cloison, cloisonné; cordon; cosse; cotylédon, cotylédoné, monocotylédone, bicotylédone, dicotylédone; déhiscent; diaphragme; écaille; écale; échinée; embryon; endoplèvre, endostome; épi; exostome; farineux; funicule; gemmule; géoblaste; glume; gousse; hile; lenticulée; lobe, lobuleux; membrane; micropyle; nucelle; nucléoplasma; oléagineux; ombilic; ovaire, ovule; pépin; périsperme; placenta; radicule; sarcoderme; septifère; silicule, silique; spore, sporuler; suspenseur; suture; tégumen ou épisperme ou spermoderme, tegminé; trophosperme; tunique; utricule, utriculé; valve; vitellus. ▪ Angiosperme, cardiosperme, cœlosperme, dispermatique, endosperme, goniosperme, gymnosperme, hilosperme, monosperme, oligosperme, polysperme.
GERMEN → *reproduction.*
GERMINAL → *calendrier.*
GERMINATION → *ferme, reproduction.*
GERMOIR → *bière.*
GERMON → *poisson.*
GÉRONDIF → *verbe.*
GÉRONTOCRATIE, GÉRONTOLOGIE → *gouverner, vieillesse.*
GÉSIER → *estomac.*
GÉSIR → *enterrement, étendre.*
GESTALTISME, GESTALTISTE → *psychologie.*
GESTATION → *accouchement, reproduction.*
GESTE → *attitude, manière, mouvement.*
GESTE → *poésie.*
GESTICULATION, GESTICULER → *mouvement, remuer, vif.*
GESTION, GESTIONNAIRE → *conduire, entreprise.*
GESTUEL → *mouvement.*
GEYSER → *fuir, jeter, trou, volcan.*
GHETTO → *fermer, race.*
GIBBON → *singe.*
GIBBOSITÉ → *bosse.*
GIBECIÈRE → *chasse, sac.*
GIBELOTTE → *lapin.*
GIBERNE → *chasse, sac.*
GIBET → *peine.*
GIBIER → *chasse.*
GIBOULÉE → *pluie.*
GIBOYEUX → *chasse.*
GIBUS → *chapeau.*
GICLEMENT, GICLER → *jeter, liquide.*
GICLEUR → *automobile, moteur.*
GIFLE, GIFLER → *frapper, offense.*
GIGANTESQUE, GIGANTISME → *excès, grand.*
GIGOGNE → *meuble.*
GIGOLO → *homme.*
GIGOT → *mouton, viande.*
GIGOTER → *jambe, remuer.*
GIGUE → *cerf, grand, jambe.*
GIGUE → *danse.*
GILDE → *association.*
GILET, GILETIER → *vêtement.*
GILLE → *sot, spectacle.*
GIN → *alcool.*
GINDRE → *pain.*
GINGEMBRE → *bière, plante.*
GINGIVAL, GINGIVITE → *dent.*
GIRAFE → *mammifères.*
GIRANDOLE → *lumière.*
GIRATION, GIRATOIRE → *tourner.*
GIRELLE → *poisson.*
GIRL → *danse.*
GIRODYNE → *aviation, tourner.*
GIROFLE → *aliment.*
GIROFLÉE → *fleur, plante.*
GIROLLE → *champignon.*
GIRON → *blason, poitrine.*

GIROND → *femme.*

GIROUETTE → *changer, irrégulier, tourner, vent.*

GISANT → *enterrement, étendre*

GISEMENT → *géologie, mine, pierre.*

GÎT (CI-) → *enterrement.*

GITAN, GITANE → *race, vagabond.*

GÎTE, GÎTER → *bœuf, habiter, lapin.*

GÎTE, GÎTER → *marine, pencher.*

GIVRE, GIVRER → *froid.*

GLABELLE → *œil.*

GLABRE → *poil.*

GLACE → *eau, froid, gêne, insensible, pâtisserie, verre.* — **Glace.** Matières premières : calcin, fondant, silice, stabilisant. ▪ Float-glass ; fondre, fusion ; affiner, affinage, braise ; couler, coulage ; laminer, laminage, laminoir, ruban ; recuire, recuisson, four à cuire, buse, carcaise, étenderie, stracous ; doucir, doucissage, dressage des deux faces ou twin-douci, ferrasses, moellons ; savonnage ; polir, polissage ; tremper, estimation ; biseautage, découpage, taille, diamant. ▪ Glace de sécurité ; glacerie ; Baccarat, Bohême, Murano, Saint-Gobain. — **Miroir.** Couche réfléchissante/étamée/argentée ; dépoli ; encadrement, cadre ; fabrication : avivage, argenterie, cuivrage, vernissage ; feuille de verre ; glace sans tain ; limpidité, limpide ; miroir d'acier/de cristal de roche/au plomb ; miroir déformant ; miroiter, miroiterie, miroitier ; mise sur parquet ; se piquer ; poli ; spéculaire, réflexion, réfléchir ; se ternir, terni ; transparence, transparent ; verre. ▪ Concave, convexe, cylindrique, elliptique, parabolique, sphérique ; axe focal, foyer, plan focal, etc. — **Utilisation.** Carreau, pare-brise, lunette, télescope, verre, vitre, vitrine, etc. ▪ Applique ; armoire à glace ; glace à main/de poche/à trois faces ; médaillon ; se mirer ; miroir aux alouettes / d'appontage / espion / laryngien/de Venise/grossissant/rapetissant/sorcière ; poudrier ; réflecteur ; rétroviseur ; spéculum ; toilette, psyché ; trumeau de cheminée.

GLACÉ → *briller, dur, froid, insensible.*

GLACER → *briller, cuisine, froid, glace, peur.*

GLACERIE → *glace, pâtisserie, verre.*

GLACIAIRE, GLACIAL, GLACIATION, GLACIER → *froid, géologie.*

GLACIÈRE → *froid.*

GLACIOLOGIE, GLACIOLOGUE → *froid.*

GLACIS → *fortification, peinture, pencher.*

GLAÇON → *froid, insensible.*

GLAÇURE → *céramique.*

GLADIATEUR → *spectacle.*

GLAÏEUL → *fleur.*

GLAIRE, GLAIREUX → *colle, œuf.*

GLAISE, GLAISER, GLAISEUX, GLAISIÈRE → *argile.*

GLAIVE → *arme, escrime.*

GLAND → *décoration, fruit, sexe.*

GLANDE, GLANDULAIRE, GLANDULEUX → *nerf, tumeur.* — **Description.** Acinus séreux ; bourgeon épithélial/simple/composé ; canal intralombaire excréteur et sécréteur ; caroncule ; cellule adipeuse, muqueuse ; croissant séreux ; glandes acineuses/en grappe/tubuleuses/ouvertes/closes ; glandule, glandulation, glandulaire ; vésicule. ▪ Glande lacrymale, conduits hygrophtalmiques, canal lacrymal, suc lacrymal ; larme, larmoyer. — **Sortes de glandes.** Épiphyse ou glande pinéale ; foie ; glande de Bartholin/ciliaire/cutanée ; glande(s) digestives/gastrique/hépatique/pancréatique / salivaire / d'élimination/excrémentielles / récrémentielles / nutritive/génitale/de reproduction, mammelle, ovaire, testicules ; glandes à rôle défensif/sébacées/sudoripares/à sécrétion externe ou exocrines/à sécrétion interne ou endocrines/mixtes/vasculaires ; gonades ; hypophyse ou glande pituitaire ; rein ; thymus (du veau ou ris de veau) ; thyroïde, parathyroïde. — **Produit des glandes.** Lait, larme, mucus, pituite, salive, sébum. ▪ Hormone : endocrine, endocrinologie ; extrait thyroïdien/hormonal, hormone corticale, cortico-surrénale, corticostérone, cortine, cortisone ; hormone gonadotrope, gonadostiline, prolans A et B, ocytocine, galactine, prolactine ; hormone hypophysaire / somatotrope / cétogène / diabétogène, stimuline ; hormone thyroïdienne, thyroxine ; hormone pancréatique, insuline ; hormone femelle, folliculine, œstrone, progestérone, hormone mâle, androstérone, testostérone ; tissu sécréteur. — **Maladies.** Médication frénatrice/substitutive/symptomatique, hormonothérapie, opothérapie. ▪ Maladies parathyroïdiennes : acromégalie, cachexie, diabète pancréatique, gigantisme, infantilisme, nanisme ; maladies thyroïdiennes : goitre, myxœdine, maladie de Basedow. — **Ganglion lymphatique.** Adénite, adénoïde, adénome, adénopathie ; fièvre ganglionnaire ; sarcome ; tuberculose. ▪ Capsule fibreuse ; lymphoblaste, lymphocyte ; module lymphoïde ; réticulum, cellule réticulaire ; vaisseau lymphatique. ▪ Hématopoïèse ; métastase tumorale, lymphocytose, phagocytose.

GLANE, GLANER, GLANEUR, GLANURE → *blé, prendre.*

GLAPIR, GLAPISSANT, GLAPISSEMENT → *bruit, cri.*

GLAS → *cloche, enterrement.*
GLATIR → *cri.*
GLAUCOME → *œil.*
GLAUQUE → *bleu.*
GLÈBE → *terre.*
GLÉNOÏDE, GLÉNOÏDAL → *articulation.*
GLIOME → *tumeur.*
GLISSADE → *mouvement, remuer.*
GLISSAGE → *bois.*
GLISSANT, GLISSER, GLISSEUR, GLISSIÈRE → *mouvement, tomber.*
GLOBAL → *entier, lire.*
GLOBE → *boule, terre.*
GLOBE-TROTTER → *voyage.*
GLOBULAIRE, GLOBULE, GLOBULEUX → *boule, sang.*
GLOBULEN, GLOBULINE → *sang.*
GLOIRE → *Christ, honneur, réputation.*
GLOMÉRULE → *nerf, sang.*
GLORIA → *éloge, liturgie.*
GLORIEUX → *honneur, orgueil.*
GLORIFICATEUR, GLORIFIER → *honneur.*
GLORIOLE → *important, orgueil.*
GLOSE, GLOSER → *critique, expliquer.*
GLOSSAIRE, GLOSSATEUR → *expliquer, livre.*
GLOSSO-PHARYNGIEN, GLOTTE, GLOTTIQUE → *gorge.*
GLOUGLOU, GLOUGLOUTER → *boire, bruit, cri.*
GLOUSSEMENT, GLOUSSER → *cri.*
GLOUTON, GLOUTONNERIE → *goût, manger.*
GLU, GLUANT, GLUAU → *colle.*
GLUANT → *épais.*
GLUCIDE → *aliment.*
GLUCOMÈTRE, GLYCOMÈTRE → *sucre.*
GLUCOSE → *sucre.*
GLUME, GLUMELLE → *fleur.*
GLUTEN, GLUTINEUX → *amidon, colle.*
GLYCÉMIE → *sang.*
GLYCÉRINE, GLYCÉRINER, GLYCÉROLÉ → *gras.*
GLYCÉROPHOSPHATE → *gras.*
GLYCINE → *plante.*
GLYCOGÈNE, GLYCOGÉNIQUE → *foie.*
GLYCOSURIE, GLYCOSURIQUE → *rein.*
GLYPHE, GLYPTIQUE, GLYPTOGRAPHIE → *graver.*
GLYPTOTHÈQUE → *sculpture.*
G.M.T. → *temps.*
GNANGNAN → *mou.*
GNEISS → *géologie.*
GNOCCHI → *farine.*
GNOGNOTE → *futile.*
GNÔLE → *alcool.*
GNOME → *esprit, petit.*
GNOMIQUE → *poésie, verbe.*
GNOMON → *temps.*
GNON → *frapper.*
GNOSE → *magie, philosophie.*
GNOSÉOLCGIE → *philosophie.*
GNOSTICISME, GNOSTIQUE → *religion.*
GOAL, GOAL-AVERAGE → *balle.*
GOBELET, GOBELETERIE → *boire, verre.*
GOBE-MOUCHES → *oiseau.*
GOBER → *croire, manger, sot.*
GOBERGER (SE) → *goût, repos.*
GOBEUR → *croire, manger.*
GODASSE → *chaussure.*
GODELUREAU → *homme.*
GODER, GODAILLER → *pli.*
GODET → *récipient, roue, verre.*
GODICHE, GODICHON → *gauche.*
GODILLE, GODILLER → *bateau.*
GODILLOT → *chaussure.*
GODRON, GODRONNER → *architecture, décoration, pli.*
GOÉLAND → *mer, oiseau.*
GOÉMON → *algue.*
GOGO → *croire, sot.*
GOGO (À) → *abondance, nombre.*
GOGUENARD, GOGUENARDISE → *moquer.*
GOGUENOT → *résidu.*
GOGUETTE → *débauche.*
GOINFRE, GOINFRER, GOINFRERIE → *excès, manger.*
GOITRE, GOITREUX → *glande.*
GOLF → *balle.*
GOLFE → *mer.*
GOMME → *arbre, caoutchouc, vitesse.* — **Production.** Acacia, aloès, astragalus, bursela, euphorbe, galbanum, gutte, mimosa, myrrhe, opopanax, scammonée. ▪ Gomme, gommeux, gommier, gommifère ; gomme adragante / arabique, gomme-gutte, gomme Sénégal ; gomme-ammoniaque ; gomme ester ; gomme nostras/ tannifère ; gomme laque, stick-lac, laque en grains, shellac ; galbanum ; gomme-résine ; gommose, gutta-percha. — **Nature et propriétés.** Adragantine, arabine, arabinose, bassorine ; collant, coller ; glucidé ; mucilage, mucilagineux ; soluble, solubilité dans l'eau ; sucre réducteur ; visqueux, viscosité. ▪ Adoucissant, pâte pectorale ; émulsif, potion émulsive ; parfum. — **Utilisation.** Antiseptique ; apprêts des feutres et des draps ; balsamique ; cire à cacheter ; colle ; disque ; eau gommée ; encaustique ; enveloppe

gommée, papier / taffetas gommé ; gomme de bureau ; gommer, gommeur ; isolant électrique ; vernis. ▪ Peinture, revêtement, vernis. — **Résine naturelle.** Résine, résinier, arbre résineux, résinifier, résinification. ▪ Benjoin, colophane ou arcanson, gomme de pin ou galipot ou térébenthine de Bordeaux ; copal : dur de Madagascar/de Zanzibar ; demi-dur, Congo, kauri, manille ; tendre, dammar, élémi, sandaraque, sang-dragon, tacamanque, acroïde, gomme laque. ▪ Entaille ou carre, godet ou crot, gemmer, gemmage à vie/à mort, gemmeur, piquage. — **Résines artificielles et synthétiques.** Résine thermodurcissable, alkyd (glycérophtalique), aminoplaste, formophénolique, silicone ; résine thermoplastique, acétate et chlorure de polyvinyle, polyacrylique, polystyrène, résine de coumarone/d'indène/de caoutchouc chloré/isomérisé ; époxyde ; polyamide ; polyester ; polyuréthane. ▪ Résine synthétique/anionique/cationique/vinylique.

GOMMÉ → *papier.*

GOMME-GUTTE → *gomme.*

GOMMER → *annuler, gomme.*

GOMME-RÉSINE, GOMMEUX → *gomme.*

GOMMEUX → *affectation, orgueil.*

GONADE → *glande.*

GOND → *fenêtre, porte, tourner.*

GONDOLE → *bateau.*

GONDOLER, GONDOLER (SE) → *courbe, forme, rire.*

GONDOLIER → *bateau.*

GONFALON, GONFANON → *symbole.*

GONFLÉ → *courage, emplir.*

GONFLER, GONFLER (SE) → *bosse, gras, orgueil, tumeur.* — **Gonfler.** S'arrondir, arrondir, rond ; augmenter de volume ; bomber, bombement ; bouffer, bouffant ; déborder, débordement ; dilater, dilatation ; distendre, distendu, distension ; s'élargir, élargir, élargissement ; s'étendre, extension ; gonfler, gonflage, gonflement ; grossir, grossissement ; hypertrophier, hypertrophie ; remplir, remplissage ; souffler ; travailler, travail. ▪ Ballon ; canot ; coussin ; matelas pneumatique. ▪ Aérostat, dirigeable, montgolfière, zeppelin ; outre ; poisson-globe ou tétrodon ; vessie ; voile. — **Enflure pathologique.** Abcès ; aérophagie ; ampoule ; anévrisme ; ballonnement, ballonner ; bosse ; bouffir, bouffissure ; boursoufler, boursouflure ; cal ; cellulite ; cloque ; congestionner, congestion ; éléphantiasis ; empâter, empâtement, coq en pâte ; emphysème ; enflé, enflure ; excroissance ; flatulence, flatuosité ; grosseur ; hernie ; hydropisie ; intumescence ; main pote ; météoriser, météorisation ; mixœdème, œdème ; œil au beurre noir (fam.)/poché ; soufflé ; tuméfier, tuméfaction, tumescent, tumeur ; turgescent ; tympanisme, tympanite ; vultueux. — **Dégonfler.** Aplatir, aplatissement ; crever, crevaison ; dégonfler, dégonflage, dégonflement ; dégorger, dégorgement, faire dégorger/rendre son eau ; diminuer de volume ; être/mettre à plat/à zéro (fam.) ; expirer, expiration ; maigrir, amaigrir, amaigrissement ; presser ; sécher, dessécher ; serrer ; vider, faire le vide. — **Pneumatique.** Bande de roulement ; bandelette talon, support ; bourrage ; carcasse radiale ; chambre à air ; coussin de jante ; enrubannage de tringle ; gomme de pointe ; matelas ; pli ; relief, sculpture ; toile de division ; tringle ; valve. ▪ Boyau, pneumatique, pneu, pneu sans chambre à air ou tubeless ; dérive ; pression, basse pression. ▪ Rechaper, rechapage, réparer, réparation, démonte-pneu, rustine ; vulcaniser, vulcanisation, vulcanisateur. — **Machine à gonfler.** Compresseur à palettes/à pistons/à pistons libres du système Pescara/rotatif/volumétrique ; turbocompresseur ; gonfler, regonfler, gonfleur ; machine pneumatique ; manomètre ; pompe, pompe à air, corps de pompe, raccord ; pompe à condensation/à diffusion/moléculaire/à vapeur de mercure ; soufflet, soufflerie, soufflette.

GONFLEUR → *gonfler.*

GONG → *boxe, instrument.*

GONGORISME → *style.*

GONIOMÈTRE, GONIOMÉTRIE → *angle.*

GONOCOCCIE, GONOCOQUE → *microbe.*

GORD → *pêcher.*

GORET → *porc, sale.*

GORGE → *cou, fortification, moquer, passer, poitrine.* — **Partie antérieure du cou.** Amygdale ; arrière-bouche, arrière-gorge ; cordes vocales ; dalle (pop.) ; glotte, épiglotte ; gorge, gosier, guttural ; hyoïde ; jugulaire ; larynx, laryngal ; luette ; muscle constricteur ; nerf glosso-pharyngien, hypoglosse, pneumogastrique ; œsophage ; pharynx, pharyngé ; pilier ; thyroïde ; trachée-artère. ▪ Avaler ; déglutir, déglutition ; gaver ; se gorger, être gorgé, boire à petites gorgées/à grandes gorgées/d'une goulée/d'un trait ; ingurgiter, ingurgitation ; se rengorger ; vomir. — **Maux de gorge.** Amygdalite ; angine ; aphonie, aphone ; avoir une boule/un chat dans la gorge ; coqueluche ; croup ; diphtérie ; enrouement, être enroué ; extinction de voix ; goitre ; laryngite, laryngotomie ; mal de gorge; pharyngite; se racler la gorge; tousser, toux sèche/grasse, accès/quinte de toux, réflexe tussigène; trachéite, voix blanche/éraillée/de rogomme. ▪ Badigeonner, badigeonnage; collutoire liquide/sec, boule de gomme; gargarisme, se gargariser; laryngoscopie, laryngoscope; sérothérapie; sirop; trachéotomie, canule. ▪ Médecin oto-rhino-laryngologiste, O.R.L. — **Attaquer, presser à la gorge.** Couper la gorge, coupe-gorge; égorger, égorgement; étouffer, suffocation; étrangler, étrangleur, strangulation; juguler, mettre le couteau sous la gorge/au collet; saigner un animal; serrer la gorge/le kiki (pop.)/le sifflet (pop.); tenir à la gorge. — **Gorge d'un objet.** Canal; cañon; col, couloir; échancrer, échancrure; entailler, entaille; étranglement, étrangler; évidement, évider; gorge d'une poulie, réa; passage étroit; porte; rétrécissement.

GORGE-DE-PIGEON → *couleur.*

GORGÉE → *boire, goût.*

GORGER → *emplir, manger.*

GORGERIN → *armure, cou.*

GORGONZOLA → *lait.*

GORILLE → *singe.*

GOSIER → *cou, gorge.*

GOSSE → *enfant, jeune.*

GOTHIQUE → *art.*

GOUACHE → *peinture.*

GOUAILLE, GOUAILLER, GOUAILLERIE, GOUAILLEUR → *moquer.*

GOUAPE → *homme.*

GOUDRON → *bois, charbon, noir.*

GOUDRONNER, GOUDRONNEUR, GOUDRONNEUSE → *route.*

GOUET → *bois, couper.*

GOUFFRE → *trou.*

GOUGE → *couper.*

GOUJAT, GOUJATERIE → *grossier, homme, manière.*

GOUJON → *poisson.*

GOUJON, GOUJONNER → *charpente.*

GOULACHE, GOULASCH → *cuisine.*

GOULE → *esprit, laid.*

GOULÉE → *boire, manger.*

GOULET → *mer, port.*

GOULOT → *bouteille, cou.*

GOULOTTE, GOULETTE → *canal.*

GOULU → *goût, manger.*

GOUPIL → *loup.*

GOUPILLE, GOUPILLER → *charpente, clou.*

GOUPILLON → *bouteille, brosse, église.*

GOURANCE, GOURANTE → *faute, tromper.*

GOURBI → *habiter.*

GOURD → *froid, gauche.*

GOURDE → *gauche.*

GOURDE → *légume.*

GOURDIN → *bâton.*

GOURER (SE) → *faute, tromper.*

GOURGANDINE → *débauche, femme.*

GOURMAND, GOURMANDISE → *essayer, manger, sensibilité, tendance.*

GOÛT → *aimer, manger, sensibilité, vin.* — **Organes du goût.** Bourgeon gustatif, gustation; insipidité, insipide; langue; nerf gustatif; odorat; organe sensoriel; palais; papilles gustatives; saveur, sapidité, sapide; sécrétion salivaire. — **Homme de goût.** Atticisme; beau; bien-jugé; canon, critère du goût; code du beau; délicat, délicatesse; être difficile; dilettante; éclectisme, éclectique; esthète, esthétisme; goût, bon goût, goût du jour, avoir du goût; grâce, gracieux; infaillible; à la mode, à la dernière mode; raffinement, raffiné; recherche, recherché; règle du goût; sens des convenances; sensible, sensibilité, sensiblerie; goût sûr, sûreté de goût; tact; de bon ton; universalité du goût. — **Mauvais goût.** Béotien; blaser, blasé; corrompre le goût, goût corrompu/criard; dégoûtant, dégoûter; goût dépravé, dépravation; émousser; faute de goût; goût douteux, de mauvais goût; grossier, grossièreté; ignoble; jurer; manquer de goût; médiocre, médiocrité; pédant, pédanterie, pédantisme; perversion du goût, goût perverti; philistin; vulgaire, vulgarité. — **Goûter.** Aimer, amateur, amour; appétence; apprécier, appréciation; approuver, approbation; arrière-goût; avant-goût; boire; clapper, claquer de la langue; déguster, dégustation, dégustateur; se délecter; délectation; éprouver, épreuve; essai, essayer; estimer; expérimenter, expérience; faire quelque chose à son goût/à son gré/à sa guise, comme il vous plaît; goût, avoir/prendre goût à; humer; jouir, jouissance; juger, jugement; manger; priser, priser fort; ressentir; savourer; sentir, sensation, aimer les sensations fortes; tâter de. ▪ Échantillon, gorgée, goûte-vin, tâte-vin, etc. — **Goût d'un aliment, d'une boisson.** Appétissant; assaisonner, assaisonné; délectable; délicieux, un délice; qui emporte la bouche; épicé, épices; excellent; exquis; fin; flatter le palais; fort; fumet; goût, de haut goût, goût de terroir; piquant, piquer la langue; avoir de la pointe; poivrer, poivré; racler le gosier; raide (fam.); avoir un relent de; relevé; salé. ▪ Acide, acidité, acidulé; âcre, âcreté; aigre; alliacé; amer, amertume; âpre, âpreté ; doux, douceur ; faisandé ; fort ; fruité ; mielleux ; moelleux ; rance ; saumâtre ; suave, suavité ; succulent ; sur, suret. ▪ Affadir, fade, fadasse, fadeur ; douceâtre ; écœurer, écœurant ; faible, goût de moisi/de pourri/de bouchon/ de piqué/de brûlé ; éventé, insipide, sans saveur. — **Gourmand.** Aimer les bonnes choses/les bons morceaux ; faire bonne chère ; chatteries ; délicatesses ; s'en donner ; douceurs ; fin bec, bec fin, fine gueule (pop.) ; être friand de, friandises ; gastronomie, gastronome ; gâteries ; goulu ; gourmand, gourmandise ; gourmet ; gueuleton (fam.), gueuletonner (fam.) ; s'en mettre plein la lampe (fam.), s'en mettre jusque-là/plein la panse (fam.) ; mignardises ; se régaler ; sucreries.

GOÛTER → *essayer, manger.*

GOUTTE → *liquide, mouiller, petit.*

GOUTTE → *maladie.*

GOUTTE-À-GOUTTE → *liquide.*

GOUTTELETTE, GOUTTER → *liquide, mouiller.*

GOUTTEREAU → *mur.*

GOUTTEUX → *maladie.*

GOUTTIÈRE → *bande, canal.*

GOUVERNAIL → *aviation, bateau, gouverner.*

GOUVERNANTE, GOUVERNANT → *chef, enfant.*

GOUVERNE → *gouverner, morale.*

GOUVERNEMENT, GOUVERNEMENTAL → *État, gouverner, politique.*

GOUVERNER → *chef, conduire.* — **Formes de gouvernement.** Anarchie, anarchisme, anarchique ; gouvernement d'assemblée, monocaméralisme, bicaméralisme ; autonomie, autonome ; collégial, collégialité ; consulat ; démocratie, démocratique ; direct, semi-direct ; directoire, directorial ; empire, impérial ; équilibre des pouvoirs ; fédéral, fédéralisme ; monarchique, royal, monarchie, monarchie absolue/constitutionnelle, royaume ; monocrate, monocratique ; parlementaire, parlementarisme ; gouvernement des partis ; populaire ; présidentiel, semi-présidentiel, de type américain/ français ; régence ; représentatif ; républicain, république. ▪ Collégialité, duumvirat, triumvirat, pentarchie, tétrarchie. — **Structure politique.** Aristocratie, autocratie, bureaucratie, gérontocratie, oligarchie, ploutocratie, théocratie. ▪ Absolutisme, arbitraire, autoritarisme, centralisme, centralisme bureaucratique, césarisme, despotisme, dictature, militarisme, régime policier, tyrannie. ▪ Constitution, institution(s), pouvoir, pouvoir de droit/ de fait, régime, régime en place/provisoire, règne. ▪ Gouvernement chancelant/qui s'écroule/qui s'effondre/faible/fort/stable, l'instabilité gouvernementale ; gouvernement populaire/ impopulaire ; corruption, favoritisme, népotisme, piston (fam.). — **Parlement.** Bancs, banc du gouvernement/ des ministres ; bureau de l'assemblée, président, questeur ; commissions parlementaires, commission d'enquête ; constituer le bureau/les commissions, etc. ; démission, se démettre ; député, députation ; doyen d'âge ; investiture, donner l'investiture, être investi ; législature ; majorité, minorité ; mettre en minorité ; opposition, opposition de Sa Majesté/systématique ; pupitre ; représentation nationale, représentant du peuple, représenter une circonscription/un département/une ville à l'Assemblée ; sénateur ; tribune, monter à la tribune. ▪ Extrême droite, droite, centre droit, centre, marais, centre gauche, gauche, extrême gauche. — **Vie parlementaire.** Amendement, amender la Constitution ; censure, censurer le gouvernement ; chute du gouvernement, le gouvernement tombe ; convocation des Chambres ; débats parlementaires, arbitrer/présider les débats, *Journal officiel ;* debater ; dissolution, dissoudre l'Assemblée ; interpellation, interpeller le gouvernement ; mettre aux voix ; motion, motion d'ordre ; obstruction ; ordre du jour ; ouvrir la séance, entrer en séance ; procédure ; projet de loi ; question écrite/orale ; question de confiance ; rappel à l'ordre ; renverser le gouvernement, renversement de majorité ; repousser un projet de loi, responsabilité ministérielle ; séance, séance de nuit, siéger ; session ; vote, vote nominal/par assis et levé/à main levée, vote bloqué, vote de confiance, voter/refuser la confiance. ▪ Absentéisme ; applaudissements, chahut, tollé ; l'honorable parlementaire, etc. — **Assemblées politiques diverses.** Assemblée nationale ; Chambre des députés, Chambre, Palais-Bourbon ; corps législatif ; Parlement ; Sénat, Luxembourg. ▪ Assemblée constituante/législative ; Convention ; Conseil des Anciens/des Cinq-Cents ; Chambre des pairs. ▪ Chambre des communes/des lords ; Congrès américain ; Cortes espagnoles ; Diète ; Douma russe ; Landtag/Reichtag allemands ; Sénat ; Storting norvégien, etc. — **Le gouvernement.** Conseil de cabinet/interministériel/des ministres/ restreint ; intérim, assurer l'intérim ; la machine gouvernementale ; membre du gouvernement ; ministre, ministre délégué/d'État ; premier ministre, président du conseil, chancelier ; ministrable ; passation des pouvoirs ; portefeuille ministériel, maroquin ; secrétaire, sous-secrétaire d'État. ▪ Entrer au gouvernement ; constituer/former/remanier le gouvernement ; être pressenti, tour de piste, dosages politiques, équipe/formation ministérielle. ■ Cabinet du ministre/ministériel ; attaché/chef/directeur de cabinet, chargé de mission auprès du premier ministre.

GOUVERNEUR → *banque, chef, colonie, gouverner.*

GRABAT → *étendre, lit.*

GRABATAIRE → *maladie.*

GRABUGE → *bruit, trouble.*

GRÂCE → *avantage, pardon, reconnaître, théologie.*

GRACIEUSETÉ → *payer.*

GRACIEUX → *beau, donner.*

GRACILE, GRACILITÉ → *maigre.*

GRADATION → *grade, progrès.*

GRADE → *angle, chef, fonction, université.* — **Passage d'un état à un autre.** Avancement, avancer, avancer en grade ; classe, pharmacien de première classe, etc. ; chevron ; cran ; degrés de l'échelle sociale ; désignation, désigner ; échelle ; échelon ; élection, élire ; s'élever, par degrés ; hiérarchie, hiérarchiser, supérieur hiérarchique ; introniser, intronisation ; monter en grade ; nommer à ; ordonner, ordination ; passage, passer à ; promotion, promouvoir, promouvable, promu ; rang ; sacre, sacrer, consacrer ; être sorti du rang ; subordination, subordonner, subordonné ; un supérieur, supérieur hiérarchique. ■ Casser, dégrader, démettre, déposer, mettre à pied, rétrograder, révoquer. — **Grades de l'armée française.** ■ Armées de terre et de l'air : maréchal de France ; officier général : général, général d'armée/de corps d'armée/de division/de brigade ; officier supérieur : colonel, lieutenant-colonel, chef de bataillon ou chef d'escadron(s) ou commandant ; officier subalterne : capitaine, lieutenant, sous-lieutenant, aspirant ; sous-officier : adjudant-chef, adjudant, sergent-major, sergent-chef ou maréchal des logis-chef, sergent ou maréchal des logis ; gradés : caporal-chef ou brigadier-chef, caporal ou brigadier, soldat de 1re classe. ■ Marine : amiral, amiral d'escadre, vice-amiral, contre-amiral ; officier supérieur : capitaine de vaisseau/de frégate/de corvette ; officier subalterne : lieutenant de vaisseau, enseigne de vaisseau de 1re classe/de 2e classe, aspirant ; officier marinier : maître principal, premier maître, maître, second maître/quartier-maître de 1re classe/de 2e classe ; matelot breveté. — **Hiérarchies diverses.** ■ Administration : commis, rédacteur, chef de bureau/de service. ■ Église : sous-diacre, diacre, prêtre, évêque, archevêque, cardinal, pape. ■ Gouvernement : sous-secrétaire/secrétaire d'État, ministre, ministre d'État, président du conseil des ministres, premier ministre, chef du gouvernement/d'État, président de la République. ■ Diplomatie : attaché d'ambassade, secrétaire, conseiller, ambassadeur, ambassadeur de France ; consul, légat. ■ Municipalité : conseiller municipal, adjoint/premier adjoint au maire. ■ Ordres militaires : chevalier, officier, commandeur, grand commandeur, grand officier, grand-croix, grand maître. ■ Université : assistant, maître assistant, maître de conférences, professeur ; assesseur, doyen, vice-recteur, recteur, etc. — **Insigne du grade, de la dignité.** Chapeau de cardinal ; cordon ; couronne, croix, décoration ; écharpe ; épaulette ; étoile ; feuille de chêne ; galon, ficelle (pop.) ; képi ; livrée ; médaille ; patte, patte d'hermine ; plaque ; sceptre ; toque, verge. ■ Chaise curule, faisceaux, hache, licteur ; emblème, marque, signe, symbole. — **Gradation.** Accroissement, s'accroître ; apogée ; augmentation, augmenter ; croissance, croître ; degré ; échelle, échelonnement ; étage, étagement, étager ; gamme ; gradation, graduer, graduel ; grade, dégradé ; hauteur ; marche ; maximum, minimum ; mètre ; palier ; paroxysme ; progression, progrès, progressif, progressivité ; stade ; ton. ■ Doucement, au fur et à mesure, d'année en année, d'heure en heure, de jour en jour, de minute en minute, de moins en moins, pas à pas, petit à petit, peu à peu, pied à pied, de plus en plus, de proche en proche, progressivement, etc.

GRADIENT → *mesure, météorologie.*

GRADIN → *mine, monter, théâtre.*

GRADUATION, GRADUÉ, GRADUEL → *grade, progrès, signe.*

GRADUEL → *liturgie.*

GRADUER → *grade, mesure.*

GRAFFITI → *inscription.*

GRAILLEMENT, GRAILLER → *cri.*

GRAILLON, GRAILLONNER → *gras, son.*

GRAIN → *bosse, fruit, germe, légume, petit.* — **Les grains.** Caryopse ; céréales ; cosse ; épi ; gousse, gousse sessile ; grappe ; riz, soja. ■ Aire ; battre, cribler, ensacher, trier, vanner ; éventer, remuer ; balle, paille ; fléau, van ; grange, grenier, silo ; grainetier, graineterie. — **Semer.** Égrener, égrenage ; emblaver, emblavure ; ensemencer, ensemencement ; épandre, épandage ; « le geste auguste du semeur » ; grenage, grainage ; planter, plantoir ; repiquer, repiquage ; semer, semeur, semoir, semis, semailles ; semer en ligne/à la volée. — **Légumineuses.** Fève, févier ; fève de Calabar/d'Égypte/tonka/vraie. ■ Haricot,

haricot commun/d'Espagne/mungo/Tepany; haricot beurre/à écosser/à filets/à rames/mange-tout; haricot sec/mi-sec/vert, fils, charençon. ■ Ers, lentille large blonde/petite à la reine/petite rouge/verte du Puy; semer en ligne/par poquets; caillou, pierre, trier les lentilles. ■ Pois; jarosse, pois de bedeau, café, pois carrés/cassés/secs/de senteur; petits pois nains/demi-nains/à rames; écosser, écossage; pois en conserve/cuisinés/extra-fins/très fins/fins/mi-fins. — **Grain d'une chose.** Bourgeon; bouton; corpuscule; fragment; granule; grenaille; grumeau, grumeler; morceau, morceler; parcelle; pépite; perle, perler, perlure. ■ Grain du cuir, chagrin; grain de l'étoffe, gros-grain, ratine, ratiner; grain de la peau/de beauté; grain d'une roche granitique, grès; grain d'un tissu, poudre. ■ Chapelet, collier.

GRAINAGE, GRENAGE → *soie.*

GRAINÉ → *germe, grand, soie.*

GRAINETERIE, GRAINETIER → *grain, marchandises.*

GRAISSE, GRAISSER → *gras, sale.*

GRAISSEUR → *gras, machine.*

GRAISSEUR → *gras, sale.*

GRAM → *microbe.*

GRAMINACÉES, GRAMINÉES → *plante.*

GRAMMAIRE → *écrire, langage, mot, son, style.* — **Parties de la grammaire.** Étymologie, étymologique, étymologiste; grammaire comparée / descriptive ou synchronique / générale / historique ou diachronique/normative ou dogmatique; grammatical, grammairien; lexique, lexicographe, lexicologie; métrique, métricien; morphologie, morphologique, morphophonologie; philologie, philologique, philologue; onomastique; orthographe; phonétique, phonéticien, phonologie, phonologue; prosodie, prosodique; rhétorique; sémantique, sémanticien; stylistique, stylisticien; syntaxe, syntactique, syntaxique; toponymie. — **Analyse des mots.** Fonction; forme, forme régulière/anormale; genre féminin/masculin/neutre; groupe, groupe de mots, syntagme; mode; nombre, duel, pluriel, singulier; personne, 1re/ 2e/ 3e personne du singulier/du pluriel; segment; sens; variable, invariable; voix active/passive/pronominale. ■ Adjectif démonstratif/numéral/possessif/qualificatif/au comparatif/au superlatif; adverbe de lieu/de manière, etc.; article défini/indéfini; conjonction de coordination/de subordination; copule; interjection; locution conjonctive/prépositive; mot-outil, mot plein; nom ou substantif, nom commun/propre; préposition; pronom démonstratif / indéfini / interrogatif / personnel/possessif/relatif; verbe. ■ Cas, casuel; conjugaison, mode, personne, temps; déclinaison, décliner; désinence; flexion; paradigme, paradigmatique; terminaison. ■ Attribut, prédicat; apostrophe; apposition; attribut du sujet/du complément d'objet direct; complément d'adjectif/d'adverbe/de nom/d'objet direct ou indirect/d'attribution/circonstanciel de cause, de lieu, etc.; épithète; sujet apparent/réel. — **Analyse de phrases.** Affirmation, négation, comparaison; concordance des temps; construction directe/indirecte; coordination; ellipse; figure; interrogation directe/indirecte, interrogative; inversion; juxtaposition; locution; période; phrase, membre de phrase, phrastique; proposition incidente/incise/indépendante/principale/subordonnée causale/comparative / complétive / concessive / finale/circonstancielle de manière, de moyen, etc.; proposition relative/temporelle; style direct/indirect/indirect libre; subordination, subordonnée; tour. — **Philologie.** Athétèse; commentaire, commentaire critique, commentateur; compilation, compiler, compilateur; corriger, correction; critique, critique interne, apparat/édition critique, critique des textes; érudition, érudit; étymologie; exégèse, exégète; grammairiens alexandrins; interpoler, interpolation; linguistique comparée; philologie classique/moderne; scolie, scoliaste; traduction, traduire, traducteur; variante; version. ■ Archéologie, épigraphie, histoire, paléographie. — **Le bon usage.** Académie française; barbarisme; bon français, bon usage; correction, correct; cuir; faute de français/de grammaire; faux sens, contresens; grammatical, grammaticalité; incorrect, incorrection; laxisme, licence; norme, normatif; opinion des grammairiens; propriété d'un terme, mot propre; purisme, puriste; règle de grammaire, exception à la règle; remarque; solécisme; tour vicieux.

GRAMMAIRIEN, GRAMMATICAL → *grammaire.*

GRAMMATICALISATION, GRAMMATICALISÉ → *grammaire.*

GRAMME → *mesure, peser.*

GRAND → *augmenter, étendre, haut, noblesse, supérieur.* — **D'une grande taille.** Hauteur, stature, taille; mesurer, mensuration; dépasser les autres d'une tête; six pieds, six pouces. ■ Asperge, cheval (pop.), dadais, échalas, escogriffe, flandrin, grenadier, perche (fam.), tambour-major. ■ Acromégalie, gigantisme, monter en graine; colossal, colosse; cyclopéen; énorme;

géant, gigantesque ; immense ; majorité, majeur ; maximum, maximal ; monstre, monstrueux ; ogre ; titan, titanesque. ■ Antée, Atlas, Gargantua, Goliath, etc. — **De grande dimension.** Données : envergure, épaisseur, format, grandeur, grosseur, hauteur, longueur, largeur, mesure, taille. ■ Ample, ampleur ; beau ; corpulence, corpulent ; gras ; grosseur, gros ; large ; ouvert, grand ouvert ; spacieux ; à perte de vue ; vaste, vastitude. ■ Barlong ; dolicho-, dolichocéphale ; étendu, qui s'étend ; long, longi-, longiligne, longuet (fam.) ; macro-, macrophotographie ; à grandes enjambées, à grands pas, à pas de géant. ■ Colossal, démesuré, effrayant, énorme, imposant, macro-, macrocosme, monumental, profond, volumineux. ■ Considérable ; énorme ; extraordinaire ; illimité, sans bornes ; important, d'importance ; incommensurable ; inappréciable ; inestimable ; infini, infinitude ; insondable ; intense, intensité ; prodigieux, prodige ; terrible ; vif ; violent. — **Grandeur sociale.** Chef, dignité, dignitaire ; distingué, distingué confrère ; éminent, éminence, éminence grise ; fortune ; gloire, glorieux ; un grand, les grands, grand personnage, grand seigneur, grand d'Espagne, grand maître, grand prieur, folie des grandeurs, mégalomanie, mégalomane ; honorabilité, honorable, honneur, honoré ; mépris, ton méprisant ; mérite ; prospérité, prospère ; pouvoir, puissance, puissant ; supériorité, supérieur ; suprême, suprématie ; toiser ; valeur. ■ Son Éminence, Son Excellence, Sa Grandeur, Sa Hauteur, Sa Majesté. — **Grandeur d'âme.** Auguste ; beau ; qui a du cœur ; courageux, courage ; élevé, élévation ; généreux, générosité ; génial, génie ; grandeur, grand, grand air, voir grand ; grandiloquent, grandiloquence ; grandiose ; hauteur de pensée/de vue ; héroïque, héroïsme ; imposant ; impressionnant ; magistral ; magnanime, magnanimité ; magnificence, magnifique ; majestueux, majesté ; noble, noblesse ; pompeux, pompe ; solennel ; sublime ; surhumain ; surnaturel.

GRAND-CROIX → *décoration, grade.*

GRAND-DUC, GRAND-DUCHÉ → *noblesse, souverain.*

GRANDEUR → *étendre, honneur, noblesse.*

GRANDILOQUENCE, GRANDILOQUENT → *grand, style.*

GRANDIOSE → *grand.*

GRANDIR → *augmenter, grand.*

GRANDISSEMENT → *optique.*

GRAND-MAMAN, GRAND-MÈRE → *famille.*

GRAND-MESSE → *liturgie.*

GRAND-ONCLE, GRAND-PAPA, GRAND-PÈRE, GRANDS-PARENTS → *famille.*

GRAND-VOILE → *voilure.*

GRANGE → *blé, ferme, garder.*

GRANIT, GRANITE → *géologie.*

GRANITÉ → *grain, tissu.*

GRANITIQUE, GRANITOÏDE → *géologie.*

GRANULAIRE, GRANULATION → *grain, tumeur.*

GRANULE, GRANULÉ → *grain, médicament.*

GRANULER, GRANULEUX → *grain.*

GRANULIE → *maladie.*

GRANULITE → *géologie.*

GRANULOME → *tumeur.*

GRANULOMÉTRIE → *pierre.*

GRAPE-FRUIT → *agrumes.*

GRAPHÈME, GRAPHIE, GRAPHIQUE → *écrire.*

GRAPHIQUE, GRAPHISME → *inscription.*

GRAPHITAGE → *reproduction.*

GRAPHITE, GRAPHITEUX, GRAPHITIQUE → *dessin, huile.*

GRAPHOLOGIE, GRAPHOLOGUE → *écrire.*

GRAPHOMÈTRE → *angle.*

GRAPPE → *fleur, fruit, vigne.*

GRAPPILLER, GRAPPILLEUR → *prendre, vigne.*

GRAPPILLON → *fleur, fruit.*

GRAPPIN → *ancre, monter.*

GRAS → *beurre, épais, grossier, huile, toucher.* — **Corps gras.** Beurre, butyrine ; blanc de baleine ; cire ; dégras ; glycérine, glycéride ; graisse, graisse au calcium/au sodium, graisse animale / minérale / végétale ; huile ; lanoline ; lard, lardon ; linoléine ; lipide, lipoïde, facteur lipotrope, liposoluble ; moelle ; oléine ; palmitine ; panne ; paraffine ; rancir, rancissement ; saindoux ; saponification, saponifier, savon ; stéarine, acide stéarique, stéarinerie ; suif, suint ; vaseline ; végétaline. ■ Graillonneux, graisseux, huileux, mucilagineux, onctueux, savonneux, visqueux. — **Personne grasse.** Adipeux, adiposité ; bouffi, bouffissure ; boursouflé ; corpulent, corpulence ; dodu ; embonpoint ; empâté, empâtement ; épais ; fessu ; fort ; gras, grassouillet, gras du bide (pop.), gras à lard, gras comme une caille (fam.)/ comme un cochon (pop.)/comme un moine (fam.) ; gros, grosseur, gros et gras ; joufflu ; mafflu ; double/triple menton ; mou, mollasse (fam.), mollasson (fam.) ; obèse, obésité ; onctueux, onctuosité ; pansu ; patapouf (fam.) ; plantureux ; plein de soupe (fam.) ; poussah ; potelé ; rebondi ; replet ; rond, rondelet, rondouillard (fam.) ; stéatopygie ; ventripotent, ventru. — **Engraisser.** Appâter, pâtée, pâton ; embouche ; engraisser, engraisseur ; engrener ; gaver, gavage ; gorger ; nourrir, nourrisseur. ▪ Arrondir ; empâter, s'empâter ; épaissir ; forcir ; gonfler ; grossir ; prendre du poids/de la graisse/de l'ampleur/de l'embonpoint/du ventre. — **Graissage.** Bassin-relais ; brouillard d'huile ; burette ; cambouis ; carter, coussinet de graissage ; film d'huile ; frottage fluide/huileux ; frottement ; graissage onctueux/parfait, graisseur à condensation ; huile, huiler, huile détergente/classement S.A.E./graphitée/de vidange ; lubrifier, lubrifiant ; mélange ; palier ; pompe ; régulateur de température ; viscosité.

GRAS-DOUBLE → *bœuf, intérieur.*

GRASSERIE → *soie.*

GRASSEYEMENT, GRASSEYER → *parler.*

GRASSOUILLET, GRASSOUILLETTE → *gras.*

GRATIFICATION, GRATIFIER → *avantage, donner, gagner, payer.*

GRATIN, GRATINER → *cuisine, supérieur.*

GRATINÉE → *légume.*

GRATIS → *donner, payer.*

GRATITUDE → *reconnaître.*

GRATTE → *gagner.*

GRATTE-CIEL → *édifice.*

GRATTE-PAPIER → *bureau, écrire.*

GRATTER, GRATTOIR → *annuler, toucher.*

GRATUIT, GRATUITÉ → *libre, payer.*

GRAU → *lac.*

GRAVATS → *résidu.*

GRAVE → *chanter, importance, son.*

GRAVELEUX → *fruit, libre.*

GRAVELURE → *libre.*

GRAVER → *art, dessin, écrire, inscription.* — **Travail de graveur.** Buriner ; ciseler (toreutique) ; ébarber, barbe ; estamper, estampage, estampe ; hacher, contre-hacher ; imprimer en creux ; modelé ; retrousser le cuir ; tailler, taille, courbe, droite ; teinter, teinte, demi-teinte ; tracer. ▪ Aquafortiste, aquatintiste, ciseleur, lithographe, médailleur, nielleur, photograveur, sculpteur, xylographe. — **Instruments du graveur.** Canif, ciseau, échoppe plate/ronde/rayée ou vélo, gouge, poinçon, pointe, pyrographe, touret. ▪ Berceau, boisse, brunissoir, burin, grattoir, langue-de-chat, pointe d'acier/de diamant. ▪ Acide nitrique/mordant, perchlorure de fer, molette, pointe, vernis mou ; boîte à grain, colophane, résine ; feutres ou langes, presse à taille douce, table de chauffe. — **L'objet gravé.** Cul-de-lampe ; épreuve, épreuve d'état, avant la lettre, épreuve brillante/grise/neigeuse ; estampe ; frontispice ; illustration ; image, image d'Épinal, remarque, timbre-poste, vignette. ▪ Camaïeu, camée, ectype, glyphe, glyptique, intaille, relief, scarabée. ▪ Armoiries, cachet, initiales, monogramme, sceau, etc. — **Sortes de gravures.** Galvanotypie, cliché ; gravure sur bois ou xylographie/sur bois de fil ou taille d'épargne/sur bois debout ou gravure à teintes, gravure japonaise ; gravure en creux sur cuivre ou chalcographie/sur métal en général ou taille-douce, gravure au burin/au criblé/à la pointe sèche/à la manière noire ou mezzotinto, eau-forte, aquatinte, gravure à la roulette dite « en manière de crayon » ; gravure sur pierre ou lithographie ; gravure en camaïeu/en couleur ; héliogravure, pyrogravure, simili-gravure. — **Rendre durable.** Écrire, écrit ; empreindre ; fixer, fixation ; frapper ; graver dans l'esprit/dans la mémoire/sur un monument/de façon indélébile/ineffaçable ; imprimer, impression ; incruster, incrustation ; marquer en lettres de feu/au fer/au fer rouge/du sceau de l'infamie ; marque, cicatrice, balafre, etc. ; pérenniser ; sculpter, sculpture ; tracer, trait.

GRAVES → *vin.*

GRAVEUR → *graver.*

GRAVIDE → *reproduction.*

GRAVIER → *sable.*

GRAVILLON → *maçonnerie, route.*

GRAVIMÉTRIE, GRAVIMÉTRIQUE → *peser.*

GRAVIR → *monter, passer.*

GRAVITATION → *attirer, mécanique, peser, physique.*

GRAVITÉ → *attirer, importance, peser, sérieux, son.*

GRAVITER → *entourer, peser, tourner.*

GRAVURE → *disque, graver.*

GRÉ → *libre, volonté.*

GREC, GRECQUE → *art, cuisine, écrire, Europe, religion.*

GRECQUE → *décoration.*

GREDIN → *homme, mépris.*

GRÉEMENT, GRÉER → *voilure.*

GREFFE → *tribunal.*

GREFFE, GREFFER → *arbre, chirurgie, entrer, jardin.*

GREFFIER → *tribunal.*

GREFFOIR, GREFFON → *arbre.*

GRÉGAIRE, GRÉGARISME → *groupe.*

GRÈGE → *soie.*

GRÉGORIEN → *chant, liturgie.*

GRÊLE → *faible, maigre.*

GRÊLE → *froid, nombre, pluie.*

GRÊLÉ → *visage.*
GRÊLER → *froid, pluie.*
GRELIN → *navire.*
GRÊLON → *froid.*
GRELOT → *boule, jouer.*
GRELOTTEMENT, GRELOTTER → *crispation, froid.*
GRENACHE → *vin.*
GRENADE → *exploser, fruit, projectile.*
GRENADIER → *arbre, infanterie.*
GRENADIÈRE → *sac.*
GRENADINE → *boisson.*
GRENAILLE, GRENAILLER → *grain poudre.*
GRENAT → *joaillerie, rouge.*
GRENÉ, GRENELER, GRENER, GRAINER → *cuir, grain.*
GRÈNETIS → *grain, monnaie.*
GRENIER → *ferme, garder, maison.*
GRENOUILLE, GRENOUILLÈRE → *reptiles.*
GRENOUILLETTE → *tumeur.*
GRENU → *grain, irrégulier.*
GRENURE → *grain.*
GRÈS → *céramique, géologie, grain.*
GRÉSEUX → *argile.*
GRÉSIL, GRÉSILLER → *froid.*
GRÉSILLEMENT, GRÉSILLER → *bruit.*
GRÈVE → *arrêter, sable, travail.*
GREVER → *charger.*
GRÉVISTE → *travail.*
GRIBOUILLE → *sot.*
GRIBOUILLER, GRIBOUILLEUR, GRIBOUILLIS → *dessin, écrire, sale.*
GRIEF → *mécontentement.*
GRIFFE, GRIFFER → *corne, couture, doigt, signe.*
GRIFFON → *blason, chien, imaginer.*
GRIFFONNER, GRIFFONNEUR → *écrire.*
GRIFFU, GRIFFURE → *corne.*
GRIGNER → *pli.*
GRIGNON → *pain.*
GRIGNOTER, GRIGNOTEUR → *gagner, manger, ronger.*
GRIGNOTIS → *graver.*
GRIGOU → *avare.*
GRI-GRI, GRIGRI → *magie.*
GRIL → *attendre, cuisine, four.*
GRILLADE → *cuisine.*
GRILLAGE, GRILLAGER → *fermer.*
GRILLE → *fermer, feu, payer, secret.*
GRILLER → *fermer.*
GRILLER → *café, chaleur, cuisine, désir, électricité, sec.*
GRILLOIR → *cuisine.*
GRILLON → *insecte.*
GRILL-ROOM → *hôtel.*
GRIMACE, GRIMACER, GRIMACIER → *affectation, crispation, pli, visage.*
GRIMAUD → *littérature.*
GRIMER → *couleur, visage.*
GRIMOIRE → *livre, magie.*
GRIMPER → *haut, monter.*
GRIMPER → *gymnastique.*
GRIMPEREAU → *oiseau.*
GRIMPETTE, GRIMPEUR → *montagne.*
GRIMPEUR → *oiseau.*
GRINCEMENT, GRINCER → *bruit.*
GRINCHEUX → *mécontentement.*
GRINGALET → *homme, maigre, petit.*
GRIOTTE, GRIOTTIER → *marbre, noyau.*
GRIPPAL, GRIPPE → *détester, microbe.*
GRIPPER, GRIPPER (SE) → *fixer, moteur.*
GRIPPE-SOU → *avare.*
GRIS → *blanc, noir, vin.*
GRISAILLE, GRISAILLER → *peinture, terne.*
GRISÂTRE, GRISÉ → *noir, terne.*
GRISER, GRISERIE → *exciter, inconscience, vin.*
GRISOLLER → *alouette.*
GRISON → *âne.*
GRISONNER → *blanc, vieillesse.*
GRISOU → *charbon, gaz.*
GRIVE → *oiseau.*
GRIVELER, GRIVÈLERIE → *hôtel, voler.*
GRIVOIS, GRIVOISERIE → *joie, libre.*
GRŒNENDAEL → *chien.*
GROG → *boisson.*
GROGGY → *inconscience.*
GROGNEMENT, GROGNER, GROGNERIE → *cri, mécontentement.*
GROGNON, GROGNONNER → *mécontentement, porc.*
GROIN → *bouche.*
GROLE, GROLLE → *chaussure.*
GROMMELER → *mécontentement.*
GRONDER, GRONDERIE, GRONDEUR → *bruit, cri, discussion, mécontentement.*
GRONDIN → *poisson.*
GROOM → *hôtel, servir.*
GROS → *épais, gras, grossier, importance, riche.*
GROS → *commerce, nombre.*
GROSEILLE, GROSEILLIER → *fruit.*
GROS-GRAIN → *soie, tissu.*
GROSSE → *contrat.*
GROSSESSE → *accouchement.*
GROSSEUR → *bosse, grand, tumeur.*

GROSSIER → *commun, manière, offense, peser, sot.* — **Être brut et sans finesse.** Abrupt, banal, bourru, brut, commun, cru, écru, gros, grossier, *grosso modo*, naturel, nu, ordinaire, primitif, rudimentaire, simple, tel quel, vierge ▪ Approximatif, approximation ; couvert d'aspérités, ébauche, ébauché, élémentaire, imparfait, imprécis, inégal, informe, non ouvré, sans apprêt, sommaire, sommairement, non taillé, non travaillé, vague. ▪ Épais, informe, lourd, massif, mastoc, médiocre, raboteux, rouillé, rugueux, sauvageon, taillé à coups de hache. ▪ Champagne brut. — **Non poli par la culture, l'éducation.** Agreste, barbare, fruste, ignorant, ignorance, illettré, inculte, inculture, non évolué, primitif, rude, rudesse, rustique, sauvage, sauvagerie. ▪ Balourd, balourdise, mal dégrossi, mal éduqué, hirsute, incivil, indélicat, indélicatesse, inélégant, inélégance, lourd, lourdaud, maladroit, maladresse, obtus, pataud, paysan, pesant, rustaud, rustre, stupide, stupidité, terre à terre, vulgaire, vulgarité. ▪ Abruti, abrutissement, béotien, brute, brutal, brutalité, butor, canaille, croquant, faraud, goujat, goujaterie, malappris, malotru, maroufle, mufle, muflerie, ostrogoth, ours mal léché, paltoquet, paysan du Danube, pignouf (fam.), porc (pop.), populace, soudard, valetaille, voyou. ▪ Avoir l'esprit enfoncé dans la matière : animal, animalité, bas, bassesse, bestial, bestialité, charnel, sensuel, sensualité. — **Contraire à la bienséance, à la pudeur.** Crapule, crapuleux, crapulerie ; discourtois ; effronté, effronterie ; immoral, immoralité ; impoli, impolitesse ; impudent, impudence ; inconvenant, inconvenance ; incorrect, incorrection ; indécent, indécence ; insolent, insolence ; libertin, libertinage ; libidineux ; mal embouché (fam.) ; malhonnête ; vulgaire, vulgarité, harengère, poissarde. ▪ Bas, blessant, choquant, cochon (fam.), cochonnerie ; cru, crudité ; dégoûtant ; égrillard ; épicé ; gaulois, gauloiserie ; gras, graveleux, gravelure ; grivois, grivoiserie ; grossier, grossièreté, gros mot ; injure, injurier ; insulte, insulter ; juron, jurer ; malhonnête, malséant, malsonnant ; obscène, obscénité ; ordurier, ordure ; paillard, paillardise ; polisson, polissonnerie ; poivré, salé ; sale, saleté ; scatologique ; trivial, trivialité ; vert ; vulgaire, vulgarité. ▪ Jurer comme un charretier, parler gras, dire des horreurs.

GROSSIÈRETÉ → *grossier.*

GROSSIR, GROSSISSANT → *augmenter, excès, gras, optique.*

GROSSISTE → *commerce, marchandises.*

GROSSO MODO → *entier.*

GROTESQUE → *moquer, rire.*

GROTTE → *trou.*

GROUILLEMENT, GROUILLER → *abondance, remuer.*

GROUPE → *amas, association, rencontre, réunion, sculpture.* — **Hommes ayant quelque chose en commun.** Alliance, amicale, association, catégorie, cénacle, cercle, chapelle, clan, classe, clique, club, coalition, collectivité, communauté, compagnie, complot, confédération, confrérie, corps, coterie, délégation, duo (trio), école, ethnie, famille, fédération, ligue, monde des affaires/littéraire, etc., nation, parti, peuple, peuplade, secte, société, sphères politiques, syndicat, tribu, troupe de théâtre, union. ▪ Cartel, entente, holding, lobby, pool, trust. ▪ Brain-storming, brain-trust, collaborer, collectif, collège, école, équipe, esprit/travail d'équipe/en groupe, solidarité, symposium. ▪ Réunion, raout, surprise-partie, soirée, veillée. — **Hommes réunis dans le même lieu.** Agglomération ; armée ; assistance ; attroupement ; auditoire ; bande ; caravane ; chœur, faire chorus ; cohorte ; colonie, coloniser ; conférence ; congrès ; convent ; convoi ; cortège ; défilé ; équipe ; escadron ; essaim ; file ; foule ; grappe ; horde ; manifestation ; masse ; meeting ; meute ; milieu ; monde ; multitude ; peloton ; poignée ; procession ; quarteron ; queue ; ranger ; ramas, ramassis ; réunion ; ribambelle ; séance ; séquelle ; tas ; théorie ; troupe ; volée. — **Troupe militaire.** Armée, corps d'armée, division, brigade, bataillon, régiment, escadrille, escadron, compagnie, section, peloton. ▪ Armée ; avant-garde, arrière-garde ; base aérienne/navale/d'opération ; cohorte ; colonne, 5e colonne ; commando ; détachement ; équipage ; escouade ; escorte ; état-major ; goum ; groupe de chasse/de combat/opérationnel/de reconnaissance/volant ; légion ; milice ; patrouille ; phalange ; piquet ; poste, poste de garde ; section ; troupes d'assaut/de choc/de couverture/de débarquement/d'élite/de réserve/territoriales ; unité. — **Grouper, regrouper, se grouper.** Accoupler ; accumuler, accumulation ; additionner, addition ; allier ; amasser ; apparier ; assembler, assemblage ; attrouper ; centraliser, centralisation ; cimenter ; classe, reclasser ; codifier ; collecter, collectionner, collection ; colliger ; concentrer, concentration ; condensé ; confluer ; confondre ; convoquer ; diviser, division, subdiviser, subdivision ; fusionner, fusion ; intégrer, intégration ; lier ; se masser, se presser ; nouer, renouer, groupement, grouper, regroupement, regrouper, groupage, joindre, jonction ; rallier, ralliement ; ramasser, ramassage ; rapprocher ; rassembler ; récolter, recueillir, récolte, collecte ; ressouder, souder ; résumer ; retraite ; réunir, réunion ; synthétiser, synthèse. ▪ Embrigader, endoctriner, enrôler, mobiliser, recruter ; esprit civique/de clan/de classe/de corps/de famille/de groupe / national / patriotique / religieux/social ; socialiser, sociologie, microsociologie, sociométrie ; tribalisme, tribu. — **Groupes d'animaux.** Banc de poissons ; essaim d'abeilles ; harde, harpail ; litée ; manade ; meute de chiens ; nichée ; portée ; progéniture ; troupeau de bestiaux/d'oies, etc. ; vol, volée. ▪ Instinct grégaire, grégarisme, moutonner.

GROUPEMENT, GROUPER → *groupe.*

GRUAU → *farine, pain.*

GRUE → *attendre, débauche, oiseau.*

GRUE → *monter.*

GRUGER → *sel, voler.*

GRUME → *bois, vigne.*

GRUMEAU, GRUMELER (SE), GRUMELEUX → *épais, grain, irrégulier.*

GRUTIER → *monter.*

GRUYÈRE → *lait.*

GRYPHÉE → *mollusques.*

GUANO → *engrais.*

GUÉ, GUÉABLE → *passer, rivière.*

GUÈDE → *bleu.*

GUELTE → *payer.*

GUENILLE → *morceau, tissu, vêtement.*

GUENON → *singe.*

GUÉPARD → *mammifères.*

GUÊPE, GUÊPIER → *difficile, insecte.*

GUÉRET → *culture.*

GUÉRIDON → *meuble.*

GUÉRILLA, GUÉRILLERO → *guerre.*

GUÉRIR, GUÉRISON, GUÉRISSEUR → *soigner.*

GUÉRITE → *garder.*

GUERRE → *adversaire, armée, désaccord.* — **Action de se battre.** Baroud (pop.), baroudeur ; bagarre (fam.) ; boucherie ; casse-gueule (fam.), casse-pipe (fam.) ; champ de bataille ; combat, combattant, ancien combattant ; feu, baptême du feu ; front ; guerroyer, aguerri ; lutte ; mêlée ; tomber au champ d'honneur, mort pour la patrie. ▪ Barricade, émeute, révolte, révolution ; occupation, quadrillage, ratissage. — **Sortes de guerres.** Conflagration, conflit, croisade, génocide, hostilités, jacquerie, lutte armée. ▪ Guerre aérienne, bombardement ; guerre atomique/biologique/chimique ou guerre ABC/bactériologique/civile ; guerre-éclair, *blitzkrieg ;* guerre électronique ; guerre froide/des nerfs/des ondes ; guerre à outrance/ouverte ; guerre de partisans ; petite guerre ; guerre de positions ; guerre psychologique ; guerre de religion/religieuse ; guerre révolutionnaire ; guerre sainte, lever l'étendard de la guerre sainte ; guerre sous-marine ; guerre subversive, guerre annexionniste / coloniale / commerciale / émancipatrice / esclavagiste / féodale / impérialiste, subversion ; guerre totale. — **Préparation et déclaration de la guerre.** Armer, réarmer ; battre/sonner la générale ; belligérance, belligérant ; *casus belli ;* conscription ; couvre-feu ; déclaration de guerre, déclarer la guerre ; déclenchement des hostilités ; engager les hostilités ; s'engager, un engagé volontaire ; s'entraîner, entraînement ; entrer en guerre ; état de guerre ; fourbir ses armes ; lever des troupes, levée en masse ; manœuvrer, grandes manœuvres ; mobiliser ; mobilisation, mobilisation générale ; être sur le pied de guerre ; plan, faire des plans de guerre ; prendre les armes ; rappel des ambassadeurs, rupture des relations diplomatiques ; ultimatum. — **Opérations militaires.** Accrochage ; assaut, assaillir, assaillant ; attaque, attaquer, attaquant, contre-attaque ; bataille, livrer bataille, gagner/perdre la bataille, batailler ; blocus ; bombardement, bombarder ; camp, quartiers d'hiver ; campagne, entrer en campagne ; canonner, canonnade ; cerner ; charge, sonner la charge ; combat, combattre ; coup de main ; couper l'ennemi de ses bases ; débâcle ; défaire, défaite ; débarquement ; défendre, défense, défensive ; déloger ; déployer ses troupes ; échauffourée ; échec, échouer ; écraser, écrasement ; embuscade ; encercler, encerclement ; envahir, envahisseur, invasion ; envelopper, enveloppement ; escarmouche ; expédition, corps expéditionnaire ; formation de combat ; fusillade ; guerre de mouvement/de tranchées/d'usure, « drôle de guerre » ; guet-apens ; infiltration, s'infiltrer ; investir, investissement ; maître de l'air/des mers ; marche, contremarche ; offensive, prendre l'offensive ; patrouille, commando ; percée, trouée ; prendre à revers ; raid ; recul, reculer, reculade ; reconnaître le terrain, mission de reconnaissance ; se replier, repli sur des positions préparées, repli élastique ; résister, résistance ; retraite ; rompre le contact, décrocher ; siège, assiéger ; sortie ; stratagème ; stratégie, stratège ; tactique, tacticien ; théâtre d'opérations ; vaincre, vainqueur, vaincu, victoire, victorieux. — **La fin de la guerre.** Annexer, annexion ; après-guerre ; armistice, butin ; capituler, capitulation ; cessez-le-feu ; drapeau blanc ; honneurs de la guerre ; libérer le pays, libération, libérateur ; parlementer, parlementaire ; prisonnier ; se rendre, reddition ; traité de paix ; trêve. — **Les lois de la guerre.** Convention de Genève/de La Haye ; cour martiale, crime/criminel de guerre ; Croix-Rouge ; désarmement ; droit des gens ; lieu d'asile ; morale internationale ; neutralité, neutre ; prisonnier de guerre ; procès de Nuremberg ; réduire en esclavage ; trêve de Dieu ; *vae victis !* — **Guerriers.** Amazone ; baroudeur ; un brave ; chevalier ; captif, captivité ; capitaine, un grand capitaine ; combattant, ancien combattant ; le commandement ; conquérant ; ennemi ; état-major ; franc-tireur, fedayin, fellagha ; fuyard ; guérillero ; guerrier, la caste des guerriers, aguerri, blanchi sous le harnais ; héros ; homme de guerre ; militaire ; objecteur / objection de conscience ; ministère/ministre de la Guerre/de la Défense nationale/des Armées ; officier d'état-major/de liaison, etc. ; otage ; partisan ; prisonnier ; soldat, pioupiou (fam.), troufion (fam.), soudard, etc. ; transfuge ; troupes, renforts, etc. ▪ Artillerie, aviation, blindés, cavalerie, fortification, infanterie, intendance, marine, train. ▪ Esprit belliqueux, nation belliqueuse/guerrière ; belliciste, va-t-en guerre ; capitulard. ▪ Bellone et Mars, dieux de la Guerre.

GUERRIER, GUERROYER → *armée, guerre.*

GUET → *garder.*

GUET-APENS → *tromper.*

GUÊTRE → *chaussure, jambe.*

GUETTER, GUETTEUR → *regarder.*

GUEULANTE → *cri.*

GUEULARD → *manger, parler.*

GUEULE → *bouche, charbon, goût.*

GUEULER → *cri.*

GUEULES → *blason.*

GUEULETON, GUEULETONNER → *manger.*

GUEUSE → *fer.*

GUEUSERIE, GUEUX → *pauvre.*

GUI → *parasite.*

GUI → *voilure.*

GUIBOLE → *jambe.*

GUICHES → *cheveu.*

GUICHET → *ouvrir, porte.*

GUICHETIER → *informer, porte.*

GUIDAGE, GUIDE → *conduire, informer, montagne, voyage.*

GUIDE → *harnais.*

GUIDEAU → *pêcher.*

GUIDER → *aide, conduire, engager.*

GUIDON → *bicyclette, fusil, symbole.*

GUIGNE → *événement, malheur, noyau.*

GUIGNER → *désir, regarder.*

GUIGNOL → *enfant, rire.*

GUIGNON → *événement, malheur.*

GUILLAUME → *menuiserie.*

GUILLEDOU → *plaire.*

GUILLEMET, GUILLEMETER → *typographie.*

GUILLERET → *joie, vif.*

GUILLOCHE, GUILLOCHER, GUILLOCHIS, GUILLOCHURE → *décoration, signe.*

GUILLOTINE, GUILLOTINER, GUILLOTINEUR → *couper, fenêtre, peine.*

GUIMBARDE → *automobile, instrument.*

GUIMPE → *cou, vêtement.*

GUINDANT → *voilure.*

GUINDÉ, GUINDER → *affectation, manière, montrer, orgueil.*

GUINGOIS (DE) → *pencher.*

GUINGUETTE → *boire, café.*

GUIPURE → *dentelle.*

GUIRLANDE → *décoration.*

GUISE → *libre, manière.*

GUITARE, GUITARISTE → *instrument.*

GUITOUNE → *camp.*

GUMMIFÈRE → *pin.*

GUNITAGE, GUNITE → *maçonnerie.*

GUSTATIF, GUSTATION → *bouche, goût.*

GUTTA-PERCHA → *colle.*

GUTTURAL → *gorge, son.*

GYMKHANA → *course.*

GYMNASE → *enseignement, gymnastique.*

GYMNASTE, GYMNASTIQUE → *gymnastique, marcher.*

GYMNASTIQUE → *athlétisme, course, sport.* — **La gymnastique.** Athlétisme, athlète ; cong-fou chinois ; culture physique ; éducation physique ; entraînement sportif ; gymnastique acrobatique / artistique / corrective / naturelle ou hébertisme/rythmique/suédoise/de Ling ; jiu-jitsu, judo, judoka ; karaté ; sport, sportif ; yoga. ▪ Culotte, maillot, survêtement de gymnastique ; gymnase, salle de gymnastique, stade, terrain de sport. ▪ Centre régional d'éducation physique et sportive ; École militaire de Joinville, bataillon de Joinville. — **Exercices divers.** Appui tendu ; assouplissement, assouplir boxe, lutte ; circumduction ; course de fond/de vitesse ; défense ; élévation ; estrapade ; exercice aux agrès/d'assouplissement/d'échauffement/à main libre/de musculation/respiratoire ; extension ; grimper : appui, suspension, équilibre, escalade ; haltérophilie, haltérophile : arraché, développé, épaulé, jeté ; lancer le ballon/le disque/le javelot/le poids ; lever ; marche, marcheur, marche en extension/en flexion/en petites foulées, pas gymnastique ou de gymnastique ; mouvement d'ensemble ; natation, plongeon ; rétablissement ; saut, saut en hauteur/en longueur. — **Appareils de gymnastique.** Agrès, anneaux, barre fixe, barres parallèles, cheval d'arçon, cheval-arçons, corde lisse, corde à nœuds, exerciseur, extenseur, haltères, massue, médecine-ball, mil, octogone, perche, poids, portique, poutre, trapèze, tremplin. ▪ Parcours du combattant : barbelés, échelle de corde, fosse, mur, palanque, passerelle, planchette irlandaise, poutre. — **Gymnastique antique.** Académie, gymnase, palestre, stade, xyste ; agonistique, athlétique, gymnique, orchestique, sphéristique ; ceste, course à pied, disque, javelot, lutte, pancrace, pentathle, pugilat ; épimélète, épistate, gymnasiarque, pédonome, pédotribe. ▪ Athlète nu/oint d'huile. — **Acrobatie.** Arbre droit, poirier ; cabriole, galipette (fam.) ; corde raide, balancier ; culbute ; dislocation ; main à main ; pirouette ; faire la roue ; saut périlleux ; tours ; trapèze volant ; voltige, voltige acrobatique ou jeux icariens. ▪ Acrobate, bateleur, écuyer, écuyère, équilibriste, funambule, hercule, jongleur antipodiste, saltimbanque, trapéziste.

GYMNIQUE → *athlétisme, fête.*

GYMNOSPERMES → *pin.*

GYNÉCÉE → *femme.*

GYNÉCOLOGIE, GYNÉCOLOGUE → *accouchement, femme, médecine.*

GYPAÈTE → *oiseau.*

GYPSE, GYPSEUX → *géologie.*

GYROCOMPAS → *orientation.*

GYROMÈTRE → *aviation, orientation.*

GYROSCOPE, GYROSTAT → *tourner.*

HABILE, HABILETÉ → *adroit, connaissance, habitude, imaginer, subtil.*

HABILITATION, HABILITÉ, HABILITER → *permettre, pouvoir.*

HABILLAGE → *couvrir, typographie, vêtement.*

HABILLEMENT, HABILLER → *couture, cuisine, vêtement.*

HABILLEUR → *cinéma, couture, théâtre.*

HABIT → *cérémonie, ecclésiastique, vêtement.*

HABITABILITÉ, HABITABLE → *habiter.*

HABITACLE → *aviation, navire.*

HABITANT, HABITAT, HABITATION → *géographie, habiter.*

HABITER → *maison, pays, ville.* — **Habitat.** Bourg, bourgade ; campagne ; douar ; écologie ; grand ensemble ; habitat forestier/lacustre/marin/rural / steppique / troglodytique / urbain ; hameau, hameau perdu ; peuplement ; sédentarité, sédentaire ; village ; ville. ■ Démographie ; dénombrement ; densité de la population ; indigénat ; naturaliser, naturalisation ; recensement, recenser ; règlements municipaux ; statistique. — **Habiter, habitant.** -cole, arboricole, etc. ; crèche (pop.) ; demeurer, élire domicile, être domicilié ; s'établir ; se fixer ; habiter, cohabiter, habitable, inhabitable, insalubre, inhabitabilité, insalubrité ; jucher ; loger, logement, logeur, logeuse ; percher (pop.) ; résider, résidant, résident ; séjourner, vivre quelque part. ■ Bourgeois, campagnard, citadin, colon, étranger, indigène, métèque, naturel, occupant, peuple, populaire, populeux, population, provincial, rural, squatter, villageois. — **Sortes d'habitations.** Appartement, appartement meublé ; bicoque (fam.) ; building ; chalet ; château, château fort ; chambre, turne (pop.) ; chez-soi ; couvent ; demeure ; domaine ; domicile ; doyenné ; ferme ; folie ; foyer, foyers ; garçonnière ; garni ; gratte-ciel ; habitation, habitation à loyer modéré (H.L.M.), habitation principale, corps d'habitation ; home, home d'enfants ; hôtel, hôtellerie ; immeuble, immobilier ; intérieur ; local, logis ; maison ; manoir ; masure ; palais ; pavillon ; pénates, regagner ses pénates (fam.) ; phalanstère ; pied-à-terre ; presbytère ; propriété ; repaire ; résidence, résidence secondaire ; retraite, séjour ; studio ; tanière ; toit ; tour ; villa. — **Habitation isolée, légère, provisoire.** Abri, s'abriter ; auberge ; asile ; baraque ; baraquement ; billet de logement ; cabane, cabanon ; cahute ; cagna ; camp ; camper, camping, campeur, camp volant ; cantonnement ; caravane ; case ; descendre ; donner le vivre et le couvert ; ermitage ; guitoune (fam.) ; gîte, gourbi ; héberger, hospitalité ; hôtel, hôtelier, hôtellerie ; hutte ; isba ; un local, une location ; passer l'été, estiver, estival, passer l'hiver, hiverner, passer les vacances, maison d'été/de vacances ; pension, prendre pension ; se réfugier, refuge ; roulotte ; séjour ; tente ; se terrer ; trou. ■ Campeur, cosmopolite, ermite, estivant, gitan, nomade, romanichel, etc. — **Urbanisation, urbanisme.** Agglomération ; banlieue, banlieusard, suburbain ; bloc ; conurbation ; coron ; environnement ; espace vert; expansion, explosion démographique; faubourg; îlot; industrialisation; lotissement; opération immobilière; permis de construire; plan d'urbanisme, projet d'aménagement; quartier pauvre/populaire/surpeuplé/de luxe/résidentiel/chic (fam.), les beaux quartiers; rénover, rénovation; sauvegarder; structures urbaines; tissu urbain; urbanisme, urbaniste, architecte urbaniste; taudis; ville-champignon, ville-dortoir, ville-satellite; zone d'habitation/industrielle/résidentielle/à urbaniser en priorité (Z.U.P.).

HABITUDE → *adroit, connaissance, manière.* — **Disposition acquise.** S'acclimater, acclimatement, acclimatation; s'accoutumer, accoutumance, se raccoutumer; s'adapter, adaptation; s'aguerrir; apprentissage, apprenti; apprivoiser; automatisme, automatique, automate; blasé; être/devenir casanier; conditionner, mettre en condition; déformer, déformation; c'est devenu un besoin, c'est plus fort que moi; discipliner, discipliné; dresser, dressage; éduquer, éducation; empirique, empirisme; s'endurcir, endurcissement; encroûter, encroûtement; esclave de ses habitudes; façonner; se faire à; former quelqu'un, formation; habituer, s'habituer, contracter/prendre l'habitude, c'est affaire d'habitude, l'habitude est une seconde nature, habitude chronique/enracinée/implantée; initier, initiation; intoxiquer, intoxication; machine, agir machinalement; métier, avoir du métier; ne plus pouvoir se passer de; plier, se plier, pli, mauvais pli; réflexe conditionné; se réformer. — **Manière d'agir, de vivre.** S'acoquiner; être assidu, suivre assidûment; attitré, fournisseur attitré, vieux client, pilier de cabaret; constant, constamment; courant, affaires courantes, monnaie courante, couramment; coutume, coutumier; dada; façons brusques / cavalières; familiarité, être familier de, un familier, familiariser; fréquenter, fréquent, fréquentation, fréquence; habituer, habitude, c'est le coup classique (fam.), comme d'habitude, habitudes anciennes/ancestrales/héréditaires, etc.; habituel, habituellement, habitudinaire; inclination, enclin à; lecture habituelle, bréviaire, livre de chevet; manie, maniaque; manières; marotte; mœurs; monotonie, monotone; normal; ordinaire; péché mignon; penchant; pratique; quotidien; règle, régulier, réglé comme une horloge; rite, rituel; routine, routinier; tic; train-train; violon d'Ingres. — **Usage.** Admis, banal, classique, commun, communément, consacré, coutumier, chemin battu, conforme, conformiste, errements, faire comme tout le monde, lieu commun (rebattu), maxime, mode, à la mode de chez nous/du pays, mondain, mondanité, ordinaire, ornière, proverbe, reçu, règle générale, suivre la filière, tradition, traditionnel, traditionaliste, us, usage, usité, usuel, passé en usage, formalités d'usage, vogue. — **Habile par expérience.** Aigle; as; calé; champion; compétence, compétent; connaître, s'y connaître, connaisseur; s'entendre à; endurance, endurant, s'endurcir, endurci; entraînement, s'entraîner; être au courant/au fait de; expérience, expérimenté; ferré; fort, fort en, de première force; praticien, longue pratique; être rompu à; savant, science, savoir-faire; spécialiste; stylé, bien stylé; virtuose. — **Contre ou contraire à l'habitude.** Débutant, manque d'habitude, nouveau, néophyte, perdre la main; bohème, distrait, insouciant. ▪ S'amender; se corriger; dépayser; dépouiller le vieil homme; déraciner, déracinement; déranger, bousculer, déranger dans ses petites habitudes; désaccoutumer, désaccoutumance; déshabituer. ▪ Accidentel, accidentellement; exceptionnel, par exception, exceptionnellement; extraordinaire, par extraordinaire; par hasard; indu; inhabituel; insolite; miracle. ▪ Changement, déménagement, exil, service militaire, voyage, etc.

HABITUÉ → *relation.*

HABITUEL, HABITUER, HABITUER (S') → *habitude, inconscience.*

HÂBLERIE, HÂBLEUR → *orgueil, parler.*

HACHE → *bois, couper.*

HACHÉ, HACHER → *couper, morceau, parler.*

HACHETTE → *couper.*

HACHIS → *cuisine.*

HACHISCH, HASCHISCH → *poison.*

HACHOIR → *cuisine, morceau.*

HACHURE, HACHURER → *dessin, gravure, peinture, relief.*

HACIENDA → *ferme.*

HADDOCK → *poisson.*

HAGARD → *peur, trouble.*

HAGIOGRAPHE, HAGIOGRAPHIE → *éloge, saint.*

HAIE → *course, fermer, obstacle, suivre.*

HAILLON, HAILLONNEUX → *morceau, vêtement.*

HAINE, HAINEUX, HAÏR → *détester, mal.*

HAIRE → *saint.*

HALAGE → *canal, route.*

HALBRAN → *canard.*

HÂLE, HÂLÉ → *couleur, soleil, peau.*

HALEINE → *durer, respiration.*

HALER → *tirer.*

HÂLER → *couleur, soleil.*

HALETANT, HALÈTEMENT, HALETER → *respiration.*

HALEUR → *tirer.*

HALF-TRACK → *cavalerie.*

HALIEUTIQUE → *pêche.*

HALIOTIDE, HALIOTIS → *mollusques.*

HALL → *entrer, maison, passer.*

HALLALI → *cerf.*

HALLE → *marchandises.*

HALLEBARDE, HALLEBARDIER → *arme.*

HALLUCINANT, HALLUCINATION, HALLUCINER → *étonner, folie, sensibilité.*

HALLUCINOGÈNE → *poison, sensibilité.*

HALO → *cercle, lune, soleil.*

HALOGRAPHIE → *sel.*

HÂLOIR → *lait.*

HALOPHYTE → *sel.*

HALTE → *arrêter, repos.*

HALTÈRE, HALTÉROPHILE, HALTÉROPHILIE → *gymnastique.*

HAMAC → *balancer, lit.*

HAMADRYAS → *singe.*

HAMAMÉLIS → *plante.*

HAMEAU → *habiter, ville.*

HAMEÇON, HAMEÇONNÉ → *pêche.*

HAMMAM → *bain.*

HAMMERLESS → *fusil.*

HAMPE → *bâton, écrire.*

HAMPE → *cerf, viande.*

HAMSTER → *ronger.*

HANAP → *boire, récipient, verre.*

HANCHE, HANCHER (SE) → *articulation, attitude.*

HANDBALL → *balle.*

HANDICAP → *obstacle, sport.*

HANDICAPÉ → *diminuer.*

HANDICAPER → *dommage, sport.*

HANGAR → *couvrir, marchandises.*

HANNETON → *insecte.*

HANSE, HANSÉATIQUE → *association, commerce.*

HANTÉ → *esprit.*

HANTER, HANTISE → *peur, souci.*

HAPLOLOGIE → *son.*

HAPPEMENT, HAPPER → *prendre.*

HAQUET → *tonneau.*

HARA-KIRI → *mourir.*

HARANGUE, HARANGUER, HARANGUEUR → *convaincre, parler.*

HARAS → *cheval.*

HARASSANT → *fatigue.*

HARASSEMENT, HARASSER → *fatigue.*

HARCELANT, HARCELER → *exciter, fatigue, suivre.*

HARDE, HARDER → *attache, cerf, groupe.*

HARDES → *vêtement.*

HARDI, HARDIESSE → *courage, nouveau.*

HAREM → *femme.*

HARENG → *fumée, poisson.*

HARENGÈRE → *femme, poisson.*

HARET → *chat.*

HARGNE, HARGNEUX → *mal, mécontentement.*

HARICOT → *grain, légume.*

HARICOT → *mouton.*

HARIDELLE → *cheval.*

HARMONICA, HARMONICISTE → *instrument.*

HARMONIE, HARMONIEUX → *accord, doux, musique, son.*

HARMONIQUE → *mathématiques, son.*

HARMONISATION, HARMONISER, HARMONISTE → *accord, musique.*

HARMONIUM → *instrument.*

HARNACHEMENT, HARNACHER → *harnais, vêtement.*

HARNAIS ou HARNOIS → *cheval.* — **Les parties du harnais.** Anneau d'attelle ; avaloire ; brancard ; branche à fourche ; bricole ; chaînettes ; cocarde ; collier, faux collier ; courroie de reculement ; croupière ; culeron, culière ; dossière ; guide ; licol, licou ; longe ; mancelle ; martingale, fausse martingale ; muserolle ; œillère ; palonnier ; panurge ; porte-brancard ; rênes, fausses rênes ; sangle ; sellière ; sous-ventrière ; surdos ; surfaix ; têtière ; timon ; trait, boucle de trait ; trousse-queue. ▪ Bossette, caveçon, frein, gourmette, mors. ▪ Anneau nasal, gouverne, joug, jouguet, longe, reculement. ▪ Harnais de bât/de luxe/de trait, harnachement ; bourrelier, bourrellerie ; sellier, sellerie. — **La selle.** Selle anglaise/arabe/de course/de femme (amazone)/à piquer/royale ou française : arçon, batte, caparaçon, chabraque, étrier, porte-étriers, étrivière, fonte, housse, panneau, pommeau, portemanteau, quartier, faux quartier, sangle, contre-sangle, siège, troussequin. ▪ Être bien en selle, monter en selle, une monture, vider les arçons. ▪ Bât, cacolet. — **Harnacher.** Atteler, attelage en arbalète/à la daumont/en flèche, dételer ; bâter, débâter ; brider, débrider ; enharnacher ; entraver, désentraver ; équiper ; harnacher, harnachement ; sangler, dessangler ; seller, desseller, boute-selle. — **Fer à cheval.** Blanchir, brocher, dessoler, ferrer, ferrage, ferrement, forger, maréchalerie, maréchal-ferrant, parer la corne, etc. — **Animaux de bât et de trait.** Ane, ânier; bœuf, buffle, bouvier; chameau, dromadaire, chamelier; cheval, cavalier, charretier, cocher, garçon d'écurie, lad, palefrenier; chèvre; chien, chien de traîneau, conducteur de traîneau; éléphant, cornac; lama; mulet; poney; renne; yack.

HARO → *cri.*

HARPAIL → *groupe.*

HARPE → *instrument.*

HARPIE → *animal, femme.*

HARPISTE → *instrument.*

HARPON, HARPONNER, HARPONNEUR → *jeter, pêche.*

HARUSPICE → *prévoir.*

HASARD → *cause, événement.*

HASARDÉ, HASARDER, HASARDEUX → *danger, essayer.*

HASE → *lapin.*

HÂTE, HÂTER, HÂTER (SE) → *vitesse.*

HÂTIF → *vitesse.*

HAUBAN, HAUBANER → *corde, voilure.*

HAUBERT → *armure.*

HAUSSE, HAUSSEMENT, HAUSSER → *haut, monter, mépris.*

HAUSSIER → *banque.*

HAUT → *aigu, excès, grand, monter, supérieur.* — **Distance verticale.** Altitude, altimètre, altimétrie; aplomb, fil à plomb, d'aplomb; dresser, dressé; élevé; exhaussé; façade; front; grand; haussé; haut, hauteur, vingt mètres de haut/de hauteur, haut-de-forme; levé; rehaussé; sonder, sonde; surélevé; surhaussé; surplomb; taille; verticale; zénith. — **Situé au-dessus dans l'espace.** Apogée; culminer, point culminant; dépasser d'une tête; dernier étage, étage; dominer, dominant; le haut, en haut, là-haut, au plus haut, haut lieu, haut pays, ville haute, le haut Rhin, le haut allemand; supérieur, supériorité, maximal, maximum. ▪ Chapiteau, cimaise, coq, couronnement, drapeau, faîte, enfaîtement, fronton, phare, pignon, pinacle. ▪ Aiguille, amont, ballon, butte résiduelle/témoin, cime, colline, côte, coteau, crête, croupe, dune, élévation, éminence, escarpement, falaise, haut, mamelon, mont, montée, montagne, monticule, pic, piton, point, pointe, promontoire, sommet, tertre, tumulus. — **Haut par rapport à une échelle de mesure.** Ancien, antique, éloigné, reculé, le haut Moyen Age. ▪ Coloré, haut en couleur; épicé, fort, grand, intense, relevé, vif. ▪ Aigu, suraigu; cri; élevé, à haute voix, tout haut, voix pointue, petite voix, éclatant, puissant, retentissant, sonore. ▪ Éminent; grand, grandeur; haute bourgeoisie, en haut lieu, les hautes sphères, un haut fonctionnaire, personne de marque; puissant, haut et puissant seigneur; sérénissime; supérieur, supériorité, superlatif; suprême. — **Se tenir en haut.** Dominer; émerger, émergence; flotter; jaillir; jucher, juchoir; percher, perchoir; planer, vol plané; surplomber; vertige, vertigineux; voler. — **Dans l'ordre moral.** Beau; élevé, élévation; éthéré; héroïque, héroïsme; noble, noblesse; sublime, sublimité; supérieur. ▪ Altier, arrogant, condescendant, dédain, fier, hautain, morgue, orgueil, traiter de haut.

HAUTAIN → *orgueil.*

HAUTBOIS → *instrument.*

HAUT-DE-CHAUSSES → *vêtement.*

HAUT-DE-FORME → *chapeau.*

HAUTESSE → *honneur.*

HAUTEUR → *haut, noblesse, orgueil.*

HAUT-FOND → *mer.*

HAUTIN, HAUTAIN → *vigne.*

HAUT-LE-CŒUR → *déplaire.*

HAUT-LE-CORPS → *étonner.*

HAUT-PARLEUR → *disque, son.*

HAUT-RELIEF → *sculpture.*

HAUTURIER → *marine.*

HAVAGE → *mine.*

HAVANE → *jaune, tabac.*

HÂVE → *peau, terne.*

HAVENEAU, HAVENET → *pêche.*

HAVEUR, HAVEUSE → *mine.*

HAVRE → *port.*

HAVRESAC → *sac.*

HEAUME → *armure.*

HEBDOMADAIRE → *calendrier.*

HÉBERGEMENT, HÉBERGER → *recevoir.*

HÉBERTISME → *gymnastique.*

HÉBÉTÉ, HÉBÉTER, HÉBÉTUDE → *inconscience, sot.*

HÉBRAÏQUE, HÉBRAÏSANT, HÉBREU → *bible.*

HÉCATOMBE → *mourir.*

HECTARE → *mesure.*

HECTIQUE → *fièvre.*

HECTOGRAMME → *peser.*

HECTOLITRE → *contenir, liquide.*

HECTOMÈTRE, HECTOMÉTRIQUE → *mesure.*

HÉDONISME, HÉDONISTE, HÉDONISTIQUE → *bonheur, morale.*

HÉGÉMONIE → *chef, conduire.*

HEIMATLOS, HEIMATLOSAT → *pays.*

HÉLER → *appeler.*

HÉLIAQUE → *soleil.*

HÉLIASTE → *tribunal.*

HÉLICE, HÉLICOÏDAL, HÉLICOÏDE → *courbe, navire.*

HÉLICON → *instrument.*

HÉLICOPTÈRE, HÉLIGARE → *aviation.*

HÉLIOGRAPHE, HÉLIOGRAPHIE → *soleil.*

HÉLIOGRAVEUR, HÉLIOGRAVURE → *gravure.*

HÉLIOTHÉRAPIE → *soigner, soleil.*

HÉLIOTROPE → *fleur, soleil.*

HÉLIPORT → *aviation.*

HÉLIPORTAGE, HÉLIPORTÉ → *transport.*

HÉLIUM → *gaz.*

HÉLIX → *entendre.*

HELLÈNE, HELLÉNIQUE → *Europe.*

HELLÉNISTIQUE → *histoire.*

HELMINTHE, HELMINTHIASE → *ver.*

HELVÉTIQUE → *Europe.*

HÉMARTHROSE, HÉMATÉMÈSE, HÉMATIE → *sang.*

HÉMATITE → *fer.*

HÉMATOLOGIE, HÉMATOLOGISTE, HÉMATOLOGUE → *sang.*

HÉMATOME, HÉMATOPOIÈSE, HÉMATOSE → *frapper, sang.*

HÉMATURIE → *rein, sang.*

HÉMÉRALOPIE → *œil.*

HÉMICYCLE → *cercle.*

HÉMIONE → *cheval.*

HÉMIPLÉGIE, HÉMIPLÉGIQUE → *cerveau, mouvement.*

HÉMISPHÈRE, HÉMISPHÉRIQUE → *cercle, terre.*

HÉMISTICHE → *deux, poésie.*

HÉMITROPIE → *géologie.*

HÉMOCULTURE → *microbe.*

HÉMOGÉNIE, HÉMOGLOBINE, HÉMOLYSE → *sang.*

HÉMOPATHIE, HÉMOPHILIE, HÉMOPTYSIE → *sang.*

HÉMORRAGIE, HÉMORROÏDE, HÉMOSTASE → *sang.*

HENNÉ → *cheveu, rouge.*

HENNIN → *chapeau.*

HENNIR, HENNISSEMENT → *cheval, cri.*

HÉPARINE → *foie.*

HÉPATALGIE, HÉPATIQUE, HÉPATISME → *foie.*

HÉPATITE, HÉPATOCÈLE, HÉPATOLOGIE, HÉPATOMÉGALIE → *foie.*

HEPTACORDE → *instrument.*

HEPTAÈDRE, HEPTAGONE → *angle, géométrie.*

HÉRALDIQUE, HÉRALDISTE → *blason.*

HÉRAUT → *envoyer.*

HERBACÉ, HERBAGE → *herbe.*

HERBAGER → *élevage, herbe.*

HERBE → *algue, aliment, légume, plante.* — **Sortes d'herbes.** Herbacées ; herbes annuelles/vivaces/cultivées / sauvages / aquatiques / marines, algues ; herbes potagères ; herbes officinales ou médicinales : herbe aux verrues, tisane de camomille/de menthe/de verveine, drogue, simple ; hautes herbes, herbes folles/sèches, mauvaises herbes ; fines herbes, herbes aromatiques/odorantes ; graminées ; herbier, herboriser, herboriste, herboriste-bandagiste ; phanérogames ; plante ; végétal. — **Dénominations diverses.** Cerfeuil, ciboule, ciboulette, cive, civette, estragon, persil frisé, pimprenelle, serpolet, thym de bergère, etc. ■ Amourette, colza, dactyle, escourgeon, fétuque des prés, fenasse, fléole, flouve, houque, laiche ou carex, lotier, luzerne, mouron, nard, pâturin, pissenlit, plantain, ray-grass, sainfoin, spergule, trèfle blanc/incarnat/des prés, vulpin. ■ Chardon, chiendent, cuscute, datura, ivraie, ortie, ronce. ■ Betterave, carotte, choux, fève, fraisier, gesse, lupin, radis, rutabaga, tabac, vesce, etc. — **Lieu garni d'herbe.** Allée verte ; alpage ; boulingrin ; embouche ; gazon, engazonner ; glacis ; herbage, herbageux, herbager ; herbeux, herbu ; herbette ; enherber ; herbivore, paître, pâturer ; herbe courte/rase/tondue ; herbe drue/épaisse, fourme haute/grasse/riche/touffue ; herbe maigre/rare/roussie ; parterre ; pâturage, pâture, vaine pâture, pâtis, pacage ; pelouse ; prairie, artificielle/naturelle ; pré ; savane ; tapis vert ; verdure, verdoyant ; vertugadin. — **Ôter l'herbe.** Biner, binage, binette ; brouter ; désherber, désherbage, désherbage sélectif, désherbant ; écobuer, écobuage ; faucarder, faucardeuse ; herbicide ; râteau, ratisser ; regain ; sarcler, sarclage, sarclette ; tondre le gazon, tondeuse. — **Foin et fourrage.** Botte, botteler ; couper, coupe ; faire les foins/la moisson ; faner, fanage, fenaison, faneur ; faucher, fauchage, faucheur ; faucheuse, faux, faucille ; gerbe ; grange ; grenier à foin, fenil ; herbe à lapin ; meule ; meulon ; moie ; paille, pailler, rempailler, hache-paille ; râteler, râtelée, râteleuse ; rentrer les foins/la moisson.

HERBETTE, HERBEUX, HERBICIDE → *herbe.*

HERBIER, HERBIVORE → *plante.*

HERBORISER, HERBORISTE, HERBORISTERIE → *herbe, plante.*

HERBU → *herbe.*

HERBUE → *four.*

HERCHAGE, HERSCHAGE, HERCHER, HERCHEUR → *mine.*

HERCULE, HERCULÉEN → *force, homme, spectacle.*

HERCYNIEN → *géologie.*

HERD-BOOK → *bœuf.*

HÈRE → *homme, pauvre.*

HÉRÉDITAIRE, HÉRÉDITÉ → *reproduction, succession.*

HÉRÉSIARQUE → *hérésie.*

HÉRÉSIE, HÉRÉTIQUE → *Christ, opinion, parti.* — **Opinion religieuse condamnée par l'Église.** Abjurer, abjuration ; anathème, jeter l'anathème, anathématiser ; apostasier, apostasie, apostat ; brebis égarée ; crime d'hérésie ; excommunication, excommunier ; hérésie, hérésie christologique, entaché d'hérésie, hérésiarque, hérétique ; impie, incroyant, infidèle ; relaps ; schisme, schismatique. — **Hérésies historiques.** Adamisme, adoptianisme, albigeois, arianisme, bogomile, camisard, cathare, donatisme, gnosticisme, hussite, iconoclaste, jansénisme, manichéisme, modernisme, monophysisme, monothéisme, montanisme, nestorianisme, pélagianisme, quiétisme, socinianisme, vaudois. ▪ Anglicanisme, anabaptiste, baptiste, calvinisme, luthéranisme, méthodisme, mormon, piétiste, presbytérien, protestantisme, protestant, puritain, puritanisme, quaker. — **Inquisition.** Autodafé, san-benito ; bûcher ; consulteur ; dominicain ; inquisiteur, le Grand Inquisiteur, Torquemada ; Inquisition, inquisitoire, inquisitorial ; question ; Sainte-Hermandad ; Saint-Office, familier du Saint-Office ; torture ; tribunal de la Foi. — **Opinion non conforme.** Anticonformiste, anticonformisme ; apocryphe ; autocritique ; blasphème, blasphémer, blasphématoire, blasphémateur ; briseur d'idoles ; dissidence, dissident ; faction ; fanatisme, fanatique ; hétérodoxe, hétérodoxie ; iconoclase, iconoclaste, fureur iconoclaste ; original ; profanation, profaner, profanatoire, profanateur ; renégat, se renier, reniement ; sacrilège, fureur sacrilège ; scandale ; secte, sectateur ; sentir le fagot/le roussi (fam.).

HÉRISSÉ, HÉRISSER → *cheveu, déplaire.*

HÉRISSON → *mammifères.*

HÉRITAGE, HÉRITER, HÉRITIER → *mourir, reproduction, succession.*

HERMAPHRODISME, HERMAPHRODITE → *sexe.*

HERMÉNEUTIQUE → *expliquer.*

HERMÉTICITÉ, HERMÉTIQUE → *difficile, fermer.*

HERMÉTISME → *alchimie, difficile, obscur.*

HERMINE → *blason, mammifères.*

HERMINETTE → *menuiserie, tonneau.*

HERNIE → *maladie.*

HÉROÏ-COMIQUE → *poésie.*

HÉROÏNE → *courage, récit.*

HÉROÏNE → *poison.*

HÉROÏQUE, HÉROÏSME → *courage, poésie.*

HÉRON, HÉRONNIÈRE → *jambe, oiseau.*

HÉROS → *mythologie, récit.*

HERPÈS, HERPÉTIQUE → *peau.*

HERSE, HERSER → *culture, fermer, fortification, théâtre.*

HERTZ, HERTZIEN → *électricité.*

HÉSITANT, HÉSITATION, HÉSITER → *doute.*

HÉTÉROCLITE → *désaccord, différence.*

HÉTÉRODOXE, HÉTÉRODOXIE → *hérésie.*

HÉTÉRODYNE → *radio.*

HÉTÉROGÈNE, HÉTÉROGÉNÉITÉ → *différence.*

HÊTRAIE, HÊTRE → *arbre.*

HEUR → *bonheur.*

HEURE → *horlogerie, temps.* — **Établissement de l'heure.** Bureau des longitudes ; cadran solaire ; changement de date ; chronomètre, chronométrer ; fuseau horaire ; heure G.M.T./légale/locale/sidérale/solaire vraie/solaire moyenne/de temps universel (T.U.) ; méridien de Greenwich, antiméridien. ▪ Horloge, horlogerie ; horoscope ; horodateur, compteur horokilométrique. — **Division horaire.** Couvre-feu ; demi-heure, la demie ; dixième / centième / millième / millionième de seconde ; minute ; piquer l'heure ; quart d'heure, le quart, moins le quart, trois quarts ; seconde ; sonnerie, tambour, c'est l'heure ! ; tard, tôt ; tierce ; vingt-quatre heures, un jour, une journée ; vingt-quatre heures d'affilée/d'horloge. — **Être à l'heure.** Avoir l'heure, avoir ses heures ; être à l'heure/précis ; onze heures précises/pile/juste/sonnantes/tapantes (fam.) ; au quatrième top.

HEUREUX → *bonheur.*

HEURISTIQUE, EURISTIQUE → *chercher, histoire.*

HEURT, HEURTÉ, HEURTER → *désaccord, frapper, style.*

HEURTOIR → *porte.*

HÉVÉA → *caoutchouc.*

HEXAÈDRE → *géométrie.*

HEXAGONAL, HEXAGONE → *angle.*

HEXAMÈTRE → *poésie.*

HIBERNAL → *saison.*

HIBERNANT → *animal, dormir, saison.*

HIBERNATION, HIBERNER → *dormir, soigner.*

HIBOU → *oiseau.*
HIDALGO → *noblesse.*
HIDEUR, HIDEUX → *laid.*
HIE → *presser.*
HIÉMAL → *saison.*
HIER → *calendrier, temps.*
HIÉRARCHIE, HIÉRARCHIQUE → *chef, classe, entreprise, fonction, grade.*
HIÉRATIQUE → *sacrement.*
HIÉROGLYPHE → *écrire.*
HIÉROPHANTE → *mythologie.*
HILARANT, HILARE, HILARITÉ → *joie, rire.*
HILE → *foie, grain.*
HINDI, HINDOUSTANI → *Asie.*
HINDOU, HINDOUISME → *Asie.*
HIPPIQUE, HIPPISME → *cheval.*
HIPPOCAMPE → *poisson.*
HIPPODROME → *cheval, course.*
HIPPOGRIFFE → *mythologie.*
HIPPOLOGIE, HIPPOLOGIQUE → *cheval.*
HIPPOMOBILE → *voiture.*
HIPPOPHAGE, HIPPOPHAGIQUE → *cheval.*
HIPPOPOTAME → *mammifères.*
HIRONDELLE → *oiseau.*
HIRSUTE → *cheveu, poil.*
HISPANIQUE, HISPANISANT → *Europe.*
HISSER → *monter.*
HISTOGENÈSE → *reproduction.*
HISTOGRAMME → *plan.*
HISTOIRE → *âge, temps, vie, vieillesse.* — **Science historique.** Analyser, analyse comparée/critique; bibliographie; classer les documents, classement; contexte; critique; découper, découpage chronologique; dépouiller, dépouillement des documents; document, se documenter, documentation; érudition, érudit; évolution; exégèse, exégète; fiche; heuristique, histoire, historien, historique, historicité; historisme, historicisme, historisant; histoire de l'art/diplomatique/des doctrines/du droit/économique/de la littérature/militaire/politique/religieuse/sacrée ou sainte/des sciences/sociale/des techniques/universelle; impartialité, esprit impartial; investigation; objectivité, objectif; philosophie de l'histoire, matérialisme historique, providentialisme, etc.; recherche, chercheur; souci de la vérité/de l'authenticité; synthèse; tableau synchronique/synoptique; tradition. ■ Exposé, manuel, monographie, notice, thèse. — **Grandes périodes de l'histoire.** Protohistoire, préhistoire, préhistorien; Antiquité : histoire grecque/romaine, égyptologie, assyriologie, etc.; Moyen Age, médiéval, médiéviste; Temps modernes; époque contemporaine. ■ Age de la pierre/du bronze/du fer, etc.; bouleversements économiques/sociaux, etc.; civilisation; cycle; date; décadence, déclin; époque; ère de paix/de troubles; expansion, récession; période, hellénistique, etc.; période de gestation; règne, empire; révolte, révolution; transformations économiques; vaches grasses, vaches maigres; vicissitudes. — **Branches ou sciences annexes de l'histoire.** Archéologie, archéologue; archiviste-paléographe, chartiste; chronographie; critique textuelle; épigraphie, épigraphiste; ethnographie; généalogie, généalogiste; héraldique, héraldiste; linguistique; numismatique, numismate; papyrologie, papyrologue; orientalisme, orientaliste, sinologue, etc.; sociologie, sociologue; statistique. — **Récit, source historique.** Anecdote; annales, annaliste; archives; biographie, biographe, autobiographie; chanson de geste; chronique, chronique apologétique, chroniqueur; cosmogonie; épopée; fastes; hagiographie, hagiographe; historiette, historier; historiographie, historiographe; journal; légende, récit légendaire, étiologie; logographe; martyrologe; mémoires, mémorialiste; mythe, mythologie, mythologue; pamphlet, pamphlétaire; récit, récit historique; revue; souvenirs; tradition écrite; vie des hommes illustres.
HISTOLOGIE, HISTOLOGIQUE, HISTOLYSE → *vie.*
HISTORICITÉ, HISTORIEN → *histoire.*
HISTORIER → *colonne, décoration.*
HISTORIETTE → *récit.*
HISTORIOGRAPHE, HISTORIQUE → *histoire.*
HISTRION → *spectacle.*
HIVER → *froid, saison.*
HIVERNAGE, HIVERNAL, HIVERNANT, HIVERNER → *saison.*
HOBBY → *repos.*
HOBEREAU → *chasse, noblesse.*
HOCHEPOT → *viande.*
HOCHEQUEUE → *oiseau.*
HOCHER → *remuer, tête.*
HOCHET → *futile, jouer.*
HOCKEY, HOCKEYEUR → *balle, sport.*
HOIR, HOIRIE → *succession.*
HOLDING → *entreprise.*
HOLD-UP → *voler.*
HOLLANDAIS, HOLLANDE → *Europe.*
HOLLANDE → *lait, papier.*
HOLOCAUSTE → *brûler, offrir.*
HOLOCÈNE → *géologie.*
HOLOCRISTALLIN → *géologie.*

HOLOPHRASTIQUE → *langage.*

HOMARD → *crustacés.*

HOME → *famille, habiter, maison.*

HOMÉLIE → *liturgie, parler.*

HOMÉOPATHE, HOMÉOPATHIE → *soigner.*

HOMÈRE, HOMÉRIQUE → *mythologie, récit.*

HOMICIDE → *mourir.*

HOMMAGE → *féodalité, honneur, respect.*

HOMMASSE → *femme.*

HOMME → *anatomie, personne.* — **Données anthropologiques.** Adam ; espèce humaine, genre humain, race humaine, microcosme ; ethnographie, ethnologie. ■ Hominisation : homme des cavernes / préhistorique ; anthropoïde ; australopithèque, pithécanthrope, sinanthrope, homme de Neanderthal, *homo sapiens.* ■ Type : aborigène d'Australie/de Ceylan, Amérindien, Blanc (Méditerranéen, Nordique), Chinois, Esquimau, Japonais, Hottentot, mélano-, Africain, Négrille ; Arabe, Européen, Indien, Peau-Rouge, Jaune, Malais, Nègre, Noir, Sémite. — **Caractéristiques générales.** Anatomie ; anthropo-, anthropocentrique, anthropologie, anthropométrie, anthropomorphisme, anthropophagie ; -anthropie, misanthropie, philanthropie ; habitant de la Terre, citoyen du monde ; homme, humain, humanité, être humain ; humaniser, humanisme ; langage articulé, parole ; peuple, peuplade, peuplement, peupler ; population ; société, être social, sociologie ; station verticale. ■ Andro-, -andrie ; mâle ; masculin, masculinité, masculiniser, sexe masculin ; organes géniteurs/masculins/sexuels/virils, parties ; père, paternité, paternel ; pilosité, barbe ; attributs virils, virilité, vir-. — **Évolution.** Naissance, nouveau-né, nourrisson ; enfance, gamin, petit homme, garçon, garçonnet ; adolescent, jeune homme, puberté, pubère ; maturité, adulte, homme fait/dans la force de l'âge ; vieillesse, vieil homme, vieux, vieillard, homme d'âge/âgé ; mort, un mort. ■ Fiancé, fiançailles ; ménage, homme marié, époux, mari ; paternité, père de famille ; veuvage, veuf ; célibat, rester célibataire/garçon/vieux garçon. — **Défauts ou qualités prêtés aux hommes.** Agressif, agressivité ; brave, bravoure ; brutal, brutalité ; buveur ; courage, courageux ; coureur (fam.) ; fumeur ; joueur ; violence, violent. — **Dénominations laudatives.** Homme de bien/de caractère/de cœur/de goût/d'honneur/de parole ; homme de condition/du monde/de qualité ; bon homme, brave homme, galant homme, gentleman, grand homme, saint homme. ■ Bonne âme, bon bougre (fam.), bon compagnon, bon diable, bon enfant, bon gars (fam.), bon garçon, pauvre hère, brave type (fam.), un type bien (pop.), bon vivant, bon zig (pop.). ■ Athlète, costaud (fam.), gaillard, hercule, malabar (pop.), surhomme, surmâle, Tarzan, etc. ■ Adonis, Apollon, éphèbe, etc. — **Dénominations péjoratives.** Homme du commun/de peu/de rien/de la rue/de sac et de corde. ■ Joli coco (fam.), mauvais coucheur (fam.), drôle, goujat, gredin, sinistre individu, paltoquet, drôle de pistolet (fam.), triste sire, mauvais sujet, mauvaise tête, tête brûlée. ■ Blouson noir, casseur (pop.), chenapan, dur (pop.), bandit, gouape, sacripant, voyou, etc. ; aigrefin, chevalier d'industrie, escroc, voleur, etc. ■ Fils à papa (fam.), freluquet (fam.), godelureau (fam.), jouvenceau, rigolo (pop.). — **Dénominations diverses.** Autrui ; camarade ; créature ; citoyen ; dandy ; frère ; gens ; gentilhomme ; milord, monsieur ; mortel ; monseigneur ; pécheur, pauvre pécheur ; le prochain ; seigneur ; nos semblables. ■ Gars, individu, mec (pop.), personne, petit, quidam, type (fam.). ■ Homme d'affaires/d'armes/de l'art/d'Église/d'épée/d'État/de lettres/de loi/du milieu/politique/de robe/de science. ■ Barbu, chauve, moustachu, rasé. ■ Centaure, égipan, faune, sagittaire, satyre. — **L'homme et l'amour.** Amant, jules (pop.), régulier (pop.) ; amoureux, cavalier, danseur ; chaud lapin (pop.) ; chevalier servant, chevaleresque ; cocu ; coq, coq de village ; coureur (fam.) ; débauché ; galant ; homme à femmes ; infidèle ; jaloux, jaloux comme un tigre ; don juan ; prétendant ; séducteur ; soupirant ; tombeur (pop.) ; volage. ■ Entremetteur, maquereau (pop.), proxénète, souteneur. ■ Eunuque, homosexuel, impuissant, inverti, pédéraste, puceau, tante (pop.), tapette (pop.), uraniste.

HOMME-GRENOUILLE → *nager.*

HOMME-SANDWICH → *informer.*

HOMOCENTRE, HOMOCENTRIQUE → *cercle.*

HOMOCERQUE → *poisson.*

HOMOCINÉTIQUE → *vitesse.*

HOMOGÈNE, HOMOGÉNÉISER, HOMOGÉNÉITÉ → *entier.*

HOMOGRAPHE, HOMOGRAPHIE → *géométrie, mot.*

HOMOLOGUE, HOMOLOGUER → *certifier, chimie.*

HOMONYME, HOMONYMIE → *mot.*

HOMOPHONE, HOMOPHONIE → *son.*

HOMOSEXUALITÉ, HOMOSEXUEL → *homme, sexe.*

HOMOTHÉTIE, HOMOTHÉTIQUE → *géométrie.*

HOMUNCULE, HOMONCULE → *magie, petit.*

HONGRE, HONGRER → *cheval.*

HONGRIE, HONGROIS → *Europe.*

HONGROYER, HONGROYEUR → *cuir.*

HONNÊTE, HONNÊTETÉ → *bien, convenir, manière, morale.*

HONNEUR → *applaudir, chevalerie, décoration, noble.* — **Sentiment de dignité.** Amour-propre ; conscience ; dignité, digne ; estime ; fierté, fier ; honorabilité, honorable ; honnêteté d'une femme ; honneur, sens de l'honneur ; morale, sens moral, moralité ; noblesse, noble ; pudeur ; respect de soi-même, se respecter, respecter ; scrupule ; sens du devoir. ■ Affaire d'honneur, duel ; bandit d'honneur ; engagement d'honneur ; homme d'honneur ; parole, ma parole d'honneur ; point, se faire un point d'honneur. ■ Attester/jurer sur l'honneur, serment solennel ; code/prescriptions/règles de l'honneur, voix de l'honneur, il y va de mon honneur, mon honneur est en jeu ; se piquer d'honneur, sauver l'honneur, l'honneur est sauf, en tout bien tout honneur. ■ Calomnie, calomnieux ; déshonorer, déshonorant, déshonneur ; diffamation, diffamatoire, diffamer ; entacher l'honneur ; forfaire, forfaiture ; infamant, infamie ; manquer, manquement à l'honneur ; perdre l'honneur, tout est perdu fors l'honneur ; venger son honneur, vengeance, vendetta. — **Gloire, sujet de gloire.** Apprécié ; considération, considéré ; culte ; dignité, digne ; éloge, élogieux, dire à l'honneur de quelqu'un, c'est tout à son honneur ; s'enorgueillir ; estime, estimé, estimable ; faveur ; gloire, se faire gloire de, se glorifier ; grâce ; honoraire, honorifique, *honoris causa ;* honneur, en sortir à son honneur, s'en tirer avec honneur, travailler pour l'honneur ; illustration, illustre, s'illustrer ; mérite ; nom ; rang ; renommée, renommé ; réputation, réputé ; respectable ; se targuer ; vénération, vénéré. — **Honorer, honneurs.** Adorer, adoration ; apothéose ; célébrer ; conférer des honneurs ; combler d'honneurs ; culte ; déifier, déification ; dignités, dignitaire ; égards ; encenser ; glorifier, glorification ; grandeurs, aspirer aux grandeurs ; honorer, en l'honneur de, en hommage à, à la louange de ; honorer, honneurs divins/suprêmes, au faîte des honneurs, *cursus honorum ;* d'honneur, cour/escalier/vin d'honneur, etc. ; immortaliser, immortel ; prérogative ; privilège ; réhabiliter, réhabilitation ; saluer ; trompettes de la Renommée. — **Marques particulières d'honneur.** Acclamation, acclamer, vive le roi !, vivat ; applaudissement, applaudir, bravo ! ; arc de triomphe ; autel, dresser des autels ; citation, citer à l'ordre du jour ; couronne, couronner, tresser des couronnes ; décoration, décorer ; distinction honorifique ; funérailles nationales, honneurs funèbres, mettre au Panthéon ; garde/garçon/haie d'honneur ; honorariat, honoraire ; honneurs de la guerre, présenter les armes ; insigne ; laurier, couronne de laurier ; livre d'or ; mettre sur le pavois ; occuper la place d'honneur/le haut bout de la table/la droite ; ovation, ovationner ; palmes ; porter en triomphe/aux nues/au pinacle ; préséance ; triomphe, triompher, triomphateur ; trophées. ■ Auréole ; béatifier, béatification ; canoniser, canonisation ; doxologie ; mandorle ; nimbe ; gloria ! ; hosanna ! ■ Croix de guerre/du Mérite/avec palmes ; Légion d'honneur ; médaille militaire, etc. ; palmes académiques ; cordon, cravate, écharpe, rosette, ruban. — **Titres honorifiques.** Altesse, Altesse Royale/Sérénissime, Son Altesse ; Éminence, Son Éminence, Monseigneur ; Excellence, Son Excellence ; Votre Honneur ; Majesté, Sa Majesté, sire ; Monsieur le baron/le comte, etc. ; Maître ; Révérend ; Sa Sainteté ; Vénérable.

HONNIR → *avilir, critique, détester.*

HONORABILITÉ, HONORABLE → *estimer, honneur.*

HONORAIRE → *honneur.*

HONORAIRES → *payer.*

HONORER, HONORIFIQUE → *honneur, respecter.*

HONTE, HONTEUX → *avilir, boue, gêner, offense.*

HÔPITAL → *médecine, soigner.*

HOQUET, HOQUETER → *bruit.*

HORAIRE → *heure, temps.*

HORDE → *groupe.*

HORION → *frapper.*

HORIZON → *ciel, étendre.*

HORIZONTAL, HORIZONTALITÉ → *ligne.*

HORLOGE, HORLOGER → *heure, horlogerie, temps.*

HORLOGERIE → *commerce, heure, temps.* — **Description.** Aiguille, grande/petite aiguille, trotteuse ; ancre ; anneau de suspension ; arbre ; axe ; balancier ; boîtier ; cadran ; caisse, coffre ; clef ; cliquet ; détente ; doigt ; échappement ; fourchette ; fusée ; mouvement ; marteau ; un pendule, oscillation du pendule ; pierre, rubis ; pignon ; pivot ; platine ; poids, contrepoids ; quartz, quartz piézo-électrique ;

régulateur; remontoir; ressort d'entraînement, ressort spiral; rochet; rouage, roue dentée; sonnerie; tambour; verre; volant. — **Machine qui marque les heures.** Beffroi; carillon, carillon de Westminster; cartel; chronomètre, chronométrer, chronographe; clepsydre; coucou; gnomon; horloge comtoise; horloge atomique; horloge à eau; horloge électrique/à réserve de marche/synchrone; horloge mère; horloge moléculaire/à ammoniac; horloge parlante; horloge pneumatique; horloge à quartz ou électronique; minuterie ou compte-minutes; montre, montre automatique, montre-bracelet, montre-calendrier, montre à cylindres/marine/sous-marine, oignon, montre à répétition/à réveil/à savonnette; chaîne de montre, giletière, gousset; œil-de-bœuf; une pendule, pendule électrique/à pile, électro-aimant, globe, socle; pendulette de bureau; réveille-matin, réveil de voyage, réveiller; sablier; thermostat; toquante (fam.), tournebroche. — **Cadran.** Cadran azimutal/catoptrique/polaire; cadrature; chiffres luminescents/lumineux; chronoscope; date, dateur; déclinaison, inclinaison; graduation; lunette; méridienne; quantièmes. — **Fonctionnement.** Avancer sa montre, montre qui avance; minuterie; nettoyage, nettoyer; réparer, réparation, régler, dérégler; remonter/oublier de remonter sa montre, autoremontage; montre antichoc / antimagnétique / étanche ou water-proof. ▪ Carillon, carillonner, carillonneur; jaquemart; sonnerie, sonner; tic tac; tachymètre, télémètre; totalisateur. — **Horlogerie.** Horloger-bijoutier; outils : alésoir, archelet, bigorne, brunissoir, échoppe, filière, foret, loupe, pincette, poinçon, pointeau, revenoir; achevage, dégrossissage, finissage, montage.

HORMONE → *glande.*

HORMONOTHÉRAPIE → *glande, soigner.*

HORODATEUR, HOROKILOMÉTRIQUE → *heure.*

HOROSCOPE → *astrologie, prévoir.*

HORREUR, HORRIBLE → *déplaire, détester, laid, peur.*

HORRIFIER, HORRIFIQUE → *déplaire, peur.*

HORRIPILATION, HORRIPILER → *colère, gêner, poil.*

HORS-BORD → *bateau.*

HORS-CONCOURS → *supérieur.*

HORS-D'ŒUVRE → *deux, manger.*

HORS-JEU → *balle.*

HORS-LA-LOI → *loi.*

HORS-TEXTE → *inscription, livre.*

HORTENSIA → *fleur.*

HORTICOLE, HORTICULTEUR, HORTICULTURE → *jardin.*

HORTILLONNAGE → *culture.*

HOSANNA → *joie, honneur, liturgie.*

HOSPICE → *recevoir, soigner.*

HOSPITALIER → *monastère, recevoir, soigner.*

HOSPITALISATION, HOSPITALISER → *soigner.*

HOSPITALITÉ → *recevoir.*

HOSTIE → *offrir, sacrement.*

HOSTILE, HOSTILITÉ → *adversaire, désaccord, détester, opposé.*

HOT DOG → *porc.*

HÔTE, HÔTESSE → *aviation, informer, recevoir.*

HÔTEL → *boire, maison, recevoir.* — **Recevoir des hôtes.** Abriter, abri; accueillir, accueillant, accueil; amphitryon; asile; couvent; donner le vivre et le couvert; héberger, hébergement; hôpital; hospice; hospitalier, œuvres, ordres hospitaliers; hospitalité, abuser de l'hospitalité; hôte, hôtesse, hôte payant; hôtel, hôtel-Dieu; invitation, lancer des invitations, inviter à la fortune du pot/à la bonne franquette, invité; loger, logement, logeur, logeuse, billet de logement; maison paternelle; partager le pain et le sel; recevoir, réception; refuge, se réfugier, un réfugié; recevoir à sa table, tenir table ouverte; traiter princièrement/royalement. — **L'hôtel.** Auberge, auberge de jeunesse, aubergiste; café-hôtel; caravansérail; hôtel, hôtellerie, industrie hôtelière, crédit hôtelier, école hôtelière; hôtel de 1re classe/de 2e catégorie/deux/trois étoiles/de luxe/confortable/simple; hôtel borgne/clandestin/mal famé/de passe/sordide; hôtel meublé, hôtel-restaurant; hôtellerie, hostellerie; maison de passe, bordel; motel; palace; pension, pension de famille; relais. ▪ Bar, chambre, numéro de chambre; hall; réception; salle à manger; salle de bain; douches; salon; terrasse. ▪ Chasseur, concierge, femme de chambre, groom, hôtelier ou patron (fam.) ou taulier (pop.), liftier, pisteur, portier, réceptionnaire, valet, veilleur de nuit. — **Le restaurant.** Boui-boui (fam.); brasserie; buffet de gare; cantine d'entreprise; carte, manger à la carte; crémerie (pop.); étoile, restaurant trois étoiles; gargote, gargotier; grill-room; guide; libre-service; menu gastronomique/à prix fixe/touristique; mess des officiers, popote; plat du jour, plat unique; repas, déjeuner, dîner; restaurant, restauration, restaurateur; restaurant chinois/italien, pizzeria, restaurant vietnamien, restoroute; rôtisserie, rôtisseur; routier; service, service/tout compris; self-service; snack-bar; taverne, tavernier;

traiteur; wagon-restaurant. ■ Réfectoire, salle commune/à manger, salle de banquets, noces. ■ Chef, cuisinier ou cuistot (pop.), directeur, garçon ou loufiat (pop.), gâte-sauce, gérant, lingère, maître d'hôtel, maître queux, marmiton, plongeur, serveur, serveuse, sommelier ou caviste; faire le service, desservir, dresser la table, mettre le couvert. — **Le client.** Coucher; descendre; client, clientèle de passage; coucher; 'coup de fusil (fam.); griveler, grivèlerie; guide; habitué; hôtel/restaurant complet; louer; manger; payer l'addition/la douloureuse (pop.)/la note; pensionnaire, prendre pension, demi-pension; remplir une fiche de police; réservation, réserver une chambre/une table; retenir; vivre à l'hôtel.

HÔTEL-DIEU → *soigner.*

HÔTELIER, HÔTELLERIE → *boire, hôtel, recevoir.*

HOTTE → *feu, récipient, vannerie.*

HOUBLON, HOUBLONNER, HOUBLONNIÈRE → *bière.*

HOUE → *culture.*

HOUILLE, HOUILLER, HOUILLÈRE → *charbon, mine.*

HOULE → *exciter, mer.*

HOULETTE → *bâton, berger.*

HOULEUX → *mer, trouble.*

HOUPPE → *cheveu, plume.*

HOUPPELANDE → *vêtement.*

HOURDER, HOURDIS → *calcium, maçonnerie.*

HOURI → *femme.*

HOURRA → *applaudir, joie.*

HOURVARI → *bruit, chasse.*

HOUSEAUX → *jambe.*

HOUSPILLER, HOUSPILLEUR → *critique, discussion.*

HOUSSE → *couvrir, harnais.*

HOUSSINE → *bâton.*

HOUX → *arbre.*

HOYAU → *culture.*

HUBLOT → *fenêtre, ouvrir.*

HUCHE → *meuble, pain.*

HUE → *cheval, cri.*

HUÉE, HUER → *cri.*

HUGUENOT → *protestant, religion.*

HUILE, HUILER, HUILEUX → *gras.* — **Propriétés et production des huiles.** Huile, huiler, huileux, oléacées, oléagineux, oléiculture, plante oléifère, olivier, oléine, oléique, oléoduc, oléomètre, olé(o)-. ■ Acidité, couleur, densité, figement, huileux, lubrifiant, odeur, onctuosité, point d'éclair, viscosité, indice de viscosité, visqueux. ■ Huiles minérales : additif, décoloration, déparaffinage, distillation, épuration, extraction, inhibiteur d'oxydation, raffinage; huiles végétales : défruiter, dénaturer, épuiser, extraire, presser, tourteau. — **Sortes d'huiles minérales.** Benzène; créosote; huile de base/blanche/de broche ou spindle/brute ou ordinaire/compoundée/de coupe / cuite / cylindre / détergente / d'ensimage/E.P. (*extreme pression*)/de graissage / isolante / lourde ou bright-stock / marine / minérale / moteur (S.A.E.), huile multigrade/neutre ou neutral/pâle/de paraffine/rouge ou red/siccative, solvant, huile soufflée/sulfonée / sulfurée / synthétique / de transformateur, turbine; mazout; oil, fuel-oil, fuel, gas-oil, pétrole; vaseline; huile de vidange. — **Sortes d'huiles végétales ou animales.** Huile essentielle/de froissage/vierge; huile de baleine/de castor/de foie de morue/de phoque/de poisson/de vison, etc.; huile d'amande/d'arachide/de cade/de coco/de colza/de coprah/de lin/de germes de maïs/de navette/de noix/d'œillette/d'olive/de palme/de palmiste/de ricin/de sésame/de soja/de tournesol. — **Utilisation des huiles.** Cérat, embrocation, émulsion, friction, onction, oindre; brillantine, cold-cream, cosmétique, musc, rosat; huile camphrée/goménolée/de roses, etc. ■ Cambouis; graisses, graissage, graisseur; gripper, grippage par manque d'huile; huile, huiler, huileux; tache d'huile/de cambouis; burette, lampe à huile. ■ Huile comestible/de table : huile pure/dénaturée/fruitée/rance; assaisonner la salade, huilier, vinaigrette; cuisine à l'huile/méditerranéenne; frire, friture, friture de poisson, pommes de terre frites, pommes chips/frites; mayonnaise; faire revenir, etc.

HUILIER → *bouteille.*

HUIS → *porte.*

HUISSERIE → *fenêtre, porte.*

HUISSIER → *porte, recevoir, tribunal.*

HUITAIN → *poésie.*

HUITAINE → *calendrier.*

HUÎTRE → *mollusques.*

HUIT-REFLETS → *chapeau.*

HUÎTRIER → *mollusques.*

HULOTTE, HULULER → *cri, oiseau.*

HUMAIN, HUMANISATION, HUMANISER → *bon, homme, morale.*

HUMANISME, HUMANISTE → *homme, philosophie.*

HUMANITAIRE, HUMANITARISME, HUMANITÉ → *bien, bon, homme.*

HUMANITÉS → *enseignement.*

HUMBLE → *respect, simple.*

HUMECTER → *mouiller.*

HUMER → *manger, parfum, sensibilité.*

HUMÉRAL, HUMÉRUS → *bras.*

HUMEUR → *infecter, liquide, sang, tendance.*
HUMIDE, HUMIDIFIER, HUMIDITÉ → *bain, eau, mouiller, pluie.*
HUMILIANT, HUMILIATION, HUMILIER → *avilir, gêner, mépris.*
HUMILITÉ → *respect, simple.*
HUMORAL → *glande, liquide.*
HUMORISTE, HUMORISTIQUE, HUMOUR → *moquer, rire.*
HUMUS → *terre.*
HUNE, HUNIER → *voilure.*
HUNTER → *cheval.*
HUPPE, HUPPÉ → *oiseau, plume, riche, supérieur.*
HURE → *tête.*
HURLANT, HURLER, HURLEUR → *bruit, cri, désaccord, vent.*
HURLEUR → *singe.*
HURLUBERLU → *négliger.*
HURON → *simple.*
HURRICANE → *orage, vent.*
HUSSARD → *cavalerie.*
HUSSARDE → *brusque.*
HUSSITE → *hérésie.*
HUTTE → *édifice, maison.*
HYACINTHE → *joaillerie.*
HYALIN, HYALITE → *verre.*
HYALOÏDE → *œil.*
HYBRIDATION, HYBRIDE, HYBRIDER → *mêler, race.*
HYBRIDITÉ, HYBRIDISME → *mêler.*
HYDARTHROSE → *articulation.*
HYDNE → *champignon.*
HYDRATABLE, HYDRATANT → *eau.*
HYDRATÉ, HYDRATER → *chimie.*
HYDRAULICIEN, HYDRAULIQUE → *eau, hydraulique.*
HYDRAULIQUE → *eau, liquide.* — **Mécanique des fluides.** Hydraulique, hydraulicien, hydrauliste ; hydrographie, réseau hydrographique, ingénieur hydrographe ; hydrodynamique, théorème de Bernouilli ; hydrostatique, principe des vases communicants/de Pascal. ▪ Écoulement permanent/en charge/avec surface libre ; liquide compressible/isotrope/fluide ; marée ; régime des fleuves. ▪ École des ponts et chaussées ; houille blanche/verte. — **Machines hydrauliques.** Accumulateur à eau ; ajutage ; appareil à jet ; ascenseur à eau ; bélier ; chaîne, roue à augets, chapelet, noria ; clepsydre ; éjecteur ; frein ; hydrautomat ; levier ; machine volumétrique ; moulin à eau, moulinet ; pompe alternative/à engrenages/à palettes, corps de pompe, crapaudine ou crépine ; presse ; tourniquet ; turbine de Pelton ; turbomachine centrifuge/hélicoïdale ; tympan ; vérin ; vis d'Archimède. ▪ Aube, auge, buse, godet, hérisson, pale, roue. — **Ouvrages hydrauliques.** Bonde, chaussée, déchargeoir, dégorgeoir, déversoir, digue, endiguer, endiguement, duit, épi, jetée, renard, levée, môle, quai, risberme, siphon. ▪ Écluse, éclusier, écluser, éclusée, écluse carrée/double/à sas/à tambour : bajoyer, bief, busc, radier. ▪ Aqueduc, larron longitudinal/de tête, ventelle. — **Barrage.** Barrage-réservoir, barrage de régulation ou de retenue ; barrage à contreforts/à cylindre/à enrochement/à fermette/à chausses/à plots, barrage-poids ou barrage-gravité, barrage-poids-voûte ou mixte/à segments/à tambour ou Desfontaines/en terre/à vanne levante, barrage-voûte/à voûtes multiples. ▪ Batardeau, couronnement, canal de fuite, conduite forcée, déversoir de crue, échelle à poisson, évacuateur, grille, masque, prise d'eau, trop-plein, vanne, vanne-papillon/à secteur, vidange. ▪ Alternateur, turbine ; barragiste ; usine hydro-électrique/marémotrice. — **Fontaines, chutes et jets d'eau.** Cascade, cascatelle, cataracte, chute, eau vive, fontaine, borne-fontaine, jet d'eau, puits artésien, source, sourcier, torrent. ▪ Bassin, mare, miroir d'eau, nappe, pièce d'eau, vasque.
HYDRAVION → *aviation.*
HYDRE → *animal, polype.*
HYDRÉMIE → *sang.*
HYDROCÉPHALE, HYDROCÉPHALIE → *tête.*
HYDROCUTION → *inconscience, nager.*
HYDRODYNAMIQUE → *hydraulique.*
HYDRO-ÉLECTRICITÉ, HYDRO-ÉLECTRIQUE → *électricité, hydraulique.*
HYDROFUGE, HYDROFUGER → *eau, mouiller.*
HYDROGÈNE, HYDROGÉNER → *gaz.*
HYDROGÉOLOGIE → *eau.*
HYDROGLISSEUR → *bateau.*
HYDROGRAPHE, HYDROGRAPHIE, HYDROGRAPHIQUE → *géographie, hydraulique.*
HYDROLOGIE, HYDROLOGUE → *eau.*
HYDROLYSE, HYDROLYSER → *chimie, eau.*
HYDROMEL → *boisson.*
HYDROMÉTRIE, HYDROMÉTRIQUE → *eau.*
HYDROPHILE, HYDROPHOBE, HYDROPHOBIE → *eau.*
HYDROPIQUE, HYDROPISIE → *liquide.*
HYDROSPHÈRE → *terre.*

HYDROSTATIQUE → *hydraulique.*
HYDROTHÉRAPIE, HYDROTHÉRAPIQUE → *eau, soigner.*
HYDROTIMÉTRIE → *eau.*
HYDROXYDE → *chimie.*
HYÈNE → *mammifères.*
HYGIÈNE, HYGIÉNIQUE, HYGIÉNISTE → *médecine, toilette.*
HYGROMÈTRE, HYGROMÉTRIE, HYGROMÉTRIQUE → *air, mouiller.*
HYGROPHILE → *plante.*
HYGROSCOPE, HYGROSCOPIE, HYGROSCOPIQUE → *mouiller.*
HYMEN, HYMÉNÉE → *mariage.*
HYMÉNOPTÈRES → *insecte.*
HYMNE → *chanter, poésie.*
HYPALLAGE, HYPERBOLE → *style.*
HYPERBOLIQUE → *excès.*
HYPERÉMOTIVITÉ, HYPERESTHÉSIE → *sensibilité.*
HYPERFOCAL → *photographie.*
HYPERGLYCÉMIE → *sang.*
HYPERMÉTROPE, HYPERMÉTROPIE → *œil.*
HYPERMNÉSIE → *mémoire.*
HYPERNERVEUX → *nerf.*
HYPERSENSIBILITÉ, HYPERSENSIBLE → *sensibilité.*
HYPERTENDU, HYPERTENSION → *cœur.*
HYPERTHERMIE → *fièvre.*
HYPERTROPHIE, HYPERTROPHIER, HYPERTROPHIQUE → *augmenter, excès.*
HYPNOÏDE, HYPNOSE, HYPNOTIQUE → *dormir.*
HYPNOTISER, HYPNOTISEUR, HYPNOTISME → *attirer, dormir, inconscience, magie.*
HYPOCONDRIAQUE, HYPOCONDRIE → *triste.*
HYPOCORISTIQUE → *mot.*
HYPOCRISIE, HYPOCRITE → *affectation, doux, faux, tromper.*
HYPOCYCLOÏDE → *courbe.*
HYPODERME, HYPODERMIQUE → *peau.*
HYPOGASTRE, HYPOGASTRIQUE → *ventre.*
HYPOGLOSSE → *langue.*
HYPOGLYCÉMIE → *sang.*
HYPOPHYSAIRE, HYPOPHYSE → *glande.*
HYPOSTYLE → *colonne.*
HYPOTENDU, HYPOTENSION → *cœur.*
HYPOTÉNUSE → *géométrie.*
HYPOTHALAMIQUE, HYPOTHALAMUS → *cerveau.*
HYPOTHÉCAIRE, HYPOTHÈQUE, HYPOTHÉQUER → *devoir, posséder.*
HYPOTHÈSE, HYPOTHÉTIQUE → *doute, raisonnement, science.*
HYPOTONIE → *muscle.*
HYPOTROPHIE → *manger.*
HYPSOMÈTRE, HYPSOMÉTRIE → *relief.*
HYSTÉRIE, HYSTÉRIQUE → *folie, nerf.*

IAMBE → *poésie.*
IBIS → *oiseau.*
ICEBERG → *froid.*
ICÔNE → *image, saint.*
ICONOCLASME, ICONOCLASTE → *hérésie, saint.*
ICONOGRAPHE, ICONOGRAPHIE, ICONOGRAPHIQUE → *image, peinture.*
ICTÈRE → *foie.*
IDÉAL → *imaginer, pur.*
IDÉALISATION, IDÉALISER → *imaginer.*
IDÉALISME, IDÉALISTE → *philosophie.*
IDÉE → *abstraction, discussion, penser, philosophie.*
IDEM → *égal.*
IDENTIFICATION, IDENTIFIER → *essayer, nature, personne, reconnaître, semblable.*
IDENTIQUE → *égal, semblable.*
IDENTITÉ → *égal, mathématiques, personne, semblable.*
IDÉOGRAMME, IDÉOGRAPHIE → *écrire.*
IDÉOLOGUE → *penser, philosophie.*
IDES → *calendrier.*
IDIOMATIQUE, IDIOME → *langage, particulier.*
IDIOSYNCRASIE → *particulier.*
IDIOT, IDIOTIE → *diminuer, esprit, ignorer, sot.*
IDIOTISME → *langage, particulier.*
IDOINE → *convenir, utile.*
IDOLÂTRE, IDOLÂTRER, IDOLÂTRIE → *aimer, dieu, passion.*
IDOLE → *aimer, dieu, sculpture.*
IDYLLE, IDYLLIQUE → *aimer, berger, poésie, satisfaction.*
IF → *arbre, cimetière.*
IGLOO → *froid.*
IGNARE → *ignorer.*
IGNÉ, IGNIFUGE, IGNIFUGER → *feu.*
IGNITION → *brûler.*
IGNOBLE → *avilir.*
IGNOMINIE, IGNOMINIEUX → *avilir.*
IGNORANCE, IGNORANT → *ignorer.*
IGNORÉ → *ignorer, obscur.*
IGNORER → *manque, savoir.* — **Ne pas savoir.** Apprendre, apprenti ; aller à l'aveuglette ; avouer son ignorance ; candide, candeur ; confus ; ne pas s'y connaître, n'y rien connaître, avoir des connaissances superficielles, ne pas être au courant ; crédulité, crédule ; ne se douter de rien ; étranger ; gaucherie, gauche ; ignorant, ignorance flagrante/inqualifiable, être dans l'ignorance, tenir dans l'ignorance/à l'écart ; impéritie ; incapacité, incapable ; incompétence, incompétent ; inconscient, inconscience ; inconséquence, inconséquent ; inexpérience, inexpérimenté ; ingénuité, ingénu ; inhabile, maladroit, malhabile ; à l'insu de ; irresponsable, irresponsabilité ; lacune ; méconnaissance, méconnaître ; naïveté, naïf ; novice, pêcher par ignorance ; profane ; ne pas savoir, ne savoir rien de rien, demi-savoir, fausse science ; sécher (fam.) ; tâtonner, tâtonnements. — **Être ignare.** Aliboron ; analphabète ; âne, âne bâté, ânon-

ner, bonnet/oreilles d'âne ; arriéré ; balourd ; baudet ; barbarie, barbare ; béotien ; bête ; borné ; bourrique ; cancre ; crétin ; croûte ; idiot, idiotie ; ignare, ignorantisme, ignorantiste ; illettré ; ilote, ilotisme ; inculte ; innocence, innocent, *minus habens ;* niais ; nigaud ; nul, nullité ; oie blanche ; obscurantisme, obscurantiste ; paysan, être/sortir de son village (fam.), d'où sort-il ? ; sot, sottise ; stupidité ; velche ou welsch. — **Évolution de l'ignorance.** Croupir dans l'ignorance ; décrasser, décrotter (fam.) ; dégourdir, dégourdi ; dégrossir ; désapprendre ; s'encrasser, s'encroûter (fam.) ; s'engourdir ; oublier ; rabâcher (fam.) ; radoter, radotage, radoteur ; se rouiller, rouillé ; routine, esprit routinier ; tomber en enfance. — **Ignoré.** Anonyme, anonymat ; débouler ; étranger ; inaperçu ; incompris ; inconnu ; une inconnue, incognito ; inédit ; inouï ; insolite ; marqué ; méconnu, méconnaissable ; mystérieux, mystère ; nouveau, nouveau venu ; obscur, obscurité ; oublié, tombé dans l'oubli ; pays perdu, bled (fam.) ; pseudonyme ; secret ; voilé ; jamais vu.

IGUANE → *reptiles.*

ÎLE → *mer, rivière.*

ILLÉGAL, ILLÉGALITÉ → *faute, injustice, loi.*

ILLÉGITIME, ILLÉGITIMITÉ → *défendre, enfant, loi.*

ILLETTRÉ → *ignorer.*

ILLICITE → *défendre, injustice, loi, morale.*

ILLICO → *vitesse.*

ILLIMITÉ → *grand.*

ILLOGIQUE, ILLOGISME → *irrégulier, raisonnement.*

ILLUMINATION → *lumière, penser.*

ILLUMINÉ, ILLUMINISME → *imaginer, religion.*

ILLUMINER → *feu, lumière.*

ILLUSION, ILLUSIONNER → *imaginer, tromper.*

ILLUSIONNISME, ILLUSIONNISTE → *spectacle, tromper.*

ILLUSOIRE → *faux.*

ILLUSTRATION → *dessin, réputation.*

ILLUSTRÉ → *dessin, journal.*

ILLUSTRE, ILLUSTRER → *réputation.*

ÎLOT → *maison, mer, rivière.*

ILOTE, ILOTISME → *ignorer, soumettre.*

IMAGE, IMAGER → *dessin, peinture, reproduction, sculpture.* — **Apparence visible.** Analogue ; apparence, apparaître, paraître ; face ; figure ; image, image virtuelle/déformée, anamorphose ; manifestation ; mirage ; modèle ; ombre, ombre chinoise ; projection ; reflet, refléter, réfléchir, réflecteur, miroir ; silhouette ; visage ; vue. — **Représentation artistique.** Armes, armoiries ; blason ; buste ; chromo ; daguerréotype ; dessin ; effigie ; emblème ; enluminure, enluminé ; estampe ; fétiche ; figure, figurine, art figuratif/non figuratif ; gravure ; icône ; iconographie, iconologie, iconoclaste ; idole ; illustration, illustrer, livre illustré ; image, image fidèle/ressemblante/à s'y tromper ; image floue/mauvaise/grossière/grotesque/pieuse/de première communion ; image d'Épinal, imagerie populaire ; imager, imagier ; peinture ; photographie, photo ; portrait ; représenter, représentatif ; simulacre ; statue, statuette, symbole, tableau ; trompe-l'œil. — **Le portrait.** Camée ; caricature ; crayon ; gravure ; médaillon ; miniature ; pastel ; photographie ; portraire, tirer le portrait (fam.), portraitiste ; portrait de grandeur naturelle/en buste/de face/en pied/de profil/de trois quarts ; autoportrait, l'artiste par lui-même ; ressemblance, ressemblant, être flatté ; tableau, galerie de portraits/de tableaux. — **Technique de l'image.** Colorier, coloriage, coloriste ; décalque, calque ; décalcomanie ; dessin, dessiner, dessinateur ; enluminer, enluminure ; graveur, gravure ; miniature, miniaturiste ; modeler, modelage, modeleur ; peinture, peintre ; photographie d'art/d'amateur, retoucher ; portraitiste ; sculpture, sculpteur ; statuaire. ■ Agrandissement, agrandir ; chambre claire/noire ; photocopie ; photogravure ; reproduire, reproduction, cliché, épreuve. ■ Cinématographe, cinémascope, iconoscope, kaléidoscope, kinétoscope, radiographie, radioscopie, stéréoscope, télévision.

IMAGINATION, IMAGINATIVE → *imaginer.*

IMAGINER → *croire, penser, tromper.* — **Se représenter en esprit.** Comprendre ; concevoir, conception, concept ; conjecturer, conjecture ; croire, croyable, croyance ; deviner, devinette ; envisager ; évoquer, évocation ; se figurer ; idéal ; juger ; imaginer, imagination, frapper les esprits/l'imagination, frappant ; penser ; recréer ; supposer, supposition. ■ Impensable, inconcevable, incroyable, inimaginable, invraisemblable, etc. — **Travail de l'imagination.** Absurdité ; conte, conte de fées/à dormir debout ; divagation, divaguer ; donner naissance à ; enfanter ; évasion, s'évader loin des basses contingences/des tristes réalités, etc. ; être dans les nuages, planer (fam.) ; exaltation, s'exalter ; extravagance, extravaguer ; fable, fabuleux, affabuler, affabulation ; fantaisie ; fiction, science-fiction; folie; imagination, imaginaire, l'imaginaire, fruits de l'imagination, folle du logis (fam.); invention, inventer; légende; mensonge; le merveilleux chrétien/païen; se monter la tête/le bourrichon (fam.); morbide; onirisme; plan, projet; pressentiment, pressentir; rêve, rêver, rêverie, rêvasser; ruminer; songe, songer; tirer du néant; utopie, utopique. ■ S'abuser, s'aveugler, broder, déformer, s'égarer, embellir, fabriquer, forger, gamberger (pop.), idéaliser, s'illusionner, inventer, inventé de toutes pièces, se leurrer, parer, romancer, voir tout en noir/en rose, etc. ■ Délire poétique, dithyrambe, enthousiasme, fureur, inspiration, pindariser, possédé, pythie, etc. — **Chose imaginaire.** Argument controuvé; bâtir des châteaux en Espagne; chimère, chimérique, se repaître de chimères; fabuleux, animal fabuleux, griffon, licorne, etc.; fantasme, fantasmagorie; fantôme; faux; féerie, féerique; fictif, fiction; hallucination; illusion, illusoire; irréel; légendaire; leurre; mirage; mythe, mythique, mythomane; prendre des vessies pour des lanternes; rêve; songe; trompe-l'œil; vain, vain espoir; vision. ■ Désabuser, dessiller les yeux, désillusion, décevoir, démythifier. — **Invention.** Artifice, artificieux; avoir plusieurs cordes à son arc; combiner, combinaison, combine (pop.), combinard (pop.); constructif, construction de l'esprit; création, créer, créatif, créateur; découverte, esprit de découverte, découvrir, découvreur; échafauder des plans; enthousiasme; eurêka; expédient; être fécond/fertile en/habile à; idée lumineuse; imaginer, imaginatif; improviser, improvisation, génie de l'improvisation, improvisateur, *commedia dell'arte;* industrie, industrieux; ingéniosité, ingénieux, s'ingénier; inspiration, être inspiré, s'inspirer de; invention, inventé, inventif, inventeur, petit inventeur, concours Lépine; magicien; malin, malin comme un singe; retomber sur ses pattes; sorcier; souffle créateur; stratagème; subterfuge; subtilité, subtil; talent; tirer parti de; trouver, trouvaille; trouver un biais/le défaut de la cuirasse/le joint (fam.)/une solution; verve. — **Un être imaginatif.** Concepteur, créateur, découvreur, écrivain, esprit fantaisiste, fou, halluciné, homme des situations désespérées, illuminé, improvisateur, inventeur, rêveur, poète, prophète, publiciste, pythonisse, romanesque, songe-creux, théoricien, utopiste, visionnaire.

IMBÉCILE, IMBÉCILLITÉ → *esprit, ignorer, incapable, sot.*

IMBERBE → *poil.*

IMBIBER, IMBIBITION → *mouiller.*

IMBRICATION, IMBRIQUER → *architecture, lier.*

IMBROGLIO → *théâtre, trouble.*

IMBU → *emplir, supérieur.*

IMITATEUR, IMITATIF → *reproduction, semblable.*

IMITATION, IMITER → *faux, reproduction, semblable.*

IMMACULÉ → *pur.*

IMMANENCE, IMMANENT → *Dieu, esprit.*

IMMATÉRIALITÉ, IMMATÉRIEL → *esprit.*

IMMATRICULATION, IMMATRICULER → *automobile, inscription.*

IMMATURITÉ → *esprit, fruit, jeune.*

IMMÉDIAT → *succession, vitesse.*

IMMÉMORIAL → *mémoire, vieillesse.*

IMMENSE, IMMENSITÉ → *grand.*

IMMERGER, IMMERSION → *bain.*

IMMEUBLE → *habiter, maison, posséder.*

IMMIGRER → *pays, venir.*

IMMINENCE, IMMINENT → *proche, temps.*

IMMISCER (S'), IMMIXTION → *entrer, succession.*

IMMOBILE → *fixe.*

IMMOBILIER → *posséder.*

IMMOBILISATION, IMMOBILISER → *arrêter, banque, fixe.*

IMMOBILISME → *progrès.*

IMMOBILITÉ → *arrêter, dormir, fixer.*

IMMODÉRÉ → *excès.*

IMMOLER → *mourir, offrir.*

IMMONDE → *sale.*

IMMONDICES → *résidu.*

IMMORTEL → *durer, vie.*

IMMORTELLE → *fleur.*

IMMUABLE, IMMUABILITÉ → *fixer.*

IMMUNISATION, IMMUNISER → *soigner.*

IMMUNITÉ → *avantage, impôt, microbe.*

IMPACT → *frapper, influence, rencontre.*

IMPAIR → *nombre.*

IMPAIR → *gauche.*

IMPALPABLE → *petit.*

IMPARFAIT → *commencer, défaut, manque.*

IMPARTIAL, IMPARTIALITÉ → *balance, égal, histoire, justice.*

IMPARTIR → *impôt.*

IMPASSE → *comptabilité, échouer, route.*

IMPASSIBILITÉ, IMPASSIBLE → *calme, courage, sage.*

IMPATIENCE, IMPATIENT → *attendre, désir.*
IMPAVIDE → *calme.*
IMPAYABLE → *rire.*
IMPECCABLE → *pur.*
IMPÉNÉTRABLE → *épais, obscur.*
IMPÉNITENT → *résister.*
IMPÉRATIF → *grammaire, règle.*
IMPÉRATRICE → *souverain.*
IMPERCEPTIBLE → *peser, petit.*
IMPERFECTION → *défaut, manque.*
IMPÉRIAL → *attitude, orgueil.*
IMPÉRIALE → *voiture.*
IMPÉRIALISME → *politique.*
IMPÉRIEUX → *manière, violence.*
IMPÉRISSABLE → *durer.*
IMPÉRITIE → *ignorer, incapable.*
IMPERMÉABLE → *pluie, vêtement.*
IMPERTINENT → *offense, orgueil.*
IMPERTURBABLE → *calme.*
IMPETIGO → *peau.*
IMPÉTRANT → *gagner.*
IMPÉTUEUX, IMPÉTUOSITÉ → *vif, violence.*
IMPIE, IMPIÉTÉ → *hérésie, opinion, religion.*
IMPLACABLE → *dur, résister.*
IMPLANTER → *placer.*
IMPLICATION → *raisonnement.*
IMPLICITE → *obscur.*
IMPLIQUER → *suivre.*
IMPLORER → *demander.*
IMPLOSION → *exploser.*
IMPONDÉRABLE, IMPONDÉRÉ → *événement, peser.*
IMPOPULAIRE, IMPOPULARITÉ → *déplaire, politique.*
IMPORTANCE, IMPORTANT → *affectation, influence, grand.* — **Caractère de ce qui est important.** Ampleur, de grande ampleur ; appréciable ; qui compte, compter ; considérable, qui mérite considération, qui mérite qu'on s'y arrête/qu'on s'y attache ; étendue ; grand, grandeur ; important, d'importance ; intéressant, d'un grand intérêt ; qui pèse d'un grand poids, de poids ; qui a de la portée ; de prix ; sensible ; sérieux ; substantiel ; qui tire à conséquence, conséquent ; utile à, de valeur, valable. — **Élément important.** Ame, base, capitale, centre, charpente, citadelle, clef, clef de voûte, cœur, colonne, faîte, fin mot, fleuron, fond, fondement, matière, moelle, la substantifique moelle, moteur, élément moteur, pièce/poutre maîtresse, pierre angulaire, pilier, pivot, sommet, substance, substrat, suc. — **D'une très grande portée.** Affaire d'État, toutes affaires cessantes ; capital, point/problème/question capitale ; cardinal, vertus cardinales ; condition *sine qua non* ; crucial ; décisif ; dirimant ; essentiel ; fondamental ; grave, gravité ; important, de la plus haute importance ; majeur ; événement mémorable/à marquer dans les annales/à marquer d'une pierre blanche ; nécessaire, nécessité ; précieux ; primordial ; principal ; question de vie ou de mort ; rédhibitoire ; urgent, urgence ; vital. — **Être, devenir plus ou moins important.** Futile ; de peu d'importance, n'importe, peu importe, cela ne fait rien, ce n'est rien ; mineur ; néant ; secondaire ; superflu ; surplus. ■ Gonfler ; grossir, grossir l'importance de quelque chose ; exagérer, fortement exagéré ; forcer la note ; maximiser ; mettre en relief ; se faire un monde de. ■ Minimiser ; faire prédominer ; ramener à de justes proportions, rapetisser, ridiculiser ; valoriser, revaloriser. ■ Somme coquette/rondelette, etc. — **Personne importante.** Avoir de l'ascendant/de l'autorité ; être le bras droit, avoir le bras long (fam.) ; être la cheville ouvrière ; considération, jouir de la considération générale ; crédit, être en crédit ; dignitaire ; grand, les grands, grand manitou (fam.), grand patron ; gros bonnet (fam.) ; homme de poids ; influence, influent ; une huile (pop.) ; le grand monde ; notable, notabilité ; personnage, haut personnage; personnage considérable/haut placé/respectable ; personnalité, une personnalité connue/marquante, etc. ; un ponte (pop.) ; potentat ; prestige ; avoir la primauté ; puissant, puissance, les puissants de ce monde ; être quelqu'un, c'est quelqu'un, ce n'est pas n'importe qui ; situation/en vue, puissante situation ; une sommité. — **Faire l'important.** Affectation, affecter de grands airs, air affecté ; arrogance, arrogant ; avantageux ; crâner (pop.), crâneur (pop.) ; s'en croire ; gloriole, glorieux ; gourmé ; importance ; se donner de l'importance, faire l'important/le mariole (pop.) ; infatué ; matamore, m'as-tu vu (fam.) ; se faire mousser (fam.) ; se croire le premier moutardier du pape (fam.) ; se pavaner ; plein de soi-même ; pontifier, pontifiant ; la ramener (pop.) ; se rehausser ; se rengorger ; suffisance, suffisant ; trôner ; vanité, vain ; faire du volume (fam.).
IMPORTER → *commerce, entrer, marchandises.*
IMPORTER → *importance.*
IMPORTUN, IMPORTUNER, IMPORTUNITÉ → *gêner.*
IMPOSABLE → *impôt.*
IMPOSANT → *importance, respect.*
IMPOSER → *impôt, respect, sacrement.*
IMPOSEUR, IMPOSITION → *impôt, typographie.*

IMPOSSIBILITÉ, IMPOSSIBLE → *difficile, échouer, incapable.*

IMPOSTE → *fenêtre, porte.*

IMPOSTEUR, IMPOSTURE → *tromper.*

IMPÔT → *commerce, dépense.* — **Diverses impositions.** Assujettir à l'impôt, barème de l'impôt; cens; charge, surcharge; centime / décime additionnel; contribution, contribuable, redevable; droit, droits de mutation/de succession, etc.; fisc, fiscalité, fiscal, fiscaliser, conseiller fiscal; frapper; grever; imposition, imposer, double imposition, imposable, surimposer, surimposition; patente, patenté; péage; prélèvement, prélever; prestations; redevances, être redevable; régler une taxe; système censitaire/fiscal, etc.; tribut; taux; taxe, détaxer, taxer; taxes : acte, capitation, champart, corvée, fouage, gabelle, impôt sur les portes et fenêtres, octroi, taille. ■ Acquit-à-caution, congé, laissez-passer, papier timbré, passavant, timbre, timbre-quittance, vignette-auto. — **Forme et assiette de l'impôt.** Impôt *ad valorem*/sur le capital/cédulaire/sur la consommation/sur la dépense/dégressif/direct/sur l'énergie/fixe/sur la fortune/indirect/multiple/personnel ou sur les personnes physiques/sur les plus-values/progressif / proportionnel/de quotité/réel/de répartition/sur le revenu/sur les sociétés/spécifique/sur les transactions ou sur le chiffre d'affaires; taxation, surtaxe, surtaxe progressive, income-tax, taxe municipale /foncière/sur la valeur ajoutée ou T.V.A. ■ Plus-value/produit/recette/rentrée/revenu de l'impôt; péréquation, répartement; impôt juste/égal, égalité devant l'impôt. — **Recouvrement et contrôle.** Abattement à la base; code des impôts; contribuable, contribuable récalcitrant; contrôler, contrôle fiscal; cote, décote; décharge; déclaration ou feuille d'impôt; déduction; dégrèvement; discrimination; état; exonération; forfait, taxe forfaitaire; matrice; perception; rappel; recensement; recouvrement, recouvrer; réduction; régie; remise; retenue à la source; rôle, extrait du rôle; signes extérieurs de richesse; transaction; vérification de comptabilité; visite domiciliaire. ■ Amende, avertissement, commandement, contrainte, poursuites, réclamation, saisie, sommation avec ou sans frais. ■ Frauder le fisc, évasion/fraude fiscale, péculat; les exactions du fisc, maltôte; pressurer/saigner (fam.)/sucer (fam.)/tondre (fam.) le contribuable. — **Administration de l'impôt.** Brigade de surveillance/de vérification; collecteur; contrôleur des contributions; direction générale des impôts/des douanes et des droits indirects; ferme des impôts de l'Ancien Régime, fermier, fermier général, publicain; enregistrement; inspecteur des Finances; ministère des Finances et des Affaires économiques; percepteur; receveur buraliste/particulier/principal; Trésor public, trésorier payeur général.

IMPOTENCE, IMPOTENT → *diminuer, mouvement.*

IMPRATICABILITÉ, IMPRATICABLE → *obstacle, passer, route.*

IMPRÉCATION, IMPRÉCATOIRE → *malheur.*

IMPRÉGNATION, IMPRÉGNER → *emplir.*

IMPRÉSARIO → *art, cinéma.*

IMPRESCRIPTIBILITÉ, IMPRESCRIPTIBLE → *durer.*

IMPRESSION → *cachet, peinture, sensibilité, typographie.*

IMPRESSIONNABILITÉ, IMPRESSIONNABLE → *sensibilité.*

IMPRESSIONNANT, IMPRESSIONNER → *étonner, photographie, sensibilité.*

IMPRESSIONNISME, IMPRESSIONNISTE → *art, peinture.*

IMPRÉVISIBLE, IMPRÉVISION → *brusque, prévoir.*

IMPREVU → *prévoir.*

IMPRIMATUR → *typographie.*

IMPRIMÉ → *journal, livre.*

IMPRIMER → *graver, livre, sensibilité.*

IMPRIMERIE, IMPRIMEUR → *typographie.*

IMPROMPTU → *musique, prévoir, vitesse.*

IMPROPRE, IMPROPRIÉTÉ → *incapable, style.*

IMPROVISATION, IMPROVISER → *parler, prévoir, vitesse.*

IMPROVISTE (À L') → *vitesse.*

IMPRUDENCE, IMPRUDENT → *danger, négliger.*

IMPUDENCE, IMPUDENT → *offense.*

IMPUDEUR, IMPUDIQUE → *débauche, morale.*

IMPUISSANCE, IMPUISSANT → *faible, incapable, sexe.*

IMPULSIF, IMPULSION → *pousser, vif.*

IMPUNI, IMPUNITÉ → *pardon.*

IMPUTATION, IMPUTER → *accusation, attribuer, succession.*

INACCESSIBILITÉ, INACCESSIBLE → *difficile, insensible, obscur.*

INADAPTÉ → *désaccord.*

INADVERTANCE → *mémoire.*

INAMOVIBLE → *magistrat.*

INANIMÉ → *inconscience, mourir.*

INANITÉ → *futile.*

INANITION → *faim, mourir.*

INAUGURER → *cérémonie, commencer.*

INCANDESCENCE, INCANDESCENT → *chaleur, lumière.*

INCANTATION, INCANTATOIRE → *magie.*

INCAPABLE, INCAPACITÉ → *droit, pouvoir.* — **Qui n'est pas capable.** Bon à rien ; ganache ; être hors d'état de ; idiotie, idiot ; ignorance, ignorant ; imbécillité, imbécile ; impéritie ; impossibilité à ; impropre ; impuissance à, impuissant ; inaptitude, inapte ; inepte ; incapable de quoi que ce soit, incapacité notoire/partielle ; incompétence, incompétent ; inoffensif ; insuffisance, insuffisant ; invalide, invalidité ; mazette ; médiocre ; moule (pop.) ; un néant, une nullité ; paresse, paresseux ; pauvre d'esprit, *minus habens,* minus (fam.) ; propre à rien ; un zéro (fam.). ▪ Ne pas être fait pour ; ne pas être fichu/foutu de (pop.) ; nager ; n'y pouvoir rien ; n'être pas qualifié pour ; ne valoir rien, ne pas valoir grand-chose. ▪ Agénésie, eunuque, impuissant, stérile. — **Inapte à jouir d'un droit.** Déchéance des droits, déchu, déchu de la puissance maritale/paternelle ; incapacité, incapable ; indignité nationale ; interdiction, interdit, interdit de séjour ; majeur ; incapable ; mineur, minorité. ▪ Être mal fondé/mal venu dans une demande ; débouter. — **Maladresse.** Andouille (pop.) ; apprenti ; ballot (fam.) ; balourd, balourdise ; brise-tout (fam.) ; couenne (pop.) ; empaillé (fam.) ; empoté (fam.) ; étourderie, étourdi ; gauche, gaucherie, touchante gaucherie ; gaffe, faire des gaffes (fam.), gaffer (fam.) ; godiche (fam.) ; une gourde (fam.) ; lourdaud ; maladroit, maladroitement ; malavisé ; mal à propos ; avoir la main malheureuse ; manchot ; malfaçon ; manquer son coup (fam.), louper (fam.) ; massacrer un travail (fam.), fausse manœuvre ; pataud ; s'y prendre mal ; saboter/savater un travail (fam.).

INCARCÉRATION, INCARCÉRER → *prison.*

INCARNAT → *rouge.*

INCARNATION, INCARNER (S') → *Christ.*

INCARNER, INCARNÉ → *chair, doigt, spectacle.*

INCARTADE → *folie, irrégulier.*

INCENDIAIRE, INCENDIE, INCENDIER → *brûler.*

INCERTAIN, INCERTITUDE → *changer, doute.*

INCESSANT → *durer.*

INCESTE, INCESTUEUX → *famille, mariage.*

INCHOATIF → *commencer, verbe.*

INCIDENCE, INCIDENT → *conséquence, optique.*

INCIDENT → *événement.*

INCINÉRATION, INCINÉRER → *brûler, enterrement.*

INCIPIT → *commencer.*

INCISE → *grammaire.*

INCISER, INCISION → *couper.*

INCISIF → *critique, style.*

INCISIVE → *dent.*

INCITATION, INCITER → *engager, pousser.*

INCIVIL → *grossier, manière.*

INCLINAISON → *astronomie, pencher.*

INCLINATION → *aimer, courbe, tendance.*

INCLINER, INCLINER (S') → *courbe, pencher, soumettre.*

INCLURE, INCLUS, INCLUSION → *contenir, mathématiques.*

INCOERCIBLE → *résister.*

INCOGNITO → *ignorer.*

INCOLORE → *blanc, terne.*

INCOMBER → *attribuer.*

INCOMMENSURABLE → *grand.*

INCOMMODITÉ → *déplaire, gêner.*

INCOMPARABLE → *supérieur.*

INCOMPATIBILITÉ, INCOMPATIBLE → *désaccord.*

INCOMPÉTENCE, INCOMPÉTENT → *ignorer, incapable.*

INCOMPLET → *commencer, défaut, manque.*

INCOMPRÉHENSIBLE → *difficile, obscur.*

INCONCEVABLE → *étonner.*

INCONDITIONNEL → *confiance, entier.*

INCONDUITE → *débauche, morale.*

INCONGRU, INCONGRUITÉ → *grossier.*

INCONNU → *doute, ignorer, obscur.*

INCONNUE → *algèbre mathématiques.*

INCONSCIENCE, INCONSCIENT → *psychanalyse, psychologie.* — **Perte de la conscience.** S'anéantir, néant ; anesthésie, anesthésier ; catalepsie ; chloroforme ; coma, état comateux ; perdre connaissance, être sans connaissance ; défaillir, défaillance ; éblouissement ; faiblesse, faible ; fureur ; groggy ; hydrocution ; hypnose, hypnotiser, hypnotique ; léthargie, léthargique ; lipothymie ; se pâmer, tomber en pâmoison ; être prostré, prostration ; syncope ; tomber dans les pommes (pop.), tourner de l'œil (pop.), se trouver mal ; torpeur ; vapeur ; vertige ; voir trente-six chandelles (fam.). — **Absence de conscience claire.** Agir sans préméditation/sans réflexion, action involontaire, geste machinal/mécanique ; aveuglement, aveugle ; brouillon ; distraction, distrait ; écervelé ; étourdi ; s'exalter, perdre la raison ; extase, état extatique ; fanatique, fanatisme ; folie, fou, possédé ; griserie, grisé ; habitude ; hébétude, hébété ; imprudence, imprudent ; impulsion, impulsif ; inattention, inattentif ; inconséquence, inconséquent ; insouciance, insouciant ; irréflexion, irréfléchi ; légèreté, léger ; maboul (pop.), marteau (pop.), etc. ; manie ; passion, passionnel ; préjugé ; routine ; sommeil, sommeiller, ensommeillé, somnolence, somnolent ; être tombé sur la tête (pop.).

INCONSÉQUENCE, INCONSÉQUENT → *inconscience, irrégulier.*

INCONSIDÉRÉ → *futile.*

INCONSISTANCE, INCONSISTANT → *faible.*

INCONSTANCE, INCONSTANT → *changer, irrégulier.*

INCONTESTABLE, INCONTESTÉ → *certifier, sûr.*

INCONTINENCE, INCONTINENT → *débauche, excès.*

INCONVENANCE, INCONVENANT → *faute, grossier.*

INCONVÉNIENT → *défaut.*

INCORPORATION, INCORPORER → *armée, entrer.*

INCORRECT, INCORRECTION → *grossier, manière.*

INCORRUPTIBILITÉ, INCORRUPTIBLE → *influence, pur.*

INCRÉDULE, INCRÉDULITÉ → *doute, incroyance, religion.*

INCRIMINATION, INCRIMINER → *accusation, critique.*

INCROYABLE → *étonner, grand.*

INCROYANCE, INCROYANT → *hérésie, religion.* — **Irréligion.** Athéisme, athée ; douter, doute ; esprit fort ; incrédulité, incrédule ; incroyance, incroyant ; indifférence, indifférent ; irréligion, irréligieux ; laïcité, laïque ; libertinage, libertin ; libre-pensée, libre-penseur ; mécréant. ■ Sans foi, n'avoir ni foi ni loi, ne pas avoir la foi, ne pas pratiquer. ■ Agnosticisme, déisme, franc-maçonnerie, matérialisme, panthéisme, pyrrhonisme, rationalisme, sceptique, scepticisme. — **Impiété.** Antéchrist ; anti-, antireligieux ; apostat, apostasie ; blasphémer, blasphème, blasphématoire, blasphémateur ; hérésie, hérétique ; immoralisme, immoral ; impiété, impie ; infidèle ; paganisme, païen ; pécheur endurci/impénitent ; profanation, profanateur ; renégat, renier sa foi/la foi de ses ancêtres ; sacrilège ; vivre dans le péché/le scandale.

INCRUSTATION, INCRUSTER → *bijou, broderie, décoration, inscription.*

INCUBATION, INCUBER → *maladie, oiseau, poisson.*

INCULPATION, INCULPÉ, INCULPER → *accusation, crime, justice.*

INCULQUER → *enseignement, entrer.*

INCULTE → *incapable, sec.*

INCURABLE → *maladie, soigner.*

INCURIE → *négliger.*

INCURSION → *attaque, entrer.*

INCURVATION, INCURVER → *courbe.*

INDÉCENCE, INDÉCENT → *débauche, morale.*

INDÉCIS, INDÉCISION → *deux, doute, obscur.*

INDÉFECTIBLE, INDÉFECTIBILITÉ → *durer, résister, sûr.*

INDÉFINI → *doute, grammaire.*

INDÉFINISSABLE → *doute.*

INDÉFRISABLE → *cheveu.*

INDÉLÉBILE → *durer.*

INDÉLICAT, INDÉLICATESSE → *grossier, injustice, voler.*

INDEMNE → *entier.*

INDEMNISER, INDEMNITÉ → *dommage, mérite, payer.*

INDÉNIABLE → *sûr.*

INDÉPENDANCE, INDÉPENDANT → *libre.*

INDÉTERMINATION, INDÉTERMINÉ → *doute, obscur.*

INDEX → *abréger, défendre, doigt, écrire, inscription.*

INDEXATION, INDEXER → *payer.*

INDICATEUR → *conduire, montrer, police.*

INDICATIF → *radio, verbe.*

INDICATION → *informer.*

INDICE, INDICIAIRE → *mathématiques, payer, signe.*

INDICIBLE → *grand.*

INDIENNE → *tissu.*

INDIFFÉRENCE, INDIFFÉRENT → *incroyance, insensible, négliger.*

INDIFFÉRER → *importance.*

INDIGENCE, INDIGENT → *pauvre.*

INDIGÈNE → *colonie, pays.*

INDIGESTE, INDIGESTION → *déplaire, difficile, manger.*

INDIGNATION, INDIGNER → *colère, mépris, révolte.*

INDIGNE, INDIGNITÉ → *avilir, mérite, peine.*

INDIGO → *bleu.*

INDIQUER → *apprendre, enseignement, montrer, signe.*

INDIRECT → *courbe, grammaire.* — **Chemin indirect.** Allonger, rallonger ; circuit ; contourner un obstacle ; crochet ; dériver, détour, détourner ; dévier, déviation, itinéraire de dégagement/de délestage ; s'égarer ; évoluer, évolution ; flexueux, s'infléchir, inflexion ; labyrinthe ; lacis, louvoyer, louvoiement ; méandres ; oblique, obliquer ; randonnée ; ricochet ; serpenter ; sinueux, en S ; tortu, tortueux ; tourner en rond, faire des tours, tournant, tournoyer ; virer, virage, lacet, zigzag, zigzaguer. — **Ligne indirecte.** Angle, anguleux ; de biais ; coude, couder ; courbe, courber, courbure ; fléchir ; gauche, gauchissement ; ligne brisée/tremblée/oblique, obliquité ; pli, repli, replier ; reflet, réfléchi ; réfraction, réfracté ; saillie, saillir, saillant ; spirale, spires, colimaçon. — **Agir de façon indirecte.** Agir par surprise ; biaiser ; commission, faire faire ses commissions par les autres/par l'entremise de/par personne interposée ; éluder ; faux-fuyant ; insinuer, insinuation ; intervenir, intervention discrète, donner un petit coup de pouce (fam.) ; intriguer, intrigue, intrigant ; médiateur, médiation ; tirer les vers du nez ; tourner une difficulté ; voie oblique. ■ Capitulation de conscience ; conduite louche/suspecte ; se dévoyer, un dévoyé ; diversion, faire diversion ; divertir ; duper ; expédients ; furtif ; manège ; manigances, manœuvres ; matois ; restriction mentale ; ruse, ruser, rusé ; secret ; subterfuge ; tromper, trompeur. — **Langage indirect.** Alambiquer, alambiqué ; allégorie, allégorique ; amphibologie, propos à double sens ; amphigouri ; chiffre, chiffré ; circonlocutions ; code, codé ; compliqué, confus, contourné ; convention, de convention, conventionnel ; digression ; embrouillé, embrouiller ; équivoque ; évasif ; image ; figure, figures de rhétorique : litote, prétérition, etc. ; mentir, mensonge ; mystère, faire des mystères ; parabole ; périphrase ; prétexte ; réponse de Normand ; sophisme, sophistiqué, sophiste ; sous-entendu ; discours/style indirect ; symbole ; tacite ; tortiller sa pensée ; tourner autour du pot (fam.)/de la question.

INDISCIPLINE, INDISCIPLINÉ → *révolte.*

INDISCRET, INDISCRÉTION → *chercher, gêne, informer, secret.*

INDISCUTABLE, INDISCUTÉ → *sûr.*

INDISPENSABLE → *utile.*

INDISPONIBILITÉ, INDISPONIBLE → *défendre.*

INDISPOSER, INDISPOSITION → *maladie, mécontentement.*

INDISSOLUBILITÉ, INDISSOLUBLE → *attache, lier.*

INDISTINCT → *doute, obscur.*

INDIVIDU → *personne.*

INDIVIDUALISATION, INDIVIDUALISER → *différence, particulier.*

INDIVIDUEL → *particulier.*

INDIVIS, INDIVISION → *commun, succession.*

INDOCILE, INDOCILITÉ → *résister, révolte.*

INDOLENCE, INDOLENT → *dormir, mou, paresse.*

INDOLORE → *léger.*

INDOMPTABLE, INDOMPTÉ → *résister.*

INDU → *habitude, injustice.*

INDUBITABLE → *sûr.*

INDUCTANCE, INDUCTEUR → *électricité.*

INDUCTION → *raisonnement.*

INDUIRE → *électricité, pousser, raisonnement, tromper.*

INDULGENCE, INDULGENT → *bon, pardon.*

INDUSTRIE, INDUSTRIEL → *entreprise, produire, travail.* — **Classification des industries.** Automobile ; bâtiment et travaux publics ; caoutchouc, pneumatiques ; charbons et combustibles, industrie charbonnière ; chimie, industrie chimique, colorants, matières plastiques, etc. ; construction navale et aéronautique ; cuirs et peaux, chaussures, tannerie, etc. ; eau, gaz, électricité ; extraction de minéraux, industries extractives/minières ; habillement et travail des étoffes, confection, etc. ; industries agricoles ; industries alimentaires, biscuiterie, chocolaterie, conserverie, féculerie, meunerie, etc. ; industries mécaniques ; industries polygraphiques ; industrie textile/cotonnière/chanvrière/lainière/linière/séricole, soieries, tissages ; papiers et cartons, papeterie, cartonnage ; pétrole et carburants, industrie pétrolière, raffinerie ; production des métaux, métallurgie, sidérurgie, industrie métallurgique/sidérurgique, forges ; sucrerie ; verre, céramique, faïencerie, porcelainerie, verrerie, etc. ■ Artisanat, artisanat industriel, industrie artisanale; industrie d'équipement/légère/lourde/ manufacturière/de précision/de transformation. — **Matières premières.** Corne, ivoire, laine, os, peau; bois, caoutchouc, coton; charbon; énergie nucléaire, hydrocarbures, minerai métallique, pétrole, phosphate. ■ Produit brut/ élaboré/ manufacturé /semi-manufacturé/transformé/fini, finition. — **Travail industriel.** Automation, industrialiser, industrialisation; leasing; machine, machinisme, machine-outil, machine-transfert; mécanisation, mécaniser; montage à la chaîne, chaîne de montage; ordinateur; outil, outillage, magasin; planification; production de masse; productivité; rendement; révolution industrielle; spécialisation; poste de travail; standardisation, standardiser; stock, stocker, stockage; taylorisation; technologie; usiner, usinage. ■ Atelier, chantier, entreprise, établissement, exploitation, fabrique, manufacture, société anonyme, usine; concentration, rationalisation, regroupement, etc. — **Travailleur de l'industrie.** Chef d'entreprise, businessman, directeur, entrepreneur, fabricant, industriel, manufacturier, patron, usinier. ■ Agent de maîtrise; apprenti; cadre; chef d'équipe, contremaître; ingénieur; manœuvre, manœuvre-balai (fam.)/spécialisé; ouvrier spécialisé/professionnel/à l'heure/à la journée/au mois, classe ouvrière; personnel; prolétaire, prolo (pop.), prolétarisation; syndicat, syndicalisme, syndiqué, centrale ouvrière, trade-union; technicien, agent technique / technico-commercial; travailleur. — **Statut des travailleurs de l'industrie.** Assurances sociales; continuité/instabilité de l'emploi/du travail; chômer, journée chômée, être/ s'inscrire au chômage; congé annuel/ payé; débaucher, embaucher, chercher de l'embauche; couverture des risques, prime de risque; hygiène du travail, inspection/inspecteur du travail; journée de huit heures, heures supplémentaires, semaine anglaise; mensualisation; normes de sécurité; paye, salaire, salarié; retraite.

INDUSTRIEUX → *adroit, travail.*

INÉBRANLABLE → *fort, sûr.*

INÉDIT → *littérature, nouveau.*

INEFFABLE → *grand.*

INÉGAL, INÉGALITÉ → *bosse, changer, irrégulier, mathématiques.*

INÉLUCTABLE → *destin.*

INEPTE, INEPTIE → *sot.*

INÉPUISABLE → *abondance.*

INERTE, INERTIE → *fixe, mouvement, résister.*

INEXACT, INEXACTITUDE → *faux.*

INEXORABLE, INEXORABILITÉ → *dur, résister.*

INEXPÉRIENCE, INEXPÉRIMENTÉ → *gauche, ignorer, incapable.*

INEXPUGNABLE → *fortification.*

IN EXTENSO → *entier.*

IN EXTREMIS → *extrême.*

INEXTRICABLE → *mêler, obscur.*

INFAILLIBILITÉ, INFAILLIBLE → *pape, sûr.*

INFÂME, INFAMIE → *avilir, déplaire, offense.*

INFANT → *souverain.*

INFANTERIE → *arme, armée.* — **Sortes d'infanteries.** L'infanterie, reine des batailles; infanterie aéroportée/coloniale/légère/légère d'Afrique/ de ligne/de marine; corps francs, franc-tireur, partisan; légion étrangère. ■ Arbalétrier, archer, franc-archer, gens de pied, lansquenet, mousquetaire, piquier, cent-suisses. — **Soldat de l'infanterie.** Biffin, la biffe (pop.); chasseur alpin/à pied/ léger/léger d'Afrique ou joyeux (pop.)/ parachutiste; éclaireur; fantassin; fusilier, fusilier-marin, marine (américain); grenadier, grenadier-voltigeur; légionnaire; pionnier; tirailleur; voltigeur; zouave. — **Vêtement, armement.** Épée, esponton, hallebarde, pique. ■ Armes antichar; bazooka; baïonnette; carabine; fusil, fusil automatique/à lunette; grenade; mine; mitrailleuse, fusil mitrailleur; mortier; pistolet mitrailleur; obusier, etc.; engins blindés/motorisés, half-track, hélicoptère. ■ Bande molletière, béret; brodequins; calot; casquette; capote; casque léger/lourd/à cimier/à pointe; guêtres; pantalon; shako; tenue d'été/ d'hiver/de combat ou treillis/de sortie. ■ Baudrier, ceinturon, giberne, havresac, paquetage, sac, etc.

INFANTILE, INFANTILISME → *enfant, faible.*

INFARCTUS → *maladie.*

INFATUATION, INFATUÉ → *opinion, orgueil.*

INFÉCOND, INFÉCONDITÉ → *incapable, sec.*

INFECT → *déplaire, mauvais, sale.*

INFECTER, INFECTIEUX, INFECTION → *dommage, maladie, microbe, sale.* — **Infection de l'organisme humain.** Abcès, anthrax, blessure mal cicatrisée/mal refermée; charogne; contagion, contagieux, maladie contagieuse; contaminer, contamination; épidémie; furoncle; gangrène; infection, maladie infectieuse; inflammation, inflammatoire; lèpre, lépreux; nécrose; ozène; peste, pestiféré; phlegmon; plaie qui s'envenime/qui suppure; pus, pus caséeux/grumeleux/ phlegmoneux/pneumococcique, mal blanc/purulent; pyorrhée; septicémie;

suppuration, suppurer ; tétanos. ■ Bactérie, germe pathogène, microbe. — **Puanteur, puer.** Ça schlingue (pop.), ça cocote (pop.), cogner (pop.) ; croupi ; délétère ; émanations ; empester ; empoisonner l'atmosphère ; empuantir ; fétide, haleine fétide ; fouetter (pop.) ; infecter, infect ; méphitisme, vapeurs méphitiques ; miasmes ; nauséabond ; odeur ; pestilence, pestilentiel ; prendre au nez/à la gorge ; puer, puanteur, puant, boule puante ; putride ; rance ; sentir mauvais/fort, ne pas sentir bon, sentir des pieds, etc. ; suffoquer, suffocant, vapeur suffocante ; tuer les mouches à quinze pas (pop.) ; odeur vireuse. ■ Cadavre, charogne ; cloaque, décharge publique, égout, fumier, poubelle ; fromage ; gaz, pet ; pourriture, pourri, putréfaction ; relent, remugle. — **Désinfecter, désinfectant.** Arôme ; assainir, assainissement ; bouillir, faire bouillir l'eau/le lait, etc. ; décaper, décapage ; déodorant corporel, etc. ; désinfection ; désodorisant, bombe désodorisante ; isoler, lazaret, léproserie ; mettre en quarantaine ; ozone ; parfumer, parfum ; pasteuriser ; purger, purge ; purifier, purifiant, souffle purificateur ; stériliser, stérilisation. ■ Chaux, chlore, crésyl, D.D.T., formol, eau oxygénée, gaz sulfureux, hypochlorite de sodium, liqueur de Labarraque ou eau de Javel, javelliser, permanganate de potassium, phénol, sulfate de cuivre/de fer, teinture d'iode.

INFÉRENCE, INFÉRER → *conséquence.*

INFÉRIEUR, INFÉRIORITÉ → *aider, deux, soumettre.* — **Qui est au-dessous.** Bas, base, embase, embasement ; cave, descendre à la cave ; cul, culot ; dessous, sous, au-dessous, en dessous, ci-dessous, là-dessous ; fond, fondation, fondement ; hypo-, hypoglosse, etc. ; inférieur, infra- ; pied piédestal ; rez-de-chaussée ; semelle ; socle ; soubassement ; sous, sous-jacent, sous-œuvre, sous-sol, sous-vêtement ; sub-, submersible, substratum. — **Qui a une valeur moins grande.** Accessoire ; bas, bassesse ; broutille ; catégorie, de dernière catégorie, de second choix ; céder, le céder en ; commun ; démarquer, démarqué ; dépendre de, dépendance, dépendant ; détail ; diminué, déprécié, dévalorisé, daté, marqué ; faiblesse, faible ; inférieur, inférieur à/en, infériorité, complexe/sentiment d'infériorité, avouer/reconnaître son infériorité ; infime, détail infime ; médiocre, médiocrité ; minable (fam.) ; mineur, minoré ; moindre, amoindri, moins ; ordre, de second ordre, de second rang ; quelconque ; secondaire ; soldé ; subordonné ; subsidiaire. ■ Ne pas atteindre la cheville, être à cent pieds/bien loin de ; se sentir petit garçon, etc. — **Qui occupe une position sociale inférieure.** Acolyte ; adjoint ; aide, aide-maçon, etc. ; allégeance, auxiliaire, coadjuteur ; client ; commis ; sous la coupe de ; créature de quelqu'un ; déclassé ; dépendre de, dépendance, dépendant ; domestique ; employé ; esclave, réduire en esclavage ; exécutant, humble exécutant ; inférieur, infériorité ; obédience, être dans l'obédience de ; obéir à, obéissance ; obligé, il est son obligé ; paria ; petit, petit fonctionnaire ; relever de ; second, secondaire, seconder, en seconde ligne, en second rang, commander en second, officier en second ; servage, servitude, asservir, service, serviteur ; sous, sous-fifre, sous-officier, sous-ordre, etc., être sous les ordres de ; soumis ; subalterne ; subordonné, subordination ; substitut ; sujet, assujettir ; tributaire de ; tutelle ; vassal, vassalité. — **Obéir à un supérieur.** Agent ; céder à, céder le pas ; dévoué, être à la dévotion de ; discipline, discipliné ; émissaire ; être sous la domination/l'autorité/la férule/le joug ; exécuter, exécuter sans discuter ; filer doux (fam.) ; hiérarchie ; s'incliner ; marcher ; obéir au doigt et à l'œil (fam.), obéissant, obéissance absolue/aveugle/passive ; obtempérer ; ordre, observer, suivre les ordres ; soumission, soumis.

INFÉRIORISER, INFÉRIORITÉ → *faible, inférieur.*

INFERNAL → *enfer.*

INFESTER → *abondance, détruire.*

INFIDÈLE, INFIDÉLITÉ → *abandon, mariage, tromper.*

INFILTRATION, INFILTRER (S') → *entrer, guerre, mouiller.*

INFIME → *petit.*

INFINI → *algèbre, grand, mathématiques.*

INFINITÉ → *nombre.*

INFINITÉSIMAL → *mathématiques, petit.*

INFINITIF → *grammaire, verbe.*

INFIRMATIF, INFIRMATION, INFIRMER → *annuler.*

INFIRME → *blesser, diminuer, mouvement.*

INFIRMERIE, INFIRMIER → *soigner.*

INFIRMITÉ → *maladie.*

INFLAMMABILITÉ, INFLAMMABLE → *brûler, passion.*

INFLAMMATION, INFLAMMATOIRE → *brûler, infecter.*

INFLATION, INFLATIONNISTE → *augmenter, monnaie.*

INFLÉCHIR, INFLÉCHIR (S') → *changer, courbe, orientation.*

INFLEXIBILITÉ, INFLEXIBLE → *dur, résister.*

INFLEXION → *courbe, parler.*

INFLIGER → *peine.*

INFLORESCENCE → *fleur.*

INFLUENCE, INFLUENCER, INFLUENT → *convaincre, pouvoir.* — **Influencer un événement.** Action, agir sur ; affecter ; astrologue, influence des astres ; atteindre, atteinte ; attirer, attraction ; bienfaisance, effet bienfaisant/positif ; causer ; conditionner ; conduire ; effet ; empreinte ; force ; impression ; impulsion, impulser ; incidence ; influencer, influence déterminante/mystérieuse/occulte ; influer, influence bénéfique/favorable/maléfique/néfaste ; inspirer, inspiration ; interaction ; magie ; magnétisme, magnétiser ; malfaisance, malfaisant ; marquer de sa griffe ; modifier, modification du cours des événements ; peser sur ; prédominance, prédominant ; pression, faire pression ; primer ; rejaillir sur ; souffle ; zone/lutte/sphère d'influence. — **Influencer quelqu'un.** Animer ; appuyer une demande ; ascendant ; atavisme ; autosuggestion ; autorité, mettre son autorité en jeu ; avoir le bras long (fam.), avoir dans sa manche (fam.) ; chantage, faire chanter ; consulter, conseilleur, conseil ; créance ; crédit ; déteindre sur ; direction, diriger, directeur de conscience ; dicter des ordres/ses volontés ; discipliner, discipline ; dominer, domination ; donner le ton ; éducation ; égérie, inspiratrice ; empire ; emprise, être sous l'emprise de ; faire la pluie et le beau temps, faire de quelqu'un ce qu'on veut ; fasciner, fascination ; gouverner ; influencer, influence heureuse/néfaste ; intercéder auprès de ; intimider, intimidation ; intoxiquer ; mettre en condition ; poids, avoir du poids, argument de poids, le poids du passé ; pouvoir ; prestige, prestigieux ; puissance, puissant ; recommander ; styler ; subjuguer ; suggérer. ▪ Personnage agissant/autorisé / important / influent, grosse légume (pop.), huile (pop.). ▪ Docile, façonné, formé ; chiffe molle (fam.), influençable, malléable ; contagion, entraînement, idole, imitation, mimétisme, mode, modèle, père père spirituel, osmose. — **Persuader.** Amadouer ; calmer ; capter, captiver ; catéchiser ; charmer, charme, charmeur ; circonvenir ; convaincre ; décider ; déterminer ; éblouir ; éloquence, éloquent ; enchanter, enchantement ; endoctriner, endoctrinement ; faire entendre raison ; ensorceler, ensorcellement ; entraîner ; exciter ; exhorter ; fourrer dans la tête (fam.) ; gagner à ses arguments ; inculquer ; militer pour/en faveur de ; persuader, dissuader, persuasion, dissuasion, persuasif, dissuasif ; prêcher ; retourner quelqu un ; savoir s'y prendre pour ; séduire, séduisant, séduction ; soulever/électriser les foules ; suggérer, suggestion ; tendancieux ; toucher. — **N'avoir aucune influence.** Ses actions sont en baisse (fam.) ; agir sans conviction/pour la forme/sans y croire ; compter pour rien/pour néant/pour zéro/pour du beurre (pop.) ; discrédit, être discrédité/tombé dans le discrédit le plus total ; être sous l'emprise de ; épiphénomène ; fantoche ; flexible ; incapable, incapacité ; marionnette, à la merci de ; robot ; cinquième roue du carrosse (fam.), dernière roue à la charrue (fam.) ; secondaire ; sous-fifre ; zéro.

INFLUER → *agir.*

INFLUX → *nerf.*

IN-FOLIO → *livre.*

INFORMATEUR, INFORMATION → *apprendre, informer, journal.*

INFORMATIQUE → *calcul, électricité, informer, mathématiques.* — **Notions logiques théoriques (logiciel).** Algorithme, algorigramme ; analogie, analogique ; analyse / compartimentale / factorielle / fonctionnelle / harmonique / organique / numérique / prévisionnelle ; calcul / analogique (linéaire)/digital (numérique binaire / booléen / logique) / électronique (perturbographique par ex.) ; codage, code / binaire / carte / condition / décimal codé binaire (DCB)/en excès de trois ou de Stibitz/ISO/par octets réfléchi ou de Gray, codification ; combinatoire (n.f.) ; complément / logique / restreint / vrai ; constante numérique ; conversion ; décision ; digit, digital ; données ou data ; échantillon, échantillonnage ; entropie ; générateur / d'édition / d'impulsion conditionnelle/de programme, génération, générer ; graphe ; information ; théorie de l'information ; item ; langage/d'application (COGO, DAPHNE, SYNTOL)/assembleur ou d'assemblage / évolué / interpréteur / de liste/machine / mathématique (MAPLAN, STRESS) / numérique (FORTRAN, ALGOL) / non numérique (COBOL)/orienté-machine/orienté-problème/ de simulation (GPSS)/symbolique/traducteur / universel (PL 1) ; logique (adj.), circuit / machine / opération / système logique ; logique (n.f.)/booléenne / mathématique ; modèle / mathématique, théorie des modèles ; négation ou complémentation ; numération, système de numération (binaire, octal, décimal, hexadécimal...) ;

plausibilité; programme; ordres de service, opérateurs logiques, grandeurs booléennes, opérateurs mathématiques; reconnaissance des formes; redondance; stratégie; symbole, symbolisation; système; tableau ou table/de décision/de vérité; théorie des automates (Turing, Gödel); unité d'information ou bit, byte (à 8 bits : octet).

— **Traitement électronique de l'information (logiciel).** Accès / cyclique / direct / sélectif / séquentiel, temps d'accès; acquisition, temps d'acquisition; adressage/direct/indirect/ par modification d'adresse/relatif, adresse ou système d'indexation, mot-adresse; aiguillage, aiguilleur, clé d'un programme; argument de recherche; par lots / boîte noire; boucle, boucles enboitées; clé de parité; compilateur / conversationnel, incrémentiel, compilation; conflit/de mémoires/ d'opérateurs; connecteur/fixe/variable; descripteur; diagnostic, programme de diagnostic, liste diagnostique; distorsion / d'amplitude / de fréquence/de phase; enchaînement; entrée, sortie; impulsion; incrément, chemin/enregistreur incrémentiel; index; initialisation, initialiser; input, output; instruction, enchaînement des instructions, structure de Babbage/de von Neumann; interrupt, interruption; introduction; itération; listing; maille; moniteur séquentiel; mot, ordre/puissance lexicographique; multiprogrammation, multitraitement; normalisation; opérateurs arithmétiques/logiques, operating system (BOS, BPS, DOS, IOCS, TOS); ordinogramme, organigramme; package; pas, pas-à-pas; programmation, programme/ exécutif / d'exploitation / interdépendant / interpréteur / linéaire / macro-assembleur / moniteur ou superviseur / prioritaire / résultant / source / traducteur / de transcription / utilitaire, microprogramme (firmware), macroprogramme; ramification; récurrence, contrôle de récurrence, calcul récurrent, récursif; retrieval, information retrieval ou recherche documentaire; rétroaction ou feedback; saisie des données/par terminaux/à distance/à la source; saut/conditionnel/inconditionnel; simulation, simulateur, langage de simulation; splittage; swapping; système / asservi / dynamique / en temps réel / positionné / de simulation/statique; temps partagé (time sharing) / réel; traitement / différé / en temps réel, télétraitement; transfert; validité / d'une information / d'un programme; virgule / fixe / flottante. — **Technologie (matériel).** Affichage / alphanumérique ou digital / analogique / cathodique; analyseur; automate, automation, automatisme; bande magnétique, dérouleur/perforateur de bande; bascule / astable / bistable ou flip-flop / monostable; bloc / de calcul, bloc transfert; buffer storage; bus; cablage; calculateur, calculatrice; canal, canal multiplex; capacité; capteur / analogique / digital (angulaire); carte perforée; cassette, minicassette; cellule de mémoire; centre de calcul; chargeur / de bandes / de disques; circuit / analogique / digital / binaire / logique (ou bascule, et/ou), circuit/ amplificateur / imprimé / intégré; clavier matriciel; codeur-décodeur; compatibilité, ensembles compatibles; composant; compteur / de boucles / ordinal; concentrateur; conformateur; connecteur; console de visualisation cathodique; cybernétique; demi-additionneur; dépassement de capacité; dérouleur de bande; diode / de bruit / Zener/tunnel; display cathodique; disque, unité de disques, piste, cylindre; écho, suppresseur d'écho; écran cathodique; électrowriter; entrance ou fan in; fiabilité; imprimante; interclasseuse; interconnexion des calculatrices; interface; interpréteuse; lectrice-perforatrice; light pen; ligne/à retard/de transmission; logique/positive/négative/mixte; LSI; magnétolecture; majorité (MAJ); mémoire/ auxiliaire ou de masse ou périphérique/ à cartes / centrale / à disques ou à feuillets magnétiques / holographiques / photo-électrique / à supraconductivité / à tores; microfiche, microfilm; modulaire, champ/espace/ rendement / système modulaire; moniteur; MOS (au silicium); multiplexage, multiplexer, multiplexeur; multiprocesseur; ordinateur / de table / universel, computer; performant (adj.); périphérique (n.m.); photolecture; pipe-line; plotter ou traceur de courbes; processeur, micro-/télé-/processeur; pupitreur; registre; relais; réponse/cathodique/vocale (VOCODER); résolution; seuil; signal; stockage ou storage / de longue durée / en mémoire; table de Schmo; tabulatrice; tampon, mémoire-tampon (MODEM); terminal (n.m.); transistor; trieuse; tubes Nixie. — **Informaticien.** Analyse : enquêteur, mathématicien, sémanticien; cybernéticien; praticien : opérateur, perforateur de cartes, pupitreur, technicien de périphérique; programmeur; ingénieur / concepteur / électronicien/logicien.

INFORME → *forme, grossier.*

INFORMER → *apprendre, avertir, journal.* — **S'informer.** Avoir des antennes; se documenter sur, réunir une documentation, documentaliste, classeur, fichier; déterrer (fam.); s'enquérir, enquête, enquêter, enquêteur; espion, espionner, espionnage; étudier, étude, étude de marché; examiner, examen; fouiller dans les archives; informateur, mouchard; information, recueillir une information à bonne source; interroger les témoins, interrogatoire; interviewer, interview; investigation, moyens d'investigation; reportage; sonder, sondage d'opinion; tuyau. — **Communiquer une information.** Annoncer, annonce, petites annonces; appel au peuple; apprendre, faire savoir; avertir, avertissement, avertisseur; avis, aviser les populations; colporter, colporteur; communiqué; crier sur les toits, criée, vente à la criée/aux enchères; déclarer, déclaration officielle; découvrir; dénoncer, dénonciation; dévoiler, lever/soulever le voile; diffuser, diffusion, donner une grande diffusion; dire; divulguer, divulgation; ébruiter, s'ébruiter, faire courir un bruit; éclairer; exposer, exposé; instruire; manifeste; mettre au grand jour; notifier, notification officielle; être notoire, notoriété; nouvelle; faire part de, faire paraître, parution; placard, placarder; prévenir; proclamer, proclamation; promulguer, mettre à l'Officiel; propager, propagande, propagandiste, propagation; raconter; rencarder (pop.), renseigner; rendre public, public, publication, publicité, donner à une information le maximum de publicité, publier à son de trompe; répandre, se répandre; révéler, révélation; signifier; tambouriner; transpirer; trompeter; vulgariser, vulgarisation, vulgarisateur. — **Diffuser une information.** Actualités, actualités cinématographiques/télévisées; affiche, affichage légal, afficher, affichiste, colleur d'affiches; campagne; écriteau; édition, éditer, livre; film, film documentaire, documentariste; information, agence d'information, agence Havas/France-Presse (A.F.P.), etc.; journal, journaliste; on-dit; ouï-dire; presse écrite/parlée; publicité, publiciste, publicitaire, agence de publicité; radiodiffusion, radiodiffuser, radiotéléviser, bulletin d'information de la radio, flash spécial; rumeur; téléphoner, télécommunications; télévision. — **Fausse information.** Abuser; altérer la vérité; arranger les faits; bourrage de crâne; caviarder, censurer, couper; conte; contrevérité; déguiser la vérité; démenti, donner un démenti; fable; falsifier les faits, falsification grossière; farder la vérité; faux, faux bruit, fausse nouvelle, canard; fiction, fictif; mal fondé; forgé; informations contradictoires; induire en erreur; intoxiquer, intoxication; mentir, menteur, mensonge; passer sous silence; raconter des bobards (fam.)/des craques (fam.); racontars. — **Relations avec le public.** Concierge, guichetier, hôtesse d'accueil, huissier, interprète, public-relation, relations publiques; renseignement, renseigner, bureau d'accueil/de renseignements. ■ Assistance, auditeur, client, clientèle, homme de la rue, lecteur, monde, passant, public, grand public, public averti/de choix, spectateur.

INFORTUNE, INFORTUNÉ → *événement, malheur.*

INFRACTION → *faute.*

INFRAROUGE → *rayon.*

INFRASTRUCTURE → *construction, inférieur.*

INFRUCTUEUX → *sec.*

INFUSER, INFUSION → *boisson.*

INGAMBE → *vif.*

INGÉNIER (S') → *chercher, essayer.*

INGÉNIEUR, INGÉNIEUR-CONSEIL → *architecture, construction, industrie.*

INGÉNIEUX, INGÉNIOSITÉ → *adroit, imaginer.*

INGÉNU, INGÉNUITÉ → *pur, simple.*

INGÉRENCE, INGÉRER (S') → *gêner, mêler.*

INGÉRER, INGESTION → *manger.*

INGRAT, INGRATITUDE → *insensible, mémoire, sec.*

INGRÉDIENT → *mêler.*

INGURGITATION, INGURGITER → *gorge, manger.*

INHABILE, INHABILETÉ → *gauche.*

INHALER → *respiration.*

INHÉRENCE, INHÉRENT → *lier.*

INHIBER, INHIBITION → *arrêter.*

INHUMAIN, INHUMANITÉ → *dur, morale.*

INHUMATION, INHUMER → *enterrement.*

INIMITIÉ → *détester, opposé.*

INIQUE, INIQUITÉ → *injustice.*

INITIAL, INITIALE → *commencer, signe.*

INITIATEUR, INITIATION → *apprendre, cérémonie.*

INITIATIVE → *agir, commencer, gouverner.*

INITIÉ, INITIER → *apprendre, franc-maçon, secret.*

INJECTER, INJECTION → *entrer.*

INJONCTION → *volonté.*

INJURE, INJURIER, INJURIEUX → *colère, offense.*

INJUSTICE, INJUSTE → *dommage, faute, mal.* — **L'auteur de l'injustice.** S'arroger le droit de; n'avoir ni foi ni loi ; bourreau d'enfants ; brigand ; criminel, crime ; cruel, cruauté mentale ; déloyal, déloyauté ; empiéter ; filou, filouterie ; fourbe, fourberie ; fraudeur ; fripon, friponnerie ; indélicat, indélicatesse ; intrus ; machiavélique, machiavélisme ; malhonnête, malhonnêteté ; malversateur ; manquer à son devoir/à l'honneur ; mauvais ; méchant, méchante langue, méchanceté ; odieux ; oppresseur, oppressif ; partial, partialité, vue partiale des choses ; préférer, avoir/marquer une préférence ; prévaricateur ; roué, rouerie ; scélérat, scélératesse ; tortionnaire, torturer ; trompeur ; tyran, tyranniser, exercer une tyrannie ; usurpateur, usurper ; voleur. — **La victime de l'injustice.** Contrat léonin ; être arnaqué (pop.)/dépouillé/filouté (fam.)/floué (fam.)/frustré/grugé/possédé (pop.)/refait (pop.)/roulé (fam.)/spolié/tondu (pop.) / trompé / volé / volé comme au coin d'un bois (fam.) ; lampiste ; martyr, l'enfance martyrisée ; mouton ; pauvre bougre / hère / type, etc. ; perdant ; victime, l'éternelle victime, l'éternel sacrifié. — **L'acte contraire à la justice.** Abus, abuser, abusif, abus de pouvoir ; arbitraire ; anormal ; attentat, attentatoire ; blâmable ; clandestin ; concussion ; contrebande, contrebandier ; déloyauté ; déni de justice ; entorse à la justice ; faute ; forfaiture ; fraude ; frustrer, frustration ; illégal, illégalité ; illégitime ; illicite ; immérité ; indélicatesse ; indignité ; indu ; inégalité, inégal ; iniquité, inique ; injustice, injuste, injustifiable, injustifié, injustice criante/flagrante, etc. ; intrusion ; jugement mal/peu fondé/scandaleux ; malhonnêteté, malpropreté, malversation ; méconnaître, méconnaissance ; mésestimer ; passe-droit ; péculat ; persécution ; piston (fam.) ; prévarication ; à tort ; tromperie ; vénalité, vénal ; vol.

INNÉ, INNÉISME, INNÉITÉ → *esprit, nature, philosophie.*

INNOCENCE, INNOCENT → *bon, croire, pur.*

INNOCENTER → *faute, tribunal.*

INNOCUITÉ → *dommage.*

INNOMBRABLE → *beaucoup, nombre.*

INNOVATION, INNOVER → *changer, nouveau.*

IN-OCTAVO → *livre.*

INOCULATION, INOCULER → *entrer, soigner.*

INOFFENSIF → *dommage, doux.*

INONDATION, INONDER → *couvrir, mouiller, pluie.*

INOPINÉ → *brusque, étonner.*

INOPPORTUN, INOPPORTUNITÉ → *gêner.*

INOUI → *étonner, nouveau.*

INOXYDABLE → *métal, résister.*

INQUALIFIABLE → *mal.*

IN-QUARTO → *livre.*

INQUIET, INQUIÉTER, INQUIÉTUDE → *peur, souci, trouble.*

INQUISITEUR, INQUISITION → *chercher, hérésie.*

INSALUBRE, INSALUBRITÉ → *mal, sale, ville.*

INSANITÉ → *sot.*

INSATIABILITÉ, INSATIABLE → *désir, faim.*

INSATISFACTION, INSATISFAIT → *mécontentement.*

INSCRIPTION, INSCRIRE → *écrire, graver.* — **Inscription sur monuments.** Anaglyphe ; armes, cartouches ; chronogramme ; cippe ; devise ; écusson ; épigraphie, épigraphe, épigraphiste ; épitaphe ; exergue ; ex-voto ; graffiti ; graver, graveur, gravure ; hiéroglyphes ; inscription, déchiffrer une inscription, Académie des inscriptions et belles-lettres ; inscription commémorative/votive ; inscription lapidaire/tumulaire ; paléographie, paléographe ; papyrologie ; phylactère ; runes. — **Inscription destinée à informer.** Affichage, afficher, affiche ; annonce, annoncer, mettre une annonce dans le journal ; commentaire, ajouter un commentaire ; écriteau ; enseigne, à l'enseigne de ; en-tête ; étiquette, étiqueter, étiqueteuse ; indiquer, indication ; insertion, insérer, prière d'insérer ; légende ; manchette ; marque, marquer ; pancarte ; panneau ; panonceau ; papillon ; placard ; plaque ; poteau indicateur ; renvoi ; signe, signe de piste ; titre, gros titre ; vignette. — **Inscrire sur papier.** Citer, citation ; consigner par écrit ; copier, copie ; enregistrer, enregistrement ; ex-libris ; graphique, graphisme ; mentionner, mention ; noter, prendre en note, prendre bonne note, prendre des notes, notifier, porter/reporter en note ; tenir registre/en double ; tracer, tracé ; transcription, transcrire. — **Ce qu'on écrit.** Bordereau ; date ; inscrire, inscription ; marque ; *nota bene*, note, notice, notule, note intercalaire/marginale ; ponctuation, ponctuer ; scolie ; sigle ; signe, signifier. — **Sortes de registres.** Agenda, album, archives, bloc, bloc-notes, brouillard ou main courante, bulletin, cadastre, cahier, calepin, carnet, catalogue, classeur, échéancier, écrou, état, facture, fastes, feuille de papier/volante, fichier, herd-book, journal, liste, livre, livre de compte/de commerce, grand-livre, matrice, matricule (immatriculer, matriculer), mémento, mémorandum, minutes, nécrologie, obituaire, pense-bête, registre, registre coté, registre à souches, répertoire, rôle, sommier, tableau.

INSECTE → *animal.* — **Classement scientifique.** Aptérygotes, ptérygotes ; amétaboles ; ectotrophes, thysanoures, lépismes ; entotrophes : collemboles (podures) ; diploures (campodes) ; protoures. ■ Paurométaboles : orthoptéroïdes, embroptères, embies ; orthoptères, sauterelles ; chéleutoptères, phasmes ; notoptères, grylloblattes ; blattoptéroïdes : dictyoptères, blattes, mantes ; isoptères, termites ; psocoptéroïdes : mallophages, poux d'oiseaux ; anoploures, poux ; psocoptères, psoques. ■ Hémiptéroïdes ou rynchotes : homoptères, sternorynques, aleurodes, cochenilles, pucerons ; auchénorynques, cigales, fulgores ; hétéroptères, punaises, hydrocorises, géocorises. ■ Hémimétaboles : éphéméroptères, éphémères ; plécoptères, perles ; odonates, agrions, libellules ; dermaptères, forficulés ; thysanoptères, thrips ; strepsiptères, stylops. ■ Holométaboles, névroptéroïdes, névroptères : mégaloptères, sialis ; raphidioptères ; raphidies ; plannipennes, fourmis-lions, hémérobes, mantispes. ■ Holométaboles mécoptéroïdes : mécoptères, panorpes ; trichoptères, phryganes ; siphonaptères, puces ; mécoptéroïdes lépidoptères / diurnes / nocturnes, papillons, teignes ; mécoptéroïdes diptères ; diptères nématocères ; cécidomyes, cératopogones, chironomes, moustiques, phlébotomes, simulies ; diptères brachycères, cycloraphes : cératitis, drosophiles, glossines, hippobosques, hypodermes, mouches, œstres, syrphes. ■ Holométaboles coléoptéroïdes, coléoptères : coléoptères adéphages, caraboïdes, carabes, dytiques, gyrins ; haplogastres, hydrophiles, scarabées, staphylins ; coléoptères hétérogastres ; malacodermes, vers luisants ; hétéromères, cantharides ; dascilloïdes, buprestes, taupins, vrillettes ; cucujoïdes, bostryches, coccinelles ; coléoptères hétérogastres phytophages : druches, charançons, chrysomèles, longicornes, scolytes. ■ Holométaboles hyménoptéroïdes, hyménoptères ; symphites, teuthrèdes ; apocrites à tarière, chalcidiens, cynips, ichneumon ; apocrites à aiguillon, aculéates, abeilles, fourmis, guêpes, sphex. — **Corps, parties du corps.** Abdomen ; aigrette ; aile, élytre ; antenne ; bouche ; chitine ; cirre ; corne ; corps hexapode ; corselet ; écailles ; écu, écusson ; épaulette ; lamelles ; lèvre inférieure/supérieure, labre ; mâchoires ; mandibules ; œil à facettes/à réseau ; ocelle ; patte, paire de pattes, segment ; pigment ; pince ; rostre ; suçoir ; tarière, aiguillon, dard, ovicapte, oviducte ; tentacules ; tête ; thorax, prothorax, mésothorax, métathorax. — **Divers insectes communs.** Anophèle, bombyx, bourdon, carpocapse, campode, chique, cochenille, courtilière, cousin, criquet, doryphore, endémis, glossine ou tsé-tsé, grillon ou cricri, hanneton, ichneumon, kermès, libellule, liparis, machaon, mante, mantispe, mille-pattes ou myriapode, mouche, panorpe, paon de jour, perce-bois, perce-oreille, phalène, piéride, phylloxéra, podure, puceron, punaise, rhagoletis, saturnie, sphynx, stégomyie, vanesse, ver, ver de terre/de vase/à soie. — **Vie de l'insecte.** Chenille, chrysalide, cocon, couvain, larve, mue, nid, nymphe, œuf, ruche. ■ Bourdonner, fourmiller, grouiller, piquer, piqûre, pulluler, ramper, sauter, térébrer, voler, voltiger. ■ Coprophage, mélophage, phytophage, pupivore, xylophage cutraligneux ou subcorticeux. ■ Entomophage : fourmilier, fourmi-lion, tamanoir, etc. ; insectivores : taurec, dermoptère, galéopithèque, érinacéidés, hérisson, soricidés, mulot, musaraigne, talpidés, taupe. ■ Espèces nuisibles/parasites des plantes cultivées/vectrices de maladies/vulnérantes, etc. ; auxiliaires de l'agriculture, espèces utiles. ■ Insecticide par contact/par ingestion ; gaz/liquide/poudre/produit insecticide : arséniates, D.D.T., H.C.H., roténone, sulfure, etc. ■ Insectifuge, insectillice. ■ Entomologue, entomologiste, entomologique ; entomographie ; insectarium.

IN-SEIZE → *livre.*

INSÉMINATION, INSÉMINER → *reproduction.*

INSENSÉ → *folie, sot.*

INSENSIBILISATION, INSENSIBILISER → *chirurgie.*

INSENSIBILITÉ, INSENSIBLE → *calme, dur, fixer, nerf, petit.* — **Insensibilité physique.** Analgésie ; anesthésie, anesthésier ; ankylose, ankyloser ; asthénie ; atonie ; atrophié, atrophie ; catalepsie, tomber en catalepsie ; chloroformer, chloroforme, chloral ; cocaïne ; coma, état comateux ; endormir ; éther, éthériser ; fakirisme, nirvâna ; hypoesthésie ; hypnotisme, hypnotiser ; inanimé ; insensibilité, insensibiliser, insensible ; léthargie, léthargique ; morphine, morphinisme, morphinomane ; narcotique ; paralysie ; hémi-/ mono-/ paraplégie ; prostration, prostré ; ne pas réagir, manque de réaction ; syringomyélie. — **Insen-**

sibilité morale. Apathie, apathique ; aridité, aride ; blasé, blasement ; calme ; cœur de pierre, sans-cœur ; cruauté, cruel ; détachement, détaché ; dureté, dur ; égoïsme, égoïste ; endurcissement, endurci ; engourdissement, engourdi ; étranger à ; fermé à ; flegme, flegmatique ; froideur, froid ; glacial, glaçon, être de glace ; impassibilité, impassible ; impénétrable ; imperméable, imperméabilité ; imperturbable ; impitoyable ; implacable ; inaccessible à ; inconscience, inconscient ; indifférence, indifférent, indifférentisme ; indolence, indolent ; inébranlable ; inexorable ; inhumanité, inhumain ; sécheresse, desséché, sec ; sourd. ▪ Abrutir, dessécher, endurcir, étonner, hébéter, ossifier, racornir. — **Immobilité, immobile.** Engourdissement, engourdi ; fixité, fixe ; impotent ; inactif ; interdit, rester interdit ; mort, faire le mort ; oisif, oisiveté ; paisible ; perclus ; podagre ; ne pas remuer ; repos ; rester immobile/coi ; sommeil ; souche ; stagnation, stagner, eau stagnante ; tranquillité, tranquille. ▪ Amorphe, balourd, imbécile, lent, lourd, lourdaud, pesant, stupide, stupéfait. — **Qu'on ne perçoit pas.** Doucement, doux ; filet de lumière/de voix ; imperceptible, imperceptiblement ; insensible, insensiblement ; léger, légèrement ; lent, lenteur, lentement ; petit à petit, peu à peu. ▪ Aiguille de montre, ombre, pente, temps, tortue.

INSÉPARABLE → *lier, relation.*

INSÉRER, INSERTION → *composer, entrer, inscription.*

INSIDIEUX → *maladie, subtil.*

INSIGNE → *connaître, extrême.*

INSIGNE → *signe, symbole.*

INSIGNIFIANCE, INSIGNIFIANT → *deux, futile, inférieur, petit.*

INSINUATION, INSINUER → *adroit, attaque, entrer.*

INSIPIDE → *goût, sot.*

INSISTANCE, INSISTER → *demander, durer.*

INSOLATION → *chaleur, soleil.*

INSOLENCE, INSOLENT → *offense, orgueil.*

INSOLITE → *étonner, habitude.*

INSOLUBLE → *difficile, obscur.*

INSOLVABLE → *devoir, pauvre.*

INSOMNIE, INSOMNIEUX → *dormir.*

INSONDABLE → *obscur, trou.*

INSONORE, INSONORISER → *bruit, son.*

INSOUCIANCE, INSOUCIANT → *insensibilité, négliger.*

INSOUMIS, INSOUMISSION → *résister, révolte.*

INSPECTER, INSPECTION → *chercher, regard.*

INSPECTEUR → *agent, chef.*

INSPIRATION, INSPIRER → *imaginer, influence, penser, respiration.*

INSTABILITÉ, INSTABLE → *changer, irrégulier, mouvement.*

INSTALLATION, INSTALLER → *cérémonie, placer.*

INSTANCE → *demander, tribunal.*

INSTANTANÉ, INSTANTANÉITÉ → *brusque, photographie, vitesse.*

INSTAR (À L') → *manière, proche.*

INSTAURER → *fonder.*

INSTIGATEUR, INSTIGATION → *cause, commencer, pousser, révolte.*

INSTILLATION, INSTILLER → *liquide.*

INSTINCT, INSTINCTIF → *habitude, inconscience, pousser, tendance.*

INSTITUER → *fonder, succession.*

INSTITUT → *beau, enseignement, université.*

INSTITUTEUR → *enseignement.*

INSTITUTION, INSTITUTIONNEL → *enseignement, fonder, règle.*

INSTRUCTION, INSTRUIRE → *enseignement, expliquer, tribunal.*

INSTRUMENT → *outil, musique.* — **Jouer d'un instrument de musique.** Arpéger ; attaquer la corde ; doigté ; emboucher ; exécuter un morceau, exécutant ; exercices, s'exercer ; frapper ; gamme, faire ses gammes ; instrumentiste, soliste, virtuose ; gratter ; jouer, jeu ; pianoter ; pincer ; racler ; sonner du cor, sonnerie ; souffler ; tendre ; toucher. — **Instruments à cordes.** Alto, altiste ; contrebasse, contrebassiste ; guitare, guitariste ; harpe, harpiste ; violon, crincrin (fam.), violoniste, violoneux ; violoncelle, violoncelliste, basse, bassiste. ▪ Archet, caisse, chanterelle, chevalet, chevilles, console, corde, plectre, sillet, sourdine, table, tête. — **Instruments à vent.** Les bois : basse ; basson ; clarinette, clarinettiste ; cor anglais ; flûte, flûtiste ; hautbois, hautboïste. ▪ Les cuivres : bugle ; clairon ; cor de chasse ; cor d'harmonie/à pistons, corniste ; cornet à pistons, cornettiste ; hélicon ; ophicléide ; saxhorn, saxophone, saxo (fam.), alto, baryton, basse, saxophoniste ; trompette à coulisse ; trombone ; tuba. ▪ Anche, bec, clef, embouchure, patte, pavillon, trou, tuyau. — **Instruments à clavier.** Clavecin, claveciniste ; épinette ; piano, piano droit/à queue/demi-queue/crapaud, pianiste, *pianoforte*, piano mécanique. ▪ Accordéon, accordéoniste ; harmonium ; orgue, orgues, grandes orgues, tenir les orgues, organiste, orgue de Barberi ou de Barbarie. ▪ Accordeur de pianos, accorder, réaccorder ; facteur de pianos, corde, feutre, marteau, pédale, touches en ivoire blanches et noires. ▪ Buffet d'orgue, étouffoir, registre, soufflerie, tirant, tirasse, tuyau. — **Instruments à percussion.** Batterie, batteur ; caisse, caisse claire, grosse caisse ; carillon, carillonner, carillonneur ; cymbales ; tambour ; timbale, timbalier ; timbres ; triangle ; vibraphone ; xylophone ou célesta. — **Instruments anciens.** Bombarde, cistre, crotale, guimbarde, luth, lutherie, luthier, lyse, mandore, olifant, psaltérion, rebec, rote, sambuque, sistre, syrinx ou flûte de Pan, théorbe, tympanon, viole, viole de gambe, etc. — **Instruments exotiques ou folkloriques.** Balalaïka, banjo, cithare, guitare, gurla, mandoline. ▪ Biniou, chalumeau, cornemuse, flageolet, galoubet, harmonica, mirliton, musette, ocarina, pipeau, sarrussophone, turlututu. ▪ Castagnettes, claquettes, glockenspiel, gong, grelot, rhombe, sonnette, tam-tam, tambour de basque, tambourin ; scie musicale, harpe éolienne.

INSU → *ignorer, secret.*

INSUBORDINATION, INSUBORDONNÉ → *manquer, révolte.*

INSUCCÈS → *échouer.*

INSUFFISANCE, INSUFFISANT → *incapable, faible, pauvre.*

INSUFFLER → *entrer, exciter, influence.*

INSULAIRE → *habiter.*

INSULINE → *glande.*

INSULTE, INSULTER → *attaque, grossier, offense.*

INSUPPORTABLE → *difficile, supporter.*

INSURGÉ, INSURGER (S') → *discussion, révolte.*

INSURRECTION → *guerre, révolte.*

INTACT → *entier, pur.*

INTAILLE → *graver.*

INTARISSABLE → *abondance, parler.*

INTÉGRAL, INTÉGRALITÉ → *entier.*

INTÉGRATION → *entreprise.*

INTÈGRE → *justice.*

INTÉGRER → *entrer, mathématiques.*

INTÉGRISME, INTÉGRISTE → *religion.*

INTÉGRITÉ → *entier, pur.*

INTELLECT → *esprit.*

INTELLIGENCE, INTELLIGENT → *connaissance, esprit, raisonnement.*

INTELLIGENTSIA → *classe.*

INTELLIGIBLE → *raisonnement.*

INTEMPÉRANCE, INTEMPÉRANT → *débauche, excès.*

INTEMPÉRIE → *météorologie.*

INTEMPESTIF → *gêner, grossier.*

INTENDANCE, INTENDANT → *chef, dépense, enseignement.*

INTENSE → *force.*

INTENSIF, INTENSIFIER → *augmenter, culture.*

INTENSITÉ → *électricité, grand.*

INTENTER → *justice.*

INTENTION, INTENTIONNEL → *désir, volonté.*

INTERACTION → *influence.*

INTERCALAIRE → *calendrier, inscription.*

INTERCALER → *entrer, intervalle.*

INTERCÉDER → *avantage, défendre, influence.*

INTERCEPTER, INTERCEPTION → *arrêter, prendre.*

INTERCHANGEABLE → *changer.*

INTERDICTION, INTERDIRE → *défendre, peine.*

INTERDIT → *trouble.*

INTÉRESSÉ, INTÉRESSEMENT → *association, avare.*

INTÉRESSER, INTÉRÊT → *association, gagner, importance, plaire.*

INTERFÉRENCE, INTERFÉRER → *optique, rencontre.*

INTÉRIEUR → *entrer, maison, milieu.* — **Espace matériel compris entre des limites.** Ame d'une arme à feu ; cale d'un navire ; canevas ; centre ; cœur ; fond ; guerres intestines ; interne ; milieu ; moelle ; noyau ; pays lointain/perdu/reculé ; sanctuaire, saint des saints ; substratum ; trame ; viscères. ▪ Céans, dans, dedans, en, ès, inhérent à, à l'intérieur de ; endo-, endogène, etc. ; intra-, intradermique, intra-muros ; intro-, introduction, intromission. — **Intériorité psychologique.** Ame ; arrière-pensée ; cœur, au fond de son cœur ; en son âme et conscience, en lui-même ; entrailles ; examen de conscience ; for intérieur ; intimité, intime, intimiste ; introspection, introspecter ; mystère, mystérieux ; *in petto ;* au plus profond de son être ; psychologue, psychologique ; psychanalyse, motivation ; secret, en secret ; sein, nourrir dans son sein ; tréfonds ; n'avoir rien dans le ventre (fam.)/dans les tripes (pop.) ; vie intérieure, sécheresse intérieure. — **Mettre à l'intérieur.** Concentrer, concentration ; emballer ; enclaver, enclave ; enfermer ; enserrer, serrer ; faire entrer ; immixtion ; importer, importation ; incarcérer ; inclure, conclusion, inclus ; s'infiltrer, infiltration ; s'insinuer ; interner, interné ; introduire, introduction ; pénétrer, pénétration ; ranger, rangement ; rentrer/engranger les récoltes. ■ Caverne, clôture, contenant, emballage, enveloppe, grotte, limites, périmètre, polygone, etc.

INTÉRIM, INTÉRIMAIRE → *agent, durer, fonction, intervalle.*

INTERJECTION → *mot.*

INTERLIGNE → *écrire.*

INTERLOCUTEUR → *discussion, parler.*

INTERLOPE → *douane, doute.*

INTERLOQUER → *étonner, trouble.*

INTERLUDE → *musique.*

INTERMÈDE, INTERMÉDIAIRE → *intervalle, mêler.*

INTERMINABLE → *durer.*

INTERMITTENCE, INTERMITTENT → *durer, intervalle.*

INTERNAT → *enseignement.*

INTERNATIONAL → *pays.*

INTERNATIONALE, INTERNATIONALISME → *commun, pays, politique.*

INTERNE, INTERNER → *fermer, folie, médecine, prison.*

INTERPELLATION, INTERPELLER → *demande, gouverner.*

INTERPLANÉTAIRE → *astronautique, astronomie.*

INTERPOLATION, INTERPOLER → *augmenter, entrer, faux.*

INTERPOSER, INTERPOSITION → *intervalle.*

INTERPRÉTARIAT, INTERPRÈTE → *langage.*

INTERPRÉTATION, INTERPRÉTER → *critique, exécuter, expliquer.*

INTERROGATEUR, INTERROGATION → *demander, enseignement, grammaire.*

INTERROGATOIRE → *accuser, police.*

INTERROGER → *demander, informer.*

INTERROMPRE, INTERRUPTION → *arrêter, intervalle, mouvement.*

INTERRUPTEUR → *électricité.*

INTERSECTION → *couper, croix.*

INTERSIDÉRAL → *astronomie.*

INTERSIGNE → *prévoir.*

INTERSTICE, INTERSTITIEL → *intervalle.*

INTERURBAIN → *télécommunications.*

INTERVALLE → *durer, éloigner, espace.* — **Intervalle dans l'espace.** Blanc ; défaut, le défaut de la cuirasse ; distance, distancer ; écart ; écarter, écartement ; échappée ; éloigner, éloignement ; entre-, entre-colonne, etc. ; espace ; hiatus ; inter-, interligne ; interstice, espace interstitiel ; intervalle ; rupture ; saut ; séparer, séparation ; solution de continuité. ■ Disposer de distance en distance ; échelonner, échelonnement ; entrecouper ; entrelarder ; espacer ; farcir ; jalonner, jalon ; piqueter. — **Intervalle dans le temps.** Armistice ; battement ; coupure de courant ; éclaircie ; entracte ; intermède ; interruption ; intervalle, à intervalles réguliers, à deux tours d'intervalle ; intérim ; interrègne ; laps de temps ; moment ; pause ; période, périodique ; provisoire, solution d'attente ; récréation ; relâche ; rémission ; répit, moment de répit ; repos, silence, se taire ; suspension ; temps d'arrêt ; transitoire ; trêve ; vacances. ■ Cependant, durant, entre-temps, sur ces entrefaites, pendant. — **Rompre dans sa continuité.** Arrêter, arrêt, coup d'arrêt, arrêt brusque/inopiné, etc. ; briser, brisure ; cesser, faire cesser, cessation ; couper, coupure, couper une conversation/la parole/la chique (pop.)/le sifflet (pop.) ; déranger, dérangement ; discontinuer, discontinuation, discontinuité ; finir, fin ; hacher ; halte ; incohérent, incohérence ; intercepter, interception ; interrompre, interruption, interrupteur, contradicteur ; lacune, lacunaire ; laisser en souffrance/pendant ; obturateur ; rompre, rupture ; sauter du coq à l'âne ; suspendre, suspension, en suspens ; syncope, syncopé ; trancher ; troubler. ■ Bouton électrique, commutateur, disjoncteur, interrupteur, rupteur, trembleur, va-et-vient, allumer/couper/éteindre le courant/l'électricité. — **Qui est entre.** Entre-, entre-deux ; inséré ; intercalé, intérimaire, intermédiaire, médiat ; milieu, au milieu, au beau milieu, en plein milieu ; à moitié, par moitié ; abîme, différence, écart, fossé, inégalité, marge. — **Discontinu.** Alterner, alternatif ; à bâtons rompus ; de ci, de là ; par ci, par là ; par éclairs, éclairs de raison ; intermittence, intermittent ; par instants ; par intervalles, de loin en loin ; parmi ; de place en place, par places ; à plusieurs reprises ; par rafales, par saccades, saccadé ; par sauts et bonds.

INTERVENIR, INTERVENTION → *chirurgie, événement, mêler, part.*

INTERVENTIONNISTE → *politique.*

INTERVERSION, INTERVERTIR → *changer.*

INTERVIEW, INTERVIEWER → *informer.*

INTESTIN, INTESTINAL → *anus, estomac, viande.* — **Termes géné-**

raux. Boyau ; entrailles ; intestin, les intestins, intestinal ; péritoine ; tripaille (fam.) ; tripe, tripes, étriper ; ventre, ventral, éventrer, éventration ; viscères. ▪ Entéro-, -entère ; entérographie, entérologie ; splanchnologie. — **Description.** Intestin grêle : anses intestinales ; artère mésentérique ; duodénum, duodéno-pancréas, petite caroncule, grande caroncule ou ampoule de Vater ; glande de Liberkühn ; iléon, jéjunum, jéjuno-iléon ; mésentère, épiploon ; valvule de Bauhin, valvule connivente ; villosités intestinales. ▪ Gros intestin : appendice ; cæcum ; côlon droit / gauche / ascendant / descendant / iléo-pelvien ou sigmoïde / transverse, coude du côlon, angle droit ou hépatique/gauche ou splénique ; rectum, rectal ; anus, anal. — **La digestion dans l'intestin.** Amylase, bile, chyle, entéro-kinase, suc intestinal/pancréatique, tube digestif. ▪ Enzymes, érepsine, peptine, présure, trypsine ; invertase, lactase, maltase, ptyaline ; lipase. ▪ Mouvements péristaltiques. — **Maladies et affections de l'intestin.** Appendicite, cancer, colite, dysenterie, entéralgie, entérite, entérocolite, hernie, iléus, obstruction, occlusion, péritonite, polypes, rectite, tumeur, tympanite, typhoïde, ulcère, valvulus. ▪ Amibes ; ascarides, ascaridiose ; cestodes ; colibacilles, collibacillose ; entérocoques ; helminthes ; nématodes ; oxyures ; ténia ou ver solitaire, vers. ▪ Entérovaccin, iléostome, jéjunostome, laparotomie, opérer de l'appendicite, etc. ▪ Chiasse (pop.), colique, coliques, constipation, diarrhée, flatulence, flatuosité, gargouillement, relâchement, tranchées ; mal au ventre, élixir parégorique.

INTESTIN → *intérieur.*

INTIME → *amitié, intérieur, particulier.*

INTIMER, INTIMATION → *décider, justice, ordonner.*

INTIMIDATION, INTIMIDER → *gêner, peur.*

INTIMISTE → *peinture, poésie.*

INTIMITÉ → *amitié, intérieur, relation.*

INTITULÉ, INTITULER → *livre, nommer.*

INTOLÉRABLE → *difficile, gêner.*

INTOLÉRANCE, INTOLÉRANT → *maladie, opinion.*

INTONATION → *son.*

INTOXICATION, INTOXIQUER → *maladie, poison.*

INTRAITABLE → *difficile, volonté.*

INTRA-MUROS → *intérieur, ville.*

INTRANSIGEANCE, INTRANSIGEANT → *chef, discussion, dur, volonté.*

INTRANSITIF → *verbe.*

INTRÉPIDE, INTRÉPIDITÉ → *courage, danger.*

INTRIGUE → *composer, groupe, secret.*

INTRIGUER → *éloge, étonner, plan, secret.*

INTRINSÈQUE → *intérieur, particulier.*

INTRODUCTION, INTRODUIRE → *avantage, commencer, entrer.*

INTRONISATION, INTRONISER → *souverain.*

INTROSPECTION → *psychologie.*

INTROVERSION, INTROVERTI → *psychologie.*

INTRUS, INTRUSION → *entrer, gêner.*

INTUITIF, INTUITION → *connaissance, prévoir.*

INTUMESCENCE, INTUMESCENT → *bosse, gonfler, tumeur.*

INUTILE, INUTILITÉ → *futile, importance.*

INVALIDATION, INVALIDER → *annuler, élire.*

INVALIDE, INVALIDITÉ → *blesser, diminuer, incapable.*

INVARIABLE → *fixer, grammaire.*

INVASION → *entrer, guerre.*

INVECTIVE, INVECTIVER → *attaque, offense, violence.*

INVENTAIRE → *commerce, comptabiliser.*

INVENTER, INVENTION → *faux, imaginer, tromper.*

INVERSE, INVERSER → *arrière, opposé.*

INVERSION → *mathématiques, météorologie, relief, style.*

INVERTÉBRÉ → *animal.*

INVERTI → *sexe.*

INVESTIGATEUR, INVESTIGATION → *chercher, demander.*

INVESTIR → *chef, fortification, pouvoir.*

INVESTIR → *banque, entreprise, nommer, prêter.*

INVESTITURE → *féodalité, gouverner, pouvoir.*

INVÉTÉRÉ, INVÉTÉRER (S') → *durer, habitude.*

INVINCIBLE → *force.*

INVIOLABILITÉ, INVIOLABLE → *sûr.*

INVISIBLE → *petit.*

INVITATION, INVITER → *demander, engager, recevoir.*

INVOCATION, INVOCATOIRE, INVOQUER → *demander.*

INVRAISEMBLABLE, INVRAISEMBLANCE → *étonner.*

IODE, IODÉ → *médicament.*

ION → *rayon.*

IRASCIBILITÉ, IRASCIBLE → *colère, difficile.*

IRIS → *fleur, œil.*

IRISATION, IRISER → *couleur.*

IRONIE, IRONIQUE, IRONISER → *demander, moquer, rire.*

IRRADIATION, IRRADIER → *lumière, rayon.*

IRRATIONALITÉ, IRRATIONNEL → *raisonnement.*

IRRECEVABILITÉ, IRRECEVABLE → *refuser.*

IRRÉFLÉCHI, IRRÉFLEXION → *inconscience, négliger.*

IRRÉGULIER → *changer, faux, intervalle, morale, règle.* — **Qui n'est pas égal.** Aniso-, anisodactyle ; anomal, anormal, anomalie ; asymétrie, asymétrique ; dissymétrie, dissymétrique ; impair, imparisyllabique. ■ Accidenté, accident de terrain ; barlong ; biscornu ; boiteux ; bosse, bossu, bossué, bosselé, cabossé ; cran, cranté ; créneau, crénelé ; déborder, débordant ; défaut ; dent, dentelé ; dépasser, dépassant ; éminent, éminence, proéminent ; enflé, enflure ; gonflement, gonflé ; montueux, mont, monticule ; manque d'homogénéité/de régularité ; noueux ; ondoyer, ondoyant ; perturber, perturbation ; renflé, renflement ; ressaut ; saillir, saillant, saillie. ■ Convulsif, déréglé, désordonné, détraqué, discontinu, saccadé, tourmenté ; à-coup, hoquet, soubresaut. — **Qui n'est pas lisse, pas uni.** Apre, aspérité ; barbe ; bavure ; bigarré, bigarrure ; brut ; caillouteux ; calleux, cal, callosité ; dépoli ; grain, grenu, grossier ; grumeleux, grumeau ; hérissé ; moucheté ; nœud, nodosité, noueux ; ocellé ; pierreux ; pointillé, point ; raboteux ; râpeux ; rayé, raie ; rêche ; ridé, ride ; rocailleux ; rude ; rugueux, rugosité ; rustique ; strié, strie ; tacheté, tache ; tailladé, entaille, estafilade ; tavelé, tavelure ; troué, trou. — **Qui a un caractère irrégulier.** Accès ; bouffée ; caprice, capricieux ; changer, changeant ; cyclothymique ; enfantillage, enfant gâté ; envie soudaine ; erratique ; étourderie, étourdi ; fantaisie, fantaisiste ; frasque ; goût, goût du jour/passager ; humeur, humeur changeante, saute d'humeur ; incartade ; inconséquence, inconséquent ; inconstance, inconstant ; instable ; irrégularité, irrégulier ; légèreté, léger, coupable légèreté ; mobilité d'esprit, esprit mobile ; mode, suivre la mode/les modes ; mouvement d'humeur/de rage ; passade, versatile. — **Bizarre.** Baroque ; bizarrerie ; dada ; étrangeté, étrange ; excentricité, excentrique ; extravagance, extravagant ; fantaisie, fantaisiste ; fantasque ; farfelu ; folie, fou, fou-fou (fam.) ; hétéroclite ; loufoquerie, loufoque ; lubie ; lunatique ; manie, maniaque ; marotte ; originalité, original ; toquade, toqué ; travers.

IRRÉPRESSIBLE → *retenir, violence.*

IRRESPECT, IRRESPECTUEUX → *grossier, offense, respect.*

IRRIGATEUR, IRRIGATION, IRRIGUER → *canal, hydraulique, mouiller.*

IRRITABILITÉ, IRRITABLE → *colère, mécontentement.*

IRRITATION, IRRITER → *colère, exciter.*

IRRUPTION → *brusque, entrer, guerre.*

ISABELLE → *cheval, jaune.*

ISLAM, ISLAMIQUE → *musulman.*

ISOBARE → *météorologie.*

ISOBATHE → *mer.*

ISOCÈLE → *angle.*

ISOLANT → *chaleur, électricité, langage.*

ISOLATIONNISME → *politique.*

ISOLEMENT, ISOLER → *chaleur, électricité, microbe.*

ISOLOIR → *élire.*

ISOMÈRE, ISOMÉRIE → *chimie.*

ISOTHERME → *chaleur, météorologie.*

ISOTOPE → *chimie nucléaire.*

ISOTROPE → *chimie.*

ISRAÉLITE → *juif, religion.*

ISSU, ISSUE → *cause, conséquence, finir.*

ISTHME → *mer, passer.*

ITALIQUE → *écrire, typographie.*

ITEM → *psychologie.*

ITÉRATIF → *deux.*

ITINÉRAIRE → *route.*

ITINÉRANT → *voyage.*

IVOIRE, IVOIRIN → *bijou.*

IVRAIE → *herbe, mal, plante poison.*

IVRE, IVRESSE → *alcool, boire, passion.*

IVROGNE, IVROGNERIE, IVROGNESSE → *boire.*

JABLE, JABLER, JABLOIR → *tonneau.*

JABOT → *cou, dentelle, oiseau.*

JABOTER → *cri, parler.*

JACASSER, JACASSERIE, JACASSEMENT → *bruit, cri, parler.*

JACHÈRE → *culture.*

JACINTHE → *fleur.*

JACQUARD → *textile.*

JACQUERIE → *révolte.*

JACQUET → *échecs.*

JACTANCE → *orgueil.*

JACULATOIRE → *liturgie.*

JADE → *joaillerie.*

JAGUAR → *chat, mammifères.*

JAILLIR, JAILLISSEMENT → *eau, jeter, liquide.*

JAIS → *bijou, noir.*

JALE → *récipient.*

JALON, JALONNER → *intervalle, mesure, signe.*

JALOUSER, JALOUX → *aimer, mécontentement.*

JALOUSIE → *désir, doute, fenêtre, mécontentement.*

JAMBAGE → *écrire, fenêtre, feu, fonder, porte.*

JAMBE → *anatomie, marcher, négliger, vitesse.* — **Description scientifique.** Cheville, malléole. ■ Cuisse, entrecuisse ; muscle de la cuisse, grand fessier, moyen et petit adducteur, pectiné, couturier ; nerf crural/sciatique/poplité/saphène ; artère/veine fémorale, gouttière ischiatique, arcade de Fallope. ■ Genou, articulation trochléenne ; ligament ; ménisque interne et externe ; rotule. ■ Jambe, gras de jambe. ■ Jarret, mollet, gras du mollet, jumeau. ■ Fémur, col/tête du fémur ; fesse, fessier ; hanche ; os iliaque ; péroné ; tibia. — **Termes descriptifs courants.** Gambette (pop.), gigot (pop.), guibole (pop.), membre inférieur, patte (fam.), quille (pop.). ■ Jambes courtes, court de jambes, court sur pattes (fam.), bas du cul (pop.) ; jambes longues et maigres/comme des allumettes (fam.)/d'échassier/de héron, cuisse héronnière, échasse (pop.), perches (pop.) ; jambes mal faites/arquées/cagneuses/de cavalier/en cerceau (pop.)/en manche de veste (pop.)/torses/tortes ; grosses jambes, poteau (pop.), jambe bien faite/fine/fuselée/galbée/au moule (fam.) ; mollet de coq. — **Position et mouvement des jambes.** S'accroupir, s'agenouiller ; d'aplomb, campé/planté sur ses jambes ; croiser ; écarter, faire le grand écart, se fendre ; enfourcher, à califourchon, à cheval ; enjambée, à grandes enjambées ; ingambe ; jambes ballantes ; gambade, gambiller (pop.), gigoter (pop.), guiboler (pop.). ■ Courir à toutes jambes, prendre ses jambes à son cou ; se dandiner, dandinement ; détaler ; danser ; galoper ; lever la jambe, danseuse, french-cancan, girl ; marcher ; sauter ; tomber les jambes en l'air/cul pardessus tête (pop.)/les quatre fers en l'air (fam.) ; trotter. — **Affections et maladies des jambes.** Ankylose, ankyloser ; chanceler ; flageoler (fam.) ; avoir des fourmis dans les jambes ; jambes coupées par l'émotion/qui se dérobent/qui fléchissent ; jambes gonflées/lourdes/raides/comme du coton (fam.)/en compote (pop.)/en pâté de foie (pop.)/qui rentrent dans le corps (fam.) ; en avoir plein les bottes (pop.)/ plein les jambes (fam.) ; ne plus pouvoir se tenir debout ; tirer/traîner la jambe ; trembler ; vaciller. ▪ Amputer, amputation, unijambiste, cul-de-jatte (pop.), jambe artificielle/articulée/de bois, pilon. ▪ Arthrite ; atrophie ; bancal, bancroche (fam.) ; boiteux, boitement, boiterie, boiter ; claquage ; claudiquer, claudication ; coxalgie ; déhanchement ; se démettre le genou/la jambe ; entorse ; se fouler la cheville ; épanchement de synovie ; fracture, se casser la jambe, plâtre ; patte folle (fam.) ; sciatique. — **Ce qu'on met sur la jambe.** Botte, braies, chausses, caleçon, cnémide, cuissardes, culotte, guêtre, houseau, jambière, leggings, molletière, pantalon (corsaire, bermuda) ▪ Bas de dentelle/de laine/de nylon/en mousse de nylon/ indémaillable/de soie, mi-bas ; chaussettes courtes/montantes, fixe-chaussettes ; collant ; jarretière ; jarretelle, porte-jarretelles ; socquettes. — **Jambe d'animal.** Croupe ; cuisseau, cuissot ; gigot ; jambon, jambonneau ; jarret ; patte, pattes ambulatoires/de derrière ou de devant/membraneuses ou fausses pattes/natatoires/palmées, etc.

JAMBE, JAMBETTE → *charpente.*

JAMBIÈRE → *armure, jambe.*

JAMBON, JAMBONNEAU → *porc.*

JAMBOREE → *jeune, rencontre.*

JANSÉNISME, JANSÉNISTE → *hérésie, morale, théologie.*

JANTE → *roue.*

JANVIER → *calendrier.*

JAPON, JAPONAIS → *Asie.*

JAPPEMENT, JAPPER → *cri, chien.*

JAQUEMART → *cloche, horlogerie.*

JAQUETTE → *couvrir, vêtement.*

JARDE, JARDON → *cheval.*

JARDIN, JARDINER → *arbre, enfant, fleur, légume, théâtre.* — **Éléments, parties du jardin.** Allée, banc, bassin, bordure, bosquet, boulingrin, cabinet de verdure, carré, charmille, corbeille de fleurs, couche, espalier, étoile, gazon, grille, grillage, grotte, haie, jet d'eau, kiosque, labyrinthe, massif, orangerie, parterre, patte-d'oie, pelouse, pergola, pièce d'eau, planche, plate-bande, quinconce, rocaille, rond-point, roseraie, serre, serre chaude, statue, tapis vert, tonnelle, treillage, treille. — **Sortes de jardins.** Jardin d'agrément/à l'anglaise/à la française/classique/de Le Nôtre/japonais/paysager. ▪ Jardin d'acclimatation/alpin/botanique ; clos, closerie ; jardin exotique/fleuri/fruitier/ d'hiver ; hortillonnage ; jardinet ; mail ; marais ; jardin maraîcher ; oasis ; ouche ; parc ; pépinière ; jardin potager/ privé ou public ; quinconce ; jardin de rapport ou d'utilité/de rocaille/scientifique/square ; jardins suspendus de Babylone/en terrasses ; verger. ▪ Jardin des Hespérides, Flore, Pomone. — **Travaux et instruments de jardin.** Arroser, arrosoir, arrosage, lance d'arrosage, tourniquet ; bêcher, bêche, bêche mécanique, bêchage ; biner, binette ; brouette ; brûler les herbes ; cisailler, cisailles, ciseaux, tailler ; cordeau ; couchage, couche ; cueillir, cueillette ; écheniller ; empoter, dépoter, mettre en pot ; enterrer, fouir, enfouir ; fourche, fourche-bêche ; fumer, fumage ; houe, hoyau ; jardiner, jardinier, jardinage ; mettre sous cloche ; mouver la terre ; natte ; paillasson, paillassonner, paillis ; palisser ; pelleter, pelle ; piocher, pioche, piochement ; pot ; ramer, rame ; râteau, râteler, ratisser, râtelage, ratissage ; sarclette, sarcler ; sécateur ; serfouette, serfouir ; serpe, serpette ; terreau, terreauter, terre de bruyère ; tondeuse, tondre ; traiter, médeciner, appareil Vermorel ; tuteur. — **Plant.** Bouturer, bouture ; butter ; dépiquer ; marcottage, marcotter ; plantoir, planter ; provignement, provigner ; repiquage, repiquer ; semis, semer ; plant en chevelu/en jauge/ en motte/en pot/par touffes ; scion ; tige, basse-tige, demi-tige. — **Art du jardinage.** Agriculture, arboriculture, horticulture, culture maraîchère, plantation ; arboriculteur, fleuriste, horticulteur, jardinier, maraîcher, paysagiste, architecte-paysagiste, pépiniériste.

JARDINIER → *jardin.*

JARDINIÈRE → *enfant, fleur, légume.*

JARGON, JARGONNER → *cri, langage, science.*

JARRE → *récipient.*

JARRET → *jambe.*

JARRETELLE → *jambe, vêtement.*

JARRETIÈRE → *chevalerie, jambe.*

JARS → *canard.*

JAS → *berger.*

JASER → *cri, critique, enfant, parler.*

JASMIN → *fleur, parfum.*

JASPE → *bijou.*

JASPER → *couleur.*

JATTE → *récipient.*

JAUGE, JAUGER → *contenir, estimer, mesure, tissu.*

JAUNE, JAUNIR → *Asie, carte, couleur, fièvre.* — **Nuances de jaune.** Ambre, beige, blond, caca d'oie ou merdoie, café au lait, canari, cognac, chamois, citron, cuivré, doré, d'or, fauve, feuille-morte, havane, isabelle, miel, moutarde, mordoré, ocre.

ocrer, or, vieil or, orangé, pain brûlé, safran, safrané, soufre, tabac, topaze. ▪ Jaune, jaunet, jaunâtre, jaunir, jaunissant, jaunissement ; roussir ; jaune-brun, jaune-orangé, jaune-roux, jaune-vert. — **De couleur jaune.** Blé, capucine, chrysanthème, genêt, jonquille, mimosa, nénuphar, paille, soleil, souci, tournesol ; cire, coing, mirabelle, pamplemousse ; xanthie, -xanthe. — **Production de la couleur jaune.** Bois jaune, fustel, gaude, gomme-gutte, quercitron ; jaune diazol/Hansa/Lutétia/Mikado/de quinoléine ; jaune de cadmium/de chrome/d'outremer/Véronèse/de zinc, orpiment, oxyde de fer, soufre, terre de Sienne, serratule.

JAUNISSE → *foie.*

JAVA → *danse.*

JAVEL → *infecter, nettoyer.*

JAVELER → *blé.*

JAVELINE → *arme.*

JAVELLE → *amas, sel.*

JAVELLISER → *infecter.*

JAVELOT → *arme, athlétisme, jeter.*

JAZZ, JAZZ-BAND → *musique.* — **Orchestre de jazz.** Clarinette ; contrebasse ; guitare, guitare électrique ; orgue électrique ; piano ; section rythmique : batterie, batteur, drums ; saxophone ; trompette, trompette bouchée ; trombone à coulisse ; vibraphone, xylophone ; formation de jazz, jazzman. — **Morceaux de jazz.** Blues ; chorus ; gospel song, folk-song ; negro spirituals ; ragtime ; swing. — **Styles de jazz.** Afro-cubain ; be-bop, bop ; boogie-woogie ; cool ; jazz libre, free jazz ; Nouvelle-Orléans ; pop music, musique pop ; rock and roll, rock ; twist.

JEAN-LE-BLANC → *oiseau.*

JÉCISTE → *jeune.*

JECTISSE, JETISSE → *maçonnerie.*

JEEP → *voiture.*

JÉJUNUM → *intestin.*

JE-M'EN-FICHISME, JE-M'EN-FOUTISME → *négliger.*

JÉRÉMIADE → *mécontentement.*

JÉROBOAM → *bouteille.*

JERRICAN, JERRYCAN → *pétrole, récipient.*

JERSEY → *tissu.*

JÉSUITE, JÉSUITISME → *faux, monastère, style, subtil.*

JÉSUS → *Christ.*

JET → *arme, commencer, eau, fenêtre, partir.*

JET → *aviation.*

JETÉ → *broderie, danse, gymnastique.*

JETÉE → *port.*

JETER → *choisir, colère, destin, fonder, rivière.* — **Envoyer loin de soi.** Abandonner, abandon ; arroser, arrosage ; balancer (fam.) ; darder ; se débarrasser ; décharger son arme ; se défaire de ; dilapider, dilapidation ; disperser ; éclabousser, éclaboussure, éclaboussement ; envoyer, envoi ; éparpiller ; flanquer (pop.) ; gaspiller ; jeter, jeter au feu/à la poubelle/au rebut, arme de jet, à un jet de pierre ; joncher ; jongler, jongleur ; lancer, lancement ; faire partir ; prodiguer, être prodigue ; projeter, projection, projectile ; répandre ; rejeter, rejet, rebut ; semer, parsemer ; tirer, tir, trajectoire ; vomir, vomissure, vomissement. — **Objet qu'on jette.** Balle, ballon ; boomerang ; boule, boulet ; flèche ; harpon ; javelot, javeline ; pilum ; sagaie ; trait, décocher un trait. ▪ Arc, baliste, catapulte, fronde, fustibale, lance-pierres ; balistique, balisticien ; lance, pompe, pulvérisateur, seringue. — **Faire sortir de soi.** Cracher, crachoter, crachat ; éjaculer, éjaculation ; éjecter, éjection, éjecteur, siège éjectable ; émettre, émission ; flamboyer, flamboiement ; flot, flux ; geyser ; gicler, giclement ; injecter, injection ; irradier ; irradiation ; jaillir, jaillissement, rejaillir ; jeter son venin/sa gourme ; jet d'eau, jeu d'eau, jet de liquide/de vapeur ; proférer ; répandre ; sourdre ; suinter ; verser, déverser. — **Pousser avec force dans une direction.** Abattre ; anéantir ; envoyer ; jeter bas ; jeter dans le désespoir ; jeter en prison/aux oubliettes ; plonger, plongée ; pousser, poussée ; précipiter ; projeter ; projection ; renverser ; terrasser. — **Se jeter.** Courir sur, courir sus ; s'élancer, élan ; s'engager ; s'engouffrer ; entrer, rentrer dans/dedans ; envahir ; se flanquer dans (fam.) ; se lancer ; se précipiter ; se ruer, ruée ; sauter sur/au collet ; tomber sur.

JETON → *faux, jouer, monnaie, payer.*

JEU → *facile, jouer, remuer, sport.*

JEUDI → *calendrier.*

JEUN (À) → *faim.*

JEÛNE, JEÛNER → *faim, religion, soigner.*

JEUNE, JEUNESSE → *âge, nouveau.* — **La jeunesse.** Adolescence ; l'aurore/le matin de la vie, enfance, fleur de l'âge ; jeune, jeunet (fam.), jeunot (fam.), jeunesse, maladie de jeunesse, jeunes années ; juvénile ; neuf, nouveau ; puberté ; rajeunir, rajeunissement, reverdir, bain de jouvence. — **Les jeunes gens.** Adolescent, adolescente ; adulte ; benjamin, benjamine ; un blanc-bec (fam.) ; cadet, cadette ; demoiselle ; petit dernier, petite dernière ; écolier, écolière ; éphèbe ; étudiant, étudiante ; fils, fille, petite fille ; freluquet ; galopin, galopine ; gamin, gamine ; gars ; godelureau ; gosse ; une ingénue ; jeune homme, jeune fille, jeunes gens, jeune premier ; jouvenceau, jouvencelle ; junior ; novice ; puceau, pucelle (fam.) ; puîné, puînée ; un tendron ; une vierge. — **Jeunes en groupes.** Scoutisme : boy-scout, scout, éclaireur, guide, jeannette, louveteau, routier ; chef, cheftaine, camp, jamboree. ■ Jeunesse étudiante chrétienne (J.E.C.), jéciste ; Jeunesse ouvrière chrétienne (J.O.C.), jociste ; jeunes communistes ; jeunesse hitlérienne ; jeunesses musicales ; auberges de jeunesse, etc. ■ Bandes de jeunes, chef de bande ; beatnik ; blouson noir ; délinquance juvénile ; hippy ; hooligan ; jeunesse dorée, blouson doré, nouvelle vague, yéyé. — **Qualités et défauts prêtés à la jeunesse.** Ardeur, ardent ; audace, audacieux ; beauté, beau ; candeur, candide ; écervelé ; éclat ; enthousiasme, enthousiaste ; étourderie, étourdi ; extrémisme, opinions extrêmes ; fat ; folies de jeunesse ; fraîcheur, frais ; immaturité ; impétuosité, impétueux ; inexpérience, inexpérimenté ; ingénuité, ingénu ; irréflexion, irréfléchi ; naïveté, naïf ; outrance, outré ; révolte, révolté ; timidité, timide ; turbulence, turbulent ; verdeur, vert ; vivacité, vif.

JEUNET, JEUNOT → *jeune.*

JIU-JITSU → *sport.*

JOAILLERIE, JOAILLIER → *bijou, pierre, toilette.* — **Pierres fines et précieuses.** Agate ; aigue-marine (bleu) ; améthyste (mauve-violet) ; béryl, chrysobéryl (jaune-vert), alexandrite (vert-poivre), morganite (rose) ; calcédoine, chrysoprase (vert), cornaline (orangé), sardoine (brun), œil-de-chat (jaune-vert) ; corindon, rubis blanc, saphir blanc, diamant ; émeraude, smaragdin ; grenat, alabandine, almandine ou escarboucle ; hyacinthe (brun-rouge) ; jade, jadéite (divers), néphrite (blanchâtre, vert) ; jargon ou zircon (divers) ; jaspe ; lapis-lazuli (bleu) ; malachite (vert) ; marcassite (jaune) ; obsidienne (noir) ; onyx ; opale, opalin, opaline ; péridot ou olivine (vert-jaune), chrysolithe (jaune vert) ; pierre des Amazones ou amazonite, pierre de Bologne/de lune ; quartz (blanc-rose), aventurine, pierre de soleil, rubis de Bohême ; rubis (rouge) ; saphir (bleu) ; spinelle (rouge, mauve, bleu) ; topaze (jaune), topaze brûlé ou rubis du Brésil, saphir électrique ; tourmaline (noir), rubis de Sibérie, saphir du Brésil ; turquoise (bleu), turquoise orientale/de la vieille/de la nouvelle roche, chrysocolle. — **Le diamant à l'état naturel.** Carbone pur, clivage octaédrique, cristallisation, système cubique. ■ Diamant d'alluvion/en gangue ; eau, incolore, limpide, transparent ; diamantin, adamantin ; unité de masse ou carat. ■ Diamant brut/brut ingénu/à pointes natives ; bort, carbon ou carbonade ou diamant noir, diamant jaune, jargon ; diamant qui a un défaut, crapaud, gendarme, givreux, glace, jardinage. ■ Gîte/terrain diamantifère, Afrique du Sud, Brésil. — **Taille du diamant et des pierres précieuses.** Clivage, cliver (ou sciage, scier) ; ébrutage ; taille, tailler, mise en croix/ en huit, brillantage, brillanter ; égrisage, égriser, polissage, polir, égrisée, meule. ■ Brillant, briolette, pendeloque, poire, -rose, table ; éclats, poudre ou égrisée, facette, facetter, feuilletis. — **Utilisation du diamant.** Industrie ; dressages des meules, meule diamantée ; exécution de filières ; percement de roches, perforatrice ; rectification/usinage des métaux, aléseuse ; diamant de miroitier/de vitrier. ■ Diamantaire, joaillier, lapidaire ; brillant, diamant, gemme, joyau, pierre précieuse ; mettre en œuvre, monter, monture ; enchâsser, enchatonner, sertir ; chaton, girandole, solitaire ; bague, bijou, broche, clip, joyau, parure/rivière de diamants ; bluette, chatoyer, feu, scintiller de mille feux. ■ Diamants célèbres : le Grand Mogol, le Florentin, l'Orlov, le Sancy, le Régent, l'Étoile du Sud, le Koh-i-noor, le Cullinan ; les diamants de la Couronne. — **La perle.** Carbonate de calcium, nacre ; huître méléagrine/perlière, jambonneau, unio ; mère, mulette perle ; pêcheur de perles. ■ Perle fine/d'Orient ; perle artificielle/de culture ; fausse perle, perle japonaise, toc, verroterie ; perle baroque. ■ Valeur d'une perle : poids, carat, grain ; couleur : blanche, rose, grise, noire ; forme : ronde, en poire ; éclat : eau, lustre, orient ; défaut : loupe d'une perle.

JOB → *métier.*

JOBARD, JOBARDISE → *croire, sot.*

JOCISTE → *jeune.*

JOCKEY → *cheval.*

JOCRISSE → *croire.*

JODHPURS → *cheval.*

JOIE → *bonheur, plaire, rire.* — **La joie et ses degrés.** Alacrité ; allégresse, allègrement ; être aux anges ; béatitude, rire béat ; bonheur ; cœur empli/gonflé de joie, s'en donner à cœur joie ; contentement ; délice ; délire, délirant ; enchantement, enchanté ; enthousiasme ; euphorie, euphorique ; exaltation ; extase, extatique ; exultation, exulter ; hilarité ; bonne humeur ; ivresse, ivre de joie ; joie, joie amère/inexprimable/indicible/tumultueuse ; jubilation, jubiler ; ravissement, ravir ; triompher. — **Ma-**

nifestation de la joie. Air joyeux; batifoler; bondir; crier, cri; danser, danse; déborder de joie; dire des joyeusetés; éclat, éclatant de bonheur/de joie/de santé; s'ébattre; s'épanouir, épanouissement; frémir, frémissement; frétiller, frétillement; gambader, gambade; mine hilare; palpiter de joie; nager dans le bonheur/dans la joie; prendre du bon temps; rayonner, rayonnement, radieux; se réjouir, réjoui; rigoler (fam.), rigolard (fam.); rire, rieur; sauter; sourire, souriant; transports; trépigner; tressaillir, tressaillement; triompher, air triomphant. — **De caractère joyeux.** Agréable; amusant; badin, badinage; bon vivant; boute-en-train; content, drôle; égrillard; enjoué; entrain, plein d'entrain, entraîner, joie communicative; facétieux, farceur; folâtre, folichon; fringant; gai, gaieté; gaillard, gaillardise, gaudrioles; gauloiserie, grivoiserie; guilleret; heureux; humoriste; jovial, jovialité; joyeux, joyeux compagnon/compère/drille/luron; liesse; malicieux; optimisme, optimiste, prendre la vie du bon côté; pimpant; plaisantin, rigolo (fam.); Roger Bontemps; sans souci, insouciant; vif; voir tout en rose. — **Qui apporte de la joie.** Agréable, agrément; amuser, amusement; bienfait; charmer, charmant; contentement; dérider; désopiler, désopilant; dilater le cœur; douceur; égayer; félicité; se faire une joie de; jouissance; plaire, plaisant; ragaillardir; réjouissance, réjouir; faire rire; rigolade (fam.), rigolo (fam.); satisfaction; transport de joie. ▪ Fête, gala, jubilé, noce, partie de plaisir/de rigolade (fam.), réjouissances, etc. ▪ Attention, cadeau, étrennes, gratification, présent, surprise, souvenir. — **Saluer un événement joyeux.** Acclamer, acclamations; alléluia!; applaudir, applaudissements; chants de joie; *Te Deum;* complimenter, compliments; congratuler, congratulations; cris de joie; exclamations; féliciter, félicitations; donner un festin/un feu d'artifice, feu de joie; fêter; ovation; tuer le veau gras; vivat.

JOINDRE → *accord, augmenter, commun, lier, mêler.*

JOINT → *articulation, attache, charpente.*

JOINTOYER, JOINTOYEUR → *maçonnerie.*

JOINTURE → *articulation, attache.*

JOKER → *carte.*

JOLI, JOLIESSE → *beau, importance.*

JONC → *bijou, plante, vannerie.*

JONCHÉE, JONCHER → *amas, couvrir, nombre.*

JONCHETS → *jouer.*

JONCTION → *lier, rencontre.*

JONGLER, JONGLERIE, JONGLEUR → *adroit, jeter, spectacle.*

JONQUE → *bateau.*

JONQUILLE → *fleur.*

JOUE → *fusil, visage.*

JOUER → *banque, carte, gagner, musique, spectacle.* — **Se livrer au jeu.** Amour/besoin du jeu; s'amuser, amusement, amusette; batifoler; se divertir, divertissement; s'ébattre, ébats; s'ébrouer; enjoué, enjouement; farce; folâtrer; gai, gaieté; faire joujou, jeu, jeux innocents et récréatifs, petits jeux, passe-temps, attrapes, etc.; ludique, activité ludique; se récréer, récréation. — **Jeux de société.** Acrostiche; anagramme; bout-rimé; calembour; charade; contrepèterie; cotillon; devinette; énigme; gage; jeu des métiers / de patience / des portraits; jeu radiophonique / télévisé; logogriphe; mots croisés, cruciverbiste; petit bac, petit bachot; pigeon vole; puzzle; rébus; tombola. — **Jeux d'enfants.** Balle, balle au chasseur; ballon, ballon prisonnier; barres; bouchon; cache-cache; cache-mouchoir ou cache-tampon; chat, chat coupé, chat perché; colin-maillard; comptine; découpage; furet; jouer à la dînette/à la guerre/à la Madame/à la marchande/au papa et à la maman; main chaude; marelle; quatre coins; ronde; saute-mouton. ▪ Casse-tête; dames; dominos; petits chevaux; échecs, pièces, pion; jeu des familles/de l'oie; loterie; loto; mahjong; monopoly (n.d.); puce; taquin. — **Jouets.** Animal en peluche; automate; automobile à pédales; balle; bille; cerceau; cerf-volant; chariot; cheval-bascule, cheval de bois; coloriage; corde à sauter, crécelle; cube; cyclo-rameur; décalcomanie; diabolo; hochet, jeu de construction; jouet, jouet électrique/mécanique, joujou; kaléidoscope; lanterne magique; ménagerie; mirliton; modèle réduit; palet; panoplie; patinette; polichinelle; portique, agrès, balançoire; poupée, baigneur; sable, jouer au sable, faire des pâtés, moule, pelle, seau; sabot; sarbacane; soldats de plomb; tambour; toton, toupie; train électrique; tricycle; trottinette; yoyo. — **Jeux d'adresse.** Bilboquet; billard, billes, queue, bande; boules, cochonnet; bowling; croquet, arceau, maillet; fléchettes; jonchet; osselets; palet; paume; pelote basque; ping-pong; quilles; tonneau; volant. — **Jeux de dés.** As, besas; bidou; charge, décharge; cornet; dé, coup de dés, jeter les dés, *alea jacta est;* nénette; pair et impair; piper, dés pipés; piste de jeu; poker d'as; quatre-cent vingt et un. — **Jouer de l'argent.** Arroser ; banco ; banque, banquier, faire sauter la banque ; cave ; culotte, prendre une culotte ; dé ; décaver ; dette de jeu ; enjeu ; forme de jeu ; intéresser le jeu/la partie ; jouer gros jeu/gros/un jeu d'enfer/son va-tout, jouer aux cartes/aux dés/au tiercé/à la roulette, martingale ; mise, miser ; parier, prendre les paris, tenir un pari, cote des paris ; paroli ; passe ; pile ou face ; point, en trois points liés, à dix francs le point ; ponter ; faire rampeau ; tailler, tailleur ; tapis vert, mettre sur le tapis ; turf, turfiste ; veine, déveine. ▪ Chemin de fer, baccarat, boule, craps, passe anglaise, poker, roulette, trente-et-quarante. ▪ Académie de jeu, cercle, casino, tripot ; croupier, râteau, Faites vos jeux !, Rien ne va plus !, jeton, plaque. — **Termes de jeu.** La belle ; capot ; donner/brouiller les cartes ; équipe, faire une équipe/une paire ; fair-play ; gagner, gagnant ; jouer, joueur, bon/mauvais joueur ; A qui de jouer ?, A vous de jouer, Ce n'est pas de jeu, jouer le jeu ; partenaire ; partie ; perdre, perdant ; Pouce !, Je ne joue plus ; quitte ou double, à qui perd gagne ; pair ou impair, rouge ou noir ; règle du jeu, règlement ; risquer, risque ; rob ; toper, Tope-là ; tricher, tricheur, C'est de la triche. ▪ Fiche, jeton, passe, pion, etc.

JOUET → *jouer, moquer.*

JOUEUR → *jouer, sport.*

JOUFFLU → *visage.*

JOUG → *bœuf, lier, soumettre.*

JOUIR, JOUISSANCE → *plaire, posséder, sensibilité.*

JOUJOU → *jouer.*

JOULE → *chaleur, mesure.*

JOUR → *broderie, calendrier, journée, lumière, ouvrir.*

JOURNAL → *écrire, informer, radio, typographie.* — **La presse.** Agence de presse ; autorisation, cautionnement, censure ; colportage, crieur de journaux ; délit de presse ; dépôt légal ; directeur responsable ; insertion ; liberté de la presse ; presse clandestine ; rectificatif, rectification ; réponse, droit de réponse ; subvention ; routage ; service ; titre ; vendeur. — **Sortes de journaux.** Bulletin ; canard (fam.) ; feuille, feuille de choux ; gazette ; hebdomadaire ; journal du matin/du soir ; journal d'enfants / d'information / de modes ; journal populaire/à grand/à gros tirage ; journal d'opinion/communiste / gouvernemental / humoristique/satirique, etc. ; journal officiel (J.O.) ; magazine ; mensuel, bimensuel ; organe ; pamphlet ; périodique ; presse du cœur/d'opinion ; publication périodique ; quotidien ; revue. ▪ *La Dépêche de..., L'Écho de..., Le Mercure de..., Le Moniteur de...* — **Contenu du journal.** Annonces, petites annonces ; article, article de fond ; bande dessinée ; billet ; bulletin ; carnet mondain, nécrologie ; chronique dramatique/littéraire/mondaine ; compte rendu des débats d'une assemblée, chronique parlementaire ; cote boursière ; courrier du cœur/des lecteurs ; dépêches ; écho ; éditorial ; enquête ; entrefilet, bas de page ; faits divers, chiens écrasés (fam.) ; feuilleton, roman-feuilleton ; horoscope ; interview, interview exclusive ; manchette à la une ; mots croisés ; dernières nouvelles ; prévisions météorologiques ; publicité, réclame ; reportage ; rubrique spectacles/sports. ▪ Presse locale/régionale. — **Fabrication et vente.** Abonnement, abonné, fidèle abonné ; bande d'envoi ; composer, composition ; éditeur ; encarté ; encre ; format, format tabloïd ; imprimer, imprimerie ; invendus, bouillon ; lancer, lancement ; lecteur, chers lecteurs ; marbre ; marchand de journaux, kiosque ; messagerie ; mise en page ; morasse ; presse à bras/mécanique/lithographique, offset, rotative ; service d'expédition ; tirage, tirer à un million d'exemplaires ; typographie, typographe ; vendeur, dépositaire. — **Journalistes.** Administrateur, administration ; chroniqueur ; collaborateur, collaborer ; commentateur ; correspondant, correspondant de guerre ; courriériste ; critique ; directeur de la rédaction/technique ; échotier ; éditorialiste ; envoyé spécial/permanent ; folliculaire ; gérant ; journaliste ; nouvelliste ; photographe de presse ; pigiste, à la pige ; polémiste ; rédacteur, rédacteur en chef, rédaction ; reporter ; rewriter ; secrétaire général, secrétaire de rédaction. ▪ Copie, papier.

JOURNALIER → *travail.*

JOURNALISME, JOURNALISTE, JOURNALISTIQUE → *journal.*

JOURNÉE → *calendrier, temps.* — **Généralités.** Diurne, rapaces diurnes ; heure ; il fait jour, voici le jour, durée/inégalité des jours ; jour blafard/crépusculaire/faible ; jour clair/ensoleillé ; demi-jour ; journée, à journées faites ; lumière ; méridienne, sieste ; midi ; milieu du jour ; nuit et jour, jour et nuit, vingt-quatre heures sur vingt-quatre ; plein jour ; soleil. — **Matin.** Apparaître ; aube, aubade ; aurore ; bonjour ! ; au chant du coq ; étoile du matin ; éveil, s'éveiller, se réveiller, réveille-matin ; jour, petit jour, lever du soleil, le jour se lève, au soleil levant, se lever de son lit ; lueurs, premières lueurs ; matin, matinée, matines, de bon matin, de bonne heure, tard, faire la grasse matinée ; matin, matinal, matutinal ; naissance du jour ; poindre, le jour point, à la pointe du jour ; dès potron-minet; rosée; au saut du lit, tomber de son lit; toilette; tôt. — **Soir.** Allongement des jours; bonsoir!; à la brune; entre chien et loup; chute du jour; coucher du soleil, soleil couchant; couvre-feu; crépuscule, crépusculaire; déclin du jour, décliner; diminuer; dîner, après-dîner; disparaître; fin du jour; mourir, mort; serein, sérénade; soir, soirée; souper; tard, tardif; tombée de la nuit, nuit tombante/tombée; veillée, veille, veiller; vêpres et complies; vespéral. — **Nuit.** Bonne nuit!; clair de lune; dormir, s'endormir; étoiles, coucher à la belle étoile; médianoche; minuit, les douze coups de minuit, messe de minuit; noctambule; nocturne; nuit, nuitée; pleine nuit, nuit close/d'encre/noire/profonde/sombre; nuitamment; nyctalope; obscurité; réveillon; sommeil, sommeiller, somnambule; ténèbres.

JOUTE, JOUTER → *adversaire, chevalerie, discussion.*

JOUVENCEAU, JOUVENCELLE → *femme, homme, jeune.*

JOVIAL, JOVIALITÉ → *joie.*

JOYAU → *bijou, joaillerie.*

JOYEUX → *joie.*

JUBÉ → *église.*

JUBILATION, JUBILER → *joie.*

JUBILÉ → *cérémonie.*

JUCHER, JUCHOIR → *haut, oiseau.*

JUDAÏQUE, JUDAÏSME → *juif.*

JUDAS → *ouvrir, tromper.*

JUDICATURE → *magistrat.*

JUDICIAIRE → *justice.*

JUDICIEUX → *esprit, opinion, raisonnement.*

JUDO, JUDOKA → *gymnastique, sport.*

JUGE → *justice, magistrat, tribunal.*

JUGÉ (AU) → *estimer.*

JUGEMENT, JUGEOTE → *connaissance, estimer, raisonnement, tribunal.*

JUGER → *décider, estimer, opinion.*

JUGULAIRE → *attache, cou.*

JUGULER → *arrêter.*

JUIF → *religion.* — **Les Juifs.** Ashkenazim et Séphardim; déicide; diaspora; dreyfusisme, dreyfusard, antidreyfusard; Exode; ghetto; hébreu, hébraïsant, hébraïque; Israël, Israélien; Israélite; *Le Journal d'Anne Frank;* judaïsme; juif, juive, nation/peuple juif, juiverie, enjuivé, le Juif errant; nazisme, étoile jaune; Palestine, Judée; persécutions, pogrom, racisme, antisémitisme; sémite, sémitique; sionisme, sioniste; « solution finale du problème juif »; yiddish; youpin (pop.), youde (pop.), youtre (pop.). — **Le judaïsme.** Bible; cabale, cabaliste; consistoire israélite; lévite; massorah; pâque juive; parascève; prêtre, grand prêtre; rabbi, rabbin, rabbinat, grand rabbin, rabbinisme, rabbiniste; royaume/État d'Israël; sabbat; sanhédrin; scénopégie; synagogue; Talmud; Temple; Terre promise, pays de Canaan; Torah. ▪ Essénien, pharisien, saducéen, thérapeute, zélote. — **Coutumes juives.** Bouc, bouc émissaire; circoncire, circoncision; mur des Lamentations; pain azyme; pectoral; Pentecôte; rational; taleth; viande casher ou cawcher, etc.

JUILLET, JUIN → *calendrier.*

JULEP → *médicament.*

JULIENNE → *légume.*

JUMEAU, JUMELAGE, JUMELER → *deux, lier, ville.*

JUMELLES → *machine, optique.*

JUMENT, JUMPING → *cheval.*

JUNGLE → *arbre, force, plante.*

JUNIOR → *jeune.*

JUNON → *mythologie.*

JUNTE → *gouverner.*

JUPE, JUPE-CULOTTE, JUPON → *vêtement.*

JURANÇON → *vin.*

JURASSIEN → *relief.*

JURASSIQUE → *géologie.*

JURÉ → *tribunal.*

JURER → *affirmer, colère, engager, offense.*

JURIDICTION → *justice, tribunal.*

JURIDIQUE → *droit, justice.*

JURISPRUDENCE → *tribunal.*

JURISTE → *droit.*

JURON → *offense.*

JURY → *enseignement, estimer, tribunal.*

JUS → *café, presser.*

JUSANT → *mer.*

JUSTE → *droit, exact, justice, petit, vérité.*

JUSTE-MILIEU → *balance, égal, milieu, sage.*

JUSTESSE → *balance, esprit, exact, raisonnement.*

JUSTICE → *droit, magistrat, morale, tribunal.* — **Justice et morale.** Tenir la balance égale, la balance de la Justice; bonté, bon; conscience morale; désintéressement, désintéressé; droiture, droit; équanimité, équanime; équité, équitable; fidélité, fidèle; homme d'honneur; honnêteté, honnête; honorabilité, honorable; impartialité, impartial; intégrité, intègre; loyauté, loyal; neutralité, neutre; objectivité, objectif; probité, probe; rigorisme, rigide, rigoureux; vertu, vertueux; être sans préférence/sans préjugés/sans préventions. — **Faire régner une loi.** Châtier, châtiment; condamnation, condamner sans appel; droit, dire le droit, à bon droit; juger, juge, magistrat; juridiction, jury, juriste; justice distributive/immanente/expéditive; justice divine/humaine; justiciable, justicier; judiciaire, pouvoir judiciaire; légalité, légal, légitime; licite; loi, esprit/lettre de la loi; loi du plus fort/du talion; peine, lynchage; vendetta, vindicte. ■ Cour, parlement, tribunal. — **Actes de justice.** Accuser, accusation; action, agir, actionner; assigner, assignation; attaquer en justice; citer, citation; comparaître, comparution; défendre, se défendre, défense, défenseur; demander justice, demandeur; ester; mandat d'amener/d'arrêt/de dépôt; plaider, plaidoyer, plaideur; plainte, déposer/instruire/recevoir/retirer une plainte, le plaignant; poursuivre en justice, poursuites, engager/entamer des poursuites judiciaires; procédure, procédurier; procès; recevable, non recevable, débouter; renvoi; requérir, requête; saisir la justice; témoigner, témoin; traduire/traîner devant les tribunaux; verbaliser. — **Officiers ministériels.** Cabinet, charge, client, étude, office, panonceau d'officier ministériel, homme de loi. ■ Avoué, constituer avoué; commissaire-priseur, vente; greffier, commis-greffier, grosse, plumitif; huissier, clerc d'huissier, audiencier, constat, exploit, instrument; notaire, maître, tabellion, clerc de notaire, premier clerc, notaire de famille, acte notarié, contrat.

JUSTICIABLE → *peine.*

JUSTICIER → *justice.*

JUSTIFICATIF, JUSTIFICATION, JUSTIFIER → *preuve, répondre.*

JUTE → *textile.*

JUTER, JUTEUX → *fruit, liquide.*

JUVÉNILE, JUVÉNILITÉ → *jeune.*

JUXTAPOSER, JUXTAPOSITION → *grammaire, lier.*

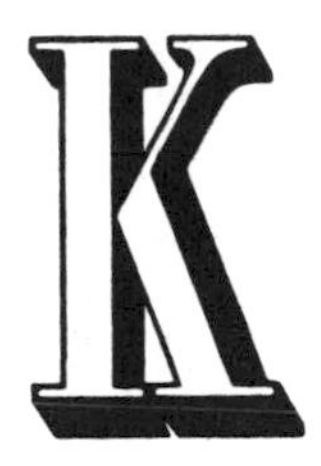

KABYLE → *Afrique.*
KAKI → *couleur, fruit.*
KALÉIDOSCOPE → *couleur.*
KANGOUROU → *mammifères.*
KAOLIN → *argile.*
KAPOK → *gonfler.*
KARATÉ → *sport.*
KARSTIQUE → *relief.*
KART, KARTING → *course.*
KAYAK → *bateau, sport.*
KÉPHYR → *boisson.*
KÉPI → *chapeau, grade.*
KÉRATINE → *doigt, poil, plume.*
KÉRATITE, KÉRATOPLASTIE → *œil.*
KÉRATOSE → *peau.*
KERMESSE → *fête.*
KÉROSÈNE → *pétrole.*
KETCH → *voilure.*
KETCHUP → *aliment.*
KHMER → *Asie.*
KHÔL → *parfum, toilette.*
KIBBOUTZ → *ferme.*
KIDNAPPER, KIDNAPPING → *voler.*
KILO, KILOGRAMME → *mesure, peser.*
KILOMÈTRE, KILOMÉTRIQUE → *espace, mesure.*
KILOWATT → *électricité, mesure.*
KILT → *vêtement.*
KIMONO → *Asie, vêtement.*
KINESCOPE → *cinéma.*
KINÉSITHÉRAPEUTE → *soigner.*
KINESTHÉSIE → *mouvement.*
KIOSQUE → *édifice, jardin, journal.*
KIRSCH → *alcool.*
KLAXON, KLAXONNER → *automobile, avertir.*
KLEPTOMANE, KLEPTOMANIE → *voler.*
KNOCK-DOWN, KNOCK-OUT → *boxe.*
KNOUT → *frapper.*
KOLKHOZE → *ferme.*
KONZERN → *entreprise.*
KOPECK → *monnaie.*
KORRIGAN → *esprit, imaginer.*
KOUGLOF → *pâtisserie.*
KRACH → *banque.*
KRAFT → *papier.*
KRYPTON → *gaz, lumière.*
KUMMEL → *alcool.*
KWAS → *boisson.*
KYRIE ELEISON → *liturgie.*
KYRIELLE → *abondance, nombre.*
KYSTE → *tumeur.*

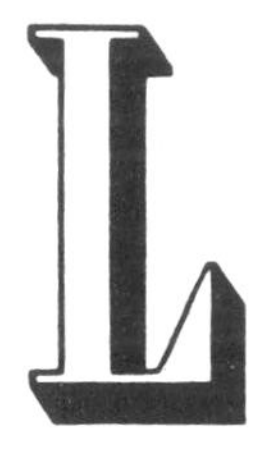

LABEL → *commerce, qualité.*

LABEUR → *travail.*

LABIAL → *bouche, son.*

LABORANTIN, LABORATOIRE → *chimie, essayer, science.*

LABORIEUX → *difficile, dur, travail.*

LABOUR, LABOURER → *agriculture campagne, culture.*

LABOURER → *blesser.*

LABRE → *insecte, mammifères.*

LABYRINTHE → *arbre, difficile, édifice, obscur, perdre.*

LAC → *eau.* — **Étendue d'eau.** Eau dormante / morte / stagnante : chott, sebkha arabe ; étang ; flaque ; lac, lac artificiel/souterrain, lacustre, cité lacustre/sur pilotis ; lagon, lagune ; loch ; marais ; mare ; marécage, marigot ; nappe d'eau ; limnologie. ■ Réserve d'eau : barrage, bassin, citerne, château d'eau, pièce d'eau, puits ; réservoir, retenue. ■ Terrain marécageux : alluvions ; bas-fonds ; boue, boueux ; bourbe, bourbeux, bourbier ; fagne ; fange, fangeux ; fondrière ; inondation, inonder ; limoneux ; marécageux ; maremme italien, moere flamande ; noue ; palud, paludéen, paludisme ; polder ; tourbière ; vase, vaseux. — **Entretien et travaux.** Berge, bonde, bord, chaussée, déversoir, digue, grève, grille, levée, trop-plein, vanne, vivier. ■ Assainir, assainissement ; assèchement, assécher, dessécher ; colmatage, colmater ; combler ; curage, curer ; débourber, embourber ; dévaser, envasement ; drague, draguer ; drainage, drainer ; faucarder ; pêcher ; vider. ■ Marais salant, œillet, saline, varaigne de marais salant ; paludier. ■ Tourbière, extraire la tourbe. — **Faune et flore.** Alevin, nourrain, aleviner, alevinier, aquarium, empoissonner, vivier ; brochet, carpe, gardon, grenouille, omble chevalier, perche, poisson-chat, tanche ; pêche, poisson. ■ Bécassine, canard sauvage/colvert, halbran, héron, loutre, macreuse, poule d'eau, râle, sarcelle ; cygne, flamand rose, loutre, ragondin, rat d'eau ; maringouin, moustique, stégomyie, taon. ■ Aulne, aulnaie, peuplier, saule, saulnaie ; jonc, jonchaie, osier, oseraie, plante halophile, prés salés, roseau, salicorne ; nénuphar, nymphéa, renoncule. — **Sports nautiques.** Baignade, baigner, bain, barboter, nager, natation, piscine, plongeon, plonger ; barque, bateau, canoë, canotage, naviguer, plan d'eau, ramer, voile ; chasse aux canards, chasser, gibier d'eau ; pêche, pêcher, canne à pêche, ligne ; ski nautique.

LACER → *attache, fermer, lier.*

LACÉRATION, LACÉRER → *blesser, couper, morceau.*

LACET → *chasse, corde, indirect.*

LÂCHE, LÂCHER → *corde, fuir, mou.*

LÂCHE, LÂCHETÉ → *avilir, faible, mou, peur.*

LÂCHER, LÂCHEUR → *abandon.*

LACIS → *mêler.*

LACONIQUE, LACONISME → *force, parler.*

LACRIMA-CHRISTI → *vin.*

LACRYMAL, LACRYMOGÈNE → *gaz, œil.*

LACS → *chasse.*

LACTAIRE → *champignon.*

LACTATION, LACTÉ → *lait.*

LACTESCENT → *blanc.*

LACTIQUE, LACTOSE → *lait.*

LACUNE → *intervalle, manque, mémoire.*

LACUSTRE → *lac.*

LAD → *cheval.*

LADRE, LADRERIE → *avare, porc.*

LAGAN → *morceau.*

LAGON → *lac.*

LAGUNE → *lac, mer.*

LAI → *poésie.*

LAICISER, LAICITÉ → *incroyance, politique, religion.*

LAID, LAIDERON, LAIDEUR → *déplaire, grossier, imaginer, mal.* — **Laid à voir.** Abominable, abomination, affreux, atroce, attristant, dégoûtant, déplaisant, désagréable, détestable, effrayant, effroyable, épouvantable, exécrable, hideur, hideux, horreur, horrible, ignoble, imparfait, imperfection, informe, moche (fam.), monstrueux, monstruosité, rébarbatif, repoussant, repoussoir, répugnant, ridicule, sale, saleté, terrible, terrifiant, tocard (fam.), vilain. ▪ Rendre laid : caricatural, caricaturer, défigurer, déparer, enlaidir, gâcher. ▪ Laid comme un pou/comme un singe/comme les sept péchés capitaux. — **Mal bâti.** Biscornu, chafouin, contorsionné, croche, défiguré, déformé, déformation, dégingandé, déjeté, démodé, difforme, disgracié, disgracieux, disgrâce, disharmonie, disproportion, disproportionné, distordu (tordu, de travers), énorme, excès, excessif, grimaçant, grimace, grotesque, hirsute, hommasse, inélégant, inesthétique, infirme, irrégulier, rabougri, rachitique, racorni, ratatiné. ▪ Avorton, bancal, Don Quichotte, Ésope, géant, gnome, grande bringue, laideron, macaque, monstre, nabot, nain, pygmée, phénomène, Polichinelle, Quasimodo, Riquet à la houppe. ▪ Animal/personnage fabuleux/monstrueux : centaure, chimère, Cyclope, hippogriffe, licorne, Minotaure, Sphinx. — **Monstres effrayants.** Barbe-Bleue, Cerbère, Charybde et Scylla, Croquemitaine, démon, diable, dragon, fantôme, fée Carabosse, furie, goule, Gorgone, griffon, harpie, lémure, Léviathan, loup-garou, Méduse, ogre, ogresse, père Fouettard, satyre ,serpent de mer, spectre, strige, vampire. ▪ Tératologie. — **Moralement laid.** Abject ; bas, bassesse ; criminel ; débauché ; déchu ; dégénéré ; dépravé ; défaut, faute ; déshonnête, malhonnête ; flétrissure ; honte, honteux ; ignoble ; ignominie ; indigne, indignité ; infâme, infamie ; immoral ; impur ; malséant ; mauvais ; méchant ; méprisable ; malgracieux, malotru ; noir, noirceur ; odieux ; péché ; pervers, perversion, perversité ; pourriture ; révoltant ; scandale, scandaleux ; souillure ; tare, taré ; turpitude, tortueux ; vice, vicieux ; vil, vilain, vilenie.

LAIE → *porc.*

LAIE → *arbre.*

LAINAGE → *laine, mouton, tissu, vêtement.*

LAINE → *fil, mouton, textile, tissu, verre.* — **Origine et qualités.** Animal lanifère/lanigère, bêtes à laine, tondre, tonte : agneau, agneline, alpaga, angora, brebis, bélier, chameau, chèvre, cheviotte, mohair, mouton, mérinos, ovidés, vigogne. ▪ Laine, poil laineux, toison, laine beige/brute/mécheuse/en suint : bourre lanice, brins, cœur, déchets ou blousse, flocons, mèches. ▪ Chaleur, douceur, duveté, élasticité, finesse, force, gonflant, légèreté, lustre, moelleux, nerf, nuance, résistance, solidité, souplesse. — **Usages de la laine.** Laine agglomérée, bourre, laine à matelas ; feutre, laine Renaissance, molleton. ▪ Moquette, thibaude, tapis, tapis de haute laine. ▪ Étoffe, tissu, laine cardée/peignée : alpaga ; bure ; drap, draper, drapier, droguet ; gabardine, imperméabiliser, loden ; jersey ; peigné ; ratine, ratinage, ratiner ; reps ; sayette ; serge, serger, sergette ; tartan, écossais. ▪ Tricot : cardigan, chandail, chaussette, couverture, gilet, manteau, pull-over, robe, sweater. ▪ Travail de la laine : apprêter, dégorger, dégraisser, dessuinter, éjarrer, laver, mise en balle. ▪ Travail du drap : brossage, décatissage, façonner, feutrage, foulage, lainage, lustrage, pressage, tondage. — **Tricot.** Bobine, écheveau, pelote, peloton ; laine à repriser/à tapisserie/à tricoter, laine indéformable/infeutrable, pure laine, pure laine vierge. ▪ Aiguille ; crochet, crocheter, faire du crochet/du tricot, tricoter, confectionner un ouvrage au crochet/en tricot. ▪ Bride, demi-bride, double-bride ; chaînette ; côte ; dessin, jacquard, motif, torsade ; diminution, augmentation ; jersey ; maille, maille serrée, remmailler ; monter, démonter ; picot ; point, point à l'endroit/à l'envers ; rang ; surjet. ▪ Machine/métier à tricoter, tricoteuse : broche, crochet, curseur, fonture, jauge.

LAINEUX, LAINIER → *laine.*

LAÏQUE, LAÏC → *incroyance, religion.*

LAISSE → *attache, chien.*

LAISSE → *mer, poésie.*

LAISSÉ-POUR-COMPTE → *commerce.*

LAISSER → *abandon, donner, mou, négliger, permettre.*

LAISSER-ALLER → *libre, négliger.*

LAISSER-COURRE → *chasse.*

LAISSEZ-PASSER → *papier, permettre, personne.*

LAIT, LAITAGE → *beurre, blanc, bœuf.* — **Allaitement.** Lait de femme/de nourrice, sein, aréole, globe, glande mammaire, mamelon, poitrine, téton (fam.), sécrétion lactée. ▪ Colostrum, premier lait, montée de lait, fièvre lactée, produit galactogène, faire passer le lait; donner son lait/le sein, allaiter, nourrir, mettre en nourrice, mettre au sein; prendre le sein, sucer le lait, tétée, téter, téterelle, tire-lait. ▪ Bébé, nourrisson, poupon; frère/sœur de lait. ▪ Allaitement, lactation, allaitement artificiel / naturel / maternel / mixte, biberon, tétine; élever au biberon/au sein; sevrage, sevrer. — **Production du lait.** Anesse, brebis, chèvre, vache, vache amouillante/à lait/laitière; presser les mamelles, pis, tétine, tette, trayon; tirer, traire, traite, trayeuse électrique. ▪ Cochon/veau de lait; élevage, élever; ramassage, ramasser/récolter/transporter le lait. ▪ Coopérative fruitière/laitière, ferme, laiterie, berthe, bidon, récipient à lait; crémerie, crémier, laitier, vendre, vente au détail, boîte à lait, berlingot, bouteille, emballage perdu, pot au lait, sac plastique. — **Traitement du lait.** Lait bourru/cru/bouilli/fermenté; écrémage, lait écrémé/demi-écrémé/entier/homogénéisé / pasteurisé / réfrigéré / stérilisé/traité. ▪ Couper/falsifier le lait, frauder, mouillage, mouiller, pèse-lait ou galactomètre. ▪ Lait concentré/condensé/sucré/non sucré/en berlingot/en boîte métallique/en tube; lait desséché, dessiccation, lait pulvérisé/en poudre, farine lactée. ▪ Ébullition, faire bouillir le lait, déborder, monter, se sauver; lait tourné. ▪ Café, chocolat, soupe au lait, lait de poule, laitage, régime lacté; képhyr. — **Fabrication du fromage.** Caséine, caséification; coagulation, coaguler, cailler, caillebotter, fermentation, ferment lactique, fermenter, présure, emprésurage, emprésurer; lait caillé, petit-lait, babeurre, beurre, crème; lait aigri/bleui. ▪ Association/industrie fromagère, fromager, fromagerie, fruitier, fruitière; armaillis, buron, chalet. ▪ Affiner, brasser, brassoir, couper, diviser, égoutter, égouttoir, malaxer, mouler, laver la croûte, presser, salage, saler; forme, caserette, cagerotte, claie, clayon, clisse, éclisse, faisselle, moule; maturation, mise en cave; chauffer, cuire, fondre. ▪ Boule, meule, pyramide, roue; croûte, pâte. — **Divers fromages.** Fromage frais, caillebotte, double-crème, demi-sel, fromage blanc/mou, petit suisse, yaourt, yogourt. ▪ Fromage à pâte molle, fait à cœur, du plâtre (pop.), couler, grouiller de vers, moisir, moisissure, sécher : brie, camembert, cancoillotte, carré de l'Est, coulommiers, fontainebleau, livarot, maroilles, munster, pont-l'évêque, reblochon. ▪ Pâte persillée : bleu, gorgonzola, roquefort, stilton, saint-marcellin, tomme. ▪ Pâte pressée : beaufort, cantal, chester, comté, édam, emmenthal, fourme, gruyère, gouda, hollande, mimolette, parmesan, port-salut, saint-nectaire, saint-paulin, vacherin. ▪ Fromage de chèvre : cendré, chabichou, chevrotin, crottin de Chavignolles, sainte-maure. ▪ Pâte fondue : crème de gruyère. ▪ Plats au fromage : fondue, gratinée, raclette, ramequin, soufflé.

LAITANCE → *poisson.*

LAITERIE → *beurre, ferme, lait.*

LAITEUX → *blanc.*

LAITIER → *lait.*

LAITIER → *four, métal.*

LAITON → *cuivre.*

LAITUE → *légume.*

LAÏUS → *discussion, parler.*

LAIZE → *tissu.*

LAMA → *Asie.*

LAMA → *harnais, laine.*

LAMANAGE, LAMANEUR → *port.*

LAMBEAU → *morceau.*

LAMBIC → *bière.*

LAMBIN, LAMBINER → *lent, paresse.*

LAMBOURDE → *charpente.*

LAMBREQUIN → *blason, décoration.*

LAMBRIS, LAMBRISSER → *calcium, couvrir, plancher.*

LAMBRUCHE, LAMBRUSQUE → *vigne.*

LAME, LAMELLE → *couper, mer, morceau, outil.*

LAMELLIBRANCHES → *mollusques.*

LAMELLICORNES → *insecte.*

LAMELLIROSTRE → *bec.*

LAMENTABLE → *mal, triste.*

LAMENTATION, LAMENTER (SE), LAMENTO → *douleur, mécontentement, triste.*

LAMINAIRE → *algue.*

LAMINER, LAMINOIR → *métal, maigre, presser.*

LAMPADAIRE → *lampe.*

LAMPARO → *lumière, pêcher.*

LAMPAS → *soie.*

LAMPE → *chaleur, électricité, lumière.* — **Lampe électrique.** Arc électrique, charbon; incandescence, filament incandescent; infrarouge; lampe dépolie / à flamme / opaline ; lampe éclair/au magnésium/flash ; lampe diode/triode/tétrode, etc. ; luminescence, luminescent, luminance ; rayonnement ultraviolet ; tube, tube fluorescent. ▪ Bougie, lumen, stilbs, volt, watt. ▪ Argon, azote, carbone, hélium, krypton, néon, tungstène, vapeur de mercure/de sodium. — **Éléments de lampe électrique ordinaire.** Ampoule ; culot ; douille ; fiche, brancher, débrancher ; fil électrique ; interrupteur, olive, poire ; isolant ; pile ; rallonge ; va-et-vient. ▪ Abat-jour, globe, réflecteur. — **Autres lampes.** Lampe à essence ; lampe à gaz, gaz éclairant/d'éclairage, le gaz brûle, manchon ; lampe à huile, bec, mèche ; lampe hydrostatique ; lampe à modérateur ; lampe à pétrole, filer, fumer, verre de lampe ; lampe à pompe ; lampe pneumatique ; lampiste, lampisterie. — **Divers appareils émetteurs de lumière.** Applique ; baladeuse ; bec de gaz ; bougie, bougeoir ; candélabre ; chandelle, moucher les chandelles, chandelier ; enseigne ; falot ; fanal ; feux ; girandole ; lampadaire ; lampe de chevet/de poche/ de mineur ; lampion ; lampe torche ; lanterneau, lanterne tempête ; laser ; lumignon ; lustre, lustrerie ; phare ; phare maritime, balise, bouée lumineuse ; phare d'automobile / antibrouillard/à iode ; photophore ; plafonnier ; projecteur ; quinquet ; rampe ; réverbère ; spot ; sunlight ; suspension ; veilleuse.

LAMPÉE, LAMPER → *boire.*
LAMPION → *fête, lumière.*
LAMPISTE → *lampe, petit.*
LAMPISTERIE → *lampe.*
LAMPROIE → *poisson.*
LANCE → *arme, jeter.*
LANCE-BOMBES, LANCE-FLAMMES, LANCE-FUSÉES → *arme.*
LANCÉE → *pousser.*
LANCÉOLÉ → *arc, feuille.*
LANCER → *cri, informer, jeter, partir, pêcher.*
LANCETTE → *chirurgie, couper.*
LANCIER → *cavalerie.*
LANCINANT → *douleur.*
LANÇON → *poisson.*
LANDAU → *enfant, voiture.*
LANDE → *végétation.*
LANGAGE → *cri, grammaire, indirect, parler.* — **Principales familles de langues.** ▪ Langues indo-européennes : albanais, arménien, baltes, germaniques, helléniques, hittite, illyrien, indo-aryennes, italo-celtiques (italiques, latin, langues romanes, etc.), slaves, tokharien. ▪ Langues chamito-sémitiques : arabe, araméen, berbère, chaldéen, copte, hébreu. ▪ Autres langues d'Europe : asiatiques, basque, caucasiennes, méditerranéennes. ▪ Langues d'Asie : coréen, finno-ougriennes, japonais, mongol, ouralo-altaïques, turc ; chinois, dravidiennes, tibéto-birmanes, thaï. ▪ Langues des îles d'Asie et d'Océanie : australiennes, malayo-polynésiennes, papoues. ▪ Langues d'Afrique : bantoues, khoin, du Soudan et de Guinée. ▪ Langues d'Amérique du Nord : algonquin, esquimau, iroquois, huron. ▪ Langues d'Amérique centrale et méridionale. — **Typologie des langues.** Langue de civilisation ; langue courante/savante / technique / véhiculaire/vulgaire ; langue écrite ou parlée ; langue vivante ou morte. ▪ Classement logique : langues analogues / transpositives / analytiques / synthétiques. ▪ Classement morphologique : langues agglutinantes ou holophrastiques / flexionnelles / incorporantes ou polysynthétiques / isolantes / monosyllabiques. — **Divers langages particuliers.** Argot, argotique, langue verte, calo, cockney, slang ; baragouin, charabia ; dialecte champenois/picard, etc., ensemble dialectal ; félibrisme, félibrige ; idiome ; idiotisme, belgicisme, gallicisme, etc. ; jargon, jargonner ; koinè ; langue d'oc/d'oïl ; langues artificielles, espéranto, volapük ; langue diplomatique/ésotérique/ d'initiés/liturgique/mixte ou bichlamar ; patois, patoisant, patoiser ; petit-nègre ; poésie, prose ; purisme ; sabir ; tour de Babel. ▪ Langage algébrique/ chiffré/codé/machine (algol, cobol, fortran, etc.)/mimique et digital ou dactylologie. — **Science du langage.** Diachronie, synchronie ; dialectologie ; état de langue ; étymologie, étymologiste ; grammaire, grammairien ; lexicographe, dictionnaire ; lexique, lexicologie, lexicologue, vocabulaire ; linguistique comparative/fonctionnelle/générale / historique / structurale / transformationnelle, linguiste ; morphologie ; onomasiologie, onomastique ; philologie, philologue ; phonétique, phonologie, phonéticien ; sémantique, sémanticien ; stylistique, stylisticien ; syntaxe ; toponymie. — **Signes du langage.** Alphabet, lettre, code, codage ; mot ; phonème ; principe d'opposition/de différenciation ; segment ; signe, signe diacritique, signifiant, signifié ; son ; système ; trait distinctif ; unité significative/de première/de seconde articulation. ▪ Affixe, infixe, préfixe, suffixe ; racine, radical, etc. — **Façons de s'exprimer.** Langage académique/affecté/amphigourique, beau langage, langage de la cour, atticisme, babil, bégaiement, langage châtié/ clair / confus / cru / faubourien / gros-

sier / hermétique / libre / macaronique/ poissard / des Halles / populaire / précieux, préciosité, langage simple/truculent/vulgaire. ■ Barbarisme, cuir, défaut, faute, impropriété, incorrection, néologisme, provincialisme, solécisme. — **Parler des langues.** Apprendre une langue, la comprendre, l'écrire; cosmopolite; déchiffrer; expliquer, explication; interprète, par le truchement d'un interprète; interpréter, interprétation; langue étrangère/maternelle/mère; méthode d'apprentissage rapide / audio-visuelle / par disques; monolinguisme, bilinguisme, frontière linguistique; mot à mot; parler une langue couramment, baragouiner quelques mots (fam.), etc.; polyglotte; professeur de langues, angliciste, germaniste, etc.; thème, version; traduire, à livre ouvert, traducteur juré, traduction exacte/fidèle/littérale/libre, belle infidèle; suivre le texte. ■ Faux sens, contresens, etc.

LANGE, LANGER → *enfant, vêtement.*

LANGOUREUX → *doux, faible, regard.*

LANGOUSTE, LANGOUSTIER, LANGOUSTINE → *crustacés.*

LANGUE → *bouche, langage, manger, parler, secret.*

LANGUEUR → *faible, fatigue, paresse.*

LANGUEYER → *porc.*

LANGUIR, LANGUISSANT → *attendre, faible.*

LANICE → *laine.*

LANIÈRE → *bande.*

LANOLINE → *gras, mouton.*

LANSQUENET → *carte, infanterie.*

LANTERNE → *cinéma, informer, lampe.*

LANTERNE, LANTERNEAU → *édifice.*

LANTERNER → *attendre, marcher.*

LAPALISSADE → *certifier, vérité.*

LAPAROTOMIE → *intestin, ventre.*

LAPEMENT, LAPER → *boire.*

LAPEREAU → *lapin.*

LAPIDAIRE → *inscription, joaillerie, sculpture.*

LAPIDATION, LAPIDER → *attaque, mourir.*

LAPILLI → *volcan.*

LAPIN, LAPINER, LAPINIÈRE → *cri, élevage, poil, ronger.* — **Le lapin.** Lapine, lapereau; lapin de chou, clapier, lapin domestique / de garenne; lapin à fourrure : angora, argenté, chinchilla, rex, russe; lapin argenté de Champagne/bélier/blanc de Vendée/fauve de Bourgogne/des Flandres/géant blanc du Bouscat/géant normand/papillon français. ■ Clapier; coccidiose, myxomatose; se terrer, terrier; Jeannot Lapin. — **Le lièvre.** Capucin, bouquin, hase, levraut, lièvre, lièvre commun/d'Égypte/tolaï/variable ou changeant; gîte, gîter, se motter, musse, se musser, se relaisser, randonnée; repaire; vagir, vagissement. — **Commun à ces deux animaux.** Léporidés, rongeurs; couette, craintif, débouler, gratter, longues oreilles, portée. ■ Betterave, carotte, chou, aliment concentré, herbe à lapin, persil, trèfle. ■ Affût, chasse, collet, furet, panneaux. ■ Civet, en gelée, gibelotte, pâté, râble, sauté chasseur.

LAPIS-LAZULI, LAZURITE → *bijou, joaillerie.*

LAPS → *intervalle, temps.*

LAPSUS → *faute, parler.*

LAQUAIS → *maison, servir.*

LAQUE, LAQUER → *briller, gomme, meuble.*

LARBIN → *servir.*

LARCIN → *voler.*

LARD → *gras, porc.*

LARDER → *blesser, intérieur, viande.*

LARDON → *enfant, porc.*

LARES → *mythologie.*

LARGE, LARGESSE → *bienfaisance donner, importance.*

LARGE, LARGEUR → *grand.*

LARGUE → *navire.*

LARGUER → *marine, partir.*

LARME → *douleur, glande, liquide, œil, triste.*

LARMIER → *cheval, œil, pluie.*

LARMOYER → *triste.*

LARRON → *Christ, voler.*

LARVAIRE, LARVE → *animal, grand, insecte.*

LARVÉ → *cacher, maladie.*

LARYNGITE, LARYNGOLOGIE, LARYNX → *gorge.*

LAS → *déplaire, fatigue.*

LASAGNE → *farine.*

LASCAR → *tromper.*

LASCIF, LASCIVITÉ → *débauche, mou.*

LASER → *lampe, lumière.*

LASSER, LASSITUDE → *déplaire, fatigue.*

LASSO → *corde.*

LASTEX → *caoutchouc.*

LATENCE, LATENT → *cacher, maladie.*

LATÉRAL → *bord.*

LATÉRITE → *argile.*

LATEX → *caoutchouc.*

LATICLAVE → *bande.*

LATIFUNDIUM → *ferme.*

LATIN → *église, Europe, langage, littérature, pays, voilure.*
LATITUDE → *astronomie, météorologie, orientation, pouvoir.*
LATRIE → *dieu.*
LATRINES → *résidu, toilette.*
LATTE, LATTER, LATTIS → *charpente, plancher.*
LAUDANUM → *médicament.*
LAUDATIF → *éloge.*
LAUDES → *liturgie.*
LAURÉAT → *mérite, réussir.*
LAURIER → *aliment, arbre.*
LAURIER-CERISE, LAURIER-ROSE → *arbre.*
LAVABO → *liturgie, maison, toilette.*
LAVALLIÈRE → *cou.*
LAVANDE → *parfum, plante.*
LAVANDIÈRE → *nettoyer.*
LAVATORY → *toilette.*
LAVE → *volcan.*
LAVE-GLACE → *automobile.*
LAVEMENT → *intestin, liturgie.*
LAVER → *bain, critique, nettoyer, offense.*
LAVERIE → *nettoyer.*
LAVETTE → *mou, vaisselle.*
LAVIS → *dessin.*
LAXATIF → *médicament.*
LAXISME → *permettre.*
LAYER → *arbre, pierre.*
LAYETTE → *enfant, vêtement.*
LAYON → *arbre.*
LAZARET → *éloigner, microbe.*
LAZZI → *moquer.*
LÉ → *tissu.*
LEADER → *chef, parti, sport.*
LEADERSHIP → *chef.*
LEASING → *location.*
LEBEL → *fusil.*
LÈCHE → *éloge, plaire.*
LÉCHÉ → *exécuter, finir, grossier.*
LÈCHEFRITE → *four.*
LÉCHER → *exécuter, magasin, manger.*
LÉCITHINE → *œuf.*
LEÇON → *avertir, enseignement, littérature.*
LECTEUR, LECTURE → *lire, livre, université.*
LÉGAL → *loi.*
LÉGALISER, LÉGALITÉ → *certifier, loi.*
LÉGALISME, LÉGALISTE → *respect.*
LÉGAT → *envoyer, pape.*
LÉGATAIRE → *donner, succession.*
LÉGATION → *diplomatie.*
LÈGE → *navire.*
LÉGENDAIRE, LÉGENDE → *expliquer, imaginer, mythologie, récit.*
LÉGER, LÉGÈRETÉ → *faible, futile, négliger, peser, vif.*
LEGGINGS → *jambe.*
LÉGIFÉRER → *loi.*
LÉGION → *armée, colonie, nombre.*
LÉGIONNAIRE → *armée, chevalerie.*
LÉGISLATEUR, LÉGISLATIF, LÉGISLATION → *loi.*
LÉGISLATURE → *gouverner.*
LÉGISTE → *loi, médecine.*
LÉGITIME, LÉGITIMER, LÉGITIMITÉ → *justice, loi, mariage.*
LÉGITIMISTE, LÉGITIMITÉ → *parti, souverain.*
LEGS, LÉGUER → *donner, succession.*
LÉGUME → *aliment, cuisine, herbe, plante.* — **Les légumes.** Légumineuse ; végétarien, végétarisme. ■ Légumes frais ou verts/de saison/précoces, primeurs ; légumes secs ; écosser, éplucher, nettoyer, peler. ■ Beignet, choucroute, fécule, garniture/jardinière / julienne / macédoine / purée / ratatouille/salade de légumes, légumes en salade ; soupe, bouillon, soupe verte, soupe à l'oignon ou gratinée. ■ Bocaux/conserves de légumes, légumes déshydratés/surgelés. ■ Épicier, épicerie ; halles ; marchand de légumes/ de primeurs/des quatre saisons ; marché. — **Légumes secs.** Fève, flageolet, haricot, lentille, pois, soja. — **Légumes verts.** Ail, échalote, oignon ; betterave, bette à cardes, carotte, céleri, fenouil, rave, salsifis ; crosne, igname, patate, patate douce, pomme de terre, topinambour, truffe ; navet, radis, raifort, rutabaga, scorsonère. ■ Cucurbitacées : aubergine, calebasse, citrouille, coloquinte, concombre, cornichon, courge, courgette, melon, melon cantaloup/sucrin, pastèque ou melon d'eau, pâtisson, potiron. ■ Artichaut, asperge, champignon, épinard, piment, poireau, poivron, tétragone, tomate ; chou, chou de Bruxelles/fleur/pomme/rave. — **La salade.** Barbe de capucin, batavia, bourcette, chicon, chicorée, cresson, cresson alénois, endive, laitue, mâche ou doucette, oseille, pissenlit, pourpier, romaine, scarole, witloof ; salade bien blanche/bien pommée, cœur de salade. ■ Monter en graine ; laver la salade, la secouer dans un panier ; assaisonner ; remuer, retourner, tourner ; salade cotie ; salade cuite.
LÉGUMIER → *vaisselle.*
LÉGUMINEUSES → *grain, légume.*
LEITMOTIV → *musique, reproduction.*
LEMME → *mathématiques.*
LÉMURES → *esprit, laid.*
LENDEMAIN → *calendrier, temps.*

LÉNIFIANT, LÉNIFIER → *calme, doux.*

LÉNINISME → *commun, politique.*

LENT → *calme, durer, faible, mou, mouvement.* — **Agir lentement.** N'aboutir/n'avancer à rien ; calme ; compassé ; componction ; douceur, doux ; flâner, flânerie ; flegme, flegmatique ; ne pas se fouler (fam.), ne pas se casser (pop.) ; graduel ; grave ; long, faire long feu ; méthodique ; minutie, minutieux ; muser ; patience, patient ; piétiner, piétinement ; posé ; prendre son temps ; prudence, prudent ; ramolli, ramollo (fam.) ; tardif ; tatillon ; tranquillité, tranquille. ■ Par degrés, en douceur, lentement, à la longue, pas à pas, petit à petit, peu à peu, pied à pied, posément, un à un. — **Lent dans ses mouvements.** Aller son petit bonhomme de chemin/cahincaha/clopin-clopant ; apathie, apathique ; bœuf ; boiter, boitiller ; endormi ; escargot ; flâneur ; impotent ; lambin, lambiner ; lourd, lourdeur, lourdaud ; marcher gravement/d'un pas de sénateur ; mou ; nonchalant, nonchalance ; paralysé ; patapouf (fam.) ; pataud ; pesant, appesanti ; poussah ; poussif ; tortue ; traînard, traînant, pas/voix traînante, traîner, traînailler, traînasser, traîner la savate (fam.). ■ Adagio, largo, lento, piano ; qui va lentement va sûrement ; qui veut voyager loin ménage sa monture. — **Immobile, insensible.** Alanguir, alanguissement, languir, langueur ; apathie, apathique ; dormir, sommeil ; engourdir, s'engourdir, engourdissement ; épais, épaisseur ; état stationnaire ; inactivité, inactif ; inertie, inerte ; oisif, oisiveté ; paresse, paresseux ; somnolence, somnolent ; stagner, eau stagnante ; torpeur. — **Ralentir.** Atermoiement, atermoyer ; faire attendre ; chicaner, chipoter ; délai ; différer ; discussions interminables/oiseuses ; hésiter, hésitation ; lanterner ; ralentissement, lenteur calculée ; négligence, négligent ; prolonger, proroger ; renvoi ; repousser ; retarder ; temporiser, temporisateur ; tourner autour du pot (fam.) ; faire traîner en longueur ; tergiverser, tergiversation.

LENTEUR → *lent.*

LENTICELLE → *plante.*

LENTILLE → *horlogerie, légume, optique.*

LÉONIN → *avantage, chat, contrat.*

LÉONIN → *poésie.*

LÉOPARD → *chat, poil.*

LÉPIDOPTÈRES → *papillon.*

LÉPIOTE → *champignon.*

LÉPORIDÉS → *lapin.*

LÈPRE, LÉPREUX, LÉPROSERIE → *maladie, microbe, peau.*

LEPTOSPIRE, LEPTOSPIROSE → *fièvre.*

LÉROT → *ronger.*

LESBIENNE → *femme, sexe.*

LÈSE-MAJESTÉ → *crime, respect.*

LÉSER → *blesser, dommage.*

LÉSINERIE, LÉSINER, LÉSINEUR → *avare, économie.*

LÉSION → *annuler, blesser.*

LESSIVE, LESSIVER, LESSIVEUSE → *nettoyer, récipient.*

LEST → *offrir, peser.*

LESTE → *libre, vif.*

LESTER → *manger, peser.*

LÉTAL → *accouchement, mourir, poison.*

LÉTHARGIE, LÉTHARGIQUE → *dormir, inconscience, mou.*

LETTRE, LETTRÉ → *banque, écrire, littérature, poste.*

LETTRINE → *écrire.*

LEU (À LA QUEUE LEU) → *suivre.*

LEU → *monnaie.*

LEUCÉMIE, LEUCÉMIQUE → *sang, tumeur.*

LEUCOCYTE, LEUCOCYTOSE → *sang.*

LEUCORRHÉE → *blanc.*

LEURRE, LEURRER → *attirer, chasse, tromper.*

LEVAIN → *cause, pain, passion.*

LEVANT → *orientation, soleil.*

LEVÉE → *armée, carte, haut, poste, prendre.*

LEVER → *armée, couper, dessin, haut, monter.*

LEVER (SE), LEVER → *apparaître, lit, pain.*

LEVIER → *monter.*

LÉVIGATION, LÉVIGER → *poudre.*

LÉVIROSTRE → *bec, oiseau.*

LÉVITE → *juif.*

LÉVITE → *vêtement.*

LÉVOGYRE → *gauche.*

LEVRAUT → *lapin.*

LÈVRE → *bord, bouche, sexe.*

LEVRETTE, LÉVRIER → *chien.*

LEVURE → *champignon.*

LEXÈME → *mot.*

LEXICAL, LEXICALISER, LEXICOGRAPHIE → *livre, mot.*

LEXICOLOGIE, LEXICOLOGUE → *langage, mot.*

LEXIQUE → *livre, mot.*

LÉZARD → *paresse, reptiles.*

LÉZARDE, LÉZARDER → *détruire, trou.*

LIAISON → *cuisine, guerre, lier, maçonnerie, relation, son.*

LIANE → *plante.*

LIANT → *doux, mou.*

LIARD → *monnaie.*

LIAS → *géologie.*

LIASSE → *paquet.*

LIBAGE → *maçonnerie.*

LIBATION → *boire, fête.*

LIBELLE, LIBELLER → *critique, écrire.*

LIBELLULE → *insecte.*

LIBER → *arbre.*

LIBÉRAL, LIBÉRALISER → *art, libre, métier.*

LIBÉRALISME → *économie, politique.*

LIBÉRALITÉ → *donner.*

LIBÉRATION, LIBÉRER → *devoir, guerre, libre.*

LIBERTAIRE → *libre.*

LIBERTÉ → *droit, libre, opinion, pouvoir.*

LIBERTIN, LIBERTINAGE → *débauche, incroyant, religion.*

LIBIDINEUX → *débauche.*

LIBIDO → *psychanalyse, sexe.*

LIBOURET → *pêcher.*

LIBRAIRE, LIBRAIRE-ÉDITEUR, LIBRAIRIE → *livre, marchandises.*

LIBRATION → *astronomie.*

LIBRE → *débauche, permettre, pouvoir.* — **Libertés juridiques.** Autonomie, autonome; charte; droits de l'homme, homme libre, citoyen; franchise; immunité; indépendance, indépendant; liberté d'association/du commerce et de l'industrie/de conscience/du culte; liberté individuelle, *habeas corpus;* liberté de l'intimité violation de domicile, secret de la correspondance; liberté d'opinion/de pensée/politique/de la presse/publique/de réunion/syndicale/du travail; libre-échange, « laisser-faire, laisser-passer »; souveraineté nationale. ▪ Anarchie, démocratie, libéralisme, libertaire, licence. ▪ Arbre/statue de la Liberté; « Liberté, Égalité, Fraternité ». — **Agir sans contrainte.** Acte gratuit; avoir le champ libre/les coudées franches; choisir, choix, liberté de choix; disposer de soi; facilité; faire à sa guise/à sa tête; faculté; indépendance, indépendant, farouchement indépendant; indéterminisme; individualisme, individualiste; latitude; liberté, en pleine/en toute liberté, liberté de choix/de manœuvre; libre, libre arbitre, libre examen, esprit critique; libre de toutes attaches, libre comme l'air; être son maître; préserver sa personnalité; spontanéité, spontané. — **Liberté de conduite.** Aisance, prendre ses aises; audace, audacieux; décharger son cœur; air dégagé, propos délibéré; désinvolture, désinvolte; donner libre cours à; effronterie, effronté; familiarité, franchise, franc, franc-parler; hardiesse, hardi, s'enhardir; indépendance de paroles; indocile, insoumis; laisser-aller; *ad libitum;* neutralité, neutre; non-engagé; parler à cœur ouvert; se permettre, tout se permettre; privautés; sans-façon, sans-gêne; tête brûlée, coup de tête. — **Devenir, rendre libre.** Acquitter, acquittement; affranchir, esclave affranchi, affranchissement; amnistier, amnistie; briser les chaînes/les liens; congédier, donner congé; délier; délivrance, délivrer; détacher; élargir, élargissement; émanciper, émancipation, idées émancipatrices; exempter, exemption; s'évader, évasion, un prisonnier évadé; gracier; lâcher la bride, laisser la bride sur le cou; levée d'écrou; libérer, libératoire, liberté sous caution/sur parole/provisoire/surveillée; licencier, licenciement; racheter, rachat; rédemption, rédempteur; relâcher, relaxation; renvoyer, renvoi; tirer de prison. ▪ Déblayer le terrain, faire place nette, etc. — **Qui permet d'agir librement.** Blanc-seing; carte blanche; dégagé de toute obligation/de toute servitude, etc.; disponible, disponibilité; impromptu; improvisation, improvisé; inoccupé; irrégulier; chemin/place libre; permettre, permission; sans précédent; tolérance; vacuité, vacant, vide. — **Licence.** Cavalier, cru, se déboutonner, débraillé, dégoûtant, dérèglement des mœurs, égrillard, épicé, équivoque, érotique, gaudriole, gaulois, gauloiserie, (propos) graveleux/gaillard/gras/impudent, geste impudique/indécent, intempérance de langage, irrévérencieux, léger, leste, libidineux; libre, un peu libre; obscénité, obscène; ordure, ordurier; propos pimentés; polisson, polissonnerie; privautés; raide, risqué, salé, saleté, scabreux, vert, vilain mot.

LIBRE ARBITRE → *choisir, libre.*

LIBRE-ÉCHANGE → *douane, économie, libre.*

LIBRE-SERVICE → *commerce, hôtel.*

LIBRETTISTE → *musique.*

LICE → *chevalerie, discussion.*

LICE → *chien.*

LICENCE → *commerce, débauche, grade, permettre, poésie.*

LICENCIÉ → *grade, université.*

LICENCIEMENT, LICENCIER → *éloigner.*

LICENCIEUX → *débauche, libre.*

LICHEN → *algue.*

LICITATION → *acheter, posséder.*

LICITE → *acheter, loi, permettre.*

LICORNE → *animal, imaginer.*

LICOU, LICOL → *attache, harnais.*

LIE → *résidu, vin.*

LIED → *chanter.*

LIE-DE-VIN → *rouge.*

LIÈGE → *arbre, fermer, nager.*

LIÉGEOIS → *café, pâtisserie.*

LIEN → *attache, bande, corde, lier.*

LIER → *attache, engager, mêler, parler, relation.* — **Ce qui sert à lier.** Accolade ; accouple ; alaise ; amarre ; attache ; bande, bandelette ; chaîne ; corde, cordelette, cordon ; couple ; engrenage ; entrave ; entretoise ; ficelle ; fil ; garrot ; jonc ; laisse ; lanière ; licol, licou ; ligament, ligature ; longe ; ruban ; tresse. ▪ Camisole de force, carcan, chaînes, fers, menottes, poucettes. — **Façons de lier.** Agrafer, assembler, attacher, bander, botteler, brider, ceindre, ceinturer, emballer, empaqueter, entortiller, envelopper, ficeler, fixer, harnacher, garrotter, lacer, ligoter, nouer, rabouter, raccorder, sangler ; bouquet, fagot, faisceau, gerbe, paquet, etc. — **Unir par des liens divers.** Accoler ; agencer ; agglomérer, agglomérat ; analogie, analogique ; association, associer ; assujettir, assujettissement ; attacher, attachement ; cimenter, ciment ; coudre, couture ; enchaînement ; enchevêtrer, enchevêtrement ; entrelarder, entremêler ; imbriquer, imbrication ; lier, liage ; ligature, ligaturer ; nœud, nouer ; rapport ; rapprocher ; relier, reliure ; river ; souder, se souder ; servitude. ▪ Coordination, conjonction de coordination, coordonner ; concaténation, copule, copulatif. ▪ Combiner, composer, comprendre ; fil/enchaînement des idées ; logique, rapport logique, suite dans les idées ; synopsis ; syntaxe, synthèse, synthétiser ; système, systématique, systématiser. — **Liens qui unissent les êtres.** S'accointer, accointance, avoir des accointances avec ; s'allier, allier, mésallier, alliance, mésalliance ; apparier, appariement, parité, pair ; faire cause commune ; associé, association, associer ; collaborer collaboration, collaborateur ; coopérer, coopération, coopérant ; être de connivence. ▪ Affinités ; s'aimer, amour ; amitié, contacts amicaux et cordiaux ; concubinage, concubin ; conjoint ; filiation, fils de ; frayer avec ; intimité, être dans l'intimité de, ami intime, ils sont très liés ; liaison ; liens de l'amitié/de famille/du sang ; mariage, se marier, les mariés/époux, épouser ; parenté, parent ; participer à ; solidaire, solidarité ; sympathie, sympathiser, nouer des liens ; unanimité, unanime, cœurs qui battent à l'unisson ; union, unir, union libre. — **État de ce qui est joint, lié.** Accolé ; adhérent ; affinité ; attenant ; coexistant, coexistence ; cohérent, cohérence ; coïncider, coïncidence ; commun, communauté ; concomitant, concomitance ; concurrent ; connexe, en connexion, connecté ; contemporain ; convergence convergent ; emboîter ; filière, au fil des jours ; hermétique ; homogénéité, homogène ; identique ; indissoluble ; indivis, indivision, indivisible ; inhérent, inhérence ; joint, jointif, ajointé, jonction ; juxtaposé ; main dans la main ; série ; solidaire, solidarité ; succession, se suivre ; synchronisme, synchronique ; se toucher ; faire/former un tout. ▪ Décousu, disjoint, hétérogène.

LIERRE → *parasite, plante.*

LIESSE → *joie.*

LIEU → *poisson.*

LIEU → *commun, espace, géométrie, orientation, pays.*

LIEUE → *mesure.*

LIEUSE → *culture.*

LIEUTENANT, LIEUTENANT-COLONEL → *grade.*

LIÈVRE → *but, chasse, difficile, lapin.*

LIFTIER → *hôtel, monter.*

LIGAMENT → *articulation.*

LIGATURE, LIGATURER → *bande, lier.*

LIGE → *féodalité.*

LIGNE → *courbe, droite, finir, fortification, géométrie, pêcher.* — **Tirer une ligne.** Axe ; biais ; cingler ; contour ; courbe, courbure ; dessin, dessin linéaire, dessiner ; filet, fileter ; frontière ; infléchir, inflexion ; ligne, ligne de démarcation/de partage ; limite ; obliquer, oblique ; pointillé, pointiller ; quadrillage, quadriller ; rature, raturer ; rayure, rayer ; règle, régler, réglette, réglet ; soulignement, souligner ; strier, strie ; tirer, tiret, tire-ligne ; tracer, trait ; tringler ; trusquin ou troussequin ; zébrer, zébrure. — **Lignes géométriques.** Arc, arête, asymptote, base, bissectrice, cercle, circonférence, corde, côté, courbe, diagonale, diamètre, horizontale, médiane, parallèle, perpendiculaire, plane, rayon, sécante, tangente, transversale, vecteur, verticale, zigzag. — **Mettre en ligne.** Aligner, alignement ; balistique ; tirer au cordeau ; jalonner, jalon ; niveler, nivellement, mettre de niveau ; piqueter, piquetage, piquet ; plan ; raie dans les cheveux ; repère ; suite. — **Qui est aligné.** Allée ; axe, dans l'axe ; bordure ; chaîne ; colonne ; file, enfilade ; haie ; profiler, profil ; rangée, rang, mettre en rang/deux par deux/en rang d'oignons (fam.) ; rectiligne, curviligne ; rideau ; sillon.

LIGNÉE → *famille, race, suivre.*

LIGNEUL → *chaussure.*

LIGNEUX, LIGNIFIER (SE) → *bois.*

LIGNITE → *charbon.*

LIGOTER → *attache, lier.*

LIGUE, LIGUER, LIGUER (SE) → *association, groupe.*
LILAS → *arbre, fleur.*
LILIAL → *blanc, pur.*
LIMACE → *mollusques, mou.*
LIMAÇON → *entendre, mollusques.*
LIMAILLE → *fer, morceau, polir, poudre.*
LIMANDE → *femme, poisson.*
LIMBE → *avant, bord, feuille.*
LIME → *doigt, métal, polir, toilette.*
LIMIER → *chien, police.*
LIMINAIRE → *commencer, inscription.*
LIMITE, LIMITER → *bord, but, extrême, finir, mesure.*
LIMITROPHE → *bord, extrême, proche.*
LIMOGEAGE, LIMOGER → *éloigner, fonction.*
LIMON → *monter, voiture.*
LIMON → *agrumes.*
LIMON → *boue, engrais.*
LIMONADE, LIMONADIER → *boisson.*
LIMONEUX → *boue.*
LIMONIÈRE → *voiture.*
LIMOUSINE → *automobile, vêtement.*
LIMOUSINER → *maçonnerie.*
LIMPIDE, LIMPIDITÉ → *briller, pur.*
LIN → *huile, médicament, textile, tissu.*
LINCEUL → *couvrir, enterrement.*
LINÉAIRE → *algèbre, dessin, ligne, mesure.*
LINÉAMENT → *commencer.*
LINGE, LINGER, LINGÈRE → *nettoyer, tissu, toilette, vêtement.*
LINGERIE → *maison, nettoyer, toilette, vêtement.*
LINGOT → *métal, typographie.*
LINGUAL → *bouche.*
LINGUISTE, LINGUISTIQUE → *langage.*
LINIER, LINIÈRE → *textile.*
LINIMENT → *médicament, toucher.*
LINKS → *balle.*
LINOLÉUM → *tapis.*
LINON → *tissu.*
LINOTTE → *négliger, oiseau.*
LINOTYPE, LINOTYPIE, LINOTYPISTE → *typographie.*
LINTEAU → *fenêtre, porte.*
LION, LIONNE, LIONCEAU → *chat, courage, importance, mammifères.*
LIPIDE, LIPOÏDE → *aliment, gras.*
LIPOME → *tumeur.*
LIPOTHYMIE → *inconscience.*
LIPPE, LIPPÉE, LIPPU → *bouche, visage.*
LIQUÉFACTION, LIQUÉFIER → *chimie, gaz, liquide.*
LIQUEUR → *alcool, boisson.*
LIQUIDATEUR, LIQUIDATION → *annuler, banque, commerce, devoir.*
LIQUIDE → *bain, boisson, eau, hydraulique, mouiller.* — **Généralités.** Eau, aqueux ; fluide, fluidité ; humeur, humide, humidité ; incompressibilité ; corps liquide, liquidité, liqueur ; viscosité, visqueux. ▪ Humecter, humidifier, imbiber, mouiller, etc. ▪ Densimètre, densité, aéromètre, alcoomètre, pèse-acide, pèse-lait, pèse-sirop. ▪ Acide, alcool, boue, eau, essence, huile, lait sang, sirop, vin, etc. — **Métamorphose des fluides.** Bouillir, bouillie ; clarifier ; coagulation, coaguler ; condensation, condenser ; congélation, congeler ; démixtion ; dépôt, déposer ; diluer, dilution ; distiller ; émulsion ; état gazeux/liquide/solide ; s'évaporer, évaporation ; geler, gelée ; liquéfier, liquéfaction ; résoudre, résolution ; solidifier, solidification ; solution, soluble, solubilité ; vaporiser, vaporisation, atomiseur, vaporisateur. ▪ Défiger, dégeler, déliquescent, fondre ; délayer, diluer, infuser, décoction, infusion. — **Déplacement des liquides.** Affluer, affluent ; arrosage, arroser ; asperger ; confluent ; couler, coulée, couler fort/à flots/ à pleins bords ; courir, courant ; déborder, débordement ; dégouliner (fam.) ; se déverser, déversoir ; s'écouler, écoulement ; s'épancher ; filer ; flux ; fuir, fuite d'eau ; gicler ; jaillir, jet, geyser ; refluer, reflux ; se répandre ; rouler ; ruisseler, ruisseau, ruissellement ; suinter, suintement. — **Faire passer un liquide d'un lieu à un autre.** Capter, captation ; dériver, canal de dérivation ; détourner ; filtrer, filtre ; passer, passoire, passette ; pipette ; robinet ; siphon, siphonner ; soutirer, soutirage ; seringue ; tirer, tirage, à la tireuse ; transvaser, transvasement, transvider ; tuyau ; verser, bec verseur. — **Goutte de liquide.** Bulle ; compte-gouttes ; dégoutter ; distiller, distillation ; égoutter, égouttage, égouttoir ; goutte, gouttelette de métal/de pluie/ de rosée ; gouttière ; instiller, instillation ; pulvériser, pulvérisation ; stillatoire, stilligoutte ; suinter ; tomber goutte à goutte. — **Liquides organiques.** Cérumen, chyle, cire, glaire, excrétions, humeur, humeurs, humoral, lait, larme, liquide amniotique/ céphalo-rachidien, lymphe, morve, mucilage, mucosité, pepsine, sang, sérosité, sérum, sève, sperme, suc gastrique / intestinal / pancréatique, sueur, synovie, urine, venin, virus. ▪ Pus ; crever, écoulement, épanche-

ment, éruption, exsudation, mûrir, pyorrhée, sanie, sialorrhée ; sudation ; suppuration. ■ Bave ; crachat, cracher, crachoter ; écume, écumer ; mousse ; salive, saliver, salivation ; catarrhe, glandes salivaires, hémoptysie, pituite, ptyaline, pyoptisie, sérologie.

LIQUIDE → *argent.*

LIQUIDER → *annuler, commerce, comptabilité, devoir, éloigner, mourir.*

LIQUIDITÉ → *argent.*

LIQUOREUX, LIQUORISTE → *alcool, liquide, vin.*

LIRE → *monnaie.*

LIRE → *écrire, littérature, livre.* — **Apprendre à lire.** Abc, abécédaire ; alphabet ; ânonner ; balbutier ; buter sur un mot ; dire, diction, articuler ; épeler, épellation ; isoler les mots/les sons ; lettre, assembler les lettres ; lire à haute voix ; méthode analytique/globale ou à point de départ global/phonomimique / syllabique / synthétique, syllabaire ; prononcer, prononciation ; réciter, récitation. ■ Alexie ou cécité verbale ; dyslexie ; troubles de lecture. — **Action de lire.** Déchiffrer, déchiffrement, indéchiffrable ; débrouiller ; décrypter, décryptage ; lecteur, lectrice, comité de lecture ; liseur ; lecture ; lire un mot/une phrase ; lire une ligne/entre les lignes, n'avoir jamais lu une ligne de ; un passage ; parcourir ; suivre des yeux ; user ses yeux à lire. — **Façons de lire.** Assimiler/digérer ses lectures ; feuilleter ; lire de bout en bout/de A à Z/couramment/en diagonale/de gauche à droite ou de droite à gauche/entre les lignes/à livre ouvert ; lecture consciencieuse/cursive/négligente/rapide ; parcourir ; se plonger dans, plonger son nez dans ; relire, relecture ; lire tout bas/tout haut. ■ Avaler, bouquiner, dévorer ; collationner, compulser, consulter, dépouiller ; lecture à voix haute : accent, débit, déclamation, intonation, liaison, ton. — **Lectures courantes.** Auteur, auteur favori, ma lecture favorite ; bréviaire ; journal ; lecture amusante/attachante / déroutante / distrayante / qui change les idées/récréative ; lecture barbante (fam.)/ennuyeuse/indigeste/rasoir (pop.)/rasante (fam.) ; livre, livre de chevet/de classe ; manuel ; roman, roman-feuilleton/passionnant.

LIS (LYS) → *blason, fleur, pur, symbole.*

LISÉRÉ, LISÉRER → *bord, broderie, décoration.*

LISERON → *plante.*

LISETTE → *théâtre.*

LISEUSE → *livre, vêtement.*

LISIBILITÉ, LISIBLE → *lire.*

LISIÈRE → *bord, conduire.*

LISSE → *égal, niveau.*

LISSE → *navire.*

LISSE, LICE → *fil, tapis, textile.*

LISSÉ → *confiserie, sucre.*

LISSER, LISSEUSE → *égal, niveau, polir.*

LISSIER → *tapis, textile.*

LISTE → *adversaire, élire, inscription, nommer, suite.*

LISTEL, LISTEAU, LISTON → *colonne.*

LIT → *dormir, étendre, intervalle, repos.* — **Dénominations et généralités.** Couche, dodo (fam.), grabat, paddock (pop.), page (pop.), pageot (pop.), paillasse, pieu (pop.), plumard (pop.), pucier (pop.). ■ Alcôve, chambre à coucher, descente de lit, ruelle, soupente, table de nuit ; chambrée, dortoir, hôpital, hôtel, wagon-lit ou sleeping ou sleeping-car. — **Éléments du lit.** Bâti, bois de lit, cadre, châlit, fond, panneau, pied, sangles, traverses. ■ Baldaquin, cantonnière, ciel de lit, dais, courtine, encourtinage, encourtiner, lambrequin, pavillon, pente, rideaux, tour de lit. ■ Alaise ou alèse ; couette ; courtepointe ; couverture ; couvre-lit, couvre-pied ; dessus de lit ; drap brodé/de dessous/de dessus/de coton/de fil ; édredon ; housse ; matelas de caoutchouc mousse/de crin/de laine, rabattre un matelas ; oreiller ; paillasse ; polochon (fam.) ; sommier marine / métallique / à ressorts ; taie ; traversin. — **Lits divers.** Berceau, bercelonnette, moïse, bercer, berceuse ; canapé, canapé-lit ; couche, couchette ; cosy, cosy-corner ; divan ; duvet ; grabat, hamac ; matelas pneumatique ; natte ; paillasse de balle d'avoine/de paille/de varech ; palanquin, sofa. ■ Lit à l'ange/d'apparat ; lit-bateau, lit-cage, lit de camp/capitonné/clos ou breton/à la duchesse/gondole/en housse/à l'impériale, lits jumeaux/de parade/à la polonaise/de repos/de sangle, lits gigognes/superposés/en tombeau/en double tombeau/à la turque. ■ Lit d'hôpital/mécanique/orthopédique ; lit de mort/funèbre/d'exposition, chapelle ardente. — **Utilisation du lit.** S'aliter, alitement ; s'allonger sur ; border quelqu'un ; être cloué dans son lit ; se coucher, côte à côte/tête-bêche, coucher, le coucher ; dormir, ne pas dormir, se retourner dans ; faire un lit, lit en portefeuille, le fermer, le retaper ; garder le lit, malade grabataire ; se lever, le lever, être levé ; se glisser dans les draps, se mettre au lit ; se reposer ; sauter du lit, au saut du lit ; tomber de son lit. ■ Lit dur/de noyaux de pêche (fam.)/qui grince/moelleux ; coucher à la dure. ■ Bassiner, bassinoire ; bouillotte, brique ; chauffer un lit, chauffe-lit, couverture électrique ou chauffante; moine.

LITANIES → *chant, liturgie, suivre.*

LITCHI, LETCHI → *fruit.*

LITEAU → *bande, menuiserie.*

LITEAU → *loup, tissu.*

LITÉE → *reproduction.*

LITER → *poisson.*

LITERIE → *lit.*

LITHIASE → *pierre.*

LITHOGRAPHE, LITHOGRAPHIE, LITHOGRAPHIER → *graver.*

LITHOPHANIE → *verre.*

LITHOSPHÈRE → *terre.*

LITHOTRITIE → *rein.*

LITHOTYPOGRAPHIE → *graver.*

LITIÈRE → *ferme.*

LITIGE, LITIGIEUX → *difficile, discussion, doute.*

LITOTE → *style.*

LITRE → *bouteille, contenir, liquide, mesure.*

LITTÉRAIRE → *enseignement, littérature.*

LITTÉRAL → *exact.*

LITTÉRATURE, LITTÉRATEUR → *composer, écrire, histoire, imaginer, poésie, récit.* — **Les belles-lettres.** Académie; les anciens, l'Antiquité; Apollon et les muses; arts libéraux, art poétique; classicisme, art classique, les grands classiques; culture, esprit cultivé; érudition, érudit, helléniste, latiniste; humanisme, humaniste; langues anciennes/mortes; lettré, bel esprit; lettres, étude de lettres, avoir des lettres; philologie; rhétorique. ▪ Adapter de l'ancien, adaptateur; commenter, commentateur; compiler, compilateur; traduire, traducteur, etc. — **Genres littéraires.** Écrire, écrit; écrivain, auteur, homme de lettres/de plume, gens de lettres (société des gens de lettres), polygraphe; livre, œuvre, ouvrage, opus, opuscule. ▪ Genres en vers : poème, poésie bucolique/didactique/épique/lyrique, etc.; vers, versifier, versification, versificateur. ▪ Genres en prose, prosateur : conte, conteur; correspondance, épistolier, chronique, chroniqueur; critique, un critique; éloquence, orateur; essai, essayiste; fable, fabuliste; histoire, historien; mémoires, mémorial, mémorialiste; nouvelle, nouvelliste; pamphlet, pamphlétaire; philosophie, philosophe, moraliste; polémique, polémiste; science, science-fiction, voyages; roman, roman à épisodes/à tiroirs/-feuilleton/-fleuve, romancier. ▪ Œuvres pour le théâtre, pièces : comédie, auteur comique; drame, auteur dramatique, dramaturge; farce; tragédie, auteur tragique; tétralogie, trilogie; vaudeville, vaudevilliste. ▪ Genre de composition littéraire : analyse; biographie; caractère; description; dialogue; discours; dissertation; étude; fresque; lettres; monographie; mosaïque; narration, narrateur; pastiche; pochade; portrait; psychologie. ▪ Anthologie, conférences, discours, mélanges, morceaux choisis, notice, préface, variétés. — **Écoles littéraires.** Préciosité, précieux; classicisme, classique, la querelle des Anciens et des Modernes; romantisme; réalisme, néo-réalisme; nouveau roman; Parnasse, parnassien; symbolisme; naturalisme; surréalisme, dadaïsme; vérisme; existentialisme. ▪ Littérature burlesque/engagée/érotique / fantastique / militante / parodique/picaresque, etc. ▪ Académie, cénacle, cercle, chapelle, école, groupe, salon. — **Rédaction d'une œuvre littéraire.** Adapter, adaptation; amplifier, amplification; composer, composition; construire, construction; démarquer; écrire, écriture, écrit; manière; manuscrit, relire, relecture, rature, raturer, surcharger; narrer; piller/plagier un auteur, plagiat, plagiaire; plan; préface, préfacer, préfacier; raconter, récit; rapporter des faits, relater, relation; rédiger, rédaction; réduire, résumer; remanier, remaniement, retouche, coup de pouce; rendre sa pensée; style, soigner la forme, écriture artiste/noble, etc.; tenir la plume; texte; tourner ses phrases.

LITTORAL → *mer.*

LITURGIE, LITURGIQUE → *cérémonie, religion.* — **Les liturgies.** Liturgie ambrosienne/lyonnaise/mozarabique/romaine; liturgies orientales/des Arméniens/de saint Basile/de saint Jean Chrysostome/des Coptes/des Éthiopiens/de saint Jacques/des maronites/des nestoriens/orthodoxe; liturgie protestante. — **Formules et attitudes liturgiques.** Acclamation, antienne, bénédiction, collectes ou prières collectives, doxologie, chant, exhortation, exorcisme, hymne, lecture, prière eucharistique, psaume, psalmodier, verset, symbole de foi. ▪ Baiser de paix, génuflexion, imposition des mains, mains jointes, prosternation, signe de croix. — **La messe.** Aller à la messe, pratiquant; célébrer la messe, célébrant, concélébrer, concélébration; cérémonie, cérémonial; commémoration du sacrifice de la croix; culte; messe, la sainte messe, dire la messe, dire deux messes par jour, biner; office, office divin/de la Vierge, officier, officiant; répondre la messe, répondant, répons; sacrifice de l'autel, saint sacrifice, saints mystères; servir la messe; service religieux. ▪ Acolyte, chantre, chœur, diacre, sous-diacre, enfant de chœur, fidèles, prêtre, répondant, servant, thuriféraire. — **Sortes d'offices.** Absoute, complies, laudes, lavement des pieds, lucernaire, matines, nocturne, obit, offrande, ordinaire de la messe, salut, vêpres. ■ Messe d'action de grâces/anniversaire/basse, bout de l'an ; messe capitulaire / chantée / conventuelle / d'enterrement/des morts/mortuaire/de mariage/de minuit/ordinaire/paroissiale/ de requiem/solennelle/votive ; grand-messe. — **Parties de la messe.** Ablution, Agnus dei, alléluia, aspergès ou aspersion, bénédiction, canon, communion, confiteor, consécration, credo, élévation, épître, eucharistie, évangile, gloria, homélie, introït, *ite missa est*, kyrie, lavabo, oblation, offertoire, oraison, pater, prêche, préface, prône, procession, purification, répons, sanctus, secrète, séquence. — **Objets et vêtements liturgiques.** Autel (nappe d'autel), burettes, calice, ciboire, cierge, clochette, encens, encensoir, lutrin, navette, ostensoir, palle, patène, tabernacle, sainte table, voile ; eau et vin, eau bénite, hostie, pain bénit, rameau bénit. ■ Amict, aube, bourse, chasuble, corporal, dalmatique, étole, manipule, manuterge, purificatoire. — **Prières.** Acte de foi, action de grâces ; adorer ; bénédicité ; chapelet, dire/ égrener son chapelet ; chemin de croix ; dévotion, faire ses dévotions ; élever son âme, élévation ; ferveur ; litanie ; mains jointes ; neuvaine ; oraison jaculatoire, oratoire, éjaculation ; patenôtre ; piété ; prier, prier du bout des lèvres, prière, prie-Dieu ; rosaire ; zèle. — **Livres liturgiques.** Antiphonaire, Bible, bréviaire, calendrier liturgique, cérémonial, code de droit canonique, évangiles, évangéliaire, graduel, instruction clémentine/etc., lectionnaire, livre de chant grégorien, martyrologe, *memoriale rituum*, missel, obituaire, octavaire, paroissien, pontifical, propre des offices et des messes, psautier, rituel, temporal, vespéral.

LIVAROT → *lait.*

LIVIDE, LIVIDITÉ → *blanc, peur, terne, visage.*

LIVING-ROOM → *chambre, maison.*

LIVRE → *commerce, comptabilité, écrire, littérature.* — **Description technique.** Alinéa ; blanc ; composer, composition ; défet ; format : in-trente-deux (in-32), in-dix-huit (in-18), in-douze (in-12), in-huit (in-8), in-quarto (in-4), in-folio, in-plano ; folio, folioter ; impression ; marge ; nervurer ; paginer, pagination ; paragraphe ; relier ; tomer, tomaison. ■ Cahier, carton, coin, couverture, dos, fermoir, feuille, feuillet, frontispice, intitulé, livre, livre doré/doré sur tranches, nervure, page, page de garde, plat, signature, signet, titre, sous-titre, tranche, tranche-file. ■ Cul-de-lampe, figure, illustration, gravure, hors-texte, image, planche, vignette. — **Intérieur du livre.** Addenda, argument, avant-propos, avertissement, avis au lecteur, chapitre, colonne, conclusion, dédicace, épigraphe, errata, épître, épître dédicatoire/liminaire, incipit, index, intitulé, introduction, note liminaire, postface, préface, prolégomènes, renvoi, sommaire, supplément, table des matières, tableau, titre, tome, volume. — **Relier un livre.** Brocher, brochage, débrocher ; cartonner, cartonnage ; relier un livre en basane/en chagrin/en cuir/en maroquin/en parchemin/en plastique ; reliure à la cathédrale/parlante, etc. ■ Coiffe ; collationner ; balancier, cousoir, couture sur nerf/à la grecque/sur ficelles/sur rubans ; couverture, couvrure ; emboîter, emboîtage ; endosser, endossure ; fer ; garde ; gouttière ; grecquage ; jacquette ; massicot ; onglet ; plaçure ; pliage, plieuse ; presse. — **Sortes d'écrits.** Codex, écrit, elzévir, exemplaire, imprimé, incunable, manuscrit, ouvrage, papyrus, publication, rouleau, tome, volume. ■ Abécé, abrégé, aide-mémoire, album, almanach, alphabet, ana, annales, annuaire, anthologie, apologie, atlas, autobiographie, bibliographie, biographie (autobiographie), barème, bréviaire, calepin, carnet, catalogue, chrestomathie, chronique, code, compilation, cours, défense, dialogue, dictionnaire, digest, éloge, encyclopédie, épitomé, essai, étude, fascicule, florilège, glossaire, grimoire, guide, indicateur, journal, itinéraire, lexique, libelle, livre (bouquin (fam.)), manuel, mélanges, mémento, mémoires, missel, morceaux choisis, opuscule, pamphlet, plaquette, portulan, recueil, registre, répertoire, résumé, revue, rudiment, somme, souvenirs, thèse, traduction, traité, travail, vade-mecum, vocabulaire. — **Éditer, édition.** Copyright ; dépôt légal ; droits d'auteur ; éditer, éditeur ; édition originale / princeps, première édition, édition de luxe/populaire/à bon marché, livre de poche ; édition expurgée/ revue et corrigée ; imprimer, imprimeur, impression ; faire paraître, parution, sortie ; publier, publication ; tirer, tirage ; vendre, vente par souscription, club, etc. — **Librairie.** Best-seller ; bibliophile, bibliophilie ; bouquiniste, quais de la Seine ; kiosque de gare ; librairie, librairie d'occasion/scolaire/ spécialisée/universitaire, maison de la presse ; mise en vente ; prix littéraires : prix Nobel/Goncourt/Fémina/Interallié/Renaudot, etc. ; succès du mois. — **Bibliothèque.** Armoire ; bibliothèque à portes grillagées/à portes vitrées ; casier ; coupe-papier ; échelle ; étagères ; rayon, rayonnage ; tablette ; vitrine. ■ Classer, collationner, interfolier, ranger, recenser. ■ Bibliothécaire, bibliothécaire en chef, conservateur ; bibliothèque municipale/publique/universitaire ; la Bibliothèque nationale ; cabinet de lecture ; chercheur ; École des chartes ; enfer d'une bibliothèque ; érudit ; fouiner ; rat de bibliothèque ; réserve ; salle des catalogues/du fichier/de lecture/de la photocopie/du prêt.

LIVRE → *monnaie.*

LIVRÉE → *plume, poil, vêtement.*

LIVRER → *abandonner, commerce, secret, soumettre.*

LIVRESQUE → *connaissance.*

LIVRET → *danse, enseignement, livre, mariage, musique.*

LIVREUR → *commerce.*

LLOYD → *assurances.*

LOBBY → *accord, association, économie, groupe.*

LOBE, LOBÉ → *arc, cerveau, courbe, entendre, poitrine.*

LOBECTOMIE, LOBOTOMIE → *cerveau.*

LOBULE → *courbe, respiration.*

LOCAL → *chambre.*

LOCAL, LOCALISER → *orientation, particulier.*

LOCALITÉ → *particulier, pays.*

LOCATAIRE, LOCATIF → *habiter, location.*

LOCATIF → *grammaire.*

LOCATION → *habiter, payer.* — **Acte de louer.** Acte conservatoire/notarié ; amodiation ; arrentement, arrenter ; bail, bail à convenant/emphytéotique / à rente / à vue / 3-6-9, etc. ; clauses du bail ; conduction, reconduction, tacite reconduction contrat, contrat-bail, leasing ; convention, convenir d'un prix ; dédit ; engagement de location ; état des lieux ; fermage ; fret ; location, sous-location, location-vente ; locatif, réparations, risques, valeur locative ; louage, louer, maison à louer ; loyer, loyer élevé, bas loyer, habitations à loyer modéré (H.L.M.) ; métairie ; nolisement ; quittance, reçu ; *rent-a-car*, location de voitures ; réservation, sous réserve de confirmation. — **Donner à louer.** Affermer ; bailler, bailleur ; congé, donner congé ; expulser, expulsion ; flanquer à la porte (fam.) ; héberger, hébergement ; hôtel, hôtelier, hôtellerie ; logeur, loueur ; mettre à la porte ; propriétaire, proprio (pop.) ; saisir, saisie. ■ Embaucher, engager, prêter, prêteur. — **Le locataire.** Affréter ; assurance ; déménager, déménagement, déménager à la cloche de bois ; emménager, emménagement ; essuyer les plâtres ; jouissance en bon père de famille ; locataire, colocataire, sous-locataire, locataire principal ; loge du concierge ; logement, logement meublé, un meublé ; payer son loyer/ses échéances ; pendre la crémaillère ; placier ; preneur ; réserver ; retenir ; séjourner ; squatter, squattériser ; terme ; troubles de jouissance ; viager ; vider les lieux.

LOCH → *vitesse.*

LOCH → *lac.*

LOCHE → *poisson.*

LOCK-OUT → *travail.*

LOCOMOBILE, LOCOMOTEUR, LOCOMOTION → *mouvement, voiture.*

LOCOMOTIVE → *train.*

LOCOMOTRICE, LOCOTRACTEUR → *train.*

LOCUTEUR → *parler.*

LOCUTION → *grammaire, style.*

LODEN → *laine, mouiller, pluie.*

LODS → *féodalité.*

LŒSS → *produire.*

LOF, LOFER → *navire, vent.*

LOGARITHME → *mathématiques.*

LOGE → *art, colonne, franc-maçonnerie, habiter, théâtre.*

LOGEMENT, LOGER, LOGEUR → *habiter, maison, placer.*

LOGGIA → *architecture, colonne, fenêtre, ouvrir.*

LOGICIEN, LOGIQUE → *informatique, raisonnement, suite.*

LOGIS → *habiter, imaginer, maison.*

LOGISTIQUE → *guerre.*

LOGOGRAPHE → *convaincre.*

LOGOMACHIE → *discussion.*

LOGORRHÉE → *parler.*

LOGOTYPE → *typographie.*

LOI → *droit, gouverner, politique.* — **Vie des lois.** Élaborer/établir/faire une loi ; projet de loi, collectif budgétaire, proposition de loi, initiative ; légiférer, législation, pouvoir législatif, législateur ; amender, amendement ; voter, vote, procédure du vote bloqué, voter article par article ; sanction, sanctionner, droit de veto ; promulguer, promulgation ; publier, publication au *Journal officiel.* ■ Article, clause, disposition, exposé des motifs, prescription, titre ; loi en application/en vigueur/qui autorise/arrête / décide / décrète / défend / établit / interdit / permet / prescrit / oblige/règle/règlemente/statue ; décision, décret, décret-loi, loi, loi-cadre, ordonnance, référendum. ■ Abolir, abolition ; abroger, abrogation ; tomber en désuétude. ■ Authenticité/bien-fondé d'une loi ; constitutionnalité d'une loi, loi anticonstitutionnelle, conflit de lois ; avis du Conseil constitutionnel/du Conseil d'État. — **Application des lois.** Conforme à, se conformer à ; contravention, contrevenir à ; crime ; délit ; déroger, dérogation ; domaine de la loi ; exécution des lois, loi exécutoire, pouvoir exécutif ; infraction, être en infraction, enfreindre ; hors-la-loi, outlaw ; légal, illégal, rester dans/sortir de la légalité ; légitime, illégitime, légitimer, légitimation ; licite, illicite ; « nul n'est censé ignorer la loi » ; obéir à ; observer, observation/stricte observance d'une règle ; principe de non-rétroactivité/de territorialité ; réglementaire ; respecter ; tourner/transgresser la loi ; violer, violation. — **Sortes de lois.** Loi d'amnistie / constitutionnelle / d'exception/décrétant l'état de siège/ l'état d'urgence/dispositive/électorale/ de finances/impérative/martiale/organique/de programme/rectificative/de comptes/supplétive/de sûreté générale ; loi civile/criminelle/pénale. ▪ Bref, capitulaire, capitulations, charte, décrétale, édit, lettres patentes, loi salique, ordonnance, plébiscite, pragmatique, règlement, sénatus-consulte, statut, tables de la loi ; bill, bulle, firman, rescrit, ukase, etc. — **Science des lois.** Code, codifier, codification, codificateur ; constitution ; droit canon, canoniste ; droit coutumier/ écrit/romain ; faculté de droit, licencié/docteur en droit ; jurisprudence, esprit/lettre de la loi ; législation, législateur, légiste. ▪ Avocat, avoué, conseiller juridique, homme de loi, huissier, juge, jurisconsulte, législateur, magistrat, notaire, professeur de droit.

LOIN, LOINTAIN → *éloigner.*

LOIR → *dormir, ronger.*

LOISIBLE → *permettre.*

LOISIR → *repos.*

LOMBAIRE, LOMBALGIE, LOMBARTHROSE → *dos, rein.*

LOMBES → *dos.*

LOMBRIC → *ver.*

LONG → *durer, grand, lent, mesure.*

LONGANIMITÉ → *permettre.*

LONG-COURRIER → *voyager.*

LONGE → *attache, harnais.*

LONGE → *bœuf, cerf.*

LONGER → *étendre, marcher.*

LONGERON → *charpente.*

LONGÉVITÉ → *durer, vie.*

LONGILIGNE → *grand.*

LONGITUDE → *astronomie, orientation.*

LONGITUDINAL → *grand.*

LONGOTTE → *tissu.*

LONGTEMPS → *durer, temps.*

LONGUET → *pain.*

LONGUEUR → *course, durer, mesure.*

LONGUE-VUE → *optique.*

LOOPING → *aviation.*

LOPIN → *morceau, terre.*

LOQUACE, LOQUACITÉ → *parler.*

LOQUE → *faible, morceau, mou, vêtement.*

LOQUET, LOQUETEAU → *barre, fermer, serrure.*

LOQUETEUX → *morceau, pauvre.*

LORAN → *orientation, radio.*

LORD → *noblesse.*

LORD-MAIRE → *magistrat, ville.*

LORDOSE → *dos.*

LORGNER → *désir, regarder.*

LORGNETTE → *excès, optique.*

LORGNON → *optique.*

LORIOT → *oiseau.*

LOSANGE → *angle, géométrie.*

LOT → *destin, gagner, jouer, morceau, part.*

LOTERIE → *destin, gagner, jouer.*

LOTI → *part.*

LOTION, LOTIONNER → *toilette.*

LOTIR, LOTISSEMENT → *édifice, part.*

LOTO → *jouer.*

LOTTE, LOTE → *poisson.*

LOUAGE → *contrat, location, servir.*

LOUANGE → *éloge.*

LOUCHE → *doute, obscur.*

LOUCHE → *vaisselle.*

LOUCHER → *regarder.*

LOUER → *éloge.*

LOUER, LOUEUR → *location.*

LOUFOQUE, LOUFOQUERIE → *folie, irrégulier.*

LOUIS → *monnaie.*

LOUISE-BONNE → *fruit, pomme.*

LOULOU → *chien.*

LOUP → *animal, faute, fête, mammifères, poisson.* — **Le loup.** Chasse au loup/à courre/au fusil, piège à loup, louveterie, lieutenant de louveterie ; hurlement ; loup, louve, louveteau ou louvart, enfant loup. ▪ Gîte, liteau, repaire, tanière ; meute, bande. ▪ Cyon ou dohle, loup de Java/de Sibérie ; loup antarctique ; cabéru ou loup d'Abyssinie ; loup aboyeur ou des prairies, coyote ; loup gris ; loup vulgaire ; loup peint ; loup rouge à crinière. ▪ Hurler avec les loups, être loup avec les loups ; loup-garou, lycanthropie. — **Le renard.** Chasse au renard/à courre/à pied ; goupil, maître Renard ; glapir, glapissement, japper, jappement ; oreilles/queue de renard fourrure, pelleterie ; renard, renarde, renardeau ; renardière ; tanière, terrier, maire, fosse, accul, fusée. ▪ Renard argenté / blanc / bleu / charbonnier / commun/roux du Canada ; renard des sables ou fennec. ▪ Le Renard de La Fontaine, « Le Renard et le Corbeau », etc., *Le Roman de Renart;* être enfumé comme un renard dans son terrier. — **Animaux voisins.** Canidés carnassiers; chacal; chien, chien-loup; coyote; hyène brune/rayée/tachetée; lycaon; protèle.

LOUP-CERVIER → *chat.*

LOUPE → *arbre, optique, regarder, tumeur.*

LOUPER → *exécuter, manquer.*

LOUP-GAROU → *esprit, imaginer.*

LOUPIOT → *enfant.*

LOURD → *difficile, grossier, peser.*

LOURDAUD → *gauche, grossier.*

LOURDEUR → *gauche, peser.*

LOURE, LOURER → *instrument, musique.*

LOUSTIC → *rire.*

LOUTRE → *lac, mammifères.*

LOUVE → *loup.*

LOUVET → *cheval.*

LOUVETEAU → *jeune, loup.*

LOUVETERIE → *chasse, loup.*

LOUVOIEMENT, LOUVOYER → *indirect, marine.*

LOVER → *corde.*

LOXODROMIE, LOXODROMIQUE → *courbe.*

LOYAL, LOYALISME, LOYAUTÉ → *confiance, droit, fidèle, sûr.*

LOYER → *location.*

L.S.D. → *poison.*

LUBIE → *irrégulier, volonté.*

LUBRICITÉ → *débauche.*

LUBRIFIANT, LUBRIFIER → *gras, huile.*

LUBRIQUE → *débauche.*

LUCANE → *insecte.*

LUCARNE → *fenêtre, ouvrir.*

LUCERNAIRE → *liturgie.*

LUCIDE, LUCIDITÉ → *expliquer, raisonnement.*

LUCILIE → *mouche.*

LUCIOLE → *ver.*

LUCRATIF, LUCRE → *avantage, gagner.*

LUDIQUE → *jouer.*

LUETTE → *bouche, gorge.*

LUEUR → *durer, lumière.*

LUGE → *froid.*

LUGUBRE → *noir, triste.*

LUIRE, LUISANCE, LUISANT → *briller.*

LUMBAGO, LOMBAGO → *dos, rein.*

LUMIÈRE → *connaissance, électricité, lampe.* — **Sources de lumière.** Astre, éclair, étoile, foudre, jour, lune, météore, soleil. ▪ Ampoule, arc électrique, bec de gaz, bougie, brasier, chandelle, flambeau, feu, foyer, lampe, lanterne, luminaire, rampe, tube lumineux/au néon, phare, projecteur, spot. ▪ Fenêtre, glace, miroir, vitre; feu follet, luciole, phosphore, ver luisant. ▪ Corps en combustion / diaphane / incandescent / opaque / phosphorescent / translucide/transparent. — **États de la lumière.** Aveuglante, brillante, brusque, brutale, claire, crue, diffuse, douce, dure, éblouissante, éclatante, étincelante, flamboyante, indécise, intense, luisante, lumineuse, pâle, rayonnante, resplendissante, vaporeuse. ▪ Blafarde, blanche, blême, chatoyante, chaude, colorée, dorée, froide, irisée, jaune, livide, rousse. ▪ Atténuée, à contre-jour, directe, filtrée, frisante, indirecte, ondulante, rasante, réfléchie, tamisée, verticale; diurne, nocturne. — **Mouvements de la lumière.** S'allumer, baisser, croître, éclater, émaner de, s'épandre, s'éteindre, gicler, grandir, jaillir, mourir, naître, poindre, vaciller. ▪ S'accrocher, balayer, chatoyer, effleurer, irradier, jouer, se jouer, jeu de lumière, lécher, miroiter, percer, rayonner, scintiller, transpercer. ▪ Dévier, déviation; s'infléchir, inflexion; polarisation, lumière polarisée; se propager, propagation; radiation; se réfléchir, réflexion, reflet; réfraction; réfringence; réverbération, se réverbérer, être réverbéré; trajectoire; transmission. ▪ Lumière clignotante / constante / fixe / papillotante / scintillante / tremblante. — **Effets lumineux.** Autocinétique, clarté, échappée, éclaircie, éclat, faisceau, incandescence, lueur, luminescence, phosphorescence, pinceau, rai, rayon, reflet, splendeur, traînée lumineuse, transparence, trouée de lumière. ▪ Albédo, auréole, gloire, halo, nimbe. ▪ Baigner, bain/flots de lumière; chatoyer; dorer; éclairer; enluminer; ensoleiller; illuminer, illumination; inonder; pleuvoir; poudroyer; ruisseler, ruissellement, torrent de lumière. ▪ Aube, aurore, clair-obscur, clair de lune, crépuscule, contre-jour, demi-jour, faux jour, plein jour, pénombre, demi-teinte. ▪ Arc-en-ciel, couleur, interférence, ondes, prisme, radiation, spectre solaire, vibration. — **La lumière et les sciences qui s'y rapportent.** Analyse spectrale, décomposition, spectre d'absorption / d'émission / de raies/solaire, spectroscopie. ▪ Éclairage, éclairer; énergie de la lumière; impressionner, sensibiliser; héliotropisme, photophobie, phototactisme. ▪ Actinométrie, actinomètre; astronomie, cinématographie, héliothérapie, sciences optiques, photocopie, photogénie, photographie, photométrie, phototypie, radiométrie, radioscopie, stroboscopie, tachistoscope, télévision, etc. — **Sens symboliques de la lumière.** Lumière de l'attention/de l'esprit/de l'intelligence/de la raison, esprit éclairé. ▪ Apporter ses lumières ; avoir/acquérir quelque lumière sur ; faire/jeter la lumière sur ; mettre en lumière/en évidence/à la lumière de ; clarifier, éclaircir, élucider, illuminer, illumination, lucidité, lucide. ▪ Bien, bonheur, vérité ; aspirer à/s'avancer vers la lumière, esprit divin, illumination. ▪ Jour, vie, vue ; ouvrir les yeux à la lumière, perdre la lumière.

LUMIGNON, LUMINAIRE → *bougie, lumière.*

LUMINESCENCE, LUMINESCENT → *lumière.*

LUMINEUX, LUMINOSITÉ → *lumière.*

LUMITYPE → *typographie.*

LUNAIRE, LUNAISON → *lune.*

LUNATIQUE → *changer, folie, irrégulier.*

LUNCH → *manger, recevoir.*

LUNDI → *calendrier.*

LUNE → *astronautique, astronomie, mariage, négliger, soleil.* — **Observation de la lune.** Alunir, atterrir, alunissage, atterrissage ; astre, astronomie, astronome, astronautique, astronaute ; clair de lune, clair de terre, halo ; coucher/lever de la lune ; croissant/corne de la lune ; observatoire ; planète ; satellite de la terre ; satellite lunaire artificiel, « Lunik », « Apollo », vaisseau lunaire ; sélénographie, sélénographe, sélénostat, sélénique ; sélénomancie ; télescope, radiotélescope. — **Mers et montagnes de la lune.** Cirque, cratère ; golfe du Centre/des Iris/des Nuées/de la Rosée/Torride ; lac des Songes ; mer Australe/des Crises/de la Fécondité/du Froid/de Humboldt/des Humeurs/du Nectar/des Pluies/de la Sérénité/de Smith/de la Tranquillité/des Vapeurs ; océan des Tempêtes ; plaine. ▪ Alpes, Altaï, Apennins, Caucase, Cordillères, Pyrénées, monts d'Alembert/Dörfel et Leibniz/Hémus/Hercyniens/Riphées/Rook. — **Mouvements de la lune.** Apogée, périgée ; conjonction du soleil et de la lune, nouvelle lune ; déclinaison, décroît ; éclipse de lune ; libration en latitude/en longitude ; lunaison, mois lunaire ; orbite ; nœud ; opposition du soleil et de la lune, pleine lune ; quadrature ; phases de la lune, dichotomie, lune rousse ; quartier, premier/dernier quartier ; révolution anomalistique / draconitique / sidérale/synodique/tropique ; syzygie, terminateur.

LUNÉ → *personne.*

LUNETIER, LUNETTERIE → *optique.*

LUNETTE → *fenêtre, fortification, oiseau, optique, toilette.*

LUNETTES → *optique, reptiles.*

LUNULE → *arc, doigt.*

LUPANAR → *débauche.*

LUPIN → *plante.*

LUPULINE → *herbe.*

LUPUS → *peau.*

LURETTE → *temps.*

LURON → *homme, joie.*

LUSTRAL, LUSTRATION → *pur sacrement.*

LUSTRE → *briller, lumière.*

LUSTRE → *année.*

LUSTRÉ, LUSTRER → *briller, polir.*

LUSTRERIE → *lampe.*

LUSTRINE → *tissu.*

LUT, LUTER → *céramique.*

LUTH → *instrument, reptiles.*

LUTHERIE, LUTHIER, LUTHISTE → *instrument.*

LUTIN → *esprit, imaginer, vif.*

LUTINER → *plaire.*

LUTRIN → *église.*

LUTTE, LUTTER, LUTTEUR → *adversaire, gagner, guerre.*

LUXATION, LUXER → *articulation.*

LUXE, LUXUEUX → *abondance, riche.*

LUXURE → *débauche.*

LUXURIANCE, LUXURIANT → *plante, vie.*

LUXURIEUX → *débauche.*

LUZERNE, LUZERNIÈRE → *herbe.*

LYCANTHROPE, LYCANTHROPIE → *folie, loup.*

LYCAON → *chien.*

LYCÉE, LYCÉEN → *enseignement.*

LYCOPODE → *feu.*

LYCOSE → *araignée.*

LYDDITE → *exploser.*

LYMPHATIQUE, LYMPHATISME → *faible, mou.*

LYMPHE → *liquide, sang.*

LYMPHOCYTE → *sang.*

LYNCHAGE, LYNCHER → *jeter, mourir.*

LYNX → *chat.*

LYOPHILISATION → *chimie, froid, garder, sec.*

LYRE → *instrument.*

LYRIQUE, LYRISME → *chanter, littérature, poésie, sensibilité.*

LYS (LIS) → *blason, fleur, pur, symbole.*

MABOUL, MABOULISME → *folie.*
MACABRE → *enterrement, triste.*
MACACHE → *refus.*
MACADAM, MACADAMISER → *route.*
MACAQUE → *laid, petit, singe.*
MACARON → *décoration, cheveu, pâtisserie, symbole.*
MACARONI → *pâte.*
MACARONIQUE → *poésie.*
MACCHABÉE → *mourir.*
MACÉDOINE → *cuisine, mêler.*
MACÉRATION, MACÉRER → *bain, mou, plante.*
MACFARLANE → *vêtement.*
MACHAON → *papillon.*
MÂCHE → *légume.*
MÂCHEFER → *charbon.*
MÂCHER → *couper, dent, facile, franc.*
MACHETTE → *couper.*
MACHIAVÉLIQUE, MACHIAVÉLISME → *morale, politique, subtil.*
MÂCHICOULIS → *fortification.*
MACHINAL → *habitude, inconscience.*
MACHINE → *arme, électricité, exploser, gaz, mécanique, vapeur.* — **Généralités.** Appareil ; automatisme, automatique, automate, automatisation, automatiser, automation ; commande, servocommande ; construire, construction, constructeur de machines ; dispositif ; engin ; fiabilité ; fonctionner, fonctionnement ; industrie, dessin industriel/de machine, ingénieur ; instrument ; machine, machinerie ; machinisme, division du travail, standardisation ; mécanique, mécanisme, mécanicien, mécano (fam.) ; monter, démonter, huiler, nettoyer ; outil ; ouvrier, ajusteur, chauffeur, monteur ; usiner, usinage. ■ Effet, force, puissance, rendement, travail. — **Classification des machines.** Machine simple ou composée : levier, plan, poulie, treuil, vis ; machine hydraulique : roue, turbine ; machine-outil ; machine-transfert ; moteur à explosion/électrique, motrice, transformatrice d'énergie ; machine à vapeur, chaudière. ■ Énergie chimique/électrique/mécanique, etc. ; force motrice / de résistance ; inertie, etc. — **Machines-outils.** Aléseuse, brocheuse, cisaille, emboutisseuse, étau-limeur, foreuse, fraiseuse, laminoir, marteau-pilon, meule, mortaiseuse, perceuse, plieuse, poinçonneuse, raboteuse, riveteuse, tour, etc. ■ Affûteuse, défonceuse, massicot, mortaiseuse, perceuse, ponceuse, presse à coller, racleuse, scie circulaire/dérouleuse/à ruban/trancheuse/tronçonneuse, tenonneuse, toupie, etc. — **Machines domestiques.** Aspirateur, balance, centrifugeuse, chauffe-eau, cireuse, congélateur, cuisinière, fer à repasser, hachoir, horloge, hotte électrique, lave-vaisselle, machine à coudre/à laver/à repasser, mixer, moulin à légumes, ouvre-boîtes électrique, réfrigérateur, Frigidaire (n.d.), frigo (fam.), robot, rôtissoire, sèche-cheveux, sèche-linge — **Pièces de machines.** Arbre, axe, balancier, barre, bielle, boulon, bouton, bras, butée, came, cardan, carter, chaîne, chaise, chariot, chemise, clavette, clapet, cliquet, clou, collet, courroie, coussinet,

crémaillère, culasse, culbuteur, cylindre, déclic, dent, écrou, embrayage, engrenage, engreneuse, excentrique, foyer, frein, galet, glissière, goujon, goupille, hélice, joint, languette, manette, manivelle, palier, patin, pignon, piston, pivot, plateau, propulseur, régulateur, ressort, rivet, robinet, rotor, rouage, roue, roue dentée, rouleau, soupape, stator, tambour, tige, tiroir, transmission, traverse, tube, tuyau, tuyère, valve, vis, volant. — **Machines électriques.** Machine à champ magnétique/dynamo-électrique ou dynamo / électromotrice / électrostatique/à frottement / hydroélectrique / d'induction/à influence ou électrophore / magnéto-électrique / réversible; machine de Félici/de Holtz/de Panthenier/de Van de Graaf/de Wimshurst. — **Pièces de machines électriques.** Accélérateur de particules, accumulateur, alternateur, bobine, collecteur, compteur, condensateur, conducteur, douille, électroaimant, fiche femelle/mâle, fusible, générateur, interrupteur, magnéto, peigne, pile, producteur, transformateur, transporteur, va-et-vient.

MACHINE-OUTIL → *machine.*

MACHINER → *agir, plan, secret.*

MACHINERIE → *machine, navire.*

MACHINE-TRANSFERT → *machine.*

MACHINISME → *machine.*

MACHINISTE → *cinéma, conduire, machine, théâtre.*

MACHMÈTRE → *vitesse.*

MÂCHOIRE → *bouche, dent, serrer.*

MÂCHONNER, MÂCHOUILLER → *dent.*

MÂCHURER → *dent, morceau, presser.*

MÂCHURER → *noir, sale.*

MACLE, MACLER → *verre.*

MÂCON → *vin.*

MAÇON, MAÇONNER → *construction, maçonnerie.*

MAÇONNERIE → *argile, charpente, franc-maçonnerie, pierre.* — **Généralités.** Architecture, architecte; bâtiment, bâtir, industrie du bâtiment, bâtisseur, bâtisse; carreleur; cimenterie, cimentier; compagnon; construire, édifier, construction, édifice; entrepreneur de maçonnerie/de travaux publics; maçonner, maçonnerie, maçonnage, grosse/petite maçonnerie; ouvrage, gros œuvre; ouvrier maçon; plâtrier; tailleur de pierres; terrassement, terrassier. ■ Cheminée, cloison, corps, maison, mur. — **La maçonnerie.** Maçonnerie de brique, hourdage, hourdis, maçonnerie de meulière/de moellons/de pierre de taille/de plâtre/de terre battue ou pisé/de torchis. ■ Appareil irrégulier/réticulé; assise; butée; chaîne; corniche; culée; décrochement; écoinçon; empattement; encorbellement; enrochement; éperon; fondation, fondement; jambage, jambe; joint; lambris; linteau; lit; maçonnerie à bossage/en échiquier/par épaulées/à joints incertains ou *opus incertum*/en liaison/lisse/à sec; massif; mur, mur de refend; orillon; pavement, pavage; pilier; platée; raccord; radier; rang de pierres; revêtement; rudération; solin; soutènement; tablette; terrasse; vide sanitaire; voussoir, voussure, voûte. — **Matériaux.** Aggloméré; brique; caillou, caillasse; ciment, ciment blanc/expansif, fibrociment, ciment hydraulique/naturel/portland/prompt; conglomérat, crépi; gravats, gravois; gravier, gravillon; gunite; latte; meulière; moellon; mortier; parpaing; pavé; pigeon; pierre sèche, perré, pierre de taille; pisé; plâtras, plâtre; poudingue; sable; stuc. ■ Béton, béton aéré ou à air occlus/alvéolaire/armé/caverneux/cellulaire/colcrete/cyclopéen/essoré ou vibré/sans fines/léger/précontraint/réfractaire/translucide/sous vide ou *vacuum concrete.* ■ Armature bétonnière ou malaxeur, caisson pneumatique, coffrage, coulage, étuvage, pilonnage. — **Le travail du maçon.** Appareiller, appareil; bancher, banchage; bâtir; bétonner; bloquer, blocage, blocaille; bouchement; bousiller, bousillage; briqueter, briquetage; caillouter, cailloutage, cailloutis; chaîner; chevaler, chevalement; cimenter; construire, construction; crépir; étançonner, étançon; étayer, étai; échafauder, échafaudage; gâcher, gâchis; hourder; jointoyer, joint; lambrisser, lambris; liaisonner, liaison, liant; limousiner, limousinage; métrer; moucheter; murer; plâtrer; poser; ravaler, ravalement; renformir; ruiler; sceller, scellement; terrasser. — **Matériel de maçon.** Auge, bard, bétonnière, boucharde, bouloir, bourriquet, calibre, ciseau, crépissoir, doloire, échafaud, écoperche, équerre, fil à plomb, gâche, grattoir, grue, griffe madrier, marteau, mètre, mirette, niveau, oiseau, palançon, pelle, sabot, spatule, taloche, truelle.

MACRAMÉ → *dentelle.*

MACREUSE → *canard, oiseau.*

MACREUSE → *bœuf.*

MACROCÉPHALE → *tête.*

MACROCOSME → *nature.*

MACROMOLÉCULAIRE, MACROMOLÉCULE → *chimie.*

MACROPHOTOGRAPHIE → *photographie.*

MACROURES → *crustacés.*

MACULATURE → *typographie.*

MACULÉ, MACULER → *noir, sale.*
MADAME → *femme.*
MADAPOLAM → *tissu.*
MADELEINE → *pâtisserie.*
MADEMOISELLE → *femme.*
MADÈRE → *vin.*
MADONE → *vierge.*
MADRAGUE → *pêche.*
MADRAS → *chapeau, tissu.*
MADRÉ → *adroit, subtil.*
MADRÉPORES, MADRÉPORIQUE → *polype.*
MADRIER → *bois, charpente.*
MADRIGAL → *musique, poésie.*
MAESTRIA → *art, chef, conduire.*
MAESTRO → *musique.*
MAFFLU → *gras, homme.*
MAFIA, MAFFIA → *association, groupe, voler.*
MAGASIN → *acheter, armée, commerce, marchandises.*
MAGASINIER → *armée, marchandises.*
MAGAZINE → *journal.*
MAGE → *astrologie, Christ, magie.*
MAGIE, MAGICIEN → *alchimie, astrologie, étonner, hérésie.* — **Magie et magiciens.** Alchimie, alchimiste ; astrologie, astrologue, horoscope ; cabale, cabaliste, gnose ; commerce avec le diable ; diablerie ; divination, devin, devineresse, pythie, pythonisse ; hermétisme ; magie blanche/noire, mage, archimage, magicien ; médium ; le merveilleux ; mysticisme, mystique ; nécromancie, nécromancien ou nécromant ; occultisme, occultiste, sciences occultes ; psychagogie, psychagogue ; sorcellerie, sorcier, sorcière ; spiritisme, spirite ; superstition ; le surnaturel ; télépathie ; thaumaturgie ; théurgie. — **Pratiques magiques.** Apparition ; charme ; conjuration, conjurer les esprits/le sort ; enchantement, enchanteur, Merlin l'Enchanteur ; ensorcellement, ensorceler, ensorceleur ; envoûtement, envoûter, envoûteur ; évocation, évoquer les esprits ; exorcisme, exorciser, exorciste ; fascination, fasciner ; fantasmagorie ; féerique, féerie ; formule magique, abracadabra, sésame ; incantation, incantatoire ; maléfice, maléfique ; mauvais œil ; possession, être possédé ; rite d'imitation ou homéopathique/d'initiation, rite de magie contagieuse ; sort, jeter un sort, jettatore ; sortilège ; tables tournantes, faire tourner les tables. ■ Bohémien, charmeur de serpents, fakir, gitan, illusionniste, prestidigitateur, tours de passe-passe. — **Êtres et choses magiques.** Démon, démonomanie, démoniaque ; diable, diablotin, diabolique ; djinn ; elfe ; esprit, « Esprit, es-tu là ? », esprit frappeur ; fantôme ; farfadet ; fée ; génie ; gnome ; homuncule ; korrigan ; loup-garou ; lutin ; ombre ; revenant ; sabbat des sorcières ; vampire ; zombie. ■ Amorce, amulettes, anneau, baguette de fée, balai de sorcière, fétiche, figurine de cire, grigri ou gri-gri, grimoire, mandragore, miroir, philtre (aphrodisiaque, etc.), porte-bonheur, poudre de perlimpinpin, poudre sympathique, talisman.
MAGISTÈRE → *conduire.*
MAGISTRAL → *chef, médicament, supérieur.*
MAGISTRAT, MAGISTRATURE → *chef, fonction, tribunal.* — **Ordre judiciaire.** Avocat général ; conseiller ; juge, juge d'instruction/de paix/suppléant, assesseur ; magistrat, magistrature assise/debout ; ministère public ou parquet ; président du tribunal, premier président, vice-président ; procureur, procureur général de la République, substitut du procureur. ■ Épitoge, hermine, mortier, robe rouge/noire, toque ; charge, dignité, fonction, inamovibilité. — **Divers magistrats.** Conseil d'État, auditeur, maître des requêtes, conseiller ; Cour des comptes, conseiller référendaire ; judiciaire, judicature ; gens de robe, robin ; juridiction, juridictionnel ; jury, juré ; magistrat consulaire/élu/militaire/municipal ; parlement, parlementaire, lit de justice ; président de la République, préfet, commissaire de police ; prévôt, viguier, etc. — **Magistrats antiques.** Archonte, agoranome, astynome, éphore, hellénotame, hipparque, phylarque, prytane, stratège, taxiarque, thesmothète. ■ Censeur, censure ; consul, consulat, proconsulat ; curateur, procurateur, décemvir ; dictateur ; édile, édilité curule et de la plèbe ; préfet ; questeur, questure ; tribun, tribunat ; triumvir. ■ *Auspicium, imperium, potestas ; cursus honorum.*
MAGMA → *amas, mêler.*
MAGNAN, MAGNANERIE, MAGNANIER → *soie.*
MAGNANIME, MAGNANIMITÉ → *bienfaisance, grand.*
MAGNAT → *chef, industrie.*
MAGNÉSIE → *médicament.*
MAGNÉSIUM → *chimie.*
MAGNÉTISER, MAGNÉTISME → *aimant, attirer, convaincre, regard.*
MAGNÉTO, MAGNÉTO-ÉLECTRIQUE → *électricité, machine.*
MAGNÉTOMÈTRE, MAGNÉTOMÉTRIE → *aimant.*
MAGNÉTOPHONE → *disque, son.*
MAGNÉTOSCOPE → *radio.*
MAGNIFICAT → *chanter, éloge, honneur.*
MAGNIFICENCE → *briller, grand.*

MAGNIFIER → *grand.*
MAGNIFIQUE → *beau, grand, important.*
MAGNITUDE → *astronomie.*
MAGNOLIA → *arbre.*
MAGNUM → *bouteille.*
MAGOT → *Asie, laid, singe.*
MAGOT → *argent.*
MAHARAJAH → *Asie, chef.*
MAHATMA → *Asie.*
MAH-JONG → *jouer.*
MAHOMET, MAHOMÉTAN → *musulman.*
MAI → *calendrier.*
MAIE → *meuble, pain.*
MAÏEUTIQUE → *demander.*
MAIGRE, MAIGREUR → *faible, manger, petit, sec.* **Maigre.** Débile décharné, dégingandé, efflanqué, émacié, étique, famélique, fantôme, gringalet, hâve; joues caves/creuses; maigre, maigrelet, maigrichon, maigriot maigre comme un clou/comme un cent de clous/comme un échalas; malingre : mal nourri; momie; pâle; pauvre diable; ne plus avoir que la peau sur les os; spectre; squelette, squelette ambulant, squelettique; visage tiré. ▪ Côtes saillantes, on lui compterait les côtes; épaule maigre, salière. ▪ Bidet, haridelle, rossinante. —**Maigrir.** S'affiner; aliments maigres, laitage, poisson; amaigrir, amaigrissement, cure d'amaigrissement; amincir; atrophie, s'atrophier; consomption; se défaire; dénutrition; dépérir, dépérissement; devenir à rien; dessécher, sécher; s'étioler; étisie; fondre; grève de la faim; jeûne, jeûne et abstinence, jeûner; langueur; maigreur cachectique, cachexie; faire pénitence; régime amaigrissant/basses calories. — **Personne ou objet très mince.** Aigu; chétif; délicat, délicatesse; délié; élancé; étranglé; étriqué; étroit, étroitesse des épaules/des hanches, poitrine étroite; fluet; frêle; fuselé; gracile, gracilité; grêle; menu, s'amenuiser; mince, amincir; sec, sec comme un coup de trique (fam.)/ comme un fagot (fam.)/comme un sarment; svelte; taille dégagée/de guêpe; ténu, ténuité.
MAIGRICHON, MAIGRIR → *maigre.*
MAIL → *marcher, route, ville.*
MAILLE → *armure, laine.*
MAILLECHORT → *argent.*
MAILLET, MAILLOCHE → *frapper, menuiserie.*
MAILLON → *anneau.*
MAILLOT → *enfant, vêtement.*
MAIN → *applaudir, bon, doigt, mariage, papier, presser, secret, voler.* — **Description.** Main, battoir (fam)., menotte (fam.), paluche (pop.), patoche (fam.), patte (fam.), pogne (pop.). ▪ Doigt : annulaire, auriculaire, index, médius, pouce; creux, dos, éminence, hypothénar et thénar, ongle, paume, plat, poignet. ▪ Muscles : abducteur du petit doigt, court abducteur du pouce, court fléchisseur, fléchisseur des doigts, lombricaux, supinateur. ▪ Os : carpe, cubitus, métacarpe, métacarpiens, grand os, os crochu, phalange, phalangette, phalangine, pisiforme, pyramidal, radius, scaphoïde, semi-lunaire, trapèze, trapézoïde. — **Affections ou maladies des mains.** Ampoule; cal, callosité, main calleuse; crevasse; durillon; écorchure, s'écorcher les mains; s'enfoncer une épine/une écharde dans la main; engelure; gercer, gerçure; main gourde; goutte ou chiragre; main humide / noueuse / pote / rouge/ tremblante/aux veines gonflées; panaris; rhumatismes déformants. ▪ S'essuyer/se frotter/se laver les mains; brosse, essuie-main, pierre ponce, savon; manucure. — **Qui se prend ou se met à la main.** Gant de caoutchouc/de crin/de fil/de laine/de peau/ de suède; gant de boxe/de ski, etc.; gantelet; ganter, se déganter, retirer ses gants; gantier, ganterie; mitaine, moufle, paumelle. ▪ Bague; bracelet; manche, manchon; manette; manicle, manique; manivelle; poignée. — **Actions propres à la main.** S'agripper; applaudir, applaudissement, battre des mains, palmas; baisemain; chiropraxie; coup de poing; empoigner, poigne; gifler, gifle, claque, avoir la main leste, revers de main, soufflet, souffleter; haut les mains!; joindre les mains, mains jointes, prière; malaxer; manier, manipuler, manipulation, manuel; masser, massage, masseur; mendier, tendre la main, aumône; palper; peloter; pétrir; prestidigitation; prendre, préhension, préhenseur; quêter, quête; saluer, salut militaire; se serrer la main/la cuiller (pop.)/la pince (pop.), poignée de main, shake-hand; taper, tapoter; toper, tope-là; toucher, attouchement; se tourner les pouces.
MAIN-D'ŒUVRE → *exécuter, travail.*
MAIN-FORTE → *aider.*
MAINLEVÉE, MAINMISE, MAINMORTE → *posséder.*
MAINTENIR, MAINTIEN → *affirmer, attitude, fixer, garder.*
MAIRE, MAIRIE → *magistrat, ville.*
MAÏS → *céréale.*
MAISON → *construire, édifice, église, habiter, noblesse, prison.* — **L'extérieur.** Baie, balcon, balustre, balustrade, cheminée, combles, cor-

niche, couverture, façade, fenêtre, fondation, fronton, girouette, gouttière (descente de gouttière), imposte, jardin, maçonnerie, mur, œil-de-bœuf, paratonnerre, perron, porche, porte, porte-fenêtre, seuil, soupirail, terrasse, toit, toiture, tour, tourelle, volets. ▪ Maison sur entresol/à étages (premier/second/... dernier étage)/ à flanc de coteau/sur pilotis/de plain-pied/en rez-de-chaussée/troglodytique/avec vue. — **L'intérieur.** Antichambre; appartement, duplex, studio; ascenseur, cage d'ascenseur, ascenseur de service, monte-charge; buanderie; bureau; cabinet de toilette, cabinets, toilettes, water-closet (W.-C.); cagibi; cave; cellier; chambre d'amis/de bonne; combles; corridor; couloir; cour, atrium, patio; cuisine, kitchenette; entrée; escalier, cage/rampe d'escalier; garde-robe; grenier; hall, hall d'honneur; jardin d'hiver; mansarde; meubles, mobilier; office; penderie; salle, salle de bain/ de billard/de jeux/de séjour, salon; souillarde; soupente; sous-sol; véranda; vestiaire; vestibule. — **Sortes de maisons d'habitation.** Bloc d'immeubles, coron, îlot, pâté; bercail, chez-soi, demeure, domicile, édifice, foyer, gîte, habitation, home, intérieur, logement, logis; maison bourgeoise/ champêtre / forestière / de maître / rustique, etc; pénates; résidence, résidence secondaire; toit. ▪ Bastide, bungalow, cabanon, case, chalet, chaumière, chaumine, clapier (pop.), cottage, crèche (pop.), ermitage, galetas, hutte, maisonnette, manoir, masure, pavillon de banlieue/de chasse, rendez-vous, pied-à-terre, taule (pop.) taupinière (fam.). ▪ Bâtiment d'habitation, borderie, closeau, closerie, estancia, ferme, mas, métairie, ranch, etc. — **État d'une maison.** Maison avenante/belle/calme/coquette/cossue/crépie à neuf/bien ou mal entretenue / fleurie / isolée / pimpante, bien ou mal située; maison abandonnée/croulante/branlante/délabrée/ laide / lépreuse / lézardée; taudis. — **Gérer/tenir la maison.** Faire les commissions/les courses; dépenses, livre de dépenses; économie domestique, économe, économie de bout de chandelle; hôte, hôtesse, hospitalité, maison hospitalière, prendre des hôtes payants; intendant; maison mal famée / mal fréquentée, caverne; maître/maîtresse de maison; ménage, soins / soucis du ménage, travaux ménagers, faire le ménage, une bonne ménagère; train de maison. ▪ Charges; gérer, gérant, gérance; hypothèque, hypothéquer; immobilier; locataire, loyer; maison de rapport/à vendre; propriété, copropriété; réparations; syndic. — **Gens de maison.** Bonne, boy, caméristе, chauffeur, concierge, cuisinier, cuisinière, dame de compagnie, domestique, domesticité, employée de maison, femme de chambre/de charge/de ménage, gardien, gouvernante, jardinier, laquais, larbin, lingère, maître d'hôtel, majordome, nurse, personnel, portier, secrétaire particulier; servir, entrer / servir en maison, se placer; serviteur, servante, service: soubrette; valet, valet de chambre, valetaille.

MAISONNÉE → *famille.*

MAISONNETTE → *maison.*

MAISTRANCE → *marine.*

MAITRE → *art, chef, enseignement, grade, posséder, supérieur.*

MAÎTRE-AUTEL → *église.*

MAÎTRESSE → *aimer, femme maison.*

MAÎTRISE → *chant, chef, enseignement, pouvoir.*

MAÎTRISER → *pouvoir, soumettre.*

MAJESTÉ, MAJESTUEUX → *grand, souverain.*

MAJEUR → *grand, importance.*

MAJEUR → *doigt.*

MAJOLIQUE → *céramique.*

MAJOR → *grade.*

MAJORDOME → *maison, servir.*

MAJORER → *augmenter.*

MAJORETTE → *fête.*

MAJORITAIRE → *élire.*

MAJORITÉ → *droit, élire, gouverner, grand.*

MAJUSCULE → *écrire.*

MAL → *dommage, douleur, maladie, peine.* — **D'une manière mauvaise.** De biais, de coin, de guingois; cahin-caha; incomplètement, incorrectement; mal, mal à propos, mal engagé, mal parti; malencontreusement; malaisément; méchamment, médiocrement; pas mal, assez, passablement, tant bien que mal; peu; être sur la mauvaise pente. — **Contraire au bien, au juste.** Absurdité, absurde; déraison, déraisonnable; erreur; faute; forfait; infamie, infâme; mal, démon / génie du mal; péché, pécheur, pécher; souillure; tache; tare; travers; vice. — **Qui ne convient pas.** Abominable, adultéré, avarié; boiter, boiteux; bousillé; caco-; clocher, quelque chose cloche; défaut, défectueux; déplorable; désastreux; désordre; détérioré, détestable, détraqué, difficile, douteux, épouvantable, exécrable; faux, falsifié; horrible, imbuvable, immangeable, immonde; imparfait, imperfection; impur, impureté; incorrect, incorrection; inexact, infect, insuffisant, lamentable, mal, mauvais, pire, mal fait / fichu / foutu (pop.), médiocre, pourri ; sabotage, saboter, sabot ; vice de fabrication / de forme. ▪ Faire quelque chose à contrecœur/malgré soi/en maugréant/en rechignant. — **Qui crée du dommage.** Acte indigne/odieux ; abus, abusif ; brimer, brimade ; catastrophe ; dangereux, danger ; désagréable, désagrément ; désastreux, désastre ; dommage, endommager, mettre à mal ; excès ; fâcheux ; fautif, faute ; injuste, injustice ; insupportable ; malfaisant, malfaisance, malfaiteur ; maltraiter, mauvais traitement ; manquement à la règle ; médire, médisance ; méfait ; néfaste ; négligent, négligence ; nuisible, nuisance, nuire à ; pénible ; pernicieux ; perte ; poison ; préjudiciable, préjudice ; tort, faire/porter tort ; turbulent ; violent, violence ; vilain, vilenie ; vouloir du mal. — **Souffrance physique.** -algie ; blessure, bobo ; crise, douleur ; effort ; infirme, infirmité ; mal, haut mal, être mal en point, maux ; maladie ; malaise ; mal de tête/de cœur/d'oreilles ; avoir / faire mal ; pénible, peine ; sévices ; souffrance, souffrir, souffrir le martyre ; torture. — **Qui fait le mal.** Arsouille ; calomnie, calomnieux ; carne (pop.) ; chameau (pop.) ; chenapan ; corrompu, corruption ; faire une crasse ; criminel, crime ; cruel, cruauté ; dépravé, dépravation ; diabolique, diablerie, diable ; dureté de cœur, dur ; faire le mal pour le mal ; fielleux, fiel ; injuste, injustice ; malfaisant ; malicieux, malice ; malignité, esprit malin/malintentionné ; malveillant, malveillance ; mauvaiseté ; méchanceté, méchanceté gratuite, méchant comme la gale/comme une teigne ; médisant, médisance ; misérable ; pervers, perversité, pervertir, perversion ; raffiner dans le mal ; rossard (fam.), rosse, rosserie ; sadique, sadisme, sadomasochisme ; salaud, saligaud (pop.), saloperie, salopard, (pop.), sans cœur ; scélératesse, scélérat ; sorcière ; tentateur ; truand ; vache, vacherie, peau de vache (pop.) ; vaurien ; venimeux, vilain ; voyou. — **Mauvais caractère.** Acerbe ; agressif ; aigre, aigre-doux ; amer ; plein d'animosité ; brutal ; caractère infernal/insociable/insupportable/intraitable ; coléreux ; emporté ; énergumène ; sale engeance, fléau du genre humain ; indisposer quelqu'un ; ironie corrosive ; virulente ; mauvaise graine/herbe/langue ; noirceur ; peste ; rancunier ; rétif ; sournois ; terreur ; vindicatif, vengeance.

MALABAR → *force.*

MALACHITE → *joaillerie.*

MALACOLOGIE → *mollusques.*

MALADE → *défaut, folie, maladie, santé.*

MALADIE, MALADIF → *dommage, médecine, médicament, passion, travail.* — **Classification des maladies.** Maladies dues aux agents physiques : chaleur, brûlure ; électricité ; froid, gelure ; radiations. ▪ Maladie aiguë ou chronique ; allergie ; bénigne ou grave ; contagieuse, contagion, contamination ; dyscrasique ; épidémique, épidémie ; évolutive ; héréditaire ; idiopathique ; imaginaire, autosuggestion, simulation ; incurable, inguérissable ; infectieuse, infection, microbe, agent pathogène ; insidieuse ; locale ou générale ; mentale ; mortelle ; parasitaire ; pernicieuse ; somatique ; toxique, intoxication, poisons minéraux ou organiques ; traumatique, choc, compression, écrasement, plaie ; à virus filtrants, virulente, virale. — **Phases et manifestations.** Aggravation, s'aggraver ; agonie ; attaque, atteinte ; attraper une maladie ; complication ; contracter une maladie ; convalescence ; convalescent ; crise, période critique ; évolution ; guérison, guérir ; incubation ; inoculer, inoculation ; mal subintrant ; mieux ; paroxysme ; processus ; progrès, progression ; rechute ; réchapper, récidiver ; recrudescence ; relever d'une maladie ; rémission, rémittence ; reliquat, séquelle. ▪ Abcès, aboulie, aphonie, aphte, asthénie, battement de cœur, bubon, calcul, céphalée, chancre, colique, constipation, délire, desquamation, diarrhée, dyspnée, éruption, fibrome, fièvre, fistule, flux, hernie, incontinence, insomnie, irritation, lésion, palpitations, rétention, taches, tumeur, ulcération. — **Principales maladies.** -algie, -émie, -ite, -manie, -pathie, -urèse, -urie (voir les parties du corps concernées ou les agents de la maladie). — **Malade, maladif.** Abattu, cacochyme ; chétif ; consomption, se consumer ; dolent ; déprimé, état dépressif ; dérangé, avoir l'estomac dérangé ; égrotant ; étisie ; extrémité, dernière extrémité ; grabataire ; incommodité ; indisposé ; infirme, infirmité ; mal, aller mal, être mal fichu/mal en point/mal portant/au plus mal, avoir mal/du mal à ; malade, tomber malade, état maladif, malade comme une bête/comme un chien/à crever (fam.) ; malingre ; mine, mauvaise/petite mine ; moribond ; patraque (fam.) ; organisme affaibli/délabré/réceptif ; recevoir l'extrême-onction/les derniers sacrements ; souffrir, souffrant, souffreteux ; être sujet à ; valétudinaire ; visage décharné/livide/terreux. — **Soigner une maladie.** Appeler un médecin, consulter, consultation, visite ; diagnostic, pronostic ; diète ; étiologie ; médecine, médecin ; nosographie ; pathologie, pathogénie ; piqûre ; prophylaxie ; régime ; remède ; séméiologie ; soin, soigner ; symptomatologie ; thérapeutique ; traitement ; vacciner, vaccination. ■ Se coucher ; garder la chambre/le lit ; garde, garde-malade, infirmière ; hospitaliser, hospitalisation ; se mettre au lit, s'aliter, alitement ; être en observation ; patient ; transporter sur un brancard/une civière/un fauteuil roulant/en ambulance. ■ Grog, infusion, médicament, pilule, potion, tisane, etc.

MALADRESSE, MALADROIT → *gauche, grossier.*

MALAGA → *vin.*

MALAISE → *maladie, trouble.*

MALAISÉ → *difficile.*

MALANDRIN → *voler.*

MALAPPRIS → *grossier.*

MALARD → *canard.*

MALARIA → *fièvre.*

MALAVISÉ → *sot.*

MALAXER, MALAXEUR → *mêler, mou, presser.*

MALBÂTI → *laid.*

MALCHANCE, MALCHANCEUX → *mal, malheur.*

MALDONNE → *carte, tromper.*

MALE → *force, homme, sexe.*

MALÉDICTION → *détester, magie, mal, malheur.*

MALÉFICE, MALÉFIQUE → *astrologie, influence, magie.*

MALENCONTREUX → *gêner.*

MAL-EN-POINT → *maladie.*

MALENTENDU → *expliquer, tromper.*

MALFAÇON → *défaut.*

MALFAIRE, MALFAISANT → *mal, mauvais.*

MALFAITEUR → *crime, voler.*

MALFAMÉ → *réputation.*

MALFORMATION → *défaut.*

MALHABILE → *gauche.*

MALHEUR, MALHEUREUX → *destin, événement, mal, triste.* — **Situation malheureuse.** Adversité ; affliction, affliger, affligeant ; boire un bouillon (fam.) ; chagrin, chagriner ; chute, déchoir, déchéance ; décadence ; déclin, décliner ; déconfiture, être déconfit ; dégringolade ; désespoir, désespérer ; désolation, se désoler ; détresse, plongé dans la détresse ; échaudé ; éprouvé, subir des épreuves ; être dans les choux (fam.)/la panade (pop.)/la purée (pop.) ; infortune, infortuné ; malheur, cause / comble / source de malheur, heur et malheur ; manger de la vache enragée (fam.) ; misère, misérable ; peine ; à plaindre ; piteux état, pitoyable ; porter sa croix ; situation déplorable / difficile / désagréable / fâcheuse / lamentable / malencontreuse / préjudiciable / triste ; souci ; les temps sont durs ; tracas ; tragédie ; traverse ; tristesse ; être victime. ■ Boire le calice/la coupe jusqu'à la lie ; « quand le vin est tiré, il faut le boire ». — **Événement malheureux.** Accident ; affliction ; aventure fâcheuse, mésaventure ; calamité, calamiteux ; cataclysme ; catastrophique ; contrariété ; coup du sort/de Trafalgar (fam.) ; déception ; désastre ; deuil ; difficulté ; disgrâce ; échec ; ennui ; épidémie ; épreuve ; erreur fatale, fatalité ; famine ; fléau ; guerre ; incendie ; inconvénient ; infortune ; insuccès ; mal ; malheur / accablant / déplorable / irrémédiable / irréparable / néfaste / terrible ; être frappé ; avoir des malheurs ; affreux/tragique malheur/malentendu/quiproquo ; chapelet / engrenage de malheurs ; coup de massue ; mécompte ; naufrage ; pépin (fam.) ; perte ; plaie ; préjudice ; ravage ; revers ; ruine, ruiner, ruineux ; sinistre ; tribulation ; vexation. — **Malchance, sort.** Destin cruel, noir destin ; déveine ; fatalité, fatal, cela devait arriver, cela lui pendait au nez (fam.), épée de Damoclès ; fortune ; guigne, guignon ; malchance, malchanceux ; malédiction, maudit, maudire ; malheur, porter malheur, oiseau de malheur, malheur à vous, *vae victis !*, jouer de malheur ; manque de chance/de pot (pop.)/de veine ; mauvais œil ; mauvaise passe ; être né sous une mauvaise étoile ; poisse (pop.) ; sort, coup du sort, cruauté/vicissitudes du sort ; tomber de Charybde en Scylla.

MALHEUREUX → *pauvre, triste.*

MALHONNÊTE, MALHONNÊTETÉ → *grossier, injustice, offense.*

MALICE, MALICIEUX → *moquer.*

MALIGNITÉ → *mal, mauvais.*

MALIN → *adroit, moquer, subtil, vif.*

MALINGRE → *faible, maigre, petit.*

MALINTENTIONNÉ → *mauvais.*

MALLE → *coffre.*

MALLÉABILITÉ MALLÉABLE → *métal, soumettre.*

MALLÉOLE → *jambe.*

MALLETTE → *sac.*

MALMENER → *mal, violence.*

MALNUTRITION → *maigre, manger.*

MALODORANT → *infecter.*

MALOTRU → *grossier.*

MALPROPRE, MALPROPRETÉ → *injustice, sale.*

MALSAIN → *infecter, mauvais.*

MALSÉANCE, MALSÉANT, MALSONNANT → *grossier.*

MALT, MALTER, MALTERIE → *bière.*

MALTHUSIANISME → *économie, prévoir.*

MALTÔTE → *impôt, injustice.*

MALTRAITER → *mal, violence.*

MALVEILLANCE, MALVEILLANT → *mal.*

MALVENU → *droit, incapable.*

MALVERSATION → *injustice, voler.*

MALVOISIE → *vin.*

MAMAN → *famille, femme.*

MAMELLE → *lait, mammifères, poitrine.*

MAMELON, MAMELONNÉ → *bosse, poitrine, relief.*

MAMMAIRE → *poitrine.*

MAMMALOGIE → *mammifères.*

MAMMIFÈRES → *animal, singe.* — **Généralités.** Lait, mamelle; mamellé, mammalogie, pis, portée, tétine, téter; membres; poumon; queue; tête; viviparité, vivipare. ▪ Mammifères aériens/aquatiques/arboricoles/terrestres; carnivores / insectivores/omnivores/ruminants / végétariens. ▪ Artiodactyles, périssodactyles, hominiens, lémuriens, simiens; carnivores ou carnassiers, cétacés, chiroptères, édentés, insectivores, marsupiaux, monotrèmes, ongulés, pennipèdes, primates, pachydermes, rongeurs, siréniens, tubulidentés. ▪ Famille des bovidés/canidés/cervidés/aquidés / félidés / hyénidés / léporidés / macropodidés / mustélidés / ovinés/sciuridés/suidés, etc. — **Mammifères domestiques ou souvent domestiqués.** Ane, bœuf, buffle, chameau, chat, cheval, chèvre, chien, dromadaire, éléphant, furet, lama, lapin, mangouste, mouton, porc, renne, taureau, yack, zébu. — **Principaux mammifères sauvages.** Agouti, aï ou bradype ou paresseux, alouate ou singe hurleur, alpaga, antilope, aurochs, babiroussa, babouin, baleine, belette, beluga, bison, blaireau, bouquetin, cabiai, cachalot, campagnol, castor, cercopithèque, cerf, chacal, chamois, chauve-souris, chevreuil, chimpanzé, chinchilla, civette, coati, cobaye, cobe, cyon, daim, dauphin, desman, échidné, écureuil, élan, éléphant, eyra, fennec, fouine, fourmilier, galéopithèque, gazelle, gerbille, gerboise, gibbon, girafe, glouton, gnou, gorille, guépard, hamster, hérisson, hermine, hippopotame, hyène, jaguar, kangourou, kinkajou, lamantin, lapin, lemming, léopard, lièvre, lion, loris, loup, loutre, lycaon, lynx, macaque, macroscélide, magot, maki, mangouste, marmotte, marsouin, martre, mégaptère ou jubarte, morse, moufette, mouflon, mulot, musaraigne, narval, ocelot, okapi, onagre, ondatra, opossum, ornithorynque, orang-outan, oreillard, orque, oryctérope, otarie, otocyon, ouistiti, ours, ovibos, panda, pangolin, panthère, pécari, petit-gris, phacochère, phalanger, phoque, polatouche ou écureuil volant, porc, porc-épic, protèle, puma, putois, ragondin, rat, ratel, raton laveur, renard, rhinocéros, rhinolophe, rorqual, roussette, sanglier, sarigue, singe, souris, spalax, spermophile, surmulot, tamandua, tamanoir, tanrec, tapir, tarsier, tatou, taupe, thylacine, tigre, tupaia, vampire, vigogne, vison, xérus ou rat palmiste, zèbre, zibeline, zorille.

MAMMOUTH → *animal.*

MAMOURS → *caresse.*

MANAGEMENT, MANAGER → *conduire, entreprise.*

MANCELLE → *harnais.*

MANCHE → *aviation, main, prendre.*

MANCHERON → *bras, prendre.*

MANCHETTE → *frapper, journal, vêtement.*

MANCHON → *anneau, main, poil, tuyau.*

MANCHOT → *diminuer, main.*

MANCHOT → *oiseau.*

-MANCIE → *prévoir.*

MANDANT → *pouvoir.*

MANDARIN, MANDARINAT → *Asie, chef, Université.*

MANDARINE, MANDARINIER → *agrumes.*

MANDAT → *fonction, payer, poste, pouvoir, tribunal.*

MANDATAIRE → *pouvoir.*

MANDAT-CARTE, MANDAT-CONTRIBUTIONS → *poste.*

MANDATER → *poste, pouvoir.*

MANDAT-LETTRE → *poste.*

MANDEMENT, MANDER → *volonté.*

MANDIBULE → *bouche, manger.*

MANDOLINE, MANDOLINISTE → *instrument.*

MANDORLE → *honneur.*

MANDRAGORE → *magie.*

MANDRILL → *singe.*

MANDRIN → *machine, tourner.*

MANÉCANTERIE → *chant.*

MANÈGE → *cheval, plaire.*

MÂNES → *dieu.*

MANETTE → *machine.*

MANGANÈSE → *acier.*

MANGEAILLE, MANGEOIRE → *bétail, ferme.*

MANGER, MANGEUR → *aliment, confiserie, cuisine, pâtisserie, ronger.* — **Généralités.** Abstinence; appétit;

bec, becquée; bouche, bouchée; dent, à belles dents; diète; faim, affamé; garde-manger, réfrigérateur; gorgée, goulée; gosier, gueule; jeûne, jeûner; mâchoire ou mandibule; -phage, anthropophage; phagocyte, phagocyter, phagocytose; -vore, omnivore. ▪ Assiette; buffet; les couverts : couteau, cuillère, fourchette; crédence; desserte; nappe, napperon; table, mettre le couvert/la table, dresser la table, dressoir, chemin de table; serviette; verre, verrerie, cristaux. ▪ Cantine, crêperie, hôtel, popote, restaurant, salle à manger, self-service. ▪ Appâter, auge, brouter, butiner, engraisser, mangeoire, paître, pâturer, picorer, ratelier, ronger, ruminer, viander. — **Avaler pour se nourrir.** Absorber, absorption; avaler, tout rond; becqueter, becquetance (pop.); bouffer (fam.); boulotter (fam.); casser la croûte (fam.); chipoter; consommer, consommation; croquer; dévorer; s'enfiler (pop.); enfourner; s'envoyer (pop.); gober; grignoter; ingérer, ingestion; ingurgiter, ingurgitation; mâcher, manducation; manger, mangeable, immangeable, comestible, non comestible; mastiquer, mastication; picorer, pignocher (fam.); ronger; se taper (pop.). — **Absorber des aliments.** S'alimenter, alimentation; chère, faire bonne chère; manger, un morceau/tout son soûl, mangeaille; mordre à belles dents; se nourrir; se rassasier; se refaire; se repaître, être repu; se restaurer; se sustenter. — **Prendre un repas.** S'attabler, se mettre à table; banquet, banqueter; casse-croûte; collationner, collation; déjeuner, petit déjeuner; dîner, dînette; en-cas; festoyer, festin de Balthazar/de Lucullus/pantagruélique; frichti (fam.), fricot (fam.); gala; goûter, goûter dînatoire; gueuleton, gueuletonner (pop.); lunch; manger à la bonne franquette/à la fortune du pot/à la gamelle; ordinaire; pique-nique, pic-nic; popote; réveillon; sandwich; souper aux chandelles; table, se lever/sortir de table, table d'hôte; thé, five o'clock tea. ▪ Agapes; bombance (fam.), bombe; bouffe (fam.), mangeaille (fam.), noce, orgie, ribote, ripaille, ventrée. ▪ Carte, menu, mets, pitance, plats, service; hors-d'œuvre, entrée ou potage, plat principal/de résistance, entremets, fromage, dessert, café, liqueurs, pousse-café (fam.). — **Trop manger.** Bâfrer, bâfreur (pop.); bouffer, bouffer comme un chancre (pop.)/comme un cochon (pop.)/comme quatre (fam.); se bourrer (fam.); boustifailler, boustifaille (pop.); s'en coller/s'en foutre/s'en mettre jusque-là/plein la gueule/plein la lampe (pop.); engloutir; se gaver; se goberger (fam.); se goinfrer, goinfre (fam.); se gorger; gloutonnerie, glouton; goulu, goulûment, insatiable; intempérance; manger, mangeur, gros mangeur, manger à en crever (pop.)/à se faire péter la sous-ventrière (pop.); ogre; se remplir l'estomac/la panse (fam.)/le ventre (fam.), une ventrée (pop.); savourer; se taper la cloche (pop.); vorace, voracité. — **Donner à manger.** Alimenter, sous-alimenter, suralimenter; allaiter; donner à dîner; hôte; inviter, invité; maître de maison; malnutrition, mal nourri; nourrir, bien nourri, nutrition, aliment consistant / nutritif; pendre la crémaillère; prendre en pension; ravitailler, ravitaillement, marché noir; recevoir, réception, mettre les petits plats dans les grands (fam.); régaler; restaurer; traiter, traiteur; tuer le veau gras; le vivre et le couvert. ▪ Écuyer tranchant, maître d'hôtel, serveur, serveuse, valet de pied; découper, passer les plats, servir, desservir. — **Celui qui mange.** Appétit, avoir un appétit de moineau/un gros appétit/un estomac d'autruche; attaquer un plat; consommation; digérer, lent/lourd à digérer; dîner; entamer; être friand de; frugal, frugalité; Gargantua, appétit gargantuesque; gastronome, gastronomie, gastrolâtrie; gourmand, gourmandise, gourmet; goûter; fine gueule (fam.), gueulard (pop.), bonne fourchette; se lécher les babines; se pourlécher; mangeur, gros mangeur, petit mangeur, mangeur de choucroute/de grenouilles/de macaroni; parasite, pique-assiette, écornifleur; régime; sobre, sobriété; tâter de; ne pas toucher à; végétarien, végétarisme; viveur. ▪ Commensal, convive, hôte, invité, pensionnaire. — **Digestion.** Assimilation; bile, sécrétion biliaire; bol alimentaire; chyle, chyme; déglutir, déglutition; digestion, digérer; digestif; eupepsie; mastication; bien passer; pepsine; salivation, salive; suc gastrique/pancréatique; trituration. ▪ Aigreur, colique, crampe, dyspepsie; éructation, rot, roter; flatuosité, pet, péter; haut-le-cœur; hoquet; indigestion; mal au cœur; nausée, nauséeux, nauséabond; rester sur le cœur; retour, renvoi; spasme. ▪ Dégobiller (pop.); dégueuler (pop.); rendre tripes et boyaux; vomir, vomitif, noix vomique, émétique.

MANGE-TOUT → *grain.*

MANGONNEAU → *artillerie.*

MANGOUSTE → *mammifères.*

MANGUE, MANGUIER → *fruit.*

MANIABILITÉ, MANIABLE → *main.*

MANIAQUE → *aimer, folie, passion.*

MANICHÉEN, MANICHÉISME → *deux, religion.*

MANICLE, MANIQUE → *main.*

MANIE → *folie, habitude, soigner, tendance.*

MANIEMENT, MANIER → *arme, conduire, prendre.*

MANIÈRE → *agir, attitude, habitude.* — **Façon particulière.** Agissements ; agencer, agencement ; aménager, aménagement ; arranger, arrangement ; art ; attitude ; avis, façon de voir ; commerce ; comportement ; disposer, disposition ; école, élève, imiter ; espèce ; état ; expression ; façon ; facture, faire, savoir-faire ; forme ; genre de vie ; goût, goûts particuliers ; jeu, jeu d'un acteur ; manière, avoir la manière/la bonne manière, manière forte, manière de s'exprimer/de penser/de voir les choses/de prendre la vie, etc. ; manœuvre, manœuvrer ; marche à suivre ; méthode ; mode d'emploi ; moyen, trouver le moyen de ; note personnelle ; opinion ; ordre, ranger dans un certain ordre ; plan ; point de vue ; politique ; posture ; procédé ; recette ; régime ; sauce, à toutes les sauces (fam.) ; secret, avoir le secret de ; selon les règles/les rites, savoir-vivre ; structure ; style, dans le style de ; système ; technique ; tenue ; touche originale ; tour d'esprit, tournure d'esprit ; bien/mal tourner les choses ; truc ; voie. — **Manières de se comporter.** Grand air, air compassé/digne/noble, etc. ; allure ; bonhomie, bonhomme ; avoir du cachet/du caractère/du chic/du chien (fam.) ; faire des cérémonies/des chichis (fam.)/du chiqué (fam.) ; cérémonie, cérémonial, cérémonieux ; coquetterie, coquet ; se comporter, comportement martial/viril ; se contorsionner, contorsion ; dégaine ; démarche ; embarras ; extérieur ; faire des histoires ; genre, avoir un certain genre ; en imposer ; maintien ; minauder, minauderies ; niveau de vie ; paraître, apparence ; politesse, poli ; protocole ; ridicule ; salamalecs ; singerie ; singularité, se singulariser ; tenue. ▪ Manières affables/affectées/amènes/arrogantes/avenantes, bonnes manières, manières câlines/cavalières/communes / convenables / correctes / courtoises / dégagées / déplaisantes / désinvoltes / efféminées / élégantes / engageantes / exquises / familières / frustes / garçonnières / libres / naturelles / raffinées / rudes / vulgaires. — **Personne qui a des manières.** Accorte ; affable ; aimable, amabilité ; bien élevé, éduqué, bienséance ; bon ton, de bonne compagnie ; civil, civilités, présenter ses compliments ; comme il faut ; condoléances ; congratulations ; courbettes ; courtoisie, courtois ; décence ; déférence ; distingué, distinction ; égards ; félicitations ; galant homme, galanterie, la vieille galanterie française ; gentleman ; gracieux, gracieusetés ; homme du monde, hommage(s) ; obligeant, obligeance ; obséquiosité ; paroles flatteuses ; poli, politesse raffinée ; prévenant, prévenance ; bons procédés ; protestations d'amitié/de dévouement ; racé ; remerciements ; respects ; salutations ; tact ; stylé ; urbanité ; vieille France. Discourtois, goujat, grossier, impoli, impolitesse, incivil, rustre, vulgaire. — **Maniéré.** Affecté, affectation ; affété ; apprêté ; compassé ; contourné ; guindé ; mijaurée ; air pincé/poseur/précieux/prétentieux ; recherché. ▪ Baroque, gongorisme, plateresque, préciosité, rocaille, rococo. — **Comment.** Ainsi, ainsi soit-il ; autrement ; comme, comment ; diversement ; à la façon de ; dans le goût de ; manière dont/selon laquelle ; de cette manière, de telle ou telle manière ; de manière à/que ; en manière de ; à la manière de, à l'instar de, de même que ; -ment ; à la mode de ; parallèlement ; selon ; sic.

MANIÉRÉ, MANIÉRISME → *affectation, style.*

MANIFESTANT, MANIFESTATION → *groupe, montrer, révolte.*

MANIFESTE → *écrire, informer, navire.*

MANIFESTER → *informer, montrer.*

MANIGANCE, MANIGANCER → *secret, subtil.*

MANILLE → *anneau, carte.*

MANIOC → *amidon.*

MANIPULATEUR → *poste.*

MANIPULATEUR, MANIPULATION → *chimie, main.*

MANIPULE → *liturgie.*

MANIPULER → *chimie, main.*

MANITOU → *chef, importance.*

MANIVELLE → *machine.*

MANNE → *bienfaisance.*

MANNE, MANNEQUIN → *vannerie.*

MANNEQUIN → *couture, faible, modèle, mou.*

MANŒUVRE → *travail.*

MANŒUVRE, MANŒUVRER → *armée, conduire, machine, manière.*

MANŒUVRIER → *adroit, convaincre, subtil.*

MANOIR → *habiter.*

MANOMÈTRE, MANOMÉTRIE → *mesure, vapeur.*

MANOQUE → *tabac.*

MANQUE, MANQUEMENT, MANQUER → *défaut, diminuer, enlever, faute, mourir.* — **Absence d'une chose nécessaire.** a-, arythmie, etc. ; absence, absent, absentéisme ; banqueroute ; besoin, avoir besoin/un besoin urgent/de gros besoins ; carence affective ; être à court, rester court/sec (fam.) ; crise ; découvert en banque, chèque sans provision ; défaut, défectueux, défection, verbe défectif, déficient ; déficit, déficitaire ; dénuement, dénué, nu ; dépourvu ; dés- ; détresse, détresse profonde ; disette ; embarras ; famine ; faute, faute de ; imparfait, imperfection ; incomplet, incomplètement ; indigence, indigent ; insuffisance, insuffisant ; jeûne, jeûner ; lacune, lacunaire ; laisser de côté/en souffrance ; manquer, manque de distraction/de goût/d'ordre/de repos, etc., manquant; être en état de manque; négligence; omettre; oubli; se passer de; paupérisme, pauvreté, pauvre ; pénurie ; privation, privé ; rareté, rare ; sans ; superficiel ; vide. ▪ Il s'en faut, moins. — **Créer un manque.** Brûler l'étape, cacher, escamoter, interrompre, interruption, laisser un blanc, omettre, omission, passer sous silence, perdre le fil/la mémoire, réticence, sauter, sous-entendu, taire. ▪ Dégarnir, démunir, déposséder, dépouiller, épuiser, exiler, ôter, priver de, sevrer, supprimer, tarir, vider, évider. — **Compléter un manque.** Adopter, adoption, adoptif ; appoint, faire l'appoint ; boucher ; compléter, complément ; pallier, palliatif ; prêter, prêt ; solution de fortune ; suppléer. — **Manquement.** Délit, délictueux ; déloyauté, déloyal ; dérèglement ; se dérober à, déroger à, dérogation, mesure dérogatoire ; écart, s'écarter ; enfreindre, infraction ; erreur ; exempter, exemption ; faillir, défaillir, défaillance ; faute, fauter (pop.) ; faux bond ; infidélité, infidèle ; insubordination ; irrégularité, irrégulier ; manquement à la loi / à la règle / au règlement, manquer de parole ; offenser, offense ; péché ; prévarication, prévaricateur ; se soustraire ; trahir, trahison ; violer, violation. ▪ Congé, prendre congé ; faute ; interruption de service ; intérim, intérimaire ; remplacer, remplaçant ; vacance, poste vacant.

MANSARDE, MANSARDÉ → *chambre, maison.*

MANSUÉTUDE → *bon, permettre.*

MANTE → *femme, insecte, vêtement.*

MANTEAU → *blason, feu, mollusques, secret, vêtement.*

MANTELET → *vêtement.*

MANTELURE → *chien.*

MANTILLE → *chapeau, dentelle.*

MANTIQUE → *prévoir.*

MANUCURE → *doigt, main, soigner.*

MANUEL → *main.*

MANUEL → *abréger, livre.*

MANUFACTURE, MANUFACTURER, MANUFACTURIER → *industrie.*

MANUSCRIT → *écrire, récit.*

MANUTENTION, MANUTENTIONNAIRE → *marchandises.*

MANUTERGE → *liturgie.*

MANZANILLA → *vin.*

MAPPEMONDE → *astronomie, terre.*

MAQUERAISON, MAQUEREAU → *poisson.*

MAQUEREAU, MAQUERELLE → *débauche, femme, homme.*

MAQUETTE, MAQUETTISTE → *modèle, typographie.*

MAQUIGNON, MAQUIGNONNAGE → *cheval, tromper.*

MAQUILLAGE, MAQUILLER, MAQUILLEUR → *changer, couleur, toilette, tromper, visage.*

MAQUIS → *guerre, résister, végétation.*

MAQUISARD → *guerre, résister.*

MARABOUT → *bouillir, musulman, oiseau.*

MARAICHER → *jardin, légume.*

MARAIS → *lac, sel, végétation.*

MARASME → *arrêter, économie.*

MARASQUIN → *alcool.*

MARATHON → *athlétisme.*

MARÂTRE → *famille.*

MARAUDE, MARAUDER → *vent, voler.*

MARBRE → *calcium, insensible, journal, niveau, sculpture, typographie.* — **Généralités.** Agate ; albâtre ; calcaire ; calcite, dolomite ; grain ; marbre, pierre marbrière ; marmoriser, marmorisation ; onyx ; porphyre ; roche cristallisée. ▪ Marbrer, marbré, marbrure ; faux marbre, stuc ; marmoréen. — **Classification des marbres.** Marbres beiges : Balacet, comblanchien, Hauteville, Lunel travertin ; marbres blancs : Arabescato, Carrare, Paros, Pentélique, Saint-Béat ; marbres bleus : du Portugal, turquin ; marbres à fond noirs/unis/ramagés ou veinés : brèche orientale des Pyrénées, grand antique, coquille, jaspé, marquina, portor, rubané ; marbres à fond rose : brèche romaine, rose aurore/vif ; marbres gris noir : ramagés ou mouchetés, Chomérac, Paloma ; marbres jaunes : brocatelle jaune, orange varois, Villon ambré ; marbres rouges : griotte de Félines, Alicante, antique, beige ; marbres verts : Campan, cipolin, vert de Gênes / des Alpes ; marbres violets ; brèche Médicis, violette, brocatelle violette, fleur de pêcher. **Industrie du marbre.** Marbrerie, carrière de marbre, marbrière, marbrier ; outils de marbrier : couteau à pierre, ognette, sciotte. ▪ Extraction ; sciage au fil hélicoïdal, châssis, plan de sciage ; tranchage, débitage, débiteuse ou sciotteuse, débiter en passe/en contre-passe/en tranche; façonnage; polissage, polir, égrésage, adoucissage, lustrage, masticage, gratteler, rabattre. — **Applications.** Balustrade; cheminée; dallage, pavage; décoration, de salle de bain, baignoire; dessus de meuble; escalier, degré; marbre votif, ex-voto; monument funéraire; plinthes et stylobates; revêtement, de façades de boutiques/de mur, etc.; statuaire, statue; tablette de radiateur.

MARBRER, MARBRURE → *papier, peau, peinture.*

MARBRERIE, MARBRIÈRE → *marbre.*

MARC → *alcool, résidu.*

MARCASSIN → *porc.*

MARCASSITE → *joaillerie.*

MARCESCENCE, MARCESCENT → *plante.*

MARCHAND → *commerce, marchandises, marine.*

MARCHANDAGE, MARCHANDER → *commerce, discussion.*

MARCHANDISES → *acheter, commerce, paquet.* — **Marchandises.** Article; assortiment, désassortir, réassortir; camelote; choix, grand choix à l'intérieur, article de premier/de second choix; collection; débiter, détailler; denrée, denrées alimentaires/périssables; fournitures; marchandise; nouveauté; occasion, de seconde main; pacotille; produit démarqué/laissé pour compte/soldé; rossignol; solde; verroterie. ■ Achat, acheter; vente, vendre. — **Conservation ou dépôt de marchandises.** Caisse des dépôts et consignations, coffre; commissionnaire; consignation, consigne; dépôt, dépositaire; dock; économie, économiser; emmagasiner; empiler, pile; entreposer, entrepôt, entreposeur, entrepositaire; garage, garer; garder, garde-meuble; hangar; magasin, magasins généraux, magasinage, magasinier; mont-de-piété; provision; réserve; séquestre, mettre sous séquestre; soute; stock, stockage, stocker; succursale; transitaire; warrant, warranter, warrantage. — **Transporter des marchandises.** Arrimer, arrimage, désarrimer; ballot, balle; cargaison, cargo, gabarre, péniche; colis; container ou conteneur; contrebande, contrebandier; débarder, débardage, débardeur, docker; douane, douanier; expédier, expéditeur, expédition; exporter, exportateur, exportation; importer, importation, export-import; manutention, manutentionnaire; messageries; paquet; provenance; router, routage; transport par voie ferrée/fluviale/maritime/routière; voiturer. — **Vendre des marchandises.** Article, faire l'article; bagou; baratin, baratineur (fam.); boniment, bonimenter; esprit commerçant, de commerce. ■ Céder, cession; conclure une affaire/un marché; débit, débiter, débitant; débouché; écoulement, écouler; liquider, liquidation; marché; payer, paiement; prix courant/coûtant, prix réclame/réduit, réfaction; simonie; vendre, revendre, vente, revente, vendeur, revendeur; vente par adjudication/à la criée/à l'encan/aux enchères/au plus offrant/publique, etc. — **Lieu de vente et vendeur.** Armurerie, armurier; bijouterie, horlogerie, bijouterie-horlogerie, bijoutier, bijoutier-horloger; bonneterie; boucherie, charcuterie, boucherie-charcuterie, boucherie chevaline, charcuterie fine/régionale, boucher, charcutier, boucher-charcutier, charcutier-traiteur; boulangerie, pâtisserie, boulangerie-pâtisserie, pâtisserie-salon de thé, boulanger, pâtissier, boulanger-pâtissier; chapellerie, chapelier, modiste; chemiserie, chemisier; confiserie, confiseur; cordonnerie, cordonnier, bouif (fam.), savetier; coutellerie, coutelier; crémerie, beurre-œufs-fromage (B.O.F.), crémier; droguerie, droguiste, marchand de couleurs; épicerie, épicier; fruiterie, fruits et légumes, primeurs, fruitier, marchand des quatre-saisons; graineterie, grainetier; herboristerie, herboriste, herboriste-bandagiste; joaillerie, joaillier, bijoutier-joaillier; librairie, papeterie, libraire, papetier, librairie-papeterie; maroquinerie, maroquinier; optique, opticien, opticien; lunetier; parfumerie, parfumeur; pharmacie, pharmacien; poissonnerie, poissonnier; quincaillerie, quincaillier; triperie, tripier. ■ Antiquaire, bottier, brocanteur, casseur, disquaire, fleuriste, fripier, photographe, tailleur, etc.; articles de Paris/de pêche; marchand de journaux/de tableaux, etc. ■ Baraque, catalogue, client, comptoir, déballage, étalage, étiquette, exposition, foire, marché, prospectus, rayon, stand, vitrine. — **Personnel de vente.** Boutiquier, caissière, camelot, colporteur, commis, commis voyageur, commissaire-priseur, démarcheur, demoiselle de magasin, démonstrateur, détaillant, étalagiste, facteur, forain, garçon de course, grossiste, livreur, chauffeur-livreur, manutentionnaire, marchand, négociant, placier, représentant, trafiquant, vendeur, vendeuse, voyageur de commerce.

MARCHE → *marcher, monter, mouvement, musique, progrès.*

MARCHÉ → *accord, acheter, commerce, économie, payer.*

MARCHEPIED → *automobile, monter.*

MARCHER, MARCHEUR → *croire, mouvement, pied, progrès.* — **Action de se déplacer en marchant.** Aller, aller et venir, aller par monts et par vaux, accompagner, aller de compagnie ; arpenter ; avancer, avance ; battre la campagne/le pavé/la plaine ; cheminer, cheminement, s'acheminer, être en chemin, faire du chemin ; circuler ; couvrir une distance, abattre des kilomètres (fam.) ; dépasser ; descendre ; direction, se diriger sur/vers ; distance, distancer ; évoluer ; gagner un point/une ville ; -grade : digitigrade, plantigrade, tardigrade ; ingambe, valide, infirme, invalide ; locomotion ; longer ; marcher en avant/en arrière, marche avant/arrière, marcher sur ses pieds/sur les mains/à quatre pattes ; marcher droit/droit devant soi ; monter ; obliquer ; partir, départ ; parcourir de bout en bout/de long en large/ pied à pied / à patte (pop.) / *pedibus cum jambis* (fam.) / à pince (pop.) ; porter ses pas ; progresser, progression ; reculer, d'un pas/de deux pas, etc., recul ; se rendre ; route, faire route, se mettre en route ; suivre ; traite ; trajet ; tirée (fam.) ; trotte (fam.) ; traverser ; venir ; voyager, voyage. ▪ Cortège, défilé, procession, retraite aux flambeaux ; marche, marche forcée/de nuit, régiment de marche. ▪ Chaussure, botte de sept lieues, nu-pieds ; odomètre, podomètre. — **Façons de marcher.** Allure ; courir, courir comme un dératé (fam.)/comme un fou, course ; déambuler ; dégaine ; démarche ; détaler ; enjamber, enjambée, à grandes/longues enjambées ; errer ; filer ; flâner, flânerie ; foncer ; foulée, en petites foulées ; galoper ; galopade ; jambonner (pop.) ; lanterner ; marcher à l'aveuglette/en colonne/en file indienne/à la queue leu leu ; pas, compassé / grave / vif, etc. ; pas cadencé, une-deux !, pas de chasseur / militaire / de l'oie / redoublé / de route/sans cadence, changer de pas, au pas ! ; pas de course/de gymnastique ; pas à pas, d'un pas ailé, à pas comptés/mesurés/pesants/de géant/ de loup/de tortue, à petits pas ; patauger ; piétiner, marquer le pas ; sauter, sautiller ; train, bon train, grand train, train soutenu/d'enfer, se manier le train (pop.) ; se traîner, traîner la jambe/la savate (fam.), traînard ; trébucher ; trotter, comme un chat maigre, trottiner ; vagabonder ; zigzaguer. ▪ Accélérer ; doubler/emboîter/forcer/ presser le pas ; ralentir ; rétrograder. ▪ Aller l'amble / au galop / au trot ; piéter. — **Boiter.** Ataxie locomotrice ; bancal, bancroche (fam.) ; boiter, boiterie, boiteux, boitiller ; claudiquer, claudication ; clocher, à cloche-pied ; clopiner, clopin-clopant, éclopé ; cul-de-jatte ; entorse, foulure ; invalide ; jambe raide ; perclus, goutte, rhumatisme ; pied-bot. ▪ Appareil orthopédique, béquilles, canne, jambe de bois, pilon. — **Promenade.** Badauder ; se baguenauder (fam.) ; balade, se balader (fam.) ; chevauchée ; école buissonnière ; errer ; excursion, excursionner ; faire un tour ; footing ; marcher sans but/le nez en l'air ; prendre l'air ; sortir ; vadrouille, vadrouiller (fam.). ▪ But, course, démarche, étape, hygiène, sport. ▪ Allée, bois, campagne, champ, cours, mail, parc, promenade, promenoir, route, rue, sentier, trottoir. — **Marcheur.** Badaud ; chemineau ; clochard ; coureur, le coureur de Marathon ; excursionniste ; fantassin ; flâneur ; le Juif errant ; marcheur, être bon marcheur ; messager ; noctambule ; péripatéticienne ; piéton, passage clouté ; promeneur ; rôdeur ; saute-ruisseau ; somnambule ; touriste ; trottin ; vagabond ; veilleur de nuit, ronde de surveillance. — **En parlant d'activités diverses.** Courant, cours, déroulement, évolution, fonctionnement, procès, processus. ▪ Aller bien/mal ; se comporter ; fonctionner ; gazer (fam.) ; marcher bien/mal (pop.) : ça biche, ça colle, ça marche comme sur des roulettes/au poil ; prospère ; rouler (fam.) ; tourner rond/ comme une horloge.

MARCOTTE, MARCOTTER → *jardin, plante.*

MARDI → *calendrier.*

MARE → *eau, lac.*

MARÉCAGE, MARÉCAGEUX → *boue, lac, mouiller.*

MARÉCHAL, MARÉCHALAT → *grade.*

MARÉCHALERIE, MARÉCHAL-FERRANT → *harnais.*

MARÉCHAUSSÉE → *police.*

MARÉE → *abondance, mer, poisson.*

MARÉGRAPHE → *mer.*

MARELLE → *jouer.*

MARÉMOTEUR → *mer.*

MAREYAGE, MAREYEUR → *mer, poisson.*

MARGARINE → *beurre, gras.*

MARGE → *bord, commerce, écrire, pouvoir.*

MARGELLE → *bord.*

MARGER, MARGEUR → *typographie.*

MARGINAL → *bord, deux, inscription.*

MARGOTER, MARGOTTER → *cri.*

MARGOTIN → *bois.*

MARGOUILLIS → *boue, sale.*

MARGOULETTE → *bouche, tête.*

MARGOULIN → *injustice, voler.*

MARGUERITE → *fleur.*

MARGUILLIER → *ecclésiastique, posséder.*

MARI, MARIABLE → *mariage.*

MARIAGE, MARIER → *carte, famille, lier, liturgie, sacrement.* — **Généralités.** Accordailles ; alliance ; concubinat ; conjugal, devoir/foi/lien conjugal ; convoler en justes noces ; endogamie, exogamie ; épouser, épousailles, époux ; établir son fils/sa fille, établissement ; -game ; hymen, hyménée ; lévirat ; mariage, mariable, marier, se marier ; mariage d'amour, beau mariage, mariage de convenance/d'intérêt/de raison ; mariage morganatique ; noces d'argent/d'or, 25 ans de mariage ; nuptial, chambre/lit nuptial ; polyandrie, polygamie ; régulariser une liaison ; taux de nuptialité. — **Avant le mariage.** Accorder la main ; agence matrimoniale ; célibataire ; courtiser, faire sa cour ; demander la main, demander en mariage ; donner en mariage, donner son consentement ; doter, dot ; fiançailles, bague de fiançailles, les fiancés, ma fiancée, mon fiancé ; fille, rester fille, garçon, rester garçon ; fréquenter, pour le bon motif ; le futur, la future ; marieuse ; riche parti ; prétendant ; promettre le mariage, promise. — **Cérémonie de mariage.** Alliance, anneau, bague de mariage ; bénédiction nuptiale ; cadeau de mariage, corbeille de noces ; célébrer, célébration ; conduire à l'autel/devant le maire ; cortège ; couronne de fleurs d'oranger ; demoiselle / garçon d'honneur, page, porte-missel ; dragées ; épithalame ; faire-part ; mariage civil/religieux, se marier à la mairie/à l'église ; mariage dans la plus stricte intimité/en grande pompe ; marche nuptiale, messe de mariage ; noces ; robe blanche, se marier en blanc, bouquet, voile ; sacrement du mariage ; vive la mariée ! ; voyage de noces, lune de miel. — **Statut juridique.** Bigamie ; concubinage légal ; consentement, échange des consentements, oui, dispense ; douaire ; empêchement ; examen / certificat prénuptial ; formalités ; inceste ; mariage posthume/par procuration ; nubilité, nubile ; officier d'état civil, maire ; puberté, impuberté ; publication des bans ; puissance maritale ; registre de l'état civil, livret de famille ; signature, signe ; sommations respectueuses ; témoin ; union, légitime/illégitime/libre ; veuvage, délai de viduité. ■ Apport, biens paraphernaux ; contrat, contracter mariage ; dot, constitution de dot ; régime matrimonial/de la communauté, communauté réduite aux acquêts/de la séparation de biens. — **Fin du mariage.** Adultère, constat d'adultère ; annulation ; cocufier (fam.), cocu ; conciliation, réconciliation, consentement mutuel ; divorcer, divorcé, divorce, demander/obtenir le divorce ; ex-conjoint, ex-femme, ex-mari ; garde des enfants ; incompatibilité d'humeur, excès, sévices, injures graves ; infidélité ; mariage putatif ; nullité de mariage/absolue/relative ; pension alimentaire ; remariage, secondes noces, enfant d'un premier/d'un second lit ; répudier, répudiation ; rompre, rupture ; se séparer, séparation de biens/de corps ; stérilité ; torts, torts réciproques ; tribunal, tribunal de la Rote ; tromper. — **Les mariés.** Conjoints ; consommer le mariage ; consorts ; couple ; mariés, jeunes/vieux mariés ; ménage, se mettre en ménage, faire bon/mauvais ménage ; mésalliance ; nuit de noces. — **Le mari.** Chef de famille ; chercher/prendre femme ; époux ; faire une fin ; gendre ; homme, jules (pop.) ; se passer la corde au cou (pop.) ; puceau ; veuf. — **La femme.** Bourgeoise, compagne, dame, épouse, épousée, favorite, mariée, ménagère, moitié (fam.), porter la culotte, repousser un prétendant, trousseau, vierge, virginité.

MARIE-SALOPE → *bateau, boue, gras.*

MARIEUSE → *mariage.*

MARIJUANA → *poison.*

MARIN → *marine, mer, navire.*

MARINADE → *aliment, cuisine.*

MARINE → *armée, bateau, grade, guerre, mer, navire.* — **Généralités.** Aéronautique navale, Aéronavale ; amirauté ; bateau, batelier, batellerie ; brevet de capitaine au long cours ; École navale/du génie maritime ; équipages de la Flotte ; Inscription maritime ; marine de commerce/de guerre/marchande/nationale/à vapeur/à voile, maritime ; mer, le large, le grand large ; nautique, nautisme ; navire ; pavillon ; pavoiser, grand/petit pavois ; préfecture maritime ; vent. — **Art de naviguer.** Abordage, aborder ; accostage, accoster ; affourcher ; alarguer ; amarrage ; ancrer ; appareillage, appareiller ; barrer, barre ; border, bordée, tirer des bordées ; bourlinguer ; brume, corne de brume ; caboter, cabotage ; cap, mettre le cap sur ; cape, mettre à la cape, capéer ; chasser sur ses ancres ; cingler ; convoyer ; croiser ; culer ; décaper ; déhaler ; démarrer, dérader ; dériver, dérive, calculer la dérive, dérivation ; être drossé ; embarquer, embarquement ; s'embosser ; embouquer ; empanner ; encaper ; engager ; courir sur son erre ; haler ; larguer ; louvoyer ; manœuvre ; mouiller, mouillage ; naviguer, à l'estime/au radar, navigation, circumnavigation, navigation au cabotage / circumpolaire / côtière / hauturière/marchande/de plaisance/sous-marine/en surface; orientement; panne, mettre en panne; pilotage; prendre la mer/le large; radionavigation; ranger la côte; relâcher, faire relâche; remonter au vent; rouler, roulis; serrer; tanguer, tangage; tenir la mer; toucher terre; venir au .../sur ...; virement, virer de bord/lof pour lof. ▪ A bâbord, à tribord, en avant, en arrière toute; s'abîmer dans les flots; abordage, aborder; arraisonner, arraisonnement; collision; couler; se dérouter; être désemparé; donner de la bande; s'échouer; faire eau; naufrage; saborder, sabordage; sombrer; S.O.S., lancer un S.O.S.; talonner; toucher; torpiller. — **Instrument de marine.** Asdic, astrolabe, axiomètre, boussole, chronomètre, compas, faire le point, gyroscope, loch, radar, radio de bord, renard, sextant, sonar, sonde. — **Gens de mer.** Canonnier; cambusier; capitaine, commandant; charpentier; commissaire de bord; commodore; coq; équipage, rôle d'équipage; fusilier marin; gabier; les gars de la marine (fam.); infanterie de marine, marsouin; inscrit maritime; loup de mer; maistrance; marin, marinier, sous-marinier; matelot, mataffe (pop.); midship; mousse; personnel navigant; officier marinier/de marine/en second ou second; patron; pêcheur; pilote, pilotin; radio, transfiliste; servir dans la marine; soutier; subrécargue; timonier; tribordais; vigie. ▪ Béret, bonnet à pompon, caban, ciré, maillot rayé, sac, suroît, vareuse à col bleu; carré, hamac, etc. — **Corsaire.** Capture; course, faire la course, armer en course, courir les mers; corsaire; écumer les mers, écumeur; flibuste, flibustier; lettres de marque; négrier; pavillon noir à la tête de mort; pirate, pirater, piraterie; prise. ▪ Jean Bart, Duguay-Trouin, Forbin, Surcouf.

MARINER → *chasse, cuisine, garder.*

MARINIER → *marine.*

MARINIÈRE → *nager, vêtement.*

MARIOLE, MARIOLLE → *attention, importance.*

MARIONNETTE → *enfant, spectacle.*

MARISTE → *vierge.*

MARITAL → *mariage.*

MARITIME → *marine, mer.*

MARITORNE → *femme.*

MARIVAUDAGE, MARIVAUDER → *aimer, plaire.*

MARJOLAINE → *plante.*

MARKETING → *commerce.*

MARMAILLE → *enfant.*

MARMELADE → *confiserie.*

MARMITE → *exploser, récipient.*

MARMITON → *cuisine, hôtel.*

MARMONNER → *mécontentement, parler.*

MARMORÉEN, MARMORISER → *marbre.*

MARMOT → *enfant.*

MARMOTTE → *mammifères, ronger.*

MARMOTTER, MARMOTTEUR → *parler.*

MARMOUSET → *petit.*

MARNE → *argile.*

MARNER → *engrais, mer, travail.*

MARNEUX, MARNIÈRE → *argile.*

MAROC → *Afrique.*

MAROILLES → *lait.*

MARONNER → *colère, mécontentement.*

MAROQUIN → *chèvre, gouverner.*

MAROQUINER, MAROQUINERIE, MAROQUINIER → *chèvre, marchandises, pur.*

MAROTTE → *chapeau, folie.*

MAROUFLE → *grossier.*

MAROUFLE, MAROUFLER → *colle, décoration.*

MARQUANT → *attirer.*

MARQUE, MARQUER → *inscription, montrer, qualité, signe, sport.*

MARQUETERIE, MARQUETEUR → *décoration, menuiserie, meuble.*

MARQUIS, MARQUISAT → *noblesse.*

MARQUISE → *bijou, couvrir, maison.*

MARRAINE → *enfant, nommer, sacrement.*

MARRANT, MARRER (SE) → *rire.*

MARRE → *beaucoup, fatigue.*

MARRON → *couleur, frapper, fruit, métier, présence.*

MARRONNIER → *arbre.*

MARS → *calendrier.*

MARSEILLAISE → *chanter, pays.*

MARSOUIN → *baleine.*

MARSUPIAUX → *mammifères.*

MARTEAU → *athlétisme, entendre, frapper.*

MARTEAU → *folie.*

MARTEAU-PILON → *frapper, machine.*

MARTEL → *souci.*

MARTELAGE, MARTELER → *frapper, métal, son.*

MARTIAL → *guerre, orgueil.*

MARTINET → *oiseau.*

MARTINET → *frapper.*

MARTINGALE → *harnais, jouer.*

MARTIN-PÊCHEUR → *oiseau.*

MARTRE, MARTE → *mammifères, poil.*

MARTYR, MARTYRISER → *croire, douleur, liturgie.*

MARTYROLOGE → *liturgie, offrir, suivre.*

MARXISME, MARXISME-LÉNINISME, MARXISTE → *commun, gauche, politique.*

MARYLAND → *tabac.*

MAS → *ferme, maison.*

MASCARADE → *fête.*

MASCARET → *mer.*

MASCOTTE → *bonheur, magie.*

MASCULIN → *grammaire, homme.*

MASCULINISER, MASCULINITÉ → *homme.*

MASOCHISME, MASOCHISTE → *douleur.*

MASQUE, MASQUER → *paraître, cacher, escrime, fête, visage, voilure.*

MASSACRANT → *triste.*

MASSACRE, MASSACRER → *cerf, exécuter, mourir.*

MASSE → *abondance, amas, architecture, groupe, peser.*

MASSE → *arme, boule, frapper.*

MASSEPAIN → *amande, pâtisserie.*

MASSER, MASSER (SE) → *groupe, mou, muscle, presser.*

MASSÉTER → *visage.*

MASSEUR → *médecine, soigner.*

MASSICOT, MASSICOTER → *couper, livre.*

MASSIF → *épais, nombre.*

MASSIF → *arbre, jardin, montagne.*

MASS MEDIA → *informer.*

MASSUE → *arme, bâton, malheur.*

MASTIC → *colle, lier.*

MASTIC → *typographie.*

MASTICATEUR, MASTICATOIRE, MASTIQUER → *dent.*

MASTITE → *poitrine.*

MASTOC → *grossier, peser.*

MASTODONTE → *mammifères.*

MASTOÏDE, MASTOÏDITE → *entendre.*

MASTROQUET → *boire, café.*

M'AS-TU-VU → *orgueil.*

MASURE → *habiter, pauvre.*

MAT → *échecs.*

MAT → *couleur, terne.*

MAT → *bâton, voilure.*

MATADOR → *course.*

MATAMORE → *courage, orgueil.*

MATCH → *sport.*

MATÉ → *boisson.*

MATELAS → *lit.*

MATELASSER → *décoration, lit.*

MATELOT → *marine, navire.*

MATELOTE → *cuisine.*

MATER → *échecs, soumettre.*

MÂTER → *voilure.*

MATÉRIALISER, MATÉRIALITÉ → *matière.*

MATÉRIALISME, MATÉRIALISTE → *matière, philosophie.*

MATÉRIAU, MATÉRIAUX → *composer, construction.*

MATÉRIEL → *grossier, matière, temps.*

MATÉRIEL → *armée, informatique.*

MATERNEL → *aimer, enfant, famille, femme.*

MATERNELLE → *enseignement.*

MATERNITÉ → *accouchement, assurances, enfant, médecine.*

MATHÉMATIQUE → *exact, mathématiques.*

MATHÉMATIQUES, MATHÉMATICIEN, MATHEUX → *algèbre, calcul, géométrie, raisonnement, science.* — **Généralités.** Mathématicien, maths, fort en math, matheux. — **Disciplines.** Mathématiques élémentaires / supérieures / spéciales / appliquées / mixtes / modernes / pures. — **Mathématiques pures.** Algèbre ; arithmétique ; axiomatique ; calcul, calcul infinitésimal/numérique ; géométrie analytique/descriptive/mécanique/ondulatoire/rationnelle ; dérivée, différentielle, intégrale ; fonction, logarithme, variation. — **Mathématiques modernes.** Mathématique logique, système binaire, théorie des ensembles : anneau, corps, ensemble, sous-ensemble, groupe ; algèbre de Boole, fonction, et/ou, ni/non ; appartenance $\in$, non appartenance $\notin$, contenance $\supset$, non-contenance $\not\supset$, équivalence $\Leftrightarrow$, implication $\Rightarrow$, inclusion $\subset$, non-inclusion, exclusion $\not\subset$, intersection $\cap$, réunion $\cup$. — **Mathématiques appliquées.** Arithmétique commerciale, comptabilité ; astronautique, astronomie, mécanique céleste ; balistique ; calcul des probabilités, théorie de l'information, espérance mathématique, actuaire, actuariat, statistique ; géométrie descriptive : arpentage, bornage, géodésie, trigonométrie ; architecture, résistance des matériaux ; physique mathématique ;

MATIÈRE → *anatomie, chimie, mécanique, physique.* — **État, propriétés de la matière.** Agrégat, agrégation, désagrégation ; atome ; cellule ; corps, corpuscule ; cosmos, cosmique ; se décomposer, décomposition ; désintégration ; élasticité, élastique ; élément ; état gazeux / liquide/ solide ; éternité ; fluide, gaz, solide ; indestructible ; matière, antimatière, matière brute/inanimée/inerte, vivante ; matériel, matérialité, matériau ; mécanique ; molécule ; nature ; noyau ; particule ; pesanteur, gravitation universelle, loi de Newton ; pourrir, imputrescible ; principe matériel ; règne animal/minéral/végétal ; résistance, rigidité ; solide, solidité ; structure, substance ; transmutation ; vapeur ; viscosité ; volume ; univers. ■ Atomisme, hylozoïsme, immatérialisme, matérialisme, naturalisme, positivisme, sensualisme, spiritualisme, structuralisme, transformisme. — **Substances diverses.** Matériau ; matière combustible / grasse / organique / plastique/précieuse, matières premières. — **Ce sur quoi s'exerce l'activité humaine.** Affaire ; s'agir de ; argument ; article ; base ; but ; canevas ; cause ; champ ; chapitre ; compétent, incompétent en la matière ; concerner ; concrétiser, matérialiser ; corps du délit ; discipline ; domaine ; donner lieu ; expert en ; fond, fondement ; le *hic ;* donner lieu à/matière à / un motif / un prétexte ; matière à option, fournir ample matière à, traiter une matière, table des matières ou index ; objet d'étude ; orfèvre ; point en litige/litigieux ; porter sur ; problème ; programme ; proposition ; question, agiter une question ; se rapporter à ; regarder ; rouler sur ; spécialiste de ; sujet, vif du sujet, entrer en matière ; terrain ; thème ; théorème ; thèse ; avoir trait à. ■ A cet égard, là-dessus, pour ce qui est de, à propos de, quant à, revenons à nos moutons, en substance, sur ce sujet.

MATIN → *journée.*

MÂTIN → *chien.*

MÂTIN → *vif.*

MATINAL, MATINÉE → *journée.*

MÂTINER → *mêler, race.*

MATINES → *liturgie.*

MATITÉ, MATOIR → *bijou, terne.*

MATOIS → *adroit, subtil.*

MATOU → *chat.*

MATRAQUE, MATRAQUER, MATRAQUEUR → *frapper, police.*

MATRIARCAL, MATRIARCAT → *famille.*

MATRICE, MATRICER → *accouchement, impôt, nombre, reproduction.*

MATRICIDE → *crime.*

MATRICULE, MATRICULER → *inscription.*

MATRIMONIAL → *mariage.*

MATRONE → *femme.*

MATURE → *poisson.*

MÂTURE → *voilure.*

MATURITÉ → *âge, fruit, vie.*

MAUDIRE, MAUDIT → *détester, mal, malheur.*

MAUGRÉER → *colère, mécontentement.*

MAURE, MORE, MAURESQUE → *Afrique.*

MAUSER → *fusil.*

MAUSOLÉE → *enterrement.*

MAUSSADE, MAUSSADERIE → *déplaire, mécontentement, triste.*

MAUVAIS → *danger, infecter, mal, temps.*

MAUVE → *bleu, plante.*

MAUVIETTE → *faible, incapable, mou.*

MAXILLAIRE, MAXILLE → *dent.*

MAXIMAL → *grand.*

MAXIME → *morale, penser.*

MAXIMISER, MAXIMUM → *haut, importance.*

MAYONNAISE → *aliment.*

MAZAGRAN → *café.*

MAZETTE → *gauche, incapable.*

MAZOUT → *pétrole.*

MAZURKA → *danse.*

MEA-CULPA → *faute, reconnaître.*

MÉANDRE → *courbe, indirect.*

MÉAT → *canal, rein.*

MÉCANICIEN → *machine, mécanique, train.*

MÉCANICIEN-DENTISTE → *dent.*

MÉCANIQUE → *force, machine, moteur, mouvement, travail.* — **Objet et parties de la mécanique.** Machine, machinisme ; mécanisme, mécaniser, mécanisation. ■ Mécanique appliquée/expérimentale/céleste (astronomie) / classique / ondulatoire / quantique / rationnelle / relativiste. ■ Cinématique ; dynamique des fluides / des gaz / des solides, dynamométrie, hydraulique, hydrodynamique, hydrostatique, statique, thermodynamique. — **Notions utilisées en mécanique.** Accélération ; action, réaction ; chute des corps ; composition ; corps rigide ; couple thermo-électrique/voltaïque ; équilibre ; force, centrifuge/centripète, etc. ; frottement ; gravité, centre de gravité, gravitation ; moment ; point-masse ; pression ; principe d'inertie ; puissance ; quantité de mouvement ; traction ; trajectoire ; vitesse instantanée. — **Appareils de mécanique et mécaniciens.** Automate, compteur, dynamomètre, manomètre, robot, tachymètre, télécommande, télémécanique. ■ Ingénieur, ingénieur-mécanicien, inventeur, machiniste, mécanicien, mécano (pop.), officier mécanicien. — **Pièces mécaniques.** Arbre, bielle, cardan, chaise, clabot, clef, collet, couteau, crémaillère, électromoteur, engrenage, excentrique, glissière, guide, joint, mécanisme modérateur, moteur, propulseur, rouage, transmission, tympan, etc. ; alésage, brunissage, grattage, limage, marbrage, montage, polissage, rodage, taraudage. ■ Adapter, assembler, joindre, jumeler, monter, démonter.

MÉCANISER → *machine.*

MÉCANISME → *composer, machine, mouvement.*

MÉCANO → *machine, réparer.*

MÉCANOGRAPHE, MÉCANOGRAPHIE → *comptabiliser, informer.*

MÉCANOTHÉRAPIE → *soigner.*

MÉCÉNAT, MÉCÈNE → *bienfaisance, défendre.*

MÉCHANCETÉ, MÉCHANT → *danger, dur, détester, mal.*

MÈCHE → *cheveu, chirurgie, exploser, lampe, tonneau, trou.*

MÈCHE → *secret.*

MÉCHER → *tonneau.*

MÉCHOUI → *cuisine, mouton, viande.*

MÉCOMPTE → *faute, malheur.*

MÉCONNAISSABLE → *changer.*

MÉCONNAISSANCE, MÉCONNAÎTRE, MÉCONNU → *ignorer.*

MÉCONTENTEMENT, MÉCONTENTER → *déplaire, tristesse.* — **Qui n'est pas content.** Acariâtre ; agacé ; aigri ; atrabilaire ; blessé ; chagrin, chagriné ; choqué ; en colère ; contrarié, contrariété ; être à cran (fam.) ; déçu, déception ; désolé ; dépité, dépit ; embêté, embêtement (fam.) ; mal embouché ; ennuyé, ennui ; fâché, fâcherie ; grincheux ; humeur, avoir de l'humeur, mauvaise humeur, humeur de chien (fam.)/ massacrante (fam.) ; indigné ; indisposé ; insatisfait, insatisfaction ; irrité, irritation, irritable ; offusqué ; vexé. — **Manifestation de mécontentement.** Bougonner, bougon ; contester, contestataire ; crier, pousser les hauts cris ; énumérer des griefs ; geindre, geignard ; gémir, gémissement ; grogner, grognon, grognard, la rogne et la grogne ; grommeler ; gronder, gronderie, grondeur ; hargne, hargneux ; jérémiade ; se lamenter, lamentations ; marmonner, parler dans sa barbe ; maronner (pop.) ; maugréer, mauvaise grâce ; murmurer, murmures ; pester contre ; se plaindre, plainte, plaintif ; pleurer, pleurard, pleureur ; pleurnicher, pleurnicheur, pleurnichement ; protester, protestataire ; râler, râleur (fam.) ; rechigner ; réclamer contre ; récriminer, récrimination, renauder, revendiquer ; ronchonner, ronchon (fam.) ; rouscailler (pop.) ; rouspéter, rouspétance (fam.) ; ton sec. ▪ Froncer le sourcil ; grimacer, grimace ; grise mine ; faire la moue/un nez (fam.) ; se rembrunir ; se renfrogner ; tiquer (fam.).

MÉCRÉANT → *hérésie, incroyance.*

MÉDAILLE → *décoration, honneur, mérite, monnaie.*

MÉDAILLE, MÉDAILLER → *décoration, mérite.*

MÉDAILLEUR → *monnaie.*

MÉDAILLON → *bijou, cuisine.*

MÉDECINE, MÉDECIN → *chirurgie, maladie, médicament, santé, soigner.* — **Généralités.** Aide, aide médicale gratuite, assistance ; cabinet ; caducée ; corps de santé militaire ; Croix-Rouge ; cure, cure thermale ; déontologie ; guérir, guérisseur ; hôpital, hospitaliser, médecin des hôpitaux ; institut médico-légal, morgue ; médecine, faculté de médecine, étudiant en médecine, carabin ; médecin, docteur, toubib (fam.), doc (pop.) ; médicament ; Ordre des médecins, confrère ; Organisation mondiale de la santé ; remède ; secret professionnel ; Sécurité sociale, médecin conventionné / d'état civil / du travail; tiers payant; thérapeute; traitement, médecin traitant. — **Divisions de la médecine.** Allergologie, anatomie, biologie, microbiologie, chirurgie, diététique, endocrinologie, hématologie, homéopathie, hygiène, nosographie, orthopédie, orthophonie, etc., ostéologie, parasitologie, pathologie, recherche pathogénique/pharmaceutique, physiologie, pneumologie, prophylaxie, séméiologie, symptomatologie, tératologie, traumatologie, urologie. ▪ Médecine curative/infantile/opératoire / préventive / psychosomatique / sociale/du travail/tropicale/vétérinaire. — **Catégories de médecins.** Accoucheur, aliéniste, cardiologue, dermatologue, chirurgien, clinicien ; docteur en médecine, doctoresse, médecin de campagne/de famille/de garde/généraliste/légiste/militaire/major/à plein temps/hospitalier/de quartier ; gynécologue ; neurologue, oculiste, ophtalmologiste, oto-rhino-laryngologiste (O.R.L.), pédiatre, phtisiologue, praticien, omnipraticien, psychanalyste, psychiatre, radiologue, rhumatologue, spécialiste, stomatologiste, urologue. ▪ Externe/interne des hôpitaux, assistant, chef de clinique/de travaux, professeur. — **Médecins célèbres.** Hippocrate, Vésale, Paracelse, Paré, Harvey ; Claude Bernard, Bretonneau, Charcot, Corvisart, Dupuytren, Laënnec, Pasteur, Pavlov, Trousseau, Widal, etc. — **Activités médicales.** Analyse, analyse toxicologique, etc. ; asepsie, antisepsie ; ausculter, auscultation ; autopsier, autopsie ; diagnostiquer, diagnostic ; consultation, médecin consultant ; endoscopie ; examen, examen histologique / radiologique, biopsie ; exploration ; -gramme : électrocardiogramme ; -graphie : radiographie ; honoraires ; injection ; mensuration, mesurer la tension ; ordonnance ; palpation ; panser, pansement ; percussion ; piqûre ; prendre le pouls/la tension ; prescrire, prescriptions ; purgation ; saignée, lancette ; -scopie : radioscopie ; soins ; -thérapie : hydrothérapie ; vacciner, vaccination; visite, contre-visite. ■ Bistouri, marteau à réflexe, seringue, spéculum, stéthoscope, trocart, trousse, etc. — **Auxiliaires médicaux.** Acupuncteur, acupuncture, ignipuncture; anesthésiste; aide soignante; assistante sociale; brancardier; garde-malade; infirmier, infirmière diplômée; kinésithérapeute, masseur; pédicure; pharmacien; rebouteux; sage-femme; secouriste; secrétaire médicale.

MÉDIAN, MÉDIANE → *milieu, nombre.*

MÉDIANOCHE → *manger.*

MÉDIASTIN → *poitrine.*

MÉDIAT, MÉDIATEUR, MÉDIATION → *accord, droit, guerre, milieu, relation.*

MÉDIATRICE → *ligne, milieu.*

MÉDICAL → *médecine.*

MÉDICAMENT, MÉDICAMENTEUX → *maladie, médecine, soigner.* — **Sortes de médications.** Badigeonnage; cataplasme; décoction; inhalation; injection hypodermique/intramusculaire / intrarachidienne / intraveineuse; médecine, une médecine de cheval (fam.), médicament; médicaments animaux / biologiques / minéraux/organiques/végétaux; médicaments magistraux/officinaux, herbes officinales, simples, spécialités, codex; médication, médicamenteux, médicinal; ordonnance, délivrer un médicament sur ordonnance; panacée; pharmacie, pharmaceutique, pharmacien, pharmacologie, pharmacopée; philtre; élixir; piqûre; placebo; posologie, dose; préparation; remède, remède miraculeux/actif/de choc / énergique / violent; spécialités pharmaceutiques; thérapeutique; chimiothérapie; voie buccale / externe / parentérale/rectale. — **Les médicaments et leur action.** Analgésique; anesthésique; antibiotique; anticonceptionnel; antiseptique; antispasmodique; antiphlogistique; antipyrétique; antithermique; aphrodisiaque; astringent; balsamique; calmant; cardiaque, toni-cardiaque; cholagogue; cicatrisant; curatif; dépuratif; diurétique; drastique; émollient; excitant; fébrifuge; fortifiant; hémostatique; hypnotique; laxatif; liniment; métabolique; narcotique; préservatif; purgatif; psychotonique, psychotrope; réconfortant; reconstituant; relâchant; remontant; résolutif, révulsif; sédatif; somnifère, soporifique; sternutatoire; stomachique; stupéfiant; sudorifique; tonique; topique; vermifuge; vésicatoire; vomitif; vulnéraire. ■ Allopathie, homéopathie, forme galénique. — **Les médicaments et leur composition ou présentation.** Alcoolat; ampoule; barbiturique; baume; breuvage; cachet; capsule; collutoire, collyre; comprimé; crème; dragée; électuaire, élixir; embrocation; emplâtre; émulsion; extrait; farine; ferrugineux; fumigation; gargarisme; gélule; gouttes; granule, granulés; huile; infusion; julep; lavement; liqueur; macération; masticatoire; mixtion, mixture; mucilagineux; onguent; opiacé, opiat; ovule; pastille; pâte; peptone; pilule; pommade; potion; poudre; sel; sinapisme; sirop; solution, soluté; sulfamide; suppositoire; tablette; tisane; vaseline; ventouse. ■ Excipient, ingrédient; arnica, aspirine, quinquina, etc.

MÉDICASTRE → *médecine.*

MÉDICATION, MÉDICINAL → *médicament, soigner.*

MÉDIÉVAL, MÉDIÉVISTE → *histoire.*

MÉDIOCRE, MÉDIOCRITÉ → *faible, milieu, petit.*

MÉDIRE, MÉDISANCE, MÉDISANT → *accuser, critique, mal, parler.*

MÉDITATIF, MÉDITATION, MÉDITER → *penser.*

MÉDITERRANÉE → *mer.*

MÉDIUM → *magie.*

MÉDIUS → *doigt.*

MÉDOC → *vin.*

MÉDULLAIRE → *canal, milieu, os.*

MÉDUSE → *polype.*

MÉDUSER → *étonner, peur.*

MEETING → *groupe, politique.*

MÉFAIT → *crime, faute.*

MÉFIANCE, MÉFIANT, MÉFIER (SE) → *doute, munir, prévoir.*

MÉGACÔLON → *intestin.*

MÉGALITHE, MÉGALITHIQUE → *pierre.*

MÉGALOMANE, MÉGALOMANIE → *folie, grand.*

MÉGAPHONE → *son.*

MÉGAPTÈRE → *baleine.*

MÉGARDE (PAR) → *négliger.*

MÉGATONNE → *exploser, projectile.*

MÉGÈRE → *femme.*

MÉGISSERIE → *cuir, peau.*

MÉGOT → *tabac.*

MÉHARI → *mammifères.*

MEILLEUR → *bon, progrès, supérieur.*

MÉJUGER (SE) → *ignorer.*

MÉLANCOLIE, MÉLANCOLIQUE → *noir, tristesse.*

MÉLANGE, MÉLANGER, MÉLANGEUR → *chimie, machine, mêler.*

MÉLANINE, MÉLANODERME → *noir, peau, race.*

MÉLASSE → *pauvre, sucre.*

MELBA → *glace.*

MÉLÉAGRINE → *mollusques.*

MÊLÉ-CASS → *son.*

MÊLÉE → *balle, guerre.*

MÊLER → *chimie, composer, lier.* — **Éléments d'un mélange.** Composant, composé; élément; enclave; excipient; ingrédient; miscibilité, miscible; osmose; pâte; solution; substance. — **Action de mêler des choses différentes.** Accoupler; adjoindre; agglutiner; allier; amalgamer; combiner; confondre; embrouiller; emmêler/démêler l'écheveau de; enchevêtrer; entrelacer, entremêler; fondre; fusionner; hybrider; incorporer; intercaler; interpoler; joindre; marier; mélanger, mélangeur; mêler; mitiger; mixage, mixeur, mixtion; faire pénétrer; respecter les propositions, doser; unir, unifier. — **Mêler en parlant d'aliment ou de boisson.** Agiter, battre, brasser, brouiller, broyer, entrelarder, farcir, fatiguer, fouetter, manipuler, malaxer, pétrir, touiller. ■ Bouillabaisse, galimafrée, macédoine, olla-podrida, pot-pourri, potée, ragoût, ratatouille, salade, salmigondis, sandwich. ■ Allonger, baptiser, couper, délayer, diluer, dissoudre, lier, mouiller, panacher; cocktail, shaker. — **Sortes de mélanges.** Agglomérat; agrégat; alliage; amalgame; amas; assemblage; association; assortiment; combinaison, combinatoire; conglomérat; croisement, hybride, mâtiné, métis, mulâtre, quarteron, sang-mêlé; éclectisme, art de mêler; émulsion; formation; fusion; incorporation; mariage; mélange, détonant/pauvre/riche/stable/instable; mixture; mixte, mixité, cargo/école mixte, etc.; préparation; recueil, miscellanées, morceaux choisis; réunion; syncrétisme; union. — **Mêlé en désordre.** Bordel (pop.), bric-à-brac, cacophonie, capharnaüm, chaos, cohue, désordre, embrouillamini, fatras, fouillis, gâchis, imbroglio, labyrinthe, méli-mélo, micmac, où il y a à boire et à manger, pêle-mêle, promiscuité, tohu-bohu, tout-venant, en vrac. ■ Bagarre, bataille, confusion générale, lutte, mêlée affreuse, rixe. ■ Bariolé, bigarré, brouillé, complexe, composite, confus, cosmopolite, discordant, embrouillé, entortillé, hétéroclite, hétérogène, inextricable. — **Se mêler.** Arbitrer, arbitrage, arbitre; s'entremettre, par l'entremise de; s'immiscer, immixtion; s'ingérer, ingérence; intercéder, intercession, intercesseur; s'interposer; intervenir, intervention; intrigant, intrus, intrusion; médiation, médiateur; mêlez-vous de vos affaires/de vos oignons (fam.); mettre/fourrer le nez dans (fam.), mettre son grain de sel (fam.), mettre la main à; s'occuper de; bons offices; prendre part à; touche-à-tout; trublion. ■ Associer, compromettre, impliquer, mettre en jeu, etc.

MÉLÈZE → *pin.*

MÉLI-MÉLO → *mêler, obscur, trouble.*

MÉLINITE → *exploser.*

MÉLISSE → *médicament.*

MELLIFÈRE, MELLIFICATION → *cire.*

MÉLODIE, MÉLODIEUX, MÉLODIQUE → *musique, son.*

MÉLODRAMATIQUE, MÉLODRAME → *excès, théâtre.*

MÉLOMANE → *musique.*

MELON → *fruit, légume.*

MÉLOPÉE → *chanter.*

MÉLOPHAGE → *mouche, mouton.*

MÉLUSINE → *chapeau.*

MEMBRANE, MEMBRANEUX → *peau, tissu.*

MEMBRE → *anatomie, association, grammaire, parti, sexe.*

MEMBRU, MEMBRURE → *charpente, force.*

MÊME → *commun, deux, égal, modèle, reproduction, semblable.*

MÉMENTO → *abréger, liturgie, livre, mémoire.*

MÉMÈRE → *femme.*

MÉMOIRE, MÉMOIRES → *devoir, écrire, expliquer, littérature, mémoire.*

MÉMOIRE, MÉMORABLE → *calcul, garder, penser, réputation.* — **Garder en mémoire.** Immortaliser; obsession; penser à; perpétuer le souvenir; rafraîchir sa mémoire/ses idées; se rappeler, rappel, rappeler; récognition, reconnaître; se remémorer; remettre quelqu'un; repasser dans sa tête; se reporter; se ressouvenir; résurrection, ressusciter, retour du passé; retenir; faire revivre, revivre, revoir; savoir par cœur/sur le bout des doigts; se souvenir, souvenir, garder le souvenir. ■ Aide-mémoire, calepin, ex-voto, mémento, mémorial, procédé mnémotechnique/mnémonique, répertoire. — **Fonctionnement de la mémoire.** Mnémo-, -mnésie; apprentissage, apprendre par cœur; automatisme; cultiver la mémoire; déclic; dressage; habitudes; mémoire, mémoriel, dire/raconter/réciter de mémoire, fouiller dans sa mémoire, mémoire affective / associative / habitude / immédiate/sensorielle; mémoire auditive/olfactive/visuelle; mémoire des noms/des têtes, être physionomiste; avoir une bonne mémoire/une mémoire d'éléphant (fam.); mémoriser, mémorisation, mémoration; Mnémosyne; seriner, scie. — **Ce qu'on garde en mémoire.** Commémorer, jour anniversaire/commémoratif, ex-voto, plaque ; conserver ; enregistrer ; évoquer, évocation ; fait gravé/historique/imprimé / indélébile / ineffaçable / inoubliable/marquant, etc. ; à la mémoire de, en mémoire de, *in memoriam*, mémorable ; réminiscence ; souvenance, souvenir, souvenir d'enfance/de régiment ; trace ; tradition. ■ Gloire, renommée, réputation, etc. — **Oubli, oublier.** Absence ; amnésie, ecmnésie, hypermnésie, paramnésie ; avoir sur le bout de la langue ; n'avoir aucune mémoire, avoir une cervelle d'oiseau/ une tête de linotte ; défaillance, mémoire défaillante ; s'effacer, s'estomper ; fabulation ; lacune ; omettre, omission ; oublier, oubli, oublieux ; perte de la mémoire, antérograde/ rétrograde ; sortir de la mémoire/de l'esprit/de la tête ; tomber dans l'oubli ; trou de mémoire. ■ Chasser de son esprit ; se distraire, distrait ; effacer ; s'étourdir, étourdir ; négliger, négligent ; noyer son chagrin ; se rouiller ; perdre la tête.

MÉMORANDUM → *commerce, diplomatie, inscription, mémoire.*

MÉMORATION → *mémoire.*

MÉMORIAL, MÉMORIALISTE → *édifice, littérature, mémoire.*

MÉMORISATION, MÉMORISER → *mémoire.*

MENACE, MENACER → *avertir, danger, peur.*

MÉNADE → *mythologie.*

MÉNAGE → *famille, maison, mariage, meuble, nettoyer.*

MÉNAGEMENT, MÉNAGER → *avare, économie, manière, soigner.*

MÉNAGER, MÉNAGÈRE → *maison, vaisselle.*

MÉNAGERIE → *animal, spectacle.*

MENDÉLISME → *reproduction.*

MENDIANT, MENDICITÉ, MENDIER → *demander, pauvre.*

MENDIGOT, MENDIGOTER → *pauvre.*

MENEAU → *fenêtre.*

MENÉE → *cerf.*

MENÉES → *plan, secret.*

MENER → *conduire, conséquence, deux, transport, vie.*

MÉNESTREL → *musique.*

MENEUR → *chef, conduire, révolte.*

MENHIR → *édifice, pierre.*

MÉNINGE, MÉNINGITE → *cerveau, chercher.*

MÉNISQUE → *articulation, jambe, optique.*

MÉNOPAUSE → *femme, sexe.*

MENOTTE → *main, prison.*

MENSONGE, MENSONGER → *informer, tromper.*

MENSTRUATION, MENSTRUEL, MENSTRUES → *femme, sexe.*

MENSUALITÉ, MENSUEL → *calendrier, payer.*

MENSURATION → *médecine, mesure.*

MENTAL → *esprit, folie, penser.*

MENTALITÉ → *penser.*

MENTEUR → *faux, tromper.*

MENTHE → *boisson, plante.*

MENTION, MENTIONNER → *enseignement, informer, inscription, mérite, signe.*

MENTIR → *faux, opposé, tromper.*

MENTON → *visage.*

MENTONNIÈRE → *chapeau, chirurgie.*

MENTOR → *conduire, influence.*

MENU → *faible, maigre, petit.*

MENU → *hôtel, manger.*

MENUET → *danse, musique.*

MENUISERIE, MENUISIER → *bois, charpente, construction, meuble.* — **Généralités.** Charpente, charpentier ; ébénisterie, ébéniste ; marqueterie, marqueteur ; menuiserie, menuisier, menuiserie métallique. — **Objet de menuiserie.** Abattant, about, alaise, arasement, baguette, bâti, boiserie, boudin, brisure, cadre, cale, chambranle, chevron, cimaise, corniche, croisée, doucine, écoinçon, équerre, escalier, feuille, feuillure, filet, flipot, imposte, lambris, latte, liteau, montant, mortaise, moulure, panneau, parquet, placage, placard, planche, plancher, persienne, plinthe, porte, queue d'aronde, marche, ranche, réglet, revêtement, taquet, tasseau, tenon, tourniquet, traverse, trumeau, tympan, volet, volige, etc. — **Travail du menuisier.** Araser ; assemblage à languette/à onglet/à queue d'aronde/ à tenon et mortaise ; boiser ; chanfreiner ; chantourner ; cheviller ; clouer ; coller ; corroyer ; débiter ; dégauchir ; désassembler ; dresser ; ébaucher ; emboîter ; enter ; façonner ; monter, démonter ; planer ; plaquer ; raboter, copeaux ; rainer ; scier, sciure ; tracer ; varloper. — **Matériel de menuiserie.** Alumelle ; bédane ; bisaiguë ; boîte à onglets ; bouvet ; ciseau ; compas ; davier ; dégauchisseuse ; doloire ; doucine ; équerre ; établi ; étau ; feuilleret ; gorget ; gouge ; grattoir ; guillaume ; guimbarde ; maillet ; marteau ; perceuse électrique ; pied-de-biche ; plane ; presse ; rabot ; raboteuse ; râpe ; riflard ; sabot ; sauterelle ; scie/à araser/à chantourner / circulaire / égoïne/à ruban/sauteuse, etc. ; sergent ou serre-joint ; spatule ; tarabiscot ; tarière, queue de cochon ; tenailler ; toupie, toupilleuse ; tournevis ; valet ; varlope ;

vilebrequin. ■ Cheville, clou, colle, encaustique, papier de verre, vernis, vis.

MÉPHISTOPHÉLÈS → *enfer.*

MÉPHITIQUE, MÉPHITISME → *infecter.*

MÉPLAT → *niveau.*

MÉPRENDRE (SE) → *tromper.*

MÉPRIS, MÉPRISABLE, MÉPRISANT → *avilir, critique, déplaire, orgueil.* — **Estimer indigne d'intérêt.** Bafouer ; s'en battre l'œil (pop.) ; braver ; contempteur ; cracher sur (pop.) ; ne pas craindre de ; décrier ; dédaigner, dédain ; dénigrer, dénigrement ; déprécier, dépréciatif ; se désintéresser ; faire peu de cas, envoyer se faire voir (pop.)/paître (pop.)/promener (fam.) ; faire fi de ; s'en ficher, s'en ficher comme de l'an quarante (fam.)/comme de sa première culotte (pop.), s'en contreficher (fam.) ; fouler aux pieds ; ignorer, feindre d'ignorer ; impiété ; irrespect, irrévérence ; jeter le discrédit ; se jouer de ; faire litière ; s'en moquer, s'en moquer comme d'une guigne ; narguer ; négliger ; passer outre ; profanation ; rire au nez (fam.) ; transgresser, transgression ; violer, violation. — **Considérer comme indigne d'estime.** Conspuer ; dédaigneux, moue/sourire dédaigneux ; dégoût ; dérision, tourner en dérision/en ridicule ; diffamer ; flétrir ; se gausser de ; faire des gorges chaudes de ; hausser/lever les épaules ; honnir ; huer, huées ; mépris, accabler/éclabousser/écraser de son mépris ; affecter/afficher/manifester publiquement son mépris ; mépris sans bornes/hautain/souverain/méprisant ; mésestime ; faire la nique ; rabaisser ; ravaler ; regarder de haut ; réprouver, réprobation générale ; ricaner avec mépris ; stigmatiser ; toiser ; traîner dans la boue ; traiter de haut/comme de la crotte (pop.)/plus bas que terre (pop.) ; vilipender ; vouer aux gémonies. ■ Affront, arrogance, avantageux, camouflet, cynique, glorieux, morgue, prétentieux, rebuffade, refus. — **Être méprisé, méprisable.** Abject ; au ban de la société ; avilir, avili ; bas ; boue ; canaille ; clique ; créature ; être en défaveur/en disgrâce ; dérisoire ; déshonneur, déshonoré ; engeance ; faquin ; fumier (pop.) ; gredin ; honte ; ignominie ; indigne ; maraud ; encourir le mépris ; misérable ; moche (fam.) ; ordure (pop.) ; paltoquet ; paria ; perdre la cote (fam.)/la considération/l'estime ; pitoyable ; ramassis, ramas ; rebut ; sale bonhomme/type, saleté (pop.) ; tourbe ; ne pas valoir grand-chose/tripette (fam.) ; vil, vilain.

MÉPRISE → *tromper.*

MÉPRISER → *courage, mépris.*

MER → *abondance, bateau, beaucoup, eau, lac, marine, navire.* — **Description géographique des mers.** Abysse ; bathy- : bathyscaphe, bathysphère, zone bathypélagique, carte bathymétrique/isobathe ; courant marin, Gulf Stream ; eau, eaux, flots, onde ; fonds marins haut-fond, bas-fond ; hydrographie ; marin, maritime, sous-marin ; mer bordière/continentale/intérieure ou fermée ; mer chaude/glaciale ; océan, océanique, océanographie, navire / station océanographique ; pélagien, pélagique ; plate-forme/seuil continental ; récif, brisant ; sel, salure, saumâtre. ■ Mer Blanche/Jaune/Noire, mer d'Aral/Baltique/Caspienne/des Philippines, etc. ; Manche, Méditerranée, etc. ; océan Antarctique / Arctique / Austral ; océan Atlantique/Indien/Pacifique. — **Rivage de la mer.** Anse, atoll, baie, banquise (iceberg), bord, bouche (embouchure), bras de mer, calanque, cap, côte au vent/sous le vent ; crique, détroit, dune, écueil, estuaire, falaise, fiord, golfe, goulet, grève, havre, îlot (archipel), isthme, lagon, lagune, liman, littoral (cordon littoral), marais salant, moere, passe, péninsule, plage, pointe, polder, prés salés, presqu'île, promontoire, ria, rocher, sable, shorre. — **Vagues et marées.** Barre ; se briser ; déferler, déferlement ; écumer, écume ; embruns ; houle ; lame, lame de fond ; mascaret ; mouton, moutonner, moutonnement ; ressac, rouleau ; vague, crête/creux des vagues, vaguelette. ■ Attraction de la lune ; baisser, la mer est basse, basses eaux ; descendre, marée descendante ; déchaler ; découvrir ; l'étale, mer étale ; équinoxe, marée équinoxiale ; flux, reflux ; force, forte amplitude ; hauteur, la mer est haute ; jusant ; lais, laisse, relais, estran ; marée, grande marée, marégraphe, courbe cotidale ; marner ; monter, marée montante ; morte-eau, vives eaux ; plein, la mer est pleine ; syzygie ; usine marémotrice. — **État de la mer.** Bonace ; brise ; calme, calme plat, calmir ; clapoter, clapotement, clapotis ; coup de mer/de tabac ; houle, houleux ; mer belle/étale/d'huile/plate ; mer courte/creuse / déchaînée / démontée / dure / forte/en furie/grosse/mauvaise ; ouragan ; paquet de mer ; raz-de-marée ; remous ; roulis ; tangage ; tempête ; tornade ; temps, gros temps ; vent. ■ Azur, bleu, brasillement, glauque, gris, phosphorescent, vert. — **Flore et faune des mers.** Algue, corail, étoile de mer, fucus, goémon, herpe, varech. ■ Benthos, coquillages, crustacés, faune pélagique, fruits de mer, madrépore, mareyage, mareyeur, méduse, mollusques, oursins, plancton, poissons. ■ Albatros, cormoran, mouette, pingouin. — **Naviguer sur la mer.** Amarinage ; être ballotté sur les flots ; haute mer, pleine mer, *mare liberum ;* mal de mer ; marin ; mer intérieure/territoriale, limites territoriales ; mettre à la mer ; naufrage ; navire, navigation côtière / hauturière ; pêche, pêcheur ; avoir le pied marin ; pirate ; tenir la mer ; thalassocratie, maîtrise des mers ; traversée. ▪ Balise, bouée, brise-lames, chaussée, chenal, digue, fanal, jetée, môle, mouillage, phare, port, rade, sémaphore, signaux.

MERCANTI → *avare, commerce.*

MERCANTILE, MERCANTILISME → *avare, économie.*

MERCENAIRE → *avare, travail.*

MERCERIE → *couture, marchandises.*

MERCERISER → *fil.*

MERCI → *demander, influence, pardon.*

MERCI → *manière, reconnaissance.*

MERCREDI → *calendrier.*

MERCURE → *alchimie, chimie, glace, médicament.*

MERCURESCÉINE → *médicament.*

MERCURIALE → *critique, discussion, tribunal.*

MERDE, MERDEUX → *offense, orgueil, résidu.*

MERDOIE → *jaune.*

MÈRE → *accouchement, cause, enfant, femme.*

MÈRE → *vin.*

MÉRIDIEN → *astronomie, heure, terre.*

MÉRIDIENNE → *astronomie, meuble, repos.*

MÉRIDIONAL → *orientation.*

MERINGUE → *pâtisserie.*

MÉRINOS → *mouton.*

MERISE, MERISIER → *arbre, fruit.*

MÉRITE, MÉRITER, MÉRITOIRE → *décoration, estimer, gagner, honneur.* — **Le mérite.** Admirable ; appréciable ; bonne conduite, bonnes œuvres ; se distinguer ; estimable ; faire des étincelles / des merveilles / des prouesses ; habileté ; louable ; mérite, méritant, méritoire, avoir des mérites particuliers/du mérite/beaucoup de mérite, personne de mérite/émérite ; qualité, qualités morales ; remarquable ; talent, talentueux ; de valeur ; vertu, vertueux. ▪ Bûcher (fam.), faire des efforts, peiner, rendre des services, surmonter/vaincre les difficultés, travailler, travailleur. ▪ Accumuler ; acsibilité des mérites ; titres de gloire. — **Mériter.** Attendre, s'attendre à ; demander ; digne de ; droit à ; exiger ; gagner/présenter les conditions requises/les qualités nécessaires/les titres. ▪ Attirer, encourir, être passible de, s'exposer à. ▪ Donner droit à, équivaloir, justifier, procurer, valoir, valoir le coup (fam.)/la peine. — **Mérité.** A bon droit, à juste titre, adapté, bien acquis, convenable, décent, équitable, juste, séant. ▪ Bien fait, bien gagné, bien mérité, ne pas l'avoir volé, pain bénit. — **La récompense.** Gagner, mériter, obtenir, recevoir, remporter ; décerner, donner, distribuer, primer, promettre, remettre. ▪ Récompense en argent : bakchich, commission, compensation, dédommagement, dessous de table, don, enveloppe, gratification, indemnité, paie, pot-de-vin, pourboire, prime, prix, rallonge, remboursement des frais, rémunération, rétribution, salaire, subside. ▪ Récompense honorifique : considération, décoration, dignité, distinction, éloge, estime, faveur, gloire, honneurs, remerciement, titre. ▪ Récompense scolaire et sportive : accessit, bon point, coupe, couronne, croix, diplôme, laurier, médaille, être médaillé, mention, palmarès, prix, tableau d'honneur. ▪ Blâme, châtiment, correction, peine, punition, réprimande, reproche, sanction.

MERLAN → *poisson.*

MERLE, MERLEAU, MERLETTE → *oiseau.*

MERLIN → *bétail, bois, magie.*

MERLUCHE, MERLU → *poisson.*

MÉROU → *poisson.*

MERVEILLE, MERVEILLEUX → *beau, édifice, engager, étonner, imaginer.*

MERVEILLEUX → *imaginer, poésie.*

MÉSALLIANCE, MÉSALLIER → *mariage.*

MÉSANGE → *oiseau.*

MÉSAVENTURE → *événement, malheur.*

MÉSENTENTE → *désaccord.*

MÉSENTÈRE, MÉSENTÉRIQUE → *intestin.*

MÉSESTIME, MÉSESTIMER → *estimer, mépris.*

MÉSINTELLIGENCE → *désaccord, relation.*

MÉSOCARPE → *fruit.*

MÉSOTHORAX → *insecte.*

MESQUIN, MESQUINERIE → *avare, petit.*

MESS → *hôtel.*

MESSAGE, MESSAGER → *envoyer, informer, télécommunications.*

MESSAGERIE → *marchandises, transport.*

MESSE → *liturgie, musique, secret.*

MESSIANIQUE, MESSIANISME → *prévoir, religion.*

MESSIDOR → *blé, calendrier.*

MESSIE → *attendre, Christ.*

MESURE, MESURER → *convenir, excès, moyen, musique, poésie.* —

Mesurer. Arpenter, arpentage, arpenteur ; avoir tant de haut/telle hauteur ; avoir le compas dans l'œil ; cadastre ; chaîner ; compasser ; cote ; cuber, cubage ; doser ; étalonner, étalonnage ; jalonner, jalon ; marques ; mensuration, mensurable, commensurable, incommensurable ; mesurer, prendre les mesures, mesurage ; métrer, métrage, métreur ; module ; norme ; peser, pesée, pesage ; racler ; rader ; rapport numérique ; règle de trois ; stature ; taille ; tarer, tare ; toiser, toise. ■ Altimétrie, géodésie, géométrie, longimétrie, métrologie, planimétrie, système métrique/M.T.S./C.G.S. — **Ce qu'on mesure.** Accélération, aire, angle, calibre, capacité, chaleur, circonférence, circuit, contenance, contour, cube, débit, degré, dimension, distance, dose, épaisseur, espace, étendue, force, format, gabarit, grandeur, grosseur, hauteur, intensité, largeur, longueur, masse, poids, pointure, profondeur, puissance, quantité, superficie, surface, température, temps, tour de poitrine/de taille, vitesse, volume. — **Appareils de mesure.** Ampèremètre ; anémomètre ; astrolabe ; balance, microbalance, balance de Mohr, balance volumétrique, bascule ; calorimètre ; clinomètre ; comparateur ; compas, compas gyroscopique/à verge ; compte-tours, compteur, compteur à scintillation ; décamètre ; dynamomètre ; ébullioscope ; échelle ; éclimètre ; électromètre ; équerre ; étoile mobile ; étalon, cale-étalon ou Johansson, kilogramme-étalon, litre-étalon, mètre-étalon ; enregistreur, enregistreur Flaman ; garde-temps ; goniométrie ; hygromètre ; jauge micrométrique/à bouts sphériques ; lunette méridienne ; luxmètre ; manomètre ; microscope de mesure ; oscillographe ; palmer ; pantomètre ; pèse-bébé, pèse-personne, etc. ; peson ; pied à coulisse ; pyromètre ; rapporteur ; règle, réglette ; sextant ; télémètre ; thermomètre ; trébuchet ; vérificateur ; voltmètre. ■ Service des poids et mesures. — **Unités de mesure.** Multiples et sous-multiples décimaux : téra (T), giga (G), méga (M), kilo (K), hecto (H), déca (da), unité ; unité, déci (d), centi (c), milli (m), micro (μ), nano (n), pico (p). ■ Unités géométriques : mètre (m), centimètre (cm), micron (μ), mille ; mètre carré (m^2), are (a), centimètre carré (cm^2) ; mètre cube (m^3), stère (st), litre (l), centimètre cube (cm^3) ; radian (rd), tour (tr), grade (gr), degré (°), minute ('), seconde ('') ; stéradian (sr). ■ Unités de masse : kilogramme (kg), tonne (t), quintal (q), gramme (g), carat métrique ; kilogramme par mètre cube (kg/m^3), gramme par centimètre cube (g/cm^3) ; degré alcoométrique centésimal (°GL). ■ Unités de temps : seconde (s), minute (mn), heure (h), jour (j) ; hertz (hz). ■ Unités mécaniques : mètre par seconde (m/s), nœud ; mètre par seconde par seconde (m/s^2), gal (cm/s^2) ; newton (N), dyne (dyn) ; joule (J), erg, watt-heure (Wh), électron-volt (eV), calorie (cal), thermie (th), frigorie (fg) ; watt (W), erg par seconde ; pascal (Pa), bar, barye (dyn/cm^2) ; poiseuille (Pl), poise (Po) ; stokes (st). ■ Unités électriques : ampère (A) ; volt (V) ; Ohm (Ω) ; coulomb (C) ; ampère-heure (Ah) ; farad (F) ; henry (H) ; weber (Wb), maxwell (M) ; tesla (T), gauss (G). ■ Unités calorifiques : degré Kelvin (°K), degré Celsius (°C). ■ Unités optiques : candela (cd) ; lumen (lm) ; lux (lx), phot (ph) ; candela par mètre carré (cd/m^2) ; dioptrie (δ). ■ Unités de la radio-activité : Curie (Ci) ; Rœntgen (R). — **Unités de mesure anglo-saxonnes.** Longueur : inch (pouce), foot (pied), yard, fathom (brasse), mile (mille). ■ Masse : ounce (once), pound (livre). ■ Capacité : pint (pinte), gallon (gallon), bushel (boisseau), barrel (baril). ■ Horse power (cheval-vapeur), degré Fahrenheit. — **Limiter, limite.** Se contenter ; définir, définition ; déterminer, détermination ; extrême ; limiter, limitation, limitatif, faire des limites ; maximum, minimum ; modéré, modération ; moyen, moyenne ; *nec plus ultra* ; proportion, observer les proportions, à proportion de, bien/mal proportionné, proportionnalité ; au prorata ; quote-part ; rationné, ration ; terme.

MESUREUR → *mesure.*

MÉTA → *brûler, camper.*

MÉTABOLISME → *chaleur, vie.*

MÉTACARPE, MÉTACARPIEN → *main.*

MÉTAIRIE → *ferme.*

MÉTAL, MÉTALLIFÈRE → *chimie, mêler, mine.* — **Généralités.** Alchimie, alchimiste ; ciseler, ciselure, ciseleur ; clinquant ; ferronnerie, ferronnier ; gravure, graveur ; métal, métallique, métallin, métallographie ; métallurgie, électrométallurgie, métallurgiste, métallo (fam.) ; minéralogie, minéral ; orfèvre, orfèvrerie ; oxydation, oxyder, oxydable, inoxydable ; quincaillerie, quincaillier ; rouille, se rouiller, produit antirouille, minium, vert-de-gris. — **Propriétés des métaux.** Coloration ; conductibilité, conducteur ; ductilité, ductile ; dureté, dur ; fusibilité, fusible ; grain ; malléabilité, malléable ; métaux monovalents / divalents / trivalents /

tétravalents ; plan de glissement ; radioactivité ; structure atomique / moléculaire ; ténacité ; tenace. — **Principaux métaux.** Aluminium, ammonium, antimoine, argent, baryum, bismuth, cadmium, cæsium, calcium, cérium, chrome, cobalt, cuivre, erbium, étain, fer, gallium, germanium, glucinium, indium, iridium, lanthane, lithium, magnésium, manganèse, mercure, molybdène, nickel, or, osmium, palladium, platine, plomb, potassium, rhodium, rubidium, ruthénium, sodium, strontium, tantale, terbium, thallium, titane, tungstène, vanadium, ytterbium, yttrium, zinc, zirconium. ▪ Métaux radio-actifs : actinium, francium, polonium, radium, thorium, uranium, etc. — **Alliages.** Acier, aciers spéciaux/ferritiques ou austériques ; alfénide ; airain ; alliage cuivreux/ferreux/léger/réfractaire ; alliage diamanté/dur/dur fritté/fusible/de décolletage/de frottement ; alpax ; bronze/d'aluminium, bronzage ; chrysocale ; cupro-aluminium, cupronickel ; duralumin ; électron ; élinvar ; fonte ; hasteloy ; inconel ; inquart ; laiton ; maillechort ; métal anglais/d'Alger/blanc/de cloche/de Darcet/de Mannheim/marin/Muntz/à la Reine/rose ; nichrome ; tombac ; vermeil. — **Métallurgie.** Broyage du minerai, concassage, débourbage, dérochage, extraction, isolement de la gangue, nettoyage, séparation par lavage, triage magnétique, ventilation ou flottation. ▪ Affinage, amalgamation, calcination, coulage, décarburation, déphosphoration, dessiccation, dissolution, électrolyse, finage, fusion, grillage chlorurant / oxydant / réducteur / simple ; mazéage. ▪ Ajustage, alésage, battage, bleuissage, brassage, brunissage, décapage, décolletage, doucissage, ébarbage, écrouissage, emboutissage, estampage, étirage, filage, fonderie, forgeage, fraisage, laminage, matriçage, moulage, polissage, profilage, repoussage, ressuage, soudure, tréfilage, trempe. — **Matériel de métallurgie.** Bocard, casse, convertisseur, échenal, étireuse, filière, forge, four, fourneau, haut fourneau, laminoir, marteau-pilon, têt, tour, trémie, trieur. ▪ Barre, feuille, fil, fonte, grenaille, gueuse, lame, limaille, lingot, plaque, tôle. — **Métalliser.** Argenture, calorisation ; cémentation, sulfinisation ; chromage, chromisation ; cuivrage ; dorure ; doubler ; étamage ; fer-blanc ; galvanisation, galvanoplastie ; métalliser, métalliseur, métallochromie, métallisation au pistolet/sous vide ; nickelage ; plaquer, plaqué-or ; revêtement électrolytique ; ruolz ; shérardisation.

MÉTALLIQUE → *bruit, métal, monnaie.*

MÉTALLISATION, MÉTALLISER → *briller, métal, peinture.*

MÉTALLOGRAPHIE → *métal.*

MÉTALLOÏDE → *chimie.*

MÉTALLURGIE, MÉTALLURGISTE → *industrie, métal.*

MÉTAMORPHIQUE, MÉTAMORPHISME → *géologie.*

MÉTAMORPHOSE, MÉTAMORPHOSER → *batraciens, changer, insecte.*

MÉTAPHORE, MÉTAPHORIQUE → *abstraction, style.*

MÉTAPHYSIQUE → *abstraction, cause, philosophie.*

MÉTAPSYCHIQUE → *psychologie.*

MÉTATARSE, MÉTATARSIEN → *pied.*

MÉTATHÈSE → *mot.*

MÉTATHORAX → *insecte.*

MÉTAYAGE, MÉTAYER → *ferme.*

MÉTAZOAIRES → *animal.*

MÉTEIL → *blé.*

MÉTEMPSYCOSE → *esprit.*

MÉTENCÉPHALE → *cerveau.*

MÉTÉORE, MÉTÉORITE → *astronomie, ciel.*

MÉTÉORISATION, MÉTÉORISME → *gonfler, ventre.*

MÉTÉOROLOGIE, MÉTÉOROLOGIQUE, MÉTÉOROLOGUE → *air, baromètre, chaleur, ciel, froid, pluie, orage, temps.* — **Science météorologique.** Aérologie ; climatologie ; météorologie, météo (fam.), prendre la météo (fam.) ; météorologie analytique/dynamique/synoptique ; météorologie agricole/médicale/météoro-pathologie ; météorologiste ou météorologue ; observation ; prévisions météorologiques/à courte/à longue échéance, bulletin météorologique. — **Climat.** Climat, climatique ; climat local/régional/zonal ; climat continental/équatorial / tempéré / tropical ; climatisme ; climatologie ; climatothérapie ; microclimat, microclimatologie. — **Les phénomènes de l'atmosphère.** Arc-en-ciel ; aurore boréale ; brouillard, purée de pois ; brume, brumes matinales ; cyclone, anticyclone ; dépression ; éclair ; ensoleillement, insolation ; formation nuageuse, banc ; foudre ; front / chaud / froid / occlus ; gelée blanche ; giboulée ; givre ; grêle ; halo ; neige ; orage ; ouragan ; perturbation ; pluie ; précipitation ; pression atmosphérique, zone de haute/basse pression ; rosée ; tempête ; tonnerre ; tourbillon ; tremblement de terre ; trombe ; typhon ; vent rafale ; verglas. — **Instruments et méthodes.** Anémomètre ; ballon-sonde ; baromètre, bar, millibar ; carte de nébulosité/de pression ; girouette ;

gradient ; hygromètre ; lignes isobares/isothermes ; pluviomètre ; radiosondage, radiosonde ; satellite ; sismographe ; thermographe ; thermomètre. — **Le temps qu'il fait.** Accalmie ; chaleur ; ciel couvert/nuageux/pur/serein/qui se couvre/qui se découvre/se dégage, etc. ; éclaircie ; embellie ; fraîchir ; froid ; se gâter ; il neige, il pleut, il vente, etc. ; intempérie ; menacer, menaçant ; plafond bas ; se mettre au beau / à la pluie ; se rasséréner ; se rembrunir ; temps chaud/doux / frais / froid / humide / lourd / maussade / moite / pluvieux / sec / sombre, vilain temps ; temps de chien (fam.)/à ne pas mettre un chien dehors ; beau temps, beau fixe, visibilité bonne/mauvaise.

MÉTÈQUE → *habiter.*

MÉTHACRYLIQUE → *verre.*

MÉTHANE → *gaz.*

MÉTHODE, MÉTHODIQUE → *abréger, chercher, manière, règle, science.*

MÉTHODISTE → *protestant, religion.*

MÉTHODOLOGIE → *raisonnement.*

MÉTHYLÈNE → *bleu.*

MÉTICULEUX, MÉTICULOSITÉ → *exécuter, petit, soigner.*

MÉTIER → *fonction, machine, travail.* — **Choisir un métier.** Apprendre un métier, faire ses premières armes; apprentissage, apprenti, arpète; conseiller d'orientation scolaire et professionnelle; débouchés; débuter, débutant, novice; école professionnelle/technique/des arts et métiers; embrasser une carrière/un métier; s'établir; étudier, études, étudiant; fonder une maison ; marché du travail ; psychologie ; test ; vocation précoce/tardive. — **Exercer un métier.** Accomplir sa tâche ; aimer son métier ; amateur ; avantages ; avoir plusieurs cordes à son arc ; bricoler, bricoleur ; carrière, faire une belle carrière ; déformation professionnelle ; exercer, exercice d'une profession, ne plus exercer, retraité ; expédients ; gâcher le métier ; gagner sa croûte (pop.)/son pain/sa vie, gagne-petit ; inconvénients ; avoir un métier agréable/astreignant/un bon métier/un métier dangereux/dur/fatigant / intéressant / lucratif/qui nourrit bien/qui ne nourrit pas son homme/passionnant/pénible/rude/sédentaire ; moyen d'existence ; occuper une place/un poste ; partie, fort dans sa partie ; pratiquer, pratique, longue pratique ; risques du métier ; travailler, travailleur. — **Sortes de métiers.** Artisanat, artisan ; artiste ; boulot (fam.) ; carrière ; charge ; commerce, commerçant ; emploi, employé ; état ; fonction ; fonctionnaire ; gagne-pain ; job (pop.) ; métier, petit métier, être du métier ; manœuvre ; occupation ; ouvrier ; poste ; profession, professionnel, un professionnel, profession libérale/manuelle ; servir, serviteur ; situation ; spécialiste ; technique, technicien ; violon d'Ingres. — **Organisation des métiers.** Branche ; confrérie, confrère ; corporation, corporatif, corporatiste, corporatisme ; corps de métier ; employeurs et salariés ; fédération ; hiérarchie professionnelle ; maîtrises et jurandes ; syndicat, syndiqué, syndicalisme, syndicaliste, trade-union.

MÉTIS, MÉTISSER → *mêler, race.*

MÉTONYMIE, MÉTONYMIQUE → *style.*

MÉTOPE → *architecture.*

MÉTRAGE → *cinéma, mesure, tissu.*

MÈTRE, MÉTRER, MÉTREUR → *architecture, mesure, poésie.*

MÉTRICIEN, MÉTRIQUE → *mesure, poésie.*

MÉTRITE → *sexe.*

MÉTROLOGIE, MÉTROLOGISTE → *mesure.*

MÉTRONOME → *musique.*

MÉTROPOLE, MÉTROPOLITAIN → *colonie, train, ville.*

MÉTROPOLITAIN, MÉTROPOLITE → *ecclésiastique.*

METS → *aliment, manger.*

METTEUR → *cinéma, joaillerie, radio, spectacle, typographie.*

METTRE → *arranger, entrer, placer, vêtement.*

MEUBLANT → *décoration.*

MEUBLE → *blason, coffre, cuisine, lit, maison, toilette.* — **La fabrication.** Chaisier, ébéniste, ébénisterie, marqueterie, marqueteur, menuiserie, menuisier, tabletier, tabletterie, tapissier, tourneur. ■ Matériaux, matière : bois, cuir, métal, plastique, toile ; fer, rotin, vannerie, meuble de jardin ; métal, meuble de bureau / d'hôpital. ■ Ancien, antiquaire, antiquité ; bric-à-brac ; brocante, brocanteur ; d'époque, signé, de style. ■ Bois ciré/massif/peint/sculpté/vernis ; laque, laqué ; marqueterie ; placage, plaqué. — **Le mobilier.** Agencer, agencement ; aménager, aménagement ; ameublement ; bouger/déplacer un meuble ; déménager, déménageur ; emménager, emménagement ; garde-meuble ; meuble, s'installer dans ses meubles, louer un garni/un meublé, meubler. — **Meubles de rangement.** Argentier, armoire, armoire à glace, bahut, bibliothèque, bibus, bonnetière, buffet, casier, cabinet, classeur, fichier, chiffonnier, coffre, coffre à jouets, commode, crédence, desserte, dressoir encoignure, entre-deux, étagère, garde-robe, huche, maie, penderie, placard, portemanteau, porte-parapluie, secrétaire, table de chevet/de nuit/à ouvrage, travailleuse, vaisselier, vitrine. ■ Abattant, battant, case, casier, corniche, corps, dessus, dessus de marbre, étagère, panneau, planche, poignée, porte à glissière/à gonds/pleine/vitrée, rayon, rayonnage, serrure, tablette, tiroir, vantail. — **Meubles de repos.** Berceau, bercelonnette ; canapé, canapé-lit, canapé convertible ; cosy ; divan ; lit d'appoint / - cage / de camp / clos / gigogne / gondole / jumeau / placé d'angle/de bout/superposé ; litière ; sofa. — **Sièges.** Banc, banquette, bergère, bout-de-pied, cabriolet, canapé, causeuse, chaise, chauffeuse, crapaud, divan, escabeau, fauteuil, fumeuse, méridienne, ottomane, pliant, pouf, prie-Dieu, selle, sellette, siège, sofa, stalle, strapontin, tabouret, trône. ■ Balancelle, chaise longue, rocking-chair, transatlantique ; chaise à porteurs/roulante, filanzane, litière, palanquin. ■ Canné, cannage ; capiton, capitonné ; coussin ; entrejambe ; garni, garniture de bourre/de crin/de kapok/de plume ; matelassé ; paillé ; rembourré ; rempaillé, rempailleur, sangle, sangler. ■ Accotoir, accoudoir, barreau, bâton, bras, dossier, fond, housse, médaillon, pied, piétement. — **Tables.** Bureau, coiffeuse, console, guéridon, pupitre, secrétaire/à abattant/à rouleau/à tablier, table à jeu/de bridge, table gigogne/roulante/à roulettes/de toilette, tablette.

MEUBLE → *terre.*

MEUBLE → *posséder.*

MEUBLÉ → *habiter, location.*

MEUBLER → *décoration, meuble.*

MEUGLEMENT, MEUGLER → *bœuf, cri.*

MEULE → *amas, blé, herbe.*

MEULE, MEULER → *lait, polir.*

MEULIÈRE → *pierre.*

MEULON → *amas.*

MEUNERIE, MEUNIER → *blé, farine.*

MEURT-DE-FAIM → *maigre, pauvre.*

MEURTRE, MEURTRIER → *crime, mourir.*

MEURTRIÈRE → *fortification.*

MEURTRIR, MEURTRISSURE → *blesser, dommage, frapper.*

MEUTE → *chasse, chien, groupe.*

MÉVENTE → *commerce.*

MEZZANINE → *milieu.*

MEZZO-SOPRANO → *chanter.*

MEZZO-TINTO → *graver.*

MIAOU → *chat, cri.*

MIASMATIQUE, MIASME → *infecter, microbe.*

MIAULEMENT, MIAULER → *chat, cri.*

MICA, MICACÉ → *géologie.*

MI-CARÊME → *fête.*

MICHE → *pain.*

MICHELINE → *train.*

MICMAC → *mêler, secret, trouble.*

MICRO- → *petit.*

MICROBE, MICROBICIDE, MICROBIEN → *infecter, maladie, soigner.* — **Sortes de microbes.** Algue ; amibe ; bacille, de Koch / virgule / de Yersin, colibacille, etc. ; bactérie, bactériophage, bactériostatique ; champignon, trichophyton ; -coque : gonocoque, pneumocoque, staphylocoque, streptocoque, etc. ; ferment ; flagellé, tréponème, etc. ; hématozoaire ; levure ; microbe / aérobic et anaérobie/pathogène et saprophyte / septique ; moisissure ; mycoderme ; parasite ; pathogène ; protophyte ; protozoaire ; rhizopode ; rickettsie ; spirille ; sporozaire ; vibrion, vibratile ; virus filtrant ; zooglée. — **Maladies causées par les microbes.** Actinomycose, actinomyce ; agent pathogène ; aspergillose, brucellose, etc. ; choléra ; diphtérie, croup ; contagion, contagieux ; contamination, contaminer ; dysenterie bacillaire ; endémie, pandémie ; épidémie, épidémique, foyer de l'épidémie ; fermentation ; fièvre jaune/typhoïde ; germe pathogène, porteur de germe ; grippe espagnole ; infection, infection puerpérale ; maladie contagieuse/infectieuse/spécifique/virulente ; peste, pestiféré ; pian ; poliomyélite ; pollution ; putréfaction ; rickettsiose ; scarlatine ; septicémie ; sporotrichose, sporotriche ; syphilis, spirochète ou tréponème ; toxicose, toxine ; trypanosomiase, trypanosome ; tuberculose, primo-infection ; typhus exanthémique ; variole. — **Lutte contre les microbes.** Alcool ; antibiotique ; antisepsie, asepsie ; antitoxine ; charbon ; désinfecter, désinfection, désinfectant, eau de Javel, immunité ; microbicide ; pasteuriser, pasteurisation ; phagocytose ; prophylaxie, prophylactique, être réfractaire ; sécréter des anticorps ; sérum, sérodiagnostic ; stérilisation, stériliser, stérilisateur ; tyndallisation ; vaccin, autovaccin, vacciner. ■ Bactériologie, épidémiologie, immunologie, microbiologie, mycologie, parasitologie, protozoologie, virologie. ■ Culture des microbes, bouillon de culture, hémoculture, gram ; ensemencer ; Institut Pasteur, tuberculine. ■ Cordon sanitaire, isolement, lazaret, léproserie, quarantaine. — **Êtres microscopiques.** Animalcule, cilié, ciron, infusoire, microzoaire, micro-organisme, plancton, polype, etc.

MICROBIOLOGIE → *microbe.*

MICROCLIMAT → *météorologie.*

MICROCOQUE → *microbe.*
MICROCOSME → *homme, petit.*
MICROFICHE, MICROFILM, MICROFILMER → *reproduction.*
MICROGRAPHIE → *petit.*
MICROMÈTRE → *petit.*
MICROMODULE → *électricité.*
MICRON → *mesure.*
MICRO-ORGANISME → *microbe.*
MICROPHONE → *son.*
MICROPHYSIQUE → *physique.*
MICROSCOPE, MICROSCOPIE → *optique, petit.*
MICROSCOPIQUE → *microbe, petit.*
MICROSILLON → *disque.*
MICTION → *rein.*
MIDI → *journée, orientation, soleil.*
MIDINETTE → *couture, femme.*
MIDSHIP → *marine.*
MIE → *aimer.*
MIE → *pain.*
MIEL → *cire, doux.*
MIELLÉ → *boisson.*
MIELLEUX → *doux, faux, parler.*
MIETTE → *morceau, pain, résidu.*
MIEUX, MIEUX-ÊTRE → *bon, maladie, progrès, supérieur.*
MIÈVRE, MIÈVRERIE → *affectation, beau, doux.*
MIGNARD, MIGNARDISE → *affectation, doux.*
MIGNON → *aimer, doux.*
MIGNOTER → *caresse.*
MIGRAINE, MIGRAINEUX → *tête.*
MIGRATEUR, MIGRATION, MIGRATOIRE → *changer, oiseau, population, voyage.*
MIJAURÉE → *femme.*
MIJOTER → *cuisine.*
MIKADO → *chef.*
MILAN → *oiseau.*
MILANAISE (À LA) → *cuisine.*
MILDIOU, MILDIOUSÉ → *vigne.*
MILE → *mesure.*
MILIAIRE → *fièvre, peau.*
MILICE, MILICIEN → *armée, police.*
MILIEU → *entourer, géographie, groupe, intervalle, part.* — **Qui est au milieu.** Ame ; axe, axial, axé, désaxé ; centre, centre de gravité, central, centrer, décentrer, excentrer, excentrique, excentration, excentricité ; cœur ; concentrer, concentrique, homocentrique ; centrifuger, centrifugation, centrifuge, centripète ; dedans ; fond, fin fond ; fort, le fort ; foyer, focal ; entraille ; intérieur, médius, doigt du milieu ; milieu ; mitan ; moelle épinière, médullaire, médulleux, myélique ; nœud, nodal ; noyau ; plein, le plein ; pulpe ; sein ; transition ; trognon ; vif, le vif du sujet. — **Entre.** A la charnière ; dans, dedans ; entre, entre les deux, entremets, entresol, etc. ; inter-, intermède, intermédiaire, intervalle, etc. ; intercaler, interposer, etc. ; à la jonction ; insérer, insertion ; parenthèse ; parmi ; pivot ; truchement. — **Moitié.** Demi ; diamètre, rayon ; médian, médium ; médiat, médiateté ; mi-, mi-carême, mi-journée, mi-parti, etc. ; midi, méridien ; minuit ; mitoyen, mitoyenneté ; moitié ; moyenne ; semi. — **Juste milieu.** Arbitre, arbitrer ; bienséant, bienséance ; convenable, convenance ; décent, décence ; humble, humilité ; médiateur ; mesuré, mesure ; modéré, modération, modérateur, modique, modicité ; *modus vivendi ;* moyen, moyen terme ; neutre, neutralité, neutralisme ; passable, potable (fam.) ; réservé, réserve ; respect humain ; retenue ; se tenir à sa place ; vertu, *in medio stat virtus.*
MILITAIRE → *armée, guerre.*
MILITANT → *association, église, parti.*
MILITARISER, MILITARISME → *politique.*
MILITER → *agir, engager, influence parti.*
MILK-BAR → *boire, café.*
MILLE → *nombre.*
MILLE → *mesure.*
MILLE-FEUILLE → *pâtisserie.*
MILLÉNAIRE → *année.*
MILLE-PATTES → *insecte.*
MILLEPERTUIS → *plante.*
MILLÉPORE → *polype.*
MILLERANDAGE → *vigne.*
MILLÉSIME, MILLÉSIMÉ → *année.*
MILLET, MIL → *céréale.*
MILLIARD → *nombre.*
MILLIARDAIRE → *riche.*
MILLION, MILLIONNAIRE → *argent, nombre, riche.*
MILORD → *noblesse.*
MILOUIN → *canard.*
MIME, MIMER → *reproduction, théâtre.*
MIMÉTISME → *semblable.*
MIMIQUE → *attitude, rire, visage.*
MIMODRAME → *théâtre.*
MIMOSA → *plante.*
MINABLE → *mal, petit, triste.*
MINARET → *musulman.*
MINAUDER, MINAUDERIE → *affectation, manière, plaire.*
MINCE, MINCEUR → *faible, maigre, peser.*
MINE → *affectation, apparaître, respect, visage.*
MINE → *charbon, écrire, exploser, métal.* — **Gisement minier.** Alunière ; bassin minier ; carreau de la mine ; carrière à ciel ouvert/souter-

raine ; charbonnage ; exploiter, exploitation ; falunière ; fouilles ; géologie ; fosse ; gisement aurifère/carbonifère, etc. ; houillère ; mine de charbon/de fer, etc. ; minéralogie ; minière ; pépite ; saline ; sondage, carottage ; soufrière. ■ Ardoisière, catacombes, marbrière, meulière, plâtrière. ■ Affleurement, couche, faille, filon, fonds, veine. ■ Carrier, ingénieur des mines, mineur, mineur de fonds. — **Exploitation de la mine.** Boyau, branche, cheminée d'appel/d'aération ; étage, galerie, puits, taille, front de taille ; boisage, cuvelage, étai. ■ Abattage, dépilage, havage, haveur, herschage, herscheur, raucheur, roulage. ■ Benne, berline, bourriquet, cage, hersche, wagonnet ; bêche, haveuse, masse, marteau piqueur, perforateur, perforateur à fleuret, pic, rivelaine, sape ; casque/lampe de mineur. — **Minerais.** D'aluminium : aluminate, bauxite ; d'antimoine : stibine ; d'argent : argyrite, pyrargyrite ; d'arsenic : mispickel, orpiment, réalgar ; de bismuth : bismuthine, eulytine ; de chrome : chromite ; de cobalt : cobaltine, érythrine, smaltine ; de cuivre : azurite, chalcopyrite, cuprite ; d'étain : cassitérite, stannine ; de fer : hématite, limonite, magnétite, oligiste, pyrite, sidérose ; de manganèse : alabandine, acerdèse, grenat, rhodonite ; de mercure : calomel, cinabre ; de métaux radio-actifs : pechblende ; de molybdène : molybdénite ; de nickel : annabergite, millerite, speiss ; d'or : or natif, sylvanite ; de platine : platine natif impur ; de plomb : cérusite, galène ; sulfates : barytine, célestine, epsomite, gypse ; de tungstène : wolfram ; de vanadium : vanadine ; de zinc : blende, calamine.

MINE, MINER → *exploser.*

MINERAI → *industrie, métal, mine.*

MINÉRAL → *eau, géologie, pierre.*

MINÉRALIER → *transport.*

MINÉRALISATION → *métal.*

MINÉRALOGIE, MINÉRALOGIQUE, MINÉRALOGISTE → *géologie.*

MINERVE → *typographie.*

MINERVE → *chirurgie.*

MINESTRONE → *cuisine.*

MINET → *chat.*

MINETTE → *fer.*

MINEUR → *mine.*

MINEUR → *crime, incapable, musique, petit.*

MINIATURE → *déclaration, image, peinture, petit.*

MINIER → *mine.*

MINIJUPE → *vêtement.*

MINIMAL, MINIME → *petit, sport.*

MINIMISER, MINIMUM → *diminuer, importance, petit.*

MINISTÈRE, MINISTRE → *ecclésiastique, gouverner.*

MINIUM → *fer, rouge.*

MINOIS → *visage.*

MINORITAIRE, MINORITÉ → *âge, gouverner, incapable, pays.*

MINOTERIE, MINOTIER → *farine.*

MINUIT → *journée.*

MINUSCULE → *écrire, microbe, petit.*

MINUS HABENS → *diminuer, incapable, sot.*

MINUTE, MINUTER → *heure, temps.*

MINUTE, MINUTER → *contrat.*

MINUTERIE → *horlogerie.*

MINUTIE, MINUTIEUX → *exécuter, petit, soigner.*

MIOCHE → *enfant.*

MIRABELLE → *alcool, fruit.*

MIRACLE, MIRACULEUX → *étonner, spectacle.*

MIRADOR → *garder, prison.*

MIRAGE → *imaginer, optique.*

MIRE → *attention, fusil, niveau.*

MIRE-ŒUFS, MIRER → *œuf.*

MIRER (SE) → *glace, regard.*

MIRIFIQUE → *étonner.*

MIRLITON → *instrument.*

MIROBOLANT → *beau, étonner.*

MIROIR → *attirer, glace, image.*

MIROITER → *changer, lumière.*

MIROITERIE, MIROITIER → *glace.*

MIROTON → *bœuf.*

MISAINE → *voilure.*

MISANTHROPE, MISANTHROPIE → *détester, homme.*

MISCELLANÉES, MISCIBLE → *mêler.*

MISE → *cheveu, fonction, placer, radio, typographie, vêtement.*

MISE, MISER → *confiance, croire, jouer.*

MISÉRABLE, MISÈRE → *manque mépris, moquer, pauvre, tristesse.*

MISERERE → *chanter, liturgie.*

MISÉREUX → *pauvre.*

MISÉRICORDE, MISÉRICORDIEUX → *bon, pardon.*

MISOGYNE, MISOGYNIE → *détester, femme.*

MISSEL → *liturgie, livre.*

MISSILE → *arme, projectile.*

MISSION → *diplomate, ecclésiastique, envoyer, fonction.*

MISSIONNAIRE → *colonie, ecclésiastique, monastère.*

MISSIVE → *écrire.*

MISTRAL → *vent.*

MITAINE → *main.*

MITE, MITER (SE) → *dommage, insecte, parasite.*
MI-TEMPS → *sport, travail.*
MITEUX → *pauvre, triste.*
MITHRIDATISER, MITHRIDATISATION → *poison.*
MITIGER → *doux, mêler.*
MITONNER → *cuisine.*
MITOYEN, MITOYENNETÉ → *commun, deux.*
MITRAILLADE, MITRAILLER → *fusil.*
MITRAILLE → *argent, exploser, fusil.*
MITRAILLETTE, MITRAILLEUSE → *arme, fusil.*
MITRE → *chapeau, ecclésiastique.*
MITRON → *pain.*
MI-VOIX (À) → *son.*
MIXAGE, MIXER → *cinéma, mêler.*
MIXER, MIXEUR → *cuisine, mêler.*
MIXTE → *deux.*
MIXTION, MIXTIONNER, MIXTURE → *mêler.*
MNÉMONIQUE, MNÉMOTECHNIE, MNÉMOTECHNIQUE → *mémoire.*
MOBILE → *changer, fête, mouvement, police.*
MOBILE → *cause, mouvement, physique, sculpture.*
MOBILIER → *chambre, meuble.*
MOBILISATEUR, MOBILISER → *appeler, exciter, guerre.*
MOBILITÉ → *changer, irrégulier, mouvement.*
MOCASSIN → *chaussure.*
MOCHE → *laid, mal.*
MODALITÉ → *dieu, manière, musique, philosophie.*
MODE → *bœuf, couture, goût, vêtement.*
MODE → *musique, verbe.*
MODÈLE → *art, couture, reproduction.*
MODELÉ, MODELER → *relief, sculpture.*
MODÉLISTE → *couture.*
MODÉRANTISME, MODÉRANTISTE → *politique.*
MODÉRATEUR, MODÉRATION, MODÉRER → *calme, diminuer, milieu, paix.*
MODERNE, MODERNISER, MODERNISME, MODERNITÉ → *présence.*
MODERN STYLE → *art, style.*
MODESTE, MODESTIE → *moyen, retenir, sage, simple.*
MODICITÉ → *moyen.*
MODIFICATEUR, MODIFIER → *changer.*
MODIQUE → *moyen, payer.*
MODISTE → *chapeau.*
MODULATION → *couleur, radio, son.*
MODULE → *architecture, mesure, monnaie.*
MODULER → *couleur, musique, son.*
MODUS VIVENDI → *accord.*
MOELLE → *canal, cerveau, importance, gras, milieu, os.*
MOELLEUX → *doux, son, tissu, vin.*
MOELLON → *maçonnerie, pierre.*
MOERE → *mer.*
MŒURS → *habitude, morale.*
MOFETTE → *volcan.*
MOHAIR → *chèvre, laine.*
MOI → *orgueil, personnalité, psychologie.*
MOIGNON → *couper, morceau.*
MOINDRE → *diminuer, petit.*
MOINE → *monastère.*
MOINEAU → *oiseau.*
MOINILLON → *monastère.*
MOINS-PERÇU → *devoir, manque.*
MOINS-VALUE → *diminuer.*
MOIRE → *tissu.*
MOIRER, MOIRURE → *briller, couleur.*
MOIS → *calendrier.*
MOISE → *charpente.*
MOÏSE → *enfant, lit, meuble.*
MOISIR, MOISISSURE → *champignon, dommage.*
MOISSINE → *vigne.*
MOISSON → *abondance, blé, céréale, culture.*
MOISSONNER, MOISSONNEUR, MOISSONNEUSE → *culture.*
MOITE, MOITEUR → *mouiller.*
MOITIÉ → *deux, mariage.*
MOKA → *café, pâtisserie.*
MOLAIRE → *dent.*
MOLASSE, MOLLASSE → *pierre.*
MÔLE → *port, relief.*
MOLÉCULAIRE, MOLÉCULE → *chimie, nucléaire.*
MOLESKINE → *cuir, tissu.*
MOLESTER → *violence.*
MOLETER, MOLETTE → *graver, polir, roue.*
MOLLASSE, MOLLASSERIE, MOLLASSON → *faible, mou.*
MOLLESSE → *faible, mou.*
MOLLET → *jambe.*
MOLLET → *œuf, pain.*
MOLLETIÈRE → *infanterie, jambe.*
MOLLETON, MOLLETONNER → *décoration, tissu.*
MOLLIR → *mou, vent.*
MOLLUSQUES → *animal.* — **Description.** Malacologie : byssus, cirre, coquille, cornes, manteau, cavité palléale, masse viscérale, opercule, pied, pédoncule, radula, tentacule,

tête. — **Principaux mollusques.** Amphineures : chiton, néoménius. ■ Scaphopodes ou solénoconques : dentale. ■ Gastéropodes ou gastropodes ou univalves. Prosobranches : atlante, bigorneau, buccin, cérithe, conque, fuseau, murex, ormeau ou haliotide ou oreille-de-mer, patelle, pourpre, strombe, triton, vigneau ; opisthobranches : clio, doris, lièvre de mer ; pulmonés : escargot ou colimaçon ou limaçon, limace, limnée, loche, physe. ■ Acéphales ou bivalves ou lamellibranches ou pélécyopodes : anodonte, arche, bénitier ou tridacne, clovisse ou palourde, coque, couteau, hippurite, huître, moule, nucule, peigne ou coquille Saint-Jacques, pétoncle, pholade, pinne ou jambonneau, praire, spondyle, taret, etc. ■ Céphalopodes : dibranches : bélemnite, calmar ou encornet, pieuvre ou poulpe, seiche ; amnoïdes : amalthéa, cératite, gonatite ; tétrabranches : argonaute ou nautile. — **Huîtres.** Huître d'Arcachon/de Cancale/de Marennes/d'Ostende ; belon, fine de claire, portugaise, spéciale ; gryphée, méléagrine ou pintadine, mulette. ■ Bourriche, claire, clayère, cloyère, écailler, huîtrier, naissain, ostréiculteur, ostréiculture, parc, parquer, parqueur, parquier. ■ Assiette de fruits de mer, fourchette à huîtres, manger des coquillages, ouvrir les huîtres. — **Moules.** Acon ou pousse-pied, bouchot, couteau, drague, moulière, mytiliculture, parc à moules, râteau. — **La coquille.** Bouche ; bourrelets ; charnière ; columelle ; conchyliologie ; conchylien ; coquille conchoïde/conique/à enroulement senestre/en spirale/turriculée, etc. ; dent ; drap marin ; lame cornée ; ligament ; nacre, nacré ; perle ; spire ; strie ; test ; valve, valvule.

MOLOSSE → *chien.*

MÔME → *enfant.*

MOMENT, MOMENTANÉ → *durer, temps.*

MOMERIE → *affectation.*

MOMIE, MOMIFIER → *enterrement, vieillesse.*

MONACAL, MONACHISME → *monastère.*

MONADE → *esprit.*

MONARCHIE, MONARCHIQUE → *chef, gouverner, souverain.*

MONARCHISME, MONARCHISTE → *politique.*

MONARQUE → *chef, souverain.*

MONASTÈRE, MONASTIQUE → *ecclésiastique, église, liturgie.* — **Le monastère.** Abbaye, abbatial ; béguinage ; chartreuse ; communauté ; couvent, conventuel ; ermitage ; maison mère ; monastère ; moutier ; prieuré. ■ Bibliothèque, cellier, cellule, chauffoir, cloître, dortoir, église, in-pace, miséricorde, réfectoire, salle capitulaire. ■ Citeaux, Cluny, mont Athos, etc. — **Moines et fonctions monastiques.** Anachorète ; aumônier ; cellerier ; cénobite, cénobitisme ; clergé régulier, un régulier ; congréganiste ; convers ; ermite, érémitisme ; frère ; hebdomadier ; moine, moinillon, monacal, monachisme ; moines hospitaliers / mendiants / prêcheurs / déchaussés ou déchaux ; monial ; novice ; oblat ; père ; portier ; postulant ; religieux. ■ Abbé, abbé commendataire/mitré ; archimandrite ; doyen ; prieur ; procureur ; provincial ; supérieur. ■ Bonze, derviche, lama, santon, talapoin. — **Vie monastique.** Ascétisme, ascète ; cloîtrer, clôture, claustral ; discipline conventuelle ; entrer en religion ; frugalité, frugal ; jubilé ; juvénat, noviciat ; observance ; postulat ; probation ; prise d'habit/de voile, vêture ; profès, profession, prononcer des vœux ; réclusion, reclus ; règle de saint Augustin/de saint Basile/de saint Benoît/de saint François ; sévérité, sévère ; silence claustral ; vertus monastiques ; vie contemplative/active/mixte ; vœux de chasteté/de pauvreté/d'obéissance. ■ Décloîtrer, se défroquer, jeter le froc aux orties, relever de ses vœux, indult. — **Ordres monastiques et religieux.** Antonins, basiliens, bénédictins, camaldules, chartreux, cisterciens, dominicains, ermites de Saint-Paul, franciscains, mekhitaristes, olivétains, silvestrins, trappistes. ■ Assomptionnistes, augustins, barnabites, bernardins, capucins, carmes, eudistes, jésuites, lazaristes, maristes, minimes, oratoriens, pères blancs, prémontrés, récollets, rédemptoristes, servites (blancs manteaux), sulpiciens, théatins. ■ Confrérie, congrégation, ordre, tiers ordre, province. — **Les religieuses.** Augustines ; bernardines ; carmélites ; clarisses ; dames de l'Assomption/du Sacré-Cœur/de Saint-Maur ; dominicaines ; filles de la Charité ou sœurs de Saint-Vincent-de-Paul, filles de la Sagesse ; franciscaines ; sœurs de Saint-Joseph-de-Cluny/de Saint-Thomas, petites sœurs des pauvres ; visitandines. ■ Abbesse, coadjutrice ; béguine ; converse ; mère, mère supérieure ; moniale ; nonne, nonnette ; novice ; postulante ; prendre le voile ; professe ; religieuse ; sœur, bonne sœur (fam.) ; tourière ; visitatrice. — **Vêtements monastiques.** Cagoule, capuce, capuchon, défroque, froc, robe de bure, sandales, scapulaire ; tonsure monacale ou couronne. ■ Béguin, cornette, guimpe, mante voile.

MONCEAU → *amas.*

MONDAIN, MONDANITÉ → *esprit, goût, habitude, relation.*

MONDE → *accouchement, groupe, importance, nombre, terre, voyage.*

MONDER → *amande, nettoyer.*

MONDIAL → *terre.*

MONDOVISION → *radio.*

MONÈME → *mot.*

MONÉTAIRE, MONÉTISER → *monnaie.*

MONGOLIEN, MONGOLISME → *diminuer.*

MONIALE → *monastère.*

MONISME → *philosophie, réalité.*

MONITEUR → *enseignement, gymnastique, sport.*

MONITION → *avertir.*

MONNAIE, MONNAYER → *argent, économie, payer.* — **Généralités.** Appoint; argent comptant/frais/liquide; arrondir à l'unité supérieure; billet de banque, billon; bourse; capital; fortune; monnaie, menue monnaie, pièce, piécette, donner la pièce; fausse monnaie, monnaie écharse, monnaie scripturale; portefeuille; porte-monnaie; richesse; somme; trésor. — **Description d'une monnaie, d'une médaille.** Médaille, contorniate; médaille de dévotion/pieuse/talismanique; médailleur; monnaie d'argent/de bronze/de nickel/d'or; numismate, numismatique. ▪ Avers, revers; carnèle; cordon; effigie, profil; exergue; listel; millésime; pile ou face; tranche. — **Fabrication des monnaies et médailles.** Fonderie, fondre, couler; laminage, flan; découpage, presse, lunette, matrice, poinçon; cordonnage; recuit, brillantage; frapper, frappe, coin, virole, virole brisée; ajustage; monétiser, démonétiser; monnayage, monnayeur, faux-monnayeur, billonnage; poinçon, poinçon prototype, piéfort; repousser; rogneur de monnaie; sonner une pièce. ▪ Alliage, aloi, titre. — **Économie et monnaie.** Accords de Bretton Woods; banque de dépôt/d'émission; billet de banque, banknote, filigrane, numéro; change, taux de change, change flottant, parité; circulation fiduciaire/monétaire, circuler; comptabilité; convertibilité, inconvertibilité; cours forcé/légal; dévaluer, dévaluation, réévaluation, réévaluer; devise; disponibilités; encaisse métallique/scripturale, encaisse-or; étalon, étalon-or, dollar; masse monétaire; métallisme, monométallisme, bimétallisme; monnaie fiduciaire/scripturale/de réserve, papier-monnaie; moyen de paiement; numéraire; plafond; planche à billets; pouvoir/force libératoire; réserves; spéculer, spéculation; système monétaire; thésauriser, thésaurisation, bas de laine, économies; transaction, valeur nominale: ▪ Gold Exchange Standard; Fonds monétaire international; droits/tranche de tirage; eurodollar, eurodevise, E.C.U.. — **Principales unités monétaires.** Bolivar (Venezuela); couronne (Danemark, Islande, Norvège, Suède, Tchécoslovaquie); cruzeiro, centavo (Brésil); dinar (Algérie, Irak, Turquie, Yougoslavie); dirham (Maroc); dollar, cent (Canada, U.S.A., Éthiopie, Libéria, Malaisie); drachme (Grèce); escudo (Chili, Portugal); florin, gulden (Pays-Bas); forint, filler (Hongrie); franc, centime (Belgique, France, Luxembourg, Suisse); gourde, centime (Haïti); guarani (Paraguay); lek, quintar (Albanie); leu (Roumanie), lev (Bulgarie); lire (Italie); livre (Égypte, Israël, Liban, Libye, Turquie); livre, shilling, penny (pence) (Australie, Grande-Bretagne, Irlande, Nouvelle-Zélande); mark, ostmark, deutsche mark (R.D.A., R.F.A.); peseta, centimo (Espagne); peso, centavo (Argentine, Colombie, Cuba, Mexique, Uruguay); piastre (Vietnam); rial, quruch (Arabie, Iran); rouble, kopeck (U.R.S.S.); roupie (Ceylan, Inde, Indonésie, Népal, Pakistan); schilling, groschen (Autriche); sucre, centavo (Équateur); zloty, groszy (Pologne); yen, sen (Japon). — **Monnaies anciennes.** Drachme, obole, as, sesterce. ▪ Assignat, besant, blanc, denier, doublon, ducat, écu, florin, livre parisis/tournois, louis, piastre, pistole, sequin, sou, etc.

MONOBLOC → *moteur.*

MONOCAMÉRISME → *politique.*

MONOCHROME, MONOCHROMIE → *couleur.*

MONOCLE → *optique.*

MONOCORDE → *instrument, son, terne.*

MONOCULAIRE → *œil.*

MONOCULTURE → *culture.*

MONODIE → *chanter.*

MONOGAME, MONOGAMIE, MONOGAMIQUE → *mariage.*

MONOGÉNISME → *race.*

MONOGRAMME → *abréger, nom, signe.*

MONOGRAPHIE → *littérature.*

MONOLINGUE, MONOLINGUISME → *langage.*

MONOLITHE, MONOLITHIQUE, MONOLITHISME → *parti, pierre.*

MONOLOGUE, MONOLOGUER → *parler, théâtre.*

MONOMANE, MONOMANIE → *folie.*

MONOME → *algèbre, groupe.*

MONOMÉTALLISME → *monnaie.*

MONOPHASÉ → *électricité.*

MONOPLÉGIE → *insensibilité.*

MONOPOLE, MONOPOLISER → *avantage, commerce, économie.*

MONOPTÈRE → *colonne.*

MONOSYLLABE, MONOSYLLABIQUE → *mot, poésie.*

MONOSYLLABISME → *langage.*

MONOTHÉISME, MONOTHÉISTE → *religion.*

MONOTONE, MONOTONIE → *égal, son.*

MONSEIGNEUR → *honneur.*

MONSIEUR → *homme.*

MONSIGNORE → *pape.*

MONSTRE, MONSTRUEUX, MONSTRUOSITÉ → *étonner, excès, grand, laid, mythologie.*

MONTAGE → *cinéma, composer, photographie.*

MONTAGNARD → *montagne.*

MONTAGNE, MONTAGNEUX → *relief, sport.* — **Description de la montagne.** Altitude, haute montagne; arête; calotte neigeuse; cime; cirque; contrefort; contrepente; crêt, ligne de crête; culée; culminer, dominer, se dresser, s'élever, surplomber; faîte; flanc, flanc escarpé/en pente douce/raide; glacier, crevasse; lac de montagne/de barrage, fagne; montagne à vaches (fam.); neige, neigeux, enneigé, enneigement; pays montagneux/montueux; pente, pentu; à-pic; pied; plateau, haut plateau; précipice; sérac; torrent; val, vallée, vallon, thalweg. ■ Vent de montagne : chinook, fœhn; versant : adret, ubac. ■ Canon, cluse, col, combe, défilé, gorge, grau, passe, port, seuil. — **Sortes de montagnes.** Orogenèse; orogénie, orogénique; orographie, orographique. ■ Aiguille, amoncellement, ballon, butte, chaîne, chaînon, cordillère, dent, djebel, dôme, dune, élévation, éminence, falaise, mamelon, massif, pic, piton, pointe, puy, sierra, sommet, volcan éteint/actif. — **La vie en montagne.** Air pur/salubre; alpe, alpage; avalanche; bergerie, berger; champs en terrasse; chalet; climat frais/rude; descendre, dévaler; éboulement, éboulis; estiver; montagnard; monter, montée, remonte-pente; neige, être bloqué par les neiges; remue; saison morte; tempête de neige; transhumer, transhumance du bétail. ■ Transports : chasse-neige, crémaillère, funiculaire, luge, raquette, ski, téléférique, traîneau. ■ Faune : aigle, âne, chamois, isard, mulet, ours, truite, etc. ■ Flore : edelweiss; forêt d'épicéas/de mélèzes/de pins/de sapins, etc.; myrtille. — **Sports de montagne.** Alpenstock; alpinisme, alpiniste; ascension, ascensionniste; assurer; cheminée; Club alpin français; cordée, premier de cordée; crampon; degrés de difficulté; dévisser; escalade artificielle/naturelle; gravir; grimper grimpeur; guide; piolet; piton, étrier; faire une première; prise, assurer une prise; ramoner; rappel; refuge; rochassier; traversée; varappe, varapper; voie. ■ Ski : bâton à raquette; chasse-neige, christiania; descente, descendre, schuss; école de ski, moniteur; fart, farter, fartage; godille; piste skiable; ruade; saut, sauter, tremplin; ski, ski de fond/de printemps, skier; skieur, skieuse, éclaireur skieur des chasseurs alpins; slalom, porte, slalom géant, slalomeur; sports d'hiver; télémark; télébenne, télécabine, télésiège, téleski, tire-fesse (fam.), remonte-pente. ■ Anorak, après-ski, bonnet, fuseau, gants, lunettes, passe-montagne, peau de phoque.

MONTAISON → *poisson, rivière.*

MONTANT → *goût, harnais, menuiserie, payer.*

MONT-DE-PIÉTÉ → *prêter.*

MONTE → *cheval, reproduction.*

MONTÉ → *colère, imaginer, posséder, secret.*

MONTE-CHARGE → *monter.*

MONTÉE → *lait, monter, plancher, rivière, route.*

MONTE-PLATS → *monter.*

MONTER → *augmenter, charpente, composer, haut, plan, secret.* — **Action de s'élever.** Ascension, ascensionner; enfourcher, monter à cheval, aller à califourchon; escalader, escalade; gravir; grimpée, grimpette; se hisser; lévitation; monter, montée, monter à l'autel/en chaire/sur l'échafaud/sur le pavois/sur les planches, monter à bord/en voiture; prendre son essor; surgir; voler. — **Monter quelque chose ou quelqu'un.** Amasser, amonceler, mettre en tas; arborer; dresser; élever; élinguer, élingage; embarrer; ériger, érection; faire la courte échelle; guinder; hausse, hausser; hisser, oh! hisse!; lever, levage; monter; palanquer; relever, relèvement; remonter; retrousser, retroussis; soulever, soulèvement; superposer; surélever; surmonter. — **Être monté.** Culminer, dominer, émerger, jaillir, (se) jucher, (se) percher, planer, surplomber, voler. ■ Lieu dominant/élevé/surélevé / exhaussé / proéminent / supérieur : arbre, belvédère, estrade, gradin, mât de vigie, mirador, panorama, perchoir, piédestal, sommet, etc. — **Moyen de montée.** Appareil de levage/élévatoire; ascenseur hydraulique/électrique, cabine; bourriquet; cabestan, tambour; crémaillère; cric; échafaudage; échelle à coulisse/à corde/double, montant, barreau; escalier mécanique, escalator ; escabeau ; funiculaire ; grappin ; grue ; guindeau ; levier, point d'appui ; marchepied ; monte-charge, monte-plats, monte-sac ; moufle ; palan, élingue ; plan incliné ; raidillon, rampe ; remonte-pente ; télébenne, téléphérique ; treuil ; vérin. ■ Grue électrique/locomobile/à volée ; axe, flèche, fût, tourelle ; grutier. — **Escalier.** Escalier droit/en fer à cheval/en limaçon ou en colimaçon/suspendu/tournant/à vis hélicoïdale ; escalier de dégagement/dérobé/d'honneur/de secours/de service. ■ Balustrade, giron, marche, palier, pas, perron, pomme, rampe, tapis, volée.

MONTE-SAC → *monter.*

MONTEUR → *cinéma, composer.*

MONTGOLFIÈRE → *gonfler.*

MONTICULE → *montagne, relief.*

MONTMORENCY → *noyau.*

MONTRE → *horlogerie.*

MONTRE → *marchandises, montrer.*

MONTRE-BRACELET → *horlogerie.*

MONTRER → *apprendre, enseignement, expliquer, raisonnement.* — **Faire, laisser voir.** Affecter, affectation ; afficher ; arborer ; déballer, déballage ; découvrir ; décrire, description, descriptif ; dégager ; démontrer, démonstration ; dénuder, dénudation, mettre à nu ; dépeindre, peindre, peinture ; déployer, déploiement ; développer ; dévoiler, dévoilement ; échantillon, échantillonnage ; éclabousser son voisin ; étaler, étalagiste ; évoquer, évocation ; exhiber, exhibition, exhibitionnisme ; exposer, exposant ; extérioriser, extériorisation ; faste, fastueux ; indiquer, laisser deviner/voir ; manifester, manifeste, manifestant ; mettre devant/sous les yeux, mise en évidence ; montrer, montre ; ostentation, ostentatoire ; ouvrir les yeux, dessiller ; présenter, présentation ; professer une opinion ; prouver, preuve, preuve testimoniale ; raconter, récit ; représentation, représenter ; révéler ; souligner, soulignement ; spécimen ; spectacle ; faire toucher du doigt ; voir, faire voir, un m'as-tu-vu, offrir à la vue. ■ Cocher, désigner ; donner l'heure/le ton, etc. ; indiquer ; montrer du doigt ; montrer le chemin/la route/les dents/les griffes/le nez ; pointer. — **Faire paraître, se montrer.** S'affirmer ; s'avérer ; avouer, aveu ; contenance, ne pas se contenir ; se démasquer, faire tomber/lever le masque, démasquer ses batteries ; (se) déshabiller ; désigner ; donner sa mesure/toute sa mesure ; laisser éclater/libre cours à ; faire entendre/montre de/voir ; étaler, étalage ; exprimer ; extérioriser ; manifester ; mettre son âme/son cœur à nu, montrer ce qu'on a dans le ventre (pop.) ; faire preuve de ; révéler ; témoigner un sentiment ; trahir. ■ S'afficher, se détacher, se distinguer, s'étaler, s'exhiber, s'exposer aux regards, figurer, faire pâle/triste figure, parader, se pavaner, se prodiguer, se produire. — **Ce qui permet de montrer, de se montrer.** Carte, dessin, différence, doigt, emblème, étal, étalage, exposition, figure, index, manifestation, mythe, ostensoir, plan, présentation, rétrospective, salon, schéma, signal, signe, symbole, symbolisme, typographie, vitrine. ■ Auditoire, monde, musée, public, salon, stand.

MONTREUR → *spectacle.*

MONTUEUX → *bosse, irrégulier.*

MONTURE → *bijou, fixe, joaillerie, harnais.*

MONUMENT, MONUMENTAL → *architecture, construction, édifice, important.*

MOQUER (SE), MOQUERIE → *mépris, rire.* — **Action de se moquer.** S'amuser de ; badiner ; attraper, il a été attrapé ; bafouer ; berner ; blaguer, faire une blague, brocarder ; caricaturer ; chansonner ; charivari ; charrier (pop.) ; chiner (fam.) ; contrefaire ; dauber sur ; se divertir aux dépens de, divertissement ; faire des gorges chaudes/des grimaces ; se ficher/se foutre de (pop.) ; galéjer, galéjade ; se gaudir, se gausser de ; goguenarder, œil/ton goguenard ; ironiser, ironie corrosive / décapante / grinçante / appuyée/facile/lourde, etc. ; larder/cribler de ; faire marcher (fam.), monter un bateau (pop.) ; se moquer ; mystifier, mystification ; narguer, narquois ; nasarder ; s'offrir/se payer la fiole (pop.)/la tête de (fam.) ; parodier, parodie ; persifler, ton persifleur ; railler ; ridiculiser, tourner en ridicule ; rire de, rire au nez ; satiriser ; singer, singerie ; tirer la langue ; tourner en dérision. — **Action par laquelle on se moque.** Affront ; attaque ; attrape, farces et attrapes ; badinage élégant ; brocard ; caricature ; dérision ; entourloupette ; impertinence ; lazzi ; mise en boîte ; moquerie ; mot acéré/cinglant/cuisant/mordant/piquant ; niche ; persiflage ; pied-de-nez ; plaisanterie de mauvais goût ; pointe, flèche du Parthe ; poisson d'avril ; quolibet ; raillerie ; ricanement ; sarcasme ; tour, tour pendable. ■ Charge, épigramme, à la manière de, parodie, bon mot, satire, sottisier, trait d'esprit. — **Taquiner.** Agacer, agaceries ; asticoter (fam.) ; canular ; chahuter, chahut ; chicaner ; énerver ; faire enrager/tourner en bourrique (fam.) ; irriter ; lutiner ; piquer au vif ; provoquer ; tanner ; taquinerie, enfant taquin ; tarabuster ; turlupiner. ■ Se piquer, prendre mal la plaisanterie, monter au cocotier (pop.), se vexer. — **Objet de moquerie.** Caricatural ; défrayer les conversations ; dérisoire ; être en butte à ; être la fable/la risée de tout le pays ; être le point de mire/l'éternelle victime ; gauche, godiche ; grotesque, c'est du dernier grotesque/d'un grotesque achevé ; jouet ; maladresse, maladroit ; plastron ; servir de repoussoir/de spectacle, se donner en spectacle ; sot, sottise ; souffre-douleur ; tête de Turc ; tomber dans le panneau. ▪ Crédule, gogo, niais, nigaud, à qui on fait tout avaler/croire n'importe quoi. — **Esprit moqueur.** Blagueur, caustique, facétieux, farceur, frondeur, goguenard, gouailleur, ironique, malicieux, plein de malice, moqueur, mordant, mutin, mystificateur, narquois, persifleur, railleur, sarcastique, sardonique, taquin. ▪ Caricaturiste, chansonnier, farceur, ironiste, loustic, mime, imitateur, pince-sans-rire, plaisantin, plaisant, titi parisien.

MOQUETTE → *plancher, tapis.*

MOQUEUR → *moquer.*

MORAILLON → *fermer.*

MORAINE → *montagne.*

MORAL → *convenir, courage, esprit, morale.*

MORALE → *avertir, bien, mal, discussion, philosophie.* — **Doctrine morale.** Cas de conscience, casuistique ; code de l'honneur ; déontologie ; éthique, éthologie ; qui forme les mœurs ; hédonisme ; humanisme ; morale chrétienne / épicurienne / kantienne / naturelle / du plaisir / stoïcienne ; morale personnelle/internationale ; moraliser, moralisation, moraliste ; œuvres gnomiques/morales/moralisatrices/édifiantes ; sagesse, sage ; sainteté, saint ; sociologie, sociologique. — **Règles de conduite.** Bien, bon, bienséances, bon goût, bon ton ; conscience, examen de conscience, consciencieux, avoir sa conscience pour soi, en conscience ; convenance ; devoir, sens, sentiment du devoir/de ce qu'on doit/de ce qu'on se doit ; gouverne ; impératif catégorique ; maxime ; morale austère/exigeante/rigoureuse/sévère/stricte ; morale élastique / indulgente / relâchée ; morale janséniste/jésuitique ; moralisme, moralité ; mortification, se mortifier ; préceptes ; principes, avoir des principes ; rigide, rigidité de principes ; rigorisme, rigoriste ; sentence, sentencieux ; scrupule, scrupuleux ; valeur, échelle/sens des valeurs ; vertu. — **Bonnes mœurs.** Ascèse, ascétisme, ascète ; conduite, bonne conduite, se bien conduire ; dompter ses instincts/ses passions ; dragon de vertu ; édifier, édifiant, édification, pour l'édification des masses ; exemple, exemplaire ; homme de bien ; honnêteté, honnête ; honneur ; intègre, intégrité ; mérite, méritant, méritoire ; bonne moralité, attestation ; probité, probe ; pureté, pur, mœurs pures ; qualités morales ; régénération, se régénérer ; rigueur, saint, santé morale ; sévère, sévérité ; vertu, vertueux. ▪ Abstinence, abstinent ; chasteté, chaste ; fidélité conjugale, fidèle ; immaculé, fleur de lis ; innocence, innocent ; pureté, pur ; virginité, virginal, vierge, rosière. — **Contraire à la morale.** Amoral, amoralisme ; conduite déshonnête/désordonnée / illicite / irrégulière / relâchée ; écarts de conduite ; corruption, corrompre le moral, corrompu, corrupteur ; débaucher, débauche, un débauché ; démoralisation, démoraliser, démoralisateur ; dépraver, dépravation, fauter ; immoral, immoralité, immoralisme ; in-, impudique, indécence, etc. ; machiavélisme ; mal, moralité ; perversion, pervers ; vice, vicieux.

MORALISATEUR, MORALISER, MORALISME → *morale.*

MORALISTE → *littérature.*

MORALITÉ → *morale, principe, récit, théâtre.*

MORASSE → *journal.*

MORATOIRE → *retard.*

MORBIDE, MORBIDITÉ → *folie, maladie, triste.*

MORCEAU → *casser, couper, franc, goût, part.* — **Partie d'un solide.** Atome, bloc, bout, bribe, chicot, chute, copeau, débris, décombres, détritus, échantillon, écharde, éclat, éclisse, épave, escarbille, esquille, fraction, fragment, grain, lambeau, limaille, lingot, lopin de terre, moignon, motte de terre, paillette, parcelle, part, partie, parure d'une peau, pendeloque, pièce détachée, planure, poudre, poussière, raclure, rebuts, retailles, riblon, rognure, sciure, section, segment, spécimen, tesson, tombée, tronçon. — **Morceau d'aliment.** Aiguillette, bouchée, boulette, bout, bribe, chanteau, côte de melon, darne de poisson, entame, miette, morceau de choix/de roi, bas morceau, part, pastille, portion, quartier, quignon, rogaton, rond, rondelle, tablette, tranche, trognon. — **Morceau de tissu.** Accroc ; chanteau, charpie ; chiffon, chiffonnier ; coupe, coupon, coupeur ; guenilles, déguenillé, en guenilles, dépenaillé ; haillon, haillonneux ; lé ; loque, tomber en loques, loqueteux ; oripeau ; retaille ; vêtement déchiré/effiloché/qui laisse voir la trame/qui pend. ▪ Manteau d'Arlequin ; patchwork ; vêtement rapiécé, mettre un fond à une culotte/une pièce. — **Mettre en morceaux.** Briser, briser en mille morceaux ;

casser, cassure ; déchirer, crever ; se débander, débandade, mettre en déroute ; débiter ; découper, découpage, déchiqueter, déchiqueture ; démembrer, démembrement ; démonter, démontage, démontable ; dépecer ; désagréger, désagrégation ; détailler, faire le détail ; dilacérer, dilacération ; disperser, dispersion ; dissocier ; diviser, division ; effriter, effritement, friable ; émietter, réduire en miettes ; éparpiller, éparpillement ; fragmenter, fragmentation, fragmentaire ; hacher, hacher menu ; lacérer, lacération ; lotir, faire des lots ; mâchurer ; mettre en bouillie/en capilotade/en morceaux/en pièces ; morceler, morcellement ; partager, partage ; pulvériser ; réduire en poudre/en poussière ; rompre ; tailler en pièces ; triturer ; tronçonner, tronçonnage. ■ Concasseur, couteau, hache, hachoir, scie, service à découper, tronçonneuse. — **Réunir les morceaux épars.** Assemblage disparate/hétérogène/fait de pièces et de morceaux ; bric-à-brac ; de bric et de broc ; classer, reclasser, classement, classeur ; collecter, collection, recollection ; colliger ; glaner, çà et là ; marché aux puces ; morceau par morceau ; pièce, pièce rapportée ; puzzle, jeu de patience ; ramasser, ramassage ; ranger, rangement ; recoller, recollage ; regrouper, regroupement ; remembrer, remembrement ; réparer, réparation. ■ Anthologie, chrestomathie, compilation, morceaux choisis, recueil.

MORCELER, MORCELLEMENT → *intervalle, morceau.*

MORDACITÉ → *aigre.*

MORDANCER → *tissu.*

MORDANT → *acide, aigre, moquer, parler.*

MORDANT → *couleur, or, vif.*

MORDICUS → *résister.*

MORDILLER → *dent.*

MORDORÉ, MORDORER, MORDORURE → *noir, or.*

MORDRE → *blesser, dent, douleur, ronger.*

MORDU → *passion.*

MORFIL → *aiguiser.*

MORFONDRE (SE) → *attendre.*

MORFONDU → *froid.*

MORGANATIQUE → *mariage.*

MORGUE → *mépris, noblesse, orgueil.*

MORGUE → *mourir.*

MORIBOND → *mourir.*

MORICAUD → *noir, race.*

MORIGÉNER → *discussion.*

MORILLE → *champignon.*

MORILLON → *canard.*

MORNE → *terne, tristesse.*

MORNIFLE → *frapper.*

MOROSE, MOROSITÉ → *terne, triste.*

MORPHÈME → *mot.*

MORPHINE, MORPHINOMANE → *poison.*

MORPHOLOGIE, MORPHOLOGIQUE → *forme, géologie, grammaire, mot.*

MORS → *colère, harnais.*

MORSE → *mammifère.*

MORSE → *écrire, télécommunications.*

MORSURE → *blesser, dommage graver.*

MORT → *douleur, enterrement finir, mourir.*

MORT → *carte.*

MORTADELLE → *porc.*

MORTAISE, MORTAISER → *charpente.*

MORTALITÉ → *assurances, mourir, population.*

MORT-AUX-RATS → *poison.*

MORTE-EAU → *mer.*

MORTEL → *adversaire, fatigue, faute, mourir.*

MORTE-SAISON → *travail.*

MORTIER → *artillerie, infanterie, maçonnerie, magistrat, presser.*

MORTIFICATION, MORTIFIER → *chasse, morale, offense.*

MORT-NÉ → *enfant.*

MORTUAIRE → *enterrement, mourir.*

MORUE, MORUTIER → *huile, poisson.*

MORVE → *cheval, nez.*

MORVEUX → *cheval, nez, orgueil.*

MOSAÏQUE, MOSAÏSTE → *couleur, couvrir, décoration, morceau, littérature.*

MOSQUÉE → *musulman.*

MOT → *écrire, esprit, jouer, offense, parler, son.* — **Généralités.** Étymologie, étymologiste ; grammaire, grammairien ; lexicographie, lexicographe ; lexicologie, lexicologue, lexique ; poésie, poète ; sémantique, sémanticien ; terminologie. ■ Alphabet, appellation, dénomination, mot, parole, partie du discours, vocable. — **Lettres et syllabes.** Consonne, consonantique ; diphtongue, triphtongue ; parisyllabique, imparisyllabique ; quantité ; syllabe finale/initiale/pénultième/antépénultième ; vers : décasyllabe, hendécasyllabe, octosyllabe, etc. ; voyelle accentuée/longue/atone. — **Description des mots.** Anglicisme, germanisme, latinisme, etc. ; barbarisme, mot barbare ; emprunt, mot emprunté/tiré de/qui vient de ; homophonie, homophone ; homographie, homographe ; hypocoristique ; lexème, lexématique, lexie ; naturaliser un mot ; néologisme ; onomatopée ; orthographe ; palindrome. ■ Mot composé/dialectal/

hybride / populaire / rare / savant / simple / tabou / témoin. — **Formation des mots.** Affixe ; composé, composition ; dérivé, dérivation ; diminutif ; doublet ; grammaticaliser, grammaticalisation ; infixe ; lexicaliser, lexicalisation ; monème ; morphème, morphologie ; néologisme, hapax ; particule ; préfixe, préfixer, préfixation ; radical, racine, mot-racine, mot-souche ; sémantème ; suffixe, suffixer, suffixation ; syllabe ; thème. ■ Aphérèse, apocope, crase, élision, épenthèse, interversion, métathèse, prosthèse, syncope. — **Sens des mots.** Acception ; ambiguïté, ambigu ; amphibologie, amphibologique ; analogie ; association, champ associatif ; antonyme, champ, champ sémantique, réseau ; connotation, dénotation ; équivoque ; euphémisme ; expression, exprimer ; homonymie, homonyme, paronyme ; locution, circonlocution ; mot idoine/propre/vague ; mot argotique/ bas / familier / grossier / littéraire / poétique / populaire / trivial / vulgaire ; mot expressif/pittoresque/savoureux ; mot commode/passe-partout/terne/ usé/usité/usuel/en vogue ; périphrase ; polysémie ; sémantique, sémiologie, sémiotique, sème, sémique ; sens abstrait / concret / fort / plein / premier/restreint ; sens connexe/étendu/ par extension / figuré / littéral / propre/ voisin ; signe, signification, signifié ; synonyme, synonymie ; terme ; univoque. ■ Jeu de mots, jouer sur les mots ; anagramme, calembour, contrepèterie ; usage, le bon usage. — **Grouper les mots.** Classer, classement alphabétique/par familles/par matières ; dictionnaire, dictionnaire analogique / bilingue / étymologique/ des termes techniques, etc. ; encyclopédie ; glossaire ; index ; lexique ; nomenclature ; thesaurus, trésor ; vocabulaire. ■ Groupe de mots : contexte, phrase, membre de phrase, proposition, syntagme, syntaxe, tournure, versification ; conjugaison, déclinaison, flexion, paradigme.

MOTARD → *police.*

MOTEL → *hôtel.*

MOTET → *chanter.*

MOTEUR → *cause, force, mouvement.* — **Généralités.** Automoteur, automotrice, automobile ; avion monomoteur/bimoteur/quadrimoteur ; cylindrée d'un moteur ; locomotive, locomotive diesel/électrique/à vapeur ; machine, machine-outil ; motoriser, motoriste, motorisation ; moto, motoculteur, motopompe, motricité ; moulin (fam.) ; tracteur ; vapeur ; vélomoteur, cyclomoteur. — **Principe moteur.** Air comprimé ; caoutchouc, élastique ; carburant, comburant ; électricité, sur pile, sur secteur ; énergie ; essence ; fuel, mazout ; gaz gazogène ; réaction ; vent, anémotrope, éolienne, moulin à vent. — **Sortes de moteurs.** Aéromoteur ; moteur électrique : balai, bobinage, collecteur, inducteur, induit, rotor, stator, moteur synchrone ou asynchrone, groupe électrogène ; hydraulique, hydromoteur ; machine à vapeur ; moteur à carburation/diesel/semi-diesel/à explosion/ flottant/à injection/à piston/rotatif/ à soupapes/à deux temps/ à quatre temps/ thermique. — **Marche d'un moteur.** Brouter ; cafouiller ; caler ; chauffer, faire chauffer ; cogner ; débrayer, débrayage ; emballer, embrayer, embrayage ; encrasser, encrassement, calamine, calaminer ; s'étouffer ; lancer le moteur ; mettre au point mort ; panne, panne de carburant / d'essence / d'alimentation, etc. ; pétarader, pétarade ; pousser, moteur poussé ; ralenti, tourner au ralenti ; raté ; régime, tourner à bas/haut/plein régime ; roder, rodage ; ronfler, ronflement ; tomber en panne ; tourner à 1 500 tours/minute, tourner rond, ne pas tourner rond ; tousser ; trou d'accélération ; vibrer, vibration ; vrombir, vrombissement. ■ Admission, alimentation, allumage, compression, détente, distribution, échappement, refroidissement, transmission. — **Pièces d'un moteur à explosion.** Arbre à cames, bielle, bloc-moteur, bobine, bougie ; carburateur, diffusion, gicleur, pointeau ; carter ; changement de vitesse ; chambre, préchambre ; chemise ; culasse ; culbuteurs ; cylindre ; disque d'embrayage ; distributeur ; durit (nom déposé) ; dynamo ; filtre à air/à huile ; magnéto, piston ; pompe à eau/à essence/ à huile/d'injection ; purgeur ou reniflard ; radiateur ; segment ; soupape ; tubulure ; tuyau d'échappement ; ventilateur ; vilebrequin, damper ; volant d'embrayage. ■ Accélérateur, compresseur, décompresseur, démarreur, frein, starter, volant. — **Moteur à réaction.** Arbre, arbre creux ; compresseur axial/centrifuge ; diffuseur ; fusée ; poussée du réacteur ; réacteur, réaction ; rotor ; roue de turbine ; stator, statoréacteur ; turbine ; turbopropulseur, turboréacteur ; tuyère d'éjection.

MOTEUR-FUSÉE → *astronautique.*

MOTIF → *architecture, cause, musique, peinture.*

MOTILITÉ → *mouvement.*

MOTION → *gouverner.*

MOTIVATION, MOTIVER → *cause, inconscience.*

MOTO, MOTOCROSS → *bicyclette.*

MOTOCULTEUR, MOTOCULTURE → *culture.*

MOTOCYCLE, MOTOCYCLETTE → *bicyclette.*

MOTOCYCLISME → *sport.*

MOTONAUTIQUE, MOTONAUTISME → *sport.*

MOTOPOMPE → *brûler.*

MOTORISÉ, MOTORISER → *armée, automobile, moteur.*

MOTORISTE → *moteur.*

MOTORSHIP (M.S.) → *transport.*

MOTRICE → *tirer, train.*

MOTRICITÉ → *mouvement.*

MOTTE → *beurre, morceau.*

MOTU PROPRIO → *pape.*

MOTUS → *silence.*

MOU → *abattement, faible, lent, paresse, viande.* — **Qui cède à la pression.** Douceur, doux ; flaccidité, flasque ; fondant ; moelleux, le moelleux ; mou, mol, mol oreiller, mollet, mollir, ramollir, molleton ; pâte, pâteux ; spongieux, éponge ; tendreté, tendre. ▪ Argile, beurre, boue, bouillie, cire, compote, guimauve, etc. — **Qui n'est pas raide.** Avachi, avachissement ; cotonneux, jambes en coton ; décontracté, décontraction ; désossé ; élastique, élasticité ; flexible, flexibilité ; lâche ; malléable, malléabilité ; maniable, maniabilité ; mollasse ; plastique ; qui ploie ; relâché ; souple, souple comme un gant, souplesse. — **Qui manque de vitalité.** Abandon, s'abandonner ; abattement, abattu ; amorphe ; apathie, apathique ; atonie, atone, sans tonus ; avachissement, avachi ; aveulissement, aveuli ; bonasse ; chiffe molle ; débonnaireté, débonnaire ; douceur, doux ; emplâtre (fam.) ; endormi, engourdi ; faiblesse, faible ; fantoche ; flemmard (fam.) ; gnangnan (fam.) ; inactif ; inconsistant ; indolence, indolent ; inertie, inerte ; lâcheté, lâche ; laisser-aller, aller à la dérive ; lambin, lambiner ; langueur, languissant, languide ; lavette (fam.) ; lénifiant ; lymphatisme, lymphatique ; loque (fam.) ; mannequin ; mou, mollasse (fam.), mollasson (fam.) ; mollusque (pop.), moule (pop.) ; nonchalance, nonchaloir, nonchalant ; nouille (pop.) ; pantin ; paresse, paresseux ; poule mouillée (pop.) ; ramollissement, ramollo (pop.) ; sang de navet (pop.) ; somnolence, somnolent ; sybaritisme, sybarite ; veulerie, veule ; voluptueux. — **Devenir, rendre mou.** Amollir, amollissement, amollissant ; attendrir, attendrisseur ; décontracter, décontractant ; délices de Capoue ; desserrer ; détendre, distendu ; efféminer ; fondre, fusible ; lier, liant ; liquéfier, liquéfaction ; macérer, macération ; malaxer, malaxage ; masser ; pétrir ; ramollir ; relâcher ; relaxer, relaxation. ▪ Dissolvant, émollient. ▪ S'abandonner, s'attendrir, caler (pop.), se dégonfler (pop.), faiblir, flancher (fam.), flotter, lâcher prise, perdre courage/pied, plier, ramollissement cérébral.

MOUCHARD, MOUCHARDER → *accusation, informer, police.*

MOUCHE → *fusil, insecte, visage.* — **Description.** Brachycères, cyclorhaphes, diptères, muscidés. ▪ Asticot, larve, œuf. ▪ Abdomen, ailes, antennes, corset, dard, patte à crochets et ventouses, tarière, trompe. ▪ Bourdonnement, bourdonner ; chiasse/chiure de mouche ; se poser ; vol, voler, regarder voler les mouches. — **Mouches et insectes voisins.** Abeille, bourdon, cantharide, éphémère, frelon, guêpe, hyménoptères, ichneumon, idie, mélophage, mouche-araignée ou à chien ou hippobosque, mouche armée ou stratyomide, mouche bleue ou carnaire ou à viande ou calliphore, mouche charbonneuse ou stomoxe, mouche dorée ou verte ou lucilie, mouche grise ou sarcophage, mouche des cerises/des cerisiers ou ortalidé ou tephrite ou trypétidé, mouche à merde ou scatophage, mouche des oliviers, mouche piqueuse ou glossine ou simulie, mouche du vinaigre ou drosophile, moucheron, moustique (anophèle, cousin), œstre, oscine, sphex, taon, tenthrède, tsé-tsé — **Lutte contre les insectes.** Attraper/écraser une mouche, chasse-mouches ; crésyl ; démoustication, démoustiquer ; émouchette, émouchoir ; gobe-mouches ; hyperchlorite de soude ; insecticide ; moustiquaire ; papier tue-mouches, plaquette insecticide ; sulfate de fer. ▪ Charbon, maladie du sommeil, myase, trypanosomiase.

MOUCHER → *bougie, discussion nez.*

MOUCHERON → *mouche, petit.*

MOUCHERONNER → *poisson.*

MOUCHETÉ, MOUCHETER → *blé, escrime, irrégulier, poil.*

MOUCHETIS → *maçonnerie.*

MOUCHETTE → *menuiserie.*

MOUCHETURE → *poil.*

MOUCHOIR → *nez.*

MOUDRE → *farine, poudre, presser.*

MOUE → *bouche, mépris, visage.*

MOUETTE → *mer, oiseau.*

MOUFLE → *céramique, chimie.*

MOUFLE → *main, monter.*

MOUFLON → *mouton.*

MOUILLAGE → *marine, port.*

MOUILLE → *mouiller, rivière.*

MOUILLÉ → *son.*

MOUILLER → *ancre, bain, eau, marine, pluie, tromper.* — **Mettre un liquide dans/sur.** Bassiner; couper; diluer, dilution; embuer; emperler; humecter le linge, pattemouille; humidifier, humidificateur, humidification; imbiber; immerger, immersion; imprégner, imprégnation; s'infiltrer, infiltration; infuser, infusion; injecter, injection; laver, lavage; madéfier; mêler; mouiller un chiffon/une serpillière; ondoyer; noyer une boisson (fam.); faire pénétrer; saturer, saturateur; tremper, retremper. — **Arroser, inonder.** Abreuver; arroser, arrosage, à grande eau/à refus, arroseur; asperger, aspersion; baigner, bain; baptiser (fam.); dériver, dérivation; éclabousser, éclaboussement, éclaboussure; inonder, inondation; irriguer, irrigation; noyer; répandre; submerger, submersion; verser dans/sur. ■ Arroseuse municipale; arrosoir : pomme, tuyau; canalisation, canal; pompe; rigole; saignée; seringue; siphon; tourniquet. — **Très/trop mouillé.** Dégouliner, dégoulinant; dégoutter, dégouttant, goutter; détremper, détrempé; doucher, douché (fam.); humide; inondé; moiteur, moitir, mains moites; mouille, mouillère, mouillure; en nage; rincer, rincé (fam.); ruisseler, ruisselant, ruissellement; saturé, saturation; saucer, saucé (fam.); suer, ressuer; suinter, suintement; transpercé, percé; trempé jusqu'à la moelle/comme un barbet/comme une soupe; vêtement à tordre. — **Contre l'humidité.** Bâche, bâcher; caban, caoutchouc, caoutchouté, caoutchoutage; ciré; enduire, enduit; étanche, étanchéité; gabardine; graine, grainer; huile, huiler; hydrofuger; imperméable, imperméabiliser; paraffine, paraffiner; tissu absorbant/éponge; toile goudronnée. — **Ce qui mouille.** Brouillard, brume, crachin, crue, débordement d'un fleuve, eau, fonte des neiges, goutte, gouttelette, irruption des eaux, larmes, flots de larmes, liquide, moiteur, orage, pluie diluvienne, rosée, rupture des digues, sueur, torrent.

MOUILLÈRE → *mouiller.*

MOUILLETTE → *œuf, pain.*

MOUILLEUR → *exploser, navire.*

MOUISE → *pauvre.*

MOULAGE, MOULE → *forme, reproduction, visage.*

MOULE → *mollusques.*

MOULER, MOULEUR → *forme, presser, sculpture.*

MOULIÈRE → *moule.*

MOULIN → *farine, parler, poudre, presser.*

MOULINAGE, MOULINER → *soie.*

MOULINET → *pêche, rivière, tourner.*

MOULINEUR, MOULINIER → *fil.*

MOULU → *fatigue, poudre.*

MOULURE, MOULURER → *architecture, menuiserie.*

MOURIR → *enterrement, finir, succession, peur, rire.* — **Avant de mourir.** Affres; agonie, agoniser, être à l'agonie/à l'article de la mort/à la mort; chant du cygne; dernière extrémité/heure, dernier jour/moment, dernières volontés; entre la vie et la mort; être sur son lit de mort/en danger de mort; extrême-onction, derniers sacrements, viatique; frisson de la mort; instant suprême, suprêmes instants; moribond, mourant; avoir un pied dans la tombe; râle, suffocation, hoquet; testament. — **Mourir.** S'en aller; décéder, décès; disparaître, disparition; être fichu (fam.)/foutu (fam.), filer un mauvais coton; s'éteindre; expirer; finir ses jours, fin; mourir, se mourir, mort, mortel, immortel, mortalité; partir pour l'autre monde; passer de vie à trépas; perdre la vie; périr; rendre l'âme/l'esprit/le dernier soupir; sommeil de la mort, dernier sommeil; succomber; tomber mort/raide mort; trépasser, trépas. ■ Fam. et pop. : avaler son extrait de naissance, n'en avoir plus pour longtemps, calancher, clamecer, claquer, crever, faire le grand saut/le grand voyage, passer l'arme à gauche, y rester, sortir les pieds en avant/entre quatre planches. ■ Enfer, jugement dernier, limbes, métempsycose, paradis, purgatoire, réincarnation, résurrection, autre vie, survie. — **Façons de mourir.** Braver la mort, bravoure; martyr, s'offrir en holocauste; mort lente/naturelle; mort accidentelle/brutale / criminelle / violente ; mourir jeune, mort-né, mourir vieux; mourir de maladie, apoplexie, arrêt du cœur, attaque, embolie, etc.; mourir dans son lit/de sa belle mort; mourir muni des sacrements de l'Église/en odeur de sainteté/pieusement; se sacrifier, faire le sacrifice de sa vie; tomber au champ d'honneur, mort pour la patrie; vendre chèrement sa peau; verser son sang. — **Le mort.** Cadavre, rigidité cadavérique, teint cadavéreux; cendres, urne cinéraire; corps; le défunt, feu; dépouille mortelle; macchabée (fam.), mort, mort et enterré, manger les pissenlits par la racine (pop.); ossement; poussière; restes; squelette, tête de mort. ■ Dieu des morts, double, esprit, fantôme, mânes, nécromancie, revenant, spectre. — **Formules et**

rites mortuaires. Une personne s'en est allée/a été arrachée à l'affection des siens/est descendue au tombeau/est allée rejoindre ses ancêtres/a disparu/a été emportée par une cruelle maladie/s'est endormie dans la paix du Seigneur/s'est éteinte/est montée au Ciel/nous a quittés/a été rappelée à Dieu/a trouvé la mort; Dieu a rappelé son serviteur/sa servante. ■ Cercueil, immortalité, nuit du tombeau, paix à ses cendres, regret, repos éternel, *requiescat in pace*, dernier sommeil, froid de la tombe. ■ Deuil, enterrement, funèbre, funérailles, glas, lugubre, macabre, mortuaire, restes funèbres. — **Faire mourir.** Abattre, abattre comme un chien; abréger les jours/les souffrances, euthanasie; achever un blessé; assassiner, assassinat; attenter aux jours de, attentat; atteindre/blesser mortellement; bousiller quelqu'un (pop.); carnage; -cide, homicide, infanticide, parricide, etc.; condamner à mort/à la peine capitale, prononcer un arrêt de mort/la sentence capitale; coûter la vie; crime, criminel; dépêcher; descendre (pop.); envoyer *ad patres* (fam.); exécuter, exécution, peloton/poteau d'exécution; exterminer, extermination, expédier; fatal, funeste; hécatombe; immoler, immolation; laisser pour mort/sur le carreau; massacrer, massacre; mettre à mort, mise à mort; meurtre, meurtrier; mortifère; occire (fam.); ôter la vie; semer la mort, engin de mort; solution finale; supprimer, suppression; trucider; tuer, tuerie; voter la mort de quelqu'un, à mort!; zigouiller. ■ La Mort, la Camarde, la Faucheuse, la Fossoyeuse; la Mort fauche/frappe/ronge/tranche, etc.; le bras/le souffle/le spectre/le squelette de la Mort; la faux de la Mort; les Parques. — **Façons de tuer.** Asphyxier, asphyxie; assommer, coup de grâce; couper la gorge/la tête; décapiter, décapitation; échiner; écorcher; égorger; électrocuter, électrocution, chaise électrique; empoisonner; escoffier (fam.); estourbir (fam.); étouffer; étrangler, strangulation; éventrer, crever la panse (fam.); fusiller, fusillade; guillotiner; lapider, lapidation; lyncher, lynchage; faire mourir à petit feu; noyer, submersion; passer au fil de l'épée/par les armes; pendre, pendaison; poignarder; sacrifice, sacrifier; sacrifice rituel; supplice, supplicier; tordre le cou; torturer, torture. ■ Assassin, boucher, bourreau, égorgeur, étrangleur, exécuteur des hautes œuvres, massacreur, meurtrier, tueur, tueur à gages. ■ Camp de concentration, champ de bataille, coupe-gorge, chambre à gaz, four crématoire, guet-apens, etc. — **Se tuer.** Abréger ses jours; attenter à ses jours/à sa vie; se brûler la cervelle; se détruire; se donner la mort; se faire sauter le caisson (fam.); funeste dessein; faire hara-kiri; mettre fin à ses jours; renoncer à la vie; suicide, se suicider, un suicidé, un désespéré; suicide manqué, tentative de suicide; se supprimer.

MOURON → *herbe, souci.*

MOUSQUET, MOUSQUETAIRE → *arme, fusil, infanterie.*

MOUSQUETERIE → *fusil.*

MOUSQUETON → *attache, fusil.*

MOUSSAILLON, MOUSSE → *marine.*

MOUSSE → *plante.*

MOUSSE → *bière, microbe, pâtisserie.*

MOUSSELINE → *pâtisserie, tissu.*

MOUSSER → *gonfler, importance.*

MOUSSERON → *champignon.*

MOUSSEUX → *vin.*

MOUSSON → *vent.*

MOUSSU → *plante.*

MOUSTACHE, MOUSTACHU → *poil.*

MOUSTIQUAIRE, MOUSTIQUE → *mouche.*

MOÛT → *alcool, vin.*

MOUTARD → *enfant.*

MOUTARDE, MOUTARDIER → *aliment, colère.*

MOUTON → *cloche, doux, prison.* — **Description, élevage, races.** Agneau, agnelet, bélier, brebis, broutart; bêler, bêlement; bercail; berger, bergerie; clarine; corne; cosser; flock-book; mammifère; mouflon; moutonner, moutonnier; parc, clayon; ovin, oviné; ruminant; stabulation; sonnaille; transhumer, transhumance; troupeau. ■ Argali, astrakan, caracul, mouton berrichon/caussenard/de la Charmoise/Lacaune/mérinos/de prés-salés/des Pyrénées/solognot/de Southdown/de Suffolk. ■ Aïd el-Kebir. — **Utilisation.** Fromage, roquefort, lait. ■ Peausserie : agnelin, basane, baudruche, chabraque, chagrin, parchemin. ■ Cheviotte, forces, lainage, laine, délainer, lanoline, suint, toison, tondre, tonte. ■ Baron, bout saigneux, carré couvert/découvert, collier, côtelette, haut de côtelette, épaule, filet, gigot, manche, pied, poitrine, selle, tête; haricot de mouton, méchoui, navarin, ragoût. — **Maladies.** Avertin ou tournis; charbon; clavelée; encaussement; fourchet; génestade; givrogne; muguet; piétin ou crapaud; tac; tremblante. ■ Cénure, douve, mélophage.

MOUTONNEMENT, MOUTONNER → *ciel, mer.*

MOUTONNERIE, MOUTONNIER → *groupe, reproduction.*

MOUTURE → *modèle, presser.*

MOUVANT → *changer, mouvement.*

MOUVEMENT, MOUVEMENTÉ → *horlogerie, musique, sensibilité, trouble.*

MOUVEMENT → *balancer, crispation, force, horlogerie, musique, remuer, sensibilité, trouble.* — **Étude du mouvement.** Aérodynamique, cybernétique, énergie cinétique, cinématique, dynamique, dynamométrie, mécanique; Galilée, Newton. ▪ Mouvement composé / simple : course, déplacement, force, inertie, intensité, mobile, relatif, repère, trajectoire, trajet. ▪ Accélération, accéléré, constant, frottement, irrégulier, régulier, perpétuel, perte, progressif, rapidité, retardé, uniforme, varié, vitesse. — **Production du mouvement.** Mécanisme, mécanique, moteur, force motrice/retardatrice, travail : action, activité gestuelle; automate, automatisme, automobile, locomobile; circulation, circuler; communiquer un mouvement, enclencher; équilibre; percussion, projection directe/oblique / perpendiculaire; puissance, réaction, rendement, transmettre un mouvement, transmission : arbre, bielle, cordon, courroie, manivelle, variateur, volant. — **Direction d'un mouvement.** Approche, approcher, avancer, avant, arrière, ascendant, ascension, bas, baisser, chute, converger, courbe, descendre, descente, diverger, droit, élever, entrer, faire demi-tour, giratoire, haut, monter, progresser, progression, rayonner, récession, reculer, régresser, retour, retrait, rétrograder, rétrogression, révolution, rotation, sens, sens des aiguilles d'une montre, sortir, torsion, tourner, translation, virage, virer. ▪ Mouvement centrifuge/centripète/circulaire/courbe / curviligne / direct / hélicoïdal rectiligne. — **Mouvement régulier.** Alternatif, balancement, balancer, ballotter, bascule, battement, discontinu, faire la navette, flotter, fluctuation, fluide, flux, houle, instable, isochrone, mouvant, onde, ondoyer, ondulatoire, oscillation, palpitation, pendulaire, périodique, pulsation, refluer, reflux, répété, ressort, roulis, sinusoïdal, synchrone, tangage, trembler, trépidation, va-et-vient, vague, vibration, vibrer, vibratoire, vriller. — **Mouvement confus.** Bouger, avoir la bougeotte; bouillonner; fourmiller; frémir; frétiller; frissonner; glisser; grouillement, grouiller; instabilité; mouvant; non-coordination; papilloter; remous; remue-ménage; se tortiller; tourbillon; trembloter; tumulte; vaciller. — **Modifier le mouvement.** Accélérer, actionner, animer, arrêt, arrêter, ataxie, choc, démarrer, dévier, donner le branle, ébranler, élan, élancer, évolution, freiner, hâter, immobiliser, imprimer un mouvement, impulsion, lancer, lancement, mettre en marche/en mouvement, mobiliser, motion, partir, pousser, prendre son élan/son essor, ralentir, saccade, secousse, tirer, variation, varier, virer.

MOUVOIR → *agir, mouvement, pousser.*

MOYE, MOIE → *pierre.*

MOYEN → *commun, milieu.*

MOYEN → *aider, pouvoir, transport.*

MOYEN ÂGE, MOYENÂGEUX → *histoire.*

MOYEN-COURRIER → *aviation, transport.*

MOYENNE, MOYENS → *milieu, nombre, riche.*

MOYEU → *roue.*

MUCILAGE, MUCILAGINEUX → *gomme.*

MUCOSITÉ, MUCUS → *colle, nez.*

MUE, MUER → *changer, peau, plume, poil, son.*

MUET → *cinéma, parler.*

MUEZZIN → *musulman.*

MUFLE → *bouche, grossier.*

MUFLERIE → *grossier.*

MUFLIER → *plante.*

MUFTI, MUPHTI → *musulman.*

MUGE, MULET → *poisson.*

MUGIR, MUGISSEMENT → *cri, vent.*

MUGUET → *fleur.*

MULARD → *canard.*

MULÂTRE → *mêler, race.*

MULE → *chaussure.*

MULE-JENNY → *textile.*

MULET, MULETIER → *âne.*

MULETA → *course.*

MULON → *sel.*

MULOT → *ronger.*

MULTI- → *nombre.*

MULTICOLORE → *couleur.*

MULTIPARE, MULTIPARITÉ → *reproduction.*

MULTIPLE → *calcul, nombre.*

MULTIPLEX → *télécommunications.*

MULTIPLICANDE, MULTIPLICATEUR, MULTIPLICATION → *calcul.*

MULTIPLICITÉ → *nombre.*

MULTIPLIER → *augmenter, calcul, reproduction.*

MULTITUDE → *abondance, beaucoup, nombre.*

MUNICIPAL, MUNICIPALITÉ → *ville.*

MUNIR → *décoration, défendre, donner, voyage.* — **Munir du nécessaire.** Charger ; confier ; doter ; douer ; équiper ; fournir, fourniture ; garnir, garniture, gratifier ; lotir, être bien/mal loti ; mettre en possession de ; monter en ; nantir ; pourvoir, pourvoyeur ; procurer ; remplir ; subvenir, subvention. ▪ Essentiel, indispensable, nécessaire, normal, utile, vital. — **Munir d'une défense.** Abriter, abri ; arme, armement, armer, armateur ; assurer ; défendre, défense ; fortification, fortifier ; garantie, garantir ; immuniser, immunité, antiseptique ; mettre en état de défense ; munir, munition ; parer ; précaution ; prémunir ; préparer ; préserver, préservatif ; préventif, prévention ; prévoyance ; protéger ; renforcer ; vaccin, vaccination, vacciner. ▪ Abri, abriter, blinder, boiser, couvrir, cuirasser, entourer, envelopper, fourrer, hérisser, préserver, recouvrir, revêtir. ▪ Amulette, fétiche, gri-gri, porte-bonheur, talisman. — **Munir d'un matériel.** Alimenter, approvisionner, provision ; assortir, réassortir ; emmagasiner ; entreposer ; ravitaillement, ravitailler ; stocker, stock. ▪ Aménager, aménagement ; appareillage, appareiller ; développer ; équiper, équipement ; électrifier ; industrialiser ; installation, installer ; matériel ; moderniser ; munir du confort ; outillage, outiller. ▪ Armer, armateur, équiper, équipage, fret, fréter, gréement, gréer un bateau.

MUNITION → *arme, armée, fusil, projectile.*

MUNSTER → *lait.*

MUR → *construction, maçonnerie, maison.* — **Construction.** Aggloméré ; bâtir ; béton, béton armé/banché ; blocage ; boue séchée ; brique ; caillou ; ciment ; meulière ; moellon, mortier ; pierre, pierre sèche/de taille ; parpaing ; pisé ; préfabriqué ; torchis. ▪ Finition extérieure : badigeonnage, crépissage, enduire, jointoyer, lambrisser, pavage, plâtrage, ravalement, remplage, renformis, revêtement, rudération, rusticage. ▪ Aplomb, fruit, oblique, recoupement, retraite, vertical. — **Parties du mur.** Empattement, fondation, soubassement. ▪ Ancre, appui, arc-boutant, contre-boutant, contrefort ; chaînage, écoinçon, étai, étayer, étançon, étançonner, harpe, héberge, jambe, ossature, parement, pilier, surface. ▪ Bahut, chaperon, couronnement, crête, hérisson, pignon, sommet. — **Sortes de murs.** Mur d'appui, allège d'une fenêtre, barrière, digue, estacade, garde-fou, grille, muret, muretin, murette, parapet, palanque, palissade. ▪ Mur de maison : cage, cloison, en épi, mobile, façade, gouttereau, gros mur, mur d'échiffre, mur mitoyen, mur-rideau, mur portant, panneau, paroi, pignon, refend. ▪ Mur de soutènement : bajoyer, épaulement, perré. ▪ Mur de ville : courtine, enceinte, escarpe, fortification, fortifié, extra-muros, intra-muros, muraille, rempart ; la Muraille de Chine, le Mur de l'Atlantique/de Berlin/des Lamentations. ▪ Mur bombé/bouclé/crevassé / croulant / décrépi / fendu / fissuré/ lézardé/en ruine/salpêtré/solide/soufflé/ventru. — **Destination des murs.** Berge ; borne, borner ; cloisonner ; clore, enclore, clôture ; défense ; enceinte ; isolement ; limite, limiter ; obstacle ; protection ; remblai ; séparation, séparer ; sous-sol ; soutènement, soutien ; terrasse. ▪ Chambrer, enfermer, fermer de murs, cloîtrer, emmurer, murer, reclure, séquestrer.

MÛR → *âge, esprit, fruit.*

MURAILLE → *mur, navire.*

MURAL → *mur.*

MÛRE → *fruit.*

MURÈNE → *poisson.*

MURER → *fermer, mur.*

MURET, MURETTE → *mur.*

MUREX → *mollusques.*

MÛRIER → *soie.*

MÛRIR, MÛRISSAGE, MÛRISSERIE → *fruit.*

MURMEL → *poil.*

MURMURE, MURMURER → *bruit, mécontentement, parler.*

MUR-RIDEAU → *mur.*

MUSARAIGNE → *mammifères, ronger.*

MUSARD, MUSARDER, MUSARDISE → *futile, paresse, temps, vagabond.*

MUSC → *parfum.*

MUSCADE → *aliment.*

MUSCADET → *vin.*

MUSCARDINE → *soie.*

MUSCAT → *vigne, vin.*

MUSCLE, MUSCLER → *anatomie, articulation, crispation, cœur, force.* — **Description des muscles.** Aponévrose ; attache ; faisceau ; fibre, fibrille, myofibrille ; gaine ; insertion charnue / membraneuse / tendineuse ; ligament ; membrane musculeuse ; muscle lisse/strié/viscéral/volontaire ; noyau ; sarcolemme, sarcoplasme ; tissu musculaire. ▪ Forme : circulaire, composé, à coulisse, court, grêle, long, plat, profond, simple. ▪ Étude des muscles : dynamomètre, ergographe, myographe, myologie. — **Principaux muscles.** Abducteur, adducteur, extenseur, fléchisseur, latéral, orbiculaire, pronateur, rotateur, supinateur, tenseur. ▪ Biceps, couturier, masséter, myocarde, peaucier, quadriceps, sphincter, triceps, zygomatique. — **Travail du muscle.** Contracter, contraction ; crisper ; décontracter, décontraction ; détendre ; dilater, dilatation ; étirer, extension ; gonfler ; motricité ; raidir ; relâcher, relaxation ; tendre, tension ; tonicité, tonus. ■ Développer, exercer, exercice, gymnastique, maintien, muscler, renforcer, sport, yoga. ■ Athlète ; Hercule ; musclé, musculeux, musculature saillante ; souple, souplesse ; sportif. — **Maladies.** Ankylose ; atrophie ; claquage ; courbature, courbatu, courbaturé ; crampe ; effort ; hypotonie, hypertonie ; se froisser un muscle ; lumbago, tour de reins ; myalgie, myasthénie, myocardie, myome, myopathie, myotrophie, myosite, myotonie ; paralysie ; spasme ; tremblement. ■ Kinésithérapie, massage, masseur, masseur kinésithérapeute, soigneur.

MUSCULAIRE → *muscle, tissu.*

MUSCULATURE, MUSCULEUX → *muscle.*

MUSE → *art, mythologie, poésie.*

MUSEAU → *bouche.*

MUSÉE → *art.*

MUSELER → *attache, refus.*

MUSELIÈRE → *chien.*

MUSÉOLOGIE, MUSÉOGRAPHIE → *art.*

MUSER → *futile, temps.*

MUSEROLLE → *harnais.*

MUSETTE → *danse, instrument, sac.*

MUSÉUM → *science.*

MUSICAL → *cinéma, musique.*

MUSICALITÉ → *radio, son.*

MUSIC-HALL → *chanter, spectacle.*

MUSICIEN, MUSICOGRAPHE, MUSICOLOGIE → *musique.*

MUSIQUE → *chanter, instrument, jazz, spectacle.* — **Écouter de la musique.** Air ; cadence ; harmonie, harmonieux ; mélodie, mélodieux ; rythme ; son ; voix. ■ Amateur ; dilettante ; goût ; mélomane ; musicien, musicographe, musicologue, musicologie, ethnomusicologie ; oreille ; professeur de musique, académie, conservatoire, société philharmonique. ■ Aubade ; audition, auditorium ; boîte à musique, juke-box ; concert ; disque, discothèque ; festival ; odéon ; récital. — **Composer de la musique.** Composer, compositeur ; harmoniser ; improviser ; mélodiste ; mettre en musique. ■ Argument, livret, partition ; écrire un accompagnement, arrangement, harmonisation, improvisation, instrumentation, orchestration, transcription, transposition. — **Jouer de la musique.** Accompagnateur, accompagner ; artiste ; chanteur ; chef d'orchestre, baguette du chef ; concertiste ; exécuter, exécutant ; instrumentiste ; interprétation, interprète, interpréter ; jeu, jouer ; librettiste, livret ; maestro ; maître de chapelle ; soliste ; solo ; virtuose. ■ Groupe musical : bastringue (fam.), chœur, chorale, clique, fanfare, orchestre, orphéon, philharmonie. ■ Déchiffrer ; étude, étudier ; faire des gammes ; lecture, lire ; mesure à 4/8, à 6/8, mesure binaire, battre / suivre la mesure ; métronome ; répétition, répéter ; solfège, solfier. ■ Enregistrer de la musique : bande, disque, fréquence, magnétophone, microphone, modulation de fréquence, onde, prise de son, studio d'enregistrement. — **Exécution.** S'accorder, diapason, échelle modale, donner le *la*, tonalité ; accord, plaquer un accord ; arpège ; attaque, intonation, louré ; brio, doigté ; détacher, perler, piquer, staccato ; legato, lier ; moduler, pédale, pianoter, préluder, prolonger, tenir une note ; pizzicato, pincer. ■ Mouvement, tempo : adagio, andante, andantino, dolce, largo, larghetto, lento, maestoso, moderato, piano, pianissimo ; allegretto, allegro, forte, fortissimo, con moto, presto, scherzo. — **La technique.** Contrepoint, harmonie, homophonie, mélodie, monodie, polyphonie. ■ Organisation des sons : mode, musique modale, note modale, sixte, tierce ; musique atonale/dodécaphonique / sérielle, série ; musique polytonale/tonale ; ton, demi-ton, note tonique. ■ Gamme : gamme chromatique/tempérée ; gamme diatonique/harmonique, octave ; degré de la gamme : médiante ou tierce, quarte, dominante ou quinte, sixte, sensible ; mode majeur/mineur, modalité, modulation, tons relatifs. ■ Accord fondamental/parfait ; assonance ; consonance ; dissonance ; résolution ; unisson. — **Notation musicale.** Son, durée, mesure, temps, valeur ; clef de *fa*/de *sol*, note, papier à musique, portée ; blanche, noire, croche, double-croche, pause, silence, soupir. ■ Accident, altération, armature, bémol, dièse, bécarre, comma, enharmonique. ■ Accent, appogiature, barre de mesure, double barre de reprise, coulé, liaison, ligature, triolet ; temps faible/fort, anacrouse, contretemps, syncope, musique chiffrée. — **Les genres.** Musique concrète, bruit naturel ; musique électronique, courant alternatif, changer de timbre, ondes Martenot. ■ Musique de chambre/instrumentale/vocale ; cantate, quatuor, quartette, quintette, sonate, sonatine, trio. ■ Musique classique/orchestrale, orchestre ; aria, ariette, arioso, ballade, capriccio, chaconne, concerto, divertissement, étude, fantaisie, fugue, impromptu, madrigal, poème, prélude, rhapsodie, scherzo, sérénade, suite, symphonie, toccata, variation. ■ Musique lyrique/de théâtre ; ballet, danse, menuet ; comédie musicale, opéra, opéra-comique, opérette, oratorio ; musique de film/de scène. ■ Musique religieuse/sacrée/spirituelle ; antienne, chant grégorien, chœur, choral, hymne, messe, motet, plain-chant, psaume, requiem. ■ Musique populaire / douce / exotique / folklorique / légère ; flonflon, musique de cirque / de foire, musiquette ; jazz, jazzman ; marche/musique militaire. — **Parties d'œuvre musicale.** Entrée, exposition, ouverture, prélude ; développement, morceau, passage ; leitmotiv, motif, sujet, thème. ■ Andante, intermède, interlude, ornement, récitatif, reprise, reprise da capo, trille ; coda, finale, rondo, strette.

MUSIQUETTE → *musique.*

MUSQUÉ → *parfum.*

MUSSIF → *or.*

MUSTANG → *Amérique, cheval.*

MUSTÉLIDÉS → *mammifères.*

MUSULMAN → *Afrique, Asie, religion.* — **Adepte de l'islam.** Allah ; Arabe, Arabie ; chiisme, chiite ; Coran, coranique, sourates ; croyant ; giaour ; hadji ; harem ; islamisé, islamique, islamisme ; kharidjite ; Mahomet, mahométan ; pèlerinage de La Mecque ; sunnite, Wahabite. — **Rites et lois de l'islam.** Circoncision ; derviche ; fakir ; femme voilée, harem, polygamie ; fêtes de l'Aïd el-Kebir/du Mouloud, etc., ramadan ; hégire ; hammam ; marabout ; médersa ; mosquée, minaret ; la Pierre noire, la Kaaba ; sunna. ■ Aga, cadi, calife, chérif, imam, mollah, muezzin, mufti, pacha, sultan, uléma, vizir ; babouche, djellabah, fez, turban.

MUTATION, MUTER → *changer, fonction.*

MUTER → *alcool.*

MUTILATION, MUTILÉ, MUTILER → *couper, diminuer, détruire, guerre.*

MUTIN, MUTINER, MUTINERIE → *révolte, vif.*

MUTISME, MUTITÉ → *parler, silence.*

MUTUALISTE, MUTUALITÉ, MUTUELLE → *aider, association.*

MUTUEL → *deux, part.*

MYALGIE → *muscle.*

MYASTHÉNIE → *muscle.*

MYCÉLIUM → *champignon.*

MYCÉTOME → *tumeur.*

MYCOLOGIE, MYCOLOGUE → *champignon.*

MYCOSE → *champignon.*

MYDRIASE → *œil.*

MYÉLITE → *dos, os.*

MYGALE → *araignée.*

MYOCARDE → *cœur.*

MYOGRAMME, MYOGRAPHIE, MYOLOGIE → *muscle.*

MYOME → *tumeur.*

MYOPATHIE → *muscle.*

MYOPE, MYOPIE → *œil.*

MYOSIS → *œil.*

MYOSOTIS → *fleur.*

MYRIADE → *nombre.*

MYRIAPODES → *insecte.*

MYRMIDON → *petit.*

MYRRHE → *parfum.*

MYRTE → *enfer.*

MYRTILLE → *fruit, montagne.*

MYSTÈRE → *mythologie, religion, secret.*

MYSTÈRE → *théâtre.*

MYSTÉRIEUX → *cacher, doute, ignorer, secret.*

MYSTICISME → *religion.*

MYSTIFICATION, MYSTIFIER → *moquer, tromper.*

MYSTIQUE → *croire, religion.*

MYTHE, MYTHIQUE → *faux, mythologie, récit.*

MYTHOLOGIE, MYTHOLOGUE → *dieu, histoire, récit, religion.* — **Transmission de la légende.** Barde, chantre, conteur, ménestrel, poète, récitant, rhapsode, troubadour, trouvère. ■ Conte, fable, fabuleux, fresque, histoire, iconographie religieuse/imaginaire/légendaire, légende, mythe, mythique, poésie épique/lyrique, récit, thème artistique et littéraire, tradition, transmission orale. — **Contenu de la légende.** Antiquité égyptienne/gréco-romaine/hindoue, etc. ; déesse, dieu, demi-dieu, divinité, géant, fondateur de cité, héros, libérateur. ■ Allégorie, explication rituelle, iconologie, personnification, symbole, symbolisme. ■ Caractères psychologiques, civilisation, cosmogonie, création du monde, eschatologie, étiologie, événement historique, forces de la nature, idée morale, magie, religion, rite, superstition, théogonie. — **Personnages de la mythologie gréco-romaine.** Amphitrite ; Antée ; Apollon ou Phébus, lyre, mont Parnasse, oracle, péan, Pythie, pythien ; Atlas ; Aurore ; Bacchus, bacchanale, bacchante, dionysiade, Dionysos, dithyrambe, ménade, orgie, satyre, Silène, thiase, thyrse ; Cérès ou Déméter, mystères d'Eleusis, hiérophante, myste ; Cyclope ; Cybèle, bonne déesse, pin, Rhéa ; Diane ou Artémis, biche, canéphore, carquois, chasseresse, flèches, Hécate, lune, Phœbé ; Esculape ; faune, forêt, satyre, sylvain ; Ganymède, aigle, échanson des dieux ; Hercule, Héraclès, Alcide, Déjanire, les douze travaux, lion de Némée, massue, Omphale, tunique de Nessus ; Iris, arc-en-ciel, écharpe, messagère ; Junon ou Héra, paon ; Jupiter ou Zeus, aigle, capitolin, chèvre Amalthée, flamine, foudre, olympien, père, tonnant ; lares, fête des carrefours, pénates ; Mars ou Arès, Aréopagite, guerre ; Mercure ou Hermès, ailes, caducée, messager, pétase, Trismégiste ; Minerve ou Athéna, casque, chouette, égide, lance, olivier, Pallas, panathénées, Parthénon ; Morphée, sommeil ; les neuf muses, art, filles de Mémoire/de Mnémosyne, mont de l'Hélicon/du Pinde, laurier, poésie : Calliope, Cléo, Érato, Euterpe, Melpomène, Polymnie, Terpsichore, Thalie, Uranie ; Neptune ou Poséidon, chevaux, eau, mer, naïade, néréide, océanide, sirène, trident, triton ; nymphes : Calypso, dryades, Écho, Égérie, Eurydice, Hespérides, Io, etc. ; Orphée, orphisme ; Pan, bouc, flûte, lupercales, nature ; Prométhée, aigle, étincelle, feu ; Saturne ou Cronos, corybante, saturnales ; Titans ; Triptolème, blé ; Vénus ou Aphrodite, amour, Astarté, beauté, colombe, Cupidon, Cypris, Cythère, Éros, grâce, myrthe ; Vesta, vestale, foyer, virginité ; Vulcain, forge. ▪ Mythologie de la mort : Achéron, Cerbère, Champs Élysées, Charon, nocher, Cocyte, Erinyes, Euménides, Furie, Hadès, Léthé, mânes, Minos, ombres, Parques, fuseau des Parques, Perséphone, Pluton, Proserpine, Styx, Tartare. — **Personnages mythologiques divers.** Égypte : Amon, Anubis, tête de chacal, bœuf Apis, Hathor, vache, Horus, Isis, Mont, vautour, Osiris, Râ, soleil, Thot. ▪ Inde : Ahriman, Ahura Mazda, Mitra, Zarathoustra. ▪ Mésopotamie : déesse Ishtar. ▪ Scandinavie : Mimir, Odin, Thor, Walhalla, Walkyrie, Wotan.

MYTHOMANE, MYTHOMANIE → *imaginer, récit, tromper.*

MYTILICULTURE → *mollusques.*

MYXŒDÈME → *gonfler.*

MYXOMATOSE → *lapin.*

MYXOMYCÈTES → *champignon.*

NABAB → *Asie, colonie, riche.*

NABOT → *homme, petit.*

NACELLE → *bateau, lit.*

NACRE → *bijou, joaillerie, mollusques.*

NACRÉ → *blanc, couleur.*

NADIR → *astronomie, ciel.*

NÆVUS → *peau.*

NAGE → *nager.*

NAGEOIRE → *baleine, crustacés, nager, poisson.*

NAGER, NAGEUR → *bain, eau, incapable, mouvement, poisson, sport.* — **Flotter.** Émerger, émersion ; être/mettre à flot ; flotter, flottage, flottabilité, flottaison, ligne de flottaison, flotteur ; liège ; naviguer ; renflouer ; submersible, insubmersible ; voguer. ▪ Être comme un canard/comme un poisson dans l'eau. — **Natation.** Baigner, se baigner, bain, prendre un bain, baignade ; fendre l'eau/les flots ; nager, nageur, maître nageur, nager sous l'eau/entre deux eaux ; naïade ; patauger ; perdre pied ; piscine, grand/petit bain. ▪ Brasse, brasse coulée/papillon ; coupe ; crawl, crawler, crawleur ; dos, cent mètres dos ; marinière ; nage libre, quatre nages ; over arm stroke ou indienne ; planche ; trudgeon. ▪ Aquaplane, aviron, ballon, canotage ; rowing ; ski nautique, surf-casting, water-polo. — **Plonger.** Se jeter à l'eau ; piquer une tête ; faire un plat ; plonger, plongeon, plongeur ; plouf ! ; saut de l'ange/carpé, coup de pied à la lune, saut périlleux ; tremplin, plate-forme. ▪ Chasse, exploration sous-marine ; homme-grenouille ; masque ; palme ; plongée sous-marine ; scaphandre, scaphandrier. — **Se noyer.** Boire le bouillon (fam.)/la tasse (fam.) ; couler ; crampe ; s'enfoncer ; hydrocution ; noyer, se noyer, noyade ; repêcher, retirer de l'eau ; respiration artificielle ; sauver, sauvetage, bouée/ceinture/canot/gilet de sauvetage, sauveteur, sauveteurs hospitaliers bretons.

NAÏADE → *mythologie.*

NAIF → *confiance, croire, ignorer, simple, sot.*

NAIN → *homme, petit.*

NAISSAIN → *mollusques.*

NAISSANCE → *commencer, famille, race, reproduction.*

NAÎTRE → *accouchement, commencer, conséquence.*

NAÏVETÉ → *croire, ignorer, simple.*

NAJA → *reptiles.*

NANISME → *glande.*

NANSOUK → *tissu.*

NANTIR, NANTISSEMENT → *contrat, engager, munir.*

NAOS → *édifice.*

NAPALM → *exploser.*

NAPHTALINE → *charbon.*

NAPHTE → *pétrole.*

NAPOLÉON → *or.*

NAPPE → *eau, gaz, lac, manger, niveau, vaisselle.*

NAPPER → *aliment.*

NAPPERON → *manger, vaisselle.*

NARCISSE → *beau, fleur.*

NARCISSISME → *aimer.*

NARCO-ANALYSE → *inconscience.*

NARCOSE, NARCOTIQUE → *dormir, insensibilité.*

NARGUER → *offense, moquer, orgueil.*

NARGUILÉ, NARGHILÉ → *tabac.*

NARINE → *nez.*

NARQUOIS → *critique, moquer, tromper.*

NARRATEUR, NARRATION, NARRER → *parler, récit.*

NARTHEX → *église.*

NARVAL → *baleine.*

NASAL, NASALISER, NASALITÉ → *nez, son.*

NASEAU → *nez.*

NASILLARD, NASILLER → *nez, parler.*

NASONNEMENT → *nez.*

NASSE → *chasse, poisson, vannerie.*

NATAL, NATALISME, NATALITÉ → *naître, population.*

NATATION → *nager, sport.*

NATATOIRE → *nager, poisson.*

NATIF → *chimie, pays.*

NATION, NATIONAL → *gouverner, groupe, pays.*

NATIONALISATION, NATIONALISER → *commun, posséder.*

NATIONALISME, NATIONALISTE → *pays, politique.*

NATIONALITÉ → *groupe, pays, personne.*

NATIONAL-SOCIALISME → *politique.*

NATIVITÉ → *Christ, fête, vierge.*

NATTE, NATTER → *cheveu, tapis, tourner, vannerie.*

NATURALISATION, NATURALISER → *animal, habiter, mot.*

NATURALISME, NATURALISTE → *animal, littérature, nature.*

NATURE, NATUREL → *nature, payer, peinture, qualité, réalité, simple.* — **Le monde physique.** La Création, le Créateur; genèse, génétique, la Genèse; macrocosme; matière, matériel; nature, la Nature, naturel; nature hospitalière / hostile / inculte / vierge, etc.; paysage : campagne, beautés/calme/merveilles/silence de la nature, vivre en pleine nature; phénomène naturel/physique, loi de la nature; réalité; règne animal/minéral/végétal, secret de la nature; sélection naturelle, lutte pour la vie; univers; végétation, réveil de la nature. ■ Atomisme, déterminisme, évolutionnisme, finalisme, idéalisme, matérialisme, naturalisme, panthéisme, physiocratie, réalisme, sensualisme, sciences expérimentales/naturelles, spiritualisme, symbolisme, transformisme; « la nature a horreur du vide »; « rien ne se perd, rien ne se crée ». — **Écologie.** Agriculture biologique; association de consommateurs; campagne anti-nucléaire / anti-pollution; défense de l'environnement/des espaces verts/de la nature; écologie, écologique, écologiste, écolo (pop.); énergie solaire/verte; nature, milieu naturel; naturisme, naturiste; nu, nudisme, nudiste; originel; primitif; produits biodégradables / biologiques / diététiques / macrobiotiques/ naturels/ propres (non-polluants); pur, pureté; retour à la nature; rousseauisme, le bon sauvage; vie collective/communautaire. — **État de nature.** Bourru, vin bourru; brut; cru; écru; naturel, nature, au naturel, cuir/soie naturelle; sauvage, soie sauvage; vierge, laine vierge. ■ Aborigène, autochtone, barbare, du cru, indigène, natif; peuplade farouche / inculte / insociable / primitive, un primitif; sauvage, sauvageon, sauvagerie. — **Le naturel.** Caractère, complexion, constitution, génie, humeur, idiosyncrasie, inclination, infus, inné, instinct, intuition; nature, seconde nature, contre nature, nature coléreuse/douce/riche, etc.; normal, état normal; penchant, personnalité, spontanéité, tempérament. ■ Aisé, coulant, sans affectation, sans apprêt, simple, sincère, etc.

NATUREL → *qualité, simple, tendance, vérité.*

NATURISME, NATURISTE → *nature, vêtement.*

NAUFRAGE, NAUFRAGÉ, NAUFRAGER → *échouer, marine.*

NAUPLIUS → *crustacés.*

NAUSÉABOND → *infecter.*

NAUSÉE, NAUSÉEUX → *cœur, crispation, déplaire.*

NAUTILE → *mollusques.*

NAUTIQUE, NAUTISME → *sport.*

NAVAJA → *couper.*

NAVAL → *marine.*

NAVARIN → *mouton.*

NAVET → *légume.*

NAVETTE → *huile.*

NAVETTE → *couture, fil, transport, venir.*

NAVICERT → *permettre.*

NAVIGABLE → *rivière.*

NAVIGANT, NAVIGATEUR → *aviation, marine.*

NAVIGATION, NAVIGUER → *aviation, marine, mer, rivière, voyage.*

NAVIRE → *bateau, marine, mer.* — **Données techniques.** Acculement; bouge; courbure; déplacer, déplacement, en charge; franc-bord; jauge brute/nette, jaugeage, tonneau; largeur, longueur; métacentre; port en lourd, tonne; tirant d'eau, tirer; tonture; vitesse, filer 30 nœuds. — **Intérieur du navire.** Archipompe, barrot ou bau, bauquière, bordage, cabine, cale, cambuse, carré des officiers, chaudière, chauffe, chaufferie, coursive, dalot, doublage, gatte, jaumière, machinerie, membrure, rouf, sentine, soute, timonerie, vaigre, water-ballast. — **Extérieur du navire.** Accastillage, ancre, apparaux de halage, bastingage, bossoir, brise-lames, château, cheminée, coupée, dunette, écoutille, écubier, embarcation de sauvetage, étambrai, étrave, feu de hune/de position bâbord/tribord, gaillard, guindeau, hiloire, hublot, hune, ligne de flottaison, lisse, manche à air ; mât, mât de pavillon/de charge, mâtereau, mâture ; œuvres mortes/vives ; passavant, passerelle, pavillon, plage, plat-bord, pont, poupe, proue, quille, radar, radiogoniomètre, sabord, sirène de brume, tengue, tillac, tourelle, treuil. ■ Agrès, barbotin, cabestan, cordage, grappin, gréement, voilure. ■ Aiguillot, barre, étambot, gouvernail, hélice, lunette d'étambot, timonerie. — **Construire, armer et réparer un navire.** Accore, arsenal ; baptême, baptiser, marraine ; chantier naval ; charpente, forme ; lancer, lancement ; savate ; tin. ■ Aveugler une voie d'eau, cale sèche, calfater ; caréner, carénage ; dock flottant ; galipoter ; radoub, radouber, radoubage ; regréer. ■ Afflouage, afflouer ; affréter, affrètement ; amarinage, amariner ; arrimer la cargaison ; armateur, armer/désarmer un navire ; charte-partie, charter, tramp, tramping ; connaissement ; enrôler un équipage, rôle ; fréter, fret ; noliser, nolisement. — **Navire de guerre.** Aviso ; canonnière ; chasseur de sous-marins ; contre-torpilleur, torpilleur ; corvette ; croiseur, antiaérien ; cuirassé ; destroyer ; éclaireur ; escorteur ; frégate ; garde-côte, garde-pêche, etc. ; patrouilleur ; péniche de débarquement ; porte-avions ; sous-marin ; vaisseau ; vedette, lance-torpilles. ■ Brulôt, corsaire, drakkar flûte, frégate, galéasse, galère, galiote, monitor, navire de ligne, patache. ■ Armada, convoi, escadre, flotte, navire amiral, task-force.

NAVIRE-CITERNE, NAVIRE-HÔPITAL → *transport.*

NAVISPHÈRE → *orientation.*

NAVRANT, NAVRER → *douleur, tristesse.*

NAZI, NAZISME → *politique, race.*

NÉANT → *futile, importance, incapable, inconscience.*

NÉBULEUSE → *astronomie.*

NÉBULEUX, NÉBULOSITÉ → *ciel, météorologie, obscur.*

NÉCESSAIRE → *devoir, importance munir, utile.*

NÉCESSITÉ → *destin, soumettre, utile.*

NÉCESSITER → *cause.*

NÉCESSITEUX → *pauvre.*

NECK → *volcan.*

NEC PLUS ULTRA → *choisir, supérieur.*

NÉCROLOGE, NÉCROLOGIE → *inscription, journal, mourir.*

NÉCROMANCIE, NÉCROMANT → *magie, prévoir.*

NÉCROPHAGE, NÉCROPHORE → *mourir.*

NÉCROPOLE → *enterrement.*

NÉCROSE, NÉCROSER → *chair, infecter.*

NECTAR → *boisson, mythologie.*

NEF → *bateau, église.*

NÉFASTE → *événement, malheur.*

NÈFLE, NÉFLIER → *fruit.*

NÉGATIF → *électricité, photographie, refus.*

NÉGATION, NÉGATIVE, NÉGATIVISME → *grammaire, refus.*

NÉGATON → *nucléaire.*

NÉGLIGÉ → *négliger, vêtement.*

NÉGLIGENCE, NÉGLIGENT → *faute, négliger.*

NÉGLIGER → *abandon, exécuter, futile, mémoire.* — **Ne pas tenir compte.** Abnégation ; amnistier, amnistie ; s'asseoir sur (pop.) ; ingratitude, ingrat ; inobservance, inobservation ; laisser de côté ; manquer, manquement aux usages, manque de tact ; noyer son chagrin ; omettre, omission ; oubli, oublier, tomber dans l'oubli ; pardonner, pardon ; passer l'éponge, passer sur, passer sous silence ; rester lettre morte ; tomber en désuétude ; ne pas tenir sa parole/une promesse ; traiter comme de la crotte (pop.). — **Défaut d'attention.** Bohème ; cervelle d'oiseau, écervelé ; détourner l'attention ; distraire, distrait ; divertir, diversion ; étourderie, étourdi ; être ailleurs, ne pas y être, être dans la lune ; hurluberlu ; inadvertance ; inattention, inattentif ; insouciance, insouciant ; lacune ; laisser échapper/passer ; léger, légèreté ; par mégarde ; négliger, négligence coupable/criminelle, négligent ; tête de linotte. — **Indifférence.** Blasé ; cracher sur (pop.) ; dégoût ; désintérêt, se désintéresser ; désinvolture, désinvolte ; détachement, détaché des biens de ce monde ; étranger à ; faire quelque chose vaille que vaille/par-dessous la jambe (pop.)/à la va-comme-je-te-pousse (pop.) ; ne pas s'en faire (fam.) ; impartialité, impartial ; indolence, indolent ; indifférence, indifférent ; insensibilité, insensible ; je-m'en-fichisme (fam.), je-m'en-foutisme (pop.) ; laisser-aller ; s'en laver les mains ; loin, être loin de ;

mépris, mépriser, n'avoir que mépris pour; mollesse, mou; se moquer; négliger, négligent, négligeable; neutralité, neutre; nonchalance, nonchalant; prendre la vie comme elle vient; se relâcher; scepticisme, sceptique; tiédeur, tiède. ■ A peu près, au petit bonheur la chance, en gros, grosso modo, tant bien que mal, vaille que vaille.

NÉGOCE, NÉGOCIANT → *commerce.*

NÉGOCIATEUR, NÉGOCIATION, NÉGOCIER → *contrat, convenir, diplomatie.*

NÈGRE, NÉGRESSE → *deux, race, travail.*

NÉGRIER → *colonie.*

NÉGRILLON, NÉGRITUDE, NÉGROÏDE → *race.*

NEGRO SPIRITUAL → *chanter, jazz.*

NEIGE, NEIGER, NEIGEUX → *blanc, froid, météorologie, saison.*

NÉNUPHAR → *fleur, lac.*

NÉO- → *nouveau.*

NÉOLOGISME → *mot.*

NÉON → *gaz, lumière.*

NÉOPHYTE → *commencer, nouveau.*

NÉOPRÈNE → *colle.*

NÉPHÉLION → *œil.*

NÉPHRECTOMIE → *rein.*

NÉPHRITE → *rein.*

NÉPHRITE → *joaillerie.*

NÉPHROLOGIE, NÉPHROSE → *rein.*

NÉPOTISME → *avantage, choisir.*

NERF → *anatomie, cause, crispation, déplaire, force, sensibilité.* — **Le nerf.** Axone, cellule nerveuse, cylindraxe, épinèvre, faisceau, fibre motrice/sensitive, fibrine, gaine de Schwann, glomérule, innervation, membrane syncytiale, myéline; nerf mixte/moteur/sensitif, nerveux; neurilème; névro-, névroglique, névroglie; -nèvre, périnèvre; neurone; plexus solaire, rameau, ramification. ■ Fluide, influx nerveux; acétycholine, adrénaline, noradrénaline. — **Les nerfs du corps.** Bulbe; cérébral, cerveau, cervelet; commissure; encéphale, hypothalamus, rhinencéphale; fibres afférentes et efférentes; ganglion; moelle épinière/sacrée; nerf crânien/auditif/facial / glosso-pharyngien / hypoglosse/moteur oculaire commun/moteur oculaire externe/olfactif/optique/pathétique / pneumogastrique / spinal/trijumeau; nerf local/crural/cubital/radial/sciatique/thoracique/tibial, etc.; nerfs rachidiens; nevraxe; système nerveux/cérébro-spinal/neuro-végétatif/sympathique/parasympathique. — **Affections ou maladies des nerfs.** Agacer, être agacé; anxiété; asthénie, atonie; attaque, crise de nerfs; avoir ses nerfs; contraction, contracter; crampe; crispation, crisper; donner/taper sur les nerfs; énervement, énerver; éréthisme; être nerveux/hypernerveux/sur les nerfs/à bout de nerfs; excitation, exciter, hyperexcitabilité; fatigue nerveuse; fébrilité, fébrile; guerre des nerfs; hyperesthésie; inhibition, inhiber; irritation, irriter; mettre les nerfs en boule (fam.)/en pelote (fam.); nervosité, nerveux; passer ses nerfs sur; prurit; réflexe; sensibilité, sensible, hypersensible; spasme; surmenage; tension, être tendu; tic; traumatisme, traumatiser; tremblement; vapeurs. ■ Chorée ou danse de Saint-Guy; épilepsie, épileptique; hystérie, hystérique; maladie de Parkinson; myélite; neurasthénie, dépression nerveuse; névralgie; névrite; névrose, névropathie; paralysie, hémiplégie; pithiatisme; polynévrite; poliomyélite; psychose. ■ Neurochirurgie, neurologie, neuropathologie, neurophysiologie; anesthésique, calmant, hypnotique, tranquillisant.

NÉROLI → *parfum.*

NERVEUX → *colère, nerf, style, vif.*

NERVOSISME, NERVOSITÉ → *colère, nerf.*

NERVURE, NERVURER → *architecture, bosse, feuille.*

NESTORIANISME → *hérésie.*

NET, NETTETÉ → *écrire, franc, libre, nettoyer, payer, sûr.*

NETTOYER, NETTOYEUR → *bain, briller, brosse, polir, toilette.* — **Rendre net, propre.** Assainir, assainissement; astiquer, astiquage; balayer, balayage; battre les habits/les tapis; bichonner (fam.); faire briller; briquer (fam.); brosser; cribler, criblage; curer, curage; cureter, curetage; dé-, débourber, décaper, décanter, décrotter, faire dégorger, dégraisser, dérouiller, désuinter, détacher, détartrer, etc.; draguer; émonder, émondage, émondeur, monder; épousseter, époussetage; fourbir; frotter; gratter, regratter; laver, lavage, laveur, laver à grande eau; lessiver, lessivage; ménage, faire le ménage/les poussières, ménagère, femme de ménage; nettoyer, nettoiement, nettoyage; polir, purger; purifier, purification; racler; ratisser; ravaler, ravalement; récurer; rincer, rinçage; sabler; sarcler; tamiser; trier; faire la vaisselle, évier, plonge (pop.); vanner le grain; vidanger, vidange, vidangeur. — **Nettoyer le corps.** Ablutions; bain, baigner; se brosser les dents, brosse à dents, dentifrice; changer un enfant; se curer les dents, cure-dents; débarbouiller, décrasser; désinfecter, désinfectant, mercurochrome ; douche, doucher ; s'épiler, pince à épiler ; frictionner, gant de crin ; se gargariser, gargarisme ; laver ; masser, massage ; manucurer les mains, faire les ongles ; se moucher, mouchoir ; purger, purgatif, lavement ; se raser, rasoir ; savonner, savonnage, eau savonneuse ; tenir propre ; torcher. — **Qui sert à nettoyer.** Alcool ; ammoniac ; benzine ; chlore ; détachant ; détergent, détersif ; eau de Javel ; essence ; lessive, lessive aux enzymes, produit lessiviel, lessiveuse ; papier hygiénique ; potasse ; savon, à barbe/de Marseille/noir/de toilette, savonnette ; soude ; térébenthine. ■ Aspirateur ; balai, balai-brosse ; brosse ; cireuse ; écumoire ; éponge ; essuie-mains ; filtre ; goupillon ; gratte-pieds, décrottoir, paillasson ; houssoir ; lavette ; machine à laver le linge/à laver la vaisselle ou lave-vaisselle ; paille de fer ; passoire, passette ; plumeau ; rince-doigts ; serpillière ; serviette ; tablier ; tampon ; torchon. ■ Blanchisserie, blanchisseur ; buanderie ; droguerie, droguiste, marchand de couleurs ; éboueur ; égoutier ; laverie, laveur de carreaux, lavandière, battoir ; pressing ; teinturerie, teinturier. — **Après le nettoyage.** Cire, cirer ; crépir ; égoutter, égouttoir ; essorer, essorage ; essuyer, essuyage ; maquiller, maquillage ; peindre, peinture ; repasser, repassage, fer à repasser, jeannette, pattemouille ; sécher, séchage. ■ Brillant, éblouissant, escarboucIant (fam.), étincelant. ■ Balayure, détritus, ordure, raclure, résidu, rinçure.

NEUF → *jeune, nouveau, réparer.*

NEURASTHÉNIE → *folie, nerf, triste.*

NEUROCHIRURGIE → *nerf.*

NEUROLINGUISTIQUE → *langage.*

NEUROLOGIE, NEUROPHYSIOLOGIE → *nerf.*

NEUROPSYCHOLOGIE → *nerf.*

NEUTRALISER → *annuler, chimie.*

NEUTRALISME, NEUTRALITÉ → *gouverner, politique.*

NEUTRE → *chimie, état, grammaire.*

NEUTRON → *nucléaire, rayon.*

NEUVAINE → *religion.*

NÉVÉ → *froid.*

NEVEU → *famille.*

NÉVRALGIE, NÉVRITE → *nerf.*

NÉVROPATHIE, NÉVROSE → *folie, nerf.*

NÉVROTOMIE, NEUROTOMIE → *nerf.*

NEW-LOOK → *nouveau.*

NEZ → *avant, infecter, parfum.* — **Description.** Appendice nasal, blair (pop.), blase (pop.), groin, nase (pop.), le nez de Cléopâtre/de Cyrano, pif (pop.), piton (pop.), tarin (pop.), trompe, truffe. ■ Aile/arête/bout du nez ; narine ou trou de nez (pop.) ; nez aquilin/en bec d'aigle / bourbonien / busqué / camard / camus / crochu / droit / effilé / épaté / grec/en lame de couteau/en patate/en pied de marmite/recourbé/retroussé/tombant/en trompette ; nez bourgeonnant/fleuri/mutin/spirituel. ■ Cloison, cornet, ethmoïde, fosses nasales, lame criblée de l'ethmoïde, méat, muqueuse, sinus frontal, trompe d'Eustache, vibrisses, voile du palais, vomer. — **Utilisation du nez.** Aspirer ; avoir la goutte au nez/le nez pris ; inhaler, inhalation ; éternuer, éternuement, sternutatoire ; se moucher, mouchure, mouchoir ; olfaction, olfactif ; phonation ; prise, priser ; renifler, reniflement ; respirer, respiration ; ronfler, ronflement, ronfleur ; sentir, odeur, odorat. ■ Besicles, chausser ses lunettes, lunettes, mettre ses lunettes sur son nez, pince-nez. ■ Croquignole, nasarde, pichenette, pied de nez, etc. — **Affectations et maladies.** Acné ; coryza ; enchifrènement du nez, nez enchifrené ; épistaxis ; furoncle ; hémorragie, saignement de nez ; inflammation ; lupus ; morve, morveux, mucus, pituite ; nez qui coule ; ozène ; rhinalgie ; rhinite, rhino-pharyngite ; rhume de cerveau/des foins. ■ Oto-rhino-laryngologiste ; rhinoplastie. ■ Parler du nez, nasonnement, nasiller, nasillard ; nasaliser, nasalisation, voyelle nasalisée.

NIAIS, NIAISERIE → *chasse, sot.*

NICHE → *chien, trou.*

NICHE → *moquer.*

NICHÉE → *enfant, oiseau.*

NICHER → *cacher, habiter, oiseau.*

NICKEL, NICKELER → *métal.*

NICOTINE, NICOTINISME → *alcali, tabac.*

NICTITANT → *œil.*

NID → *habiter, insecte, oiseau, trou.*

NIDIFIER → *oiseau.*

NIÈCE → *famille.*

NIELLE, NIELLURE → *blé.*

NIELLER, NIELLEUR → *décoration, graver.*

NIER → *discussion, refus.*

NIGAUD → *sot.*

NIGRITIQUE → *race.*

NIHILISME, NIHILISTE → *philosophie, refus.*

NIMBE, NIMBER → *cercle, saint.*

NIMBO-STRATUS → *météorologie.*

NINAS → *tabac.*

NIPPER, NIPPES → *vêtement.*

NIQUE → *mépris, moquer.*

NIRVÂNA → *calme, insensibilité,*

sage.

NITOUCHE → *affectation, femme.*

NITRATE, NITRE → *alcali, engrais, sel.*

NITROBENZÈNE, NITROCELLULOSE → *exploser.*

NITROGLYCÉRINE → *exploser.*

NIVAL → *froid, rivière.*

NIVEAU → *égal, esprit, haut, manière, mesure.* — **Degré d'élévation.** Contrebas, contre-haut; cote, cote d'alerte; courbe de niveau; dévers; échelon, échelonner; étiage; à fleur de; force; hauteur; horizontal, horizontalité; intensité; jauge; mer étale/qui baisse/qui monte, marée; niveau des eaux, crue, nappe; palier; plain, plan; au ras de terre; rez-de-chaussée, premier étage, etc. — **Mettre de niveau.** Affleurer, affleurement; aplanir, aplanissement; araser, arasement; baisser; déblayer, déblai; déraser; descendre; écrêter; égaliser, égalisation; élever; hausser, exhausser; lisser, lisse; mettre bord à bord/d'aplomb; niveler, nivellement, déniveler, dénivellation, dénivellement; parangonner; polir, poli; rabattre; raboter; racler; rader; raplatir, redresser, régaler; raser, surfacer; tirer au cordeau. — **Pour mettre de niveau ou niveler.** Caler, cale; cathétomètre; clinomètre; cordeau; diapason; éclimètre; écluse; fil à plomb; mire; niveau à bulle d'air ou nivelle/à collimation/à lunette/de maçon; niveleur, niveleuse; pinnule; rabot; règle; spatule. ▪ Arpentage, arpenteur, arpenter; bornoyer; coter; géodésie, géoïde; jalonner; mirer; planimétrie, planimètre; topographie; viser.

NIVELER, NIVELEUR, NIVELEUSE → *égal, niveau.*

NIVO-GLACIAIRE → *rivière.*

NIVO-PLUVIAL → *rivière.*

NIVÔSE → *calendrier.*

NOBILIAIRE, NOBLE → *noblesse.*

NOBLESSE → *blason, classe, féodalité, grand.* — **Condition de la noblesse.** Anoblir, anoblissement; aristocratie, aristocrate; armoiries, armorial; caste nobiliaire; déroger, dérogeance; droit d'aînesse; extraction, de haute extraction; famille, grande famille; généalogie, généalogiste, arbre généalogique, parchemin; lettres royaux, noblesse de lettres; lignage; maison, de grande maison; majorat; se mésallier, mésalliance, redorer son blason; naissance, né, être bien né; noble; noblesse de cloche/couronnée/d'épée/de finance/militaire/de race ou de parage/personnelle/présentée/de robe/d'ancienne roche/titrée; ancienne/fausse/nouvelle noblesse, noblesse d'Empire; de haute/de grande/de petite noblesse; nom, grand nom; oligarchie; prérogatives, privilèges : particule, port de l'épée; quartiers de noblesse, noblesse excellente ou de quatre lignes; sang bleu. ▪ Ne pas être noble, être bourgeois/roturier/vilain. — **Appellations et titres nobiliaires.** Baron, baronne, baronnie; châtelain, châtelaine; chevalier; comte, comtesse, comté, comtat; cour, courtisan; dignitaire; dame, damoiselle; duc, duc et pair, duc à brevet, duchesse, archiduc, grand-duc, duché; gentilhommière; grand d'Espagne; la haute (fam.); hobereau; homme de condition/de qualité; marquis, marquise, marche, marquisat; noble, nobliau ou noblaillon; pair, pairie; paladin; patricien, eupatride; preux; prince, du sang; seigneur; vicomte; vidame. ▪ Baronnet, boyard, gentleman, gentry, hidalgo, hospodar, junker, landgrave, lord, mylord, magnat, magyar, margrave, menin, etc. ▪ De, don, of, van, von, etc. — **Qualités et défauts prêtés aux nobles.** Avoir de la branche; bravoure, brave; esprit de caste; chevaleresque; courage, courageux; distinction, distingué; fierté, fier; grand seigneur; hauteur, hautain; honneur, sens de l'honneur; imposer, imposant, port olympien; insolence, insolent; légèreté, léger, petit marquis; morgue; noblesse oblige; orgueil; prestance; royalisme, royaliste; traditionalisme, les traditions de famille. — **Noblesse morale.** Amour-propre; auguste; beauté; dignité, digne; élévation, élevé; ennoblir; générosité, généreux; grandeur d'âme; gravité, grave; hauteur, haut; héroïsme, héroïque; indépendance d'esprit, indépendant; magnanime, magnanimité; magnificence, magnifique; noblesse de caractère/de cœur; noble attitude, courroux, fureur, etc.; respectabilité, respectable; solennité, solennel; sublimité, sublime.

NOCE → *débauche, fête, mariage.*

NOCEUR → *débauche.*

NOCIF, NOCIVITÉ → *dommage, mal.*

NOCTAMBULE, NOCTAMBULISME → *fête, marcher.*

NOCTUELLE → *papillon.*

NOCTURNE → *journée.*

NOCTURNE → *musique, peinture.*

NODOSITÉ → *articulation, noyau.*

NODULAIRE, NODULE → *noyau.*

NOËL → *Christ, fête.*

NŒUD → *arbre, attache, bosse, récit, respiration, route, vitesse.*

NOIR → *enfer, mal, obscur, sale, secret, triste.* — **De couleur sombre**

ou noire. Basané, bis, bistre, bleu marine, bronzé, brun, charbonneux, ciel couvert, crasseux, foncé, fuligineux, fumé, enfumé, gris, grisaille, grisâtre, grisé, hâlé, marron, mordoré, moricaud, mélanoderme, nègre, nocturne, noir, noiraud, noirâtre, noirceur, obscur, obscurcir, sale, sombre, teinté, ténébreux, tête-de-nègre. ■ Charbonnier, mineur, ramoneur. ■ Charbon, ébène, encre, fumée, goudron, jais, khôl, nuit, obscurité, suie, ténèbres. — **Qui rend noir ou sombre.** Barbouiller; brûler; brunir; calciner, calcination; colorant; crayon; culotter une pipe; enfumer; hachurer, hachure; laquer, laque; mâchurer; maculer; noir d'acétylène/d'aniline ou inverdissable/animal/fin / au four / de fumée/de gaz ou carbon black/ de houille/d'ivoire ou de velours/ de manganèse/minéral/de platine/ de schiste/de terre/thermique/au tunnel; ocre noir; opacifier, opacifiant, induline, nigrosine; pigment, mélanine; salir; teinture, teindre; terre d'ombre ou de Sienne. — **Valeurs symboliques du noir.** Atrabilaire; atrocité, atroce; crime; deuil, corbillard, enterrement; épouvante; funèbre; funeste; horreur; idée noire; ignominie; lugubre; macabre; méchanceté, méchant; mélancolie, mélancolique; morose; mort; odieux; nuit, nuit d'encre; perfidie; sombre; triste, tristesse, cafard, spleen.

NOIRÂTRE, NOIRAUD → *noir.*

NOIRCEUR, NOIRCIR → *critique, mal, noir, réputation.*

NOIRE → *musique.*

NOISE → *discussion.*

NOISERAIE, NOISETIER → *arbre.*

NOISETTE → *fruit.*

NOIX → *bœuf, fruit, futile, huile, roue.*

NOLISER → *location, navire.*

NOM → *appeler, grammaire, noblesse, nommer.*

NOMADE, NOMADISME → *vagabond.*

NO MAN'S LAND → *paix.*

NOMBRE → *algèbre, beaucoup, calcul, grammaire, petit.* — **Concept mathématique.** Algèbre; arithmétique; calcul matriciel/numérique/à base binaire/décimale/ternaire; chiffre, chiffrer; coefficient; élever au carré/au cube, carrer, cuber; extraire la racine carrée/cubique, extraction; exposant; facteur; fraction, nombre fractionnaire; grandeur; nombre abstrait/algébrique/arithmétique/cardinal/ entier/imaginaire ou réel/naturel/négatif/positif/rationnel et irrationnel/ transfini; nombre congru/équimultiple/parfait/premier; nombre divisible entier, multiple; numéral, numération, numérique; pair, impair; pi, π (3,1 416...); partie aliquante, aliquote; progression; quantité; système binaire, correspondance biunivoque; théorie des ensembles. — **Nombre concret.** Assez, suffisamment, à satiété, à suffisance; avec précision, à peu près, de l'ordre de, approximativement. ■ Chiffre arabe/romain, chiffrer; combien; compter, comptable, faire le compte, décompter, décompte; dénombrer, dénombrement; effectif; fréquence, fréquent; numéro, numéroter, numérotation; paginer, pagination; population; quantième, quantifier, quantifiable; quorum; rang, rangée, rue; recenser, recensement, compte, nombre rond; somme, somme globale. ■ Catalogue, index, liste, nomenclature. — **En grand nombre.** Abonder, abondant; beaucoup, maint; bien des; collection; considérable; force; foule; fréquent; généralité; incalculable; innombrable; masse; multi-, multiplicité, multiple; nombre, bon / grand nombre, nombre de, faire nombre, nombreux; pas mal (fam.); plein de; pluralisme; plusieurs; poly-; quantité; souvent; stock; tant; unanimité. ■ Compact, dense, serré; croître; se multiplier; proliférer, prolifique; pulluler. ■ Affluence, amas, cohue, entassement, essaim, flot, foison, foule, fourmillement, grêle, grouillement, infinité, légion, masse, mêlée, monde, multitude de, nid, nuée, peuple, pluie, presse, tapée (pop.), tas, tripotée (pop.), troupeau. ■ Dix, dizaine, cent, mille, million, myriade, etc. — **En petit nombre.** Bagatelle, brin, goutte, grain, larme, lueur, miette, misère, nuage, rien, soupçon. ■ Exception, exceptionnel; guère; infinitésimal; introuvable, insolite, inouï; minorité, minoritaire; original; pas grand-chose; peu, paucité; phénomène, merle blanc; quelque(s), quelques-uns; rare, rarissime, oiseau rare; singularité, singulier; spécimen; unique, unicité. — **Statistiques.** Analyse, calcul des probabilités, conjoncture, déterminisme atomique, estimation, hypothèse, interprétation, loi des grands nombres/de Bernoulli, réduction des données, statistique, statisticien, table. ■ Démographie, gallup, prospective, sondage. ■ Institut national de la statistique et des études économiques (I.N.S.E.E.); Institut français d'opinion publique (I.F.O.P.).

NOMBREUX → *abondance, beaucoup, nombre.*

NOMBRIL → *ventre.*

NOMENCLATURE → *inscription, nommer.*

NOMINAL → *monnaie, nommer.*

NOMINATIF → *grammaire, mot, nom.*

NOMINATION → *fonction.*

NOMMER → *appeler, fonction.* — **Dénommer.** Appeler une chose/quelqu'un par son nom, appeler un chat un chat, appellation, appellatif ; citer, citation ; dénomination ; dénoter, dénotation, dénotatif ; désigner, désignation ; dire ; épeler ; indiquer, indication, indicatif ; innommé, innommable ; faire mention, mentionner explicitement/expressément ; mot, ne pas mâcher ses mots, ne pas avoir peur des mots, mot cru ; nommer, nommément ; nominalisme, nominaliste ; -nymie, toponymie ; qualifier, qualificatif ; terme ; traiter de ; vocable, vocatif. — **Nommer, être nommé à.** Admettre, admission ; avancer, recevoir de l'avancement ; bombarder ; caser quelqu'un ; charger de, entrer en charge ; choisir, choix ; commettre (un avocat) d'office ; conférer un grade, collation ; coopter, cooptation ; désigner, désignation ; élever à ; élire, élection, vote, élu, heureux élu ; employer, emploi ; engager ; établir ; faire fonction de ; introniser, sacre ; investir, investiture ; monter en grade ; muter, mutation ; nommer, nomination au choix/à l'ancienneté/par acclamations/par élection ; obtenir, obtention ; parachuter (fam.) ; parrainer, parrain ; pistonner (fam.), piston ; placer un protégé ; pourvoir un poste ; proclamation des résultats, publication à l'Officiel ; promouvoir, promouvable, promotion ; recevoir, être reçu, discours de réception, récipiendaire ; titulariser, titularisation. — **Nom des personnes.** Alias ; anonyme, anonymat, incognito ; baptiser, débaptiser ; connaître de nom ; décliner son identité/ses noms et qualités ; dénommer ; diminutif ; éponyme ; état civil ; faux nom ; homonyme ; se nommer, nom de famille/de guerre/de religion ; nominal, appel nominal ; nominatif, état nominatif ; onomastique ; particule, nom à particule/à rallonge (pop.)/à tirette (pop.) ; patron, fête ; patronyme, patronymique ; prénom, petit nom, se prénommer ; prête-nom ; présenter, faire les présentations ; pseudonyme ; répondre au nom de ; représenter quelqu'un, au nom de ; signer, signature ; sobriquet ; surnom, surnommer ; titre nobiliaire ; usurper une identité. ▪ Le dénommé Un Tel, dit, feu, le susdit, le susnommé. ▪ Carte de visite, générique, intitulé, raison sociale, titre.

NON → *refus.*

NON-AGRESSION → *paix.*

NONCE → *diplomatie, pape.*

NONCHALANCE, NONCHALANT → *lent, mou, négliger.*

NONCIATURE → *diplomatie.*

NON-COMPARANT → *accusation.*

NON-CONFORMISME → *convenir, règle.*

NON-ENGAGEMENT → *libre.*

NONES → *calendrier.*

NON-INTERVENTION → *politique.*

NON-LIEU → *accusation, tribunal.*

NONNE → *monastère.*

NONNETTE → *pâtisserie.*

NON-SENS → *sot, signer.*

NON-VIOLENCE → *paix, politique.*

NORD, NORD-EST → *orientation.*

NORDIQUE → *pays.*

NORDIR → *marine, vent.*

NORD-OUEST → *orientation.*

NORIA → *hydraulique, machine.*

NORMAL → *enseignement, règle.*

NORMALE → *droite.*

NORMALIEN → *enseignement.*

NORMALISATION, NORMALISER → *plan, règle.*

NORMATIF → *grammaire, règle.*

NORME → *mesure, règle.*

NOROÎT → *vent.*

NOSOGRAPHIE, NOSOLOGIE → *maladie.*

NOSTALGIE, NOSTALGIQUE → *pays, tristesse.*

NOTA, NOTA BENE → *inscription.*

NOTABILITÉ, NOTABLE → *importance, ville.*

NOTAIRE, NOTARIAT, NOTARIÉ → *contrat, justice.*

NOTE, NOTER → *enseignement, inscription, musique, payer.*

NOTICE → *écrire, littérature.*

NOTIFICATION, NOTIFIER → *contrat, informer.*

NOTION, NOTIONNEL → *connaissance, philosophie.*

NOTOIRE, NOTORIÉTÉ → *certifier connaissance, informer, réputation.*

NOTRE-DAME → *vierge.*

NOTULE → *inscription.*

NOUBA → *fête.*

NOUE → *charpente.*

NOUÉ → *crispation.*

NOUER → *attache, corde, tapis.*

NOUEUX → *irrégulier.*

NOUGAT, NOUGATINE → *confiserie, pâtisserie.*

NOUILLE → *farine, mou.*

NOULET → *charpente.*

NOURRAIN → *poisson, porc.*

NOURRICE → *enfant, famille, lait, manger, poitrine, récipient.*

NOURRICERIE → *enfant.*

NOURRICIER, NOURRIR → *aliment, apprendre, lait, manger.*

NOURRISSEUR → *élevage.*

NOURRISSON → *enfant.*

NOURRITURE → *aliment, apprendre, manger.*

NOUVEAU → *année, commencer, imaginer, jeune, réputation.* — **Jusqu'ici inconnu.** Apparition ; audacieux ; avancé, d'avant-garde, avant-gardiste ; découverte, découvrir ; extraordinaire ; hardi, hardiesse ; inaccoutumé ; inconnu ; inédit ; inhabituel ; innover, innovation, novateur ; inouï ; insolite ; insoupçonné ; inusité ; inventer, invention, inventif ; néologisme ; neuf ; nouveauté, nouvelle récente, donner la primeur ; originalité, original ; osé ; sans pareil, sans précédent, jamais vu ; surprenant ; trouver, trouvaille ; vierge, virginal, terres vierges/inexplorées. — **Récent.** Actuel, actualité brûlante/encore chaude ; catéchumène ; contemporain ; dernier, dernier cri, dernière mode, dernièrement ; flambant neuf ; frais, de fraîche date, frais émoulu, peinture fraîche ; gadget ; inexpérimenté ; intact ; jeune ; moderne, temps modernes ; naguère ; naissance ; néophyte ; neuf ; new-look ; nouveau, nouveauté, nouvellement, un nouveau, bleu, bizuth, nouveau-né ; novice ; récent, récemment ; qui n'a pas servi ; recrue ; vert, verdir ; vient de paraître. ■ *Homo novus,* nouveau riche, parvenu ; hâtif, précoce, primeur. — **Rendre, redevenir nouveau.** Cure de jouvence ; muer, mutation ; faire peau neuve ; ra-, raccommoder, rafraîchir, ragréer, rajeunir ; re-, reconduire, reconduction ; refaire, réfection ; régénérer, régénération, régénérateur ; remettre à neuf ; renaître, renaissance, la Renaissance, le Rinascimento ; renouveau, renouveler, changer ; rénover, rénovation, rénovateur ; réparer, repeindre, requinquer, restaurer, retaper, revivre. ■ Faire de nouveau, récidiver, réitérer, etc.

NOUVEAU-NÉ → *enfant.*

NOUVEAUTÉ → *couture, nouveau.*

NOUVELLE, NOUVELLISTE → *informer, littérature, récit.*

NOVA → *astronomie, soleil.*

NOVATEUR → *changer, nouveau.*

NOVEMBRE → *calendrier.*

NOVICE, NOVICIAT → *incapable, monastère, nouveau.*

NOYAU → *fruit, groupe, milieu, nucléaire.* — **Sortes de noyaux.** Atome ; cellule ; chromosome ; nœud, nodosité, nodulaire, nodule ; noyau amygdalien ; noyau de condensation/hygroscopique, compteur de noyaux ; nucléaire, mononucléaire, polynucléaire, nucléé, nucléine, nucléole ; squelette cyclique. — **Le noyau du fruit.** Amande ; anthère ; aspect aplati / globuleux / lisse / ovoïde / rugueux ; endocarpe ; graine ; noyau végétatif/du grain de pollen/du sac embryonnaire ; péricarpe. ■ Alcool/crème / eau / liqueur de noyau ; dénoyauter, énucléer. — **Fruits à noyaux.** Drupe, drupacé : abricot, abricotier, prunus ; cerise, cerisier, cerise anglaise, belle de Chatenay, belle de Choisy, bigarreau, gros cœuret, cœur-de-pigeon, griotte, guigne, montmorency, reine-hortense, reverchon ; olive, olivier, olivaie, oliveraie, olive noire/verte, huile d'olive ; pêche, pêcher, brugnon, pavie, pêche blanche/jaune/rouge/de vigne ; prune, prunier, pruine, mirabelle, quetsche, reine-claude, pruneau d'Agen ; prunelle, prunellier ou épine noire, liqueur de prunelle ou prunelline.

NOYAUTER → *groupe, parti.*

NOYÉ, NOYER → *bain, eau, fatigue, mémoire, nager, perdre.*

NOYER → *arbre.*

NU → *anatomie, enlever, vêtement.*

NUAGE, NUAGEUX → *météorologie, obscur, trouble.*

NUANCE, NUANCER → *couleur, grade, musique, petit.*

NUBILE, NUBILITÉ → *femme, mariage.*

NUCLÉAIRE → *arme, physique, rayon.* — **Atome.** Atome, atome-gramme, atomisme, atomique ; charge négative/positive, spin ; électron négatif/positif ; isotopie, isotope ; méson (μ) ; molécule, moléculaire ; négaton ; neutron, neutronique ; noyau ; nucléon ; particules ; positon ; proton ; radio-activité, radio-isotopie, radiation, irradier, compteur Geiger, rayons α/β/γ ; valence. ■ Physique atomique/nucléaire, physicien atomiste ; radiobiologie. — **Production de l'énergie nucléaire.** Accélérateur de particules ; barre de cadmium/d'uranium ; bombarder, bombardement ; centrale atomique/nucléaire/à eau bouillante/pressurisée ; cyclotron ; désintégration atomique ; eau lourde ; émission ; filière graphite-gaz ; fission, fissible, fissile ; fluide réfrigérant ; hélion ; modérateur ; pile atomique/primaire ; plutonium ; réaction, en chaîne, réacteur, cœur du réacteur ; scission ; séparation isotopique ; spectrographe de masse ; surgénérateur ; transmutation ; uranium 233/235/naturel/enrichi. ■ Bombe atomique/A/H/dopée/gonflée/thermonucléaire.

NUCLÉON → *nucléaire.*

NUDISME, NUDISTE, NUDITÉ → *nature, vêtement.*

NUES → *éloge, étonner.*

NUÉE → *beaucoup, météorologie, nombre.*

NUIRE, NUISIBLE → *dommage mal.*

NUIT → *journée, obscur, vieillesse.*

NUL → *annuler, incapable, personne.*

NULLARD → *incapable.*

NULLITÉ → *annuler, incapable.*

NUMÉRAIRE → *monnaie.*

NUMÉRAL → *nombre.*

NUMÉRATEUR → *calcul.*

NUMÉRATION → *nombre, sang.*

NUMÉRIQUE → *calcul.*

NUMÉRO → *étonner, gagner, importance, journal, nombre, spectacle.*

NUMÉROTER → *nombre.*

NUMERUS CLAUSUS → *fermer, fixe.*

NUMISMATE, NUMISMATIQUE → *médaille, monnaie.*

NU-PROPRIÉTAIRE → *posséder.*

NUPTIAL, NUPTIALITÉ → *mariage.*

NUQUE → *cou.*

NURSE, NURSERY → *enfant, soigner.*

NUTATION → *astronomie, tête.*

NUTRICIER, NUTRITION → *aliment, manger.*

NYCTALOPE, NYCTALOPIE → *œil.*

NYLON → *plastique, tissu.*

NYMPHE → *arbre, femme, insecte, mythologie.*

NYMPHÉA → *lac.*

NYMPHOMANE, NYMPHOMANIE → *femme, sexe.*

NYSTAGMUS → *œil.*

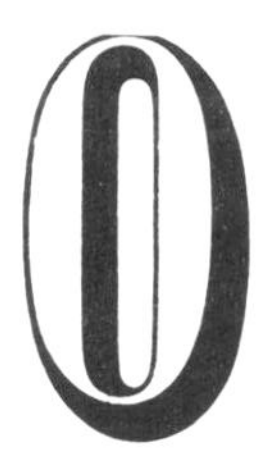

OASIS → *repos, sec.*

OBÉDIENCE, OBÉDIENCIER → *inférieur, soumettre.*

OBÉIR, OBÉISSANCE → *enfant, inférieur, soumettre, supérieur.*

OBÉLISQUE → *colonne, édifice.*

OBÉRER → *devoir.*

OBÈSE, OBÉSITÉ → *gras.*

OBI → *ceinture.*

OBIT, OBITUAIRE → *enterrement, inscription, liturgie.*

OBJECTER, OBJECTEUR → *opposé, raisonnement, refus.*

OBJECTIF → *histoire, justice, réalité.*

OBJECTIF → *but, guerre, optique, photographie, projectile.*

OBJECTION → *discussion, opposé, raisonnement.*

OBJECTIVER → *réalité.*

OBJECTIVITÉ → *histoire, justice.*

OBJET → *but, cause, matière, réalité.*

OBJURGATION → *discussion, pousser.*

OBLAT → *sacrement.*

OBLATION → *liturgie, offrir.*

OBLIGATION → *banque, engagement.*

OBLIGATOIRE → *devoir.*

OBLIGEANCE, OBLIGEANT → *bienfaisance, manière.*

OBLIGER → *aider, devoir, engagement, soumettre.*

OBLIQUE, OBLIQUER, OBLIQUITÉ → *indirect, ligne, pencher.*

OBLITÉRATEUR, OBLITÉRER → *annuler, poste, signe.*

OBLONG → *grand, irrégulier.*

OBNUBILER → *influence, obscur, souci.*

OBOLE → *bienfaisance, défense, enfer.*

OBSCÈNE, OBSCÉNITÉ → *grossier.*

OBSCUR → *cacher, difficile, doute, noir.* — **Qui est privé de lumière.** Brumeux, embrumé, brouillard, brume ; clarté vague, clair-obscur, entre chien et loup, à la brune ; couvert, se couvrir ; crépusculaire, crépuscule ; foncé ; jour douteux, contre-jour, demi-jour, faux jour ; noir, noircir ; nuage, nuageux, nébuleux, nébulosité ; nuit, nuitamment, nocturne ; obscurité compacte/complète/totale ; opaque, opacifier, opacité ; sombre, assombrir ; ténébreux, enténébré, ténèbres ; terne, ternir ; trouble, troubler ; voilé, voiler. ▪ Brouiller ; cacher ; couvre-feu, black-out ; éclipser ; occulter ; offusquer. ▪ Aveugle, aller à l'aveuglette ; marcher à tâtons, tâtonner ; n'y voir rien, ne pas y voir à trois pas, ne pas voir clair, etc. — **Ombre.** Le couvert, se réfugier sous les couverts, allée couverte, se couvrir ; feuillage, feuillée ; frais, mettre au frais, prendre le frais, fraîcheur ; ombrage, ombragé, ombrager ; ombre douce/épaisse/noire/profonde, ombreux ; ombre droite/portée/renversée, cône d'ombre, couleur, silhouette, ombres chinoises ; pénombre. ▪ Bouge, cachot, cave, caveau, caverne, coin, recoin, crypte, église, maison borgne, oubliette, prison, ruelle, trou, venelle. — **Faits obscurs.** Bouteille à l'encre ; chaos ; complication, les choses se compliquent ; dédale, dédaléen ; désordre, désordonné, bordel (pop.) ; embrouillamini ; enchevêtrement ; énigme, énigmatique ; gâchis ; imbrication ; imbroglio ; impénétrable, incompréhensible, inexplicable, inextricable, insaisissable, insondable ; labyrinthe ; maquis ; mystère, mystérieux ; occultisme, occulte ; plonger dans la perplexité ; point obscur, question obscure/sur laquelle les avis se partagent/qui a déjà fait couler des flots d'encre. ▪ Ne comprendre rien à rien (fam.), n'y piger que couic (pop.), y perdre son latin, donner sa langue au chat, etc. — **Langage obscur.** Abscons, abstrus ; alambiqué, ambiguïté, ambigu ; amphibologique ; amphigouri, amphigourique ; bafouiller, bafouillage ; baragouiner, baragouin (fam.) ; bredouiller, bredouillement ; charabia ; circonlocutions ; complication, compliquer ; confusion, confus ; détours ; difficulté, difficile ; diffus, filandreux, prolixe ; douteux, sens controversé ; embarrassé, emberlificoté (fam.), embrouillé, entortillé, enveloppé, équivoque ; ésotérisme, ésotérique ; flou ; fumeux ; galimatias ; grimoire ; hermétisme, hermétique ; impénétrable, inarticulé, incompréhensible, indéchiffrable, indistinct, inintelligible ; jargon, jargonner ; langage cabalistique ; louche ; mêler tout, mélanger ; nébuleux ; parler à mots couverts ; se perdre dans les détails ; secret ; sens caché/second/tiré par les cheveux ; sibyllin, oracle ; trouble ; vague ; voilé. — **Inconnu.** Commun, homme du commun/moyen/ordinaire ; croupir ; effacement, effacé ; humilité, humble ; ignoré ; inconnu, un obscur personnage ; médiocrité, médiocre ; vie retirée, vivre comme un ermite/un ours, « pour vivre heureux, vivons cachés ». — **De nature indécise.** Amorphe, bâtard, changeant, à double face/double sens, douteux, entre-deux, flottant, hybride, implicite, inconsistant, incolore, indéfini, indéfinissable, indéterminé, indiscernable, indistinct, jouer sur deux tableaux, latent, mélangé, mêlé, neutre, vague. ▪ Ni bien ni mal, comme ci comme ça, coucicouça, mi-figue mi-raisin.

OBSCURANTISME → *philosophie, progrès.*

OBSCURCIR, OBSCURITÉ → *obscur.*

OBSÉDÉ, OBSÉDER → *folie, souci.*

OBSÈQUES → *enterrement.*

OBSÉQUIEUX, OBSÉQUIOSITÉ → *doux, éloge, manière, servir.*

OBSERVANCE → *monastère, soumettre.*

OBSERVATEUR, OBSERVATION → *discussion, regarder, soumettre.*

OBSERVATOIRE → *astronomie, météorologie.*

OBSERVER → *regarder, règle, soumettre.*

OBSESSION, OBSESSIONNEL → *abstraction, folie, souci.*

OBSIDIENNE → *pierre, verre.*

OBSIDIONAL → *fortification.*

OBSOLESCENCE → *industrie.*

OBSOLÈTE → *habitude, vieillesse.*

OBSTACLE → *course, gêner.* — **Rencontrer un obstacle.** Achopper, pierre d'achoppement ; accrocher ; adversité ; anicroche ; broncher ; buter sur ; se casser le nez (fam.) ; chicane, complications ; contrariété, contretemps ; difficulté, passe délicate/difficile ; donner sur ; épine ; fin de non-recevoir ; se heurter à ; impedimenta ; non ; opposition ; restriction ; tomber sur un bec (pop.)/sur un os ; veto. ▪ Briser les résistances, continuer contre vents et marées, ne pas se décourager, déjouer les manœuvres ; échouer, échec ; s'entêter, têtu ; esquiver ; forcer le barrage/la porte ; se noyer dans un crachat (pop.)/un verre d'eau ; s'obstiner, obstination ; passer outre ; persévérer, être récompensé de sa persévérance ; sauter l'obstacle ; surmonter ; trouver un biais/une échappatoire/un moyen/un subterfuge, etc. ; vaincre ; venir à bout. — **Obstacle sur un chemin.** Barrer le passage/la route, barrage de police, barre, barreau, barricade, barrière ; boucher le passage ; butoir ; cahot, caillou, nid-de-poule ; écueil, banc de sable ; embarrasser, embarras ; embouteiller, embouteillage ; encombrer, encombrement ; endiguer un flot, digue ; engorger, engorgement ; fermeture ; fosse, fossé ; grille, haie, herse, loquet, mur, muraille, murer ; obstacle infranchissable ; obstruer, obstruction, désobstruer ; offusquer ; rempart ; rivière ; serrure, de sûreté. ▪ Boucher la vue, brume, écran, rideau, vitrage, voilage. — **Empêcher le fonctionnement.** Aller à l'encontre de ; annuler, annulation ; argutie ; arrêter, arrêt ; bloquer, blocage ; briser, briseur de grève ; chaîne, enchaîner ; chicaner, chicane ; chinoiser ; comprimer ; contrarier ; contrecarrer, contredire ; embargo ; empêcher, empêchement ; enclouer un canon ; enrayer une arme ; entraver ; entrave ; freiner, frein, mettre un frein à ; interdire ; interrompre, interruption ; lier, lien ; mettre des bâtons dans les roues (fam.), mettre le holà ; se mettre à la traverse ; neutraliser ; nuire ; obstruction, faire de l'obstruction systématique ; s'opposer à, opposition déclarée/formelle, etc. ; prohiber, prohibition ; refréner ; résister, résistance ; retenir, rétention ; restreindre, restriction ; rogner les ailes, couper les vivres ; soulever des objections, susciter des obstacles/des réserves/des réticences ; tailler des croupières à ; se mettre à la traverse, traverser ; troubler. ■ Bâillon, borne, bride, carcan, corset, cliquet, cran d'arrêt, goulot d'étranglement, lien, limite, menottes, sûreté.

OBSTÉTRICAL, OBSTÉTRIQUE → *accouchement.*

OBSTINATION, OBSTINER → *opinion, résister, volonté.*

OBSTRUCTION, OBSTRUER → *fermer, obstacle.*

OBTEMPÉRER → *inférieur, soumettre.*

OBTENIR, OBTENTION → *gagner.*

OBTURATEUR → *fusil, intervalle, photographie.*

OBTURATION, OBTURER → *dent, fermer.*

OBTUS → *angle, sot.*

OBUS → *arme, exploser, projectile.*

OBUSIER → *arme.*

OBVIER → *obstacle, réparer.*

OC → *langage.*

OCARINA → *instrument.*

OCCASION, OCCASIONNEL → *cause, commerce, événement, habitude.*

OCCASIONNER → *cause, produire.*

OCCIDENT, OCCIDENTAL → *orientation, terre.*

OCCIPITAL, OCCIPUT → *cerveau, tête.*

OCCITAN → *langage.*

OCCLURE, OCCLUSIF, OCCLUSION → *fermer, intestin.*

OCCULTATION → *astronomie, cacher, lumière.*

OCCULTE, OCCULTISME → *alchimie, astrologie, cacher, magie, secret.*

OCCUPANT, OCCUPATION → *guerre, habiter, travail.*

OCCUPER → *agir, habiter, guerre, souci, temps, travail.*

OCCURRENCE → *événement.*

OCÉAN → *mer.*

OCÉANIE, OCÉANIEN → *terre.* — **Géographie.** Australie, australien ; Mélanésie, mélanésien ; Micronésie ; Polynésie, polynésien ; océan Pacifique. ■ Australie, Canberra, Adélaïde, Brisbane, Melbourne, Sidney ; Nouvelle-Guinée, Irian, Papouasie ; Nouvelle-Zélande, Auckland, Wellington ; îles Carolines / Cook / Fidji / Gambier/ Gilbert / Hawaii / Mariannes / Marquises/Marshall/Salomon/de la Société ; Tahiti ; Tasmanie ; Tonga, Wallis et Futuna. — **Anthropologie.** Australien, groupe murrayen/négroïde ; maori ; mélanésien : canaque, papou, tapico ; polynésien ; tasmanien. ■ Animisme, culte des ancêtres, masque, Tiki, totémisme.

OCÉANIQUE → *météorologie.*

OCÉANOGRAPHIE → *mer.*

OCELLE, OCELLÉ → *irrégulier, œil.*

OCELOT → *mammifères.*

OCRE, OCRER, OCREUX → *jaune.*

OCTAÈDRE → *angle.*

OCTANT → *cercle.*

OCTAVE → *escrime, liturgie, musique.*

OCTOBRE → *calendrier.*

OCTOGÉNAIRE → *âge, vieillesse.*

OCTOGONAL, OCTOGONE → *angle.*

OCTOSYLLABE → *poésie.*

OCTROI, OCTROYER → *accord, donner, douane.*

OCTUOR → *musique.*

OCULAIRE → *œil, optique.*

OCULISTE → *œil.*

ODALISQUE → *femme.*

ODE, ODELETTE → *poésie.*

ODÉON → *musique.*

ODEUR → *infecter, nez, toilette.*

ODIEUX → *déplaire, détester.*

ODOMÈTRE → *marcher.*

ODONATES → *insecte.*

ODONTALGIE, ODONTOLOGIE → *dent.*

ODORANT, ODORIFÉRANT → *parfum.*

ODORAT → *nez, parfum.*

ODYSSÉE → *poésie, voyage.*

ŒCUMÉNIQUE, ŒCUMÉNISME → *pape, religion, théologie.*

ŒDÉMATEUX, ŒDÈME → *gonfler, tumeur.*

ŒIL → *moquer, optique, plaire, regarder, trou.* — **Généralités.** Globe oculaire ; larme, larmoyer, larmoiement ; ocelle ; -ocle, -oculaire, monoculaire, binoculaire, oculaire ; ophtalm(o)-, ophtalmique, ophtalmoscope, etc. ; pleurer, pleur ; vue, voir. — **Description.** Capsule de Tenon ; cil, ciliaire ; conjonctive ; glandes lacrymales ; larmier ; muscles oculaires/ pathétiques, etc. ; nerf optique ; orbite, orbital ; patte-d'oie ; paupière, palpébral, ectropion ; sourcil, arcade sourcilière, glabelle. ■ Chambre, choroïde, cônes et bâtonnets, cornée, corps ou humeur aqueuse/vitrée ; cristallin ; macula ou tache jaune ; prunelle ; pupille ; rétine ; sclérotique ou blanc de l'œil ; uvée. — **Apparence de l'œil.** Yeux bleus/d'un bleu de faïence/ clairs / gris / foncés / glauques / lavés / marron/noirs/noir de jais/noisette/ pâles/pers/vairons/verts ; yeux en boule de loto/bridés/caves/cernés/dilatés/écarquillés/exorbités/à fleur de tête/globuleux ; petits yeux de cochon ; yeux ronds/saillants/qui sortent de la tête ; yeux d'aigle/brûlants/qui jettent des éclats/flamboyants/luisants/pétillants/vifs ; yeux bovins/durs/fixes/froids/de merlan frit (pop.)/mornes/morts/secs/vitreux. — **Mouvements de l'œil.** Baisser les yeux ; ciller ; cligner, clignement, clin d'œil ; coup d'œil, jeter/lancer un coup d'œil ; détourner les yeux ; écarquiller ; s'endormir, s'éveiller ; faire de l'œil/les yeux doux ; fermer les yeux, ne pas fermer l'œil ; froncer les sourcils ; œillade, lancer des œillades ; ouvrir les yeux/de grands yeux ; papilloter ; plisser, plissement ; rouler des yeux ; tenir les yeux ouverts. — **La vue.** Accommoder, accommodation ; n'avoir pas les yeux en face des trous (pop.) ; se crever les yeux ; lunettes, porter des lunettes, binocle, monocle, etc. ; s'user les yeux ; vision ; voir ; vue basse/bonne/faible/mauvaise/perçante, portée de la vue. ■ Avoir de bons yeux/des yeux fatigués/usés par l'insomnie / par les veilles, etc. ■ Achromatopsie ; amblyopie ; amétropie ; astigmatisme ; bigle, bigler, bigleux ; coquetterie dans l'œil ; daltonisme ; diplopie ; emmétropie ; exophtalmie ; héméralopie ; hypermétropie ; loucher, louche ; myopie, myope comme une taupe (fam.) ; nyctalope ; presbytie ; strabisme convergent/divergent. — **Affections et maladies.** Coquard ; escarbille/poussière dans l'œil ; œil au beurre noir ; yeux battus/boursouflés/bouffis/collés/éraillés/injectés de sang/meurtris/pochés/rouges. ■ Albugo, amaurose, blépharite, cataracte, chassie, yeux chassieux, compère-loriot ou orgelet, conjonctivite, dacryocystite, dacryodénite, glaucome, kératite, kératocèle, maille, mydriase, myosis, nystagmus, ophtalmie, panophtalmie, rétinite, scotome, staphylome, taie, trachome, uvéite, xérophtalmie. ■ Bandeau, collyre, énucléation, greffe de cornée, œil de verre, œillère, oculiste, ophtalmologiste, opticien, prothèse oculaire. — **Cécité.** Amblyope profond ; aveugle, aveugler, aller à l'aveuglette ; borgne, éborgner ; canne blanche ; cécité des neiges ; crever l'œil, œil crevé ; éblouir, éblouissement ; écriture Braille. ■ Fondation Valentin-Haüy ; Institut national des jeunes aveugles.

ŒIL-DE-BŒUF → *fenêtre, maison.*

ŒIL-DE-CHAT → *joaillerie.*

ŒIL-DE-PERDRIX → *pied.*

ŒILLADE → *plaire, regarder.*

ŒILLÈRE → *harnais, œil, petit, trou.*

ŒILLET → *fleur, sel, trou.*

ŒILLETON → *fusil.*

ŒILLETTE → *huile.*

ŒNANTHIQUE → *vin.*

ŒNOLIQUE → *vin.*

ŒNOLOGIE, ŒNOMÉTRIE → *vin.*

ŒSOPHAGE, ŒSOPHAGITE → *gorge.*

ŒUF → *germe, oiseau, reproduction.* — **Description d'un œuf.** Albumine, blanc, chalaze, chambre à air, chorion, cicatricule, coquille, glaire, lécithine, membrane coquillière, vitellus ou jaune. ■ Oo-, oosphère ; ovale, ovaliser ; ove, oviforme, ovoïde. — **Cellule d'un être vivant.** Embryon, gamète ; œuf alécithe/controlécithe/cléidoïque / demersal / ectolécithe / hétérolécithe/à mosaïque/à régulation / télolécithe ; œuf, albumen / fécondé ou zygote/de fourmi/plantule/vierge ou ovocyte ou ovotide ou oosphère ou ovule. — **Production des œufs.** Couver, couvaison, couvoir, couveuse artificielle, couvée, accouvage ; incubation, incuber, incubateur ; mirer les œufs, mire-œufs ; nid, aire, nicher, nidification, nidifier ; œuf d'insecte/d'abeille ou couvain/de fourmi ; œuf de caille/d'oiseau/de poule ; œuf de poisson/d'esturgeon ou caviar/de lump/de saumon ; œuf blanc/clair/de coq/de couleuvre ; œuf couvé/pourri ; ovaire ; oviducte ; ovule, ovulation ; pondre, ponte, poule pondeuse. — **L'œuf qu'on mange.** Battre les blancs en neige, œuf à la neige, île flottante ; jaune d'œuf ; œuf frais/de conserve/en poudre ; œuf de cane/d'oie/de poule ; œufs brouillés/à la coque/durs/au miroir/sur le plat/pochés/à la tripe ; omelette baveuse/au gruyère/aux fines herbes/au lard/aux truffes. ■ Coquetier, gober un œuf, mouillettes, poêle à frire, ramequin.

ŒUVRE → *bienfaisance, commencer, littérature, travail.*

ŒUVRE → *alchimie, art, construction.*

ŒUVRER → *produire, travail.*

OFFENSE, OFFENSER → *blesser, faute, réputation.* — **Blesser dans sa dignité.** Affront sanglant ; atteindre dans sa dignité, atteinte, attentat aux bonnes mœurs ; avanie, essuyer des avanies ; blesser, blessant, blessure ; brimer, brimade ; brusquer ; camouflet ; chagriner ; chiffonner ; choquer, choquant ; dire ses quatre vérités ; donner un coup de pied au derrière/une gifle/une tape, etc. ; froisser, froissement ; heurter ; humilier, humiliation ; impertinence, impertinent ; indigner, indignité, procédé indigne ; manquer à, manque de respect, manquement ; molester ; mortifier, mortification ; narguer ; offusquer ; offenser, offense, offenseur ; outrager, outrage ; peiner, faire de la peine ; piquer au vif, lancer des piques, piqûre d'amour-propre ; rebuffade ; scandaliser, scandaleux ; soufflet, souffleter ; taquiner, taquinerie ; ulcérer ; vexer, vexant, vexation, procédé vexatoire. — **Injurier.** Apostrophe, apostropher ; attaque, attaquer ; blasphème, blasphémer, blasphématoire ; calomnie, propos calomnieux ; chanter pouilles ; cracher sur (fam.) ; déblatérer sur ; engueuler, engueulade (fam.) ; flétrir, flétrissure ; impudence ; infamie ; injurier, injure, injurieux, dire/proférer/vomir une bordée/un chapelet/un flot/un torrent d'injures, abreuver / accabler / agonir/ couvrir / d'injures ; injures grossières/ ignobles/obscènes ; insolence, insolent ; insulte, insulter, insultant ; invectiver, invectives ; irrévérence, irrévérencieux ; maudire, malédiction, maudit soit... ; mot grossier, gros mot ; ordures ; propos aigre-doux / désagréable / dur ; sottise ; tempêter ; traiter de tous les noms. ■ Jurer comme un charretier, juron ; maronner, pester, sacrer. ■ Bigre, crotte, espèce de..., flûte, merde, zut, etc. — **S'estimer offensé.** Avaler des couleuvres ; demander raison, duel, duelliste ; éprouver du dépit ; se formaliser ; pardon, pardonner ; pousser les hauts cris ; prendre mal une plaisanterie ; prendre la mouche (fam.) ; rager, râler (pop.) : rancune, garder rancune / un chien de sa chienne (pop.) ; se renfrogner ; réparation, demander réparation ; user de représailles ; revanche, revanchard ; se scandaliser crier au scandale ; suffoquer d'indignation ; vengeance, se venger dans le sang, vendetta. ■ Être chatouilleux / délicat / farouche / mal embouché / ombrageux / pointilleux / susceptible / vindicatif / vulnérable ; ne pas plaisanter avec.

OFFENSIF, OFFENSIVE → *attaquer, guerre, progrès.*

OFFERTOIRE → *liturgie.*

OFFICE → *bienfaisance, bureau, fonction, justice, liturgie.*

OFFICE → *maison.*

OFFICIAL, OFFICIALITÉ → *ecclésiastique.*

OFFICIALISER, OFFICIEL → *certifier.*

OFFICIER → *liturgie.*

OFFICIER → *fonction, grade, justice.*

OFFICIEUX → *informer, secret.*

OFFICINAL, OFFICINE → *médicament.*

OFFRANDE, OFFRE → *donner, offrir.*

OFFRIR → *donner, montrer.* — **Soumettre à un arrangement.** Compromis, concordat ; consentir ; couper la poire en deux ; devis ; faire des avances ; jeter/lâcher du lest ; mettre en discussion ; négocier, négociation, négociateur ; ouverture ; pourparlers, engager des pourparlers, être en pourparlers ; projet de règlement ; proposer, proposition, honnête/loyale, contre-proposition ; en rabattre, rabais, remise, ristourne ; sonder quelqu'un ; soumettre à l'agrément ; tâter le terrain ; transiger, transaction. — **Faire une offre.** Afficher un prix ; annoncer, petites annonces ; dire/ lancer un prix ; étalage ; enchérir, enchère, enchérisseur ; exposer, exposant ; montre ; offre publicitaire/verbale, loi de l'offre et de la demande, offre d'emploi/de service, adjuger au plus offrant ; offrir en partage ; à prendre ou à laisser ; à profiter de suite (pop.) ; promettre, promesse ; surenchère, surenchérir ; à titre gracieux ; prix de catalogue/coûtant/de gros. ■ Décliner/rejeter/repousser une offre ; offre dérisoire/insuffisante/intéressante/sensationnelle. — **Faire hommage.** Adresser ; consacrer à ; dédier, dédicace, dédicacer, épître dédicatoire ; envoi ; hommage, rendre hommage à/un dernier/un suprême hommage, hommage chaleureux/ éclatant / flatteur / remarqué / sincère / vibrant, en hommage à la mémoire de ; honorer, en l'honneur de ; payer son tribut ; saluer ; tuer le veau gras ; vouer, vœu, votif, ex-voto. — **Offrir en sacrifice.** Bouc émissaire ; choéphore ; dévouer, dévouement ; égorger ; hécatombe, taurobole ; holocauste ; hostie ; immoler, immolation ; libations ; lustration, eau lustrale ; mettre à mort ; offrande, oblation ; prémices ; sacrifice, expiatoire/propitiatoire, sacrificateur, le saint sacrifice de la messe ; victime, victimaire. ■ Abnégation ; se consacrer à ; désintéressement ; se dévouer corps et âme, dévouement ; faire don de soi/de sa personne ; donner/verser son sang ; expier, expiation ; s'immoler ; martyr, palme du martyre ; résignation ; se sacrifier, faire le sacrifice de.

OFFSET → *typographie.*

OFFUSQUER → *déplaire, grossier, offense.*

OGIVAL, OGIVE → *arc, art, plancher, projectile.*

OGRE, OGRESSE → *enfant, imaginer, manger.*

OHM → *électricité.*

OÏDIUM → *vigne.*

OIE → *canard, femme, jouer, sot.*

OIGNON → *aliment, horlogerie, légume, pied, vin.*

OIL → *langage.*

OINDRE → *huile, sacrement.*

OISEAU → *aile, bec, doute, maçonnerie.* — **Description.** Aigrette, huppe ; aile ; bec corné/osseux ; bréchet ; cloaque ; croupion ; fourchette ; gésier ; jabot ; plumage, plume, emplumé, déplumé ; queue ; sac aérien ; serre ; syrinx ; ventricule succenturié ;

-penne, -rostre, -vore. ■ Carinates, impenner, ratites; colombins, coureurs, échassiers, gallinacés, grimpeurs, migrateurs, palmipèdes, passereaux, prédateurs, préhenseurs, rapaces. — **Oiseaux à vol médiocre ou nul.** Archéoptéryx, autruche, casoar, coq-paon, émeu, gorfou, grèbe, guillemet, hespérornis, hoazin, hocco, ichtyonis, kiwi, lagopède, macareux, manchot, mégapode, nandou, pingouin, plongeon, tinamou. — **Gallinacés.** Argus, caille, coq, dindon, faisan, paon, perdrix, pintade, poule, tétras ou coq de bruyère, volaille, volatile. — **Passereaux.** Alouette, bec-croisé, bengali, bergeronnette, bouvreuil, calao, cardinal, cassique, chardonneret, choucas, colibri, coq de roche, corbeau, corneille, cotinga, couroucou, drongo, engoulevent, étourneau ou sansonnet, eurylaime, fauvette, fournier, geai, gobe-mouches, grimpereau, grive, guêpier, guit-guit, hirondelle, huppe, lophormis, loriot, manakin, martinet, martin-chasseur, martin-pêcheur, ménure, merle, mésange, moineau, momot, ortolan, paradisier, pie, pie-grièche, pinson, républicain, roitelet, rollier, rossignol, rouge-gorge, salangane, serin, tangara, tchitrée, tisserin, traquet, troglodyte, tyran. — **Colombins.** Biset, capucin, colombe, dragon, dronte, ganga, magpie, paon, pigeon, ramier, tourterelle, voyageur. — **Échassiers.** Agami, aigrette, avocette, balæniceps, bécasse, bécassine, butor, chevalier, cigogne, courlis, échasse, foulque, grue, héron, hopoptère, ibis, jabiru, marabout, œdicnème, outarde, pluvier, poule d'eau, râle, spatule, vanneau. — **Grimpeurs.** Ara, barbu, cacatoès, coucou, éclecte, indicateur, musophage, perroquet, perruche, pic, pivert, torcol, toucan, touracao. — **Rapaces.** Aigle, autour, buse, busard, chat-huant, chevêche, chouette, circaète, condor, crécerelle, effraie, émerillon, émouchet, épervier, faucon, gerfaut, grand duc, gypaète, hibou, hulotte, milan, orfraie, pycargue, sacre, serpentaire, vautour. — **Palmipèdes.** Albatros, canard, cormoran, cygne, eider, flamant, fou, frégate, goéland, kamichi, mouette, oie, pélican, pétrel, phaéton, puffin, sarcelle, stercoraire, sterne. — **Vie et mœurs des oiseaux.** Bec, becquée, becqueter; couver, couvée; crotte, fiente d'oiseaux, guano; migration, oiseau migrateur, départ des hirondelles, arrivée des cigognes; nichée, nicher; nid de brindilles/d'herbe/de terre, aire, nidification; œuf, ovipare, ovovivipare; oiseau, oiselet, oisillon; ornithologue, ornithologiste; pariade; picorer; pondre, pondaison, ponte; goût de sauvagin, sauvagine; vol, voler, s'envoler, déployer/ouvrir ses ailes, prendre son essor/son vol, s'envoler à tire-d'aile, planer dans les airs. ■ Babil, caquet, chant, cri, gazouillis, pépiement, piaillement, ramage, sifflet, ululement. ■ Jucher, marcher, se percher, piéter, sauter, sautiller. — **Oisellerie.** Cage; colombier, millet, mouron, plantain; nichoir; oiseau qui parle/qui siffle; oisellerie, oiseleur, oiselier; pigeonnier; prendre à l'appeau/à la glu/au miroir/ au piège; volière. ■ Affaîtage, chaperon, chaperonner, déchaperonner, fauconnerie, oiseau esclame, ventolier; oiseler. — **L'oiseau et les symboles.** Aigle, roi des oiseaux, oiseau de Jupiter; aigle impérial/ romain/du Reich allemand; l'Aiglon; chouette ou hibou, oiseau de Minerve; colombe, oiseau de Vénus, la colombe de la Paix tenant un rameau d'olivier. ■ Oiseaux fabuleux : coquecigrue, phénix, rock. ■ Oiseaux des blasons : aigle à deux têtes, alérion, merlette; ornithomancie, augure, présage, alcyon; paon, oiseau de Junon.

OISELER, OISELET, OISELEUR → *chasse, oiseau.*

OISELIER, OISELLERIE → *oiseau.*

OISEUX → *futile.*

OISIF, OISIVETÉ → *paresse, repos.*

OISILLON → *oiseau.*

OISON → *canard.*

OKAPI → *mammifères.*

OKOUMÉ → *bois.*

OLÉACÉES, OLÉAGINEUX → *huile.*

OLÉICULTURE, OLÉINE, OLÉIQUE → *huile.*

OLÉODUC → *pétrole, tuyau.*

OLFACTIF, OLFACTION → *nez.*

OLIBRIUS → *courage.*

OLIFANT → *chevalerie, instrument.*

OLIGARCHIE, OLIGARQUE → *classe, gouverner, groupe.*

OLIGOCÈNE → *géologie.*

OLIGOPOLE → *marchandises.*

OLIGURIE → *rein.*

OLIVAIE, OLIVERAIE → *noyau.*

OLIVÂTRE → *vert.*

OLIVE → *architecture, cerveau, huile, noyau.*

OLIVE → *vert.*

OLIVETTE → *vigne.*

OLIVIER → *noyau.*

OLIVINE → *joaillerie.*

OLOGRAPHE → *contrat, succession.*

OLYMPE, OLYMPIEN → *ciel mythologie, noblesse.*

OLYMPIQUE → *sport.*

OMBELLE, OMBELLIFÈRES → *fleur.*
OMBILIC, OMBILICAL → *corde, milieu, ventre.*
OMBLE → *poisson.*
OMBRAGE, OMBRAGER → *arbre, feuille, obscur, vert.*
OMBRAGEUX → *cheval, dur, peur.*
OMBRE → *apparaître, cinéma, esprit, noir, obscur.*
OMBRELLE → *polype, soleil.*
OMBRER → *dessin.*
OMBREUX → *arbre.*
OMÉGA → *finir.*
OMELETTE → *œuf.*
OMETTRE, OMISSION → *manque, négliger.*
OMNIBUS → *train.*
OMNIPOTENCE, OMNIPOTENT → *chef, pouvoir.*
OMNIPRATICIEN → *médecine.*
OMNISCIENCE, OMNISCIENT → *connaissance, dieu, science.*
OMNIUM → *course.*
OMNIVORE → *manger.*
OMOPLATE → *bras.*
ONANISME → *sexe.*
ONCIAL → *écrire.*
ONCLE → *famille.*
ONCTION → *doux, parler, sacrement.*
ONCTUEUX, ONCTUOSITÉ → *doux, gras.*
ONDATRA → *poil, ronger.*
ONDE → *eau, électricité, musique, vitesse.*
ONDÉE → *orage, pluie.*
ON-DIT → *informer.*
ONDOIEMENT → *sacrement.*
ONDOYANT, ONDOYER → *irrégulier.*
ONDULANT → *fièvre.*
ONDULATION, ONDULER → *balancer, cheveu, courbe.*
ONDULATOIRE, ONDULER → *lumière, mécanique, mouvement.*
ONDULEUX → *courbe.*
ONÉREUX → *payer, peser, posséder.*
ONGLE → *corne, doigt.*
ONGLÉE → *froid.*
ONGLET → *angle, charpente couper, livre.*
ONGLETTE → *graver.*
ONGLIER → *doigt.*
ONGUENT → *médicament.*
ONGUICULÉS, ONGULÉS → *mammifères.*
ONGULIGRADE → *marcher.*
ONIRIQUE, ONIRISME → *dormir, inconscience.*
ONIROLOGIE, ONIROMANCIE → *dormir.*
ONOMASTIQUE → *nommer.*
ONOMATOPÉE → *bruit, mot.*
ONTOLOGIE, ONTOLOGIQUE → *dieu, philosophie.*
ONYCHOMYCOSE → *doigt.*
ONYX → *joaillerie.*
ONZAIN → *poésie.*
OOLITHE, OOLITHIQUE → *calcium, pierre.*
OPACIFIER, OPACITÉ → *épais, obscur.*
OPALE, OPALESCENT, OPALIN → *blanc, joaillerie.*
OPALINE → *verre.*
OPAQUE → *lumière, obscur.*
OPE → *trou.*
OPÉRA, OPÉRA-BALLET, OPÉRA-COMIQUE → *chanter, danse, musique.*
OPÉRATEUR → *chirurgie, cinéma.*
OPÉRATEUR → *calcul.*
OPÉRATION, OPÉRATIONNEL → *agir, armée, banque, calcul, chirurgie, guerre.*
OPÉRATOIRE → *chirurgie, soigner.*
OPERCULE → *mollusques, poisson.*
OPÉRER → *agir, calcul, chirurgie, exécuter.*
OPÉRETTE → *chanter, musique.*
OPHIDIENS, OPHIOLOGIE → *reptiles.*
OPHTALMIE, OPHTALMOLOGIE → *œil.*
OPIACÉ → *médicament.*
OPINER → *opinion.*
OPINIÂTRE, OPINIÂTRER (S'), OPINIÂTRETÉ → *résister, volonté.*
OPINION → *choisir, estimer, penser.*
— **Manière de penser.** Appréciation ; avis, être d'avis, à mon avis, être avisé ; certitude, certain ; conjecturer, conjecture ; considérer ; consulter, voix consultative ; conviction, être convaincu ; couleur d'un journal ; croyance, croire ; défendre son opinion ; dire ; estimer ; être fixé ; foi ; être imbu de ; idée ; impression ; incliner à penser ; juger, jugement, judicieux ; manière de voir ; opinion, donner / émettre / exprimer / manifester/soutenir une opinion ; opinion arrêtée / blessante / commune / communément répandue/discutable/éclectique / extrême / fausse / insoutenable / nuancée / personnelle / subjective/tranchante ; pensée, penser ; point de vue ; position ; principe ; sens, à mon sens ; sensé, de bon sens ; sentiment ; soupçonner ; mon siège est fait ; tenir pour. ■ Constance, être constant ; s'entêter ; être entiché de ; ne pas démarrer, ne pas démordre, soutenir mordicus (fam.) ; s'obstiner, obstination ; s'opiniâtrer, opiniâtreté ; se piquer ; être sectaire, sectarisme. ■ Abonder dans un sens ; accord,

d'accord ; adhérer à, adhésion ; admettre ; adopter ; choisir ; se convertir, prêcher un convaincu/un converti ; embrasser ; épouser ; être du même bord/du même côté/du même parti ; opiner du bonnet/du chef ; partager ; se prononcer pour, être pour ; se rallier/se ranger à ; suivre. — **Opinion contraire à d'autres.** Être absolu ; contresens ; controverse ; désaccord ; différer ; discuter, discussion byzantine, discuteur, discutailleur ; dispute ; dissentiment ; diverger, divergence ; être exclusif ; hérésie, hérétique ; iconoclaste ; opinion bizarre/originale/non conformiste/paradoxale ; prendre le contre-pied ; procès de tendance ; s'opposer, être en opposition ; être seul de son avis ; singulier, singularité ; tolérer, tolérance, intolérance. ■ Abjuration, abjurer ; caméléon ; changer son fusil d'épaule (fam.) ; se dédire ; girouette ; inconstance, inconstant ; pirouette ; polichinelle ; se raviser ; retourner sa veste ; revirement ; trahison, traître, tourner casaque ; transfuge ; versatilité, versatile ; volte-face. ■ Apologiste, apôtre, défenseur, propagandiste, témoin, tenant. — **Position intellectuelle.** Bréviaire ; credo, évangile ; doctrine, doctrinal, endoctriner, docteur, doctrinaire ; école, maître à penser ; esprit de parti, partisan ; foi ; -isme, gaullisme, protestantisme, scientisme, etc. ; opinion conformiste/hérétique/hétérodoxe/orthodoxe ; orthodoxie ; programme ; religion, coreligionnaire ; secte, sectateur, esprit sectaire ; système ; théorie ; thèse ; vue de l'esprit. ■ D'après, selon, suivant. — **Préjugé.** Être coiffé de ; encroûtement, encroûté ; hostilité de principe ; infatuation, infatué ; opinion préconçue/*a priori*/toute faite ; partialité, partial, parti pris ; préjugé bourgeois/indéracinable/tenace ; prévention, être prévenu ; routine, routinier, l'ornière de la routine ; tradition, traditionaliste. — **Opinion publique.** Alerter/braver l'opinion ; délit d'opinion ; gallup ; informer, information ; liberté d'information/de penser/religieuse ; se mettre tout le monde à dos (pop.) ; mouvement d'opinion ; popularité, impopularité ; propagande ; qu'en-dira-t-on ; rallier les suffrages ; sondage d'opinion ; travailler l'opinion.

OPIOMANE → *poison.*

OPIUM → *médicament, poison.*

OPOSSUM → *poil.*

OPOTHÉRAPIE → *glande, soigner.*

OPPORTUN → *bien, bonheur, convenir, temps.*

OPPORTUNISME → *attitude, politique.*

OPPORTUNITÉ → *bonheur.*

OPPOSANT → *adversaire, gouverner, opposé, parti.*

OPPOSÉ, OPPOSER → *adversaire, algèbre, angle, obstacle, placer.* — **État d'opposition.** Allergie, allergique, allopathie ; antagonique, antagonisme ; antinomie, antinomique ; antipathie ; antithèse, antithétique ; asymétrie ; autre, altérité, alternative, dilemme ; contradiction, contradictoire ; contraire, contrariant, contre-indication ; contraster, contraste ; différent, différencié ; discordance, discordant ; disparate ; dissemblance, dissemblant ; dissimilitude ; dissonance, dissonant ; divergence, divergent ; diversité des couleurs/des opinions ; éloignement ; exception, exceptionnel ; exclure, choses qui s'excluent/qui jurent/ne se marient pas/ne vont pas ensemble ; incohérence, incohérent ; incompatibilité, incompatible ; inconciliable ; opposé, diamétralement opposé ; répugnance, répugner ; servir de repoussoir ; soulever le cœur ; trancher. ■ Le bien et le mal, le blanc et le noir, le chaud et le froid, l'eau et le feu, le haut et le bas, le jour et la nuit, l'ombre et la lumière, oui et non. — **Mettre en position opposée.** Adosser, dos à dos ; affronter, de front, nez à nez ; alterner ; antipodes, les deux pôles ; croiser, face à face ; interversion, intervertir ; inversion, inverser, à l'inverse ; mettre la charrue avant les bœufs ; opposé, à l'opposite ; rebrousser, rebroussement ; renverser, renversement ; sens dessus dessous, sens devant derrière ; virer de bord, volte-face. ■ A contre-biais, à contre-bord, à contre-courant, à contre-fil, à contre-poil, à contresens, à l'envers, à rebours, à rebrousse-poil, tête-bêche. — **Symétrie.** Alternativement, alternance, alterne ; avers, revers ; concordance, concordant ; contrepartie ; correspondance, correspondant ; endroit, envers ; équilibre, équilibrer ; homologie, homologue ; paire ; parallèle ; pendant, faire pendant ; pile, face ; recto, verso ; répondre ; semblable, ressemblance ; similaire, similarité ; symétrie, symétrique, symétrie inverse ; vice versa. — **Propos opposé à un autre.** Antonymie, antonyme ; contredire, contradiction, contradictoire ; contremander, contrordre ; contre-vérité ; se couper ; se dédire, dédit ; démentir, infliger un démenti ; désavouer, désaveu ; mentir, mensonge ; nier, négation, non ; objection, objecter ; palinodie ; prendre le contre-pied ; réfuter, réfutation ; restriction ; retirer sa promesse ; se rétracter, rétractation. ■ Bien que, cependant, au contraire, contrairement à, en dépit de, encore que, loin de, mais, malgré, nonobstant, pourtant, quoique, toutefois.

OPPOSITION → *astronomie, défendre, gouverner, obstacle.*

OPPRESSER → *presser, respiration.*

OPPRESSEUR, OPPRESSION → *chef, respiration, soumettre.*

OPPRIMER → *presser, soumettre.*

OPPROBRE → *avilir, mépris, réputation.*

OPTATIF → *demander, verbe.*

OPTER → *choisir.*

OPTICIEN → *optique.*

OPTIMAL → *supérieur.*

OPTIMISME, OPTIMISTE → *bien, philosophie.*

OPTIMUM → *supérieur.*

OPTION → *choisir.*

OPTIQUE → *œil, physique.* — **La science optique.** Astronomie ; catoptrique ; cinématographie ; dioptrique ; micrographie ; optique cristalline/électronique/géométrique/physique ; optométrie ; photographie, photométrie ; radioscopie ; spectroscopie. ■ Émission, émettre ; lumière, champ/intensité/variation de la lumière ; particules ; théorie électromagnétique / ondulatoire. ■ Bougie, candela, dioptrie lumen, lux. — **Phénomènes optiques.** Aberration, biréfringence, contraste des couleurs ; convergence, couleur, décentrement, déviation, diffraction, dispersion, divergence, frange, illusion, image, incidence, inflexion, interférence, irisation, irradiation, jeu de lumière, mirage, ombre, onde, perspective, polarisation circulaire/chromatique / rotatoire, phantasme, pinceau lumineux, polychroïsme, propagation, radiation infrarouge/ultraviolette, raie, rayon, rayonnement, réflexion, réfraction, réfrangibilité, réfringence ; spectre, analyse spectrale ; transmission, vitesse lumineuse. — **Instruments d'optique.** Caméra ; épiscope ; héliomètre, hélioscope ; jumelles ; loupe ; lunette d'approche/astronomique/équatoriale/de Galilée, ménisque ; microscope à contraste de phase / électronique / polarisant / protonique, grossissement, pouvoir séparateur ; miroir concave/convexe/plan/sphérique ; périscope ; phacomètre ; prisme ; projecteur, appareil de projection ; spectrographe, spectroscope ; stadia ; stéréoscope ; télémètre ; télescope, radiotélescope ; ultramicroscope ; visionneuse ; zoom. ■ Chambre claire/noire ; champ ; châsse ; collimateur ; diaphragme ; foyer, axe / plan focal, distance focale ; lentille achromatique, lenticulaire ; mise au point ; objectif, périscopique ; oculaire, œilleton ; réseau ; réticule ; viseur, pointer/viser l'appareil. — **Optique médicale.** Besicles, binocle, face-à-main, longue-vue, lorgnon, lorgnette, loupe ; lunettes, paire de lunettes, chausser/mettre ses lunettes, les avoir sur son nez ; lunettes à double foyer/fumées/demi-lune/noires/de soleil/de ski ; monocle ; pince-nez. ■ Branches, monture, ruban ; verre anachromatique / anamorphotique / anastigmat / antireflet ou crown-glass/de contact ou lentille cornéenne/fumé ; flint-glass ; verres qui corrigent/grossissent/redressent ; numéro d'un verre. ■ Lunetier, opticien.

OPTOMÉTRIE → *œil.*

OPULENCE, OPULENT → *abondance, riche.*

OPUS → *musique.*

OPUS INCERTUM → *maçonnerie.*

OPUSCULE → *livre.*

OR → *argent, monnaie, riche.* — **Généralités.** Brillant ; doré, dorure ; fauve ; mordoré, mordorure ; or, vieil or. ■ Métal ductile/inaltérable/jaune/malléable/mou. ■ Transmutation des métaux/du plomb en or : alchimie, grand œuvre, pierre philosophale. ■ Eldorado, Golconde, mine d'or, pactole, Toison d'or, trésor. — **Production.** Aurifère, alluvions/roches/sables/terrains aurifères ; chercheur d'or, la ruée vers l'or ; filon ; gisement ; orpailleur ; paillette ; pépite ; placer ; poudre. ■ Batée, lavage à la batée, corduroy, drague, monitor, sluices ; amalgamation, bocard ou pilon américain, chloruration, cyanurisation ; affinage par coupellation/par électrolyse/par voie chimique. — **Alliages et sortes d'or.** Chlorure aureux/aurique ou pourpre de Cassius ; oxyde aureux/aurique ; sulfure stannique. ■ Or affiné ou de coupelle/aigre/anglais / d'apothicaire / argental / battu / bruni / en chaux / d'essai / fin / gris / jaune / mat / moulu / rouge / trait / vert/vierge ; or fulminant, or massif ou de Judée/potable ; or blanc ou platine/de Paris ou clinquant ou tremblant ou fil de cuivre. ■ Aloi, carat, inquart, or au titre, poinçon, titre ; contrôle, essai, frai, marque, mordre une pièce, trébuchet. — **Utilisation et travail.** Aurates, sels d'or/colloïdaux, or colloïdal/radioactif ; aurothérapie ou chrysothérapie ; bijouterie ; étalon monétaire, étalon-or, encaisse-or ; joaillerie ; lingot, or en barre ; métal précieux ; monnaie, monométallisme ; orfèvrerie ; peinture, les ors d'une miniature ; pièce d'or, doublon, ducat, louis, napoléon ; thésauriser, thésaurisation, bas de laine. ■ Battage : bactrioles, orbatteur, rognures ; chrysocal ou chrysocalque ; damasquiner ; dorure, dorer à la feuille/au mercure/au trempé, mordant ; tirer, étirage ; filière. ■ Alliance, bague, chevalière, gourmette, médaille, etc. ; dent en or ;

étoffe brodée d'or, brocart, oripeau ; plume d'or d'un stylo ; statue d'or et d'ivoire / chryséléphantine ; vaisselle d'or/de vermeil.

ORACLE → *décider, prévoir, répondre, respect.*

ORAGE, ORAGEUX → *malheur, pluie, trouble.* — **Signes d'orage.** Air chargé d'électricité ; chaleur lourde ; ciel qui se couvre/livide/noir/plombé ; dépression barométrique, le baromètre descend ; nuages bas/noirs ; l'orage menace / éclate / gronde ; le temps se gâte/tourne ; le vent se lève. — **Manifestations de l'orage.** Accalmie, embellie ; déchaînement des éléments ; éclair, zigzag qui zèbre le ciel/qui illumine le paysage ; foudre, foudroyer, foudroyant ; houle, houleux ; mer agitée/démontée/en furie/grosse, raz de marée ; tempête qui se déchaîne/fait rage ; tonnerre, coup de tonnerre, éclat/grondement/roulement du tonnerre, paratonnerre ; vent, coup/rafale/tourbillon de vent, fureur/rage du vent qui siffle. — **Sortes d'orages.** Bourrasque ; coup de chien/de tabac ; cyclone, cyclonal, cyclonique, œil du cyclone ; grain ; hurricane ; intempéries ; orage magnétique/sec/violent ; ouragan ; perturbation atmosphérique ; tempête de neige/de sable ; temps affreux/de chien, gros temps, mauvais temps ; tornade ; tourmente ; typhon.

ORAISON → *éloge, liturgie.*

ORAL → *bouche, enseignement, langage, parler.*

ORANGE → *agrumes, fruit.*

ORANGÉ → *jaune, rouge.*

ORANGEADE → *boisson.*

ORANGER, ORANGERIE → *arbre, mariage, parfum, vierge.*

ORANG-OUTAN → *singe.*

ORANT → *sculpture.*

ORATEUR, ORATOIRE → *convaincre, éloge, parler, style.*

ORATOIRE → *église.*

ORATORIO → *chanter.*

ORBE → *mur.*

ORBE, ORBICULAIRE → *cercle.*

ORBITAL, ORBITE → *astronautique, astronomie, cercle, œil.*

ORCANETTE → *rouge.*

ORCHESTRAL, ORCHESTRATION → *arranger, instrument, musique, peinture.*

ORCHESTRE → *musique, spectacle, théâtre.*

ORCHESTRER → *arranger, musique, peinture.*

ORCHIDÉE → *fleur.*

ORCHITE → *sexe.*

ORDINAIRE → *commun, ecclésiastique, habitude, liturgie.*

ORDINAL → *nombre.*

ORDINATEUR → *calcul, informer, plan.*

ORDINATION → *sacrement.*

ORDONNANCE → *arranger, composer, décider, loi, médecine.*

ORDONNANCEMENT, ORDONNANCER → *comptabiliser, industrie, plan.*

ORDONNATEUR → *arranger, enterrement.*

ORDONNÉE → *algèbre.*

ORDONNER, ORDRE → *arranger, chef, chevalerie, classe, ecclésiastique, placer, plan, volonté.*

ORDURE → *boue, grossier, résidu.*

ORDURIER → *grossier, libre.*

ÖRE → *monnaie.*

ORÉE → *bois, bord, ligne.*

OREILLE → *ancre, colère, discussion, entendre, gêner, son.*

OREILLER → *lit.*

OREILLETTE → *cœur.*

OREILLONS → *maladie, oreille.*

ORFÈVRE, ORFÈVRERIE → *argent, bijou, joaillerie, or, vaisselle.*

ORFRAIE → *cri, oiseau.*

ORGANDI → *tissu.*

ORGANE → *anatomie, chanter, journal.*

ORGANIGRAMME → *calcul, plan.*

ORGANIQUE → *manger, vie.*

ORGANISATEUR, ORGANISATEUR-CONSEIL → *plan.*

ORGANISATION, ORGANISÉ → *plan.*

ORGANISER → *arranger, entreprise, exécuter, plan.*

ORGANISME → *association, groupe.*

ORGANISTE → *instrument.*

ORGANSIN → *fil.*

ORGASME → *sexe.*

ORGE → *bière, céréale, sucre.*

ORGEAT → *boisson.*

ORGELET → *bouton, œil.*

ORGIAQUE, ORGIE → *débauche, fête.*

ORGUE → *instrument, volcan.*

ORGUEIL, ORGUEILLEUX → *courage, estimer, haut.* — **Sentiment élevé de sa propre dignité.** Ambition, ambitieux ; amour-propre ; confiance en soi ; connaître sa valeur ; dignité, rester digne ; s'enorgueillir ; estime ; fermeté, ferme ; fierté, fier ; le lion, léonin ; noblesse, noble ; orgueil juste/légitime ; sûr de soi. — **Estime excessive de soi-même.** Content de soi ; s'en croire, se croire, se croire sorti de la cuisse de Jupiter (pop.) ; cynisme, cynique ; égoïsme, égoïste ; fausse humilité, fausse modestie ; infatuation, infatué, fat ; un m'as-tu-vu ; orgueil sans bornes/démesuré ; être bouffi/dévoré/gonflé d'orgueil ; orgueil de caste ; orgueilleux comme un paon ; outrecuidance, outrecuidant ; être pénétré de son importance ; être plein de ; se prendre pour, pour qui se prend-il ? ; présomption, présomptueux ; prétention, prétentieux ; satisfait de soi, autosatisfaction ; vanité, vaniteux, vain. — **Manifestations de l'orgueil.** Air, air conquérant/dominateur/de grandeur, grands airs ; arrogance, arrogant ; avantageux ; avoir le front de ; bravache, bravade ; se carrer ; crâner, crâneur (pop.) ; dédaigneux, dédain ; ne douter de rien ; entier ; faire la grande dame/le grand seigneur/l'homme d'importance/le malin, faire la roue ; fanfaron, fanfaronner, fanfaronnade ; faraud ; faste, fastueux ; fier, fier comme Artaban, fiérot ; flambard ; forfanterie ; hauteur, hautain ; glorieux, se glorifier de, gloriole ; gommeux ; hâbleur ; guindé ; impertinent, impertinence ; impudent, impudence ; important, faire l'important, se donner de l'importance ; insolent, insolence ; jactance ; jeter de la poudre aux yeux ; mépris, méprisant ; merdeux (pop.) ; morgue ; morveux ; narguer ; ostentation, ostentatoire ; parader ; se pavaner ; pédant ; pète-sec (pop.) ; plastronner ; pontifier, pontifiant ; poser, poseur (fam.) ; le prendre de haut ; raide ; la ramener (pop.) ; se rengorger ; ridicule ; rodomontade ; rogue ; sourcilleux ; suffisance, suffisant ; superbe ; toiser ; ton cassant/cavalier/doctoral ; toupet ; triomphant ; trôner ; se vanter, vantard ; air victorieux. ■ Se draper dans sa dignité, monter sur ses ergots/sur ses grands chevaux. — **Devenir orgueilleux.** S'admirer ; s'aveugler ; complaisance ; croire que c'est arrivé (pop.) ; s'éblouir ; s'écouter, n'en faire qu'à sa tête ; flatterie ; monter à la tête, folie des grandeurs ; réussite, parvenu ; se targuer de ; tirer gloire, titre de gloire ; tourner la tête.

ORIENT, ORIENTAL → *Asie, franc-maçonnerie, joaillerie, orientation.*

ORIENTALISME, ORIENTALISTE → *langage.*

ORIENTATION, ORIENTER → *boussole, conduire, enseignement, espace.* — **S'orienter dans l'espace.** Autoguider, autoguidage ; azimut ; boussole, aiguille aimantée, inclinaison, rose des vents ; carte, mappemonde, navisphère ; compas ; coordonnées spatiales ; déclinaison magnétique ; être déporté ; dériver, dérive, calculer la dérive ; désorienter ; déterminer sa position ; dévier de sa route ; direction ; étoiles, marcher aux étoiles, étoile polaire, tramontane ; faire le point ; gyromètre, gyroscope ; heure ; latitude, longitude ; localiser, localisation ; loran ; mettre le cap sur ; s'orienter, orienter, orientation, orienteur ; points cardinaux ; pôle magnétique/Nord/Sud ; position, communiquer/donner sa position à la tour de contrôle ; radar, radioguidage, radiogoniomètre, radionavigation, radiophare ; se reconnaître ; situer, situation ; suivre les flèches/les indications/la piste ; table d'orientation ; théodolite ; topographe ; trajectoire. ■ Barreur, chef, cicérone, conducteur, cornac, fil d'Ariane, guide, passeur, pasteur, pilote, etc. — **Points cardinaux.** ■ Est : levant, orient, oriental, soleil levant. ■ Ouest : occident, occidental, ponant, soleil couchant. ■ Nord : arctique ; étoile polaire ; hémisphère/pôle Nord ; septentrion, septentrional. ■ Sud : antarctique, austral ; Croix du Sud ; hémisphère / pôle Sud ; méridional, midi. — **Disposition d'un lieu.** Centrer, décentrer ; disposer, disposition ; emplacement ; endroit ; espace, spacieux, spatial ; exposer, exposition ; être en ligne/dans l'alignement/en prolongement/en retrait ; place, placer ; situé, sis, situation, site ; terrain ; tourner vers. ■ Abords, adossé à, alentours, attenant, contigu, donner sur, joindre, jouxter, limitrophe, parage, paysage, tenir à, toucher à, voisin de, vue sur ; au bord de la mer, au cœur de la ville, dans le creux de la vallée, à flanc de coteau, au pied de la montagne, au sommet. — **Indications de lieu.** A côté, ailleurs, au-delà, derrière, droit, tout droit, droit devant, à droite, en deçà, en face, à gauche, ici, par ici, là, par-là, loin, où ?, par où ?, près, tout près. ■ Bifurcation, carrefour, poteau indicateur, tournant, virage. — **Guider dans la vie.** Aiguiller ; aptitudes caractérielles / intellectuelles / psychomotrices ; arbitre, arbitrer, arbitrage ; avertir, avertissement ; canaliser ; conseiller, un conseiller ; débouché ; dégrossir ; direction de conscience/morale, diriger ; éducateur, éducation ; égérie ; guider les premiers pas, guide ; influence, influencer ; maxime ; mener par la main/par le bout du nez ; mentor ; mettre sur le chemin ; modérer, modérateur ; montrer le chemin ; orientation professionnelle ; parrain, parrainer ; patron, patronner ; principes/règle de conduite ; souffler à quelqu'un quelque chose ; suggérer, suggestion ; test, tester ; tuteur, tutelle.

ORIFICE → *ouvrir, trou.*

ORIFLAMME → *symbole.*

ORIGINAIRE → *pays.*

ORIGINAL, ORIGINALITÉ → *étonner, nouveau, personne.*

ORIGINE → *cause, classe, commencer, produire.*
ORIGINEL → *faute.*
ORIN → *ancre.*
ORIPEAU → *résidu, vêtement.*
ORLE → *architecture, blason.*
ORLON → *textile.*
ORMAIE, ORME → *arbre, bois.*
ORNE → *arbre.*
ORNEMANISTE → *décoration.*
ORNEMENT, ORNEMENTER, ORNER → *architecture, décoration, munir.*
ORNIÈRE → *habitude, roue.*
ORNITHOLOGIE → *oiseau.*
OROGÉNIE, OROGRAPHIE → *montagne, relief.*
ORONGE → *champignon.*
ORPAILLAGE, ORPAILLEUR → *or.*
ORPHELIN, ORPHELINAT → *enfant, soigner.*
ORPHÉON, ORPHÉONISTE → *chanter, musique.*
ORPHIQUE, ORPHISME → *mythologie, secret.*
ORPIMENT → *jaune.*
ORTEIL → *doigt.*
ORTHOCHROMATIQUE → *photographie.*
ORTHODOXE, ORTHODOXIE → *convenir, opinion, règle, théologie.*
ORTHOÉPIE → *son.*
ORTHOGONAL → *angle.*
ORTHOGRAPHE, ORTHOGRAPHIER → *écrire, faute.*
ORTHOPÉDIE, ORTHOPÉDISTE → *bande, droite, pied.*
ORTHOPHONIE → *son.*
ORTHOPTÈRES → *insecte.*
ORTIE → *herbe, peau.*
ORVET → *reptiles.*
OS → *anatomie, articulation, maigre.* — **Généralités.** Articulation, emboîtement; cartilage de conjugaison/hyalin/hypertrophié/sérié, cartilagineux; désosser, désossement; ligament; muscle; os du bras/du cou/du dos/de la jambe/du pied/de la tête; os, osselet, ossements; osseux, ossu; ossuaire; ossifier, ossification fibreuse/de membrane/pathologique/périostique ou périostée; ostéoïde; ostéologie, ostéologue; ostéophone; squelette; tendon, tendineux; tête de mort. — **Description des os.** Osséine : acides aminés, phosphate, phosphore, sel calcaire, soufre; ostéoblaste, ostéogenèse, ostéolyse. ▪ Canal/système de Havers, canal médullaire, cellule osseuse, diaphyse, épiphyse, lamelle osseuse, métaphyse, moelle et hématopoïèse, ostéoplaste, périoste, tissu compact/spongieux. ▪ Os courts/longs/plats : apophyse, arcade, col, condyle, crête, éminence, épine, nodosité, tête. — **Se casser un os.** Se fracturer le bras/la jambe, fracture; fracture complète/avec ou sans déplacement/incomplète ou en bois vert; fracture diaphysaire/épiphysaire; fracture directe/indirecte; fracture par enfoncement; fracture ouverte. ▪ Appareil orthopédique; contenir, temps de contention; cureter; ostéoclasie, ostéoplastie, ostéosynthèse; plâtrer, plâtre, plâtre de marche; trépaner. ▪ Broche/cercle/fil/plaque/vis métallique; greffon. — **Maladie des os.** Abcès; atrophie; carie; coxalgie; décalcification; lésion, lésion syphilitique/tuberculeuse; myostéomie; nécrose; ostéite; ostéo-, ostéoarthrite, ostéochondrite, ostéofibrose, ostéomalacie, ostéome, ostéomyélite, ostéopathie, ostéopériostite, ostéopétrose ou maladie d'Albers-Schönberg, ostéoporose, ostéopsathyrose ou maladie des os de verre, ostéosarcome, ostéose; rachitisme; tabès. — **Malformations congénitales.** Achondroplastie, disostose craniofaciale, gargoïlisme, maladie exostosante.
OSCAR → *cinéma.*
OSCILLATION, OSCILLER → *balancer, mouvement.*
OSCILLOMÈTRE → *sang.*
OSEILLE → *argent, légume.*
OSER → *courage, entreprise, essayer.*
OSERAIE, OSIER → *vannerie.*
OSMOSE → *influence, mêler.*
OSSATURE → *charpente.*
OSSÉINE → *os.*
OSSELET → *cheval, jouer.*
OSSEMENTS → *mourir, os.*
OSSEUX, OSSIFIER → *os.*
OSSUAIRE → *enterrement.*
OSTÉALGIE, OSTÉITE → *os.*
OSTENSIBLE → *apparaître, montrer.*
OSTENSOIR → *liturgie.*
OSTENTATION, OSTENTATOIRE → *affectation, montrer, orgueil.*
OSTÉOBLASTE, OSTÉOCLASIE → *os.*
OSTÉOLOGIE, OSTÉOPLASTIE → *os.*
OSTÉOSYNTHÈSE, OSTÉOTOMIE → *os.*
OSTRACISME → *éloigner.*
OSTRÉICULTURE → *mollusques.*
OSTROGOTH → *grossier.*
OTAGE → *arrêter.*
OTALGIE → *entendre.*
OTARIE → *mammifères.*
ÔTER → *calcul, diminuer, enlever.*
OTITE → *entendre.*

OTOLOGIE, OTO-RHINO-LARYNGOLOGIE → *entendre, médecine.*
OTORRAGIE, OTORRHÉE → *entendre.*
OTOSCOPE → *entendre.*
OTTOMAN → *tissu.*
OUAILLES → *église.*
OUATE, OUATER → *décoration, doux.*
OUATINE, OUATINER → *vêtement.*
OUBLI, OUBLIER → *faute, mémoire, négliger.*
OUBLIETTE → *fortification, prison.*
OUBLIEUX → *négliger.*
OUCHE → *jardin.*
OUED → *Afrique, rivière.*
OUEST → *orientation.*
OUI → *affirmer.*
OUÏ-DIRE → *informer.*
OUÏE → *entendre, son.*
OUÏES → *poisson.*
OUILLER → *tonneau.*
OUÏR → *entendre.*
OUISTITI → *singe.*
OULLIÈRE → *vigne.*
OURAGAN → *brusque, orage, trouble, vent, violence.*
OURDIR, OURDISSOIR → *fil, plan.*
OURLER, OURLET → *couture.*
OURS, OURSE → *mammifères.*
OURSIN → *crustacés.*
OUTARDE → *canard, oiseau.*
OUTIL → *machine, mécanique, métier, ressource.*
OUTILLAGE, OUTILLER → *métier, munir.*
OUTRAGE, OUTRAGER → *crime, offense.*
OUTRANCE, OUTRANCIER → *excès, parler.*
OUTRE → *sac.*
OUTRECUIDANCE, OUTRECUIDANT → *confiance, orgueil.*
OUTREMER → *bleu.*
OUTREPASSER → *excès, passer.*
OUTRER → *excès, offense.*
OUTRIGGER → *bateau.*
OUTSIDER → *course.*
OUVERT → *franc, guerre, recevoir, sport, vif.*
OUVERTURE → *commencer, musique, ouvrir, paix, trou.*
OUVRABLE → *calendrier, travail.*
OUVRAGE, OUVRAGER → *art, exécuter, livre, travail.*
OUVRÉ → *dentelle, exécuter.*
OUVREAU → *verre.*
OUVRE-BOÎTES, OUVRE-HUÎTRES → *cuisine, ouvrir.*
OUVREUSE → *cinéma.*
OUVRIER → *classe, industrie, travail.*
OUVRIR → *commencer, fonder, trou.* — **Espace vide.** Accès, accroc, bonde, brèche, crevasse, échappée, déchirure, entrée, évent, goulot, hiatus, issue, lumière, œil, orifice, passage, perforation, pertuis, plaie, rayère, refuite, regard, scissure, sphincter, trou, trouée, tubulure, vide, voie, vue. ■ Baie, barbacane, bouche de chaleur/d'égout, chatière, créneau, croisée, embrasure, fenêtre, guichet, loggia, meurtrière, soupirail, trappe, vasistas. ■ Canonnière, coupée, écoutille, écubier hublot, sabord. ■ Encoche, entaille, entrebâillement, entrouverture, fente, fissure, interstice, jour. ■ Boutonnière, braguette, crevé, emmanchure. ■ Espace accessible/qui bâille/qui bée/béant/découvert / disponible / grand ouvert / libre/ vacant/vide. — **Dégager ce qui tenait fermé.** Ajourer, baisser, couper, crocheter, déballer, débarrer, débonder, déboucher, déboutonner, débrider, décacheter, déclouer, défaire, déplier, déverrouiller, disjoindre, écarter, échancrer, enfoncer une porte, fendre, forcer, frayer, inciser, ouvrir, percer, tirer les rideaux, tourner le pêne/le robinet. — **S'ouvrir.** Crever; se déchirer, déchirement; organe déhiscent; se déplier; se déployer, déploiement; éclater; éclore, éclosion; s'épanouir. — **Qui permet d'ouvrir.** Bistouri; canif, ciseaux, couteau, instrument piquant/tranchant; crochet, décapsuleur; entrebâilleur; ouvre-boîtes; passe-partout; pince-monseigneur, rossignol. ■ Formule magique, mot de passe, sésame. — **Ouverture d'esprit.** S'abandonner, abandon; amical; communicatif; confiance, confiant; cordialité, cordial; démonstratif; éclectisme; éveillé; expansif; franchise, franc; intelligence, intelligent; largeur de vue, large; libéral; pénétrant; sincérité, sincère; tolérance, tolérant; vivacité, vif.
OUVROIR → *bienfaisance.*
OVAIRE → *sexe.*
OVALE, OVALISER → *courbe.*
OVARIECTOMIE, OVARITE → *sexe.*
OVATION, OVATIONNER → *applaudir, éloge.*
OVE → *architecture.*
OVIN, OVINÉS → *mouton.*
OVIPARE, OVIPARITÉ → *œuf.*
OVOÏDE → *œuf.*
OVOVIVIPARE → *œuf, reproduction.*
OVULAIRE, OVULATION, OVULE → *reproduction, sexe.*
OXFORD → *tissu.*
OXYDE, OXYDER → *oxygène.*
OXYGÈNE, OXYGÉNER → *air, gaz.* — **L'oxygène proprement dit.**

Air liquide; combustion; corps gazeux; distillation fractionnée; liquéfier, liquéfaction; oxygène gazeux/liquide. ▪ Oxygène + carbone, carbogène, hydrocarbure; chalumeau oxhydrique ou oxyacétylénique; eau oxygénée. ▪ Oxygène de l'air; oxygéner, oxygénation du sang; manque d'oxygène : anoxémie, anoxie, asphyxie, oxygénothérapie; ballon/bouteille d'oxygène, masque/tente à oxygène; ozoniser, ozoniseur ou ozonateur. — **Oxyder, oxyde.** Anhydride d'acides basiques; bioxyde, péroxyde, protoxyde; oxyde indifférent ou amphotère/neutre/salin/singulier; oxydable, inoxydable; rouille, se rouiller, rouillure, rubigineux. ▪ Colcotar, massicot, minium, orpiment, patine, rouille, tuthie, verdet, vert-de-gris.

OXYGÉNOTHÉRAPIE → *soigner.*

OXYTON → *mot.*

OXYURE → *ver.*

OZÈNE → *infecter, nez.*

OZONE, OZONISER, OZONISEUR → *oxygène.*

PACAGE, PACAGER → *élevage.*
PACHA → *bonheur, chef.*
PACHYDERME → *gras, mammifères.*
PACIFICATEUR, PACIFIER, PACIFIQUE → *calme, doux, paix.*
PACIFISME → *paix.*
PACOTILLE → *futile.*
PACTE, PACTISER → *accord, diplomatie, paix.*
PACTOLE → *argent, riche.*
PADDOCK → *cheval.*
PADDY → *céréale.*
PAELLA → *cuisine.*
PAGAIE → *bateau.*
PAGAILLE, PAGAYE → *trouble.*
PAGANISER, PAGANISME → *incroyance, religion.*
PAGAYER → *bateau.*
PAGE → *chevalerie.*
PAGE → *écrire, feuille, journal, typographie.*
PAGEOT → *lit.*
PAGINATION, PAGINER → *livre, typographie.*
PAGNE → *Afrique, vêtement.*
PAGODE → *Asie, religion.*
PAGURE → *crustacés.*
PAIE, PAYE, PAIEMENT → *payer.*
PAÏEN, → *incroyance.*
PAILLARD, PAILLARDISE → *débauche.*
PAILLASSE → *lit, sac.*
PAILLASSON → *jardin, nettoyer, pied, plancher, vannerie.*
PAILLE → *agent, céréale, défaut, durer, événement, herbe, nettoyer, pauvre.*
PAILLER → *meuble.*
PAILLETER, PAILLETTE → *briller, broder, morceau, or.*
PAILLIS → *jardin.*
PAILLON → *bouteille.*
PAILLOTE → *habiter, édifice.*

PAIN → *arbre, blé, farine.* — **Fabrication du pain.** Apprêt ; chef ; cuire, cuisson ; ensemencer ; fermentation ; fournée, défourner, enfourner, four, fournil ; levain de première/de seconde/tout point ; lever, la pâte lève, levure ; panetière, paneton, panifier, panification ; pâte bâtarde/douce/ferme ; pâton ; pétrissage, pétrir, pétrin, pétrin mécanique ; pointage ; rouable ; travail direct/au levain-levure/sur pouliche. ■ Boulanger, garçon boulanger, gindre, mitron ; farine, froment, seigle, son. — **Sortes de pain.** Pain anglais/azyme/bénit/bis / blanc / boulot / chaland / chapelet/complet/en couronne/dur/de fantaisie/fendu/gressin/de gruau ou mousseau/long/longuet/de ménage/de mie/mollet ou à la reine/moulé/noir/parisien/polka/de régime/rond/sans sel/de seigle/viennois. ■ Baguette, bâtard, boule, pain au chocolat, ficelle, flûte, gros/petit pain, pain au lait, miche ; biscotte, bretzel, croissant, pain d'épice, pistolet. — **Utilisation du pain.** Croûte, croûton ; grignon ; miette ; mouillette ; pain croustillant/frais/tendre ; pain brûlé/dur/rassis/sec ; pain grillé ; pain quotidien ; quignon ; tranche. ■ Aillade, chapelure, croque-monsieur, galette, hot-dog, panade, rôtie, sandwich, tartine, toast, trempée ; beurrer, couper, grignoter, manger, rompre, saucer, tartiner. ▪ Corbeille/couteau à pain, couteau-scie, grille-pain, huche, maie, panetière.

PAIR → *servir.*

PAIR → *deux, égal.*

PAIRE → *deux.*

PAIRIE → *noblesse.*

PAISIBLE → *calme, doux, paix.*

PAÎTRE → *bétail, élevage, manger.*

PAIX → *accord, calme, politique.* — **La paix internationale.** Capituler, capitulation ; conclure la paix ; covenant ; déposer les armes ; désarmer, désarmement ; démobiliser ; diplomatie, procédés diplomatiques ; entre-deux-guerres ; négocier, négociation, négociateur ; neutralité, neutre ; neutralisme, neutraliste ; no man's land ; Organisation des Nations Unies (O.N.U.) ; ouvertures de paix ; pacifisme, pacifiste ; paix armée/durable/honorable/inique/juste/précaire ; paix de Dieu/perpétuelle/romaine ; en temps de paix ; poser les armes, armistice ; préliminaires de paix ; protocole ; suspendre les hostilités ; *si vis pacem, para bellum ;* symbole de paix : caducée, colombe et rameau d'olivier, drapeau blanc ; traité, pacte d'aide et d'assistance/de non-agression/de paix, articles, clauses, signature ; trêve. — **La paix civile.** Accommodement, s'accommoder de ; accord, en bon accord ; arrangement, s'arranger à l'amiable ; bienheureux, bonheur ; calme, concorde ; conscience en paix ; débonnaire, débonnaireté ; entente, bonne entente ; faire la paix ; pacifique ; paisible ; paix, jouir d'une paix profonde/royale, avoir la paix, ficher la paix (pop.), foutre la paix (pop.), laisser la paix, vivre en paix, paix ! ; quiétude ; bons rapports ; se réconcilier ; relations amicales/cordiales ; repos ; silence ; tranquillité ; bon voisinage. ▪ Bois, campagne, ermitage, retraite. — **Mettre en paix.** Adoucir/calmer les esprits ; apaiser, apaisement ; arbitrer un conflit ; arranger les choses ; se donner/se serrer la main ; s'embrasser, baiser de paix ; s'expliquer, franche explication ; fumer le calumet de la paix ; médiation, médiateur ; oublier les griefs/les torts ; pardon, pardonner ; raccommoder, raccommodement ; ramener/rétablir le calme/l'ordre/la paix ; rapprocher, rapprochement ; réconcilier, réconciliation ; redevenir amis, renouer.

PAL → *peine.*

PALABRE, PALABRER → *Afrique, discussion, parler.*

PALACE → *hôtel.*

PALADIN → *chevalerie, courage.*

PALAFITTE → *maison.*

PALAIS → *édifice, justice.*

PALAIS → *bouche, goût.*

PALAN → *monter.*

PALANGRE → *pêche.*

PALANQUE → *fortification.*

PALANQUER → *monter.*

PALANQUIN → *lit, transport.*

PALATAL, PALATALISER → *son.*

PALATIN → *bouche.*

PALÂTRE, PALASTRE → *serrure.*

PALE → *hydraulique, roue, tourner.*

PÂLE → *blanc, terne.*

PALE-ALE → *bière.*

PALEFRENIER → *cheval, ferme.*

PALÉOGÈNE → *géologie.*

PALÉOGRAPHIE → *écrire, inscription.*

PALÉOLITHIQUE → *histoire.*

PALÉONTOLOGIE → *géologie.*

PALERON → *bœuf, porc.*

PALESTRE → *gymnastique.*

PALET → *jouer.*

PALETOT → *vêtement.*

PALETTE → *mouton, peinture, porc, roue.*

PALÉTUVIER → *arbre.*

PÂLEUR, PÂLICHON → *blanc, terne, visage.*

PALIER → *grade, monter, niveau.*

PALIÈRE → *monter, porte.*

PALIMPSESTE → *écrire, inscription.*

PALINDROME → *mot.*

PALINGÉNÉSIE → *vie.*

PALINODIE → *changer, opinion.*

PÂLIR → *blanc, diminuer, terne.*

PALISSADE, PALISSADER → *défendre, fermer, mur.*

PALISSANDRE → *bois.*

PALISSER → *jardin, vigne.*

PALISSON, PALISSONNER → *cuir.*

PALLADIUM → *chimie.*

PALLÉAL → *mollusques.*

PALLIATIF, PALLIER → *réparer.*

PALLIUM → *vêtement.*

PALMAIRE → *main.*

PALMARÈS → *inscription, réussir.*

PALMAS, PALMATURE → *main.*

PALME → *feuille, gagner, huile, nager, symbole.*

PALME → *doigt, feuille, main.*

PALMER → *mesure.*

PALMETTE → *architecture, colonne.*

PALMIER → *arbre, fruit, huile.*

PALMIER → *pâtisserie.*

PALMIPÈDES → *oiseau.*

PALMURE → *main.*

PALOMBE → *oiseau.*

PALONNIER → *aviation, voiture.*

PÂLOT → *blanc, visage.*

PALOURDE → *mollusques.*

PALPABLE → *apparaître, toucher.*
PALPÉBRAL → *œil.*
PALPER → *caresse, toucher.*
PALPITANT → *plaire.*
PALPITATION, PALPITER → *cœur, joie, mouvement, vie.*
PALTOQUET → *homme, mépris.*
PALUDIER → *sel.*
PALUDISME → *fièvre.*
PALUSTRE → *mollusques.*
PÂMER (SE) → *inconscience, joie.*
PÂMOISON → *inconscience.*
PAMPHLET, PAMPHLÉTAIRE → *critique, livre, littérature.*
PAMPILLE → *pendre.*
PAMPLEMOUSSE, PAMPLEMOUSSIER → *agrumes.*
PAMPRE → *architecture, vigne.*
PAN → *maçonnerie, morceau, tissu, vêtement.*
PANACÉE → *arranger, médicament.*
PANACHE → *briller, feu, plume.*
PANACHÉ → *bière, mêler.*
PANACHER → *élire, mêler.*
PANADE → *pain.*
PANAMA → *chapeau.*
PANARD → *cheval.*
PANARD → *pied.*
PANARIS → *doigt, main.*
PANATELA → *tabac.*
PANCARTE → *informer, inscription.*
PANCHROMATIQUE → *photographie.*
PANCLASTITE → *exploser.*
PANCRACE → *sport.*
PANCRÉAS, PANCRÉATITE → *glande, intestin.*
PANDA → *mammifères.*
PANDÉMIE → *microbe.*
PANDÉMONIUM → *enfer.*
PANDICULATION → *dormir, étendre.*
PANDORE → *police.*
PANÉGYRIQUE, PANÉGYRISTE → *éloge.*
PANER → *cuisine.*
PANETIÈRE, PANETON → *pain.*
PANICULE → *céréale.*
PANIER → *balle, prison, sac, vannerie.*
PANIFIABLE, PANIFIER → *farine, pain.*
PANIQUE, PANIQUÉ → *fuir, guerre, peur.*
PANNE → *tissu.*
PANNE → *gras.*
PANNE → *arrêter, moteur.*
PANNE → *charpente.*
PANNEAU → *chasse, inscription, lapin, menuiserie, sot.*
PANNETON → *serrure.*
PANONCEAU → *inscription.*
PANOPLIE → *arme, chevalerie, jouer.*
PANORAMA, PANORAMIQUE → *espace, haut, regarder.*
PANORAMIQUE → *cinéma.*
PANSE → *estomac, manger, ventre.*
PANSEMENT, PANSER → *bande, cheval, chirurgie, soigner.*
PANSU → *gras.*
PANTAGRUÉLIQUE → *manger.*
PANTALON → *théâtre, vêtement.*
PANTALONNADE → *rire.*
PANTELANT → *respiration.*
PANTHÉISME → *dieu.*
PANTHÉON → *dieu, édifice.*
PANTHÈRE → *mammifères.*
PANTIÈRE → *chasse.*
PANTIN → *faible, jouer, mou.*
PANTOGRAPHE → *dessin, reproduction.*
PANTOIS → *étonner.*
PANTOMIME → *moquer, théâtre.*
PANTOUFLARD → *bourgeois, paresse.*
PANTOUFLE → *chaussure.*
PANTOUM → *poésie.*
PANURE → *cuisine.*
PANZER → *arme.*
PAON, PAONNE → *cri, oiseau, orgueil.*
PAPA → *famille.*
PAPAVÉRINE → *alcali.*
PAPE → *ecclésiastique, église, religion.* — **Le pape.** Évêque de Rome ; intronisation ; pape, papauté, papal, papable ou *papabile ;* pontife, pontife romain, souverain pontife, pontifical, pontificat ; Saint-Père, Très Saint-Père, Sa Sainteté (S.S.) ; successeur de saint Pierre ; vicaire du Christ. ■ Anneau du pêcheur, clefs de saint Pierre, calotte, croix, mules rouges, pallium, *sedia gestatoria,* soutane blanche, tiare, trône. ■ Antipape, papesse. — **Actes pontificaux.** Année jubilaire ; béatification, béatifier ; bénédiction *urbi et orbi,* bénir ; bref ; bulle ; canonisation, canoniser ; clémentine ; concordat ; décision *ex cathedra ;* décrétale ; encyclique ; indult ; infaillibilité pontificale ; institution/préconisation des évêques ; nomination *in petto ;* lettre apostolique ; mise à l'index ; *motu proprio ;* rescrit ; syllabus. ■ Gallican, gallicanisme ; papisme, papiste ; schisme, schismatique ; ultramontain ; uniate. — **Le Vatican.** Concile, concile œcuménique, conciliaire ; conclave, conclaviste ; congrégation de l'Index/des Rites/du Saint Office ; consistoire ; consulte ; curie ; denier de saint Pierre ; Église catholique, apostolique et romaine ; États pontificaux ; papauté ;

pouvoir spirituel / temporel; le Sacré Collège; Saint-Pierre de Rome; Saint-Siège; secrétaire d'État; tribunal de la Rote; Vatican, la Cité vaticane. ▪ Camérier, camérier de cape et d'épée/secret; cardinal, camerlingue, doyen, Éminence, pourpre cardinalice, prince de l'Église; caudataire; consulteur; cour romaine; garde noble/pontificale/suisse, papalin; légat *a latere;* nonce, internonce; prélat de Sa Sainteté ou du pape ou monsignore; protonotaire apostolique; scripteur.

PAPELARD, PAPELARDISE → *faux.*

PAPERASSE, PAPERASSERIE → *écrire.*

PAPERASSIER → *écrire.*

PAPETERIE, PAPETIER → *papier.*

PAPIER → *décoration, écrire, feuille, paquet, polir, typographie.* — **La production du papier.** Fabrication, machine à papier, papeterie. ▪ Alfa; bois blanc, cellulose; chiffon, défilage, défileuse, feutrage, fibre végétale, paille, pâte à papier, papyrus, peilles, rognure. ▪ Papier apprêté/ blanchi / bouilli / calandré / collé / couché / enduit / glacé / gommé / moiré/satiné/vergé. ▪ Bobineuse, colleuse, coupeuse, enrouleuse, manchon, pilon, pontuseau, presse, rame, rouleau; mise en forme, format, liasse, main; mise en feuille, feuille, filigrane, grain. — **Papier de différentes qualités.** Papier à cigarettes/joseph/ mousseline/serpente/de soie/transparent. ▪ Papier bible/chiffon/à la cuve/ d'impression/Japon/de luxe/pelure/ vélin. ▪ Papier de boucherie/calandré / -calque / carbone / cellophane / cristal / paraffiné / parcheminé / sulfurisé/translucide. ▪ Papier bristol/ carte/couché/à dessin/Canson. ▪ Papier bulle/jaune/journal. ▪ Papier buvard/-filtre/poreux. ▪ Papier d'emballage / crêpé / goudron / gris / kraft. ▪ Papier à lettre/à en-tête; format grand/petit aigle, etc.; papier commercial / écolier / pot / ministre / Tellière/margé/rayé/réglure Seyès/réglé/ à musique/quadrillé/quadrillé multiple/uni. — **Utilisations spéciales.** ▪ Artistique : collage, papier collé, coloriage, confetti, cocotte en papier, décoration, découpage, pliage, serpentin. ▪ Ménagère : papier à démaquiller/hygiénique ou de cabinet; mouchoir, nappe, serviette, service de pique-nique, vaisselle en carton. ▪ Support : papier abrasif/-émeri/de verre / adhésif / collant / gommé / Scotch / tue-mouches / d'Arménie / carbone; duplicateur; stencil; épreuve photographique; tirage sur papier bistre/blanc/glacé/mat; papier réactif en chimie. — **Papiers symboliques.** Billet de banque, coupure, papier-monnaie/de sûreté; portefeuille, porte-monnaie. ▪ Papier d'affaires/libre/ timbré. ▪ Papier à vue/de commerce/ de crédit; coupon, devise, effet, reçu, talon, valeur. ▪ Papier civil/officiel : état civil, livret de famille/militaire, passeport, pièce d'identité; avoir de faux papiers, faire établir/présenter/produire/vérifier les papiers, empreinte digitale, photographie, signature. — **Le carton.** Cartonneur, cartonnerie; carton-amiante/bitumé/cuir/ dur / gris / goudronné / isolant / lustré/ondulé/-paille, papier mâché, carton-pâte, pierre de décor. ▪ Boîte de carton, carton à chapeau/à chaussures/à dessin; caisse, cartable, cartonnage, cartonnier, casier à dossiers, classeur, emballage, emballer, fiche cartonnée.

PAPIER-ÉMERI → *polir.*

PAPIER-FILTRE → *passer.*

PAPIER-MONNAIE → *monnaie.*

PAPILLAIRE, PAPILLE → *bouche, goût.*

PAPILLOME → *tumeur.*

PAPILLON → *inscription, insecte, nager.* — **La chenille.** Cocon, chrysalide, éclosion, embryon, enveloppe, larve, métamorphose, muer, nymphe, sortir de sa chrysalide, transformation. ▪ Anneau, échenillage, nuisible, velu. **Le papillon.** Insecte, ordre des lépidoptères : abdomen, aile, antenne, écaille, thorax, trompe flexible; crépusculaire, diurne, éphémère, nocturne; couleur, éclat, mimétisme. ▪ Battre des ailes, palpiter, papillonner, voler, voleter, voltiger; chasse, collection, entomologiste, épingler, filet à papillons. — **Divers papillons.** Alucite; apollon; argus; argynne; bombyx; chenille du mûrier, ver à soie; chenille arpenteuse/géomètre; carpocapse ou pyrale des pommes; cochylis, pyrale de la vigne; cossus ou gâte-bois; érèbe; flambé; gallérie des ruches; hyponomeute des arbres fruitiers; machaon ou grand porte-queue; noctuelle; ornithoptère; paon; phalène; phalère; piéride du chou; saturnie; sphynx; uranie; vanesse; vulcain; zeuzère des arbres.

PAPILLONNER → *mouvement, plaire.*

PAPILLOTANT → *lumière.*

PAPILLOTE → *couvrir, cuisine.*

PAPILLOTER → *œil.*

PAPISME, PAPISTE → *ecclésiastique, pape.*

PAPOTAGE, PAPOTER → *futile parler.*

PAPRIKA → *aliment.*

PAPYROLOGIE, PAPYROLOGUE → *écrire, histoire, inscription.*

PAPYRUS → *écrire.*
PÂQUE → *juif.*
PAQUEBOT → *navire.*
PAQUERETTE → *fleur.*
PÂQUES → *fête, liturgie.*
PAQUET, PAQUETAGE → *coffre, corde, couvrir, mer, partir, poste.* — **Éléments d'un paquet.** Bâche, cachet, cadre, corde, courroie, enveloppe, étiquette, ficelle, indication de destinataire / d'expéditeur ; papier, papier cartonné, carton d'emballage, papier collant/fort ; plomb, plombage ; sangle ; sceau ; toile. — **Faire un paquet.** Agrafer, agrafeuse ; attacher, attache ; conditionner, conditionnement, conditionneur ; corder ; emballer, emballeur, emballage, emballage-cadeau ; empaqueter, empaqueteur, dépaqueter ; encaisser ; ensacher ; entortiller/envelopper les objets fragiles ; étiqueter, étiqueteur, étiqueteuse ; ficeler, ficelage, déficeler ; lier ; sangler. ■ Caler ; empiler ; mettre en boule/en faisceau/en liasse/en lot/en pelote/en pile/en tas ; plier ; rouler ; tasser. ■ Charger, chargement ; débarder, débardeur, docker ; décharger, déchargement ; expédier. — **Sortes de paquets.** Bagage ; balle, ballot ; balluchon ; barda (fam.) ; berlingot ; boîte ; cadre ; caisse, caissette ; cartouche de cigarettes ; colis ; container ; filet ; fourniment ; harasse ; havresac ; paquet de café/de cigarettes/de lessive, etc. ; paquetage ; poche ; sac de jute/en papier/plastifié/de toile ; sac de pommes de terre/à provisions, etc. ; sachet. ■ Cageot, cagette, coffre, corbeille, malle, panier, valise, etc.
PARABOLE → *abstraction, récit.*
PARABOLE, PARABOLIQUE, PARABOLOÏDE → *courbe, géométrie.*
PARACENTÈSE → *entendre.*
PARACHEVER → *finir, soigner.*
PARACHRONISME → *temps.*
PARACHUTE, PARACHUTER → *aviation, nommer, sauter.*
PARACHUTISME, PARACHUTISTE → *infanterie.*
PARADE, PARADER → *affectation, cheval, escrime, fête, orgueil.*
PARADIGME → *grammaire, mot.*
PARADIS → *bonheur, ciel, oiseau, théâtre.*
PARADISIAQUE → *bonheur.*
PARADOS → *fortification.*
PARADOXAL, PARADOXE → *opinion, pensée, raisonnement.*
PARAFFINE, PARAFFINER → *mouiller, pétrole.*
PARAFISCALITÉ → *impôt.*
PARAFOUDRE → *orage.*
PARAGES → *proche.*
PARAGRAPHE → *typographie.*
PARAGRÊLE → *pluie.*
PARAÎTRE → *apparaître, briller, doute, extérieur, journal, livre.*
PARALLAXE → *astronomie.*
PARALLÈLE → *droite, semblable.*
PARALLÈLE → *terre.*
PARALLÉLÉPIPÈDE → *géométrie.*
PARALLÉLOGRAMME → *angle.*
PARALOGISME → *raisonnement.*
PARALYSER, PARALYSIE → *diminuer, fixer, insensibilité, nerf.*
PARALYTIQUE → *fixer.*
PARAMAGNÉTIQUE → *aimant.*
PARAMÈTRE → *courbe.*
PARAMNÉSIE → *mémoire.*
PARANGON → *supérieur.*
PARANGONNER → *typographie.*
PARANOÏA, PARANOÏAQUE → *folie.*
PARAPET → *fortification, mur.*
PARAPHASIE → *parler.*
PARAPHE, PARAPHER → *signe.*
PARAPHERNAL → *mariage.*
PARAPHRASE, PARAPHRASER → *augmenter, expliquer.*
PARAPLÉGIE → *insensibilité.*
PARAPLUIE → *pluie.*
PARASCÈVE → *juif.*
PARASITE, PARASITER → *trouble.* — **Généralités.** Ectoparasite, endoparasite ; parasite, parasiter, parasitisme, parasitologie ; parasite hétéroxène/monoxène/polyxène ; parasite nécrophage/saprophyte ; vermine. ■ Crochet, rhizoïde, suçoir, ventouse ; mordre, morsure, piquer, piqûre, sucer ; désinfection, fumigation, insecticide, parasiticide. ■ Parasites atmosphériques, pollution de l'air ; parasites industriels, antiparasiter. — **Parasites des animaux et des hommes.** Acariens : aoûtat ou trombidion, demodex, sarcopte, tique ; agnathes : amibes, ciliés, flagellés ; bacille, bactérie ; cryptogame, mycose ; douve ; glossine ; moustique ; némathelminthes : ascaris, filiaire, oxyure, trichine ; platodes ; pou du corps/de tête, morpion ; puce, épucer ; punaise ; sacculine ; sangsue ; ténia, ver solitaire ; trypanosome. — **Parasites des plantes.** Champignons, entomophtorées ; cuscute ; cytinet ; cryptogame, maladie cryptogamique ; ergot ; gui ; mildiou ; mousse ; oïdium ; rafflesie ; rouille ; teigne.
PARASITOLOGIE → *médecine.*
PARASOL → *soleil.*
PARASYMPATHIQUE → *nerf.*
PARATHORMONE, PARATHYROÏDE → *glande.*
PARATONNERRE → *orage.*
PARATHYPHOÏDE → *microbe.*

PARAVENT → *cacher, défendre, vent.*
PARC → *arbre, automobile, bétail, élevage, enfant.*
PARCELLAIRE, PARCELLE → *morceau, terre.*
PARCHEMIN → *écrire.*
PARCHEMINÉ, PARCHEMINER → *papier, peau.*
PARCIMONIE, PARCIMONIEUX → *avare, économie.*
PARCOURIR, PARCOURS → *balle, course, gymnastique, marcher, voyage.*
PARDESSUS → *vêtement.*
PARDON, PARDONNER → *faute, fête, manière, offense.* — **Pardonner.** Absoudre, absolution, absolutoire; accorder le pardon; acquitter, acquittement; adoucir une peine; amnistier, amnistie; blanchir; commuer une peine; décharger d'une faute; disculper, disculpation; donner gain de cause; épargner; fléchir, se laisser fléchir; gracier, faire grâce; innocenter; laver/oublier les injures/les offenses; ouvrir/tendre les bras; passer l'éponge; racheter; ne pas être rancunier; rédimer, rédemption; réhabiliter, réhabilitation; remettre, rémission des péchés, remise d'une peine; tenir quitte. — **Être indulgent.** Admettre; bon, bonté; brave homme, bonne pâte; clémence, clément; faire confiance/crédit; avoir la conscience large; excuser, excuse; faiblir, faiblesse, faible; favoriser, faveur; fermer les yeux; flatter les défauts; gâter; miséricorde, miséricordieux; passer une faute, passer sur; pitié, âme pitoyable, bonne âme, s'apitoyer sur; plaindre; supporter; tolérer. — **Qu'on ne pardonne pas.** Crime, criminel; erreur monumentale/à ne pas commettre/à ne pas faire; impardonnable, inexcusable, sans excuse; intolérable; irrémissible; péché capital; sacrilège; sans appel. — **Demander le pardon.** Aman, demander l'aman; faire amende honorable/son autocritique/des excuses/de plates excuses; attrition; carême; contrition, contrit; crier merci; demander grâce/pardon/quartier; expier, expiation; s'humilier; implorer son pardon; jeûner, jeûne et abstinence; mortifier, mortification; pénitence, faire pénitence, pénitent; se pourvoir en appel/en grâce, pourvoi; propitiation, sacrifice propitiatoire; rachat, racheter; recours; regretter, regret; remords; rentrer en soi-même; réparer, réparation; se repentir; venir à résipiscence. ▪ Aller à Canossa; se frapper la poitrine, à genoux, mains jointes, orant, suppliant; gémir, pleurer, supplier.
PARE-BRISE, PARE-CHOCS → *automobile.*
PARE-ÉTINCELLES → *feu.*
PARE-FEU → *brûler.*
PARÉGORIQUE → *intestin.*
PAREIL → *égal, semblable, supérieur.*
PAREMENT, PAREMENTER → *couture, maçonnerie.*
PARENCHYME → *plante.*
PARENT → *famille, lier, relation.*
PARENTÉ → *commun, famille.*
PARENTHÈSE → *écrire, typographie.*
PARÉO → *bain.*
PARER → *arranger, décoration, défendre, munir, toilette.*
PARE-SOLEIL → *défendre, soleil.*
PARESSE, PARESSER, PARESSEUX → *défaut, lent, repos.* — **Ne pas (vouloir) travailler.** Amateur, amateurisme, travailler en amateur; s'amuser, ne penser qu'à s'amuser; avoir une aversion pour le travail/un poil dans la main (pop.); bayer aux corneilles; bon à rien; cancre; cosse (pop.), avoir la cosse (pop.), cossard (pop.); se croiser les bras; dilettante; école buissonnière; fainéant, feignant (fam.); flemme (pop.), flemmard (pop.), flemmarder (pop.), tirer sa flemme (pop.); ne pas se casser (pop.); ne pas en ficher une ramée (pop.)/une secousse (pop.); ne pas se fouler la rate (pop.); inspecteur des travaux finis (fam.); lambiner, lambin; manquer de cœur à l'ouvrage; paresse, paresseux comme une couleuvre (fam.)/comme un loir (fam.); perdre son temps; se les rouler (pop.); rester comme une souche; tirer au flanc, tire-au-flanc (fam.), tire-au-cul (pop.); se tourner les pouces; traîner, traîner la savate (fam.). — **Paresse d'esprit.** Apathie, apathique; assoupissement, assoupi; atonie; conformisme, conformiste; dormir debout, endormi; emplâtre; encroûtement, esprit encroûté/fossilisé/sclérosé; engourdissement, engourdi; facilité, céder à la facilité, aller au plus facile; inaction; inertie, inerte; larve (fam.); lenteur, lent d'esprit; lourdeur, lourdaud, lourd; lymphatique; manquer de nerf/de tonus; mou, moule (pop.), mollusque (pop.); négligence, négligent; nonchalant; routine, routinier; somnolence; torpeur. — **Vivre dans l'oisiveté.** S'acagnarder; s'amollir dans les délices de Capoue; s'avachir, avachissement; badaud, badauder; se baguenauder; casanier; se la couler douce (pop.); croupir dans son coin; désœuvré, désœuvrement; se dorloter; fainéant, fainéantise, fainéanter; farniente; flâner; inactivité, inactif; lâcheté; se laisser aller; langueur, languide; lézarder, faire le lézard; mou, mollesse; muser, musarder; oisiveté, oisif; se prélasser; rester au lit, faire la grasse matinée; traînasser (fam.), traîner; tuer le temps; vagabonder;

veule, aveulissement ; vie de château/sédentaire, vivre comme un coq en pâte/de ses rentes.

PARFAIRE, PARFAIT → *beau, bien, bon, entier, exécuter, pur, supérieur.*

PARFAIT → *verbe.*

PARFAIT → *pâtisserie.*

PARFUM, PARFUMER → *infecter, nez.* — **Odeur agréable.** Arôme ; bouquet ; effluve ; émanation, émaner ; embaumer ; exhalaison, exhaler ; fragrance ; fumet ; goût ; montant ; odeur, odorant, odoriférant, odorifique ; senteur, sentir bon. — **Substances aromatiques.** Amande, ambre gris, anis, baume (balsamique), benjoin, bergamote, camphre, castoréum, chypre, cinnamone, citronnelle, civette, encens, essence aromatique, fleur d'oranger, ilang-ilang, iris, jasmin, lavande, mélisse, mille-fleurs, muguet, musc, myrrhe, nard, néroli, œillet, opopanax, origan, patchouli, rose, santal, sauge, thym, vanille, violette. — **Production et utilisation des parfums.** Dissolution, dissolvant ; distillation, distiller ; enfleurage ; expression, exprimer ; exsudation ; macération. ▪ Citral, coumarine, essence de nurbane, ionone, salicylate de méthyle, terpinol, vanilline. ▪ Aromate, baume, concentré, cosmétique, crème, eau de toilette, extrait, fard, huile (de bain/essentielle), khôl, lotion, onguent, pastille, pâte, pommade, poudre, sachet, savon, savonnette. ▪ Atomiseur, bougie parfumée, brûle-parfum, cassolette, flacon, navette, pulvérisateur, vaporisateur. — **Caractère des parfums.** Alliacé, aromatique, balsamique, capiteux, doux, entêtant, exquis, fade, fin, fort, léger, miellé, musqué, paradisiaque, pénétrant, piquant, poivré, suave, subtil, tenace. ▪ Bouffée de parfum, parfum captivant/enchanté/enivrant/fugace, etc. ; parfum chocolaté / framboisé / vanillé, etc.

PARFUMERIE, PARFUMEUR → *marchandises.*

PARHÉLIE → *soleil.*

PARI → *course, jouer.*

PARIA → *mépris.*

PARIADE → *oiseau.*

PARIER → *affirmer, jouer.*

PARIÉTAL → *tête.*

PARIEUR → *jouer.*

PARITAIRE, PARITÉ → *égal, semblable.*

PARJURE, PARJURER (SE) → *changer, confiance, engager, tromper.*

PARKING → *automobile.*

PARLEMENT, PARLEMENTAIRE → *gouverner.*

PARLEMENTAIRE → *diplomatie, guerre.*

PARLEMENTER → *discussion, guerre, rencontre.*

PARLER, PARLEUR → *convaincre, discussion, éloge, langage, son.* — **Émettre des sons articulés.** Langage, linguistique, phonétique, phonologie ; oral, verbal, de vive voix, vocal. ▪ Accentuer, accentuation ; ânonner ; babillage, babiller, babil ; bafouillage, bafouiller ; balbutiement, balbutier ; bégaiement, bégayer ; bléser ; bredouillement, bredouiller ; chevrotement, chevroter ; chuchotement, chuchoterie, chuchoter ; cri, crier ; desserrer les dents, parler entre les dents ; détacher/marteler les syllabes ; expression orale, s'exprimer, exprimer ; formuler ; grailler ; grasseyer ; grommeler ; gueuler (pop.) ; lambdacisme ; langage, langue, n'avoir pas la langue dans sa poche ; lapsus, ma langue a fourché ; liaison, lier les mots ; loquacité, loquace ; marmonner, marmotter ; murmure, murmurer ; nasiller, voix nasillarde, parler du nez ; ouvrir la bouche ; parole, parler à voix haute/haut/à voix basse/bas/mezzo voce/avec un accent ; prendre la parole ; proférer ; prononcer, prononciation ; psalmodier, mélopée, rythme incantatoire ; rester silencieux, silence ; rhotacisme ; verbalisme ; ventriloque ; voix chantante / claire / éraillée / étouffée / posée/rauque/stridente ; zézayer ou zozoter (fam.). — **Façon dont on parle.** Amphigouri, amphigourique ; badiner ; bagou ; brio ; charabia ; circonlocution ; débit ; diction ; disert ; élocution ; emphase ; emportement ; expression choisie/vicieuse ; facilité, avoir la parole facile ; faconde ; fluidité ; être fort en gueule (pop.) ; galimatias ; laconisme, laconique ; langage ampoulé / cru / recherché / vert, etc. ; locution ; parler bien / correctement ; parler sans ambages / clairement / franc / net / précis ; un parler catégorique ; parler par allusions/par sous-entendus/à mots couverts/à l'oreille/étourdiment/hors de propos/à la légère/à tort et à travers/trop vite ; parole malencontreuse/malheureuse ; déluge/flot/torrent de paroles ; périphrase ; peser ses mots ; plaisanter ; rabâcher, radoter ; rhétorique ; ton autoritaire/badin/coupant/dogmatique/paternel/sec ; tourner autour du pot (fam.) ; tournure de phrase ; vaticiner ; verbosité, verbeux ; verve ; violence ; volubilité, volubile. — **Dire en parlant.** Accoucher (pop.) ; assurer de ; attaquer un sujet/le vif du sujet ; cafarder ; commérer, commérage ; confesser, confession ; citer, citation ; communiquer, un communiqué, communication ; débiter ; dégoiser ; dire à la cantonade ; donner sa parole d'honneur ; s'engager à/dans, engager sa foi/son honneur; énoncer, énoncé; expliquer, explication; jaser; mentionner, faire mention de; nommer; prolixité, prolixe; promettre, promesse; prononcer un mot; proposer; raconter, récit; rapporter, rapporteur, rapport; redire; reparler; répéter; ressasser; souffler à quelqu'un; ne pas tarir, intarissable; tenir des propos. ▪ Bave venimeuse, blâmer, calomnier, critiquer, déblatérer, émouvoir, louer, plaider, recommander, rudoyer; ton acide/aigre-doux/haineux; toucher; traîner/se vautrer dans la boue. — **Sortes de propos.** Allocution; conférence; déclamer; discours; éloquence; se griser de; oraison, orateur, oratoire; parler; speaker; speech; tirade. ▪ Blasphème, civilité, compliment, flatterie, formule, gros mot, grossièreté, injure, juron, naïveté, offense, outrage, parole calculée/compromettante/qui échappe, patenôtre, proposition. — **Converser, parler.** Bavarder, bavardage, bavard comme une pie; avoir le bec bien affilé/bon bec; cailletage, cailleter; cancan, cancaner, cancanier; caquet, caqueter; clabauder, clabauderie; débiter des balivernes/des billevesées/des fadaises/des fariboles/des riens; discuter sur des queues de poire (fam.); jaboter; jacasser comme une pie; jaser; jaspiner (pop.); moulin à paroles; parler pour ne rien dire/à bâtons rompus/de la pluie et du beau temps/de tout et de rien; parlote, palabres, et patati et patata (fam.); potin, potiner; ragot; tailler une bavette, avoir une bonne tapette (fam.). ▪ S'abandonner; s'aboucher; adresser la parole; apostropher; causer, causerie, faire la causette; faire chorus, abonder, surenchérir; colloque, conciliabule, conférer avec, être en grande conférence; se confier, confidence; converser, conversation, alimenter/engager/entamer/nouer une conversation; se déboutonner (fam.); deviser; dialoguer, dialogue; discuter, discussion; échanger des propos; s'entretenir, entretien; entrevue; s'épancher; explication; interlocuteur, interview; se mettre en frais; parler à, se parler à soi-même, monologue, soliloque; pourparlers; rompre les chiens; tenir le crachoir (pop.)/la conversation. ▪ Défrayer la chronique, lieu commun, sujet de conversation, etc. — **Maladies de la parole.** Aphasie amnésique/ nominale / sémantique / syntactique/sensorielle/de Broca, un aphasique; dysarthrie; dyslalie, logorrhée; muet, sourd-muet, mutité, mutisme, dactylologie; paralalie; paraphasie; perdre la parole; psittacisme, psittacose, tachyphémie.

PARLOIR → *recevoir.*

PARLOTE → *parler, rencontre.*

PARMENTURE → *couture.*

PARMESAN → *lait.*

PARODIE, PARODIER → *moquer, reproduire.*

PAROI → *mur.*

PAROISSE, PAROISSIAL, PAROISSIEN → *ecclésiastique, église, livre.*

PAROLE → *engager, parler.*

PAROLI → *jouer.*

PAROLIER → *chanter.*

PARONOMASE → *mot.*

PARONYME, PARONYMIE → *mot.*

PAROTIDE, PAROTIDITE → *glande.*

PAROUSIE → *Christ.*

PAROXYSME → *extrême, supérieur.*

PARPAILLOT → *protestant.*

PARPAING → *construction, maçonnerie.*

PARQUER → *bétail, fermer, garder.*

PARQUET → *banque, magistrat, plancher.*

PARQUETER, PARQUETERIE → *plancher.*

PARQUEUR, PARQUIER → *mollusques.*

PARRAIN, PARRAINER → *influence, nom, sacrement.*

PARRICIDE → *crime.*

PARSEMER → *couvrir, jeter.*

PART, PARTAGE, PARTAGER → *classe, commun, milieu, morceau, succession.* — **Diviser.** Analyser; bipartition, partition; bloc; case, casier; casser; couper; débiter, déchirer, décomposer, découper, dédoubler, démembrer, dépecer, détailler; différence; disjoindre, dissocier, diviser; écarteler; élément; émietter; épisode; fascicule; fission; fraction, fractionner; fragmenter; graduer; groupe; ingrédient; lopin; lot, lotir, lotissement; membre; morceau, morceler, morcellement; parcelle; part, partie; pièce; portion; prélèvement, prélever; quartier; quotient; rompre; scinder, scission; section, sectionner, segment; subdiviser, subdivision; tirailler; trancher; tronçonner, tronçon. — **Répartir.** Apanage; assigner en partage, attribuer une part, attribution, ayant-droit; classer, classification; compartimenter; contingenter; cote, cote mal taillée; départir; dispenser; disperser; disposer; distribuer, distribution; dividende; donner/laisser une partie; dot, doter; écarter, à l'écart; échelonner; énumérer; éparpiller; étaler; impartir; à part, partage, partager, copartage; péréquation; préciput; prodiguer; proportionnel; au prorata; quote-part; rationner; répartir, répartition; séparer; spécialiser; soulte; ventiler, ventilation. — **Participer.** Adhérent, adhérer; affiliation, affilier;

aider; apport; assistance, assister à; associer, avoir part; collaboration, collaborer; commun, communauté, communion, communautaire, communiste; compagnon; compatir; complicité; concourir, concours; condoléances; confrère; congratuler; de connivence; consort; contribuer, contribution; coopération, coopérer; cotisation, cotiser; écot; s'entremettre, entremetteur; être impliqué dans; s'immiscer/s'ingérer dans; s'intéresser à, intéressement; intervenir dans; se joindre/se mêler à; jouer un rôle dans; mettre en commun; mutualiste, mutuel; partenaire; participant, participation; prendre part/prêter la main à; réciprocité, réciproque; socialiste; solidarité, se solidariser avec quelqu'un, solidaire; sympathie, sympathiser; tiers, être en tiers, tierce personne; tremper dans; tribut.

PARTANCE → *partir.*

PARTENAIRE → *deux.*

PARTERRE → *jardin, théâtre.*

PARTHÉNOGENÈSE → *reproduction.*

PARTI → *décider, opinion, politique, violence.* — **Sortes de partis.** Association, brigue, cabale, camp, cause, chapelle, clan, clique, coterie, école, faction, groupe d'intérêt/de pression, lobby, secte. ▪ Cartel, formation, front commun / populaire / uni / unique /des ouvriers/des travailleurs, Internationale ouvrière, mouvement, rassemblement, union. — **Divers partis politiques.** Bonapartiste, carliste, légitimiste, monarchiste, royaliste, etc. ▪ Anarchiste, bolchevik, catholique, communiste, conservateur, démocrate, démocrate-chrétien et chrétien-démocrate, fasciste, internationaliste, libéral, nationaliste, national-socialiste, nazi, ouvrier, radical et radical-socialiste, républicain, révolutionnaire, social, social-chrétien, socialiste, tory, travailliste, whig. ▪ Alliance, bipartisme, dictature, élection, parti unique, représentation parlementaire. — **Position politique.** Bord, du même bord; conservateur; droite, droitier, gauche; extrémiste; gouvernemental; modéré; opinions avancées; opposition, être dans l'opposition; réactionnaire; violent. ▪ Pop. : anar, calotin, coco, réac, rouge, socialo. — **Vie du parti et des militants.** Adhérer, adhérent; s'affilier, affiliation; appartenir à un parti, appartenance; carte du parti; s'engager, engagement, s'enrôler/entrer dans un parti; s'inscrire; militant, militantisme, militer; se rallier; sympathiser, sympathisant. ▪ Adepte, défenseur, disciple, fidèle, néophyte, partisan; porter les couleurs; propagandiste; prosélyte; sectateur; soutenir; tenant, zélateur. ▪ Épuration, épurer; exclusion, exclure, exclu; majorité, minorité; orthodoxie, thèses hérétiques; purge; scission, schisme; transfuge. ▪ Activités antiparti/fractionnelles; déviationnisme, fractionnisme, gauchisme, opportunisme, révisionnisme. — **Organisation du parti.** Appareil, apparatchik; bureau politique, bureaucratie, Politburo soviétique; cellule; comité/organe directeur; congrès national/international; délégué à; doctrine; fédération; leader; mot d'ordre; organisation; parti fédéral/monolithique/permanent; présidence, président, présidium ou praesidium; représentant, secrétariat, secrétaire fédéral/général / national / régional; section; siège; sigle; slogan; trésorerie, trésorier.

PARTIAIRE → *ferme.*

PARTIAL, PARTIALITÉ → *avantage, choisir, injuste.*

PARTICIPE → *grammaire.*

PARTICIPER → *commun, part.*

PARTICULARISER → *informer.*

PARTICULARISME, PARTICULARITÉ → *particulier.*

PARTICULE → *grammaire, morceau, noblesse, nucléaire.*

PARTICULIER → *personne, posséder.* — **Relatif à un individu.** Caractère, caractéristique, une caractéristique; distinctif, trait distinctif; essence; exclusif; idiosyncrasie, idiosyncrasique; individu, individuel, individualité, individualiser, individualisme; être indépendant, aimer son indépendance; intime, intimité; intrinsèque; le moi, dans son for intérieur, à part soi; particulier; personne, personnaliser, personnalité, personnel; physionomie propre, avoir en propre; privé, vie privée; propriété, propre; subjectif. — **Spécial.** Anomalie; apanage; attribut; cas particulier; couleur locale; exception; extraordinaire; folklore, folklorique; idiome, idiomatique; idiotisme; local; modalité; notable; original, originalité; particularité, particularisme, mœurs particulières; privilège; propriété intrinsèque/particulière; propre. à, approprié; remarquable, à signaler, qui vaut d'être signalé; singulier, singularité; spécialisé, se spécialiser, spécialisation, spécialiste; spécifique, spécificité; terme particulier / propre / qui convient/idoine/juste/*ad hoc.* — **Circonstance particulière.** Accident, accidentel; cas, au cas où, le cas échéant; cas d'espèce/fortuit/particulier/à part/réservé; chance; circonstances, circonstances atténuantes, concours de circonstances, rapport circonstancié; coïncidence; conjoncture; contexte, replacer dans le contexte ; contingent ; événement, événementiel ; éventuel, éventualité, éventuellement ; hasard ; occasion, occasionnel ; occurrence ; rencontre. ▪ Civilisation, mentalité, milieu, tradition.

PARTIE, PARTIEL → *chanter, jouer, justice, métier, part.*

PARTIR → *commencer, course, éloigner, exploser, extérieur, fuir, mourir, voyage.* — **Départ.** Absence, s'absenter, absentéisme ; s'en aller ; départ ; se déplacer ; disparaître, disparition ; s'éloigner de, éloignement ; laisser ; partir ; quitter ; repartir ; se retirer, retraite ; sortir ; voyager. — **Quitter un endroit.** Changer d'appartement ; déloger ; déménager ; mettre la clef sous la porte ; vider les lieux. ▪ Être déraciné, émigrer, s'exiler, exode, s'expatrier, migration, quitter son pays. ▪ Se barrer (pop.), débarrasser le plancher, se débiner (pop.), décamper, décaniller (pop.), dégager (pop.), déguerpir, détaler, s'échapper, s'éclipser, s'embarquer, s'envoler, s'enfuir, escapade, s'esquiver, s'évader, évasion, faire le mur, ficher/foutre le camp (pop.), filer, fugue, fuir, issue, lever le camp/le siège, mettre les bouts (pop.)/ les voiles (pop.), prendre la clef des champs/ses cliques et ses claques (fam.)/le large, s'en retourner, se sauver, se tailler (pop.), se tirer (pop.). — **Abandonner.** Abandonner une activité/un état/un genre de vie/une situation. ▪ Adieu, au revoir, brûler la politesse, faire ses adieux, filer à l anglaise, prendre congé, prendre la porte, saluer, salut, tirer sa révérence. ▪ Être débauché, finir son travail, rentrer chez soi ; sortie, heure/jour de sortie/de congé, avoir campos. ▪ Claquer la porte, être congédié, laisser en plan, planter là, rendre son tablier ; démission, démissionner, remettre sa démission ; déserter, désertion ; faire sa malle/ses paquets ; lever le pied ; licenciement, licencier ; mettre à la porte ; plier bagage ; renvoi, être renvoyé ; retraite, faire retraite, prendre sa retraite. — **Disparaître.** S'abîmer, s'absorber, s'anéantir, s'annuler, se cacher, camoufler, diminuer, se disperser, se dissimuler, se dissiper, s'écrouler, s'effacer, s'égarer, s'enfoncer, s'engloutir, s'enlever, s'épuiser, s'escamoter, s'évanouir, s'évaporer faire défaut, fondre, être invisible, mourir, se perdre, se soustraire, se tarir, trépasser, se volatiliser. — **Faire démarrer.** Appareillage, appareiller ; commencer à rouler ; décollage, décoller, envol ; démarrage, démarrer ; s'ébranler ; lancement, lancer ; larguer les amarres ; lever l'ancre ; mettre à la voile/en marche/sur sa trajectoire ; en partance ; placer sur son orbite ; prendre son élan/son essor/son vol. — **Faire sortir, sortir.** Chasser, dégager, se dégager de, se départir de, éconduire, éliminer, évacuer, expédier, expulser, extraire, mettre dehors, tirer. ▪ Couler, déborder, dérailler, effluve, émanation, émerger, éruption, excrément, s'exhaler, exhalaison, explosion, exsuder, jaillir, naître, poindre, progresser, regorger, se répandre, saillir, sauter, sortir, sourdre, surgir, transpirer, venir de.

PARTISAN → *guerre, parti.*

PARTITIF → *grammaire.*

PARTITION → *part.*

PARTURIENTE, PARTURITION → *accouchement.*

PARULIE → *bouche.*

PARURE → *bijou, morceau, toilette.*

PARURIER → *toilette.*

PARUTION → *livre.*

PARVENIR → *but, progrès, réussir.*

PARVENU → *nouveau, réussir.*

PARVIS → *église.*

PAS → *cheval, danse, espace, marcher, passer, pied.*

PASCAL → *fête, juif.*

PAS-DE-PORTE → *commerce.*

PASO DOBLE → *danse.*

PASSABLE → *milieu.*

PASSADE → *irrégulier.*

PASSAGE → *durer, littérature, passer, route.*

PASSAGER → *durer, transport.*

PASSANT → *nombre, passer, route.*

PASSATION → *comptabiliser, pouvoir.*

PASSAVANT → *douane, marchandises, papier.*

PASSE → *attirer, balle, chasse, débauche, difficile, malheur.*

PASSÉ → *grammaire, temps, terne.*

PASSE-CRASSANE → *pomme.*

PASSE-DROIT → *avantage, injustice.*

PASSÉE → *chasse, oiseau.*

PASSE-LACET → *aiguille.*

PASSEMENTER, PASSEMENTERIE → *décoration, dentelle.*

PASSE-MONTAGNE → *chapeau, froid, tête.*

PASSE-PARTOUT → *arbre, couper, pierre, serrure.*

PASSE-PASSE → *adroit, tromper.*

PASSE-PLAT → *vaisselle.*

PASSEPOIL → *bord.*

PASSEPORT → *papier, personne.*

PASSER → *changer, mouvement, pardon, temps, terne, transport, voyage.* — **Ne pas s'arrêter.** Aller, aller et venir, aller plus loin ; ambulant ; avoir la bougeotte ; changer ; circuler, circuit ; continuer son chemin ; continu, couler; déambuler; se déplacer; filer; glisser; migrant, migrateur, migration; mouvement; passer, passant; parcourir; rouler, se dérouler. — **Visiter.** Croiser quelqu'un; étape; être de passage; faire une démarche/une courte/une petite visite; halte; itinéraire; passage, passer quelque part; se présenter/se rendre quelque part; repartir; sortir; stage, stagiaire; tour, tournée, tournée d'artiste/du facteur; trajet; traverser, visiter. — **Franchir.** Conductibilité; contourner, tourner; côtoyer; couper; croisement, croiser; dépasser, doubler; écraser; enjamber, escalader; éviter; se faufiler; fendre la foule; forcer; fouler aux pieds; franchir; se frayer un passage; se glisser, glisser sur; gravir; laissez-passer, mot de passe, passeport, sauf-conduit, valise diplomatique; longer; obstacle; outrepasser, passer outre; passer à travers/sur; passeur; piétiner/sauter un obstacle; transborder; transit, transiter; transmettre; transporter; traversée, traverser; voyage. — **Pénétrer dans.** Absorber, aller/s'enfoncer/entrer dans, humecter, imbiber, imprégner, incruster, infiltrer, injecter, insinuer, insuffler, introduire, se joindre à, pénétrer, percer, perforer, perméabilité, plonger dans, se rallier, rester, saturer, sonder; translucide, transparent; transpercer, transsuder, traverser, venir à. — **Passage.** Allée, aqueduc, arcades, bac, boyau, canal, catacombes, chemin, chenal, communication, conduit, conduite, col, corridor, couloir, coursive, débouché, défilé, dégagement, détroit, écluse, embouchure, gaillard, galerie, gorge, goulet, goulot, gué, guichet, hall, isthme, langue de terre, ouverture, pas, passage, passage clouté (les clous), passe, passerelle, percée, pertuis, pont, porte, poterne, promenoir, rue, ruelle, salle des pas perdus, sape, sas, sentier, seuil, souterrain, trace, trouée, tunnel, vestibule. — **Filtrer.** Assimiler; bluter, blutoir; bougie filtrante; chinois; clarifier; crible, cribler, cribleur; cylindre; dégoutter; descendre; digérer, être digéré; écumer, écumoire; entonnoir; épuration, épurer; étamine; filtre à air/à essence, papier-filtre, filtrer; goutter, goutte-à-goutte; grille; joseph; osmose; passer, passoire; porosité; purifier; sas; sudation, suer, suinter; tamis, tamiser; triage, trier; van, vanner.

PASSEREAUX, PASSÉRIFORMES → *oiseau.*

PASSERELLE → *navire, passer, pont.*

PASSE-TEMPS → *repos.*

PASSEUR → *passer.*

PASSIBLE → *mérite.*

PASSIF → *grammaire.*

PASSIF → *supporter.*

PASSION, PASSIONNER → *aimer, colère, désir, sensibilité, violence.* — **Trouble intérieur.** Aversion; bouillir; bouleversement; choc; commotion, être commotionné; crainte, cupidité; effervescence; émotion; enthousiasme; espérance; état anormal/passionnel, n'être plus soi-même, être hors de soi; feu; fièvre; flamme; frémissement; joie; lyrisme; passion ardente / aveugle / brûlante / brutale / déraisonnable / désordonnée / dévorante / effrénée / égoïste / enivrante / excessive / folle / frénétique / insatiable / mauvaise / véhémente / vive; pathos, pathétique; rage; romantisme; sentiment; souffrance; tristesse; volupté. ■ Agitation, ardeur, assaut, bouillonnement, chaleur, choc, conflit, ébullition, emportement, fureur, orage, ouragan, ravage, transports, transes, tumulte. — **Vif penchant.** S'adonner à, se donner à; adoration; appétit; avidité; avoir dans le sang/dans la peau/à cœur; brûler de; convoitise; culte, vouer un culte à; démon de, être possédé du démon de; avoir un faible pour; être féru de; feu sacré; idées fixes; idolâtrie; inclination; manie, monomanie, bibliomanie, maniaque; obsession; penchant immodéré pour; ne penser qu'à; propagandiste; prosélyte; raffoler de; tic; vice. — **Rendre passionné.** Attiser les passions, jeter de l'huile sur le feu; déchaîner, se déchaîner, déchaînement; démagogie, démagogique; électriser; émouvoir; enfiévrer, enflammer, être sensible/soupe au lait (fam.); enthousiasmer; éréthisme; éveiller; exalter, exaltation; exciter, excitation; fanatiser, fanatique, fanatisme; flatter les passions; folie; furie; galvaniser; impressionner; pousser; rage, enrager; remuer. — **Qui est passionné.** Être conquis / emballé / enflammé / ensorcelé / esclave / fanatique / fanatisé / fana (pop.)/grisé/ivre/mordu; brûler, se coiffer de, s'emballer, s'engouer, s'enticher, s'éprendre, prendre fait et cause/feu et flamme, raffoler, rivaliser de. — **Passion dans le travail.** S'appliquer, application; se démener; diligence, faire toute diligence, diligent; s'empresser, empressement; s'évertuer; mettre tout son cœur, se mettre en quatre; se multiplier; redoubler d'activité; se remuer, remuer ciel et terre; zèle, faire du zèle. — **Qui passionne.** Attachant, dramatique, émouvant; engagement; enivrant; envoûtement; excitant, intéressant, passionnant, prenant; qui fait quelque chose (fam.), qui frappe, qui prend aux tripes (pop.), qui retourne; retournement; suspense, etc.

PASSION → *Christ.*

PASSIVITÉ → *mou, supporter.*
PASSOIRE → *cuisine, vaisselle.*
PASTEL, PASTELLISTE → *dessin, image.*
PASTÈQUE → *légume.*
PASTEUR → *berger, protestant.*
PASTEURISER → *microbe.*
PASTICHE, PASTICHER → *moquer, reproduction.*
PASTILLAGE → *céramique, sucre.*
PASTILLE → *confiserie, médicament.*
PASTIS → *boisson.*
PASTORAL → *berger, campagne, ecclésiastique, protestant.*
PASTORALE → *berger, musique.*
PAT → *échecs.*
PATACHON → *débauche, fête.*
PATAPOUF → *bruit, homme, lent.*
PATATE → *plante, pomme, sot.*
PATATI, PATATA → *parler.*
PATATRAS → *bruit, tomber.*
PATAUD → *chien, gauche, lent.*
PATAUGER → *boue, gêner, marcher.*
PATCHOULI → *parfum.*
PÂTE → *confiserie, farine, pierre, presser.*
PÂTÉ → *cuisine, écrire, habiter, jouer, viande.*
PÂTÉE → *bétail, chien, élevage.*
PATELIN → *doux.*
PATELLE → *mollusques.*
PATÈNE → *sacrement.*
PATENÔTRE → *liturgie, parler.*
PATENT → *certifier, sûr.*
PATENTE, PATENTER → *commerce, impôt.*
PATER → *liturgie.*
PATÈRE → *supporter.*
PATERNALISTE → *colonie, économie.*
PATERNE → *doux.*
PATERNEL, PATERNITÉ → *enfant, famille.*
PÂTEUX → *épais, son.*
PATHÉTIQUE → *convaincre, douleur, œil, passion.*
PATHOGÈNE → *microbe.*
PATHOGÉNIE, PATHOLOGIE → *médecine.*
PATHOS → *passion.*
PATIBULAIRE → *laid, peur, visage.*
PATIENCE → *calme, carte, doux, supporter.*
PATIENT → *attendre, calme, médecine, supporter.*
PATIENTER → *cause, supporter.*
PATIN → *jouer, machine, sport.*
PATINE, PATINER → *couleur, temps.*
PATINER, PATINAGE → *sport, tourner.*
PATINEUR, PATINOIRE → *sport.*
PATIO → *maison.*
PÂTIR → *douleur.*
PÂTIS → *bétail.*
PÂTISSERIE, PÂTISSIER → *confiserie, cuisine, pain.* — **Faire de la pâtisserie.** Biscuit, biscuiterie ; confiseur ; crème ; cuisiner, cuisinier ; dessert ; entremets ; gâteau, gâteau fait à la maison ; glace, glacier ; pâte, pâtisserie familiale, pâtisserie, pâtissier, pâtissier-glacier ; recette ; tarte. ■ Appareil, beurre, farine, fruits, lait, œufs, parfum, sucre. ■ Enfourner, four, mettre au four ; gaufrier ; moule, moule à fond mobile/à tarte/en couronne ; rouleau à pâtisserie ; tôle ; tourtière. — **Crèmes.** Bavaroise ; blanc-manger ; compote ; crème anglaise/au beurre/ Chantilly/fouettée/fraîche/frangipane/ pâtissière / renversée ; île flottante ; mousse au chocolat ; œufs à la neige ; riz au lait ; sabayon. ■ Battre, batteur ; délayer ; écumer ; filtrer ; fouet ; lier ; passer ; spatule ; tamiser ; tourner. ■ La crème épaissit/prend/tourne. — **Gâteaux.** Allumette, baba, beignet, barquette, biscuit à la cuillère, biscuit de Savoie, bretzel, brioche, cake, charlotte, chausson, chou, clafoutis, couque, crêpe, croquet, échaudé, éclair, flan, friand, galette, gâteau au fromage/de riz/de semoule/sec, gaufre, génoise, kouglof, macaron, madeleine, massepain, meringue, millefeuille, mirliton, moka, nonnette, nougatine, omelette, omelette norvégienne, pain d'épices, palmier, pet-de-nonne, petit-beurre, petit four, plum-cake, profiterole, pudding, quatre-quarts, religieuse, rissole, sablé, saint-honoré, savarin, soufflé, suprême, tuile, turinois, vacherin. ■ Beurrer un moule, confectionner un gâteau, décorer, dorer, dresser, glacer. — **Glaces.** Bombe glacée, cassate, liégois, mystère, panaché, parfait, plombières, sorbet, tranche napolitaine. ■ Glace en bâtonnet/en cornet/en coupe ; esquimau, sucette. ■ Congélateur, congeler, faire prendre une crème, glacer glacière, sorbetière. — **Tartes.** Pâte à choux/à frire/brisée/feuilletée/ levée/sablée/salée/sucrée, tarte aux fruits, tartelette. ■ Abaisser, étendre ; faire une boule/une fontaine ; laisser reposer ; pétrir, travailler la pâte ; donner un tour, tourer.
PÂTISSON → *légume.*
PATOCHE → *main.*
PATOIS, PATOISER → *langage.*
PATOUILLER → *boue.*
PATRAQUE → *machine, maladie.*
PÂTRE → *berger.*
PATRIARCAT, PATRIARCHE → *Bible, ecclésiastique, famille, vieillesse.*

PATRIE → *État, habiter, pays.*

PATRIMOINE → *famille, posséder, succession.*

PATRIOTE, PATRIOTISME → *aimer, pays.*

PATRISTIQUE, PATROLOGIE → *religion, théologie.*

PATRON → *chef, conduire, entreprise, saint.*

PATRON → *couture.*

PATRONAGE → *bienfaisance, saint.*

PATRONNESSE → *bienfaisance.*

PATRONYMIQUE → *nom.*

PATROUILLE, PATROUILLER → *armée, guerre.*

PATTE → *ancre, bande, clou, jambe.*

PATTE-D'OIE → *crispation, œil, route.*

PATTEMOUILLE → *nettoyer.*

PATTERN → *reproduction.*

PATTU → *chien.*

PÂTURAGE, PÂTURE, PÂTURER → *bétail, herbe.*

PATURON → *cheval.*

PAUME → *balle, main.*

PAUMELLE → *céréale, main, porte.*

PAUMER → *perdre.*

PAUPÉRISATION, PAUPÉRISME → *économie, pauvre.*

PAUPIÈRE → *dormir, œil.*

PAUPIETTE → *cuisine, viande.*

PAUSE, PAUSER → *arrêt, repos, sport.*

PAUVRE, PAUVRESSE, PAUVRETÉ → *maigre, manquer, malheur, mauvais.* — **État permanent de pauvreté.** Abaissement du niveau de vie ; appauvrissement ; besoin, être dans le besoin ; bourse plate ; débine (pop.), dèche (pop.), dénuement, détresse, disette ; économiquement faible ; famine ; gueuserie ; impécunieux, indigent ; manque, manquer du nécessaire ; être dans la mélasse (pop.)/la misère/miséreux/misérable/dans la mouise (pop.) ; n'avoir pas les moyens/le nécessaire/pas un rond (fam.)/pas le sou/pas un sou vaillant ; nécessité, nécessité pressante, nécessiteux ; être sur la paille/sur le pavé (fam.)/dans la purée (pop.) ; paupérisation, paupérisme ; pays pauvre/sous-développé ; pénurie ; prolétaire, prolétariat ; ruine, ruiné ; sans argent, sans ressources. — **Mendiant.** Asile de nuit ; Assistance publique, assisté ; baraque, baraquement ; bidonville ; bureau de bienfaisance ; n'avoir ni feu ni lieu ; masure ; aller à la soupe populaire ; taudis. ▪ Calamiteux ; demander l'aumône ; déshérité ; être dépenaillé/famélique/en guenilles/en haillons/en loques ; gueux, pauvre hère, infirme, loqueteux, malheureux, mendiant, réduit à la mendicité ; mendigot, mendigoter ; misère ; mourir de faim ; pauvre comme Job, pouilleux, purotin (pop.), sans le sou, sans-logis ; tendre la main / la sébile ; traîne-misère, vagabond, va-nu-pieds, ventre creux ; vivre de charité publique. — **État partiel de pauvreté.** A bout de ressources, à court d'argent, à sec, appauvri, besogneux ; vivre chichement ; existence chétive ; défavorisé, démuni, dépourvu, désargenté ; embarras ; épuiser ses finances ; n'être pas en fonds ; faire des économies ; fauché (fam.), dans la gêne, gêné, un peu juste (fam.), humble condition ; manger de la vache enragée, être minable (fam.)/miteux (fam.) ; modeste train de vie ; ne pas joindre les deux bouts ; dans la panade (pop.) ; parasite, pique-assiette ; perdre de l'argent, se faire plumer (pop.) ; portion congrue ; se priver ; être dans la purée (pop.) ; restriction ; sans argent, sans le sou, sans un (pop.) ; tirer le diable par la queue ; toucher le fond ; végéter, vivoter, vivre au jour le jour. — **Médiocrité.** Dénué, dépourvu, déshérité, pauvre de/en quelque chose ; sol maigre/pauvre/peu productif/ stérile. ▪ Banal, étriqué, faible, faiblesse, inférieur, insignifiant, insuffisant, etc., lamentable, maladroit, malhabile, médiocre, mesquin, minable, minime, négligeable, piètre, quelconque. ▪ Commisération, lamentable, malheureux, piteux, pitié, pitoyable, à plaindre.

PAVAGE → *maçonnerie, route.*

PAVANE → *danse.*

PAVANER (SE) → *marcher, orgueil.*

PAVÉ → *pierre, route.*

PAVEMENT, PAVER → *route.*

PAVILLON → *édifice, entendre, instrument, maison, navire, soumettre.*

PAVOIS, PAVOISER → *bouclier, joie, navire.*

PAVOT → *fleur.*

PAYER → *argent, devoir, mérite, peine, produire.* — **Mode de paiement.** Argent, billet, billet à ordre, carte bleue, carte d'or, carte de crédit, chèque bancaire/postal, espèces, lettre de change, mandat, monnaie, en nature, numéraire, or, pièce, traite, troc, virement, versement. ▪ Argent comptant/à vue ; crédit ; demander une décharge, quittance, quitus ; récépissé, reçu, à échéance, facilités de paiement ; payer rubis sur l'ongle/à tempérament, remise. — **Payer.** Acheter, acquit, acquitter, y aller de sa poche (fam.), compter, cracher au bassinet (fam.), débourser, dépenser, donner en contrepartie/en échange ; effectuer/suspendre un paiement ; être généreux/large, être quitte, s'exécuter, se fendre (pop.), financer, gaspiller, mettre le paquet; offrir, s'offrir, se payer; participer aux frais; se rattraper sur; règlement, régler; rendre gorge; se saigner aux quatre veines; solder; verser de l'argent. ▪ Budget, coût, dépense, marché, prix, recette. — **Payer ce qu'on doit.** Acquitter des droits/une amende, payer la douane/ses impôts/une taxe; contribuable; paierie, perception, recette; solvable, solvabilité. ▪ Créance, créancier; débiteur, dette, se décharger/se libérer d'une dette, liquider ses dettes; payant, payeur, mauvais payeur; rançon; rembourser, rendre un prêt. ▪ Compensation pécuniaire, dédit, dédommager, défrayer, désintéresser; dommages-intérêts; indemniser, indemnité; pensionner, racheter, récompenser, réparation, servir une rente. — **Payer les frais.** Acompte, arrhes, avance; caution, cautionner; consignation, consigner; contribution, cotisation, écot; forfait, forfaitaire; quote-part, le solde. ▪ Addition; facture, facturer; frais, frais de port, franco de port; locataire, louer, payer le loyer/le terme; note, service compris/non compris; verser, rançon, tribut. ▪ Amortir, amortissement; avance, avancer; financement, assurer le financement; investir, investissement; produire, profitable, rapporter. — **Payer un salaire.** Caisse, caissier; comptable, employeur, exploiteur, intendant, patron, trésorier. ▪ Allocations familiales; appointements bruts/nets, appointer; augmentation; avance; bénéfice; boni; cachet; commission, toucher une commission; congés payés; cotisation de Sécurité sociale; courtage; échelle mobile des salaires; émarger, émoluments; employer au pair; fixe; forfait, gages, gain, gratification, guelte, honoraires, indemnité de logement/de nourriture/de transport; jeton de présence; liste civile; minimum vital; paie ou paye, bulletin/feuille de paie, toucher sa paie; pige; pourboire; présalaire; prime; prestations sociales; réajuster les salaires; rémunérer; retenues sociales; rétribuer, rétribution; salaire horaire/mensuel/nominal/réel; salaire minimum interprofessionnel de croissance (SMIC), éventail/hausse / mensualisation / relèvement des salaires; salarié; solde des militaires; avoir à sa solde, stipendier; subsides; surpayer, sursalaire; tarif syndical; toucher une certaine somme; traitement; vacation. — **Payer plus ou moins cher.** Payer un prix avantageux/bon marché/à bas prix; baisse des prix; avoir à bon compte/pour une bouchée de pain; diminution; c'est donné; économique; à titre gracieux, gratis, gratuit; liquider, liquidation; occasion; prix modéré/modique/unique; rabais, réduction, remise, ristourne; pour rien; sacrifier, solder; à vil prix. ▪ Payer cher; prix coûteux/élevé / excessif / exorbitant / fort / fou, gros prix, hors de prix, prix onéreux/prohibitif/ruineux. ▪ Augmentation/élévation/hausse/majoration du coût de la vie; enchérir, renchérir; écorcher, étriller, soigner, tondre, rançonner; tenir la dragée haute. ▪ Indexer les prix; indice, indiciaire; montant; prix plafond/plancher, prix de revient; tarif plein/réduit, demi-tarif; taux.

PAYEUR → *agent, comptabiliser, impôt.*

PAYS → *géographie, habiter, race.* — **Description et étude.** Ethnographie, ethnologie, géographie économique / humaine / physique, topographie. ▪ Ciel, climat, configuration, faune, fertilité, flore, milieu, production, relief, sol, terrain, terre, terroir. ▪ Pays agricole/industriel/sous-développé ou en voie de développement, tiers monde; pays chaud/froid/tempéré; haut pays, plat pays, nations latines. — **Le pays politique.** Communauté politique, confédération, empire, État, fédération, gouvernement, protectorat, puissance, république, royaume, souveraineté nationale, unité territoriale. ▪ Capitale, métropole, ville. — **La contrée.** Connaître/courir le pays, parcourir/visiter la région, voir du pays, voyager. ▪ Campagne, contrée, endroit, environs, lieu, localité, parages, paysage, région, réserve, secteur, site, territoire, voisinage, zone. ▪ Circuit touristique, faire le tour d'un pays, faire un pays (fam.), tourisme, tournée. — **Les habitants d'un pays.** Aborigène; acclimatation; apatride; assimiler; autochtone; citoyen, civique; compatriote, concitoyen; cosmopolite; émigré, émigration; exil, exiler, expatriation; habitant, heimatlos; immigrant, immigrer; indigène, natif; nationalité, nationaux; naturalisation, naturaliser; nomade; originaire, origine; provenance; peuplade, peuple, population; race; rapatrier; réfugié; résident; ressortissant; séjourner, carte, permis de séjour. — **La patrie.** Amour de la patrie; autonomie; chauvinisme; civisme, civique; cocardier; ethnocentrisme; fête nationale; folklore, folklorique; guerre civile/intestine; langue nationale/officielle; lieu d'origine; mal du pays; la mère patrie; nation, national, nationalisme; nostalgie; patrie, patriote, patriotisme; pays d'adoption/d'élection/de naissance/natal; régionalisme, régionaliste; sentiment national/patriotique, terre d'élection, xénophobie. — **Relations entre pays.** Ambassade ; colonie, colonisation ; conseiller, mission culturelle ; consulat ; diplomatie, droit d'allégeance ; étranger, relations extérieures ; exportation, importation ; internationalisme, organisation internationale.

PAYSAGE → *pays, peinture.*

PAYSAGISTE → *peinture.*

PAYSAN, PAYSANNERIE → *campagne, grossier.*

PÉAGE, PÉAGER → *impôt, route.*

PÉAN → *chanter.*

PEAU → *couvrir, cuir, enseignement.* — **Généralités.** Cutané, miliaire, peau, pellicule, piqûre hypodermique/intradermique, scarification, scarifier. ▪ Dépiauter, dépouiller, écorcher, muer, mue. — **Description scientifique.** Anse vasculaire ; basale ; chorion ; corpuscule tactile/de Krans/de Meissner/de Paccini ; couche cornée, muqueuse de Malpighi/papillaire ; derme, dermatologie, dermatologue ; épiderme, épidermique ; épithélium ; glandes mammaires/sébacées et sudoripares ; mélanine ; pannicule ; papille ; pore ; sueur, évaporation cutanée, perspiration, transpiration ; tact ; tissu ; toucher. ▪ Phanère : corne, écaille, griffe, ongle, plume, poil. — **État de la peau.** Bronzage, se faire bronzer au soleil ; cal, peau calleuse ; chair de poule ; carnation ; couleur de la peau, homme de couleur ; couperose, couperosé ; grain, grain de beauté, peau grenue/rugueuse ; marbrure ; pâle, pâlir, pâleur, pâlot, blanc, blafard, cireux, livide ; peau ambrée / blonde / dorée / rose ; peau blanche/lactée/laiteuse/nacrée ; peau fine/lisse/satinée/soyeuse/tendre/veloutée ; peau jaune, jaune comme un coing ; peau basanée/bistrée / bronzée / brune / boucanée / cuite / cuivrée / hâlée / mate ; peau graisseuse/huileuse/moite ; peau flasque / fripée / molle / parcheminée / pendante/sèche ; peau noire/café au lait / chocolat / marron / noirâtre / noiraude/sombre. — **Affections et maladies de la peau.** Bleu, boursouflure, brûlure, cicatrice, coupure, écorchure, égratignure, éraflure, excoriation, griffe, griffure, pinçon, suçon, tatouage. ▪ Acné, ampoule, bouton, boutonneux, bubon, chéloïde, cloche, cloque, comédon, cor, crête, crevasse, croûte, cyanose, dartre, dermatite ou dermite, dermatose, desquamation, durillon, ecchymose, ecthyma, eczéma, éléphantiasis, envie, éruption, érysipèle, érythème, escarre, exfoliation, flegmon, folliculite, fongus, furoncle, gale, gerce, gerçure, herpès, impétigo, intertrigo, kératose, lèpre, loupe, lupus, macule, molluscum, nævus, nodosité, œdème, papule, pelade, pemphigus, phtiriasis ou maladie pédiculaire, pityriasis, psoriasis, purpura, pustule, rougeole, rubéfaction, serpigineux, squame, syphilis, tanne, teigne, urticaire, verrue, vibices, vitiligo. — **Soins et traitement de la peau.** Aviver le teint ; cold-cream, crème hydratante/nourrissante ; fard, se farder ; fond de teint ; maquillage, se maquiller ; peeling. ▪ Baume, cataplasme, compresse, embrocation, emplâtre, émollient, greffe cutanée, onguent, pansement, pommade, sparadrap.

PEAUCIER → *muscle.*

PEAUSSERIE, PEAUSSIER → *cuir.*

PÉBRINE → *soie.*

PEC → *poisson.*

PÉCARI → *porc.*

PECCADILLE → *faute.*

PÊCHE → *pêcher, poisson.*

PÊCHE → *fruit, noyau.*

PÉCHÉ, PÉCHER → *faute, morale.*

PÊCHER → *poisson, prendre.* — **Généralités.** Halieutique, halieutisme ; pêche côtière/fluviale/lacustre ; pêcher, pêcheur, garde-pêche ; ouverture/fermeture de la pêche ; saison de pêche ; pisciculture ; vivier. — **Actes du pêcheur.** Appât, appâter, amorce, asticot, blé, boëte, chènevis, pain, rogue, ver ; coup de pêche ; embecquer l'hameçon ; ferrer, ferrage ; lancer ; mordre, ça mord ! ; pêcher au coup/à la dandinette/au lancer léger ou lourd/à la mouche noyée ou sèche/au vif/ à la volante ; pêcher aux lignes de fond/à la main/à la pelote/à la traîne/au trimmer/à la vermée ; pêcher à pied, bassier ; poser une ligne ; plomber ; surf-casting ; tendre des lignes ; touche. — **Instruments de pêche à la ligne.** Avançon ; balance ; bas de ligne ; bouchon, plume ; bourriche ; canne à pêche, brin, scion ; canne en bambou refendu/en fibre de verre/en riz de Chine/en roseau ; canne à lancer, canne télescopique, cuiller, devon ; dégorgeoir ; émerillon ; empile ; épuisette ; esche ; fil, crin, nylon, racine, soie ; flotteur ; fuseau ; gaule ; hameçon anglais/irlandais/simple/double/triple ; leurre ; ligne ; mouche ; moulinet ; plioir ; plomb, plombée ; sonde, trimmer. — **Matériel de pêche professionnelle.** Balance ; casier à homards/à langoustes ; drague ; gord ; lamparo ; ligne, arondelle, libouret, palangre, palangrotte ; ligne de fond, traînée ; pêche côtière, grande pêche, pêche hauturière/au large/littorale. ▪ Filet : ansière, araignée, bolier, bosselle, carafe, carrelet, drège, épervier, folle, gangue, guideau, haveneau, madrague, nasse, nicot rissole, seine ou senne, thonaire, traîneau, tramail, verveux ; mailles d'un filet. ▪ Crochet, foëne, fouine, grappin, harpon, trident. — **Bateaux de pêche.** Baleinier, chalutier, harenguier, langoustier, morutier, sardinier, terre-neuvas, thonier, trinquant ; bachot, barque, équipage, marin, mousse, patron.

PÊCHERIE, PÊCHEUR → *marine, pêcher.*

PÉCHEUR → *faute.*

PÉCORE, PECQUE → *femme, sot.*

PECTINE → *pomme.*

PECTORAL → *fleur, poitrine.*

PÉCULAT → *voler.*

PÉCULE → *gagner.*

PÉCUNIAIRE → *argent.*

PÉDAGOGIE, PÉDAGOGUE → *enseignement.*

PÉDALE, PÉDALER, PÉDALIER → *bicyclette.*

PÉDANT, PÉDANTERIE, PÉDANTISME → *affectation, connaissance, science.*

PÉDÉRASTE, PÉDÉRASTIE → *homme, sexe.*

PÉDESTRE → *marcher.*

PÉDIATRE, PÉDIATRIE → *enfant, médecine.*

PÉDICELLE → *pied.*

PÉDICULE → *pied, veine.*

PÉDICURE → *doigt, pied, toilette.*

PEDIGREE → *animal, race.*

PÉDOGENÈSE, PÉDOLOGIE → *terre.*

PÉDOLOGIE, PAIDOLOGIE → *enfant.*

PÉDONCULE → *pied.*

PEELING → *peau.*

PÈGRE → *classe, voler.*

PEIGNE → *cheveu, fil, mollusques, toilette.*

PEIGNÉ → *tissu.*

PEIGNER → *cheveu.*

PEIGNOIR → *bain, vêtement.*

PEILLES → *papier.*

PEINARD → *repos.*

PEINDRE → *dessin, peinture.*

PEINE → *crime, difficile, douleur, fatigue, importance, souci.* — **Condamner à une peine.** Blâmer ; censurer ; condamner ; corriger ; faire un exemple ; flétrir ; frapper de, infliger une peine ; loi du talion ; mater ; mettre à pied ; faire payer ; peine légère/lourde/rigoureuse/sévère ; pénal, pénaliser, pénalisation ; prononcer une peine ; punir ; sanctionner, sévir ; stigmatiser ; suspendre de ses fonctions ; venger, vengeance ; vindicte. ▪ Code pénal ; conseil de discipline/de l'Ordre ; juge, jury ; sentence ; tribunal ; verdict. — **Subir une peine.** Bagnard ; cachot ; condamné ; déporté ; exilé ; expiation ; forçat ; payer ; pénitencier, régime pénitentiaire ; porter sa croix ; proscrit ; prix d'une faute, purger sa peine ; se racheter, rachat ; réparer, réparation ; repris de justice.— **Peines diverses.** Amende, bagne, bannissement, châtiment, condamnation, confiscation, déchéance, dégradation, déportation, détention, dommages et intérêts, emprisonnement, exclusion, exil, incarcération, interdiction de séjour, internement, leçon, peine afflictive/capitale/corporelle / correctionnelle / criminelle / disciplinaire/de droit commun/infamante / pécuniaire / principale / privative de liberté ; pénalité ; pénitence ; prison ; proscription ; punition ; radiation ; réclusion ; relégation ; sanction ; talion ; travaux forcés à perpétuité. ▪ Arrêts de rigueur, compagnie disciplinaire, forteresse, salle de police. ▪ Bonnet d'âne, coin, colle, consigne, pensum, piquet, retenue. ▪ Anathème, autodafé, damnation, enfer, excommunication, géhenne, martyr, mise à l'index, purgatoire. — **Châtiments corporels.** Bâtonner, bâtonnade ; battre ; calotter, calotte (fam.) ; corriger, correction ; coup de bâton/de fouet/de trique ; cravacher, cravache ; dérouiller (pop.) ; fesser, fessée ; flageller, flagellation ; fouetter, fouet, chat à neuf queues, martinet ; fustiger, fustigation ; gifler, gifle ; knout ; passer à tabac (pop.) ; raclée (pop.) ; rosser, rossée (pop.) ; souffleter, soufflet ; tirer les oreilles. — **Supplices.** Carcan ; crucifier, crucifiement ; décapiter, décapitation ; échafaud ; électrocuter, électrocution, chaise électrique ; estrapade ; exécuter, exécution ; fusiller, passer par les armes ; garrot ; guillotiner, guillotine ; pendre, pendaison ; pal, empaler ; pilori ; strangulation. ▪ Brûler vif, bûcher ; couper le nez ; crever les yeux ; écarteler ; écorcher ; enchaîner ; lapider ; lyncher ; martyriser ; mettre aux fers ; rouer, roue ; supplicier, supplice ; tenailler ; torturer, torture, tortionnaire ; tourmenter. — **Mériter, ne pas mériter une peine.** Appel, faire appel, en appeler à ; blâmable ; circonstances aggravantes/atténuantes ; condamnable ; coupable ; délinquant ; encourir une peine ; fautif, faute ; innocence ; passible de ; peine arbitraire/inique/injuste, etc. ; recours en grâce ; répréhensible ; responsable de ses actes, irresponsable. ▪ Adoucir ; amnistier, amnistie ; blanchir ; commuer, commutation ; disculper ; réhabiliter, réhabilitation ; remettre, remise de peine.

PEINER → *douleur, fatigue, triste.*

PEINTRE → *peinture.*

PEINTRE-GRAVEUR → *graver.*

PEINTURE → *art, couleur, dessin.* — **Généralités.** Atelier de peintre/de peinture ; cadre, encadrer, encadreur ; iconographie ; modèle ; motif ; peindre, peinture, pictural, artiste peintre ; pose, poser ; sujet. ▪ Copie, croûte (pop.), de l'école de, original, reproduction. ▪ Peindre un mur/un plafond ; peindre au pinceau/au pistolet/au rouleau ; ouvrier peintre, peintre en bâtiment. ▪ Boucher les fissures, crépir, graniter, jasper, marbrer, ravaler, revêtir, ripoliner, teinter ; couche, coup de pinceau, lessivage. — **Acte de peindre.** Accuser les traits, badigeonner, barioler, brosser, enduire, étaler, laquer, peinturlurer, pocher, rechampir, repeindre, restaurer, retoucher. ▪ Croquer, enjoliver, figurer, lécher, portraiturer ; maroufler, rentoiler. ▪ Ébaucher, esquisser, étudier ; maquette, pochade. ▪ Aquarelle, camaïeu, collage, détrempe, fresque, peindre à fresque, gouache, huile, lavis, pastel, sépia, sgraffite, vitrail. — **Ouvrage de peinture.** Diptyque, triptyque, polyptyque ; fresque, icône, morceau, panneau, plafond, prédelle, retable, tableau, toile, trumeau. ▪ Académie, allégorie, animaux, annonciation, bataille, caricature, charge, crucifixion, enseigne, fleurs, genre, groupe, intérieur, Madone, marine, maternité, nature morte, nocturne, nu, panorama, paysage, pietà, portrait, sous-bois, trompe-l'œil, vue, Vierge. ▪ Cimaise, exposition, galerie, pinacothèque, rétrospective, salon, vernissage. — **Description technique d'une peinture.** Arrière-plan, camaïeu, ciel, clair-obscur, coloris, construction, contours, contraste, dégradation, demi-teinte, dessin, draperie, embu, empâtement, ensemble, expression, fini, flou, fond, fondu, frottis, glacis, grisaille, groupe, harmonie, horizon, impression, lignes, lointain, lumière, masse, matière, méplat, modelé, nombre d'or, notation, ombre, pâte, perspective, plan, à-plat, profondeur, raccord, raccourci, rappel de ton, rehaut, relief, rendu, repeint, repoussoir, retouche, sfumato, surcharge, tache, teinte, ton, tonalité, touche, trait, trompe-l'œil, vaporeux. ▪ École, façon, manière, patte, style, touche. ▪ Disposer les masses ; lois de la perspective, mettre de l'air ; orchestrer les couleurs, les couleurs chantent/jurent, polyphonie, cacophonie, etc. — **Celui qui peint.** Peintre animalier, aquarelliste, coloriste, enlumineur, fresquiste, luministe, miniaturiste, orientaliste, pastelliste, paysagiste, peintre de marines, portraitiste, verrier. ▪ Cubiste, expressionniste, fauve, figuratif et non-figuratif, futuriste, impressionniste, intimiste, maniériste, nabi, naïf, naturaliste, pointilliste, préraphaélite, réaliste, romantique, surréaliste, symboliste, tachiste. ▪ Beaux-Arts, élève, maître, prix de Rome, rapin. — **Matériel du peintre.** Amassette, brosse, camion, chevalet, couteau, godet, mannequin, palette, pinceau, pincelier, pistolet, pochoir, queue-de-morue, repoussoir, rouleau, spalter, spatule, toile. ▪ Apprêt ; couleur, broyer les couleurs ; enduit gras ; huile ; laque ; médium ; peinture cellulosique / glycérophtalique, pot/tube de peinture ; pigment ; siccatif ; subjectile, support ; véhicule ; vernis. ▪ Peindre sur bois/ivoire/papier/porcelaine/tissu/toile/verre.

PEINTURER, PEINTURLURER → *couleur, peinture.*

PÉJORATIF → *mal, mépris, mot.*

PÉKINÉ → *tissu.*

PÉKINOIS → *chien.*

PELADE → *cheveu, poil.*

PELAGE → *poil.*

PÉLAGIQUE → *mer.*

PELÉ → *cheveu, poil, sec.*

PÉLÉEN → *volcan.*

PÊLE-MÊLE → *mêler, photographie, trouble.*

PELER → *enlever, fruit.*

PÈLERIN, PÈLERINAGE → *saint, voyager.*

PÈLERINE → *vêtement.*

PÉLICAN → *oiseau.*

PELISSE → *vêtement.*

PELLE → *remuer, tomber.*

PELLETÉE, PELLETER → *remuer.*

PELLETERIE → *cuir, peau, poil.*

PELLETEUSE → *construction, fonder, trou.*

PELLETIER → *poil.*

PELLICULE → *cheveu, peau, photographie.*

PELOTARI → *balle.*

PELOTE → *balle, boule.*

PELOTER → *caresse, main, toucher.*

PELOTON → *armée, course, fusil, groupe,.*

PELOTONNER → *boule.*

PELOUSE → *herbe.*

PELUCHE, PELUCHER, PELUCHEUX → *doux, poil, tissu.*

PELURE → *couvrir, papier.*

PELVIEN, PELVIS → *ventre.*

PEMPHIGUS → *peau.*

PÉNAL → *crime, droit, faute.*

PÉNALISER, PÉNALITÉ → *peine, sport.*

PENALTY → *balle.*

PÉNATES → *habiter.*

PENAUD → *gauche, gêner.*

PENCHANT → *habitude, tendance.*

PENCHER → *bas, choisir, oblique.* — **Faire pencher.** Baisser, abaisser, rabaisser ; basculer ; coucher ; courber ; incliner ; plier, ployer ; renverser. ▪ Biaiser, dévier, descendre, déverser, infléchir, incliner, monter, pencher. — **Qui penche.** De biais, en biseau, de coin, de côté, en diagonale, de flanc, de guingois, déjeté, déversé, fuyant, gauche, latéral, oblique, pentu, en porte-à-faux, de travers, de traviole (pop.). ▪ Ados d'un fossé ; bande, donner de la bande ; berge ; côte ; déclivité, déclive ; descente ; dévers ; escarpement, escarpé ; gîte, gîter ; glacis ; montée ; pente, en pente ; plan incliné ; raidillon ; rampe ; talus.

PENDABLE → *moquer.*

PENDAISON → *peine, pendre.*

PENDANT → *égal, semblable.*

PENDELOQUE → *joaillerie, pendre.*

PENDENTIF → *arc, bijou.*

PENDERIE → *maison, meuble, vêtement.*

PENDILLER → *pendre.*

PENDILLON → *horlogerie.*

PENDOIR → *pendre, viande.*

PENDOUILLER → *pendre.*

PENDRE → *attache, corde, peine.* — **Pendre, être pendu.** Accrocher ; s'avachir ; pendiller, pendouiller (fam.), pendre ; retomber ; soutenir ; suspendre, être suspendu, jardin / pont suspendu ; tomber ; traîner, traîne. — **Ce qui pend.** Astragale, feston, frange, girandole, gland, grappe, guirlande, pampille, pendant d'oreille, pendeloque, pendentif, porte-à-faux, sautoir, suspension (lustre), volant d'une robe. ▪ Un pendule : amplitude, balancement, battement, élongation, fréquence, libration, oscillation, pendule, tige, vibration ; pendule circulaire/composé, compensation, pendule simple/de torsion. — **Ce à quoi un objet pend.** Anneau, champignon, cintre, clou, crampon, cran, crémaillère, croc, crochet, crochet X, esse, hameçon, hampe, patère, patte, pendoir, piton, portemanteau, potence, râtelier, tringle, valet. ▪ Accrocher, crocher, décrocher, raccrocher. — **Pendaison.** Brancher ; corde, mettre la corde au cou, homme de sac et de corde ; fourches patibulaires ; gibet ; hart ; pendre haut et court/à la lanterne/à la grande vergue ; un pendu, la « Ballade des pendus », pendable, pendaison ; potence, gibier de potence.

PENDULAIRE, PENDULE → *peser.*

PENDULE, PENDULETTE → *horlogerie.*

PÈNE → *serrure.*

PÉNÉPLAINE → *relief.*

PÉNÉTRANT → *rayon.*

PÉNÉTRANTE → *route.*

PÉNÉTRATION → *connaissance, passer, raisonnement.*

PÉNÉTRER → *convaincre, entrer, passer.*

PÉNIBLE → *difficile, fatigue, souci.*

PÉNICHE → *bateau, canal.*

PÉNICILLINE → *microbe.*

PÉNICILLIUM → *champignon.*

PÉNINSULAIRE, PÉNINSULE → *mer, relief.*

PÉNIS → *psychanalyse, sexe.*

PÉNITENCE → *faute, pardon, peine, sacrement.*

PÉNITENCERIE → *ecclésiastique.*

PÉNITENCIER → *prison.*

PÉNITENT → *sacrement.*

PÉNITENTIAIRE → *prison.*

PENNAGE, PENNE → *plume.*

PENNON → *vent.*

PÉNOMBRE → *lumière, obscur.*

PENSÉE → *fleur.*

PENSÉE, PENSER, PENSEUR → *connaissance, croire, esprit, imaginer, opinion.* — **Données de la psychologie.** Association des idées ; cerveau ; *cogito ergo sum* ; comprendre, compréhension ; concept, conceptuel, conceptualiser ; connaissance, connaître par la pensée ; conscience, le conscient, l'inconscient, le subconscient ; esprit, spirituel, spiritualité ; idée ; image, imagination ; instinct, instinctif ; intelligence, intellect, intellectuel, intellectualiser, intelligent ; introspection ; jugement ; langage, exprimer, expression de la pensée ; logique, pensée logique ; mémoire ; mentalité, mental ; le moi ; objectif, subjectif ; perception ; psychologie, activité/fait psychique, psychisme ; raison, raisonnement, raisonner, rationnel, rationaliser ; télépathie ou transmission de la pensée ; vision du monde ou *Weltanschauung.* — **L'idée.** Concept ; entité ; idéalisme ; idéation ; idée abstraite/concrète/fixe/générale/pure ; idéologie, idéologue ; notion, prénotion, notionnel ; noumène. ▪ Choc des idées, joute intellectuelle ; confronter des points de vue/des thèses ; discussion, jeter des idées dans la discussion/dans le feu de la discussion. — **Réfléchir.** Calculer, calcul ; cogiter (fam.), cogitation ; combiner, combinaison, échafauder des combinaisons ; se concentrer, concentration ; concevoir, conception ; creuser un problème, se creuser la tête pour trouver une solution ; délibérer ; élucubrer, élucubration ; envisager ; étudier ; examiner, examen de conscience ; imaginer ; machiner ; méditer, préméditer, fruit des méditations ; penser en soi/en son for intérieur/dans sa (petite) tête (fam.) ; raisonner ; se recueillir, recueillement ; réfléchir, réflexion, mûrement/tout réfléchi ;

rentrer en soi-même ; se représenter ; rêver, rêverie ; rouler dans sa tête ; ruminer ; songer, songerie ; spéculer, spéculation ; thème de réflexion/directeur ; travailler de la tête, travail intellectuel, travailler du chapeau (fam.)/du ciboulot (pop.)/des méninges (pop.), faire travailler sa matière grise (fam.). ■ S'abandonner à ses réflexions, s'abîmer/s'absorber/s'enfoncer/se perdre/se plonger dans ses pensées ; air absent / méditatif / occupé / pensif / préoccupé / rêveur / songeur / soucieux, etc. — **Opérations particulières.** Abstrait, concret, abstraire, concrétiser ; analyse, analyser, synthèse, synthétiser ; déduction, déduire, induction, induire. ■ Illumination, impression, inspiration, sensation, sentiment. ■ Dessein, ébauche, esquisse, hypothèse, intention, mouvement instinctif/irréfléchi, plan, projet, soupçon, tentation, volonté. — **Pensée exprimée de façon frappante.** Adage, ana, aphorisme, apophtegme, article de foi, axiome, boutade, devise, dicton, épigraphe, expression consacrée, formule, généralité, idée rebattue, inscription, légende, lieu commun, maxime, moralité, mot, oracle, paradoxe, précepte, proverbe, raccourci, sentence, slogan, trait d'esprit. ■ Didactique, gnomique, sentencieux.

PENSIF → *penser, souci.*

PENSION → *aider, enseignement, hôtel, payer.*

PENSIONNAIRE → *enseignement, hôtel.*

PENSIONNAT → *enseignement.*

PENSIONNÉ, PENSIONNER → *payer.*

PENSUM → *enseignement.*

PENTAGONAL, PENTAGONE → *géométrie.*

PENTAMÈRE → *insecte.*

PENTAMÈTRE → *poésie.*

PENTATHLON → *athlétisme.*

PENTE → *droite, oblique, pencher, relief, tendance.*

PENTECÔTE → *fête, liturgie.*

PENTODE, PENTHODE → *électricité.*

PENTURE → *bande, porte.*

PÉNULTIÈME → *extrême, mot, suivre.*

PÉNURIE → *manque, pauvre.*

PÉPÈRE → *homme, repos.*

PÉPETTES → *argent.*

PÉPIE → *boire, oiseau.*

PÉPIER → *cri, oiseau.*

PÉPIN → *fruit, malheur, pluie.*

PÉPINIÈRE, PÉPINIÉRISTE → *arbre, produire.*

PÉPITE → *morceau, or.*

PEPPERMINT → *boisson.*

PEPSINE → *estomac.*

PÉQUENOT → *campagne.*

PERCALE, PERCALINE → *tissu.*

PERÇANT → *aigu, cri, vif.*

PERCE → *tonneau, trou.*

PERCÉE → *ouvrir, sport.*

PERCE-NEIGE → *fleur.*

PERCE-OREILLE → *insecte.*

PERCEPTEUR → *impôt.*

PERCEPTIBLE → *apparaître.*

PERCEPTIF, PERCEPTION → *sensibilité.*

PERCEPTION → *impôt.*

PERCER → *douleur, ouvrir, passer, trou.*

PERCEUSE → *trou.*

PERCEVOIR → *impôt.*

PERCEVOIR → *connaissance, sensibilité.*

PERCHE → *poisson.*

PERCHE → *aider, athlétisme, femme, grand.*

PERCHÉE → *vigne.*

PERCHER, PERCHER (SE) → *habiter, oiseau.*

PERCHERON → *cheval.*

PERCHEUR, PERCHOIR → *oiseau.*

PERCLUS → *diminuer, maladie vieillesse.*

PERCOLATEUR → *café.*

PERCUSSION → *frapper, fusil, instrument.*

PERCUTANT → *convaincre, projectile.*

PERCUTER → *frapper.*

PERDITION → *danger, marine.*

PERDRE → *détruire, dommage, douleur, échouer, mourir.* — **Égarer.** Perdre ses affaires/son mouchoir/son parapluie, bureau des objets perdus ; étourdi, tête en l'air. ■ Perdre son chemin/la piste/la trace : aller à la dérive, battre la campagne, dérouter, dévier, s'écarter, s'égarer, s'embrouiller, errer, faire fausse route/naufrage, se fourvoyer, ne pas avoir le sens de l'orientation, se noyer, se paumer (pop.), tourner en rond, se tromper. ■ Être dépaysé/dérouté/désorienté/détourné/dévoyé/une épave ; un coin perdu/écarté/isolé/sauvage. — **Abîmer.** Perdre quelque chose : abîmer, avarier, corrompre, se dégénérer, dégénérescence, détériorer, dévaloriser, pourrir. ■ Causer la perte de quelqu'un/un préjudice : déconsidérer, déshonorer, discréditer, ruiner. — **Être privé de l'usage de.** Perdre ses droits/sa situation : déchéance, être déchu/démuni / dessaisi / dépossédé / dépouillé / désargenté / déshérité / dévalisé / privé/spolié. ■ Perdre ses facultés : être amnésique / aphasique / atteint / blessé/mutilé. ■ Perdre la boussole (fam.)/

contenance / courage / ses moyens / le nord/les pédales (fam.)/la raison/son sang-froid/la tête/la tramontane : être affolé / découragé / déçu / désabusé / désenchanté / désillusionné / fou / intimidé/paralysé. ▪ Perdre confiance/ la foi/le goût/l'habitude : abandonner, se débarrasser, se défaire de, désaffectation. ▪ Perdre la vie : mourir ; perdre un être cher : être en deuil de, voir mourir, orphelin, veuf, veuve ; perdre l'amour/le cœur de quelqu'un ; perdre quelqu'un de vue : cesser de voir, être séparé de, négliger, oublier, ne plus se souvenir. — **Dépenser sans profit.** Perdre de l'argent : banqueroute ; boire un bouillon ; dilapider ; être en déconfiture/en déficit/déficitaire/à fond de cale (fam.) ; en être de sa poche ; excès de dépenses ; faillite ; faire une brèche/la culbute/de mauvaises affaires ; laisser des plumes ; manger de l'argent, y perdre ; perdre au jeu, prendre une culotte ; profits et pertes ; ruine, se ruiner, ruineux ; subir une perte/un préjudice ; vendre à perte, perte sèche. ▪ Perdre son contenu : ne pas être étanche/hermétique, fuir. ▪ Perdre une occasion : laisser échapper/tomber, manquer, négliger, omettre. ▪ Perdre ses journées/sa peine/ son temps : déchet ; dépenser en pure perte ; déperdition de chaleur/d'énergie ; diminution ; disperser ; dissiper ; éparpiller ; gâcher ; gaspillage, gaspiller ; jeter à tous vents ; loisirs, moments perdus, ne rien faire ; mal utiliser, peine perdue ; piétiner ; perte de vitesse ; travailler inutilement/pour rien. — **Être vaincu.** Battre en retraite, battu à plate couture ; capitulation, capituler ; être cuit (fam.)/culbuté ; débâcle ; être débouté ; défaite ; déposer les armes ; déroute, désastre ; avoir le désavantage/le dessous ; déveine ; échec, échouer ; être écrasé/enfoncé ; fatalité ; ne pas gagner, insuccès ; lâcher pied ; manquer ; malchance ; perdant, perdre du terrain ; plier ; rater ; reculer ; reddition, se rendre ; revers ; succomber ; être taillé en pièces/ vaincu. — **Se perdre, disparaître.** Abroger, anéantir, annuler, cesser d'être perceptible/d'exister, s'enfoncer, s'engloutir, s'engouffrer, s'évanouir, (se) fondre, se jeter, péremption, périmer, prescription, tomber en désuétude/dans le domaine public. ▪ Perdre son esprit en ; s'abîmer, s'absorber, être déphasé/désorienté, se noyer dans un verre d'eau, perdre contact avec le réel.

PERDREAU, PERDRIX → *chasse, oiseau.*

PÈRE → *cause, chef, Dieu, ecclésiastique, famille.*

PÉRÉGRINATION → *voyager.*

PÉREMPTION → *annuler, perdre.*

PÉREMPTOIRE → *décider.*

PÉRENNE → *rivière.*

PÉRENNISER, PÉRENNITÉ → *durer, temps.*

PÉRÉQUATION → *égal.*

PERFECTIBILITÉ, PERFECTIBLE → *progrès.*

PERFECTION, PERFECTIONNER → *progrès, pur, supérieur.*

PERFIDE, PERFIDIE → *faux, tromper.*

PERFOLIÉ → *feuille.*

PERFORATEUR, PERFORATRICE, PERFORER → *trou.*

PERFORMANCE → *sport.*

PERFUSION → *sang, soigner.*

PERGOLA → *jardin, maison.*

PÉRIANTHE → *fleur.*

PÉRICARDE, PÉRICARDITE → *cœur.*

PÉRICARPE → *fruit.*

PÉRICLITER → *détruire, dommage, perdre.*

PÉRIDOT → *joaillerie.*

PÉRIGÉE, PÉRIHÉLIE → *astronomie, soleil.*

PÉRIL, PÉRILLEUX → *danger.*

PÉRIMER (SE), PÉRIMÉ → *annuler, temps.*

PÉRIMÈTRE → *géométrie.*

PÉRINÉAL, PÉRINÉE → *anus.*

PÉRIODE, PÉRIODICITÉ → *astronomie, électricité, histoire, intervalle, temps.*

PÉRIODIQUE → *intervalle, journal.*

PÉRIOSTE, PÉRIOSTITE → *os.*

PÉRIPATÉTICIENNE → *débauche, marcher.*

PÉRIPÉTIE → *événement, suivre.*

PÉRIPHÉRIE, PÉRIPHÉRIQUE → *habiter, proche, radio, route, surface.*

PÉRIPHLÉBITE → *veine.*

PÉRIPHRASE, PÉRIPHRASTIQUE → *parler, style.*

PÉRIPLE → *voyager.*

PÉRIPTÈRE → *colonne.*

PÉRIR → *détruire, finir, mourir.*

PÉRISCOPE → *navire, optique.*

PÉRISSABLE → *aliment.*

PÉRISSOIRE → *bateau.*

PÉRISTALTIQUE → *intestin.*

PÉRISTYLE → *colonne.*

PÉRITOINE, PÉRITONITE → *ventre.*

PERLE → *boule, faute, joaillerie.*

PERLÉCHÉ, POURLÉCHÉ → *bouche, exécuter, finir.*

PERLER → *mouiller, peau, travail.*

PERLIER → *joaillerie, mollusques.*

PERLIMPINPIN → *magie.*

PERMAFROST → *froid.*

PERMALLOY → *fer.*

PERMANENCE, PERMANENT → *durer.*

PERMANENTE → *cheveu.*

PERMÉABILITÉ, PERMÉABLE → *mouiller, passer.*

PERMETTRE → *libre, moyen, pouvoir.* — **Autoriser.** Accéder à ; accepter ; accorder, d'accord ; acquiescement, acquiescer ; admettre, admissible ; adopter ; agréer ; approuver ; assentiment ; autorisation, bien vouloir ; concéder ; confirmer ; consentir, dire amen/oui, soit ; débloquer, déblocage ; dégeler des crédits ; donner carte blanche/le droit/la liberté/le moyen/la possibilité/le pouvoir ; donner son agrément/le feu vert (fam.) ; entériner ; faire un signe ; homologuer ; incliner la tête ; légal ; libre ; licite ; loisible ; permettre, permis ; ratifier, sanctionner ; souscrire à ; trouver bon. ■ Permission écrite/explicite/expresse/implicite/officielle. ■ Blanc-seing, bon de caisse/de paie, brevet, certificat, congé, coupe-fil, coupon, décret, diplôme, dispense, imprimatur, licence, navicert, patente, permis de conduire/de construire/de port d'armes ; pouvoir ; privilège ; sauf-conduit. — **Laisser faire.** Abandonner ; accommodant ; céder ; commode ; complaisant ; compréhensif ; concession ; conciliant ; condescendre à ; consacré par l'usage ; être coulant (fam.) ; ne pas demander mieux ; démissionner ; donner licence ; endurer ; excuser ; facile, faible ; fermer les yeux ; gâter ; indulgent ; lâcher la bride/du lest ; laisser ; s'en laver les mains ; passer sur quelque chose ; se résigner ; souffrir ; supporter ; tolérance, tolérer.

PERMIS, PERMISSION → *permettre, repos.*

PERMUTABILITÉ, PERMUTATION, PERMUTER → *changer, placer, semblable.*

PERNICIEUX → *danger, dommage, fièvre, mal, maladie.*

PÉRONÉ → *jambe.*

PÉRONIER → *muscle.*

PÉRONNELLE → *femme, sot.*

PÉRORAISON, PÉRORER → *convaincre, parler, récit.*

PÉROXYDE, PÉROXYDER → *oxygène.*

PERPENDICULAIRE → *angle, droite, géométrie.*

PERPÉTRER → *crime.*

PERPÉTUEL, PERPÉTUER, PERPÉTUITÉ → *crime, durer, temps.*

PERPLEXE, PERPLEXITÉ → *doute.*

PERQUISITION, PERQUISITIONNER → *chercher, police.*

PERRÉ → *maçonnerie.*

PERRON → *maison, porte.*

PERROQUET → *oiseau, parler, voilure.*

PERRUCHE → *oiseau.*

PERRUQUE, PERRUQUIER → *cheveu, tête.*

PERS → *bleu.*

PERSE → *Asie, tissu.*

PERSÉCUTER, PERSÉCUTEUR, PERSÉCUTION → *attaque, douleur, folie.*

PERSÉVÉRANCE, PERSÉVÉRANT, PERSÉVÉRER → *durer, fixer, résister, supporter, volonté.*

PERSIENNE → *fenêtre.*

PERSIFLAGE, PERSIFLER → *moquer.*

PERSIL, PERSILLADE → *aliment, herbe.*

PERSILLÉ → *viande.*

PERSISTANCE, PERSISTER → *arbre, durer, résister.*

PERSONNAGE → *importance, littérature, personne, récit.*

PERSONNALISER → *particulier, personne.*

PERSONNALITÉ, PERSONNE → *droit, femme, grammaire, homme.* — **Personne et personnalité au regard de la loi.** Acte/extrait de naissance ; anthropométrie : bertillonnage, empreintes digitales, mensurations, signes particuliers ; capacité, incapacité ; citoyen, citoyenneté ; *curriculum vitæ ;* droits de la personne, déchéance des droits civiques, être déchu ; émancipation ; fiction ; identifier, identification ; identité : carte / papiers / photographie / plaque d'identité, passeport ; majorité, majeur ; nationalité ; personnalité civile/juridique/morale ; personne à charge/administrative / fictive / morale / privée/publique ; signalement, fiche signalétique ; sujet de droit. — **Personne et personnalité psychologiques.** Ame ; caractère difficile/neutre, etc. ; constitution ; dédoublement ; ego ; être animé/humain/pensant ; humeur ; individu ; intimité, for intérieur ; ipséité ; le moi ; nature animale/humaine ; original, originalité ; particulier, particularité ; personnel, personnalisme, dépersonnalisation ; personnage ; avoir une personnalité ; sentiments personnels ; le soi ; sujet, subjectif, subjectivisme ; tempérament ; test ; troubles de la personnalité. — **Les personnes.** Autrui ; chacun de nous ; créature ; être ; frère, nos frères ; les gens ; homme, humanité ; individu, individuel, individualité ; le monde ; un monsieur, une dame ; mortel, simple mortel ; on ; un simple particulier ; une personne ; le prochain ; quelqu'un ; quiconque ; quidam ; nos semblables ; le sieur Un Tel ; société, corps social. — **Amour de sa propre personne.** Amour-propre ; auto-, autodéfense, autodestruction, autosatisfaction, autocritique ; égoïsme, égocentrisme, égotisme ; être épris/plein de soi ; individualisme, individualiste ; ingratitude, ingrat ; introversion, introverti ; narcissisme ; orgueil, orgueilleux ; ne penser qu'à soi/à sa personne/à sa petite personne ; quant-à-soi ; rapporter tout à soi ; sécheresse de cœur, cœur sec ; tirer la couverture à soi (fam.) ; vanité, vaniteux. — **Agir personnellement.** Agir de son propre chef / spontanément, spontanéité ; donner beaucoup de soi ; initiative ; mettre la main à la pâte (fam.) ; payer de sa personne ; personnellement, en personne, *ipse ;* prendre à cœur/sous son bonnet/sur soi ; responsabilité, responsable ; voler de ses propres ailes.

PERSONNEL → *grammaire, particulier, personne.*

PERSONNEL → *entreprise, fonction, servir, travail.*

PERSONNIFICATION, PERSONNIFIER → *personne, style.*

PERSPECTIF, PERSPECTIVE → *attendre, dessin, éloigner.*

PERSPICACE, PERSPICACITÉ → *prévoir, raisonnement.*

PERSPIRATION → *peau, respiration.*

PERSUADER, PERSUASIF, PERSUASION → *convaincre, croire, imaginer.*

PERTE → *dommage, échouer, guerre, perdre, rivière.*

PERTINENCE, PERTINENT → *convenir, raisonnement, relation.*

PERTUIS → *passer.*

PERTURBATION, PERTURBER → *météorologie, révolte, trouble.*

PERVENCHE → *fleur.*

PERVERS, PERVERSITÉ → *débauche, mal.*

PERVERSION, PERVERTIR → *changer, dommage, mal.*

PESAGE → *course.*

PESANT, PESANTEUR → *lent peser, terre.*

PESER, PESÉE → *balance, doute, gêner, mesure, presser.* — **Qui pèse lourd, pesanteur.** Compact, corpulent, court, dense, épais, fort, gros, indigeste, lourd, massif, mastoc (fam.), pesant, ramassé, serré, trapu. ▪ Attraction, densité, gravitation, gravité, lourdeur, masse, pesanteur, surcharge ; poids brut/mort/spécifique/total, charge utile. — **Objet pesant.** Bloc, charge, chargement, contrepoids, faix, fardeau, poids (d'une horloge), poids et haltères, un pondéreux, marchandises pondéreuses, massue, meuble, pierre, etc. — **Peser sur.** S'accoter ; alourdir, alourdi ; aplatir ; appesantir, porter tout son poids sur ; appuyer ; charger, surcharger ; écacher, écraser ; fouler ; lester, lest, lestage, navire lège ; onéreux ; peser sur, exercer une pesée ; piétiner ; piler ; pilonner ; faire plier ; pousser ; presser, pression ; tasser, se tasser. — **Qui porte des choses pesantes.** Bête de somme, coltiner, coolie débardeur, déménageur, docker, fort des Halles, haltérophile, hercule, portefaix, porteur. ▪ Fardier, grue, levier, plate-forme, poids lourd. — **Qui pèse moralement.** Accabler, accablement ; charge, conscience chargée, être à charge, décharger son cœur/sa conscience ; coûter ; dégoûter ; douloureux ; dur ; embarrasser, embarras ; ennuyer, ennui ; fatiguer, fatigue ; importuner ; pénible, qui fait de la peine. ▪ Autorité, importance, influence, valeur. — **Qui ne pèse pas.** Aérien, immatériel, impondérable, léger, leste, maigre, maniable, menu, mince, portatif, subtil, vif. ▪ Fétu, flocon, fumée, gaz, gaze, liège, paille, plume, poussière, vent. ▪ Alléger, allégement ; décharger, déchargement ; délester, délestage.

PESETA → *monnaie.*

PESETTE → *balance.*

PESO → *monnaie.*

PESON → *balance.*

PESSIMISME, PESSIMISTE → *mal, philosophie, triste.*

PESTE → *femme, mal, microbe.*

PESTER → *colère, mécontentement.*

PESTIFÉRÉ → *éloigner, microbe.*

PESTILENCE, PESTILENTIEL → *infecter, mal.*

PET → *bruit, manger.*

PÉTALE → *fleur.*

PÉTANQUE → *boule.*

PÉTARADE, PÉTARADER → *bruit moteur.*

PÉTARD → *bruit, exploser.*

PÉTAUDIÈRE → *trouble.*

PET-DE-NONNE → *pâtisserie.*

PÉTER → *bruit, exploser.*

PÈTE-SEC → *chef, orgueil.*

PÉTEUX → *gêner, peur.*

PÉTILLANT, PÉTILLER → *briller, exploser, regard, vif.*

PÉTIOLE → *feuille.*

PETIOT → *petit.*

PETIT → *aimer, enfant, faible, jeune, maigre.* — **De petite taille.** Avorton ; bout / petit bout de femme/d'homme/de chou (fam.) ; chétif ; court, court sur pattes (pop.), courtaud ; crapoussin ; criquet ; fluet ; freluquet ; gnome ; gringalet ; haut comme trois pommes (fam.) ; homuncule ; lilliputien ; marmouset, marmot ; microbe ; minuscule ; myrmidon ; nabot, nain ; petit, petiot, petit-maître, un petit blond, un petit vieux, le Petit Poucet, Tom-Pouce ; puce ; pygmée ; rabougri, ratatiné. ▪ Petits d'animaux (voir à chacun des noms d'animal). — **De petites dimensions.** Atome ; un bout de bois/de pain ; charmant ; croquignolet ; concis ; court ; étranglé ; étriqué ; étroit, étroitesse, vivre à l'étroit ; exigu, exiguïté ; faible ; fin ; grand comme un mouchoir de poche (fam.) ; impalpable, imperceptible, infime, infinitésimal, insensible, invisible ; maigre, maigrelet ; micro-, microscopique, micro-élément, etc. ; mince ; miniature, miniaturiser ; minuscule ; petit, petitesse ; rapetissé ; réduit, modèle réduit, en réduction ; resserré ; rétréci ; rikiki (fam.) ; succinct ; tassé ; ténu. — **Diminutifs.** -eau : boqueteau ; -elet, -elette : maigrelet, gouttelette ; -elle : balancelle ; -elot : angelot ; -ereau : lapereau ; -eron : moucheron ; -et, -ette : cochet, brochette ; -eteau : cailleteau ; -eton : caneton ; -iche : pouliche ; -ichon : maigrichon ; -icule : vermicule ; -iculet : versiculet ; -ille : courtille ; -illon : bottillon ; -in, ine : lettrine ; -iole : bestiole ; -iquet : tourniquet ; -oche : épinoche ; -on : Louison ; -onnet : mignonnet ; -ot -otte : frérot, boulotte ; -ule : plantule. — **Peu, en petite quantité.** Brin, fétu, filet, fragment, miette, morceau, paillette, parcelle. ▪ Un atome, un doigt, une goutte, un grain, une larme, un rien, un soupçon, un trait, un tantinet. ▪ Guère, médiocrement, moins, pas grand-chose, à peine, peu, très peu, un petit peu, rien, moins que rien. — **Sans importance.** Bagatelle ; broutille ; c'est le cadet de mes soucis ; compter pour rien/pour copie conforme ; dérisoire ; détail ridicule/de rien du tout ; s'en ficher (pop.), s'en foutre (pop.) ; humble, insignifiant ; menu fretin ; lampiste ; médiocre, modeste, modique, mince, mineur, une misère, négligeable, obscur ; c'est de la plaisanterie/de la rigolade (pop.)/secondaire ; vétille. — **Petitesse d'esprit.** Bas, bassesse ; borné ; buté ; casse-pieds (fam.) ; étriqué ; étroit, étroitesse ; faible, faiblesse, maniaque ; mesquin, mesquinerie ; méticuleux, méticulosité ; parcimonie ; petit-bourgeois ; piètre ; pointilleux ; avoir des préjugés ; rétréci ; sans élévation / finesse / génie / grandeur ; tatillon ; vétilleux ; vil. ▪ Chercher la petite bête (fam.)/des poux dans la tête ; chicaner ; compter, au compte-gouttes ; détailler ; distiller ; éplucher ; ergoter ; lésiner ; ménager.

PETIT-BEURRE → *pâtisserie.*

PETIT-BOURGEOIS → *bourgeois, classe.*

PETITE-FILLE → *famille.*

PETITESSE → *bas, petit.*

PETIT-FILS → *famille.*

PETIT-GRIS → *poil.*

PÉTITION, PÉTITIONNER → *demander.*

PETIT-LAIT → *lait.*

PETIT-NÈGRE → *parler.*

PETIT-NEVEU, PETITS-ENFANTS → *famille.*

PETIT-SUISSE → *lait.*

PÉTOIRE → *fusil.*

PETON → *pied.*

PÉTONCLE → *mollusques.*

PÉTRARQUISME → *poésie.*

PÉTREL → *oiseau.*

PÉTRIFICATION, PÉTRIFIER → *étonner, pierre.*

PÉTRIN → *farine, pain.*

PÉTRIR → *farine, main, presser.*

PÉTROCHIMIE → *pétrole.*

PÉTROGRAPHIE → *pierre.*

PÉTROLE → *bleu, brûler, géologie, huile.* — **Prospection et exploitation des hydrocarbures.** Anticlinal, dôme de sel ; champ ou gisement pétrolier ; eau salée ; hydrocarbures gazeux/huileux ; réserve ; roche mère, roche magasin ou roche réservoir. ▪ Boue de forage ; carotte, carotter ; derrick ; forage, off shore/rotary, turboforage, forer, foreur ; fracturation ; plate-forme ; sonder, sonde, sondage ; torpillage ; tube, tuber, tubage, casing ; prospection gravimétrique/magnétique/sismique. ▪ Acidification ou perforation de la roche ; colonne de production ; dégazolinage ; extraire, extraction ; injection d'eau/de gaz ; pompe ; puits, puits éruptif ; raccords ou « arbre de Noël » ; torche de gaz. ▪ Feeder, oléoduc, gazoduc, pipe-line, sea-line ; méthanier, navire-citerne, pétrolier, tanker. — **Raffinage.** Distillation continue/fractionnée ; épurer, épuration ; étêter, tête de distillation ; raffiner, raffinerie. ▪ Bitume ; brai ; carburant, carburéacteur, supercarburant ; coke de pétrole ; combustible ; essence d'aviation légère/lourde, indice d'octane ; fuel-oil, fuel ; gas-oil ; gaz butane/propane ; gazoline ; goudron ; huile ; hydrocarbure aromatique / naphténique / oléfine ; kérosène ou pétrole lampant ; mazout ; paraffine ; produit, sous-produit ; vaseline. ▪ Carton, bidon, camion-citerne, container, fût, jerrican, réservoir, station-service, wagon-citerne. — **Pétrochimie.** Alkylation ;

catalyse, catalyseur ; craquer, craquage, cracking, steam-cracking ; reforming catalytique. ■ Pétrochimie aliphatique : acétylène, butadiène, butylène, éthane, éthylène, polyéthylène, polyester, propane, propylène ; agent mouillant : antigel, détergent, élastomère, émulsificateur, fibre textile Tergal ou Dacron, humectant, inhibiteur de corrosion, liquide plastifiant/réfrigérant, résine, solvant, tergal. ■ Pétrochimie aromatique : benzène, essence, hydrocarbures cycliques, naphtalène, phénol, styrène, toluène, trinitrotoluène, xylène ; adhésif, caoutchouc S, essence d'aviation, explosif, fongicide, insecticide, nylon, paradichlorobenzène, peinture, plastique, polystyrène, résine, vernis. ■ Pétrochimie inorganique : synthèse Fischer-Tropsch ; acrilo-nytrile, ammoniac, cyanure d'hydrogène, méthanol ; alcool, aldéhydes, cétone, formol, noir de carbone, soufre.

PÉTROLETTE → *bicyclette.*

PÉTROLIER → *industrie, pétrole, transport.*

PÉTROLIFÈRE → *géologie.*

PÉTULANCE, PÉTULANT → *vif.*

PÉTUNIA → *fleur.*

PEUPLADE → *groupe, population.*

PEUPLE → *classe, gouverner, nombre, pays, population.*

PEUPLEMENT, PEUPLER → *beaucoup, emplir, habiter, population.*

PEUPLERAIE, PEUPLIER → *arbre.*

PEUR, PEUREUX → *danger, refus.* — **Avoir peur.** Alarme ; alerte ; apeuré ; aversion pour ; appréhender, appréhension ; craindre, crainte ; effroi ; épouvante ; frayeur ; hantise ; honte, fausse honte ; inquiéter, inquiétude ; panique être paniqué (fam.) ; répulsion ; scrupule ; souci d'éviter ; terreur ; (pop.) avoir la frousse/les jetons/la pétoche/la trouille/le trouillomètre à zéro, les avoir à zéro. — **Manifester de la peur.** Accélération du pouls ; s'affoler, affolement ; s'agiter, agitation ; angoisse, s'angoisser, anxiété, anxieux ; blanchir, blanc de peur ; blêmir, blême ; catalepsie ; chair de poule ; choc au cœur ; claquer des dents ; être cloué au sol ; constriction ; frémir, frémissement ; frissonner, frisson, frissonnement ; froid dans le dos (fam.) ; gêne ; être glacé/hagard ; mourir, être mort de peur/plus mort que vif ; oppression, être oppressé ; pâlir, pâleur ; palpitations ; paralysie, être paralysé ; perdre contenance ; peur bleue/panique ; rester bouche bée/pantois ; sauter, sursauter ; se sauver, se réfugier, se blottir, se cacher ; sueur froide, suée ; transi ; trembler, tremblement ; tressaillir, tressaillement ; trouble ; vert de peur. ■ (Pop.) avoir la chiasse/les chocottes/la colique/les foies/les grelots/les jambes molles/le trac/la tremblote ; faire dans sa culotte/dans son froc ; serrer les fesses ; caler, se dégonfler, foirer, mollir, reculer. — **Peureux.** Capon ; couard, couardise ; craintif ; dégonflé, dégonflard (pop.) ; froussard (pop.) ; hésitant ; lâche, lâcheté ; péteux (pop.), pétochard ; -phobe, claustrophobe, publiphobe ; pleutre ; poltron ; poule mouillée (fam.) ; pusillanime ; sur le qui-vive ; timoré ; trouillard (pop.). ■ Défiant, farouche, ombrageux, sauvageon, soupçonneux, superstitieux, susceptible. — **Faire peur.** Alarmer, alarmant, alarmiste ; angoissant ; effarer, effarement ; effaroucher ; effrayer, effrayant ; épouvanter, épouvantail ; figer le sang ; frapper de crainte/de terreur ; glacer, glacial ; horrifier ; en imposer, imposant ; inquiéter, inquiétant ; intimider ; menacer ; pétrifier ; saisir d'horreur/d'une sainte horreur ; soulever le cœur ; terrifier, terrifiant ; terroriser ; troubler. ■ Abominable, affreux, atroce, effroyable, épouvantable, hideux, horrible, ignoble, etc. ; croquemitaine, loup-garou, monstre, ogre, sorcière.

PHACOCHÈRE → *porc.*

PHAÉTON → *voiture.*

PHAGOCYTAIRE, PHAGOCYTE, PHAGOCYTOSE → *manger, microbe, sang.*

PHALANGE → *armée, doigt.*

PHALANGER → *mammifères.*

PHALANGETTE, PHALANGINE → *doigt.*

PHALANSTÈRE → *association, commun.*

PHALÈNE, PHALÈRE → *papillon.*

PHALLIQUE, PHALLUS → *psychanalyse, sexe.*

PHANÉROGAMES → *plante.*

PHANTASME → *imaginer, optique.*

PHARAON, PHARAONIEN → *chef.*

PHARE → *lumière, voiture.*

PHARISAÏSME, PHARISIEN → *faux.*

PHARMACEUTIQUE, PHARMACIE, PHARMACIEN → *marchandises, médicament.*

PHARMACOLOGIE, PHARMACOPÉE → *médicament.*

PHARYNGIEN, PHARYNGITE, PHARYNX → *gorge.*

PHASE → *âge, astronomie, progrès, temps.*

PHÉNAKISTISCOPE → *mouvement.*

PHÉNIX → *oiseau, supérieur.*

PHÉNOL, PHÉNOLS → *charbon.*

PHÉNOMÉNAL, PHÉNOMÈNE → *apparaître, événement.*

PHÉNOMÉNOLOGIE → *philosophie.*

PHILANTHROPE, PHILANTHROPIE → *aimer, bienfaisance, bon, homme.*

PHILATÉLIE, PHILATÉLISME → *cachet, poste.*

PHILHARMONIE, PHILHARMONIQUE → *musique.*

PHILIPPINE → *amande.*

PHILIPPIQUE → *critique, littérature.*

PHILISTIN → *faux, ignorer.*

PHILODENDRON → *plante.*

PHILOLOGIE, PHILOLOGUE → *grammaire, langage.*

PHILOSOPHALE (PIERRE) → *alchimie.*

PHILOSOPHE, PHILOSOPHER → *calme, discussion, raisonnement.*

PHILOSOPHIE → *calme, Dieu, morale, pensée, psychologie, raisonnement, réalité, sage.* — **Généralités.** Doctrine, doctrinaire; école, cours, élève, maître, professeur; enseignement, ésotérique; idéologie; pensée, penseur; philosophie, philo (fam.), philosophique, philosophe, philosopher; philosophie fataliste/humaniste/humanitariste / optimiste / pessimiste; problème; système; théorie; thèse. ▪ Argumenter, démontrer, raisonner. — **Divisions de la philosophie.** Dialectique, épistémologie, esthétique, éthique, gnoséologie, logique, métaphysique, méthodologie, morale, ontologie, psychologie, sociologie, téléologie, théologie, théosophie. — **Notions philosophiques.** Absolu, abstraction, abstrait, acte, action, âme, apparence, attribut, beau, bien, certitude, cognition, connaissance, conscience, croyance, dieu, ego, entendement, entéléchie, entité, épiphénomène, esprit, essence, être, existence, finalité, hasard, heuristique, homme, immanence, intellect, je, jugement, liberté, modalité, mode, monade, monde, nature, néant, noumène, objet, objectif, pensée, personne, phénomène, praxis, qualité, raison, relativité, sens, soi, en-soi, pour-soi, substance, sujet, subjectif, transcendance, univers, universel, vérité, vrai, virtuel. ▪ Cause, causalité, condition, contingence, devenir, effet, espace, forme, médiation, mouvement, ordre, nécessité, structure, temps. — **Opérations philosophiques.** Analyse, apodictique, à priori, axiome, catégorie, concept, conceptualisation, doute, expérience, hypothèse, idée, intuition, loi, méthode, notion, observation, pensée, postulat, preuve, principe, synthèse, thèse, antithèse, valeur. — **Philosophies historiques.** Académie, aristotélisme, cynisme, éléatisme, épicurisme, philosophie ionienne, néo-platonisme, péripatétisme, platonisme, pyrrhonisme, pythagorisme; philosophie socratique/sophiste; stoïcisme. ▪ Cartésianisme, hégélianisme, kantisme, marxisme, spinozisme. — **Doctrines diverses.** Agnosticisme, animisme, associationnisme, atomisme, conceptualisme, criticisme, déterminisme, dogmatisme, dualisme, dynamisme, éclectisme, empirisme, essentialisme, existentialisme, fidéisme, finalisme, formalisme, gnosticisme, hédonisme, humanisme, hylozoïsme, idéalisme, immanentisme, immatérialisme, indéterminisme, individualisme, intellectualisme, matérialisme, mécanisme, monadisme, monisme, mysticisme, naturalisme, néo-criticisme, nihilisme, nominalisme, pancalisme, panlogisme, panthéisme, personnalisme, phénoménisme, phénoménologie, pluralisme, positivisme, pragmatisme, probabilisme, rationalisme, réalisme, relativisme, scepticisme, sensualisme, solipsisme, spiritualisme, subjectivisme, substantialisme, symbolisme, syncrétisme, transcendantalisme, utilitarisme, vitalisme, volontarisme. — **Philosophie et religion.** Problème/preuve de l'existence de Dieu. ▪ Bouddhisme, brahmanisme, christianisme, confucianisme, taoïsme, etc.

PHILTRE → *boisson, passion.*

PHIMOSIS → *sexe.*

PHLÉBITE, PHLÉBORRAGIE → *veine.*

PHLÉBOTOMIE → *sang.*

PHLEGMON, PHLEGMONEUX → *tumeur.*

PHOBIE → *folie, peur.*

PHOLADE → *mollusques.*

PHONATEUR, PHONATION → *son.*

PHONÈME → *langage.*

PHONÉTICIEN, PHONÉTIQUE → *langage, son.*

PHONIATRE, PHONIATRIE → *son.*

PHONIQUE → *son.*

PHONOGÉNIQUE, PHONOGRAPHE → *son.*

PHONOLITE, PHONOLITHE → *pierre.*

PHONOLOGIE, PHONOLOGUE → *langage, son.*

PHONOMÉTRIE, PHONOTHÈQUE → *disque, son.*

PHOQUE → *mammifères, poil.*

PHORMIUM → *textile.*

PHOSPHATE, PHOSPHATER → *engrais.*

PHOSPHATURIE → *rein.*

PHOSPHÈNE → *lumière.*

PHOSPHORE → *exploser, chimie.*

PHOSPHORESCENCE, PHOSPHORESCENT → *lumière.*

PHOTO → *photographie.*

PHOTOCALQUE, PHOTOCHIMIE → *lumière.*

PHOTOCOPIE, PHOTOCOPIER, PHOTOCOPIEUR → *reproduction.*

PHOTO-ÉLECTRICITÉ, PHOTO-ÉLECTRIQUE → *lumière.*

PHOTO-FINISH → *course.*

PHOTOGÈNE, PHOTOGÉNIE → *lumière.*

PHOTOGLYPTIE → *graver.*

PHOTOGRAPHIE, PHOTOGRAPHIQUE → *cinéma, image, mémoire.* — **Appareil photographique et accessoires.** Appareil box/folding/sur pied/reflex/à soufflet; appareil automatique; appareil polaroïd (n.d.); boîtier; bonnette; caméra; cellule couplée; chambre noire; chargeur; déclencheur; diaphragme; écran; filtre; flash, électronique/au magnésium, ampoule de flash, flashcube, pile; lentille; magasin; objectif de prise de vue, anastigmat; obturateur; oculaire; parasoleil; pile; posemètre; télémètre couplé; téléobjectif; viseur. ▪ Écran, pied, projecteur, visionneuse. — **Technique photographique.** Angle, champ, distance focale/hyperfocale, foyer, profondeur du champ. ▪ Anaglyphe; daguerréotypie, daguerréotype; photographie en noir et blanc/en couleur/interférentielle; chromophotographie, héliochromie, photochromie; monopack, bipack; procédé Agfacolor/Dufaycolor/Kodachrome/Kodacolor/Lumière; système de Berthon, optique tétrachrome Roux; téléphotographie; trichromie additive/soustractive. — **Développement et tirage.** Bobine; film gaufré/lenticulaire/orthochromatique/panchromatique; négatif; papier glacé/mat; pellicule; plaque; rouleau. ▪ Acide pyrogallique; alunage; bain; bromure d'argent, sel d'argent; collodion; développer, développement; émulsion à image lente/négative; fixer, fixage, fixatif; gélatine; halosel; hyposulfite de sodium; insoler une épreuve; photogravure, photolithographie, phototypie, platinotypie; procédé photomécanique, bélinographe; réducteur; renforçateur; révéler, révélateur; sensibilisateur, sensibilité chromatique/générale, pellicule ultrasensible/rapide, A.S.A.; tirer, tirage; virer, virage. ▪ Agrandisseur, amplificateur, cache, châssis, châssis-presse, coupeuse, cuve, cuvette, dégradateur, globe rouge, margeur, sécheuse-glaceuse. — **L'image photographique.** Cliché; diapositive; épreuve; fac-similé; format 6 x 6, 24 x 36, etc.; instantané; montage; négatif; photo (fam.), photographie d'identité/de mariage, etc., souvenir; photocopie; photogramme; phototype; pose; positif; truquage. ▪ Photographie floue/impressionnée/non impressionnée/jaunie/manquée/nette/pâlie/qui a un halo/un jour/une distorsion/ratée/retouchée/sous-exposée/surexposée/surimpressionnée/voilée. — **Applications.** Analyse spectrographique; astronomie; chronophotographie, cinématographie, cinéma; diorama; microphotographie, photographie aérienne/oblique/panoramique/verticale; photographie sous-marine; photographie artistique/de mode/de publicité/de reportage; photogravure; photométallographie; phototopographie; radiographie, recherche de falsification de tableaux; stéréophotogrammétrie. ▪ Cover-girl, mannequin, modèle, photographe amateur/professionnel, reporter, reportage photographique; album de famille, cadre, coin, sous-verre; photothèque.

PHOTOGRAVEUR, PHOTOGRAVURE → *photographie, typographie.*

PHOTOLITHOGRAPHIE → *photographie.*

PHOTOLUMINESCENCE, PHOTOLYSE → *lumière.*

PHOTOMÉCANIQUE → *typographie.*

PHOTOMÈTRE, PHOTOMÉTRIE → *lumière.*

PHOTOMONTAGE → *photographie.*

PHOTON → *lumière.*

PHOTOPHOBIE → *lumière.*

PHOTOPHORE → *lampe.*

PHOTO-ROBOT → *personne, photographie.*

PHOTOSPHÈRE → *soleil.*

PHOTOSTAT → *reproduction.*

PHOTOSYNTHÈSE, PHOTOTACTISME → *lumière.*

PHOTOTHÈQUE → *photographie.*

PHOTOTHÉRAPIE, PHOTOTROPISME → *lumière.*

PHOTOTYPE, PHOTOTYPIE → *photographie.*

PHRASE → *grammaire, mot, son.*

PHRASÉOLOGIE → *style.*

PHRASER, PHRASEUR → *affectation, parler.*

PHRÉATIQUE → *eau.*

PHRÉNIQUE → *poitrine.*

PHRÉNOLOGIE → *cerveau, tête.*

PHRYGIEN → *symbole.*

PHTALÉINE → *rouge.*

PHTIRIASE → *maladie.*

PHTISIE → *poitrine.*

PHTISIOLOGIE, PHTISIOLOGUE → *médecine, poitrine.*

PHYLLADE → *pierre.*

PHYLLOXÉRA → *vigne.*

PHYSICIEN → *physique.*

PHYSIOCRATE, PHYSIOCRATIE → *économie.*

PHYSIOGNOMONIE, PHYSIOGNOMONISTE → *visage.*

PHYSIOLOGIE, PHYSIOLOGISTE → *médecine, vie.*

PHYSIONOMIE → *particulier, visage.*

PHYSIONOMISTE → *mémoire.*

PHYSIOPATHOLOGIE → *maladie.*

PHYSIQUE → *astronautique, mathématiques, nucléaire, science.* — **Principes et méthodes.** Cause : corps, corpuscule, corpusculaire ; déduire, déduction ; effet ; empirisme, empirique ; énergie calorifique/ calorique/ chimique / cinétique / électrique / électrostatique / mécanique / nucléaire/potentielle/rayonnante ; expérience, expérimentation, expérimental, expérimentateur, science expérimentale ; extrapoler, extrapolation ; hypothèse *a priori ;* induire, induction ; loi ; matière ; observer, observation ; phénomènes physiques/naturels ; physique, physicien ; principe ; propriétés ; théorie des quanta/de la relativité ; validité, vérification, vérifier. — **Divisions de la physique.** Acoustique, aérodynamique ; astrophysique ; biophysique ; chaleur, calorimétrie, thermodynamique, transformation d'énergie ; électricité ; magnétisme ; optique, lumière, rayons lumineux, spectroscopie ; pesanteur, attraction, dynamique, gravitation universelle ; phénomènes périodiques ou mouvements vibratoires ; physique du globe ou géophysique ; physique mathématique/nucléaire, microphysique ; statique des fluides, hydrostatique, hydrodynamique, principe d'Archimède ; statique des gaz, pression atmosphérique.

PHYSIQUE → *extérieur, matière, santé, sensibilité.*

PHYTOBIOLOGIE, PHYTOGÉOGRAPHIE, PHYTOPATHOLOGIE → *plante.*

PHYTOPHAGE, PHYTOPHARMACIE → *plante.*

PHYTOPTE → *vigne.*

PIAF → *oiseau.*

PIAFFER, PIAFFEUR → *cheval, remuer.*

PIAILLER, PIAILLERIE, PIAILLEUR → *cri, oiseau.*

PIAN → *microbe.*

PIANISTE, PIANISTIQUE, PIANO → *instrument.*

PIANOTER → *musique.*

PIASTRE → *monnaie.*

PIAULE → *chambre.*

PIAULER → *cri.*

PIC → *droite, montagne, relief, trou.*

PIC → *oiseau.*

PICADOR → *course.*

PICAILLON → *argent.*

PICARESQUE → *littérature.*

PICHENETTE → *doigt.*

PICHET → *récipient.*

PICKLES → *aliment.*

PICKPOCKET → *voler.*

PICK-UP → *disque.*

PICOLER → *boire.*

PICORER → *manger, oiseau.*

PICOT → *bord, pêcher, pierre.*

PICOTEMENT, PICOTER → *oiseau, sensibilité, trou.*

PICOTIN → *cheval.*

PICRATE → *vin.*

PICRIQUE → *exploser, jaune.*

PICTURAL → *peinture.*

PIE → *bœuf, cri, oiseau, parler.*

PIÈCE → *certifier, échecs, eau, monnaie, morceau, théâtre, tonneau.*

PIÉCETTE → *monnaie.*

PIED → *bas, doute, fonction, jambe, mesure, poésie, vie.* — **Description.** Cheville ; cou-de-pied ; doigt de pied, pouce, gros orteil ; extrémités ; malléole ; pied, pédiel ; pied droit/gauche ; plante ; talon. ■ Astragale, calcanéum, cuboïde, cunéiforme, ligament glénoïdien ; métatarse, métatarsien ; phalange ; plante, plantaire ; scaphoïde ; tarse ; tendon d'Achille/du long péronier/latéral ; voûte plantaire. ■ Muscles abducteurs / adducteurs / fléchisseurs/ interosseux. ■ Pied du cheval : corne, fourchette, onglon, paroi, sabot, sole ; cagneux, cerclé, comble, encastelé, étroit, grand, gras, large, maigre, petit, pinçard, rampin, de travers ; maladies : brûlure, croissant, enclouure, fourbure, fourmilière, germe, kéraphyllocèle, maladie naviculaire, piqûre. — **Dénominations et utilisations.** -pède, -pode ; arpion (pop.), nougat (pop.), panard (pop.), patte, paturon, peton (pop.), pince (pop.), pinceau (pop.), ripaton (pop.). ■ Coup de pied ; courir, course ; se dresser sur ses pieds ; football ; fouler aux pieds ; galoper, galop ; locomotion ; marche, marcher, marcheur, marcher à cloche-pied ; marteler le rythme, claquettes ; piaffer ; piétiner ; sauter ; shooter ; trépigner ; trot, trotter. ■ Pédale, pédicule, pédoncule, pied de chaise/ d'échelle/de meuble/de mur, etc. — **Qu'on met au pied.** Bas ; bouillotte ; chancelière ; chaufferette ; chausser, chausse-pied, chaussette, chausson, chaussure ; couvre-pieds ; pantoufle, pantoufler, pantouflard ; pédale ; raquette ; sabot ; ski, etc. — **Affections et maladies.** Boiter, boiterie, boiteux ; cagneux ; cal, callosité ; cor, coricide ; mal perforant ; œil-de-perdrix ; oignon ; ongle incarné ; pied-bot, pied plat ; podagre ; tarsalgie. ■ Bain de pied, orthopédie, pédicure, pédiluve, semelle orthopédique, tarsectomie.

PIED-À-TERRE → *habiter.*

PIED-BOT → *pied.*

PIED-DE-BICHE → *clou, couture, pied.*

PIED-DE-POULE → *tissu.*

PIED-DROIT → *colonne, fenêtre, mur, porte.*

PIÉDESTAL → *colonne, éloge, monter.*

PIED-FORT, PIÉFORT → *monnaie.*

PIED-NOIR → *Afrique.*

PIÉDOUCHE → *sculpture.*

PIED-PLAT → *avilir, ignorer.*

PIÈGE, PIÉGER, PIÉGEUR → *chasse, exploser, tromper.*

PIE-GRIÈCHE → *femme, oiseau.*

PIE-MÈRE → *cerveau.*

PIÉRIDE → *papillon.*

PIERRAILLE → *pierre, sec.*

PIERRE → *bijou, dur, géologie, histoire, joaillerie, maladie.* — **Généralités.** Carrière de pierres ; concrétion ; érosion ; fossile, fossiliser ; gemme ; géologie ; grotte, spéléologie ; lapidification ; -lithe, litho-, aérolithe, zoolithe ; néolithique, paléolithique ; lithophage, lithologie, lithoïde ; métamorphisme, métamorphique ; minéralogie ; pétrifier, pétrification, pétrographie ; pierre, pierreux, épierrer, empierrer, empierrement ; roche, rupestre ; saxatile, saxicole, saxifrage. — **Nature des matériaux rocheux.** Ballast, bloc, bloc erratique, bombe, boue, caillasse, cendre, éclat, galet, gravier, gravillon, lapilli, limon, morceau, moye, parpaing, pierraille, poussière, roc, rocaille, rocailleux, roche, rocher, stalactite, stalagmite, vase, veine. ▪ Assise, banc, couche, crevasse, fente, feuillet, fissure, lamelle, lézarde, lit, strate ; roche bulleuse/ compacte / consistante / dure / fissile / friable / massive / meuble / perméable ou imperméable/plastique/ poreuse / schisteuse / soufflée / spongieuse/stratifiée/tendre ; roche corrodée / décalcifiée / effritée / émiettée / fragmentée / gélive / lamellée / pourrie/rongée/saine ; roche éclatée/égratignée / lisse / moutonnée / polie / rayée/striée/taillée. — **Pierres et roches.** Ardoise, cliquart, coquillart, granit, grès, lambourde, liais, marbre, meulière, porphyre, travertin, tuf, tuffeau. ▪ Agglomérat, alios, albâtre, amphibole, andésite, anthracite, basalte, bauxite, boghead ou charbon d'algues, calcaire, calcite, charbon, cipolin, conglomérat, craie, diorite, dolomie, falun, feldspath, gneiss, gypse, hornblende, houille hydrocarbures, jais, jaspe, kaolin, latérite, lave, lignite, lumachelle, marne, micaschiste, molasse, obsidienne, onyx, oolithe, pegmatite, péridot ou olivine, phyllade, pierre ponce, poudingue, pyroxène, quartz, quartzite, serpentine, silex, syénite, sylvine, trachyte, tripoli. — **Travail de la pierre.** Appareiller, appareilleur ; bretteler ; bûcher ; chanfreiner ; cimenter ; concasser, concassage, concasseur ; couper ; décaper ; dégauchir, délarder ; déliter ; dérobement ; ébousiner ; sceller ; scier, scieur de long ; sculpter, sculpture ; tailler, tailleur de pierres. ▪ Biveau, boucharde, couteau, laie, louve, massette, passe-partout, picot, sciotte, smille, têtu. — **Utilisation des pierres.** Appareil, assise, balevée, bossage, chaîne, claveau, clef de voûte, corbeau, écoinçon, harpe, moellon, pavé, pierre de taille, recoupement, sommier, voussoir. ▪ Caniveau, mur, parement, pont, revêtement, refouillement, rudération. ▪ Cairn, cromlech, dalle, dolmen, mégalithe, menhir, pierre d'autel/tombale/tumulaire, stèle, etc. ▪ Lancer des pierres, lance-pierres, fronde, bombarde, catapulte ; lapider, lyncher.

PIERRERIES → *joaillerie.*

PIERREUX → *pierre.*

PIERROT → *fête, oiseau.*

PIETÀ → *peinture, vierge.*

PIÉTAILLE → *inférieur.*

PIÉTÉ → *Dieu, religion, saint.*

PIÉTEMENT → *meuble.*

PIÉTER → *oiseau.*

PIÉTIN → *céréale, mouton.*

PIÉTINER → *attendre, pied, presser progrès.*

PIÉTON → *marcher.*

PIÈTRE → *maigre, petit.*

PIEU → *bâton, lit.*

PIEUVRE → *mollusques.*

PIEUX → *aimer, religion.*

PIÈZE, PIÉZO-ÉLECTRICITÉ → *presser.*

PIÉZOGRAPHE, PIÉZOMÈTRE → *électricité, presser.*

PIF → *nez.*

PIGE → *journal, payer, supérieur, typographie.*

PIGEON, PIGEONNE → *calcium, croire, jouer, oiseau, tromper.*

PIGEONNIER → *oiseau.*

PIGER → *connaissance, regarder.*

PIGISTE → *journal.*

PIGMENT, PIGMENTATION, PIGMENTER → *couleur, peau.*

PIGNE, PIGNON → *pin.*

PIGNOCHER → *manger.*

PIGNON → *couvrir, maison, mur.*

PIGNON → *roue.*

PIGNORATIF → *contrat.*

PIGNOUF → *grossier.*

PILAF → *céréale.*
PILAIRE → *poil.*
PILASTRE → *colonne.*
PILE → *amasser, électricité, nucléaire, paquet, pont.*
PILER → *échouer, presser.*
PILET → *canard.*
PILEUX → *cheveu, poil.*
PILIER → *boire, charpente, colonne, supporter.*
PILLARD, PILLER, PILLEUR → *prendre, voler.*
PILOCARPINE → *alcali.*
PILON → *jambe, poudre, presser.*
PILONNER → *arme, artillerie, projectile.*
PILORI → *critique, peine.*
PILOSISME, PILOSITÉ → *poil.*
PILOT → *bâton, pont.*
PILOTE, PILOTER → *aviation, conduire, course, marine, voiture.*
PILOTIN → *marine.*
PILOTIS → *maison, pont, supporter.*
PILOU → *tissu.*
PILULE → *croire, médicament, tromper.*
PIMBÊCHE → *femme.*
PIMENT, PIMENTER → *aliment, libre, plaire.*
PIMPANT → *joie, toilette.*
PIN → *arbre.* — **Généralités.** Aiguille; arbre, branche, tronc; cône, conifère; feuillage persistant/vert; gymnosperme; pomme de pin, aile, carpelle, écaille, strobile. ▪ Pignade, pinède, pineraie, sapinière; pomme de pin, pigne, pignolat, pignon. ▪ Arbre de Cybèle, arbre de Noël. — **Principales espèces de conifères.** Araucaria; cèdre de l'Atlas/de l'Himalaya/du Liban; cyprès; épicéa de Sitka; ginkgo; if; mélèze; pin à feuilles géminées, pin d'Alep/d'Autriche ou pin noir/Laricio/de Corse/maritime ou des Landes/pignon ou parasol/pitchpin / sylvestre d'Auvergne / de Haguenau/de Riga/des Vosges; pin à feuilles ternées : pin à bois lourd/à feuilles rigides/de Jeffrey/raide/remarquable; pin à feuilles quinées : pin cembro, alviès ou auvier / élevé/de lord Weymouth; séquoia ou wellingtonia; sapin argenté/baumier/concolor/de Douglas/de Fraser/magnifique/noble/du Nord/de Nordmann / pinsapo / touffu / de Webb; thuya. — **Utilisation.** Bois de fente/de mine/de papier, pâte à papier; caisserie; charpente; coffrage; mâture, mât de navire; menuiserie; montant d'échelle; perche à houblon; planche; poteau télégraphique; traverse de chemin de fer. ▪ Gemmage, poix, résine, térébenthine.
PINACLE → *éloge, haut.*
PINACOTHÈQUE → *peinture.*
PINAILLER, PINAILLEUR → *discussion, futile.*
PINARD → *vin.*
PINASSE → *bateau.*
PINCE → *couture, crustacés, outil, prendre, serrer.*
PINCÉ → *bouche, froid, mécontentement.*
PINCEAU → *lumière, peinture.*
PINCÉE → *petit, poudre, prendre.*
PINCELIER → *peinture.*
PINCE-MONSEIGNEUR → *voler.*
PINCE-NEZ → *optique.*
PINCER → *arbre, arrêter, instrument, main, presser.*
PINCE-SANS-RIRE → *moquer.*
PINCETTE → *feu.*
PINCHARD → *cheval.*
PINÇON → *peau, serrer.*
PINÉAL → *glande.*
PINEAU → *vin.*
PINÈDE, PINERAIE → *pin.*
PINGOUIN → *oiseau.*
PING-PONG → *balle.*
PINGRE, PINGRERIE → *avare, économie.*
PINNIPÈDES → *mammifères.*
PINSON → *oiseau.*
PINTADE, PINTADEAU → *ferme, oiseau.*
PINTADINE → *mollusques.*
PINTE → *mesure.*
PINTER → *boire.*
PIN-UP → *beau, femme.*
PIOCHE, PIOCHER → *détruire, fonder, travail, trou.*
PIOLET → *montagne.*
PION → *échecs, garder, enseignement.*
PIONCER → *dormir.*
PIONNER → *échecs.*
PIONNIER → *colonie, commencer, entreprise.*
PIPE → *mourir, tabac, tonneau, tuyau.*
PIPEAU → *berger, chasse, instrument.*
PIPÉE → *chasse.*
PIPELET → *porte.*
PIPE-LINE → *gaz, pétrole.*
PIPER → *cacher, chasse, faux.*
PIPERADE → *cuisine.*
PIPETTE → *liquide.*
PIPI → *résidu, rein.*
PIQUAGE → *couture, pierre.*
PIQUANT → *aiguille, esprit.*
PIQUE → *arme, carte, moquer, offense.*
PIQUÉ → *aviation, danse, folie, tissu.*
PIQUE-ASSIETTE → *manger.*

PIQUE-NIQUE, PIQUE-NIQUER → *campagne, manger.*
PIQUER → *aiguille, boisson, couture, exciter, offense, voler.*
PIQUET → *bâton, garder, groupe.*
PIQUET → *carte.*
PIQUETER → *intervalle, signe.*
PIQUETTE → *boisson, vin.*
PIQUEUR, PIQUEUX → *chasse.*
PIQÛRE → *blesser, soigner.*
PIRATE → *marine, radio, voler, voyage.*
PIRATERIE → *crime.*
PIROGUE, PIROGUIER → *bateau.*
PIROUETTE → *changer, danse, gymnastique, sauter.*
PIS → *lait, poitrine.*
PIS-ALLER → *chercher, utile.*
PISCICULTURE, PISCIFORME → *élevage, poisson.*
PISCINE → *bain, nager.*
PISCIVORE → *poisson.*
PISÉ → *maçonnerie.*
PISOLITE, PISOLITIQUE → *calcium.*
PISSALADIÈRE → *cuisine.*
PISSAT, PISSE → *résidu, rein.*
PISSE-FROID → *froid, triste.*
PISSENLIT → *légume, plante.*
PISSER, PISSEUX, PISSOIR, PISSOTIÈRE → *rein, résidu, terne.*
PISTACHE, PISTACHIER → *arbre, confiserie.*
PISTARD → *course.*
PISTE → *aviation, cinéma, course, route.*
PISTER → *chercher, suivre.*
PISTIL → *fleur.*
PISTOLE → *monnaie.*
PISTOLET → *arme, dessin, fusil, homme, pain, peinture.*
PISTON → *aider, défendre, instrument, moteur, vapeur.*
PISTONNER → *défendre, nommer.*
PITANCE → *aliment, manger.*
PITCHPIN → *pin.*
PITEUX → *triste, visage.*
PITHÉCANTHROPE → *homme.*
PITHIATISME → *nerf.*
PITIÉ → *bon, douleur, pardon, sensibilité, triste.*
PITON → *clou, pendre.*
PITOYABLE → *douleur, mal, triste.*
PITRE, PITRERIE → *rire.*
PITTORESQUE → *beau, étonner, peinture, récit.*
PITUITAIRE, PITUITE → *estomac, nez.*
PITUITER → *cri.*
PITYRIASIS → *peau.*
PIVERT → *oiseau.*
PIVOINE → *fleur*
PIVOT → *dent, importance, tourner.*
PIVOTANT, PIVOTER → *changer, tourner.*
PIZZA → *cuisine.*
PLACAGE → *bois, menuiserie.*
PLACARD → *inscription, meuble, porte, typographie.*
PLACARDER → *informer, inscription.*
PLACE → *changer, espace, fonction, fortification, placer, ville.*
PLACEBO → *médicament.*
PLACEMENT → *banque, fonction.*
PLACENTA → *accouchement.*
PLACER → *arranger, banque, commerce, course, orientation.* — **Mener quelqu'un à sa place.** Aller à une place, aposter, asseoir, camper, caser, conduire, confiner, désigner une place, endroit, faire place à quelqu'un, installation, loger, mettre à une place, orienter, place à table, placer les convives, portion d'espace, position, poste, poster, prendre place, relayer, reléguer, relever une sentinelle. ▪ Place de spectacle : etre bien/mal placé, une bonne place ; billet, réservation, ticket ; fauteuil, siège, strapontin ; place assise/debout/de côté/de face, demi-place, invitation, place gratuite ; placeuse, ouvreuse ; réserver/retenir sa place. ▪ Affecter, caser, placer une domestique, préposer, procurer un emploi/une place ; agence / bureau de placement. — **Situation.** Admettre dans un ensemble/un groupe/une hiérarchie ; avoir sa place quelque part ; catégorie ; charge ; circonstance ; classe, classer ; condition ; dignité ; endroit ; état ; fonction, être fait pour sa fonction, être bien introduit, fonctionnaire haut placé ; mettre dans une situation déterminée/dans de beaux draps ; milieu ; monde ; office ; place, donner/occuper la place d'honneur, être à sa place, être bien/mal placé pour ; être en place, une place au soleil, une planque (pop.), rester à sa place ; placer à un poste clef/sous les ordres/sous la coupe/la protection de quelqu'un ; position, poste, posture, avoir une bonne position, être en bonne posture ; rang hiérarchique, un rang honorable ; situation, situation sociale, avoir une bonne situation, être en situation ; sphère. — **Emplacement.** Attribuer une place ; avoir de la place ; bouger, déplacer ; déposer, dépôt ; disposer, disposition ; emplacement ; endroit ; envoyer à un point précis ; espace ; établir ; exposer, exposition ; immobiliser ; implanter ; installateur ; lieu, localiser ; mettre/mise en place ; occuper une place ; place de parking/de stationnement ; pose, poser, position ;

remettre, remise, remiser ; remuer ; siège ; situer, mettre dans une situation ; transposer, transposition. ■ Arranger ; classer ; gagner de la place ; mettre en ordre ; ordonner ; orientation ; ranger, éléments/meuble de rangement ; serrer. — **Position relative des objets.** Avec, contre, ensemble : adosser, ajuster, appliquer, apposer, assembler, attacher, clouer, coller, fixer, joindre, juxtaposer, opposer, réunir. ■ Bas et haut : abaisser, abattre, baisser, rabaisser ; amasser, amonceler, dresser, élever, ériger, hausser, hisser, lever, monter, soulever, surélever. ■ Dans, entre, au milieu, parmi : confiner, emballer, enfoncer, entremêler, fourrer, insérer, intercaler, interpoler, interposer, introduire, mêler, nicher. ■ Droit, horizontal, à plat, vertical : aligner, coucher, dresser, ériger, étendre, ficher, planter, redresser, relever. ■ Loin, près : approcher, différer, disperser, écarter, éloigner, enlever, espacer, jeter, ôter, rapprocher, reculer, repousser, séparer, toucher. ■ Sous, en dessous : cacher, couler, glisser, être sous-jacent. ■ Sur, au-dessus, par-dessus : charger, chevaucher, coucher par écrit, couvrir, imposer, porter sur, recouvrir, reposer, superposer, surajouter, surcharger. — **Remplacer.** Changer, céder/quitter la place ; donner sa place, faire place, s'installer/se mettre à la place de quelqu'un ; occuper/prendre la place de quelqu'un ; remettre à sa place/en place, replacer. ■ Bouche-trou ; doubler, doublure ; intérim, intérimaire ; régent ; relais ; remplaçant ; représentant ; roulement ; subroger ; substitut, substituer ; succéder, successeur ; supplanter ; suppléant, suppléer ; vice-, vice-consul, vice-légat, vice-président, vice-roi.

PLACET → *demander.*

PLACIDE, PLACIDITÉ → *calme, paix, repos.*

PLACIER → *commerce, location.*

PLAFOND → *extrême, haut, météorologie, peinture, plancher, vitesse.*

PLAFONNER → *extrême, vitesse.*

PLAFONNIER → *automobile, lampe.*

PLAGE → *bain, bord, disque, mer, pont, sable.*

PLAGIAIRE, PLAGIAT, PLAGIER → *littérature, reproduction.*

PLAID → *automobile, couvrir.*

PLAIDER, PLAIDEUR, PLAIDOIRIE, PLAIDOYER → *convaincre, défendre, tribunal.*

PLAIE → *blesser, brûler, chair, couper, douleur, frapper.*

PLAIN → *blason.*

PLAIN-CHANT → *chanter.*

PLAINDRE → *douleur, mécontentement, pardonner, souci.*

PLAINE → *relief.*

PLAIN-PIED (DE) → *niveau.*

PLAINTE, PLAINTIF → *douleur, mécontentement, tribunal.*

PLAIRE → *aimer, bonheur, convenir, joie.* — **Être agréable à, chose plaisante.** Agréable, agrément ; attacher, attachant ; attrait, attrayant, attractif ; ça me va, ça me botte (pop.) ; chanter ; chatouiller ; complaire ; contenter, contentement ; convenir ; délecter, délectable ; enchanter, enchantement ; intérêt, intéresser, intéressant ; plaire, faire plaisir, donner du plaisir ; récréer, récréatif ; un régal ; ravir, ravissant ; réjouir, réjouissant ; satisfaire, satisfaisant ; sourire, ce projet me sourit. ■ Affriolant, alléchant, agaçant, aimable, amusant, bizarre, comique, curieux, du dernier cri, divertissant, drôle, engageant, épatant (fam.), fascinant, gai, gentil, gracieux, joli, à la mode, original, palpitant, piquant, poignant, ragoûtant, rigolo (fam.), sensationnel, terrible (fam.), touchant, en vogue, etc. ■ Être emballé (fam.)/enivré/enthousiaste/fanatique. — **Personne agréable, séduisante.** Affabilité, affable ; amabilité, aimable ; amène ; appas ; attirer ; avenant ; captiver ; charmer, tenir sous le charme, charmant ; avoir du chien (fam.) ; civilité, civil ; conquérir, faire des conquêtes ; coquet ; courtois ; envoûter, magicien ; fasciner, pouvoir de fascination ; flirt, flirter ; gagner la faveur/les bonnes grâces/la sympathie ; gentillesse, gentil ; inspirer de l'amitié/de l'amour/de l'estime/de la sympathie ; être irrésistible ; obligeance, obligeant, obliger ; politesse, poli ; prestige, prestigieux ; prévenance, prévenant ; satisfaire ; séduire, séducteur ; sémillant ; sex-appeal, sexy ; souriant ; subjuguer ; sympathique ; taper dans l'œil (pop.) ; tombeur (pop.) ; avoir/faire une touche (pop.) ; tourner la tête. ■ Chevalier servant, chouchou (fam.), coqueluche, coq du village, don juan, donjuanesque, enchanteur, favori, galant, sirène, sorcier. — **Chercher à plaire, à séduire.** Aguicher, aguicheur ; allécher ; amadouer ; amorce, appât ; cajoler, cajoleur ; conter fleurette ; coqueter (fam.), une coquette, coquetterie ; courtiser, faire sa cour, courtisan ; encenser ; enjôler, enjôleur ; flagorner, flagornerie ; flatter, flatterie, flatteur, thuriféraire ; graisser la patte (fam.) ; lutiner ; manège ; miroir aux alouettes, faire briller/miroiter ; œillade langoureuse ; papillonner ; paroles captieuses/doucereuses / enveloppantes / spécieuses ; passer la main dans le dos (fam.) ; promettre, promesses ; suggérer : tenter, tentation, tentateur.

PLAISANCE → *bateau, maison.*

PLAISANCIER → *bateau.*

PLAISANT, PLAISANTER, PLAISANTERIE → *moquer, parler, rire.*

PLAISANTIN → *moquer.*

PLAISIR → *débauche, désir, joie, plaire.*

PLAN → *cinéma, composer, cuisine, entreprise, géométrie, théâtre.* — **Dessin.** Canevas ; carte, carte détaillée/à grande échelle, cartographie, carton ; cote ; coupe ; crayon ; croquis, croquis coté ; description ; dessin d'architecture ; dresser/lever/tracer un plan ; diagramme ; ébauche ; échelle ; élévation ; épure ; esquisse ; figure ; graphique ; graticuler ; image ; levé ; maquette ; modèle réduit ; plan graphique ; profil, profiler ; projection horizontale/orthogonale, projeter ; représentation, reproduction ; schéma ; section ; topographie ; tracé géométrique ; trame. ▪ Stéréocomparateur, tachéomètre, théodolite. — **Projet.** Annonce ; arrangement ; calcul ; bâtir une combinaison, combine (fam.), combiner ; dessein ; disposition ; dresser ses batteries ; ébaucher / élaborer / envisager / exécuter un plan ; intention ; intrigue ; machination, machiner ; méditer ; ménager, monter une affaire ; moyen ; opération ; orchestrer, orchestration ; ordonner ; organiser, organisation ; préparer, préparatifs ; programme ; projet, caresser / former / mûrir un projet, projeter ; résolution ; spéculation ; stratégie, plan de bataille/de campagne ; tableau ; vue. — **Planification.** Calculatrice, ordinateur, programmer, programmation, programmeur, programmateur. ▪ Détermination des objectifs, engineering, méthode ; normaliser, organisation du travail, organigramme, plan de travail, planning, rationaliser, succession des opérations, système. ▪ Plan administratif / économique / politique, plan quinquennal, planifier, programme à court terme/à long terme ; Commissariat au Plan. ▪ Planning familial : contrôle des naissances. — **Intrigue.** Cabale ; se coaliser ; comploter ; se concerter ; conjuration, conjuré ; conspirer, conspiration ; coup monté ; dresser des plans ; échafauder ; factieux, faction ; intriguer ; manège ; manigance, manigancer ; manœuvre frauduleuse ; maquignonnage ; menée ; nouer ; ourdir une intrigue ; parti ; pratiques ; spéculer ; trame, tramer ; tripotages. — **Composition.** Action, cadre, charpente, dénouement, minute, nœud, partie, ressort, résumé, scénario, sommaire, synopsis, table des matières.

PLAN → *égal, géométrie, niveau.*

PLANCHE → *bois, graver, jardin, livre, nager, théâtre.*

PLANCHER → *décoration, maison.* — **Plancher proprement dit.** Chape ; chevêtre ; dalle de ciment/de marbre/de pierre/de verre ; doubleau ; entretoise ; entrevous, entrevoûter ; fanton ; gîte ; hourdage, hourdis ; lambourde ; lame ; linçoir ; planchéier, plancher à claire-voie/à poutrelles ; portée ; solive ; travure. ▪ Caillebotis, échafaud, estrade, plancher en béton armé/en bois/en fer, plate-forme, pont, tablier. — **Parquet.** Antébois, bardeau, boiserie, frise, lame, languette, latte, plinthe, rainure ; parquet, parqueter, parqueterie, parqueteur ; parquet à l'anglaise/à bâtons rompus/à compartiment/en épi ou feuille de fougère/mosaïque/à point de Hongrie/d'onglet. ▪ Cire, cirer ; encaustique, encaustiquer ; linoléum, moquette, paillasson, tapis, tapis-brosse. — **Plafond.** Charpente, corniche, lambris, lattis, moulure, panneau, poutre, rosace, soffite, solive, travée, treillage, voûte. ▪ Plafond bas/à caisson/à compartiment / flottant / haut / marouflé / à poutres apparentes/surélevé/suspendu ; faux plafond. ▪ Crépi, enduit de plâtre, peinture à la colle/à l'huile, revêtement ; lustre, plafonnier, suspension, tire-fond. — **Voûte.** Arcade, arche, cintre, cintré, plein cintre, coupole, dôme, niche, vau, voûte en anse de panier/en arc/en berceau/en ellipse/en ogive/surbaissée/surhaussée, voûter. ▪ Claveau, clef de voûte, douelle, écartement, extrados, intrados, pendentif, poussée, sommier, tiers-point, voussoir, voussure, arrière-voussure.

PLANCHER → *enseignement.*

PLAN-CONCAVE, PLAN-CONVEXE → *optique.*

PLANCTON → *mer.*

PLANE, PLANER → *menuiserie, poil, polir.*

PLANER → *haut, oiseau, regarder.*

PLANÉTAIRE, PLANÉTARIUM, PLANÈTE → *astronomie, soleil.*

PLANEUR → *aviation.*

PLANIFICATION, PLANIFIER → *économie, entreprise, plan.*

PLANIMÈTRE, PLANIMÉTRIE → *niveau.*

PLANISPHÈRE → *ciel, terre.*

PLANNING → *plan, travail.*

PLANOIR → *polir.*

PLANORBE → *mollusques.*

PLANQUE, PLANQUER → *cacher, placer, travail.*

PLANT → *germe, plante.*

PLANTAIN → *oiseau.*

PLANTAIRE → *pied.*

PLANTATION → *colonie, culture, plante.*

PLANTE, PLANTER → *germe, jardin.* — **Généralités.** Botanique, botaniste ; diagnose ; flore ; herbier, herboriser, herboriste, herboristerie ; jardin d'acclimatation / d'agrément / botanique/des plantes/potager ; naturaliste ; -phyte, thallophyte, zoophyte, phyto-, phytobiologie, phytoclimogramme, etc. ; plant, plante, plantule, plantation, planteur, plantoir ; végétal, le règne végétal, les végétaux ; végétation luxuriante/pauvre, etc., appareil végétatif ; végétarien, végétarisme, végétalisme ; verdure, vert, verdoyant. — **Principaux éléments d'une plante.** Bourgeon, bourgeonner ; bouton de fleur ; bulbe ; cayeu ; cotylédon ; cuticule ; drageon ; épine, épineux ; fane ; feuille, effeuiller, défoliation ; fleur, fleurir, floraison ; fruit, baie ; gemme, gemmule ; graine ; lenticelle ; œilleton ; parenchyme ; poil ; racine ; spore ; stolon ; stomate ; thalle ; tige ; tubercule ; vaisseau ; vrille. ▪ Cellulose, chlorophylle, cire, cutine, lignine, pigment, sève, subérine, suc. — **Racine.** Barbe, collet, crampon, crosse, fibre, filament, pédoncule, pivot, radicelle, radicule, rhizome, souche, spongiole. ▪ Racine aérienne / fibreuse / fourragère / pivotante/traçante/tuberculeuse : coupe-racines ; déraciner, déracinement ; éradication ; enraciner, enracinement ; radical. ▪ Betterave, carotte, crosne, igname, manioc, navet, patate, pomme de terre, radis, raifort, raiponce, rave, salsifis, topinambour. — **Tige.** Aubier, cœur, écorce, épiderme, liber, liège, moelle, médullaire, nœud ; cep, chalumeau, chaume, éteule, hampe, paille, stipe, tronc ; tige flexueuse/fourchue/grimpante / noueuse / ramifiée / rampante/volubile. ▪ Badine, barreau, bâton, canne à pêche ; panier d'osier, toit de chaume/de roseau ; flûte, pipeau, etc. — **Classification.** Angiospermes ; arbres, ligneux ; cactées ; cellulaires ; cryptogames ; gymnospermes ; herbacées ou herbes ; muscinées ; phanérogames ; saxifrages ; thallophytes ; vasculaires. ▪ Plante acaule/acotylédone / baccifère / bulbeuse / caulescente / cérifère / conifère / dicotylédone / épineuse / foliée / florifère / graminée / gymnocarpe / lameuse / monocotylédone / mucilagineuse / polyandre / radicante / rhizocarpe / thallophyte. — **Principales plantes.** Voir à *arbre, céréale, fleur, herbe, huile, légume, teinture, textile.* ▪ Plantes aromatiques : absinthe, angélique, anis, badiane, basilic, camomille, carvi, céleri, cerfeuil, ciboule, citronelle, coriandre, cumin, fenouil, génépi, gingembre, lavande, marjolaine, mélisse, menthe, origan, persil, poivrier, romarin, sarriette, sauge, thym, toute-épice. ▪ Plantes médicinales ou simples : bardane, belladone, bourdaine, bourrache, camomille, eucalyptus, gentiane, hamamélis, houx, mauve, mercuriale, nerprun, réglisse, ricin, rue, sabine, scabieuse, valériane, verveine, violette. — **Vie des plantes.** Acclimatation, bourgeonnement, bouturage, croître, croissance, fécondation, floraison, fructification, germination, graine, greffer, greffe, marcottage, maturation ; plante monoïque/dioïque ; pot, dépoter, rempoter, potomètre ; pousser, pousse ; ramer, rame ; reproduction ; semer, semence, semis, semailles ; tactisme ; talle, taller ; transplanter ; tuteur, tuteurer ; tropisme, géotropisme, héliotropisme, nastie. ▪ Plante annuelle/bisannuelle/diurne/hiémale / précoce / remontante / vivace ; plante aquatile/aquatique/épiphyte/hygrophile / marine / parasite / rupestre/saxatile ; plante adventice/cultivée/exotique/sauvage/tropicale. — **Affections et maladies.** Dépérir, dépérissement ; s'étioler, étiolement ; se faner ; geler ; jaunir, chlorose ; marcescence ; mourir ; sécher, sur pied, se dessécher ; végéter. ▪ Épiphytie, galle, mildiou ; médecine, mettre de l'engrais, traiter ; parasites : animal gallicole, chenille, puceron, taupe, ver.

PLANTEUR → *colonie, plante.*

PLANTIGRADE → *pied.*

PLANTOIR → *jardin.*

PLANTON → *attendre, garder.*

PLANTULE → *plante.*

PLANTUREUX → *abondance, gras, riche.*

PLAQUE → *automobile, métal, porte, signe, train.*

PLAQUÉ → *bijou, bois.*

PLAQUER → *abandon, bijou, bois, métal.*

PLAQUETTE → *livre, mémoire, sang.*

PLASMA → *gaz, sang.*

PLASTIC → *exploser.*

PLASTICITÉ → *forme.*

PLASTIQUE → *argile, art, dessin, exploser, forme.* — **Matières plastiques.** Acétylène, benzol, chlore, houille, pétrole brut, phénol, sel ; caséine, cellulose. ▪ Bakélite, caoutchouc (butadiène), celluloïd, élastomère, galalithe, mélanine-formaldéhyde, nitrile acrylique, polyamide, polycarbonate, polyester, polyéthylène à basse/à haute densité, polypropylène, polystyrène expansé, polyuréthane, résine, silicone, vinyle, (acétate et polychlorure de vinyle/de vinylidène), viscose. ▪ Matières plastiques thermodurcissables/thermoplastiques. — **Production et utilisation.** Coulage, extrusion, formage, moulage, polycondensation, polymérisation, presse ; papier transparent : cellophane (n.d.), rhodoïd ; peintures et vernis ; plastifier, plastifiant, plasticité ; plexiglas ; revêtement ; textiles artificiels : fibranne, rayonne, nylon.

PLASTIQUER, PLASTIQUEUR → *détruire, exploser.*

PLASTRON → *escrime, poitrine, vêtement.*

PLASTRONNER → *montrer, orgueil.*

PLAT → *égal, niveau.*

PLAT → *bœuf, livre, main.*

PLAT → *aliment, gauche, vaisselle.*

PLATANE → *arbre.*

PLATEAU → *balance, relief, théâtre, vaisselle.*

PLATE-BANDE → *jardin.*

PLATÉE → *vaisselle.*

PLATE-FORME → *fonder, plancher, train.*

PLATELAGE → *charpente.*

PLATINE → *disque, horlogerie, typographie.*

PLATINE → *bijou, métal.*

PLATINÉ, PLATINER → *cheveu.*

PLATINITE → *métal.*

PLATINOTYPIE → *photographie.*

PLATITUDE → *avilir, commun.*

PLATONIQUE → *aimer, pur.*

PLÂTRAGE, PLÂTRAS, PLÂTRE → *calcium.*

PLÂTRER → *calcium, chirurgie, maçonnerie.*

PLÂTRERIE, PLÂTRIER, PLÂTRIÈRE → *calcium, maçonnerie.*

PLAUSIBLE → *croire, raisonnement, vérité.*

PLÈBE, PLÉBÉIEN → *classe, grossier, population.*

PLÉBISCITAIRE, PLÉBISCITE, PLÉBISCITER → *élire, gouverner.*

PLECTRE → *instrument.*

PLÉIADE → *poésie.*

PLEIN → *abondance, beaucoup, emplir, entier.*

PLEIN → *écrire, espace, mer.*

PLEIN-EMPLOI, PLEIN-TEMPS → *médecine, travail.*

PLÉISTOCÈNE → *géologie.*

PLÉNIER → *entier.*

PLÉNIPOTENTIAIRE → *diplomatie.*

PLÉNITUDE → *emplir, entier, excès, satisfaction.*

PLÉONASME, PLÉONASTIQUE → *mot, style.*

PLÉTHORE, PLÉTHORIQUE → *abondance, beaucoup, excès.*

PLEUR, PLEURARD, PLEURER → *douleur, triste.*

PLEURÉSIE, PLEURÉTIQUE → *poitrine.*

PLEUREUSE → *enterrement.*

PLEURITE → *poitrine.*

PLEURNICHER → *douleur, mécontentement.*

PLEUROPNEUMONIE → *poitrine.*

PLEUTRE, PLEUTRERIE → *avilir, peur.*

PLEUVOIR → *pluie.*

PLÈVRE → *poumon.*

PLEXIGLAS → *verre.*

PLEXUS → *nerf.*

PLI → *carte, couture, habitude, poste, relief.* — **Pli souple.** Bouillon, bouillonner ; coque ; doubler ; drapé, draper ; enrouler, rouler, dérouler ; fraise, fraiser ; fronce, froncer, froncis, défroncer ; nid d'abeilles ; godage, godailler, goder ; godron, godronner ; grigner ; grimace, grimacer ; ourlet, ourler ; pince, pincer ; plier, plieur, pliage ; faux pli, pli creux/empesé/rond/tubulé ; plissé, plisser, déplisser ; rabat, rabattre ; relevé ; rempli ; repli, replier ; retroussis, retrousser ; ruché, rucher ; troussis, trousser ; tuyauter, tuyau. ▪ Drapeau, draperie, falbalas, jupe, manteau, robe, volant, etc. — **Marque.** Accident, anticlinal, courbure, cuvette, dépression, dôme, éminence, ondulation, plissement ; sinuosité, sinueux, flexueux. ▪ Arête ; brisé ; corne, corner, écorner ; papier plié, cocotte en papier ; plier, replier, plier en deux/trois, etc., plioir ; pliure. ▪ Fanon ; froncer les sourcils ; grimace ; patte-d'oie ; pli de la bouche ; ride rider ; saignée ; visage buriné/chiffonné / fripé / parcheminé / poché / renfrogné. — **Ployer, être ployé.** Arquer ; baisser ; cassé, être cassé par l'âge ; courber, courbé ; fausser ; fléchir ; incliner ; infléchir ; plier le dos/l'échine/les épaules/sous la charge/le faix/les soucis, etc. ; ployer ; se ratatiner ; recourber. ▪ S'affaisser, céder, élasticité, faiblir, se faire, fléchir, se prêter, se recroqueviller, souplesse, se tasser. — **Qui plie.** Articulation ; flexible, flexibilité ; jointure ; malléable ; pliant, pliable ; portatif, de poche ; souple, assouplir, assoupli.

PLIANT → *meuble.*

PLIE → *poisson.*

PLIÉ → *danse.*

PLIER → *courbe, habitude, pli, soumettre.*

PLINTHE → *colonne, mur, plancher.*

PLIOCÈNE → *géologie.*

PLISSAGE, PLISSÉ → *pli.*

PLISSEMENT → *géologie, pli, relief.*

PLIURE → *livre, pli.*

PLOMB → *électricité, métal, projectile, typographie.* — **Généralités.** Métal gris/malléable/mou ; plomb 206/207/208, isotope ; plomb, de couleur plombée, ciel plombé, teint plombé; saumon. — **Composés et dérivés.** Carbonate; céruse ou blanc d'argent ou blanc de plomb; chlorure; chromate ou jaune de chrome; iodure; minium; oxyde; bioxyde, sous-oxyde; plomb tétraéthyle, éthylfluid; plombate; protoxyde ou litharge ou massicot; sulfure. — **Production et élaboration.** Minerai : anglésite, cérusite, galène, gîte plombifère. ▪ Calcination, coupellation, grillage, fusion réductrice, affinage par électrolyse ou de Betts/par voie sèche/par le procédé Harris. — **Utilisation.** Blanc d'argent/de Hambourg/de Hollande/de Venise; caractère d'imprimerie; fil à plomb; mine de plomb; minium; plaque d'accumulateur; plomb, plombage d'une dent, plombage par coulée/à la feuille, plombure d'un vitrail, plombée; plomb fusible, faire sauter les plombs/un fusible; plomb de chasse, balle, chevrotine; plombate, plombite; sceau; sel de plomb, eau blanche, extrait de Saturne, maladie saturnine, saturnisme; soldat de plomb. ▪ Plomberie, plombier, plombier-zingueur : appareil sanitaire, bassin, canalisation, châssis, chéneau, couverture, faîtage, gouttière, robinetterie, soudure (lampe à souder), tuyau, zinguerie.

PLOMBAGINE → *écrire.*

PLOMBÉ → *ciel, pluie, terne, visage.*

PLOMBÉE → *pêcher.*

PLOMBER → *dent, mur, plomb.*

PLOMBERIE, PLOMBIER → *plomb.*

PLOMBURE → *plomb, verre.*

PLONGE → *hôtel, nettoyer.*

PLONGÉE → *bain, cinéma.*

PLONGEOIR, PLONGEON, PLONGER → *bain, bas, nager.*

PLONGEUR → *hôtel, nager.*

PLOT → *bois, électricité.*

PLOUTOCRATE, PLOUTOCRATIE → *chef, riche.*

PLOYER → *courbe, pli.*

PLUIE → *beaucoup, eau, météorologie, orage.* — **Pluie et météorologie.** Eau, érosion; humidité, climat humide; hygrométrie; mousson, saison des pluies; phase de saturation/de condensation / de déclenchement; pluie artificielle/de boue, régime fluvial, temps pluvieux, pluviosité; pluviomètre, pluviométrique; précipitation; réservoir, citerne, impluvium; temps gris / menaçant / pluvieux, le temps est à la pluie. — **Pleuvoir.** Averse; brouillasser, brouillard; bruiner; cataractes (fam.); crachin, crachiner; déluge; flotter (pop.), flotte (pop.); giboulée; goutte, gouttelette; un grain; grêler, grêle; neiger, neige; ondée; orage; il pleut des cordes (fam.)/à flots/des hallebardes/des seaux (fam.)/à torrents/comme vache qui pisse (pop.)/à verse (fam.); pleuvasser, pleuviner, pleuvoter; pluie diluvienne/fine/torrentielle; grosse/petite pluie; la pluie cingle/fouette/transperce; pluie battante; sauce (pop.), saucée (pop.); tomber, la pluie tombe; trombe. ▪ Être douché (fam.)/mouillé/rincé (fam.)/saucé (pop.)/traversé/trempé comme un barbet (fam.)/comme une soupe (pop.). ▪ Abondance, afflux, avalanche, flot, déluge, pluie de baisers / de cendres / de pierres, etc. — **Nuage.** Alto-cumulus, alto-stratus, cirro-cumulus, cirro-stratus, cirrus, cumulo-nimbus, nimbostratus, nimbus, strato-cumulus, stratus. ▪ Ciel gris/moutonné/nébuleux/nuageux / pesant / plombé / pommelé/voilé, le ciel se couvre/se dégage; éclaircie; nébuleux; nuage, nuageux, nuée, nue; les nuages s'accumulent/s'amassent/crèvent; plafond; temps gris/sombre. — **Inondation.** Crue; déborder, débordement; fonte des neiges; inonder, inondation; noyer; raviner, ravinement; ruisseler, ruissellement; rupture des digues; submerger, submersion. ▪ Arche de Noé, le Déluge. — **Contre la pluie.** Abri, auvent, bâche, gouttière, marquise, prélart, tente, toile imperméabilisée. ▪ Caoutchouc, capote, ciré, gabardine, kabig, imperméable, imper (fam.), loden, manteau de pluie, ombrelle; parapluie, pébroque (pop.), pépin (pop.), riflard (pop.), tom-pouce, (baleine, virole); pèlerine; trench-coat; water-proof.

PLUMAGE → *oiseau.*

PLUMARD → *lit, plume.*

PLUMASSERIE, PLUMASSIER → *plume.*

PLUME → *canard, écrire, littérature, oiseau.* — **Description.** Appendice, axe, barbe, barbule, bulbe, follicule, hampe, kératine, papille, phanère, rachis, tégument, tuyau, vexille. — **Différentes plumes.** Aigrette, aile, camail, cerceau des ailes, duvet, houppe, huppe, livrée, manteau, ocelle tachetée, penne, pennage, plumage, plumule, queue, rémige des ailes, tectrice du dos, vibrisse du bec. ▪ Animal à plumes : gibier, oiseau, volaille. — **Utilisation.** Déplumer, plumer, plumaison, plumée. ▪ Coiffure, ornement, parure : aigrette, boa, bordure de duvet/de cygne, bouquet, casoar, marabout, panache, empanacher, plume au chapeau, plume de paon, plumet, tenue de scène en plumes d'autruche; plumassier, plumasserie. ▪ Literie : couette, duvet, édredon, matelas, oreiller.

PLUMEAU → *nettoyer, plume.*
PLUMER → *pauvre, plume.*
PLUMET → *plume.*
PLUMETIS → *broderie, tissu.*
PLUMIER, PLUMITIF → *écrire.*
PLUM-PUDDING → *pâtisserie.*
PLURALISME, PLURALITÉ, PLURIEL → *beaucoup, nombre, parti.*
PLURIVALENT → *chimie.*
PLUS, PLUSIEURS → *nombre.*
PLUS-QUE-PARFAIT →. *verbe.*
PLUS-VALUE → *économie.*
PLUTON, PLUTONIEN, PLUTONISME → *dieu, enfer, géologie, mythologie, terre.*
PLUTONIUM → *métal, nucléaire.*
PLUVIAL → *pluie, rivière.*
PLUVIAN, PLUVIER → *oiseau.*
PLUVIEUX, PLUVIOMÈTRE → *pluie.*
PLUVIÔSE → *calendrier.*
PLUVIOSITÉ → *pluie.*
PNEU → *caoutchouc, gonfler.*
PNEUMATIQUE → *air, écrire, gaz, gonfler.*
PNEUMOCOQUE → *microbe.*
PNEUMOGASTRIQUE → *nerf.*
PNEUMOGRAPHIE, PNEUMOLOGIE → *médecine, respiration.*
PNEUMONIE → *maladie, poitrine.*
PNEUMOTHORAX → *chirurgie, poitrine.*
POCHADE → *littérature, peinture.*
POCHARD → *boire.*
POCHE → *gaz, métallurgie, sac, tumeur, vêtement.*
POCHER → *cuisine, frapper, peinture.*
POCHETÉE → *gauche, femme, sot.*
POCHETTE → *sac, vêtement.*
POCHOIR → *dessin.*
PODAGRE → *pied, vieillesse.*
PODESTAT → *magistrat.*
PODIUM → *honneur, monter.*
PODOMÈTRE → *marcher.*
POÊLE → *enterrement.*
POÊLE, POÊLON → *cuisine, vaisselle.*
POÈME → *littérature, poésie.*
POÉSIE, POÈTE, POÉTIQUE → *littérature, plaire.* — **Généralités.** Chanter; feu/fureur poétique; harmonie; pindariser; la poétique; prendre son luth; prosodie; souffle; veine. ▪ Apollon, le laurier d'Apollon; les Muses, nourrisson des Muses; Parnasse; Pégase; Pinde. — **Genres poétiques.** Poésie bucolique/burlesque / champêtre / descriptive / didactique / dramatique / élégiaque / épique / érotique / familière / géorgique / héroï-comique / héroïque / légère / lyrique / macaronique / profane/ sacrée / satirique / tragique; comédie; dialogue; tragédie, stichomythie. — **Poèmes.** Acrostiche, bergerie, bouquet, bouts-rimés, bucolique, calligramme, cantique, centon, chant, complainte, églogue, élégie, épigramme, épître, épopée, fable, hymne, idylle, madrigal, ode, opéra, pastorale, romance, rondeau, satire, sonnet, stances. ▪ Ballade, blason, cantilène, chanson, fabliau, geste, lai, pastourelle, villanelle, virelai; dithyrambe, épithalame, ïambe, palinodie, priapée, satyre, thrène. ▪ Canzone, haï-kaï, lied, pantoum, psaume, ▪ Anthologie, art poétique, chansonnier, florilège, rhapsodie, romancero. — **Versification.** Acrostiche, allitération, assonance, cadence, césure, cheville, coupe, chute, couplet, élision, enjambement, envoi, hémistiche, hiatus, licence poétique, mètre, métrique, pied, prosodie, refrain, rejet, rimes pauvres/riches/léonines/ masculines / féminines / plates / embrassées/croisées/intérieures, rythme, scander, scansion, strophe, vers blanc/boiteux/faux/libre, vers accentué/assonancé/rimé, verset, versifier. ▪ Alexandrin, décasyllabe, octosyllabe, hexamètre, pentamètre, tétramètre, trimètre, vers catalectique/acatalectique / atonique / alcaïque / asclépiade / anapestique / choliambe / choriambique / dactylique / ïambique / saphique / scazon / spondaïque / trochaïque; anapeste, dactyle, iambe, spondée, trochée, tribraque; dizain, huitain, onzain, sizain. — **Qui fait de la poésie.** Aède, barde, félibre, jongleur, ménestrel, minnesinger, rhapsode, rhétoriqueur, scalde, troubadour, trouvère. ▪ Chansonnier, chantre, fabuliste, librettiste, parolier, poète de cour/officiel; faiseur de vers, métromane, pétrarquiste, poétereau, rimailleur, rimeur, versificateur. ▪ Jeux floraux.
POGROM → *juif, violence.*
POIDS → *athlétisme, balance, charger, horlogerie, importance, peser.*
POIGNANT → *douleur, triste.*
POIGNARD, POIGNARDER → *arme, blesser, couper.*
POIGNE → *force.*
POIGNÉE → *main, manière, nombre, prendre.*
POIGNET → *main, vêtement.*
POIL, POILU → *cheveu, cuir, force, paresse, peau, tendance.* — **Description.** Brin, bulbe, follicule, gaine, glande, implantation, kératine, pigment coloré, racine, système pileux, tégument, tige, villosité. — **Différents poils.** Bacchante (fam.), barbe, barbiche, barbouze (fam.), barbu, bouc, collier, crocs, duvet, favoris, mouche, moustache, poil follet, première barbe, poil au menton. ▪ Chevelure, chevelu, cheveu, crinière, houppe,

perruque, tignasse (fam.). ■ Cil, crin, filament, fouet, jarre, sourcil, touffe de poils, vibrisse des narines. ■ Étole, fourrure, livrée, manteau, pelage, robe, toison. ■ Cotonneux, duveteux, filiforme, floche ; poil dur/ frisé / hérissé / hirsute / horripilé / moucheté, moucheture, à rebrousse-poil ; pilosité, système pileux ; poilu ; poil raide / rare / ras / tacheté / touffu ; velu, villeux. — **Utilisations.** Blaireau, brosse, pinceau ; coton, laine, ouvrage, tissage, tissu ; crin, matelas, tamis. ■ Bourre, chapellerie, étamine, feutrage, feutre, thibaude. ■ Fourreur, fourrure : apprêter, brossage, dressage, peignage, peau, pelisse, pelleterie, vêtements. — **Fourrures commercialisées.** Agneau, astrakan, breitschwanz, castor, chèvre, chinchilla, genette, hamster, hermine, lapin, léopard, loutre, lynx, marmotte, martre, mouflon, mouton, murmel, ocelot, ondatra, opossum, ours, panthère, pekan, petit-gris, phoque, poulain, putois, ragondin, rat musqué, renard, skunks, vigogne, vison, zibeline. — **Sans poils.** Alopécie ; calvitie, chauve ; chute des cheveux ; galeux ; glabre ; imberbe ; mue, muer ; pelade, peler ; pelucher, perdre ses poils. ■ Arracher les poils ; barbier, coiffeur ; couper, coupe-chou ; dépilatoire ; dépouiller ; enlever les poils, épiler, pince à épiler ; perruquier ; planer une peau ; raser, rasoir à lame/électrique/mécanique ; scalper ; tailler ; tondeuse, tondre, tonsure, tonte, tonture.

POINÇON, POINÇONNER → *bijou, cachet, certifier, graver, monnaie, trou.*

POINDRE → *journée.*

POING → *boxe, main.*

POINT → *carte, écrire, état, orientation.*

POINT → *couture, dentelle.*

POINTE → *aiguille, clou, danse, graver, journée, progrès.*

POINTEAU → *machine, trou.*

POINTER → *chien.*

POINTER → *haut.*

POINTER, POINTEUR → *boule, comptabilité, présence, signe.*

POINTILLÉ, POINTILLER → *intervalle, ligne.*

POINTILLEUX → *discussion, exact.*

POINTILLISME → *peinture.*

POINTU → *aigu.*

POINTURE → *chaussure, mesure, vêtement.*

POIRE → *pomme.*

POIREAU → *légume.*

POIREAUTER → *attendre.*

POIRIER → *arbre, fruit, pomme.*

POIS → *grain, légume.*

POISON → *détruire, mal.* — **Sortes de poisons.** Acide cyanhydrique ou acide prussique, aconit, antiaris, arsenic, barbiturique, ciguë, colchique, curare, cyanure, datura, digitaline, euphorbe, mercure, morphine, nicotine, opium, pavot, sel de plomb, strychnine, upas. ■ Alcool, came (pop.), chanvre indien (kif), cocaïne, drogue, hachisch, hallucinogène, héroïne, L.S.D., marijuana, mescaline, narcotique, peyotl. ■ Bouillon de onze heures ; champignon vénéneux, amanite ; dose létale ; gaz asphyxiant, oxyde de carbone ; gobbe ; mort-aux-rats, plante vénéneuse ; poisons minéraux/organiques/végétaux ; poisons hématiques / hypnotiques / leucocytaires / plasmatiques ; stupéfiant ; toxique, toxine, endo- et exotoxine, toxicité, toxicologie, toxicologue ; venin, venimeux, vireux. — **Effets des poisons.** Asphyxie ; botulisme ; carboxyhémoglobine ; devenir blanc/jaune/vert ; empoisonner, empoisonnement ; engourdir, engourdissement ; indigestion ; infection ; intoxication, intoxiquer, poison foudroyant / lent / mortel / subtil / violent ; paralysie ; stupeur, stupéfier ; thébaïsme, toxémie ; tuer, mort ; virulence, virulent ; vomir, vomissement. ■ Alcoolique, drogué, éthéromane, opiomane, toxicomane. ■ Alexipharmaque ; antidote ; contrepoison ; immunité, immunisé ; mithridatisation.

POISSARD, POISSARDE → *femme, grossier.*

POISSE → *malheur.*

POISSER, POISSEUX → *arrêter, colle, épais, huile, sale.*

POISSON, POISSONNERIE → *animal, élevage, lac, mer, pêcher.* — **Description.** Arête ; barbillons ; branchies, branchial ; dent, édenté, pavé ; écaille, squameux, plaque osseuse ; évent ; nageoire anale/caudale/dorsale / pectorale / pelvienne / hétérocerque/homocerque ; opercule, fente operculaire ; ouïes ; peau ; queue ; squelette cartilagineux/osseux ; tête ; vertèbres ; vessie natatoire. — **Mœurs.** Alevin, nourrain ; banc ; frai, laitance, nid ; fretin, menuise ; migration ; œuf, ovipare, vivipare ; poisson blanc/ carnivore / électrique / herbivore / migrateur ; poisson d'aquarium/d'eau douce/exotique/de mer ; remonte, montaison ; rogue. ■ Icthy-, icthyologue, icthyophage ; pisciculture, pisciforme, piscivore. — **Classification.** Poissons cartilagineux ou élasmobranches/cuirassés/ crossoptérygiens/ cyclostomes / dipneustes / ganoïdes / malacoptérygiens et acanthoptérygiens, poissons osseux ou téléostéens ;

cyprinidés, salmonidés, siluridés, etc. — **Principaux poissons.** Bathoïdes ou raies : aigle de mer, diable, mante, pastenague, raie bouclée/cendrée, miraillet, ronce, scie, torpille. ▪ Chondrostéens : esturgeon, polyptère, spatule. ▪ Squaloïdes ou requins : aiguillat, ange, émissole, humantin, lamie, milandre, requin blanc/bleu/marteau/de sable/zébré, roussette, taupe. ▪ Téléostéens : ablette, aiglefin, alose, amie, anchois, anguille, bar, barbeau, barbillon, barbue, baudroie, blennie, brème, brochet, cabillaud, cabot, carassin, carpe, carrelet, chabot, chevesne, chimère, chondrostome, coffre, colin, congre, dorade, éperlan, épinoche, espadon, exocet ou poisson volant, flétan, gardon, girelle, gobie, gonelle, goujon, grémille, grondin, gymnote, hareng, hippocampe, hotu, labre, lamproie, lançon, lavaret, limande, loche, lotte, loup, lune, maigre, maquereau, merlan, merluche, mérou, meunier, milan, môle, morue, muge, mulet, murène, omble, ombrine, orphie, pagre, pélamide, perche, piranha, plie, prêtre, rascasse, rémora ou poisson pilote, rouget, sandre, sar, sardine, saumon, scalaire, scare ou poisson-perroquet, sciène, scorpène, serran, silure ou poisson-chat, sole, sprat, sterlet, surmulet, syngnathe, tacaud, tanche, tarpon, tétrodon ou poisson-globe, thon ou bonite, touille, truite, truite arc-en-ciel, turbot, turbotin, uranoscope, vairon, vandoise, vive. — **Utilisation.** Colle de poisson ; conserverie, maquereau / sardine / sprat / thon en boîte ; préparation aux achards/à l'escabèche/à l'huile ou au vin blanc/à la tomate ; fumé ; hareng en caque/bec/bouffi / gendarme / kipper / saur ; haddock, stockfish ; maquereau, maqueraison ; marée, maréyage, mareyeur ; mariner ; pacquer ; poisson frais/congelé/surgelé ; saler, salaison ; saumon frais/fumé ; saur, saurer, saurir, saurisserie ; poissonnier, poissonnerie, marchand de poissons, vivier. — **Cuisine.** Aile, darne, filet, rouelle, tranche ; faire dégorger, écailler, étriper, préparer, vider. ▪ Bouillabaisse, brandade, court-bouillon, croquette, friture, matelote, quenelle, soupe de poisson ; faire maigre.

POISSONNEUX → *lac, pêche.*

POISSONNIER → *poisson.*

POISSONNIÈRE → *vaisselle.*

POITRAIL → *cheval, harnais, poitrine.*

POITRINE → *anatomie, cœur.* — **Dénominations.** Buffet (pop.), buste, caisse (pop.), coffre (pop.), giron, gorge, pectoral, stétho-, stéthomètre, torse ; bréchet, jabot, mamelle (mammite), pis, poitrail. — **Anatomie.** Appendice xyphoïde ; cœur ; côte, espace intercostal ; diaphragme ; nerf phrénique ; poumons ; sternum ; thorax, cage thoracique ; trachée-artère ; vertèbres, colonne vertébrale. — **Aspect externe.** Gorge ; poitrine creuse/étroite/maigre ; poitrine nue/poilue/velue ; poitrine abondante/forte / généreuse / opulente / pigeonnante (fam.)/pleine/ronde/tombante ; ne pas avoir de poitrine, femme plate/plate comme une limande (fam.). ▪ Sein ; (pop.) lolo, néné, nichon, robert, téton ; aréole, bout, bouton, globe, mamelon, pointe, tétin, tette ; avoir de beaux seins/des seins fermes/hauts, il y a du monde au balcon (pop.) ; seins mous/plats ; seins en poire/ronds. — **Poumons et bronches.** Alvéole, canal alvéolaire ; bronche, bronchiole ; hile ; lobe, lobule ; médiastin ; plèvre ; poumon droit/gauche ; scissure interlobaire. ▪ Angine, bronchite, bronco-pneumonie, congestion pulmonaire, emphysème, expectoration, fluxion de poitrine, grippe, kyste hydatique, œdème, oppression, phtisie, pleurésie, pleurite, pneumonie, pneumococcie, point de côté, poitrinaire, rhume, toux, tuberculose. ▪ Auscultation, ausculter, cuti-réaction, B.C.G., pneumonectomie, pneumothorax, poumon d'acier ou artificiel, stéthoscope, thoracentèse, thoracoplastie, thoracotomie. — **Ce qu'on met sur la poitrine.** Bustier, corsage, corset, décolleté, fichu, gilet, gorgerin, jabot, pectoral, plastron, soutien-gorge, voile ; débraillé, corsage dégrafé/échancré/négligé, etc. ▪ Bouclier, éventail, pendentif.

POIVRADE, POIVRE → *aliment.*

POIVRÉ, POIVRER → *aliment, libre.*

POIVRIER → *plante.*

POIVRIÈRE → *fortification.*

POIVRON → *légume.*

POIVROT → *boire.*

POIX → *colle, pin.*

POKER → *carte.*

POLAIRE → *froid, orientation, terre.*

POLARISATION, POLARISCOPE, POLARISER → *attirer, lumière.*

POLARITÉ → *aimant.*

POLAROÏD → *lumière, photographie.*

POLDER → *mer.*

PÔLE → *aimant, opposé, orientation, terre.*

POLÉMIQUE, POLÉMIQUER, POLÉMISTE → *critique, discussion, littérature, raisonnement.*

POLÉMOLOGIE → *guerre.*

POLENTA → *céréale.*

POLI → *égal, manière, polir.*

POLI → *briller, nettoyer.*

POLICE → *agent, crime, garder, peine, prison.* — **Organisation.** Brigade antigang/d'intervention/des jeux/des mœurs/mondaine/spéciale/volante ; Compagnies républicaines de sécurité (C.R.S.) ; gendarmerie, légion, maréchaussée ; Interpol ; police administrative/judiciaire (P.J.)/militaire ou prévôté/de la route/secrète ; Renseignements généraux ; Service du contre-espionnage (S.D.E.C.E.) ; Sûreté nationale ; Surveillance du territoire (D.S.T.). ▪ Quai des Orfèvres, rue des Saussaies. — **Personnels de la police.** Agent des C.R.S./contractuel/de police/supplétif : brigadier, commissaire de police, commissaire principal/divisionnaire ; garde champêtre, garde mobile ; gardien de la paix ; gendarme, pandore (fam.) ; gradé ; indicateur, indic (pop.), mouchard, mouton (pop.) ; inspecteur ou officier de police, lieutenant de police, policier, détective privé ; préfet, préfet de police ; sbire ; sergent de ville. ▪ Pop. : Argousin, bourre, cogne, flic, la flicaille, hirondelle, poulet, roussin, sergot. ▪ Bâton blanc, bouclier, matraque, pèlerine ; car de police ou panier à salade (pop.). ▪ Alguazil ; carabinier ; milicien, milice ; policeman, bobby (fam.), constable ; shérif. ▪ Federal Bureau of Investigation (F.B.I.) ; Guépéou ; Gestapo ; police montée canadienne ; Scotland Yard ; Tchéka. — **Activités de police.** Amende, coller (pop.)/donner/flanquer (pop.) une amende ; arrestation, arrêter, coffrer (pop.), boucler (pop.), mettre à l'ombre (fam.)/sous les verrous ; circulation, circulez ! ; contravention ; contrôle de police, coup de filet ; enquête, enquêter, enquêteur, limier, filature, filer quelqu'un ; interrogatoire ; maintien de l'ordre ; mettre la main au collet ; mettre la tête d'un criminel à prix ; passer à tabac ; perquisition, descente de police ; prendre en flagrant délit, procès-verbal, verbaliser ; rafle ; sévices ; souricière ; tortures ; vérification d'identité. ▪ Anthropométrie, bertillonnage, casier judiciaire, étude des empreintes digitales ; fiche signalétique, ficher quelqu'un ; laboratoire de police ; passeport ; pièce/papiers d'identité ; rapport.

POLICE → *assurance, typographie.*

POLICÉ → *manière, raffiner.*

POLICEMAN → *police.*

POLICHINELLE → *cacher, enfant, rire, secret, théâtre.*

POLICIER → *cinéma, police, récit.*

POLIOMYÉLITE → *insensibilité, microbe.*

POLIORCÉTIQUE → *fortification.*

POLIR → *aiguiser, briller, égal, manière.* — **Adoucir.** Aléser, aplanir, brunir, corroyer, débrutir, donner le pli, doucir, égaliser, égriser, finir, gratteler, gratter, limer, moleter, parer, planer, polir, polissage électrolytique, poncer, ponçage, raboter, racler, ragréer, râper, riper, roder, rodage, unir. — **Faire briller.** Astiquer, astiquage ; calandrer, calandre ; faire briller / luire / reluire ; fourbir, fourbissage ; frotter ; glacer, glaçage ; lisser ; lustrer, lustrage ; peaufiner ; satiner ; velouter, le velouté. ▪ Brosse, chiffon, cirage, cire, encaustique, peau de chamois, vernis. — **Matériel pour polir.** Brosse, brunissoir, lapidaire ; lime, queue-de-rat, tiers-point, soie d'une lime, lime à ongles, limaille, lisseuse, lissoir, lustroir, meule, molette, planoir, polissoir, polissoire, ponceuse, raclette, racloir, râpe, rifloir, ripe, touret. ▪ Abrasif, pâte/poudre abrasive/à récurer ; bort ; émeri, papier-émeri/de verre ; pierre à polir/ponce ; tripoli.

POLISSEUR, POLISSEUSE, POLISSOIR → *polir.*

POLISSON, POLISSONNERIE → *enfant, libre, regarder.*

POLITESSE → *manière.*

POLITICARD, POLITICIEN → *politique.*

POLITIQUE → *chef, commun, État, gouverner, opinion.* — **Généralités.** Cité, citoyen, concitoyen, civisme, droits civiques ; économie, économie politique ; État, étatique ; géographie politique, géopolitique ; gouverner, gouvernement ; magistrature, magistrat ; nation, national ; peuple, populaire ; pouvoir, pouvoir central/exécutif / judiciaire / législatif / suprême. — **Régime politique.** Aristocratie, autocratie ; autoritarisme, régime autoritaire ; bicamérisme ou bicaméralisme, monocamérisme ou monocaméralisme ; bipartisme, tripartisme ; capitalisme ; cléricalisme ; démocratie ; dictature ; fédéralisme, fédération, fédéral ; féodalisme, féodalité ; gérontocratie ; militarisme, régime militaire ; monarchie ; ochlocratie ; oligarchie ; ploutocratie ; pouvoir ; régime constitutionnel / parlementaire / représentatif ; république, républicain ; royauté ; souveraineté ; technocratie ; théocratie ; tyrannie. ▪ Charte, constitution, doctrine, droit constitutionnel/divin/du citoyen/de l'homme, équilibre des pouvoirs, législation, lois, liberté, libertés fondamentales. — **Doctrines politiques.** Absolutisme, anarchisme, autonomisme, bolchevisme, collectivisme, communisme, dirigisme, égalitarisme, étatisme, fascisme, fédéralisme, individualisme, irrédentisme, libéralisme, machiavélisme, marxisme, monarchisme, nationalisme, internationalisme, national-socialisme, nazisme, pangermanisme, panislamisme, régionalisme, royalisme, séparatisme, socialisme, totalitarisme, unitarisme. ▪ Blanquisme, bonapartisme, césarisme, gaullisme, hitlérisme, pétainisme, stalinisme, tsarisme, etc. ▪ Coexistence pacifique, colonialisme, expansionnisme, impérialisme, interventionnisme, isolationnisme, neutralisme, pacifisme. — **Opinions politiques.** Anti-, anticléricalisme ; apolitisme ; centrisme, centriste ; conservatisme, conservateur ; droite, droitier ; extrémisme, extrême ; gauche, gauchisme, gauchiste ; gouvernemental ; jacobinisme, jacobin ; modérantisme, modéré ; non-violence ; opportunisme, opportuniste ; opposition, opposant ; ouvriérisme ; parti bolchevik/carliste/légitimiste / orléaniste / républicain ; être partisan de ; progressisme, progressiste ; radicalisme, radical ; réaction, réactionnaire ; réformisme, réformiste ; républicanisme ; révolutionnarisme, révolutionnaire ; technocrate ; travaillisme. ▪ Convictions, couleur, drapeau, idées, opinions, utopies. — **Vie politique.** Campagne ; collaboration, collaborateur ; complot ; conspiration ; coup d'État ; crise ; coterie ; cuisine ; discours ; élection, discours électoral ; face à face télévisé ; faction ; grève ; insurrection ; intrigue ; majorité ; manœuvre ; marchandage ; meeting ; motion ; noyautage, noyauter ; plébiscite ; polémique ; politique, politiser une question, politisation, dépolitiser, dépolitisation ; politique de l'autruche/à court/à long terme/ de grandeur/du pire ; propagande ; putsch ; référendum ; renouvellement des sièges/d'une assemblée/d'un mandat ; révolte, révolution ; réunion contradictoire/publique ; stratégie, tactique ; tripotages ; troubles. ▪ Alliance, association, cartel, cercle, club, coalition, comité de soutien, formation, groupe, groupement, groupe de pression, lobby, organisation, parti, permanence. — **Qui fait de la politique.** Activiste, agitateur, carrière politique, démagogue, député, élu, factieux, gouvernant, homme d'État ; journaliste politique, polémiste ; militer, militant ; ministre ; opposant ; parlementaire ; partisan ; personnage public ; politicien, politicard, politicaillon ; politique, un fin politique.

POLITISER → *politique.*

POLKA → *danse, pain.*

POLLAKIURIE → *rein.*

POLLEN, POLLINIQUE → *fleur.*

POLLUER, POLLUTION → *infecter, sale.*

POLO → *cheval, vêtement.*

POLOCHON → *lit.*

POLONIUM → *métal.*

POLTRON, POLTRONNERIE → *peur.*

POLYAMIDE → *plastique.*

POLYANDRIE → *mariage.*

POLYARTHRITE → *articulation.*

POLYCHROÏSME → *lumière.*

POLYCHROME, POLYCHROMIE → *couleur.*

POLYCLINIQUE → *soigner.*

POLYCOPIE, POLYCOPIER → *reproduction.*

POLYCULTURE → *culture.*

POLYÈDRE → *angle, géométrie.*

POLYESTER → *plastique.*

POLYGAME, POLYGAMIE → *mariage.*

POLYGÉNISME → *race.*

POLYGLOTTE → *langage*

POLYGONAL → *angle.*

POLYGONE → *armée, géométrie.*

POLYGRAPHE → *littérature.*

POLYMÈRE, POLYMÉRISER → *chimie.*

POLYMORPHE, POLYMORPHISME → *forme.*

POLYNÉVRITE → *nerf.*

POLYNÔME → *algèbre.*

POLYPE, POLYPEUX → *tumeur.* — **Les cœlentérés.** Anthozoaire ; cellule, cnidoblaste, cnidaire, cténaire ; colome ; gastrula ; hydrozoaire ; mésoglée ; nématocyste ; oozoïte, blastozoïte ; sac membraneux ; scyphozoaire ; symétrie axiale ; tentacules urticants. ▪ Actinie ; alcyon ; anémone de mer ; coralliaire, hexacoralliaire, ortocoralliaire ; gorgone, hydre verte, madrépore, méduse, millépore, physalie, vérétille. — **Corail.** Gorgonaire ; madrépore, madréporaire ; octocoralliaire ; sarcosome, spicule, squelette. ▪ Branche, bras, rameau ; corail blanc/mort ou pourri/novi/rouge/ vivant ; faux corail, coralline. ▪ Bracelet, bijou, collier, puntarelle ; fonds corallifères ; pêche du corail, corailleur, corailleère. ▪ Atoll, îlot corallien, lagon, polypier, récif-barrière, récif frangeant. — **Éponge.** Éponge cornée/naturelle ; fongosité ; oscule ; pore, poreux ; spongiaire, spongieux, spongiosité ; spongille ; spongine. ▪ Pêche en barque ou kamalu/au chalut ou gangave/au trident, pêcheur d'éponge ; spongiculture. ▪ Boire/ pomper l'eau ; éponge de bain/de toilette ; éponge artificielle/en caoutchouc/en cellulose/en nylon/métallique ; éponger ; s'imbiber.

POLYPHONIE, POLYPHONIQUE → *chanter, musique.*

POLYPIER → *polype.*

POLYPORE → *champignon.*

POLYPTYQUE → *peinture.*

POLYSÉMIE → *mot.*

POLYSYNTHÉTIQUE → *langage.*

POLYTECHNICIEN, POLYTECHNIQUE → *enseignement.*

POLYTHÉISME, POLYTHÉISTE → *dieu, religion, théologie.*

POLYURIE → *rein.*

POLYVALENT → *impôt.*

POMMADE, POMMADER → *cheveu, médicament.*

POMMARD → *vin.*

POMME → *boule, cou, fruit, légume.* — **Culture et utilisation des fruits à pépins.** Cueillette, cueille-fruits, cueille-poire, poiré ; eau-de-vie de pomme, pommé, calvados ; espalier ; greffer, greffon ; maturation ; pectine ; piriforme ; poirier, aigrin ; pomiculteur, pomologie ; pommeraie ; pommier à cidre/d'ornement/du Japon/paradis/surin. ■ Fruit blet/coti/pourri/talé/tapé/tavelé, tavelures, fruit véreux/vert. ■ Beignet, charlotte, chausson, compote, confiture, entremets, gelée, jus, marmelade, poire au vin, pomme cuite, sirop, tarte. — **Le cidre.** Cuvage, défécation, distillation, rémiage ; acescence, amertume, casse, framboisé, graisse. ■ Cidre bouché/fermier/marchand/mousseux/pur jus ; cidrerie. — **Pommes et poires.** Cœur, œil, peau (peler), pépin, quartier, queue, trognon. ■ Poire croquante/fondante/graveleuse / juteuse / pierreuse / rêche ; poire à cochon/d'étranguillon ; poire bergamote / beurré Hardy / comice / cuisse-madame / curé / duchesse / louise-bonne / passe-crassane / William's, etc. ■ Pomme à couteau/douce/douce-amère/amère et aigre ou acide ou rouleau rouge ; pomme d'api/calville / capendu / châtaignier / delicious / dixiered / fenouillet / golden / starking/reinette Boskop/du Canada/grise/du Mans/reine des reinettes. — **Pomme de terre.** Féculent, fécule ; patate ; pomme de terre fourragère/industrielle / potagère / précoce / tardive ; pomme de terre jaune/rose/rouge/violette/à chair blanche ou jaune, bintje, hollande, rosa, vitelotte ; tubercule. ■ Arracher, biner, buter, labourer, sulfater, traiter contre le doryphore/le mildiou. ■ Pommes de terre bouillies / sous la cendre / dorées / à l'eau/frites/en purée/rissolées/en robe de chambre ou des champs/sautées ; pommes frites/mousseline/soufflées. ■ Croquettes, galette, gratin, hachis Parmentier ou galimafrée ; éplucher/peler les pommes de terre.

POMMEAU → *boule, harnais.*

POMMELÉ, SE POMMELER → *cheval, ciel.*

POMMELLE → *tuyau.*

POMMERAIE → *pomme.*

POMMETTE → *tête, visage.*

POMMIER, POMOLOGIE, POMOLOGUE → *pomme.*

POMPE → *cérémonie, enterrement.*

POMPE, POMPER → *brûler, eau, fatigue, gonfler, moteur, serrure, vide.*

POMPETTE → *boire.*

POMPEUX, POMPIER → *cérémonie, style.*

POMPIER → *brûler, feu.*

POMPON, POMPONNER → *décoration, fleur, supérieur, toilette.*

PONCE → *polir, volcan.*

PONCEAU → *pont.*

PONCEAU → *rouge.*

PONCER, PONCEUSE → *égal, niveau, polir.*

PONCHO → *vêtement.*

PONCIF → *commun, reproduction.*

PONCTION, PONCTIONNER → *prendre, soigner.*

PONCTUALITÉ → *exact, heure.*

PONCTUATION → *écrire, typographie.*

PONCTUEL → *exact, heure, temps.*

PONCTUER → *écrire.*

PONDAISON → *œuf, oiseau.*

PONDÉRABLE, PONDÉRAL → *peser.*

PONDÉRATION, PONDÉRER → *balancer, calme.*

PONDÉREUX → *lever, marchandises.*

PONDEUR → *oiseau.*

PONDOIR, PONDRE → *élevage, œuf, oiseau.*

PONEY → *cheval.*

PONGÉ → *tissu.*

PONT → *architecture, automobile, bateau, route, travail.* — **Les ponts.** Pont de béton/métallique/en pierre. ■ Enjamber/traverser une rivière/une route/une vallée/une voie de chemin de fer. ■ Appontement, aqueduc, cantilever, débarcadère, dos-d'âne, jetée, passerelle, ponceau, pont basculant / dormant / fixe / flottant, pont-levis, pont mobile/de pilots ou sur pilotis / provisoire / roulant / suspendu / tournant / transbordeur ; pontage, ponton ; pont de graissage automobile ; pont de navire, passerelle, plage, rouf, spardeck, tillac, viaduc, wharf. — **Construction.** Aire, appui, arc, arcade, arche, arrière-bec, avant-bec, bajoyer, brise-glace, butée, câble, chaîne, culée, enracinement, garde-fou, lisse, parapet, pile, pilotis, poutre, poutrelle, radier, tablier, travée, voûte,

■ Bâtir, construction, démontage, entretien, génie militaire, lancer/monter un pont, ouvrage, pontier, pontonnier; service des Ponts et Chaussées.

PONTE → *importance, jouer.*

PONTE → *œuf, oiseau.*

PONTÉE → *transport.*

PONTER → *jouer.*

PONTER → *navire.*

PONTET → *fusil.*

PONTIFE → *ecclésiastique, importance, pape.*

PONTIFICAL, PONTIFICAT → *pape.*

PONTIFIER → *importance, orgueil.*

PONTIL, POINTIL → *verre.*

PONT-LEVIS → *fortification, pont.*

PONTON → *navire, port.*

PONTONNIER → *pont.*

POOL → *association, groupe.*

POPE → *ecclésiastique.*

POPELINE → *tissu.*

POPOTE → *camper, hôtel.*

POPULACE, POPULACIER → *classe, grossier, population.*

POPULAIRE, POPULARISER, POPULARITÉ → *gouverner, réputation.*

POPULATION → *classe, habiter, pays.* — **Caractérisation.** Ethnie, ethnique, ethnographie, ethnologie; foule; horde, masse; multitude; nation; pays; peuple, peuplade; prolétariat; public, le grand public; société, sociologie; tribu, tribal. ■ Population arriérée / barbare / primitive / sauvage/ avancée / civilisée / évoluée / libre / nomade/sédentaire. ■ Canaille, le commun, écume, lie, le menu peuple, pègre, plèbe, populace, populo (fam.), racaille, tourbe, le vulgaire, le *vulgum pecus* (fam.). — **Le peuple politique.** Démagogie, démagogue; démocratie, démocratique, démocrate; plébisciter, plébiscite; popularité, impopularité, populaire, impopulaire; populisme, populiste, représentant/élu du peuple, voix du peuple, *vox populi vox dei.* ■ Ameuter/endormir/exploiter/fanatiser/instruire/opprimer/tromper le peuple. — **Démographie.** Aire de congestion; classe d'âge/creuse; contrôle des naissances; croissance démographique, démographie galopante; densité; dépeupler, dépeuplement des campagnes, dépopulation; écoumène; génocide; malthusianisme, malthusien; migration; peupler, peuplement; population active/minimale/optimale/ rurale / urbaine / stable / stationnaire / type; pyramide des âges, structure; recenser, recensement; registre d'état civil; sous-peuplement, sous-peuplé, désert; statistique; surpeuplement, surpeuplé, populeux; taux d'accroissement/de mortalité/de natalité/de nuptialité.

POPULEUX → *habiter.*

POPULISME, POPULISTE → *politique, population.*

POPULO → *classe, population.*

PORC → *animal, cri, grossier.* — **Le porc sauvage.** Boutoir, défense, groin, hure, soie. ■ Babiroussa, hippopotame, pécari, phacochère, potamochère; sanglier, laie, marcassin, harde; quartanier (4 ans), ragot (2 à 3 ans), solitaire: bauge, bauger, fouger, souille, vermiller; chasse au sanglier, battue, porchaison. — **Le porc domestique.** Cochon de lait, cochonnet, goret, nourrain, porcelet, porcin, race porcine, pourceau, suidé, truie, verrat; grand porc blanc ou large-white Yorkshire, grand porc noir ou large-black. ■ Boucle, boucler, porcher, porcherie, soue, toit à porcs; châtaignes, glands, glandée, paisson, pannage, pomme de terre, son; couenner. ■ Ladrerie, porc ladre, ténia, langueyer; rouget; trichine. ■ Glouton, gras, grossier, sale. — **Utilisation comme aliment.** Axonge, barde, bardière, côtelette, couenne, échine, flèche, lard, longe, panne, pied, poitrine. ■ Andouille, andouillette, bacon, boudin, cervelas, chipolata, chorizo, choucroute, cochonnaille, crépinettes, farce, farigoule, fricandeau, hâtereau, jambon, jambonneau, jambon cru de Bayonne/cuit de Paris ou d'York, mortadelle, palette fumée, pâté de foie/de tête, potée, rillettes, rillons, rôti, roulé, saindoux, petit-salé, saucisse, saucisson à l'ail/frais/fumé/sec.

PORCELAINE, PORCELAINIER → *céramique, vaisselle.*

PORCELET, PORC-ÉPIC → *porc.*

PORCHE → *maison, porte.*

PORCHER, PORCHERIE → *berger, bétail.*

PORCIN, PORCINS → *porc.*

PORE → *glande, peau.*

POREUX → *passer, trou.*

PORION → *mine.*

PORNOGRAPHE, PORNOGRAPHIE → *déplaire, grossier.*

POROSITÉ → *passer, trou.*

PORPHYRE → *marbre, pierre.*

PORRIDGE → *céréale.*

PORT → *marchandises, navire, voyager.* — **Description.** Arrière-port, avant-port; boucau; chenal; entrée; goulet; plan d'eau; port artificiel/de barre/naturel; rade. ■ Aéroport, aérogare, arsenal, héliport, héligare. — **Équipement d'un port.** Appontement; aspirateur de grains; balise; bande transporteuse; bassin, bassin de carénage; bouée; brise-lames; cale de radoub, forme, cale sèche; darse; débarcadère; digue; dock; écluse; embarcadère; engins de levage/de manutention ; entrepôt ; fanal, gare matitime ; grue ; guideau ; jetée ; môle, musoir ; phare ; pont basculant/roulant/tournant ; ponton ; quai ; sas ; sémaphore ; wharf. — **Opérations portuaires.** Aborder ; accoster ; appareiller ; arrivage ; bâcler, débâcler ; décharger un bateau, déchargeur, délesteur, docker ; débarquer ; déhaler ; éclusage ; faire escale/relâche ; jeter l'ancre, ancrage, lamanage, lamaneur ; mouiller, mouillage ; piloter, pilotage, pilote, bateau-pilote ; port de commerce/d'échouage/franc/de guerre/marchand/minéralier/de pêche/pétrolier/de transit/de vitesse ; rader ; relâcher ; remorquer, remorqueur, remorquage ; toucher au port ; transit, transiter. ▪ Armateur, armement ; douane ; droit de port ; embargo ; estarie, surestaries ; gardiennage ; lazaret ; police maritime ; port d'armement/autonome/d'attache ; quarantaine ; saisie ; service maritime/de port/de santé ; zone franche.

PORT → *montagne, passer.*

PORT → *attitude, payer, transport.*

PORTAGE → *transport.*

PORTAIL → *porte.*

PORTATIF → *transport.*

PORTE → *commencer, entrer, ouvrir.* — **Partie d'une porte.** Arceau, archivolte, baie, battant, battée, battement, béquille, chambranle, châssis, claveau, ébrasement, embrasure, encadrement, feuillure, galbe, imposte, jambage, jouée, linteau, montant, panneau, placard, pied-droit, pivot, portant, potelet, pylône, seuil, sommier, tableau, tambour, traverse, tympan, vantail, voussure. — **Accessoires d'une porte.** Arc-boutant, arrêt de porte, bâcle, barre, bec-de-cane, bobinette, borne, bouteroue, bourrelets, bouton, butoir, cadenas, calfeutrage, chaîne de sûreté, charnière, chatière, clef, clenche, crapaudine, épar, ferme-porte, ferrure, fléau, gond, guichet, heurtoir, marteau, judas, loquet, loqueteau magnétique, œil, passe-partout, paumelle, pêne, penture, plaque de propreté/de protection, poignée, portière, serrure, sonnette, tourillon, vasistas, verrou, verterelle. ▪ Auvent, dessus de porte, fronton, gable, marquise, perron. — **Sortes de portes.** Barrière, fausse porte, grille, huis, lourde (pop.), porche, portail, portière d'automobile, poterne, portillon, tourniquet, trappe, vanne ; porte bâtarde/cavalière / charretière / cochère / monumentale/triomphale ; porte de dégagement/dérobée/de derrière/de devant / d'entrée / d'honneur / palière /de service ; porte battante/coupée/-fenêtre/roulante/à tambour, va-et-vient ; porte blindée/de bois/en fer forgé/à glace/à jour/matelassée/vitrée. — **Utilisation.** La porte bat/claque, claquer la porte ; clore, trouver porte close ; condamner/murer une porte ; embrasure, encoignure ; entrebâiller ; entrer, entrée ; entrouvrir/fermer la porte, la porte !, fermer à double tour ; frapper/sonner à la porte, toc-toc !, drin ! ; issue, issue de secours ; ouvrir la porte, ouvrez ! ; ouvrir/percer une porte ; pas de la porte ; passer/franchir une porte ; pousser ; sortie ; sortez ! ; prendre la porte ; tirer la porte. ▪ Chasser, congédier, ficher (pop.)/flanquer (fam.)/foutre (pop.) à la porte, jeter dehors, mettre à la porte, à la porte !, renvoyer, virer (pop.). ▪ Crocheter, effraction, enfoncer, forcer, pince-monseigneur, rossignol. — **Portier.** Cerbère, chien de garde, concierge, garde, gardien, geôlier, guichetier, huissier, pipelet (fam.), porte-clefs, portier, poste de garde, sœur tourière, suisse.

PORTE-A-FAUX → *pencher, pendre.*

PORTE-A-PORTE → *commerce.*

PORTE-AVIONS → *aviation, navire.*

PORTE-BONHEUR → *défendre, magie.*

PORTE-BOUTEILLES → *bouteille, vin.*

PORTE-CIGARETTES, PORTE-CIGARES → *tabac.*

PORTE-DOCUMENTS → *sac.*

PORTÉE → *importance, mammifères, projectile.*

PORTE-ÉTRIERS, PORTE-ÉTRIVIÈRE → *harnais.*

PORTEFAIX → *charger, transport.*

PORTE-FENÊTRE → *fenêtre, porte.*

PORTEFEUILLE → *banque, gouverner, papier.*

PORTE-JARRETELLES → *vêtement.*

PORTEMANTEAU → *pendre.*

PORTE-MINE → *écrire.*

PORTE-MONNAIE → *argent, monnaie.*

PORTE-PAROLE → *informer.*

PORTE-PLUME → *écrire.*

PORTER → *offrir, soigner, supporter, transport.*

PORTER → *bière.*

PORTEUR → *charger, microbe.*

PORTEUR → *banque.*

PORTIER → *garder, porte.*

PORTIÈRE → *automobile, porte, train.*

PORTILLON → *porte.*

PORTION → *aliment, morceau, part.*

PORTIQUE → *colonne, gymnastique.*

PORTLAND → *maçonnerie.*

PORTO → *vin.*

PORTOR → *marbre.*

PORTRAIT, PORTRAITISTE → *image, peinture, semblable.*

PORT-SALUT → *lait.*

PORTUAIRE → *port.*

POSE → *attitude, photographie.*

POSÉ → *calme.*

POSEMÈTRE → *photographie.*

POSER, POSEUR → *arranger, attitude, demander, placer, réputation.*

POSITIF → *électricité, photographie, présence, réalité, sûr.*

POSITIF → *grammaire.*

POSITION → *attitude, banque, danse, placer.*

POSOLOGIE → *médicament.*

POSSÉDÉ → *enfer, folie.*

POSSÉDER → *bien, connaissance, garder, tromper.* — **Avoir la propriété de quelque chose.** Avoir, avoir à son actif/à sa disposition/en sa possession, avoir la jouissance/la propriété/la nue-propriété/l'usage/l'usufruit; détenir, détenteur; disposer de, garder, jouir de, occuper, posséder, tenir, user de. ▪ Administrateur, capitaliste, maître, nanti, nu-propriétaire, occupant, porteur, possédant, possesseur, propriétaire (copropriétaire), régisseur, riche, usufruitier. — **Entrer en possession de quelque chose.** Achat, acheter; accession à la propriété; acquérir, acquéreur, acquêts, acquisition; adjudicataire; apanage, bien inaliénable; cadeau; conquête; échanger; s'emparer de; gagner, gain; être investi, investiture; héritage, hériter, héritier; légataire, legs; majorat; mainmorte, avoir la mainmise sur; obtenir; patrimoine; payer; possession civile/naturelle; se pourvoir, se procurer; recevoir; recouvrer; usurpation, usurper. — **Perdre la possession de quelque chose.** Adjudication forcée, aliénation, cession, échange, dépossession, don, éviction, expropriation, hypothèque, immobiliser, licitation, mainlevée, morcellement (remembrement), mutation, nationalisation, partage, perte, mise sous scellés/sous séquestre, vente, vente aux enchères. ▪ Saisie conservatoire/foraine/immobilière/mobilière/des rentes constituées; saisie-arrêt ou opposition, saisie-brandon, saisie-contrefaçon, saisie-exécution, saisie-gagerie, saisie-revendication, saisissant, tiers saisi. ▪ Commandement, confiscation, dénonciation, exécution, huissier, procès-verbal, signification.

POSSESSIF → *grammaire, posséder.*

POSSESSION → *posséder, prendre.*

POSSIBILITÉ, POSSIBLE → *pouvoir.*

POSTAL → *poste.*

POSTDATÉ, POSTDATER → *après, avant, temps.*

POSTE, POSTER → *envoyer, télécommunications.* — **Généralités.** Centre de chèques postaux; poste aux armées, secteur postal; Postes, Télégraphes et Téléphones (P.T.T.), Postes et Télécommunications (P. et T.); recette buraliste; secret de la correspondance, cabinet noir, table d'écoute. — **Envoyer par la poste.** Adresser, adresse; affranchir, affranchissement, franchise postale; cachet de la poste, cacheter une lettre; carte, carte-lettre, carte postale; correspondance; courrier; déclaration de valeur; dépêche; destination, destinataire; enveloppe; envoi contre remboursement/en port dû/recommandé/par avion/par bateau/par train; expédition, expéditeur; imprimé; lettre chargée/exprès; mandat, mandat-carte, mandat télégraphique; message, messagerie; missive; paquet, paquet-poste; pneumatique; poster, postage, postal; surcharge; taxe, taxer, surtaxe, surtaxer, timbre-taxe; télégramme, bleu; timbrer, timbre oblitéré; virement postal. — **Services postaux.** Acheminer, acheminement; boîte à lettres; boîte postale/de commerce; bureau de poste, poste auxiliaire/centrale; central téléphonique; compte courant postal (C.C.P.), retrait à vue; distribution, distribuer; guichet; levée; paiement des pensions/des retraites, etc.; poste restante; routage, router; souscription d'emprunts; service des rebuts; téléphone, annuaire des téléphones; tri ambulant/postal; voiture postale, wagon postal, wagon-poste. — **Personnel.** Commis, demoiselle des postes, directeur, facteur, manipulateur du télégraphe, postier, postière, préposé, receveur, standardiste, télégraphiste, téléphoniste, vaguemestre. — **La poste d'autrefois.** Aller/voyager en poste; chaise de poste; courir la poste; maître de poste, postillon; malle-poste; relais de poste. ▪ Pigeon voyageur, télégraphe optique de Chappe.

POSTER → *charger, comptabilité, fonction.*

POSTÉRIEUR, À POSTERIORI, POSTÉRIORITÉ → *après, suivre.*

POSTÉRITÉ → *famille, suivre.*

POSTFACE → *avertir, livre.*

POSTHUME → *mourir, succession.*

POSTICHE → *cheveu, faux.*

POSTIER → *poste.*

POSTILLON → *cheval, poste.*

POSTILLON, POSTILLONNER → *bouche.*

POSTOPÉRATOIRE → *soigner.*

POST-SCRIPTUM → *inscription.*

POSTSYNCHRONISER → *cinéma.*

POSTULANT → *demander, monastère.*

POSTULAT → *mathématiques, philosophie, raisonnement, science.*

POSTULER → *demander, raisonnement, tribunal.*
POSTURE → *attitude.*
POT → *céramique, gagner, récipient.*
POTABLE → *boire, milieu.*
POTACHE → *enseignement.*
POTAGE → *aliment.*
POTAGER → *jardin, légume.*
POTAMOCHÈRE → *porc.*
POTAMOLOGIE → *rivière.*
POTASSE → *alcali, engrais.*
POTASSER → *enseignement, travail.*
POTASSIQUE → *engrais.*
POTASSIUM → *alcali.*
POT-AU-FEU → *bœuf, récipient.*
POT-DE-VIN → *gagner, mérite.*
POTE → *amitié.*
POTEAU → *charpente, course.*
POTÉE → *porc.*
POTELÉ → *gras.*
POTENCE → *bâton, charpente, pendre.*
POTENTAT → *chef, importance.*
POTENTIALITÉ, POTENTIEL → *électricité, force, prévoir.*
POTENTIOMÈTRE → *électricité.*
POTERIE → *céramique, tuyau, vaisselle.*
POTERNE → *fortification, porte.*
POTICHE, POTIER → *céramique.*
POTIN → *bruit, parler.*
POTINER, POTINIER → *futile, parler.*
POTION → *médicament.*
POTIRON → *légume.*
POTOMÈTRE → *plante.*
POT-POURRI → *chanter, mêler, morceau.*
POTRON-MINET → *heure, journée.*
POU → *insecte, parasite.*
POUBELLE → *résidu.*
POUCE → *aider, main, mesure.*
POUCETTES → *prison.*
POUCIER → *doigt.*
POUDINGUE → *maçonnerie.*
POUDRE, POUDRER, POUDRERIE → *exploser, morceau, presser, toilette.* — **Caractéristiques.** Efflorescence, efflorescent ; féculence, féculent ; friabilité, friable ; granulation, granulé ; grumeleux, grumeau ; poudre fine/impalpable, poudreux, neige/route poudreuse, poudroyer, poudroiement ; poussière, poussiéreux, nuage/tourbillon de poussière, soulever/faire voler la poussière ; pulvérulence, produit pulvérulent, fleur de soufre. — **Poudres et poussières.** Cendre ; chapelure ; ciment ; fécule ; farine, fleur de farine, enfariner ; limaille ; parquerine ; plâtre ; poudre abrasive/dentifrice/émeri/épilatoire, lessive en poudre ; poudre de cacao, lait/sucre en poudre ; poudre de riz, poudrier, se poudrer, houppette ; poussier, poussière ; raclure, râpure, ratissure, sciure ; sable, sabler ; tabac à priser/en poudre ; talc, talquer ; vermoulure. ■ Atome, grain, miette, paillette. ■ Poudre d'escampette, poudre de perlimpinpin, jeter de la poudre aux yeux. — **Réduire en poudre.** Brésiller ; briser ; broyer, broyage ; écraser ; effriter, effritement ; égruger ; émietter, émiettement ; moudre : mouliner ; piler, pilage ; porphyriser ; pulvériser, pulvérisation ; râper ; réduire en poudre/en poussière ; tamiser ; triturer. ■ Bocard, broyeur, égrugeoir, mortier, moulin, pilon, râpe, triturateur, vaporisateur. — **Diverses opérations.** Agglomérer, aggloméré ; encrasser, décrasser ; frittage ; léviger, lévigation ; sabler, sablage ; saupoudrer, pincée de poudre. ■ Balayer, battre un tapis, dépoussiérer, épousseter, essuyer : aspirateur, balai, chiffon, plumeau.
POUDRETTE → *engrais.*
POUDREUSE, POUDREUX → *poudre.*
POUDRIER, POUDRIÈRE → *poudre, toilette.*
POUDROYER → *lumière, poudre.*
POUF → *bruit, meuble.*
POUFFER → *rire.*
POUILLERIE → *pauvre, sale.*
POUILLEUX → *parasite, pauvre, sale, sec.*
POULAILLER → *élevage, ferme.*
POULAIN → *cheval, poil.*
POULAINE → *chaussure, navire.*
POULARDE → *ferme, oiseau.*
POULE, POULET, POULETTE → *élevage, ferme, œuf, oiseau.*
POULICHE → *cheval.*
POULIE → *roue.*
POULINER, POULINIÈRE → *cheval.*
POULOT → *aimer.*
POULPE → *mollusques.*
POULS → *cœur, veine, vie.*
POUMON → *poitrine, respiration.*
POUPARD → *gras.*
POUPE → *navire, réussir.*
POUPÉE → *femme, jouer, toilette.*
POUPIN → *visage.*
POUPON, POUPONNER, POUPONNIÈRE → *enfant.*
POURBOIRE → *mérite.*
POURCEAU → *porc, sale.*
POURCENTAGE → *morceau, part, payer.*
POURCHASSER → *but, suivre.*
POURFENDRE → *attaquer.*
POURLÉCHER (SE) → *manger.*
POURPARLERS → *discussion, rencontre.*
POURPIER → *salade.*

POURPOINT → *vêtement.*
POURPRE → *rouge, tissu.*
POURRI, POURRIR → *dommage, infecter, mourir.*

POURRITURE → *dommage, résidu.*
POURSUITE, POURSUIVRE → *course, suivre, tribunal.*

POURTOUR → *entourer.*
POURVOI → *annuler, tribunal.*
POURVOIR, POURVOYEUR → *munir, posséder, tribunal.*

POUSSAH → *gras.*
POUSSE → *germe, plante.*
POUSSE-CAFÉ → *alcool.*
POUSSÉE → *fièvre, moteur.*
POUSSE-POUSSE → *voiture.*
POUSSER → *entrer, étendre, mouvement.* — **Grandir.** S'accroître, s'allonger, bouger, croître, se développer, devenir grand, éclore, naître, pointer, pulluler, repousser, sortir, venir. ■ Cultiver, faire pousser, produire. ■ Barbe, cheveux, enfant, plante, végétation. — **Faire avancer.** Choc, effort, élan, force, impulsion, lancée, percussion ; pesée, peser sur ; poussée, exercer une poussée ; presser, faire pression ; propulser, propulseur, autopropulseur ; toucher. ■ Conduire devant soi, diriger, faire glisser, mener, pousser une brouette/un troupeau. ■ Actionner, appuyer, bloquer, enfoncer, fermer, forcer, pousser à fond, tourner une clef/une crémone/un verrou. ■ Entraîner, gonfler les voiles, mouvement du vent, souffler. ■ Injecter, jeter, lancer, porter, soulever. — **Repousser.** Accoucher, excrétion, expulser, rejet. ■ Balayer, ballotter, blackbouler, chasser, déloger, déplacer, déranger, disperser, dissiper, écarter, éconduire, exorciser, expulsion, faire reculer, pourchasser, refouler, réfuter, rejeter, repousser, répudier, retirer. ■ Bourrade, bousculer, bousculade, bouter hors, se cogner, culbuter, coup de coude, déséquilibrer, forcer, heurter, houspiller, malmener, rabrouer, rebuffade, rebuter, rembarrer, rencogner, serrer, tasser. — **Inciter à.** Animer, attirer, charger, conduire, conseiller, décider à, déterminer, embarquer dans une affaire, encourager, engager, entraîner, exercer une pression morale, exciter, faire agir, faire aller, favoriser, forcer, guider, impulsion (force impulsive) inciter, influencer, inviter, persuader, peser sur quelqu'un, presser, propulser, solliciter, stimuler. — **Pousser plus loin.** Amener, avancer, influencer ; continuer son chemin, étendre, faire atteindre, faire parvenir ; monter, persévérer, poursuivre, prolonger, terminer un chemin/une recherche/un voyage. ■ Faciliter la réussite de quelqu'un, faire accéder à, avancement, favoriser, introduire, mettre en avant/en vue, protéger. — **Intensifier.** Activer, attiser, exagérer, faire enchérir/monter, forcer, renforcer. ■ Améliorer, approfondir, développer, fignoler, perfectionner, préciser, progresser, soigner les détails ; pousser une enquête/un problème/une question. ■ Améliorer les performances, chercher le meilleur rendement, faire progresser, faire travailler au maximum ; pousser un élève/un moteur/une voiture.

POUSSETTE → *enfant.*
POUSSIER → *charbon, résidu.*
POUSSIÈRE, POUSSIÉREUX → *détruire, nettoyer, poudre.*
POUSSIF → *lent, respiration.*
POUSSIN, POUSSINIÈRE → *oiseau.*
POUSSOIR → *pousser.*
POUT-DE-SOIE → *tissu.*
POUTRAISON, POUTRE, POUTRELLE → *bois, charpente.*
POUVOIR → *chef, église, force, gouverner, justice, permettre.* — **Possibilité.** Contingence, éventualité, éventuel, hypothétique, possible, potentiel, probable, virtuel. ■ Avoir la faculté/les fonds/le loisir/les moyens/l'occasion/la possibilité/être enclin à/porté à/sujet à ; être libre de/en puissance de, pouvoir d'achat, ressources ; risquer de. — **Capacité.** Être apte à, aptitudes ; avoir l'art de ; capable, capacité ; avoir des chances ; compétence, compétent, grand clerc en la matière ; cœur ; courage ; don ; dynamisme ; efficacité ; être en état/en mesure/à même de, n'être pas fichu de (fam.) ; force ; intelligence ; goût ; être qualifié, qualification, qualité ; savoir-faire, science ; spécialiste ; suffisant pour, être susceptible de ; talent, talentueux (fam.). ■ Autorisation, capacité juridique, droit, droit légal/juste, liberté, permission légale/morale, raison, avoir raison de. ■ Commissionner, déléguer, fondé de pouvoir, habiliter, investir, donner une investiture/un mandat, mandater, mandant, mandataire, mission, procuration, signer un pouvoir. — **Autorité.** Ascendant, commandement, contrôle, crédit, dépendance, domination, efficacité, empire, faveur, grandeur, influence, influencer, prépondérance, puissance, souveraineté. ■ Accéder/se maintenir au pouvoir ; administrer ; commander ; diriger ; exercer le pouvoir ; gouverner ; prendre le pouvoir, passation de pouvoirs, avoir de pleins pouvoirs, être omnipotent, plénipotentiaire. ■ Pouvoir constituant/exécutif/judiciaire/législatif/politique ; pouvoir spirituel/temporel. — **Zones de pou-**

voir. Pouvoir central/municipal/public. ■ Arrondissement, attributions, canton, cercle, centre, circonscription, département, district, étendue, juridiction, limites, du ressort de, ressortir à, territoire ; zone / sphère d'activité/ d'influence, fief.

PRAGMATIQUE, PRAGMATISME → *philosophie, réalité.*

PRAIRE → *mollusques.*

PRAIRIAL → *calendrier.*

PRAIRIE → *herbe.*

PRALIN, PRALINE, PRALINER → *amande, confiserie.*

PRATICABLE → *route, théâtre.*

PRATIQUANT → *église, religion.*

PRATIQUE → *facile, réalité, utile.*

PRATIQUER → *exécuter, règle, religion.*

PRÉ → *herbe.*

PRÉALABLE → *avant.*

PRÉAMBULE → *commencer, récit.*

PRÉAVIS → *avertir.*

PRÉBENDE, PRÉBENDIER → *revenu.*

PRÉCAIRE, PRÉCARITÉ → *faible, soigner.*

PRÉCAUTION, PRÉCAUTIONNER, PRÉCAUTIONNEUX → *attention, munir, prévoir.*

PRÉCÉDENT, PRÉCÉDER → *avant, permettre, reproduction.*

PRÉCEPTE → *règle.*

PRÉCEPTEUR, PRÉCEPTORAT → *enseignement.*

PRÉCESSION → *astronomie.*

PRÉCHAMBRE → *moteur.*

PRÊCHE, PRÊCHER, PRÊCHEUR → *convaincre, ecclésiastique, liturgie.*

PRÉCIEUSE, PRÉCIEUX, PRÉCIOSITÉ → *affectation, raffiner.*

PRÉCIPICE → *trou.*

PRÉCIPITATION, PRÉCIPITER → *chimie, tomber, vitesse.*

PRÉCIPITÉ → *chimie.*

PRÉCIPUT → *mariage, succession.*

PRÉCIS → *abrégé.*

PRÉCISER, PRÉCISION → *exact, pousser, sûr.*

PRÉCOCE, PRÉCOCITÉ → *avant, nouveau, vitesse.*

PRÉCOMPTE, PRÉCOMPTER → *comptabiliser.*

PRÉCONÇU → *avant.*

PRÉCONISATION, PRÉCONISER → *engager, médecine, pape.*

PRÉCONTRAINT, PRÉCONTRAINTE → *maçonnerie.*

PRÉCURSEUR → *prévoir.*

PRÉDÉCESSEUR → *avant, fonction.*

PRÉDELLE → *peinture.*

PRÉDESTINATION, PRÉDESTINER → *destin, religion, théologie.*

PRÉDÉTERMINATION, PRÉDÉTERMINISME → *religion, théologie.*

PRÉDICAT → *grammaire.*

PRÉDICATEUR, PRÉDICATION → *convaincre, liturgie.*

PRÉDICTION → *destin, prévoir.*

PRÉDIGÉRÉ → *aliment.*

PRÉDILECTION → *aimer, avantage, choisir.*

PRÉDIRE → *avertir, destin, prévoir.*

PRÉDISPOSER, PRÉDISPOSITION → *tendance.*

PRÉDOMINANCE, PRÉDOMINER → *importance, supérieur.*

PRÉÉMINENCE, PRÉÉMINENT → *chef, supérieur.*

PRÉEMPTION → *acheter.*

PRÉÉTABLIR, PRÉEXISTER → *avant.*

PRÉFABRIQUÉ → *construction.*

PRÉFACE, PRÉFACER, PRÉFACIER → *commencer, littérature, liturgie, livre.*

PRÉFECTORAL, PRÉFECTURE → *chef, province.*

PRÉFÉRENCE, PRÉFÉRENTIEL, PRÉFÉRER → *aimer, avantage, choisir.*

PRÉFET → *chef, enseignement, marine, police, province.*

PRÉFIGURER → *avant, prévoir.*

PRÉFINANCEMENT → *prêter.*

PRÉFIXATION, PRÉFIXE → *mot.*

PRÉHENSILE, PRÉHENSION → *main, prendre.*

PRÉHISTOIRE → *histoire.*

PRÉJUDICE, PRÉJUDICIABLE → *dommage, injustice.*

PRÉJUGÉ → *opinion.*

PRÉJUGER → *prévoir.*

PRÉLART → *mouiller.*

PRÉLASSER (SE) → *paresse, repos.*

PRÉLAT → *ecclésiastique.*

PRÉLEVER → *enlever, part.*

PRÉLIMINAIRE → *commencer.*

PRÉLUDE, PRÉLUDER → *commencer, musique, prévoir.*

PRÉMATURÉ → *accouchement, temps.*

PRÉMÉDITER → *prévoir.*

PRÉMICES → *conséquence.*

PREMIER → *avant, chef, commencer, supérieur.*

PREMIÈRE → *automobile, couture, enseignement, théâtre, transport.*

PRÉMISSE → *commencer, raisonnement.*

PRÉMONITION, PRÉMONITOIRE → *avertir, prévoir.*

PRÉMUNIR, PRÉMUNIR (SE) → *munir, prévoir.*

PRENANT → *recevoir, sensibilité.*

PRÉNATAL → *accouchement.*

PRENDRE → *choisir, main, réussir, voler.* — **Mettre en sa main, avec soi.** Agripper, grippe-sou ; appréhender ; attirer ; attraper ; empoigner ; emmener ; emporter ; enlever ; happer ; intercepter, interception, prendre la balle au bond ; mettre la main sur ; prendre, préhensile, préhension ; prendre quelqu'un par le bras/par la main/par la taille/à la gorge ; ramasser ; saisir, saisie. — **Pour prendre.** Anse, bec-de-cane, bouton, languette, manche d'outil, poignée. ▪ Crampon, croc, crochet, gaffe, grappin, griffe, main, pelle, pince, pincette, tenailles. ▪ Coup de filet, guet-apens, manœuvres captieuses/insidieuses, piège, rafle, surprise. — **Se pourvoir de.** Acheter ; acquérir ; s'adjoindre ; adopter ; s'approvisionner ; butin ; collecter, collecte ; embaucher, engager ; emprunter ; endosser ; extraire ; glaner ; lever, levée de troupes ; faire main basse sur ; moissonner, moisson ; se munir, piller, plagier ; prélever ; prendre à bail/à ferme, louer ; puiser à ; rafler, rafle ; ramasser ; rapine, rapiner ; ratiboiser (fam.) ; razzier (fam.), razzia ; recevoir ; recouvrer, recouvrement ; recruter, recrue, recrutement ; recueillir, cueillir, cueillette, récolte, récolter ; reprendre, reprise ; retenir ; se servir de ; tirer à soi, tirer la couverture à soi. ▪ Absorber, avaler, boire, consommer, gober, manger. — **Se mettre à avoir.** Adopter une conduite ; affecter un air ; attraper/gagner une grippe/un rhume ; contracter une obligation ; embrasser une cause ; employer ; entrer dans ; mettre un vêtement ; prendre parti/position ; user, utiliser. — **Se rendre maître de.** Absorber ; accaparer ; s'approprier ; arracher ; s'arroger ; assumer ; s'attribuer ; capturer, capture, captif ; confisquer, confiscation ; conquérir, conquête, conquérant ; disposer de ; s'emparer de, emprise ; enlever, enlèvement ; envahir, invasion ; exproprier, expropriation ; extorquer, extorsion ; évincer, éviction ; forcer ; gagner du terrain ; obtenir ; occuper, occupation ; part du lion, léonin ; prendre une forteresse/une place/une ville, place imprenable/inexpugnable ; prendre d'assaut un navire, abordage ; prendre une position, emporter ; prendre une femme, posséder, violer ; prendre le pouvoir, coup d'État, putsch ; prise, proie, prisonnier ; ravir, ravisseur, rapt ; saisir, saisie. — **Usurper.** Abuser de, abus ; aller sur les brisées de, chasser sur les terres de ; contrefaire, contrefaçon ; dépasser les bornes/les limites ; empiéter, empiètement ; excès de pouvoir ; intrus, intrusion ; marcher sur les plates-bandes ; outrepasser ; en prendre à son aise ; usurper, usurpation. ▪ Charlatan, imposteur, usurpateur.

PRENEUR → *acheter, location.*

PRÉNOM, PRÉNOMMER → *nommer.*

PRÉNUPTIAL → *mariage.*

PRÉOCCUPATION, PRÉOCCUPER → *difficile, souci.*

PRÉPARATEUR → *chimie, médicament.*

PRÉPARATIF → *guerre, voyage.*

PRÉPARATOIRE, PRÉPARER → *essayer, plan, prévoir.*

PRÉPONDÉRANCE, PRÉPONDÉRANT → *supérieur.*

PRÉPOSÉ, PRÉPOSER → *agent, fonction.*

PRÉPOSITION → *grammaire.*

PRÉROGATIVE → *attribuer, avantage, noblesse.*

PRÈS → *proche.*

PRÉSAGE, PRÉSAGER → *avertir, prévoir, signe.*

PRÉSALAIRE → *payer.*

PRÉ-SALÉ → *mouton.*

PRESBYTÈRE → *ecclésiastique.*

PRESBYTÉRIANISME, PRESBYTÉRIEN → *protestant.*

PRESBYTIE → *œil.*

PRESCIENCE → *avertir, connaissance, prévoir.*

PRESCRIPTION, PRESCRIRE → *annuler, décider, soigner.*

PRÉSÉANCE → *avant, honneur.*

PRÉSENCE, PRÉSENT → *grammaire, proche, réalité, vie.* — **Présent à un endroit.** Assistance, assister à ; auditeur, auditoire ; bulletin/jeton de présence ; émarger, feuille d'émargement ; être là, être près de, ne pas être absent/manquant ; faire acte de présence ; observateur ; pointer, se pointer (pop.) ; se présenter ; se produire en corps/en personne/en pied ; présent ; public, répondre à l'appel, présent ! ; séance, siéger ; signer le registre de présence ; spectateur, témoin, se trouver là/sur les lieux. ▪ Assidu, assiduité ; compagnie ; demeurer ; entourage ; existence, exister ; face à face, en face de ; fréquenter ; habiter ; invité ; proche ; se rencontrer ; résidence, résider ; réunion ; visite ; se voir, visible. — **Présence concrète.** Actualiser, actualité ; apparaître ; concret, se concrétiser ; évocation, évoquer ; figurant, figurer ; manifestation, se manifester ; matériel, se matérialiser, matérialité ; se montrer ; omniprésent ; palpable ; positif ; réalité, réel ; représenter ; tangible ; ubiquité ; visible. ▪ Actif, action, activité ; agir ; aide ; effectif, efficace, efficacité ; être mêlé à, jouer un rôle ; observateur, observer ;

prestige ; réconfort ; secours ; service ; soutien ; surveillance. — **Temps présent.** Actuel, actualité ; contemporain ; flagrant délit ; instantané, immédiat ; moderne, moderniser, modernisme ; neuf, nouveau, les nouvelles ; ponctuel ; récent ; simultané ; vivre au jour le jour/dans la minute présente, ne pas se soucier de l'avenir. ■ Actuellement, dans l'état actuel des choses, à l'heure actuelle, aujourd'hui, aussitôt, dans ces circonstances/cette conjoncture, à notre époque, à l'instant, de nos jours, maintenant, le mois courant, en ce moment, en l'occurrence, à présent, séance tenante, ces temps-ci, tout de suite, voici ... que, voici. — **Avoir l'esprit présent.** Attentif, attention, avoir toutes ses facultés, comprendre, connaissance, connaître, conscience, conscient, disponible, être très présent, esprit d'à-propos, présence d'esprit.

PRÉSENTATEUR → *radio, spectacle.*

PRÉSENTER → *apparaître, montrer, offrir, relation.*

PRÉSERVATIF, PRÉSERVER → *défendre, garder.*

PRÉSIDENCE, PRÉSIDENT, PRÉSIDENTIEL → *chef, informer, gouverner.*

PRÉSIDER → *chef, conduire.*

PRÉSOMPTIF → *succession.*

PRÉSOMPTION, PRÉSOMPTUEUX → *confiance, orgueil, prévoir.*

PRESQU'ÎLE → *mer.*

PRESSE → *informer, journal, presser, typographie, vitesse.*

PRESSE-CITRON → *agrumes.*

PRESSÉE → *presser.*

PRESSENTIMENT, PRESSENTIR → *demander, prévoir*

PRESSE-PAPIERS, PRESSE-PURÉE → *presser.*

PRESSER → *exciter, pousser, temps, vitesse.* — **Comprimer.** Agglomérer, agglomérat ; comprimer, compression ; concentrer, concentration ; concision, concis ; condenser, condensation ; damer, damage ; encaquer ; étreindre, étreinte ; exprimer ; fouler ; masser ; mouler, moulage ; oppresser, oppressif, oppression ; pétrir ; piler, pilonner ; pressurage, pressurer ; pressuriser, pressurisé, en sous-pression, pressurisation ; tasser. — **Appliquer avec force.** Appliquer, appuyer, empiler, empreinte, entasser, imprimer, peser sur, pesant, poids. — **Écraser et broyer.** Aplatir, broyer, concasser, écacher, écrabouiller (fam.), écraser, hacher, mâcher, marteler, mettre en bouillie/en marmelade, moudre, pétrir, piétiner, piler, pulvériser, réduire en morceaux/en poussière, triturer. ■ Agrégat, bloc, concentré, extrait, jus, magma, moût, pâte, pâte pressée, suc. — **Pression, force qui agit sur une surface.** Compression, compressibilité, incompressible, compresseur ; décomprimer, décompression, caisson de décompression ; détendre, détente, détendeur, explosion, implosion ; hydrostatique, statique ; pression atmosphérique, zone déprimée, dépression, baromètre, crève-vessie ; pression des fluides/des gaz/de la vapeur ; pression de cohésion/d'impact/statique ; pressostat ; soupape de sûreté. ■ Atmosphère, bar, barye, gradient, isobare, pascal, pièze, piézomètre ; chaudière, machine, réacteur, etc. — **Qui sert à presser.** Dame, demoiselle, hie ; étau, mâchoires, mordache ; laminoir ; marteau, marteau-pilon ; meule ; pilon, mortier ; presse, pressage, pressing ; presse-citron, presse-fruits, presse-purée ; presse-papiers ; presse ascendante/à bloc de compression/hydraulique/d'injection ; rouleau compresseur. ■ Fouloir, maillotin, maye, moulin, pressoir à cidre/à huile/à olives/à pommes/à raisin, pressoir à cylindres/à étiquet/pneumatique/à taissons/à vis horizontale ou verticale. — **Serrer, resserrer.** Bande, bandage ; brider ; contracter, contraction, trisme ; enlacer ; étouffer, étrangler, strangulation ; lacer ; lier, lien ; garrotter ; passage resserré, goulet, passe, etc. ; pincer, pince ; resserrer ; rétrécir, rétrécissement, étrécir ; sangler ; serrer le cœur, avoir la gorge serrée, angoisse, peur.

PRESSING → *nettoyer.*

PRESSION → *air, association, force, liquide, presser, sang.*

PRESSOIR → *huile, presser, vin.*

PRESSURER → *impôt, presser.*

PRESSURISER → *aviation.*

PRESTANCE → *attitude, noblesse.*

PRESTATION → *avantage, impôt, prêter.*

PRESTE, PRESTESSE → *vif.*

PRESTIDIGITATEUR, PRESTIDIGITATION → *doigt, enfant, magie.*

PRESTIGE, PRESTIGIEUX → *importance, plaire.*

PRÉSUMER → *doute, estimer, opinion.*

PRÉSUPPOSER → *doute, raisonnement.*

PRÉSURE, PRÉSURER → *lait.*

PRÊT → *contrat, prêter.*

PRÊT → *munir.*

PRETANTAINE → *vagabond.*

PRÊT-À-PORTER → *couture.*

PRÉTENDANT, PRÉTENDRE → *affirmer, désir, doute.*

PRÊTE-NOM → *contrat, inférieur.*

PRÉTENTIEUX, PRÉTENTION → *affectation, désir, orgueil.*

PRÊTER → *attribuer, contrat, donner.* — **Prêter un objet.** Confier ; déposer, dépôt, dépositaire ; donner en garde/en pension ; fournir ; gage, engager, gager ; location, louer, louage ; mettre sous la protection de ; prestation ; secourir, secours en nature ; subside. — **Prêter de l'argent.** Avancer, avance ; banque, charte-partie ; commandite, commanditer ; crédit, faire crédit, ouvrir un crédit ; crédit d'accompagnement/de campagne/de consommation/de courrier/à court/long/moyen terme/à temps différé ; Crédit agricole/foncier/municipal, etc. ; épargne-crédit, épargne-logement, etc. ; garantie ; lettre de crédit ; mont-de-piété ; nantissement ; placement, placer des fonds ; préfinancement ; prêt collectif/sur gages/à la grosse/individuel/à la petite semaine/à usage ; prime ; subvention ; taux d'un prêt bas/élevé, prêt à titre gracieux/gratuit ; usure, prêt usuraire ; warrant. — **Qui prête de l'argent.** Commanditaire, créancier, fesse-mathieu, gagiste, juif, prêteur, usurier, vampire, vautour ; Gobseck. — **Emprunt, emprunter.** Acompte ; anatocisme ; annuités ; consolidation d'un emprunt ; contracter une dette ; conversion de rente ; créance, créancier ; dette, s'endetter, lourdement endetté, écrasé par les dettes ; emprunter, emprunt forcé/à lot/à prime ; s'engager ; escompte ; intérêt, denier vingt, intérêts composés ; hypothèque, hypothéquer ses biens ; obliger, obligation ; prix de l'argent ; reconnaissance, signer une reconnaissance ; taper un ami (fam.), tapeur (fam.). ■ Amortir, amortissement ; se dégager ; se libérer ; moratoire ; rembourser ; rendre.

PRÉTÉRITION → *style.*

PRÉTEXTE, PRÉTEXTER → *cause, excuse.*

PRETIUM DOLORIS → *dommage.*

PRÉTOIRE → *tribunal.*

PRÊTRE, PRÊTRISE → *ecclésiastique, religion.*

PREUVE → *calcul, montrer, raisonnement, signe.*

PREUX → *chevalerie, courage.*

PRÉVALOIR → *avantage, supérieur.*

PRÉVARICATEUR, PRÉVARIQUER → *manque, tromper.*

PRÉVENANCE, PRÉVENANT → *manière, soigner.*

PRÉVENIR, PRÉVENTIF → *avertir, prévoir, prison, soigner.*

PRÉVENTION → *médecine, opinion, route.*

PRÉVENTORIUM → *soigner.*

PRÉVENU → *accusation.*

PRÉVERBE → *verbe.*

PRÉVISION, PRÉVISIONNEL → *prévoir.*

PRÉVOIR → *avant, avertir, connaissance, munir.* — **Prédiction.** Annoncer ; aruspice ; astrologue ; augure, augurer ; auspice ; cartomancie ; Cassandre ; chiromancie ; clef des songes ; connaître l'avenir, découvrir ; devin, deviner ; dévoiler ; dire la bonne aventure ; divination ; géomancie ; horoscope ; inspiration, inspiré ; instinct, intuition ; lire dans les lignes de la main/dans le marc de café ; mage, magicien ; magnétisme ; nécromancie, nécromant ; Nostradamus ; oracle ; porter malheur ; prédire ; préjuger de ; prémonition ; présage, présager ; pressentiment, pressentir ; prescience ; prophète, prophétie ; Pythie, pythonisse ; révélation, révéler ; rhabdomancie ; Sibylle ; signes du zodiaque ; sorcier, spirite ; splanchnoscopie ; tarot ; tirer les cartes ; vaticination ; visionnaire, voyant. — **Prévision.** Anticipation, anticiper ; s'attendre à ; bien/mal augurer de ; flairer, avoir du flair/du nez ; calculer ; clairvoyance ; conclusion statistique ; conjecturer ; croire ; deviner ; entrevoir ; envisager ; espérer, espoir ; établir un budget / un devis ; étude de marché ; éventualité ; examen, examiner ; hypothèse, hypothétique ; imaginer ; indice ; interprétation ; intuition ; inventer ; perspective ; perspicacité ; pionnier ; plan ; plausible ; possible ; préjuger ; préluder ; préméditer ; présager ; prescience ; présomption, présumer ; prévisible, prévision budgétaire/météorologique, calcul/plan prévisionnel ; probabilité, probable ; prodrome ; projet ; pronostic, pronostiquer ; prophétiser ; prospective, théorie générale des prévisions, prospective à court terme/à longue échéance ; science-fiction, littérature d'anticipation ; signe avant-coureur/précurseur, intersigne ; soupçonner ; subodorer ; supposer, supposition ; supputer ; symptôme, symptomatique ; vraisemblable, vraisemblance. — **Prévoyance.** Apprêter ; assurance, assurer ; circonspect, circonspection ; décider pour l'avenir ; devancer ; diligent ; être sur ses gardes, se mettre en garde ; faire ses plans ; garantie, garantir ; méthode, méthodique ; organiser à l'avance ; parer d'avance ; planifier ; se pourvoir ; précaution, précautionneux, prendre ses précautions/des mesures ; préméditation, préméditer ; préparatif ; prévenir, préventif, prévention, prévention routière ; prévoyance, caisse/société de prévoyance ; projet, projeter ; prudence ; tâter le terrain ; voir venir.

PRÉVÔT, PRÉVÔTÉ → *police, ville.*

PRÉVOYANCE, PRÉVOYANT → *munir, prévoir, sage.*

PRIE-DIEU → *église.*

PRIER, PRIÈRE → *demander, liturgie.*

PRIEUR, PRIEURÉ → *église, monastère.*

PRIMA DONNA → *chanter.*

PRIMAIRE → *commencer, enseignement, psychologie.*

PRIMAT → *ecclésiastique.*

PRIMAUTÉ → *importance.*

PRIME → *assurance, commerce, mérite.*

PRIMER → *mérite, supérieur.*

PRIMESAUTIER → *joie, vif.*

PRIMEUR, PRIMEURS → *avant, légume, nouveau.*

PRIMEVÈRE → *fleur.*

PRIMIPARE → *accouchement.*

PRIMITIF → *avant, grossier, histoire, population.*

PRIMO-INFECTION → *microbe.*

PRIMORDIAL → *importance, supérieur.*

PRINCE → *chef, noblesse, souverain.*

PRINCEPS → *livre.*

PRINCIPAL → *enseignement, importance.*

PRINCIPAT, PRINCIPAUTÉ → *chef.*

PRINCIPE → *cause, commencer, morale, règle.*

PRINTANIER, PRINTEMPS → *saison.*

PRIORITAIRE, PRIORITÉ → *avant, avantage, importance.*

PRISE → *ouvrir, prendre, tabac.*

PRISER, PRISEUR (COMMISSAIRE-) → *estimer.*

PRISMATIQUE, PRISME → *géométrie.*

PRISON, PRISONNIER → *arrêter, crime, fermer, garder, tribunal.* — **Prisonnier et prison.** Arrêts forcés/de rigueur ; bagnard, bagne ; Bastille ; au bloc (fam.) ; cabane, cabanon (fam.), cabinet noir, cachot, camp ; captif, captivité ; cellule ; Châtelet ; chiourme ; condamné ; cul-de-basse-fosse ; déportation, déporté ; dépôt ; détenu, codétenu ; esclave ; forçat ; forteresse ; galère, galérien ; geôle ; gnouf (pop.) ; inculpé ; in-pace ; maison d'arrêt/de correction/de redressement ; mitard (pop.) ; oflag ; otage ; oubliettes ; pénitencier ; au poste ; prévenu ; prisonnier de droit commun/de guerre/politique ; repris de justice ; salle de police ; stalag ; taule (pop.) ; travaux forcés ; trou (pop.) ; violon (fam.). — **Emprisonner.** Boucler (fam.) ; claquemurer ; cloîtrer ; coffrer (fam.) ; consigner ; contrainte ; détenir, détention, détention préventive ; écrouer ; embarquer (fam.), embastiller ; empoigner (fam.) ; fourrer/jeter en prison ; garder à vue ; incarcérer, incarcération ; interner ; mettre à l'ombre/au secret/aux arrêts/sous les verrous ; priver de liberté ; réclusion, réclusion perpétuelle ; relégation, reléguer ; sanctionner ; séquestrer ; subir une peine de prison ; transférer. ■ Délivrer, élargir, s'évader, levée d'écrou, libérer, rançon, relâcher, relaxer, sursis. — **Relatif aux prisons.** Argousin, garde-chiourme, gardien, geôlier, guichetier, policier. ■ Barbelés, barreaux, chaîne, clef, fers, grille, guichet, menottes, mirador, murs, paille humide des cachots, parloir ; mettre les poucettes ; régime cellulaire/pénitentiaire ; registre d'écrou ; traîner le boulet ; transférer, transfert ; voiture cellulaire ou panier à salade (fam.).

PRIVATIF, PRIVATION → *enlever, manque, perdre.*

PRIVAUTÉS → *libre.*

PRIVÉ → *famille, particulier.*

PRIVER → *enlever.*

PRIVILÈGE, PRIVILÉGIÉ → *avantage, classe, noblesse.*

PRIVILÉGIER → *choisir.*

PRIX → *enseignement, importance, mérite, payer.*

PROBABILITÉ, PROBABLE → *calcul, doute, prévoir.*

PROBANT, PROBATOIRE → *preuve.*

PROBE, PROBITÉ → *justice, morale.*

PROBLÉMATIQUE → *doute.*

PROBLÈME → *difficile, doute, géométrie, obscur.*

PROCÉDÉ → *manière.*

PROCÉDER → *cause, exécuter.*

PROCÉDURE → *tribunal.*

PROCÈS → *tribunal, verbe.*

PROCESSION, PROCESSIONNEL → *liturgie, marcher, suite.*

PROCESSUS → *marcher, progrès.*

PROCÈS-VERBAL → *police, tribunal.*

PROCHAIN → *proche.*

PROCHE → *amitié, espace, relation, semblable.* — **Proche dans les relations.** Accommodement ; affinité ; alliance ; ami ; association ; connaître ; entrer en contact ; cordial, cordialité ; côtoyer ; coude à coude, coudoyer ; entourage ; être à tu et à toi ; fréquenter ; lien ; parent, parenté ; prochain ; promiscuité ; se réconcilier ; relations ; voisinage. — **Proche par le raisonnement.** Analogie, analogue ; à peu près, à demi, à moitié, aux trois quarts, un peu moins, un peu plus ; approchant, approcher, calcul approché/approximatif ; assimiler ; autant dire ; brûler ; coïncider ;

comparable, comparaison, comparer; conforme, conformité; correspondance, correspondre; direct; en partie; environ; équivalent; évaluer en gros; homologue; immédiat; manquer de; nuance, par degrés; peu différent, peu s'en faut; presque identique; semblable; proportionnel; quasi; rapport, rapproché, ressemblance; sauf exception; vague. — **Proche dans l'espace.** Abord; accéder, accès; accoler; accoster; à côté de; adhérer; adjacent; adosser; à deux pas, à la porte, alentours, à faible distance; attenant; au bord de, auprès de, aux abords de; border; coller; confins; contact, contacter; contigu, contiguïté; côte à côte; effleurer; les environs; être tout contre, frôler; frotter; joindre, jointif; jouxter; limitrophe; longer; mitoyen, mitoyenneté; parage; périphérie; porte à porte; à la portée de; près de, de proche en proche, à proximité; rapprocher; au ras de, raser, rasemottes, raser les murs; serrer, serrer le trottoir; tangent; tenir; toucher; tout près, voisin, voisinage. — **Proche dans le temps.** Arriver, aussitôt, bientôt, coïncidence, à deux doigts de, dernièrement, faillir, friser (un âge) (fam.), futur, illico, il y a peu de temps, immédiatement, imminent, incontinent, à l'instant, instantanément, à la prochaine occasion, prochain, la prochaine fois, prochainement, récemment, sans délai, sous peu, sur-le-champ, dans peu de temps, sur le point de, tôt, tout à l'heure, tout de suite.

PROCLAMER → *affirmer, informer.*

PROCRÉER → *accouchement, reproduire.*

PROCTALGIE, PROCTOLOGIE → *anus.*

PROCURATION → *pouvoir.*

PROCURER → *donner.*

PROCUREUR → *magistrat.*

PRODIGALITÉ → *dépense, excès.*

PRODIGE, PRODIGIEUX → *étonner, grand.*

PRODIGUE, PRODIGUER → *dépense, donner.*

PRODROME → *prévoir.*

PRODUCTEUR → *cinéma, produire.*

PRODUCTIF, PRODUCTION, PRODUCTIVITÉ. → *économie, industrie, produire, riche.*

PRODUIRE, PRODUIT → *cause, exécuter, gagner, industrie, montrer.* — **Présenter.** Produire un artiste : donner en spectacle; exhiber; faire apparaître / connaître / paraître; montrer en public/sur la scène. ■ Produire des témoins : citer, faire comparaître, témoigner. ■ Produire une pièce administrative/une preuve, apporter, déposer, fournir, montrer, présenter. — **Obtenir un résultat.** Produire un effet/une impression/ un phénomène : amener, avoir pour conséquence/pour résultat, causer, créer, créateur, déterminer, effectuer, émettre, engendrer, éveiller, être la cause/la source de, exécuter, façonner, faire naître, former, occasionner, opérer, provoquer, réaliser, susciter. — **Production de la nature.** Donner l'existence/le jour/naissance/la vie : enfanter, engendrer, féconder, générateur, géniteur, hérédité; mettre bas/ au monde, procréer; reproducteur, reproduire; sécréter, sécrétion; semence. ■ Production agricole : donner, faire mûrir/pousser, former, fructifier, multiplier, porter, proliférer, rapporter, rendre; fécond, fertile, fertilité, fructueux, généreux, prodigue; producteur, productif; produits du sol : fruit, prémices, primeur, récolte, substance; profusion; prolifique, riche; terrain, terre de rapport, terroir. — **Production économique et technique.** Fabrication artisanale/ industrielle/mécanique/de série; fabriquer, façonner, fournir, manufacturer, sortir, usiner. ■ Abondance, accroissement, augmentation, crise, diminution, marché, productivité, progression, qualité, quantité, ralentissement, rendement, rentabilité, stagnation, surproduction, travail. ■ Alimentation, article/bien de consommation, marchandise, richesse, produit brut / fini / manufacturé / net / semi-ouvré, sous-produit, substance. ■ Action, bénéfice, capital, coupon, dividende, gain, investissement, intérêt, produire de l'argent/des intérêts, profit, rapport, rapporter, recette, rendre, réserve, revenu, taxe. — **Production artistique.** Activité créatrice, auteur, composer, écrire, œuvre, ouvrage. ■ Émission télévisée, film; financement, financier; monter une production scénique, organisation matérielle, « producer », producteur/ délégué/exécutif, production cinématographique; réalisateur, réalisation; spectacle, super-production.

PROÉMINENCE, PROÉMINENT → *bosse, relief.*

PROFANE, PROFANER → *avilir, incroyable, mépris.*

PROFÉRER → *offense, parler, violence.*

PROFÈS → *monastère.*

PROFESSER → *enseignement, opinion.*

PROFESSEUR → *enseignement.*

PROFESSION, PROFESSIONNEL → *agir, enseignement, travail.*

PROFESSORAL, PROFESSORAT → *enseignement.*

PROFIL, PROFILER → *courbe, dessin, visage.*

PROFIT, PROFITER → *avantage, économie, gagner.*

PROFITEROLE → *pâtisserie.*

PROFOND, PROFONDEUR → *bas, grand, trou.*

PROFUSION → *abondance, beaucoup.*

PROGÉNITURE → *enfant, reproduction.*

PROGESTÉRONE → *glande.*

PROGNATHE, PROGNATHISME → *bouche, tête.*

PROGRAMME, PROGRAMMER → *calcul, informatique, plan, prévoir, règle.*

PROGRÈS, PROGRESSER, PROGRESSIF → *augmenter, avant, changer, grade, marcher.* — **Changement.** Devenir, évoluer, guérir, se transformer; progrès d'une maladie, s'accroître, s'aggraver, empirer, croître et embellir, être en progrès, faire des progrès — **Amélioration.** Achèvement; accomplir; accroître; améliorer; augmentation; degré; développement; échelle des valeurs; évolution des esprits; excellence; gagner à; idéal; meilleur, mieux, mieux-être, de mieux en mieux; monter; parachever; parfait, perfectibilité; perfection, perfectionnement, perfectionner, perfectionnisme; perler un ouvrage; être à la pointe; progresser, progression; quête / recherche de l'absolu / du succès; souverain; supérieur. — **Rectifier.** Affiner; amendement, amender; atteindre/parvenir à la perfection; bonifier; compléter; corriger; embellir; épurer; expurger; fertiliser; finir; orner; polir; progrès esthétique; raffiner; rectifier; remanier; renouveler; réparer; restaurer; retaper; retoucher; reviser. — **Évolution.** Acheminement; aller de l'avant/plus loin; arriver; ascension; atteindre; avancement, avancer; but; changement d'état; faire du chemin; se communiquer; continuer; courant de l'histoire; découverte; dépassement; s'élever; être en plein essor, prendre son essor; s'étendre, gagner du terrain; gradation, graduel; inventeur, invention; marche; mutation, mutationnisme; modification; monter; mouvement en avant; novateur, innover; passage; parvenir; phase; pionnier; poursuivre; processus; progrès industriel/scientifique/technique; progression, progressiste; se propager, propagation; réformer, réformiste; réussir, réussite; révolution; stade; surpasser; transformisme. ▪ Civilisation, éducation, progrès humain/moral/social. — **Opposition au progrès.** Arrêt; arriéré; conservateur, conservatisme; décadence; détérioration; fixisme, fixité; idée arrêtée; ignorance, ignorantisme; immobilité, immobilisme; immuabilité; inertie; invariabilité; marasme; nier, négativisme; obscurantisme; passivité; permanence; piétiner; réactionnaire; recul, régression, rétrograde; stabilité; stagnation; stationnaire, statisme.

PROGRESSISME → *politique, progrès.*

PROGRESSIVITÉ → *impôt.*

PROHIBER → *défendre.*

PROHIBITIF → *défendre, payer.*

PROHIBITION, PROHIBITIONNISME → *alcool, défendre.*

PROIE → *prendre.*

PROJECTEUR → *image, lampe.*

PROJECTILE → *arme, fusil.* — **Généralités.** Armes de jet/à feu/défensives/offensives; autopropulsion, semi-propulsion; balistique; blinder, blindage, blockhaus, casemate, etc.; cible; dérive, dérivation. — **Projectile inerte.** Balle perdue/traçante; biscaïen; boulet chaîné ou ramé/rouge; flèche. ▪ Bronze, fer, fonte, plomb, pierre. — **Projectile explosif.** Balle explosive/dum-dum; bombe atomique/A/à hydrogène/H/à retardement/soufflante, bombarder; engin balistique intercontinental, sol-sol/sol-air; fusée, éclairante/à étages/radio-guidée/radio-électrique/téléguidée/à tête chercheuse/à têtes multiples, V1, V2; grenade, grenader; mine, champ de mines; missile; obus, pruneau (fam.); projectile à balles/antichar/à charge creuse/à charge nucléaire/incendiaire/fumigène/percutant/perforant/de rupture/sous-calibré/toxique; roquette; shrapnel; torpille. — **Description et fonctionnement.** Amorce, amorçage; cartouche; ceinture; chambre à poudre; charge; chemise; corps d'obus; culot; douille; fusée, chapeau de fusée; jupe; mécanisme d'horlogerie; œil; ogive, fausse ogive, dé d'ogive, ogive nucléaire; poudre; retardement, retard; sabot; tulipe. ▪ Déminage, désamorcer. — **Tirer un projectile.** Arroser, arrosage; bordée; cinétir; coup, coup par coup; faire feu, feu!, feu à volonté!; feu croisé/dense/nourri/de peloton; fusillade; mettre en batterie/en joue/en position; mouche, faire mouche, mettre dans le mille; objectif; pan!; pointage, pointer, pointeur; rafale; salve; tir de barrage/à blanc/à bout portant/de but/courbe/d'encagement/d'enfilade/fichant/de flanquement/de plein fouet/de harcèlement/au jugé/plongeant/rasant; viser, visée. ▪ Collimateur, hausse, ligne de tir, mire, viseur. — **Effet de projectiles.** Angle de chute; camouflet; coup de hache; cratère; éclat, éclater; entonnoir; explosion, exploser ; force vive ; gerbe de culot/latérale/ d'ogive ; point d'impact ; ricocher, ricochet, souille ; souffle ; tir fusant/percutant ; trajectoire parabolique/tendue. ▪ Grêle/pluie d'obus, tapis de bombes.

PROJECTION → *cinéma, image, lancer, psychologie.*

PROJET, PROJETER → *dessin, entreprise, jeter, prévoir.*

PROLÉGOMÈNES → *commencer, expliquer.*

PROLEPSE → *style.*

PROLÉTAIRE, PROLÉTARIAT → *classe, industrie, travail.*

PROLIFÉRER, PROLIFIQUE → *nombre, produire, reproduction.*

PROLIXE, PROLIXITÉ → *convaincre, parler.*

PROLOGUE → *commencer, récit, théâtre.*

PROLONGATION, PROLONGER → *attendre, augmenter, durer, retard.*

PROMENADE, PROMENER → *marcher, repos, voyage.*

PROMENEUR, PROMENOIR → *spectacle.*

PROMESSE, PROMETTRE → *affirmer, décider, engager.*

PROMISCUITÉ → *mêler, proche.*

PROMONTOIRE → *haut, mer.*

PROMOTEUR → *architecture, cause, construction.*

PROMOTION, PROMOUVOIR → *fonction, grade, supérieur.*

PROMPT, PROMPTITUDE → *adroit, vif, vitesse.*

PROMULGUER → *informer, loi.*

PRÔNE → *liturgie.*

PRÔNER → *convaincre, éloge.*

PRONOM, PRONOMINAL → *grammaire, verbe.*

PRONONCER, PRONONCIATION → *décider, parler, son.*

PRONOSTIC, PRONOSTIQUER → *course, prévoir.*

PRONUNCIAMIENTO → *révolte.*

PROPAGANDE, PROPAGANDISTE → *informer, politique.*

PROPAGER → *informer, réputation.*

PROPANE → *brûler, gaz.*

PROPENSION → *convenir, tendance.*

PROPHÈTE, PROPHÉTIE, PROPHÉTISER → *Bible, prévoir.*

PROPHYLAXIE → *maladie, soigner.*

PROPICE → *bon, convenir.*

PROPITIATOIRE → *pardon.*

PROPORTION, PROPORTIONNEL → *élire, mesure, relation.*

PROPOS → *parler.*

PROPOSER → *discussion, offrir.*

PROPOSITION → *discussion, grammaire, offrir, paix.*

PROPRE → *convenir, nature, nettoyer, particulier, personne.*

PROPRETÉ → *nettoyer.*

PROPRIÉTAIRE, PROPRIÉTÉ → *grammaire, location, particulier, posséder, revenu.*

PROPULSER, PROPULSEUR → *astronautique, projectile, pousser.*

PROPYLÉE → *colonne.*

PRORATA → *mesure, part.*

PROROGER → *augmenter, retard.*

PROSAÏQUE, PROSAÏSME → *commun, poésie.*

PROSATEUR → *littérature.*

PROSCRIPTION, PROSCRIRE → *défendre, éloigner.*

PROSE → *littérature.*

PROSÉLYTE, PROSÉLYTISME → *convaincre, religion.*

PROSODIE → *poésie.*

PROSOPOPÉE → *récit.*

PROSPECTER, PROSPECTION → *commerce, géologie.*

PROSPECTIVE → *prévoir.*

PROSPECTUS → *commerce, écrire.*

PROSPÈRE, PROSPÉRER → *réussir, riche.*

PROSPÉRITÉ → *bonheur, réussir.*

PROSTATE, PROSTATIQUE → *sexe.*

PROSTERNER (SE) → *courbe, demander, respect.*

PROSTITUÉE, PROSTITUER → *avilir, débauche.*

PROSTRATION, PROSTRÉ → *abattre, fatigue.*

PROTAGONISTE → *deux, spectacle.*

PROTASE → *style, théâtre.*

PROTE → *typographie.*

PROTECTEUR, → *aider, défendre.*

PROTECTIONNISME → *économie.*

PROTECTORAT → *colonie, défendre.*

PROTÉGER → *aider, avantage, défendre, munir.*

PROTÉINE → *aliment.*

PROTÉINURIE → *rein.*

PROTESTANT, PROTESTANTISME → *religion.* — **Généralités.** Calvin, les dragonnades, édit de Nantes, révocation de l'édit de Nantes, guerres de religion, Luther, Réforme, réformé, Saint-Barthélemy ; doctrine paulinienne/des sacrements, foi, grâce, péché originel, prédestination. ▪ Austérité, moralisme, puritanisme, rigorisme. — **Institutions et coutumes.** Armée du Salut ; congrégation ; consistoire ; covenant ; croix huguenote ; culte ; désert ; diaconesse, ministre, pasteur, pastorat ; prêche, prédicant ; synode ; temple. — **Sectes et dénominations.** Anglicanisme, anglican ; baptisme, anabaptisme ; calvinisme ; congrégationalisme ; évangélisme, Église évangélique ; fondamentalistes ; luthéranisme, luthérien ; méthodisme ; piétisme ; presbytérianisme, presbytérien ; quaker. ■ « Ceux du dedans », cévenol, huguenot, parpaillot (fam.), religionnaire.

PROTESTATAIRE, PROTESTER → *attaquer, mécontentement.*

PROTÊT → *banque.*

PROTHALLE → *algue.*

PROTHÈSE, PROTHÉTIQUE → *chirurgie, dent.*

PROTHROMBINE → *sang.*

PROTIDES → *aliment.*

PROTOCOLAIRE, PROTOCOLE → *cérémonie, diplomatie, règle.*

PROTON → *nucléaire.*

PROTOTYPE → *essayer, modèle.*

PROTOZOAIRES → *animal.*

PROTUBÉRANCE, PROTUBÉRANT → *bosse, gonfler.*

PROUE → *avant, navire.*

PROUESSE → *courage.*

PROUVER → *montrer, raisonnement, vérité.*

PROVENANCE → *pays.*

PROVENDE → *bétail.*

PROVENIR → *cause.*

PROVERBE, PROVERBIAL → *connaître, pensée, réputation.*

PROVIDENCE, PROVIDENTIEL → *bonheur, Dieu.*

PROVIGNER, PROVIN → *jardin, vigne.*

PROVINCE, PROVINCIAL → *colonie, France, pays.* — **Provinces historiques.** Bailliage ; comté ; duché ; fief ; généralité ; gouvernement, gouverneur ; intendant ; marche ; principauté ; province romaine, proconsul, propréteur ; sénéchaussée. ■ Berry, berrichon ; Bretagne, breton ; Provence, provençal, etc. — **Division officielle.** Agglomération ; arrondissement ; bourg, bourgade ; canton, chef-lieu, chef-lieu de canton ; circonscription ; cité ; commune ; département, départemental ; diocèse ; district ; division, hameau ; interdépartemental ; lieu-dit ; localité ; paroisse ; préfecture ; région, régional, région aérienne/maritime/militaire ; sous-préfecture ; subdivision ; ville, village ; zone. — **Administration.** Administration centrale ; aménagement du territoire ; annexion ; autonomie, autonomiste ; centralisation, décentralisation, dépendance de la métropole, régionalisme ; incorporation ; indépendance ; inspecteur général de l'administration en mission extraordinaire (igame) ; institutions régionales ; municipal ; préfet, sous-préfet ; représentant du pouvoir central ; rattachement d'une province ; réunion ; régionalisation ; séparatisme, séparatiste ; super-préfet ; unité administrative ; urbanisation, zones à aménagement différé/à urbaniser en priorité, Z.A.D., Z.U.P. — **Province régionale.** Contrée, partie d'un pays, région, territoire. ■ Accent, art populaire, caractères propres, costume régional, coutumes particulières, cuisine régionale, danses folkloriques, dialecte, esprit de clocher/de province, folklore, fromage du terroir, individualité, légendes locales, originalité, parler régional, patois, particularisme, provincialisme, régionalisme, traditions du pays, type physique et humain, typique, vin du cru. ■ Arriver de sa province ; avoir le mal du pays ; écrire au pays, nouvelles locales ; être du coin/originaire du lieu ; un pays, une payse (fam.).

PROVISEUR → *enseignement.*

PROVISION → *amas, banque, garder, munir.*

PROVISOIRE → *durer.*

PROVOCATEUR, PROVOQUER → *appeler, attaquer, exciter.*

PROXÉNÈTE, PROXÉNÉTISME → *débauche.*

PROXIMITÉ → *proche.*

PRUDE → *affectation, femme.*

PRUDENCE, PRUDENT → *calme, prévoir.*

PRUDERIE → *affectation.*

PRUD'HOMME → *travail.*

PRUNE, PRUNEAU → *noyau.*

PRUNIER → *arbre.*

PRURIGINEUX, PRURIGO, PRURIT → *peau.*

PRYTANÉE → *enseignement.*

PSALLIOTE → *champignon.*

PSALMODIE, PSALMODIER → *chanter.*

PSALTÉRION → *instrument.*

PSAUME, PSAUTIER → *Bible, chanter.*

PSEUDONYME → *nommer.*

PSITTACISME → *parler.*

PSORIASIS → *peau.*

PSYCHANALYSE → *psychologie.* — **Notions utilisées en psychanalyse freudienne.** Aboulie ; acte manqué ; passage à l'acte (angl. acting in / out) ; affect ; ambivalence ; angoisse ; anorexie mentale ; anal, analité, sadisme/érotisme anal, coprophagie ; archétype ; besoin ; bissexualité ; boulimie ; castration ; censure ; clivage/du moi/de l'objet ; complexe/d'abandon / d'échec / d'infériorité / d'Œdipe, etc. ; compulsion ; condensation ; conscience, conscient, inconscience, inconscient ; contenu/latent/manifeste ; conversion ; déformation ; déplacement ; désir ; envie/du pénis ; érotisme, auto-érotisme/anal/oral/urétral ; fantasme/de cannibalisme/de castration/originaire ; fétichisme ; forclusion ; frustration ; hystérie/d'angoisse/de conversion/de défense/hypnoïde/traumatique ; inhibition ; introspection ; introversion ; libido ; masochisme ; moi, sur-moi, ça ; narcissisme/primaire/secondaire ; névrose/d'abandon/actuelle/d'angoisse/de caractère/de destinée / d'échec / familiale / narcissique / obsessionnelle / de transfert/traumatique ; objet / partiel / total / transitionnel ; perversion ; phallus, phallique ; principe de constance/d'inertie / de plaisir / de réalité ; projection ; pulsion / d'agression / d'autoconservation / de destruction (Thanatos) / sexuelle / de vie (Eros) ; rationalisation ; refoulement, le refoulé ; régression ; rêve, écran / travail du rêve ; sadisme, sado-masochisme ; scène / de conversion / primitive ou originaire/de séduction ; schizophrénie ; self ; sublimation ; tabou ; transfert ; trauma, traumatique ; zone / érogène / hystérogène. — **Phases du développement.** Position / dépressive / paranoïde / paranoïde schizoïde ; stade / anal / génital / du miroir / oral / phallique / sadique-anal / sadique-oral. — **Traitement psychanalytique.** Analyse, être en analyse, suivre une analyse, analyste, analyser, patient ; analyse / didactique / directe / existentielle / sauvage / thérapeutique, auto-analyse ; attention flottante ; catharsis ; cure (psych)analytique ; défenses ; dénégation ; dépression, état dépressif ; épreuve de réalité ; fixation ; identification / primaire / projective ; interprétation des rêves / des lapsus ; méthode de libre association ; neutralité analytique ; prise de conscience ; règle/fondamentale / de libre association ; résistance ; technique active ou active thérapie ; topique.

PSYCHÉ → *glace.*

PSYCHIATRE, PSYCHIATRIE → *folie.*

PSYCHIQUE, PSYCHISME → *psychologie.*

PSYCHO- → *psychologie.*

PSYCHODRAME → *folie, théâtre.*

PSYCHOLINGUISTIQUE → *langage.*

PSYCHOLOGIE, PSYCHOLOGIQUE → *enseignement, inconscience, esprit.* — **Spécialités et écoles en psychologie.** Caractère, caractérologie, éthologie ; psychologie appliquée / clinique / comparée / ethnique / génétique/sociale ; psychologie concrète/de la forme/freudienne/phénoménologique ; psychanalyse, psychanalytique ; psychométrie, psychopathologie, psychopédagogie, psychopharmacologie, psychophysiologie, psychométrique, psychomoteur, psychosomatique, psychotechnique ; typologie. ▪ Associationnisme, atomisme, behaviorisme, empirisme, épiphénoménisme, freudisme, gestaltisme, introspection, sensualisme. — **Éléments et fonctions de la vie psychique.** Activité psychique ; affectivité ; affection ; appétit ; caractère ; comportement ; conduite ; conscience, inconscience, conscient, inconscient, subconscient ; désir ; douleur ; émotion, émotivité ; identité du moi ; image ; imitation ; individu ; inhibition ; moi ; mouvement ; passion, passionnel ; personnalité, personne ; plaisir ; psychisme, psychique, psyché ; sensation ; sentiment ; sujet. ▪ Abstraction, association, attention, certitude, cognition, concept, croyance, discernement, discrimination, doute, généralisation, habitude, idée, imagination, instinct, invention, jugement, langage, liberté, mémoire (mémorisation, souvenir), notion, opinion, perception, raison, raisonnement, représentation, symbolisme, volition, volonté. — **Psychologue.** Aliéniste, directeur de conscience, orienteur, pédagogue, psychanalyste, psychiatre, psychologue, psychophysiologue, psychotechnicien. ▪ Connaître les hommes ; finesse, fin, fin psychologue ; intuition, intuitif ; pénétration ; perspicacité ; sonder ; tâter ; tester, test. — **Psychiatrie.** Aboulie, agnosie, agoraphobie, agraphie, aliénation, amnésie, anorexie, aphasie, apraxie, asthénie, bégaiement, catalepsie, cataplexie, cleptomanie, commotion, coprolalie, crétinisme, débilité, dédoublement de la personnalité, délire, *delirium tremens*, démence, dipsomanie, encéphalite, épilepsie, érotomanie, exhibitionnisme, gâtisme, hallucination, hydrocéphalie, hystérie, idiotie, imbécillité, infantilisme, logorrhée, lycanthropie, manie, maniaque, masochisme, mégalomanie, mongolisme, mutisme, mythomanie, nécrophilie, neurasthénie, névrose, nymphomanie, obsession, onirisme, paranoïa, délire de persécution, perversion, pithiatisme, possession, psychasthénie, psychonévrose, psychopathie, psychose, pyromanie, sadisme, schizoïdie, schizophrénie, sénilité, simulation, tic, troubles caractériels, voyeur, zoanthropie. ▪ Agitation, angoisse, anxiété, confusion, dépression, déséquilibre, éréthisme, euphorie, excitation, fureur, impuissance, incohérence, mélancolie. ▪ Alcoolisme, éthéromanie morphinomanie, opiomanie, stupéfiant, toxicomanie ; homosexualité.

PSYCHOPATHIE, PSYCHOPATHOLOGIE → *folie.*

PSYCHOSE → *inconscient, psychologie.*

PSYCHOSOMATIQUE → *médecine.*

PSYCHOTHÉRAPIE → *folie.*
PTÉROSAURIENS → *reptiles.*
PTÔSE → *ventre.*
PUANT, PUANTEUR → *infecter.*
PUBÈRE, PUBERTÉ → *âge, jeune, sexe.*
PUBESCENCE → *poil.*
PUBIEN, PUBIS → *ventre.*
PUBLIC → *connaissance, droit, groupe, spectacle.*
PUBLICATION → *informer, livre.*
PUBLICISTE → *commerce, informer.*
PUBLICITAIRE, PUBLICITÉ → *commerce, informer.*
PUBLIER → *informer, livre.*
PUCE → *insecte, parasite.*
PUCEAU, PUCELLE → *femme, homme, jeune, vierge.*
PUCERON → *parasite.*
PUDDING → *pâtisserie.*
PUDDLAGE, PUDDLER → *fer.*
PUDEUR, PUDIBONDERIE → *affectation, gêner.*
PUDICITÉ, PUDIQUE → *arrêter, contenir, sensibilité.*
PUER → *infecter.*
PUÉRICULTURE → *enfant, soigner.*
PUÉRIL, PUÉRILITÉ → *enfant, futile, retard.*
PUERPÉRAL → *fièvre.*
PUGILAT, PUGILISTE → *sport.*
PUÎNÉ → *âge.*
PUISARD, PUISATIER → *trou.*
PUISER → *prendre.*
PUISSANCE, PUISSANT → *chef, force, influence, pouvoir.*
PUITS → *connaissance, eau, géologie, trou.*
PULLMAN → *voiture.*
PULL-OVER → *vêtement.*
PULLULER → *abondance, nombre.*
PULMONAIRE → *poitrine, respiration.*
PULPE, PULPEUX → *fruit, tissu.*
PULSATION → *mouvement, veine.*
PULSION, PULSIONNEL → *psychanalyse, tendance.*
PULVÉRISATEUR, PULVÉRISER → *détruire, liquide, morceau, poudre, raisonnement.*
PULVÉRULENCE, PULVÉRULENT → *poudre.*
PUMA → *mammifères.*
PUNAISE → *clou, parasite.*
PUNCH → *boisson.*
PUNCH, PUNCHEUR → *boxe.*
PUNCHING-BALL → *balle.*
PUNIR, PUNITIF, PUNITION → *peine, soumettre.*
PUNTARELLE → *polype.*
PUNTILLERO → *course.*
PUPILLAIRE → *œil.*
PUPILLE → *enfant.*
PUPILLE → *œil.*
PUPINISATION → *télécommunications.*
PUPITRE → *bureau, informatique, meuble.*
PUR → *chimie, nettoyer, nouveau.* — **Sans mélange, sans défaut.** Absolu ; châtié ; complet ; correction, purisme ; délicat, délicatesse ; éthéré ; franc ; idéal ; immaculé, immatériel, impeccable, irréprochable ; juste ; natif, naturel, nature, café nature ; nu ; parfait, perfection ; pur jus/sucre, pure laine ; sain ; sincère, sincérité, authentique ; véritable, la vérité pure et simple/toute nue. ▪ Blanc, calme, clair, cristallin, limpide, net, serein, transparent. — **Pureté morale.** Angélique, angélisme, archange ; ascétisme, ascète ; austérité, austère ; désintéressement, désintéressé ; droiture, droit ; honnêteté, honnête ; incorruptible ; intégrité, intègre ; puritanisme, puritain ; sainteté, saint ; vertu, vertueux. ▪ Ange, colombe, enfant ; chaste, continent, honnête, pudibond, pudique, sage, sainte nitouche, vertueux, vierge. — **Innocent.** Blancheur, blancheur du lis, blanc comme neige, âme/oie blanche ; candeur, candide ; état de grâce/de nature ; ingénuité, ingénu, une ingénue ; innocence, innocent comme l'agneau qui vient de naître ; naïveté, naïf ; niaiserie, niais ; pureté de cœur, pur, une jeune fille pure/fraîche ; virginité, virginal, vierge, fleur d'oranger. — **Rendre pur.** Ablution ; baptiser, baptême ; catharsis ; effacer ; expier, expiation, expiatoire ; laver un affront dans le sang ; lustration, eau lustrale ; purgatoire, purgation des passions ; purifier, purification, rite purificateur ou purificatoire. ▪ Absterger, déterger, détergent, détersif ; affiner, affinage ; apurer, apurement ; aseptiser, aseptisation ; assainir, assainissement ; clarifier, clarification ; décanter, décantation ; décaper, décapage ; désinfecter ; distiller, distillation ; dépurer, dépuratif ; épurer, épuration ; filtrer, filtration ; laver, lavage ; lessiver, lessivage ; nettoyer, nettoyage ; purger, purgation, expurger, purge, purgeoir, purgeur ; raffinage, raffiner ; rectification, rectifier ; restaurer, restauration ; stériliser, stérilisation. ▪ Creuset, crible, décanteur, écumoire, filtre, tamis, etc. ; dépuratif, drastique, laxatif, purgatif : aloès, casse, ellébore, rhubarbe, ricin, séné.
PUREAU → *ardoise.*
PURÉE → *légume, météorologie, pauvre, pomme.*
PURETÉ → *pur.*

PURGATIF → *médicament, pur.*
PURGATOIRE → *enfer.*
PURGE, PURGER → *médicament, nettoyer, parti, pur.*
PURGEUR → *machine, nettoyer, tuyau.*
PURIFICATION, PURIFIER → *liturgie, pur, sacrement.*
PURIN → *engrais, résidu.*
PURISME, PURISTE → *affectation, grammaire.*
PURITAIN, PURITANISME → *affectation, protestant, pur.*
PUROTIN → *pauvre.*
PURPURIN, PURPURINE → *rouge.*
PUR-SANG → *cheval.*
PURULENCE, PUS → *infecter, liquide.*
PUSILLANIME, PUSILLANIMITÉ → *faible, peur.*
PUSTULE, PUSTULEUX → *tumeur.*
PUTAIN → *débauche.*
PUTATIF → *mariage.*
PUTOIS → *cri, mammifères, poil.*
PUTRÉFIER, PUTRESCIBLE → *détruire, dommage, infecter.*
PUTRIDE → *eau, infecter.*
PUTSCH → *révolte.*
PUY → *montagne.*
PUZZLE → *jouer, morceau.*
PYÉLITE, PYÉLO-NÉPHRITE → *rein.*
PYGMÉE → *petit.*
PYJAMA → *vêtement.*
PYLÔNE → *charpente, colonne.*
PYLORE → *estomac.*
PYORRHÉE → *infecter.*
PYRALE → *papillon.*
PYRAMIDAL, PYRAMIDE → *édifice, géométrie.*
PYREX → *verre.*
PYREXIE → *fièvre.*
PYRITE → *cuivre, fer.*
PYROGALLIQUE → *photographie.*
PYROGÉNATION → *chaleur.*
PYROGRAPHE, PYROGRAVURE → *feu, graver.*
PYROLYSE → *chaleur.*
PYROMANE, PYROMANIE → *brûler, folie, psychologie.*
PYROMÈTRE, PYROMÉTRIE → *chaleur, mesure.*
PYROPHORE → *brûler.*
PYROSPHÈRE → *terre.*
PYROTECHNICIEN, PYROTECHNIE → *exploser.*
PYRRHONIEN, PYRRHONISME → *doute, philosophie.*
PYTHIE → *prévoir.*
PYTHIQUES → *spectacle.*
PYTHON → *reptiles.*
PYTHONISSE → *prévoir.*
PYURIE → *rein.*
PYXIDE → *coffre.*

QUADRAGÉNAIRE → *âge.*

QUADRAGÉSIME → *liturgie.*

QUADRANGULAIRE → *angle.*

QUADRANT → *cercle, géométrie.*

QUADRATURE → *astronomie, difficile, surface.*

QUADRIGE → *spectacle.*

QUADRILATÈRE → *angle.*

QUADRILLAGE → *guerre.*

QUADRILLE → *danse.*

QUADRILLER → *papier.*

QUADRIMOTEUR, QUADRIRÉACTEUR → *aviation.*

QUADRIVALENT → *chimie.*

QUADRIVIUM → *art.*

QUADRUMANE → *main.*

QUADRUPÈDE → *pied.*

QUADRUPLE, QUADRUPLER → *augmenter, nombre.*

QUADRUPLÉS → *accouchement.*

QUADRUPLEX → *télécommunications.*

QUAI → *port, rivière, route, train.*

QUAKER → *protestant.*

QUALIFICATIF, QUALIFIER → *grammaire, nommer, qualité.*

QUALIFICATIF → *chimie, qualité.*

QUALITÉ → *état, supérieur.* — **Manière d'être.** De bon/de mauvais aloi, apanage, aspect, attribut, caractère (caractériser, caractéristique), classe, comportement, constitution, critère, définition, degré, disposition, élément constitutif, épithète, espèce, essence, essentiel, état, être, façon, fonds, forme, genre, goût, manière d'être, marque, modalité, mode, nature, ordre, originalité, particularité, personnalité, portée, propriété, rang, sens, signe, singularité, sorte ; spécialité (spécifique), tempérament, titre, trait distinctif, type, utilité, valeur. — **État social.** Appellation, casier judiciaire, charge, condition, désignation, dignité, distinction, état, état civil, fonction, grade, identité, métier, noblesse, nom, position sociale, profil ; qualification, être désigné/qualifié ; avoir qualité pour, en qualité de, ès qualités, en tant que, à titre de ; rang hiérarchique, titre. — **Bonne qualité.** Action ; aptitude ; avantage ; capacité ; choisi, de choix ; classe, avoir de la classe ; compétence ; délicatesse ; distinction, distingué ; don, être doué ; efficacité, efficience ; élite ; être émérite ; estimé ; étoffe ; eugénisme ; excellence, excellent ; faculté ; finesse ; force ; honneur ; intéressant, intérêt ; louable ; meilleur ; mérite ; noble ; parfait, perfection ; précieux, prix, de prix ; de qualité ; raffiné ; recommandable ; remarquable ; supérieur ; valeur, validité ; vertu, virtualité. — **Labels de qualité.** Bonne / première qualité ; qualité d'avant-guerre/de choix/de second choix/de second ordre ; conforme aux normes, extra, extra-fin, fait main, nec plus ultra, ordinaire, pur, spécial, super, superfin, supérieur, surchoix, surfin. ■ Appellation d'origine, cachet, contrôle, estampille, étiquette ; garantie, être sous garantie ; maintien de la qualité, marque, millésime, poinçon, sceau, statut de qualité, syndicat professionnel, valeur d'échange/d'usage.

QUANT-À-SOI → *sage.*

QUANTIFIER, QUANTITATIF → *chimie, mesure.*
QUANTITÉ → *beaucoup, mesure, nombre, son.*
QUARANTAINE → *éloigner, microbe.*
QUART → *heure, mesure.*
QUARTANNIER → *porc.*
QUARTAUT → *mesure, tonneau.*
QUART-DE-ROND → *bosse, polir.*
QUARTE → *fièvre.*
QUARTE → *carte, escrime, musique.*
QUARTERON → *groupe, nombre.*
QUARTERON → *mêler, race.*
QUARTETTE → *musique.*
QUARTIER → *armée, lune, morceau, noblesse, part, ville.*
QUARTIER-MAÎTRE → *grade, marine.*
QUARTZ, QUARTZITE → *géologie.*
QUASI → *bœuf.*
QUASI → *semblable.*
QUASI-DÉLIT → *crime.*
QUASIMODO → *laid, liturgie.*
QUATERNAIRE → *histoire.*
QUATRAIN → *poésie.*
QUATRE-ÉPICES → *aliment.*
QUATRE-FEUILLES → *architecture.*
QUATRE-HUIT → *musique.*
QUATRE-MÂTS → *voilure.*
QUATRE-QUARTS → *pâtisserie.*
QUATRE-SAISONS → *légume, marchandises.*
QUATUOR → *chanter, musique.*
QUÉMANDER, QUÉMANDEUR → *demander.*
QU'EN-DIRA-T-ON → *critique, réputation.*
QUENELLE → *cuisine.*
QUENOTTE → *dent.*
QUENOUILLE → *arbre, fil.*
QUERCITRON → *jaune.*
QUERELLE, QUERELLER → *discussion.*
QUESTEUR, QUÉRIR → *chercher, gouverner.*
QUESTION, QUESTIONNAIRE → *discussion, enseignement, expliquer, gouverner, matière.*
QUESTIONNER, QUESTIONNEUR → *demander.*
QUÊTE, QUÊTER, QUÊTEUR → *bienfaisance, demander.*
QUETSCHE → *noyau.*
QUEUE → *boule, groupe, prendre.* — **Appendice caudal.** Abdomen des écrevisses/des scorpions, coccyx, colonne vertébrale, crin, croupion, extrémité, fouet de chien, nageoire caudale, pédoncule de fruit, penne rectrice, pétiole de feuille, postérieur, prolongement, rachis, terminaison, tige de fleur, uropode des crustacés, vertèbre, vertébré. ■ Allonger ; baisser, queue basse ; couper la queue, courtaud, anglaiser, courtauder, écourter, la queue en l'air/entre les jambes ; fouetter / lever / remuer / relever / retrousser/traîner la queue ; queue en trompette. — **Partie terminale.** Arrière d'un convoi/d'une file, wagon de queue ; basques d'un habit, queue-de-pie ; catogan de cheveux, coiffure, queue de cheval ; dernier, fin de liste, être en queue, tenir la queue ; lanterne rouge ; empennage/fuselage d'un avion ; ficelle du cerf-volant ; file d'attente, faire la queue, se mettre en rang ; manche d'une casserole/d'une poêle ; poche de gilet ; prolongement du clavier, piano à queue/demi-queue ; traîne de robe ; traînée lumineuse de comète ; trait calligraphique d'une lettre/d'une note.
QUEUE-D'ARONDE → *charpente.*
QUEUE-DE-COCHON → *menuiserie.*
QUEUE-DE-MORUE → *peinture, vêtement.*
QUEUE-DE-PIE → *vêtement.*
QUEUE-DE-RAT → *polir.*
QUEUTER → *boule.*
QUEUX → *aiguiser.*
QUEUX (MAÎTRE) → *cuisine.*
QUICHE → *cuisine.*
QUICK-FREEZING → *garder.*
QUIDAM → *personne.*
QUIET, QUIÉTISME → *religion, théologie.*
QUIET, QUIÉTUDE → *calme.*
QUIGNON → *pain.*
QUILLE → *jouer, navire.*
QUINCAILLERIE, QUINCAILLIER → *fer.*
QUINCONCE → *intervalle, plan.*
QUININE → *fièvre.*
QUINQUAGÉSIME → *liturgie.*
QUINQUENNAL → *année, plan.*
QUINQUET → *lampe.*
QUINQUINA → *boisson.*
QUINTAL → *mesure, peser.*
QUINTE → *carte, escrime, musique, poitrine.*
QUINTEFEUILLE → *architecture.*
QUINTESSENCE → *alchimie, subtil.*
QUINTESSENCIER → *raffiner.*
QUINTETTE → *musique.*
QUINTEUX → *poitrine.*
QUINTUPLE, QUINTUPLER → *nombre.*
QUINTUPLÉS → *enfant.*
QUIPROQUO → *faute, tromper.*
QUITTANCE, QUITTANCER → *devoir.*
QUITTE → *devoir, libre.*
QUITTER → *abandon, enlever.*

QUITUS → *certifier.*
QUI VIVE? → *garder*
QUOLIBET → *moquer.*
QUORUM → *élire, nombre.*
QUOTA, QUOTE-PART → *part.*
QUOTIDIEN → *calendrier, journal.*
QUOTIENT → *calcul.*
QUOTITÉ → *nombre, part.*

RABÂCHER, RABÂCHEUR → *apprendre, parler, vieillesse.*
RABAIS → *commerce, diminuer.*
RABAISSER → *avilir, diminuer.*
RABANE → *vannerie.*
RABAT → *pli, vêtement.*
RABAT-JOIE → *triste.*
RABATTEUR → *chasse.*
RABATTRE → *chasse, diminuer, laine, niveau.*
RABBI, RABBIN, RABBINAT → *juif.*
RABBINISME → *juif.*
RABIBOCHER → *amitié, réparer.*
RABIOT → *augmenter.*
RABIOTER → *voler.*
RÂBLE → *dos.*
RÂBLÉ → *force.*
RABONNIR → *vin.*
RABOT, RABOTER → *menuiserie, niveau.*
RABOTEUX → *irrégulier, toucher.*
RABOUGRI, RABOUGRIR → *petit.*
RABOUTER → *lier.*
RABROUER → *brusque, mécontentement, refus.*
RACAILLE → *avilir, population.*
RACCOMMODER → *amitié, réparer.*
RACCOMPAGNER → *manière, suivre.*
RACCORD, RACCORDER → *lier, peinture, tuyau.*
RACCOURCI, RACCOURCIR → *abrégé, diminuer, route.*
RACCOUTUMER (SE) → *habitude.*
RACCROC → *bonheur.*
RACCROCHER → *attendre, télécommunications.*
RACE, RACÉ → *famille, groupe, manière, noblesse.* — **Caractères et études des races.** Anatomie ; anthropologie, anthropologiste, anthropométrie ; biologie ; doctrine du monogénisme/du polygénisme ; ethnogénie, ethnographe, ethnographie, ethnologie, ethnologue, phylogenèse ; généalogie des espèces ; sociologie. ■ Caractères ethniques/héréditaires, congénère, couleur, évolution des espèces, évolutionnisme, forme, généalogie, génétique, hérédité, mensuration, pathologie, physiologie, physique, pigmentation, proportions, taille du corps, transformisme, transmission des caractères, type. — **Espèce animale.** Division, espèces, groupe, groupement, sous-groupe, sous-race, subdivision, type, variété. ■ Race authentique/dégénérée, endogamie, flock-book, généalogie, herd-book, pedigree, pure race, pur sang, racé, de race, reproducteur, sélection, sélectionner, stud-book, véritable. ■ Abâtardir, bâtard, bardeau, corniaud, croisement, demi-sang, hybridation, hybride, mâtiné, métissage, métissé, mulard, mule, mulet, tigron. — **Espèce humaine.** Catégorie, classification, communauté, descendance ethnie, groupe ethnique, lignée, peuple, population, postérité, racial. ■ Leucoderme : blanc ; mélanoderme : éthiopien, hindou, nègre, négrillon, négritude, négroïde, noir, pygmée ; xanthoderme : amérindien, asiate, cuivré, jaune, mongol, oriental, sibérien. ■ Métis, métissage, café au lait, eurasien, moricaud, mulâtre, mu-

lâtresse, quarteron, sang-mêlé. — **Racisme.** Antisémitisme, eugénisme ; hiérarchie, inégalité, pureté/supériorité/suprématie d'une race. ■ Apartheid, discrimination raciale, esclavage, esclave, extermination, génocide, ghetto, négrier, *numerus clausus*, persécution raciale, pogrom, problème noir, question raciale, ségrégation, ségrégationniste, traite des Noirs.

RACER → *bateau.*

RACHAT, RACHETER → *acheter, libre, pardonner.*

RACHIDIEN, RACHIS → *dos, queue.*

RACHITISME → *diminuer, maigre, os.*

RACIAL → *race.*

RACINAL → *charpente.*

RACINE → *plante.*

RACINER → *teinture.*

RACISME, RACISTE → *détester, injustice, race.*

RACKET, RACKETTEUR → *voler.*

RACLÉE → *frapper.*

RACLER → *polir, niveau.*

RACLETTE → *lait, niveau.*

RACLETTE, RACLOIR → *polir.*

RACLURE → *morceau.*

RACOLER, RACOLEUR → *armée, attirer, débauche.*

RACONTAR → *futile.*

RACONTER, RACONTEUR → *parler, récit.*

RACORNIR → *dur, sec.*

RADAR, RADARISTE → *électricité, orientation, radio.*

RADE → *mer, port.*

RADEAU → *bateau, bois.*

RADER → *mesure.*

RADIAL → *radio.*

RADIAN → *angle, mesure.*

RADIANCE, RADIANT → *rayon.*

RADIANT → *astronomie.*

RADIATEUR → *chaleur, machine.*

RADIATION → *lumière, nucléaire, rayon, soleil.*

RADICAL → *entier, mot, plante, sûr.*

RADICAL → *chimie, mot.*

RADICALISME → *parti.*

RADICANT, RADICELLE → *plante.*

RADICULAIRE, RADICULE → *plante.*

RADIER → *annuler, fonction.*

RADIER → *maçonnerie, pont.*

RADIESTHÉSIE → *rayon.*

RADIEUX → *briller, joie, lumière.*

RADIN → *avare.*

RADIO → *rayon, télécommunications.* — **Radio-électricité.** Bande ; brouiller, brouilleur, brouillage, fading ; canal ; haute fidélité ; fréquence, modulation de fréquence ; onde électromagnétique / hertzienne / courte / ultra-courte/moyenne/longue, grandes ondes, longueur d'onde ; parasite, antiparasité ; radio-astronomie, radionavigation, système Decca/Loran, radiotélescope ; radiophonie, radiotéléphone, radiotéléphonie, radioconducteurs ; stéréophonie ; télégraphie sans fil (T.S.F.). ■ Radar : antenne directive, faisceau, laser, magnétron, oscilloscope, réflecteur, spot ; radar d'approche / de navigation / primaire. ■ Branly, Marconi, Ruhmkorff. — **Émissions de radiotélévision.** Auditionner, auditorium ; chaîne ; « couvrir » un événement ; diffuser, diffuseur, radiodiffusion, diffuser en différé/en direct ; émettre émetteur, émission ; enregistrer devant les micros/les caméras, enregistrement sur bandes magnétiques ; magnétoscope ; microphone, micro ; ondes, mise en ondes, guerre des ondes ; radiodiffusion, radiotélévision, message radiodiffusé ; régie de prise de son ; régler, réglage ; reportage ; réseau ; station, station périphérique/pirate ; studio ; transmission ; voiture d'enregistrement, voiture-radio. ■ Animateur, ingénieur, journaliste, metteur en ondes, opérateur, présentateur, producteur, réalisateur, reporter, speaker, speakerine, technicien. ■ Documentaire, émission de variétés, enquête, feuilleton, jeux, journal parlé/télévisé, presse parlée/télévisée. ■ Office de la Radiotélévision française (O.R.T.F.) ; Radiotélévision scolaire, téléenseignement. — **Poste de radio.** Alimentation par piles/sur secteur ; amplification, amplificateur ; antenne ; collecteur d'ondes ; condensateur ; détecteur ; écouter la radio, auditeur, écoute, être à l'écoute, heure d'écoute, écouteur ; haut-parleur ; lampe ; musicalité ; poste de radio, poste à galène/à lampes/à transistors ; potentiomètre ; prise de terre ; radio, récepteur, réception, poste portatif. — **Poste de télévision.** Amplificateur, haute fréquence, vidéo ; base de temps-ligne ; brillance ; changeur de fréquence superhétérodyne ; circuit fermé ; écran ; image, régler l'image, distorsion ; ligne, standard ; récepteur ; regarder la télévision, spectateur, téléspectateur, relais ; satellite, Eurovision, Mondovision ; séparateur de signaux ; spot ; synchronisation, synchrone ; téléviseur, télévisuel, télégénique, regarder la télé (fam.)/la T.V. (fam.) ; tube cathodique, tube-image ; Wehnelt.

RADIOACTIVITÉ, RADIOALIGNEMENT → *chimie, nucléaire.*

RADIO-ASTRONOMIE → *astronomie.*

RADIOBALISAGE, RADIOCOMPAS → *aviation.*

RADIODERMITE → *rayon.*
RADIODIAGNOSTIC → *soigner.*
RADIODIFFUSER, RADIODIFFUSION → *informer, radio.*
RADIO-ÉLECTRICIEN, RADIO-ÉLECTRICITÉ → *télécommunications.*
RADIO-ÉLÉMENT → *nucléaire.*
RADIOGONIOMÈTRE → *orientation.*
RADIOGRAMME → *télécommunications.*
RADIOGRAPHE, RADIOGRAPHIER → *rayon, soigner.*
RADIOGUIDAGE → *conduire, orientation.*
RADIOLOGIE, RADIOLOGUE → *médecine, rayon, soigner.*
RADIONAVIGATION, RADIONAVIGUER → *aviation, marine, orientation.*
RADIOPHARE → *orientation.*
RADIOPHONIE → *radio, son.*
RADIORÉCEPTEUR → *télécommunications.*
RADIOREPORTAGE, RADIOREPORTER → *informer, radio.*
RADIOSCOPIE → *rayon, soigner.*
RADIOSONDAGE → *météorologie.*
RADIOTECHNIQUE → *radio.*
RADIOTÉLÉGRAPHIE, RADIOTÉLÉPHONIE → *radio, télécommunications.*
RADIOTÉLESCOPE → *astronomie, radio.*
RADIOTÉLÉVISÉ → *informer, radio.*
RADIOTHÉRAPIE → *rayon, soigner.*
RADIS → *argent, légume, pauvre.*
RADIUM → *métal, radio.*
RADIUMTHÉRAPIE → *soigner.*
RADIUS → *bras.*
RADON → *gaz.*
RADOTAGE, RADOTER → *parler, raisonnement, vieillesse.*
RADOUB, RADOUBER → *navire, réparer.*
RADOUCIR → *doux.*
RADULA → *mollusques.*
RAFALE → *fusil, vent.*
RAFFERMIR → *fixe.*
RAFFINER → *pur, subtil.* — **Débarrasser une substance de ses impuretés.** Affiner, affinage ; épurer, épuration ; purifier, purification ; quintessencier, quintessence ; raffinage, raffinerie ; raffiner par sublimation/ distillation/ dissolution / cristallisation ; raffinage du métal par électrolyse/ par le feu/au four ; raffinage du papier par pile raffineuse, affleurage ; raffinage du pétrole au plombite de soude/par distillation/par fractionnement, transformation moléculaire par craquage, épuration physique et chimique ; raffinage du sucre par décoloration/recuite/réduction en sirop/cuisson/cristallisation, blanchir, terrer, mettre en forme/en pain/en tablette, cassage, sciage mécanique. — **Raffinement des manières.** Affectation, affecté ; affiner, fin ; atticisme ; ciseler, ciselure ; délicat, délicatesse ; élégance, élégant ; esthète, esthétisme ; évolué ; féminiser, efféminé ; fignoler, fini ; grâce, gracieux ; ingéniosité, ingénieux ; léché ; marivaudage, marivauder ; minutie, minutieux ; parfait, perfectionnement ; poli, policé ; politesse ; précieux, préciosité ; quintessence, quintessencié ; recherche, recherché ; scrupule, scrupuleux ; soigner, soigneux, soin ; spirituel ; style soutenu ; subtil, subtilité ; sûreté du goût ; sybarite, sybaritisme ; voluptueux, volupté.
RAFFOLER → *aimer, passion.*
RAFFUT → *bruit.*
RAFIOT → *bateau.*
RAFISTOLER → *réparer.*
RAFLE → *fruit.*
RAFLE, RAFLER → *police, prendre, prendre.*
RAFRAÎCHIR → *boire, cheveu, froid, mémoire, nettoyer.*
RAFRAÎCHISSEMENTS → *boisson.*
RAGAILLARDIR → *force, joie.*
RAGE → *chien, colère, dent, vent.*
RAGER, RAGEUR → *colère.*
RAGLAN → *vêtement.*
RAGONDIN → *poil.*
RAGOT → *critique.*
RAGOÛT → *cuisine.*
RAGOÛTANT → *déplaire.*
RAHAT-LOKOUM → *confiserie.*
RAI → *lumière, rayon.*
RAID → *aviation, guerre, sport.*
RAIDE → *difficile, dur, étonner.*
RAIDEUR → *affectation, dur.*
RAIDILLON → *route.*
RAIDIR → *crispation, étendre.*
RAIE → *cheveu, ligne.*
RAIE → *poisson.*
RAIFORT → *légume.*
RAIL → *route, train.*
RAILLER, RAILLERIE, RAILLEUR → *critique, moquer.*
RAINER → *menuiserie.*
RAINETTE → *batraciens.*
RAINURE → *couper, menuiserie.*
RAIRE, RÉER → *cerf.*
RAISIN → *vigne.*
RAISON → *cause, raisonnement, sage.*
RAISONNABLE → *convenir, sage.*
RAISONNEMENT, RAISONNER → *conséquence, convaincre, discussion, penser.* — **La logique, art de raisonner.** Apagogie ; axiome ; cause,

effet ; compréhension et extension d'un concept ; connaissance discursive ; conséquence, consécutif ; corollaire ; épistémologie ; esprit de géométrie ; formaliser, formalisation ; hypothèse ; lemme ; logique appliquée/formelle/générale, logicien ; méthodologie ; philosophie ; postulat ; le pourquoi des choses ; principe d'action réciproque/de causalité/d'identité ou de non-contradiction ; proposition ; raison intuitive *(noêsis)* ou discursive *(dianoia)* ; raison suffisante ; rapport de convenance/d'exclusion/d'inclusion/d'inhérence ; scolastique ; sorite ; spéculer, spéculatif ; syllogisme, syllogistique, prémisse majeure/mineure, conclusion, syllogisme en baroco / barbara/baralipton ; théorème ; thèse, antithèse ; topique. — **Action de raisonner logiquement.** Analogie, analogique ; analyse, analyser, analytique ; s'appuyer sur ; argumenter, argumentation, un argument « massue » (pop.) ; calculer ; chicaner, chicane ; conclure, conclusion ; considérer, considération ; corroborer ; déduire, déduction, déductif ; démarche logique ; démontrer, démonstration ; dialectique ; disjoindre, disjonctif ; enchaînement des idées ; exciper de ; expliquer, explication, explicatif ; extrapoler, extrapolation ; se fonder sur ; généraliser, généralisation ; induire, induction, inductif ; inférer, inférence ; justifier, justification ; méthode ; philosopher ; poser un principe/un dilemme ; postuler ; prouver, preuve, probant, probatoire ; raison démonstrative / déterminante / pertinente / probante ; raisonner par l'absurde ; rationalisme, rationnel, rationaliser, ratiociner, ratiocination ; remonter aux origines/au déluge (fam.) ; supposer, supposition, présupposer ; synthèse. ▪ Base, considération, donnée, fait, motif, point de départ, principe, raison. ▪ Raisonnement clair/conséquent/bien construit/intelligible/irréprochable / serré / solide / subtil / suivi / tiré par les cheveux (fam.). — **Esprit qui raisonne juste.** Cerveau ; compréhension, comprendre ; connaissance ; conscience ; conséquent, être conséquent ; discernement ; entendement ; esprit, esprit de suite, suite dans les idées ; facultés mentales ; garder la tête froide ; infaillibilité ; intelligence, intelligent, intellect, intellectuel ; jugement, jugeote (fam.), judicieux ; justesse d'esprit ; lucidité, lucide ; lumières de la raison ; maturité d'esprit, âge de raison/mûr ; méthodique ; pensée ; raison, rationnel, raisonnable, la raison raisonnante ; réflexion, réfléchir ; sagesse, sage ; sain ; sens, sensé, bon sens, sens commun ; tête. ▪ Apodictique, bien-fondé, exact, juste, légitime, naturel, normal, vrai. — **Controverse.** Alléguer, allégation ; arguer, argutie ; battre en brèche ; chicaner, chicanier ; confondre l'adversaire ; contester, contestation ; contredire, contradicteur, esprit de contradiction, contrariété ; couper les cheveux en quatre (fam.) ; convaincre, convaincant, qui emporte la conviction ; débattre, débat ; discuter, discussion ; *distinguo ;* ergoter ; éristique ; finasser ; logomachie ; miner une argumentation ; objecter, objection ; polémique ; pulvériser un argument ; récuser ; réfuter, réfutation, irréfutable ; répliquer, réplique ; répondre, réponse ; repousser ; rétorquer ; ruiner un point de vue. ▪ Argument admissible/qui cloue le bec (fam.) / concluant / définitif / péremptoire / persuasif / recevable / valable/valide. ▪ Détour, échappatoire, faux-fuyant, finesse, subterfuge. — **Qui indique un rapport logique.** A contrario, à fortiori, à posteriori, à priori, à cause de, car, comment, donc, en conséquence, eu égard à, en vertu de, parce que, pourquoi, puisque, voici pourquoi/la raison pour laquelle ; *quid ?, quia.* — **Ne pas raisonner logiquement.** Aberration ; aveuglement, aveuglé ; battre la campagne ; cercle vicieux ; débloquer (pop.) ; délirer, délire (fam.) ; déraisonner, déraison ; dérailler (pop.), s'égarer, s'enferrer ; errer, erreur ; extravaguer ; se noyer ; outrager la raison ; patauger ; perdre la tête ; pétition de principe ; radoter, vieux radoteur ; la raison s'altère/chancelle/s'en va ; sophisme, sophiste ; se tromper. ▪ Aberrant, absurde, arbitraire, captieux, démentiel, déraisonnable, exagéré, excessif, extravagant, faux, fou, illogique, insensé, irraisonné, irrationnel, loufoque, paradoxal, paralogique, qui n'a ni queue ni tête (fam.)/ni rime ni raison, qui pêche par la base, qui porte à faux, simpliste, spécieux. ▪ Ne rien comprendre, être bouché (pop.)/sot.

RAISONNEUR → *discussion.*

RAJAH → *chef.*

RAJEUNIR → *jeune, nouveau.*

RAJOUTER → *augmenter.*

RAJUSTER, RÉAJUSTER → *arranger, payer, vêtement.*

RÂLE → *bruit, mourir.*

RALENTI → *cinéma.*

RALENTIR → *lent, vitesse.*

RÂLER → *bruit, mourir.*

RÂLEUR → *mécontentement.*

RALINGUE → *corde.*

RALLIÉ, RALLIER → *convaincre, groupe, opinion.*

RALLONGE, RALLONGER → *augmenter, mérite.*

RALLUMER → *exciter, feu.*

RALLYE → *course.*
RAMADAN → *musulman.*
RAMAGE → *chanter, cri, tissu.*
RAMASSE-MIETTES → *brosse.*
RAMASSAGE, RAMASSER → *boule, groupe, prendre.*
RAMASSIS → *groupe, mépris.*
RAMBARDE → *fermer.*
RAMDAM → *bruit.*
RAME, RAMÉ → *bateau, grain, nager, plante, sport.*
RAME → *papier, voiture.*
RAMEAU → *arbre, famille, mine, nerf, veine.*
RAMENER → *retour, tirer.*
RAMEQUIN → *vaisselle.*
RAMER → *plante.*
RAMER → *bateau.*
RAMETTE → *papier.*
RAMEUR → *nager.*
RAMEUTER → *exciter.*
RAMIER → *pigeon.*
RAMIFIER, RAMILLES → *arbre, classe, nerf, veine.*
RAMOLLIR → *mou.*
RAMONER, RAMONEUR → *feu, nettoyer.*
RAMPANT → *aviation.*
RAMPE → *astronautique, lampe, moteur, oblique.*
RAMPEAU → *jouer.*
RAMPER → *reptiles, soumettre.*
RAMPONNEAU → *frapper.*
RAMURE → *arbre.*
RANCART → *éloigner, résidu.*
RANCE → *beurre, goût, gras.*
RANCH → *ferme.*
RANCHE → *menuiserie.*
RANCIR, RANCISSURE → *beurre, gras, infecter.*
RANCŒUR → *détester.*
RANÇON, RANÇONNER → *libre, prison, payer.*
RANCUNE, RANCUNIER → *détester, mémoire, offense.*
RANDONNÉE → *cerf, course, marcher.*
RANG, RANGÉE → *classe, grade, ligne, placer, plan.*
RANGER → *arranger, classe, nombre, soumettre.*
RANIMER → *exciter, vie.*
RANIMER, RÉANIMER → *force.*
RANZ → *berger, chanter.*
RAOUT → *fête, groupe, recevoir.*
RAPACE, RAPACITÉ → *avare.*
RAPACE → *oiseau.*
RAPATRIÉ, RAPATRIER → *pays.*
RÂPE, RÂPER → *polir, poudre.*
RAPETASSER → *réparer.*
RAPETISSER → *diminuer.*
RÂPEUX → *irrégulier, toucher.*
RAPHIA → *fil, vannerie.*
RAPIAT → *avare.*
RAPIDE → *rivière, train.*
RAPIDE, RAPIDITÉ → *adroit, vitesse, vif.*
RAPIÉCER → *réparer.*
RAPIÈRE → *escrime.*
RAPIN → *peinture.*
RAPINE, RAPINER, RAPINERIE → *prendre, vol.*
RAPLATIR → *niveau.*
RAPPEL → *applaudir, corde, devoir, montagne.*
RAPPELER → *appeler, avertir, mémoire, venir.*
RAPPORT → *composer, posséder, relation, semblable.*
RAPPORTER → *annuler, augmenter, parler, produire, récit.*
RAPPORTEUR → *angle, gouverner, récit.*
RAPPROCHER → *accord, proche.*
RAPT → *voler.*
RAQUETTE → *balle, froid.*
RARE, RARÉFIER, RARETÉ → *éloigner, étonner, manque, nombre.*
RARISSIME → *étonner.*
RAS → *navire.*
RAS → *annuler, couper, emplir, poil.*
RASADE → *alcool, boire.*
RASANCE, RASANT → *projectile.*
RASCASSE → *poisson.*
RASE-MOTTES → *aviation.*
RASER → *détruire, gêner, niveau, passer, poil.*
RASETTE → *culture.*
RASEUR → *gêne.*
RASOIR → *gêne, poil.*
RASSASIER → *manger, satisfaire.*
RASSEMBLEMENT, RASSEMBLER → *groupe.*
RASSÉRÉNER → *calme.*
RASSIR → *pain.*
RASSIS → *calme.*
RASSORTIR, RÉASSORTIR → *choisir, marchandises.*
RASSURANT, RASSURER → *calme, paix, sûr.*
RASTAQUOUÈRE → *mépris, riche.*
RAT → *avare, danse, livre, ronger.* — **Description et mœurs.** Muridés ; moustache, museau pointu, queue ; chicoter, grignoter, mordre, ronger, trotter, trottiner, gent trotte-menu. ▪ Chat, chien ratier, dératiser, dératisation, mort-aux-rats, blé empoisonné, ratière, souricière. — **Variétés de rongeurs.** Campagnol, mulot, musaraigne, rat des champs/d'eau/d'égout/gris/noir, rate, raton, souris grise/blanche, souriceau. ▪ Castor, gerboise, hamster, ondatra, ragondin,

rat à bourse/musqué/palmiste/sauteur, spalax. — **Ce qu'évoque le rat.** Être fait comme un rat; face de rat; rat de bibliothèque/de cave/d'église ou ratichon (pop.)/d'hôtel; les rats quittent le navire.

RATA → *légume.*

RATAFIA → *alcool.*

RATATINER (SE) → *diminuer, petit.*

RATATOUILLE → *légume.*

RATE → *paresse, rire, ventre.*

RATÉ → *échouer, moteur.*

RATEAU, RATELER → *culture, dent, jardin.*

RATELIER → *bétail, dent.*

RATER → *échouer, fusil.*

RATIBOISER → *prendre.*

RATIER, RATIÈRE → *chien, rat.*

RATIFIER → *certifier, diplomatie.*

RATINE, RATINER → *laine.*

RATIOCINER → *raisonnement, subtil.*

RATION → *aliment, part.*

RATIONALISER → *plan.*

RATIONALISME → *philosophie.*

RATIONALITÉ, RATIONNEL → *algèbre, raisonnement.*

RATIONNER → *mesure, part.*

RATISSER → *guerre, jardin, nettoyer.*

RATON → *rat.*

RATTACHER → *attache, relation.*

RATTRAPER → *enseignement, prendre, rencontre.*

RATURE, RATURER → *annuler, ligne.*

RAUCHEUR → *mine.*

RAUCITÉ, RAUQUE → *son.*

RAVAGE, RAVAGER → *détruire, dommage.*

RAVALER → *gorge, maçonnerie, nettoyer.*

RAVAUDER, RAVAUDEUR → *réparer.*

RAVE → *légume.*

RAVIER → *vaisselle.*

RAVIGOTE → *aliment.*

RAVIGOTER → *force.*

RAVIN, RAVINE → *relief, rivière.*

RAVINEMENT, RAVINER → *pluie.*

RAVIOLI → *farine.*

RAVIR → *enlever, joie, plaire, prendre.*

RAVISER (SE) → *changer.*

RAVISSANT, RAVISSEMENT → *plaire.*

RAVISSEUR → *prendre.*

RAVITAILLER → *munir.*

RAVIVER → *couleur, force, vif.*

RAYER → *annuler, dommage, éloigner, ligne.*

RAYÈRE → *ouvrir.*

RAYON, RAYONNANT → *cercle, culture, lumière, meuble.* — **Rayon lumineux et radiation.** Actinomètre; albédo; fluorescence, fluorescent; irradier, irradiation; laser, maser; phosphorescence, phosphorescent; radial, radiant, radieux; radiation de l'atmosphère, radiation effective/globale; rai, rayon d'un astre/de la lune/du soleil, rayon vert; rayonner, rayonnement; scintiller, scintigraphie; spectre solaire. ■ Diffraction; mécanique ondulatoire; onde corpusculaire/électromagnétique; radiation, radiatif; rayon cathodique/infrarouge/ultraviolet/X; théorie de la relativité; tube de Coolidge/de Crookes. — **Radioactivité.** Atome, électron, ion, isotope, molécule, neutron, noyau, période, proton; actinium, neptunium, plutonium, radium, thorium, uranium; radioactivité, alpha, bêta, gamma, radioactif; fission; énergie/physique/réaction nucléaire. — **Utilisation médicale de la radioactivité.** Alphathérapie; bêtathérapie; curiethérapie; épidermite, radiodermite; radiesthésie; radiobiologie; radiothérapie fonctionnelle/de contact; radiodiagnostic, radiographie; radiologie; radioscopie; rœntgenthérapie; tomographie.

RAYONNAGE → *culture, meuble.*

RAYONNE → *fil.*

RAYONNER → *influence, joie, rayon.*

RAYURE → *ligne, tissu.*

RAZ → *mer, orage.*

RAZZIA, RAZZIER → *prendre, voler.*

RÉA → *roue.*

RÉACTEUR → *aviation, chimie, moteur, nucléaire.*

RÉACTIF → *chimie.*

RÉACTION → *agir, attitude, chimie, progrès.*

RÉACTIONNAIRE → *parti, politique, progrès.*

RÉAGIR → *agir, chimie, résister.*

RÉALISATEUR → *cinéma, radio.*

RÉALISER → *banque, exécuter, imaginer, réalité.*

RÉALISME, RÉALISTE → *art, réalité.*

RÉALITÉ → *matière.* — **Les connaissances et le réel.** Abstraction, abstrait; agnosticisme; chose sensible; concept, conceptualisme; conscience; empirisme, expérience sensible; entéléchie; entité; essence; hypostase; idéalisme, idée, réalité des idées; image; marxisme, matérialisme dialectique; mythe platonicien de la caverne; nominalisme; noumène; perception; phénomène, phénoménologie; positivisme; réalisme naïf/matérialiste/spiritualiste; réel, le réel, le réel signifiant; sens, sensation, sentiment; spiritualisme; substance;

théorie de la réminiscence; universaux. — **Fait réel.** Authenticité, authentique; certitude, certain; chose, chosifier, en-soi; concret; confirmation officielle; être en chair et en os; exact; exister, existant; fait avéré/établi / historique / indubitable / palpable/patent/tangible; matérialité d'un fait, effectif; positif, qui s'en tient aux faits, saint Thomas; réalité brutale / dérisoire / quotidienne / sordide/vulgaire; réaliser, réalisation; scientifique; sérieux; solide; qui tombe sous le sens; toucher du doigt; vérité, vrai, véridique; visible. ■ Bel et bien, tout bonnement, en effet, en fait, effectivement, objectivement, en réalité, réellement, véritablement, vraiment. ■ Abstraction, apparence, chimère, fiction, fictif, illusion, imaginaire, possible, promesse. — **Réalisme esthétique.** Daguerréotype littéraire; copier, copie; naturalisme; néo-réalisme; peinture figurative; réalisme, détail réaliste, qui « fait vrai », réalisme socialiste; style réaliste/cru; vérisme. ■ Allégorie, artifice, convention, fable, fantastique, fiction, invention, merveilleux, mythe, mythologie.

RÉANIMATEUR, RÉANIMATION → *soigner, vie.*

RÉBARBATIF → *déplaire, difficile, dur.*

REBATTRE → *parler, tapis, tonneau.*

REBELLE, REBELLER (SE) → *résister, révolte, trouble.*

RÉBELLION → *révolte.*

REBIFFER (SE) → *résister.*

REBLOCHON → *lait.*

REBOISER → *bois.*

REBOND → *balle.*

REBONDI → *gras.*

REBONDIR → *commencer, sauter.*

REBORD → *bord, pli.*

REBOURS → *opposé.*

REBOUTEUR, REBOUTEUX → *soigner.*

REBROUSSE-POIL (À) → *opposé.*

REBROUSSER → *marcher, opposé.*

REBUFFADE → *offense, refuser.*

RÉBUS → *cacher, difficile, jouer.*

REBUT → *mépris, résidu.*

REBUTER → *déplaire, dur.*

RÉCALCITRANT → *résister.*

RECALÉ, RECALER → *enseignement.*

RÉCAPITULATIF, RÉCAPITULER → *abréger, groupe.*

RECEL, RECELER → *cacher, garder, voler.*

RECELEUR → *cacher.*

RECENSEMENT, RECENSER → *armée, comptabilité, population.*

RECENSION → *vérité.*

RÉCENT → *jeune, nouveau, temps.*

RECÉPAGE, RECÉPER → *arbre, couper.*

RÉCÉPISSÉ → *certifier, payer, recevoir.*

RÉCEPTACLE → *fleur, récipient.*

RÉCEPTEUR → *recevoir, sensibilité, télécommunications.*

RÉCEPTIF → *maladie, recevoir.*

RÉCEPTION → *hôtel, recevoir, rencontre, sauter.*

RÉCEPTIONNAIRE, RÉCEPTIONNER → *marchandises.*

RÉCEPTIVITÉ → *maladie, radio, recevoir.*

RÉCESSION → *arrière, économie.*

RECETTE → *commerce, cuisine, gagner, impôt, mine.*

RECEVABLE → *raisonnement, recevoir.*

RECEVEUR → *agent, impôt, poste, sang, voiture.*

RECEVOIR → *prendre, relation.* — **Réunion mondaine.** Accueil, accueillir; battre froid; bienvenue, souhaiter la bienvenue; convier, donner audience, donner l'hospitalité; faire bon visage, faire fête, faire les honneurs, recevoir à bras ouverts/avec des égards/comme le Messie; faire grise mine, recevoir comme un chien dans un jeu de quilles; héberger; hospitalité; invitation, inviter; jour de réception/de visite, avoir un jour; loger; présenter, faire les présentations; régaler; réception, recevoir, réunion; tenir table ouverte; traiter; vie mondaine, mondanité; visite, visiter. ■ Accueillant, affable, cordial, hospitalier, sociable; amphitryon, commensal, convive, hôte, invité, parasite, pique-assiette, visiteur. ■ Bal, banquet, buffet, cérémonie, cocktail, dîner, fête, gala, lunch, matinée, quatre-sept, raout, réception officielle, réunion dansante, soirée, souper, surprise-partie, thé, veillée. — **Accueil organisé.** Accueil des clients/des visiteurs/des voyageurs; bureau d'accueil/de renseignements; centre/foyer d'hébergement; hospice; organisation d'accueil, parloir, réception d'un hôtel. ■ Aboyeur, annonceur, appariteur, chaouch, concierge, employé à la réception, gardien, hôtesse d'accueil, huissier, introducteur, introduire, régisseur, secrétaire. — **Recevoir un candidat.** Donner accès; admettre, admis, admissible; autorisation, autoriser; laissez-passer; impétrant, nomination, être reçu, recevoir un diplôme. ■ Réception dans un corps/un groupe/une société : adopter, adoption, coopter, cooptation, discours de réception à l'Académie, intronisation, installation, introduction, investiture, nomination, récipiendaire. — **Recevoir quelque chose.** Cadeau, commande, don, envoi, héritage, lettre. ■ Accepter, accuser réception, accusé/avis de réception, bordereau, enregistrer, quittance, récépissé; reçu; bénéficiaire, destinataire, légataire. ■ Réception d'un travail/des travaux : accepter, admettre, agréer, approuver, contrôler, réceptionnaire, réceptionner; remise; vérification, vérifier. — **Recevoir de l'argent.** Collecter, empocher (fam.), encaisser, gagner, lever, obtenir, obtenir en paiement, palper, percevoir, prélever, prendre, profiter de, quêter, recouvrer, recueillir, toucher. ■ Percepteur, perception, receveur d'autobus, receveur des contributions, recette. — **Éprouver, subir.** Recevoir des blessures/des coups/des peines judiciaires : attraper, écoper (fam.), encaisser (fam.), éprouver, essuyer, être atteint, prendre, subir, supporter, trinquer (pop.). ■ Recevoir une idée : accueillir favorablement, admettre comme vrai, exaucer, être ouvert à, faire sien, reconnaître, dictionnaire des idées reçues, être recevable/valable. ■ Recevoir une impression : émotif, passif, passivité, réceptif, réceptivité, sensible, sensibilité.

RECHAMPIR → *peinture.*

RECHANGE, RECHANGER → *changer, machine.*

RECHAPER → *gonfler.*

RÉCHAPPER → *fuir, maladie, soigner.*

RECHARGE, RECHARGER → *charger.*

RÉCHAUD → *brûler, cuisine, feu.*

RÉCHAUFFÉ, RÉCHAUFFER → *chaleur, exciter.*

RÊCHE → *acide, irrégulier, toucher.*

RECHERCHE, RECHERCHÉ → *affectation, raffiner, rare.*

RECHERCHER → *chercher, désir.*

RECHIGNER → *mécontentement, résister.*

RECHUTE, RECHUTER → *maladie.*

RÉCIDIVE, RÉCIDIVER → *crime, faute, maladie.*

RÉCIDIVISTE → *crime.*

RÉCIF → *échouer, mer, polype.*

RÉCIPIENDAIRE → *recevoir.*

RÉCIPIENT → *bouteille, contenir, cuisine, liquide, tonneau, vaisselle, verre.* — **Réservoir.** Conserver, contenir, encuver, garder, loger, ramasser, recueillir, recevoir, renfermer. ■ Bac, bassin, bateau-citerne, brassin de bière, château d'eau, citerne, cuve, cuveau, cuvier, fontaine, fosse, gazomètre, puisard, puits, réceptacle, wagon-citerne. — **Cuve, cuvette.** Auge, baignoire, bac, baille, baquet, baratte, barrique, chaudron, conge, creuset, cuvette, échaudoir, jale, tonneau, tub, vasque. ■ Crachoir, lavabo, tinette. ■ Capacité, contenance, taille. — **Récipient portatif.** Atomiseur, baste, bidon, bocal, boisseau, bouteille, broc, calebasse, canne, cendrier, chaudron, corbeille, encrier, éprouvette, fiole, flacon, gargoulette, gourde, hotte, jarre, jerrycan, nourrice d'essence, pichet, pot, seau, sébille, seille, seillon, shaker, touque, vache à eau, vide-poche. ■ Bouchon, capsule, couvercle. — **Vases.** Vases anciens : amphore, canope, coupe, cratère, lécythe, shyton. ■ Vases religieux/sacrés : bénitier, burette, calice, ciboire, custode, patène. ■ Pique-fleur, porte-bouquet, potiche, urne, vase cinéraire, vase uniflore; vase de nuit ou pot de chambre, urinal. ■ Anse, bords, col, cul, fond, goulot, gueule, lèvres, oreilles, panse, pied, ventre; céramique, poterie. — **Récipients servant à la cuisine.** Bol, chope à bière, chopine, coupe, écuelle, flûte à champagne, gobelet, godet, hanap, jatte, quart de métal, soucoupe, tasse, timbale, verre. ■ Beurrier, bouilloire, bouillotte, bouteillon, casserole, chocolatière, confiturier, coquemar, fait-tout, marmite, plat, poissonnière, pot-au-feu, ramequin, saladier, samovar, sauteuse, sorbetière, terrine, théière, turbotière, vinaigrier.

RÉCIPROCITÉ, RÉCIPROQUE → *deux, suivre.*

RÉCIT → *histoire, littérature, parler* — **Rapporter un événement réel ou présenté comme tel.** Ana; anecdocte; annales; biographie, autobiographie; chronique; compte rendu, rendre compte; confession, aveu; décrire, description; dépeindre, peinture; expliquer, explication; exposer, exposé; histoire, faire l'historique de, historiette, historien, historique; journal; mémoire, mémoires; narrer, narration, narrateur, inénarrable; nouvelle, apporter/publier une nouvelle/un fait nouveau; procès-verbal; raconter, ses malheurs/sa vie, racontars; rappeler, rappel des faits; rapport, faire un rapport, rapporteur; récit, faire le récit de; reconstituer; relater; reporter; représenter; témoigner, témoin; tracer, retracer. ■ Récit circonstancié/détaillé/exact/fidèle/succinct/véridique, etc. — **Raconter un événement imaginaire.** Allégorie, allégorique; apologue; bande dessinée/illustrée; conter, conteur, contes bleus, bluettes, conte de bonne femme/à dormir debout/fantastique/de fée/populaire; épopée, épique, héros épique; fable, fabliau, fablier, fabuliste, affabuler, fabulation, affabulation, fabuleux ; fiction, science-fiction, roman d'anticipation ; histoires, raconter des histoires, monter une histoire ; imaginer, imagination ; légende, légendaire ; mythe, mythologie, mythomane ; mystifier, mystification ; narrer ; nouvelle, nouvelliste ; parabole ; raconter des blagues (fam.)/des fariboles (fam.)/des sornettes (fam.) ; roman, romanesque, romancier, romancero ; roman d'amour/d'aventure/de cape et d'épée/de chevalerie/historique/de mœurs/picaresque, etc. ; cinéroman, roman-feuilleton, roman-photo. — **Façon de raconter.** Aller droit au fait ; art de raconter ; bagout ; captiver, captivant ; débiter, débit monotone/rapide ; déclamer, ton déclamatoire ; dire, dit-on ; donner des détails ; s'échauffer, chaleur du récit ; enchaîner, enchaînement ; éveiller/susciter l'intérêt ; faconde ; illustrer d'exemples/de remarques personnelles, ajouter de son cru ; lire ; prolixité, longueurs, roman-fleuve ; raconter à grands traits/par le menu ; réciter, récitant ; tenir en haleine ; verser des larmes ; verve ; vie, vivant. ■ Affadir ; agrémenter ; amplifier ; broder, broderie ; corser ; défigurer ; démythifier, démystifier ; embellir ; enjoliver, enjolivement, enjolivures ; étoffer ; exagérer, exagération ; passer sous silence ; en rajouter, en remettre (fam.), forcer la dose (pop.)/la note (fam.) ; romancer ; tourner les choses ; transposer ; travestir ; version personnelle. — **Éléments du récit.** Action, canevas, chapitre, conclusion, construction, coup de théâtre, dénouement, description, détail, donnée, épisode, fil du récit, intrigue, nœud, péripéties, personnage, rebondissement, scénario, scène, tableau, thème, trame. — **Grands récits.** « La Comédie humaine », les contes des « Mille et Une Nuits », « Le Décaméron », « L'Énéide », « L'Heptaméron », « L'Iliade » et « L'Odyssée », etc. ; cycle romanesque, somme, folklore, saga.

RÉCITAL → *chanter, musique, spectacle.*

RÉCITANT → *chanter, théâtre.*

RÉCITATIF → *chanter.*

RÉCITATION, RÉCITER → *apprendre, enseignement, parler.*

RÉCLAMATION → *demander.*

RÉCLAME → *commerce, journal.*

RÉCLAMER → *demander, mécontentement.*

RECLASSER → *classe.*

RECLUS, RÉCLUSION → *crime, fermer, prison.*

RECOGNITIF, RECOGNITION → *reconnaître.*

RECOIN → *cacher.*

RÉCOLER → *vrai.*

RÉCOLLECTION → *éloigner.*

RÉCOLTE, RÉCOLTER → *culture, prendre.*

RECOMMANDER → *avantage, avertir, engager, influence, poste.*

RÉCOMPENSE, RÉCOMPENSER → *avantage, mérite.*

RÉCONCILIER → *amitié, paix.*

RECONDUCTION → *contrat, location.*

RECONDUIRE → *nouveau, relation.*

RÉCONFORT, RÉCONFORTER → *calme, force.*

RECONNAISSANCE, RECONNAÎTRE → *affirmer, certifier, connaissance, guerre, mémoire.* — **Aveu.** Accepter, accorder, accréditer, acquiescer, admettre, avouer, concéder, confession, confirmer, consentir, constater, convenir, ne pas disconvenir de/que, juger bon, revendiquer, tenir pour vrai. ■ Accepter l'existence de, affirmer comme sien, avouer qu'on est l'auteur, reconnaître *de jure/de facto* ; acte recognitif, reconnaissance juridique, reconnaissance de dette/d'obligation/de paternité/de signature. — **Identification.** Affirmer ; certifier l'authenticité/l'identité ; deviner ; discerner ; dissocier ; distinct, distinguer ; flairer ; identifier ; individualiser ; nommer ; s'orienter ; se rappeler, recognition philosophique ; se remémorer ; ressemblance ; retrouver ; semblable ; saisir par la pensée ; se souvenir. ■ Empreinte digitale, indice, mot de passe, signalement, signe de ralliement, signe distinctif/particulier. — **Gratitude.** Être attaché à ; éprouver/mériter/ressentir/témoigner de la gratitude/de la reconnaissance ; être l'obligé de, avoir de l'obligation à ; payer de retour ; être pénétré de reconnaissance ; reconnaître un bienfait/un service ; être reconnaissant / redevable ; remercier, remerciement, dire merci ; revaloir ; savoir gré de quelque chose.

RECONSTITUER → *crime.*

RECONVERSION, RECONVERTIR → *changer, entreprise.*

RECOPIER → *écrire.*

RECORD → *sport, extrême.*

RECORDER → *corde.*

RECORDMAN → *sport, supérieur.*

RECORS → *justice.*

RECOUPE → *alcool, carte, farine.*

RECOUPER → *carte, couper, vin.*

RECOURBER, RECOURBURE → *courbe, pli.*

RECOURIR, RECOURS → *aider, demander.*

RECOUVRER → *impôt, trouver.*

RECOUVRIR → *cacher, couvrir.*

RÉCRÉATIF, RÉCRÉATION → *enseignement, repos.*
RECRÉER → *imaginer, trouver.*
RÉCRÉER → *repos.*
RÉCRIER (SE) → *cri.*
RÉCRIMINATION, RÉCRIMINER → *cri, critique, mécontentement.*
RECROQUEVILLER (SE) → *diminuer, pli.*
RECRU → *fatigue.*
RECRÛ → *arbre.*
RECRUDESCENCE → *augmenter, maladie.*
RECRUE → *armée, attirer, entreprise.*
RECTA → *exact.*
RECTAL → *anus, intestin.*
RECTANGLE, RECTANGULAIRE → *angle, géométrie.*
RECTEUR → *enseignement, université.*
RECTIFICATIF, RECTIFIER → *alcool, droite, exact.*
RECTILIGNE → *droite.*
RECTITUDE → *droite, franc.*
RECTO → *feuille.*
RECTORAL, RECTORAT → *université.*
RECTOSCOPE, RECTOSCOPIE → *anus.*
RECTRICE → *aile, plume.*
RECTUM → *anus, intestin.*
REÇU → *certifier, payer, reconnaître.*
RECUEIL → *choisir, livre.*
RECUEILLEMENT, RECUEILLIR → *penser, religion.*
RECUEILLIR → *groupe, prendre, recevoir.*
RECUIRE, RECUIT → *feu, métal, verre.*
RECUL, RECULADE → *arrière, éloigner, marcher.*
RECULÉ → *éloigner, temps.*
RECULEMENT → *harnais.*
RECULER → *abandon, arrière, marcher, retard.*
RECULONS (À) → *arrière.*
RÉCUPÉRATEUR → *chaleur.*
RÉCUPÉRER → *force, posséder, prendre.*
RÉCURER → *nettoyage.*
RÉCURRENCE → *raisonnement.*
RÉCURRENT → *arrière, fièvre.*
RÉCUSER → *refuser.*
RECYCLAGE, RECYCLER (SE) → *enseignement, entreprise.*
RÉDACTEUR, RÉDACTION → *journal, littérature, récit.*
REDAN, REDENT → *fortification.*
REDDITION → *guerre.*
RÉDEMPTEUR, RÉDEMPTION → *Christ.*
REDEVABLE → *reconnaître.*
REDEVANCE → *devoir.*
RÉDHIBITION, RÉDHIBITOIRE → *annuler.*
RÉDIGER → *écrire, récit.*
REDINGOTE → *vêtement.*
REDIRE, REDITE → *deux, parler.*
REDONDANCE, REDONDANT → *augmenter, deux.*
REDOUBLEMENT, REDOUBLER → *augmenter, deux, enseignement.*
REDOUTABLE → *peur.*
REDOUTE → *fortification.*
REDOUTER → *peur.*
REDRESSE (À LA) → *force, habitude.*
REDRESSER → *droite, réparer.*
RÉDUCTEUR → *chimie, vitesse.*
RÉDUCTION, RÉDUIRE → *chimie, chirurgie, diminuer, soumettre.*
RÉDUIT → *chambre, fortification.*
RÉÉDUCATION, RÉÉDUQUER → *soigner.*
RÉEL → *réalité.*
RÉFACTION → *marchandises.*
REFAIRE → *exécuter, tromper.*
RÉFECTION → *nouveau, réparer.*
RÉFECTOIRE → *manger.*
REFEND → *bois, mur.*
RÉFÉRÉ → *tribunal.*
RÉFÉRENCE, RÉFÉRENCER → *certifier, signe.*
RÉFÉRENDAIRE → *magistrat.*
RÉFÉRENDUM → *élire.*
RÉFÉRER → *appeler.*
REFILER → *donner.*
RÉFLÉCHI, RÉFLÉCHIR → *envoyer, glace, lumière.*
RÉFLÉCHIR → *pensée.*
RÉFLECTEUR → *chaleur, lampe.*
REFLET, REFLÉTER → *image, lumière, reproduction.*
RÉFLEXE → *inconscience, psychologie.*
RÉFLEXION → *changer, optique.*
RÉFLEXION → *estimer, pensée.*
REFLUER, REFLUX → *fuir, mer.*
REFONDRE, REFONTE → *changer, exécuter.*
RÉFORME → *armée, changer.*
RÉFORME → *protestant.*
REFORMER → *forme.*
RÉFORMER → *armée, changer, habitude.*
RÉFORMISME → *politique.*
REFOUILLER → *sculpture.*
REFOULÉ, REFOULEMENT → *inconscience, psychanalyse, psychologie.*
REFOULER → *arrière, presser, soumettre.*
RÉFRACTAIRE → *argile, chaleur, microbe, résister.*

RÉFRACTER, RÉFRACTION → *lumière.*

REFRAIN → *chanter, poésie.*

RÉFRANGIBILITÉ, RÉFRANGIBLE → *optique.*

REFRÉNER → *arrêter, calme, résister.*

RÉFRIGÉRANT, RÉFRIGÉRATEUR → *cuisine, froid.*

RÉFRIGÉRER → *froid.*

RÉFRINGENCE, RÉFRINGENT → *lumière, optique.*

REFROIDIR → *calme, froid.*

REFUGE → *aider, cacher, défendre.*

RÉFUGIÉ, RÉFUGIER (SE) → *éloigner, extérieur, pays.*

REFUS, REFUSER → *désaccord, hérésie, opposé.* — **Dire non.** Blâmer ; contester ; contredire ; décliner une invitation ; se dédire ; démentir ; dénégation, déni, dénier ; désapprouver ; désaveu, désavouer ; disconvenir ; douter, s'inscrire en faux ; négatif, négation, nier, répondre par la négative ; nihilisme ; réfuter ; rejeter une demande ; renier ; renoncer ; réprouver ; rétracter ; revenir sur sa parole ; secouer la tête, faire la sourde oreille. ■ Aucun, jamais, nul, personne, rien. — **Interdire.** Arrêter ; défendre, se défendre de, défense d'entrer ; dénier un droit ; empêcher ; illégal, illégitime, illicite, inconstitutionnel ; inhiber, inhibition ; interdire, prononcer l'interdit, un interdit ; mettre à l'index ; mettre hors la loi, priver de ses droits ; prohiber, prohibition ; proscrire ; refuser une autorisation/un consentement ; tabou ; veto. — **Refuser d'accueillir.** Abandonner ; mettre au ban, bannir ; boycottage, boycotter ; censure, censurer ; condamnation, condamner ; consigner ; contrôle, contrôler ; démission, se démettre ; écarter ; éconduire ; éliminer ; mettre l'embargo ; envoyer paître (fam.)/promener ; éviter ; exclure, jeter l'exclusive ; fin de non-recevoir ; interdire, interdiction de séjour ; jeter l'anathème sur quelqu'un ; rabrouer ; rebuffade, rebuter ; récuser, récusation ; refouler, rembarrer, renvoyer, repousser ; révoquer, suspendre ; faire visage de bois/signe que non.

RÉFUTABLE, RÉFUTER → *discussion, opposé, raisonnement.*

REG → *sec, végétation.*

REGAGNER → *retour, trouver.*

REGAIN → *herbe, soigner.*

RÉGAL → *manger, plaire.*

RÉGALADE → *boire.*

RÉGALE → *acide, or.*

RÉGALE → *revenu.*

RÉGALER, RÉGALER (SE) → *manger.*

RÉGALER → *impôt, niveau.*

RÉGALIEN → *souverain.*

REGARD → *attention, ouvrir, regarder.*

REGARDANT → *avare.*

REGARDER → *attention, économie, œil, optique.* — **Diriger ses regards sur.** Admirer ; arrêter les regards sur ; aviser ; cligner des yeux ; coller son nez/ses yeux sur ; considérer ; consulter ; contempler, contemplation ; couler un regard ; jeter un coup d'œil ; lever les yeux ; loucher sur ; ouvrir les yeux, yeux mi-clos ; parcourir ; poser son regard/ses yeux sur ; promener ses regards ; prunelle ; remarquer ; spectacle ; les yeux tombent sur ; visée, visibilité, vision ; vue. ■ S'admirer ; consulter son miroir, se mirer. — **La vie du regard.** Acuité, animation, chaleur, éclair, étincelle, expression, expressivité, feu, lueur, lumière, vivacité. ■ Regard assuré/brillant/brûlant/clair / droit / étincelant / flamboyant / franc / hardi / limpide / lumineux / pétillant ; regard bestial/bovin (fam.)/calme / éteint / hébété / indolent / inexpressif / louche / mélancolique / morne / mourant / nostalgique / oblique / olympien / pensif / profond / rêveur/sournois/vague/vide. ■ Bayer aux corneilles, ébahi ; écarquiller les yeux ; ouvrir de grands yeux ; rouler des yeux ; yeux de merlan frit (pop.) ; regard ahuri/incrédule/niais/stupide. — **Regard attentif.** Braquer les yeux sur ; caresser ; contrôler ; déshabiller des yeux ; dévisager ; épier, espion ; examiner, examen ; explorer ; fixer ; fouiller ; guetter ; guigner ; inspecter, inspection ; lorgner ; mirer, bornoyer, coucher en joue ; observer, observateur, observation ; œil du maître, avoir quelqu'un à l'œil, ouvrir l'œil ; ne pas quitter des yeux ; reluquer (pop.) ; scruter ; suivre ; superviser, surveiller ; viser, réviser ; zieuter (pop.). ■ Regard appuyé/avide/curieux/fin/inquisiteur / insistant / malin / pénétrant/perçant/scrutateur ; regarder de biais/du coin de l'œil/à la dérobée/en dessous. — **Regard de séduction.** Agacer, agacerie ; cligner de l'œil, clin d'œil complice ; décocher une œillade ; faire les yeux doux ; jouer de la prunelle ; loucher sur ; regards amoureux/assassins/câlins/ concupiscents/coquins / en coulisse / énamourés / impudiques / incendiaires / indiscrets/langoureux/languissants/lascifs/passionnés/polissons. — **Regard et sentiments passionnés.** Boire des yeux ; convoiter, convoitise ; couver des yeux ; darder son regard ; dévorer des yeux ; fasciner, fascination ; magnétisme ; manger des yeux ; regarder en face/droit dans les yeux/dans le blanc des yeux, se mesurer du regard ; repaître ses yeux ; toiser avec mépris.

■ Regard courroucé/farouche/féroce/ à faire frémir/furibond/haineux/mauvais / méchant / menaçant / noir / sinistre/torve ; regard affolé/angoissé/ anxieux / désespéré / égaré / éperdu / hagard / mouillé / pitoyable/suppliant ; regard ardent/bizarre/brûlant de fièvre/ cupide / éloquent / étrange / foudroyant/fulgurant/significatif.

RÉGATE → *cou, course.*

RÉGENCE → *style.*

RÉGÉNÉRATEUR → *chaleur.*

RÉGÉNÉRER, RÉGÉNÉRÉ → *morale, nouveau, réparer, soigner.*

RÉGENT → *chef, souverain.*

RÉGENTER → *chef, conduire.*

RÉGICIDE → *crime.*

RÉGIE → *cinéma, entreprise, impôt, théâtre.*

REGIMBER → *résister, sauter.*

RÉGIME → *aliment, gouverner, moteur, règle.*

RÉGIMENT → *armée, infanterie.*

REGINGLARD → *vin.*

RÉGION, RÉGIONAL → *pays, province.*

RÉGIONAL → *télécommunications.*

RÉGIONALISME → *particulier, pays, province.*

RÉGIR → *conduire.*

RÉGISSEUR → *cinéma, posséder, théâtre.*

REGISTRE → *chanter, inscription, livre.*

RÈGLE, RÈGLEMENT → *calcul, loi, plan, reproduction.* — **Principe élémentaire.** Architectonique ; base ; clef ; condition première ; critère ; fondement, fond, fondamental ; hypothèse ; impératif ; loi générale ; nécessité, nécessité fait loi ; poser en principe, postulat, principe premier ; priorité ; règle des règles. — **Guide, ligne de conduite.** Autorité, faire autorité en la matière ; canon, catéchisme ; commandement ; convention ; coutume ; credo ; discipline ; dogme ; exemple ; évangile ; foi ; formule, formulaire ; gouverne (fam.) ; habitude ; ligne de conduite ; loi ; marche à suivre ; maxime ; mode, mode d'emploi ; modèle, module ; norme, normatif ; observance ; ordre ; précepte ; prescription, prescriptif ; recette ; régime ; règle générale/particulière/à suivre ; usage. — **Système de règles.** Code, codex, codifier, codification ; constitution ; corps de doctrine ; grammaire descriptive/normative ; méthode, méthodique, méthodologie ; organisation ; orthographe ; plan directeur ; règles d'Aristote/de l'art/des trois unités ; règlement, réglementer, règlement administratif/intérieur/sanitaire ; règlement militaire : consigne, mot de passe, salut, tenue réglementaire ; réglementation du commerce/du travail ; statut ; sutra ; système, systématique ; théorie, théorique, théoricien. ■ Bienséance, cérémonial, étiquette, protocole, protocolaire, rite, rituel. — **Conformité à la règle.** Académique, académisme ; admis ; canonique ; conforme, conformisme, se conformer ; convenable, convenance ; conventionnel, convention ; correct, correction ; courant ; coutumier, coutume ; esprit formaliste, formalisme ; exact, exactitude ; fair-play ; normalisé ; ordonné, organisé ; réglé comme une horloge/comme du papier à musique (fam.) ; rigueur, rigoureux ; régulier, régularité ; statutaire ; uniforme ; usuel. ■ Aménager ; calculer ; (se) conformer à ; (se) contraindre ; déterminer ; fixer ; harmoniser ; (se) modeler ; observer, observance ; organiser ; policer ; réglable, régleur, réglage, régulateur, régulation ; suivre. ■ Conformément aux instructions reçues, dans les règles, selon les règles/l'usage/le bon usage. — **Non-conformité à une règle.** Aberrant, aberration ; anormal, anomalie ; anormal ; anticonformiste, anticonformisme ; arbitraire, coup bas/ de Jarnac (fam.) ; défectueux, défaut ; démesuré, démesure ; déréglé, dérèglement ; dérogatoire, dérogation ; désordonné, désordre ; dispense ; écart ; exceptionnel, exception, l'exception qui confirme la règle ; fautif, faute ; hérétique, hérésie ; hétérodoxe ; indiscipline ; irrégulier, irrégularité ; laxisme ; licence ; révolutionnaire ; traîtrise ; violation. ■ Contrevenir, désobéir à, enfreindre, manquer à, offenser, pécher contre, violer une règle.

RÉGLEMENTAIRE, RÉGLEMENTER → *règle.*

RÉGLER → *décider, exact, plan, règle.*

RÉGLETTE → *angle.*

RÉGLISSE → *plante.*

RÈGNE, RÉGNER → *chef, gouverner, souverain, supérieur, vie.*

REGONFLER → *courage, gonfler.*

REGORGER → *abondance, riche.*

REGRATTER → *nettoyer.*

RÉGRESSER, RÉGRESSIF → *arrière, diminuer, psychanalyse.*

REGRET, REGRETTER → *défaut, douleur, faute, triste.*

RÉGULARISER → *plan, règle, rivière.*

RÉGULARITÉ → *accord, exact, intervalle, règle.*

RÉGULATEUR → *horlogerie, machine, vapeur.*

RÉGULIER → *durer, exact, intervalle, règle.*

RÉGULIER → *monastère.*

RÉGURGITER → *bouche.*

RÉHABILITER → *droit, estimer, réputation, tribunal.*

REHAUSSER → *éloge, haut, important.*

REIN → *dos, résidu.* — **Expressions usuelles.** Se ceindre les reins; donner un coup de reins; ensellure; lombes; maux de reins, avoir les reins brisés, tour de reins, lumbago; reins cambrés/cassés; rognon. — **Appareil urinaire.** Artère rénale; bassinet; capsule surrénale; méat urinaire; rein, rénal; uretère, urètre, prostate, sphincter, vérumontanum; urologie, urologue, spécialiste des voies génito-urinaires. ▪ Rein : anse de Henlé, calice, capsule de Bowmann, colonnes de Bertin, glomérule, hile rénal, loge rénale, papilles, pyramides de Ferrein/de Malpighi, sinus, substance corticale et médullaire, tube droit de Bellini, tube urinaire ou néphron; fonction glomérulaire/tubulaire. ▪ Vessie : col; cysto-, cystique; détrusor; vésical. — **Urine, uriner.** Analyse d'urines, incontinence, incontinent; miction; pipi, pisser (fam.), pisse (fam.), pissoter (fam.); rétention; se soulager; -urie, anurie, diurèse, dysurie, ischurie, oligurie, pollakiurie, etc.; urine colorée/trouble; urine, besoin/envie d'uriner. ▪ Bassin, pissoir (fam.), pissotière (fam.), pot de chambre, urinal, urinoir, vase de nuit, vespasienne. — **Affections et maladies.** Acétonurie, albuminurie; calcul; cystite; glycosurie, diabète; gravelle; hématurie; hémoglobinurie; lithiase urinaire, pierre; néphr-, coliques néphrétiques, néphrite, néphrocèle, néphrose lipoïdique, périnéphrite ou phlegmon périnéphrétique, pyélonéphrite; ptôse rénale ou rein flottant; pyurie; urémie, hypérazotémie; urétérite. ▪ Ablation d'un rein, bougie, cathéter, lithotritie, rein artificiel, sonde, taille.

RÉINCARNATION, RÉINCARNER (SE) → *mourir.*

REINE-CLAUDE → *noyau.*

REINETTE → *pomme.*

RÉINTÉGRER → *donner, entrer, fonction.*

RÉITÉRATIF, RÉITÉRER → *nouveau.*

REJAILLIR → *jeter, liquide.*

REJET → *plante, poésie.*

REJETER → *arrière, envoyer, jeter, refuser.*

REJETON → *arbre, enfant.*

REJOINDRE → *groupe, rencontre.*

RÉJOUI, RÉJOUIR → *joie.*

RÉJOUISSANCE → *fête, joie, recevoir.*

RELÂCHE → *repos, théâtre.*

RELÂCHE → *marine, port.*

RELÂCHER → *libre, marine, morale, mou.*

RELAIS → *chien, course, hôtel, télécommunications.*

RELANCE, RELANCER → *chasse, jeter, suivre.*

RELAPS → *hérésie.*

RELATER → *récit.*

RELATIF → *grammaire, matière, relation.*

RELATION → *accord, amitié, désaccord, informer, lier, récit.* — **Relations entre les choses.** Analogie, analogique; coexistence; concordance; conformité, conforme; connexion, connexité, connexe; corrélation, corrélatif; dépendance; différence; égalité; harmonie; identité, identique; interdépendance; lien logique; participer de; pertinence, pertinent; proportion; rapport, rapprochement; relation, relatif, relativisme, relativité; ressemblance; similitude. ▪ Accidentel; afférent à, afférer; appartenir, appartenance; s'appliquer à; concerner; concorder avec; contingent; convenir, convenance; découler de, dépendre; s'enchaîner; indépendant; inhérent; inséparable de; en liaison avec; symétrique de; variable. ▪ Apprécier, assimiler, mettre en balance, collationner, comparer, confronter, estimer, mesurer, opposer, mettre en parallèle, rapprocher, mettre en regard. — **Relations dans un groupe humain.** Accointances; amitié; attaches; bienfaisance; civilité; convenances; clientèle; commerce; communication; connaissances; contact; groupe; liaison; lien; bonnes manières; politesse; rapports bons/cordiaux/espacés / intimes / mauvais / suivis / superficiels / tendus / vagues; relations d'affaires / d'amitié / amoureuses / culturelles / diplomatiques / familiales / internationales / mondaines / professionnelles/de voisinage; société, sociogramme, sociologie, niveau socioculturel, milieu socio-professionnel; solidarité; tenir de; termes, être en bons/mauvais termes, être bien/au mieux/mal/au plus mal avec. — **Être, se mettre en relation.** S'aboucher; avoir accès auprès de; s'accointer, avoir des accointances; s'acoquiner; s'affilier; être assidu auprès de, assiduité; avoir/solliciter une audience; faire des avances; communiquer, entrer en communication; être en communion; faire connaissance; contacter (fam.), entrer en contact, prendre contact; correspondre; cultiver/entretenir des relations; s'entremettre, entremetteur, par l'entremise de; frayer ou fréquenter; se frotter à; devenir/être un habitué de; interprète; introduire quelqu'un; prendre langue avec, se lier avec, médiateur, médiation, pourparlers; présenter quelqu'un; entrer en rapports, se rapprocher; rechercher la compagnie/la société de; recourir à; rester en relation avec; solliciter un rendez-vous, nouer des liens/des relations; visiter, rendre visite; aller voir; voisiner.

RELATIVISME, RELATIVITÉ → *philosophie, relation.*

RELAXE, RELAXER → *repos, tribunal.*

RELAYER, RELAYER (SE) → *deux, travail.*

RELÉGATION, RELÉGUER → *crime, éloigner, peine.*

RELENT → *goût, parfum.*

RELEVAILLES → *accouchement.*

RELÈVE → *place.*

RELEVÉ → *abréger, géographie.*

RELEVER → *droite, écrire, engager, fonction, goût, monter.*

RELIEF → *bosse, géologie, importance, montagne, rivière.* — **Étude et représentation du relief.** Altimétrie; cartographie, cartographe; géographie; géologie, structure géologique; géomorphologie appliquée/climatique/structurale; hydrographie; hypsométrie; morphométrie; orographie; phénomènes de convergence, érosion chimique/différentielle/éolienne / fluviale / glaciaire / littorale / mécanique/pluviale/régressive; phénomène d'inversion de relief; topographie. ■ Atlas, carte d'état-major/hypsométrique ou hydrographique/muette/murale/partielle/en relief/topographique/universelle; cotes d'altitude, courbes de niveau, échelle, hachures, projection, zones; mappemonde; planisphère. — **Formes de relief.** Aspect, configuration, description, figuration, forme, modelé. ■ Accident de terrain, altitude basse/élevée/moyenne, auge alluviale/glaciaire, bas-fond, cannelure, cañon, causse, chaîne de montagnes, cirque, cluse, combe, crête, cuvette, dépression, éperon, escarpement, faille, falaise, glacier, gorge, massif, mer, môle, montagne, mouvement de terrain, pédiplaine, pénéplaine, plaine, plateau, pli de terrain, plissement, ravin, relief arctique ou calcaire / résiduel / ruiniforme / sous-marin, ria, rivière, socle, talweg, val, vallée, valleuse, vallon, volcan.

RELIER → *lier, livre, rencontre, tonneau.*

RELIEUR → *livre.*

RELIGIEUSE → *pâtisserie.*

RELIGIEUX → *monastère, religion.*

RELIGION → *croire, ecclésiastique, église, liturgie, monastère.* — **Manifestations extérieures de la vie religieuse.** Art sacré; cérémonial, cérémonies; chant religieux/choral; clergé régulier, clerc, ecclésiastique; communauté, congrégation; concile; coutumes religieuses; édifices : chapelle, église, monastère, mosquée, pagode, sanctuaire, synagogue, temple; fête patronale/religieuse; institutions; littérature sacrée; liturgie; messe; musique sacrée; ordre religieux; pèlerinage; procession; propagande, propagation de la foi, missionnaire; religieux, clercs, laïques, oblats, entrer dans les ordres/en religion, prendre l'habit/le voile, prise d'habit, vêture; rites, rituel; secte; vie claustrale/conventuelle/monastique. — **Éléments constitutifs d'une religion.** Article de foi; caractère religieux/sacré/saint/spirituel; chef religieux, pape, pasteur, etc.; credo, croyance; culte; dieu, divinité; doctrine; dogme, dogme de la sainte Trinité, Père, Fils, Saint-Esprit; foi; grâce, théorie de la prédestination, prédétermination; instruction religieuse, catéchèse, catéchiser, catéchisme; livres sacrés, Bible, Coran, Évangiles, Ancien et Nouveau Testament; observance; opinion hétérodoxe ou hérétique/orthodoxe, orthodoxie; patristique, patrologie; règle; théologie, théologien; tradition. ■ Abstinence; adoration; ascèse, ascétisme; bénédiction; communion; confession; jeûne; jugement, jugement dernier, Ciel, enfer, paradis, purgatoire, salut; mortification; offrande; pénitence; prière; purification; recueillement; retraite; sacrements; sacrifice; vœux de chasteté/d'obédience ou d'obéissance/de pauvreté. — **Attitude vis-à-vis de la religion.** Apologétique, apologie, apologiste; apostolat, apôtre; bigoterie ou bigotisme; converti, conversion; coréligionnaire; croyance, croyant; dévot, dévotion; dogmatique, dogmatisme; éclectisme, éclectique; embrasser une religion; esprit évangélique; fanatisme, fanatique; ferveur; fidèle; intolérance; martyr, martyre; morale ascétique/austère/rigide; mysticisme, mystique; néophyte; piété, pieux; pratiquer, pratiquant; professer une religion; prosélytisme, prosélyte; religiosité; sectarisme, sectaire; superstition, superstitieux; vénération. — **Négation ou refus de la religion.** Abjurer; apostasie, apostat; athéisme, athée; blasphémer, blasphème; excommunication, excommunié; hérésie, hérétique; impie, impiété; incrédule, incrédulité; indifférence; infidèle; irréligieux, irréligion; laïc, laïcisme, laïcité; laps, relaps; libertin; libre penseur; mécréant; persécuter, persécution; profane, profaner; schisme; renier, renégat; sacrilège. — **Doctrines et systèmes religieux.** Agnosticisme, animisme, bouddhisme, brahmanisme, christianisme, confucianisme, déisme, doctrine de la métempsycose/de la transmigration des âmes, druidisme, fétichisme, fidéisme, gnosticisme, hébraïsme, hindouisme, illuminisme, islamisme, judaïsme, magisme, manichéisme, mazdéisme, mithriacisme, panthéisme, parsisme, quiétisme, sabellianisme, shintoïsme, syncrétisme, tantrisme, taoïsme, totémisme, védisme, zoroastrisme. ▪ Religion anthropomorphique / dogmatique / dominante / d'État / ésotérique / fermée/initiatique/messianique; monothéisme; religion à mystères/naturelle/occulte/positive; polythéisme, polythéisme mythologique; révélation, religion révélée; religion de salut/de rédemption; théisme.

RELIGIOSITÉ → *religion.*

RELIQUAIRE → *église.*

RELIQUAT → *devoir, maladie, résidu.*

RELIQUE → *garder, respect, saint.*

RELIRE → *lire.*

RELIURE → *livre.*

RÉLUCTANCE → *électricité.*

RELUIRE → *briller, nettoyer.*

RELUQUER → *regarder.*

REMÂCHER → *colère, dent.*

REMAILLER, REMMAILLER → *fil, laine.*

REMAKE → *cinéma.*

RÉMANENCE → *aimant.*

REMANIER → *changer, gouverner.*

REMARQUABLE → *important, supérieur.*

REMARQUE, REMARQUER → *attention, écrire, regarder.*

REMBARRER → *critique, refus.*

REMBLAI, REMBLAYER → *fonder, route.*

REMBOÎTER → *articulation, os, place.*

REMBOURRER → *décoration, meuble.*

REMBOURSER → *devoir, payer, poste.*

REMBRUNIR (SE) → *mécontentement, météorologie, triste.*

REMBUCHER → *chasse.*

REMÈDE, REMÉDIER → *calme, maladie, soigner.*

REMEMBREMENT → *morceau.*

REMÉMORER → *mémoire, reconnaître, relation.*

REMERCIEMENT, REMERCIER → *manière, reconnaître, refuser.*

RÉMÉRÉ → *acheter.*

REMETTRE → *donner, mémoire, pardonner, placer, retard, soigner.*

RÉMIGE → *aile.*

RÉMINISCENCE → *mémoire.*

REMISE → *commerce, diminuer, donner.*

REMISE, REMISER → *couvrir, placer.*

REMISIER → *banque.*

RÉMISSIBLE, RÉMISSION → *durer, pardonner.*

RÉMITTENCE, RÉMITTENT → *fièvre, maladie.*

REMONTANT → *plante.*

REMONTANT → *force.*

REMONTE → *poisson.*

REMONTE-PENTE → *montagne.*

REMONTER → *courage, force, horlogerie, monter.*

REMONTOIR → *horlogerie.*

REMONTRANCE → *avertir, critique.*

REMONTRER → *critique, supérieur.*

REMORDS → *faute.*

REMORQUE, REMORQUER → *arrière.*

REMORQUEUR → *bateau.*

RÉMOULADE → *aliment*

RÉMOULEUR → *aiguiser.*

REMOUS → *bateau, liquide, mouvement, rivière.*

REMPAILLEUR, REMPAILLER → *meuble, vannerie.*

REMPART → *fortification, garder.*

REMPILER → *armée.*

REMPLAÇANT, REMPLACER → *changer, deux, place.*

REMPLAGE → *mur.*

REMPLI → *pli.*

REMPLIR → *abondance, emplir, exécuter.*

REMPLISSAGE → *augmenter, emplir.*

REMPLOI, RÉEMPLOI → *acheter.*

REMPLUMER (SE) → *oiseau, riche, soigner.*

REMPORTER → *gagner, prendre.*

REMPOTER → *plante.*

REMUE → *bétail.*

REMUE-MÉNAGE → *trouble.*

REMUER → *changer, exciter, mouvement.* — **Faire mouvoir quelque chose.** Agiter; bouger; brandir; donner le branle/le branle-bas; chasser; conduire; déplacer; déranger; élever; entraîner; inclinaison, incliner; jeter; lancer; mener; mettre en branle; mouvoir; poussée, pousser; projeter; propulsion; secouer; soulever; tirer, traction; tordre, torsion; traîner; transporter. ▪ Battre, brasser, fouiller, labourer, malaxer, mélanger, mixer, pétrir, retourner. — **Se remuer, s'agiter.** S'agenouiller, s'agiter, avoir du jeu, brandiller, branler, chanceler, changer de place/de position, couler, culbuter, culbute, se dandiner, danser, se débattre, se dégourdir, se démener, se dépenser, s'ébattre, évoluer, s'exercer, flageoler, frémir, frissonner, gesticuler, gigoter, grelotter, hocher la tête, piaffer, remuer, se secouer, sursauter, tituber, tomber (chute), se tordre, tourbillonner, tournoyer, trembler, trembloter, se trémousser, trépider, trépigner, tressaillir, tressauter. ■ Culture physique, évolution, exercice, extension, flexion, geste, gymnastique, manœuvre, mouvement, palpitation, pirouette, pronation, réaction, rétablissement, saccade (saccadé), supination, trépidation, trouble. ■ Être adroit / agile / agité / aisé / impétueux / inquiet / maladroit / pétulant / remuant / souple / turbulent / vif, du vif-argent. ■ Mouvement automatique / inconscient / instinctif / involontaire / machinal / mécanique / spontané, réaction, réflexe. ■ Analyse / coordination / décomposition / économie des mouvements. — **Tremblement de terre.** Se crevasser, crevasse, ébranlement, épicentre, explosion, se fendre, raz de marée, secousse tellurique, tremblement, volcan, volcanique. ■ Géophysique, prospection, séisme, séismogénique, séismique, séismicité, séismogramme, séismographe, séismologie, séismomètre, vulcanologie. — **Façon de se déplacer.** Aller, atterrir, bondir, bouger, circuler, circulation, chuter (fam.), courir, course, danser, se déplacer, se donner du mouvement, errer, fuir, galoper, gambader, glisser, se grouiller (pop.) ; locomotion, se manier (pop.), marche, marcher, mobilité, se mouvoir, nager, natation, pas (aller au pas, faire un pas), patiner, pédaler, planer, plonger, se promener, ramer, ramper (reptation), rouler, sauter, trafic, trotter, vol, voler, voyager.

REMUGLE → *parfum.*

RÉMUNÉRATEUR → *avantage, gagner.*

RÉMUNÉRATION, RÉMUNÉRER → *mérite, payer.*

RENÂCLER → *bruit, détester, mécontentement.*

RENAISSANCE → *art, histoire, nouveau, venir.*

RENAÎTRE → *force, nouveau, soigner, vie.*

RÉNAL → *rein.*

RENARD, RENARDE, RENARDEAU → *loup, tromper.*

RENAUDER → *mécontentement.*

RENCARD, RENCARDER → *informer.*

RENCART, RANCART → *rencontre.*

RENCHÉRIR → *augmenter, payer.*

RENCOGNER → *pousser.*

RENCONTRE, RENCONTRER → *sport, trouver.* — **Façons de se rencontrer.** Aborder, s'aboucher avec, aller au-devant de, vers, aller trouver, approcher, atteindre ; communiquer, moyen/voir de communication ; confronter, confrontation ; faire la connaissance de ; convoquer, convocation ; coudoyer, couper, croiser, déboucher sur, fréquenter, hanter ; joindre, faire la jonction ; être/se trouver en présence de ; entrer en rapport/en relation avec ; rattraper, recevoir, rejoindre, relier, réunir ; tomber sur/face à face/nez à nez ; toucher ; traverser, voie de traverse ; unir ; rendre visite, visiter, aller voir. — **Points de rencontre.** Assemblée, audience, auditoire, carrefour, causerie, colloque, conciliabule, concours, confluence, congrès, conjonction astronomique, conversation, croisée des chemins, croisement, dialogue, discussion, entrevue, états généraux, explication, groupe, groupement, interview, match, meeting, négociation, pourparlers, réception, rencart ou rancart (pop.), rencontre sportive, rendez-vous, réunion, rond-point, séance, table ronde, tête-à-tête. ■ Coïncidence, concours de circonstances, conjoncture, occurrence, opposition astronomique, point de contact/crucial / d'impact / d'interférence / d'intersection/de jonction. — **Formules de politesse.** Bonjour! bonsoir! bonne journée! au revoir! à bientôt! salut! etc., hello! ciao! bye bye! etc. — **Rencontre brutale.** Accoster, achopper sur, s'affronter, bataille, choc, choquer, collision, combat, duel, échauffourée, engagement des forces, escarmouche, heurt, heurter, hiatus, en venir aux mains, mêlée.

RENDEMENT → *industrie, produire, travail.*

RENDEZ-VOUS → *rencontre.*

RENDRE → *bouche, donner, produire, reproduction.*

RENDU → *fatigue.*

RÊNE → *harnais.*

RENÉGAT → *arrière, hérésie, tromper.*

RENFERMÉ → *secret, triste.*

RENFERMÉ → *parfum.*

RENFERMER → *contenir, fermer, intérieur, secret.*

RENFLEMENT, RENFLER → *augmenter, bosse, gonfler.*

RENFLOUER → *aider, échouer, entreprise.*

RENFONCEMENT → *trou.*

RENFORCER → *force.*

RENFORMIR → *mur.*

RENFORT → *force, guerre.*

RENFROGNER (SE) → *mécontentement.*

RENGAGÉ, RENGAGEMENT → *armée.*

RENGAINE → *chanter, habitude.*

RENGAINER → *escrime.*

RENGORGER (SE) → *important, orgueil.*

RENIER → *abandon, changer, hérésie, refus.*

RENIFLARD → *moteur.*

RENIFLER → *bruit, nez, respiration.*

RENNE → *cerf.*

RENOM → *réputation, respect.*

RENONCE, RENONCER → *carte.*

RENONCER, RENONCIATION → *abandon.*

RENONCULE → *fleur.*

RENOUER → *amitié, lier.*

RENOUVEAU → *nouveau, saison.*

RENOUVELER, RENOUVELLEMENT → *changer, contrat, nouveau.*

RÉNOVATION, RÉNOVER → *nouveau.*

RENSEIGNEMENT, RENSEIGNER → *informer, répondre.*

RENTABILITÉ, RENTABLE → *produire, revenu.*

RENTE, RENTER, RENTIER → *économie, revenu.*

RENTOILER, RENTOILEUR → *peinture.*

RENTRAITURE, RENTRAYER → *réparer.*

RENTRANT → *angle.*

RENTRÉE, RENTRER → *économie, enseignement, entrer, fonction, penser.*

RENVERSANT → *étonner.*

RENVERSÉ → *arrière, tomber.*

RENVERSER → *détruire, étonner, gouverner.*

RENVIDER, RENVIDEUR → *fil.*

RENVOI → *éloigner, estomac, inscription, retard, signe.*

RENVOYER → *envoyer, refuser, retard.*

REPAIRE → *défendre, habiter.*

REPAÎTRE (SE) → *manger.*

RÉPANDRE → *apparaître, étendre, informer, tomber.*

RÉPARABLE, RÉPARATION → *offense, pardon, réparer.*

RÉPARER → *arranger, morceau.* — **Remettre en état.** Améliorer, amélioration; amender, amendement; arranger; bricoler, bricolage, bricoleur; caréner un bateau; consolider; dépanner, dépanneur, dépanneuse; entretenir; mettre au point; moderniser; pallier, palliatif; rabibocher (fam.); raccommoder, raccommodeur de porcelaines; raccoutrer; radouber un navire, cale de radoub; rafistoler (fam.); rafraîchir; rajeunir; rapetasser (fam.); rapiécer; ravauder; recoudre; rectifier; redresser; refaire, réfection; refondre, refonte; relever des murs; remanier; remettre à neuf; remmailler; remonter des chaussures; rempailler; rempiéter un édifice; rentrayer une tapisserie, rentraiture; réparer, réparations locatives, réparateur; replâtrer, faire du replâtrage (fam.); reprendre; repriser, reprise; ressemeler des chaussures; restaurer, restauration, restaurateur d'objets d'art; retaper (fam.); retoucher, retouche, retoucheur; réviser, faire une révision (fam.); revoir; rhabiller une montre, rhabillage; stopper une étoffe, stoppage, stoppeur. ▪ Artisan ouvrier, électricien, garagiste, mécanicien, menuisier, plombier, serrurier, service après-vente. — **Régénérer un organisme.** Cicatrisation, tissu cicatriciel; se reconstituer, se refaire, se reformer, se régénérer, se renouveler; se réparer, sommeil réparateur; se rétablir, revigorer, revivifier, fortifiant, stimulant, tonique. ▪ Chirurgie, chirurgie esthétique, prothèse : anaplastie, autoplastie, hétéroplastie, ostéoplastie, rhinoplastie, uranoplastie. — **Réparer un tort, une offense.** Faire amende honorable, offrir une compensation; corriger/couvrir une faute; dédommager, dédommagement, dommages-intérêts; effacer une faute; offrir/présenter des excuses, s'excuser; expier, expiation; indemniser, indemnisation, indemnité; laver une faute; payer les pots cassés (fam.); racheter, rédemption, rédempteur; rectifier, rectificatif; redresser une injustice; réformer un abus; réhabiliter; remédier à; faire/offrir une éclatante réparation, réparation d'honneur/par les armes, duel; rétractation publique/solennelle; satisfaire, donner satisfaction à.

RÉPARTEMENT → *impôt.*

REPARTIE, REPARTIR → *discussion, répondre.*

RÉPARTITEUR, RÉPARTITION → *impôt, part .*

REPAS → *hôtel, manger.*

REPASSAGE, REPASSER → *aiguiser, nettoyer, pli.*

REPASSER → *mémoire, passer.*

REPASSEUR → *aiguiser.*

REPÊCHER → *enseignement, pêcher.*

REPENTIR, REPENTIR (SE) → *douleur, faute.*

RÉPERCUSSION, RÉPERCUTER → *conséquence, suivre.*

REPÈRE, REPÉRER → *orientation, signe.*

RÉPERTOIRE, RÉPERTORIER → *abréger, inscription, livre, mémoire, théâtre.*

RÉPÉTER → *deux, reproduction.*

RÉPÉTEUR → *télécommunications.*

RÉPÉTITEUR → *enseignement.*

RÉPÉTITION → *deux, essayer, reproduction.*

REPIQUER → *plante.*

RÉPIT → *intervalle, repos.*

REPLÂTRER → *réparer.*

REPLET, RÉPLÉTION → *gras.*

REPLI → *pli, secret.*

REPLIER, REPLIER (SE) → *cacher, fuir, guerre, pli.*

RÉPLIQUE → *répondre, reproduction, théâtre.*

RÉPLIQUER → *discussion, répondre.*

RÉPONDANT → *certifier.*

RÉPONDRE → *affirmer, certifier.* — **Dire en retour.** Confirmer ; correspondre, correspondance ; dialoguer, dialogue, stichomythie ; donner/faire/fournir une réponse ; avoir un interlocuteur ; (accuser) réception ; récrire ; remercier ; rendre un oracle/un verdict ; réplique ; reprendre la parole. — **Répondre en s'opposant.** Faire du chambard (fam.) ; contre-attaquer ; contrecarrer ; contredire, contradiction, contradicteur ; faire la contrepartie ; dénier, dénégation ; donner son paquet à (fam.) ; droit de réponse ; faire face à ; se justifier ; avoir le dernier mot ; nier ; objecter, objection ; opposer mot pour mot ; polémique, polémiste ; prévenir une objection ; protester, protestation ; récriminer, récrimination ; refuser ; réfuter, réfutation ; rembarrer ; rendre la pareille ; renvoyer la balle ; repartir ; répliquer ; répondre à la force par la force, etc. ; rétorquer ; riposter, riposte ; river son clou à. — **Façons de répondre.** Réponse affirmative/du bout des lèvres/à bout portant/à brûle-pourpoint / brève / brusque / catégorique / dilatoire / dure / équivoque / évasive / fausse / franche / juste / laconique / par monosyllabes/mordante/négative/nette/de Normand/péremptoire/ponctuelle/prompte/rapide/par retour du courrier/sèche/sincère/du tac au tac/verte. ▪ Hausser les épaules, hocher la tête, répondre par des banalités/par un flot d'injures/d'ordures/par des lieux communs/par des plaisanteries/par des signes de tête/par un sourire ; réponse écrite/orale ; rire au nez. — **Répondre à un appel, à un stimulus.** Obéir ; réagir, réaction ; rendre un écho ; les commandes/les freins répondent bien/mal ; réponse glandulaire / musculaire / réflexe / volontaire. — **Être conforme à.** S'accorder avec ; concorder avec ; être conforme à ; correspondre, payer de retour ; en proportion de, être proportionné à ; se répondre ; répondre à une attente, satisfaire. — **Répondre de.** Affirmer, assurer, certifier, s'engager en faveur de ; garantir, donner des gages de, se porter caution/fort/garant ; prêter son crédit à, rendre compte de, répondre de la bonne foi/de l'innocence, être le répondant de/responsable de, ne répondre de rien, prendre sous sa responsabilité/sur soi, être solidaire de.

RÉPONS → *liturgie.*

RÉPONSE → *journal, répondre.*

REPORT → *banque, comptabilité.*

REPORTAGE → *informer, journal.*

REPORTER → *journal, radio.*

REPORTER → *banque, inscription, retard.*

REPOS, REPOSANT → *calme, dormir, fonder, travail.* — **Prendre du repos.** S'abandonner, s'apaiser, s'arrêter, s'asseoir, se calmer, se donner campos, se coucher, se défatiguer, se délasser, se détendre (permission de détente), dormir, farniente, se goberger (fam.), reprendre haleine, faire halte, se laisser aller, le laisser-aller, se donner un moment de paix, oasis de paix, s'adonner à la paresse, paresser, faire une pause, se prélasser, se récréer, se refaire, faire relâche, se relaxer, relaxation, se remettre, réparer ses forces, prendre du répit, se reposer sur ses lauriers, repos éternel, requiem, reposée du gibier, respirer un moment, se restaurer ; faire retraite, prendre sa retraite ; siester, sieste, méridienne ; souffler, se mettre au vert. — **Moments de repos.** Accalmie, arrêt, césure, chômage chômer, congé payé, congé scolaire, convalescence, coupure, dimanche, entracte, étape, grève (faire la grève), jour férié/de fermeture/de liberté/de relâche/de repos/de sortie, faire la grasse matinée, mi-temps, pause, faire le pont, repos dominical/hebdomadaire, sabbat, semaine anglaise, fête du travail, vacances, week-end. ▪ Être en demi-solde/en disponibilité/en non-activité ; membre honoraire, honorariat. — **Être en repos.** Attitude abandonnée ; prendre ses aises ; calme ; être calme/décontracté, décontraction ; être désœuvré, désœuvrement ; être disponible, disposer de son temps ; être en forme/frais ; terrain en friche/en jachère ; immobilité, inaction, indolence, inertie ; avoir l'esprit libre, être libre ; marasme, morte-saison ; neutralité, être neutre ; oisiveté, oisif ; paix, paisible ; paresse, paresseux ; passivité, passif ; peinard (fam.), pépère (fam.) ; quiétude, quiet ; à tête reposée ; stagnation, stagner ; prendre son temps, avoir du temps libre/du temps à soi ; tranquillité. ■ Comparse ; figurant ; homme de paille ; prête-nom ; la cinquième roue du carrosse ; spectateur. — **Repos et loisirs.** S'amuser, amusement ; se délasser, délassement ; dérivatif ; se distraire, distraction ; se divertir, divertissement ; faire l'école buissonnière ; exutoire ; hobby ; consacrer ses loisirs à, loisirs dirigés/organisés ; occupation agréable ; passe-temps favori ; patronage ; se récréer, récréation, activités récréatives ; sports, activités théâtrales, travaux manuels ; vacances organisées ; violon d'Ingres. ■ Céramique, musique, peinture, philatélie, photographie, sculpture. ■ Maison de la culture, musée, salle de spectacle, etc.

REPOSÉE → *chasse.*

REPOSER → *calme, dormir, enterrement, fonder, repos.*

REPOSOIR → *fête.*

REPOUSSANT → *déplaire, laid.*

REPOUSSÉ → *métal.*

REPOUSSER → *arbre, cuir, métal, résister, soumettre.*

REPOUSSOIR → *clou, laid, peinture.*

RÉPRÉHENSION, RÉPRÉHENSIBLE → *critique, faute.*

REPRENDRE → *critique, exécuter, prendre, réparer.*

REPRENDRE (SE) → *arrière.*

REPRÉSAILLES → *conséquence.*

REPRÉSENTANT → *commerce, gouverner.*

REPRÉSENTATIF → *gouverner, image.*

REPRÉSENTATION, REPRÉSENTER → *demander, image, montrer, reproduction, théâtre.*

RÉPRESSIF, RÉPRESSION → *arrêter, soumettre.*

RÉPRIMANDE, RÉPRIMANDER → *avertir, critique.*

RÉPRIMER → *arrêter, soumettre.*

REPRIS → *prison.*

REPRISE → *commerce, moteur, musique, prendre, théâtre.*

REPRISER → *réparer.*

RÉPROBATEUR, RÉPROBATION → *critique.*

REPROCHE, REPROCHER → *accuser, critique, mécontentement.*

REPRODUCTEUR → *bétail, reproduction.*

REPRODUCTION, REPRODUIRE → *deux, germe, produire.* — **Théories sur la reproduction des êtres vivants.** Agénésie ; eugénisme ; évolutionnisme, Darwin, Lamarck ; fécondation artificielle ; génération, génétique ; génotype, lignée de facteurs héréditaires, atavisme ; germen. ■ Théorie de la limitation des naissances : contraception, planning familial ; insémination artificielle ; malthusianisme ; mutationnisme ; théorie de Mendel, mendélisme ; théorie de la sélection naturelle ; stérilité ; transformisme. — **Modes de reproduction des êtres vivants.** Génération ou reproduction asexuée/végétative des plantes : gemmiparité, monogénie, parthénogenèse, scissiparité ou fissiparité, sporulation. ■ Génération sexuée : fécondation ; appareil génital, organes génitaux ; oviparité, ovipare, ovovivipare ; sexe femelle/mâle, acte sexuel, sexualité ; viviparité. — **La reproduction sexuée.** Accouplement, s'accoupler ; être en chaleur ; copulation ; couvrir la femelle ; enfanter, fécondité ; époque du frai, frayer ; la monte : étalon, géniteur ; procréer, procréateur ; proliférer, être prolifique ; se propager ; être en rut ; saillir ; acte sexuel, virilité. ■ Cellule reproductrice ; chromosome ; embryogenèse ou embryogénie, embryologie, embryonnaire, embryopathie, embryotomie ; endoblaste, endoderme ; fœtus ; gamète ; gastrula ; gène ; histogenèse ; matrice ; œuf, ovaire, ovulation, ovule, ovogenèse ; spermatogenèse, spermatozoïde, sperme ; utérus. ■ Accouchement ; femme enceinte/féconde/fertile ; gestation ; femelle gravide ; grossesse ; maternité ; parturition, femme primipare/multipare. ■ Bébé, enfant, litée, petit, portée, progéniture. — **Reproduire un modèle.** Calque ; cliché ; copie, copie conforme, copyright ; décalcomanie, décalque ; double, duplicata ; effigie ; emprunt ; exemplaire, extrait d'un acte ; fac-similé ; maquette ; microfiche, microfilm ; modèle réduit, réduction ; pastiche ; photocopie ; poncif ; réplique, stéréotype ; triplicata. ■ Contrefaire ; copier ; décalquer ; démarquer ; emprunter ; imiter ; être moutonnier, moutonnerie, moutons de Panurge ; multiplier ; parodier ; pasticher ; refaire ; refléter ; rendre ; répéter ; représenter ; reproduire ; singer, singerie ; standardiser ; stéréotyper ; traduire. — **Procédés de reproduction.** Autocopie ; autographie ; calquer ; papier carbone ; chromolithographie ; faire une coupe/un diagramme ; diagraphie, diagraphe ; duplicateur ; graphitage, graphite ; gravure ; héliochromie ; histogramme ; imprimerie ; lithographie ; machine reproductrice : matrice, moulage, moule ; microfilmer ; orthographie, projection orthographique ; photocopier, photographier ; photostat ; polycopier ; stencil ; xérographie.

RÉPROUVÉ, RÉPROUVER → *détester, refus.*

REPS → *tissu.*

REPTATION → *reptiles.*

REPTILES, REPTILIEN → *animal, soumettre.* — **Généralités.** Ordres : chéloniens, crocodiliens, lacertiens ou lacertiliens, ophidiens, rhynchocéphales ; ordres fossiles : dinosauriens, ichtyosauriens, plésiosauriens, ptérosauriens, théromorphes : ichtyosaure, diplodocus, iguanodon, mégalosaure, ptérodactyle, etc. ■ Cloaque, dent ou bec corné ou crochet à venin, écailles, plaques écailleuses, membres courts ou nuls, mue, oviparité ou ovoviviparité, poumon, reptation, vertébrés. — **Lézards et crocodiles.** Amblyrhynque ; basilic ; caméléon ; dragon volant ; fouette-queue ; gecko ; iguane ; lézard gris/des murailles/vert ; moloch ; orvet ; scinque ; seps ; varan ; zonure. ■ Alligator, caïman, crocodile, gavial. — **Serpents ou ophidiens.** Anaconda ; boa constrictor ; céraste ; cobra, naja, serpent à lunettes ; colubriforme ; coronelle ; couleuvre à collier/d'eau ; crotale, serpent à sonnette, élaps ; eunecte ; lycodon ; mamba noir ; nasique ; pélamide ; python, molure ; serpent corail/cracheur ; trigonocéphale ; typhlops ; vipère, aspic, vipère à cornes/noire/péliade/rouge/des sables. ■ Erpétologie ou herpétologie, ophiographie : serpents aglyphes/opisthoglyphes/protéroglyphes ; darder une langue fourchue ; langue bifide, morsure, piqûre, sifflement, venin ; hérisson, mangouste, oiseau ophiophage. — **Tortues ou chéloniens.** Caouanne, caret, chélodine, chélyde, chélydre, cistude, émyde, luth, podocnémide, pyxide, tortue diamant / éléphantine / franche / grecque/mauresque/verte, trionyx. ■ Testudinés, thécophores, athèques ; soupe à la tortue. — **Évoqué par les reptiles.** Froideur du serpent, langue méchante de la vipère, larmes de crocodile, lenteur de la tortue, paresse de la couleuvre/du lézard ; monstres fabuleux, dragon ; serpenter, serpentin.

REPU → *manger, satisfaction.*

RÉPUBLICAIN, RÉPUBLICANISME → *gouverner.*

RÉPUBLIQUE → *État, gouverner, politique.*

RÉPUDIATION, RÉPUDIER → *envoyer, mariage.*

RÉPUGNANCE, RÉPUGNER → *déplaire détester, résister.*

RÉPULSIF, RÉPULSION → *détester.*

RÉPUTATION, RÉPUTÉ → *estimer, honneur, respect.* — **Connu de tous.** Bavardage, bobard, canard, cancans, commérage, nouvelle, potin ; bruit, bruit qui court, s'ébruiter ; cité partout, dans toutes les bouches ; connu, connu comme le loup blanc ; se distinguer ; divulguer, divulgation ; engouement ; fameux ; manifeste ; notoire, de notoriété publique ; nouveau, nouveauté qui éclate comme une bombe ; officiel, officieux ; un on-dit, savoir par ouï-dire ; se propager ; public, publié, publicité, battage publicitaire ; rebattu, reconnu ; répandu, se répandre ; ressassé ; retentissement ; révélation, révéler ; rumeur ; secret de Polichinelle ; se signaler, signalé, un signalé service ; voix populaire ; vulgarisé, du domaine public. — **Avantageusement connu.** Autorité, faire autorité ; célébrité, célèbre ; considéré, considérable ; crédit ; édification, édifier ; éminent ; estime ; étoile ; fait d'armes, hauts faits ; faveur, en faveur ; gloire, glorieux ; homme célèbre, grand homme, homme nouveau ; héros/idole du jour ; hors de pair ; illustration, illustre ; important ; jouir d'une (bonne/mauvaise) réputation ; marquant ; mémoire, attaquer/défendre la mémoire ; notoriété ; être en odeur de sainteté ; popularité de (bon/mauvais) aloi, populaire ; renom, nom, renommée, renommé, la Renommée aux cent bouches, la trompette de la Renommée ; réputation exagérée/surfaite/usurpée, réputé ; vanté ; en vogue. — **Fâcheusement connu.** Chronique scandaleuse, défrayer la chronique ; compromettre sa réputation, compromission ; débauche, débauché ; déconsidéré ; décrié ; déshonorant, déshonneur ; discrédité, discrédit ; dissolu ; faire un éclat/un esclandre ; entacher, tache ; exemple contagieux / déplorable / pernicieux, mauvais exemple ; flétrissure ; infâme, infamant, infamie, malfamé ; noirceur ; perdu de réputation ; salir, salissure ; sans foi ni loi, sans honneur ; scandale, scandaleux, scandaliser ; taré ; qui ternit la réputation ; vénalité, vénal ; vilenie, vil ; vilipender. ■ Calomnier, propos calomnieux ; couvrir de boue/d'opprobre ; décrier ; démolir quelqu'un (fam.) ; déshonorer ; diffamer, diffamateur ; flétrir ; noircir ; taxer d'infamie, traîner dans la boue.

REQUÉRANT, REQUÉRIR → *demander, tribunal.*

REQUÊTE → *demander, magistrat.*

REQUIEM → *enterrement, repos.*

REQUIN → *poisson.*

REQUINQUER (SE) → *force, réparer, soigner.*

REQUIS → *convenir.*

RÉQUISITION, RÉQUISITIONNER → *demander, prendre.*

RÉQUISITOIRE → *demander, tribunal.*

RESCAPÉ → *vie.*

RESCINDER, RESCISION, RESCISOIRE → *annuler.*

RESCOUSSE → *aider.*

RESCRIT → *pape.*
RÉSEAU → *dentelle, lier, résister, télécommunications.*
RÉSECTION → *chirurgie, couper.*
RÉSÉDA → *fleur.*
RÉSÉQUER → *chirurgie.*
RÉSERPINE → *alcali.*
RÉSERVATAIRE → *succession.*
RÉSERVATION → *place.*
RÉSERVE → *armée, bois, garder, pays, sage, succession.*
RÉSERVÉ → *respect, sage.*
RÉSERVER → *but, garder, part.*
RÉSERVER (SE) → *attendre.*
RÉSERVISTE → *armée.*
RÉSERVOIR → *amasser, eau, garder, récipient.*
RÉSIDANT, RÉSIDENCE → *habiter.*
RÉSIDENT → *pays.*
RÉSIDENTIEL → *ville.*
RÉSIDER → *habiter.*
RÉSIDU, RÉSIDUAIRE → *jeter, morceau.* — **Ce qui reste.** Boue, brai; calamine, calaminer; cendre, chute, copeau, croûte, culot, débris, déchet, décombres, dépôt, eaux résiduaires, eaux mères, eaux-vannes, écume, excédent, fond, fragment, gravats ou gravois, lie, limaille, mâchefer, marc, précipité, reliquat, résidu (résiduaire, résiduel), reste, restant, rognure, schlamm, scorie, sédiment, sédimentation, sous-produit, surcroît, surplus, tartre, entartrer, tesson, tombée, vase. — **Ordure(s).** Balayure, boîtes vides, chiffons, débris, épluchures, objets usagés, ordures ménagères, poussière, reliefs, restes, rogatons (fam.), salissure, vidure. ▪ Cochonnerie (fam.), crasse, fange, gâchis, gadoue, immondices, merde (pop.), saleté, saloperie (pop.). — **Se débarrasser des ordures.** Balayer, balai; curer; ébouer, éboueur, boueux; égout, tout-à-l'égout, collecteur, égoutier; gravatier; incinérer, incinérateur; pelle; poubelle, boîte à ordures; seau; vidanger, vidange, vidangeur; vide-ordures, vidoir. ▪ Champ d'épandage, décharge publique, dépotoir, fumier, gadoue, tas d'ordures, voirie. — **Excréments.** Besoins (fam.); bran (pop.); caca (fam.); chiasse (pop.), chier (pop.); copro-, coprophage; crotte (fam.); déjection; étron; évacuation, excrétion, expulsion; fèces, matières fécales, matière(s), défécation; merde, merdeux (pop.); scato-, scatologie, scatophage; selle; sentinelle; se soulager. ▪ Bouse de vache, chiasse, chiure de mouche, colombine, crotte, crottin de cheval, fiente d'oiseau, fumée, guano, purin. ▪ Pipi (fam.); pisse (pop.), pisser (pop.), pissat; urine, uriner. — **Cabinets.** Cabinets d'aisances/à la turque/de femme/d'homme; chaise percée, chalet de nécessité; chiottes (pop.); feuillée; fosse d'aisances; garde-robe; goguenot ou gogs (pop.); latrines, lavabos, lavatory, sanitaires, toilettes, urinoir, vespasienne, water-closet, water ou W.-C. ou vécés. ▪ Bassin, bidet, chasse d'eau, cuvette, fosse septique, lunette, pot de chambre, seau hygiénique, siège, tinette, vase de nuit.
RÉSIDUEL → *relief, résidu.*
RÉSIGNÉ, RÉSIGNER → *soumettre.*
RÉSIGNER → *abandon.*
RÉSILIENCE → *résister.*
RÉSILIER → *annuler, contrat.*
RÉSILLE → *cheveu.*
RÉSINE, RÉSINEUX → *colle, gomme, pin.*
RÉSIPISCENCE → *faute, reconnaître.*
RÉSISTANCE, RÉSISTANT → *dur, électricité, force, guerre, résister.*
RÉSISTER → *défendre, force, guerre.* **Être inébranlable.** Acharnement, s'acharner; attendre de pied ferme; buté, se buter, ne pas céder; constance, constant; dur, dureté, dur à cuire (fam.); endurance, endurant; endurci; entêté, entêtement; faire face/front; force morale/physique; immuable; impassible; imperturbable; implacable; impitoyable; increvable; indéfectible; indépendant; indomptable; inébranlable; inexorable; inflexible; intraitable; intransigeant; invincible; irréductible; obstination, obstiné; opiniâtre, s'opiniâtrer; opposer la force d'inertie; patient; persévérant; persister; résister, prendre le maquis, maquisard, réseau de résistance, résistant; résistance vitale; rigide; rigoureux; soutenir mordicus, soutenir le choc; stoïque, stoïcisme; tenace, ténacité; tenir bon, tenir le coup; têtu; vigueur; vivace. — **Accepter avec répugnance.** Air mi-figue, mi-raisin; à contrecœur; à son corps défendant; bouder; chicane, chicaner; contestation; contraint et forcé; créer des difficultés; débat, se débattre; être dégoûté; déplaire; se faire tirer l'oreille; hargneux; hésiter à; lutter; manquer; mettre des bâtons dans les roues/de la mauvaise grâce/de la mauvaise volonté; murmurer; objecter, objection; s'opposer; protestation; râler (pop.); raisonneur; réaction; se rebiffer; récalcitrant; rechigner à; réclamation, réclamer; refuser, regimber, rejeter, renâcler, repousser, répugner à; résister; réticence; être rétif; rouspéter (fam.); souffrir, subir, supporter. — **Résistance des matériaux.** Résistance à la chaleur/au choc, résilience; résis-

tance à l'érosion/au froid/à la pression/ à la torsion/à l'usure ; résistance matérielle/mécanique/physique, résistivité. ■ Adhérer ; annuler une force ; à toute épreuve, bâti à chaux et à sable ; compact ; consistant ; difficile à ; dur, durable ; équilibré ; épais ; ferme, fermeté ; qui freine ; force, fort ; ignifugé ; immuable, imputrescible, inaltérable, incassable, incoercible, incorruptible, increvable, indestructible, ininflammable, inoxydable, inusable, invariable ; obstacle, opposition ; perpétuel, persistant ; raide ; rebelle, réfractaire, résistant ; robuste ; solide, solidité ; stable ; sûr ; tenace. ■ Résistance électrique : chaleur, production de chaleur, puissance perdue, puissance thermique, rayonnement.

RÉSOLU → *courage, décider.*

RÉSOLUTIF → *médicament.*

RÉSOLUTION → *courage, décider.*

RÉSONANCE → *augmenter, son.*

RÉSONATEUR → *son.*

RÉSONNEMENT, RÉSONNER → *bruit, son.*

RÉSORBER, RÉSORPTION → *diminuer.*

RÉSOUDRE → *annuler, chercher, chimie, décider, diminuer, trouver.*

RESPECT, RESPECTABLE, RESPECTER → *engager, estimer, manière, soumettre.* — **Considérer avec admiration.** Adoration, adorer ; considération, considérer ; craindre, crainte ; déférence, déférer, être déférent ; déifier ; dévotion ; estimer, estime ; fétichisme ; honorer ; piété ; porter aux nues / au pinacle ; respect, respecter ; révérence, révérenciel, révérer ; vénération, vénérer ; vouer un culte à. ■ Adorateur, apprenti, courtisan, débiteur, disciple, élève, fidèle, fils, flatteur, lèche-bottes (pop.), serviteur dévoué ; bréviaire, dieu, évangile, maître, etc. — **Conduite respectueuse.** S'agenouiller devant, génuflexion, fléchir le genou ; baiser la main/les pieds de/le sol ; baisser les yeux ; cérémonieux ; conduite chevaleresque ; courbette ; craintif ; se découvrir, rester nu-tête, coup de chapeau, chapeau bas ! ; déférent, déférence ; égards ; empressement, s'empresser ; humilité, humble ; s'incliner devant, inclination ; obséquieux, obséquiosité ; piété, pieux respect ; poli ; se prosterner ; rendre hommage/les honneurs ; réserve, réservé ; respect affecté ; révérence, révérencieux ; saluer, salutation ; sens du devoir ; témoigner le plus grand respect pour ; timidité, timide. ■ Fidélité, fidèle à ; loyauté, loyal ; obéissance, obéir à ; respecter ses engagements/sa parole, strict respect. — **Qui inspire le respect.** S'attirer le respect ; auguste ; commander le respect ; dignité, conduite digne ; estimable ; gloire, glorieux ; honorabilité, honorable ; imposer le respect, en imposer, imposant ; intimider, intimidant ; majesté, majestueux ; noblesse, noble ; prestige, prestigieux ; respectabilité, respectable ; révérend, révérendissime ; sacré, saint, sacro-saint ; solennité, solennel ; vénérable, vénérable patriarche, antique et vénérable institution/monument. ■ Mine, port, stature ; droiture, honnêteté, héroïsme, vertus morales.

RESPECTIF → *particulier.*

RESPECTUEUX → *respect.*

RESPIRABLE → *air, respirer.*

RESPIRATION, RESPIRATOIRE, RESPIRER → *air, bruit, gorge, nez, vie.* — **Phénomène de la respiration.** Appareil / mécanisme / système respiratoire ; échanges/fonctions respiratoires ; respiration externe ou pulmonaire ; respiration interne/cellulaire ou tissulaire ; respiration branchiale, branchies ; respiration cutanée, épiderme, peau ; respiration trachéale, stigmate, trachée. ■ Absorber l'oxygène de l'air, expirer, expiration ; haleine ; inspirer l'air, inspiration ; rejeter le gaz carbonique/la vapeur d'eau ; rythme de la respiration ; souffle vital ; spiromètre, mesure de la capacité/du quotient respiratoire ; voies respiratoires : bouche, bronche, larynx, nez, nœud vital, poumon, trachée-artère. — **Manières de respirer.** Aspiration, aspirer une bouffée ; s'ébrouer, ébrouement du cheval ; humer ; inhaler, prendre une inhalation, inhalateur ; renifler ; respirer un air frais/raréfié/respirable/suffocant/toxique/vicié ; sentir ; siffler ; souffler ; soupirer, soupir. ■ Respiration aisée / bruyante / courte / difficile / douce / entrecoupée / étouffée / facile / haletante / intermittente / libre / pantelante / pénible / précipitée / rauque / régulière / sèche / sibilante / striduleuse. — **Respiration difficile.** Anhéler, anhélation ; bâiller, bâillement ; cornage du bœuf/du cheval ; avoir le souffle coupé ; dyspnée ; s'essouffler, essoufflement ; éternuer, éternuement, poudre sternutatoire ; étouffer, crise d'étouffement ; haleter, halètement ; hoqueter, hoquet ; être oppressé, oppression ; être pantelant/poussif ; râler, râle ; ronfler, ronflement ; sangloter, sanglot ; respiration stertoreuse ; suffoquer, suffocation ; tousser, toussoter, toux, quinte de toux. — **Accidents et maladies de la respiration.** Arrêt de la respiration ; asphyxie, être asphyxié, gaz asphyxiant, masque à gaz ; étouffer ; étrangler, strangulation ; pendre, pendaison ; syncope. ■ Asthme, bronchectasie, bronchite, broncho-pneumonie, catarrhe, congestion, coqueluche, emphysème pulmonaire, fluxion de poitrine, grippe, pharyngite, phtisie, pleurésie, pneumonie, maladie de poitrine, rhume, trachéite, tuberculose. ■ Bronchoscopie, bronchoscope; calmant, codéine; pneumographe; réanimation, respiration artificielle, traction de la langue; stéthoscope, trachéotomie.

RESPLENDIR, RESPLENDISSANT → *briller, nettoyer, soleil.*

RESPONSABILITÉ, RESPONSABLE → *charger, chef, convenir, décider, devoir.*

RESQUILLE, RESQUILLER, RESQUILLEUR → *prendre, voler.*

RESSAC → *mer.*

RESSAISIR → *prendre, volonté.*

RESSASSER → *parler.*

RESSAUT → *bosse.*

RESSEMBLANCE, RESSEMBLER → *accord, reproduction, semblable.*

RESSEMELER → *chaussure, réparer.*

RESSENTIMENT → *détester, offense.*

RESSENTIR → *douleur, sensibilité.*

RESSERRE → *garder.*

RESSERRER → *diminuer, maigre, presser.*

RESSORT → *cause, fer, force, machine.*

RESSORT, RESSORTIR → *pouvoir, tribunal.*

RESSORTIR → *extérieur, partir.*

RESSORTISSANT → *pays.*

RESSOURCE → *agir, munir, revenu.* — **Moyens matériels qu'on a à sa disposition.** Appareil; attirail; engin; ingrédient; instrument; matériaux, matériel; mettre à même de, mettre en œuvre; moyens du bord, moyens de fortune; outil, outillage, être outillé; remuer ciel et terre; ressources économiques/géographiques/du sol/du sous-sol : culture, élevage, énergie thermique, minéraux, pêche; ressources en hommes : démographie; ressources d'une langue. ■ Aptitudes, capacités, charmes, dons, facilités, facultés de l'esprit, possibilités, pouvoir, réserves, richesses, sortilèges. — **Possibilités d'action.** Arme, dresser ses batteries; clef; combinaison; avoir plusieurs cordes à son arc; demi-mesure; dernière carte, dernière chance; excuse; ficelles (fam.); faire flèche de tout bois; formule; invention; levier; marchepied; marche à suivre; mécanisme; mesures à prendre; méthode; monter une opération; palliatif; plan; planche de salut; point d'appui; procédé; recette; recours, dernier recours, recourir à; refuge; remède; ressort; rouages; secours; secret; solution; stratégie; système; tactique; tremplin; truc (fam.); jouer son va-tout; viatique; voie. ■ Homme habile/ingénieux/qui a de la ressource/de ressource; en dernier ressort, en dernière ressource, en désespoir de cause. ■ Artifice, astuce, biais (fam.), calcul, combine (pop.), échappatoire, expédient, filon (fam.), joint (fam.), manège, manœuvre, menée, ruse, stratagème, subterfuge, tournant, chemin de traverse. — **Ressources pécuniaires.** Argent, bourse, capital, crédit, économies, finances, fonds, fortune, gagne-pain, moyens d'existence/de subsistance/de vivre, rentes, revenus, richesses. ■ Être à l'aise/aisé/fortuné/riche/privilégié; ne pas avoir les moyens, être dénué de ressources/économiquement faible/sans le sou/pauvre; avoir de petits/de gros moyens (fam.); pourvoir aux besoins de; ressources avouées/cachées/ illicites/secrètes; vivre d'expédients.

RESSUER → *mouiller.*

RESSUSCITER → *mémoire, mourir, nouveau, soigner.*

RESTAURANT, RESTAURATEUR → *hôtel.*

RESTAURATION, RESTAURER → *nouveau, réparer.*

RESTE → *calcul, manger, mourir, résidu.*

RESTER → *arrêter, durer, habiter.*

RESTITUER, RESTITUTION → *donner, réparer.*

RESTOROUTE → *hôtel, route.*

RESTREINDRE, RESTRICTIF, RESTRICTION → *diminuer.*

RÉSULTANTE → *conséquence.*

RÉSULTAT, RÉSULTER → *conséquence.*

RÉSUMÉ, RÉSUMER → *abréger, livre.*

RÉSURGENCE → *eau.*

RÉSURRECTION → *soigner, vie.*

RETABLE → *église.*

RÉTABLIR, RÉTABLISSEMENT → *arranger, force, soigner.*

RETAILLE, RETAILLER → *morceau.*

RÉTAMER, RÉTAMEUR → *cuivre.*

RETAPER → *nouveau, réparer, soigner.*

RETARD, RETARDATAIRE → *lent.* — **Se manifester avec retard.** S'attarder, faire attendre; décalage; demeurer; dépasser l'heure; lambiner; se mettre en retard; muser; piétiner, piétinement; ralentir, ralentissement; retardataire; rester; être en souffrance; survivance, survivre; tarder, tard; traîner, être à la traîne. ■ Louper (fam.)/manquer/rater (fam.). — **Retarder.** Ajourner, amuser quelqu'un; atermoyer, chercher des atermoiements; décaler; délai d'ajournement, délai-congé ou de préavis, délai de faveur/de grâce/péremptoire/ de rigueur/de viduité; différer, manœuvre/réponse dilatoire; faire durer; éterniser; lanterner; marge, se donner/ laisser de la marge; un moratoire, intérêts moratoires; faire patienter; prolonger, prolongation; proroger, prorogation; ralentir, lenteur; reculer pour mieux sauter; remettre, remettre au lendemain; renvoyer, à huitaine/à quinzaine/*sine die*; récit; reporter, report; repousser; retarder, retard, retardement; revenir; surseoir, lettres de surséance, sursis, sursitaire; suspendre, suspension; temporiser, temporisateur; tenir le bec dans l'eau/ en suspens; tirer en longueur; faire traîner en longueur. ■ Bâtons dans les roues, impedimenta, obstacles. — **Retard dans un développement.** Archaïque, archaïsme; en arrière, arriéré; attardé; croûton (fam.); débile, débilité; demeuré; démodé; désuet, tombé en désuétude; fossile (fam.), fossilisé; infantilisme; malingre; périmé; puérilisme; à la queue; retardataire, retardé mental/physique; sous-développé; ne pas suivre; être suranné, vieilli.

RETARDEMENT → *exploser.*

RETARDER → *horlogerie, retard, vitesse.*

RETENIR → *arrêter, contenir, garder.*

RÉTENTION → *froid, rein.*

RETENTIR, RETENTISSANT → *bruit, exploser, son.*

RETENUE → *enseignement, retenir, sage.*

RETERCER → *vigne.*

RÉTIAIRE → *spectacle.*

RÉTICENCE, RÉTICENT → *cacher, doute, résister.*

RÉTICULE → *optique, sac.*

RÉTIF → *cheval, résister.*

RÉTINE, RÉTINIEN, RÉTINITE → *œil.*

RETIRATION → *typographie.*

RETIRER, RETIRER (SE) → *abandon, éloigner, engager, prendre, tirer.*

RETOMBÉE → *architecture, conséquence.*

RETOMBER → *tomber.*

RÉTORQUER → *discussion, répondre.*

RETORS → *subtil.*

RÉTORSION → *soumettre.*

RETOUCHE, RETOUCHER → *changer, couture.*

RETOUCHEUR → *couture, photographie.*

RETOUPER → *céramique.*

RETOUR → *changer, envoyer, venir.*

RETOURNE → *carte, typographie.*

RETOURNER → *arrière, envoyer, influence, sensibilité, tourner, venir.*

RETRACER → *récit.*

RÉTRACTER, RÉTRACTILE → *arrière, tirer.*

RÉTRACTER (SE) → *changer, crispation, diminuer, opposé.*

RETRAIT → *diminuer, ligne.*

RETRAITE → *abandon, calme, campagne, éloigner, fonction, guerre, liturgie.*

RETRAITE → *travail.*

RETRANCHEMENT → *fortification.*

RETRANCHER → *enlever.*

RETRANSMETTEUR, RETRANSMETTRE → *télécommunications.*

RÉTRÉCI, RÉTRÉCIR → *diminuer, petit.*

RETREMPER → *acier, force, mouiller.*

RÉTRIBUER, RÉTRIBUTION → *mérite, payer.*

RÉTROACTIF, RÉTROACTION → *agir, arrière.*

RÉTROCÉDER → *donner.*

RÉTROFUSÉE → *astronautique.*

RÉTROGRADE → *arrière, mouvement, progrès, vieillesse.*

RÉTROGRADER → *arrière, vitesse.*

RÉTROPROPULSION → *astronautique.*

RÉTROSPECTIF, RÉTROSPECTION → *arrière.*

RÉTROSPECTIVE → *montrer.*

RETROUSSER, RETROUSSIS → *montrer, pli.*

RÉTROVERSION → *arrière.*

RÉTROVISEUR → *automobile.*

RETS → *chasse.*

RÉUNION, RÉUNIR → *accord, attache, groupe, lier, mêler, rencontre.*

RÉUSSIR → *adroit, bonheur, exécuter.* — **Réussite sociale.** A la mode; aller loin; ambition; apogée; apothéose; arriviste; avancement, avancer; avoir de l'audience/du succès, auteur à succès; bonheur; briller; célèbre, célébrité; champion; chance; faire son chemin; consécration; faveur; être fêté; gloire; être lancé, lancement; lauréat; ovation; palmarès; parvenir, parvenu; plaire; être populaire, popularité; prestige; être recherché; recevoir l'approbation/ un coup de pouce, reçu; remarquable; renom; réputation; succès, succès féminins; séduction; triomphant, triomphe; trophée; vainqueur, victoire, victorieux; être en vogue. — **Réussite économique.** Aller bien; boom; avoir des chances/le vent en poupe, être chanceux; crédit; croissance; se développer, développement; engouement; épanouissement; essor; être achalandé/couru; expansion, être en pleine expansion; faire carrière, faire son chemin, faire fureur/sensation; être florissant/fructueux; gagner, gain; marcher, être un nom sur la place, percer / prendre / primer sur le marché; prospérer, prospérité; bien rendre, rentable; se répandre; riche, richesse. — **Réussir une opération.** Aboutir, accomplir, achever, atteindre son but; avoir tous les atouts en main/l'avantage/la main heureuse; être bénéfique, bonheur; couronné de succès; décrocher la timbale; efficace, efficacité; efficience, efficient; emporter / enlever le morceau; excellent, exceptionnel; exploit; avoir trouvé le filon; fortune; gagner, gagneur; heureuse issue; bien marcher; mener à bien; mettre dans le mille; obtenir; parvenir à; performance, prouesse, prix, record, bon résultat; réussir, réussir son coup, s'en sortir; habile stratège, bon tacticien; succès; se tirer d'affaire/d'une situation; bien tourner, bonne tournure; venir à bout de quelque chose.

RÉUSSITE → *bonheur, carte.*

REVALORISER → *augmenter, importance.*

REVANCHARD, REVANCHE → *guerre.*

RÊVASSER, RÊVASSERIE → *imaginer.*

RÊVE → *dormir, imaginer, psychanalyse.*

REVÊCHE → *grossier, mécontentement.*

RÉVEIL → *dormir, journée.*

RÉVEILLE-MATIN, RÉVEIL → *horlogerie.*

RÉVEILLER → *dormir, exciter.*

RÉVEILLON, RÉVEILLONNER → *fête.*

RÉVÉLATEUR → *photographie.*

RÉVÉLATION, RÉVÉLER → *apparaître, montrer, religion, théologie.*

REVENANT → *esprit.*

REVENDEUR → *commerce, marchandises.*

REVENDICATIF, REVENDIQUER → *demander.*

REVENIR → *changer, venir.*

REVENU → *gagner, impôt, produire.* — **Sortes de revenus.** Bénéfice, bénéfices industriels et commerciaux/non commerciaux, etc.; dividendes; dotation, dot; douaire; fermage; gain, gagner; intérêt; jetons de présence; loyer, location, locatif; pensionner, pension, pension alimentaire; produire, produit; profit du capital/de l'entreprise; rapporter, rapport, d'un bon/mauvais rapport; redevance; rendre, rente, rentable, rentabilité, rentabiliser; rentrée d'argent; revenu brut/net/nominal/réel; revenu national/public/par tête; revenus boursiers/fonciers / immobiliers / imposables; royalties; salaire, fruit/revenu du travail; sinécure; usufruit, usufruitier, usufructuaire. ■ Boursicoter (fam.), investir, placer/faire travailler son argent. — **Rente.** Amortir, amortissement; arrenter, arrentement; arrérages; bons du Trésor; capitaliser une rente; consolider, consolidation; constituer une rente, constitution; coupon; crédirentier, débirentier; donner/prendre à rente; émettre, émission; emprunt Pinay, emprunts russes; intérêts; rente amortissable/annuelle/sur l'État/foncière/indexée/nominative/au pair/perpétuelle/au porteur/quérable/viagère; produit; rentier, rentière, vivre de ses rentes; servir une rente; tant pour cent; taux légal/usuraire; titre; tontine; viager. — **Revenu ecclésiastique.** Annate; bénéfice à charge d'âmes / régulier / sécularisé / séculier/simple/à simple tonsure, le bénéficiaire; casuel; conférer un bénéfice, collateur, collataire; commende, abbé commendataire; denier du culte/de saint Pierre; mense; portion congrue; pouillé; prébende, prébendier; régale; temporel.

RÊVER → *désir, dormir, imaginer, inconscience, penser.*

RÉVERBÉRATION → *lumière.*

RÉVERBÈRE → *four, lampe, route.*

RÉVERBÉRER → *chaleur, lumière.*

REVERDIR → *jeune, vert.*

RÉVÉRENCE, RÉVÉRENCIEUX → *respect.*

RÉVÉREND → *ecclésiastique, honneur.*

RÉVÉRER → *respect.*

RÊVERIE → *imaginer, mémoire.*

REVERS → *arrière, balle, échouer, monnaie, pli.*

REVERSI, REVERSIS → *carte.*

RÉVERSIBILITÉ, RÉVERSIBLE → *mérite, tourner.*

RÉVERSION → *succession.*

REVERSOIR → *hydraulique.*

REVÊTEMENT, REVÊTIR → *couvrir, maçonnerie, mur, route, semblable.*

RÊVEUR → *imaginer, négliger.*

REVIENT → *industrie, payer.*

REVIGORER → *force, soigner.*

REVIREMENT → *changer, opinion.*

RÉVISER → *regarder, réparer.*

RÉVISION → *enseignement, regarder.*

RÉVISIONNISME, RÉVISIONNISTE → *parti, politique.*

REVIVIFIER, REVIVISCENCE → *vie.*

REVIVRE → *mémoire, nouveau, vie.*

RÉVOCABLE, RÉVOCATION → *annuler, fonction.*

REVOIR → *regarder, réparer, venir.*

RÉVOLTE, RÉVOLTÉ, RÉVOLTER → *colère, offense, résister, trouble.* — **Refuser d'obéir.** Aller à l'encontre, braver quelqu'un ; se cabrer ; entrer dans la clandestinité ; contestataire, contester ; se dérober ; déserter, déserteur ; désobéir, désobéissant ; discuter ; enfreindre, infraction ; exclure l'idée ; se fermer ; se gendarmer ; heurter de front ; s'indigner ; insoumission, insubordination ; non-violence, non-violent ; s'opposer, opposition ; se raidir ; refuser l'autorité ; refuser de comparaître en justice, contumace ; résistance, résister ; se révolter ; riposter ; se scandaliser ; tenir, tenir tête. ▪ Cabochard (fam.), dissipé, factieux, fanatique, hostile, incorrigible, indiscipliné, indocile, indomptable, réfractaire, rétif, révolté, tête de mule. — **Révolte organisée.** Agitateur, agitation sociale ; batailler ; combattre, combat ; se défendre/se dresser contre ; étendard de la révolte ; faire bloc contre, faire front ; fauteur de troubles ; insurgé, s'insurger, insurrection, levée de boucliers ; lutte, lutter, entrer en lutte ; s'opposer, entrer/être dans l'opposition ; proclamer l'état/le régime d'urgence ; protestataire, protester ; rebelle, se rebeller, rébellion ; résistance, résister ; révolte idéologique/patriotique/sociale, se révolter ; révolution, révolutionnaire, sans-culotte ; sédition ; situation exceptionnelle ; se soulever, soulèvement ; trouble civil ; violence. — **Révoltes particulières.** Ameuter ; être anarchiste ; attentat ; bagarre ; barricade, dresser des barricades, monter sur les barricades ; bouger, bouleversement social ; chambardement ; chouannerie ; clandestinité ; combat de rue, combattant de l'ombre ; contrebande, contrebandier ; convulsion politique ; désordres ; dissidence, dissident ; effervescence ; émeute, émeutier ; état de siège ; extrémiste ; factieux, faction ; franc-tireur ; fronde, fronder, frondeur ; gauchiste ; grève ; guérilla, guerre, guerre civile ; jacquerie ; loi martiale ; ligue ; manifestation ; maquis, maquisard, prendre le maquis ; mécontentement ; meneur ; mutin, se mutiner, mutinerie ; perturbateur, perturbation ; pronunciamiento ; provocateur, provoquer ; putsch ; remuer, mouvement social ; résistant, résistance, réseau d'espionnage ; sécession ; terreur, terroriste, élément subversif. — **Complot.** Fomenter/ourdir/tramer un complot. ▪ Affilié, association, cabale, camarilla, clique, combinaison secrète, comploter, conciliabule, conjuration, conjuré, conspiration, coterie, coup d'État, intrigue, machination, manigance, manœuvre, menées, secret.

RÉVOLU → *finir, temps.*

RÉVOLUTION → *astronomie, cercle, tourner.*

RÉVOLUTIONNAIRE → *changer, politique, révolte, trouble.*

REVOLVER → *arme, fusil.*

RÉVOQUER → *annuler, fonction.*

REVUE → *armée, chercher, journal, spectacle, théâtre.*

RÉVULSÉ → *tourner.*

RÉVULSER, RÉVULSIF → *médicament.*

REZ-DE-CHAUSSÉE → *maison.*

RHABDOMANCIE → *prévoir.*

RHABILLER, RHABILLEUR → *vêtement.*

RHAPSODE → *chanter.*

RHAPSODIE → *musique.*

RHÉOMÈTRE → *mesure.*

RHÉOSTAT → *électricité.*

RHÉSUS → *sang.*

RHÉTORIQUE → *convaincre, style.*

RHÉTORIQUEUR → *poésie.*

RHINENCÉPHALE → *nerf.*

RHINITE → *nez.*

RHINOCÉROS → *mammifères.*

RHINOLOGIE → *nez.*

RHINO-PHARYNX, RHINO-PHARYNGITE → *nez.*

RHIZOME → *plante.*

RHODAMINE → *rouge.*

RHODODENDRON → *arbre, jardin.*

RHODOÏD → *plastique.*

RHOMBE → *géométrie, instrument.*

RHOTACISME → *son.*

RHOVYL → *tissu.*

RHUBARBE → *plante.*

RHUM → *alcool.*

RHUMATISANT, RHUMATISME → *articulation, maladie, vieillesse.*

RHUMATOLOGIE, RHUMATOLOGUE → *médecine.*

RHUME → *froid, nez.*

RHUMERIE → *boire.*

RIA → *mer, relief.*

RIANT → *campagne, joie, plaire.*

RIBAMBELLE → *nombre, suivre.*

RIBAUD → *débauche.*

RIBLON → *morceau.*

RIBOTE RIBOULDINGUE → *débauche.*

RICANER, RICANEUR → *moquer, rire.*

RICHARD → *riche.*

RICHE → *abondance, poésie, posséder, produire.* — **Fortuné.** Aisance, aisé, à l'aise ; bien-être ; bourré de fric (pop.) ; confort ; cossu ; fortune, fortuné ; galette, grosse galette (pop.) ; gosse de riches, jeunesse dorée ; habitué des palaces ; jeter l'argent par les fenêtres ; moyens, avoir les moyens ; nager dans l'opulence ; nouveau riche ; opulent ; parvenu ; le Pactole, pactole (fam.) ; plein aux as (pop.) ; avoir le portefeuille bien garni (fam.) ; pourvu ; prospérité ; rastaquouère ; regorger de richesses ; ressources ; riche comme Crésus ; rouler sur l'or ; rupin (pop.) ; solvable ; standing ; train de vie, mener un train d'enfer. ■ Accumuler, bas de laine, confortable compte en banque, économies, entasser, épargne, magot, pécule. — **Capitaliste.** Avoir à son actif, un avoir ; argent, argenté ; bourse ; biens ; capital, capitaliser, capitaliste ; compte en banque ; cousu d'or ; s'enrichir, enrichissement ; faire fortune, faire sa pelote ; finance, financier ; gagner de l'argent ; milliardaire, millionnaire ; mine d'or ; nabab ; nanti ; notable ; ploutocrate ; possessions matérielles ; propriétaire ; revenus, de bons revenus ; richard (fam.), richesses, richissime ; satrape ; signes extérieurs de richesse ; thésauriser ; titres, valeurs ; vivre de ses rentes. — **Somptueux.** Avoir de la gueule (pop.)/riche allure ; briller ; éblouir ; en jeter (pop.) ; faire riche ; faste, fastueux ; magnificence, magnifique ; ostentation ; pompe, pompeux ; splendeur, splendide. ■ Avoir de la valeur : coûteux ; élégance ; luxe ; onéreux ; précieux ; rare, rareté ; signe de richesse ; somptueux ; trésor. — **Abondant.** Avoir beaucoup ; copieux ; plein de ; pourvu ; productif, produire, prospère ; rempli/riche de quelque chose, riche en quelque chose. ■ Aliment riche en graisses/en vitamines, aliment nourrissant/nutritif. ■ Gaz/sol/sous-sol riche ; concentré ; fertile, fertilité ; forte proportion, gros pourcentage ; luxuriant ; plantureux. ■ Pensée complexe / enrichissante / profonde, « substantifique moelle ».

RICHELIEU → *chaussure.*

RICHESSE → *abondance, ressource, riche.*

RICIN → *huile.*

RICKETTSIE, RICKETTSIOSE → *microbe.*

RICOCHER, RICOCHET → *sauter.*

RIC-RAC → *exact.*

RICTUS → *crispation, douleur, rire.*

RIDE → *crispation, pli, vieillesse, visage.*

RIDEAU → *cacher, décoration, fenêtre, théâtre.*

RIDELLE → *voiture.*

RIDER → *pli.*

RIDICULE, RIDICULISER → *futile, moquer, petit.*

RIEN → *futile, mépris, refus.*

RIESLING → *vin.*

RIEUR → *joie, rire.*

RIFLARD → *maçonnerie, menuiserie.*

RIFLARD → *pluie.*

RIFLE → *fusil.*

RIFLOIR → *polir.*

RIGIDE, RIGIDIFIER, RIGIDITÉ → *morale, règle, résister.*

RIGOLADE, RIGOLARD → *rire.*

RIGOLE → *canal.*

RIGOLER, RIGOLO → *joie, rire.*

RIGORISME, RIGORISTE → *morale.*

RIGOUREUX, RIGUEUR → *dur, exact, morale, règle.*

RILLETTES, RILLONS → *porc.*

RILSAN → *tissu.*

RIMAYE → *trou.*

RIME, RIMER, RIMEUR → *poésie.*

RIMMEL → *toilette.*

RINCE-BOUTEILLES → *bouteille.*

RINCE-DOIGTS → *doigt, vaisselle.*

RINCER → *nettoyer, pur.*

RINCETTE → *alcool.*

RING → *boxe, sport.*

RINGARD → *feu.*

RIPAILLE → *manger.*

RIPE, RIPER → *corde, pierre.*

RIPOSTE, RIPOSTER → *escrime, guerre, répondre.*

RIQUIQUI, RIKIKI → *petit.*

RIRE, RIS → *joie, moquer.* — **Façons de rire.** Se bidonner (pop.) ; se boyauter (pop.) ; crever de rire (fam.) ; se dérider ; se désopiler ; se dilater la rate (pop.) ; éclater de rire ; s'esclaffer ; s'étouffer de rire ; se fendre la pêche (pop.)/la pipe (pop.) ; glousser ; se gondoler (pop.), comme une baleine (pop.) ; se marrer (pop.) ; à mourir de rire ; se pâmer de rire ; partir d'un rire ; se payer une pinte de bon sang (pop.) ; se poiler (pop.) ; pouffer ; ricaner ; rigoler (fam.) ; rire de bon cœur/comme un bossu/comme un fou/à se décrocher la mâchoire/aux éclats/à gorge déployée/aux larmes/à en perdre haleine ; se tenir les côtes ; se tordre de rire. ■ Réprimer un sourire, se mordre les lèvres, pincer les lèvres, rire jaune/du bout des lèvres/dans sa barbe/sous cape. — **Sortes de rires.** Rire argentin/bête/bon enfant/bruyant/canaille/chevalin (fam.)/clair/communicatif/contagieux / convulsif / cristallin / cynique / démoniaque / diabolique / éclatant/énorme ; fou rire, accès/crise de fou rire ; rire franc/gargantuesque/goguenard/gras/grivois, gros rire, rire homérique / inextinguible / ironique / léger/méchant/sans méchanceté/moqueur / narquois / nerveux / niais / retentissant / sarcastique / sardonique / satanique / silencieux / sonore / spirituel. ■ Ricanement, rictus, rire, ris. —

Faire rire. Bouffon, burlesque, carnavalesque, cocasse, comique, courtelinesque, crevant (pop.), désopilant, drôle, extravagant, gondolant, hilarant, humoristique, impayable (fam.), inénarrable, marrant (pop.), plaisant, poilant (pop.), risible, la risée de, tordant. ▪ Attrape, badinerie, batifolage, blague, bouffonnerie, boutade, chatouille (fam.), comédie; déclencher l'hilarité; facétie; farce; folâtrer; folichonner; gag, gaudriole, gauloiserie, mot pour rire, plaisanterie, quiproquo, quolibet, saillie, trait d'esprit/d'humour. — **Personnage qui fait rire.** Arlequin, arlequinade; baladin; bateleur; blagueur; bouffon; boute-en-train; clown, clownerie, clownesque; comédien, comédie, un comique; farceur, farce; fou du roi; un grotesque; guignol, faire le guignol; humoriste; loustic; paillasse; pantin; personne pleine d'esprit/spirituelle; pince-sans-rire; pitre, pitrerie; plaisantin; polichinelle; un rigolo (pop.); saltimbanque. ▪ Caricature, charge, magot; grand escogriffe, grande perche (fam.), gros patapouf (pop.), etc. — **Sourire.** Minauder, minauderies; sourire, demi-sourire, souris; sourire qui flotte sur les lèvres. ▪ Sourire affectueux/amer/angélique / attendri / céleste / charmant / complice / confiant / contraint / désabusé / discret / doux / énigmatique / fin / froid / furtif / gracieux / indécis / indulgent / ingénu / innocent / ironique / malicieux / mauvais / mécanique / méprisant / moqueur / mystérieux / paternel / pincé / protecteur / railleur/résigné/triste.

RIS → *voilure.*

RIS → *viande.*

RISBERME → *hydraulique.*

RISÉE → *moquer, rire.*

RISETTE → *rire.*

RISIBLE → *futile, rire.*

RISOTTO → *céréale.*

RISQUE, RISQUER → *assurances, danger, essayer.*

RISQUE-TOUT → *courage.*

RISSOLE → *pâtisserie, pêche.*

RISSOLER → *cuire.*

RISTOURNE, RISTOURNER → *commerce, mérite, payer.*

RITE → *cérémonie, règle, religion.*

RITOURNELLE → *musique.*

RITUEL → *cérémonie, liturgie.*

RIVAGE → *mer.*

RIVAL, RIVALISER, RIVALITÉ → *adversaire, égal, essayer.*

RIVE → *bord, rivière.*

RIVELAINE → *mine.*

RIVER → *clou, discussion, raisonnement.*

RIVERAIN, RIVERAINETÉ → *proche, rivière.*

RIVET, RIVETER → *charpente, lier.*

RIVIÈRE → *eau, hydraulique, liquide.* — **Le cours d'eau et ses éléments.** Affluent, confluent; barre; bec; bief; boucle; bras, défluent; canal, canaliser, canalisation; cañon; cascade, cascatelle, cataracte, chute d'eau; cluse; coude; delta; déversoir; embouchure; estuaire; fleuve, fleuve côtier, fluvial; gave; griffon; se jeter dans; marigot; mascaret; méandre; oued; rapide; ravin, ravine; rivière qui fait des S/qui serpente/sinueuse; ru, ruisseau; saut; source; torrent, torrentueux; tournant. — **État naturel ou artificiel d'un cours d'eau.** Banc de galets/de jard/de sable; berge; bord, franc-bord; canal; chenal navigable; couler; courant, à contre-courant; encaissement; fil de l'eau, à vau-l'eau; gué; île, lit; pente; remous; rive, riverain, riveraineté; sable; thalweg; tourbillon, tournoyer; trou d'eau; turbidité; vallée. ▪ Bâclage, balisage, baliser, chaussée, digue, levée, parapet, passerelle, pont. — **Étude des cours d'eau.** Abondance; affouillement, affouiller; allaise; alluvions, eaux alluviales; arroser une région; bassin; charge; charrier; cours inférieur/supérieur; débit brut/moyen, débiter; déjection, cône de déjection; eau, basses/ hautes eaux; écoulement, déficit d'écoulement; ensablement, ensabler; éroder, érosion; étiage; évaporation; excaver; force motrice et tractrice; hauteur des eaux; hydrographie, hydrologue; infiltration; lit fluvial; maigre; module, litres/mètres cubes par seconde; perte; phénomène d'antécédence; potamologie, -potame; profil d'équilibre/en long; reflux; régime nival/nivo-glaciaire/nivo-pluvial; rivière conséquente/pérenne/permanente/saisonnière; résurgence; être à sec, assèchement, assécher; volume. — **Crue.** Hauteur d'une crue, décrue, croître, décroître; débâcle, onde de débâcle; débordement, déborder; divagation, divaguer; embâcle; fonte des neiges; inonder, inondation; montée des eaux, monter; retrait des eaux, se retirer; rupture des barrages/des digues; sortir de son lit. — **Utilisation des cours d'eau.** Bac, barrage, moulin; barque, chaland, péniche; batellerie, marinier; canaliser, canalisation; capter, capture d'une rivière; curer, curage; descendre/remonter un fleuve; détourner, détournement; dragage, draguer; écluser, écluse, éclusier; flotter, flottage; halage, chemin de halage; houille blanche; irriguer, irrigation, canal de dérivation/d'irrigation; laver à la rivière, laveuse, lavoir; naviguer, navigabilité, navigation fluviale; passer à gué, passeur; port; quai; régulariser, régularisation; réserve; rivière flottable/navigable.

RIXE → *discussion.*

RIZ, RIZERIE, RIZIÈRE → *céréale.*

ROBE → *cheval, magistrat, poil, vêtement, vin.*

ROBER, ROBEUSE → *tabac.*

ROBINET, ROBINETTERIE → *eau, fermer, liquide, tuyau.*

ROBOT → *machine.*

ROBUSTE, ROBUSTESSE → *force.*

ROC → *force, pierre.*

ROCADE → *route.*

ROCAILLE → *jardin, pierre.*

ROCAILLEUX → *dur, pierre.*

ROCAMBOLESQUE → *étonner, imaginer*

ROCHASSIER → *montagne.*

ROCHE → *géologie, pierre, secret.*

ROCHER → *oreille.*

ROCHET → *vêtement.*

ROCHET → *fil.*

ROCHEUX → *mer, pierre.*

ROCHIER → *poisson.*

ROCK AND ROLL → *jazz.*

ROCKING-CHAIR → *meuble.*

ROCOCO → *style, vieillesse.*

RODAILLER → *marcher, vagabond.*

RODÉO → *cheval, spectacle.*

RODER → *moteur, polir.*

RÔDER, RÔDEUR → *marcher, vagabond.*

RODOMONTADE → *courage, orgueil.*

ROGATOIRE → *demander.*

ROGATON → *morceau, résidu.*

ROGNE → *colère, mécontentement.*

ROGNER → *couper, diminuer.*

ROGNON → *géologie, rein, viande.*

ROGNURE → *couper, résidu.*

ROGOMME → *son.*

ROGUE → *orgueil.*

ROGUE → *poisson.*

ROI → *carte, chef, échecs, souverain.*

ROITELET → *oiseau.*

RÔLE → *état, impôt, tribunal.*

RÔLE → *fonction, spectacle.*

ROLLMOPS → *poisson.*

ROMAIN → *église, nombre, typographie.*

ROMAINE → *balance.*

ROMAINE → *légume.*

ROMAN → *art, langage.*

ROMAN → *littérature, récit.*

ROMANCE → *chanter.*

ROMANCER → *imaginer, changer, récit.*

ROMANCERO → *poésie.*

ROMANCIER → *récit.*

ROMAND → *Europe.*

ROMANÉE → *vin.*

ROMANESQUE → *imaginer, récit.*

ROMAN-FEUILLETON, ROMAN-FLEUVE → *journal, récit.*

ROMANICHEL → *vagabond.*

ROMAN-PHOTO → *récit.*

ROMANTIQUE, ROMANTISME → *littérature, passion.*

ROMARIN → *aliment.*

ROMBIÈRE → *femme.*

ROMPRE → *annuler, arrêter, casser.*

ROMPU → *adroit, habitude, parler.*

RONCE, RONCERAIE → *bois, plante, végétation.*

RONCEUX → *bois.*

RONCHONNER, RONCHONNEUR → *discussion, mécontentement.*

RONCIER, RONCIÈRE → *plante.*

ROND → *boire, franc, gras, nombre.*

ROND → *arc, argent, cercle, courbe, éloge, plaire.*

ROND-DE-CUIR → *bureau, fonction.*

RONDE → *chanter, écrire, musique, police.*

RONDEAU → *poésie.*

RONDE-BOSSE → *sculpture.*

RONDELET → *gras, important.*

RONDELLE → *cercle, machine, morceau.*

RONDEUR → *cercle, courbe, franc.*

RONDIN → *bois.*

RONDO → *musique.*

RONDOUILLARD → *gras.*

ROND-POINT → *rencontre, route.*

RONFLANT → *bruit, engager.*

RONFLER, RONFLEUR → *bruit, dormir, moteur.*

RONGER, RONGEUR → *dent, détruire, douleur, manger.* — **Action de ronger.** Altérer, altération; attaquer; brûler; consumer; corroder, corrosion; décaper, détruire; dissoudre; entamer; mordre, mordacité; pourrir, pourrissement; user. ▪ Déchiqueter, grignoter, mâcher, mâchonner, manger. ▪ Affouiller, affouillement; dégrader, dégradation; éroder, érosion; miner; raper; saper. — **Qui ronge.** Abrasif; acide, mordant d'un acide, acidité; causticité, produit caustique, soude; décapant, dissolvant; humidité; oxydation, oxyder, inoxydable; rouille, rouiller, peinture antirouille; rubigineux; vert-de-gris. ▪ Cancer, cancéreux; carie; chancre; consomption; gangrène, gangrener; tuberculose, tuberculeux, avoir les poumons rongés; ulcère, ulcération. — **Animaux qui rongent.** Les rongeurs : agouti, athéture, cabiai ou cochon d'eau, campagnol, castor, chinchilla, cobaye ou cochon d'Inde, écureuil, gerbille, gerboise, hamster, lapin, lemming, lièvre, loir, lérot, marmotte, mulot, muscardin, ondatra, polatouche, porc-épic, ragondin, rat, souris, spalax, surmulot, viscache, xérus ; hystricomorphes, lagomorphes, myomorphes, sciuromorphes. ■ Irmite ; ver xylophage, bois artisonné/mouliné/piqué/vermoulu ; vermine.

RONGEURS → *animal, ronger.*

RONRON, RONRONNER → *bruit, chat.*

RÖNTGENTHÉRAPIE → *rayon.*

ROOTER → *fonder.*

ROQUEFORT → *lait.*

ROQUER → *échecs.*

ROQUETTE → *arme, projectile.*

RORQUAL → *baleine.*

ROSACE → *architecture, église.*

ROSACÉES → *plante.*

ROSAIRE → *liturgie, vierge.*

ROSÂTRE → *rouge.*

ROSBIF → *bœuf, viande.*

ROSE → *fleur, joaillerie.*

ROSE, ROSÉ → *peau, rouge.*

ROSÉ → *vin.*

ROSEAU → *lac, plante, végétation.*

ROSE-CROIX → *franc-maçonnerie.*

ROSÉE → *journée, mouiller.*

ROSÉOLE → *maladie.*

ROSERAIE → *jardin, plante.*

ROSETTE → *chevalerie, décoration.*

ROSIER → *plante.*

ROSIÈRE → *femme, morale, vierge.*

ROSIR → *rouge, visage.*

ROSSARD → *mal.*

ROSSE → *cheval, critique, dur, mal.*

ROSSÉE, ROSSER → *frapper.*

ROSSERIE → *mal.*

ROSSIGNOL → *oiseau.*

ROSSINANTE → *cheval.*

ROSTRAL, ROSTRE → *colonne, insecte.*

ROT → *bruit, estomac.*

ROTANG → *vannerie.*

ROTARY → *télécommunications.*

ROTATEUR → *muscle.*

ROTATIF, ROTATION → *cercle, culture, tourner, voyage.*

ROTATIVE → *typographie.*

ROTATOIRE → *tourner.*

ROTE → *instrument.*

ROTE → *ecclésiastique, pape.*

ROTER → *bruit, estomac.*

RÔTI, RÔT → *viande.*

RÔTIE → *pain.*

ROTIN → *vannerie.*

RÔTIR → *brûler, cuire.*

RÔTISSERIE, RÔTISSEUR, RÔTISSOIRE → *cuisine, vaisselle.*

ROTONDE → *cercle, colonne, édifice.*

ROTONDITÉ → *cercle, gras.*

ROTOR → *moteur, tourner.*

ROTULE → *articulation, os.*

ROTURE, ROTURIER → *classe.*

ROUABLE → *pain, sel.*

ROUAN → *cheval.*

ROUANNE → *menuiserie.*

ROUBLARD, ROUBLARDISE → *adroit, subtil, tromper.*

ROUBLE → *monnaie.*

ROUCOULADE, ROUCOULEMENT, ROUCOULER → *chanter, cri.*

ROUE → *aider, bicyclette, gonfler, gymnastique.* — **Éléments et accessoires d'une roue.** Bandage pneumatique, pneu ; barbotin ; boudin ; chapeau de roue, enjoliveur ; couronne ; esse, essieu ; frette ; fusée ; jante, déjanter ; moyeu ; œil ; rai, rayon ; voile. ■ Alluchon, axe, came, cliquet, dent, galet, godet, lanterne, mentonnet, molette, pale, pignon, pivot, rochet, tourillon, touret, volant. ■ Engrenage, rouage, roulement, roulette, train de roulement, transmission. — **Sortes de roues.** ■ Automobile : roues amovibles/chenillées/couplées/directrices / indépendantes / jumelées/motrices / pleines / à rayons / de secours ; écartement, empattement, ouverture, pincement. ■ Horlogerie : roue d'armage/d'arrêt/à colonne/à rochet. ■ Mécanique : roue d'angle/à augets/de champ/dentée/de friction/hydraulique / hyperbolique / libre / maîtresse/à palettes/à sabots. ■ Turbine, turbo-alternateur, turbocompresseur, turbopropulseur, turboréacteur. — **Poulie.** Bras ou toile, canal, engoujure, essieu, gorge, jante, joue, noix, rainure, réa ; bigue, bouc, moufle, palanquin ; roue étagée/fixe/folle ; roue à croc/à émerillon/à fouet ; rouet. — **Utilisation des roues.** Automobile, avion, bateau à aubes, bicyclette, brouette, moulin à eau/à vent, turbine, véhicule, wagon. ■ Carrosser, carrossage ; centrer ; charron ; embattre, embattage ; encliqueter, encliquetage ; engrener, engrenage ; s'enrayer, enrayement ; fretter ; voiler, dévoiler. ■ Roue de supplice, rouer en place de Grève ; roue de la Fortune.

ROUÉ → *adroit, débauche, frapper, subtil.*

ROUELLE → *bœuf, cercle.*

ROUER → *frapper, roue.*

ROUERIE → *adroit, subtil.*

ROUET → *fil, serrure.*

ROUFLAQUETTE → *cheveu.*

ROUGE, ROUGEÂTRE, ROUGEAUD → *colère, couleur, feu, parti, vin, visage.* — **Nuances de rouge.** Amarante, andrinople, bordeaux, brique, capucine, carmin, carotte, cerise, clair, coquelicot, corail, corallin, cramoisi, cuivré, écarlate, flamboyant, foncé, fraise, garance, géranium, groseille, incarnat, lie-de-vin, nacarat, ocre, ocre rouge, orange, orangé, ponceau, pourpre, purpurin, rose, rosé, rosâtre, rouge, rougeâtre, rougeoyant, rouille, roux, rubis, rutilant, sang-de-bœuf, sanglant, tomate, vermeil, vermillon, vineux. ■ Améthyste, aubergine, cassis, grenat, lilas, mauve, parme, prune, violacé, violet, violine, zinzolin. — **Rougeur de la peau.** S'allumer, allumé ; changer de couleur : pâlir, rougir, verdir, etc. ; congestionné ; couleurs, avoir/reprendre des couleurs, coloré ; couperose, couperosé ; s'empourprer, empourpré ; enflammer ; enluminé ; érubescence, érubescent ; être haut en couleur ; inflammation ; monter au front ; piquer un fard ; rosir ; rouge comme une cerise/un coq/un coquelicot/une écrevisse/un homard/ une pivoine/une pomme/une tomate ; rougir jusqu'au blanc des yeux ; rougeaud ; rougir de colère/de confusion/ de dépit / d'émotion / de fureur / de honte/de modestie/de plaisir/de pudeur/de timidité ; rougissement, rougissant ; roux, rousseur ; rubicond ; sanguin. ■ Érythème ; inflammation ; roséole, rougeole ; rubéfier, rubéfaction ; rubéole. — **Production et utilisation du rouge.** Alizarine, campêche, carmin, carthamine, cinabre, cochenille, colcotar, écarlate, éosine, érythrosine, garance, garancier, garancière, hématite, kermès, laque d'alumine, minium, ocre, orcanette, oseille, phtaléine, pourpre, purpurine, réalgar, rhodamine, rocou, rosaniline, roséine, sandex, santal, tournesol, vermillon. ■ Cachet, chéchia, crayon, encre, henné, rouge à lèvres, ruban, etc. — **Valeurs symboliques.** Ardeur ; bonnet rouge/phrygien/de Marianne/des sans-culottes ; colère ; dignité de cardinal, la pourpre cardinalice ; drapeau rouge de la révolution, un rouge, voter rouge ; feu, flamme, matériel rouge des pompiers ; honte ; pallium de l'imperator romain ; passion ; sang, sanglant, ensanglanter ; violence ; voir rouge, taureau, chiffon rouge.

ROUGE-GORGE → *oiseau.*

ROUGEOLE, ROUGEOLEUX → *maladie.*

ROUGEOYER → *rouge.*

ROUGE-QUEUE → *oiseau, rouge.*

ROUGET → *poisson.*

ROUGEUR, ROUGIR, ROUGISSANT → *gauche, gêner, rouge, visage.*

ROUILLE, ROUILLER → *céréale, dommage, fer, oxygène.*

ROUIR, ROUISSOIR → *fil, textile.*

ROULADE → *chanter, rouler, viande.*

ROULANT → *train, transport.*

ROULEAU → *cheveu, culture, pâtisserie, peinture, sauter.*

ROULEMENT → *bruit, commerce, place, roue.*

ROULER → *marine, presser, route, tourner, tromper, voyage.*

ROULETTE → *jouer, roue.*

ROULEUR → *voiture.*

ROULEUR → *bicyclette.*

ROULIS → *marine.*

ROULOTTE → *vagabond, voiture.*

ROULOTTER → *couture.*

ROULURE → *débauche, femme.*

ROUND → *boxe.*

ROUPIE → *monnaie.*

ROUPILLER → *dormir.*

ROUQUIN → *cheveu, rouge.*

ROUSCAILLER, ROUSPÉTER → *discussion, mécontentement.*

ROUSSETTE → *poisson.*

ROUSSEUR → *cheveu, peau.*

ROUSSI → *brûler, cuisine.*

ROUSSIN → *cheval.*

ROUSSIR → *brûler,.*

ROUTE → *passer, train, voiture, voyage.* — **Description technique.** Accotement stabilisé ou non stabilisé ; asphalte, asphalter, asphaltage ; banquette ; bas-côté ; bitume, bitumer ; bombement, route bombée ; caillasse, cailloutage ; chaussée ; courbure ; empierrement ; goudron, goudronner, goudronnage ; gravillon, gravillonnage ; hérisson ; largeur ; libage ; ligne droite ; macadam, tarmacadam, macadamiser ; pavé, paver, pavage, pavement en mosaïque/en quinconce/en queue de paon ; pierraille ; profil en long/en travers ; recharger/remblayer une route ; stabiliser ; rudération ; viabilité. ■ Compacteur, cylindreur, goudronneuse, grader, rouleau-compresseur, vibreur ; cantonnier, entrepreneur de travaux publics, ingénieur des Ponts et Chaussées. — **Tracé et état de la route.** Bifurcation, carrefour en trèfle, col, corniche, côte, courbe, croisement, déclivité, dos-d'âne, embranchement, fourche, lacet, levée, ligne droite, montée, nœud de communications, patte-d'oie, pente, pont, raidillon, rampe, rond-point, saut-de-mouton, tournant, tunnel, viaduc, virage en épingle à cheveux. ■ Route caillouteuse / carrossable / défoncée / dégradée / encaissée / étroite / poussiéreuse/sinueuse. ■ Cassis, fondrière, nid-de-poule, ornière. — **Sortes de routes.** Allée cavalière/forestière, contre-allée ; autoroute de dégagement/à péage, autostrade ; chemin de chars/muletier/de traverse ; piste ; réseau routier ; raccourci ; rocade ; route à grande circulation/départementale/ nationale / privée / stratégique / vicinale ; sente, sentier ; voie, via romaine. — **Voies urbaines.** Artère, avenue, boulevard, chaussée, cours, cul-de-sac, impasse, mail, quai, rue, grand-rue, rue animée/commerçante/encombrée/mal famée/fréquentée/passante/tortueuse ; ruelle, traverse, venelle. ■ Carrefour, coin, croisement, débouché, dédale, déviation, labyrinthe, lacis, rue barrée, toboggan. ■ Caniveau ; égout ; feu clignotant/ rouge/vert ; passage clouté/souterrain ; refuge ; réverbère ; ruisseau ; trottoir ; voirie. — **Circulation sur les routes.** Automobiliste, camionneur, cycliste, motocycliste ; bande jaune ; barrière de dégel ; borne kilométrique/milliaire ; carte routière ; circuler, circulation ; comptage ; déboîter ; doubler ; files de circulation ; itinéraire ; panneaux de signalisation : flèche, « interdiction de ... », sens giratoire, sens unique, stop, etc. ; police de la route, prévention routière ; pompe à essence, pompiste ; relais routier, restoroute, motel ; rouler, faire de la route, routier ; route à deux/à trois voies, voies matérialisées ; station-service ; trafic ; tronçon. ■ Accident ; bloquer la circulation ; bouchon ; brouillard ; embouteillage, encombrement, enneigement, ralentissement ; verglas.

ROUTER → *marchandises, poste.*
ROUTIER → *adroit, bicyclette, subtil, voiture.*
ROUTIER → *route.*
ROUTIÈRE → *automobile.*
ROUTINE, ROUTINIER → *habitude.*
ROUVERIN → *fer.*
ROUVIEUX → *cheval.*
ROUX → *aliment, cheveu, cuisine, rouge.*
ROWING → *nager.*
ROYAL → *chef, souverain.*
ROYALISME, ROYALISTE → *politique.*
ROYALTIES → *devoir, revenu.*
ROYAUME, ROYAUTÉ → *État, souverain.*
RUADE → *âne, cheval, sauter.*
RUBAN, RUBANERIE, RUBANIER → *bande, décoration, toilette.*
RUBÉOLE, RUBÉOLEUX → *maladie.*
RUBICOND → *rouge, visage.*
RUBIS → *bijou, joaillerie, rouge.*
RUBRIQUE → *classe.*
RUCHE → *cire, insecte.*
RUCHE, RUCHÉ → *bande.*
RUCHER → *pli.*
RUDE → *brusque, difficile, dur, irrégulier.*
RUDÉRATION → *maçonnerie, route.*
RUDESSE → *dur.*
RUDIMENT, RUDIMENTAIRE → *commencer, simple.*
RUDOIEMENT, RUDOYER → *brusque, mécontentement.*
RUE → *passer, route, ville.*
RUELLE → *lit, route.*
RUER → *âne, attaque, cheval.*
RUFFIAN → *débauche.*
RUGBY → *balle.*
RUGIR → *colère, cri.*
RUGOSITÉ, RUGUEUX → *grossier, irrégulier, toucher.*
RUILER → *calcium, maçonnerie.*
RUINE, RUINER → *commerce, détruire, dommage, raisonnement, tomber.*
RUINEUX → *dépense.*
RUISSEAU → *canal, rivière.*
RUISSELER → *eau, liquide, lumière, pluie.*
RUMBA → *danse.*
RUMEUR → *bruit, informer, réputation.*
RUMINANTS → *mammifères.*
RUMINATION, RUMINER → *estomac, imaginer.*
RUMSTECK → *bœuf.*
RUNABOUT → *bateau.*
RUOLZ → *bijou.*
RUPESTRE → *pierre.*
RUPIN → *riche.*
RUPTURE → *annuler, casser, désaccord.*
RURAL, RURAUX → *campagne, province.*
RUSE, RUSÉ → *adroit, subtil, tromper.*
RUSER → *tromper.*
RUSH → *attaque, cinéma.*
RUSSE, RUSSIE → *Europe.*
RUSSULE → *champignon.*
RUSTAUD → *grossier.*
RUSTICAGE → *maçonnerie.*
RUSTICITÉ, RUSTIQUE → *campagne, grossier, simple.*
RUSTINE → *gonfler.*
RUSTIQUE, RUSTIQUER → *pierre.*
RUSTRE → *grossier, manière.*
RUT → *reproduction, sexe.*
RUTABAGA → *légume.*
RUTILANCE, RUTILANT, RUTILER → *briller, rouge.*
RYTHME, RYTHMER, RYTHMIQUE → *intervalle, mesure, musique.*

SABAYON → *pâtisserie.*

SABBAT, SABBATIQUE → *enfer, fête, juif.*

SABIR → *langage.*

SABLE → *mer, terre.* — **Description.** Aréneux, arénacé, arénisation; grain de sable; grès; jard; poudre; poussière; sable boulant/fin/grossier/moyen; sable argileux/bitumineux/calcaire ou calcéreux/feldspathique/lignitifère/micacé; sable de Bracheux/de Cuise/de Fontainebleau/vert; sablon, sablonneux; silice. — **Le sable dans la nature.** Barkhane; butte; désert, Sahara; dune littorale/mouvante, lande, les Landes; ensablement, ensabler; erg; grève; javeau; lit de rivière; plage; sables mouvants; tempête de sable; terrain graveleux/sableux; tombolo. — **Utilisation du sable.** Arène; ballast, ballastière; carrière; cimenterie, ciment; château de sable; cribler; décaper; dégravoyer; draguer; fonderie; maçonnerie, mortier; moule; pâté; ravalement; sablache, sabler un chemin/une route verglacée; sablière, sablonnière; tamiser; tas de sable; verrerie, verre. ■ Bétonneuse; drague; tamis; sablier.

SABLÉ → *pâtisserie.*

SABLER, SABLEUR, SABLEUX → *nettoyer, sable.*

SABLIER → *temps.*

SABLIÈRE → *sable.*

SABLIÈRE → *charpente.*

SABLONNEUX, SABLONNIÈRE → *sable.*

SABORD → *fenêtre, navire.*

SABORDER → *détruire.*

SABOT → *bain, chaussure, corne, pied.*

SABOTER, SABOTEUR → *détruire exécuter, mal.*

SABOTIER → *chaussure.*

SABRE, SABRER → *critique, escrime, exécuter.*

SAC → *paquet, récipient.* — **Description et utilisation.** Bandoulière, cordon, courroie, fermoir, fond, double fond, gueule, oreille, poignée, serrure, soufflet, tirant. ■ Sac de caoutchouc/de cuir (box, crocodile, lézard, etc.)/de jute/de matière plastique/de skaï/de toile. ■ Bourrer un sac, sac rembourré, rembourrage; bourrelet; fermer; fouiller/farfouiller dans; lier; mettre en sac, ensacher, sachée; ouvrir; porter un sac en bandoulière/à bout de bras/sur le dos/à la main/sur la tête; retourner/vider un sac. ■ Sac de charbon/de ciment/de farine/de noix/de pommes de terre, etc.; sacs postaux. — **Sortes de sacs.** Besace, bissac, blague à tabac, cabas, carnassière, carnier, cartable d'écolier, cartouchière, couffin, enveloppe, ferrière, filet à provisions, fourre-tout, gibecière, giberne, grenadière, havresac, housse, musette, paquet (empaqueter), paillasse, panetière, panier, poche, pochette, porte-documents, récipient, réticule, sabretache, sachet, sacoche, serviette, trousse. ■ Sac de couchage/à dos/à main/de matelot ou marin/à ouvrage/de plage/à provisions/tyrolien/à viande. — **Bagages et bourse.** Bagage, bagages, billot, balluchon, barda (pop.), baise-en-ville (pop.), caisse, cantine, carton à chapeau, chapelière, coffre, colis, équipement, fourbi (pop.), malle, mallette, marmotte, paquetage, sac de nuit, valise, valoche (pop.). ▪ Aumônière, bourse, boursicot, escarcelle, gousset, porte-billets, portefeuille, porte-monnaie. — **En forme de sac.** Capsule, cornet, cosse, follicule, gousse, saccule, membrane séreuse, testicules, utricule, vésicule, vessie, volve. ▪ Rue en cul-de-sac ; vêtement mal taillé, être mal fagoté (fam.), robe sac.

SAC → *détruire.*

SACCADE, SACCADÉ → *irrégulier, remuer.*

SACCAGE, SACCAGER → *détruire, dommage, trouble.*

SACCHARIFÈRE → *sucre.*

SACCHARIFIER, SACCHARIMÉTRIE → *sucre.*

SACCHARINE → *sucre.*

SACCULE → *entendre, sac.*

SACERDOCE, SACERDOTAL → *cérémonie, ecclésiastique.*

SACHÉE → *sac.*

SACHET → *parfum, sac.*

SACOCHE → *sac.*

SACQUER, SAQUER → *envoyer, fonction.*

SACRALISER → *sacrement.*

SACRAMENTAL → *liturgie.*

SACRE → *cérémonie, sacrement, souverain.*

SACREMENT, SACRER → *ecclésiastique, liturgie, mariage, respect.* — **Les sacrements.** Administrer un malade/les saintes huiles, viatique ; baptême ; bénir, bénédiction ; cérémonie ; confirmer, confirmation ; consacrer, consécration, consécrateur ; eucharistie, extrême-onction ; imposition des mains ; mariage, bénédiction nuptiale ; oindre, onction ; ordre, ordonner prêtre, ordination ; pénitence ; rite, rituel ; sacraliser, désacraliser ; sacrer un souverain, sacre, couronnement, sainte ampoule, saint chrême ; sacrement, administrer les sacrements/les derniers sacrements, décéder muni des sacrements de l'Église, sacramentaire, sacramentel ; sacrifice, sacrificateur, immolation, libation, lustration ; sanctifier, sanctification. — **Baptême.** Ablution ; acte de baptême registre ; affusion ; aspersion ; au nom du Père, du Fils et du Saint-Esprit ; baptême, baptiser, baptistère, fonts baptismaux ; eau ; exorciser, exorcisme ; filleul, marraine, parrain ; immersion ; ondoyer, ondoiement ; patron ; péché originel ; prénom, nom de baptême. ▪ Chrémeau, fête, dragées bleues ou roses, robe de baptême, tavaïole. — **Eucharistie.** Adoration du saint sacrement ; agneau pascal ; calice ; ciboire ; Cène, cénacle ; communion, communier, la sainte table ; première communion, communion solennelle, communiant ; consubstantiation ; dévotion, faire ses dévotions ; élévation ; espèces, les deux espèces, le pain et le vin, corps et sang du Christ ; état de grâce ; eucharistie, eucharistique, congrès eucharistique ; exposition du saint sacrement, custode, ostensoir ; hostie ; jeûner, être à jeun ; messe ; pain azyme ; Pâques, faire ses pâques ; patène ; présence réelle ; procession du saint sacrement, Fête-Dieu ; reposoir ; tabernacle ; transsubstantiation ; voile. — **Pénitence.** Absolution, absoudre ; abstinence, jeûne et abstinence ; battre sa coulpe, faire son mea culpa ; cas de conscience, casuiste, casuistique ; confession, se confesser, confesseur, confessionnal, aller à confesse ; contrition, contrit ; flagellation ; indulgences ; maigre, carême ; mortification, se mortifier, cilice, discipline, haire ; pénitence, pénitence publique, aumône, fondation pieuse, pénitent, pénitentiel ; remettre les péchés, rémission, repentir, se repentir ; satisfaction. — **Lieu, objet sacré.** Église ; intangibilité, inviolabilité ; lieu sacré/saint, la maison de Dieu ; liturgique ; pèlerinage ; reliques, reliquaire ; saint, saintes Écritures, etc. ; sanctuaire ; tabou ; temple. ▪ Animal, bois, danse, feu, montagne, oiseau, pierre, tombe, voie, etc. ▪ Simonie, simoniaque.

SACRIFICE, SACRIFIER → *abandon, liturgie, offrir, sacrement.*

SACRILÈGE → *hérésie, incroyance, religion.*

SACRIPANT → *homme.*

SACRISTAIN, SACRISTIE → *ecclésiastique, église.*

SACRO-SAINT → *respect, saint.*

SACRUM → *os.*

SADIQUE, SADISME → *mal, plaire, psychanalyse, sang.*

SAFARI → *chasse.*

SAFRAN → *aliment, jaune.*

SAGACE, SAGACITÉ → *raisonnement, sage, subtil.*

SAGAIE → *arme, bâton, jeter.*

SAGE → *calme, morale, raisonnement.* — **Conforme aux règles de la raison et de la morale.** Chaste ; conscient, conscience ; continent, continence ; décent, décence ; discernement ; équilibré, équilibre ; frugal, frugalité ; intelligent, intelligence ; intègre, intégrité ; mesuré, mesure ; modéré, modération ; modeste, modestie ; moral, morale ; pondéré, pondération ; pudique, pudeur ; raisonnable, doué de raison ; réfléchi, réflexion ; réglé ; retenue ; sagace, sagacité ; sage, sagesse ;

sensé, plein de bon sens; sobre, sobriété; tempérant, tempérance; tolérant, tolérance, tolérer; vertueux, vertu. — **Homme sage.** Austère, austérité; donner le bon exemple, avoir une conduite exemplaire; édifier, édifiant; esprit mûr, maturité d'esprit; grave; homme de bon conseil/d'expérience/sérieux; Minerve, déesse de la Sagesse; Nestor; patriarche; philosophe; prud'homme; rosière; les sept sages de la Grèce; un sage cynique/épicurien/stoïcien; saint, sainteté; savant; vénérable; vétéran. ■ Diogène, Ésope, Salomon, Socrate; La Fontaine et ses fables. — **Prudent.** Attentif, attention; averti; avisé; calculer, calculateur; circonspect, circonspection; jeter/lâcher du lest, mettre de l'eau dans son vin; ménager ses expressions/ses forces, « Qui veut voyager loin ménage sa monture »; Normand, ne dire ni oui ni non; peser ses mots; précautionneux, se précautionner, prendre des précautions; prendre son temps; prévoyant, prévoyance, prévision, provision; prudent, prudence; pusillanime, pusillanimité; réservé, réserve, rester sur son quant-à-soi; temporiser, temporisation; se tenir coi/sur ses gardes; timoré; tourner sa langue dans sa bouche avant de parler; vigilant, vigilance. — **Paisible.** Accommodant; assagi, s'assagir; calme, se calmer; discret, discrétion; docile, docilité; doux, douceur; enfant sage/sage comme une image; gentillesse, gentil; grandir en sagesse; obéissant, obéir; patient, patience; posé; résigné, résignation; tranquille.

SAGE-FEMME → *accouchement, médecine.*

SAGESSE → *calme, morale, philosophie.*

SAGITTAIRE → *astrologie.*

SAGOUIN → *sale, singe.*

SAHARA, SAHARIEN → *sable, sec.*

SAHARIENNE → *vêtement.*

SAIE, SAIETTER → *vaisselle.*

SAIGNANT → *sang, viande.*

SAIGNÉE → *bras, canal, chirurgie.*

SAIGNEMENT, SAIGNER → *canal, sang.*

SAILLANT, SAILLIE → *bosse, fortification, vif.*

SAILLIR → *bosse, irrégulier.*

SAILLIR → *reproduction, sexe.*

SAIN → *bien, bienfaisance, pur, soigner.*

SAINDOUX → *porc.*

SAINFOIN → *herbe.*

SAINT → *église, liturgie, pur, sacrement.* — **Les saints personnages de l'Église.** Apôtre, apostolique; bienheureux; confesseur; l'Église triomphante; élu; évangéliste; glorieux, gloire; martyr, martyrologe; oint du Seigneur; patriarche; Père de l'Église; pontife; saint, les anges et les saints, le chœur des saints, la Sainte Vierge; les saintes femmes, veuves et pénitentes; servante/serviteur de Dieu; vénérable. — **Vie et vertus des saints.** Abnégation; apostolat; ascétisme, ascète; charisme; conversion; convertir; érémitisme, ermite; évangélisation, évangéliser; glossolalie; grâce, état de grâce; miracle, miraculeux; mortification, mortifier, cilice, discipline, haire; mourir en odeur de sainteté; prédestination, prédestiné; prophétie, prophétiser, prophète; prosélytisme, prosélyte; sainteté, saint; salut; stigmates; stylite; tentation, la tentation de Saint Antoine; transverbération; vase d'élection; vision. — **Proclamer et honorer la sainteté.** Avocat du diable, béatification, canonisation, introduire une cause, procès de canonisation, sacrer, sacre. ■ Anniversaire, saint du jour, la Saint-Charlemagne; canon des saints; châsse; commémoration; culte; dresser des autels; dulie, hyperdulie; fête; hagiographie, hagiographe; icône, iconostase, fureur iconoclaste; image pieuse; litanie des saints; patron, saint patron, placer sous le patronage de; pèlerinage, pèlerin; reliques; sanctuaire; statue; Toussaint; « Vie des saints »; vocable. ■ Aura, auréole, auréolé; couronne; nimbe, nimbé.

SAINT-BERNARD → *chien.*

SAINT-CRÉPIN → *chaussure.*

SAINT-CYRIEN → *armée.*

SAINT-ESPRIT → *religion.*

SAINTETÉ → *saint.*

SAINT-FRUSQUIN → *munir, voyage.*

SAINT-GLINGLIN (À LA) → *temps.*

SAINT-HONORÉ → *pâtisserie.*

SAINT-OFFICE → *ecclésiastique, hérésie, pape.*

SAINT-PAULIN → *lait.*

SAINT-PÈRE → *pape.*

SAINT-PIERRE → *poisson.*

SAINT-SIÈGE → *pape.*

SAISI, SAISIE → *devoir, posséder.*

SAISIE-ARRÊT, SAISIE-BRANDON, SAISIE-GAGERIE → *posséder.*

SAISINE → *posséder, succession.*

SAISIR → *cuire, posséder, prendre, sensibilité.*

SAISISSEMENT → *étonner, froid, sensibilité.*

SAISON → *année.* — **Généralités climatiques.** Équateur; équinoxe, grandes marées; hauteur du soleil; hémisphère austral/boréal; mousson, saison des pluies; périgée; les quatre saisons; saisonnier, travail saisonnier, marchande des quatre saisons; solstice. — **Printemps.** Primevère; printanier, vernal; renouveau; retour des hirondelles; réveil de la nature, bourgeons, boutons, fleurs; saison des amours; semailles. ■ Germinal, floréal, prairial. — **Été.** Belle saison, beaux jours; canicule, chaleur, chaud; estiver, estival, estivant, estivage, estivation; été étouffant/orageux/pluvieux/torride; au fort de l'été; longueur des jours; sécheresse, sec, saison sèche; tenue d'été/légère; vacances, grandes vacances. ■ Messidor, thermidor, fructidor. — **Automne.** Arrière-saison; automnal; brume, brouillard; chasse, gibier; été de la Saint-Martin; feuilles mortes/qui jaunissent/qui rougissent/qui tombent, chute des feuilles; jours qui diminuent/raccourcissent; vendanges. ■ Vendémiaire, brumaire, frimaire. — **Hiver.** Aquilon, bise; froid, froidure, frimas; gel, geler, gelée blanche; givre; glace; hibernation, hiberner, marmotte, ours; hiver, hiémal, hivernal; hiver âpre/doux/dur/humide/pluvieux / précoce / sec / sibérien / tardif/terrible; jours courts, longues soirées d'hiver; prendre ses quartiers d'hiver; rigueurs de l'hiver; saison froide, mauvaise saison; vêtements chauds, passe-montagne, pelisse, etc. ■ Nivôse, pluviôse, ventôse.

SAJOU, SAPAJOU → *singe.*

SAKÉ → *alcool.*

SALACE → *débauche, libre.*

SALADE → *chapeau, légume, obscur.*

SALADIER → *légume.*

SALAIRE → *gagner, mérite, payer.*

SALAISON → *garder, sel.*

SALAMALECS → *manière.*

SALAMANDRE → *batraciens, feu, symbole.*

SALAMI → *porc.*

SALANT → *mer, sel.*

SALARIAT → *classe, travail.*

SALARIÉ, SALARIER → *fonction, gagner, payer, travail.*

SALAUD → *homme, mal, sale.*

SALE → *déplaire, nettoyer.* — **Sale.** Boueux; breneux; couche de crasse/de poussière; crasseux, cracra (pop.), crado (pop.), craspect (pop.), encrassé; crotté; dégueulasse (pop.), dégoûtant; douteux, d'une propreté douteuse, linge douteux; graisseux; ignoble; immonde; infect; malpropre, malpropreté, mal tenu; pisseux (fam.); poisseux; repoussant; sale comme un cochon/un goret/un peigne/un pourceau; sordide; souillé; terreux. ■ Clochard, cochon, pouilleux, sagouin (fam.), salaud (pop.), saligaud (pop.), salope (pop.), souillon, torchon. — **Salir.** Abîmer, barbouiller, embarbouiller, bousiller, cochonner (fam.), contaminer, crotter, dégueulasser (pop.), éclabousser, encrasser, entartrer, gâter, graisser, infecter, mâchurer, maculer, polluer (pollution atmosphérique), salir, saloper (pop.), souiller, tacher. ■ Barboter, patauger, patouiller, se vautrer. — **Chose, lieu sale.** Boue, cambouis, cochonnerie, crotte, eau croupie/croupissante, croupir dans la saleté, éclaboussure, excréments, fange, gâchis, gadoue, immondices, impuretés, malpropreté, margouillis, merde (pop.), pâté d'encre, ordure, rouille, saloperie (pop.), souillure, tache. ■ Bouge, cloaque, dépotoir, écurie, égout, fumier, galetas, porcherie, pouillerie, sentine, souille, nid à vermine, taudis. ■ Insalubrité, nuisance, pollution.

SALÉ → *porc.*

SALÉ, SALER → *mer, sel.*

SALERON → *bras, sel.*

SALICOLE → *sel.*

SALIÈRE → *bras, sel.*

SALIGAUD → *mal, sale.*

SALINE, SALINIER, SALINITÉ → *sel.*

SALIR, SALISSURE → *sale.*

SALIVAIRE, SALIVE, SALIVER → *estomac, liquide.*

SALLE → *chambre, maison.*

SALMIGONDIS → *cuisine, mêler.*

SALMIS → *cuisine.*

SALMONIDÉS → *poisson.*

SALOIR → *garder, sel.*

SALON → *art, groupe, maison, montrer, recevoir.*

SALONNARD → *affectation.*

SALOON → *boire.*

SALOPARD → *mal.*

SALOPER → *exécuter, négliger.*

SALOPERIE → *mal, sale.*

SALPÊTRE, SALPÊTRER → *sel.*

SALSIFIS → *légume.*

SALTIMBANQUE → *spectacle, vagabond.*

SALUBRE, SALUBRITÉ → *bienfaisance, pur, soigner.*

SALUER, SALUT → *main, manière, sauver.*

SALUTAIRE → *sauver.*

SALUTATION → *manière.*

SALVATEUR → *sauver.*

SALVE → *applaudir, arme, fusil.*

SAMBA → *danse.*

SAMEDI → *calendrier.*

SAMEDI → *calendrier.*

SAMIZDAT → *secret.*

SAMOVAR → *bateau, vaisselle.*
SANATORIUM → *soigner.*
SAN-BENITO → *hérésie.*
SANCTIFIER → *liturgie, saint.*
SANCTION, SANCTIONNER → *accord, conséquence, faute, peine.*
SANCTUAIRE → *église.*
SANCTUS → *liturgie.*
SANDALE → *chaussure.*
SANDOW → *caoutchouc, corde.*
SANDWICH → *pain.*
SANFORISER → *textile.*
SANG → *cœur, race, souci, veine.* — **Nature du sang.** Agglutinine, agglutinogène ; anticorps, antigène ; coagulation, se coaguler, caillot ; érythrocyte ; fibrine, fibrineux, fibrinogène ; globule blanc ou leucocyte/rouge ou hématie, globuline, prothrombine ; hémato-, hématoblaste, hématologie, hématopoïèse, hématose ; hémo-, hémocyanine, hémoglobine, hémolymphe ; plasma ; sang rouge/vermeil ; sérum, séreux, sérosité, sérologie, sérothérapie, sérovaccination ; thrombine, thrombocyte ; vitesse de sédimentation. — **Système sanguin.** Artère, artériel, artériole ; capillaire ; circulation lymphatique/sanguine ; cœur ; cruor ; glomérule ; lymphe, canal thoracique, ganglion, vaisseaux chylifères ; menstrues, règles ; oxygénation ; pouls ; pression artérielle ; tension ; vaisseau ; valvule ; vasoconstriction, vasodilatation, troubles vasomoteurs ; veine, veineux, veinule. — **Maladies et accidents de la circulation sanguine.** Alcalose, anémie hémolytique, anoxémie, chlorose, cholémie, cyanose, dysménorrhée ou ménorragie, glycémie, hématurie, hémolyse, hémopathie, hémophilie, hémorroïdes, flux hémorroïdal, hydrémie, hyperglycémie, leucémie, leucocytose, lymphocytose, mélanémie, septicémie, toxémie, urémie. ▪ Apoplexie, arrêt du sang, congestion, coup de sang, embolie, fluxion, ischémie, rupture d'anévrisme, thrombose, thrombus. ▪ Donneur de sang ; exsanguination, exsanguino-transfusion ; facteur rhésus positif/négatif ; groupe sanguin A/B/AB/O ; incompatibilité ; perfusion ; prise de sang ; transfusion. ▪ Cautère, compresse ; étancher le sang ; hémostase, hémostatique ; panser, pansement, garrot ; phlébotomie ou saignée ; produit coagulant/anticoagulant ; scarifier, scarification. — **Le sang qui coule.** Épanchement sanguin, épistaxis ; flux ; héma-, hématurie, hématémèse ; hémo-, hémogénie, hémoptysie, hémorragie externe/interne, méléna, métrorragie, purpura ; perdre son sang, devenir exsangue ; pisser le sang (pop.) ; saigner, comme un bœuf (fam.), saignement de nez ; sang chaud/frais/fumant ; être en sang/sanglant/ensanglanté ; sanguinolent, couvert de sang ; se vider de son sang. ▪ Bouillons, éclaboussure, flaque/flot / mare / mer / tache de sang ; le sang coule/gicle/goutte/jaillit/perle/ruisselle. ▪ Verser le sang, effusion de sang : barbare, bourreau, cruel, féroce, sadique, sanguinaire, sangsue, vampire.
SANG-DRAGON → *gomme.*
SANG-FROID → *calme.*
SANGLANT → *sang.*
SANGLÉ, SANGLER → *bande, presser.*
SANGLIER → *chasse, porc.*
SANGLOT, SANGLOTER → *douleur.*
SANG-MÊLÉ → *mêler, race.*
SANGSUE → *argent, sang, ver.*
SANGUIN → *sang.*
SANGUINAIRE → *douleur, sang.*
SANGUINE → *dessin, joaillerie.*
SANGUINOLENT → *sang.*
SANIE → *blesser, infecter, liquide.*
SANITAIRE → *soigner.*
SANITAIRES → *résidu, toilette.*
SANS-ABRI → *vagabond.*
SANS-CŒUR → *dur, insensibilité.*
SANS-CULOTTE → *révolte.*
SANS-FAÇON → *grossier, libre, manière.*
SANS-FILISTE → *radio.*
SANS-GÊNE → *grossier, manière.*
SANSKRIT → *langage.*
SANS-LE-SOU → *pauvre.*
SANS-LOGIS → *pauvre, vagabond.*
SANS-SOUCI → *négliger.*
SANTAL → *bois.*
SANTÉ → *état, force, médecine, soigner.*
SANTON → *céramique.*
SAPAJOU → *singe.*
SAPE → *mine, trou.*
SAPER → *détruire, ronger.*
SAPEUR → *trou.*
SAPHIR → *bijou, joaillerie.*
SAPHISME → *sexe.*
SAPIDE, SAPIDITÉ → *goût.*
SAPIN → *arbre, pin.*
SAPINE → *monter, pin.*
SAPINETTE, SAPINIÈRE → *pin.*
SAPONIFIER → *gras.*
SAPROPHYTE → *microbe, résidu.*
SARABANDE → *bruit, danse.*
SARBACANE → *jeter, tuyau.*
SARCASME, SARCASTIQUE → *amer, moquer, rire.*
SARCELLE → *canard.*
SARCLER, SARCLOIR → *jardin, nettoyer.*

SARCOÏDE → *tumeur.*
SARCOME → *tumeur.*
SARCOPHAGE → *enterrement.*
SARCOPTE → *parasite.*
SARDANE → *danse.*
SARDINE, SARDINERIE, SARDINIER → *camp, pêche, poisson.*
SARDONIQUE → *moquer, rire.*
SARI → *vêtement.*
SARIGUE → *mammifères.*
S.A.R.L. → *association, entreprise.*
SARMENT, SARMENTEUX → *maigre, vigne.*
SARRASIN → *céréale.*
SARRAU → *vêtement.*
SARRIETTE → *plante.*
SAS → *canal, passer.*
SATANÉ → *détester.*
SATANIQUE, SATANISME → *enfer, rire.*
SATELLITE → *astronautique, astronomie, inférieur, soleil, suivre.*
SATIÉTÉ → *excès, manger, satisfaction.*
SATIN, SATINER → *briller, tissu.*
SATINETTE → *tissu.*
SATIRE, SATIRIQUE → *critique, moquer, poésie.*
SATISFACTION, SATISFAIRE → *joie, plaire.* — **Sentiment de plaisir.** Aise, être bien aise; béatitude, béat; bien-être, être bien, goûter/ressentir un bien-être, bien-être qui endort/engourdit; être comblé; se complaire à; se consoler à/en, consolation, compensation; contentement intérieur/intime; douceur du moment/de vivre; égoïsme, égoïste; être flatté; être heureux, bonheur; joie, joyeux; jouissance, jouisseur, jouir de; jubiler; plaisir, donner/éprouver du plaisir, un plaisir sadique/sans mélange; quiétude; satisfaction profonde/visible/vive; savourer; sérénité, serein; être au septième ciel; suffisance, un homme snob/suffisant; triomphe, triompher; se trouver bien/divinement bien; volupté, voluptueux. ▪ Bondir de joie, se frotter les mains, hocher la tête, rire aux anges/sous cape/aux éclats, sourire, ne plus porter sur terre (fam.). — **Remplir un besoin, une espérance.** Accomplir les souhaits; accorder satisfaction; s'acquitter de; apaiser la curiosité/la faim, apporter l'apaisement; arranger, conclure un arrangement; assouvir ses appétits/des besoins naturels; en avoir pour son argent; calmer son appétit/une douleur/une personne; combler; complaire à, complaisance; (se) contenter; couronner la flamme/les vœux; désaltérer; donner satisfaction; donner entière/pleine satisfaction/satisfaction sur toute la ligne; étancher la soif, étanchement; exaucer les prières/les vœux; désaltérer; gaver, gorger de; passer une envie/quelque chose; se plier à un caprice; prévenir les désirs/les moindres désirs, prévenance; rassasier; remplir, réplétion; se repaître, repu; répondre à; se soulager, soulagement, ouf!; se soûler, soûl. ▪ Accomplir, donner, exécuter, fournir, pourvoir, procurer, etc. — **Suffire, qui suffit.** Assez, assez!, en voilà assez!, c'est assez!; la barbe! (fam.); donner à discrétion; faire face à; holà!, mettre le holà; honnête, honorable; manger à sa faim, n'avoir plus faim; marre (pop.), il y en a marre (pop.); passable, passablement; plein; raisonnable; satiété, à satiété; saturer, sursaturer, saturation; suffire, suffisant, suffisamment, à suffisance, il suffit!, ça suffit!; trêve de; trop. ▪ Inassouvi, inextinguible, infini, insatiable, sans fin, sans limites, etc.
SATISFAISANT → *plaire, satisfaction.*
SATISFAIT → *satisfaction.*
SATISFECIT → *certifier, mérite.*
SATRAPE → *chef, riche.*
SATURATEUR → *vapeur.*
SATURER → *chimie, emplir, excès, satisfaction.*
SATURNE, SATURNIEN → *astronomie.*
SATURNIN, SATURNISME → *plomb.*
SATYRE → *débauche, mythologie.*
SAUCE → *aliment, cuisine, manière.*
SAUCÉE, SAUCER → *mouiller, pluie.*
SAUCIÈRE → *vaisselle.*
SAUCISSE, SAUCISSON → *porc.*
SAUCISSONNER → *manger.*
SAUF → *fuir.*
SAUF-CONDUIT → *papier, permettre.*
SAUGE → *plante.*
SAUGRENU → *étonner, irrégulier, sot.*
SAULAIE, SAUSSAIE, SAULE → *arbre.*
SAUMATRE → *eau, goût, lac, mer.*
SAUMON, SAUMONÉ, SAUMONEAU → *poisson.*
SAUMURE, SAUMURER → *garder, sel.*
SAUNA → *bain.*
SAUNAGE, SAUNAISON → *sel.*
SAUNER, SAUNIER → *sel.*
SAUPOUDRER, SAUPOUDREUSE → *couvrir, poudre, sel.*
SAUR, SAURER → *garder, sel.*
SAURIENS → *reptiles.*
SAURIN → *sel.*

SAUT → *athlétisme, brusque, jambe, rivière, sauter.*

SAUT-DE-LIT → *vêtement.*

SAUT-DE-MOUTON → *route.*

SAUTE → *changer, vent.*

SAUTÉ → *cuisine.*

SAUTE-MOUTON → *jouer.*

SAUTER → *athlétisme, détruire, exploser, passer.* — **Action de sauter.** Appel du pied; attaquer, sauter à la gorge; bondir, bond, bondissement; danser, danse; s'élancer, prendre de l'élan/son élan, reculer pour mieux sauter; franchir/passer un obstacle; plonger, plongeon; se recevoir, réception; saut, saute de vent, jeu de saute-mouton; sauter de son lit, saut-de-lit (peignoir); sauter de son siège/sur ses pieds. ▪ Saut acrobatique/au cheval d'arçons/en ciseaux/à la corde/en hauteur/en longueur/en parachute/périlleux/à la perche/à pieds joints/en rouleau; triple saut; sautoir, tremplin. ▪ Ballottade; cabrade, se cabrer, cabriole; ruade, ruer; voltige; saut de haies/d'obstacles, steeple-chase. — **Sauts répétés ou petits sauts.** Cabriole; cahot, cahoter, chemin cahoteux; allure capricante/capricieuse; caracoler; culbuter, culbute; frétiller, frétillement; galipette (fam.); gambade, gambader; marcher, marche, saltigrade; pirouetter, pirouette; rebondir, rebond, rebondissement; ricocher, ricochet; sauter à cloche-pied, faire des sauts de carpe/des sauts de puce (fam.); sautiller, sautillement; soubresaut; spasme; sursauter, sursaut; se trémousser, trémoussement; trépigner, trépignement; tressaillir, tressaillement; tressauter.

SAUTERELLE → *insecte.*

SAUTERIE → *danse, recevoir.*

SAUTERNES → *vin.*

SAUTEUR → *athlétisme, cheval.*

SAUTEUSE → *vaisselle.*

SAUTILLER → *irrégulier, marcher, sauter.*

SAUTOIR → *bijou, ceinture, chevalerie, croix, sauter.*

SAUVAGE → *grossier, nature, sec, violent.*

SAUVAGEON → *arbre, peur.*

SAUVAGERIE → *dur.*

SAUVAGIN, SAUVAGINE → *oiseau.*

SAUVEGARDE, SAUVEGARDER → *défendre.*

SAUVE-QUI-PEUT → *fuir, trouble.*

SAUVER → *danger, fuir, garder, soigner.*

SAUVETAGE, SAUVETEUR → *bateau, danger, nager, sauver.*

SAUVETTE (À LA) → *vitesse.*

SAUVEUR → *Christ.*

SAVANE → *herbe, végétation.*

SAVANT → *adroit, connaissance, science.*

SAVARIN → *pâtisserie.*

SAVATE → *boxe, chaussure, gauche, paresse.*

SAVEUR → *goût.*

SAVOIR → *connaissance, informer, mémoire, pouvoir, science.*

SAVOIR → *connaissance, enseignement, science.*

SAVOIR-FAIRE → *adroit, essayer, habitude.*

SAVOIR-VIVRE → *manière.*

SAVON, SAVONNER → *discussion, nettoyer.*

SAVONNERIE → *nettoyer, tapis*

SAVONNETTE → *horlogerie, nettoyer, toilette.*

SAVONNEUX, SAVONNIER → *gras, nettoyer.*

SAVOURER, SAVOUREUX → *goût, manger.*

SAXE → *céramique.*

SAXHORN → *instrument.*

SAXICOLE → *pierre, plante.*

SAXIFRAGE → *pierre, plante.*

SAXOPHONE → *instrument.*

SAYNÈTE → *théâtre.*

SBIRE → *police.*

SCABIEUSE → *plante.*

SCABREUX → *danger, difficile, libre.*

SCAFERLATI → *tabac.*

SCALP, SCALPER → *couper, tête.*

SCALPEL → *anatomie, chirurgie, couper.*

SCANDALE, SCANDALEUX, SCANDALISER → *blesser, morale, offense, révolte.*

SCANDER, SCANSION → *poésie, son.*

SCAPHANDRE, SCAPHANDRIER → *nager.*

SCAPULAIRE → *bras, monastère.*

SCARABÉE → *insecte.*

SCARIFICATEUR, SCARIFIER → *chirurgie, couper.*

SCARLATINE → *maladie.*

SCAROLE → *légume.*

SCATOLOGIE, SCATOLOGIQUE → *grossier, résidu.*

SCEAU → *cachet, signe.*

SCÉLÉRAT, SCÉLÉRATESSE → *injustice, mal.*

SCELLEMENT, SCELLER → *cachet, maçonnerie.*

SCELLÉS → *cachet, fermer, posséder.*

SCÉNARIO, SCÉNARISTE → *cinéma, récit.*

SCÈNE → *discussion, spectacle, théâtre.*

SCÉNIQUE → *théâtre.*

SCEPTICISME, SCEPTIQUE → *doute, incroyance, philosophie.*

SCEPTRE → *chef, souverain, symbole.*

SCHAPPE → *soie.*

SCHÉMA → *dessin, plan.*

SCHÉMATISER, SCHÉMATISME → *abrégé, simple.*

SCHERZO → *musique.*

SCHIEDAM → *alcool.*

SCHISME → *hérésie.*

SCHISTE → *pierre.*

SCHIZOIDIE → *psychologie.*

SCHIZOPHRÈNE → *folie, psychologie.*

SCHLINGUER → *infecter.*

SCHLITTE → *bois.*

SCHNAPS, SCHNICK → *alcool.*

SCHOONER → *bateau.*

SCHUSS → *montagne.*

SCIALYTIQUE → *lumière.*

SCIATIQUE → *jambe, nerf.*

SCIE → *bois, couper, menuiserie, pierre.*

SCIENCE → *connaissance, habitude, raisonnement, règle.* — **Types de sciences.** Sciences abstraites / concrètes ; sciences appliquées / techniques, technologie ; sciences économiques ; sciences exactes / pures ; sciences expérimentales / humaines / morales/naturelles ; sciences occultes/hermétiques ; sciences sociales/spéculatives ; science universelle/infuse. ▪ Épistémologie, méthodologie, recherche fondamentale, taxologie, taxonomie. ▪ (Voir les termes d'analogie à l'objet de chaque science.) — **Méthodes de la science.** Analyse, axiome, calcul des probabilités, doctrine, élément, expérimentation, extrapolation des résultats, hypothèse, intuition, logique, loi, mesure, méthode déductive ou inductive, notion, objet, observation, principe ; problème, problématique, poser/résoudre un problème, solution/termes du problème ; raisonner, raisonnement, rationnel ; recherche, recherche appliquée/pure ; scientisme, scientiste ; spéculation ; synthèse ; théorème, théorie, théorique. ▪ Branche, domaine, matière, spécialité. — **Savoir scientifique.** Acquis ; bagage scientifique ; capacité ; chercheur ; compétence, compétent ; connaissances ; culture, cultivé ; demi-science ; docteur, docteur ès sciences, docte ; documentation, être documenté ; érudition, érudit ; esprit encyclopédique ; expérience, expérimenté ; fond ; instruction, instruit ; lettré ; lumières ; omniscience, omniscient ; pédantisme, pédant ; un savant, savoir ; un scientifique ; teinture. ▪ Bas-bleu, calé (fam.), grand clerc en la matière, ferré (fam.), fort, homme universel, puits de science, versé, etc. ▪ Académie des sciences, Centre national de la recherche scientifique (C.N.R.S.), faculté des sciences, laboratoire ; « Discours de la méthode », encyclopédie.

SCIENCE-FICTION → *prévoir, récit.*

SCIENTISME, SCIENTISTE → *opinion, philosophie, science.*

SCIER → *bois, couper.*

SCINDER → *couper, part.*

SCINQUE → *reptiles.*

SCINTIGRAMME, SCINTILLOGRAMME → *rayon.*

SCINTILLATION, SCINTILLEMENT, SCINTILLER → *briller, lumière, soleil.*

SCION → *arbre, pêche.*

SCIOTTE → *marbre, pierre.*

SCISSION → *part, parti.*

SCISSIPARE, SCISSIPARITÉ → *reproduction.*

SCISSURE → *cerveau, ouvrir.*

SCIURE → *poudre, résidu.*

SCLÉROSÉ → *dur, insensibilité.*

SCLÉROTIQUE → *œil.*

SCOLAIRE, SCOLARISER, SCOLARITÉ → *enseignement.*

SCOLASTICAT → *enseignement.*

SCOLASTIQUE → *philosophie, théologie.*

SCOLIASTE, SCOLIE → *critique, expliquer.*

SCOLIOSE → *dos.*

SCONSE ou SKUNKS → *poil.*

SCOOTER, SCOOTÉRISTE → *bicyclette.*

SCORBUT, SCORBUTIQUE → *maladie.*

SCORE → *sport.*

SCORIE → *résidu, volcan.*

SCORPION → *insecte.*

SCORSONÈRE → *légume.*

SCOTCH → *alcool, papier.*

SCOTIE → *colonne.*

SCOTOME → *œil.*

SCOUT, SCOUTISME → *association, groupe, jeune.*

SCRAPER → *construction, fonder.*

SCRATCH, SCRATCHER → *sport.*

SCRIBE, SCRIBOUILLARD → *écrire.*

SCRIPT → *banque, cinéma, écrire.*

SCRIPTEUR → *écrire.*

SCRIPT-GIRL → *cinéma.*

SCRIPTURAL → *monnaie.*

SCROFULE, SCROFULEUX → *tumeur.*

SCROTUM → *sexe.*

SCRUPULE, SCRUPULEUX → *doute, exact, soigner.*

SCRUTATEUR, SCRUTER → *chercher, regarder.*

SCRUTIN → *élire.*

SCULPTER, SCULPTEUR, SCULPTURAL → *décoration, sculpture.*

SCULPTURE → *architecture, art, colonne, décoration.* — **Art de la sculpture.** Architecture; glyptique, glyptothèque; plastique, céroplastique; sculpture, une sculpture, un sculpteur. ▪ Animalier, artiste, bronzier, ciseleur, figuriste, fondeur, graveur, mouleur, ornemaniste. — **Le travail du sculpteur.** Armature, tenon; ciseler; dégrossir, dégrossissage; ébaucher, ébauche; esquisse; fonte à cire perdue/à sable; maquette; meurtrir le marbre; modeler, modelage en cire ou en glaise, le modelé; mouler, démouler, moulage, démoulage; original, copie; patine; polir, le poli; pratique, praticien; refouiller; repousser; reproduction; sculpter, sculpture de masse/de vide; tailler, taille directe; terminer. ▪ Boësse, boucharde, burin, ciseau, ciselet, ébauchoir, gouge, gradine, masse, marteline, mirette, ognette, poinçon, pointe, râpe, réducteur, ripe, selle, sellette, spatule. — **Œuvre sculptée.** Buste; figure, figure de proue, figurine; mausolée; monument; ornements sculptés : cartouche, coquille, etc.; bas-relief, haut-relief; ronde-bosse; sarcophage; sculpture funéraire/monumentale/religieuse; statue, statuette, la statuaire; tête; torse; urne. ▪ Chapiteau, ornements, piédestal, piédouche, socle. ▪ Bois, bronze, camée, ivoire, marbre, métal, pierre, stuc, terre cuite; argile, cire, plastiline, plâtre, terre glaise, terre à cuire. — **Sujet.** Un atlante, une canéphore, une cariatide, un christ, un écorché, une idole, un gisant, un groupe, un mobile, un orant, un saint, une statue équestre, une vierge.

SCUTUM → *bouclier.*

SEA-LINE → *pétrole.*

SÉANCE → *groupe, présence, rencontre, spectacle, temps.*

SÉANT → *convenir.*

SÉANT → *arrière.*

SEAU → *récipient.*

SÉBACÉ → *glande.*

SÉBILE → *pauvre, récipient.*

SÉBORRHÉE → *cheveu.*

SÉBUM → *glande.*

SEC → *brusque, dur, insensibilité, maigre.* — **Dépourvu d'humidité, de moelleux.** Aride, aridité; brûlé par le soleil; desséché; enveloppe étanche/imperméable; garder sec/au sec; pain sec/dur; peau sèche/gercée/hâlée/racornie; sécheresse, été sec, siccité; stérile; tomber en poussière; traverser une rivière à pied sec. ▪ Sans douceur : ton autoritaire/brusque/cassant/sec; sans grâce : étriqué; sans graisse : homme sec/maigre; sans tendresse : dur, froid, insensible, cœur sec, garder l'œil sec. — **Sécher, dessécher.** Claie, clayon; déshydrater, déshydratation; dessèchement; dessiccateur, dessiccatif, dessiccation; égoutter, égouttoir; éponger, éponge; essorer, essorage, essoreuse; essuyer, essuie-main, torchon; étendre le linge, étendage, étendoir, tendoir; étuver, étuvage, étuve; évaporation, évaporateur; se faner; se flétrir; four; grésiller, griller; havir, havi; lyophilisation; racornir; séchage, sécherie, sécheur, séchoir, siccatif; ventiler, ventilation, ventilateur; wassingue. ▪ Assécher, assèchement; drainer, drain, drainage; mettre à sec; pomper l'eau, station de pompage; polder, wateringue; vider. ▪ Batardeau, dérivation, digue, levée, etc. — **Lieu, pays sec.** Aréisme, région aréique; aride, semi-aride; causse; désert, désertique, bled; dune de sable; erg; garrigue; lande; maquis; paysage lunaire/pelé; pierres, pierrailles; reg; Sahara, saharien; savane; steppe. ▪ Animaux des déserts : chameau, dromadaire; mirage, oasis; plantes cactées/xérophiles; vents des déserts : simoun, sirocco.

SÉCANTE → *droite, ligne.*

SÉCATEUR → *couper, vigne.*

SÉCESSION → *éloigner.*

SÈCHE → *tabac.*

SÈCHE-CHEVEUX → *cheveu.*

SÉCHER → *enseignement, ignorer, sec.*

SÉCHERESSE → *froid, insensibilité, sec.*

SÉCHERIE → *garder, sec tabac.*

SECOND, SECONDAIRE → *aider, deux, inférieur.*

SECONDAIRE → *enseignement.*

SECONDE → *angle, enseignement, heure, mesure, temps.*

SECONDER → *aider, deux.*

SECOUER → *remuer, sensibilité.*

SECOURABLE, SECOURIR → *aider, sauver.*

SECOURISME, SECOURISTE → *médecine, sauver.*

SECOURS → *aider, bienfaisance.*

SECOUSSE → *mouvement, remuer.*

SECRET → *cacher, ignorer, obscur, plan, prison.* — **Chose secrète.** Anguille sous roche; anonymat, lettre anonyme; arcane; arrière-pensée; charade; clandestinité, clandestin; clause secrète; confidentiel, confidence; contre-lettre; coulisse; crypto-cryptographie; dessous des cartes/

d'une affaire/-de-table; énigme; escalier dérobé; ésotérisme, ésotérique; le fin du fin; herméneutique; huis clos; incognito, inconnu, pseudonyme; à l'insu de; langage chiffré/codé; latent; maladie qui couve; marché noir; mystère, mystérieux; obscurité, obscur; occultisme, occulte; *in petto*; pli, recoin, repli; restriction mentale; secret, ultra-secret, sous le sceau du secret, secret professionnel; en sous-main; tréfonds; underground. ■ Collusion; compère; de connivence; coup fourré (pop.)/monté, être dans le coup (fam.); entente; d'intelligence avec, de mèche (fam.); fricoter (pop.); manigances, manigancer. — **Organisation secrète.** Association secrète; cabale; carbonarisme, carbonaro; complot, comploter, ourdir/tramer un complot; conjuration, conjuré; conspiration, conspirer, conspirateur; espionnage, contre-espionnage, espion; franc-maçonnerie, franc-maçon; maffia, maffioso; mystères, les mystères d'Éleusis; orphisme, orphique; police secrète, la secrète (fam.); réseau; secte; sédition, séditieux; société secrète. ■ Affiliation, cérémonial, cérémonies, épreuve, initiation, mystagogie, mystères, pratiques secrètes, rites initiatiques. ■ Conciliabule, intrigue, manœuvre, menées sourdes/souterraines, messe basse (fam.), plan, projet. — **Découvrir, divulguer un secret.** Avoir la langue trop longue; déchiffrer, décoder; découvrir le pot aux roses; décrypter; délation, délateur; écarter/lever le voile; indiscrétion, indiscret; pénétrer un dessein, percer à jour; révéler, révélation; secret de Polichinelle; sonder les reins et les cœurs; tirer les vers du nez; vendre la mèche. ■ Chiffre, clef, code, combinaison, grille, recette, truc.

SECRÉTAIRE → *association, écrire, entreprise, fonction, gouverner.*

SECRÉTAIRE → *meuble.*

SECRÉTARIAT → *bureau.*

SECRÈTE → *liturgie.*

SÉCRÉTER, SÉCRÉTEUR, SÉCRÉTION → *glande, liquide, produire.*

SECTAIRE, SECTARISME → *dur, opinion.*

SECTE → *groupe, hérésie, secret, suivre.*

SECTION → *couper, groupe, part, plan.*

SECTIONNER → *couper, part.*

SÉCULAIRE → *année.*

SÉCULIER → *ecclésiastique.*

SÉCURITÉ → *calme, confiance, paix, sûr.*

SÉDATIF → *calme, médicament.*

SÉDENTAIRE, SÉDENTARITÉ → *calme, habiter.*

SEDIA GESTATORIA → *pape.*

SÉDIMENT, SÉDIMENTAIRE → *géologie, résidu.*

SÉDIMENTATION → *résidu, sang.*

SÉDITION → *révolte, trouble.*

SÉDUCTEUR, SÉDUCTION → *plaire.*

SÉDUIRE, SÉDUISANT → *attirer, convaincre, engager, plaire.*

SEGMENT → *géométrie, ligne.*

SEGMENTAIRE, SEGMENTER → *couper, morceau.*

SÉGRAIRIE, SÉGRAIS → *bois.*

SÉGRÉGATION, SÉGRÉGATIONNISME → *différence, race.*

SEICHE → *mollusques.*

SÉIDE → *agent.*

SEIGLE → *céréale.*

SEIGNEUR → *Christ, féodalité, noblesse.*

SEILLE, SEILLON → *récipient.*

SEIN → *femme, glande, lait, milieu, poitrine.*

SEINE, SENNE → *pêche.*

SEING → *cachet, signe.*

SÉISME, SÉISMICITÉ, SÉISMIQUE → *remuer, terre, volcan.*

SÉISMOGRAPHE, SÉISMOLOGIE → *remuer, volcan.*

SÉJOUR, SÉJOURNER → *habiter, pays, voyage.*

SEL → *aliment, vif.* — **Sel de cuisine.** Sel blanc/gris/fin, gros sel; cristaux/grain/pincée de sel, poignée de gros sel; saupoudrer. ■ Boîte à sel; grugeoir, gruger; saleron, salière, saunière. ■ Assaisonnement, assaisonner; conservation, conserver; dessaler; saler, salaison, saloir; saumure, saumurer; saurer, saurissage, saurisseur. ■ Beurre, jambon, lard, morue, poisson, saurin, viande salée, petit salé. ■ Gabelle; faux saunier. — **Sel marin.** Lac salé, sebkha, chott; plante marine/halophyte/salicorne; prés salés. ■ Marais salant : eau saumâtre; étier; évaporation; graduation; œillet; paludier; rouable; salignon, salin, saline, salinier, saunier, salinité, salure, saunage, saunaison, sauner; tas de sel ou camelle ou javelle; trémie; varaigne; vasière. ■ Mine de sel : carrière, égruger, extraction; ignigène; raffinage, raffiner, raffinerie; industrie salicole; sel gemme.

SÉLECT → *aliment, choisir, supérieur, vif.*

SÉLECTIF, SÉLECTION, SÉLECTIONNER → *choisir, sport.*

SÉLÉNOGRAPHIE → *lune.*

SELF-GOVERNMENT → *colonie.*

SELF-SERVICE → *commerce, hôtel.*
SELLE, SELLER → *cheval, harnais.*
SELLERIE, SELLERIE-BOURRELLERIE → *cuir, harnais.*
SELLERIE-MAROQUINERIE → *cuir.*
SELLETTE → *demander, sculpture.*
SELLIER → *cuir, harnais.*
SEMAILLES → *céréale, culture.*
SEMAINE → *calendrier, liturgie, temps, travail.*
SEMAINIER → *fonction.*
SEMAINIER → *bijou, meuble.*
SÉMANTIQUE → *langage, mot.*
SÉMAPHORE, SÉMAPHORIQUE → *signe, télécommunications.*
SEMBLABLE → *égal, proche, reproduction.* — **Ressemblance.** Approchant, approcher; blanc bonnet et bonnet blanc; comme; communauté; identique, identité, s'identifier à; même; monotone, monotonie; pareil; proche; ressembler, semblable, similaire, similitude; superposable; voisin; uniforme, uniformité, uniformiser. ▪ Commensurable, égal, homogène, homothétie, parallèle, parité, proportionnel, symétrique. — **Ressemblance physique.** Air de famille/de ressemblance; être du côté de sa mère/de son père; frère et sœur, jumeau; parent; portrait craché (fam.)/robot/vivant, réplique; rappeler/évoquer quelqu'un; se ressembler comme deux gouttes d'eau; sosie; tenir de quelqu'un; traits communs. ▪ Autrui, congénère, homme, pair, pareil, prochain, semblable. — **Analogie.** Apparenté; association; conformité, conforme; corrélation; correspondance, correspondre; équivalent; homologue; induction, raisonnement par analogie; faire la paire; lien de parenté; être le pendant; rapport; relation. ▪ Assonance, homonyme, paronyme, synonyme. — **Imiter.** Attraper la ressemblance; contrefaire; copier; exactitude; exemple; fac-similé; factice, faux; feindre, fiction; illusion; imitation; image; mimer, mimétisme; modèle; plagier; représentation; reproduction; ressemblance; revêtir un aspect; suivre un modèle.
SEMBLANT, SEMBLER → *apparaître, imagination.*
SÉMÉIOLOGIE, SÉMIOLOGIE → *langage, médecine, signe.*
SEMELLE → *charpente, chaussure, suivre.*
SEMENCE → *culture, germe.*
SEMER → *couvrir, étendre, tomber.*
SEMESTRE, SEMESTRIEL → *calendrier, revenu.*
SEMEUR → *culture.*
SEMI → *deux, milieu.*
SEMI-ARIDE → *sec.*
SEMI-BALISTIQUE → *projectile.*
SÉMILLANT → *joie, vif.*
SÉMINAIRE → *ecclésiastique, enseignement, université.*
SÉMINAL → *germe.*
SÉMINARISTE → *ecclésiastique.*
SEMI-NOMADISME → *vagabond.*
SÉMIOTIQUE → *signe.*
SEMIS → *culture, germe, jardin, plante.*
SÉMITE, SÉMITIQUE, SÉMITISME → *juif.*
SEMI-VOYELLE → *son.*
SEMOIR → *culture.*
SEMONCE → *avertir, défendre.*
SEMOULE → *céréale.*
SEMPITERNEL → *durer, temps.*
SÉNAT, SÉNATEUR, SÉNATORIAL → *gouverner.*
SÉNÉCHAL → *souverain.*
SÉNESCENCE, SÉNESCENT → *vieillesse.*
SENESTRE → *gauche.*
SENESTROCHÈRE → *blason, gauche.*
SÉNILE → *faible, vieillesse.*
SENIOR → *sport.*
SEÑORITA → *tabac.*
SENS → *mot, orientation, réalité, sensibilité, toucher.*
SENSATION → *attirer, goût, sensibilité.*
SENSATIONNEL → *attirer, étonner, informer, journal, nouveau.*
SENSÉ → *raisonnement, sage.*
SENSIBILISATEUR → *photographie.*
SENSIBILISER → *sensibilité.*
SENSIBILITÉ, SENSIBLE → *entendre, exciter, goût, nez, œil.* — **Les organes des sens.** Acuité/finesse des sens; nerf sensitif, système nerveux; sens externes et internes, les cinq sens : goût, odorat, ouïe, tact ou toucher, vue; sens kinesthésique ou articulaire/musculaire; sens spatial. ▪ Organes récepteurs/sensoriels externes : doigt, langue, nez, œil, oreille, peau. — **La sensibilité physique.** Cerveau, siège des sensations; excitabilité, excitant, exciter; gnosie; impressionner, impression, message sensoriel; percevoir, perception; réagir, réaction, réflexe; recevoir une impression, réceptivité, réceptif; être sensible; sensibilité, sentir; stimulation, stimulus; seuil absolu/différentiel d'excitation; synesthésie; télesthésie ou télépathie. ▪ Sensations externes/générales/superficielles; sensations internes/profondes, ou cénesthésie. ▪ Sensation articulaire/auditive / circulatoire / douloureuse / gustative / musculaire / olfactive / os-

seuse / respiratoire / tactile / thermique/viscérale/visuelle. ▪ Sensation d'acidité / d'agacement / d'alourdissement/de brûlure/de chatouillement/ d'étouffement/de faim/d'oppression/ de picotement/de soif/d'urtication/ de vertige. ▪ Sensation agréable/ indéfinissable/pénible/vague/vive. ▪ Modification de la sensibilité : analgésie, anaphylaxie, anesthésie, hyperesthésie. — **La sensualité.** Chair, désir, érotisme, instinct sexuel, libido, lubricité, luxure, perversion, plaisirs physiques, relations sexuelles, sex-appeal, tempérament, volupté. ▪ Allumer / blaser / chatouiller / échauffer/exciter/troubler les sens. ▪ Ascèse ; calme ; félicité ; fièvre ; fureur ; insatisfaction ; ivresse ; mortification ; transport. ▪ Amoureux, concupiscent, épicurien, lascif, libidineux, lubrique, luxurieux, paillard, salace, sensuel, sybarite, voluptueux. — **La sensibilité morale.** Affectivité, vie affective ; bonté, bon ; cœur ; corde/fibre sensible ; émotivité ; générosité ; humanité, humanitarisme ; passion ; pitié ; sens moral ; sentiment ; sympathie ; tendresse. ▪ Être accessible à ; aimer, aimant ; compatir, compatissant ; délicat, délicatesse ; douillet ; émotif, émotionnable ; fleur bleue ; généreux ; impressionnable ; nerveux ; pitoyable ; réceptif ; sensibilité à, sensible, sensiblerie, sensitif ; sentiment, sentimental, sentimentalisme, sentimentalité ; susceptible, susceptibilité ; vulnérable, vulnérabilité. ▪ Sensibilité aiguë/ émoussée / exacerbée / frémissante / à fleur de peau/à vif ; hyperémotivité, hypersensibilité. — **Toucher la sensibilité.** Apparent, charnel, clair, évident, manifeste, matériel, palpable, perceptible, phénoménal, tangible, visible. ▪ Affecter, affoler, agir sur, aller au cœur, attendrir, déchirer, s'emballer, être en émoi, émotionner, émouvoir, empoigner, enflammer, entraîner, exciter, faire éprouver, frapper, impressionner, intéresser, pénétrer, prendre, remuer les entrailles, saisir, secouer, toucher, troubler, faire vibrer.

SENSIBLERIE → *faible, sensibilité.*

SENSITIF → *sensibilité.*

SENSORIEL, SENSORIMÉTRIQUE → *sensibilité.*

SENSUALISME, SENSUALISTE → *matière, philosophie.*

SENSUALITÉ, SENSUEL → *passion, sensibilité.*

SENTE → *passer, route.*

SENTENCE, SENTENCIEUX → *crime, morale, peine, penser.*

SENTEUR → *parfum.*

SENTIER → *route.*

SENTIMENT → *aimer, connaissance, penser, sensibilité.*

SENTIMENTAL, SENTIMENTALISME, SENTIMENTALITÉ → *cœur, sensibilité.*

SENTINELLE → *garder, résidu.*

SENTIR → *connaissance, infecter, nez, parfum, sensibilité.*

SEOIR → *convenir.*

SÉPALE → *fleur.*

SÉPARATION → *éloigner, mariage, part, pur.*

SÉPARATISME, SÉPARATISTE → *politique.*

SÉPARER → *couper, deux, éloigner, intervalle, morceau, part.*

SÉPIA → *dessin.*

SEPTEMBRE → *calendrier, saison.*

SEPTENNAL, SEPTENNAT → *année.*

SEPTENTRION, SEPTENTRIONAL → *orientation.*

SEPTICÉMIE, SEPTIQUE → *microbe.*

SEPTUAGÉNAIRE → *année.*

SÉPULCRAL, SÉPULCRE → *enterrement.*

SÉPULTURE → *enterrement.*

SÉQUELLE → *conséquence, maladie, suivre.*

SÉQUENCE, SÉQUENTIEL → *carte, cinéma, suivre.*

SÉQUESTRE, SÉQUESTRER → *fermer, garder, prison.*

SEQUIN → *monnaie.*

SÉQUOIA → *pin.*

SÉRAC → *froid.*

SÉRAIL → *femme.*

SÉRANCER → *fil.*

SÉRAPHIN, SÉRAPHIQUE → *ange, pur.*

SERBE, SERBO-CROATE → *Europe.*

SEREIN → *calme, égal, paix, pur.*

SÉRÉNADE → *chanter.*

SÉRÉNISSIME → *haut, honneur.*

SÉRÉNITÉ → *calme.*

SÉREUX → *peau, sac.*

SERF → *féodalité, servir.*

SERFOUETTE, SERFOUIR → *jardin.*

SERGE → *tissu.*

SERGENT → *grade.*

SÉRICICOLE, SÉRICICULTURE → *soie.*

SÉRIE, SÉRIEL → *classe, musique, suivre, travail.*

SÉRIER → *classe.*

SÉRIEUX → *dur, importance, morale.*

SÉRIGRAPHIE → *graver.*

SERIN → *oiseau.*

SERINER, SERINETTE → *apprendre, fatigue.*

SERINGA → *fleur.*

SERINGUE → *chirurgie, liquide.*
SERMENT → *confiance, engager.*
SERMON → *convaincre, ecclésiastique.*
SERMONNER, SERMONNEUR → *avertir, discussion.*
SÉRODIAGNOSTIC → *microbe.*
SÉROLOGIE → *liquide, sang.*
SÉROSITÉ → *liquide.*
SERPE → *bois, couper.*
SERPENT, SERPENTEAU → *reptiles.*
SERPENTER → *indirect, rivière.*
SERPENTIN → *papier, rouler.*
SERPETTE → *jardin.*
SERPIGINEUX → *peau.*
SERPILLIÈRE → *nettoyer.*
SERRATULE → *jaune.*
SERRE → *chaleur, verre.*
SERRE → *doigt, oiseau, prendre.*
SERRÉ → *attention, presser, raisonnement.*
SERRER → *crispation, placer, presser.*
SERRE-TÊTE → *cheveu.*
SERRURE, SERRURERIE → *fer, fermer, porte.* — **Éléments d'une serrure.** Aubéron, bec-de-cane, bouterolle, broche, came, écusson, gâche, gâchette, gardes ou garnitures, gorge, moraillon, mortaise, palastre, pêne, pignon, platine, ressort, têtière. — **Sortes de serrures.** Serrure alphabétique / bec-de-cane / bénarde / à broche / camarde / à combinaisons/encastrée/à ferrage à fleur/à ferrage en retrait/à larder ou à mortaise/sans main/à deux pênes/à pêne dormant/à pênes multiples/à pompe/à secret/de sûreté. ▪ Serrure en bois ; serrure en fer ciselé/découpé/forgé/repoussé, en métal. — **Manœuvrer une serrure.** Bec-de-cane, béquille, bouton, cache-entrée, clavier, clef, poignée, porte-clef, clef bénarde/à béquille/à diamant/forée/de sûreté ; anneau, bouterolle, branche ou tige, canon, dent, encoche, forure, panneton. ▪ Crocheter une serrure, crochet, rossignol ; donner un tour de clef, fermer ; forcer une serrure, pince-monseigneur ; ouvrir, passe-partout ; verrouiller. — **Serrurerie.** Ajusteur, forgeron, quincaillier, serrurier ; serrurerie d'art/décorative : appliques, ferrures, fer forgé, ferronnerie, grille ; grosse serrurerie : ponts métalliques, poutres, solives en fer ; serrurerie du bâtiment : balcons, charnières, châssis, espagnolette, ferrage, gonds, grille, porte, rampe ; serrurerie de charronnage : ferrure de voitures.
SERTIR → *fixer, joaillerie.*
SÉRUM → *microbe, sang.*
SERVAGE → *féodalité, servir.*
SERVANT → *liturgie, plaire.*
SERVANTE, SERVEUR → *hôtel, servir.*
SERVIABILITÉ, SERVIABLE → *aider, servir, soigner.*
SERVICE → *aider, armée, enterrement, fonction, servir.*
SERVIETTE → *sac, toilette, vaisselle.*
SERVIETTE-ÉPONGE → *toilette.*
SERVILE, SERVILITÉ → *servir, soumettre.*
SERVIR → *aider, balle, hôtel, soumettre, utile.* — **S'acquitter de fonctions, de devoirs.** Assister, assistant ; apprenti ; auxiliaire ; avocat ; faire une commission pour, commissionnaire ; rendre un culte à, ministre du culte ; se dévouer à ; exercer un emploi, employé ; factotum ; fille de salle ; faire fonction de, fonctionnaire ; être au pair ; satellite ; second, seconder ; servant d'artillerie/de messe ; servir une cause/l'État/la patrie/la société ; être de service/de garde/de quart ; service d'honneur/d'ordre ; être à la solde de, larbin, soldat, valet. — **Service de maison, d'hôtel.** Entrer au service de, être en service de/chez, contrat de travail ; louer les services de, louage. ▪ Barmaid, barman, bonne, chasseur, cuisinière, domestique, employée de maison, extra, garçon, gouvernante, groom, intendant, liftier, lingère, maître d'hôtel, Maître Jacques, majordome, nurse, servante, serveur, serveuse, serviteur, soubrette, steward, valetaille. — **Être utile.** Appuyer, appui ; se dévouer à ; favoriser ; flatter ; obliger ; prêter la main à, se prêter à ; satisfaire ; tenir lieu de. ▪ Être bon / brave / complaisant ; avoir l'échine souple ; être obligeant / obséquieux / officieux / rampant / serviable / servile / soumis. ▪ Faire fonction/office de ; faire du profit, profiter ; rendre service ; être utile. — **Se servir de.** Employer, emprunter, exploiter ; mettre en service/en usage ; mode d'emploi, notice ; prendre, reprendre d'un mets, se servir, libre-service, self-service ; user de, utiliser.
SERVITEUR → *maison, servir.*
SERVITUDE → *charger, guerre, soumettre.*
SERVOCOMMANDE, SERVOMOTEUR → *machine.*
SÉSAME → *huile.*
SÉSAME → *ouvrir.*
SESSILE → *feuille.*
SESSION → *enseignement, groupe, rencontre.*
SET → *balle, vaisselle.*
SETTER → *chien.*
SEUIL → *commencer, passer, porte, sensibilité.*

SEUL → *abandon, éloigner, simple, vide.*

SÈVE → *force, plante.*

SÉVÈRE → *dur, morale, simple.*

SÉVICES, SÉVIR → *dur, mal, peine, violence.*

SEVRER → *enfant, enlever, lait, manque.*

SÈVRES → *céramique.*

SEXAGÉNAIRE → *année.*

SEX-APPEAL → *attirer, plaire, sensibilité.*

SEXE, SEXOLOGIE → *femme, homme, reproduction* — **Conformation particulière.** Sexe féminin : femelle, femme, fille, féminité, sexe faible, le beau sexe ; sexe masculin : garçon, homme, mâle, sexe fort, viril, virilité ; posséder les deux sexes : androgyne, hermaphrodite. ▪ Glandes génitales ; organes génitaux externes et internes/reproducteurs ; parties sexuelles, parties ; reproduction sexuée. — **Sexe de l'homme.** Bourses, couille (pop.) ; éjaculation/précoce/retardée, éjaculer ; érection, bander (pop.) ; gland ; pénis, phallus ; prépuce ; queue (pop.) ; scrotum ; spermatozoïde, sperme ; testicules ; verge. ▪ Blennorragie ou gonorrhée ou chaudepisse (pop.) ; castration, castrat, châtrer, eunuque ; impuissance, impuissant ; orchite ; phimosis ; prostate ; stériliser ; syphilis, vérole. — **Sexe de la femme.** Clitoris, lèvres, cycle œstral, ovaires, ovulation, trompes, utérus, vagin, vulve. ▪ Frigidité, frigide ; métrite ; ovarite ; règles, être réglée ; stérilité, stérile ; maladies vénériennes. — **Relations sexuelles.** Accouplement, acte sexuel, acte d'amour, faire l'amour (fam.), connaître au sens biblique, coucher avec (pop.), copulation, défloration (hymen, pucelle, vierge), libido, orgasme, procréation, puberté, pubère, sexualité. ▪ Aphrodisiaque, anaphrodisiaque, anaphrodisie, calmant, excitant, images suggestives, sex-appeal, sexy ; chasteté ; continence ; contraceptif, contraception ; diaphragme ; pilule/pommade anticonceptionnelle ; préservatif, capote anglaise (pop.) ; stérilet. ▪ Déviations/perversions/tendances sexuelles ; éros, érotisme, érotomanie ; fétichisme ; fornication ; homosexualité ; inceste ; être inverti ; lesbienne ; luxure ; onanisme ; pédérastie ; sadisme ; saphisme ; sodomie, Sodome et Gomorrhe. — **Le sexe de l'animal.** Appareil génital, animal bissexué ou bissexuel, chaleur, croisement, fécondation ; hybridation, hybride ; métissage ; œstrus ; oocyte, ovulation, ovule ; rut ; saillie, saillir. ▪ Bistourner, bretauder, castrer, châtrer, chapon, hongre. — **Le sexe des plantes.** Allogamie, endogamie, parthénogenèse ; fleur bissexuée ou hermaphrodite/unisexuée ; anthérozoïde ou spermatozoïde ou gamète mâle ; oosphère ou gamète femelle. ▪ Étamine, fleur, graine, ovaire, pistil.

SEXTANT → *astronomie, marine.*

SEXY → *plaire, sexe.*

SEYANT → *convenir.*

S.G.D.G. → *certifier.*

SHAKE-HAND → *main.*

SHAKER → *mêler.*

SHAKO → *chapeau.*

SHAMPOOING → *cheveu, nettoyer.*

SHÉRIF → *justice, ville.*

SHETLAND → *laine.*

SHIMMY → *danse.*

SHINTÔ, SHINTOÏSME → *Asie, Bible, religion.*

SHIRTING → *tissu.*

SHOOT, SHOOTER → *balle.*

SHOPPING → *acheter, marchandises.*

SHORT → *sport, vêtement.*

SHOW → *spectacle.*

SHUNT, SHUNTER → *électricité.*

SIAL → *terre.*

SIAMOIS → *Asie, chat.*

SIBYLLE → *prévoir.*

SIBYLLIN → *obscur.*

SICCATIF, SICCITÉ → *sec.*

SIDE-CAR → *bicyclette.*

SIDÉRAL → *astronomie, soleil.*

SIDÉRANT, SIDÉRER → *étonner.*

SIDÉRO- → *fer.*

SIDÉRURGIE, SIDÉRURGISTE → *fer, industrie, métal.*

SIÈCLE → *année.*

SIÈGE → *association, élire, fortification, meuble.*

SIÉGER → *association, présence.*

SIERRA → *montagne.*

SIESTE → *dormir, repos.*

SIFFLANT, SIFFLER → *bruit, critique, oiseau.*

SIFFLET → *avertir, spectacle.*

SIGILLOGRAPHIE → *cachet.*

SIGLE → *abréger, signe.*

SIGNAL, SIGNALER → *avertir, signe.*

SIGNALÉTIQUE → *personnalité.*

SIGNALISATION → *route, signe.*

SIGNATAIRE, SIGNATURE → *nommer, signe.*

SIGNE, SIGNER → *astrologie, avertir, cachet, écrire, symbole.* — **Signe de reconnaissance.** Attribut ; caractère, signe caractéristique; cicatrice; distinguer, signe distinctif; flétrissure, génie; marque; mot d'ordre/de passe/de ralliement; particularité, signe particulier; référence; remarque; repère; stigmate, stigmatiser; tache, tacheter; tatouage, tatouer. ▪ Cacheter, apposer/mettre son cachet; chiffrer, chiffre; cocher, coche; composter, composteur; coter, cote; cran, créner; empreindre, empreinte; estamper, estampage, estampille; étiqueter, étiquette; frapper de son sceau, frappe; graver, gravure; imprimer, impression; légende; marquer au coin de; noter, note; numéroter, numéro; poinçonner, poinçon; repérer, repère; souligner, tirer un trait; timbrer, timbre. ▪ Balisage, balisation, baliser, balise; bouée, corps mort, brisées; flèche, flécher un itinéraire; fusée; foulées; houache; piste, pister, dépister; sillage; traces; vestiges. — **Signe de convention.** Abréviation, allégorie, caractère, contremarque, écriture, emblème, enseigne, figure, graphie, idéogramme, image, insigne, lettre, lexème, marque, notation, représentation, renvoi, sigle, signal; signaux de route : balise, borne, disque, drapeau, fanal, feu orangé / rouge / vert / clignotant / fixe, lanterne, panneau/poteau indicateur, sens giratoire, stop; signe abréviatif/acoustique / artificiel / astrologique / conventionnel / gestuel / graphique / héraldique / musical / naturel / phonique/sonore/visuel. ▪ Symbole/signe alphabétique / cryptographique / diacritique / orthographique / sténographique / typographique. ▪ Séméiologie, sémiotique. — **Être le signe de, signifier.** Annoncer, annonce; apprendre; augurer; avertir; déceler; démontrer, démonstration; dénoter; désigner; exprimer, expression, expressif; index; indiquer, indice; lexème, lexique; manifester, manifestation; marquer, marque; présager; promettre, promesse; pronostiquer; prouver, preuve; référencer, référence; représenter; révéler; signifier; témoigner, témoignage. ▪ Augure, de bon/de mauvais augure; auspices favorables / défavorables; avertissement; intersigne; miracle; présage; prodige; pronostic; signe avant-coureur/précurseur/prémonitoire; symptôme. — **Marquer d'un signe, signer.** Contresigner, contreseing; faire une croix; émarger, émargement; endos, endosser; apposer sa griffe; initiale; monogramme; parapher, paraphe; pointer; seing, signer, signataire, cosignataire, le soussigné; signer en blanc, blanc-seing; souscrire, souscripteur; valider, validation; viser, visa. ▪ Contrefaire/extorquer une signature, contrefaçon, faux, faussaire; légaliser une signature.

SIGNET → *bande, livre.*

SIGNIFIANT → *langage.*

SIGNIFICATIF → *expliquer.*

SIGNIFIÉ → *langage.*

SIGNIFIER → *informer, mot.*

SILENCE, SILENCIEUX → *bruit, calme, musique.*

SILEX → *fusil, pierre.*

SILHOUETTE, SILHOUETTER → *apparaître, dessin, image.*

SILICE, SILICEUX → *pierre.*

SILICOSE → *charbon.*

SILLAGE → *arrière, signe.*

SILLET → *instrument.*

SILLON, SILLONNER → *culture, disque, ligne.*

SILO, SILOTAGE → *céréale, garder.*

SILURE → *poisson.*

SIMAGRÉES → *affectation, manière.*

SIMIEN, SIMIESQUE → *singe.*

SIMILAIRE, SIMILITUDE → *faux, semblable.*

SIMILI → *cuir.*

SIMONIAQUE, SIMONIE → *sacrement.*

SIMOUN → *sec, vent.*

SIMPLE → *facile, sot.* — **Corps simple.** Non composé, élémentaire, homogène, incomplexe, indécomposable, indivisible, irréductible, ordinaire, primaire, primitif, pur, seul, un, unique. ▪ Atome, corps simple, élément, molécule, monade, nombre premier. ▪ Abréger, réduire, schématiser, simplifier, styliser, unifier. — **Idée, langage simple.** Clair, commode, compréhensible, court, dépouillé, enfantin, facile, familier, limpide, net, uni. ▪ Économie de moyens; simplicité naturelle / raffinée / recherchée / spontanée; simpliste. — **Manières simples.** Abandon, abandonné; austère, austérité; bon, bon garçon, bonne fille; bonasse; bonhomme, bonhomie; brave; candide, candeur; carré; cordial; discret, discrétion; droit, droiture; effacé, s'effacer; familier, familiarité; franc, franchise; ingénu, ingénuité; innocent; naïf; naturel, nature (adj.); pur; tout rond, rondeur; sincère; spontané; timide. ▪ Tout bonnement, sans affectation, sans apprêt, à la fortune du pot, à la bonne franquette, sans cérémonie/chichis/façon/luxe/prétention, simplicité antique/spartiate. ▪ Banal, brut, champêtre, frugal, fruste, grossier, humble, pauvre, plat, modeste, prosaïque, rustique, terre à terre, vulgaire. ▪ Arriéré, bête, demeuré, faible d'esprit, minus, niais, simple, simplet, sot.

SIMPLES → *plante.*

SIMPLIFIER, SIMPLISTE → *expliquer, raisonnement, simple.*

SIMULACRE → *apparaître, faux.*

SIMULER → *apparaître.*

SIMULTANÉ, SIMULTANÉITÉ → *temps.*

SINAPISME → *médicament.*

SINCÈRE, SINCÉRITÉ → *franc, vérité.*

SINCIPUT → *tête.*

SINÉCURE → *travail.*

SINE DIE → *retard.*

SINGE → *adroit, animal.* — **Description et mœurs des singes.** Anthropoïde, anthropopithèque, sinanthrope : arboricole ; catarrhiniens ; cébidés ; mammifère, mamelles ; platyrhiniens ; quadrumane ; simien, simiesque ; singe, guenon ; végétarisme, frugivore. ▪ Abajoues, bajoues, main, queue préhensile/non préhensile, visage. ▪ Adroit comme un singe, faire le singe, singerie ; habillé comme un singe ; imiter, singer ; laid comme un singe, singesse (fam.) ; malin comme un singe ; visage/face/grimaces de singe. — **Espèces de singes.** Alouate ou singe hurleur, atèle, babouin, cacajao, callicèbe, callimico, cercocèbe, cercopithèque, chimpanzé, colobe, cynocéphale ou papion, drill, gelada, gibbon, gorille, hamadryas, lagotriche, macaque, magot, mandrill, nasique, orang-outan ou jocko, ouistiti, rhésus, sagouin, saïmiri, sajou ou sapajou ou capucin, saki, semnopithèque, tamarin.

SINGER, SINGERIE → *manière, moquer, reproduction, singe.*

SINGLETON → *carte.*

SINGULARISER, SINGULARITÉ → *attention, manière, particulier.*

SINGULIER → *étonner, grammaire.*

SINISTRE → *malheur, triste.*

SINISTRÉ, SINISTRE → *assurance, dommage, événement.*

SINOLOGIE, SINOLOGUE → *Asie.*

SINOPLE → *blason, vert.*

SINOQUE → *folie.*

SINUEUX, SINUOSITÉ → *difficile, indirect, rivière, route.*

SINUS, SINUSITE → *tête.*

SINUSOÏDAL, SINUSOÏDE → *courbe.*

SIONISME, SIONISTE → *juif.*

SIPHON → *gaz, liquide, vide.*

SIPHONNÉ → *folie.*

SIRÈNE → *avertir, danger.*

SIROCCO → *sec, vent.*

SIROP → *boisson, médicament.*

SIROTER → *boire.*

SIRUPEUX → *épais.*

SISAL → *vannerie.*

SISTRE → *instrument.*

SITE → *orientation.*

SIT-IN → *révolte.*

SITUATION, SITUER → *état, fonction, orientation, placer.*

SIX-QUATRE-DEUX (A LA) → *négliger.*

SIXTE → *escrime, musique.*

SIZAIN → *poésie.*

SKAI → *cuir.*

SKATING → *sport.*

SKETCH → *spectacle.*

SKI → *montagne, nager.*

SKIER, SKIEUR → *montagne, sport.*

SKIFF → *bateau.*

SLALOM → *montagne.*

SLANG → *langage.*

SLAVE → *Europe, race.*

SLEEPING-CAR → *train.*

SLIP → *vêtement.*

SLOGAN → *commerce, informer.*

SLOVAQUE, SLOVÈNE → *Europe.*

SLOW → *danse.*

SMALA → *famille.*

SMALT → *verre.*

SMARAGDIN, SMARAGDITE → *joaillerie, vert.*

SMASH → *balle.*

S.M.I.C., S.M.I.G. → *travail.*

SMILLE → *pierre.*

SMOCKS → *broder.*

SMOKING → *vêtement.*

SNACK-BAR → *hôtel.*

SNOB, SNOBISME → *affectation.*

SNOW-BOOT → *froid.*

SOBRE, SOBRIÉTÉ → *sage, simple.*

SOBRIQUET → *nommer.*

SOC → *culture.*

SOCIABILITÉ, SOCIABLE → *facile, recevoir.*

SOCIAL → *aider, association, groupe.*

SOCIAL-CHRÉTIEN, SOCIAL-DÉMOCRATE → *parti.*

SOCIALISME, SOCIALISTE → *commun, parti, politique.*

SOCIÉTAIRE, SOCIÉTARIAT → *association, théâtre.*

SOCIÉTÉ → *association, commun, groupe, relation, vie.*

SOCIOCULTUREL, SOCIOGRAMME → *relation.*

SOCIOLOGIE, SOCIOMÉTRIE → *groupe, relation.*

SOCLE → *architecture, fonder, relief.*

SOCQUE → *chaussure.*

SOCQUETTE → *jambe, vêtement.*

SODA → *boisson.*

SODIQUE, SODIUM → *sel.*

SODOMIE → *sexe.*

SŒUR, SŒURETTE → *famille, femme.*

SOFA → *lit, meuble.*

SOFFITE → *plancher.*

SOI → *particulier, personnalité.*

SOI-DISANT → *faux.*

SOIE, SOIERIE → *fil, tissu.* — **La sériciculture.** Blaze; *bombyx mori*/du mûrier; cocon, chrysalide, chenille; encabanage des vers; fibroïne; filière; feuilles de mûrier; glande séricigène; magnanerie, tilimbar; montée; mue, frèze; papillon; séricine ou grès; ver à soie. ■ Maladie du ver à soie : flacherie, grasserie, muscardine, pébrine; cocon cloisonné/doublé/percé/taché. — **Travail de la soie.** Battage, cocon battu; tirage, écouvette, frisons; filage, filature, filière, croisure à la Chambon/à la tavelette, lissage; dévidage, dévidoir, aspe, guindre; purge; moulinage, torsion; décreusage ou cuite au savon/aux enzymes; teinture; chevillage, écheveau; utilisation des déchets, bourre ou strasse, fleuret, schappe. ■ Industrie de la soie, soierie, un canut, un soyeux. — **Sortes de soieries.** Bombasin, brocart, crêpe, faille, foulard, gros de Naples/de Tours, gros grain, lampas, levantine, marceline, pékin, pongé, reps, satin, surah, taffetas, tussor. ■ Soie cortade/crue/écrue/grège/de pantine/sauvage/souple/torse ou retorse; soie et coton, filoselle; soie et laine, alépine, popeline. — **Objet de soie.** Étamine, gaze, jersey, moire, mousseline, tulle, velours, voile. ■ Bas, campane, broderie, chemise, cordon, cordonnet, dentelle, floc, guipure, houppe, ruban, vêtement, sous-vêtement.

SOIF → *boire, désir.*

SOIGNER → *bande, chirurgie, maladie, médecine.* — **S'occuper avec sollicitude.** Attention, avoir des attentions, faire attention; bichonner; cajoler, cajolerie; chouchouter, chouchou (fam.); choyer; conserver précieusement; couver quelqu'un; cultiver ses relations; dorloter; s'empresser, empressement; entretenir; gâter un enfant, gâterie; s'inquiéter de/pour, inquiétude; ménager, ménagement; se pencher sur; se préoccuper, préoccupation; prévenir, être prévenant, prévenance; soin, être aux petits soins pour quelqu'un, soigner, soigner quelqu'un aux petits oignons (fam.), soigner sa réputation/un travail; sollicitude; souci, se soucier, être dévoré/rongé de soucis; veiller à/sur; vigilance, vigilant. — **Soigné, soigneux.** Coquet, coquetterie; élégant, élégance; net, netteté; recherché, habillé avec recherche; bien tenu. ■ Adroit, adresse; appliqué, application; attentif, attention; consciencieux, conscience professionnelle; délicat, délicatesse; méthodique, méthode; méticuleux, méticulosité; minutieux, minutie; précautionneux, précaution; prudent, prudence; scrupuleux, scrupule; sérieux; soigneux, soigneusement, style/travail soigné, apporter le plus grand soin; tatillon. ■ Ciseler, fignoler, finir, lécher, limer, mitonner, perler. — **Soins médicaux.** Appareil orthopédique, appareiller; aseptiser, asepsie, antiseptique; bandage, bander; baume; cataplasme; compresse; débrider une plaie; désinfecter; électrochoc, électrocardiogramme, électro-encéphalogramme; embrocation; emplâtre astringent/émollient/révulsif/vésicant; examen clinique / médical; frotter; gymnastique corrective; hibernation artificielle; immuniser, immunisation; inoculer, inoculation; massage; médicament, médication; onguent, oindre; panser, pansement : coton hydrophile, gaze, sparadrap, tulle gras; piqûre hypodermique / intramusculaire / intraveineuse; plâtre, plâtrer; pommade; poumon d'acier; radioscopie, radiologie; sinapisme; soins, soins postopératoires; sonde; stérilisation; thérapeutique, -thérapie : électrothérapie, héliothérapie, hormonothérapie, oxygénothérapie, physiothérapie, radiothérapie, thalassothérapie; vacciner, vaccination. — **S'efforcer de guérir.** Assainir; assister un malade; cure de désintoxication; diète, diététique; médeciner, médicamenter, mettre en observation; réanimation, ranimer; rééducation, rééduquer; régime; remède; respiration artificielle, bouche à bouche; secourir, premiers secours; soigner, donner des soins dentaires/médicaux; santé publique, service de Santé; traiter, traitement. ■ Diagnostic, ordonnance, prescription, visite. ■ Chirurgien, diététicien, garde-malade, guérisseur, hygiéniste, infirmier, infirmière, kinésithérapeute, médecin, rebouteux, sœur hospitalière. — **Lieux où l'on soigne.** Ambulance; asile; centre de dépistage; clinique conventionnée, policlinique; dispensaire; établissement de cure/de postcure; hôpital auxiliaire/militaire/psychiatrique, établissement hospitalier, hospitaliser, hospitalisation; hospice; hôtel-Dieu; infirmerie; lazaret; léproserie; maison de santé; maladrerie; maternité; préventorium; sanatorium; solarium; station thermale (les eaux). — **Effet des soins.** Adoucir/apaiser la douleur; calmer; cautériser; cicatriser; être convalescent; guérir, guérison, en voie de guérison; un miraculé; ragaillardir; rappeler à la vie; réchapper de; se refaire; se remplumer (fam.), reprendre des forces; se requinquer (fam.); ressusciter, résurrection; se rétablir; se retaper (fam.); retrouver l'appétit; salut; soulager, soulagement; se trouver mieux, un mieux, aller mieux.

SOIGNEUR → *sport.*

SOIGNEUX, SOIN → *attention, exact, exécuter, soigner.*

SOIR, SOIRÉE → *journée, recevoir.*

SOJA, SOYA → *grain.*

SOL → *terre.*

SOL → *musique.*

SOLAIRE → *four, nerf, soleil.*

SOLARIGRAPHE → *soleil.*

SOLARIUM → *soigner, soleil.*

SOLDAT, SOLDATESQUE → *armée, chef, grade, guerre, infanterie.*

SOLDE → *défendre, payer.*

SOLDE, SOLDER → *commerce, comptabilité.*

SOLE → *poisson.*

SOLE → *charpente, four.*

SOLÉCISME → *faute, grammaire.*

SOLEIL → *astronomie, ciel, lumière.* — **L'astre solaire.** Activité, brillance, chromosphère, couronne, course, disque, éclipse, écliptique, équinoxe, éruption, facule, globe, halo, hélio-, -hélie, pénombre, phase, photosphère, protubérance, radiation, rayonnement, rotation, solstice, spectre visible/invisible/ultraviolet ; syzygie ; taches, grains de riz. ■ Coronographe, héliomètre, hélioscope, héliostat, solarigraphe, spectrohéliographe. — **Le système solaire et les étoiles.** Apex, aphélie, astre héliaque, attraction, ciel, comète, firmament, galaxie, galactique, nébuleuse spirale, orbite elliptique, périhélie, voûte céleste, zodiaque. ■ Étoiles bleues/céphéides/doubles/jaunes/de première/deuxième/troisième grandeur/multiples/naines / novæ / radioélectriques / rouges/variables; les étoiles blêmissent/clignotent / étincellent / luisent / pâlissent / palpitent / scintillent / tremblent/vacillent. ■ Les planètes, le système planétaire : Jupiter, Mars, Mercure, Neptune, Pluton, Saturne, Terre, Uranus, Vénus. — **Le soleil et les hommes.** Année sidérale / solaire; arc-en-ciel; astre du jour; aube, aurore, matin; bain de soleil; chaleur; hâle, hâlé, bronzé; insolation, coup de soleil; héliothérapie; heure/horloge/lumière / symbole solaire. ■ Culte solaire, Ammon-Râ, Apollon-Phébus, char du Soleil, Hélios, Horus, Mithra, Osiris, Phaéton, le Roi-Soleil. ■ Le soleil brille/dore/grille/jaunit/mûrit, fait passer les couleurs; le soleil brûle/chauffe/cogne (fam.)/darde ses rayons/éblouit/étincelle/luit/tape (fam.); soleil ardent/couchant / levant / pâle/de plomb/radieux/rouge/timide/voilé; temps brumeux / clair / ensoleillé / lumineux / nuageux. ■ Ensoleillement, exposition, être bien/mal exposé. ■ Chapeau de paille, crème bronzante/hydratante, lunettes de soleil, ombrelle.

SOLENNEL, SOLENNISER, SOLENNITÉ → *affectation, cérémonie, fête.*

SOLÉNOÏDE → *électricité.*

SOLERET → *armure.*

SOLEX → *bicyclette.*

SOLFATARE → *volcan.*

SOLFÈGE, SOLFIER → *chanter, musique.*

SOLIDAIRE, SOLIDARISER (SE) → *aider, lier.*

SOLIDARITÉ → *aider, bienfaisance, lier.*

SOLIDE → *dur, force, forme.*

SOLIDIFIER → *chimie, dur.*

SOLILOQUE, SOLILOQUER → *parler.*

SOLIN → *maçonnerie.*

SOLIPÈDE → *pied.*

SOLISTE → *chanter, musique.*

SOLITAIRE → *abandon, éloigner, joaillerie, porc.*

SOLITUDE → *abandon, calme, paix, vide.*

SOLIVE, SOLIVEAU → *charpente.*

SOLLICITER, SOLLICITEUR → *attirer, demander.*

SOLLICITUDE → *amitié, attention, soigner.*

SOLO → *chanter, musique.*

SOLOGNOT → *France.*

SOLSTICE, SOLSTICIAL → *astronomie, soleil.*

SOLUBILISER, SOLUBLE → *liquide.*

SOLUTÉ → *médicament.*

SOLUTION → *algèbre, expliquer, liquide, médicament, science.*

SOLVABILITÉ, SOLVABLE → *payer.*

SOLVANT → *liquide.*

SOMATIQUE → *maladie.*

SOMBRE → *noir, obscur, triste.*

SOMBRER → *bateau, dommage, échouer, marine.*

SOMBRERO → *chapeau.*

SOMMAIRE → *abréger, simple.*

SOMMATION → *avertir, impôt.*

SOMME → *calcul, nombre, payer.*

SOMME → *animal, bétail.*

SOMME → *dormir.*

SOMMEIL, SOMMEILLER → *dormir, repos.*

SOMMELIER → *hôtel.*

SOMMER → *volonté.*

SOMMER → *calcul.*

SOMMET → *extrême, géométrie, haut.*

SOMMIER → *charpente.*

SOMMIER → *comptabilité, lit.*

SOMMITÉ → *extrême, supérieur.*

SOMNAMBULE, SOMNAMBULISME → *dormir, marcher.*

SOMNIFÈRE → *dormir, médicament.*

SOMNOLENCE, SOMNOLER → *dormir, lent, paresse.*

SOMPTUAIRE → *dépense.*

SOMPTUEUX, SOMPTUOSITÉ → *important, riche.*

SON → *bruit, chanter, disque, entendre, musique, parler, radio.* — **Généralités.** Archives sonores ; bruit ; orthoépie, orthophonie ; phoniatrie, phoniatre ; phono-, -phone, -phonie ; son, sonorité, sonore, sonique, infrasonique, supersonique ; sonothèque. — **Nature des sons divers.** Aigu, argentin, assourdissant, audible, inaudible, bas, bruyant, clair, creux, criard, discordant, doux, éclatant, faible, fort, grave, guttural, harmonieux, haut, intense, joyeux, mat, mélodieux, moelleux, nasillard, nourri, plein, rauque, ronflant, sec, sourd, strident, triste. ▪ Bourdonner, bruisser, carillonner, déchirer les oreilles, résonner, retentir, ronfler, tinter, vibrer. — **L'acoustique, science des sons.** Acoustique, électro-acoustique, acousticien ; audition, bel, décibel, période par seconde ; écho, chambre d'écho ; onde ; oscillation ; phénomène acoustique ; -phone ; propagation des sons ; résonance ; son, sonore ; transmission des sons ; vibration, nœud, ventre. ▪ Acoustique architecturale : audition (bonne/mauvaise) ; interférences ; isolation phonique, matériau isolant : liège, moquette, tapis ; socle antivibratile ; temps de réservation. ▪ Diapason, magnétophone, oscillographe, résonateur, sonomètre, stéréophonie, téléphonie. — **Qualité technique des sons.** Audible, inaudible, seuil d'audibilité/de douleur ; durée : long ; fréquence : hauteur : aigu, grave ; intensité : fort, faible ; son brouillé/de combinaison / complexe / confus / entretenu / harmonique / hululé / intra-aural / pur/subjectif ; son musical/partiel/riche/souple/timbré ; timbre ; volume — **Produire des sons.** Aller crescendo/decrescendo ; amplifier, amplificateur ; bruiter, bruitage, bruiteur ; instrument de musique ; mégaphone ; microphone, micro (fam.) ; moduler, modulation ; parleur, haut-parleur et bas-parleur ; porte-voix ; siffler, sifflet ; sirène qui mugit ; sonoriser, sonorisation. — **La phonétique.** Accent d'insistance/d'intensité/tonique, voyelle accentuée / tonique / atone ; amuïssement, s'amuïr ; aperture, degré d'aperture ; articuler, articulation, double articulation ; aspirer, aspiration ; assimilation, dissimilation ; assonance ; formant ; haplologie ; homophonie, homonyme ; intonation, courbe d'intonation ; parler, parole, parleur, locuteur, expression orale ; pause ; phonation, appareil phonateur ; phonème, phonématique ; phonétique, phonéticien, écriture/signe/transcription phonétique ; phonétique articulatoire/diachronique ou historique ; phonétisme ; phonique (adj.), euphonique, cacophonique ; phonologie, phonologue ; prononcer, prononciation ; prosodie, prosodique, faits suprasegmentaux ; quantité d'une syllabe ; rhotacisme ; sonorisation ; ton ; trait distinctif/pertinent ; variante combinatoire/libre ; vocal. ▪ Kymographe, palatogramme, phonendoscope, phonomètre, sonagraphe, spectrographe, synthétiseur de parole. — **Consonnes et voyelles.** ▪ Consonne, consonantisme : dentale, bilabiale, labiodentale, alvéolaire, postalvéolaire, palatale, vélaire ; occlusive, constrictive, composée ; nasale, médiane, latérale ; chuintante, explosive, fricative, sifflante, spirante, vibrante. ▪ Voyelle, vocalisme, vocalique : antérieure ou palatale, postérieure ou vélaire, labiale ou arrondie, non labiale ou non arrondie ; muette ; orale, nasale ; ouverte, fermée ; voyelle accentuée/non accentuée ou atone/brève/longue. ▪ Diphtongue, diphtonguer ; semi-voyelle ou semi-consonne, digamma, yod ; triphtongue. — **La voix humaine.** Voix aigre/cassée/caverneuse / chevrotante / claire / criarde / claironnante / distincte / enrouée / grave/haute/haut perchée/nasillarde/nette / pointue / pure / rauque / rocailleuse / sépulcrale / sonore / sourde/tonitruante/traînante/voilée ; voix qui porte loin ; voix de gorge/de mêlé-cass/de rogomme/de stentor.

SON → *céréale, farine.*

SONATE, SONATINE → *musique.*

SONDE, SONDER → *chirurgie, informer, géologie, mine, pétrole.*

SONGE → *dormir, imaginer.*

SONGE-CREUX → *imaginer.*

SONGER, SONGERIE, SONGEUR → *imaginer, penser, souci, triste.*

SONIQUE → *son.*

SONNAILLE, SONNAILLER → *bétail, cloche.*

SONNÉ → *âge, folie.*

SONNER → *avertir, cloche, son.*

SONNERIE → *avertir, cloche, danger, horlogerie.*

SONNET → *poésie.*

SONNETTE → *avertir, porte.*

SONOMÈTRE → *son.*

SONORE, SONORISER, SONORITÉ → *cinéma, disque, son.*

SONOTHÈQUE → *son.*

SOPHISME, SOPHISTE, SOPHISTIQUE → *faux, philosophie, raisonnement.*

SOPHISTIQUER → *affectation, faux.*

SOPORIFIQUE → *dormir, médicament.*

SOPRANO → *chanter.*

SORBET → *boisson, pâtisserie.*

SORBETIÈRE → *cuisine, vaisselle.*

SORCELLERIE, SORCIER → *alchimie, étonner, magie.*

SORDIDE → *avare, sale.*

SORGHO → *grain.*

SORNETTE → *futile.*

SORT → *destin, état, magie.*

SORTE → *état, manière.*

SORTIE → *discussion, guerre, partir, porte.*

SORTIE-DE-BAIN → *bain, vêtement.*

SORTILÈGE → *magie.*

SORTIR → *commerce, éloigner, extérieur, partir, venir.*

S.O.S. → *danger, marine.*

SOSIE → *deux, semblable.*

SOT → *folie, gauche, moquer, rire.* — **Qui a peu d'intelligence ou de jugement.** Abruti ; andouille (fam.) ; bête, bêta (fam.), bêtasse (fam.), bêtise ; borné ; bouché (fam.), bouché à l'émeri (pop.) ; brute ; con (pop.) ; corniaud (fam.) ; dégénéré ; crétin, crétinisme ; esprit épais/étroit/lourd/obtus, pauvre d'esprit ; ganache ; gâteux, gâtisme, gaga (pop.) ; idiot, idiotie ; imbécile, imbécillité ; inintelligent ; insensé ; manche (pop.) ; nul, nullité, nullard (pop.) ; pécore (fam.) ; pecque ; péronnelle ; stupide, stupidité. ▪ En avoir une couche (pop.), n'avoir pas inventé la poudre (fam.). — **Sottise, naïveté.** Ballot, balourd, balourdise, béjaune, benêt, coquebin, cornichon (fam.), crédule, cruche (fam.), dadais (fam.), empoté (pop.), gauche, godiche (fam.), gogo (fam.), jobard, naïf, niais, nigaud, pocheté (fam.), poire (fam.), simple, tourte (pop.). ▪ Se laisser attraper/mystifier/prendre ; monter à l'échelle ; tomber dans le panneau. — **Manifestations de sottise.** Absurdité, absurde ; ânerie ; ahurissement, ahuri ; aveuglement ; dire des balivernes/des bêtises, bêtifier ; faire une bêtise/une boulette (fam.)/une bévue/une connerie (pop.)/une crétinerie (fam.) ; débloquer (pop.), dérailler (fam.), déraisonner ; fatuité, fat ; faute ; gaffer, gaffeur, gaffe (fam.) ; inconséquence ; inepte, ineptie ; insanité ; maladresse ; non-sens ; parler mal à propos/à tort et à travers ; pas de clerc ; politique à courte vue/de gribouille ; rabâcher, radoter (fam.) ; ridicule, se couvrir de ridicule, se ridiculiser ; sottise, sottisier. ▪ Histoire / plaisanterie / question / réflexion idiotè, rire idiot. — **Choses ou animaux évoquant la bêtise.** Ane, balai, bécasse, bourrique, bûche, buse, butor, citrouille, couenne, dinde, dindon, emplâtre, huître, oie, pantoufle, serin, soliveau, souche, etc. — **Devenir, rendre sot.** Abasourdir ; abêtir, abêtissement ; abruti, travail abrutissant ; assoter ; bachoter, bachotage ; brouiller l'esprit/les idées ; faire tourner en bourrique ; frapper de stupeur ; hébéter, hébétude. ▪ S'abrutir, s'encrasser, s'encroûter, gâtifier, se momifier.

SOT-L'Y-LAISSE → *viande.*

SOTTISE, SOTTISIER → *faute, sot.*

SOU → *argent, monnaie.*

SOUBASSEMENT → *fonder, inférieur.*

SOUBRESAUT → *brusque, irrégulier, sauter.*

SOUBRETTE → *maison, servir.*

SOUCHE → *arbre, livre, paresse, race, sot.*

SOUCHET → *canard.*

SOUCI → *gêner, obstacle, penser.* — **Prendre soin.** S'absorber, absorbé ; être accaparé par/assujetti à ; s'appliquer à ; être attentif à, faire attention ; avoir la charge/la responsabilité de ; avoir cure/soin de ; être captivé par ; chercher à ; se décarcasser (fam.), se démener, en faisant des démarches ; se donner du mal/de la peine/du tracas ; s'efforcer de ; s'escrimer à ; s'évertuer à ; s'embarrasser/s'enquérir de ; faire des efforts/des pieds et des mains/son possible ; s'inquiéter de ; s'intéresser, prendre intérêt à ; occupation, s'occuper de ; penser à ; précaution ; prendre garde/la peine/soin de/un soin scrupuleux ; se préoccuper, préoccupation ; se remuer, remuer ciel et terre ; sollicitude ; songer à, songeur ; se soucier de, soucieux de, s'en soucier comme d'une guigne/comme de l'an quarante ; tenter l'impossible ; veiller à, vigilance, vigilant ; zélé. — **Avoir des idées noires.** Alarmiste ; broyer du noir ; bile, bileux, bilieux, se faire de la bile ; avoir le cafard, être cafardeux ; caractère chagrin/défaitiste ; envisager le pire, être aux cent coups, se frapper, se faire des cheveux/du mouron (fam.)/un sang d'encre/du mauvais sang/du souci ; jalousie, jaloux ; languir ; se mettre martel en tête ; être miné, se miner ; moral bas/à zéro (fam.) ; se morfondre ; morose ; ombrageux, pessimiste ; remâcher des idées noires ; se ronger les foies/les sangs (fam.) ; se tarabuster ; se tourmenter, tourment ; se tracasser, tracas, tracasserie, tracassin. — **Inquiétude.**

Accablement ; agitation ; alarme ; s'alarmer ; angoisse, anxiété, anxieux ; appréhender ; chagriné ; chiffonné (fam.) contrarié ; craindre ; être déchiré/dévoré d'inquiétude/écrasé/embêté (fam.) ; émotion, s'émouvoir ; ennui ; hantise ; impatient ; inquiet, inquiétude, s'inquiéter ; insatisfait ; nostalgique ; obsédé, obsession, idée fixe ; peine, peiné ; pensif ; perplexe ; peur ; préoccupé ; scrupule, scrupuleux ; souci, soucieux ; souffrance morale ; être tendu ; tintouin (fam.) ; torture, être à la torture/dans les transes/troublé. — **Soucis divers.** Attente, bousculade, contrariété, dérangement, difficulté, embêtement, emmerdement (pop.), empoisonnement (fam.), ennui, fléau, gêne, incertitude, indécision, menace, obstacle, remords, soupçon, tuile (fam.). ▪ Contrariant, déconcertant, effrayant, embarrassant, fâcheux, grave, incertain, indécis, inquiétant, lancinant, menaçant, obsédant, pressant, sinistre, urgent.

SOUCI → *fleur, jaune.*

SOUCIER (SE), SOUCIEUX → *fatigue, soigner, souci.*

SOUCOUPE → *vaisselle.*

SOUDAIN → *attaque, brusque.*

SOUDARD → *grossier.*

SOUDE → *engrais, sel.*

SOUDER, SOUDER (SE) → *fer, lier, métal.*

SOUDIER, SOUDIÈRE → *sel.*

SOUDOYER → *gagner, payer.*

SOUDURE → *fer, lier.*

SOUE → *bétail, porc.*

SOUFFLANTE → *vent.*

SOUFFLARD → *volcan.*

SOUFFLE → *air, bruit, respiration.*

SOUFFLÉ → *cuisine.*

SOUFFLER → *air, bruit, étonner, parler, respiration, vent.*

SOUFFLERIE → *vent.*

SOUFFLET → *couture, photographie, train, vent.*

SOUFFLET, SOUFFLETER → *frapper, offense.*

SOUFFLEUR → *théâtre, verre.*

SOUFFRANCE, SOUFFRANT → *douleur.*

SOUFFRE-DOULEUR → *moquer, supporter.*

SOUFFRETEUX → *maigre, maladie.*

SOUFFRIR → *dommage, maladie, supporter.*

SOUFRE, SOUFRER → *chimie, feu, jaune, vigne.*

SOUFREUSE → *vigne.*

SOUHAIT → *demander, désir.*

SOUILLARD → *trou.*

SOUILLE → *boue.*

SOUILLON → *femme, sale.*

SOUILLER → *avilir, boue, sale.*

SOUK → *commerce.*

SOÛL → *boire, satisfaction.*

SOULAGER → *aider, bienfaisance, calme, prendre, soigner.*

SOÛLARD, SOÛLAUD → *boire.*

SOÛLER, SOÛLERIE → *boire, débauche, déplaire.*

SOULEVÉ → *gymnastique.*

SOULÈVEMENT, SOULEVER → *déplaire, monter, révolte.*

SOULIER → *chaussure.*

SOULIGNER → *attention, ligne, signe.*

SOÛLOGRAPHIE → *débauche.*

SOULTE → *part.*

SOUMETTRE, SOUMISSION → *chef, faible, mou, relation, servir.* — **Gagner la bataille.** Abattre, anéantir, avoir le dessus, battre, conquérir, culbuter, défaire, détruire, disperser, dominer, écraser, l'emporter, forcer dans ses retranchements, gagner, mettre en déroute/en fuite, repousser, tailler en pièces, terrasser, triompher, vaincre, vainqueur, remporter la victoire. ▪ Conquête, dépouilles opimes. — **Domination absolue.** Asservir ; assujettir ; astreindre à une autorité ; capturer ; contraindre ; despotisme ; domination ; dominer ; dompter ; enchaîner ; entraver ; hégémonie ; imposer une autorité ; juguler ; mainmise ; omnipotence ; opprimer ; persécuter, persécution ; pouvoir suprême ; priver de liberté, mettre en prison ; ramener à l'obéissance ; réduire ; subjuguer ; suprématie ; toute-puissance ; tyrannie ; violenter. ▪ Esclavagisme, marché d'esclaves, négrier, traite des Noirs ; abolition de l'esclavage, affranchir, émanciper, pécule, rançon, rachat, racheter ; vendre. — **Maîtriser.** Soumettre un animal/un enfant/un penchant/une tendance : accabler, aliéner, apprivoiser, arrêter, avoir de l'ascendant/de l'autorité/de l'empire, brider, briser, captiver, (force de) coercition, comprimer, confondre, contenir, contrôler, décontenancer, désarmer, discipliner, domestiquer, dresser, enrayer, éreinter, étouffer, façonner, faire rentrer dans le rang/fléchir, forcer, freiner, mettre un frein, gagner, s'imposer, en imposer à, inféoder, interdire, juguler, maintenir, manier, mater, mener à la baguette, mettre au pas, obliger, ordonner, paralyser, punir, rappeler à l'ordre/à la raison, refouler, régenter, réprimer, sanctionner, stopper, subordonner, surmonter. ▪ Contrainte, emprise, férule, influence, pouvoir, prédominance, tutelle, mise sous tutelle. — **Dépendance totale.** Asservissement ; s'avouer vaincu ; battre en retraite ; capitulation, capituler; captif, captivité; chaîne; corvéable; dépendance, dépendant; déposer les armes; esclavage; fers; galères, galérien; ilote; joug; reddition, se rendre; serf, servage, servitude; succomber; sujet, sujétion; vassal, vassalité. **Être soumis.** S'abandonner à; s'abaisser; céder à la contrainte; se conformer aux traditions; dépendre de quelqu'un; docilité; filer doux, s'incliner; être le jouet de quelqu'un; lâcher pied/prise; obédience, obéir, obéissance; observance; obtempérer; oppression; plier; reculer; se résigner; respecter une habitude/les us et coutumes; sacrifier à une mode; se soumettre, soumission; subir; subordination; suivre ses goûts/les consignes/les ordres; vaincu. ■ Chiffe, loque, marionnette, pantin etc.

SOUMISSIONNAIRE, SOUMISSIONNER → *marchandises, offrir.*

SOUPAPE → *fermer, moteur, vide.*

SOUPÇON, SOUPÇONNER → *apparaître, doute, opinion.*

SOUPÇONNEUX → *doute, prévoir.*

SOUPE → *cuisine, légume.*

SOUPENTE → *chambre.*

SOUPER → *manger.*

SOUPESER → *balance, peser.*

SOUPIÈRE → *vaisselle.*

SOUPIR → *douleur, musique, respiration, triste.*

SOUPIRAIL → *fenêtre, ouvrir.*

SOUPIRER → *désir, respiration, triste.*

SOUPLE, SOUPLESSE → *adroit, subtil.*

SOUQUER → *corde.*

SOURCE, SOURCIER → *cause, eau, rivière.*

SOURCIL, SOURCILIER → *œil.*

SOURCILLER, SOURCILLEUX → *mécontentement, orgueil.*

SOURD → *bruit, entendre, insensible.*

SOURDINE → *bruit, instrument.*

SOURD-MUET → *entendre, parler.*

SOURDRE → *eau, jeter.*

SOURICEAU, SOURICIÈRE, SOURICIER → *rat.*

SOURIRE → *convenir, rire.*

SOURIS → *rat.*

SOURNOIS, SOURNOISERIE → *cacher, deux, doux, faux, tromper.*

SOUS-ALIMENTER → *maigre, manger.*

SOUS-BOIS → *bois, vert.*

SOUSCRIPTEUR, SOUSCRIRE → *banque, engager.*

SOUS-CUTANÉ → *peau.*

SOUS-DÉVELOPPÉ, SOUS-DÉVELOPPEMENT → *économie, pays, pauvre.*

SOUS-DIACONAT, SOUS-DIACRE → *ecclésiastique.*

SOUS-EMPLOI → *travail.*

SOUS-ENTENDRE, SOUS-ENTENDU → *grammaire, obscur.*

SOUS-ÉQUIPÉ, SOUS-ÉQUIPEMENT → *économie, industrie.*

SOUS-EXPOSER → *photographie.*

SOUS-FIFRE → *aide, inférieur.*

SOUS-JACENT → *placer.*

SOUS-LIEUTENANT → *grade.*

SOUS-LOCATAIRE, SOUS-LOUER → *location.*

SOUS-MAIN → *bureau.*

SOUS-MARIN → *mer, navire.*

SOUS-ŒUVRE → *construction.*

SOUS-OFFICIER → *grade.*

SOUS-ORDRE → *inférieur.*

SOUS-PEUPLEMENT → *population.*

SOUS-PRÉFECTURE → *chef, province.*

SOUS-PRODUIT → *résidu.*

SOUS-SECRÉTARIAT → *gouverner.*

SOUSSIGNÉ → *nommer, signe.*

SOUS-TITRE → *cinéma, expliquer.*

SOUSTRAIRE → *enlever, prendre.*

SOUS-TRAITER → *accord.*

SOUS-VENTRIÈRE → *harnais.*

SOUS-VERRE → *décoration.*

SOUS-VÊTEMENT → *vêtement.*

SOUTACHE, SOUTACHER → *toilette.*

SOUTANE, SOUTANELLE → *ecclésiastique, vêtement.*

SOUTE → *marchandises, navire.*

SOUTENANCE, SOUTENANT → *université.*

SOUTÈNEMENT → *mur.*

SOUTENEUR → *débauche.*

SOUTENIR → *affirmer, aider, défendre, discussion, durer, raisonnement, supporter.*

SOUTERRAIN → *terre, trou.*

SOUTIEN → *aider, défendre.*

SOUTIEN-GORGE → *poitrine, vêtement.*

SOUTIER → *marine.*

SOUTIRER → *liquide, prendre, vide.*

SOUVENIR, SOUVENIR (SE) → *mémoire.*

SOUVERAIN, SOUVERAINETÉ → *chef, extrême, gouverner, supérieur.* — **Le souverain et son entourage.** Altesse, empereur, majesté, monarque, prince consort, régent, reine, reine-mère, roi, sire, vice-reine, vice-roi. ■ Chambellan, confident, cour, courtisan, dame d'honneur, écuyer, favori, garde royale, gentilhomme, Gotha, maison du roi, maréchal de la cour, noble, page, prince, seigneur, sénéchal. — **Régime monarchique.** Absolutisme, Ancien Régime, régime absolu / autocratique / constitutionnel ; couronne ; droit divin ; légitimiste ; monarchie, monarchiste ; parlementarisme ; règne, régner ; royaliste, royaume, royauté ; sceptre ; trône. ■ Droit régalien, étiquette, joyaux de la couronne, liste civile, prérogatives royales, protocole. — **Succession des souverains.** Abdication, abdiquer ; accession au trône, avènement ; ceindre la couronne ; conquête, conquérant ; consécration ; couronnement ; détrôner ; devenir roi ; dynastie ; élever au pouvoir ; s'emparer du pouvoir ; hérédité, héréditaire ; interrègne ; instaurer un régime ; introniser, loi salique (par ordre de primogéniture de mâle en mâle), monter sur le trône ; renverser le régime ; restauration ; sacre ; succéder ; usurper. ■ Dauphin ; famille royale ; héritier présomptif ; infant, infante ; kronprinz ; prétendant ; prince impérial/royal/du sang ; successeur ; usurpateur.

SOVIÉTIQUE → *Europe.*

SOVKHOZE → *ferme.*

SPACIEUX → *espace, grand.*

SPAGHETTI → *farine.*

SPAHI → *cavalerie.*

SPALTER → *brosse, peinture.*

SPARADRAP → *bande, chirurgie, colle, soigner.*

SPARTE, SPARTERIE → *vannerie.*

SPARTIATE → *chaussure.*

SPARTIATE → *dur.*

SPASME, SPASMODIQUE → *brusque, crispation.*

SPATH → *pierre.*

SPATIAL, SPATIALITÉ, SPATIO-TEMPOREL → *espace.*

SPATULE → *bâton, cuisine, niveau, sculpture.*

SPEAKER → *radio.*

SPÉCIAL → *mathématiques, particulier.*

SPÉCIALISER, SPÉCIALISER (SE) → *industrie, particulier, travail.*

SPÉCIALISTE → *connaissance, médecine, particulier, science, travail.*

SPÉCIALITÉ → *médicament, particulier.*

SPÉCIEUX → *faux, raisonnement, subtil.*

SPÉCIFIER → *expliquer.*

SPÉCIFIQUE → *médicament, particulier.*

SPÉCIMEN → *morceau.*

SPECTACLE, SPECTACULAIRE → *attention, chevalerie, cinéma, danse, regarder, théâtre.* — **Aller au spectacle.** Abonné, abonnement ; affichage, affiche ; agence de spectacles ; colonne Morris ; louer/retenir ses places, prendre des billets, bureau, guichet, location ; saison théâtrale ; sortir, courir les spectacles. ■ Matinée, soirée ; entracte, frapper les trois coups, séance, spectacle permanent. ■ Contrôle, contrôleur, ouvreuse, placeuse, programme ; assistance, public, spectateur ; jumelles de théâtre, lorgnettes. ■ Applaudir, bis, four, sifflets, tomates. — **Salle de spectacle.** Baignoire, balcon, corbeille, enceinte fauteuil, galerie, gradins, hémicycle, loge, mezzanine, orchestre, parterre, place, poulailler, promenoir, strapontin, travée, tribune. ■ Bar, couloir, coulisses, foyer, fumoir. ■ Issue de secours, sortie des artistes, vestiaire. ■ Orchestre, planche, plateau, podium, rampe, rideau, scène. — **Représentations diverses.** Attractions, cirque, dîner-spectacle, gala, music-hall, parodie, projection, revue, show, sketch, strip-tease, tour de chant, variétés. ■ Ballet, chorégraphie, danse, danse folklorique ; chanson, concert, festival, opéra, récital. ■ Combat de coqs, corrida, course de taureaux, exercice, exhibition, jeu, jeux Olympiques, manifestation sportive, match. ■ Guignol, marionnette, pièce de théâtre, spectacle son et lumière. ■ Monter / organiser / préparer / présenter/produire un spectacle. — **Cadre des spectacles.** Amphithéâtre, arène, boîte de nuit, cabaret, café-concert, casino, cave, caveau de chansonniers, édifice public, maison des jeunes et de la culture, night-club, opéra, opéra-comique, palais des sports, patinoire, piscine, vélodrome. ■ Place publique, salle de cinéma/de concert/des fêtes, stade, studio, studio d'enregistrement, théâtre. — **Spectacle de cirque.** Baraque foraine, boniment ; chapiteau, parade, piste, stand de foire, tente, tremplin, tréteaux. ■ Acrobate, animaux savants, antipodiste, auguste, avaleur de sabre, baladin, bateleur, bouffon, clown, contorsionniste, danseur de corde, dompteur, écuyère, équilibriste, fakir, femme à barbe, femme-tronc, funambule, gens du cirque/du voyage, gugusse, gymnaste, hercule de foire, illusionniste, jongleur, lutteur, magicien, ménagerie, monsieur Loyal, monstre, nain, paillasse, pitre, prestidigitateur, saltimbanque, trapéziste, ventriloque. ■ Saut de la mort/périlleux, voltige, haute voltige, voltige sans filet. — **Artistes du spectacle.** Acteur ; artiste ; cantatrice ; chansonnier ; chanteur ; danseur, coryphée, petit rat, sujet ; étoile ; exécutant ; fantaisiste ; interprète ; mime ; montreur de marionnettes / d'ours ; prima donna ; revuiste ; star ; troupe. ■ Numéro, personnage, programme, répertoire, rôle. — **Spectacle de plein air.** Carnaval, cavalcade, défilé de chars/

de masques, carrousel, cérémonie, cortège, défilé militaire, parade, procession, revue. ▪ Exposition, Floralies, illuminations, visite accompagnée/guidée/touristique. ▪ Jardin botanique, ménagerie, zoo. — **Spectacles anciens.** Arènes, amphithéâtre, arcades, barrière, borne, carrière, colisée, hippodrome, piste, portique, stade, vomitoire. ▪ Jeux Isthmiques/Néméens / Olympiques / Pythiques ; jeux Capitolins / Palatins / Séculaires ; jeux anciens/du cirque/gymniques. ▪ Belluaire, bestiaire, cocher, gladiateur, aniste, mirmillon, rétiaire ; course de chars ; naumachie, pentathle.

SPECTACULAIRE → *étonner.*

SPECTRAL, SPECTRE → *lumière, optique, soleil.*

SPECTRE → *esprit.*

SPECTROGRAPHE → *optique.*

SPÉCULAIRE → *géologie, glace.*

SPÉCULATEUR → *banque.*

SPÉCULATIF, SPÉCULATION → *banque, commerce, raisonnement.*

SPÉCULUM → *chirurgie, glace.*

SPEECH → *convaincre, parler.*

SPÉLÉOLOGIE, SPÉLÉOLOGUE → *géologie.*

SPENCER → *vêtement.*

SPERMACETI → *baleine.*

SPERMATOGENÈSE → *reproduction.*

SPERMATOZOÏDE, SPERME → *reproduction, sexe.*

SPHÉNOÏDE → *tête.*

SPHÈRE → *boule, cercle, groupe, pouvoir, terre.*

SPHÉRIQUE, SPHÉROÏDE → *géométrie, terre.*

SPHINCTER → *fermer, rein.*

SPHINX → *animal, difficile, imaginer.*

SPHINX → *papillon.*

SPHYGMOTENSIOMÈTRE → *veine.*

SPICA → *bande.*

SPICILÈGE → *choisir.*

SPIDER → *automobile.*

SPINAL → *dos.*

SPINELLE → *joaillerie.*

SPINNAKER → *voilure.*

SPIRAL → *horlogerie.*

SPIRALE → *courbe.*

SPIRANT → *son.*

SPIRE → *tourner.*

SPIRILLE, SPIRILLOSE → *microbe.*

SPIRITISME → *esprit, magie.*

SPIRITUALISER, SPIRITUALISME → *esprit, philosophie.*

SPIRITUALITÉ, SPIRITUEL → *esprit, religion, rire.*

SPIRITUEUX → *alcool.*

SPIROMÈTRE → *respiration.*

SPLANCHNOLOGIE → *anatomie, intestin.*

SPLEEN → *triste.*

SPLENDEUR, SPLENDIDE → *beau, lumière, riche.*

SPLÉNECTOMIE, SPLÉNIQUE, SPLÉNITE → *ventre.*

SPOLIATEUR, SPOLIER → *prendre, voler.*

SPONDAÏQUE, SPONDÉE → *poésie.*

SPONDYLARTHRITE, SPONDYLE → *dos.*

SPONGIAIRES → *polype.*

SPONGIEUX, SPONGIOSITÉ → *mou, polype.*

SPONTANÉ, SPONTANÉITÉ → *personnalité, sensibilité, tendance.*

SPORADICITÉ, SPORADIQUE → *intervalle, irrégulier.*

SPORANGE, SPORE → *champignon, germe.*

SPOROZOAIRES → *parasite.*

SPORT, SPORTIF → *athlétisme, balle, boxe, cheval, course, gymnastique, montagne, nager, sauter.* — **Utilité du sport.** Altruisme, courage, énergie, esprit d'équipe, esprit sport/sportif, fair-play, goût de l'effort, loyauté, maîtrise de soi, mépris de la douleur, persévérance, volonté. ▪ Détente, endurance, force, muscles d'acier, puissance, souplesse, vitesse des réflexes ; éducation physique, hygiène sportive, plein air, pratique du sport. — **Épreuve sportive.** Arbitrage, arbitre, commissaire, juge ; chronométrage, chronométrer ; disqualifier, disqualification, scratcher ; épreuves éliminatoires/de repêchage ; finale, demi-finale, quart/huitième de finale ; gagner ; goal-average ; leader du classement ; marquer un but/un essai/un point, mener à la marque/aux points ; « A vos marques. Prêt ? Partez ! » ; marquer un adversaire, se démarquer ; mi-temps, pause ; pénaliser, penalty ; perdre, défaite ; performance, contre-performance ; prolongation ; se qualifier, qualification, barrage ; record ; remonter un handicap ; remporter la coupe/le match/le prix/le tournoi/le trophée ; victoire courte/nette/par forfait/par walk-over. ▪ Challenge, championnat, combiné, compétition, critérium, derby, jeux Olympiques, match amical, test-match, rencontre, tournoi. — **Sports divers.** Alpinisme ; aviron ou rowing ; bobsleigh ; boxe, boxeur ; canoë, canoë-kayak, canoéiste ; catch, catcheur ; course, coureur ; cricket ; cross, cross-country ; curling, cyclisme, coureur cycliste ; équitation, sports équestres, hippisme, jumping ;

escrime, escrimeur; hockey; jeux de ballon, base-ball, basket-ball, football, handball, volley-ball, footballeur, rugby, rugbyman; gymnastique, gymnaste; haltérophilie; judo, judoka, être ceinture noire de judo; karaté, karatéka; lutte, pancrace; motocyclisme, motonautisme; patinage, patineur, patin à glace/à roulettes, skating, skate-board, planche à roulettes; polo; pugilat, pugiliste; sports aériens : parachutisme, vol à voile; sports athlétiques/de combat; sports d'équipe : avant, arrière, ailier, centre, goal; sports d'hiver : ski, skieur; sports individuels/mécaniques/nautiques : régates, water-polo, yachting, yachtman. ▪ Jeux sportifs : badminton, golf, paume, pelote basque, tennis (tennisman, court, filet, raquette), tennis de table ou ping-pong, pongiste, tir, volant. — **Celui qui pratique un sport.** Amateur, amateurisme; cadet, junior, senior, minime; challenger; champion du monde/ d'Europe/de France/olympique/universitaire, campionissimo; crack; déclarer forfait, abandonner; se doper, dopage, doping; s'entraîner, entraînement intensif; forcer, faire du forcing; jeter l'éponge; jouer, joueur d'une équipe; professionnel, professionnalisme; recordman, améliorer/ faire tomber/pulvériser un record; scratch; sélection, être sélectionné; un sportif, sportsman; un supporter. ▪ Casque; chaussures spéciales/de basket/à clous/à crampons/de tennis; chausson; culotte, dossard; gant; genouillère; maillot; protège-dents; protège-tibia; short; survêtement, etc. — **Organisation du sport.** Association sportive, capitaine de l'équipe, club, école, entraîneur, équipe adverse, manager, masseur, moniteur, sélectionneur, soigneur, professeur. ▪ Arène; buts, cage, poteaux; cendrée, corde, couloir, virage; circuit automobile, anneau; court de tennis; gymnase; palais des sports; palestre; piscine, bassin; piste, piste tartan; salle; stade; terrain; vélodrome. ▪ Agrès, chronomètre, obstacle, ring, tremplin.

SPORULER → *germe.*
SPOT → *lampe, lumière.*
SPOUTNIK → *astronautique.*
SPRAT → *poisson.*
SPRINT, SPRINTER → *athlétisme, course.*
SPUMEUX, SPUMOSITÉ → *bière.*
SQUALE → *poisson.*
SQUAME, SQUAMEUX → *peau.*
SQUAMIFÈRE → *poisson, reptiles.*
SQUARE → *jardin, ville.*
SQUATTER → *habiter.*
SQUELETTE, SQUELETTIQUE → *charpente, maigre, os.*
SQUIRRE → *tumeur.*
STABILISATEUR → *fixer, photographie.*
STABLE → *chimie, durer, fixe.*
STABULATION → *bétail.*
STADE → *durer, progrès, sport.*
STAFF, STAFFEUR → *calcium.*
STAGE → *apprendre, fonction.*
STAGNANT, STAGNER → *fixer, lac, progrès, repos.*
STAKHANOVISME → *travail.*
STALACTITE → *calcium, colonne.*
STALAG → *camp, prison.*
STALAGMITE → *calcium, colonne.*
STALINISME → *politique.*
STALLE → *cheval, église.*
STANCE → *poésie.*
STAND → *commerce, course, fusil, montrer.*
STANDARD → *égal, reproduction, télécommunications.*
STANDARDISTE → *télécommunications.*
STANDING → *niveau, riche.*
STAPHYLOCOQUE → *microbe.*
STAPHYLOME → *œil.*
STAR, STARLETTE → *cinéma.*
STARTER → *automobile, course, moteur.*
STARTING-BLOCK, STARTING-GATE → *course.*
STASE → *arrêter.*
STATION → *arrêter, attitude, radio, voiture, voyage.*
STATIONNAIRE → *progrès.*
STATIONNER → *arrêter.*
STATION-SERVICE → *voiture.*
STATIQUE → *fixer.*
STATIQUE → *mécanique physique.*
STATISTICIEN, STATISTIQUE → *mathématiques, nombre, population.*
STATOR → *machine.*
STATUAIRE, STATUE → *sculpture.*
STATUER → *décider, loi.*
STATUETTE → *sculpture.*
STATU QUO → *état, fixer.*
STATURE → *homme, mesure.*
STATUT, STATUAIRE → *association, loi, règle.*
STEAK → *viande.*
STEAMER → *bateau.*
STÉARINE, STÉARIQUE → *bougie, gras.*
STÉATOPYGIE → *gras.*
STEEPLE-CHASE → *course.*
STÈLE → *colonne, inscription.*
STELLAIRE → *astronomie.*
STELLIONAT → *tromper.*
STENCIL → *reproduction.*

STÉNODACTYLO, STÉNODACTYLOGRAPHIE → *écrire, entreprise.*
STÉNOGRAPHIE, STÉNOGRAPHIER → *écrire, signe.*
STÉNOTYPE, STÉNOTYPIE → *écrire.*
STENTOR → *cri, son.*
STEPPE → *végétation.*
STERCORAL → *résidu.*
STÈRE → *bois, mesure.*
STÉRÉOBATE → *fonder.*
STÉRÉOCHIMIE → *chimie.*
STÉRÉOCOMPARATEUR → *plan.*
STÉRÉOMÉTRIE → *géométrie.*
STÉRÉOPHONIE → *son.*
STÉRÉOSCOPIE, STÉRÉOSCOPE → *optique.*
STÉRÉOTOMIE → *couper.*
STÉRÉOTYPE, STÉRÉOTYPER → *commun, reproduction.*
STÉRILE → *sec, sexe.*
STÉRILET → *sexe.*
STÉRILISATEUR, STÉRILISER → *infecter, microbe.*
STÉRILITÉ → *produire, sec, végétation.*
STERNUM → *os.*
STERNUTATION, STERNUTATOIRE → *nez.*
STERTOREUX → *respiration.*
STÉTHOSCOPE → *poitrine.*
STEWARD → *servir.*
STHÈNE → *mesure.*
STICHOMYTHIE → *littérature, répondre.*
STICK → *balle, bâton.*
STIGMATE, STIGMATISER → *mépris, saint, signe.*
STILLATOIRE, STILLIGOUTTE → *liquide.*
STIMULANT, STIMULER → *exciter, force, pousser.*
STIMULUS → *exciter, psychologie.*
STIPENDIER → *payer.*
STIPULATION, STIPULER → *contrat, convenir.*
STOCHASTIQUE → *événement.*
STOCK → *marchandises.*
STOCK-CAR → *course.*
STOCKER → *garder, marchandises.*
STOCKFISCH → *poisson.*
STOCKISTE → *marchandises.*
STOÏCISME, STOÏQUE → *courage, philosophie, résister, sage.*
STOMACAL, STOMACHIQUE → *estomac.*
STOMATOLOGIE → *bouche, dent.*
STOMOXE → *charbon.*
STOP, STOPPER → *arrêter, route, signe.*
STOPPER, STOPPEUR → *réparer.*
STORE → *fenêtre, soleil.*
STOUT → *bière.*
STRABISME → *œil.*
STRADIVARIUS → *instrument.*
STRANGULATION → *cou, gorge, mourir, presser.*
STRAPONTIN → *meuble, spectacle.*
STRASS → *bijou.*
STRATAGÈME → *subtil, tromper.*
STRATE → *géologie, niveau.*
STRATÉGIE → *guerre, plan.*
STRATIFICATION, STRATIFIER → *chimie, géologie.*
STRATIGRAPHIE → *terre.*
STRATO-CUMULUS → *météorologie.*
STRATOSPHÈRE → *air.*
STRATUS → *météorologie.*
STREPTOCOQUE → *microbe.*
STRESS → *fatigue.*
STRICT → *dur, exact, morale.*
STRIDENCE, STRIDENT → *aigu, bruit, son.*
STRIDULER → *cri.*
STRIE → *colonne.*
STRIÉ → *colonne, muscle.*
STRIER → *ligne.*
STRIGIDÉS → *oiseau.*
STRIOSCOPIE → *projectile.*
STRIPPING → *veine.*
STRIP-TEASE, STRIPTEASEUSE → *spectacle, vêtement.*
STROBOSCOPE, STROBOSCOPIE → *lumière.*
STROMBOLIEN → *volcan.*
STROPHE → *poésie.*
STRUCTURALISME → *langage.*
STRUCTURE, STRUCTURER → *composer, forme, manière.*
STRYCHNINE → *poison.*
STUC, STUCATEUR → *calcium.*
STUD-BOOK → *cheval.*
STUDIEUX → *travail, volonté.*
STUDIO → *chambre, habiter.*
STUPÉFAIT, STUPÉFIANT → *étonner, nouveau.*
STUPÉFIANT → *dormir, poison.*
STUPÉFIER, STUPEUR → *étonner, poison.*
STUPIDE, STUPIDITÉ → *sot.*
STUPRE → *débauche.*
STUQUER → *calcium.*
STYLE → *aiguille, écrire.*
STYLE → *forme, manière.* — **Étude scientifique du style.** Codage/décodage/surcodage stylistique ; description linguistique ; effet/figure de style ; genre ; littérarité ; niveau de langage ; procédés de style ; prosodie, prosodique, suprasegmental ; registre ; rhétorique, rhétoricien ; stylisti-

que, phonostylistique, stylisticien; stylistique génétique/historique/structurale; variante. ■ Style direct/indirect/libre/nominal/verbal; style administratif / commercial / publicitaire / technique/télégraphique; style abstrait / affectif / analytique / archaïsant / biblique / burlesque / comique / didactique / épique / épistolaire / expressif / familier / historique / imagé / lyrique / macaronique / narratif / noble / poétique / précieux / prosaïque / simple/tragique. — **Figures de style.** Allégorie, anacoluthe, anaphore, antanaclase, antiphrase, antithèse, antonomase, asyndète, catachrèse, chiasme, disjonction, ellipse, enthymème, hypallage, hyperbole, hypotypose, inversion, litote, métabole, métalogisme, métaplasme, métaphore, métasémème, métataxe, métonymie, oxymore, paronomase, période, périphrase, tournure périphrastique, personnification, pléonasme, prosopopée, répétition, syllepse, synecdoque, zeugma. ■ Figure de diction/de construction, trope. — **Travail du style.** Chercher/choisir ses mots, mot heureux/juste; enjoliver, enrichir, exercice de style; imiter, pastiche, pasticher; liberté, licence poétique; raturer, rature; rechercher, recherche de style; soigner, soin; styliser, stylisation, stylisme, styliste; tourner ses phrases, tournure de phrase, tour. — **Qualités d'un style.** Abondant, brillant, cadencé, châtié, clair, coloré, concis, condensé, correct, coulant, élégant, enlevé, facile, fleuri, harmonieux, imagé, incisif, laconique, limpide, mâle, mordant, naturel, nerveux, original, orné, pathétique, personnel, pittoresque, pur, ramassé, simple, sobre, spirituel, vigoureux, viril. ■ Ampleur, atticisme, clarté, force, mouvement, poésie, précision, propriété, pureté, purisme, rythme, souplesse, verve, vie. — **Défauts d'un style.** Abrupt, affecté, alambiqué, ampoulé, banal, boursouflé, décousu, embarrassé, emphatique, enflé, fatigant, guindé, haché, heurté, incohérent, incorrect, inégal, languissant, livresque, maniéré, monotone, négligé, obscur, pâteux, plat, pompeux, pompier (fam.), prétentieux, raboteux, recherché, rocailleux, rude, sec, terne, tarabiscoté, trivial, verbeux, vulgaire. ■ Charabia, galimatias, longueurs, lourdeur, redondance; cliché, impropriété, lapsus, stéréotype; gongorisme, préciosité. — **Style et beaux-arts.** Facture, faire, école, genre, goût, manière, touche. ■ Ordre ou style corinthien/dorique/ionique; architecture baroque/byzantine/classique / néo-classique / gothique / néogothique/jésuite/Louis XIII/Louis XIV/ ogivale / plateresque / Renaissance / rocaille/romane. ■ Style du mobilier et de la décoration : style Louis XIII/ Louis XIV / Régence / Louis XV / Louis XVI/Directoire/Empire/Restauration/Charles X/Louis-Philippe/Second Empire ou Napoléon III/1900 ou modern style; style moderne/rustique/scandinave; style anglais/Chippendale/Regency/victorien etc.

STYLER → *manière, servir.*

STYLET → *chirurgie.*

STYLISER → *simple.*

STYLISME, STYLISTE → *couture, style.*

STYLISTIQUE → *style.*

STYLITE → *colonne, saint.*

STYLOBATE → *colonne.*

STYLOGRAPHE, STYLO → *écrire.*

STYRÈNE → *plastique.*

SUAIRE → *enterrement, entourer.*

SUAVE, SUAVITÉ → *doux, son.*

SUBALTERNE → *inférieur.*

SUBCONSCIENT → *inconscience.*

SUBDIVISER, SUBDIVISION → *couper, part.*

SUBIR → *soumettre, supporter.*

SUBIT, SUBITO → *brusque, vitesse.*

SUBJECTIF, SUBJECTIVITÉ → *particulier, pensée, personne.*

SUBJECTIVISME → *personne, philosophie.*

SUBJONCTIF → *verbe.*

SUBJUGUER → *attention, attirer, influence, soumettre.*

SUBLIME → *chimie, extrême, haut.*

SUBLIMÉ, SUBLIMER → *chimie.*

SUBMERGER, SUBMERSIBLE → *couvrir, eau, nager.*

SUBODORER → *prévoir.*

SUBORDINATION, SUBORDONNER → *conséquence, inférieur, placer.*

SUBORNER, SUBORNEUR → *attirer, convaincre, débauche.*

SUBREPTICE, SUBREPTION → *cacher.*

SUBROGATEUR, SUBROGATION → *changer, magistrat, placer.*

SUBROGÉ → *enfant.*

SUBROGER → *changer.*

SUBSÉQUENT → *après, conséquence, suivre.*

SUBSIDE → *aider, donner.*

SUBSIDIAIRE → *aider, deux.*

SUBSISTANCE → *manger, ressource.*

SUBSISTER → *durer, ressource.*

SUBSONIQUE → *son, vitesse.*

SUBSTANCE, SUBSTANTIEL → *importance, matière.*

SUBSTANTIF → *grammaire.*

SUBSTITUER, SUBSTITUT → *changer, magistrat, placer.*

SUBSTITUTION → *changer, chimie.*

SUBSTRAT → *fonder, importance, inférieur.*

SUBTERFUGE → *ressource, subtil.*

SUBTIL → *esprit, gaz, raffiné, vif.* — **Intelligence subtile.** Acuité d'esprit, aigu, aiguisé ; clarté, clair, clairvoyant ; comprendre à demi-mot ; délicat, délié ; discernement ; distinguer ; fin, finesse ; flair, avoir du flair/du nez/le nez creux ; incisif ; ingénieux ; intelligent ; intuitif, intuition, deviner/percevoir / sentir intuitivement les choses ; lire entre les lignes ; lucide ; nuancé ; pénétrant ; perçant ; perspicace ; profond ; quintessencié ; raffiné, raffinement ; recherché ; sagace, sagacité ; sensible ; subtilité de langage/de pensée ; vif ; vue perçante. — **Difficile à connaître.** Complexe, compliqué, délicat, difficile, embarrassant, fugitif, imperceptible, impondérable, indiscernable, insaisissable, malaisé, sorcier, ténu. ▪ Impalpable, intangible, léger, menu, volatil, vaporisé. ▪ Effluve, émanation, essence, éther, fluide subtil, gaz, odeur, parfum, vapeur. — **Créer des subtilités.** Alambiqué ; argumenter, argutie ; artifice ; chicane, chicaner, chicanier ; chinois, chinoiserie ; compliquer les choses ; controverse ; couper les cheveux en quatre ; éplucher ; équivoque ; ergoter ; se formaliser, formaliste ; jouer sur les mots ; minutie, minutieux ; pointilleux ; quintessencier ; raisonneur, ratiociner, ratiocineur ; scrupuleux ; subtiliser, subtilité ; tiré par les cheveux ; vétille. ▪ Langage subtil, atticisme, byzantinisme, casuistique, marivaudage, préciosité, purisme, raisonnement subtil/sophistiqué/de sophiste. ▪ Allusion, litote, prétérition. — **Habileté.** Adresse, adroit ; art, artificieux ; astuce, astucieux ; avisé ; avoir une combine (pop.)/du piston (pop.)/un truc (pop.)/un tuyau (pop.) ; calcul, calculateur ; connaître les ficelles ; débrouillard ; dégourdi ; diplomate ; qui a du doigté ; éveillé ; fin, finasser, finaud, fine mouche ; futé ; habile, habileté ; hypocrite ; imagination fertile ; industrieux ; insidieux ; insinuant ; inventif ; judicieux ; jouer au plus fin ; madré, malin ; manigances ; manœuvres ; matois ; resquilleur (fam.) ; retors ; (homme de) ressource ; roublard ; roué ; vieux routier ; rusé ; sortilège ; stratagème ; subterfuge ; subtil ; saisir l'occasion/la balle au bond ; tactique ; talent de.

SUBTILISER → *subtil, voler.*

SUBTILITÉ → *difficile, obscur, raisonnement, subtil.*

SUBURBAIN → *ville.*

SUBVENIR, SUBVENTION, SUBVENTIONNER → *aider, économie.*

SUBVERSIF, SUBVERSION → *détruire, révolte.*

SUC → *importance, liquide.*

SUCCÉDANÉ → *changer.*

SUCCÉDER → *après, placer, succession, suivre.*

SUCCÈS → *avantage, réussir.*

SUCCESSEUR, SUCCESSIF → *après, suivre.*

SUCCESSION, SUCCESSORAL → *mourir, placer, suivre.* — **Testament.** Auteur de la succession : défunt, disposant, donateur, testateur. ▪ Acte notarié, acte public ; avantager ; biens, biens de mainmorte ; clause, codicille ; coucher sur un testament ; disposition/exécuteur testamentaire ; don, donation ; dot ; instituer son héritier ; laisser, legs, léguer ; notaire, ouvrir une succession ; patrimoine ; témoin ; testament authentique/nuncupatif/olographe ; tester, testament mystique, *ab intestat ;* volonté dernière. — **Héritier.** Acquéreur ; ascendant, descendant, ligne directe/collatérale ; ayant cause, bénéficiaire, cohéritier, colégataire ; dernier survivant ; donataire ; filiation ; hérédité ; héritier présomptif ; hoir ; légataire ; ordre de succession ; parent consanguin/utérin, parenté ; successibilité, successible. — **Procédures d'héritage.** Actif/passif d'une succession ; aliénation ; captateur, captation ; déshériter, exhéréder ; dévolution ; droits de mutation/de succession, enregistrement ; fidéicommis, fidéicommissaire ; grevé de restitution ; hériter, héritage, hoirie ; indivis, indivision ; inventaire ; jouissance ; liquidation ; ouverture du testament ; partage par souches/par têtes, parts ; possession ; propriété ; recevoir/recueillir sous bénéfice d'inventaire ; refuser, renonciation ; répudiation ; réversion, pension de réversion ; révoquer un testament ; saisine judiciaire/légale ; succession vacante, curateur, déshérence, successoral, taxe successorale ; usufruit. ▪ Douaire, fondation, majorat, pension, préciput, prélegs.

SUCCINCT → *abréger.*

SUCCOMBER → *mourir, perdre.*

SUCCUBE → *enfer, imagination.*

SUCCULENCE, SUCCULENT → *goût, plaire.*

SUCCURSALE → *banque, commerce, marchandises.*

SUCER → *bouche.*

SUCETTE → *confiserie, enfant.*

SUÇOIR → *insecte.*

SUÇON, SUÇOTER → *bouche, peau.*

SUCRE, SUCRER → *aliment, confiserie, doux.* — **Production du sucre.**

Betterave, canne à sucre, sève d'érable/de palmier, sorgho. ■ Betterave, cossette, lanière; diffuseur, diffusion, extraction, jus, pulpe de betterave. ■ Canne, plantation, planteur; broyage, moulin, jus sucré, vesou; résidu, bagasse; décantation, filtration. ■ Sucrerie, industrie sucrière : candisation, candir le sucre, concentration, cristallisation, cuite, évaporation, masse cuite, sirop, sucre candi; centrifugation, turbinage, cristaux, égout; mélasse, distillation. ■ Raffinerie : sucre brut/cristallisé/roux ou cassonade; sucre blanc/en morceaux/en poudre ou semoule. ■ Mise en forme : casson, cône, pain de sucre. — **Utilisations du sucre.** Adoucir; édulcorer; faire dissoudre/fondre; sucrer le café, un canard (fam.). ■ Pince/pot à sucre, saupoudreuse, sucrier. ■ Confiserie, caramel, sirop, sucre glace/d'orge/de pomme/vanillé, sucrerie; confiture mi-sucre/plein sucre. — **Sucre pharmaceutique ou scientifique.** Pastille, pastillage; pâte, saccharide, saccharine, saccharolé, sirop, sucre purgatif, sucre de Saturne. ■ Acide du sucre : fructose; galactose; glucose d'amidon/de fécule/de miel/de raisin; lactose; lévulose; maltose; saccharose de la betterave/de la canne. ■ Concentration, degré, dosage, échelle, solution, teneur en sucre; glycomètre, pèse-moût, polarimètre, saccharimètre.

SUCRERIE, SUCRIER → *confiserie, sucre.*

SUD → *orientation.*

SUDATION, SUDATOIRE → *bain, liquide.*

SUDORIFIQUE → *médicament.*

SUDORIPARE, SUDORIFÈRE → *glande, peau.*

SUÈDE, SUÉDINE → *tissu.*

SUÉDOIS → *Europe, feu*

SUÉE, SUER, SUEUR → *difficile, fatigue, liquide, mouiller, peau, soleil.*

SUFFIRE, SUFFISANCE, SUFFISANT → *orgueil, satisfaction.*

SUFFIXAL, SUFFIXATION, SUFFIXE → *mot.*

SUFFOCANT, SUFFOQUER → *étonner, fumée, respiration.*

SUFFRAGE → *élire.*

SUFFRAGETTE → *femme.*

SUGGÉRER, SUGGESTIF, SUGGESTION → *engager, influence, pousser, sexe.*

SUICIDE, SUICIDER (SE) → *mourir.*

SUIDÉS → *porc.*

SUIE → *fumée, noir.*

SUIF, SUIFFER → *gras.*

SUINT → *gras, laine.*

SUINTER → *liquide, mouiller.*

SUISSE → *Europe.*

SUISSE → *église, lait.*

SUITE, SUIVRE → *après, conséquence, garder, marcher.* — **Accompagner.** Aller avec/après/derrière/à la suite de; s'attacher aux pas de quelqu'un; attelage; caniche; cavalier, chaperon, dame de compagnie, demoiselle d'honneur, duègne; convoyer, convoyeur; emboîter le pas; équipage; escorter, escorte, gens; guide; mouton, moutonnier; ombre; ne pas quitter d'une semelle; remorque, être à la remorque; satellite; sigisbée; suite, suivante, suiveur; suivre le mouvement/le train; troupe, troupeau. — **Poursuivre.** Suivre à la piste/à la trace, être aux trousses de : courir après; filer, filature; fondre sur; forcer; harceler; pister; pourchasser; poursuivre; presser; rechercher; relancer; serrer de près; suite, droit de suite, poursuite; talonner; marcher sur les talons; traquer. — **Suite continue.** Affilée; alignement; chaîne; chapelet; chenille; colonne; convoi; continuité; cordon de police; cortège; défilé, enfilade, file, file indienne; haie, haie d'honneur, faire la haie; ininterrompu, sans interruption; kyrielle; ligne; litanie; monôme; nomenclature; procession; à la queue leu leu; rang, rangée; ribambelle; succession; suite; traînée; un par un, l'un après/derrière l'autre. — **Suite chronologique.** Alternance; assolement; concomitance; continuation, continuer; cours des événements; cycle; déroulement, se dérouler; ensuite, s'ensuivre, faire suite; au fur et à mesure; lendemain; ordre chronologique; plus tard; postérieur, postérité; prolongation, prolongement, prolonger; remplaçant, remplacer; succéder, successeur, successif; par la suite, suivant, se suivre, à suivre; survivant, survivre; tour à tour, à tour de rôle; ultérieur. — **Suite logique.** Aboutissement; cause; complément; conclusion logique; conséquence; contrecoup; découler de; dépendance, dépendre de; effet; déroulement; enchaînement, s'enchaîner; évolution; fil; liaison, lien; ordre, ordonné; progression; rapport; réaction en chaîne; rebondissement; résultat; séquelle; séquence; série; subséquent. — **Persévérance.** Assidu, assiduité; assister à, suivre un cours; constance, constamment; continu, continuité; entêtement; incessant; insister, ne pas démordre de; obstination, s'obstiner à; opiniâtre, opiniâtreté; pratiquer/suivre un régime; permanence; perpétuer; persévérer; persistance; régularité; reprendre; d'une seule traite, d'un seul jet, sans relâche, sans désemparer; soutenir un effort; suite dans les idées ; ténacité. ▪ Qualité suivie, sans rupture, article suivi/acheté régulièrement/sans suite, fin de série ; échantillonnage, gamme.

SUJET → *cause, danse, grammaire, matière.*

SUJET → *maladie, pouvoir.*

SUJÉTION → *soumettre.*

SULFATER → *vigne.*

SULFURÉ → *insecte, verre.*

SULFUREUX → *gaz.*

SULFURIQUE → *acide.*

SULFURISÉ → *papier.*

SULKY → *cheval, voiture.*

SULTAN, SULTANAT → *chef.*

SUMMUM → *extrême, haut, qualité.*

SUNLIGHT → *cinéma, lampe.*

SUPERBE → *beau, qualité.*

SUPERCARBURANT, SUPER → *pétrole.*

SUPERCHERIE → *tromper.*

SUPERFÉTATION, SUPERFÉTATOIRE → *augmenter, excès, futile.*

SUPERFICIE → *mesure, surface.*

SUPERFICIEL → *futile, manque, surface.*

SUPERFLU, SUPERFLUITÉ → *abondance, excès.*

SUPÉRIEUR, SUPÉRIORITÉ → *avantage, chef, haut, qualité.* — **Premier.** Avancé/élevé dans la hiérarchie ; capital ; déterminant ; directeur ; dominant ; essentiel ; fondamental ; général ; grand, très grand ; important ; invincible ; majeur ; maximum ; nec plus ultra ; préféré ; prééminent ; premier, première qualité ; prépondérant ; premier, primordial ; principal ; prioritaire ; souverain ; suprême. ▪ Battre quelqu'un sur son terrain ; damer le pion ; dépasser ; devancer ; distancer ; dominer ; éclipser ; effacer ; enfoncer quelqu'un (fam.) ; l'emporter sur ; excéder ; faire la pige à (fam.) ; maîtrise ; passer devant ; précéder ; prendre le dessus ; prévaloir ; avoir la primauté, primer ; surclasser/surpasser quelqu'un ; tenir la tête. — **Parfait.** Archi-, extra-, hyper-, super-, sur-. ▪ Absolu ; accompli ; achevé ; aigle ; as ; qui est au-dessus de ; caractéristique ; considérable ; distingué ; élevé ; élite ; éminent ; évolué ; excellent, par excellence ; exceptionnel ; excessif ; exemplaire ; extrême ; fameux ; le fin du fin (fam.) ; la fleur de ; hors ligne/de pair ; idéal ; incomparable ; insigne ; meilleur, mieux ; modèle ; parangon ; parfait, à la perfection ; phénix ; prédominant ; prééminent ; privilégié ; prodige ; quintessence ; remarquable ; ressortir ; sommité ; supérieur ; suprême ; tête ; transcendant ; unique ; de grande valeur. — **Position supérieure.** Altitude ; amont ; apogée ; au-dessus ; chevaucher ; cime ; couverture, couvrir ; culminant, culminer ; déborder ; dépasser ; dessus ; dominant, dominer ; élevé ; éminence, éminent ; encorbellement ; en haut ; étage élevé ; faîte ; hausser, haut, hauteur ; sommet ; supérieur ; surélever ; surface ; surmonter ; en surplomb ; survoler ; au zénith.

SUPERLATIF → *grammaire, haut.*

SUPERMARCHÉ → *commerce.*

SUPERNOVA → *astronomie, soleil.*

SUPERPOSER → *placer.*

SUPERPRODUCTION → *cinéma.*

SUPERSONIQUE → *vitesse.*

SUPERSTITIEUX, SUPERSTITION → *croire, magie, religion.*

SUPERSTRUCTURE → *construction, science.*

SUPERVISER → *garder, regarder.*

SUPINATEUR → *main, muscle.*

SUPPLANTER → *changer, place.*

SUPPLÉANT, SUPPLÉER → *changer, manque.*

SUPPLÉMENT, SUPPLÉMENTAIRE → *angle, augmenter, changer.*

SUPPLIANT, SUPPLICATION → *demander.*

SUPPLICE, SUPPLICIER → *douleur, peine.*

SUPPLIER, SUPPLIQUE → *demander.*

SUPPORT → *supporter.*

SUPPORTER → *aider, politique, sport.*

SUPPORTER → *permettre, résister.* — **Supporter avec résignation.** Apathie, apathique ; s'armer de patience ; avaler des couleuvres, avaler le morceau/la pilule ; avoir bon dos, boire le calice ; caractère complaisant/docile / doux / heureux ; démission, démissionner ; digérer ; encaisser ; endosser ; endurance ; faire contre mauvaise fortune bon cœur, se faire une raison, s'y faire ; fatalisme ; flegmatique, flegme ; humilité ; impuissance ; s'incliner ; mansuétude ; martyr ; pardonner ; passif, passivité ; patience, patient ; philosophie ; plier, se plier à ; porter sa croix ; prendre patience ; bien prendre quelque chose, le prendre avec philosophie/du bon côté/en douceur, en prendre son parti ; renoncement ; résignation, se résigner à ; sacrifice, se sacrifier ; souffre-douleur ; se soumettre, soumission ; victime ; vider la coupe jusqu'à la lie. — **Porter un poids moral.** Accepter ; s'accommoder de ; s'accoutumer à ; admettre ; assumer ; endurer ; éprouver ; essuyer ; être exposé à/sujet à ; persévérer ; porter sa croix ; résister à ; ressentir ; se résoudre ; souffrir ; soutenir ; subir ; tolérable, tolérer. ▪ Supporter des coups/une peine/des violences, etc., écoper (pop.), prendre, trinquer (pop.). — **Supporter un poids matériel.** Accotoir, accoudoir, appui, bâton, base, béquille, canne, charpente, colonne, contrefort, échalas, éclisse, épaulement, étai, étançon, montant, pied, piédestal, pile, pilier, pilotis, point d'appui, portant, portemanteau, porte-savon, porte-serviettes, poteau, rame de pois, tige, tuteur, socle, soutien, support, tasseau, tréteau. ■ Assurer, assujettir, épauler, étayer, maintenir, pesant, poids, poussée, prendre appui, résister, soutenir, sustenter, tenir, tenir debout/droit.

SUPPOSER, SUPPOSITION → *croire, doute, faux, raisonnement.*

SUPPOSITOIRE → *médicament.*

SUPPÔT → *agent.*

SUPPRESSION, SUPPRIMER → *annuler, enlever.*

SUPPURATION, SUPPURER → *blesser, liquide.*

SUPPUTER → *calcul, estimer.*

SUPRÉMATIE, SUPRÊME → *chef, haut, supérieur.*

SUPRÊME → *cuisine.*

SUR, SURET → *acide, aigre, fruit.*

SÛR → *certifier, confiance.* — **Sûr de soi et des autres.** Assuré, plein d'assurance; certain, plein de certitude; confiant, confiance; convaincu; rassurant, rassuré; sûr de soi; tranquille. ■ Assurer, avoir une certitude, compter sur, croire en, escompter, espérer, être sûr de. — **Qui agit avec sûreté.** Assuré, certain, clair, confirmé, efficace, exact, ferme, franc, infaillible, imperturbable, sûreté du coup d'œil/de jugement/de main. — **Dont on ne peut douter.** Assuré, authentique, avéré, certain, clair, confirmé, constant, couru (fam.), établi, évident, exact, immanquable, incontesté, indéfectible, indéniable, indiscutable, indubitable, inébranlable, inéluctable, inévitable, infaillible, net, positif, radical, de tout repos, vrai. ■ Ami de confiance/éprouvé / fidèle / honnête / loyal / solide / véritable / vrai. — **Mettre en lieu sûr.** Mettre à l'abri; asile, droit d'asile; cacher; à couvert, mettre hors d'atteinte/de danger; défendre, défenseur; garder, gardien, gorille (fam.); être imprenable/inviolable/invulnérable/protégé; sauvegarder, sauver; mettre en sécurité/en sûreté/en lieu sûr. ■ Sécurité militaire/publique/routière/sociale; sûreté individuelle, *habeas corpus;* Sûreté générale/nationale. ■ Assurance, caution, franchise, garantie, passeport, sauf-conduit, talisman.

SURABONDANCE → *abondance, beaucoup, excès.*

SURAH → *soie.*

SURAIGU → *aigu, haut, son.*

SURALIMENTER → *excès, manger.*

SURANNÉ → *vieillesse.*

SURATE, SOURATE → *musulman.*

SURBAISSÉ, SURBAISSER → *arc, bas.*

SURCHARGE, SURCHARGER → *charger, peser, poste.*

SURCHAUFFÉ, SURCHAUFFER → *chaleur, vapeur.*

SURCHOIX → *choisir, qualité.*

SURCLASSER → *supérieur.*

SURCOMPOSÉ → *verbe.*

SURCOMPRESSION, SURCOMPRIMÉ → *moteur.*

SURCONTRE, SURCONTRER → *carte.*

SURCOUPE, SURCOUPER → *carte.*

SURCROÎT → *augmenter.*

SURDI-MUTITÉ, SURDITÉ → *entendre.*

SURDOS → *bande, harnais.*

SUREAU → *arbre.*

SURÉLEVER → *haut, monter.*

SURENCHÈRE, SURENCHÉRIR → *acheter, engager, jouer.*

SURESTARIES → *port.*

SURESTIMER → *estimer, payer.*

SÛRETÉ → *paix, police, serrure, sûr.*

SUREXCITATION, SUREXCITER → *exciter, extrême, pousser, vif.*

SUREXPOSER → *photographie.*

SURFACE → *espace, géométrie, mesure.* — **Différentes surfaces.** Dehors; disque d'un astre; endroit, envers; espace limité/étendu; extérieur; face apparente/externe/interne/visible; figure géométrique; périphérie d'un solide; plafond; plan, surface plane; quadrature; superficie; surface corrigée des locaux d'habitation; surface d'érosion; tranche. ■ Aplanir; effacer les aspérités/les rugosités; égaliser; polir; poncer; raboter; surfacer, surfaceuse; unir. — **Mesurer la surface.** Aire; are, centiare, hectare, mètre carré, kilomètre carré; aréage; arpentage, arpenter, arpenteur; bornage, borner, bornoyer; cadastrer, cadastre; chaîner, chaîneur; géomètre; lever le plan; photogrammétrie; topographe, topographie; triangulation. ■ Surface algébrique / courbe / développable / gauche / minima / plane / réglée / de révolution; surface absorbante/équipotentielle/de force/d'onde/refroidissante. — **Être en surface.** Coque, coquille, couche, dessus, écorce, enveloppe, épiderme, façade, face, peau, pellicule, vernis. ■ Affleurer, effleurer, émerger, s'étendre, surnager; ■ Être apparent/éphémère/frivole/fu-

tile/léger/sans profondeur/superficiel/ en surface/vain.
SURFACER → *niveau.*
SURFAIRE → *estimer.*
SURFAIX → *bande.*
SURFIL, SURFILER → *couture.*
SURFIN → *qualité, supérieur.*
SURGELER → *froid, garder.*
SURGEON → *arbre.*
SURGIR → *apparaître, brusque, monter, venir.*
SURHAUSSÉ, SURHAUSSER → *arc, haut.*
SURHOMME, SURHUMAIN → *supérieur, volonté.*
SURIMPRESSION → *photographie.*
SURIN → *couper, pomme.*
SURINTENDANT → *chef.*
SURIR → *aigre, fruit.*
SURJET, SURJETER → *couture.*
SURLENDEMAIN → *calendrier, temps.*
SURMENAGE, SURMENER → *fatigue.*
SURMONTER → *monter, supérieur.*
SURMULET → *poisson.*
SURMULOT → *ronger.*
SURMULTIPLIÉ → *vitesse.*
SURNAGER → *nager.*
SURNATUREL → *croire, étonner, magie.*
SURNOM → *nommer.*
SURNOMBRE → *fonction, nombre.*
SURNOMMER → *nommer.*
SURNUMÉRAIRE → *fonction, nombre.*
SUROÎT → *pêche, vent.*
SUROS → *cheval.*
SURPASSER → *excès, supérieur.*
SURPAYÉ, SURPAYER → *payer.*
SURPEUPLÉ, SURPEUPLEMENT → *population.*
SURPLACE → *bicyclette.*
SURPLIS → *vêtement.*
SURPLOMB, SURPLOMBER → *bosse, haut, supérieur.*
SURPLUS → *excès.*
SURPOPULATION → *population.*
SURPRENANT, SURPRENDRE → *étonner, prendre, trouble.*
SURPRIME → *assurance.*
SURPRISE → *donner, étonner, prendre.*
SURPRISE-PARTIE → *danser.*
SURPRODUCTION, SURPRODUIRE → *excès.*
SURRÉALISME, SURRÉALISTE → *littérature.*
SURRÉNAL → *glande, rein.*
SURSATURER → *chimie, fatigue, satisfaction.*
SURSAUT, SURSAUTER → *brusque, étonner, sauter.*
SURSEOIR, SURSIS → *retard.*
SURSITAIRE → *armée, retard.*
SURTAXE, SURTAXER → *impôt, poste.*
SURTOUT → *vaisselle.*
SURVEILLANT, SURVEILLER → *attention, enseignement, garder, regarder.*
SURVENIR → *événement.*
SURVÊTEMENT → *sport, vêtement.*
SURVIE → *vivre.*
SURVIVANCE, SURVIVRE → *durer, succession.*
SURVOL, SURVOLER → *aviation, haut.*
SURVOLTER → *électricité, exciter.*
SUSCEPTIBILITÉ, SUSCEPTIBLE → *offenser.*
SUSCITER → *cause, exciter, influence, produire.*
SUSCRIPTION → *inscription.*
SUSDIT, SUSNOMMÉ → *nommer.*
SUSPECT, SUSPECTER → *doute.*
SUSPENDRE → *arrêter, défendre, fonction, intervalle, pendre, retard.*
SUSPENDU → *jardin, pont, voiture.*
SUSPENSE → *attendre.*
SUSPENSION → *arrêter, automobile, chimie, écrire, lampe.*
SUSPENSOIR → *bande.*
SUSPICION → *doute.*
SUSTENTATION, SUSTENTER → *courbe, manger.*
SUSURRER → *bas, bruit, parler.*
SŪTRA → *Asie, règle.*
SUTURAL, SUTURE, SUTURER → *articulation, chirurgie, couture.*
SUZERAIN → *féodalité, noblesse.*
SVASTIKA → *croix.*
SVELTE, SVELTESSE → *maigre.*
SWEATER → *laine.*
SWEATING-SYSTEM → *travail.*
SWEATSHIRT → *vêtement.*
SWEEPSTAKE → *course.*
SWING → *boxe, danse, jazz.*
SYBARITE, SYBARITISME → *mou, paresse.*
SYCOMORE → *arbre.*
SYCOPHANTE → *tromper.*
SYLLABAIRE → *lire.*
SYLLABE, SYLLABIQUE → *mot.*
SYLLABISME → *écrire.*
SYLLEPSE → *style.*
SYLLOGISME → *raisonnement.*
SYLPHE, SYLPHIDE → *mythologie.*
SYLVAINS → *arbre, bois.*
SYLVESTRE, SYLVICULTURE → *arbre.*

SYLVINITE → *engrais.*

SYMBIOSE, SYMBIOTIQUE → *mêler.*

SYMBOLE, SYMBOLIQUE, SYMBOLISER → *chimie, religion, signe.* — **Différents symboles.** Allégorie, figure allégorique ; armes, armoiries ; attribut ; devise ; emblème, figure emblématique ; enseigne ; formule ; image ; insigne ; métaphore littéraire ; notation ; représentation ; signe conventionnel ; symbole, chimique, numérique ; totem, totémisation, totémiser, clan totémique. ▪ Exprimer, figurer, formaliser, matérialiser, représenter, symboliser, système axiomatique. ▪ Héraldique, iconographie, symbolique de l'architecture romane/gothique/des fleurs/des pierres précieuses. — **Figures emblématiques.** Abeilles, emblème de l'Empire ; balance de la Justice ; bonnet phrygien ; caducée d'Hermès et des médecins ; chouette, emblème de Minerve et de la sagesse ; colombe de l'Esprit saint/de la paix ; croissant de l'islam ; croix ; étoile juive ; fleur de lis de la royauté ; francisque du régime de Vichy ; hermine d'Anne de Bretagne ; porc-épic de Louis XII ; salamandre de François Ier ; soleil de Louis XIV ; symbole des Évangiles : aigle de saint Jean, ange de saint Matthieu, bœuf de saint Luc, lion de saint Marc. — **Drapeaux et insignes.** Armes, armoiries, banderole, bannière, enseigne, étendard, fanion, flamme, gonfalon ou gonfanon, oriflamme, pavillon, pavillonnerie. ▪ Anneau pascal, bâton de maréchal, couronne, crosse, décoration, diadème, épaulettes, étoile, fourragère, galon, guidon, macaron, main de justice, masse, médaille, mitre, palme, rosette, ruban.

SYMBOLISME, SYMBOLISTE → *littérature.*

SYMÉTRIE, SYMÉTRIQUE → *deux, égal, opposé.*

SYMPATHIE, SYMPATHIQUE → *aimer, amitié, tendance.*

SYMPATHIQUE → *nerf.*

SYMPATHISER → *amitié, relation.*

SYMPHONIE, SYMPHONIQUE → *musique.*

SYMPHYSE → *articulation.*

SYMPOSIUM, SYMPOSION → *groupe, rencontre.*

SYMPTOMATIQUE, SYMPTÔME → *maladie, prévoir, signe.*

SYNAGOGUE → *église, religion.*

SYNALLAGMATIQUE → *contrat.*

SYNAPSE → *nerf.*

SYNARTHROSE → *articulation.*

SYNCHRONIE → *langage.*

SYNCHRONISER, SYNCHRONISME → *temps.*

SYNCLINAL → *géologie, relief.*

SYNCOPE → *inconscience.*

SYNCOPER → *intervalle, musique.*

SYNCRÉTISME → *mêler, religion.*

SYNDIC → *association, ville.*

SYNDICALISME, SYNDICALISTE → *groupe, politique, travail.*

SYNDICAT, SYNDIQUER (SE) → *association, groupe, travail.*

SYNDROME → *maladie.*

SYNECDOQUE → *style.*

SYNESTHÉSIE → *sensibilité.*

SYNODE → *ecclésiastique.*

SYNODIQUE → *astronomie.*

SYNONYME, SYNONYMIE → *mot, semblable.*

SYNOPSIS → *cinéma, plan.*

SYNOPTIQUE → *Bible, temps.*

SYNOVIAL, SYNOVIE → *articulation, liquide.*

SYNTACTIQUE, SYNTAGMATIQUE, SYNTAGME → *grammaire, mot.*

SYNTAXE, SYNTAXIQUE → *grammaire.*

SYNTHÈSE, SYNTHÉTIQUE, SYNTHÉTISER → *abréger, chimie, raisonnement.*

SYPHILIS, SYPHILITIQUE → *sexe.*

SYRINGOMYÉLIE → *insensibilité.*

SYSTÉMATIQUE, SYSTÉMATISER, SYSTÈME → *classe, philosophie, règle.*

SYSTOLE → *cœur.*

SYZYGIE → *astronomie, lune, soleil.*

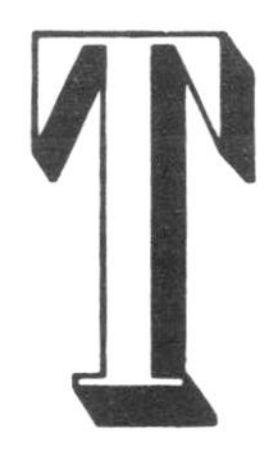

TABAC → *fumée.* — **Culture et traitement.** Champ de tabac, cueillette, écimer, feuille, guirlande, hangar, plant, séchage, séchoir; solanée, herbe à Nicot, nicotine (alcaloïde toxique). ▪ Manoque, balles et boucauts, décollage des manoques, mouillade, capsage, humidification, hachage, torréfaction, masses, dénicotinisation, paquetage. — **Sortes de tabacs.** Goût américain/anglais/français; tabac blond/brun/caporal/caporal supérieur/fort/havane/léger/maryland/d'Orient/Saint-Claude/de troupe et d'hospice/turc/de Virginie/gris, gros cul (pop.). — **Utilisation du tabac.** Chiquer, chique; fumer, fumeur, gros/petit fumeur; mâcher du tabac, masticatoire; poudre à priser, râpage, prise, humer une prise; scaferlati; tabac à chiquer, chique, carotte, rôle, rôle menu filé; tabac à fumer; tabacomanie, tabagisme, nicotinisme. ▪ Cigares et cigarillos : havane, londrès, manille, meccarillo, ninas, panatela, senorita, tiparillo, etc. ▪ Cigarette : avec ou sans filtre/courte ou longue, cibiche (pop.), clop (pop.), pipe (pop.), sèche (pop.); papier à cigarette; gauloise, gitane, etc. ▪ Fumer : allumer; demander/donner du feu; rouler une cigarette; tirer une bouffée; avaler/renvoyer la fumée; faire tomber les cendres; écraser une cigarette, mégot. ▪ Bureau de tabac, buraliste, café-tabac, carotte rouge, débit de tabac; compartiment de fumeurs, fumoir; interdit de fumer, « smoking prohibited »; tabagie; Régie française des tabacs, SEITA. — **Pipe et accessoires de fumeur.** Bouffarde, brûle-gueule, calumet, chibouque, narguilé, pipe en bois/en écume/en porcelaine/en racine de bruyère/en terre; bout/culot/fourneau/tuyau de pipe; bourrer/débourrer/culotter une pipe. ▪ Allumette, blague à tabac, briquet à amadou/à essence/à gaz, cendrier, coupe-cigare, étui à cigarettes, filtre dénicotiniseur, fume-cigare, fume-cigarette, porte-cigarettes, porte-pipes, pot à tabac, tabatière.

TABAGIE → *tabac.*

TABASSER → *frapper, police.*

TABATIÈRE → *bijou, fenêtre, tabac.*

TABELLION → *justice.*

TABERNACLE → *liturgie.*

TABÈS, TABÉTIQUE → *marcher.*

TABLATURE → *musique.*

TABLE → *classe, hôtel, manger, meuble, vaisselle.*

TABLEAU → *automobile, classe, enseignement, peinture, spectacle.*

TABLEAUTIN → *peinture.*

TABLÉE → *manger.*

TABLER (SUR) → *attendre, confiance.*

TABLETTE → *confiserie, maçonnerie, meuble.*

TABLETTERIE → *décoration.*

TABLIER → *échecs, feu, pont, vêtement.*

TABOU → *refus, sacrement.*

TABOURET → *meuble.*

TABULATEUR → *écrire.*

TABULATRICE → *informatique.*

TAC → *bruit, répondre.*

TACHE → *avilir, défaut, sale, signe.*

TÂCHE → *travail.*

TACHÉOMÈTRE, TACHÉOMÉTRIE → *géographie, plan.*
TACHER → *sale.*
TÂCHER → *essayer.*
TÂCHERON → *entreprise.*
TACHETER → *signe.*
TACHISME, TACHISTE → *peinture.*
TACHISTOSCOPE → *lumière.*
TACHYCARDIE → *cœur.*
TACHYMÈTRE → *vitesse.*
TACITE → *contrat, convenir.*
TACITURNE, TACITURNITÉ → *calme, triste.*
TACON → *poisson.*
TACOT → *automobile.*
TACT → *cœur, manière, toucher.*
TACTICIEN → *calcul, guerre, réussir, subtil.*
TACTILE → *sensibilité, toucher.*
TACTIQUE → *guerre, réussir.*
TACTISME → *mouvement.*
TADORNE → *canard.*
TAFFETAS → *soie.*
TAÏAUT → *chasse.*
TAIE → *lit, œil.*
TAÏGA → *végétation.*
TAILLADE, TAILLADER → *blesser, couper.*
TAILLANDERIE, TAILLANDIER → *métal.*
TAILLANT → *couper.*
TAILLE → *bois, couper, graver, haut, homme, mesure.*
TAILLE-CRAYON → *écrire.*
TAILLE-DOUCE → *graver.*
TAILLER → *couper, couture.*
TAILLERIE → *joaillerie, verre.*
TAILLEUR → *couture, vêtement.*
TAILLIS → *bois.*
TAILLOIR → *colonne, viande.*
TAIN → *glace.*
TAIRE → *bruit, cacher, calme.*
TALC → *peau, poudre.*
TALÉ → *pomme.*
TALENT, TALENTUEUX → *convenir, pouvoir, supérieur, tendance.*
TALION → *peine.*
TALISMAN → *défendre, magie.*
TALLE, TALLER → *plante.*
TALMUD, TALMUDISTE → *Bible.*
TALOCHE → *frapper.*
TALON → *carte, chaussure, extrême, papier.*
TALONNER → *suivre.*
TALONNETTE → *bande, chaussure.*
TALQUER → *poudre.*
TALUS → *obstacle, pencher, route.*
TAMANOIR → *mammifères.*
TAMARIS → *arbre.*
TAMBOUILLE → *cuisine.*
TAMBOUR → *broder, colonne, instrument, rouler.*
TAMBOURIN → *instrument.*
TAMBOURINER → *frapper, informer, instrument.*
TAMBOUR-MAJOR → *grade.*
TAMIS, TAMISER → *doux, lumière, passer.*
TAMOUL → *Asie, langage.*
TAMPON, TAMPONNER → *cachet, clou, fermer, train.*
TAMPONNER, TAMPONNEUR → *frapper.*
TAMPONNOIR → *clou.*
TAM-TAM → *instrument.*
TAN → *cuir.*
TANCER → *discussion.*
TANCHE → *poisson.*
TANDEM → *bicyclette.*
TANGENCE, TANGENT → *géométrie, toucher.*
TANGENTE → *cercle, fuir, ligne.*
TANGIBLE → *réalité, toucher.*
TANGO → *danse.*
TANGUER → *mouvement, navire.*
TANIÈRE → *éloigner, habiter.*
TANIN, TANNIN → *cuir.*
TANISER, TANNISER → *vin.*
TANK → *arme, garder, récipient.*
TANKER → *pétrole.*
TANNE → *peau, tumeur.*
TANNÉ → *couleur.*
TANNER → *cuir.*
TANNER → *gêner.*
TAN-SAD → *bicyclette.*
TANTE → *famille, homme.*
TAOÏSME → *Asie, religion.*
TAON → *mouche.*
TAPAGE, TAPAGEUR → *bruit, trouble.*
TAPANT → *exact, heure.*
TAPE → *frapper, toucher.*
TAPÉ → *pomme.*
TAPE-À-L'ŒIL → *attention.*
TAPECUL → *voilure, voiture.*
TAPÉE → *nombre.*
TAPER → *frapper.*
TAPETTE → *frapper, homme, parler.*
TAPIN → *débauche.*
TAPINOIS (EN) → *cacher, regarder.*
TAPIOCA → *amidon.*
TAPIR → *mammifères.*
TAPIR (SE) → *cacher.*
TAPIS → *boxe, couvrir, discussion.* — **Tapis.** Carpette, chemin, descente de lit, galerie, linoléum, moquette, natte, paillasson, tapis-brosse; tapis d'Aubusson/de Boukhara/des Gobelins/de Kairouan/d'Orient/de Perse/de prière/de la Savonnerie/de Smyrne/turc; tapis nostré/ras/sarrasinois/velu ou de haute laine. ■ Bordure, chaîne,

décor, décors à figures/floraux/géométriques, fond, frange, poils, trame. ■ Battre, brosser, houssine, nettoyer, secouer, tapette ; coller, clouer. — **Travail du tapis.** Bobine, dossier ; liage, chaîne de liage ; métier horizontal ou de basse lisse (ou lice)/vertical ou de haute lisse/à rouleaux ; moquette tissée ; nœud ghiordès ou turc/jufti/senneh ou persan/à verges ; piquage ; tapis à la main/mécanique ; thibaude ; tisser, tissage ; trame de jute ou duite, de dessus ou de dessous, double duite. ■ Tapis tissé : d'Axminster/de chenille/double-pièce/imprimé/jacquard/rétracté/Wilton ; tapis non tissé : brodé ou Janus ou point de lis/floqué/nappé/à points noués mécaniques/tricoté/tufté, tufting ; tapis sans velours : de chanvre/de coco/de sisal/d'Avignon. ■ Coton, fils d'or/d'argent, jute, laine, soie, velours. — **Tapisserie.** Champ, sujet ; tapisserie à fleurs/à histoires/murale/à personnages/à ramages ; tenture ; verdure, mille feuilles. ■ Recouvrir, tapisser, tendre. — **Travail de la tapisserie.** Canevas ; carton ; lisse, lissier, haute et basse lisse ; passé plat ; demi-point de croix, point de chaînette/de croix/simple/de diable/de Hongrie/de Malte/de mosaïque/noué/de tricot, etc. ; tapisser, tapissier ; tapisserie à l'aiguille. ■ Manufacture d'Aubusson/de Beauvais/des Gobelins ; tapisserie des Flandres.

TAPIS-BROSSE → *chaussure, nettoyer.*

TAPISSER, TAPISSERIE → *décoration, tapis.*

TAPISSIER → *décoration.*

TAPON → *fermer.*

TAPOTER → *frapper.*

TAQUET → *menuiserie.*

TAQUIN, TAQUINER, TAQUINERIE → *critique, moquer.*

TARABISCOTER → *décoration, obscur.*

TARABUSTER → *moquer, souci.*

TARARE → *culture.*

TARASQUE → *animal, imaginer.*

TARAUD, TARAUDER → *clou, souci, trou.*

TARD, TARDER, TARDIF → *attendre, lent, retard, temps.*

TARDIGRADES → *marcher.*

TARE → *balance, mesure.*

TARÉ → *débauche, défaut.*

TARENTELLE → *danse.*

TARENTULE → *araignée.*

TARER → *balance, mesure.*

TARGETTE → *serrure.*

TARGUER (SE) → *orgueil.*

TARIÈRE → *insecte, menuiserie.*

TARIF → *commerce, payer.*

TARIN → *nez.*

TARIR → *arrêter, diminuer, sec.*

TARLATANE → *tissu.*

TARMACADAM → *route.*

TAROTS → *carte.*

TARSE, TARSECTOMIE, TARSIEN → *pied.*

TARTAN → *sport, tissu.*

TARTANE → *bateau.*

TARTARE → *aliment, mythologie.*

TARTE, TARTELETTE → *pâtisserie.*

TARTINE, TARTINER → *couvrir, pain.*

TARTRE, TARTREUX → *calcium, résidu.*

TARTUFFE, TARTUFFERIE → *affectation, faux.*

TAS → *abondance, amas, nombre.*

TASSE → *vaisselle.*

TASSEAU → *menuiserie.*

TASSEMENT, TASSER → *amas, diminuer, peser.*

TÂTER → *essayer, main, toucher.*

TÂTE-VIN, TASTEVIN → *goût, vin.*

TATILLON, TATILLONNER → *doute, lent, soigner.*

TÂTONNER, TÂTONS (À) → *doute, essayer.*

TATOU → *mammifères.*

TATOUER, TATOUEUR → *couleur, peau.*

TAUDIS → *habiter, maison, pauvre, sale.*

TAULE → *prison.*

TAUPE → *mammifères, mathématiques, poil.*

TAUPINIÈRE → *amas.*

TAURE, TAUREAU, TAURILLON → *bœuf.*

TAUROMACHIE → *course.*

TAUTOCHRONE → *temps.*

TAUTOLOGIE → *deux, style.*

TAUTOMÈRE → *chimie.*

TAUX → *payer, prêter, revenu.*

TAVELER, TAVELURE → *peau, pomme.*

TAVERNE, TAVERNIER → *hôtel.*

TAXE, TAXER → *accusation, impôt, payer.*

TAXI → *automobile, voiture.*

TAXIDERMIE → *animal.*

TAXINOMIE, TAXONOMIE → *classe, science.*

TAXIPHONE → *télécommunications.*

TAYLORISATION, TAYLORISME → *industrie, travail.*

TCHÈQUE → *Europe.*

TCHERNOZIOM → *terre.*

TÉ → *dessin.*

TECHNIQUE → *art, connaissance, enseignement, métier, science.*

TECHNOCRATE, TECHNOCRATIE → *politique.*

TECHNOLOGIE → *industrie.*

TECK, TEK → *bois.*

TECKEL → *chien.*

TECTONIQUE → *géologie.*

TECTRICE → *aile, plume.*

TEDDY-BEAR → *tissu.*

TE DEUM → *chanter, honneur, liturgie.*

TÉGUMENT → *couvrir, grain.*

TEIGNE → *mal, parasite.*

TEILLE, TEILLER, TEILLEUSE → *fil.*

TEINDRE → *couleur.*

TEINT → *couleur, peau, visage.*

TEINTE, TEINTER → *couleur, lumière.*

TEINTURE → *cheveu, connaissance, couleur.*

TEINTURERIE, TEINTURIER → *nettoyer, tissu.*

TÉLÉCABINE → *montagne.*

TÉLÉCINÉMATOGRAPHE, TÉLÉCINÉMA → *radio.*

TÉLÉCOMMANDE, TÉLÉCOMMANDER → *conduire.*

TÉLÉCOMMUNICATIONS → *informer, radio.* — **Divers modes de transmissions.** Bélinogramme, bélinographe; duplex, triplex, multiplex; laser; ondes électromagnétiques/modulées; radar; radiocommunication, radio-électricité, radioguidage; relais; satellite de télécommunication/actif/passif; station; télédynamie; téléguidage, fusée téléguidée; téléimprimeur, télétype, télétypesetteur; télécommande, engin télécommandé; (postes et) télécommunications; téléinformatique; télémécanique; télévision; transmettre, retransmettre, transmission, retransmission. — **Télégraphie.** Antenne émettrice; câble; canal; commutation électronique; détecteur; faisceau hertzien; liaison radio; relais, tour hertzienne; réseau télex; signal; téléphonie sans fil; téléscripteur : émetteur, collecteur, ergot, récepteur, chariot porte-caractères; voie. ▪ Télégraphie optique, l'ingénieur Chappe, bras, sémaphore; télégraphie Morse : manipulateur ou transmetteur, ligne, récepteur, électro-aimant, appareil Baudot; télégraphie pneumatique; télégraphie sans fil : alphabet/code Morse, le morse, formule téléphonique. — **Téléphone.** Amplificateur; chercheur, commutation; échantillonnage; enregistreur; équilibreur; fréquence, bande de fréquence; liaison; modulation par impulsions codées; multiplexage; répéteur; sélecteur, présélecteur; self-induction, bobine de self-décharge; téléphonie automatique, rotary, téléphone manuel; termineur; transformateur différentiel. ▪ Câble coaxial; central électromécanique : balais, broche, système « crossbar »; central électronique; circuit; conducteur; connecter, connexion; isolateur; ligne, installer une ligne; poteau. — **Matériel téléphonique.** Cadran d'appel, commutateur, électro-aimant, écouteur, microphone à charbon ou électromagnétique, poste fixe ou mobile ou mural, récepteur, sonnerie, timbre; appareil de téléphone, casque, combiné, interphone. ▪ Abonné, abonnement; cabine téléphonique; central; postes; opératrice, standard, table d'écoute, taxiphone, téléphoniste. ▪ Téléphone automatique/interurbain/régional/rural; réclamations; renseignements. ▪ Allô!; annuaire de téléphone; bigophone (pop.); communication; donner un coup de fil (fam.)/un coup de téléphone, appeler; décrocher, raccrocher; demander un numéro; être en ligne; indicatif d'appel; tonalité : libre, pas libre, occupé, en dérangement.

TÉLÉDYNAMIE → *télécommunications.*

TÉLÉENSEIGNEMENT → *enseignement.*

TÉLÉGÉNIQUE → *radio.*

TÉLÉGRAMME, TÉLÉGRAPHE → *télécommunications.*

TÉLÉGRAPHIER → *écrire, informer, poste, télécommunications.*

TÉLÉGRAPHISTE → *poste, télécommunications.*

TÉLÉGUIDER → *conduire.*

TÉLÉIMPRIMEUR → *télécommunications.*

TÉLÉMÉCANICIEN, TÉLÉMÉCANIQUE → *télécommunications.*

TÉLÉMÈTRE, TÉLÉOBJECTIF → *mesure, photographie.*

TÉLÉOLOGIE → *cause.*

TÉLÉOSTÉENS → *poisson.*

TÉLÉPATHE, TÉLÉPATHIE → *esprit, sensibilité.*

TÉLÉPHÉRAGE, TÉLÉPHÉRIQUE → *montagne, transport.*

TÉLÉPHONE → *informer, télécommunications.*

TÉLÉPHONIE, TÉLÉPHONISTE → *télécommunications.*

TÉLÉPHOTOGRAPHIE → *photographie.*

TÉLÉRADAR → *radio.*

TÉLESCOPE → *astronomie, optique.*

TÉLESCOPER → *frapper.*

TÉLESCOPIQUE → *astronomie.*

TÉLÉSCRIPTEUR → *télécommunications.*

TÉLÉSIÈGE, TÉLÉSKI → *montagne.*

TÉLÉSPECTATEUR → *radio.*
TÉLÉSTHÉSIE → *sensibilité.*
TÉLÉTYPE → *télécommunications.*
TÉLÉVISER, TÉLÉVISEUR, TÉLÉVISION → *radio.*
TÉLEX → *télécommunications.*
TELLURIEN, TELLURIQUE → *terre.*
TÉMÉRAIRE, TÉMÉRITÉ → *courage, danger.*
TÉMOIGNER, TÉMOIN → *accusation, justice, montrer.*
TEMPE → *tête.*
TEMPÉRAMENT → *acheter, personnalité, tendance.*
TEMPÉRANCE, TEMPÉRANT → *contenir, sage.*
TEMPÉRATURE → *chaleur, fièvre, froid, météorologie.*
TEMPÉRÉ → *météorologie.*
TEMPÉRER → *calme, doux.*
TEMPÊTE → *exploser, orage, vent.*
TEMPÊTER → *colère.*
TEMPLE → *édifice, église.*
TEMPLIER → *chevalerie.*
TEMPO → *musique.*
TEMPORAIRE → *durer.*
TEMPORAL → *tête.*
TEMPORALITÉ, TEMPOREL → *bien, temps.*
TEMPORISER → *retard.*
TEMPS → *âge, année, attendre, calendrier, durer, horlogerie, retard, saison, verbe.* — **Mesure du temps.** Chronos, chrono-, -chronie, -chronique, -chronisme ; ante-, co- ou con-, post-, pré-, syn- ; achronique, atemporel, éternel, perpétuel, *in sæcula sæculorum.* ▪ Cadran solaire ou gnomon ; chronologie, chronomètre, chronographe ; comput, computation ; fuseau horaire ; horloge ; minuteur, coupe-à-temps ; montre ; réveil ; sablier ; temps moyen de Greenwich (G.M.T.)/universel. — **Divisions chronologiques.** Age du bronze/du fer, etc. ; année, annuel, bisannuel ; cycle, cyclique ; décennie ; époque ; ère ; heure moyenne/sidérale/solaire, horaire ; jour, journalier, quotidien ; lunaison ; lustre ; millénaire, bimillénaire ; minute, minuter, minutage ; mois, mensuel ; olympiade ; période, périodique, périodicité ; saison, saisonnier ; semaine, hebdomadaire ; seconde ; siècle, séculaire ; unité de temps. ▪ Matin, matinée, fin de matinée ; midi, après-midi dans le courant de l'après-midi ; soir, soirée, nuit. ▪ Anniversaire, centenaire, cinquantenaire ; dater, antidater, postdater ; jour de naissance ; jubilé, année jubilaire ; millésime, quantième ; terme. — **Rapports temporels.** Alors, alors que, comme, lorsque, quand, au moment où, pendant que, tandis que, le temps que ; après que, aussitôt que, avant que, depuis que ; bientôt, déjà, dorénavant, ensuite, quelque temps après, par la suite ; aussitôt, subitement, tout de suite, il est temps de/que ; auparavant, autrefois, dernièrement, jadis, récemment, en ce temps-là ; à intervalles rapprochés, à plusieurs reprises, parfois, par moments, quelquefois, souvent, de temps en temps. — **Temps relatif.** ▪ Futur : demain, après-demain, un de ces jours, plus tard, postérieur, postériorité ; différer, remettre, repousser *sine die*/à la saint-glinglin (fam.)/aux calendes grecques ; délai, report. ▪ Passé ; hier, avant-hier, plus tôt ; antérieur, antériorité ; ancien, antique, immémorial, vieux. ▪ Présent : aujourd'hui, pour le moment ; actuellement, à l'heure actuelle, actualité, actualiser ; nouveauté, neuf. ▪ Avance, avancer, être en avance, avoir de l'avance ; coïncider, coïncidence ; concomitance, concomitant, à l'heure, en temps utile/voulu ; contemporain, contemporanéité ; précoce, prématuré ; retard, retarder, être en retard, avoir du retard ; simultané, simultanéité ; synchroniser, synchronisation, synchrone, synchronie, synchronisme ; synopsis, tableau synoptique ; tard, tardif ; tôt, hâtif. — **Le temps qui passe.** Affaire de quelques jours ; atermoyer, atermoiement ; avoir du temps/son temps/tout son temps ; ne pas avoir le temps/de temps à perdre ; un bout de temps, au bout d'un certain temps ; demeurer ; durer, durée ; état durable/éphémère/momentané / provisoire / séculaire / temporaire ; dépenser du temps ; emploi du temps ; espace/laps de temps ; s'éterniser ; flâner ; fuite du temps, le temps fuit ; gagner du temps, temporiser ; instant, instantané ; intervalle, entre-temps, sur ces entrefaites ; loisirs, à loisir ; marche du temps ; un moment bref/long/petit ; muser, musarder ; s'occuper ; passer le temps/son temps, passe-temps ; pause ; rester ; séance, session ; suspension, temps mort/d'arrêt ; temps matériel/nécessaire pour faire une chose, chose qui demande/prend du temps ; le temps coule/file (fam.)/passe/presse, urgence ; traîner en longueur ; trouver le temps long ; tuer le temps. ▪ Affronts/atteintes/injures/outrages/ruines du temps.
TENABLE → *supporter.*
TENACE, TÉNACITÉ → *dur, résister, volonté.*
TENAILLES → *arracher, clou, prendre.*
TENAILLER → *douleur.*
TENANCIER → *débauche, hôtel.*
TENDANCE → *inconscience, pouvoir.* — **Étude des tendances.** Caractérologie ; morale, moraliste ; phréno-

logie, cranioscopie ; physiognomonie ; psychologie, psychologue ; psychanalyse, psychiatrie. — **Penchant.** Affinité ; appétence, appétit ; atavisme, atavique ; attirance ; complexion ; constitution ; disposition, être bien/mal disposé à l'égard de ; facilité ; impulsion, impulsif, impulsivité ; inclination, incliner à, être enclin à ; instinct, suivre son instinct ; se laisser aller à, lâcher bride à, donner libre cours à ; motivation, acte motivé/immotivé ; mouvement de l'âme/du cœur/de l'être, etc. ; pencher pour/vers, penchant ; pente naturelle ; porté à ; ne pouvoir s'empêcher/se retenir de ; prédisposition ; propension ; pulsion ; tendance invétérée/irrépressible/profonde/prononcée ; tournure d'esprit ; tropisme. ■ Dada, démon familier, diable, fantasme, manie, obsession ; agressivité, égoïsme, masochisme, phobie, sadisme. — **Don naturel.** Apte, aptitude ; avantage naturel ; avoir la bosse de/les qualités requises pour ; capable, capacité ; dispositions, don naturel, don des langues/de la parole, etc. ; fait pour ; idoine ; né pour, disposition innée ; qualifié pour, qualification ; spécialité ; taillé pour ; vocation, voué à. ■ Caractère, facilité, génie, goût, intelligence, nature, talent, tempérament.

TENDANCIEUX → *influence, informer.*

TENDER → *train.*

TENDEUR → *étendre.*

TENDINEUX → *dur, viande.*

TENDOIR → *sec.*

TENDON → *muscle.*

TENDRE → *doux, jeune, viande.*

TENDRE → *arc, étendre, tirer.*

TENDRESSE → *aimer, amitié, sensibilité.*

TENDRETÉ → *viande.*

TENDRON → *bœuf, femme, jeune.*

TENDU → *difficile, nerf.*

TÉNÈBRES → *ignorer, noir, obscur.*

TÉNÉBREUX → *noir, obscur, secret.*

TENEUR → *contenir, intérieur.*

TÉNIA → *parasite, ver.*

TENIR → *arrêter, contenir, main, prendre.*

TENNIS → *balle, sport.*

TENON → *menuiserie.*

TÉNOR → *chanter.*

TENSEUR → *muscle.*

TENSION → *crispation, désaccord, électricité, nerf, sang.*

TENTACULAIRE, TENTACULE → *mollusques, prendre.*

TENTATEUR, TENTATION → *désir, mal.*

TENTATIVE → *essayer.*

TENTE, TENTE-ABRI → *camper.*

TENTER → *convaincre, essayer.*

TENTURE → *décoration, tapis.*

TÉNU → *maigre, petit.*

TENUE → *banque, manière, vêtement, voiture.*

TÉNUIROSTRES → *bec.*

TÉNUITÉ → *maigre.*

TENURE → *ferme.*

TÉORBE → *instrument.*

TÉRATOLOGIE → *laid, magie.*

TERCET → *poésie.*

TÉRÉBENTHINE, TÉRÉBINTHE → *gomme, pin.*

TÉRÉBRANT → *douleur, insecte.*

TERGAL → *fil, pétrole, textile.*

TERGIVERSER → *doute, lent.*

TERME → *algèbre, banque, finir location, mot.*

TERMINAISON → *finir, mot.*

TERMINAL, TERMINALE → *enseignement, finir.*

TERMINER → *exécuter, finir.*

TERMINOLOGIE → *mot.*

TERMINUS → *voyage.*

TERMITE, TERMITIÈRE → *insecte, ronger.*

TERNAIRE → *chimie.*

TERNE, TERNIR → *blanc, couleur, sale.* — **Sans couleur.** Blafard ; décoloré, décoloration ; délavé, lavé ; demi-teinte ; déteint, déteindre ; enfumé ; fade, fadasse (fam.) ; incolore ; pâle, pâlir, pâleur ; livide ; neutre, teinte/ton neutre ; sombre ; terne. ■ Blanchâtre, grisâtre, jaunâtre ; blondasse, filasse, jaunasse, etc. — **Sans éclat.** Altéré, s'altérer, altération ; défraîchi, défraîchir ; dépoli, dépolir ; éteint, s'éteindre ; étiolé, s'étioler ; fané, se faner ; flétri, flétrir ; mat, matir, matoir, matité ; passer, passé ; patiné ; pisseux (fam.) ; sale, sali ; taché, tache ; devenir terne, se ternir ; terreux. — **En parlant d'un être humain.** Mine cadavéreuse/de papier mâché/terreuse/de déterré ; visage blafard/blême/décati/décomposé / défait / exsangue / fripé / hâve/livide/ratatiné/ridé ; yeux inexpressifs/morts/troubles/vitreux. ■ Personnage ennuyeux/éteint/falot/insignifiant / médiocre / monotone / morne/morose/vieux/vieilli. ■ Avilir, déprécier, entacher, flétrir, salir, souiller, tacher.

TERRAIN → *espace, géologie, maladie.*

TERRASSE → *jardin, maçonnerie, maison.*

TERRASSEMENT, TERRASSIER → *construction, fonder, trou.*

TERRE → *argile, astronomie, culture, géographie, géologie, sable.* — **Termes généraux.** Machine ronde ;

monde, mondial, en ce bas monde, ici-bas; les quatre points cardinaux, de l'est à l'ouest, du nord au sud; tellurien, tellurique; terre, terrestre, terrien, terricole, Méditerranée; les terres habitées, œkoumène. — **Le globe terrestre.** Orbite; plan de l'écliptique; pôle; révolution, rotation, axe de rotation; système solaire. ■ Arc, axe, circonférence, équateur, géoïde, globe, latitude, longitude, méridien, parallèle, rayon, sphère, sphéroïde, tropiques, zone; magnétisme, pesanteur. ■ Barysphère (nife), couche, croûte terrestre, écorce, lithosphère (sial), manteau, noyau (grain), pyrosphère (sima); géo-, géochimie, géodésie, géométrie, géophysique, géothermie, physique du globe, prospection séismique/tectonique. — **La surface de la Terre.** Atmosphère, biosphère, ionosphère, stratosphère; continent, les cinq continents : Afrique, Asie, Europe, Océanie, Amérique; eaux courantes, fleuves, rivières, potamologie; écologie; mer, maritime, océan, océanographie; montagne, glacier, orologie; parties du monde; plaine, pénéplaine, planisphère; plateau continental, socle; terre émergée / ferme / immergée, bande/langue de terre. ■ Cartographie, climatologie, hydrographie, météorologie, stratigraphie, topographie. — **Sol.** S'abattre; aborder; s'agenouiller; allonger; atterrir; creuser; décoller; débarquer; déterrer, enterrer; exhumer, inhumer; ficher en terre, ficher ou foutre par terre (pop.); fouler le sol, marcher par terre; le plancher des vaches (fam.); se poser; poussière; se rouler sur le sol; souterrain; terrasser; se terrer; tomber; toucher terre. ■ A terre, contre terre, par terre, à ras de terre, en rase-mottes, terre! ■ Alluvion, chaussée, crête, levée, remblai, terrasse, terre-plein, tumulus. — **Terre cultivée.** Bocage, campagne, champ, culture, glèbe, humus, labour, lœss, pâturage, tchernoziom, terrain, terreau de couche/de feuilles ou terre de bruyère, terreau de bois, terroir, tourbière; terre acide/compacte / forte / grasse / maigre / marécageuse / meuble / noire / pauvre / riche/rouge. ■ Amender, ameublir, composter, cultiver, défricher, emblaver, engraisser, faire valoir, fumer, labourer, retourner; agriculture, agronomie, pédologie; agriculteur, agronome, cultivateur, cul-terreux (fam.), paysan. ■ Bien, bien-fonds, domaine, exploitation, ferme, fonds, forêt, lopin, parcelle, pays, possession; propriété, propriétaire foncier/terrien; territoire, se retirer/vivre sur ses terres. ■ Agraire, loi/réforme/structure agraire; parti agrarien. — **Terre inculte.** Brande, désert, forêt vierge, friche, gâtine, jungle, lande, maquis, pampa, savane, terrain vague, toundra. ■ Abandon, dépeuplement, lieu aride/désolé/reculé/sauvage/solitaire. — **Terres spéciales.** Alumine, blende, caramé, kaolin, tourbe, tuf, tuffeau; terre brune de Cologne/à foulon/glaise/d'ombre/à pisé/à porcelaine/à poterie/réfractaire/de Sienne/verte; brique, carreau, mur, poterie, tuile, etc.

TERRE-À-TERRE → *commun.*

TERREAU, TERREAUTER → *jardin.*

TERRE-NEUVAS → *pêcher.*

TERRE-NEUVE → *chien.*

TERRE-PLEIN → *espace.*

TERRER (SE) → *cacher.*

TERREUR → *peur.*

TERREUX → *sale, terne, visage.*

TERRIBLE → *peur, violent.*

TERRIEN → *campagne.*

TERRIER → *chien, lapin, trou.*

TERRIFIER → *peur.*

TERRIL, TERRI → *charbon.*

TERRINE → *récipient, viande.*

TERRITOIRE, TERRITORIAL → *pays, pouvoir.*

TERROIR → *pays, province, terre.*

TERRORISER → *peur.*

TERRORISME, TERRORISTE → *guerre, révolte, violence.*

TERTIAIRE → *géologie.*

TERTRE → *bosse, relief.*

TÉRYLÈNE → *fil.*

TESSITURE → *chanter, musique.*

TESSON → *morceau, verre.*

TEST → *mollusques.*

TEST → *essayer.*

TESTAMENT, TESTAMENTAIRE → *contrat, enterrement, succession.*

TESTATEUR, TESTER → *contrat, succession.*

TESTER → *essayer.*

TESTICULE → *glande, sexe.*

TESTIMONIAL → *montrer.*

TESTOSTÉRONE → *glande.*

TÊT → *chimie.*

TÉTANOS → *infecter, maladie, microbe.*

TÊTARD → *batraciens.*

TÊTE → *cerveau, conduire, cou, esprit, visage.* — **La tête.** Arcade sourcilière, cerveau, cheveu, cil, cou, crâne, cuir chevelu, dent, face, fossette, front, gorge, joue, lèvre, mâchoire, maxillaire, menton, nez, nuque, occiput, œil, oreille, pommette, sinciput, sourcil, tempe, zygoma. ■ Antenne, bec, corne, crête, gueule, huppe, mufle, museau, ocelle, truffe. — **Termes désignant la tête.** ■ Pop. : boule, cabèche, caboche, cafetière, caisson, carafe, cassis, ciboulot, citron, citrouille, coloquinte, tirelire, tronche. ▪ Céphalopode, céphalothorax des crustacés, extrémité céphalique ; hure de sanglier, massacre de cerf ; monstre acéphale/bicéphale/polycéphale ; Cerbère à trois têtes. — **Formes de tête.** Brachycéphale, dolichocéphale, hydrocéphale, indice céphalique ; tête allongée/carrée/ovale/ronde/en pointe/en poire. — **Mal à la tête.** Céphalalgie, céphalée, douleur sourde, élancement, gueule de bois, mal de crâne, mauvaise mine, migraine, névralgie, sinusite, tête lourde, sale tête. ▪ Casser la tête (fam.) ; étourdir, étourdissement ; griser ; monter à la tête ; tourner la tête ; vertige. — **Remuer la tête.** Baisser / courber / incliner / rentrer la tête ; la tête entre les épaules, tête basse ; lever/porter haut/redresser la tête, tête haute ; port de tête ; piquer une tête, plonger la tête la première, tête en bas. ▪ Branler/dodeliner de/hocher/remuer/secouer la tête ; détourner/tourner la tête ; signe de tête : acquiescer, nier, nutation. — **Partie supérieure d'une chose.** Antérieur, arrondi, avant, capital, chapeau de champignon, chef, cime, couronne d'arbre, extrémité, faîte, haut, initial ; partie renflée, tête d'ail ; première place, sommité, supérieur ; sommet ; terminal ; tête de clou/d'épingle. — **Partie vitale.** Couper le cou/la tête, décapiter, décollation, échafaud, exécution, guillotine, guillotiner ; jurer sur la tête de quelqu'un ; mettre une tête à prix, payer de sa vie, peine capitale ; réclamer des têtes ; risquer/sauver sa peau ; trancher la tête. ▪ Individu, personne, tête de pipe (fam.), unité ; partage/répartition par tête, tête de bétail.

TÊTE-À-QUEUE → *arrière.*

TÊTE-A-TÊTE → *rencontre, vaisselle.*

TÊTE-A-TÊTE → *rencontre.*

TÊTEAU → *arbre.*

TÊTE-BÊCHE → *opposé.*

TÊTE-DE-LOUP → *brosse.*

TÊTE-DE-NÈGRE → *noir.*

TÉTÉE, TÉTER → *enfant, lait.*

TÊTIÈRE → *harnais.*

TÉTIN → *poitrine.*

TÉTINE → *enfant, poitrine.*

TÉTON → *poitrine.*

TÉTRAÈDRE → *géométrie.*

TÉTRAGONE → *légume.*

TÉTRALOGIE → *musique, théâtre.*

TÉTRAS → *oiseau.*

TÉTRODON → *gonfler, poisson.*

TETTE → *poitrine.*

TÊTU → *résister, volonté.*

TEUF-TEUF → *automobile.*

TEUTON, TEUTONIQUE → *Europe.*

TEX → *fil.*

TEXTE → *écrire, littérature, mot.*

TEXTILE → *fil, soie, tissu.* — **Matières textiles naturelles.** Agave, aloès, chanvre, chanvre de Manille (abaca), coton,[2] crin animal/végétal, jute, kapok, laine, lin, phormium, piassava, ploc, poil, ramie, raphia, sansevière, sisal, sole, sparte, tagal. — **Opérations de tissage.** Bobinage des fils de chaîne, bobine de filature ; encollage ; ourdissage, ensouple ; rentrage. ▪ Le métier à tisser : arcade, battant, canette, canetière, duite, épées de chasse, foule, galet, lame, lisse, marche, mécanique d'armure, mécanique Jacquard, navette, peigne, poitrinière, porte-fils, sabre. ▪ Les métiers à tisser : métier à aiguilles volantes/à boîtes revolver/à boîtes montantes/à changement de canette ou de navette automatique/de basse ou de haute lisse/Jacquard/Mule-Jenny/sans navette. ▪ Canut ; lissier, basse-lissier, haute-lissier, filateur, filature ; soyeux ; tisseur, tisserand, tissage, tissure ; tulliste, veloutier. — **Constitution et propriété d'un tissu.** Armure, chaîne, croisé, étoffe, sergé, texture, toile, entoiler, trame ; tissu caoutchouté / élastique / imperméable / imperméabilisé / irrétrécissable / moelleux / mou / plastique / plastifié / serré / simple. — **Traitement des étoffes.** Bruir, bruissage ; calandrer, calandrage, calandre, calandreur ; catir, catissage, décatir ; cloquer, étoffe cloquée ; crêper ; fouler, foulerie, fouleur, fouloir ; friser ; gaufrer, gaufrage, gaufroir, gaufrure ; glacer, glaçage, glaceur ; gommer, gommage ; imperméabiliser ; lisser, lissoir ; lustrer, lustrage, sanforiser, sanforisage.

TEXTUEL → *exact.*

TEXTURE → *composer, textile.*

THALAMUS → *cerveau.*

THALASSOTHÉRAPIE → *bain, soigner.*

THALLE → *algue, champignon.*

THAUMATURGIE → *étonner.*

THÉ → *boisson.*

THÉATIN → *monastère.*

THÉÂTRAL → *attitude, théâtre.*

THÉÂTRE → *guerre, littérature, spectacle.* — **Spectacles divers.** Adaptation, bluette, bouffonnerie, comédie, comédie musicale, *commedia dell'arte,* divertissement, drame, farce, féerie, guignol, marionnettes, ombres chinoises, improvisation (psychodrame, sociodrame), intermède, kabuki (japonais), lever de rideau, mélodrame, mélo (fam.), mimodrame, miracle, mystère (du Moyen Age), nô (japonais), opéra, opéra-bouffe, opéra-comique, opérette, pantomime, pastorale, revue satirique, satire, saynète, show, sketch, tableau vivant, théâtre de boulevard, tétralogie, trilogie, tragédie, tragi-comédie, vaudeville. — **Artistes de théâtre.** Acteur, actrice; animateur; cabot, cabotin; comédien, comédienne, comique; compagnie; conservatoire/cours d'art dramatique; danseur; doublure; histrion; interprète; maître de ballet, metteur en scène, mise en scène; musicien; pensionnaire/sociétaire de la Comédie-Française; théâtreuse; tragédien, tragédienne; troupe; vedette. ■ Auteur, comique/dramatique/tragique; critique de théâtre, la critique, chronique dramatique. — **La scène du théâtre.** Avant-scène, proscenium; cantonade; changement de décors, changement à vue; cintre; côté cour, côté jardin, coulisse; décor figuré/praticable; dessous; ferme; frise; herse; machinerie, sonorisation; montant; portant; planche, plateau; projecteur, rampe; rideau, manteau d'Arlequin; scène, toile de fond; trappe; trou du souffleur. ■ Auditorium, café-théâtre, caveau, tréteaux. — **Accessoires et personnel des théâtres.** Accessoiriste; costume, costumier; décor, décorateur; électricien; grimage; habilleuse; machine, machiniste; maquilleuse; masque; projecteur; régisseur; souffleur; trucs, truquage. ■ Directeur, impresario, manager, producteur, réalisateur. ■ Montreur de marionnettes, fil, ficelles, tirer les ficelles, automate, fantoche, guignol, pantin, polichinelle. — **Activités des théâtres.** Créer/donner/jouer/monter un spectacle; distribuer les rôles, distribution, plateau; mettre en scène; répétition. ■ Création, nouveauté, répertoire; la générale; représentation : la première, les dernières, clôture, relâche, reprise; saison; soirée d'adieu; tournée. ■ Faire du théâtre, brûler les planches, monter sur les planches; conservatoire, contrat, débuter, engagement, étudier l'art dramatique. ■ Attitude, déclamation, effets, gestes; incarner/interpréter un personnage, jouer un rôle; jeu de scène, paraître en scène. — **Rôles.** Bouche-trou, confident, comique, comparse, duègne, emploi, faire-valoir, figurant, figuration, héros, ingénue, lisette, mime, père noble, jeune premier/première, personnage, protagoniste, récitant; rôle muet, rôle en or, premier/second rôle; soubrette, utilités, valet; vedette, avoir/partager la vedette, tête d'affiche. — **Éléments d'une pièce de théâtre.** Acte, action, composition, convention dramatique, coup de théâtre, dénouement, *deus ex machina*, épisode, exposition, intrigue, nœud, péripétie, rebondissement, règles de la bienséance, règle classique des trois unités, rôle, scénario, scène, scénique, situation, sujet; théâtral. ■ Aparté, dialogue, mimique, monologue, prologue, récit, récitatif, réplique, tirade. ■ Entrée en scène, sortie, fausse sortie.

THÉBAÏSME → *poison.*

THÉIÈRE → *récipient, vaisselle.*

THÉISME → *Dieu, théologie.*

THÈME → *langage, matière, musique.*

THÉOCRATIE, THÉOCRATIQUE → *chef, Dieu, gouverner.*

THÉODICÉE → *Dieu.*

THÉODOLITE → *angle, orientation.*

THÉOGONIE → *Dieu, mythologie.*

THÉOLOGAL → *théologie.*

THÉOLOGIE, THÉOLOGIEN → *Dieu, ecclésiastique, hérésie, religion.* — **La science théologique.** Apologétique; casuistique, casuiste; consulteur; droit canon/canonique, canoniste; herméneutique; patristique, patrologie, Pères de l'Église; scolastique; théodicée; théologie canonique / dogmatique / liturgique / mystique/naturelle ou rationnelle/parénétique/positive/révélée ou sacrée/spéculative; théologien, un théologal, docteur en théologie, faculté de théologie; théophilanthropie; théosophie, théosophe. ■ Hérésie, opinion, somme. — **Problèmes de théologie.** Attributs de Dieu; cas de conscience; dogme de l'Immaculée Conception/de l'infaillibilité pontificale, etc.; miracles présence réelle; preuves de l'existence de Dieu; Providence; rédemption; révélation; la Trinité, le Père, le Fils et le Saint-Esprit; les vertus théologales : foi, espérance et charité. ■ La grâce, bienfait/don de Dieu; destinée, prédestiner, prédestination; état de grâce; grâce actuelle/efficiente/habituelle ou sanctifiante/suffisante ou congrue; gratuité, don gratuit; prière, prier. ■ Calvinisme, jansénisme (Pascal, « Les Provinciales »), molinisme, pélagisme, quiétisme, socinianisme, phonisme, unitarisme, etc.

THÉORÈME → *matière, raisonnement, science.*

THÉORÉTIQUE → *esprit.*

THÉORICIEN, THÉORIE → *connaissance, opinion, règle, science.*

THÉOSOPHE, THÉOSOPHIE → *religion, théologie.*

THÉRAPEUTE, THÉRAPEUTIQUE → *médecine, soigner.*

THERMAL, THERMALISME → *eau, soigner.*

THERMES → *bain.*
THERMICITÉ → *chaleur.*
THERMIDOR → *calendrier, saison.*
THERMIE, THERMIQUE → *chaleur, électricité.*
THERMO → *chaleur.*
THERMOCAUTÈRE → *brûler, chirurgie.*
THERMOCHIMIE → *chimie.*
THERMODURCISSABLE → *dur.*
THERMODYNAMIQUE → *physique.*
THERMO-ÉLECTRICITÉ → *électricité.*
THERMOGÈNE → *chaleur.*
THERMOGRAPHE → *météorologie.*
THERMOLUMINESCENCE → *chaleur.*
THERMOMÈTRE → *chaleur, fièvre, météorologie.*
THERMONUCLÉAIRE → *chaleur, nucléaire.*
THERMOPLASTIQUE → *chaleur.*
THERMOPOMPE, THERMOPROPULSION → *chaleur.*
THERMOS → *bouteille, chaleur, froid.*
THERMOSCOPE → *air.*
THERMOSTAT → *chaleur.*
THÉSAURISER → *amas, avare*
THESAURUS → *mot.*
THÈSE → *discussion, matière, raisonnement, université.*
THÉURGIE → *magie.*
THIBAUDE → *poil, tapis.*
THON, THONAIRE, THONIER → *bateau, pêcher, poisson.*
THORACENTÈSE → *poitrine.*
THORACIQUE → *poitrine.*
THORAX → *poitrine.*
THRÈNE → *chanter, enterrement.*
THRILLER → *cinéma*
THROMBUS, THROMBOSE → *sang.*
THURIFÉRAIRE → *éloge, liturgie.*
THUYA → *arbre.*
THYM → *aliment.*
THYMUS → *glande.*
THYROÏDE, THYROÏDIEN → *glande.*
THYROXINE → *glande.*
THYRSE → *bâton, mythologie.*
TIARE → *chapeau, pape.*
TIBIA, TIBIAL → *jambe.*
TIC → *crispation, habitude.*
TICKET → *placer.*
TIC-TAC → *bruit.*
TIÉDASSE, TIÈDE, TIÉDEUR → *chaleur, doux, froid.*
TIÉDIR → *chaleur.*
TIERCE → *angle, carte, escrime, heure, musique.*
TIERCÉ → *blason, course, jouer.*
TIERCELET → *oiseau.*
TIERS → *impôt, part.*
TIERS → *assurance, droit.*
TIERS-POINT → *arc, polir.*
TIGE → *feuille, plante.*
TIGNASSE → *cheveu.*
TIGRE, TIGRESSE → *chat.*
TILBURY → *voiture.*
TILDE → *écrire.*
TILLAC → *navire, pont.*
TILLEUL → *arbre, boisson.*
TIMBALE → *instrument, récipient, vaisselle.*
TIMBALIER → *instrument.*
TIMBRE → *blason, cachet, chanter, disque, impôt, poste, son.*
TIMBRÉ → *folie, papier.*
TIMBRE-POSTE → *cachet, poste.*
TIMBRE-QUITTANCE → *impôt.*
TIMBRER → *cachet, poste.*
TIMIDE, TIMIDITÉ → *gauche, gêner.*
TIMING → *calendrier, plan.*
TIMON → *harnais.*
TIMONIER, TIMONERIE → *navire.*
TIMORÉ → *peur.*
TINCTORIAL → *couleur.*
TINETTE → *résidu, toilette.*
TINTAMARRE → *bruit.*
TINTER, TINTINNABULER → *bruit, cloche.*
TINTOUIN → *souci.*
TIQUE → *parasite.*
TIQUER → *mécontentement.*
TIR → *fusil, projectile.*
TIRADE → *parler, théâtre.*
TIRAGE → *feu, photographie, typographie.*
TIRAILLEMENT → *crispation, désaccord.*
TIRAILLER → *crispation, doute, tirer.*
TIRAILLEUR → *infanterie.*
TIRANT → *chaussure, navire.*
TIRE → *voler.*
TIRÉ → *fatigue, visage.*
TIRE-AU-FLANC → *paresse.*
TIRE-BOTTE → *chaussure.*
TIRE-BOUCHON → *bouteille.*
TIRE-D'AILE (À) → *éloigner.*
TIRE-FOND → *anneau, clou.*
TIRE-LAIT → *lait.*
TIRE-LARIGOT (À) → *beaucoup, boire.*
TIRE-LIGNE → *dessin, ligne.*
TIRELIRE → *argent, banque, économie.*
TIRER → *arme, étendre, fusil, reproduction.* — **Tirer à soi.** Allonger; amener à soi, ramener; aspirer; attirer, qui a de l'attrait, attraction, attrayant; distendre, distension;

étendre, extension, extenseur, extensif; étirer, détirer, ductilité; raidir une corde/ un fil, bander un arc; rétracter, rétractile; tendre, tension, tensiomètre; tirer doucement/d'un coup sec; tirer les oreilles/la queue, tirer l'aiguille. — **Tirer derrière soi.** S'atteler, attelage; entraîner, entraîneur, chef de file; haler, haleur, chemin de halage; ho! hisse; locomotive, locomoteur, locomotrice, locotracteur; remorquer, une remorque, remorquage, remorqueur; tirer une charrue/une péniche/une remorque; touer, touée; tracteur, tractoriste, artillerie tractée; traction animale/électrique/mécanique; traîner un boulet/la jambe, traîne d'une robe, etc.; trait, bêtes de trait, traîneau, troïka. — **Extraire.** Arracher, arrachage; dé-, dégainer, dégager, se déganter, se dépêtrer; extirper, extorquer; extraire, un extrait, extraction, extractible; pêcher, repêcher; pressurer; puiser à/de (mine, source...); recueillir, retirer de, sortir de; soutirer, soutirage; tirer une carte/un lot/un numéro à la loterie/au sort; tirer quelqu'un du danger/de la misère/d'un mauvais pas; traire les vaches, traite.

TIRET → *typographie.*

TIRETTE → *corde, meuble.*

TIREUSE → *photographie.*

TIROIR → *littérature, meuble.*

TIROIR-CAISSE → *commerce.*

TISANE → *boisson, médicament.*

TISON, TISONNER, TISONNIER → *feu.*

TISSAGE, TISSER, TISSERAND → *fil, textile.*

TISSU → *fil, textile.* — **Aspect et travail du tissu.** Bayadère; bourru; brocher, broché; broder, broderie; chiner, chiné; cloquer, cloque; côtelé, à côtes; crêpé, crépon; damasser, damas; dentelle; droguet; écossais; écru; étamine; fil-à-fil; gaze; giselle; grain, granité; guipure; impression, imprimé; indémaillable, à mailles lâches/serrées; jersey; matelassé; mille-raies; moiré; mousseline; ottoman; ouatiné; panne; pékiné; peluche, pelucheux; perse; pied-de-poule; piqué; plumetis; prince de galles; ras; reps; satin, satiné; suédine; tissé ou non tissé; tissu-éponge; tricot, tricoté; tulle; uni; velours, velours côtelé/frappé/d'Utrecht, velouté; vergé; vichy; whipcord; zénana. ▪ Carreaux, chevron, entrebande, fleurs, frange, liséré, lisière, liteau, pois, raie, ramage, rayure. ▪ Accroc; tissu chiffonné/décousu/effiloché/élimé / fripé / luisant / lustré / mité / râpé/qui laisse voir la trame/usé. — **Cotonnades.** Andrinople, basin, bougran, calicot, cellular, chintz, coutil, cretonne, fileté, finette, flanelle, futaine, indienne, lustrine, madapolam, madras, métis, moleskine, molleton, nankin, nansouk, organdi, oxford, percale, percaline, pilou, piqué, popeline, satinette, shirting, singalette, tarlatane, toile, veloutine, vichy, voile, zéphyr. — **Lainages.** Alpaga, blanchet, bure, cachemire, camelot, casimir, cheviotte, drap, escot, feutre, feutrine, flanelle, frise, gabardine, grain de poudre, homespun, loden, marengo, mérinos, mohair, molleton, poil de chameau, ratine, shetland, tartan, teddy-bear, tennis, tweed, vigogne. — **Soieries.** Brocart, brocatelle, chantoung, crêpe de Chine, damas, faille, foulard, gros-grain, lamé, lampas, lustrine, madras, pongé, pout-de-soie, surah, taffetas, tussor, twill. — **Tissu de lin.** Batiste, dentelle, linon, métis; rouissage, teillage. — **Textiles artificiels et synthétiques.** Caséine, cellulose, nitrocellulose; fibranne; fibre polynosique; fils de viscose; rayonne, tergal. ▪ Polyacryliques : courtelle, crylor, orlon; polyesters : dacron, tergal, terylène; polymères d'addition, polyoléfinés : méraklon; polyuréthanes : lycra; polyvinyliques : fibravyl, rhovyl, thermovyl; superpolyamides : nylon, perlon, rilsan, vrylon. — **Commerce des tissus.** Bonneterie, bonnetier; chemiserie, chemisier; couture, couturier; draperie, drapier; friperie, fripier; marchand de tissu; mercerie, mercière; stoppage, stoppeur; tailleur; teinturerie, teinturier. ▪ Aune, coupon, échantillon, lé ou laize, métrage, panneau, pièce, recoupe, retaille.

TISSU-ÉPONGE → *tissu.*

TITAN, TITANESQUE → *force, grand.*

TITANE → *métal.*

TITI → *enfant.*

TITILLER → *caresse, exciter.*

TITRAGE → *fil.*

TITRE → *fil, honneur, inscription, métal, noblesse, qualité.*

TITRER → *chimie.*

TITUBER → *balancer, marcher, remuer, tomber.*

TITULAIRE, TITULARISER → *fonction, nommer.*

TOAST → *boire, honneur, pain.*

TOASTEUR → *pain.*

TOBOGGAN → *jouer, route.*

TOC → *bruit.*

TOC → *bijou, faux.*

TOCARD → *cheval, laid.*

TOCCATA → *musique.*

TOCSIN → *avertir, cloche.*

TOGE → *magistrat, vêtement.*

TOHU-BOHU → *trouble.*

TOILE → *araignée, peinture, théâtre, tissu.*

TOILERIE → *tissu.*

TOILETTE → *bain, eau, meuble, nettoyer, vêtement.* — **S'habiller, se parer.** Affiquet, affûtiau; s'ajuster, ajustement; s'apprêter, apprêts; s'attifer (fam.); s'habiller, habillement, soirée habillée; habit; mise, se mettre sur son trente et un, être bien ou mal mis/mal fagoté; (se) parer, parure; (se) pomponner; (se) préparer; tenue de soirée/de ville; toilette, en grande toilette, toilette de bal/de mariée, les toilettes des invités; se vêtir, vêtement. ▪ Falbala, fanfreluches, jabot, manchettes, ruban. ▪ Décolleté, en grand décolleté, habit, robe longue, smoking. ▪ Bichonné, chic, coquet, dandy, élégant, endimanché, à la mode, paré, pimpant, pomponné, poudré, tiré à quatre épingles (fam.). — **Hygiène, soins du corps.** Ablutions; (se) baigner; se brosser/se curer les ongles; (se) coiffer; (se) débarbouiller; (se) doucher; faire ses ongles; (se) laver, (se) nettoyer; (se) parfumer; (se) peigner; prendre un bain/une douche, être dans son bain/sous la douche; se raser; (se) récurer (fam.); toilette de chat/en règle, grande toilette. ▪ Peau, teint brillant / luisant / lisse / net / propre. ▪ Crasseux (fam.), craspect (pop.); se laver le bout du nez; sale; qui sent mauvais. — **Mobilier de toilette.** Armoire à pharmacie/de toilette; baignoire, baignoire-sabot; bidet; broc, pot à eau; chauffe-eau à électricité/à gaz; coiffeuse; cuvette; douche, pomme de douche; glace; lavabo, lave-mains; miroir, miroir à trois faces/grossissant; paravent; pèse-personnes, balance (fam.); porte-savon, porte-serviettes, porte-verre à dents; poudreuse; psyché; table de toilette; tablette de lavabo; tub. ▪ Cabinet, cabinet de toilette, installation sanitaire, salle de bain; salle d'eau. — **Ustensiles et produits de toilette.** Blaireau; brosse à cheveux/à dents; éponge; fond de bain; gant/main de toilette, gant de crin; garniture de toilette, flacon; lime à ongles, onglier; nécessaire de toilette, poudrier; peigne; peignoir; pince à épiler; rasoir mécanique/électrique/sabre; serviette-éponge; sortie de bain; trousse; vaporisateur, atomiseur; verre à dents. ▪ After-shave, cosmétique, coton, crème, crème à raser, eau de Cologne/de lavande/de toilette, lotion, onguent, parfum, pâte dentifrice, pierre ponce, pommade, savon, savon à barbe, savonnette, sels de bain, talc. — **Maquillage.** Coton à démaquiller; crayon pour les yeux; crème adoucissante/hydratante; eye-liner; fard, khôl, mascara, se farder; fond de teint, make-up; lotion démaquillante; se maquiller, maquillage; mouche; ombre à paupières; pinceau; pot à fard; poudre, se poudrer, houppette; rimmel; rouge à lèvres, bâton. ▪ Coiffeur, esthéticien, manucure, maquilleuse; perruquier, postiche; visagiste.

TOISE → *mesure.*

TOISE, TOISER → *mépris, mesure, orgueil, regarder.*

TOISON → *cheveu, mouton, poil.*

TOIT, TOITURE → *charpente, couvrir, maison.*

TOKAY → *vin.*

TÔLE → *fer.*

TÔLE, TAULE → *prison.*

TÔLÉE → *froid.*

TOLÉRABLE → *supporter.*

TOLÉRANCE, TOLÉRANT, TOLÉRER → *avantage, opinion, pardon, permettre, supporter.*

TÔLERIE → *fer.*

TÔLIER → *fer.*

TOLITE → *exploser.*

TOLLÉ → *colère, cri, critique.*

TOMAHAWK → *arme.*

TOMAISON → *livre.*

TOMATE → *légume.*

TOMBAC → *cuivre.*

TOMBE, TOMBEAU → *enterrement.*

TOMBELLE → *enterrement.*

TOMBER → *échouer, finir, jeter, trou.* — **Chute.** Se casser la gueule (pop.); choir, chuter (pop.), chute; dégringoler, dégringolade; s'étaler (fam.), s'étendre; se ficher (pop.)/se flanquer (fam.)/se foutre par terre (pop.); glisser, glissade; mordre la poussière; perdre l'équilibre; piquer une tête; prendre un billet de parterre (fam.); ramasser une bûche (fam.)/un gadin (fam.)/une gamelle (fam.)/une pelle (fam.); se rompre le cou; tomber à la renverse/les quatre fers en l'air (fam.)/de tout son long/la tête la première; tomber évanoui/dans les pommes (pop)./dans les vaps (arg.); mort, raide mort; tomber de son haut/d'inanition, en tomber assis (fam.); vider les arçons. ▪ Boum!, patatras!, pouf!, vlan!. ▪ Cascadeur, clown, pantin, retomber sur ses pieds. ▪ Achopper, chopper, broncher, buter, chanceler, déraper, glisser, tituber, vaciller, zigzaguer. — **S'écrouler.** S'abattre, s'abîmer, s'affaisser, basculer, crouler, se délabrer, se détacher, s'ébouler, s'écrouler, s'effriter, s'effondrer, se lézarder, rouler, tomber en pourriture/en poussière/en ruine; affaissement, éboulement, éboulis, écroulement, effondrement, ruine. ▪ Caduc, caducité, décadence, déchéance, décrépitude. ■ S'affaiblir, décliner, diminuer, tomber bas. — **Tomber en chute libre.** Couler, dégoutter, goutte à goutte, se décanter, se déposer, descendre, graviter, gravitation, neiger, pleuvoir. ■ Avalanche, cascade, cataracte, chute d'eau/de grêle/de neige/de pluie, glissement de terrain. — **Faire tomber.** Abattre; basculer; démolir, démolisseur; disloquer, dislocation; jeter à bas; raser; renverser, renversement; tombeur de ministères. ■ Se débarrasser, jeter, joncher, lâcher, parsemer, répandre, saupoudrer, semer. ■ Bousculer, culbuter, envoyer dinguer (pop.)/valdinguer (pop.), faire un croc-en-jambe/un croche-pied; obstacle, peau de banane; plaquer, pousser, terrasser; verglas.

TOMBEREAU → *transport, voiture.*

TOMBOLA → *jouer.*

TOMBOLO → *sable.*

TOME → *livre.*

TOMME → *lait.*

TOMMETTE, TOMETTE → *argile.*

TOMOGRAPHIE → *rayon.*

TON → *couleur, manière, son.*

TONAL, TONALITÉ → *couleur, musique, radio, télécommunications.*

TONDEUSE, TONDRE → *cheveu, couper, herbe, poil.*

TONICARDIAQUE → *cœur, force.*

TONICITÉ → *muscle.*

TONIFIER → *force.*

TONIQUE → *force, mot.*

TONITRUANT, TONITRUER → *bruit, son, violence.*

TONNAGE → *navire.*

TONNE → *mesure.*

TONNEAU, TONNELET, TONNELIER → *aviation, navire, récipient, vin.* — **Le tonneau et ses accessoires.** Bonde, bouge, cerceau, cercle, douelle, douvain, douve, feuillard, fonçailles, fond, jable, menain, sommier, traversin. ■ Cannelle, chantepleure, douzil, fausset, robinet. — **Les tonneaux.** Baril, barrique, foudre, fût, futaille, muid, demi-muid, pièce, pipe, quartaut, tonne, tonneau, tonnelet. ■ Baquet, baratte, bonhomme, caque. — **La tonnellerie, le tonnelier.** Cercler, décercler, recercler; foncer, fonçage; jabler, rebattre, relier, reliage. ■ Aisseau, chassoir, cochoir, colombe, compas, davier, doloire, herminette, hutinet, jabloir, plane. — **Utiliser un tonneau.** Baquetures; bonder, débonder; coulage; enfûter, enfutailler; entonner; gerber; mécher, soufrer; mettre en perce; ouiller; rembouger; rincer, rinçure, rouler; soutirer, soutirage. ■ Haquet, poulain, velte.

TONNELLE → *arbre, jardin.*

TONNELLERIE → *tonneau.*

TONNER, TONNERRE → *bruit, colère, orage.*

TONSURE, TONSURER → *ecclésiastique.*

TONTE, TONDAISON → *laine, mouton.*

TONTINE → *association.*

TONTON → *famille.*

TONTURE → *poil.*

TONUS → *force, mou, muscle.*

TOP → *avertir.*

TOPAZE → *bijou, joaillerie.*

TOPER → *accord, main.*

TOPETTE → *bouteille.*

TOPINAMBOUR → *légume.*

TOPIQUE → *médicament.*

TOPO → *convaincre, parler, plan.*

TOPOGRAPHIE → *géographie, plan.*

TOPOLOGIE → *géométrie.*

TOPONYME, TOPONYMIE → *nommer.*

TOQUADE → *folie, irrégulier.*

TOQUANTE, TOCANTE → *horlogerie.*

TOQUE → *chapeau.*

TOQUÉ → *folie.*

TOQUER (SE) → *aimer.*

TORCHE → *bougie, brûler.*

TORCHER → *exécuter, nettoyer.*

TORCHÈRE → *bougie, lampe.*

TORCHIS → *maçonnerie, mur.*

TORCHON → *désaccord, nettoyer, vaisselle.*

TORCHONNER → *exécuter.*

TORDANT → *rire.*

TORD-BOYAUX → *alcool.*

TORD-NEZ, TORDOIR → *tourner.*

TORDRE → *rire, tourner.*

TORE → *colonne.*

TORÉADOR, TORÉER → *course.*

TOREUTIQUE → *graver.*

TORGNOLE → *frapper.*

TORIL → *course.*

TORNADE → *vent, violence.*

TORON → *corde.*

TORPEUR, TORPIDE → *dormir, insensible, mou.*

TORPILLE → *exploser, poisson, projectile.*

TORPILLER → *échouer, exploser.*

TORPILLEUR → *navire.*

TORQUE → *rouler.*

TORRÉFACTEUR, TORRÉFIER → *brûler, café, sec.*

TORRENT → *beaucoup, pluie, rivière.*

TORRIDE → *chaleur, saison.*

TORS, TORSADE, TORSADER → *laine, tourner.*

TORSE → *poitrine.*
TORSION → *courbe, tourner.*
TORT → *dommage, faute, faux, mal.*
TORTICOLIS → *cou.*
TORTILLARD → *train.*
TORTILLER, TORTILLON → *tourner.*
TORTIONNAIRE → *douleur, peine.*
TORTU → *faux, indirect.*
TORTUE → *reptiles.*
TORTUEUX → *difficile, indirect, lent, obscur.*
TORTURE, TORTURER → *douleur, mourir, soumettre, violence.*
TORVE → *regarder.*
TORY → *parti.*
TÔT → *temps.*
TOTAL → *calcul, entier.*
TOTALISATEUR, TOTALISEUR, TOTALISER → *calcul.*
TOTALITAIRE, TOTALITARISME → *politique.*
TOTALITÉ → *entier.*
TOTEM → *animal, symbole.*
TOTÉMISME → *religion.*
TOTON → *jouer, volonté.*
TOUBIB → *médecine.*
TOUCAN → *oiseau.*
TOUCHANT → *sensibilité.*
TOUCHE → *balle, escrime, instrument, manière, peinture, plaire.*
TOUCHE-À-TOUT → *essayer, gêner.*
TOUCHER → *caresse, main, proche, sensibilité.* — **Porter la main sur.** Caresse, caresser ; flatter de la main ; malaxer, malaxage ; manier, maniement, maniable ; manipuler, manipulation ; palper, palpable ; peloter (fam.) ; pétrir, pétrissage, pétrin ; porter la main sur ; tangible ; taper, tape, tapoter ; tâter, tâtonner ; toucher, attouchement, touche ; tripoter, tripotage. ■ Se coincer, couler, coulisser, déraper, échapper, glisser des mains, se gripper. — **Frotter.** Affleurer ; chatouiller, chatouillement, chatouille (fam.) ; coudoyer ; frictionner, friction ; friser, lumière frisante ; froisser, froissement ; frôler, frôlement ; frotter, frottement ; glisser, glissade ; gratter, grattoir, étoffe qui gratte ; lécher ; masser, massage ; oindre, onction, onguent, baume, liniment, pommade ; racler/raser les murs. — **Le toucher.** Sens, sensible, sensibilité ; toucher, tact, tactile, contact, corpuscule tactile. ■ Agréable, brûlant, chaud, désagréable, doux, froid, glacial, glissant, gluant, gras, grenu, lisse, râpeux, rude, visqueux.
TOUCHER → *sensibilité.*
TOUCHEUR → *berger.*
TOUÉE, TOUER → *ancre, tirer.*
TOUFFE → *amas, groupe.*
TOUFFEUR → *chaleur.*
TOUFFU → *épais, obscur, végétation.*
TOUILLER → *mêler.*
TOUJOURS → *durer.*
TOUNDRA → *végétation.*
TOUPET → *cheveu, courage.*
TOUPIE, TOUPILLER → *jouer, machine, menuiserie, tourner.*
TOUPILLON → *amas.*
TOUQUE → *récipient.*
TOUR → *aviation, échecs, édifice.*
TOUR → *adroit, argile, cercle, machine, manière, moquer, style.*
TOURAILLE → *bière.*
TOURAILLON → *céréale.*
TOURBE → *charbon, terre.*
TOURBE → *mépris.*
TOURBEUX, TOURBIÈRE → *charbon, étang.*
TOURBILLON → *eau, tourner, vent, violence.*
TOURBILLONNER → *remuer, tourner.*
TOURELLE → *artillerie, édifice.*
TOURET → *graver, polir, rouler.*
TOURIE → *bouteille.*
TOURIÈRE → *monastère.*
TOURILLON → *roue.*
TOURISME, TOURISTE, TOURISTIQUE → *voyage.*
TOURMALINE → *joaillerie.*
TOURMENT → *douleur, souci.*
TOURMENTE → *orage, trouble, vent.*
TOURMENTÉ → *irrégulier, relief, soigner.*
TOURMENTER, TOURMENTEUR → *douleur, souci.*
TOURNAGE → *cinéma, machine.*
TOURNANT → *changer, courbe, pont, route.*
TOURNÉ → *aigre, manière.*
TOURNEBOULER → *boule, trouble.*
TOURNEBROCHE → *cuisine.*
TOURNE-DISQUE → *disque.*
TOURNEDOS → *bœuf.*
TOURNÉE → *boire, voyage.*
TOURNEMAIN → *vitesse.*
TOURNER → *changer, cercle, cinéma, entourer, indirect, manière, menuiserie.* — **Se déplacer circulairement.** Circon-, circonvolution ; circulaire ; circum-, circumduction, circumnavigation, circumpolaire ; contourner ; giration, sens giratoire ; gravitation, graviter autour d'un axe/sur une orbite ; périple ; pivoter, pivot ; remous ; révolution ; rotation, rotatoire ; rouler ; tour, faire un tour/le tour/un demi-tour/un quart de tour, autour, alentour ; tourbillon, tourbillonner, vortex ; tourner en rond/comme un ours en cage (fam.) ; avoir le tournis/la tête qui tourne ; tournoyer, tournoiement ; valser, valse, ronde ; volute. — **Qui tourne circulairement.** Cré-

celle, girouette, gyroscope, gyrostat, hélice, manège, meule, moulin, moulinet, pale, poulie, roue, rotary, rotatif (adj.), une rotative, rotor, roue, roulette, tambour, toton (fam.), tour, toupie, tourniquet, turbine, volant, vrille. — **Tordre, tresser.** Bistourner; câbler; cintrer; contourner; courber; distordre, distorsion; enrouler; entrecroiser, croiser; fausser; forcer; friser; gauchir, gauchissement; lover; natter; ourdir; rouler; tordre, torsion, tordu, tordeur, tordoir, retordre; (se) tortiller, entortiller, tortillon; tresse. ■ Accroche-cœur, boucle, bouclette, écheveau, ondulation, natte, torsade, tresse. ■ Cagneux, contourné, courbé, déjeté, difforme, gauche, informe, tors, tortu, tourmenté. — **(Se) tourner vers.** Faire un crochet/un détour; infléchir, inflexion; obliquer; tourner à droite/à gauche, carrefour, croisement, embranchement, tournant; virer, virage. ■ Braquer, courber, incurver, détourner, diriger, exposer, (s')orienter, présenter; (se) tourner, (se) retourner; tourner bride/casaque/le dos/les talons/la tête. — **(Se) changer (en).** (S')aigrir; (s')altérer, altération; (s')améliorer, amélioration; (se) changer, changement; (se) convertir, conversion; (se) corrompre; dégénérer; devenir; échouer; empirer; interpréter (en bien/en mal); métamorphose, (se) métamorphoser; prendre une allure/un défaut/un pli/une qualité/une tournure; réussir; tourner bien/mal, aller mieux/plus mal; (se) transformer, etc. ■ Ambivalent, changeant, inconstant, irrégulier, papillonnant, qui se retourne, réversible, sinueux, variable, versatile, qui voltige.

TOURNESOL → *fleur, teinture.*

TOURNEUR → *machine.*

TOURNE-VENT → *tuyau.*

TOURNEVIS → *clou, menuiserie.*

TOURNIOLE → *doigt.*

TOURNIQUET → *chirurgie, passer, tourner.*

TOURNIS → *bœuf, mouton, tourner.*

TOURNOI → *adversaire, chevalerie, rencontre.*

TOURNOYER → *tourner.*

TOURNURE → *manière, parler, résidu, style.*

TOURON → *confiserie.*

TOURTE → *pâtisserie, sot.*

TOURTEAU → *bétail, crustacés, engrais.*

TOURTEREAU, TOURTERELLE → *amour, oiseau.*

TOURTIÈRE → *pâtisserie.*

TOUSELLE → *blé.*

TOUSSAINT → *fête, liturgie.*

TOUSSER, TOUSSOTER → *bruit, respiration.*

TOUT → *entier.*

TOUT-À-L'ÉGOUT → *vider.*

TOUTEFOIS → *opposé.*

TOUTE-PUISSANCE → *chef, pouvoir.*

TOUTOU → *chien.*

TOUT-PUISSANT → *Dieu, pouvoir.*

TOUT-TERRAIN → *voiture.*

TOUT-VENANT → *charbon, mêler.*

TOUX → *bruit, respiration.*

TOXÉMIE → *poison, sang.*

TOXICITÉ, TOXICOLOGIE, TOXICOMANIE → *poison.*

TOXICOSE, TOXINE → *microbe.*

TOXIQUE → *poison.*

TRAC → *brusque, peur.*

TRAÇANT → *plante, projectile.*

TRACAS, TRACASSERIE → *difficile, souci.*

TRACASSIER, TRACASSIN → *gêner, souci.*

TRACE → *arrière, ligne, résidu, signe, suivre.*

TRACÉ → *dessin, ligne.*

TRACER → *dessin, écrire, montrer, plante.*

TRACHÉAL, TRACHÉE, TRACHÉE-ARTÈRE → *gorge, respiration.*

TRACHÉITE, TRACHÉOTOMIE → *gorge, respiration.*

TRACHOME → *œil.*

TRACHYTE → *pierre.*

TRACT → *informer.*

TRACTATION → *accord.*

TRACTEUR → *culture, tirer, voiture.*

TRACTIF, TRACTION → *automobile, respiration, tirer.*

TRADE-UNION → *travail.*

TRADITION → *habitude, pays, progrès, vieillesse.*

TRADITIONALISTE → *croire, progrès.*

TRADITIONNEL → *habitude, vieillesse.*

TRADUIRE → *langage, reproduction.*

TRAFALGAR → *malheur.*

TRAFIC → *commerce, marchandises, remuer, voyage.*

TRAFIQUANT, TRAFIQUER → *commerce, métier.*

TRAGÉDIE, TRAGÉDIEN, TRAGI-COMÉDIE → *théâtre, littérature.*

TRAGIQUE → *malheur, théâtre.*

TRAGUS → *entendre.*

TRAHIR, TRAHISON → *changer, faux, opinion, tromper.*

TRAIN → *arme, bois, cheval, suivre, vitesse, voyage.* — **Façon d'être, de faire.** Allure, conduite, direction, genre de vie, manière d'être, marche des affaires/du monde, vitesse. ▪ Être en train/en bonne disposition/plein d'allant, boute-en-train, mettre en train ; mener grand train, faire beaucoup de bruit, jeter l'argent par les fenêtres. ▪ Aller son petit train/un train de sénateur, ne pas se presser ; aller grand train/un train d'enfer/à fond de train ; mener bon train/vivement. — **Suite d'éléments, de véhicules accouplés.** Train de bateaux/de camions/de chevaux/de péniches/régimentaire/routier. ▪ Train d'atterrissage, train avant et arrière, train d'engrenages, train fixe, train de laminoir/de pneus/de roues dentées/de roulement d'un engin chenillé, train rouleur. — **Moyen de transport ferroviaire.** Autorail ; boggie ; caténaire ; convoi de chemin de fer/de marchandises/de voyageurs ; diesel ; draisine ; fourgon ; funiculaire ; locomotive électrique/à vapeur ; lorry ; micheline ; rame ; tender ; tracteur ; train ; truck ; voiture, voiture-lit, sleeping-car ; wagon-restaurant, wagon de marchandises. ▪ Banquette, compartiment, couloir, portière, soufflet de voiture. ▪ Train-balai, train bleu, train blindé, train direct, train-drapeau, train express, train de luxe/omnibus/de neige/rapide/sanitaire, tortillard, tramway ; aérotrain, turbotrain. — **La voie de chemin de fer.** Accotement, ballast, barrière de passage à niveau, butoir ou heurtoir, contre-rail, coussinet, crémaillère, éclisse, rail, remblai, tranchée, traverse. ▪ Aiguiller, aiguille, poste d'aiguillage ; balisation, balise ; bifurcation ; canton ; débrancher les voitures ; dédoubler le train ; déraillement, dérailler ; embranchement ; épi ; plaque tournante ; pont ; tunnel ; viaduc ; signaux : bloc-système, cloche électrique, crocodile, disque, sémaphore ; voie d'évitement/de garage/de raccordement/de remisage. — **La gare et son exploitation.** Gare d'embranchement ou de bifurcation/frontière / maritime / régulatrice / de transit ou de transbordement/de triage. ▪ Buffet ; bureau de location/de renseignement ; buvette ; consigne ; correspondance ; débarcadère ; décharger ; chariot, diable, grue, tricycle à bagages ; enregistrement des bagages ; guichet ; hall ; indicateur de chemin de fer ; kiosque à journaux ; messageries, colis postaux, grande/petite vitesse ; passage souterrain ; quai ; salle d'attente ; trottoir ; voie, contre-voie. ▪ Aiguilleur ; chauffeur ; chef de dépôt/de district/de gare/de section/de traction/de train ; cheminot ; commissionnaire ; contrôleur ; employé ; garde-barrière ; garde-voie ; homme d'équipe ; ingénieur ; lampiste ; mécanicien ; porteur ; roulant ; serre-frein ; voyageur. ▪ Acheter un billet ; carte d'abonnement/à tarif réduit ; composter ; attendre la correspondance ; être déclassé ; desserte d'une localité.

TRAINAILLER, TRAINARD, TRAINASSER → *lent, mou.*

TRAÎNE → *pêcher, queue, retard.*

TRAÎNEAU → *froid, pêcher, transport.*

TRAÎNÉE → *débauche, pêcher, suivre.*

TRAÎNE-MISÈRE → *pauvre.*

TRAÎNER → *marcher, retard, temps, tirer.*

TRAIN-TRAIN → *habitude.*

TRAIRE → *bœuf, lait, tirer.*

TRAIT → *arme, dessin, harnais, ligne, signe, visage.*

TRAITANT → *médecine.*

TRAITE → *colonie, commerce, débauche.*

TRAITÉ → *contrat, livre.*

TRAITEMENT → *gagner, maladie, payer.*

TRAITER → *discussion, manger, manière, matière, recevoir.*

TRAITEUR → *manger, marchandises.*

TRAITRE, TRAITRISE → *tromper.*

TRAJECTOIRE → *orientation, projectile.*

TRAJET → *espace, voyage.*

TRALALA → *manière, recevoir, toilette.*

TRAMAIL → *pêcher.*

TRAME, TRAMER → *fil, morceau, plan, textile.*

TRAMONTANE → *perdre, vent.*

TRAMP, TRAMPING → *navire, transport.*

TRAMWAY, TRAM → *transport, voiture.*

TRANCHANT → *couper.*

TRANCHE → *bœuf, impôt, livre, morceau, surface.*

TRANCHÉ → *blason.*

TRANCHÉE → *fonder, guerre, trou.*

TRANCHEFILE → *livre.*

TRANCHE-MONTAGNE → *courage.*

TRANCHER → *couleur, couper, décider, opposé.*

TRANCHET → *chaussure.*

TRANCHOIR → *couper.*

TRANQUILLE → *calme, paix.*

TRANQUILLISANT → *médicament.*

TRANSACTION, TRANSACTIONNEL → *accord, banque, impôt.*

TRANSAT, TRANSATLANTIQUE → *meuble, navire.*

TRANSBORDER → *transport, remuer.*

TRANSBORDEUR → *pont.*

TRANSCENDANCE, TRANSCENDANT → *extérieur, supérieur.*

TRANSCENDER → *supérieur.*

TRANSCODER → *calcul.*

TRANSCRIPTEUR, TRANSCRIRE → *écrire, reproduction.*

TRANSE → *passion, sensibilité, souci, trouble.*

TRANSEPT → *église.*

TRANSFÉRER, TRANSFERT → *changer, passer, transport.*

TRANSFIGURER → *briller, changer.*

TRANSFINI → *nombre.*

TRANSFORMATEUR → *électricité.*

TRANSFORMER → *changer, forme.*

TRANSFUGE → *guerre, opposé.*

TRANSFUSION → *liquide, sang.*

TRANSGRESSER → *faute.*

TRANSHUMANCE → *bétail.*

TRANSI → *froid.*

TRANSIGER → *accord.*

TRANSIR → *froid, peur.*

TRANSISTOR → *électricité, radio.*

TRANSIT, TRANSITER → *marchandises, port.*

TRANSITIF → *verbe.*

TRANSITION → *passer.*

TRANSITOIRE → *durer.*

TRANSLATIF, TRANSLATION → *passer.*

TRANSLITÉRATION → *écrire.*

TRANSLUCIDE, TRANSLUCIDITÉ → *lumière, passer.*

TRANSMETTEUR → *télécommunications.*

TRANSMETTRE → *donner, passer, télécommunications.*

TRANSMISSIBLE, TRANSMISSION → *passer, pouvoir, succession.*

TRANSMISSIONS → *armée, télécommunications.*

TRANSMUTER, TRANSMUER → *alchimie, changer, chimie.*

TRANSPARAÎTRE → *apparaître.*

TRANSPARENCE, TRANSPARENT → *lumière, passer.*

TRANSPERCER → *passer, trou.*

TRANSPIRATION, TRANSPIRER → *fièvre, informer, liquide, peau.*

TRANSPLANTER → *plante.*

TRANSPORT, TRANSPORTER → *exciter, passer, voiture, voyage.* — **Porter d'un endroit à un autre.** Acheminer, brouetter, charrier, faire circuler, colporter, déménager, déplacer, desservir, assurer la desserte de, emmener, expédier, mener, faire la navette, faire passer, porter, prendre en charge, relier, transborder, transférer, trimbaler, voiturer; par air/mer/rail/route/voie d'eau intérieure. ■ Bagages, charge, colis, fardeau, marchandises, matériaux, passager de première/deuxième/troisième classe/de classe touriste. — **Organisation des transports.** Conseil supérieur des transports, ministère des Travaux publics/des Transports et du Tourisme, Ponts et Chaussées; messageries, roulage, transports en commun/militaires/privés/publics. ■ Accompagnateur, bureau de fret; commissionnaire de transports, courtier de fret, dépôt de consignation, entrepreneur de roulage, expéditionnaire, exportateur, facteur, factage, importateur, transporteur. — **Transport par terre.** Camionnage, feuille de route, ligne, réseau routier, véhicule de transport, voiture; zone courte/longue de camionnage; camionneur, chauffeur, facteur, routier, voiturier, wagonnier, wattmann. ■ Compagnie de chemin de fer, chemin de fer métropolitain ou métro, transport ferroviaire, voie ferrée; fourgon à bagages/postal; wagon couvert/à boggies/plat/réfrigérant, wagon-citerne, wagon-foudre, wagon-tombereau, wagon-trémie. — **Transport par voie d'eau.** Batellerie, batelier, marin d'eau douce (fam.); charge, chargement; fret; navigation commerciale/mixte; pontée; réseau de voies navigables; tramp, tramping; transports fluviaux/maritimes. ■ Bananier, bateau, cargo, ferry-boat, hovercraft (n.d.), hydroglisseur, motor-ship, naviplane, navire-citerne, paquebot, péniche, pétrolier, etc. — **Transport par air.** Aviation commerciale/de transport; commandement du transport aérien; héliportage; opérations aéroportées/héliportées; pont aérien; téléphérage. ■ Aérobus; avion-cargo/-citerne/de transport; hélicoptère; hydravion; long-courrier, moyen-courrier. — **Moyens mécaniques de transport.** Convoyeur, élévateur, transbordeur; transporteur aérien ou à câbles ou aérocâble; transporteur à bande ou à courroie ou bande transporteuse; transporteur élévateur ou sauterelle; transporteur à lattes ou à tablier; transporteur pneumatique/à raclettes/à rouleaux/à secours ou à inertie ou transporteur vibrateur/à vis ou à hélice transporteuse.

TRANSPORTEUR → *transport.*

TRANSPOSER → *changer, musique, placer.*

TRANSSONIQUE → *vitesse.*

TRANSSUBSTANTIATION → *changer, dieu.*

TRANSSUDER → *passer.*

TRANSVASER → *liquide.*

TRANSVERSAL → *passer.*
TRANSVIDER → *liquide, vide.*
TRAPÈZE → *dos, géométrie, gymnastique.*
TRAPPE → *monastère, ouvrir, porte.*
TRAPPEUR → *chasse.*
TRAPPISTE → *monastère.*
TRAPU → *force, forme, petit.*
TRAQUENARD → *tromper.*
TRAQUER → *chasse, suivre.*
TRAUMATISER, TRAUMATISME → *blesser, trouble.*
TRAUMATOLOGIE → *chirurgie.*
TRAVAIL, TRAVAILLER, TRAVAILLEUR → *entreprise, exécuter, fonction, industrie, métier, payer, peine.* — **Différents aspects du travail.** Action, activité, besogne, boulot (pop.), corvée, job (pop.), labeur, ouvrage, tâche, turbin (pop.); travail cérébral/créateur/intellectuel/manuel / organique / physique / pratique/qualifié/non qualifié/scolaire/spécialisé; travaux agricoles/rustiques/de la campagne/des champs; travaux d'aiguille/de dames; travaux domestiques/ménagers. ■ Travail ardu/difficile / épuisant / fatigant / fastidieux / ingrat / laborieux / malaisé / pénible/rude. ■ S'appliquer, s'atteler, bosser, bricoler, bûcher, collaborer, coopérer, étudier, exécuter, faire, se mettre à, mettre en chantier, opérer, piocher, potasser, relayer, se relayer, reprendre le collier (fam.). — **Le travail rétribué.** Emploi; filon (fam.); fonction; fromage (fam.); gagne-pain; métier; occupation lucrative; planque (fam.); profession; service; sinécure; spécialité; travaux forcés, bagne. ■ Apprenti, employé, fonctionnaire, journalier, main-d'œuvre, ouvrier, paysan, prolétaire, prolétariat, salarié, serviteur, technicien, travailleur autonome/indépendant. ■ Caser, débaucher, embaucher, employer, employeur, patron. ■ Bourse/ministère du Travail; certificat/contrat de travail; conseil de prud'hommes; convention collective de travail; droit du travail, Internationale ouvrière; législation sociale, accident du travail, assurances; marchandage ou sweating-system; organisation du travail : compagnonnage, corporation, syndicat, productivité; rémunération, salaire, rendement, taylorisme. — **Façons de travailler.** Art, façon, facture, forme, manière, méthode, plan de travail, planning, technique; travail artisanal/automatisé/à la chaîne/collectif/individuel/à la machine/à la main/en série; travail en atelier/boutique/bureau/chambre/sur chantier/à domicile; étude, local, salle de travail, usine. ■ Être appliqué/bûcheur/consciencieux/courageux/fort en thème/laborieux; travail acharné/assidu/constant / continu / forcené / obstiné / opiniâtre/soutenu; travail bâclé/cochonné (pop.)/délicat/fignolé/fin/massacré (pop.)/saboté/sabré/salopé (pop.)/soigné. ■ Travail autorisé/noir; travail à mi-temps/à plein temps/à temps partiel/en nocturne; journée continue/discontinue; être de semaine; morte-saison, pleine saison. — **Travail excessif.** Abattre de la besogne, bosser (pop.), bosseur (pop.), boulonner (pop.), bourreau de travail, bûcher (fam.), bûcheur (fam.), se crever au travail (pop.), être débordé, donner un coup de collier, marner (pop.), en mettre un coup (pop.), mettre le paquet (pop.), avoir du pain sur la planche (pop.), période de presse, ne savoir où donner de la tête, suer sang et eau, être surchargé (de travail)/surmené; travail de cheval/de forçat/de Pénélope/de Sisyphe; travailler avec acharnement/d'arrache-pied/comme une bête de somme/un bœuf/un cheval/un esclave/un galérien/un mercenaire/un nègre; se tuer au travail. — **Interruption du travail.** Accident du travail; arrêt de travail; chômage partiel / saisonnier / structurel / technique; congé, congé payé, jours chômés / fériés / ouvrables, licenciement, mise à pied, repos hebdomadaire, semaine anglaise; emploi, plein emploi, sous-emploi; grève surprise/tournante/sur le tas/du zèle, lock-out. ■ Débrayer, démissionner, dételer (fam.), être au bout de sa carrière/en fin de carrière, se retirer, retraite.
TRAVAILLEUSE → *meuble.*
TRAVAILLISME, TRAVAILLISTE → *parti.*
TRAVÉE → *charpente.*
TRAVELLING → *cinéma.*
TRAVERS → *défaut, pencher, tendance.*
TRAVERSE → *bois, obstacle, route, train.*
TRAVERSÉE → *marine, voyage.*
TRAVERSER → *passer, route.*
TRAVERSIN → *lit, tonneau.*
TRAVERTIN → *calcium.*
TRAVESTI → *fête, vêtement.*
TRAVESTIR → *faux, vêtement.*
TRAVIOLE (DE) → *pencher.*
TRAYEUSE → *lait.*
TRÉBUCHER → *marcher, tromper.*
TRÉBUCHET → *balance, chasse.*
TRÉFILER, TRÉFILERIE → *métal.*
TRÈFLE → *architecture, carte, herbe.*

TRÉFONDS → *intérieur, posséder, secret.*
TREILLAGE, TREILLAGER → *barre.*
TREILLE → *vigne.*
TREILLIS → *armée, barre, vêtement.*
TRÉMA → *écrire.*
TRÉMATER → *marine.*
TREMBLE → *arbre.*
TREMBLER → *mouvement, peur, remuer.*
TREMBLOTE → *peur.*
TREMBLOTER → *remuer.*
TRÉMIE → *élevage, garder.*
TRÉMOLO → *son.*
TRÉMOUSSER (SE) → *remuer.*
TREMPE → *bière, force, frapper, métal.*
TREMPER → *bain, métal, mouiller, part.*
TREMPETTE → *bain.*
TREMPLIN → *nager, réussir.*
TRÉMULATION → *crispation.*
TRENCH-COAT → *pluie, vêtement.*
TRENTE-ET-QUARANTE → *carte.*
TRÉPAN → *chirurgie, géologie, pétrole.*
TRÉPANER → *cerveau, chirurgie.*
TRÉPAS, TRÉPASSER → *mourir.*
TRÉPIDATION, TRÉPIDER → *remuer.*
TRÉPIGNER → *pied, remuer.*
TRÉPOINTE → *chaussure.*
TRÉSOR → *aimer, amas, église.*
TRÉSORERIE, TRÉSORIER → *association, banque, impôt.*
TRESSAILLIR, TRESSAUTER → *remuer, sauter.*
TRESSE, TRESSER → *cheveu, corde, fil, tourner.*
TRÉTEAU → *meuble, théâtre.*
TREUIL → *monter.*
TRÊVE → *arrêter, guerre, paix.*
TRÉVIRE → *corde.*
TRI, TRIAGE → *choisir, poste, train.*
TRIANGLE, TRIANGULAIRE → *angle, géométrie.*
TRIANGULATION, TRIANGULER → *géographie, surface.*
TRIBAL, TRIBALISME → *groupe, population.*
TRIBO-ÉLECTRICITÉ → *électricité.*
TRIBORD → *bord, marine, navire.*
TRIBOULET → *bijou.*
TRIBU → *groupe, population.*
TRIBULATION → *événement.*
TRIBUN → *convaincre.*
TRIBUNAL → *justice, magistrat.* — **Tribunaux divers.** Tribunal administratif/ arbitral/ d'arrondissement / civil / de commerce/des conflits/consulaire/correctionnel/de droit commun/ d'exception/d'instance ou justice de paix/de grande instance/international/ maritime/militaire, tribunal permanent des forces armées (T.P.F.A.)/de police/de simple police/prévôtal/pour enfants/révolutionnaire. ■ Chambre, Conseil d'État/de prud'hommes, cour d'appel/de cassation/des comptes/ de sûreté de l'État; tribunaux ecclésiastiques : congrégation des Rites, Daterie, Rote, Sacrée Pénitencerie, Saint-Office, Signature Apostolique; aréopage, chambre ardente, francs-juges, Sainte-Vehme, sanhédrin. ■ Compétence du tribunal; connaître de; juridiction, jury, juré; pouvoir discrétionnaire du tribunal; ressort; siéger au civil/au contentieux/au pénal. — **Les actes du procès.** Ajourner, ajournement à huitaine/ *sine die;* appel, faire appel; arrêt, attendus; assigner, assignation; banc des accusés, gendarme; cause; citer, citation à comparaître, comparution; déférer à un tribunal; délibérer, mettre en délibéré; dessaisir, dessaisissement; droit, dire le droit, faire droit à; entériner; évoquer, évocation; joindre l'incident au fond : considérants, énoncé, motifs; juger par contumace/ par défaut/en premier ou en dernier ressort; litige, litigieux; ordonnance de non-conciliation; les parties en cause/en présence; prononcer une condamnation/la relaxe, relaxer; se prononcer sur le fond; référé; renvoi, ordonnance de renvoi; rôle, enrôlement; souveraineté du tribunal; statuer; témoin à charge/à décharge, témoigner, témoignage; traduire/traîner devant les tribunaux; verdict. — **L'instruction.** Commission rogatoire, commettre un juge; confrontation; délai de garde à vue; descente de justice; détention préventive; enquête, enquêter; garanties de la défense; inculper, inculpation; instruction préparatoire, magistrat instructeur, instruire une affaire; interroger, interrogatoire; liberté individuelle/provisoire, libérer sous caution; mandat d'amener; non-lieu, prononcer le non-lieu; reconstitution; recueillir les dépositions; secret de l'instruction. ■ Chambre d'accusation. — **L'accusation.** Accuser, accusation, accusateur public; charger, témoin à charge; être débouté/ condamné aux dépens; demander la tête de l'accusé; désistement, se désister; partie civile, se constituer partie civile; requérir, réquisitoire; retirer une plainte. ■ Avocat général, parquet, procureur, substitut. — **La défense.** Arguer; assister un accusé, assistance judiciaire; barre, barreau; être commis d'office; plaider, plaidoyer, plaidoirie, exorde, péroraison;

récuser un magistrat/un témoin. ▪ Avocat près la cour/le tribunal; avoué, avoué plaidant; bâtonnier de l'ordre des avocats; défenseur, la défense; maître. ▪ Alibi, circonstances atténuantes, question préjudicielle.

TRIBUNE → *convaincre, spectacle.*

TRIBUT, TRIBUTAIRE → *devoir, relation.*

TRICÉPHALE → *tête.*

TRICEPS → *muscle.*

TRICHE, TRICHER, TRICHERIE → *jouer, tromper.*

TRICHINE → *porc, ver.*

TRICHROMIE → *photographie.*

TRICOLORE → *couleur.*

TRICORNE → *chapeau.*

TRICOT → *fil, laine.*

TRICOTER, TRICOTEUSE → *laine.*

TRICTRAC → *échecs.*

TRICYCLE → *bicyclette.*

TRIDENT → *agriculture, dent, mythologie.*

TRIÈDRE → *géométrie.*

TRIER → *choisir, part.*

TRIFOLIÉ → *feuille.*

TRIFORIUM → *colonne.*

TRIFOUILLER → *chercher, sac.*

TRIGONOMÉTRIE → *géométrie.*

TRIJUMEAU → *nerf.*

TRILINGUE → *langage.*

TRILLE, TRILLER → *musique, oiseau.*

TRILOBÉ → *arc.*

TRILOGIE → *littérature.*

TRIMARDER → *vagabond.*

TRIMBALER → *transport.*

TRIMER → *fatigue, travail.*

TRIMESTRE, TRIMESTRIEL → *année, calendrier.*

TRIMMER → *pêcher.*

TRINGLE → *barre.*

TRINITÉ → *Dieu, théologie.*

TRINITROTOLUÈNE → *exploser.*

TRINÔME → *algèbre.*

TRINQUART → *pêcher.*

TRINQUER → *boire.*

TRINQUETTE → *voilure.*

TRIO → *groupe, musique.*

TRIOLET → *musique, poésie.*

TRIOMPHAL, TRIOMPHANT → *joie.*

TRIOMPHE, TRIOMPHER → *honneur, réussir, soumettre, supérieur.*

TRIPAILLE → *viande.*

TRIPARTISME → *parti.*

TRIPATOUILLER → *littérature, main.*

TRIPE, TRIPERIE → *intestin, viande.*

TRIPHASÉ → *électricité.*

TRIPHTONGUE → *son.*

TRIPIER → *viande.*

TRIPLER → *augmenter, nombre.*

TRIPLÉS → *accouchement.*

TRIPLET → *photographie.*

TRIPLEX → *verre.*

TRIPLICATA → *reproduction.*

TRIPLURE → *couture.*

TRIPORTEUR → *bicyclette.*

TRIPOTÉE → *frapper, nombre.*

TRIPOTER → *banque, main, toucher.*

TRIPTYQUE → *peinture.*

TRIQUE → *bâton.*

TRIQUEBALLE → *charger, voiture.*

TRIQUET → *balle.*

TRISAÏEUL → *famille.*

TRISMÉGISTE → *mythologie.*

TRISMUS → *crispation.*

TRISSER → *cri.*

TRISTE, TRISTESSE → *douleur, malheur, mécontentement, obscur.* — **Qui éprouve de la tristesse.** Abattu, abattement; affligé, affliction; amer, amertume; cafardeux, cafard (fam.); chagriné, chagrin; déçu, déception; découragé, découragement; dégoût, dégoûté; déprimé, état dépressif, dépression; désappointé, désappointement; désespéré, désespoir; désillusionné, désillusion; dans la détresse/l'ennui; hypocondrie; malheureux; mélancolique, mélancolie; morose, morosité; neurasthénique, neurasthénie; nostalgique, nostalgie; peiné, peine; sombre; taciturne. ▪ Tristesse accablante / diffuse / insupportable / morbide / morne / mortelle / paisible / profonde/vague/voilée. — **Manifestation de la tristesse.** Attitude abandonnée, traits affaissés; angoisse, angoisser, anxiété; s'assombrir; s'attrister; baigner/sombrer dans la tristesse; se faire de la bile; bouder, bouderie; broyer du noir, avoir le cœur étreint/gros/serré; air consterné, visage défait, air désabusé/désespéré; être démoralisé; regard sans éclat; endeuillé; funèbre; faire une figure de croque-mort/d'enterrement; humeur massacrante/maussade; être mécontent; avoir la mort dans l'âme; se rembrunir; avoir le spleen/du vague à l'âme. ▪ Triste comme un bonnet de nuit/comme une porte de prison; éteignoir; pessimiste; rabat-joie; trouble-fête. — **Qui fait naître la tristesse.** Contrition, crève-cœur, déception, désappointement, désillusion, douleur, grisaille de la vie, infortune, malheur, mécompte, misère, peine, repentir, solitude, spectacle accablant / affligeant / affreux / attristant / austère / chagrinant / consternant / cruel / déchirant / déplorable / désolant / douloureux / ennuyeux / éprouvant / fâcheux / funeste / grave / insupportable / lugubre / morne / navrant / pénible / pitoyable / poignant/rude / sévère / sinistre / terne /

tragique. — **Triste d'aspect.** Déplorable, sans éclat, fâcheux, lamentable, mauvais, médiocre, méprisable, minable, misérable, miteux (fam.), morne, navrant, obscur, piètre, piteux, pitoyable, sinistre, solitaire, sombre, terne.

TRITON → *batraciens, mollusques.*

TRITURATEUR, TRITURER → *mêler, poudre, presser.*

TRIVIAL, TRIVIALITÉ → *commun, grossier.*

TROC → *changer.*

TROCART, TROIS-QUARTS → *chirurgie.*

TROCHAÏQUE, TROCHÉE → *poésie.*

TROCHLÉE → *articulation.*

TROCHURE → *cerf.*

TROÈNE → *arbre.*

TROGLODYTE, TROGLODYTIQUE → *habiter, trou.*

TROGNE → *laid, visage.*

TROGNON → *milieu, morceau, pomme.*

TROÏKA → *tirer, voiture.*

TROIS-ÉTOILES → *hôtel, réputation.*

TROIS-MÂTS → *bateau, voilure.*

TROIS-QUARTS → *balle, vêtement.*

TROLL → *esprit.*

TROLLE → *chasse.*

TROLLEY, TROLLEYBUS → *voiture.*

TROMBE → *brusque, orage, pluie, vitesse.*

TROMBINE → *visage.*

TROMBLON → *fusil.*

TROMBONE, TROMBONISTE → *instrument.*

TROMPE → *architecture, avertir, chasse, nez.*

TROMPE-L'ŒIL → *peinture.*

TROMPER → *faute, faux, voler.* — **Induire quelqu'un en erreur.** En faire accroire, affecter, amuser, attraper, aveugler, avoir (fam.), biaiser, blouser, circonvenir, couillonner (pop.) (raconter des) craques (pop.), en conter, faire croire, (user de) détours (avec), dorer la pilule (fam.), égarer, embobeliner (fam.), embobiner (fam.), endormir, entortiller, ficher/fourrer/foutre dedans (pop.), en imposer, jeter de la poudre aux yeux, jouer, leurrer, faire marcher (fam.), maquiller, monter le coup (fam.), se moquer, bourrer le mou (pop.), mystifier, piper, posséder quelqu'un (fam.), refaire (fam.), séduire, surprendre, faire tomber dans un guet-apens/dans le panneau/dans un traquenard. ■ Affectation, artifice, attrape, attrape-nigaud, bluff, duperie, fable, feinte, frime, hâblerie, invention, manège, mauvaise foi, mensonge, mystification, piperie, ruse, stratagème, tour de passe-passe, tricherie. — **Tromper la confiance.** Abuser, abus de confiance; bercer; capter la confiance, manœuvres captatoires; faire chanter, chantage; faire cocu, cocufier, cocuage (fam.); contrefaire; déjouer; dépister les recherches; déguiser; dissimuler; donner le change; duper; endormir la confiance; falsifier; feindre; filouter; être infidèle; se jouer de, jouer un tour de cochon; manquer à un engagement/à sa parole; mentir, s'enferrer dans ses mensonges; se parjurer; séduire; simuler; suborner; traquenard; traîtrise; tricher; tromper; faire une vacherie; violer sa parole. ■ Adultère, bassesse, déloyauté, démagogie, duperie, duplicité, fausseté, félonie, filouterie, forfaiture, fourberie, hypocrisie, imposture, inconstance, infidélité, lâcheté, machiavélisme, mensonge, perfidie, prévarication, traîtrise, tricherie. — **Tromper en affaires.** Carotter (fam.); contrefaire; éblouir; empaumer (fam.); empiler (fam.); enfiler (pop.); enjôler; entôler (pop.); escroquer; estamper (fam.); étriller; exploiter; flouer; frauder; gruger; pigeonner (fam.); piper les dés; rouler (fam.); tricher; truquer; voler. ■ Altération; charlatanisme; contrefaçon; dol, dolosif; escroquerie; falsification; faux; fraude, manœuvres frauduleuses; frelatage; friponnerie; maquignonnage; stellionat; supercherie; truquage. — **Tromper dans les espérances.** Être décevant, décevoir; désappointer, désenchanter; désillusionner; frustrer. ■ Fausses apparences; déception; illusion, s'illusionner; leurre, se leurrer; semblant, faux-semblant. ■ Être clinquant/emprunté/illusoire. — **Tromper en se divertissant.** Attraper, attrape, attrape-nigaud; berner; blaguer, blague; canular, canularesque; farce; fumisterie; malice, malicieux; niche, faire une niche; plaisanter, plaisanterie; poisson d'avril; ruse, rusé; tour, jouer un tour. ■ Blagueur, farceur, fumiste, lascar, malin, plaisantin. — **Homme, argument trompeur.** Aigrefin; carotteur, carottier (fam.); charlatan; démagogue; escroc; exploiteur; faussaire; filou; fripon; imposteur; maître chanteur; maquignon; mystificateur; parjure; vieux renard; serpent; simulateur; sirène; suborneur; traître; voleur. ■ Bluffeur, chafouin, déloyal, double, finaud, fourbe, futé, hâbleur, hypocrite, matois, menteur, narquois, patelin, perfide, retors, roublard, roué, rusé, sournois. ■ Argument artificieux / captieux / fallacieux / insidieux / mensonger / sophistiqué / spécieux / tendancieux. — **Victime de la tromperie.** Être crédule/dupe/gogo/innocent/naïf/un pigeon/simple/victime. ▪ Avaler des couleuvres ; être cocu/cornard (pop.) ; être le dindon de la farce ; donner dans le panneau (fam.) ; mordre à l'hameçon ; se laisser prendre aux apparences ; se laisser refaire/rouler (fam.). — **Se tromper.** S'abuser, confondre, être en défaut, s'égarer, errer ; faillir, être faillible ; se ficher dedans (pop.) ; se gourer (pop.) ; méjuger ; se méprendre ; se mettre le doigt dans l'œil (pop.) ; se laisser prendre à ; prendre des vessies pour des lanternes ; faire fausse route ; avoir tort ; se tromper grossièrement/lourdement. ▪ Aberration, bévue, bourde (fam.), erreur, faute, gourance (pop.), maldonne, malentendu, méprise, quiproquo.

TROMPETER → *bruit, cri, informer.*

TROMPETTE, TROMPETTISTE → *instrument.*

TROMPETTE-DES-MORTS → *champignon.*

TROMPEUR → *faux, tromper.*

TRONC → *anatomie, arbre, coffre, colonne, famille.*

TRONCHE → *tête.*

TRONÇON → *couper, morceau.*

TRONÇONNEUSE → *bois.*

TRÔNE → *chef, souverain.*

TRÔNER → *importance.*

TRONQUER → *couper, diminuer, enlever.*

TROPE → *style.*

TROPHÉE → *arme, gagner, honneur, soumettre.*

TROPICAL, TROPIQUE → *année, saison, terre.*

TROPISME → *plante, tendance.*

TROPOSPHÈRE → *air.*

TROP-PERÇU → *excès.*

TROP-PLEIN → *eau, excès, hydraulique, vide.*

TROQUER → *changer.*

TROQUET → *boire.*

TROT → *cheval, marcher.*

TROTSKISTE → *parti.*

TROTTE → *marcher.*

TROTTER → *cheval, marcher, souci, suivre.*

TROTTEUSE → *horlogerie.*

TROTTINER → *marcher.*

TROTTINETTE → *jouer.*

TROTTOIR → *marcher, route.*

TROU → *air, mémoire, ouvrir, vide.* — **Percer un trou avec un instrument.** Aiguille ; alène ; broche, embrocher ; composteur, composter ; emporte-pièce ; épingle ; larder, lardoire ; mettre en perce ; pal empaler ; poinçon, poinçonner, poinçonneuse ; pointeau ; sonde, sonder. ▪ Accroc ; ajourer, faire des jours ; chas, trou d'aiguille, enfiler une aiguille ; crever, crevaison, crevasse ; déchirure ; échancrure ; évidement, évider ; percer, percé au coude/au genou ; piquer, piqûre d'épingle ; trouer, trou de balle, impact, trou de cigarette, brûlure. — **Percer un trou à la machine.** Alésage, aléser, aléseuse ; chignole ; drille ; étampe, étamper, étampure ; forer, foret, foreuse, forure ; fraise, fraiseuse ; mèche ; œil, œillet ; ouvrir/percer une porte ; percer, perceuse, percer un coffre-fort ; perforer, perforeuse, perforatrice ; poinçon, poinçonneur ; queue-de-cochon ; taraud, tarauder ; tarière ; trouer ; vilebrequin ; vrille. ▪ Carte/bande perforée, mécanographie, perforeuse. ▪ Objet percé comme une écumoire/picoté/piqué/poreux, etc. — **Trous dans le corps.** Anus ou trou de balle (pop.)/du cul (pop.) ; bouche, cavité buccale ; engelure, gerce ; méat ; narine, trous de nez (fam.) ; orbite, avoir les yeux en face des trous ; orifice. ▪ Cathéter, éventrer ; fraise/roulette du dentiste ; piqûre ; ponction, ponctionner ; saignée ; sondage, sonder ; trépan, trépaner, trépanation. — **Creuser un trou.** Alvéole, cavité, concavité, creux, enfoncement, entonnoir, excavation, fosse, interstice, niche, orifice, ouverture, renfoncement, retrait, retranchement, sillon, tanière, terrier, tranchée, trou, tunnel, vide. ▪ Affouiller ; bêche, bêcher ; benne ; boucher/combler un trou ; bulldozer ; creuser, creusement ; défoncer, enfoncer ; excaver ; faire sauter ; fouiller, fouir ; fond ; pelle, pelle mécanique ; pioche, piocher ; terrassement, terrassier ; tracteur ; treuil ; trouer. — **Excavation en vue d'une exploitation.** Catacombe, caveau, charnier, fosse, fosse commune, sépulcre, tombe ; exhumer, inhumer ; fossoyer, fossoyeur. ▪ Douve ; foggara ; fossé ; puisard, puits perdu/artésien, puisatier ; réservoir. ▪ Creuser, cuvelage, maçonner, margelle, paroi, pompe, poulie, réservoir, roue, treuil, tubage, tube. ▪ Carrière, mine ; galerie, puits d'aération/de descente/d'extraction, sape, sapeur, souterrain, tranchée. ▪ Puits de pétrole : derrick, drille, forage, forer, machine-outil, perforateur à air comprimé, sonde, trépan. — **Trou dans la terre.** Affaissement de terrain, affouillement, abîme, abysse, anfractuosité, antre, aven, baie, bétoire, caverne, cratère, crevasse, dépression, doline, échancrure, effondrement, faille, fente, fissure, fondrière, galerie, géosynclinal, golfe, gorge, gouffre, grotte, habitation troglodytique, nid-de-poule, précipice, poljé, ravin, ravine, renfoncement, rimaye, souterrain, trouée, vallée, vallon.

TROUBADOUR → *chanter, mythologie, poésie.*

TROUBLANT → *étonner, gauche, gêner, trouble.*

TROUBLE → *désaccord, remuer, révolte, souci.* — **Agitation désordonnée.** Agitation ; bouleversement ; branle-bas ; brouillamini ; bruit ; cataclysme ; chaos ; chienlit ; confusion ; convulsion politique ; coup de chien ; crise ; dérangement ; désordre ; désorganisation ; émeute ; excitation ; houle, houleux ; imbroglio, micmac ; orage, orageux, ouragan ; perturbation ; remue-ménage, remuement ; soulèvement ; tempête ; tohu-bohu ; tourmente ; tumulte. ■ Agiter, bouleverser, brouiller, confondre, déranger, être en dérangement, dérégler, désaxer, embrouiller, fomenter des troubles, mêler, mettre sens dessus dessous, renverser, troubler. — **Opposition tumultueuse entre personnes.** Anarchie, bagarre, brouille, brouillerie, complot, déchirement, désordre, désunion, discorde, dispute, dissension, émeute, insurrection, manifestation, mésintelligence, mutinerie, révolte, révolution, secousse, sédition, soulèvement, subversion. ■ Agitateur, brandon de discorde, excitateur, fauteur de troubles, semeur de discordes, trublion. — **Trouble affectif.** Être affecté/affligé/affolé/agité/alarmé / angoissé / atteint / attendri / atterré / bouleversé / commotionné / confondu / contrarié / déconcerté / démonté / dérouté / désarçonné / dans le désarroi / désemparé / désorienté / dans la détresse/ébloui/ébranlé/effaré/effarouché/en effervescence/dans l'effroi/dans l'embarras/en émoi/émotionné / ému / enfiévré / enivré / ensorcelé / éperdu / étonné / excité / fasciné / frappé / gêné / intimidé / impressionné/dans l'indécision/dans l'inquiétude / inquiet / perplexe / en proie aux remords/remué/retourné/séduit/sidéré / touché / tourneboulé (fam.)/ dans les transes/traumatisé/troublé. — **Manifestations du trouble affectif.** Être abasourdi/abruti/ahuri ; balbutier ; changer de couleur ; avoir la berlue (fam.) ; être tout chaviré (fam.)/dans la confusion ; convulsion, convulsif ; être décomposé/déconfit/décontenancé, visage défait ; être distrait / étourdi / hagard / hébété ; perdre contenance/ses moyens/son sang-froid/la tête/la boule (fam.)/la boussole (fam.) ; rester interdit/interloqué, yeux révulsés ; être surpris/stupéfait ; avoir la tête qui tourne/la tête à l'envers ; trembler, tressaillir ; voix altérée/blanche. — **Trouble pathologique.** Aliénation ; choc, contrecoup, choc anaphylactique / anesthésique / opératoire ; commotion cérébrale ; délire ; dérangement ; dérèglement ; émotivité, émotif ; désordre mental ; égarement ; étourdissement ; folie ; intoxication ; malade, maladie, malaise ; névrose, névrosé ; perturbation ; syncope ; troubles névrotiques/physiologiques/psychiques ou de la personnalité ; vertige ; être détraqué/égaré/hébété/ivre/soûl/stupide.

TROUBLE → *eau, obscur.*

TROUBLE-FÊTE → *gêner, trouble.*

TROUBLER → *gêner, souci, trouble.*

TROUÉE → *guerre, ouvrir, trou.*

TROUER → *trou.*

TROUFION → *armée.*

TROUILLARD, TROUILLE → *peur.*

TROUPE → *armée, groupe, théâtre.*

TROUPEAU → *bétail, groupe, nombre, suivre.*

TROUPIER → *armée, rire.*

TROUSSE → *munir, sac, suivre.*

TROUSSEAU → *clef, munir, vêtement.*

TROUSSE-QUEUE, TROUSSEQUIN → *harnais.*

TROUSSER → *cuisine, pli.*

TROU-TROU → *broderie.*

TROUVAILLE → *imaginer, trouver.*

TROUVER → *chercher, estimer, imaginer, rencontre.* — **Trouver une chose.** Avoir, déceler, découvrir, dégoter (fam.), dénicher (fam.), dépister, détecter, déterrer (fam.), exhumer, mettre la main sur, obtenir, se procurer, reconnaître, remarquer, rencontrer, sentir sous la main, tomber sur ; trouver un abri, s'abriter, se réfugier ; trouver par raccroc. — **Trouver une personne.** Atteindre, dénicher (fam.), joindre, mettre la main sur, pêcher, recruter, rejoindre, rencontrer, repêcher, surprendre, tomber sur, venir trouver. — **Découvrir par l'esprit.** Être l'auteur de, s'aviser de, constater, argument controuvé, déceler, déchiffrer, dégager, démasquer, deviner, dire quelque chose de son cru, discerner, mettre le doigt sur, élucider, envisager, éventer un secret, forger, imaginer, innover, inventer, lever un lièvre, lire en, mettre à jour, pénétrer, percer, être perspicace, reconnaître, remarquer, repérer, résoudre, réussir à, saisir, soulever un problème, surprendre, trouver moyen de, voir. ■ Bonheur d'expression, création, découverte, *eurêka !* idée, illumination, invention, originalité, rencontre, trait de génie/de lumière, trouvaille. — **Retrouver.** Rattraper, ravoir, reconnaître, reconquérir, recouvrer, recréer, récupérer, se refaire, regagner, rejoindre, remettre la main sur, réparer des pertes, repêcher, repérer, reprendre en main, reprendre possession de, ressaisir, se rétablir, revoir.

TROUVÈRE → *chanter, mythologie, poésie.*

TRUAND, TRUANDERIE → *homme, mal, voler.*

TRUBLION → *trouble.*

TRUC → *adroit, doute, subtil.*

TRUC, TRUCK → *train, voiture.*

TRUCHEMENT → *milieu.*

TRUCIDER → *mourir.*

TRUCULENCE, TRUCULENT → *couleur, langage.*

TRUDGEON → *nager.*

TRUELLE → *maçonnerie.*

TRUFFE → *champignon, chien, confiserie.*

TRUFFER → *beaucoup, cuisine, emplir.*

TRUIE → *porc.*

TRUISME → *commun, pensée, vérité.*

TRUITE → *poisson.*

TRUITÉ → *céramique.*

TRUMEAU → *glace, mur, peinture.*

TRUQUAGE, TRUCAGE, TRUQUER → *apparaître, changer, cinéma, faux, tromper.*

TRUSQUIN, TROUSSEQUIN → *ligne.*

TRUST, TRUSTER → *commerce, entreprise, groupe.*

TSAR, TSARÉVITCH, TSARINE → *chef, souverain.*

TSARISME, TSARISTE → *politique.*

TSÉ-TSÉ → *dormir, mouche.*

T.S.F. → *radio.*

TUANT → *fatigue.*

TUB → *bain, toilette.*

TUBA → *instrument.*

TUBAGE → *géologie, pétrole, soigner.*

TUBE → *canal, rayon, liquide, tuyau.*

TUBERCULE → *légume, plante, pomme, tumeur.*

TUBERCULEUX → *maladie.*

TUBERCULINE, TUBERCULINER → *microbe.*

TUBERCULOSE → *maladie, microbe, poitrine.*

TUBÉROSITÉ → *estomac, os.*

TUBULAIRE, TUBULURE → *tuyau.*

TUER, TUERIE → *crime, mourir.*

TUE-TÊTE (À) → *cri.*

TUEUR → *crime, mourir.*

TUF → *calcium, terre.*

TUFFEAU → *calcium, terre.*

TUILE, TUILEAU, TUILERIE → *argile, couvrir.*

TULIPE, TULIPIER → *fleur.*

TULLE → *soie, tissu.*

TULLERIE, TULLIER, TULLISTE → *textile.*

TUMÉFACTION, TUMÉFIER → *blesser, frapper, gonfler.*

TUMESCENCE, TUMESCENT → *gonfler.*

TUMEUR → *bosse, gonfler.* — **Aspect et évolution.** Enflure, excroissance, granulome, grosseur, induration, intumescence, kyste, lésion tumorale, nodosité, polype, turgescence. ▪ Capsule; détumescence; enkystement; gonflement; hypertrophie; infiltration des tissus environnants; métastase; prolifération des cellules; surproduction tissulaire; tumeur bénigne/maligne ou cancéreuse, cancérisation. — **Tumeurs inflammatoires.** Abcès, ampoule, anévrisme, empyème, furoncle, granulation, inflammation, mycétome, œdème, phlegmon, poche, pustule. — **Classement des tumeurs.** ▪ Tumeurs des revêtements malpighiens/des muqueuses de la peau; tumeurs bénignes : condylomes et papillomes, chéloïde, crête-de-coq, écrouelle ou tumeur scrofuleuse, tanne, tumeur sarcoïde, végétations, verrues, xanthome; tumeur maligne : carcinome malpighien. ▪ Tumeurs des revêtements cylindriques et des parenchymes/glandulaires; tumeurs bénignes : adénomes; tumeurs malignes : adénocarcinomes, tumeur froide/squirreuse, glandes scrofuleuses, tubercule. ▪ Tumeurs du tissu conjonctif et de ses dérivés; tumeurs bénignes : angiome, chondrome, énostose, exostose, fibrome, histéocytome, gliome, lipome, lymphangiome, myome, myxome, ostéome; tumeurs malignes : angiosarcome, chondrosarcome, fibrosarcome, liposarcome, myosarcome, myxosarcome, ostéosarcome, réticulosarcome. ▪ Tumeur du tissu hémopoïétique : limphosarcome, myélosarcome; tumeurs nerveuses; tumeurs pigmentaires : mélanome bénin ou malin, éphélide, lentigo ou grain de beauté, nævus pileux/tubéreux/verruqueux, verrucosité; tumeurs dysembryoplasiques et embryonnaires : dysembryoplasie, tératome. — **Soins.** Soins des tumeurs bénignes par ablation chirurgicale/coagulation/énucléation / excision / extirpation / incision / résection; médications; neige carbonique. ▪ Soins des tumeurs malignes, cancérologie, carcinologie, radiothérapie; cancers cutanés/digestifs/génitaux/du sang ou leucémie/des voies respiratoires; biopsie, étude cytologique/histologique, fonction; chirurgie d'exérèse; médications hormonales/caryolytiques/radiomimétiques ; rayons X, radium, cobalt radioactif.

TUMULAIRE → *enterrement.*

TUMULTE, TUMULTUEUX → *bruit, passion, trouble.*

TUMULUS → *bosse, enterrement.*
TUNIQUE → *vêtement.*
TUNNEL → *passer, trou.*
TURBAN → *chapeau.*
TURBIDITÉ → *rivière.*
TURBIN → *gagner, travail.*
TURBINE → *électricité, hydraulique, moteur, roue.*
TURBOCOMPRESSEUR → *machine, roue.*
TURBOMACHINE, TURBOMOTEUR → *machine, roue.*
TURBOT → *poisson.*
TURBOTIÈRE → *vaisselle.*
TURBULENCE, TURBULENT → *bruit, enfant, trouble.*
TURF, TURFISTE → *cheval, course.*
TURGESCENCE, TURGESCENT → *gonfler.*
TURLUPINER → *souci.*
TURLUTUTU → *instrument.*
TURNE → *chambre.*
TURPITUDE → *avilir, débauche.*
TURQUIN → *bleu, marbre.*
TURQUOISE → *joaillerie.*
TUSSOR → *soie.*
TUTÉLAIRE → *ange, avantage, influence.*
TUTELLE, TUTEUR → *défendre, enfant, garder.*
TUTEUR, TUTEURER → *plante.*
TUTOYER → *personne.*
TUTTI → *instrument.*
TUTU → *danse, vêtement.*
TUYAU → *informer, liquide.* — **Description.** Calotte, collet, corps, dévoiement, embranchement, équerre, orifice, paroi, pommelle, raccord, raccordement, robinet, section, tambour, tubulure, tuyau conique/coulé/cylindrique/horizontal/vertical ; valve. ▪ Boucher, déboucher ; brancher, débrancher ; phénomène de capillarité ; crapaudine, crépine, filtre ; dévidoir ; purgeur ; tuyère. — **Fabrication.** Tuyau en acier, pipe-line ; tuyau en béton armé/en béton précontraint/en bois/en caoutchouc / en cuivre / en fonte ; tuyau en matière plastique : isolant électrique/thermique ; tuyau en paille/en plomb/en roseau/en toile. ▪ Tuyau adossé/à ailette/avissé/de chute/de chute unique/de descente/de descente pluviale/dévoyé/dans œuvre/passant/roulé/à soupape. — **Utilisations du tuyau.** Ajustage, boisseau, boyau de cuir/de caoutchouc/de toile, brise-jet, buse, canal, canalisation, chalumeau, chéneau ou gouttière, collecteur, colonne, colonne sèche, conduit, conduite, coude, descente, drain, durit (n.d.), égout, fistule, flûte, gaine de chauffage/de ventilation, manche à air, manchon, pipe d'aération, poterie, siphon, tourne-vent, tube capillaire / tubulaire, tuyau d'aération/d'évacuation/de ventilation, tuyau sonore, tuyau d'orgue, tuyauterie.
TUYAUTÉ, TUYAUTER → *pli.*
TUYAUTERIE → *canal, tuyau.*
TUYÈRE → *hydraulique, tuyau.*
TWEED → *tissu.*
TWIN-SET → *laine.*
TWIST → *danse, jazz.*
TYMPAN → *architecture, entendre.*
TYMPANISME → *ventre.*
TYMPANON → *instrument.*
TYNDALLISATION → *microbe.*
TYPE → *classe, homme, particulier, personne.*
TYPHOÏDE → *fièvre.*
TYPHON → *vent.*
TYPHOSE, TYPHUS → *fièvre.*
TYPIQUE → *différence, particulier, reconnaître.*
TYPOGRAPHIE → *écrire, livre.* — **Caractères typographiques.** Cadrat, cadratin ; calibre ; capitales ; caractère de 3 / 5 / 7 / 12 points, composer en 3/5/7/12 ; casse à caractères, bas/haut de casse ; corps/cran d'un caractère ; cul-de-lampe ; espace ; filet droit/tremblé, etc. ; garniture ; interligne ; lettre, lettrine ; majuscule, minuscule ; œil d'un caractère (gros/petit) ; parangonner, parangonnage ; plomb ; point, canon, cicéro, gaillarde, etc. ; ponctuation, astérisque, crochet, tiret, etc. ; signe, type. ▪ Caractères aldins/antiques/elzéviriens/gothiques / gras/italiques / maigres/romains, etc. ; type égyptien/gaillarde/perle, etc. ▪ Clicher, clichage, clicherie, cliché ; fondre, fonderie, fonte ; galvanotype : antimoine, étain, plomb. — **Composition et mise en pages.** Assembler, assemblage ; bardeau ; blanc, blanchir ; casseau, cassetin ; colonne ; composition à la main/à la machine, photocomposition, composteur ; créner ; débloquer ; espacement, espacer ; ligne, lignomètre ; marger ; taquer, taquoir, taquon ; titre, titre courant, faux titre. ▪ Linotypie, linotype ; lumitype ; monotypie, monotype, fondeuse monotype. ▪ Bon à tirer, épreuve, morasse, placard, tierce ; habillage, réclame, signature ; imposition : châssis, forme, marbre, ramette, imposition en in-8/en in-12 ; clichage, empreinte, flan, stéréotype. — **Imprimer.** Encre, encrer, encrage ; imprimerie de labeur, ouvrages de ville ; presse en blanc/deux tours/à essai/hélio/offset/à platine/à retiration ; rotative à feuilles/à retiration/typographique de presse ; tirage, tirer à tant d'exemplaires. ▪ Assemblage :

brochure; cahier; carton; collationner; encartage, encarter, encartonner; feuille, feuillet; livraison; massicot; onglet; page, pagination; pliage, pliure. — **Défauts.** Béquet, bourdon, chasse, chevauchement, coquille, correction, *deleatur*, doublon, interversion, papillotage, transposition; bavoché, bavure, défet, foulage, larron, mâchurer, maculage, mastic, moine, page grise, surimpression. — **Professionnels de l'imprimerie.** Assembleur, claviste, clicheur, compositeur, conducteur, correcteur, imposeur, imprimeur, maître imprimeur, justificateur, linotypiste, metteur en pages, minerviste, monotypiste, prote, typographe, typo (fam.).

TYPOLOGIE → *classe, psychologie.*

TYRAN, TYRANNEAU → *chef, gouverner.*

TYRANNIE, TYRANNIQUE → *chef, gouverner, politique, soumettre.*

TYRANNISER → *soumettre, volonté.*

TYROLIENNE → *chanter.*

TZIGANE, TSIGANE → *instrument, vagabond.*

UBAC → *montagne.*

UBIQUITÉ → *présence.*

UHLAN → *cavalerie.*

UKASE → *décider, volonté.*

ULCÉRATION, ULCÈRE → *estomac, peau, ronger.*

ULCÉRÉ, ULCÉRER → *blesser, colère, offenser.*

ULÉMA → *musulman.*

ULTÉRIEUR → *après, temps.*

ULTIMATUM → *convenir, décider, guerre, volonté.*

ULTIME → *extrême.*

ULTRA → *excès, extrême, parti, politique.*

ULTRAMICROSCOPE, ULTRAMICROSCOPIQUE → *optique.*

ULTRAMONTAIN → *pape.*

ULTRA-SON → *son.*

ULTRAVIOLET → *rayon.*

ULULATION, ULULEMENT, ULULER → *cri, son.*

UN → *nombre, simple.*

UNANIME, UNANIMITÉ → *accord, lier.*

UNDERGROUND → *secret.*

UNE (LA) → *journal.*

UNGUÉAL, UNGUIFÈRE → *doigt.*

UNI → *tissu.*

UNI, UNIFIER → *mêler, plan, règle, simple.*

UNIFORME → *armée, vêtement.*

UNIFORME, UNIFORMISER, UNIFORMITÉ → *forme, semblable.*

UNIJAMBISTE → *jambe.*

UNINOMINAL → *élire.*

UNION → *accord, association, lier, mariage, mêler.*

UNIQUE → *étonner, nombre, supérieur.*

UNIR → *lier, mariage, niveau.*

UNISEXUÉ → *fleur.*

UNISSON → *accord, chanter, lier.*

UNITÉ → *accord, mesure, simple, université.*

UNIVALVE → *mollusques.*

UNIVERS → *entourer, terre, vie.*

UNIVERSALISER, UNIVERSALITÉ → *commun.*

UNIVERSEL → *commun, connaissance, machine, philosophie, science.*

UNIVERSITAIRE → *enseignement, université.*

UNIVERSITÉ → *enseignement.* — **Enseignement supérieur.** Comité consultatif ; département ; École des Hautes Etudes/Normale Supérieure, grande école; établissement public; faculté, facultaire, les cinq facultés : droit et sciences juridiques, lettres et sciences humaines, médecine, pharmacie, sciences ; interdisciplinaire, pluridisciplinaire ; institut, Institut pédagogique, Institut Universitaire de Technologie (I.U.T.) ; recherche, chercheur. Centre National de la Recherche Scientifique (C.N.R.S.) ; Unité d'Enseignement et de Recherche (U.E.R.) ; conseil d'université. — **Enseignants.** Grand maître de l'université, ministre de l'Éducation nationale ; recteur, rectorat ; doyen, décanat ; président d'université/d'U.E.R. ; professeur avec ou sans chaire/associé/assistant, chargé de cours/d'enseignement, maître assistant, maître de conférences/de recherches ; chef de clinique/de travaux ; chercheur, équipe de recherche ; lecteur, moniteur, préparateur. ▪ Bonnet carré, épitoge, robe, toge, toque ; mandarin, patron, sorbonnard. — **Étudiants.** Amphithéâtre, bibliothèque, laboratoire, salle de cours/de documentation ; association corporative/générale, corpo (fam.) ; campus ; cité/foyer/restaurant universitaire ; groupe d'études, mutuelle, syndicat, Union Nationale des Etudiants de France (U.N.E.F.). — **Les cours.** Atelier de travail, conférence, cours *ex cathedra*/public / enregistré / polycopié / radiodiffusé ; enseignement théorique, leçon, programme ; séance de travail ; séminaire de recherche, faire de la recherche ; travaux dirigés/pratiques ; unité de valeur (U.V.). ▪ Cours de recyclage, éducation permanente. — **Diplômes.** Concours ; contrôle continu des connaissances, épreuve écrite/orale ; examen, examinateur ; inscription ; valider. ▪ Agrégation, agrégé ; baccalauréat, bachelier ; certificat d'aptitude à l'enseignement, capésien, certifié ; *cursus honorum*, grade, parchemin ; diplômé, diplôme d'études supérieures (D.E.S.)/universitaire d'études de lettres/de sciences (D.U.E.L., D.U.E.S.), etc. ; doctorat, doctorat d'État/de troisième cycle/d'Université, soutenance, soutenir une thèse, thèse principale/complémentaire/secondaire, docteur ès lettres/ès sciences, etc. ; licence, licence d'enseignement/libre, licencié ; maîtrise, maître, mémoire, présenter un mémoire.

UNIVITELLIN → *reproduction.*

UNIVOCITÉ, UNIVOQUE → *signe.*

UPPERCUT → *boxe.*

URAÈTE → *oiseau.*

URANIUM → *chimie, nucléaire.*

URANOGRAPHIE → *ciel.*

URANOPLASTIE → *bouche.*

URBAIN, URBANISER → *manière, ville.*

URBANISME, URBANISTE → *architecture, habiter, ville.*

URBANITÉ → *manière.*

URÉE, URÉMIE → *rein, sang.*

URETÈRE → *canal, rein.*

URÉTÉRITE → *rein.*

URÉTRAL, URÈTRE → *anal, rein.*

URGENCE, URGENT → *retard, souci, utile, vitesse.*

URICÉMIE → *sang.*

URINE, URINER → *rein.*

URINOIR → *résidu, toilette.*

URIQUE → *rein.*

URNE → *élire, enterrement, récipient.*

URODÈLES → *batraciens.*

UROGRAPHIE → *rein.*

UROLOGIE, UROLOGUE → *rein.*

URTICAIRE → *bouton, peau.*

URTICANT → *piquer, sensibilité.*

US, USAGE → *habitude, mot, respect, servir.*

USAGÉ → *dommage, servir.*

USAGER' → *servir.*

USER, USER (S') → *dommage, servir.*

USINE, USINER → *entreprise, industrie.*

USINIER → *industrie.*

USITÉ → *mot.*

USTENSILE → *cuisine.*

USUEL → *commun, livre, mot.*

USUFRUCTUAIRE, USUFRUIT, USUFRUITIER → *revenu.*

USURAIRE, USURE → *prêter.*

USURE → *dommage, fatigue.*

USURIER → *prêter.*

USURPATEUR, USURPER → *attribuer, pouvoir, prendre, souverain.*

UTÉRIN → *famille.*

UTÉRUS → *reproduction.*

UTILE → *servir.* — **Commode.** Adapté, *ad hoc*, aisé, bien, bon, bon pour, commode, convenable, convenir, efficace, qui fait l'affaire, favorable, idoine, opportun, praticable, pratique, propice, qui répond à un besoin, salutaire, satisfaisant, usuel, utilitaire. ▪ Aide-mémoire, attirail, fourbi, fourre-tout, nécessaire de toilette/de voyage. — **Nécessaire.** Atout ; avantage, avantageux ; bénéfice ; essentiel ; fructueux ; important, qui importe ; indispensable ; intéressant, d'intérêt général ; nécessaire, de première nécessité ; obligatoire ; précieux ; de prix ; pressant ; primordial ; profitable ; puissant ; rentable ; urgent, de toute urgence ; utilisable, de grande utilité ; valable, de valeur ; valide ; vital. — **Rendre service.** Actif, activité ; s'agiter ; aide, aider ; assister ; bienfaisant ; dépannage, dépanner ; disponible, à la disposition de quelqu'un ; dynamique ; efficace ; expédient ; faveur, favorable ; indispensable ; irremplaçable ; obligeant, obliger ; pivot d'une entreprise ; recommandable ; recours ; rendre service, se rendre utile ; salutaire ; secourable, secourir, secours à, servir à quelqu'un/à quelque chose.

UTILISATEUR, UTILISER → *servir.*

UTILITAIRE → *utile, voiture.*

UTILITÉ → *théâtre, servir, utile.*

UTOPIE, UTOPIQUE → *bien, imaginer, philosophie.*

UTRICULE → *entendre, sac.*

UVAL → *vigne.*

V 1, V 2 → *projectile.*

VACANCE → *arrêter, fonction, repos.*

VACANCIER → *voyage.*

VACANT → *fonction, ouvrir, vide.*

VACARME → *bruit.*

VACATAIRE, VACATION → *fonction, payer.*

VACCIN, VACCINER → *infecter, microbe, soigner.*

VACHE → *bœuf, lait.*

VACHE → *dur.*

VACHER, VACHERIE → *berger, bétail, garder.*

VACHERIN → *lait, pâtisserie.*

VACHETTE → *cuir.*

VACILLER → *balancer, doute, jambe, remuer, tomber.*

VA-COMME-JE-TE-POUSSE (A LA) → *négliger.*

VACUITÉ, VACUUM → *vide.*

VADE-MECUM → *livre.*

VADROUILLE, VADROUILLER → *marcher, vagabond.*

VA-ET-VIENT → *électricité, mouvement.*

VAGABOND, VAGABONDER → *marcher.* — **Nomades et vagabonds.** Bédouin, bohémien, colporteur, forain, marchand forain, gitan, nomade (nomadisme, semi-nomadisme), romanichel, saltimbanque, Touareg, tzigane ; campement, cirque (ambulant), horde, roulotte, tente, tribu. ■ Bandit de grand chemin, chemineau, chiffonnier, clochard, qui couche sous les ponts / à la belle étoile, galvaudeux, gueux, malandrin, mendiant, rôdeur, sans abri, sans domicile, sans logis, vagabond, va-nu-pieds. ■ Balluchon, bâton, besace, haillons, etc. — **Aller à l'aventure.** Aller par monts et par vaux ; aventurier ; n'avoir ni feu ni lieu ; badauder, badaud ; battre le pavé ; courir la campagne/le monde/la pretantaine ; errer, errance, chevalier errant, le Juif errant ; faire l'école buissonnière ; flâner, flâneur ; marauder, maraudage, taxi en maraude ; muser, musarder ; se promener, promenade ; rôder, rôdeur, rôdailler ; rouler sa bosse ; trimarder ; vadrouiller ; vagabonder ; vaguer.

VAGIN, VAGINAL → *canal, sexe.*

VAGIR → *bruit, cri, enfant.*

VAGUE → *doute, obscur.*

VAGUE → *jeune, mer, mouvement.*

VAGUEMESTRE → *poste.*

VAGUER → *marcher, vagabond.*

VAILLANCE, VAILLANT → *courage.*

VAIN → *faux, futile.*

VAINCRE → *avantage, gagner, réussir, soumettre, supérieur.*

VAINCU → *inférieur.*

VAINQUEUR → *avantage, gagner.*

VAIRON → *œil.*

VAISSEAU → *astronautique, église, navire.*

VAISSEAU → *canal, veine.*

VAISSELIER → *meuble.*

VAISSELLE → *bijou, cuisine, manger, récipient.* — **Entretien et rangement.** Astiquer, essuyer, faire la vaisselle, laver, polir, récurer, rincer. ■ Bassine, eau de vaisselle, égouttoir, évier, lavette, lave-vaisselle, machine à laver la vaisselle (à adoucisseur d'eau), paillasse, torchon. ■ Argentier, cave à liqueurs, bahut, buffet, coffret, crédence, desserte, dressoir, écrin, ménagère, passe-plat, table roulante, vaisselier. — **Matériaux.** Acier, acier inoxydable ou inox, argent, argenterie, bois, étain, faïence, métal argenté, or, orfèvrerie, porcelaine, poterie, pyrex ou verre à feu, terre cuite, vermeil, verre, verrerie. — **Le couvert.** Assiette creuse/plate/ à dessert/à gâteau/à soupe, service à dessert/de table ; bol ; coupe ; couvert, dresser/disposer la table, mettre le couvert/la table ; couteau, à dessert/à poisson, porte-couteau ; cuillère à café/à entremets/à soupe ; fourchette à escargots/à fondue/à huîtres ; flûte à champagne ; gobelet ; nappe, napperon individuel, chemin de table, set de table ; rince-doigts ; service à café/à thé, soucoupe, tasse ; serviette ; surtout ; timbale ; verre à eau/à liqueur/à madère/à orangeade/ à vin/à whisky, verre à pied. — **Vaisselle de service.** Aiguière, carafe, carafon, broc, cruche à eau, seau à glace ; beurrier, huilier, moutardier, poivrier, salière, vinaigrier ; coupe à fruits, compotier, corbeille, jatte à crème, légumier, plat creux/long/ rond / à hors-d'œuvre / à huîtres / à œufs, plateau, poissonnière, ravier, saladier, saucière, soupière ; chauffe-plat, dessous de plat ; déjeuner, cafetière, pot à lait, tête-à-tête, théière, tisanière. — **Vaisselle de cuisine.** Bassine à friture, bouilloire, cafetière, casse-noix, casserole, couperet, couteau (service à découper), couteau à pain, cuillère de bois, décapsuleur, écuelle, écumoire, faitout, gamelle, hachoir, louche, marmite, mortier, moulin à café/à légumes, ouvre-boîtes, ouvre-bouteilles, plat à gratin, poêle, poêlon, presse-citron, presse-purée, ramequin, râpe à fromage, sorbetière, terrine, tire-bouchon.

VAL → *relief.*

VALABLE → *bon, certifier, importance, recevoir, utile.*

VALANCE → *chimie.*

VALENCIENNES → *dentelle.*

VALÉRIANE → *plante.*

VALET → *carte, cheval, servir, théâtre.*

VALETAILLE → *maison, servir.*

VALÉTUDINAIRE → *maladie.*

VALEUR → *banque, courage, estimer, importance, peinture.*

VALEUREUX → *courage.*

VALIDE → *force.*

VALIDER → *servir, signe.*

VALISE → *coffre, diplomatie, voyage.*

VALLÉE, VALLEUSE → *relief, rivière, trou.*

VALLON, VALLONNÉ → *relief.*

VALOIR → *importance, mérite, payer.*

VALORISER → *augmenter, importance.*

VALSE, VALSER, VALSEUR → *danse.*

VALSE → *danse, tourner.*

VALVULE → *cœur.*

VAMP → *cinéma, femme.*

VAMPIRE, VAMPIRISME → *avare, esprit, sang.*

VAN → *vannerie.*

VANDALE, VANDALISME → *détruire, dommage.*

VANILLE, VANILLÉ → *parfum, pâtisserie.*

VANISÉ → *fil.*

VANITÉ → *futile, orgueil.*

VANNE → *eau, hydraulique, porte.*

VANNEAU → *oiseau.*

VANNER → *blé, céréale, fatigue.*

VANNERIE, VANNIER → *fil.* — **La vannerie.** Canner, croiser, natter, ourdir, tisser, torcher, tresser ; vannerie, vannier. ▪ Alfa, bambou, bourdaine, châtaignier, jonc, nylon, osier (brin d'osier), paille, raphia, roseau, rotang, rotin, sisal, sorgho, sparte, sparterie. — **Objets de vannerie.** Cabas ; cage, cageot, cagette ; claie, clayon ; corbeille, corbillon ; couffin ; éclisse ; gabion ; hotte de vendangeur ou vendangeoir ; mannequin, mannette ; nasse ; panier à bois/à pain ; plateau ; van. ▪ Chaise cannée/ paillée/rempaillée, rempailleur.

VANTAIL → *porte.*

VANTARD → *orgueil, parler.*

VANTER → *éloge, orgueil.*

VA-NU-PIEDS → *pauvre, vagabond.*

VAPEUR → *inconscience.*

VAPEUR → *air, bouillir, chaleur, force, gaz.* — **Vapeurs.** Brouillard ; brume, brumeux ; buée, embué ; émanation, émaner ; exhalaison, (s')exhaler ; fumée, fumer, fumant ; gaz, état gazeux ; jet/volutes de vapeur ; mofette ; nuage ; rosée, gouttelettes ; serein ; vapeur atmosphérique/saturante ou humide/non saturante ou sèche. — **Production et utilisation de la vapeur.** Chauffer, surchauffer, chauffe, chauffage ; s'évaporer, évaporation ; liquide qui bout/bouillant, bulle ; se résoudre en vapeur ; (se) vaporiser, vaporisation, vaporisateur, atomiseur. ▪ Bain de vapeur, sauna ; chauffage central / urbain ; cocotte-minute (n.d.), étuve, autoclave, autocuiseur, pommes vapeur ; vaporisage. — **Machine à vapeur.** Chaudière, condenseur, distribution, économiseur, réchauffeur, saturateur ; cheval-vapeur (ch), machine à mouvement alternatif / à pistons / compound, pression ; renverser/couper la vapeur ; un vapeur, locomotive/navire à vapeur. — **Distillation.** Alambic, cucurbite, fourneau, robinet, serpentin, tubulure. ■ Bouilleur de cru, distillateur ; condenser, déflegmer, distiller, rectifier, sublimer, vaporiser, volatiliser, volatil.

VAPOCRAQUAGE → *pétrole.*

VAPOREUX → *lumière, obscur, vapeur.*

VAPORISER → *gaz, liquide, poudre.*

VAQUER → *tribunal, vide.*

VARAIGNE → *sel.*

VARAPPE → *montagne.*

VARECH → *algue, engrais.*

VAREUSE → *vêtement.*

VARIA → *choisir.*

VARIABILITÉ, VARIABLE → *baromètre, changer, météorologie.*

VARIANTE → *critique*

VARIATEUR → *mouvement.*

VARIATION → *changer.*

VARICE → *jambe, veine.*

VARICELLE → *maladie.*

VARIÉ, VARIER, VARIÉTÉ → *changer, différence, doute.*

VARIÉTÉS → *spectacle.*

VARIOLE, VARIOLEUX → *maladie.*

VARLET → *chevalerie.*

VARLOPE, VARLOPER → *menuiserie.*

VASARD → *boue.*

VASCULAIRE, VASCULARISATION → *canal, veine.*

VASE → *décoration, récipient.*

VASE → *boue, lac.*

VASELINE → *gras, huile.*

VASEUX → *boue, fatigue, obscur.*

VASIÈRE → *boue, sel.*

VASISTAS → *fenêtre, ouvrir.*

VASO-CONSTRICTION, VASO-DILATATION → *sang, veine.*

VASO-MOTEUR → *nerf, sang.*

VASOUILLER → *obscur.*

VASQUE → *eau, récipient.*

VASSAL, VASSALITÉ → *féodalité, inférieur, servir.*

VASTE → *espace, grand.*

VATICINATEUR, VATICINER → *prévoir.*

VA-TOUT → *danger.*

VAU → *plancher.*

VAUCLUSIEN → *rivière.*

VAUDEVILLE, VAUDEVILLESQUE → *rire, théâtre.*

VAUDOIS → *hérésie.*

VAU-L'EAU (À) → *échouer.*

VAURIEN → *homme, mal.*

VAURIEN → *bateau.*

VAUTOUR → *oiseau.*

VAUTRER (SE) → *étendre, paresse.*

VAVASSEUR → *féodalité, noblesse.*

VEAU → *bœuf, manger, riche.*

VECTEUR, VECTORIEL → *calcul, géométrie.*

VEDETTE → *apparaître, bateau, cinéma, théâtre.*

VÉGÉTAL → *arbre, plante, végétation.*

VÉGÉTARIEN, VÉGÉTARISME → *aliment.*

VÉGÉTATIF → *diminuer, nerf, plante vie.*

VÉGÉTATION → *arbre, fleur, fruit, plante.* — **Types de végétations.** Brousse ; désert, désertique ; forêt appalachienne / chapparal / équatoriale / humide / inondable / laurentienne / sèche / tropicale / de conifères/de feuillus ; jungle ; mangrove ; marécage ; prairie ; savane ; steppe, steppique ; taïga ; toundra ou barren-grounds ; végétation clairsemée/discontinue/luxuriante/rare/touffue, etc. — **Terrains incultes.** Broussailles, bruyère, causse, dunes, épines, garrigue, herbes folles, mauvaises herbes, jachère, jungle, lande, llanos, maquis, marais, pampa, pierres, pierrailles, ronces, roseaux, sol ou terrain aride / en friche/infertile/ingrat/nu/pauvre/sablonneux/stérile/vierge. ■ Cultiver, défricher, écobuer, épierrer, essoucher, fertiliser, sarcler, etc.

VÉGÉTER → *plante, végétation, vie.*

VÉHÉMENCE, VÉHÉMENT → *passion, vif, violence.*

VÉHICULAIRE → *langage.*

VÉHICULE, VÉHICULER → *automobile, transport, voiture.*

VEILLE → *avant, dormir.*

VEILLÉE → *enterrement, groupe, journée.*

VEILLER → *dormir, journée, soigner.*

VEILLEUR → *garder.*

VEILLEUSE → *diminuer, lampe.*

VEINARD, VEINE → *bonheur, événement.*

VEINE, VEINULE → *bois, bonheur, géologie, ligne, mine, sang.* — **Veine et artère, le vaisseau sanguin.** Appareil circulatoire ; capillaire ; méat ; pédicule ; plexus ; pouls, pulsation ; pression artérielle/sanguine ; rameau, ramification ; réseau ; sinus ; système vaso-constricteur / vaso-dilatateur / vaso-moteur ; tissu artériel/veineux/élastique ; tunique conjonctive/endothéliale/musculaire ; tunique adventice/interne ou intima/moyenne ou média ; vaisseau, vasculaire ; valvule mitrale/sigmoïde/tricuspide. ■ Veines et artères émissaires / émulgentes / jumelles/profondes/récurrentes ; veines et artères cubitales/fémorales/hémorroïdales / hépatiques / pédieuses / poplitées / pulmonaires / radiales / ramulaires / rénales / sacrées / scapulaires / sous-clavières / spléniques/temporales/tibiales. — **Artère.** Couleur rouge; aorte ascendante/descendante; artère carotide/cœliaque / coronaire / iliaque / mésentérique / palmaire / pulmonaire / thyroïdienne; artériel; artériole. — **Veine.** Couleur bleue; veine axillaire/azygos/cave inférieure/cave supérieure/céphalique / cœcale / faciale / jugulaire / lombaire / lymphatique / mammaire / médiane / ombilicale / porte / pulmonaire/saphène; veineux; veinule. — **Affections et soins.** Angiologie, artériologie, phlébologie : anastomose, anévrisme, angiome, aortite, artérite, artériosclérose, athérome, caillot, congestion, dilatation, ecchymose, embolie, hypertension, infarctus, médianécrose, phlébite, périphlébite, thrombose, thrombo-phlébite, varice, ulcère variqueux. ▪ Artériectomie, artériotomie, garrot, greffe, ligature, phlébotomie, piqûre anticoagulante/intraveineuse, saignée, stripping, suture; sphygmotensiomètre.

VEINER, VEINETTE → *bois, couleur, marbre, peinture.*

VEINURE → *roche.*

VÊLAGE → *bœuf.*

VÉLAIRE → *son.*

VÊLER → *bœuf.*

VÉLIN → *cuir, papier.*

VÉLIQUE → *voilure.*

VELLÉITAIRE, VELLÉITÉ → *balancer, doute, faible, volonté.*

VÉLO → *bicyclette.*

VÉLOCE → *vif, vitesse.*

VÉLOCIPÈDE, VÉLOCISTE → *bicyclette.*

VÉLOCITÉ → *vitesse.*

VÉLODROME → *course.*

VÉLOMOTEUR → *bicyclette.*

VELOT → *cuir.*

VELOURS, VELOUTÉ, VELOUTER → *doux, tapis, tissu.*

VELOUTIER → *textile.*

VELOUTINE → *tissu.*

VELTE → *tonneau.*

VELU → *poil.*

VÉLUM → *couvrir, voilure.*

VENAISON → *chasse.*

VÉNAL, VÉNALITÉ → *acheter, morale.*

VENDANGE, VENDANGER → *vigne.*

VENDANGEROT → *vannerie.*

VENDANGEUR → *vigne.*

VENDÉMIAIRE → *calendrier.*

VENDETTA → *justice, offense.*

VENDEUR, VENDRE → *acheter, commerce, marchandises, tromper.*

VENDREDI → *calendrier.*

VENELLE → *route.*

VÉNÉNEUX → *poison.*

VÉNÉRABLE, VÉNÉRER → *estimer, respect.*

VÉNERIE → *chasse.*

VÉNÉRIEN → *sexe.*

VENEUR → *chasse.*

VENGEANCE, VENGER, VENGEUR → *offense, peine.*

VÉNIEL → *faute, pardon.*

VENIMEUX, VENIMOSITÉ → *critique, mal, poison.*

VENIN → *mal, poison.*

VENIR → *entrer, événement.* — **Arriver à un/à son terme**/Aborder, abordage; accéder à, accession; accoster; accourir; aller sur/vers, il va sur ses trente ans; approcher, s'approcher de; arriver, arrivée, arrivant; atteindre; (s')avancer, avance, avancement; avènement; débarquer, débarquement; descendre de l'avion/du train/de voiture; entrer quelque part/dans, rentrer chez soi; gagner un lieu, regagner sa maison/ses pénates; parvenir à; se rapprocher; rejoindre un lieu/quelqu'un; se rendre à, être rendu, rendez-vous; venir à/sus, venue, venir à résipiscence, j'y viens, en venir aux mains. — **Survenir.** Apparaître, apparition, une apparition; arriver; imprévu, à l'improviste; naître, naissance; se présenter; se produire; surgir; surprendre, surprise; tomber sans prévenir; vienne le temps, etc., mon tour est venu. — **Revenir.** Alterner, alternance; cycle, cyclique; éternel retour, palingénésie; période, périodique; réapparaître, réapparition, reparaître; réincarnation, avatar, métempsycose; renaître, renaissance; repousser; ressusciter, résurrection; retourner, retour, à mon retour, par un juste retour des choses, retour à intervalles réguliers; revenir au jour / à soi/à la vie, un revenant, avoir un goût de revenez-y (fam.), faire revenir, ramener, rappeler, etc.; revoir à la deuxième lecture, reviser; révolution; rotation; (se) succéder, succession; vicissitudes. ▪ Recrudescence, regain, renouvellement, résurgence, retour de flammes/de forme, nouvelle jeunesse, deuxième souffle, come-back. — **A venir.** Avenir douteux/incertain/prometteur, un bel avenir; en attente; destin, destinée; dans l'expectative; différé; éventuel, éventualité; être ou exister en germe/sur le papier/en projet/virtuellement; fatalité, fatal; futur, le futur; hypothétique; imminent; en instance; possible, possibilité; postérieur, la postérité, les descendants; en réserve, ce que le sort nous réserve, etc.; temps lointains/meilleurs/prochains/proches; ultérieur. ▪ Bientôt, demain, désormais, dorénavant, ensuite, lendemain, prochainement sous peu, tout à l'heure.

VENT → *air, gaz, instrument, météorologie.* — **Étude des vents.** Anticyclone ; érosion éolienne, éoliser, éolisation ; force du vent, force de Coriolis/cyclostrophique/du gradient, degrés Beaufort ; frottement ; météorologie ; perturbation atmosphérique ; règle de Buys-Ballot ; rose des vents ; rumb ; tourbillon ; turbulence ; vent géostrophique/laminaire ; vitesse. ▪ Anémo-, anémogramme, anémomètre, anémoscope. — **Noms des vents.** Aquilon, auster, borée, Éole, dieu des Vents, eurus, favonius, notus, etc. ; alizé, autan, cyclone (œil du cyclone), bise, blizzard, bora, brise, cers, chamsin ou khamsin, fœhn, harmattan, mistral, mousson, noroît, pampero, simoun, sirocco, suroît, tornade, tramontane, trombe, typhon, vaudaire, vent d'amont ou de mer/d'aval ou de terre/étésien/général, zéphyr. — **Le vent souffle.** Le vent s'apaise/se calme/diminue/s'élève/faiblit/fraîchit/se lève/mollit/fait rage/saute/tombe/tourne ; bouffée, bourrasque, coup de vent, courant d'air, grain, pointe, rafale, risée, saute, tourmente ; vent à décorner les bœufs (fam.)/doux/faible/fort/furieux, gros vent, vent d'orage/de tempête/violent ; le vent brame/bruit/gémit/hurle / se lamente / mugit / murmure/rugit/siffle/se tait ; ça souffle (fam.), il vente. — **Action du vent.** Le vent agite/balaye/chasse/courbe/emporte/s'engouffre (vent coulis)/éparpille/fait claquer les portes/fait trembler/vibrer/soulève ; vent qui bat une maison/brûle/cingle/coupe/dessèche / fouette / glace / pince / pique ; vent humide/pluvieux. — **Protection et utilisation du vent.** Abat-vent, bourrelets, contrevent, coupe-vent, paravent, tenture, lieu éventé, venteux. ▪ Coq de clocher, girouette, manche à air, panonceau, tourne-vent ; éolienne, éventail, instrument à vent, harpe éolienne, moulin à vent, navigation à voile, soufflante, soufflerie, soufflet, ventilateur. — **Le vent et la navigation.** Au vent, avoir l'avantage du vent, avoir bon vent, bonace, bourlinguer, calme plat, conserver au vent, côté du vent, défier le vent, dépasser le lit du vent, s'élever au vent, étaler un coup de vent, être drossé, mettre le vent dans les voiles, serrer le vent, sous le vent, tâter le vent, tirer des bordées ; vent arrière/ contraire/debout/grand largue/portant/de travers ; virer lof pour lof, lofer.

VENTAIL, VENTAILLE → *armure.*

VENTE → *commerce, marchandises, payer.*

VENTÉ, VENTER, VENTEUX → *vent.*

VENTILATEUR → *air, chaleur.*

VENTILER → *air, infecter.*

VENTILER → *comptabilité.*

VENTÔSE → *calendrier.*

VENTOUSE → *fixer, verre, vide.*

VENTRE → *estomac, foie, intestin, manger.* — **Le ventre.** Abdomen, abdominal, aine, alvin, artère cœliaque, bassin, bas-ventre, entrailles, épigastre, estomac, hypogastre, matrice, nombril, ombilic (cordon ombilical), parties génitales, pelvis (ceinture pelvienne), périnée, pubis (os pubien), ventre, ventral. ▪ Côlon, diaphragme, estomac, foie, intestin grêle, lombes, pancréas, péritoine, rate, rein, surrénales. ▪ Pop. : bedaine, bedon, bide, brioche, panse, tripes. — **Apparence du ventre.** Avoir/prendre du ventre ; bedonner, bedonnant ; embonpoint ; gros ventre, femme enceinte/grosse ; obésité, obèse ; pansu ; ventre creux/plat/proéminent/comme un tonneau ; ventre de bourgeois ; ventripotent ; ventru. ▪ Ceinture, ceinture de grossesse, ceinturon ; corset ; gaine ; sous-ventrière des chevaux. — **Maladies et accidents du ventre.** Ballonnement, barre, carreau, colique, colite, constipation, diarrhée, dilatation, dysenterie, entérite, gargouillis, gargouillement, gaz, hernie, mal au ventre, météorisme, péritonite, ptôse, tympanisme. ▪ Accouchement par césarienne ; gastrotomie, laparotomie, splénectomie. ▪ Crever la bedaine (pop.)/la paillasse (pop.) ; étriper ; éventrer, éventration.

VENTRÉE → *manger.*

VENTRICULAIRE, VENTRICULE → *cerveau, cœur.*

VENTRIÈRE → *harnais, transport.*

VENTRILOQUE, VENTRILOQUIE → *parler, spectacle.*

VENTRIPOTENT, VENTRU → *gras, ventre.*

VENUE → *arbre, venir.*

VÉNUS → *aimer, mythologie.*

VÉNUSTÉ → *beau.*

VÊPRES → *liturgie.*

VER → *animal, soie.* — **Classement scientifique.** Annélidés ; hirudinées ; oligochètes ; polychètes ; némathelminthes ; platodes ou plathelminthes : cestodes, trématodes, turbellariés ; vermidiens : brachiopodes, bryozoaires, chétognathes, échiuriens, rotifères, siponculiens. ▪ Vermiculaire, vermiforme. — **Noms des vers.** Arénicole, asticot, cénure, chenille, cysticerque, hespérophane, larve, lombric, luciole, man, mite, naïs, néréide, parasite, phrygane, rhabdocèle, sangsue, scolopendre, térébrion ; ver assassin/

blanc/de cœur/cordonnier/luisant/militaire / nématoïde / palmiste / rond / rouge/à soie/solitaire ; ver annelé/marin/de terre/de viande ; vermisseau. ▪ Ankylostome, ascaris, bilharzie, cestode, douve, échinocoque, échinorynque, entozoaire, filaire, helminthe, necator, oxyure, strongle, ténia, trématodes, trichine, trichocéphale. — **Aspect et action des vers.** Anneaux, corps mou, métamère, queue, tête ; grouiller, ramper, serpenter, se tortiller. ▪ Fruit véreux ; meuble artisonné/mangé aux vers/mouliné/piqué/rongé/vermiculé/vermoulu ; œuf, vermine.

VÉRACITÉ → *exact, vérité.*

VÉRAISON → *vigne.*

VÉRANDA → *fenêtre, maison.*

VERBAL → *parler, verbe.*

VERBALISER → *faute, justice.*

VERBALISME → *mot.*

VERBE → *Christ.*

VERBE → *grammaire, parler.* — **Structure du verbe.** Groupe, nombre, personne, mode, temps, voix ; base, désinence, marque, préverbe, radical, thème, verbe à une/deux/trois/quatre/cinq ou six bases. ▪ Aspect, aspectuel ; concordance des temps, règles ; conjugaison, conjuguer ; flexion, système flexionnel ; modalité ; paradigme ; syntaxe verbale ; transformation verbale active/passive/progressive. — **Divers classements.** Verbe abstrait ou copule ou copulatif, verbe concret ; verbe actif ou passif ; verbe d'action/d'état/de mouvement/d'opinion, etc. ; verbe auxiliaire, un auxiliaire : avoir, être, faire, etc. ; verbe contracte/défectif/déponent/irrégulier ; verbe personnel ou impersonnel ; verbe pronominal/pronominal réfléchi ou réciproque ; verbe transitif ou intransitif. ▪ Verbe attributif/causatif / déclaratif / désidératif / factitif / fréquentatif / inchoatif / intensif / itératif/perfectif ou imperfectif. — **Temps et modes.** Temps simples : futur, imparfait, passé simple ou prétérit, présent ; temps composés : futur antérieur, passé composé, passé antérieur, plus-que-parfait ; temps surcomposés. ▪ Conditionnel (potentiel, irréel), gérondif (adjectif verbal), indicatif, infinitif, optatif, participe, subjonctif. ▪ Aoriste gnomique/second, forme progressive, parfait, voix moyenne ; augment, redoublement ; temps primitifs.

VERBEUX, VERBIAGE, VERBOSITÉ → *futile, obscur, parler, récit.*

VERDEUR → *dur, fruit, jeune.*

VERDICT → *accuser, crime, peine, répondre, tribunal.*

VERDIR, VERDOYER → *vert.*

VERDURE → *arbre, campagne, plante, tapis, vert.*

VERGE → *bâton, sexe.*

VERGÉ → *papier, tissu.*

VERGER → *jardin.*

VERGETÉ → *blason.*

VERGETURES → *peau.*

VERGLACER, VERGLAS → *froid, météorologie, route.*

VERGOGNE → *gêner, grossier.*

VERGUE → *voilure.*

VÉRIDIQUE → *exact, vérité.*

VÉRIFICATEUR, VÉRIFIER → *certifier, vérité.*

VÉRIN → *monter.*

VÉRITABLE → *vérité.*

VÉRITÉ → *certifier, croire, justice, sûr.* — **Posé comme assuré.** Admis avéré ; axiome ; banalité, banal ; certitude, certain ; connu ; conviction, qui emporte la conviction, être convaincu ; démontré ; digne de foi ; dogme, orthodoxe ; effectif ; évidence, évident ; incontestable, irréfutable ; logique, objectif, positif ; patent ; postulat, principe ; preuve ; prouvé, raisonnement vrai/lumineux ; sûr ; truisme, vérité de La Palice, lapalissade ; véracité, véridique ; vérité absolue/à priori/éternelle/d'évidence/d'expérience / générale / première / révélée / surnaturelle/qui tombe sous le sens/universelle, vérité vraie (fam.) ; vérité cachée/ésotérique ; vrai, être dans le vrai. — **Conforme à la réalité.** Authentique, authenticité ; s'avérer ; certifié, copie certifiée conforme, *sic* ; exact, exactitude ; fidèle, fidélité ; historique, fait historique, être du domaine public ; juste, justesse ; naturel, style naïf/naturel/vrai, le naturel ; ressemblant, ressemblance ; qui se révèle vrai, révélateur ; sincère, sincérité ; vérité, dévoiler/dire la vérité / toute la vérité, faire éclater la vérité, c'est la vérité pure ; véritable. ▪ Admissible, crédible, croyable, plausible, probable, raisonnable, vraisemblable, vraisemblance. — **Reconnaître pour vrai.** Accorder, donner son accord ; acquiescer, acquiescement ; admettre ; avouer, aveu, s'avouer battu/vaincu ; concéder, concession ; confesser, confession ; convenir de, ne pas disconvenir/dissimuler, ne plus nier ; donner son assentiment ; franchise, franc ; reconnaître, reconnaissance ; se rendre à l'évidence. ▪ D'accord, certes, *o.k. !* oui, si, *ya, yes.* ▪ Démystifié ; désabusé ; à qui on a dessillé/ouvert les yeux ; détrompé. — **Expressions de la vérité.** Certainement, effectivement, en effet, réellement, sérieusement, véritablement, en vérité, à dire vrai, au vrai ; absolument/intégralement/rigoureusement/strictement/totalement vrai

vrai de A à Z/de bout en bout, etc. ■ Dieu; vérité d'Évangile; enfant, la vérité sort de la bouche des enfants; femme nue sortant d'un puits, le puits/le flambeau de la Vérité.

VERJUS → *aigre.*

VERMEIL → *mêler, rouge, sang.*

VERMICELLE → *farine.*

VERMICULAIRE, VERMIFORME → *ver.*

VERMIFUGE → *médicament, ver.*

VERMILLER → *porc.*

VERMILLON → *rouge.*

VERMINE, VERMINEUX → *parasite, ronger, sale.*

VERMIS → *cerveau.*

VERMISSEAU, VERMIVORE → *ver.*

VERMOULER (SE), VERMOULU → *bois, dommage, poudre, ver.*

VERMOULURE → *ronger.*

VERNACULAIRE → *pays.*

VERNAL → *saison.*

VERNALISATION → *blé.*

VERNIR, VERNIS → *briller, chance, couvrir.*

VERNISSER, VERNISSEUR → *céramique.*

VÉROLE → *sexe.*

VERRAT → *porc.*

VERRE, VERRERIE, VERRIER → *boire, boisson, glace, optique, vaisselle.* — **Fabrication du verre.** Enfournement du matériau, fritte, groisil, sable; matière vitreuse ou pâte, fonte ou fusion; maclage, macler, affinage, affiner; four à bassin/de fusion, creuset; façonnage, étirage, laminoir; recuisson ou recuite, caisson, étenderie de recuisson; trempe. ■ Verres plats : glace; surfaçage; verre coulé, coulage, coulée; vitre, étirage, coupage; étireuse Pittsburgh, float-glass, procédé Fourcault/Libbey-Owens/Pittsburgh. ■ Verres creux : paraison, ébauche, moule, pressage, pressé par poinçon et matrice; pressé-soufflé; soufflage, soufflé. ■ Fibres de verre : filière, four-filière, tambour d'étirage. — **Sortes de verres.** Cristal, cristallerie, cristal de Baccarat/de Bohême/de Saint-Louis/de Venise; verre ciselé/coloré/craquelé/gravé/irisé; verre armé/athermane/blanc/cathédrale / coulé / doublé / moulé / mousse ou multicellulaire/neutre/noir ou hyalite / opale / opaline / d'optique (flint, crown) / organique/plexiglas/pyrex (n.d.)/sandwich/sécurit (n.d.)/de sécurité/de silice/smalt/soluble/trempé/triplex. — **Propriétés du verre.** Se casser, cassant, incassable; clair, clarté; fragile, fragilité; hyalin, hyaloïde; lithophanie; pur, pureté du cristal; translucide; transparent, transparence. — **Travailler le verre.** Barre, canne, casse de verrier, fêle, grugeoir, palette, pince, pontil; verrier, cueilleur, souffleur; vitrier. — **Utilisation du verre.** Ampoule, ballon, bocal, bonbonne, bouteille, bouteillerie, carafe, cloche, cornue, coupe, coupelle, éprouvette, fiole, flacon, flaconnage, gobelet, gobeleterie, godet, pot, tube, vase, ventouse. ■ Bille, bouchon, boule, châssis, carreau, dalle, globe, papier de verre, verre (sous-verre), véranda, verrière, verroterie, vitrage, vitrail (plombure), vitre, vitrine. — **Divers verres à boire.** Chope, coupe, flûte, hanap, verre ballon/à dégustation/à dents/à moutarde/à pied/à vin, vidrecome. ■ Emplir, lever, remplir, vider, faire cul sec (pop.), payer un verre (fam.).

VERRIÈRE → *fenêtre*

VERRERIE → *boire, boisson, vaisselle.*

VERROTERIE → *bijou.*

VERROU, VERROUILLER → *fermer, serrure.*

VERRUE → *peau, tumeur.*

VERRUQUEUX → *tumeur.*

VERS → *poésie.*

VERSANT → *montagne, pencher.*

VERSATILE, VERSALITÉ → *changer, irrégulier, opinion.*

VERSE (A) → *orage, pluie.*

VERSÉ → *connaissance, science, supérieur.*

VERSEAU → *astrologie.*

VERSER, VERSEMENT → *banque, liquide, payer, tomber.*

VERSER → *tomber.*

VERSEUSE → *vaisselle.*

VERSICOLORE → *couleur.*

VERSIFIER → *poésie.*

VERSION → *langage, récit.*

VERSO → *feuille.*

VERT → *bois, campagne, couleur, jeune, langage, nature.* — **Nuances.** Émeraude (smaragdin), glauque, jade, kaki, olive, olivâtre, pers, sinople, vert, verdâtre; vert cru/foncé/sombre/tendre/vif; vert absinthe/amande/antique / bouteille / bronze / céladon / d'eau / émeraude / empire / épinard / mousse / Nil / olive / pistache / pomme/tilleul; vert-de-gris, vert-de-grisé. ■ Verdet; vert anglais/de chrome/de cobalt/émeraude/malachite ou Brunswick/végétal/Véronèse/de vessie. — **Le vert dans la nature.** Reverdir, verdir, verdi, verdissant; verdoyer, verdoyant, verdoiement; verdure, tapis/théâtre de verdure. ■ Arbres, bois, feuilles, feuillage, forêt; blé, herbe, gazon, jeune pousse, printemps; fruits verts/acides/âcres/âpres/croquants, vin vert; légumes verts : haricot, poireau, pois, poivron, salade, etc. ; pierres vertes ; chrysoprase, émeraude, jade, olivine, péridot, smaragdite. — **Valeurs symboliques.** Espérance ; peur, être vert de peur, avoir une trouille verte (pop.) ; verdeur, jeunesse, vigueur, vieillard encore vert, gaillard, le Vert Galant, jeune, vaillant ; verdeur, liberté, spontanéité, vivacité : en dire des vertes, une verte semonce, la langue verte.

VERT-DE-GRIS → *cuivre, vert.*

VERTÉBRAL, VERTÈBRE → *dos.*

VERTÉBRÉS → *batraciens, mammifères, oiseau, poisson, reptiles.*

VERTICAL, VERTICALE, VERTICALITÉ → *droite, ligne.*

VERTICILLE → *feuille.*

VERTIGE, VERTIGINEUX → *haut, inconscience, trouble.*

VERTIGO → *cheval.*

VERTU, VERTUEUX → *bien, morale, pur, qualité, vierge.*

VERTUGADIN → *herbe, vêtement.*

VERVE → *imaginer, récit.*

VERVEINE → *plante.*

VÉSICAL → *vessie.*

VÉSICANT, VÉSICATOIRE → *bouton.*

VÉSICULE → *bouton, foie.*

VESOU → *sucre.*

VESPASIENNE → *résidu.*

VESPÉRAL → *journée, liturgie.*

VESSE, VESSER → *bruit, estomac.*

VESSIE → *gonfler, rein, tromper.*

VESSIGON → *cheval.*

VESTE → *changer, opinion, échouer, vêtement.*

VESTIAIRE → *maison, vêtement.*

VESTIBULAIRE, VESTIBULE → *entendre, maison, passer.*

VESTIGE → *morceau, signe.*

VESTIMENTAIRE → *vêtement.*

VESTON → *vêtement.*

VÊTEMENT → *blason, chapeau, couture, toilette.* — **S'habiller, habillement.** Accoutrement, être accoutré ; affublement, être affublé ; agrafer/boutonner ses vêtements ; ajustement, (s')ajuster, (se) rajuster ; (se) bichonner ; (se) changer, change, rechange ; costumer, bal costumé ; (se) culotter, (se) reculotter ; (se) décolleter ; (se) déguiser, déguisement ; (se) draper dans ; (s')emmitoufler ; (s')endimancher ; endosser/enfiler un vêtement ; être engoncé ; (s')équiper, équipement, équipage ; fagoté ; se fringuer (pop.) ; harnacher, harnachement ; mettre un vêtement/ses plus beaux atours, mise élégante/négligée/soignée ; (se) nipper (fam.) ; (se) parer ; passer un vêtement ; (se) pomponner ; tenue ; être tiré à quatre épingles ; se travestir, travesti ; (se) vêtir, (se) revêtir, vêtement ample/étriqué. ▪ Bagage, balluchon, décrochez-moi-ça (fam.), défroque, effets, fringues (pop.), fripes, frusques (fam.), haillons, hardes, linge, loques, nippes, oripeaux, pelure (pop). trousseau. ▪ Garde-robe, penderie, vestiaire ; cintre, housse, porte-manteau, valet. — **Vêtements courants.** Blazer ; chemise, chemisette, liquette (pop.) ; complet ; gilet ; pantalon ; polo ; veste, veston. ▪ Boléro ; caraco ; cardigan ; casaquin ; chemisier, corsage ; ensemble ; guimpe ; jumper ; jupe, mini-jupe, jupe-culotte ; mante, mantelet ; marinière ; robe, robe chasuble, fourreau, sac, robe de grossesse/d'hôtesse ; spencer ; sweatshirt ; tailleur ; tunique. — **Vêtements contre le froid, la pluie.** Anorak, autocoat, caban, canadienne, cape, ciré, douillette, duffle-coat, gabardine, houppelande, kabig, imperméable, imper (fam.), lévite, limousine, loden, macfarlane, manteau trois-quarts/de fourrure, paletot, pardessus, parka, pèlerine, pelisse, raglan, suroît, trench-coat, ulster. ▪ Chandail à col roulé/sans manches, pull-over, pull, sweater, tricot, vêtement doublé/fourré / matelassé / ouatiné / waterproof. — **Vêtements d'exercice et de travail.** Amazone, bleu, blouse, blouson, blue-jean, bourgeron, caraco, collant, combinaison, cotte, culotte de cheval/de golf/de gymnastique, fuseau, houseaux, leggings, maillot de bain, riding-coat, salopette, sarrau, souquenille, survêtement, tablier, tenue de sport, training, tutu (de danseuse), vareuse. — **Vêtements de cérémonie.** Atours, domino, frac (basque, pan), habit à queue/de cérémonie/de gala ; jaquette ; parure ; queue-de-morue, queue-de-pie ; redingote ; robe longue/de bal/de mariée ; smoking ; tenue numéro un, grande tenue ; toilette, en grande toilette, sur son trente et un (fam.), en grand tralala ; vêtement de deuil, être en grand deuil/en demi-deuil. — **Uniformes divers.** Bandes molletières, cape, capote, ceinturon, dolman, épaulette, guêtres, pèlerine, treillis, tunique, vareuse ; béret, calot, casque, casquette, kasoar, képi. ▪ Aube, camail, chape, chasuble, cornette de religieuse, dalmatique, étole, froc, mozette, rochet, scapulaire, soutane, soutanelle, surplis ; habit de clergyman ; uniforme de l'Armée du salut. ▪ Habit vert d'académicien, livrée de laquais, robe d'avocat, toge de magistrat/de professeur, uniforme de collégien/de facteur/de gendarme, etc. — **Vêtements anciens, exotiques, folkloriques.** Bliaud, cotillon, cuirasse, justaucorps, pourpoint, sayon, simarre, surcot, etc. ▪ Anglusticlave, braie, chiton, chlamyde, dalmatique, laticlave, pallium, paludamentum, peplum, sagum, toge (prétexte). ▪ Basquine, béguin, boubou, burnous, cachabia, cafetan, coiffe, djellaba, fustanelle, gandoura, haïk, kilt, kimono, knickers, obi, pagne, paréo, poncho, saharienne, sari. — **Lingerie.** Cache-sexe; caleçon court/long; chemise; collant; combinaison; combiné; corset, cache-corset; culotte; fond de robe; gaine, gaine-culotte; gilet de corps; jupon; linge de corps; maillot de corps; pantalon; panty; porte-jarretelles; slip; soutien-gorge (bonnets, bretelles); tee-shirt; les dessous, sous-vêtement. ▪ Chemise de nuit, déshabillé, douillette, liseuse, nuisette, peignoir, pyjama, robe de chambre, robe d'intérieur, saut-de-lit. — **Accessoires.** Bas, bavette, cache-col, cache-nez, ceinture, châle, chapeau, chaussures, chaussettes, col dur, collet, collerette, cravate, cuissardes, écharpe, faux col, fichu, fixe-chaussettes, foulard, gants, jarretelle, jarretière, manchettes, mantille, mouchoir, plastron, pochette, rabat, tablier, voilette. ▪ Affiquet, bijoux, crinoline, fanfreluches, jabot, vertugadin, etc. — **(Se) dévêtir.** (Se) déculotter; (se) dénuder; (se) déshabiller; dévêtu; enlever un vêtement; être dans le plus simple appareil/dans le costume d'Adam ou d'Ève/en chemise/nu/nu comme un ver/en petite tenue/à poil (pop.); se mettre à l'aise/en bras de chemise/torse nu, nu-tête; naturisme, naturiste; ôter ses vêtements; strip-tease, strip-teaseuse, effeuilleuse. ▪ Déboutonné, débraillé, décolleté, dégrafé, dépoitraillé; découvrir/dévoiler/montrer telle ou telle partie de son corps; se retrousser; tenue impudique/indécente/scandaleuse; court-vêtu.

VÉTÉRAN → *âge, infanterie, vieillesse.*

VÉTÉRINAIRE → *animal, médecine, soigner.*

VÉTILLE, VÉTILLER, VÉTILLEUX → *futile, soigner.*

VÊTIR → *couvrir, vêtement.*

VÉTIVER → *parfum.*

VETO → *défendre.*

VÊTURE → *monastère.*

VÉTUSTE, VÉTUSTÉ → *dommage, vieux.*

VEUF → *mariage.*

VEULE, VEULERIE → *faible, mou, paresse.*

VEXANT, VEXATOIRE, VEXER → *mécontentement, offense.*

VIA → *route.*

VIABILITÉ → *route.*

VIABLE → *vivre.*

VIADUC → *passer, pont.*

VIAGER → *revenu.*

VIANDE → *aliment, chair.* — **La viande en tant qu'aliment.** Carnassier, carnivore, qui mange de la viande; chair, charnu, carné; -phage, anthropophage, omophage; ne pas manger de viande, faire maigre, être végétarien. ▪ Agneau, bœuf, cheval, gibier, porc, veau, venaison, volailles. — **État de la viande.** Blanche, boucanée, congelée, en conserve (corned-beef), coriace, crue, dure, faite, filandreuse, fraîche, frigorifiée, fumée, grasse, maigre, persillée, rassise, rouge, salée (salaison), séchée (pemmican); viande avancée/faisandée/pourrie, barbaque (pop.), bidoche (pop.), carne (pop.), semelle (pop.), etc. — **Préparer la viande (boucherie-charcuterie).** Abattoir; boucherie chevaline ou hippophagique, boucher; charcuterie, charcutier, charcutier-traiteur; équarrisseur; triperie, tripier; vétérinaire. ▪ Chambre froide, couteau, croc, échaudoir, esse, étal, hachoir, pendoir, tailloir. ▪ Attendrir, barder, brider, débiter, découper, dégraisser, dépouiller, désosser, ficeler, habiller, hacher, larder (entrelarder), parer, trousser, vider. ▪ Abats, abattis, bifteck, côte, côtelette, crépine, escalope, gigot, gras, hachis, morceau, nerf, os à moelle, peau, quartier, steak, sot-l'y-laisse, tendon, tournedos, tranche. — **Préparer la viande (cuisine).** Bouillir, du bouilli, pot-au-feu; boulettes; braiser, bœuf braisé/bourguignon; carbonnade; chateaubriand; civet de lièvre; daube, bœuf en daube; émincé; farcir, farce aux champignons/aux marrons/truffée; fricasser, fricassée; griller, grillade, viande au gril; hachis, steak haché/tartare; méchoui; miroton; mitonner; paner, escalope panée/à la milanaise/à la viennoise; paupiette de veau; ragoût, haricot de mouton; rosbif; rôtir, rôti, rôtissoire; roulé, roulade; sauter, sauté de veau; viande au barbecue/à la broche/en brochettes; viande bleue/crue/à point/saignante. ▪ Bouillon, consommé, gelée, jus, sang, sauce.

VIANDER → *cerf.*

VIATIQUE → *mourir, ressource, voyage.*

VIBICES → *peau.*

VIBRANT → *bruit, mouvement, remuer, sensibilité.*

VIBRAPHONE → *instrument, jazz.*

VIBRATILE, VIBRATOIRE, VIBRER → *mouvement, sensibilité.*

VIBRION → *microbe.*

VIBRISSE → *nez, poil.*

VICAIRE, VICARIAT → *ecclésiastique.*

VICE → *débauche, défaut, mal, morale.*

VICE- → *placer.*

VICE-VERSA → *opposé.*

VICHY → *tissu.*

VICIER → *annuler, dommage.*

VICIEUX → *débauche, défaut, raisonnement.*

VICINAL → *route.*

VICISSITUDE → *événement.*

VICOMTE, VICOMTÉ → *noblesse.*

VICTIME → *malheur, offrir.*

VICTOIRE → *avantage, gagner, guerre, soumettre.*

VICTORIA → *voiture.*

VICTORIEUX → *gagner, orgueil.*

VICTUAILLES → *aliment.*

VIDANGE, VIDANGER, VIDANGEUR → *vide.*

VIDE → *contenir, espace, intervalle.* — **Sans effet, sans occupation.** Creux, sonner le creux; inanité; néant; regarder dans le vague/dans le vide, ne rien voir; rien; sans, sans contenu; vain, vanité; vide, avoir un passage à vide, tourner à vide. ■ Désœuvré; disponible; inactivité, inactif; loisir; oisiveté, oisif; relâche d'un théâtre; temps libre/mort; vacance, vacant, vacuité, vacuum, vaquer. — **Espace vide.** Abîme, précipice, trou; vide béant, attirance pour le/horreur /peur du vide, vertige. ■ Dégagé, désert, désertique, désolé, en friche, en jachère, net, nu, sauvage, terrain vague. ■ Vide d'occupant : abandonné, absence, dépeuplé, désaffecté, désolé, inhabité, inoccupé, libéré, libre, solitaire, solitude, vacant. — **Vider, faire le vide.** Absorber, aspirer, assécher, consommer, consumer, déballer, dégarnir, dépeupler, dépouiller, désemplir, dessécher, dévorer, écoper, écoulement, effacer, emballer sous vide, enlever, épuiser, évacuer, évider, exclure, expulser, extraire, faire le vide, faire place nette, mettre à sac, nettoyer, pomper, presser, pressurer, raréfier, tarir, user, vidange, vidanger, vidangeur. ■ Bonde, clapet, machine pneumatique, piston, pompe aspirante/refoulante, siphon, soupape, tout-à-l'égout, vide-bouteille, vide-cave.

VIDÉO, VIDÉOCASSETTE → *radio.*

VIDE-POCHES → *récipient.*

VIDE-ORDURES → *résidu.*

VIDE-POCHES → *récipient.*

VIDER → *boire, enlever, partir, trou, vide.*

VIDIMUS → *certifier.*

VIDOIR → *résidu.*

VIDUITÉ → *mariage.*

VIE → *âge, durer, espace, temps.* — **Phénomènes et sciences de la vie.** Anabolisme; assimilation; catabolisme; croissance, croître; enfanter, engendrer; évoluer, évolution; féconder, fécondation, fécondation artificielle; histologie, hystolyse; métabolisme; mort, mortel; naissance; parthénogenèse; procréer, procréation; reproduction, transmission de la vie; vie animale/cellulaire/organique/végétale, instinct vital. ■ Bio-, biochimie, biologie, biologiste, biométrie, bionique, biophysique, biopsie, biosphère, biosynthèse; cybernétique; embryologie; physiologie; théories de la vie : animisme, évolutionnisme, fixisme, mutationnisme (Lamarck, Darwin), organicisme, polygénie, vitalisme, etc.; vivi-, vivipare, vivisection, etc. — **Manifestation de vie.** Animer, s'animer; battement de cœur; bouger, chaleur; en chair et en os; donner signe de vie; germer, germination; luxuriance, luxuriant; palpiter, palpitation, pouls; respiration artificielle, respirer; revenir à soi; souffle; viable, viabilité; vif, brûler vif, mort ou vif; vivant, vie végétative. — **Vitalité.** Être actif; avoir l'âme chevillée au corps/la vie dure; ardeur; dispos; dynamisme; élan; énergie; enthousiasme; faire avec animation; force, force vitale; joie de vivre; jouir de la vie; se laisser vivre; plein de vie, vie intense; vif; vigueur; vivacité. — **Ranimer.** Animer, réanimer; aviver; cure de jouvence; donner de la vie; douer de vie; insuffler; principe de vie; rajeunir; raviver; réchauffer; renaître, renaître de ses cendres; rendre à la vie, rendre vie; résurrection, palingénésie, ressusciter; revenir à la vie, revenant; revivifier, reviviscence, revivre; sauver la vie; stimulant, stimuler; survie, survivre; vivifier. ■ Dieu vivant, Eucharistie, pain de vie; éternel, éternité; immortel, immortalité; l'autre vie, vie éternelle/future/spirituelle; métempsycose, seconde vie. — **Existence.** Actualité, actuel; âge; couler ses jours; le cours des choses/de la vie; demeurer, durée; destin, destinée; événements/joies/peines de la vie; être, exister; expérience de la vie; le fil des jours, longévité, long âge; le monde humain/réel; passer; persister; présence, présent; réalité; regarder les choses en face, voir la vie en noir/en rose; subsister; temps de la vie, trame des jours; traverser un espace de temps, se trouver; de son vivant, durant sa vie. — **Manière de vivre en société.** Conduite, mode/style de vie; société féodale/primitive/socialiste/de consommation/des loisirs. ■ Communauté, couple, vie conjugale/à deux; famille, vie domestique/familiale; groupe, société, vie agitée/mondaine, vie privée/publique/sociale; vie retirée, ermite, vie de garçon/monastique/religieuse/solitaire; vie de bohème / errante / nomade / sédentaire. — **Activités de la vie humaine.** Belle/bonne vie, bon vivant; changer de vie, double vie; faire la vie; mener joyeuse/mauvaise vie, *dolce vita;* mode de vie, mœurs. ▪ Vie civile/militaire; vie affective / intérieure/ morale/ sentimentale/ sexuelle; activité intellectuelle/littéraire/scientifique/sportive ; action économique/politique, études, profession, scolarité. ▪ Autobiographie, biographe, biographie, confessions, curriculum vitæ, journal de bord/intime, Mémoires, roman vécu. — **Train de vie.** Carrière; confort bourgeois/moderne; coût/prix de la vie; gagner sa croûte (fam.)/son pain/sa vie; moyens matériels, la matérielle (fam.), niveau de vie; rater/réussir sa vie; standard de vie, standing; subsistance, subsister, subvenir aux besoins de quelqu'un; mener grand train; travailler pour vivre; végéter, vivoter; vie de bâton de chaise/de chien; vie de château/simple; dans la vie courante/pratique/quotidienne; vivre de l'air du temps/de ses rentes/sur un grand pied.

VIEILLARD → *homme, vieillesse.*

VIEILLERIE → *vieillesse.*

VIEILLESSE → *âge, dommage vie.* — **Âge.** Avoir un âge avancé/canonique/un certain âge/un grand âge, personne âgée; aîné; aïeul, aïeux, ancêtre, ancien, barbon; blanchi sous le harnais, chenu; centenaire; déclin, décliner; doyen; être sur le retour; géronte, gérontocratie; grand-père, grand-mère; grison; Mathusalem; octogénaire; patriarche; pépère (fam.); père; prendre de l'âge; retraité; sénateur; vétéran; vieillard, vieille, vieux, vioque (pop.). ▪ Arrière-saison, cheveux blancs, fin/soir/terme de la vie, longévité, longue vie, vieux jours. ▪ Asile, hospice, maison de retraite; assurance-vieillesse, pension, retraite; gériatrie, gérontologie, sénescence. — **Ancien.** Ancien, chronique, connu, habituel, invétéré, séculaire, vieille école, vieille France, vieux de la vieille. ▪ Antique, antiquité, objet patiné/vermoulu, antiquaille (fam.), antiquaire; art ancien/archaïque; d'autrefois; éloigné; il y a longtemps; immémorial; lointain, il y a belle lurette; naguère; la nuit des temps; passé; prédécesseur; reculé; révolu; temps passé, « de mon temps »; tradition, traditionnel; vieillerie. ▪ Archéologie, archives, paléographie, préhistoire, rétrospective. — **Infirmités de la vieillesse.** Déménager (fam.), dérailler (fam.), déraisonner; être gâteux/gaga (fam.); gérontisme; rabâcher, radoter, régression sénile; retomber/tomber en enfance; sénile, sénilité. ▪ Cacochyme, cassé, courbé, croulant, les croulants (fam.), décrépit, édenté, égrotant, fatigué, flétri, grisonnant, impotent, incurable, infirme, qui marche à pas comptés, perclus de rhumatismes, podagre, presbyte, ravagé, ridé, rouillé, usagé, usé, valétudinaire, voûté. — **Défauts prêtés à la vieillesse.** Vieille baderne (fam.)/bique (fam.), vieux birbe (fam.)/croûton (fam.), ganache (fam.), roquentin (fam.), schnock (fam.), vieux tableau (fam.), vieille taupe (fam.)/toupie (fam.). ▪ Archaïque, archaïsme; caduc, caducité; daté, démodé, dépassé, désuet, obsolète (obsolescence d'un matériel technique), périmé, rebattu, rétrograde, révolu, rococo, suranné, vétuste, vieilli, vieillot, vieux jeu.

VIEILLIR, VIEILLOT → *âge, vieillesse.*

VIÈLE, VIELLE → *instrument.*

VIERGE → *femme, liturgie, pur.* — **La Sainte Vierge.** La Bonne Mère, Madone, Marie, *Mater dolorosa,* mère de Dieu, mère des sept douleurs, Notre-Dame, Pietà, refûge des pécheurs, reine des Cieux, rose mystique, vierge Marie. — **Culte marial.** Fêtes de la Vierge : mai, mois de Marie, mystères douloureux/glorieux/joyeux; Annonciation, Assomption, Chandeleur, Immaculée Conception, Nativité, Visitation. ▪ Angélus, Ave Maria, litanies, Magnificat, Salutation angélique, Stabat Mater. ▪ Chapelet, médaille, rosaire, vouer au bleu et au blanc; marianiste, mariste, visitandine, etc. — **Virginité.** Abstinence; candeur; célibat; chaste, chasteté; continence; fille, jeune fille, rester fille; fleur, garder sa fleur, fleur d'oranger; hymen; immaculé, ingénu, innocent, intact; jouvencelle, jouvenceau,; puceau, pucelle, pucelage; pudique, pudeur; pur, pureté; prude; rosière; sage, sagesse; vertueux, vertu; virginal, virginité; vœu de chasteté, nonne, religieuse, vestale. ▪ Déflorer, déniaiser, dépuceler, souiller, violer.

VIÊT-NAM → *Asie.*

VIEUX → *âge, dommage, vieillesse*

VIF → *adroit, briller, esprit, vie, violence.* — **Vif et léger.** Agile; alacre; alerte; qui a de l'allant/va droit au but/vite en besogne; allégresse, allègre; bâcler une affaire; boute-en-train; brillant; comprendre à demi-mots; coquin, dégagé, dégourdi, déluré, diligent, empressé, enjoué, qui a de l'entrain, espiègle, éveillé, facétieux, fin, folâtre, frétillant, fringant, guilleret, ingénieux, léger, leste, malicieux malin, mutin, pétillant, pétulant, preste, primesautier, prompt, rapide, remuant, remuer, rythmé, sémillant, souple, taquin, véloce ; volubile, à la langue bien pendue ; zélé. ■ Diable, diablotin, feu follet, lutin, vif-argent. — **Vif et passionné.** Animé, ardent, bouillant, brusque, coléreux, dynamique, emporté, endiablé, exubérant, fébrile, fiévreux, fou, fougueux, impétueux, impulsif, nerveux, précipitation, véhément, violent, volcanique. — **Intense.** Actif, acuité, aigu, ardent, aveuglant, brillant, chaleureux, coloré, d'une couleur vive, éblouissant, éclatant, énergique, étincelant, extrême, fervent, fort, foudroyant, franc, gai, grand, lumière vive, lumineux, mordant, net, pinçant, piquant, remarquable, retentissant, sentiment vif / passionné, vigoureux, violent, voyant. — **Rendre vif.** Accentuer, activer, aiguiser, affirmer, allumer, animer, ranimer, attiser, aviver, bondir, se détendre comme un ressort, s'emballer, électriser, encourager, enflammer, enrager, envenimer, exacerber, exalter, exciter, fortifier, raffermir, rajeunir, ravigoter, raviver, réchauffer, réconforter, redonner de l'énergie/du nerf, rehausser, relever, renforcer, renouveler, réveiller, revigorer, stimuler.

VIF → *chair, pêcher, vie.*

VIF-ARGENT → *alchimie, remuer, vif.*

VIGIE, VIGILE → *garder, marine.*

VIGILANCE, VIGILANT → *attention, garder, regarder.*

VIGNE, VIGNERON → *fruit, vin.* — **Le plant de vigne.** Ampélidacée ; cep, cépage ; crossette ; feuille ; greffe, plant greffé, greffon, porte-greffe ; hybride ; œil ; pampre ; plant américain/français ; sarment (moissine), sarmenteux ; souche ; vigne cultivée/en berceau/en tonnelle ; vigne sauvage ou lambruche ou lambrusque ; vigne vierge, ampélopsis ; vrille. — **La culture de la vigne.** Abouter ; ampélographie ; assarmenter ; binage ; cavaillon ; déchausser ; oullière ; palissage ; perchée ; planter, plantation, rang de vigne ; tercer, retercer ; treille ; vendanger, vendangeur, vigneron ; un vignoble, une vigne, terrain vitifère ; viticulture, viticulteur, terrain viticole. ■ Tailler la vigne, taille sèche/en vert : bouturage, cisellement, ébourgeonnage, effeuillage, épamprage/greffage, marcottage, pincement, provignage, recépage, rognage, semis. ■ Charrue décavaillonneuse/déchausseuse, échalas, hautain, paisseau, piquet, osier, sécateur. — **Maladies et traitement.** Altise, anomala, black-rot, cochylis, endémis, folletage, millerandage, oïdium, phylloxéra, phytopte, pourridié, puceron, pyrale, tordeuse, vercoquin ■ Bouillie bordelaise, soufrage, sulfatage ; soufreuse, sulfateuse, poudreuse-soufreuse, pulvérisateur. — **Le raisin.** Grain, grappe, grappillon, grume, jus, olivette, peau, pellicule, pépin, rafle ou râpe, raisin blanc/jaune/rose/vert/violet ou noir, suc, uval, cure uvale, verjus. ■ Raisin de cuve. Rouge : aramon, cabernet franc, cabernet sauvignon, cot ou malbec, gamay, grenache, merlot, pinot noir, syrah. Blanc : aligoté, chardonnay, clairette, muscadelle, muscat blanc de Frontignan, roussane, sauvignon, savagnin, sémillon, viognier. ■ Raisin de table. Blanc : chasselas, gros-vert, madeleine, muscat blanc, servant. Rouge : alphonse-lavallée, frankenthal, madeleine noire ou plant de juillet, muscat de Hambourg. ■ Raisin sec. Raisin de Corinthe/de Damas/d'Espagne/de Malaga/de Samos/de Smyrne/de Thyra.

VIGNETTE → *cachet, dessin, impôt, inscription.*

VIGOGNE → *poil.*

VIGUEUR → *force, vif.*

VIL → *avilir, mépris.*

VILAIN → *déplaire, féodalité, mal, mépris.*

VILEBREQUIN → *clou, trou.*

VILENIE → *avilir, mal.*

VILIPENDER → *critiquer, mépris.*

VILLA → *maison.*

VILLAGE, VILLAGEOIS → *campagne, habiter, province, ville.*

VILLE → *habiter, pays, route.* — **Description d'une ville.** Agglomération ; arrondissement ; banlieue, banlieusard ; bidonville ; ceinture verte ; centre ; concentration urbaine ; espaces verts (jardin, parc, square) ; faubourg, faubourien ; îlot, pâté de maisons, bloc ; place ; plan ; quartier administratif, les beaux quartiers, quartier central/chic (fam.)/commercial ou commerçant / industriel / ouvrier / résidentiel ; site classé/protégé ; tissu urbain ; la vieille ville, la ville basse/haute (acropole, casbah, citadelle) ; urbain, suburbain, interurbain. ■ Artère, avenue, boulevard, boulevard périphérique, enceinte, gare, mail, monument, monument aux morts, murs (extra-muros, intra-muros), octroi, porte, remparts, rue, trottoir. — **Urbanisme.** Exproprier, expropriation ; environnement ; frapper d'alignement ; lotir, lotissement ; plan d'aménagement ; rénovation ; schéma directeur ; urbaniser, urbanisation (sauvage), urbanification, urbanisme vertical, architecte urbaniste ; zonage ou zoning. — **Sortes de villes.** Bourg, bourgade, bourgeois ; capitale ; chef-lieu de canton/de département ; citadelle ;

cité, cité-dortoir, citadin, citoyen, concitoyen ; hameau ; marché ; métropole, métropole d'équilibre/régionale ; préfecture, sous-préfecture ; village, villageois, le clocher du village ; ville d'eaux/de garnison/métropolitaine/résidentielle/satellite/universitaire ; ville forte / fortifiée / franche / libre / ouverte ; ville-champignon/tentaculaire. ■ Bled (pop.), patelin (pop.), trou (pop.), Trifouillis-les-Oies (pop.). — **La municipalité.** Administration municipale, « mes chers administrés », administrer ; cité ; commissariat de police, agent de police ; commune, communal, communauté urbaine, communaliser ; district urbain ; école maternelle/communale, collège ; état civil ; hôtel de ville ; jumelage de villes, conurbation ; mairie ; municipalité, conseil municipal ; services de la ville : eau, égouts, hygiène, transports en commun, voirie ; taxes municipales, centimes, décimes. ■ Bourgmestre, capitoul, conseiller municipal, édile, garde champêtre, magistrat (premier magistrat), maire (adjoint au maire), lord-maire, prévôt des marchands, shérif, etc.

VILLÉGIATURE, VILLÉGIATURER → *repos, voyage.*

VILLEUX, VILLOSITÉ → *poil.*

VIN → *alcool, boisson, tonneau, vigne.* — **Généralités.** Bacchus, dieu du Vin, fête bachique, chanson à boire ; boire, boisson, buveur ; cuisine au vin, coq au vin, faire chabrot ; étylisme ; ivresse, être ivre/dans les vignes du Seigneur ; œnantique, œnologie, œnothèque ; vin, vineux, vinicole, vinique. ■ Acide ou alcool éthylique/extractif, tanin, tartre. — **La vinification.** Champagniser, champagnisation ; cuvage, décuvage, cuvée ; débourbage ; égouttage, vin de goutte/de mère goutte ; égrappage ou éraflage ; fermenter, fermentation ; fouler, foulage du raisin ; levurage ; lie ; marc de raisin ; maturation ; moût ; muter, mutage ; plâtrer, plâtrage ; pressurer, pressurage, vin de presse ; remonter, remontage ; soufrer, soufrage ; soutirer, soutirage ; sucrer ; tanisage ; tartricage ; vinage, vinée ; vinification en blanc/en rouge. ■ Clarification par centrifugation/par collage/par filtration ; coupage ; élevage ; mouillage ; ouillage ; vieillissement en bouteille/en tonneau ; le vin se bonifie/se fait/se rabonnit/travaille. — **Matériel de vinification.** Bouchon ; bouteille, bouche-bouteille, porte-bouteilles, embouteillage ; capsulateur ; citerne, cuve, cuveau ; entonnoir à soutirer ; fouloir-égrappoir ; hotte ; pompe de transvasement ; pressoir avec maie en acier/en bois ; tonneau ; wagon-foudre. ■ Cave, cellier, chais, cuverie, entrepôt, etc. — **Qualité d'un vin.** Goût : corps/finesse d'un vin, vin charnu / charpenté / corsé / élégant / équilibré / étoffé / plein / racé ou commun/étriqué/maigre/mince ; douceur d'un vin coulant/gras/liquoreux/moelleux / rond / souple / soyeux / tendre / velouté ; dureté d'un vin acide/astringent / dur / mordant / pointu / vert. ■ Odorat : arôme ou bouquet d'un vin fruité/fatigué ; vinosité : vin capiteux/chaud / généreux / nerveux / puissant ou froid/mou/plat. ■ Vue : couleur, limpidité, robe vive et brillante, transparence ; vin blanc/rosé, pelure d'oignon, etc. ■ Mauvais goût : graisse/pousse d'un vin ; vin cassé/foxé/musqué/passé/piqué/tourné/qui a un goût de bois/de bouchon/de fût/de mèche/de moisi/de métal ; acescence ; vin baptisé / brouillé / coupé / falsifié/frelaté/trempé. — **Sortes de vins.** Vin d'appellation d'origine contrôlée/aromatisé (quinquina, vermouth)/bourru/courant/crémant/cuit/délimité de qualité supérieure (V.D.Q.S.)/de dessert/doux/fou/de fruits/gros vin (gros bleu/rouge), vin de liqueur (madère)/mousseux/mousseux gazéifié/naturel/naturellement doux/d'orange (sangria)/de paille ou paillé/de palus/de pays/pétillant, petit vin, vin de sucre/de table/de terroir/tuilé/vieux. ■ Nectar, picrate (pop.), pinard (pop.), piquette, reginglard (pop.), rouquin (pop.), vinasse (pop.). — **Crus.** Vin d'Alsace ou alsace (riesling, tokay, traminer, etc.), anjou, arbois, blanquette, bordeaux (graves, médoc, entre-deux-mers, etc.), bourgogne, (beaujolais, mâcon, pouilly, etc.), côtes-du-Rhône/-de-Provence, muscadet, vouvray. ■ Alicante, amontillado, banyuls, frontignan, grenache, malaga, malvoisie, muscat, picardant, porto, rancio, tokay, xérès. ■ Asti, bardolino, chianti, lacrima-christi, valpolicella. ■ Caviste, dégustateur, échanson, négociant en vins, pinardier (fam.), sommelier, tâte-vin. — **Le vinaigre.** Acétification, acétifier, acide, acétique, acétobacter, mère ; culture ; cuve ; fausset ; fermentation ; monture ; méthode allemande ou de Schützenbach, méthode orléanaise ; œil ; tonnelet ; vinaigre, vinaigrerie, vinaigrier ; vignaigre d'alcool/de cidre/de vin/rosat. ■ Marinade, moutarde, pickles, vinaigrette.

VINAIGRE → *aliment, vin.*

VINAIGRER, VINAIGRETTE → *aliment, voiture.*

VINAIGRIER → *récipient.*

VINASSE → *vin.*

VINDICATIF → *offense.*

VINDICTE → *crime.*

VINÉE, VINER → *vin.*

VINEUX → *rouge, vin.*
VINYLE → *plastique.*
VIOL → *crime, loi, femme, violence.*

VIOLACÉ, VIOLACER → *rouge.*

VIOLE → *instrument.*

VIOLENCE, VIOLENT → *force, soumettre, vif.* — **Dispositions violentes.** S'acharner ; agressivité, agressif ; animosité ; âpreté, âpre ; ardeur, ardent ; chaleur ; colère, coléreux ; se déchaîner, déchaînement des passions ; démence dément ; démesure, qui manque de mesure/de retenue ; s'emporter, emporté, emportement, être soupe au lait ; énergie du désespoir ; fougue, fougueux ; frénésie, frénétique ; fureur, furie, furia, furieux, fou ; impétuosité, impétueux ; passion, passionné ; véhémence, véhément ; virulence, virulent ; vivacité, vif. ▪ Caractère, tempérament batailleur/ belliqueux/brusque/brutal/ cruel/ dur/ enragé/ excessif/ extrême/ farouche/ impulsif/ rude/ terrible/violent. ▪ Clamer son indignation, déblatérer contre, invectiver, vitupérer ; pamphlet. — **Faire violence.** Abuser de, abus ; agresser, agression ; asservir, réduire en esclavage ; attenter à, attentat aux mœurs, attentatoire ; bousculer, brusquer ; contraindre, contrainte ; enlever de haute lutte ; extorquer ; forcer, arracher, prendre de force/de vive force, forcer une femme, forcer la main de quelqu'un ; malmener ; maltraiter, infliger de mauvais traitements, faire un mauvais parti ; molester ; obliger ; outrager, outrage, derniers outrages ; punir, punition ; rapt, ravir, ravisseur, kidnapping ; sévir, sévices ; terrorisme, terroriste, le règne de la terreur ; torturer, soumettre à la question/à la torture, passer à tabac (fam.) ; tyranniser, tyrannique ; violenter ; viol, violateur, violer une femme ; voies de fait. — **Qui sévit avec violence.** Aigu, ardent, carabiné (fam.), de tous les diables (fam.), épouvantable, exacerbé, fâtal, fiévreux, fort, frénétique, fulgurant, grand, intense, lourd, puissant, terrible, terrifiant, tonitruant. ▪ Bourrasque, coup de tonnerre, éclair, éclat, ouragan, tornade, tourbillon.

VIOLENTER → *violence.*

VIOLER → *crime, femme, violence.*

VIOLET → *bleu, couleur, rouge.*

VIOLETTE → *fleur.*

VIOLINE → *rouge.*

VIOLON, VIOLONCELLE → *instrument.*

VIOLONCELLISTE, VIOLONISTE → *instrument.*

VIPÈRE, VIPÉREAU, VIPÉRINE → *reptiles.*

VIRAGE → *changer, route, tourner.*

VIRAGO → *femme.*

VIRAL → *microbe.*

VIRÉE → *débauche, voyage.*

VIREMENT, VIRER → *banque.*

VIRER → *changer, couleur, photographie, tourner.*

VIREUX → *infecter, poison.*

VIREVOLTE, VIREVOLTER → *cheval, tourner.*

VIRGINAL, VIRGINITÉ → *blanc, pur, sexe, vierge.*

VIRGULE → *écrire, typographie.*

VIRIL → *courage, homme, sexe.*

VIRILISER, VIRILITÉ → *homme sexe.*

VIROLE, VIROLER → *anneau, couper, monnaie.*

VIRTUALITÉ, VIRTUEL → *pouvoir.*

VIRTUOSE, VIRTUOSITÉ → *adroit, art, habitude, musique, supérieur.*

VIRULENCE, VIRULENT → *force, microbe, violence.*

VIRUS → *microbe.*

VIS → *clou.*

VISA → *cachet, permettre, signe.*

VISAGE → *crâne, crispation, tête, toilette.* — **Termes désignant le visage.** Bille (pop.), binette (pop.), bobine (pop.), bouille (pop.), face, faciès, figure, frimousse (fam.), gueule (pop.), masque, mine, minois, museau (fam.), poire (fam.), tête, traits, trogne (fam.), trombine (pop.), tronche (pop.). — **Forme.** Angle facial, bosse, creux, fossette, lignes du visage, masque, méplat, modelé, plis, pommette, profil, relief, rides. ▪ Allongé, anguleux, aquilin, chevalin, émacié, maigre, menton en galoche, prognathe, nez en lame de couteau, visage osseux/taillé à la serpe. ▪ Bouffi, joufflu, large, lippu, mafflu, plat, plein, pleine lune, poupin, rond. ▪ Traits chiffonnés / épais / fins / irréguliers / réguliers ; asiatique, mongol, négroïde, simiesque, etc. — **Expressions.** Air ; expression, expressif, exprimer tel ou tel sentiment ; face de carême ; grimace, grimaçant, grimacer ; gueule (pop.), faire la gueule (pop.) ; lèvres épaisses/gourmandes, etc., pincer les lèvres ; lippe, lippu ; mine ; moue ; physionomie ; sourire crispé/ franc / large / lumineux / mélancolique, etc. ; tête, bonne/sale tête, drôle de tête, tête à claques/d'enterrement, faire la tête (fam.) ; traits réguliers/ tirés, etc. ▪ Visage avenant/boudeur/ chafouin / crispé / décomposé / défait / enjoué / énergique / éveillé / grave / maussade / mobile / ouvert / pâle / piteux / rayonnant / ravagé / renfrogné / sérieux / sévère / sourcilleux / sympathique/transfiguré. — **Teint.**

Acné juvénile; bouton; carnation chaude / claire / fraîche / mate / rose; couperose; éruption; poche; teint brouillé/fané/flétri. ■ Basane, bilieux, blafard, blême, bronzé, brun, bruni, cireux, cuivré, foncé, grêlé, hâlé, jaune, livide, olivâtre, pâle, de papier mâché, plombé, tanné, terne, terreux, verdâtre. ■ Avoir le feu/le sang au visage; un teint coloré/empourpré/enluminé/épanoui / fleuri / poupin / rouge / rougeaud / rubicond / sanguin / vermeil / vif. — **Masque.** Cagoule; dîner de têtes, domino; faux nez; litham des Touareg; loup; masque de velours; touret de nez; visière; voile, voiler, voilette. ■ Fond de teint; grimage, grime, se grimer; se maquiller, maquillage; masque astringent/de beauté/ facial / d'herbes / tonique; visagiste, chirurgie esthétique/faciale, moulage.

VISAGISTE → *toilette, visage.*

VIS-À-VIS → *opposé.*

VISCÈRE → *intérieur, intestin.*

VISCOSE → *plastique.*

VISCOSITÉ → *épais, liquide.*

VISÉE → *but, désir, plan.*

VISER → *fusil, optique, regarder.*

VISER → *signe.*

VISEUR → *optique.*

VISIBILITÉ, VISIBLE → *apparaître, regarder.*

VISIÈRE → *armure, chapeau, visage.*

VISION → *imaginer, ciel, regarder.*

VISIONNAIRE → *imaginer, prévoir.*

VISIONNER, VISIONNEUSE → *cinéma, optique, photographie.*

VISITATION → *vierge.*

VISITATRICE → *monastère.*

VISITE, VISITER → *médecin, recevoir, relation, rencontre.*

VISON → *poil.*

VISQUEUX → *épais, gras, huile.*

VISSER, VISSERIE → *clou.*

VISUEL → *mémoire, œil.*

VITAL, VITALITÉ → *force, importance, vie.*

VITAMINE, VITAMINÉ → *aliment.*

VITE → *vitesse.*

VITESSE → *course, mouvement, vif.* — **Étude et mesure de la vitesse.** Cinématique, cinémographe, cinémomètre, énergie cinétique; compteur de vitesse, compte-tours; loch; loi du carré des vitesses; machmètre; podomètre; tachymètre; vitesse périodique/ de phase/de signal/de transport de l'énergie; vitesse angulaire / constante/croissante/initiale/relative; vitesse moyenne, calculer une moyenne; vitesse de la lumière/du son/sonique/ subsonique/supersonique. ■ Kilomètre-heure, mach, nœud. — **Modifier la vitesse.** Accélérer, accélération, accélérateur; appuyer sur le champignon (pop.); changement de vitesse, passer en première/seconde/troisième/quatrième vitesse/en surmultipliée; décélérer, décélération; (s')emballer; passer le mur du son; ralentir, ralentissement; retarder la vitesse; sélecteur de vitesse; vitesse; acquérir/prendre/ perdre de la vitesse, être en perte/en recherche de vitesse. — **Aller vite.** Aller au galop/au trot/à fond de train (fam.)/à toute berzingue (pop.)/à toute pompe (pop.)/à toute vapeur/à toute vitesse/à tombeau ouvert; brûler les étapes; célérité; courir, aller à grands pas/à pas de géant, courir comme un dératé (fam.)/comme un zèbre (fam.), course de vitesse; débouler; décamper; se dégrouiller (pop.); démarrer brutalement/sèchement; se dépêcher; dévaler une pente; diligence; être à fond; expédier une affaire, être expéditif; faire de la vitesse; filer (fam.); foncer (fam.); galoper, galopade; se hâter; se manier le popotin (fam.)/le train (pop.); mettre les gaz (pop.)/la gomme (pop.)/toute la gomme (pop.)/les bouchées doubles; se précipiter, précipitation; prendre ses jambes à son cou; se presser, presser le pas; prompt, promptitude; rapidité, rapide; sprint, piquer un sprint (fam.), sprinter; vélocité, véloce, vélocipède; vitesse affolante/vertigineuse; vivacité, vif; voler. ■ Bolide, éclair, flèche, trait, trombe, vent, coup de vent. — **Vite.** A l'improviste, à la sauvette, à la six-quatre-deux (fam.), à la va-vite; brusquement; dare-dare (fam.); d'un coup, d'un seul coup, en coup de vent; se donner un coup de brosse/de peigne; en cinq sec (fam.), en deux temps trois mouvements (fam.), en moins de deux (fam.), en moins de temps qu'il n'en faut pour le dire, en quatrième vitesse (fam.), en un tournemain; express, exprès; fissa (pop.); hâtivement, hâtif, en hâte, en toute hâte; illico (fam.); précipitamment; presto, prestissimo; en priorité; promptement; rapidement, rapido (pop.); sans délai, sans retard, sans traîner, etc.; soudain, soudainement; subit, subitement, subito (fam.); tambour battant; toutes affaires cessantes; tout à coup, tout d'un coup; ventre à terre.

VITICOLE, VITICULTEUR, VITICULTURE → *vigne.*

VITILIGO → *peau.*

VITRAGE → *fenêtre, verre.*

VITRAIL, VITRE → *fenêtre, verre.*

VITRE → *fenêtre, verre.*

VITRER, VITRERIE → *verre.*

VITREUX → *œil, pierre.*

VITRIER, VITRIFIER → *verre.*

VITRINE → *fenêtre, montrer, verre.*

VITRIOL, VITRIOLER → *acide, brûler.*

VITUPÉRER → *critique, mécontentement.*
VIVABLE → *vie.*
VIVACE → *durer, résister.*
VIVACE, VIVACITÉ → *plante, vif.*
VIVANT → *vie.*
VIVARIUM → *animal.*
VIVAT, VIVE → *applaudir, cri.*
VIVE → *poisson.*
VIVEUR → *débauche.*
VIVIER → *poisson.*
VIVIFIANT → *exciter, force.*
VIVIPARE, VIVIPARITÉ → *reproduction, vie.*
VIVISECTION → *anatomie.*
VIVOTER → *milieu, vie.*
VIVRE → *durer, habiter, vie.*
VIVRE → *aliment.*
VIZIR, VIZIRAT → *musulman.*
VOCABLE → *nommer, saint.*
VOCABULAIRE → *langage, mot.*
VOCAL, VOCALIQUE → *chanter, musique, son.*
VOCALISE, VOCALISER → *chanter.*
VOCALISME, VOCATIF → *mot.*
VOCATION → *destin, tendance.*
VOCERO → *enterrement.*
VOCIFÉRATIONS, VOCIFÉRER → *colère, cri.*
VODKA → *alcool.*
VŒU → *désir, engager, monastère.*
VOGUE → *réputation, réussir.*
VOGUER → *marine, nager, navire.*
VOIE → *canal, route, transport.*
VOILAGE → *décoration, fenêtre.*
VOILE → *apparaître, cacher, charpente, couvrir, monastère, visage.*
VOILE → *bateau, voilure.*
VOILÉ → *courbe, son.*
VOILER → *cacher, courbe, roue.*
VOILERIE → *voilure.*
VOILETTE → *chapeau, visage.*
VOILIER → *bateau, oiseau, voilure.*
VOILURE → *bateau, marine.* — **Noms des voiles.** Bonnette, brigantine, cacatois (petit ou grand, cacatois de perruche), civadière, clinfoc, dériveur, foc (petit ou grand), grand-voile, hunier (petit ou grand), misaine, perroquet (petit ou grand, perroquet de fougue), perruche ou tapecul, spinnaker, trinquette, voile de fortune. — **Sortes de voiles.** Basse voile, trait carré ; voile aurique/barrée/de cape/carrée/d'étai/haute/à houari/latine/à livarde/majeure. — **Gréement.** Antenne, bourcet, bout-dehors, corne, écoute, espar, draille, étai ; gréement : agrès, gui, hauban, hune ; mât : beaupré, mât d'artimon/de misaine, grand mât ; phare, ralingue, ris, têtière, toile, vergue, (envergure), voile, voilure. — **Manœuvre des voiles.** Affaler, amener, amurer (amure), arriser, bouliner, brasser, caler, carguer (cargue), déferler, déployer, enverguer, étarquer, éventer, ferler, hisser, larguer, mailler, mouton, rabaner (raban), ralinguer (ralingue), serrer, tendre. ■ Cingler, donner pleines voiles, faire voile, forcer la voile, faire force voiles, mettre à la voile, prendre le vent, toutes voiles dehors ; voile qui claque/qui fasèye/qui en masque une autre/qui ralingue ; le vent gonfle les voiles, sein d'une voile. ■ Voile, voilerie, voilier, vélique ; bateau, marine, navire à voile, deux-mâts, trois-mâts, cap-hornier.
VOIR → *œil, optique, regarder.*
VOIRIE → *résidu, route, transport.*
VOISIN, VOISINAGE, VOISINER → *bord, proche, relation.*
VOITURE → *automobile, transport.* — **Véhicules hippomobiles.** Binard, caisson, camion, carriole, char (bigo, quadrige), chariot, charrette, chasse-marée, fardier, fourgon, fourragère, haquet, limonière, prolonge, tombereau, triqueballe, voiture à foin/à fumier. ■ Berline, berlingot, boguet, break, briska, cab, cabriolet, calèche, carrosse, chaise, chaise de poste, char à bancs, coche, coupé, diligence, dog-cart, drag, fiacre, landau, landaulet, litière, mail-coach, malle-poste, milord, omnibus, panier à salade (fam.) ou voiture cellulaire, patache, phaéton roulotte, sulky, tandem, tapecul, tapissière, téléga, tilbury, victoria, vinaigrette. — **Véhicules automobiles.** Autobus, autocar, autochenille, automitrailleuse, automobile, automoteur, etc. ; camion, camion-benne, camion-citerne, camion de déménagements, camionnette ; car ; char, char d'assaut ; chenillette ; half-track, engin tracté/autotracté ; jeep ; poids lourd ; remorque, semi-remorque ; taxi ; tracteur, motoculteur ; trolleybus ; véhicule ; voiture blindée/d'occasion/de sport/de tourisme/tout-terrain. ■ Pop. : bagnole, chignole, clou, guimbarde, pétrolette, tacot, teuf-teuf, tire. — **Éléments d'une voiture.** Attelage, bâche, caisse, carrosserie, châssis, essieu, impériale, moteur, plate-forme, pneumatiques, portière, ridelle, roue, siège ; suspension, train avant ; transmission. ■ Brancard, bricole, frein, harnais, limon, palonnier, sabot, timon, trait, volée ; capote, garde-boue, garde-crotte, marchepied, patin, soufflet, soupente. — **Divers instruments de locomotion ou de transport.** Baladeuse, brouette, caravane, chaise à porteurs, diable, draisienne, éfourceau, haquet, jardinière, landau d'enfant, pousse-pousse, poussette, triporteur, vinaigrette, voiture à bras, à deux/à quatre roues. — **Chemin de fer.** Fourgon,

pullman, rame, tender, tramway, tram (fam.), truc ou truck, voiture de 1re/2e/3e classe, voiture-lit, voiture-restaurant, wagon-lit, wagon-restaurant, etc. — **Qui utilise une voiture.** Automobiliste ; box ; conduire, conducteur, conduite ; faire de l'auto-stop, auto-stoppeur ; se garer ; louer, voiture de louage/de maître/de place/de remise ; monter en voiture ; parking, parc ; papiers : permis de conduire, carte grise, licence, vignette ; prendre la route/le volant ; rouler, faire de la route, routier, voiture bonne routière/qui a une bonne tenue de route ; stationner, stationnement. ■ Avoir un accident/un accrochage/une panne ; bousiller une voiture (pop.) ; capoter ; caramboler, carambolage (fam.) ; chasser, déraper, s'enliser, percuter un obstacle, perdre le contrôle, se retourner, faire un tonneau, verser, zigzaguer. — **Qui s'occupe de voitures.** Camionneur ; carrossier ; chauffeur de poids lourd/de taxi, chauffeur-livreur ; chef de convoi/de train ; conducteur, conductrice ; garage, garagiste ; machiniste ; mécanicien ; pilote de course/d'essai ; pompiste ; réparateur ; station-service (graissage, lavage, vidange, etc.). ■ Charretier charron, charroyeur, cocher, maître de poste, maréchal-ferrant, postillon, rouleur, roulier, voiturier.

VOITURE-BAR, VOITURE-LIT → *train, voiture.*

VOITURER → *marchandises, transport.*

VOITURE-RESTAURANT, VOITURE-SALON → *train, voiture.*

VOITURIER → *transport, voiture.*

VOIX → *chanter, cri, élire, son, verbe.*

VOL → *air, insecte, oiseau.*

VOL → *crime, tromper, voler.*

VOLAGE → *changer, irrégulier.*

VOLAILLE → *animal, élevage, oiseau.*

VOLAILLER, VOLAILLEUR → *élevage.*

VOLANT → *automobile, bande, conduire, machine, roue.*

VOLANT → *aviation.*

VOLAPÜK → *langage.*

VOLATIL → *vapeur.*

VOLATILE → *oiseau.*

VOLATILISER → *partir, vapeur, voler.*

VOL-AU-VENT → *cuisine.*

VOLCAN, VOLCANIQUE → *relief, vif.* — **Description des volcans.** Barranco, bouche, caldeira, chaussée des géants, cheminée, cône, cône de cendres, conglomérat, cratère, lèvres, dôme, dyke (cratère), égueulé, évent, mésa, montagne, neck ou culot, orgues basaltiques, pierre ponce, ponce, pouzzolane, puy, relief volcanique, socle, tuf. ■ Etna, Fuji-Yama, Kilimandjaro, Krakatoa, montagne Pelée, Popocatepetl, puy de Dôme, Stromboli, Vésuve, etc. — **Étude de volcans.** Activité hawaiienne/strombolienne ; bouchon ; ceinture de feu ; cendres ; coulée ; croûte solide ; déjection ; dôme, cumulo-dôme ; écorce terrestre ; ejecta, éjection ; éruption excentrique/latérale ; explosion de type plinien ou vésuvien/de type péléen/vulcanien ; fontaine ; fumerolle ; ignimbrite, ignimbritique ; lapilli ; lave, acide/basique ; magma, épimagma, hypomagma, pyromagma, colonne magmatique ; nuées ardentes ; phase solfatarienne ; projection ; réveil d'un volcan ; scories ; solfatare ou soufrière ; soufflard ; vapeurs ; viscosité ; volcan en activité/éteint/au repos/en sommeil ; volcanicité ; volcanisme effusif ; volcanologie ou vulcanologie, volcanologue, sismologie.

VOLCANISME, VOLCANOLOGIE → *volcan.*

VOLCANOLOGUE, VULCANOLOGUE → *volcan.*

VOLE → *carte.*

VOLÉE → *balle, cloche, frapper, oiseau.*

VOLER → *air, aviation, oiseau.*

VOLER → *crime, prendre, tromper.* — **Voleurs en bande ou organisés.** Apache ; bande, bandit, bandit de grand chemin ; brigand ; cambrioleur ; casseur ; corsaire, flibustier ; forban ; gangster, gang ; larron ; malandrin ; maffia ; malfaiteur ; le milieu, la pègre ; monte-en-l'air ; perceur de coffres-forts ; pirate, pirate de l'air ; ravisseur ; receleur ; truand. ■ Attaque à main armée ; « au voleur ! », « la bourse ou la vie ! », « haut les mains ! » ; brigandage, cambriolage, circonstances aggravantes, coup monté, crime, délit correctionnel ; détrousser, dévaliser ; effraction, forcer/crocheter les serrures ; enlever quelqu'un ; fric-frac ; hold-up ; kidnapping, kidnapper ; pillage, piller ; pince-monseigneur, rossignol ; rapt, ravir ; rançonner ; racket ; razzia ; recel ; vol qualifié. ■ Antivol, barre/chaîne/verrou de sécurité ou de sûreté ; sirène d'alarme, veilleur de nuit. — **Chapardage.** Barboter (fam.) ; braconnage, braconnier ; calotter (fam.) ; chaparder (fam.) ; chiper (fam) ; choper (fam.) ; cleptomane (ou kleptomane), cleptomanie ; délester/dépouiller quelqu'un ; dérober ; s'emparer de ; escamoter ; faire danser l'anse du panier, faire main basse sur ; faucher (fam.) ; larcin ; maraude, marauder ; pickpocket, piquer (pop.) ;

prendre; rafler; rapine; ratiboiser (fam.); rat d'hôtel; rôdeur; soulever (fam.), soustraire; subtiliser; tire-laine, vide-gousset; vol à l'étalage/ à la montre/à la tire/au rendez-moi; vol domestique/simple. — **Malhonnêteté en affaires.** Aigrefin; appropriation; canaille; chèque sans provision; chevalier d'industrie; compromission; concussion; contrebande; détournement de fonds; dilapider; distraire; dol; emporter la caisse; escroc, escroquerie; exaction; extorquer; faisan; falsifier, falsification, faux en écritures, faux-monnayeur; fraude, fraude fiscale, fraudeur; fripon, fripouille, gredin; grivèlerie; maître chanteur, chantage; malhonnêteté, malversation; manger la grenouille; péculat; prévarication; spolier; soustraire, soutirer; stellionat; usurper; véreux. — **Indélicatesse commerciale.** Blouser quelqu'un (fam.); carambouillage (fam.); carotter (fam.); combinard (fam.), combine (fam.); coup de fusil (fam.); écorcher (fam.)/empiler (fam.)/escroquer (fam.)/estamper (fam.)/étriller le client (fam.); filou, filouter (fam.); flouer (fam.); frelater; frustrer; gratter sur les prix; gruger; indélicat; plagier, plagiat; rabioter (fam.); rabiot; resquille, resquilleur; rouler/ tondre quelqu'un; tricher; tromper; voler comme au coin d'un bois.

VOLERIE → *voler.*

VOLET → *choisir, fenêtre, fermer, pli.*

VOLETER → *oiseau.*

VOLEUR → *voler.*

VOLIÈRE → *oiseau.*

VOLIGE, VOLIGER → *ardoise.*

VOLITIF, VOLITION → *volonté.*

VOLLEY-BALL, VOLLEYEUR → *balle, sport.*

VOLONTAIRE → *armée, volonté*

VOLONTÉ → *décider, désir, force, résister.* — **Caractère volontaire.** Acharné, arrêté, assuré, qui a du caractère, carré, constant, décidé, délibéré, déterminé, ferme, qui fait preuve de volonté, hardi, inflexible, obstiné, opiniâtre, persévérant, résolu, tenace, qui tient bon, volonté aveugle/de fer. — **Entêtement ou caprice.** Buté (se buter), cabochard, qui a un caractère entier, entêté, fanatique, maniaque, monomane, de parti pris, systématique, tête de mule/de pioche, têtu comme une bourrique. ■ Caprice, capricieux, coup de tête, fantaisie, foucade, lubie, toquade; utopique; velléitaire, velléité. — **Autorité, ordre.** Autoritaire, avoir de l'autorité/de la poigne; discipline; domination; donner des ordres; don/goût du commandement; énergique; enjoindre, injonction; exigeant, exiger; se faire obéir/respecter; fort; impératif, impérieux; insistance; instruction formelle; main de fer (dans un gant de velours); ordonner; prescrire; sommer; subjuguer; ukase; ultimatum; volonté expresse. ■ Pouvoir arbitraire / discrétionnaire / despotique / dictatorial / rigoureux / tyrannique; faire tourner en bourrique (fam.)/comme un toton (fam.). — **Acte de volonté.** Arrêt; bon plaisir; choix; conclusion; décisif, décision; désir; dessein; détermination; envie; goût; gré; intention; prendre parti; prétendre; programme; projet; ferme propos, résolution; souhait; testament, les dernières volontés; volition. ■ Arrêter, décider, avoir envie de/ la prétention de, se proposer de, résoudre de, tenir à, vouloir. **Sans contrainte.** A loisir, à sa guise; autonome; bénévole; délibéré; avoir toute discrétion/carte blanche; exprès, faire exprès; indépendant; initiative; intentionnel; libre, libre arbitre, liberté de décision; plein gré, sans contrainte; souverain; spontanément; suivre son goût; voulu. — **Bonne volonté.** Bénévole, bienveillance, bonne grâce, de bon cœur, bon gré, bon vouloir; bonne disposition, bien disposé; daigner; être enclin à; faire de gaieté de cœur; inclination; ne demander pas mieux; penchant, pencher pour/ vers; avec plaisir, de plein gré; se plier aux circonstances; porté à, propension; spontané; volontiers.

VOLT, VOLTAGE → *électricité.*

VOLTAIRIEN → *doute.*

VOLTE → *cheval.*

VOLTE-FACE → *changer, opposé.*

VOLTIGE → *aviation, cheval.*

VOLTIGER → *insecte.*

VOLTMÈTRE → *électricité.*

VOLUBILE, VOLUBILITÉ → *excès, exciter, parler, vif.*

VOLUME → *livre, mesure, son.*

VOLUMINEUX → *grand.*

VOLUPTÉ, VOLUPTUEUX → *bonheur, plaire, sensibilité.*

VOLUTE → *fumée, rouler.*

VOLVE → *champignon.*

VOMIR, VOMISSURE → *estomac, gorge, jeter, manger.*

VOMITIF → *médicament.*

VORACE, VORACITÉ → *manger.*

VORTEX → *tourner.*

VOTANT, VOTE, VOTER → *décider, élire.*

VOTIF → *engager.*

VOUER, VOUER (SE) → *destin, engager.*

VOULOIR → *désir, volonté.*

VOUSSOIR, VOUSSURE → *arc.*

VOÛTE → *arc, plancher.*

VOUTER, VOUTER (SE) → *courbe, dos, plancher, vieillesse.*

VOX POPULI → *population.*

VOYAGE, VOYAGER, VOYAGEUR → *commerce, pays, transport.* — **Motifs des voyages.** Être/partir en voyage, faire un voyage ; déplacement, voyage d'affaires/d'études/d'inspection/professionnel, être en déplacement/en mission, frais, indemnités. ■ Voyage d'agrément/de noces/de tourisme/touristique/de vacances, vacancier. ■ Aventure, découverte, études, expédition, exploration, prospection scientifique, voyage interplanétaire. ■ Commis voyageur, représentant, tournée, voyageur de commerce. ■ Départ, émigrant, émigration, exil, exode, expatriation ; migration, migrant, oiseaux migrateurs. ■ Dévotion, hommage, pèlerinage. — **Activité du voyageur.** Aller, attendre la correspondance, bourlinguer, changer d'air, circuler, courir le monde, se déplacer, se dépayser, s'éloigner, faire le tour/un tour, parcourir, partir, retourner, revenir, rouler sa bosse, se transporter, être transporté, voir du pays. ■ Odyssée, pérégrination, périple, tour, tournée, tour du monde. ■ Aventurier, bourlingueur, caravanier explorateur, globe-trotter. — **Organisation d'un voyage touristique.** Agence, de tourisme/de voyage, guide, organisateur, représentant, responsable, syndicat d'initiative, Touring-Club ; carte, circulaire, dépliant, guide, prospectus. ■ Voyage individuel ; voyage collectif/en groupe/organisé, forfait, tout compris. ■ Chemin, circuit, course, distance horaire, itinéraire, parcours, route, trajet, voyager à petites journées. ■ Arrêt, auberge, débarcadère, escale, étape, halte, hôtel, hôtellerie, palace, pension, prendre pension, relais, restaurant, séjour touristique, séjourner, station, terminus, villégiature. ■ Ascension, balade, excursion, marche, promenade, randonnée, virée, visite. — **Moyens de transport.** Automobile, auto-stop, auto-stoppeur, faire du stop, car de tourisme, prendre la route, véhicule, voiture. ■ Avion, avion de tourisme, charter. ■ Bateau, circumnavigation, croisière, ferry-boat ; navigateur, naviguer, navire de plaisance, paquebot, passager, traversée, voyage au long cours. ■ Camping itinérant, caravaning, cyclotourisme. ■ Chemin de fer, train, transport public ; billet de congés payés / circulaire / de groupe / à tarif réduit/touristique. — **Bagages.** Appareil de photo, caméra ; attirail, ballot, barda (fam.) ; caisse, cantine, coffre, colis ; couverture de voyage (plaid) ; équipage, équipement ; fourre-tout ; malle, faire ses malles, mallette ; paquet ; sac à dos/tyrolien, havresac, musette, sac, de marin/de voyage ; sacoche / trousse de bicyclette ; serviette ; vêtement/manteau de voyage ; valise ; viatique. ■ Camion, charger la voiture, fixe-au-toit, galerie de toit, prolonge, remorque, cale, consigne ; enregistrer les bagages, fourgon, porteur.

VOYANCE, VOYANT → *prévoir.*

VOYANT → *œil, signe.*

VOYELLE → *mot, son.*

VOYOU → *mal.*

VRAC (EN) → *marchandises, mêler.*

VRAI, VRAISEMBLANCE → *croire, vérité.*

VRILLE, VRILLER → *tourner, trou, vigne.*

VROMBIR, VROMBISSEMENT → *bruit.*

VUE → *œil, optique, regarder, sensibilité.*

VULCANISER → *caoutchouc.*

VULGAIRE → *commun, grossier.*

VULGARISATION, VULGARISER → *commun, informer.*

VULGARISME, VULGARITÉ → *commun, grossier, langage.*

VULGATE → *Bible.*

VULGUM PECUS → *population.*

VULNÉRABILITÉ, VULNÉRABLE → *blesser, faible, offense.*

VULTUEUX, VULTUOSITÉ → *gonfler.*

VULVE → *sexe.*

WAGAGE → *engrais.*
WAGON → *train, transport.*
WAGON-CITERNE, WAGON-FOUDRE → *transport.*
WAGON-LIT → *train.*
WAGONNET, WAGONNIER → *mine, transport.*
WAGON-POSTE → *poste.*
WAGON-TOMBEREAU, WAGON-TRÉMIE → *transport.*
WALK-OVER → *course, sport.*
WAPITI → *cerf.*
WARRANT → *certifier, payer.*
WASSINGUE → *nettoyer.*
WATER-CLOSET → *maison, résidu.*
WATERGANG → *canal.*
WATERINGUE → *sec.*
WATER-POLO → *balle, nager, sport.*
WATT → *électricité, mesure.*
WATTMAN → *transport.*
WATTMÈTRE → *électricité.*
WEBER → *mesure.*
WEEK-END → *repos.*
WELTANSCHAUUNG → *pensée.*
WELTER → *boxe.*
WESTERN → *cinéma.*
WHARF → *port.*
WHIG → *parti.*
WHIPCORD → *tissu.*
WHISKY → *alcool, boisson.*
WHIST → *carte*
WIGWAM → *camper.*
WINCHESTER → *fusil.*
WITLOOF → *légume.*

XANTHOME → *tumeur.*
XANTHOPHYLLE → *plante.*
XÉNOPHILE, XÉNOPHILIE → *extérieur.*
XÉNON → *gaz.*
XÉNOPHOBE, XÉNOPHOBIE → *extérieur, pays.*
XÉRÈS → *vin.*
XÉROGRAPHIE → *reproduction.*
XÉROPHILE → *plante, sec, végétation.*
XÉROPHTALMIE → *œil.*
XÉRUS → *ronger.*
XYLÈNE → *charbon.*
XYLOGRAPHE, XYLOGRAPHIE → *graver.*
XYLOPHAGE → *bois, insecte.*
XYLOPHONE → *instrument, jazz.*

YACHT → *bateau.*
YACHT-CLUB, YACHTING → *sport.*
YACHTMAN → *bateau.*
YACK → *bœuf, mammifères.*
YANKEE → *Amérique.*
YAOURT, YOGOURT → *lait.*
YATAGAN → *escrime.*
YEARLING → *cheval.*
YEN → *monnaie.*
YEUSE → *arbre.*
YÉ-YÉ → *jeune.*
YIDDISH → *juif.*
YOGA, YOGI → *Asie, gymnastique.*
YOLE → *bateau.*
YOUPIN → *juif.*
YOUYOU → *bateau.*
YO-YO → *jouer.*
YPÉRITE → *gaz.*

ZÈBRE → *cheval, vitesse.*
ZÉBRER, ZÉBRURE → *ligne.*
ZÉBU → *bœuf.*
ZÈLE, ZÉLÉ → *soigner, vif.*
ZÉNANA → *tissu.*
ZÉNITH → *astronomie, ciel, soleil.*
ZÉPHYR → *tissu, vent.*
ZEPPELIN → *aviation.*
ZÉRO → *incapable, influence, nombre.*
ZESTE → *agrumes, couvrir.*
ZEUGMA → *style.*
ZÉZAYER → *parler.*
ZIBELINE → *poil.*
ZIEUTER → *regarder.*
ZIG, ZIGUE → *homme.*
ZIGOUILLER → *mourir.*
ZIGZAG → *ligne, voiture.*
ZINC, ZINCIFÈRE → *métal.* — **Propriétés et utilisation.** Métal blanc/bleuâtre/inaltérable à froid à l'air sec/réducteur; zinc, zinc-alcoyle, zinc-éthyle, zinc-méthyle, zincate, zincite, blanc de zinc ou blanc de neige; métallisation, shérardisation, traitement par galvanoplastie. ▪ Bronze artistique, comptoir de café, feuille, gouttière, plaque, tôle, toiture, zingage, zingueur. ▪ Chlorure de zinc, caustique; oxyde de zinc : pilules de Méglin, pommade topique isolant; péroxyde de zinc : pommade antiseptique; sulfate de zinc : eau d'Alibour, antiseptique, astringent, hémostatique; valérianate de zinc : sédatif. — **Production.** Blende; calamine, pierre calaminaire; minerai; procédé par voie humide : électrolyse; procédé par voie sèche : étouffoir; raffinage, four à réverbère; triage électromagnétique et flottation. ▪ Alliages : bronze, laiton, maillechort, zamak.
ZINGUEUR → *couvrir, zinc.*
ZINNIA → *fleur.*
ZIRCON → *joaillerie.*
ZIZANIE → *désaccord.*
ZODIAQUE → *astrologie, astronomie.*
ZONA → *bouton, peau.*
ZONE → *cercle, espace, terre, ville.*
ZOO → *animal.*
ZOOGLÉE → *microbe.*
ZOOLOGIE, ZOOLOGUE → *animal.*
ZOOM → *photographie.*
ZOOPHYTES → *polype.*
ZOOPSIE → *animal.*
ZOROASTRISME → *religion.*
ZOUAVE → *courage, infanterie.*
ZOZOTER → *parler.*
ZWINGLIANISME → *hérésie.*
ZYGOMA, ZYGOMATIQUE → *tête.*
ZYGOTE → *œuf.*
ZYMASE → *bière.*

Ouvrages édités par les DICTIONNAIRES LE ROBERT
107, avenue Parmentier - 75011 PARIS (France)

Dictionnaires de langue :

— *Grand Robert de la langue française* (deuxième édition).
Dictionnaire alphabétique et analogique de la langue française (9 vol.).
Une étude en profondeur de la langue française : 80000 mots.
Une anthologie littéraire de Villon à nos contemporains : 250000 citations.

— *Petit Robert 1 [P. R. 1].*
Dictionnaire alphabétique et analogique de la langue française
(1 vol., 2200 pages, 59000 articles).
Le classique pour la langue française : 8 dictionnaires en 1.

— *Robert méthodique [R. M.].*
Dictionnaire méthodique du français actuel
(1 vol., 1650 pages, 34300 mots et 1730 éléments).
Le seul dictionnaire alphabétique de la langue française qui analyse les mots et les regroupe par familles en décrivant leurs éléments.

— *Micro-Robert.*
Dictionnaire d'apprentissage de la langue française
Nouvelle édition entièrement revue et augmentée (1 vol., 1470 pages, 35000 articles).

— *Micro-Robert Plus.*
Micro-Robert langue française *plus* noms propres, chronologie, cartes
(1 vol., 1650 pages, 46000 articles, 108 pages de chronologie, 54 cartes en couleurs).

— *Le Petit Robert des enfants [P. R. E.].*
Dictionnaire de la langue française
(1 vol., 1220 pages, 16500 mots, 80 planches encyclopédiques en couleurs).
Le premier Robert à l'école.

— *Dictionnaire universel* d'Antoine Furetière
(éd. de 1690, préfacée par Bayle).
Réédition anastatique (3 vol.), avec illustrations du XVIIe siècle
et index thématiques.
Précédé d'une étude par A. Rey :
« Antoine Furetière, imagier de la culture classique. »
Le premier grand dictionnaire français.

— *Le Robert des sports.*
Dictionnaire de la langue des sports
(1 vol., 580 pages, 2780 articles, 78 illustrations et plans cotés),
par Georges PETIOT.

Dictionnaires bilingues :

— *Le Robert et Collins.*
Dictionnaire français-anglais/english-french
(1 vol., 1730 pages, 225000 « unités de traduction »).

— *Le « Junior » Robert et Collins.*
Dictionnaire français-anglais/english-french
(1 vol., 960 pages, 105000 « unités de traduction »).

— *Le « Cadet » Robert et Collins.*
Dictionnaire français-anglais/english-french
(1 vol., 620 pages, 60000 « unités de traduction »).

— *Le Robert et Signorelli.*
Dictionnaire français-italien/italiano-francese
(2 vol., 3040 pages, 339000 « unités de traduction »).

— *Le Robert et van Dale.*
Dictionnaire français-néerlandais/néerlandais-français
(1 vol., 1400 pages, 200000 « unités de traduction »).

Dictionnaires de noms propres :
(Histoire, Géographie, Arts, Littératures, Sciences...)

— *Grand Robert des noms propres.*
Dictionnaire universel des noms propres
(5 vol., 3 450 pages, 42 000 articles, 4 500 illustrations couleurs et noir, 210 cartes).
Le complément culturel indispensable du *Grand Robert de la langue française.*

— *Petit Robert 2 [P. R. 2].*
Dictionnaire des noms propres
(1 vol., 2 000 pages, 36 000 articles, 2 200 illustrations couleurs et noir, 200 cartes).
Le complément, pour les noms propres, du *Petit Robert 1.*

— *Dictionnaire universel de la peinture.*
(6 vol., 3 000 pages, 3 500 articles, 2 700 illustrations couleurs).

La composition de cet ouvrage a été réalisée
par Photocomposition M.C.P., Fleury-les-Aubrais

Relié par la S.I.R.C. à Marigy-le-Châtel

Achevé d'imprimer en mars 1989
N° d'impression L 30826
Dépôt légal mars 1989 / Imprimé en France